ABC-Grif

Die ABC-Griffleiste am Rand dieser Seite hilft, den gesuchten Buchstaben im französisch-deutschen oder deutsch-französischen Teil schnell aufzufinden.

Man „greift“ den gesuchten Buchstaben hier am Rand und blättert mit dem Daumen, bis der gesuchte Buchstabe auf dem Rand der betreffenden Seite auftaucht. Er kommt zweimal vor – einmal im französisch-deutschen und einmal im deutsch-französischen Teil.

Linkshänder benutzen in gleicher Weise die ABC-Griffleiste am Ende dcs Buches.

Vorwort

Dies ist eine völlige Neubearbeitung von „Langenscheidts Schulwörterbuch Französisch“. Das Ziel war eine durchweg schülergerechte Gestaltung des Wörterbuchs. Nicht nur der Wortschatz als solcher sollte auf die heutigen Bedürfnisse des Schülers hin ausgerichtet werden. Auch die Erschließung des Wortschatzes sollte so leicht wie möglich gemacht werden.

Hierzu wurde vor allem das Symbol ⚠ eingeführt, das den Schüler vor häufig gemachten Fehlern warnt und ihn auf unregelmäßige Wortformen, besonders in der Plural- und Adverbbildung, aufmerksam macht. Der Schüler kann sich mit Hilfe dieses ihm aus dem Straßenverkehr vertrauten Warnzeichens die Schwierigkeiten der französischen Sprache gezielt einprägen.

Dem sicheren Umgang mit dem Französischen dienen weiterhin die Angabe der Femininform zu jedem Adjektiv sowie die zahlreichen Hinweise zur Satzkonstruktion, die vom präpositionalen Umfeld der Stichwörter bis zum Gebrauch des Konjunktivs reichen.

Schülergemäß wurden auch die Benutzerhinweise zu Beginn des Wörterbuchs gestaltet. Sie stellen eine erste allgemeine Einführung in den Gebrauch zweisprachiger Wörterbücher dar. Der bewährte Anhang mit einem vollständigen Überblick über die Konjugation der französischen Verben wurde um kurze Darstellungen der Silbentrennung, Zeichensetzung und Bindung im Französischen erweitert, was für den Schüler eine zusätzliche Hilfe beim Französischschreiben und -sprechen bedeutet.

Die Verfasser – Wolfgang Löffler bearbeitete den französisch-deutschen Teil, Michel Mercier den deutsch-französischen Teil – sind erfahrene Sprachlehrer an einem deutschen bzw. französischen Gymnasium. Sie bieten die Gewähr, daß der in der Erfahrungswelt der Schüler liegende Wortschatz weitgehend berücksichtigt wurde. So wurden natürlich die Bereiche Schule, Hobbys, Sport, Technik besonders sorgfältig behandelt, aber auch abstraktes Vokabular, das für die Textarbeit in Frage kommt, fehlt nicht. Selbstverständlich wurde auch die familiäre, ja gelegentlich vulgäre Umgangssprache einbezogen. Hier gilt: Nicht alles, was verstanden werden soll, muß auch gebraucht werden. In angemessenem Umfang wurden zu den einzelnen Stichwörtern die geläufigsten Redewendungen verzeichnet.

Es versteht sich von selber, daß in eine Neubearbeitung auch die Neuwörter der letzten Jahre gehören, wofür folgende Beispiele genannt seien: *antinucléaire, capteur solaire, génie génétique, mère porteuse, navette spatiale, guerre des étoiles, minitel, logiciel, sida – Wiederaufbereitungsanlage, Waldsterben, Retortenbaby, Videocassette, Geisterfahrer, Datenschutz.*

Neben den Verfassern trug Herr Dr. Manfred Bleher, seit vielen Jahren als Lexikograph im Langenscheidt-Verlag tätig, bei der Gestaltung dieses Wörterbuches die Hauptlast der Verantwortung. Ihm sei an dieser Stelle herzlich gedankt. Neubearbeitet und mit den oben erwähnten zusätzlichen Informationen wird das Wörterbuch sicherlich auch weiterhin das beliebte und kompetente Arbeitsmittel für die Schule bleiben.

LANGENSCHEIDT

Inhaltsverzeichnis

Wie benutze ich das Schulwörterbuch?

Keine Angst vor unbekannten Wörtern!

Das Schulwörterbuch tut alles, um das Nachschlagen und das Kennenlernen eines Wortes so leicht wie möglich zu machen.

Die folgenden Seiten zeigen, wie und wo die nötigen Informationen zum Verständnis eines Textes, für eine Übersetzung in der Schule, für einen Brief an französische Freunde oder auch zur Vorbereitung eines mündlich vorgetragenen Referats zu finden sind.

Wie und wo finde ich ein Wort?

Alle französischen Stichwörter des französisch-deutschen Teils und alle deutschen Stichwörter des deutsch-französischen Teils sind **alphabetisch geordnet**. Die Kenntnis der alphabetischen Reihenfolge ist also der Schlüssel zum raschen Auffinden eines Wortes.

Suchen wir z. B. das Wort *Böschung:*

Zunächst wird mit Hilfe der **ABC-Griffleiste** der Anfangsbuchstabe des gesuchten Stichwortes aufgeschlagen. Dann blättern wir an Hand der fettgedruckten **Leitwörter** in den oberen Ecken jeder Doppelseite, bis wir auf den Ausschnitt aus der alphabetischen Stichwortfolge stoßen, die das gesuchte Wort enthält, in unserem Fall *Börsenspekulant – Brückenbogen*.

Börsenspekulant 352

boursières; **~spekulant** *m* spéculateur *m* en Bourse.
Borste *f* poil *m*; *Schwein* soie *f*.
Borte *f* bordure *f*, galon *m*.
bösartig méchant; *méd* malin (*f* maligne).
Böschung *f* talus *m*; *Ufer*≈ berge *f*.
böse 1. mauvais; *boshaft* méchant;

353 **Brückenbogen**

brüchig fragile, cassant.
Bruch|rechnung *f* calcul *m* des fractions; **~strich** *m* barre *f* de fraction; **~stück** *n* fragment *m*; **~teil** *m* fraction *f*; *im ~ e-r Sekunde* en une fraction de seconde; **~zahl** *f* nombre *m* fractionnaire.
Brücke *f* pont *m*; *Teppich* carpette *f*; *mar* passerelle *f*; **~nbogen** *m* arche *f*.

Es ist zu beachten, daß durch die streng alphabetische Reihenfolge der Stichwörter gelegentlich Glieder derselben Wortfamilie voneinander getrennt werden, wie die folgenden Beispiele zeigen:

volt	**Hand**	**Rad**
voltage	**Handarbeit**	**Radar**
volte-face	**Händedruck**	**Radio**
voltige	**Handel**	**Radkappe**
voltmètre	**Handfläche**	**Radrennen**

Die einzige Abweichung von der alphabetischen Reihenfolge erlaubt sich unser Wörterbuch bei den femininen Wortformen, die aus Gründen der Platzersparnis jeweils mit der maskulinen Form zusammengefaßt sind, z. B.

exclure	**Autopsie**
exclus|if, ~ive	**Autor(in *f*) *m***
exclusion	**Autoradio**

In das alphabetische Wörterverzeichnis sind auch Eigennamen (*Algérie, Cologne, Rhône* usw.) und Abkürzungen (*B.D., C.E.S., S.N.C.F.* usw.) aufgenommen, ebenso schwierige unregelmäßige Verbformen mit Verweis auf den Infinitiv.

Auch französische Wörter, die mit Bindestrich geschrieben werden, stehen als eigene Stichwörter an alphabetischer Stelle, wie z. B. *chauve-souris, essuie-glace, rez-de-chaussée, roman-feuilleton, sans-abri*. Wird übrigens ein solches Wort an der Stelle des Bindestrichs getrennt, so wiederholt unser Wörterbuch, entgegen der üblichen Rechtschreibung, den Bindestrich am Anfang der folgenden Zeile:

essuie-
-glace, *roman-*
-feuilleton usw.

Französische Wortbildungen vom Typus *sac à main, tableau de bord* – also ohne Bindestrich geschrieben – werden nicht als gesonderte Stichwörter behandelt. Sie sind im allgemeinen unter ihrem ersten Bestandteil eingeordnet, das heißt unter den Stichwörtern *sac, tableau* usw.

Genauso sind Redewendungen im Wörterbuch unter ihren Kernwörtern verzeichnet, z. B. Wendungen, die ein Substantiv enthalten, unter demselben, also *à regret* unter *regret*, *aller à la dérive* unter *dérive*, *l'autre jour* unter *jour*, *für j-n Partei ergreifen* unter *Partei* usw.

Was bedeuten die verschiedenen Schriftarten?

Vier verschiedene Schriftarten gliedern die Informationen eines Stichwortartikels, wobei jede Schriftart eine ganz bestimmte Funktion hat:

fettgedruckt	sind alle französischen und deutschen Stichwörter,
Auszeichnungsschrift	kennzeichnet die Wendungen,
Grundschrift	wird für die Übersetzungen verwendet,
kursiv	sind alle erklärenden Zusätze gedruckt.

clé [kle] *f* Schlüssel *m* (*a tech, mus, fig*); *fermer à* ~ absperren; *sous* ~ unter Verschluß; *fig prendre la* ~ *des champs* das Weite suchen; *arch* ~ *de voûte* Schlußstein *m.*

Roggen *bot m* seigle *m.*
roh *ungekocht* cru; *noch nicht verarbeitet* brut; *ungesittet* grossier, rude; *mit* ~*er Gewalt* de vive force; **2bau** *m* gros œuvre *m.*

Was sagen die Zeichen und Abkürzungen?

In einem Wörterbuch kehren bestimmte Elemente immer wieder: dasselbe Grundwort in einer Wortfamilie oder in einer Reihe von Wendungen, dieselben grammatischen Bezeichnungen, dieselben Sachgebiete, dieselben Hinweise auf den Sprachgebrauch usw. Um platzaufwendige Wiederholungen zu vermeiden, wurden lexikographische Zeichen und Abkürzungen geschaffen.

~, ~ Die **Tilde** ist ein Wiederholungszeichen.

Als fette Tilde vertritt sie in den angehängten Stichwörtern das ganze Anfangsstichwort oder nur dessen vor dem senkrechten Strich (|) stehenden Teil:

Binde	**contrôl|e**
~gewebe (= Bindegewebe)	**~er** (= contrôler)
~glied (= Bindeglied)	**~eur** (= contrôleur)

Als einfache Tilde vertritt sie das Stichwort innerhalb des Artikels:

eau ... *nager entre deux ~x* (= eaux)

[~̊, ~̊] Wechselt die Schreibung von groß zu klein oder umgekehrt, so wird dies durch einen Kreis über der Tilde ausgedrückt:

Instinkt	**baltique** ... *la mer* ~̊
~̊iv (= instinktiv)	(= Baltique)

[⚠] Dieses Symbol warnt vor häufig gemachten Fehlern und weist auf unregelmäßige Wortformen hin:

endive [ɑ̃div] *f bot, cuis* Chicorée *f;* ⚠ *nicht* Endivie.

guitare [gitar] *f* Gitarre *f;* ⚠ *Schreibung.*

dynamo [dinamo] *f tech* Dynamo *m;* Lichtmaschine *f;* ⚠ *la ~.*

fédéral, ~e [federal] (⚠ *m/pl -aux*) Bundes...; eidgenössisch; **~isme** *m*

[F, P] Diese beiden Abkürzungen geben wichtige Hinweise auf die Stilebene unterhalb der Normalsprache. F bedeutet familiär, umgangssprachlich. Mit F markierte Wörter und Wendungen können in der gesprochenen Sprache ohne weiteres gebraucht werden. Vorsicht ist bei P geboten, das populär, vom Volk gebraucht, also meist derb bedeutet. Mit P gekennzeichnete Wörter und Wendungen sollten von Ausländern im aktiven Sprachgebrauch vermieden werden.

copain [kɔpɛ̃] F *m* Freund *m,* F Kumpel *m.*

Fresse *f* P gueule *f.*

Im Wörterbuch verwendete Abkürzungen

a auch, *aussi*
abr *abréviation,* Abkürzung
adj *adjectif,* Adjektiv
adv *adverbe,* Adverb
agr *agriculture,* Landwirtschaft
allg allgemein, *généralement*
arch *architecture,* Architektur
arg *argot,* Argot, Gaunersprache
astr *astronomie,* Astronomie
auto *automobile,* Kraftfahrzeug(wesen)
aviat *aviation,* Flugwesen

bes besonders, *particulièrement*
biol *biologie,* Biologie
bot *botanique,* Botanik

cf *confer,* siehe
ch *chasse,* Jagdwesen
chim *chimie,* Chemie
comm *commerce,* Handel
conj *conjonction,* Konjunktion
cuis *cuisine,* Kochkunst

écon *économie,* Wirtschaft
EDV elektronische Datenverarbeitung, *informatique*
e-e, e-e, *e-e* eine, *un(e)*
égl *église,* Kirche
e-m, e-m, *e-m* einem, *à un(e)*
e-n, e-n, *e-n* einen, *un(e)*
enf *langage des enfants,* Kindersprache
e-r, e-r, *e-r* einer, *d'un(e), à un(e)*
e-s, e-s, *e-s* eines, *d'un(e)*
etc *et cetera,* und so weiter
etw, etw, *etw* etwas, *quelque chose*

f *féminin,* weiblich, Femininum
F *familier,* umgangssprachlich
fig *figuré,* bildlich, übertragen
f/pl *féminin pluriel,* Femininum Plural
frz französisch, *français*

gén *génitif,* Genitiv
géogr *géographie,* Geographie
géol *géologie,* Geologie
gr *grammaire,* Grammatik

hist *histoire,* Geschichte

ind *indicatif,* Indikativ
inf *infinitif,* Infinitiv
iron *ironique,* ironisch

j, j, *j* jemand, *quelqu'un*
j-m, j-m, *j-m* jemandem, *à quelqu'un*
j-n, j-n, *j-n* jemanden, *quelqu'un*
j-s, j-s, *j-s* jemandes, *de quelqu'un*
jur *juridique,* Rechtswesen

ling *linguistique,* Sprachwissenschaft
litt *littéraire,* literatursprachlich

m *masculin,* männlich, Maskulinum
mar *marine,* Schiffahrt
math *mathématiques,* Mathematik
méd *médecine,* Medizin
mil *militaire,* Militärwesen
m/pl *masculin pluriel,* Maskulinum Plural
mus *musique,* Musik

n *neutre,* sächlich, Neutrum

od oder, *ou*
östr österreichisch, *autrichien*

P *populaire,* volkssprachlich, derb
péj *péjoratif,* verächtlich
phil *philosophie,* Philosophie
phm *pharmacie,* Pharmazie
phys *physique,* Physik
pl *pluriel,* Plural
plais *plaisant,* scherzhaft
poét *poétique,* Dichtersprache
pol *politique,* Politik
p/p *participe passé,* Partizip Perfekt
prép *préposition,* Präposition
prov *proverbe,* Sprichwort
p/s *passé simple,* historisches Perfekt
psych *psychologie,* Psychologie

qc, qc, *qc quelque chose,* etwas
qn, qn, *qn quelqu'un,* jemand(en)

rel *religion,* Religion

sg *singulier,* Singular
st/s *style soutenu,* gehobener Stil
subj *subjonctif,* Konjunktiv
subst *substantif,* Substantiv

tech *technique,* Technik
tél *téléphone,* Telefon

TV	*télévision*, Fernsehen	*z B*	zum Beispiel, *par exemple*
		zo	*zoologie*, Zoologie
u	und, *et*	*Zssgn*	Zusammensetzungen, *mots composés*
unv	unverändert, *invariable*		

Wie spricht man ein Wort aus?

Da die normale Schrift oft keinen Hinweis auf die Aussprache gibt – wie wird z. B. *ch* in *psychologie* und in *psychique*, wie *x* und *en* in *examen*, wie *t* in *diplomatie* gesprochen? – hat man sich international auf eine Lautschrift geeinigt, die einem Zeichen eine ganz bestimmte Aussprache zuordnet. Mit Hilfe der **Internationalen Lautschrift** kann man jedes Wort in jeder Sprache aussprechen.

Im Wörterbuch steht die Lautschrift in eckigen Klammern direkt hinter dem französischen Stichwort.

Für das Französische gelten folgende Lautschriftzeichen:

Zeichen	Lautcharakteristik	Beispielwörter (Schreibweise der Laute)
	a) Vokale	
[a]	helles a wie in „**Rad**"	patte, cour**a**ge, noix [nwa]
[ɑ]	dunkles a wie in englisch „f**a**ther" (häufig wie [a] gesprochen)	**â**me, phr**a**se
[e]	geschlossenes e wie in „L**e**ben"	l**é**g**er**, l**es**, n**ez**
[ɛ]	offenes e wie in „w**ä**rmer"	p**è**re, t**ê**te, s**e**c, l**ai**t, n**ei**ge
[ə]	kurzer, dumpfer ö-Laut	l**e**, d**e**hors, autr**e**ment
[i]	geschlossenes, helles i wie in „L**ie**be"	**i**c**i**, st**y**le
[o]	geschlossenes o wie in „N**o**t"	p**o**t, d**ô**me, t**au**pe, b**eau**
[ɔ]	offenes o wie in „R**o**st"	p**o**che, L**au**re, alb**u**m
[ø]	geschlossenes ö wie in „m**ö**gen"	chant**eu**se, n**œu**d
[œ]	offenes ö wie in „k**ö**nnen"	s**eu**l, c**œu**r
[u]	geschlossenes, helles u wie in „n**u**r"	s**ou**ci, g**oû**t, **où**
[y]	geschlossenes, helles ü wie in „T**ü**te"	**u**s**u**re, s**û**r, **eu**

Zeichen	Lautcharakteristik	Beispielwörter (Schreibweise der Laute)
	b) Nasalvokale	
[ɑ̃]	nasales ɑ	**dans**, **lam**pe, **en**trer, **em**bêter
[ɛ̃]	nasales ɛ	**vin**, **im**pair, **plain**te, **rein**, **bien**
[õ]	nasales o	**ton**, **pom**pe
[œ̃]	nasales œ (häufig wie ɛ̃ gesprochen)	**lun**di, parf**um**
	c) Halbvokale	
[j]	gleitendes i wie in „**J**ahr"	b**i**en, cra**y**on, fi**ll**e
[w]	gleitendes u wie in englisch „**wa**ter"	**ou**i, trois [trwa]
[ɥ]	gleitendes ü	l**u**i, n**u**age
	d) Konsonanten	
[p]	im Französischen nicht behaucht	**p**aix, a**pp**orter
[t]	im Französischen nicht behaucht	**t**able, **th**é, pa**tt**e
[k]	im Französischen nicht behaucht	**c**amp, **qu**i, **ch**aos, **k**épi
[b]	im Französischen sehr stimmhaft („weich")	**b**eau, a**bb**é
[d]	im Französischen sehr stimmhaft („weich")	**d**roit, a**dd**ition
[g]	im Französischen sehr stimmhaft („weich")	**g**ant, **gu**eule
[s]	stimmlos („scharf") wie in „hei**ß**"	**s**entir, ta**ss**e, **c**es, **ç**a, sec**t**ion
[z]	stimmhafter („weicher") s-Laut	mai**s**on, **z**éro
[ʃ]	stimmlos wie in „**sch**ön"	**ch**anter
[ʒ]	stimmhafter („weicher") sch-Laut	**j**our, ca**g**e
[r]	Halszäpfchen-r (Zungen-r selten)	**r**ue, ba**rr**e
[l]	wie in „**l**egen"	**l**ong, a**ll**er
[f]	stimmlos wie in „**f**ein"	**f**uir, éto**ff**e, **ph**oto
[v]	stimmhaft wie in „**W**and"	**v**ent
[m]	wie in „**M**auer"	**m**ou, so**mm**e
[n]	wie in „**N**acht"	**n**om, a**nn**ée
[ɲ]	n mit nachklingendem j (mouilliertes n)	ga**gn**er
[ŋ]	ng-Laut (nur im Fremdwörtern aus dem Englischen)	campi**ng**

Das **e muet** („stummes e“, Zeichen ə) wird in der Lautschrift häufig in Klammern gesetzt, z. B. *regarder* [r(ə)garde]. Dies bedeutet, daß dieser Laut nur in bestimmten Fällen gesprochen wird, etwa in der ersten Silbe einer Wortgruppe oder um eine Häufung von mehr als zwei Konsonanten zu vermeiden. Vergleiche *regarde!* [rəgard], *la dame regarde* [ladamrəgard] mit *les gens regardent* [leʒɑ̃rgard], *il a regardé* [ilargarde] usw.

Das Französische kennt keinen h-Laut, unterscheidet aber zwischen **h aspiré** und **h muet,** was sich auf Apostrophierung und Bindung auswirkt:

(h aspiré) *la hanche, les hanches* [leɑ̃ʃ],
(h muet) *l'habit, les habits* [lezabi].

Die mit h aspiré beginnenden Stichwörter sind im Wörterbuch besonders gekennzeichnet:
'hâblerie, 'hache, 'hagard, 'haie usw.

Ein **Betonungszeichen** [ˈ] wird bei den französischen Stichwörtern nicht gesetzt, da das Französische nicht die eindeutige und ausgeprägte Wortbetonung des Deutschen besitzt. Im Französischen werden die aufeinanderfolgenden Silben gleichmäßig schwebend betont. Der etwas stärkere Ton auf der letzten Silbe eines Einzelwortes verschwindet, wenn dieses nicht mehr am Ende einer Wortgruppe steht: vergleiche etwa *rembourser* [rɑ̃burˈse] und *rembourser ses dettes* [rɑ̃bursesеˈdɛt].

Ebenso werden bei den französischen Stichwörtern keine **Vokallängen** [ː] angegeben, da diese für die Bedeutungsunterscheidung im Französischen ohne Belang sind. Vergleiche dagegen im Deutschen *Rate* [ˈraːtə] und *Ratte* [ˈratə], *zählen* [ˈtsɛːlən] und *Zellen* [ˈtsɛlən] usw.

Die Aussprache des französischen Alphabets

a [ɑ]	**h** [aʃ]	**o** [o]	**v** [ve]
b [be]	**i** [i]	**p** [pe]	**w** [dubləve]
c [se]	**j** [ʒi]	**q** [ky]	**x** [iks]
d [de]	**k** [kɑ]	**r** [ɛr]	**y** [igrɛk]
e [ə]	**l** [ɛl]	**s** [ɛs]	**z** [zɛd]
f [ɛf]	**m** [ɛm]	**t** [te]	
g [ʒe]	**n** [ɛn]	**u** [y]	

Die Aussprache häufiger Endungen

Um Raum zu sparen, erscheinen im Wörterbuch Stichwörter, die aus Tilde und einer der folgenden Endungen bestehen, ohne Lautschrift. Deshalb wird die Aussprache dieser Endungen an dieser Stelle einmal angegeben.

~able [-ablə]	**~é** [-e]	**~ienne** [-jɛn]	**~ition** [-isjõ]
~age [-aʒ]	**~el** [-ɛl]	**~in** [-ɛ̃]	**~ment** [-mɑ̃]
~ais [-ɛ]	**~elle** [-ɛl]	**~ine** [-in]	**~oir** [-war]
~aise [-ɛz]	**~er** [-e]	**~ion** [-jõ]	**~ois** [-wa]
~aison [-ɛzõ]	**~ère** [-ɛr]	**~ique** [-ik]	**~oise** [-waz]
~al [-al]	**~erie** [-ri]	**~ir** [-ir]	**~on** [-õ]
~ale [-al]	**~eur** [-œr]	**~iser** [-ize]	**~onne** [-ɔn]
~ance [-ɑ̃s]	**~euse** [-øz]	**~isme** [-ismə]	**~teur** [-tœr]
~ation [-asjõ]	**~ible** [-iblə]	**~iste** [-ist]	**~tion** [-sjõ]
~aux [-o]	**~ien** [-jɛ̃]	**~ité** [-ite]	**~trice** [-tris]

Welche Übersetzung in welchem Fall?

Das Wichtigste im zweisprachigen Wörterbuch ist die Übersetzung. Eine einzige Übersetzung hinter dem Stichwort ist selten. Meist kommen mehrere Übersetzungen in Frage, die durch entsprechende Unterteilung des Artikels und zusätzliche Erläuterungen in Kursivdruck differenziert werden.

Zwischen sinnverwandten Übersetzungen steht das **Komma**, während der **Strichpunkt** verschiedene Bedeutungen trennt:

démonter ... zerlegen, auseinandernehmen; abmontieren; *fig* aus der Fassung bringen.

féroce ... wild, reißend; blutdürstig; grausam.

Fette **arabische Ziffern** bezeichnen Bedeutungen, die so unabhängig voneinander sind, daß der Strichpunkt zur Trennung nicht genügt. Arabische Ziffern werden auch verwendet, wenn dasselbe Stichwort verschiedenen Wortklassen, z. B. Adjektiv und Substantiv, angehört:

conscience ... **1.** Gewissen *n*; **2.** Bewußtsein *n*.

acoustique ... **1.** *adj* akustisch, Hör...; **2.** *f* Akustik *f*.

Hochzahlen markieren verschiedene Wörter, die meist nur zufällig gleich geschrieben werden (Homonyme):

fin[1] ... *f* Schluß *m*, Ende *n*; ... **fin**[2], **fine** ... fein; ...	**Mark**[1] *f Geld* mark *m*; ... **Mark**[2] *n Knochen*2 moelle *f*; ...

Um die Auswahl der passenden Übersetzung zu erleichtern, wird zusätzlich durch **Abkürzungen** und sonstige **Erläuterungen** aufgezeigt, in welchem Zusammenhang die einzelne Übersetzung vorkommt:

action [aksjõ] *f* Tat *f*, Handlung *f*; *jur* Klage *f*; *comm* Aktie *f*.	**Lehre** *f Belehrung* leçon *f*; *System* doctrine *f*; *Lehrzeit* apprentissage *m*; *Meßinstrument* calibre *m*, jauge *f*.

Grammatik auch im Wörterbuch?

Eine Grammatik leitet aus typischen Fällen Regeln ab. Sie kann nicht jeden Einzelfall erfassen. Diese Möglichkeit hat nur ein Wörterbuch. Das vorliegende Werk bietet deshalb über die Wort-für-Wort-Gleichung hinaus zahlreiche grammatische Informationen für die Handhabung eines Wortes im Satz.

Jedes französische und deutsche Substantiv, ob Stichwort oder Übersetzung, ist mit einer **Genusangabe** (*m*, *f*, *n*) versehen.

Jedem französischen Verb-Stichwort folgt eine Verweiszahl auf das betreffende **Konjugationsmuster** im Anhang:

allumer [alyme] (1 a) ...	**décrire** [dekrir] (4 f) ...

Jedes französische Adjektiv-Stichwort erscheint in der maskulinen und **femininen Form**:

anc|ien, ~ienne [ɑ̃sjɛ̃, -jɛn] ...	**gros, grosse** [gro, gros] ...

Auf **unregelmäßige** oder schwierige **Pluralformen** sowie auf unregelmäßige **Adverbbildung** wird durch das Warnzeichen ⚠ noch besonders aufmerksam gemacht:

amical, ~e [amikal] (⚠ *m/pl -aux*)
ardent ... ⚠ *adv ardemment* [-amɑ̃].

bloc-notes [blɔknɔt] *m* (⚠ *pl blocs-notes*) Notizblock *m*.

Außer den Wortformen wird auch die **Rektion** der Verben, der Gebrauch der **Präpositionen** und die **Satzkonstruktion** berücksichtigt:

suivre ... folgen (*qn* j-m); ...
content ... zufrieden (*de* mit); ...

fürchten craindre (*j-n, etw* qn, qc; *daß* ... que ... ne + *subj*); *sich* ~ avoir peur (*vor* de).

Vor **möglichen Fehlern**, die dem deutschen Benutzer leicht unterlaufen, wird wiederum durch das Symbol ⚠ gewarnt:

grimper [grɛ̃pe] (1a) klettern, (an)steigen (*a fig*); ⚠ *il a grimpé*.

aucunement [okynmɑ̃] keineswegs; ⚠ *mit ne beim Verb*.

WÖRTERVERZEICHNIS
FRANZÖSISCH-DEUTSCH
DEUTSCH-FRANZÖSISCH

Französisch-Deutsches Wörterverzeichnis

A

a [a] *cf avoir.*
à [a] (⚠ *„à le" wird zu au, „à les" zu aux zusammengezogen) prép* **1.** *räumlich* in; nach ... hin; *à Paris* in, nach Paris (⚠ *en France*); *à Chypre, à Haïti* auf (nach) Zypern, Haiti; *à la campagne* auf dem Land; *à l'étranger* im Ausland; *à 20 pas d'ici* 20 Schritt von hier; **2.** *zeitlich à cinq heures* um fünf Uhr; *à demain* bis morgen; *à tout moment* jeden Augenblick; **3.** *Ziel tasse f à café* Kaffeetasse *f*; *à jamais* für immer; **4.** *Zugehörigkeit c'est à moi* das gehört mir; *un ami à moi* ein Freund von mir; **5.** *Art u Weise à pied* zu Fuß; *mus à quatre mains* vierhändig; **6.** *Maß- u Zahlenverhältnisse à trois francs* zu drei Franken; *goutte à goutte* tropfenweise; *mot à mot* wörtlich; *pas à pas* schrittweise; *peu à peu* allmählich, nach und nach.
abaiss|ement [abɛsmɑ̃] *m* Herablassen *n*; Senkung *f*; Erniedrigung *f* (*a fig*); **~er** (1b) herunterlassen, senken; *Preis, Niveau*: herabsetzen; *fig* demütigen; *s'~* sich senken; *fig* sich erniedrigen.
abandon [abɑ̃dõ] *m* Verlassen *n*; Vernachlässigung *f*; Preisgabe *f*; Verzicht *m*; Ungezwungenheit *f*; *Sport*: Aufgabe *f*; *laisser à l'~* verwahrlosen lassen, vernachlässigen.
abandonner [abɑ̃dɔne] (1a) im Stich lassen, verlassen; vernachlässigen; aufgeben; *Kind*: aussetzen; *s'~* sich hingeben, sich ergeben.
abasourdir [abazurdir] (2a) betäuben, benommen machen.
abat-jour [abaʒur] *m* (⚠ *pl unv*) Lampenschirm *m.*
abattage [abataʒ] *m* Holzfällen *n*; Abschlachten *n*; *Bergbau*: Abbau *m*; *fig* Schwung *m.*
abatt|ement [abatmɑ̃] *m* (*Steuer-*) Nachlaß *m*, Ermäßigung *f*; Mattigkeit *f*; Niedergeschlagenheit *f*; **~is** [-i] *m/pl* Schlachtabfälle *pl*; (*Gänse- etc*)Klein *n*; F *fig* Arme und Beine; F *numéroter ses ~* seine Knochen zählen, zusammensuchen; **~oir** *m* Schlachthaus *n.*
abattre [abatrə] (4a) niederschlagen, fällen; *aviat* abschießen; schlachten; *péj* abknallen; *fig* schwächen; entmutigen; *je ne me laisserai pas ~* ich werde mich nicht unterkriegen lassen; *~ beaucoup de besogne* e-e Menge wegarbeiten; *s'~* einstürzen, zusammenbrechen; *Wind*: sich legen.
abattu, ~e [abaty] geschwächt; niedergeschlagen.
abbatial, ~e [abasjal] (⚠ *m/pl -aux*) Abtei..., Abts...
abbaye [abei] *f* Abtei *f.*
abbé [abe] *m* Abt *m*; Pfarrer *m.*
abbesse [abɛs] *f* Äbtissin *f.*
abc [abese] *m* Fibel *f*; Anfangsgründe *m/pl.*
abcès [apsɛ] *m* Abszeß *m.*
abdication [abdikasjõ] *f* Abdankung *f*; Verzicht *m.*
abdiquer [abdike] (1m) abdanken; verzichten, aufgeben.
abdomen [abdɔmɛn] *m* Unterleib *m.*
abdominal, ~e [abdɔminal] (⚠ *m/pl -aux*) Bauch..., Unterleibs...
abécédaire [abesedɛr] *m* Fibel *f.*
abeille [abɛj] *f* Biene *f.*
aberr|ant, ~ante [abɛrɑ̃, -ɑ̃t] abwegig, absurd; abweichend; **~ation** *f* Abweichung *f* (*a phys*); Verirrung *f*, Absurdität *f.*
abêtir [abɛtir] (2a) verdummen.
abêtiss|ant, ~ante [abɛtisɑ̃, -ɑ̃t] stumpfsinnig.
abhorrer [abɔre] (1a) *litt* verabscheuen.
abîm|e [abim] *m* Abgrund *m*, Tiefe *f*; **~er** (1a) zugrunde richten; beschädigen; *s'~* schadhaft werden; *Lebensmittel*: verderben; *litt* sich vertiefen.
abject, ~e [abʒɛkt] gemein.
abjection [abʒɛksjõ] *f* Gemeinheit *f.*
abjurer [abʒyre] (1a) abschwören.
ablation [ablasjõ] *f méd* operative Entfernung *f.*
ablutions [ablysjõ] *f/pl* (rituelle) Waschungen *f/pl*; F *faire ses ~* sich waschen.

abnégation [abnegasjõ] *f* Entsagung *f*.
aboiement [abwamã] *m* Gebell *n*.
abois [abwa] *m/pl être aux* ~ in e-r verzweifelten Lage sein.
abol|ir [abɔlir] (2a) abschaffen, aufheben; **~ition** *f* Abschaffung *f*; **~itionnisme** [-isjɔnismə] *m hist* Bewegung *f* gegen die Sklaverei.
abomin|able [abɔminablə] abscheulich; **~ation** *f* Greuel *m*; **~er** *litt* (1a) verabscheuen.
abond|ance [abõdɑ̃s] *f* Überfluß *m*; *société f d'*~ Wohlstandsgesellschaft *f*; **~ant, ~ante** [-ɑ̃, -ɑ̃t] (⚠ *adv abondamment* [-amɑ̃]) reichlich; fruchtbar; **~er** (1a) reichlich vorhanden sein; Überfluß haben (*en* an).
abonn|é [abɔne] *m* Abonnent *m*, Bezieher *m*; *tél* Teilnehmer *m*; **~ement** [-mɑ̃] *m* Abonnement *n*; Zeitkarte *f*; Dauerkarte *f*; ~ *mensuel* Monatskarte *f*; **~er** (1a) *s'*~ *à une revue* e-e Zeitschrift abonnieren.
abord [abɔr] *m* Zutritt *m*; Landung *f*; *~s pl* Umgebung *f*; ~ *facile* Zugänglichkeit *f*; *être d'un* ~ *facile* umgänglich sein; *d'*~ zuerst; *tout d'*~, *dès l'*~ gleich zu Anfang; *au premier* ~, *de prime* ~ auf den ersten Blick, zunächst.
abord|able [abɔrdablə] zugänglich; **~age** *m mar* Zusammenstoß *m*; Entern *n*; **~er** (1a) **1.** *mar* entern; zusammenstoßen (*qc* mit etw), rammen; anlegen (*à* an); **2.** *Frage*: anschneiden; *j-n* anreden.
abouler [abule] (1a) *arg Geld*: rausrücken.
about|ir [abutir] (2a) ~ *à* grenzen an, endigen in; *fig* führen zu; **~issement** [-ismɑ̃] *m* Ergebnis *n*; Erfolg *m*; Endpunkt *m*.
aboyer [abwaje] (1h) bellen.
abracadabr|ant, ~ante [abrakadabrɑ̃, -ɑ̃t] unwahrscheinlich, toll.
abras|if, ~ive [abrazif, -iv] *tech* **1.** *adj* abschleifend, scheuernd; **2.** *m* Schleifmittel *n*.
abrég|é [abreʒe] *m* Abriß *m*; Auszug *m*; Kurzfassung *f*; **~er** (1g) abkürzen.
abreuv|er [abrœve] (1a) tränken; F *s'*~ seinen Durst löschen; **~oir** *m* Tränke *f*.
abréviation [abrevjasjõ] *f* Abkürzung *f*.
abri [abri] *m* Obdach *n*; Unterkunft *f*; Wartehalle *f*; *fig* Schutz *m*, Sicherheit *f*; *mil* Unterstand *m*; Luftschutzkeller *m*; *à l'*~ *de* geschützt gegen; *mettre à l'*~ in Sicherheit bringen; *être sans* ~ obdachlos sein.
abricot [abriko] *m* Aprikose *f*; ⚠ *un* ~; **~ier** [abrikɔtje] *m* Aprikosenbaum *m*.
abriter [abrite] (1a) beherbergen; vor Wind und Regen schützen; ~ *de* schützen vor; *s'*~ *mil* in Deckung gehen.
abroger [abrɔʒe] (1l) *jur* aufheben.
abrupt, ~e [abrypt] abschüssig; schroff (*a fig*).
abruti, ~e [abryti] **1.** *adj* abgestumpft; blöd; **2.** *m, f espèce d'*~! du Idiot!
abrut|ir [abrytir] (2a) verdummen; *s'*~ abstumpfen, verblöden; **~issant, ~issante** [-isɑ̃, -isɑ̃t] stumpfsinnig, geisttötend; **~issement** [-ismɑ̃] *m* Verdummung *f*.
absence [apsɑ̃s] *f* Abwesenheit *f*.
abs|ent, ~ente [apsɑ̃, -ɑ̃t] abwesend; *fig* zerstreut.
absent|éisme [apsɑ̃teismə] *m* Fernbleiben *n*; Arbeitsversäumnis *n*; **~er** (1a) *s'*~ sich entfernen.
abside [apsid] *f arch* Apsis *f*.
absinthe [apsɛ̃t] *f bot* Wermut *m*; *Branntwein*: Absinth *m*.
absolu, ~e [apsɔly] völlig; unbedingt; absolut; unumschränkt; **~ment** *adv* unbedingt, durchaus; ganz; **~tion** *f rel* Absolution *f*, Lossprechung *f*; **~tisme** [-tismə] *m pol* Absolutismus *m*.
absorber [apsɔrbe] (1a) aufnehmen, aufsaugen; *fig* völlig in Anspruch nehmen; *s'*~ *dans qc* sich vertiefen in etw.
absorption [apsɔrpsjõ] *f* Aufnahme *f*, Aufsaugen *n*.
absoudre [apsudrə] (4bb) ~ *qn* j-n lossprechen; *st/s* j-m vergeben.
abstenir [apstənir] (2h) *s'*~ *de qc* sich e-r Sache enthalten, auf etw verzichten.
abstention [apstɑ̃sjõ] *f* (Stimm-) Enthaltung *f*.
abstentionniste [apstɑ̃sjɔnist] *m pol* Nichtwähler *m*.
abstinence [apstinɑ̃s] *f rel* Enthaltsamkeit *f*.
abstraction [apstraksjõ] *f* abstrakter Begriff; *faire* ~ *de qc* von etw absehen; ~ *faite de* abgesehen von.

abstraire [apstrɛr] (4s) abstrahieren, begrifflich erfassen; *s'~* F abschalten.
abstr|ait, ~aite [apstrɛ, -ɛt] abstrakt.
absurd|e [apsyrd] absurd, unsinnig; **~ité** *f* Absurdität *f*, Widersinn *m*.
abus [aby] *m* Mißbrauch *m*; Mißstand *m*; *~ de confiance* Untreue *f*.
abus|er [abyze] (1a) *~ de qc* etw mißbrauchen; *s'~* sich täuschen; *si je ne m'abuse* wenn ich mich nicht irre; **~if, ~ive** [-if, -iv] mißbräuchlich.
acabit [akabi] *m péj* Schlag *m*; *du même ~* von derselben Sorte.
académicien [akademisjɛ̃] *m* Akademiemitglied *n* (*bes der Académie française*); ⚠ *nicht* Akademiker.
académ|ie [akademi] *f* Akademie *f*, Hochschule *f*; *in Frankreich* Schulaufsichtsbezirk *m*; **~ique** Akademie...; *fig* schulmäßig; erstarrt.
acajou [akaʒu] *m* Mahagoni *n*.
acariâtre [akarjɑtrə] griesgrämig.
accabl|ant, ~ante [akablɑ̃, -ɑ̃t] erdrückend; *fig* quälend; **~er** (1a) nieder-, bedrücken; überhäufen (*de* mit).
accalmie [akalmi] *f* Windstille *f*, Flaute *f*.
accapar|er [akapare] (1a) *écon* aufkaufen, hamstern; *fig* in Beschlag nehmen; **~eur** *m* F Hamsterer *m*.
accéder [aksede] (1f) *~ à* gelangen zu, erreichen; *Weg*: führen zu; *fig* erlangen; *~ à l'indépendance* die Unabhängigkeit erlangen.
accélér|ateur [akseleratœr] *m auto* Gaspedal *n*; *phys* Beschleuniger *m*; **~er** (1f) beschleunigen; *auto* Gas geben.
accent [aksɑ̃] *m* Betonung *f*; Akzent *m*; Tonfall *m*; Aussprache *f*; *fig mettre l'~ sur* betonen, hervorheben.
accentu|ation [aksɑ̃tɥasjõ] *f* Betonung *f*; *fig* Verschärfung *f*; **~er** (1n) betonen.
accept|able [akseptablə] annehmbar; **~ation** *f* Annahme *f*; **~er** (1a) annehmen, akzeptieren; *~ de* (+ *inf*) zusagen zu (+ *inf*); *~ que* (+ *subj*) anerkennen, daß.
acception [aksɛpsjõ] *f* (Wort-)Bedeutung *f*.
accès [aksɛ] *m* **1.** Zutritt *m*, Zu-, Eingang *m*; **2.** *méd* Anfall *m*.
accessible [aksɛsiblə] zugänglich (*à* für), erreichbar; verständlich.
accession [aksɛsjõ] *f* Beitritt *m* (*à* zu).
accessoire [aksɛswar] **1.** *adj* nebensächlich; **2.** *m* Nebensache *f*; *~s pl* Zubehör *n*; modisches Beiwerk *n*; *~s de théâtre* Theaterrequisiten *n/pl*.
accident [aksidɑ̃] *m* Unfall *m*; Zufall *m*; *~ de terrain* Unebenheit *f*; *par ~* zufällig; *dans un ~* bei e-m Unfall.
accident|é, ~ée [aksidɑ̃te] uneben, hügelig; verunglückt; *voiture f accidentée* Unfallwagen *m*; **~el, ~elle** zufällig; **~ellement** *adv* zufällig.
acclam|ation [aklamasjõ] *f* Beifallsruf *m*; **~er** (1a) *~ qn* j-m zujubeln.
acclimat|ation [aklimatasjõ] *f* Akklimatisierung *f*; Gewöhnung *f*; *von Menschen*: Einleben *n*; *Jardin m d'~ zoologischer u botanischer Garten in Paris*; **~er** (1a) (*s'~* sich) eingewöhnen.
accointances [akwɛ̃tɑ̃s] *f/pl meist péj avoir des ~ avec qn* Beziehungen zu j-m haben.
accolade [akɔlad] *f* Umarmung *f*; *hist* Ritterschlag *m*; *Schrift*: (geschweifte) Klammer *f*.
accommod|ation [akɔmɔdasjõ] *f* Anpassung *f*; **~ement** [-mɑ̃] *m* Abkommen *n*, Ausgleich *m*; **~er** (1a) anpassen; *cuis* zubereiten; *s'~ à* sich richten nach; *s'~ de* sich abfinden mit.
accompagna|teur, ~trice [akõpaɲatœr, -tris] *m, f* Begleiter(in) *m(f)* (*a mus*).
accompagn|ement [akõpaɲmɑ̃] *m* Begleitung *f*; **~er** (1a) begleiten (*a mus*); *accompagné de od par* in Begleitung von.
accompl|i, ~ie [akõpli] vollendet, vollkommen; **~ir** (2a) vollenden, erledigen, ausführen; **~issement** [-ismɑ̃] *m* Erfüllung *f*; Erledigung *f*.
accord [akɔr] *m* Übereinstimmung *f*; Abkommen *n*; *mus* Akkord *m*; *gr* Kongruenz *f*; (*être*) *d'~* einverstanden (sein); *tomber d'~* übereinkommen, einig werden; *avec l'~ de*, *en ~ avec* im Einvernehmen mit; *donner son ~* zustimmen.
accorder [akɔrde] (1a) in Übereinstimmung bringen; *mus* stimmen; bewilligen, einräumen; *s'~* sich vertragen; *s'~ pour faire qc* vereinbaren, etw zu tun; *s'~ qc* sich etw gönnen.
accost|age [akɔstaʒ] *m mar* Anlegen

n, Landen *n*; **~er** (1a) *mar* anlegen; ~ *qn* j-n ansprechen.
accot|ement [akɔtmɑ̃] *m* Seitenstreifen *m* (*e-r Straße*); *~s non stabilisés* Seitenstreifen nicht befestigt; **~er** (1a) *s'~ à, sur* sich anlehnen an, sich aufstützen auf.
accouch|ée [akuʃe] *f* Wöchnerin *f*; **~ement** [-mɑ̃] *m* Entbindung *f*; **~er** (1a) niederkommen (*de* mit); entbinden; *fig* F ~ *d'un roman* e-n Roman zustande bringen; **~eur, ~euse** *m, f* Geburtshelfer *m*, Hebamme *f*.
accoud|er [akude] (1a) *s'~* sich mit dem Ellbogen aufstützen; **~oir** *m* Armlehne *f*.
accoupl|ement [akupləmɑ̃] *m biol* Paarung *f*, Begattung *f*; *tech* Kupplung *f*; Schaltung *f*; **~er** (1a) *biol* (*s'~* sich) paaren, (sich) begatten; *tech* kuppeln; schalten; *fig* verbinden.
accourir [akurir] (2i) herbeieilen; ⚠ *passé composé meist mit être*.
accoutr|ement [akutrəmɑ̃] *m péj* Aufmachung *f*; **~er** (1a) *s'~* sich herausputzen.
accoutum|ance [akutymɑ̃s] *f biol* Gewöhnung *f*; **~é, ~ée** gewohnt; üblich; *être ~ à qc* etw gewohnt sein; **~er** (1a) ~ *qn à* j-n gewöhnen an; *s'~ à qc* sich an etw gewöhnen.
accréditer [akredite] (1a) akkreditieren; beglaubigen.
accroc [akro] *m* Schwierigkeit *f*.
accroch|age [akrɔʃaʒ] *m* Zusammenstoß *m*; **~er** (1a) an-, aufhängen; hängenbleiben (*qc* an *od* mit etw); (leicht) zusammenstoßen (*qn, qc* mit j-m, etw); ~ *qn* j-s Aufmerksamkeit fesseln; *s'~ à* sich an-, festklammern an.
accroire [akrwar] (*nur inf*) *il veut m'en faire ~* er will mir etw weismachen.
accroissement [akrwasmɑ̃] *m* Zuwachs *m*; Vergrößerung *f*; ~ *démographique* Bevölkerungszunahme *f*.
accroître [akrwatrə] (4w) vermehren; *s'~* (an)wachsen.
accroupir [akrupir] (2a) *s'~* sich niederhocken, sich zusammenkauern.
accru, ~e [akry] (*p/p von accroître*) vermehrt.
accu [aky] *m* F (*abr accumulateur*) Batterie *f*.
accueil [akœj] *m* Aufnahme *f*, Empfang *m*.
accueill|ant, ~ante [akœjɑ̃, -ɑ̃t] freundlich; gastlich; **~ir** (2c) aufnehmen, empfangen.
accumul|ateur [akymylatœr] *m* Akkumulator *m*; Batterie *f*; ~ *thermique* Wärmespeicher *m*; **~ation** *f* Anhäufung *f*; **~er** (1a) anhäufen; speichern.
accusa|teur, ~trice [akyzatœr, -tris] *m, f* Ankläger(in) *m(f)*; **~tion** *f* Anklage *f*.
accus|é, ~ée [akyze] *m, f* **1.** Angeklagte(r) *m, f*; **2.** *comm accusé m de réception* Empfangsbescheinigung *f*; **~er** (1a) **1.** anklagen; **2.** deutlich machen, betonen; *comm ~ réception* den Empfang bestätigen.
acerbe [asɛrb] herb; *fig* bitter; verletzend.
acéré, ~e [asere] scharf (*a fig*).
acét|ique [asetik] Essig...; *acide m ~* Essigsäure *f*; **~one** [-ɔn] *f chim* Azeton *n*.
achalandé, ~e [aʃalɑ̃de] *Laden*: *bien ~* mit großer Auswahl; gutgehend.
acharn|é, ~ée [aʃarne] erbittert; hartnäckig; ~ *à qc* auf etw versessen; **~ement** [-əmɑ̃] *m* Hartnäckigkeit *f*; **~er** (1a) *s'~ à qc* auf etw versessen sein; *s'~ sur od contre qn* sich wild auf j-n stürzen.
achat [aʃa] *m* Einkauf *m*, Kauf *m*; *pouvoir m d'~* Kaufkraft *f*.
acheminer [aʃmine] (1a) befördern; weiterleiten; *s'~ vers* sich auf den Weg machen, sich begeben nach.
achet|er [aʃte] (1e) (ein)kaufen; ~ *qc à qn* a) j-m etw kaufen; b) j-m etw abkaufen; **~eur, ~euse** *m, f* Käufer(in) *m(f)*, Abnehmer *m*.
achèvement [aʃɛvmɑ̃] *m* Vollendung *f*.
achever [aʃve] (1d) vollenden; ~ *de* (+ *inf*) vollends etw tun; ~ *qn* j-m den Gnadenstoß geben; *fig* j-m den Rest geben; *s'~* zu Ende gehen.
achoppement [aʃɔpmɑ̃] *m pierre f d'~* Stolperstein *m*, Klippe *f*, Schwierigkeit *f*, Hindernis *n*.
acid|e [asid] **1.** *adj* sauer (*a chim*); **2.** *m chim* Säure *f*; **~ité** *f* Säure *f*; Schärfe *f*.
acier [asje] *m* Stahl *m*; *fig d'~* stahlhart.
aciérie [asjeri] *f* Stahlwerk *n*, -hütte *f*.
acolyte [akɔlit] *m péj* Helfershelfer *m*.
acompte [akɔ̃t] *m* Abschlagzahlung *f*; Vorschuß *m*.

à-côté [akote] *m* (⚠ *pl à-côtés*) sekundäre Frage *f*; **~s** *pl* Nebeneinnahmen *f/pl*; zusätzliche Ausgaben *f/pl*.
à-coup [aku] *m* (⚠ *pl à-coups*) Ruck *m*; *par ~s* ungleichmäßig.
acoustique [akustik] **1.** *adj* akustisch, Hör...; **2.** *f* Akustik *f*.
acquér|eur [akerœr] *m* Erwerber *m*, Käufer *m*; **~ir** (2l) erwerben.
acquerrai [akɛre] *futur von acquérir*.
acquiers [akjɛr] *présent von acquérir*.
acquiescer [akjɛse] (1k) ~ *à* einwilligen in.
acquis [aki] **1.** *p/p von acquérir u adj* erworben; *c'est un point ~* das steht fest; **2.** *m* Errungenschaft *f*; *les ~* das Erreichte.
acquisition [akizisjõ] *f* Erwerb *m*, (An-)Kauf *m*, Anschaffung *f*; *fig* Errungenschaft *f*.
acquit [aki] *m comm pour ~* Betrag erhalten; *fig par ~ de conscience* um sein Gewissen zu beruhigen.
acquitt|ement [akitmɑ̃] *m* Zahlung *f*; *jur* Freispruch *m*; **~er** (1a) bezahlen, begleichen; quittieren; *jur ~ qn* j-n freisprechen; *s'~ de qc* sich e-r Sache entledigen; *s'~ d'un devoir* e-e Pflicht erfüllen.
âcre [ɑkrə] herb, scharf, beißend; *fig* bissig, scharf.
âcreté [ɑkrəte] *f* Schärfe *f*.
acrobatie [akrɔbasi] *f* Akrobatik *f*; ⚠ *Aussprache*.
acte [akt] *m* **1.** Tat *f*, Handlung *f*; *faire ~ de présence* sich kurz sehen lassen; **2.** *jur* Urkunde *f*; Akte *f*; Rechtsgeschäft *n*; *~ de mariage, ~ de naissance* Heirats-, Geburtsurkunde *f*; *dresser un ~* e-e Urkunde ausstellen; **3.** *Theater*: Akt *m*, Aufzug *m*; ⚠ *Akt in der Malerei*: *le nu*.
acteur, actrice [aktœr, aktris] *m*, *f* Schauspieler(in) *m(f)*.
actif, active [aktif, aktiv] **1.** *adj* aktiv, rührig, tätig; **2.** *m comm* Aktivvermögen *n*.
action [aksjõ] *f* Tat *f*, Handlung *f*; *jur* Klage *f*; *comm* Aktie *f*.
actionn|aire [aksjɔnɛr] *m* Aktionär *m*, Aktienbesitzer *m*; **~er** (1a) *tech* in Bewegung setzen; betätigen.
activ|er [aktive] (1a) aktivieren, beschleunigen, fördern; **~ité** *f* Tätigkeit *f*; Aktivität *f*, Rührigkeit *f*.
actualité [aktɥalite] *f* Aktualität *f*; Zeitgeschehen *n*; **~s** *pl TV* Nachrichten *f/pl*; Tagesschau *f*; Wochenschau *f*.
actuel, ~le [aktɥɛl] zeitgemäß; gegenwärtig; **~lement** *adv* zur Zeit, im Moment.
acuité [akɥite] *f* Schärfe *f*; Heftigkeit *f*.
adage [adaʒ] *m* Sprichwort *n*; Sinnspruch *m*.
adapt|able [adaptablə] anpassungsfähig; **~ation** *f* Anpassung *f*; Bearbeitung *f*; **~er** (1a) anpassen; bearbeiten; *s'~ à* sich anpassen an, sich umstellen auf.
addition [adisjõ] *f* Addieren *n*; Hinzufügung *f*; Zusatz *m*; Rechnung *f* (*Restaurant*).
additionn|el, ~elle [adisjɔnɛl] zusätzlich; **~er** (1a) addieren; hinzufügen.
adepte [adɛpt] *m*, *f* Adept *m*, Anhänger(in) *m(f)*.
adéqu|at, ~ate [adekwa, -at] adäquat, angemessen, passend.
adhér|ence [aderɑ̃s] *f* (An-)Haften *n*; *tech* Reibungswiderstand *m*; **~ent, ~ente** [-ɑ̃, -ɑ̃t] **1.** *adj* haftend; **2.** *m*, *f* Mitglied *n*; **~er** (1f) haften (*à* an); *fig e-r Lehre*: anhängen; *~ à un parti* e-r Partei beitreten.
adhés|if, ~ive [adezif, -iv] **1.** *adj* klebend; **2.** *m* Klebstoff *m*; **~ion** *f* Beitritt *m*; Zustimmung *f*.
adieu [adjø] **1.** leb wohl!; *dire ~ à qn* j-m ade sagen; **2.** **~x** *m/pl* Abschied *m*; *faire ses ~x* Abschied nehmen (*à qn* von j-m).
adip|eux, ~euse [adipø, -øz] fetthaltig; feist.
adjac|ent, ~ente [adʒasɑ̃, -ɑ̃t] angrenzend; *rue f adjacente* Nebenstraße *f*.
adjectif [adʒɛktif] *m gr* Adjektiv *n*; *~ numéral* Zahlwort *n*; *~ possessif* adjektivisches Possessivpronomen.
adjoindre [adʒwɛ̃drə] (4b) *~ à* hinzufügen zu, anbringen an; *s'~ qn* sich j-n (zu Hilfe) nehmen.
ad|joint, ~jointe [adʒwɛ̃, -ʒwɛ̃t] **1.** *adj* stellvertretend; **2.** *m* Stellvertreter *m*; *~ au maire* Beigeordnete(r) *m*, stellvertretender *od* zweiter Bürgermeister *m*.
adjudant *mil* [adʒydɑ̃] *m* Feldwebel *m*; **~-chef** [-ʃɛf] *m* (⚠ *pl adjudants-chefs*) Oberfeldwebel *m*.
adjudication [adʒydikasjõ] *f* Versteigerung *f*; Ausschreibung *f*; Auftragsvergabe *f*; Zuschlagerteilung *f*.

adjuger [adʒyʒe] (1l) zusprechen, zuerkennen.
adjurer [adʒyre] (1a) inständig bitten.
admettre [admɛtrə] (4p) zulassen; aufnehmen; zugeben, einräumen (*que + subj od ind* daß ...); annehmen.
administra|teur, ~trice [administratœr, -tris] *m, f* Verwalter(in) *m(f)*; **~tif, ~tive** [-tif, -tiv] Verwaltungs...; **~tion** *f* Verwaltung(sbehörde) *f*; Leitung *f*; *méd* Verabreichung *f*.
administrer [administre] (1a) verwalten, leiten; *méd* verabreichen; *Sakramente*: spenden, austeilen; *jur Zeugen*: beibringen.
admira|ble [admirablə] bewundernswürdig; **~teur, ~trice 1.** *adj* bewundernd; **2.** *m, f* Bewunderer *m*, Bewunderin *f*; **~tion** *f* Bewunderung *f*.
admirer [admire] (1a) bewundern; ~ *qn pour son courage* j-n wegen seines Mutes bewundern; *litt* ~ *que* (+ *subj*) erstaunt sein, daß.
admission [admisjõ] *f* Zulassung *f*; *Schule*: Aufnahme *f*.
admonest|ation [admɔnɛstasjõ] *f* Verweis *m*, Zurechtweisung *f*; **~er** (1a) maßregeln, zurechtweisen.
adolesc|ence [adɔlɛsɑ̃s] *f* Jünglings-, Mädchenalter *n*, Jugendzeit *f*; **~ent, ~ente** [-ɑ̃, -ɑ̃t] *m, f* Jugendliche(r) *m, f*, junger Mann *m*, junges Mädchen *n*.
adonner [adɔne] (1a) *s'*~ *à qc* sich e-r Sache hingeben.
adopt|er [adɔpte] (1a) adoptieren; sich zu eigen machen; ~ *une loi* ein Gesetz verabschieden; **~if, ~ive** [-if, -iv] Adoptiv...; *père m* ~ Adoptivvater *m*.
adoption [adɔpsjõ] *f* Annahme *f* (an Kindes Statt), Adoption *f*.
adora|ble [adɔrablə] entzückend, reizend, süß; **~teur, ~trice** *m, f* Verehrer(in) *m(f)*; **~tion** *f* Anbetung *f*; glühende Verehrung *f*, Vergötterung *f*.
adorer [adɔre] (1a) anbeten; glühend verehren, schwärmen für.
adosser [adose] (1a) anlehnen; *s'*~ *contre od à* sich anlehnen an.
adoucir [adusir] (1a) mildern; *Wetter*: *s'*~ sich erwärmen.
adress|e [adrɛs] *f* **1.** Anschrift *f*, Adresse *f*; *à l'*~ *de qn* für j-n bestimmt; **2.** Geschicklichkeit *f*; *avec* ~ geschickt; **~er** (1b) richten, adressieren (*à* an); ~ *la parole à qn* das Wort an j-n richten; *s'*~ *à qn* sich an j-n wenden.
adroit, adroite [adrwa, adrwat] geschickt, gewandt.
adula|teur, ~trice [adylatœr, -tris] *m, f* Schmeichler(in) *m(f)*.
aduler [adyle] (1a) ~ *qn* j-m kriechend schmeicheln, lobhudeln.
adulte [adylt] **1.** *adj* erwachsen; **2.** *m, f* Erwachsene(r) *m, f*.
adultère [adyltɛr] **1.** *adj* ehebrecherisch; **2.** *m* Ehebruch *m*.
advenir [advənir] (2h) geschehen; *prov advienne que pourra* komme, was da wolle.
adverbe [advɛrb] *m gr* Adverb *n*, Umstandswort *n*.
adversaire [advɛrsɛr] *m, f* Gegner (-in) *m(f)*.
adversité [advɛrsite] *litt f* Mißgeschick *n*.
aér|ateur [aeratœr] *m* (Be-)Lüftungsanlage *f*; **~ation** *f* Ventilation *f*; (Be- und Ent-)Lüften *n*; **~er** (1f) lüften.
aér|ien, ~ienne [aerjɛ̃, -jɛn] Luft...; *défense f aérienne* Luftverteidigung *f*; *forces f/pl aériennes* Luftwaffe *f*; *pont m aérien* Luftbrücke *f*.
aéro... [aerɔ] *in Zssgn* Luft..., Flug...
aéro|drome [aerɔdrom] *m* Flugplatz *m*; **~dynamique** [-dinamik] stromlinienförmig; **~gare** [-gar] *f* Flughafengebäude *n*; **~glisseur** [-glisœr] *m mar* Luftkissenboot *n*; **~naute** [-not] *m* Luftschiffer *m*; **~nautique** [-notik] **1.** *adj* Luftfahrt..., Flugzeug...; **2.** *f* Luftfahrt *f*, Flugwesen *n*; **~navale** [-naval] *f mil* Marinefliegertruppe *f*; **~nef** [-nɛf] *m* Luftfahrzeug *n*; **~port** [-pɔr] *m* Flughafen *m*; **~porté(e)** [-pɔrte] *mil troupes f/pl aéroportées* Luftlandetruppen *f/pl*; **~spatial(e)** [-spasjal] (⚠ *m/pl -aux*) (Luft- und) Raumfahrt...; *transporteur m aérospatial* Raumtransporter *m*; **~stat** [-sta] *m* gasgetragenes Luftfahrzeug *n*; **~train** [-trɛ̃] *m* Luftkissenzug *m*.
affabilité [afabilite] *f* Leutseligkeit *f*, Freundlichkeit *f*.
affable [afablə] leutselig, freundlich.
affaibl|ir [afɛblir] (2a) schwächen; *s'*~ schwächer werden; **~issement** [-ismɑ̃] *m* Entkräftung *f*, Schwächung *f*; Nachlassen *n*.

affair|e [afɛr] *f* Geschäft *n*; Angelegenheit *f*, Sache *f*; *jur* Sache *f*, Fall *m*; *les* ~*s étrangères* das Außenministerium; *hist l'*~ *Dreyfus* die Dreyfusaffäre; *avoir* ~ *à qn* mit j-m zu tun haben; ⚠ *il a ses devoirs à faire*; **~é, ~ée** geschäftig, stark beschäftigt; **~er** (1b) *s'*~ sich zu schaffen machen; **~iste** *m*, *f* Geschäftemacher(in) *m(f)*.
affaiss|ement [afɛsmɑ̃] *m* ~ *de terrain* Bodensenkung *f*; **~er** (1b) *s'*~ *Boden*: einsinken; *Person*: zusammenbrechen.
affamé, ~e [afame] hungrig; ~ *de gloire* ruhmsüchtig.
affect|ation [afɛktasjõ] *f* **1.** Ziererei *f*; **2.** Verwendung *f*; Versetzung *f*; (Dienst-)Posten *m*; **~é, ~ée** geziert, gekünstelt; **~er** (1a) **1.** vortäuschen, heucheln; ~ *une forme* e-e Form annehmen; **2.** verwenden; ~ *à un poste* auf e-n Posten schicken *od* versetzen; **3.** betrüben, berühren.
affect|if, ~ive [afɛktif, -iv] gefühlsbetont.
affection [afɛksjõ] *f* **1.** Zuneigung *f*, Liebe *f*; **2.** *méd* Erkrankung *f*.
affectu|eux, ~euse [afɛktɥø, -øz] liebevoll, herzlich, zärtlich.
affér|ent, ~ente [aferɑ̃, -ɑ̃t] *jur* zustehend, zukommend.
affermir [afɛrmir] (2a) festigen, stärken.
affichage [afiʃaʒ] *m* Bekanntgabe *f* durch Anschlag; Plakatierung *f*; *EDV* Anzeige *f*, Display *n*; *panneau m d'*~ Anschlagtafel *f*.
affich|e [afiʃ] *f* Plakat *n*; Aushang *m*; **~er** (1a) öffentlich anschlagen; zur Schau tragen; *EDV* anzeigen; **~eur** *m* Plakatkleber *m*.
affidé [afide] *m péj* Mitwisser *m*, Komplize *m*.
affil|ée [afile] *d'*~ ununterbrochen; **~er** (1a) schleifen, wetzen.
affilier [afilje] (1a) aufnehmen; *être affilié à un parti* e-r Partei angehören; *s'*~ *à* sich anschließen an.
affiner [afine] (1a) verfeinern, veredeln, reinigen.
affinité [afinite] *f* Verwandtschft *f*, Ähnlichkeit *f*.
affirmat|if, ~ive [afirmatif, -iv] bejahend; entschieden.
affirm|ation [afirmasjõ] *f* Behauptung *f*; Bestätigung *f*; **~er** (1a) behaupten; bestätigen.
affleurer [aflœre] (1a) (ein)ebnen, egalisieren; zutage liegen *od* treten; *fig* spürbar werden, aufkommen.
affliction [afliksjõ] *f* Kummer *m*.
afflige|ant, ~ante [afliʒɑ̃, -ɑ̃t] traurig, schmerzlich; **~er** (1l) betrüben, bekümmern; *Krankheit*: heimsuchen; *s'*~ *de* bekümmert sein über.
afflu|ence [aflyɑ̃s] *f* Menschenandrang *m*; *heures f/pl d'*~ Stoßzeiten *f/pl*; **~ent** [-ɑ̃] *m* Nebenfluß *m*; **~er** (1a) zusammenströmen.
afflux [afly] *m* Andrang *m* (*a méd*).
affol|ement [afɔlmɑ̃] *m* Aufregung *f*, Verwirrung *f*; **~er** (1a) aufregen; *s'*~ *u être affolé* sich aufregen, den Kopf verlieren.
affranch|ir [afrɑ̃ʃir] (2a) **1.** freilassen; **2.** *Brief*: frankieren; **~issement** [-ismɑ̃] *m* **1.** Freilassung *f*; **2.** Frankieren *n*.
affréter [afrete] (1f) *mar*, *aviat* chartern.
affr|eux, ~euse [afrø, -øz] schrecklich, abscheulich.
affriol|ant, ~ante [afrijɔlɑ̃, -ɑ̃t] verführerisch, verlockend.
affront [afrõ] *m* grobe Beleidigung *f*.
affronter [afrõte] (1a) ~ *qn* j-m trotzen; *s'*~ sich gegenüberstehen.
affubler [afyble] (1a) lächerlich ausstaffieren.
affût [afy] *m ch* Anstand *m*; *fig être à l'*~ auf der Lauer liegen.
affûter [afyte] (1a) *tech* schleifen.
afin [afɛ̃] ~ *de* (+ *inf*) um zu; ~ *que* (+ *subj*) damit, (auf) daß.
afric|ain, ~aine [afrikɛ̃, -ɛn] **1.** *adj* afrikanisch; **2.** ♀ *m*, *f* Afrikaner(in) *m(f)*.
Afrique [afrik] *f l'*~ Afrika *n*.
agaç|ant, ~ante [agasɑ̃, -ɑ̃t] auf die Nerven gehend, lästig.
agacer [agase] (1k) reizen; nerven; necken.
agate [agat] *f* Achat *m*.
âge [aʒ] *m* Alter *n*; Lebensalter *n*; Zeitalter *n*; *Moyen* ♀ Mittelalter *n*; ~ *tendre* Kindheit *f*; *troisième* ~ Alter *n*, Lebensabend *m*, Ruhestand *m*; *retour m d'*~ *méd* Wechseljahre *n/pl*; *en bas* ~ in zartem Alter; *quel* ~ *a-t-il?* wie alt ist er?
âgé, ~e [aʒe] alt, betagt; ~ *de deux ans* zwei Jahre alt.
agence [aʒɑ̃s] *f* Agentur *f*; Geschäftsstelle *f*; ~ *immobilière* Maklerbüro *n*; ~ *de publicité* Werbeagentur *f*; ~ *de voyages* Reisebüro *n*.

agenc|ement [aʒɑ̃smɑ̃] *m* Anordnung *f*, Verteilung *f*; Aufbau *m*; Gestaltung *f*; **~er** (1k) anordnen; einrichten; aufteilen; gestalten.
agenda [aʒɛ̃da] *m* Merkbuch *n*; Taschenkalender *m*.
agenouiller [aʒnuje] (1a) *s'~* (sich) niederknien.
agent [aʒɑ̃] *m* **1.** Agent *m*; Vertreter *m*; Beamte(r) *m*; Bedienstete(r) *m, f*; *~ de police* Polizist *m*; *~ général* Alleinvertreter *m*; *~ provocateur* Lockspitzel *m*; **2.** Wirkstoff *m*; Substanz *f*; *méd ~ pathogène* Krankheitserreger *m*.
agglomération [aglɔmerasjɔ̃] *f* Ballungszentrum *n*, -raum *m*; geschlossene Ortschaft *f*; Siedlung *f*.
agglomér|é [aglɔmere] *m* Spanplatte *f*; Preßkohle *f*; *arch* Preßstein *m*; **~er** (1f) zusammenballen.
agglutiner [aglytine] (1a) ver-, zusammenkleben; *s'~* sich zusammenballen.
aggrav|ant, ~ante [agravɑ̃, -ɑ̃t] *jur* erschwerend; **~er** (1a) verschlimmern; erschweren; *s'~* sich verschlimmern, sich zuspitzen.
agil|e [aʒil] behende, flink; **~ité** *f* Gewandtheit *f*, Beweglichkeit *f*.
agio [aʒjo] *m écon* Kreditkosten *pl*.
agir [aʒir] (2a) handeln; *~ sur qn* auf j-n (ein)wirken; *il s'agit de ...* es handelt sich um ...
agissements [aʒismɑ̃] *m/pl péj* Machenschaften *f/pl*, Umtriebe *m/pl*.
agita|tion [aʒitasjɔ̃] *f* (heftige) Bewegung *f* (*a fig*); Unruhe *f*; Erregung *f*; **~teur** *m*, **~trice** *f pol* Aufwiegler(in) *m(f)*; Agitator(in) *m(f)*.
agit|é, ~ée [aʒite] bewegt; erregt; **~er** (1a) hin und her bewegen, schwenken; beunruhigen; aufregen; aufhetzen.
agneau [aɲo] *m* (⚠ *pl ~x*) Lamm (-fleisch) *n*.
agonie [agɔni] *f* Todeskampf *m*.
agonis|ant, ~ante [agɔnizɑ̃, -ɑ̃t] **1.** *adj* im Sterben liegend; **2.** *m, f* Sterbende(r) *m, f*; **~er** (1a) mit dem Tode ringen.
agoraphobie [agɔrafɔbi] *f méd* Platzangst *f*.
agraf|e [agraf] *f* Haken *m*; Klammer *f*; **~er** (1a) an-, zuhaken; heften.
agraire [agrɛr] Acker...; *réforme f ~* Bodenreform *f*.
agrandir [agrɑ̃dir] (2a) vergrößern.
agrandiss|ement [agrɑ̃dismɑ̃] *m* Vergrößerung *f*; Zuwachs *m*; **~eur** *m* Vergrößerungsapparat *m*.
agréable [agreablə] angenehm (*à qn* j-m).
agré|é, ~ée [agree] **1.** *p/p* zugelassen; **2.** *m* Parteivertreter *m*; **~er** (1a) genehmigen; *se faire ~ dans un milieu* in e-n Gesellschaftskreis aufgenommen werden; *veuillez ~, Monsieur, mes salutations distinguées* mit freundlichem Gruß.
agrégation [agregasjɔ̃] *f Prüfung für das Lehramt an höheren Schulen u Universitäten.*
agrég|é, ~ée [agreʒe] *m, f Gymnasiallehrer(in) bzw Dozent(in), der (die) die Agrégation besitzt*; **~er** (1g) verbinden; *s'~* sich verfestigen.
agrément [agremɑ̃] *m* **1.** Genehmigung *f*; **2.** *meist pl les ~s* der Reiz; das Gewinnende; *jardin m d'~* Ziergarten *m*.
agrémenter [agremɑ̃te] (1a) verzieren, ausschmücken.
agress|er [agrɛse] (1b) überfallen; *fig* belasten; **~eur** *m* Angreifer *m*; **~if, ~ive** [-if, -iv] aggressiv, angriffslustig; **~ion** *f* Überfall *m*; Angriff *m*; Aggression *f*; ⚠ *Schreibung.*
agricole [agrikɔl] landwirtschaftlich, Landwirtschafts...; *ouvrier m ~* Landarbeiter *m*.
agricult|eur [agrikyltœr] *m* Landwirt *m*; **~ure** [-yr] *f* Landwirtschaft *f*; Ackerbau *m*.
agripper [agripe] (1a) packen, an sich reißen; *s'~* sich festhalten (*à* an).
agronomie [agrɔnɔmi] *f* Landwirtschaftskunde *f*.
agrumes [agrym] *m/pl* Zitrusfrüchte *f/pl*.
aguerrir [agerir] (2a) abhärten.
aguets [agɛ] *être aux ~* auf der Lauer liegen.
aguicher F [agiʃe] (1a) anlocken; F bezirzen.
ahur|i, ~ie [ayri] verblüfft, verdutzt; **~ir** (2a) verblüffen; **~issant, ~issante** [-isɑ̃, -isɑ̃t] verblüffend; unglaublich.
ai [e] *cf avoir.*
aide [ɛd] **1.** *f* Hilfe *f*; *à l'~ de qc* mit Hilfe von etw; *avec l'~ de qn* mit j-s Hilfe; **2.** *m, f* Gehilfe *m*, Gehilfin *f*.
aide-mémoire [ɛdmemwar] *m* (⚠ *pl unv*) kurze Zusammenfassung.

aider [ɛde] (1b) helfen (*qn* j-m); ~ *à qc* zu etw beitragen; *s'~ de qc* etw benützen; ⚠ *aider qn.*
aïeul, ~e [ajœl] *st/s m, f* Großvater *m*, Großmutter *f*; Ahne *m, f*; *~s pl* Großeltern *pl.*
aïeux [ajø] *m/pl* Vorfahren *m/pl*, Ahnen *m/pl.*
aigle [ɛglə] *m* Adler *m*; *f* Adlerweibchen *n.*
aigre [ɛgrə] sauer; *fig* schrill; schneidend; scharf; **~-doux, ~-douce** [-du, -dus] süßsauer; **~fin** [-fɛ̃] *m* Schwindler *m*, Hochstapler *m.*
aigreur [ɛgrœr] *f* Säure *f*; *fig* Schärfe *f.*
aigrir [ɛgrir] (2a) säuern; *fig* erbittern.
aigu, aigüe [egy] spitz; schrill; stechend; *méd* akut.
aigue-marine [ɛgmarin] *f* Aquamarin *m.*
aiguillage [egɥijaʒ] *m tech* Weiche *f.*
aiguill|e [egɥij] *f* Nadel *f*; (Uhr-) Zeiger *m*; *Kirchturm, Berg*: Spitze *f*; **~er** (1a) *fig* lenken, leiten.
aiguill|ette [egɥijɛt] *f mil* Achselschnur *f*; **~eur** *m* Weichensteller *m*; *aviat ~ du ciel* Fluglotse *m.*
aiguill|on [egɥijõ] *m* Stachel *m*; **~onner** [-ɔne] (1a) *fig* anspornen.
aiguiser [egize] (1a) schleifen.
ail [aj] *m* (⚠ *pl ails, selten aulx* [o]) Knoblauch *m*; *gousse f d'~* Knoblauchzehe *f.*
ail|e [ɛl] *f* Flügel *m*; *auto* Kotflügel *m*; *arch* Seitentrakt *m*; *~ avant* vorderer Kotflügel; **~é, ~ée** geflügelt.
aileron [ɛlrõ] *m* Flügelspitze *f*; *aviat* Quer-, Höhenruder *n.*
ailier [ɛlje] *m Sport*: *~ droit (gauche)* Rechtsaußen (Links-) *m.*
aille [aj] *subj von aller.*
ailleurs [ajœr] anderswo(hin); *d'~* übrigens; *par ~* außerdem, überdies; *nulle part ~* sonst nirgends.
ailloli [ajɔli] *m cuis* kalte Knoblauchsoße *f.*
aim|able [ɛmablə] liebenswürdig; **~ant**[1], **~ante** [-ɑ̃, -ɑ̃t] *adj* zärtlich.
aim|ant[2] [ɛmɑ̃] *m* Magnet *m*; **~anter** [-ɑ̃te] (1a) magnetisieren.
aimer [ɛme] (1b) lieben, gern haben; gern essen *od* trinken; *~ mieux* lieber mögen, vorziehen; *~ faire qc od st/s à faire qc* gern etw tun; *~ que* (+ *subj*) es gern haben, daß ...
aine [ɛn] *f* Leistengegend *f.*
aîné, ~e [ɛne] **1.** *adj* älter (*von zweien*); älteste(r); **2.** *m, f* Älteste(r) *m, f.*
aînesse [ɛnɛs] *f droit d'~* Erstgeburtsrecht *n.*
ainsi [ɛ̃si] also, so, daher; *~ que* sowie; *~ soit-il!* amen!; *pour ~ dire* sozusagen.
air [ɛr] *m* **1.** Luft *f*; Klima *n*; Wind *m*; Zugwind *m*; *mettre à l'~* ins Freie stellen; *en plein ~* im Freien, unter freiem Himmel; **2.** Miene *f*; Aussehen *n*; Ausdruck *m*; *avoir l'~ de* (+ *inf*) so aussehen als ob, scheinen zu ...; *se donner des ~s* vornehm tun; **3.** Melodie *f*; Arie *f.*
aire [ɛr] *f* (Dresch-)Tenne *f*; freier Platz *m*; (Boden-)Fläche *f*; *Raubvogel*: Horst *m*; *~ de repos* Rastplatz *m*; ⚠ *nicht verwechseln mit air.*
airelle [ɛrɛl] *f bot* Heidelbeere *f.*
aisance [ɛzɑ̃s] *f* **1.** Leichtigkeit *f*, Ungezwungenheit *f*; **2.** Wohlstand *m*, Wohlhabenheit *f.*
aise [ɛz] **1.** *adj st/s être bien ~ de* (+ *inf*) *od que* (+ *subj*) sich freuen zu *od* daß; **2.** *f meist pl ~s* Wohlbehagen *n*, Bequemlichkeit *f*, Gemütlichkeit; *prendre ses ~s* es sich bequem machen; *à l'~, à son ~* wie man es gern hat; bequem; *être à l'~* sich wohl fühlen; *à votre ~!* wie es Ihnen beliebt!
aisé, ~e [eze] leicht, ungezwungen; wohlhabend; **~ment** *adv* leicht, mühelos.
aisselle [ɛsɛl] *f* Achselhöhle *f.*
Aix-la-Chapelle [ɛkslaʃapɛl] Aachen.
A.J. (*abr auberge f de la jeunesse*) Jugendherberge *f.*
ajonc [aʒõ] *m bot* Stechginster *m.*
ajouré, ~e [ajure] durchbrochen.
ajourn|ement [aʒurnəmɑ̃] *m* Vertagung *f*, Aufschub *m*; *mil* Zurückstellung *f*; **~er** (1a) vertagen (*d'une semaine* um e-e Woche); *mil* zurückstellen.
ajouter [aʒute] (1a) hinzufügen; *litt ~ foi à qc* e-r Sache Glauben schenken; *~ à qc* etw noch vergrößern, verschlimmern; *s'~ à* noch hinzukommen zu.
ajustage [aʒystaʒ] *m tech* An-, Einpassen *n.*
ajust|ement [aʒystəmɑ̃] *m* Anpassung *f*; **~er** (1a) richten; in Ordnung bringen; *tech* an-, einpassen; **~eur** *m* Monteur *m*; Schlosser *m.*

alambic [alɑ̃bik] *m* Retorte *f*.
alambiqué, ~e [alɑ̃bike] *Stil*: gekünstelt, geschraubt.
alarm|ant, ~ante [alarmɑ̃, -ɑ̃t] alarmierend; beunruhigend.
alarm|e [alarm] *f* Alarm *m*; Schrekken *m*; *signal m d'~* Notbremse *f*; ⚠ *une ~*; **~er** (1a) alarmieren; beunruhigen; **~iste** *m*, *f* Gerüchtemacher(in) *m(f)*.
albâtre [albɑtrə] *m* Alabaster *m*.
album [albɔm] *m* Album *n*; Bilderbuch *n*.
alcool [alkɔl] *m* Alkohol *m*; *~ à brûler* Brennspiritus *m*; **~ique 1.** *adj* alkoholisch; **2.** *m* Säufer *m*, Trinker *m*; **~iser** (1a) Alkohol zusetzen, in Alkohol verwandeln; *s'~* sich betrinken; **~isme** *m* Alkoholvergiftung *f*; Trunksucht *f*.
alco(o)test [alkɔtɛst] *m* Alkoholtest *m*.
aléa [alea] *m meist pl ~s* Ungewißheit *f*, Risiko *n*; **~toire** [-twar] zufallsbedingt.
alentour [alɑ̃tur] **1.** *adv* ringsumher; **2.** *~s m/pl* Umgebung *f*; *aux ~s (de)* in der Nähe (von).
alert|e [alɛrt] **1.** *adj* rege, munter; flink; **2.** *f* Alarm(signal *n*) *m*; *~ aérienne* Fliegeralarm *m*; *donner l'~ à qn* j-n alarmieren (*auch fig*); **~er** (1a) alarmieren.
aléser [aleze] (1f) ausbohren.
alezan [alzɑ̃] *m* Fuchs *m* (*Pferd*).
algarade [algarad] *f* Auseinandersetzung *f*; Wortwechsel *m*.
algèbre [alʒɛbrə] *f* Algebra *f*.
Algérie [alʒeri] *f l'~* Algerien *n*.
algér|ien, ~ienne [alʒerjɛ̃, -jɛn] **1.** *adj* algerisch; **2.** ♀ *m*, *f* Algerier(in) *m(f)*.
algue [alg] *f bot* Alge *f*.
alién|able [aljenablə] veräußerlich; **~ation** *f* Veräußerung *f*; *fig* Preisgabe *f*; *méd* Geistesgestörtheit *f*; *phil* Entfremdung *f*.
alién|é, ~ée [aljene] *m*, *f* Geistesgestörte(r) *m*, *f*; **~er** (1f) veräußern; entfremden; *s'~ les sympathies* sich die Sympathien verscherzen; **~iste** *m* Psychiater *m*.
alignement [aliɲmɑ̃] *m* Ausrichtung *f*; Reihe *f*; Bau-, Straßenflucht *f*; *fig* Anpassung *f*; Angleichung *f*; *mil sortir de l'~* aus der Reihe treten.
aligner [aliɲe] (1a) ausrichten; in e-e Reihe bringen; aneinanderreihen; *pol les pays non alignés* die blockfreien Länder; *s'~ sur qc* sich e-r Sache anpassen, -schließen.
aliment [alimɑ̃] *m* Nahrung(smittel) *f(n)*.
aliment|aire [alimɑ̃tɛr] zur Ernährung gehörig; **~ation** *f* Ernährung *f*; *tech* Versorgung *f*; *~ en courant* (*électrique*) Stromversorgung *f*; **~er** (1a) ernähren; *tech* versorgen.
alinéa [alinea] *m* Absatz *m*, neue Zeile *f*.
aliter [alite] (1a) *~ qn* j-n ans Bett fesseln; *être alité(e)* bettlägerig sein; *s'~* sich (krank) ins Bett legen.
alizé [alize] (*vent m*) *~ m* Passatwind *m*.
allaiter [alɛte] (1b) säugen, stillen.
all|ant, ~ante [alɑ̃, -ɑ̃t] **1.** *adj* tatkräftig, unternehmungslustig; **2.** *m* Schwung *m*.
allécher [aleʃe] (1f) anlocken.
allée [ale] *f* Gang *m*; Allee *f*; *les ~s et venues* die Laufereien *f/pl*.
allégation [alegasjõ] *f* Behauptung *f*.
alléger [aleʒe] (1g) erleichtern.
allégorie [alegɔri] *f* Sinnbild *n*; Allegorie *f*.
allègre [alɛgrə] munter, lustig.
allégrement [alɛgrəmɑ̃] *adv* frischfröhlich; ⚠ *accent aigu*.
allégresse [alegrɛs] *f* Freude *f*.
alléguer [alege] (1f) anführen, zitieren; sich berufen auf.
Allemagne [almaɲ] *f l'~* Deutschland *n*.
allem|and, ~ande [almɑ̃, -ɑ̃d] **1.** *adj* deutsch; **2.** ♀ *m*, *f* Deutsche(r) *m*, *f*.
aller [ale] (1o) **1.** gehen; fahren; reisen; *~ à cheval* reiten; *~ en voiture* Auto fahren; *~ à* (*od en*) *bicyclette* mit dem Rad fahren; *mit inf* ([*nahe*] *Zukunft*) im Begriff sein zu (+ *inf*); *j'allais dire* ich wollte sagen, ich hätte beinahe gesagt; *~ chercher* holen (gehen); *~ voir qn* j-n besuchen; *je vais bien* es geht mir gut; *cela me va* das ist mir recht; *il y va de* es handelt sich (es geht) um; F *on y va!* gleich!, ich komme schon!; *il va sans dire* selbstredend; *va!* meinetwegen!; *allez!* los!, auf geht's!; *allons!* vorwärts!; *allons donc!* stimmt das wirklich?, ist doch nicht möglich!; *s'en ~* weggehen; **2.** *~ à qn* j-m stehen, passen; **3.** *m ~ et retour* Hin- und Rückreise *f*; *Sport*: *match m ~* Hinspiel *n*; *au pis ~* schlimmstenfalls.

alliage [aljaʒ] *m chim* Legierung *f*.

alli|ance [aljɑ̃s] *f* Bündnis *n*; Bund *m*; Ehebund *m*; Verwandtschaft *f*; Trauring *m*; **~é, ~ée 1.** *adj* verbündet; verschwägert; **2.** *m,f* Verbündete(r) *m,f*; angeheiratete(r) Verwandte(r) *m, f*; **~er** (1a) vereinigen; verbinden; *s'~ à qn* sich mit j-m verbünden.

allitération [aliterasjõ] *f* Alliteration *f*, Stabreim *m*.

allocation [alɔkasjõ] *f* Beihilfe *f*; Unterstützung *f*; Zuschuß *m*; *~s familiales* Kindergeld *n*; *~ chômage* Arbeitslosengeld *n*.

allocution [alɔkysjõ] *f* Ansprache *f*.

allonger [alõʒe] (1l) verlängern; *Arm, Bein*: ausstrecken; *~ le pas* schneller gehen; *s'~* sich hinlegen, sich ausstrecken; *être allongé* liegen.

allouer [alwe] (1a) bewilligen.

allumage [alymaʒ] *m* Anzünden *n*; *tech* Zündung *f*.

allume-gaz [alymgaz] *m* (⚠ *pl unv*) Gasanzünder *m*.

allum|er [alyme] (1a) an-, entzünden; anknipsen; Licht machen; **~ette** [-ɛt] *f* Streichholz *n*; **~euse** *f* F Frau, die die Männer scharfmacht.

allure [alyr] *f* Gang(art) *m(f)*; Tempo *n*, Geschwindigkeit *f*; *~s pl* Verhalten *n*, Auftreten *n*; *avoir de l'~* vornehm wirken, aussehen.

allusion [alyzjõ] *f* Anspielung *f*; *faire ~ à* anspielen auf.

alluvion [alyvjõ] *f meist ~s pl* Anschwemmungen *f/pl*.

aloi [alwa] *m de bon ~* verdient; echt; *de mauvais ~* unecht; geschmacklos.

alors [alɔr] damals; dann; *ça ~!* na so was!; *~?* was nun?; *~ que* (damals,) als; während (dagegen).

alouette [alwɛt] *f zo* Lerche *f*.

alourdir [alurdir] (2a) schwer(er) machen; *Stil*: schwerfällig machen.

aloyau [alwajo] *m* Lendenstück *n* (*vom Ochsen*).

alpage [alpaʒ] *m* Alm *f*.

alpestre [alpɛstrə] Alpen...

alphabet [alfabɛ] *m* Alphabet *n*.

alphabéti|que [alfabetik] alphabetisch; **~sation** [-zasjõ] *f* Alphabetisierung *f* (*von Analphabeten*).

alp|in, ~ine [alpɛ̃, -in] Alpen....

alpin|isme [alpinismə] *m* Bergsport *m*, Bergsteigen *n*; **~iste** *m* Alpinist *m*, Bergsteiger *m*.

Alsace [alzas] *f l'~* das Elsaß.

alsac|ien, ~ienne [alzasjɛ̃, -jɛn] **1.** *adj* elsässisch; **2.** ♀ *m,f* Elsässer(in) *m(f)*.

altér|ant, ~ante [alterɑ̃, -ɑ̃t] Durst erregend; **~ation** *f* Entstellung *f*; Verfälschung *f*.

altercation [altɛrkasjõ] *f* Zank *m*.

altérer [altere] (1f) **1.** verschlechtern; entstellen; fälschen; **2.** durstig machen.

altern|ance [altɛrnɑ̃s] *f* Wechsel *m*; **~atif, ~ative** [-atif, -ativ] abwechselnd; **~ative** *f* regelmäßiger Wechsel *m*; Alternative *f*; **~er** (1a) (ab)wechseln; alternieren.

Altesse [altɛs] *f Titel*: Hoheit *f*.

alti|er, ~ère [altje, -ɛr] hochmütig.

alti|mètre [altimɛtrə] *m* Höhenmesser *m*; **~tude** [-tyd] *f* Höhe *f*.

alto [alto] *m mus* Bratsche *f*; Altstimme *f*.

altru|isme [altrɥismə] *m* Nächstenliebe *f*; **~iste 1.** *adj* selbstlos; **2.** *m, f* uneigennütziger Mensch *m*.

aluminium [alyminjɔm] *m* Aluminium *n*.

alunir [alynir] (2a) auf dem Mond landen.

alvéole [alveɔl] *m od f* Wachszelle *f*; Zahnhöhle *f*.

amabilité [amabilite] *f* Liebenswürdigkeit *f*.

amadou [amadu] *m* Zunder *m*.

amadouer [amadwe] (1a) *~ qn* j-n für sich gewinnen.

amaigr|i, ~ie [amɛgri] mager, abgezehrt; **~ir** (2a) dünner machen; *~ qn a* an j-m zehren; **~issement** [-ismɑ̃] *m* Abmagerung *f*.

amalgame [amalgam] *m* Gemisch *n*; Amalgam *n*.

amand|e [amɑ̃d] *f bot* Mandel *f*; ⚠ *nur botanisch*; **~ier** [-je] *m* Mandelbaum *m*.

amant [amɑ̃] *m* Geliebte(r) *m*, Liebhaber *m*.

amarr|e [amar] *f mar* Tau *n*; **~er** (1a) *Schiff*: festbinden.

am|as [ama] *m* Anhäufung *f*; **~asser** [-ase] (1a) anhäufen; horten; *Geld*: scheffeln.

amateur [amatœr] *m* Liebhaber(in) *m(f)*; Interessent(in) *m(f)*; *Sport*: Amateur(in) *m(f)*; *~ d'art* Kunstliebhaber(in) *m(f)*; *péj en ~* dilettantisch.

amazone [amazon] *f* Reiterin *f*; *Mythologie*: Amazone *f*.

ambages [ɑ̃baʒ] *f/pl sans* ~ ohne Umschweife, freiheraus.
ambassa|de [ɑ̃basad] *f* Botschaft *f*; **~deur** *m*, **~drice** *f* [-dœr, -dris] Botschafter(in) *m(f)*.
ambiance [ɑ̃bjɑ̃s] *f* Umgebung *f*, Milieu *n*; Atmosphäre *f*, Stimmung *f*.
ambigu, ambigüe [ɑ̃bigy] zweideutig; zwielichtig.
ambigüité [ɑ̃bigɥite] *f* Zweideutigkeit *f*; Doppelsinn *m*.
ambit|ieux, ~ieuse [ɑ̃bisjø, -jøz] **1.** *adj* ehrgeizig; *Wort*: anspruchsvoll; **2.** *m, f péj* Ehrgeizling *m*.
ambiti|on [ɑ̃bisjõ] *f* Ehrgeiz *m*; **~onner** [-ɔne] (1a) ~ *qc* (ehrgeizig) streben nach etw.
ambival|ence [ɑ̃bivalɑ̃s] *f* Ambivalenz *f*, Doppelwertigkeit *f*; **~ent, ~ente** [-ɑ̃, -ɑ̃t] ambivalent, doppelwertig.
ambre [ɑ̃brə] *m* ~ *gris* Ambra *f*; ~ *jaune* Bernstein *m*.
ambulance [ɑ̃bylɑ̃s] *f* Krankenwagen *m*; Ambulanz *f*.
ambul|ant, ~ante [ɑ̃bylɑ̃, -ɑ̃t] umherziehend; Wander...; *marchand m ambulant* fliegender Händler *m*.
âme [ɑm] *f* Seele *f*; *état m d'*~ Stimmung *f*, Gemütsverfassung *f*; *rendre l'*~ den Geist aufgeben.
amélior|ation [ameljɔrasjõ] *f* Verbesserung *f*; **~er** (1a) verbessern.
aménagement [amenaʒmɑ̃] *m* Einrichtung *f*; Ausstattung *f*; Umgestaltung *f*; Bewirtschaftung *f*; ~ *du territoire* Raumordnung *f*.
aménager [amenaʒe] (1l) einrichten; neuordnen; umbauen; *Wald*: bewirtschaften.
amende [amɑ̃d] *f* Geldstrafe *f*; *sous peine d'*~ bei Strafe.
amend|ement [amɑ̃dmɑ̃] *m* Besserung *f*; *agr* Düngemittel *n*; *pol* Abänderungsantrag *m*; **~er** (1a) (ver-)bessern; *pol Gesetzentwurf*: abändern.
amène [amɛn] *st/s* liebenswürdig; freundlich.
amener [amne] (1d) her(bei)führen; her-, mitbringen; befördern; zur Folge haben; ~ *qn à faire qc* j-n dazu bringen, etw zu tun.
amer, amère [amɛr] bitter.
améric|ain, ~aine [amerikɛ̃, -ɛn] **1.** *adj* amerikanisch; **2.** ♀ *m, f* Amerikaner(in) *m(f)*.
Amérique [amerik] *f l'*~ Amerika *n*.
amerr|ir [amɛrir] (2a) *aviat* wassern; **~issage** [-isaʒ] *m* Wassern *n*.
amertume [amɛrtym] *f* Bitterkeit *f*.
ameubl|ement [amœbləmɑ̃] *m* Innenausstattung *f*; Mobiliar *n*; **~ir** (2a) *agr Boden*: lockern; **~issement** [-ismɑ̃] *m* ~ *du sol agr* Bodenauflockerung *f*.
ameuter [amøte] (1a) aufhetzen.
ami, ~e [ami] **1.** *m, f* Freund(in) *m(f)*; **2.** *adj* befreundet.
amiable [amjablə] *à l'*~ gütlich, in Güte.
amiante [amjɑ̃t] *m* Asbest *m*.
amical, ~e [amikal] (⚠ *m/pl -aux*) freundschaftlich; **~e** *f* Verein *m*.
amid|on [amidõ] *m chim* Stärke *f*; **~onner** [-ɔne] (1a) *Wäsche*: stärken.
amincir [amɛ̃sir] (2a) dünner machen; verdünnen.
amiral [amiral] *m* (⚠ *pl -aux*) Admiral *m*.
amirauté [amirote] *f* Admiralität *f*.
amitié [amitje] *f* Freundschaft *f*, Zuneigung *f*; ~*s pl* Grüße *m/pl*.
amnésie [amnezi] *f* Gedächtnisschwäche *f*, -verlust *m*.
amnis|tie [amnisti] *f* Amnestie *f*; **~tier** [-tje] (1a) amnestieren.
amoindr|ir [amwɛ̃drir] (2a) verringern, kleiner machen; *s'*~ sich verringern; **~issement** [-ismɑ̃] *m* Verminderung *f*.
amoll|ir [amɔlir] (2a) er-, aufweichen; *fig* schwächen; **~issement** [-ismɑ̃] *m* Erschlaffung *f*.
amonceler [amõsle] (1c) an-, aufhäufen.
amoncellement [amõsɛlmɑ̃] *m* Haufen *m*; Stapel *m*.
amont [amõ] *en* ~ flußaufwärts; *en* ~ *de* oberhalb von.
amorc|e [amɔrs] *f* Köder *m*; Zündpulver *n*; Anfangsstück *n*; *fig* Beginn *m*; **~er** (1k) ködern; *fig* in Gang bringen, beginnen.
amort|ir [amɔrtir] (2a) dämpfen; lindern; *Ball*: stoppen; *comm* tilgen; **~issement** [-ismɑ̃] *m* Schuldentilgung *f*; **~isseur** [-isœr] *m tech* Schall- *od* Stoßdämpfer *m*.
amour [amur] *m* Liebe *f*; Liebling *m*; ~*s pl* Liebschaften *f/pl*; **~eux, ~euse** [-ø, -øz] verliebt (*de* in); **~-propre** [-prɔprə] *m* Selbstachtung *f*; Eigenliebe *f*.
amphibie [ɑ̃fibi] *biol* amphibisch;

tech véhicule m ~ Amphibienfahrzeug *n*; *mil char m* ~ Schwimmpanzer *m*.
amphigourique [ɑ̃figurik] *litt* unsinnig; verworren.
amphithéâtre [ɑ̃fiteɑtrə] *m* Hörsaal *m*; *der Römer*: Amphitheater *n*.
ampl|e [ɑ̃plə] weit, umfassend; reichlich; **~eur** *f* Weite *f*, Breite *f*; Ausmaß *n*.
amplific|ateur [ɑ̃plifikatœr] *m tech* Verstärker *m*; **~ation** *f tech* Verstärkung *f*; *fig* Ausweitung *f*.
amplifier [ɑ̃plifje] (1a) *tech* verstärken; *fig* ausweiten.
amplitude [ɑ̃plityd] *f phys* Amplitude *f*; *math* ~ *d'un arc* Bogenweite *f*.
ampoule [ɑ̃pul] *f* (*Haut-*)Blase *f*; Ampulle *f*; Glühbirne *f*.
ampoulé, ~e [ɑ̃pule] *Stil*: schwülstig.
amput|ation [ɑ̃pytasjõ] *f* Amputation *f*; *fig* Kürzung *f*; **~er** (1a) amputieren.
amus|ant, ~ante [amyzɑ̃, -ɑ̃t] unterhaltsam, belustigend.
amuse-gueule [amyzgœl] *m* (⚠ *pl unv*) Appetit(s)happen *m*.
amus|ement [amyzmɑ̃] *m* Belustigung *f*, Vergnügen *n*; **~er** (1a) unterhalten, belustigen; *s'*~ sich unterhalten; *s'~ à (faire) qc* sich bei etw vergnügen (sich damit vergnügen, etw zu tun); *s'~ de* sich lustig machen über.
amygdal|e [ami(g)dal] *f méd* Mandel *f*; **~ite** [-it] *f* Mandelentzündung *f*.
an [ɑ̃] *m* Jahr *n*; *jour m de l'~* Neujahrstag *m*; *bon ~, mal ~* im Durchschnitt; *deux fois l'~* zweimal jährlich; *par ~* jährlich.
anachorète [anakɔrɛt] *m* Einsiedler *m*.
analgésique [analʒezik] *m phm* Schmerzmittel *n*.
ana|logie [analɔʒi] *f* Ähnlichkeit *f*; Analogie *f*; Entsprechung *f*; **~logue** [-lɔg] ähnlich.
analys|e [analiz] *f* Analyse *f*; **~er** (1a) analysieren.
analyste [analist] *m, f* Analytiker(in) *m(f)*.
analytique [analitik] analytisch.
ananas [anana(s)] *m bot* Ananas *f*; ⚠ *un ~*.
anarch|ie [anarʃi] *f* Anarchie *f*; **~iste** *m* Anarchist *m*.
anathème [anatɛm] *m égl* Bannfluch *m*; (Kirchen-)Bann *m*.
anatomie [anatɔmi] *f* Anatomie *f*.
ancêtres [ɑ̃sɛtrə] *m/pl* Vorfahren *m/pl*, Ahnen *m/pl*.
anche [ɑ̃ʃ] *f* Mundstück *n* (*der Blasinstrumente*).
anchois [ɑ̃ʃwa] *m* An(s)chovis *f*, Sardelle *f*.
anc|ien, ~ienne [ɑ̃sjɛ̃, -jɛn] **1.** sehr alt, althergebracht; *à l'ancienne* auf alte Art; **2.** (⚠ *vorangestellt*) früher; ehemalig; **3.** antik, alt (*Gegensatz*: *modern*); *les écrivains anciens* die antiken Schriftsteller; *les Anciens* die Alten (*Griechen u Römer*); **~iennement** [-jɛnmɑ̃] *adv* früher; einst.
ancienneté [ɑ̃sjɛnte] *f* Alter *n*; Dienstalter *n*.
ancolie [ɑ̃kɔli] *f bot* Akelei *f*.
ancr|e [ɑ̃krə] *f* Anker *m*; ⚠ *une ~*; **~er** (1a) verankern; *être ancré* vor Anker liegen; *fig* verwurzelt sein.
andouille [ɑ̃duj] *f* Kaldaunenwurst *f*; F Dummkopf *m*.
androgyne [ɑ̃drɔʒin] *m biol* Zwitter *m*.
âne [ɑn] *m* Esel *m* (*a fig*); *dos m d'~* *Straße*: Querrinne *f*.
anéant|ir [aneɑ̃tir] (2a) vernichten; **~issement** [-ismɑ̃] *m* Vernichtung *f*.
anecdote [anɛgdɔt] *f* Anekdote *f*; lustige kleine Geschichte *f*.
anémie [anemi] *f méd* Blutarmut *f*.
ânerie [ɑnri] *f* Eselei *f*, große Dummheit *f*.
ânesse [ɑnɛs] *f zo* Eselin *f*.
anesthés|ie [anɛstezi] *f méd* Anästhesie *f*, Narkose *f*; Unempfindlichkeit *f*; **~ier** [-je] (1a) betäuben; **~ique 1.** *adj* schmerzausschaltend; **2.** *m* Betäubungsmittel *n*.
aneth [anɛt] *m bot* Dill *m*.
anfractuosité [ɑ̃fraktɥozite] *f* (*oft pl*) *im Gestein*: Spalte *f*, Riß *m*, Kluft *f*.
ange [ɑ̃ʒ] *m* Engel *m*; *fig être aux ~s* im siebten Himmel sein.
angélique [ɑ̃ʒelik] engelhaft.
angélus [ɑ̃ʒelys] *m égl* Abendgeläut *n*; Angelus *m*.
angine [ɑ̃ʒin] *f méd* Angina *f*.
angl|ais, ~aise [ɑ̃glɛ, -ɛz] **1.** *adj* englisch; **2.** ♀ *m, f* Engländer(in) *m(f)*.
angle [ɑ̃glə] *m* Winkel *m*; Ecke *f*.
Angleterre [ɑ̃glətɛr] *f l'~* England *n*.
anglicisme [ɑ̃glisismə] *m* englische Spracheigentümlichkeit *f*.
angoiss|ant, ~ante [ɑ̃gwasɑ̃, -ɑ̃t] beängstigend, beklemmend.

angoiss|e [ɑ̃gwas] *f* Angst *f*; **~er** (1a) ängstigen.
anguille [ɑ̃gij] *f zo* Aal *m*; *fig il y a ~ sous roche* da steckt doch was dahinter.
angul|aire [ɑ̃gylɛr] Eck...; Winkel...; **~eux, ~euse** [-ø, -øz] kantig, eckig.
anicroche [anikrɔʃ] *f* Hindernis *n*; (kleine) Schwierigkeit *f*.
animal [animal] (⚠ *m/pl -aux*) **1.** *m* Tier *n*; **2.** *adj* (*f ~e*) tierisch; Tier...; **~ité** *f* tierisches Wesen *n*.
anima|teur, ~trice [animatœr, -tris] *m, f* Stimmungsmacher(in) *m(f)*; Spiel- *od* Gesprächsleiter(in) *m(f)*; **~tion** *f* Belebung *f*; Belebtheit *f*; *~ (culturelle)* Freizeitgestaltung *f*.
anim|é, ~ée [anime] belebt, lebend; lebhaft; *dessin(s) animé(s)* Zeichentrickfilm *m*; **~er** (1a) beleben; beseelen; *Diskussion*: leiten; *être animé de qc* von etw erfüllt sein.
animosité [animozite] *f* Groll *m*; Feindseligkeit *f*; Erbitterung *f* (*envers qn* gegenüber j-m).
annales [annal] *f/pl* Jahrbücher *n/pl*; Annalen *pl*.
anneau [ano] *m* (⚠ *pl ~x*) Ring *m*.
année [ane] *f* Jahr *n* (*Dauer*); ⚠ *Unterschied zu an beachten*.
annex|e [anɛks] *f* Nebengebäude *n*; Anhang *m*; An-, Beilage *f* (*zum Brief*); **~er** (1a) **1.** beifügen; **2.** einverleiben, annektieren; **~ion** *f* Einverleibung *f*; Annektierung *f*.
annihiler [aniile] (1a) zunichte machen; vernichten.
anniversaire [anivɛrsɛr] *m* Jahres-, Geburtstag *m*.
annonc|e [anõs] *f* Ankündigung *f*; Anzeige *f*; An-, Vorzeichen *n*; *petites ~s pl Zeitung*: Anzeigenteil *m*; **~er** (1k) ankündigen; **~eur** *m* Inserent *m*; Ansager *m*.
annot|ation [anɔtasjõ] *f* Anmerkung *f*; **~er** (1a) mit Anmerkungen versehen.
annu|aire [anɥɛr] *m* Jahrbuch *n*; *~ du téléphone* Telefonbuch *n*; **~el, ~elle** jährlich.
annuité [anɥite] *f* Jahresrate *f*.
annulaire [anylɛr] **1.** *adj* ringförmig; **2.** *m* Ringfinger *m*.
annuler [anyle] (1a) für nichtig erklären; widerrufen; annullieren; stornieren.
anoblir [anɔblir] (2a) adeln.
anod|in, ~ine [anɔdɛ̃, -in] harmlos, unschädlich; *Person*: nichtssagend, unbedeutend.
anomalie [anɔmali] *f* Anomalie *f*; Abnormität *f*.
anonymat [anɔnima] *m* Anonymität *f*.
anonyme [anɔnim] anonym; unbekannt; *société f ~* Aktiengesellschaft *f*.
anse [ɑ̃s] *f* **1.** Henkel *m*, Griff *m*; **2.** *géogr* kleine Bucht *f*.
antagon|isme [ɑ̃tagɔnismə] *m* Gegensatz *m*; Rivalität *f*; **~iste 1.** *adj* gegensätzlich; **2.** *m, f* Widersacher(in) *m(f)*.
antan [ɑ̃tɑ̃] *litt d'~* von einst, damalig.
antarctique [ɑ̃tarktik] antarktisch, Südpolar...
antécédent [ɑ̃tesedɑ̃] *m* **1.** *gr* Beziehungswort *n*; **2.** *~s pl* Vorleben *n*; *méd* Vorgeschichte *f*.
antédiluv|ien, ~ienne [ɑ̃tedilyvjɛ̃, -jɛn] F *fig* vorsintflutlich.
antenne [ɑ̃tɛn] *f* **1.** *zo* Fühler *m*; **2.** *TV*, *Radio* Antenne *f*; *être sur l'~* auf Sendung sein.
antérieur, ~e [ɑ̃terjœr] vordere(r); frühere(r); *~ à* früher als; **~ement** [-mɑ̃] *adv* vorher, früher.
antériorité [ɑ̃terjɔrite] *f* zeitliches Vorangehen *n*.
anthropo|ïde [antrɔpɔid] *adj u m* menschenähnlich(er Affe *m*); **~morphisme** [-mɔrfismə] *m* Vermenschlichung *f*; **~phage** [-faʒ] *m* Menschenfresser *m*.
anti|aérien, ~aérienne [ɑ̃tiaerjɛ̃, -aerjɛn] *mil* Flugabwehr...; Luftschutz...; **~alcoolique** [-alkɔlik] antialkoholisch; **~biotique** [-bjɔtik] *m* Antibiotikum *n*; **~chambre** [-ʃɑ̃brə] *f* Vorzimmer *n*.
anticip|ation [ɑ̃tisipasjõ] *f* Vorwegnahme *f*; *roman m d'~* Zukunftsroman *m*; **~er** (1a) vorzeitig leisten *od* abschließen; *~ sur qc* e-r Sache vorgreifen; etw vorwegnehmen.
anticlérical, ~e [ɑ̃tiklerikal] (⚠ *m/pl -aux*) kirchenfeindlich.
anticonstitutionnel, ~le [ɑ̃tikõstitysjɔnɛl] verfassungswidrig.
anti|cyclone [ɑ̃tisiklon] *m Meteorologie*: Hoch(druckgebiet) *n*; **~dater** [-date] (1a) *~ la facture* die Rechnung rückdatieren; **~dérapant, ~dérapante** [-derapɑ̃, -derapɑ̃t] *auto* **1.** *adj* rutschfest; **2.** *m* Gleit-

schutz *m*; **~dote** [-dɔt] *m méd* Gegengift *n*; **~gel** [-ʒɛl] *m* Frostschutz(mittel *n*) *m*; **~grippe** [-grip] *adj* gegen Grippe; **~nucléaire** [-nykleɛr] *m* Kernkraftgegner *m*; **~parasite** [-parazit] *m Radio*: Störschutz *m*; **~pathique** [-patik] unsympathisch, zuwider; **~pode** [-pɔd] *m aux* ~*s géogr* diametral gegenüber; *fig* sehr fern; diametral entgegengesetzt.

anti|quaille [ɑ̃tikɑj] *f* alter Plunder *m*; **~quaire** [-kɛr] *m* Antiquitätenhändler *m*.

antique [ɑ̃tik] antik; altertümlich.

Antiquité [ɑ̃tikite] *f* Antike *f*; 𝔖*s pl* Antiquitäten *f/pl*; Altertümer *n/pl*.

antirouille [ɑ̃tiruj] Rostschutz...

antisocial, ~e [ɑ̃tisɔsjal] (⚠ *m/pl* -*aux*) unsozial.

anti|sportif, ~sportive [ɑ̃tispɔrtif, -spɔrtiv] unsportlich; **~thèse** [-tɛz] *f* Gegensatz *m*; **~vol** [-vɔl] *m* Diebstahlsicherung *f*; *auto* Lenkradschloß *n*.

antonyme [ɑ̃tɔnim] *m ling* Gegenteil *n*.

antre [ɑ̃trə] *litt m* Höhle *f*.

anus [anys] *m méd* After *m*.

anxi|été [ɑ̃ksjete] *f* Angst *f*, Beklemmung *f*, Ängstlichkeit *f*; **~eux, ~euse** [-ø, -øz] ängstlich; *être* ~ *de* (+ *inf*) sich danach sehnen zu.

aorte [aɔrt] *f* Hauptschlagader *f*, Aorta *f*.

août [u(t)] *m* August *m*; *en* ~ im August.

août|ien, ~ienne [ausjɛ̃, -jɛn] *m*, *f* Augusturlauber(in) *m(f)*.

apais|ant, ~ante [apɛzɑ̃, -ɑ̃t] beruhigend, besänftigend.

apais|ement [apɛzmɑ̃] *m* Beruhigung *f*; Linderung *f*; **~er** (1b) beruhigen, besänftigen; beschwichtigen; ~ *sa faim* (*sa soif*) seinen Hunger (seinen Durst) stillen.

à partir de [a partir də] ab, von ... an.

apathique [apatik] teilnahmslos; gleichgültig.

apatride [apatrid] staatenlos.

apercevoir [apɛrsəvwar] (3a) (*qc* etw) erblicken; wahrnehmen, bemerken; *s'*~ *de qc* etw merken.

aperçu [apɛrsy] **1.** ~*(e) p/p von apercevoir*; **2.** *m* Übersicht *f*; (*Kosten-*) Überschlag *m*.

apérit|if, ~ive [aperitif, -iv] **1.** *adj* appetitanregend; **2.** *m* Aperitif *m*.

apéro [apero] *m* F *für apéritif*.

apesanteur [apəzɑ̃tœr] *f* Schwerelosigkeit *f*.

à peu près [apøprɛ] **1.** *adv* ungefähr; **2.** *m* (⚠ *pl unv*) Halbheit *f*.

apeuré, ~e [apœre] verängstigt; erschrocken.

aphorisme [afɔrismə] *m* Sinnspruch *m*, Aphorismus *m*.

apicult|eur [apikyltœr] *m* Imker *m*; **~ure** [-yr] *f* Bienenzucht *f*.

apitoyer [apitwaje] (1h) ~ *qn* j-n mit Mitleid erfüllen; j-n erbarmen; *s'*~ *sur qc* Mitleid mit etw fühlen; *s'*~ *sur qn* j-n bemitleiden.

aplan|ir [aplanir] (2a) (ein)ebnen, planieren; *fig* schlichten, beheben; **~issement** [-ismɑ̃] *m* (Ein-)Ebnen *n*, Planieren *n*; *fig* Behebung *f*.

aplatir [aplatir] (2a) platt machen; *fig s'*~ *devant qn* vor j-m kriechen.

aplomb [aplõ] *m* senkrechte Stellung *f*; *fig* Selbstsicherheit *f*; Dreistigkeit *f*; *d'*~ senkrecht; *fig ne pas être d'*~ sich nicht wohl fühlen; *avec* ~ selbstsicher; dreist.

apogée [apɔʒe] *m* Erdferne *f* (*des Mondes*); *fig* Höhepunkt *m*; Gipfel *m*.

apolitique [apɔlitik] unpolitisch.

apologie [apɔlɔʒi] *f* Verteidigungsrede *f*, -schrift *f*.

apoplexie [apɔplɛksi] *f méd* Schlag (-anfall) *m*.

apostolique [apɔstɔlik] apostolisch; *siège m* ~ Päpstlicher Stuhl.

apostroph|e [apɔstrɔf] *f* **1.** *Rhetorik*: Anrede *f*, Apostrophe *f*; *fig* Abkanzelung *f*, Anpfiff *m*; **2.** *Zeichen*: Apostroph *m*; ⚠ *une* ~; **~er** (1a) ~ *qn* j-n abkanzeln, anschnauzen, anfahren.

apothéose [apɔteoz] *f* Vergöttlichung *f*; Huldigung *f*; Krönung *f*.

apôtre [apotrə] *m* Apostel *m*.

apparaître [aparɛtrə] (4z) zum Vorschein kommen, erscheinen; *faire* ~ erkennen lassen, zeigen; ~ *à qn* j-m erscheinen (*comme* wie); *il apparaît que* es zeigt sich, daß.

apparat [apara] *m* Pomp *m*, Prunk *m*.

appareil [aparɛj] *m* Apparat *m*, Gerät *n*; *aviat* Maschine *f*.

appareill|age [aparɛjaʒ] *m* **1.** *mar* Auslaufen *n*; Ablegen *n*; **2.** *tech* Apparatur *f*; **~er** (1a) **1.** zusammenstellen, kombinieren; **2.** *mar* auslaufen (*pour* nach), in See stechen.

apparemment [aparamɑ̃] anscheinend, allen Anschein nach.

apparence [aparɑ̃s] *f* **1.** Aussehen *n*; **2.** *meist pl* **~s** Anschein *m*.

appar|ent, ~ente [aparɑ̃, -ɑ̃t] sichtbar; scheinbar.

apparenté, ~e [aparɑ̃te] verwandt (*à qn, à qc* mit j-m, mit etw); verschwägert.

apparier [aparje] (1a) paaren; paarweise zusammenstellen.

apparition [aparisjõ] *f* Erscheinung *f*.

appartement [apartəmɑ̃] *m* Wohnung *f*.

apparten|ance [apartənɑ̃s] *f* Zugehörigkeit *f*; Mitgliedschaft *f*; **~ir** (2h) gehören (*à qn* j-m); *il ne m'appartient pas d'en décider* es steht mir nicht zu, darüber zu entscheiden.

appât [apɑ] *m* Köder *m*; Lockspeise *f*; *fig* Verlockung *f*.

appâter [apɑte] (1a) ködern.

appauvr|ir [apovrir] (2a) arm, ärmer machen; *s'~* verarmen; **~issement** [-ismɑ̃] *m* Verarmung *f*.

appel [apɛl] *m* Ruf *m*; Anruf *m* (*a tél*); Aufruf *m*; *fig u mil* Appell *m*; *jur* Berufung *f*; *mil* Einberufung *f*; *sans ~* unwiderruflich; *faire ~ à qn* an j-n appellieren.

appel|é [aple] *m mil* Einberufene(r) *m*; **~er** (1c) (herbei)rufen; (ein)berufen; nennen; *tél* anrufen; *s'~* heißen; *en ~ à qn* an j-n appellieren.

appellation [apɛlasjõ] *f* Bezeichnung *f*, Benennung *f*.

appendicite [apɛ̃disit] *f méd* Blinddarmentzündung *f*.

appesant|ir [apəzɑ̃tir] *s'~* schwerfällig werden; *s'~ sur* lang und breit reden über; **~issement** [-ismɑ̃] *m* Schwerfälligkeit *f*.

appétiss|ant, ~ante [apetisɑ̃, -ɑ̃t] appetitlich, lecker.

appétit [apeti] *m* Appetit *m*; Hunger *m* (*a fig de* nach).

applaudir [aplodir] (2a) applaudieren, Beifall klatschen (*qn od qc* j-m *od* e-r Sache; *litt a à qn*).

applaudissement [aplodismɑ̃] *m* (*meist pl ~s*) Applaus *m*, Beifall *m*.

applica|ble [aplikablə] anwendbar; **~tion** *f* Anbringung *f*; Anwendung *f*; Fleiß *m*.

appliqu|é, ~ée [aplike] fleißig; *Schneiderei*: aufgesetzt; *Wissenschaft*: angewandt; **~er** (1m) auflegen; anbringen; anwenden (*à* auf); *s'~* fleißig sein; *s'~ à qc* zu etw passen, auf etw zutreffen; sich e-r Sache widmen *od* zuwenden; *s'~ à faire qc* sich bemühen, etw zu tun.

appoint|ements [apwɛ̃tmɑ̃] *m/pl* Bezüge *m/pl*, Gehalt *n*; **~er** (1a) besolden; *tech* zu-, anspitzen.

appontement [apõtmɑ̃] *m* Landungsbrücke *f*.

apport [apɔr] *m comm* Einlage *f*; *fig* Unterstützung *f*, Beitrag *m* (*à* zu).

apporter [apɔrte] (1a) (mit)bringen; beitragen.

apposer [apoze] (1a) anfügen; anbringen; *Zettel*: ankleben.

appréci|able [apresjablə] beträchtlich, nennenswert; **~ation** *f* Abschätzen *n*; Einschätzung *f*, Urteil *n*; **~er** (1a) (ein)schätzen; beurteilen.

appréhen|der [apreɑ̃de] (1a) *~ qc* etw fürchten; *jur ~ qn* j-n festnehmen; **~sion** [-sjõ] *f* Befürchtung *f*.

apprendre [aprɑ̃drə] (4q) lernen; erfahren (*par qn* von j-m); *~ qc à qn* j-n etw lehren; j-m etw mitteilen; *~ à lire* lesen lernen.

apprent|i, ~ie [aprɑ̃ti] *m, f* Lehrling *m*; F Azubi *m, f*; **~issage** [-isaʒ] *m* Lehre *f*; Lehrzeit *f*; (Er-)Lernen *n*.

apprêt [aprɛ] *m* Appretur *f*; *fig* Affektiertheit *f*.

apprêt|é, ~ée [aprɛte] affektiert; **~er** (1a) zubereiten; *s'~ à faire qc* sich anschicken, etw zu tun.

apprivoiser [aprivwaze] (1a) zähmen.

approba|teur, ~trice [aprɔbatœr, -tris] beifällig, billigend; **~tion** *f* Billigung *f*.

approch|ant, ~ante [aprɔʃɑ̃, -ɑ̃t] annähernd; *qc d'approchant* etw Ähnliches.

approch|e [aprɔʃ] *f* Herannahen *n*; *a fig* Zugang *m*; *aviat* Anflug *m*; **~er** (1a) näher heranbringen (*qc de* etw an); herankommen, sich nähern (*de qc* e-r Sache); *s'~ de qn od de qc* sich j-m *od* e-r Sache nähern.

approfondir [aprɔfõdir] (2a) vertiefen.

appropri|é, ~ée [aprɔprije] angemessen, passend; **~er** (1a) anpassen; *s'~ qc* sich etw aneignen.

approuver [apruve] (1a) billigen (*qc* etw); *~ qn de faire qc* es gut finden, daß j etw tut; ⚠ *~ que + subj*.

approvisionn|ement [aprɔvizjɔnmɑ̃] *m* Versorgung *f* (*en* mit); **~er** (1a) versorgen; beliefern.

approximat|if, ~ive [aprɔksimatif, -iv] annähernd; **~ivement** [-ivmɑ̃] *adv* schätzungsweise.
appui [apɥi] *m* Stütze *f*; Halt *m*; Unterstützung *f*; *Sport*: *~ tendu* Handstand *m*; *à l'~ de ...* um ... zu stützen.
appuyer [apɥije] (1h) *~ qn, qc* j-n, etw (unter)stützen; *~ sur qc* auf etw drücken; *fig* auf etw Nachdruck legen.
âpre [ɑprə] herb; heftig; bitter.
après [aprɛ] **1.** *prép* (*örtlich u zeitlich*) nach, hinter; *~ quoi* worauf, darauf; *~ tout* schließlich; (+ *inf*) *~ avoir lu, il ...* nachdem er gelesen hatte ...; *~ manger* nach dem Essen; *d'~* nach, gemäß; **2.** *adv* nachher; **3.** *conj ~ que* (+ *ind od subj*) nachdem.
après|-demain [aprɛdmɛ̃] übermorgen; **~-midi** [-midi] *m od f* (⚠ *pl unv*) Nachmittag *m*.
âpreté [ɑprəte] *f* Herbheit *f*; Heftigkeit *f*.
apr. J.-C. (*abr après Jésus-Christ*) n. Chr.
à-propos [apropo] *m* Schlagfertigkeit *f*.
apte [apt] fähig, geeignet (*à* zu, für).
aptitude [aptityd] *f* Fähigkeit *f*, Eignung *f*; *~s pl* Begabung *f*.
aquarelle [akwarɛl] *f* Aquarell *n*.
aquatique [akwatik] Wasser...
aqueduc [akdyk] *m* Aquädukt *m*.
aqu|eux, ~euse [akø, -øz] wässerig.
aquilin [akilɛ̃] *nez m ~* Adlernase *f*.
aquit|ain, ~aine [akitɛ̃, -ɛn] aquitanisch (*SW-Frankreich*).
arabe [arab] **1.** *adj* arabisch; **2.** ♀ *m, f* Araber(in) *m(f)*.
Arabie [arabi] *f l'~* Arabien *n*.
arachide [araʃid] *f bot* Erdnuß *f*.
araignée [arɛɲe] *f* Spinne *f*; F *avoir une ~ dans le plafond* nicht ganz richtig im Kopf sein.
arbal|ète [arbalɛt] *f* Armbrust *f*; **~étrier** [-etrije] *m hist* Armbrustschütze *m*.
arbitr|age [arbitraʒ] *m* Schiedsspruch *m*; Schlichtung *f*; **~aire** [-ɛr] willkürlich.
arbitr|e [arbitrə] *m* Schiedsrichter *m*; **~er** (1a) als Schiedsrichter entscheiden.
arbor|er [arbɔre] (1a) *Flagge*: hissen; *fig Orden, Abzeichen*: zur Schau tragen; **~iculture** [-ikyltyr] *f agr* Baumzucht *f*.
arbr|e [arbrə] *m* Baum *m*; *tech* Welle *f*; **~isseau** [arbriso] *m* (⚠ *pl ~x*) Bäumchen *n*.
arbuste [arbyst] *m* Strauch *m*.
arc [ark] *m* Bogen *m*.
arcade [arkad] *f* (*oft pl ~s*) *arch* Bogengang *m*, Arkade *f*.
arcanes [arkan] *litt m/pl* Geheimnisse *n/pl*.
arc-boutant [arkbutɑ̃] *m* (⚠ *pl arcs-boutants*) *arch* Strebebogen *m*.
arc-en-ciel [arkɑ̃sjɛl] *m* (⚠ *pl arcs-en-ciel*) Regenbogen *m*.
archaïsme [arkaismə] *m* Archaismus *m*, altertümlicher Ausdruck *m od* Stil *m*.
archange [arkɑ̃ʒ] *m rel* Erzengel *m*.
arche [arʃ] *f* **1.** Brückenbogen *m*; **2.** *Bibel*: Arche *f*.
archéologie [arkeɔlɔʒi] *f* Archäologie *f*.
archer [arʃe] *m* Bogenschütze *m*.
archet [arʃɛ] *m mus* Geigenbogen *m*.
arche|vêché [arʃəveʃe] *m* Erzbistum *n*; **~vêque** [-vɛk] *m* Erzbischof *m*.
archicomble [arʃikõblə] F brechend voll.
archipel [arʃipɛl] *m* Archipel *n*, Inselgruppe *f*.
architect|e [arʃitɛkt] *m* Architekt *m*; **~ure** [-yr] *f* Architektur *f*.
archiv|es [arʃiv] *f/pl* Archiv *n*; **~iste** *m* Archivar *m*.
arçon [arsõ] *m* Sattelbogen *m*; *Turnen*: *cheval m d'~s* Pferd *n*; *fig être ferme dans od sur ses ~s* fest im Sattel sitzen.
arctique [arktik] arktisch, nördlich, Nordpolar...
ard|ent, ~ente [ardɑ̃, -ɑ̃t] glühend, brennend; *fig* leidenschaftlich; ⚠ *adv ardemment* [-amɑ̃].
ardeur [ardœr] *f* Glut *f*; *fig* Eifer *m*.
ardoise [ardwaz] *f* Schiefer *m*.
ardu, ~e [ardy] steil; schwierig.
arène [arɛn] *f* Arena *f* (*auch fig*); *~s pl römische* Arena *f*.
arête [arɛt] *f* (Fisch-)Gräte *f*; Kante *f*.
argent [arʒɑ̃] *m* Silber *n*; Geld *n*.
argent|é, ~ée [arʒɑ̃te] versilbert; silberweiß; **~er** (1a) versilbern; **~erie** *f* Silberzeug *n*; **~in, ~ine** **1.** *Klang*: silberhell; **2.** argentinisch.
Argentine [arʒɑ̃tin] *f l'~* Argentinien *n*.
argile [arʒil] *f géol* Ton *m*.
argil|eux, ~euse [arʒilø, -øz] tonig, tonhaltig, Ton...

argot [argo] *m* Gaunersprache *f*, Rotwelsch *n*; Sondersprache *f*; Jargon *m*.
argotique [argɔtik] *mot m, terme m* ~ Argotwort *n*, -ausdruck *m*.
argüer [argɥe] (1n) ~ *de qc* etw geltend machen, als Argument anführen.
argument [argymɑ̃] *m* Beweisgrund *m*, Argument *n*; Inhaltsangabe *f*.
argument|ation [argymɑ̃tasjɔ̃] *f* Beweisführung *f*; **~er** (1a) argumentieren, Beweise vorbringen.
argutie [argysi] *f (oft pl ~s) litt* Spitzfindigkeit *f*.
arid|e [arid] dürr, trocken; **~ité** *f* Dürre *f*.
aristo|crate [aristɔkrat] *m, f* Aristokrat(in) *m(f)*; **~cratie** [-krasi] *f* Aristokratie *f*; ⚠ *Aussprache*; **~cratique** [-kratik] aristokratisch.
arithmétique [aritmetik] **1.** *adj* arithmetisch; **2.** *f* Arithmetik *f*.
armateur [armatœr] *m* Reeder *m*.
armature [armatyr] *f* Gestell *n*, Gerüst *n*; *Beton*: Armierung *f*; *fig* Grundlage *f*, Stütze *f*; *mus* Vorzeichnung *f*.
arm|e [arm] *f* Waffe *f (a fig)*; **~s** *pl* Wappen *n*; **~é, ~ée** bewaffnet; *fig* gewappnet (*contre* gegen); ~ *de* versehen, ausgestattet mit; *béton m armé* Eisenbeton *m*.
armée [arme] *f* Heer *n*.
armement [armәmɑ̃] *m* Bewaffnung *f*; Rüstung *f*; Ausrüstung *f*.
armer [arme] (1a) bewaffnen, ausrüsten, versehen (*de* mit); *tech* armieren.
armistice [armistis] *m* Waffenstillstand *m*.
armoire [armwar] *f* Schrank *m*.
armoiries [armwari] *f/pl* Wappen *n*.
armoise [armwaz] *f bot* Beifuß *m*.
armure [armyr] *f hist* Rüstung *f*; *fig* Schutz *m*; *tech* Metallbeschlag *m*; *mus* Vorzeichnung *f*.
arnaque [arnak] F *f* Betrug *m*, Hochstapelei *f*.
aromat|e [arɔmat] *m* Gewürz *n*; **~ique** wohlriechend, -schmeckend; **~iser** (1a) würzen.
arome *od* **arôme** [arom] *m* Duft *m*; Aroma *n*.
arpent|er [arpɑ̃te] (1a) vermessen; *fig* ~ *une pièce* e-n Raum mit großen Schritten durchmessen; **~eur** *m* Feldmesser *m*, Geometer *m*.
arrach|e-pied [araʃpje] *travailler d'~* unablässig arbeiten; **~er** (1a) herausreißen, -ziehen; ~ *qc à qn* j-m etw entreißen (*a fig*); *s'~ à od de qc* sich von etw losreißen; *s'~ qn, qc* sich um j-n, etw reißen; **~eur** *m mentir comme un ~ de dents* lügen, daß sich die Balken biegen.
arrang|ement [arɑ̃ʒmɑ̃] *m* Einrichtung *f*; Anordnung *f*; Vereinbarung *f*; **~er** (1l) einrichten; ordnen; *Streit*: beilegen; ~ *qn* F j-n übel zurichten; *s'~ avec qn de* sich mit j-m verständigen über; *tout s'arrange* alles wird wieder gut; *s'~ pour (+ inf)* es so einrichten, daß; *s'~ de qc* sich mit etw abfinden.
arrestation [arɛstasjɔ̃] *f* Verhaftung *f*.
arrêt [arɛ] *m* Anhalten *n*; Aufenthalt *m*; Haltestelle *f*; *jur* (endgültiges) Urteil *n*; *tech* Sperre *f*; *mil* **~s** *pl* Arrest *m*.
arrêt|é, ~ée [arɛte] **1.** *adj* fest; abgemacht; **2.** *m* Erlaß *m*, Anordnung *f*; **~er** (1b) auf-, ein-, anhalten; stehenbleiben; *tech* absperren; *jur* verhaften; festsetzen; ~ *que* anordnen, daß; ~ *de (+ inf)* aufhören zu; *s'~* stehenbleiben.
arrhes [ar] *f/pl comm* Anzahlung *f*.
arrière [arjɛr] **1.** *adv* zurück; *en ~* rückwärts; *en ~ de* hinter; **2.** *adj feu m ~ auto* Schlußlicht *n*; *siège m ~* Rücksitz *m*; **3.** *m* Heck *n*; *Sport*: Verteidiger *m*, Abwehrspieler *m*; *à l'~* hinten; **~s** *pl mil* Etappe *f*.
arriéré, ~e [arjere] rückständig.
arrière|-cour [arjɛrkur] *f* (⚠ *pl arrière-cours*) Hinterhof *m*; **~-garde** [-gard] *f mil* Nachhut *f*; **~-goût** [-gu] *m* Nachgeschmack *m*; **~-grand-mère** [-grɑ̃mɛr] *f* (⚠ *pl arrière-grand[s]-mères*) Urgroßmutter *f*; **~-grand-père** [-grɑ̃pɛr] *m* (⚠ *pl arrière-grands-pères*) Urgroßvater *m*; **~-pays** [-pei] *m* Hinterland *n*; **~-pensée** [-pɑ̃se] *f* (⚠ *pl arrière-pensées*) Hintergedanke *m*; **~-petit-fils** [-p(ә)tifis] *m* (⚠ *pl arrière-petits-fils*) Urenkel *m*; **~-plan** [-plɑ̃] *m* Hintergrund *m*; **~-saison** [-sɛzɔ̃] *f* Nachsaison *f*; **~-train** [-trɛ̃] *m* (⚠ *pl arrière-trains*) *Fahrzeug*: Hintergestell *n*; *zo* Hinterteil *n*.
arrimer [arime] (1a) *mar* stauen; *s'~ (à) Raumschiff*: ankoppeln (an).

arriv|age [arivaʒ] *m Waren*: Anlieferung *f*; **~ée** *f* Ankunft *f*; *Sport*: Ziel *n*; **~er** (1a) ankommen; ~ *à* gelangen zu; ~ *à* (+ *inf*) es schaffen zu; ~ *à qn* j-m zustoßen; *il arrive que* (+ *subj od ind*) es kommt vor, daß.
arriviste [arivist] *m, f* Streber(in) *m(f)*; Erfolgsritter *m*.
arrog|ance [arɔgɑ̃s] *f* Arroganz *f*, Dünkel *m*; **~ant, ~ante** [-ɑ̃, -ɑ̃t] anmaßend, arrogant.
arroger [arɔʒe] (1l) *s'~ Titel*: sich anmaßen.
arrond|ir [arɔ̃dir] (2a) abrunden; **~issement** [-ismɑ̃] *m in Frankreich*: Unterbezirk *m*; Stadtbezirk *m*.
arros|er [aroze] (1a) (be)gießen; *fig* vorbeifließen (*an e-r Stadt*); **~euse** *f* Sprengwagen *m*; **~oir** *m* Gießkanne *f*.
arsenal [arsənal] *m* (⚠ *pl -aux*) Arsenal *n*, Waffenlager *n*.
art [ar] *m* Kunst *f*; Kunstfertigkeit *f*; *avoir l'~ de* (+ *inf*) die Gabe haben zu; *~s décoratifs* (*od appliqués od industriels*) Kunstgewerbe *n*.
artère [artɛr] *f* Schlagader *f*; *fig* Verkehrsader *f*.
artéri|el, ~elle [arterjɛl] arteriell; *tension f artérielle* Blutdruck *m*; **~osclérose** [-ɔskleroz] *f méd* Arterienverkalkung *f*.
arthrite [artrit] *f* Gelenkentzündung *f*, Arthritis *f*.
artichaut [artiʃo] *m* Artischocke *f*; ⚠ *un ~*.
article [artiklə] *m* Artikel *m*; *jur a* Paragraph *m*; ~ *de fond Presse*: Leitartikel *m*.
articul|aire [artikylɛr] Gelenk...; **~ation** *f* Gelenk *n*; Artikulation *f*; **~é, ~ée** *Laut*: artikuliert; *Glieder*: beweglich; *fig* gegliedert; **~er** (1a) *Sprache*: artikulieren; deutlich aussprechen; *s'~* durch Gelenk verbunden sein.
artific|e [artifis] *m* Kunstgriff *m*; Kniff *m*; **~iel, ~ielle** [-jɛl] künstlich; **~ieux, ~ieuse** [-jø, -jøz] *litt* arglistig.
artill|erie [artijri] *f* Artillerie *f*; *pièce f d'~* Geschütz *n*; **~eur** *m* Artillerist *m*.
artisan [artizɑ̃] *m* Handwerker *m*.
artisan|al, ~ale [artizanal] (⚠ *m/pl -aux*) handwerklich, Handwerks...; **~at** [-a] *m* Handwerk(swesen) *n*; ~ *d'art* Kunsthandwerk *n*.
artist|e [artist] **1.** *m, f* Künstler(in) *m(f)*; ⚠ *nicht* Artist; **2.** *adj* künstlerisch veranlagt; **~ique** künstlerisch; Kunst...
as[1] [a] *cf avoir*.
as[2] [as] *m* As *n*; *fig a* Kanone *f*.
ascendance [asɑ̃dɑ̃s] *f* Vorfahren *m/pl*; *Meteorologie*: Aufwind *m*; *astr* Aufgang *m*.
ascend|ant, ~ante [asɑ̃dɑ̃, -ɑ̃t] **1.** *adj* aufsteigend; **2.** *m* (starker) Einfluß *m* (*sur qn* auf j-n); *meist pl ~s* Vorfahren *m/pl*.
ascens|eur [asɑ̃sœr] *m* Lift *m*, Aufzug *m*, Fahrstuhl *m*; **~ion** *f* Besteigung *f*; Aufsteigen *n*; *fig* Aufstieg *m*; *l'♀ rel* (Christi) Himmelfahrt *f*.
ascèse [asɛz] *f rel* Askese *f*.
ascète [asɛt] *m rel* Asket *m*.
Asie [azi] *f l'~* Asien *n*.
asile [azil] *m* Asyl *n*; Zuflucht(sort) *f(m)*; ~ *d'aliénés* Irrenanstalt *f*.
aspect [aspɛ] *m* **1.** Anblick *m*, Aussehen *n*; *à l'~ de* beim Anblick von; **2.** Gesichtspunkt *m*; *sous cet ~* unter diesem Aspekt.
asperge [aspɛrʒ] *f bot* Spargel *m*.
asperger [aspɛrʒe] (1l) besprengen, bespritzen.
aspérité [asperite] *f* Unebenheit *f*.
asphyx|ie [asfiksi] *f* Ersticken *n*; **~ier** [-je] (1a) ersticken; zum Erstickungstod führen (*qn* bei j-m); *s'~ au gaz* sich mit Gas umbringen.
aspic [aspik] *m* **1.** *zo* Viper *f*; **2.** *cuis* Aspik *m*, Sülze *f*.
aspir|ant, ~ante [aspirɑ̃, -ɑ̃t] *m, f* Anwärter(in) *m(f)*.
aspira|teur [aspiratœr] *m* Staubsauger *m*; **~tion** *f* Einatmen *n*; *fig* Streben *n*; Verlangen *n*.
aspirer [aspire] (1a) einatmen; auf-, einsaugen; ~ *à qc od à* (+ *inf*) trachten nach etw *od* danach, zu (+ *inf*).
assagir [asaʒir] (2a) vernünftig machen; *s'~* vernünftig werden.
assaill|ant, ~ante [asajɑ̃, -ɑ̃t] **1.** *adj mil* angreifend; **2.** *m* Angreifer *m*; **~ir** (2c, *futur* 2a) angreifen, anfallen; *fig* bestürmen (*qn* j-n).
assain|ir [asɛnir] (2a) reinigen; sanieren (*z B Währung*); **~issement** [-ismɑ̃] *m* Sanierung *f*.
assaisonner [asɛzɔne] (1a) würzen.
assassin [asasɛ̃] *m* Mörder *m*; *à l'~!* Mord!
assassin|at [asasina] *m* Mord *m*; **~er** (1a) ermorden.

assaut [aso] *m mil* Sturm *m*, Angriff *m*.
assèchement [asɛʃmɑ̃] *m* Entwässerung *f*, Trockenlegung *f*.
assécher [aseʃe] (1f) trockenlegen.
assembl|age [asɑ̃blaʒ] *m* Zusammenfügung *f*; *fig* Gemisch *n*; **~ée** *f* Versammlung *f*; **~er** (1a) zusammenbringen, -tragen; *s'~* sich versammeln.
assentiment [asɑ̃timɑ̃] *m* Einwilligung *f*.
asseoir [aswar] (3l) hin-, niedersetzen; gründen (*sur* auf); *faire ~ qn* j-n Platz nehmen lassen; *s'~* sich setzen; *être assis* sitzen.
assermenté, ~e [asɛrmɑ̃te] vereidigt.
assertion [asɛrsjõ] *f* Behauptung *f*.
asserv|ir [asɛrvir] (2a) unterwerfen, -jochen; **~issement** [-ismɑ̃] *m* Unterwerfung *f*, -jochung *f*.
assez [ase] genug; ziemlich; *~ d'argent* genug Geld.
assidu, ~e [asidy] emsig, fleißig; beharrlich; ⚠ *adv assidûment*.
assiduité [asidɥite] *f* Gewissenhaftigkeit *f*; Fleiß *m*.
assiégeant [asjeʒɑ̃] *m* Belagerer *m*.
assiéger [asjeʒe] (1g) belagern; *fig ~ qn* j-n bedrängen.
assiérai [asjere] *futur von asseoir*.
assiett|e [asjɛt] *f* Teller *m*; *fig n'être pas dans son ~* sich nicht wohl fühlen; **~ée** *f ein* Tellervoll *m*.
assigner [asiɲe] (1a) anweisen; *jur* vor Gericht laden.
assimilation [asimilasjõ] *f* Gleichstellung *f*, Angleichung *f*, Assimilierung *f*.
assimiler [asimile] (1a) gleichsetzen; assimilieren; *fig* geistig verarbeiten; *s'~ à* sich anpassen an.
ass|is, ~ise [asi, -iz] *p/p von asseoir u adj* sitzend; *être ~* sitzen; *place f assise* Sitzplatz *m*; *fig bien ~* wohlbegründet; **~ise** [-iz] *f* (Stein-)Schicht *f*; *fig* Basis *f*.
assises [asiz] *f/pl* Tagung *f*; Kongreß *m*; *jur cour f d'~* Schwurgericht *n*.
assist|ance [asistɑ̃s] *f* **1.** Anwesenheit *f*; *die* Anwesenden *m/pl*; **2.** Unterstützung *f*, Fürsorge *f*; Mithilfe *f*.
assist|ant, ~ante [asistɑ̃, -ɑ̃t] **1.** *adj* assistierend; **2.** *m, f* Assistent(in) *m(f)*; *les assistants m/pl* die Anwesenden *m/pl*; **~er** (1a) *~ à qc* bei etw zugegen sein; *~ qn* j-m beistehen, helfen.
associ|ation [asɔsjasjõ] *f* Vereinigung *f*; Verbindung *f*; **~é, ~ée 1.** *adj* assoziiert; **2.** *m, f* Teilhaber(in) *m(f)*; **~er** (1a) verbinden; *~ qn* j-n beteiligen; *s'~* sich zusammenschließen; *s'~ à* sich anschließen an.
assoiffé, ~e [aswafe] sehr durstig; *fig ~ de* gierig nach.
assombrir [asõbrir] (2a) verdüstern.
assomm|ant, ~ante [asɔmɑ̃, -ɑ̃t] F unerträglich langweilig.
assommer [asɔme] (1a) totschlagen; *fig* F belästigen, tödlich langweilen.
Assomption [asõpsjõ] *f rel* Mariä Himmelfahrt *f*.
assort|i, ~e [asɔrti] passend (*à* zu); *fromages m/pl assortis* verschiedene Käsesorten *f/pl*; **~iment** [-imɑ̃] *m* Zusammenstellung *f*; Sortiment *n*; **~ir** (2a) passend zusammenstellen; anpassen (*à* an); *comm* mit Waren versehen.
assoupir [asupir] (2a) einschläfern; betäuben.
assouplir [asuplir] (2a) geschmeidig machen.
assourdir [asurdir] (2a) betäuben; *Geräusche, Farben*: dämpfen.
assouvir [asuvir] (2a) sättigen, stillen; *fig* befriedigen.
assujett|ir [asyʒetir] (2a) unterwerfen; nötigen (*à* zu); **~issement** [-ismɑ̃] *m* Unterwerfung *f*.
assumer [asyme] (1a) auf sich nehmen, übernehmen.
assurance [asyrɑ̃s] *f* Zuversicht *f*; Selbstsicherheit *f*; Zusicherung *f*; Gewißheit *f*; Versicherung *f*; *~ auto* Kfz-Versicherung *f*; *~ tous risques* Vollkaskoversicherung *f*.
assur|é, ~ée [asyre] sicher; versichert; **~ément** [-emɑ̃] *adv* sicherlich; **~er** (1a) versichern (*à qn que* [+ *ind*] j-m, daß); *~ qn de qc st/s* j-n e-r Sache versichern; *~ qc* etw gewährleisten; *~ qc à qn* j-m etw zusagen; *s'~ de qc* sich e-r Sache vergewissern; *s'~ sur la vie* e-e Lebensversicherung abschließen.
astérisque [asterisk] *m* Sternchen *n* (*im Buchdruck*).
asthme [asmə] *m* Asthma *n*.
asticot [astiko] *m* Made *f*.
astiquer [astike] (1m) blank putzen, polieren.
astre [astrə] *m* Gestirn *n*, Stern *m*.
astreindre [astrɛ̃drə] (4b) nötigen, zwingen (*à qc* zu etw).

astro|naute [astrɔnot] *m, f* Astronaut(in) *m(f)*; **~nomie** [-nɔmi] *f* Astronomie *f*, Himmelskunde *f*.

astuc|e [astys] *f* Schlauheit *f*; Kniff *m*; **~ieux, ~ieuse** [-jø, -jøz] raffiniert; einfallsreich.

atelier [atəlje] *m* Werkstatt *f*; Atelier *n*.

atermoyer [atɛrmwaje] (1h) die Dinge hinauszögern, aufschieben.

athée [ate] **1.** *adj* atheistisch; **2.** *m, f* Atheist(in) *m(f)*.

athlétisme [atletismə] *m* Leichtathletik *f*.

atlantique [atlɑ̃tik] *adj l'océan m* ♀ (*a l'*♀ *m*) der Atlantische Ozean, der Atlantik.

atmosphère [atmɔsfɛr] *f* Atmosphäre *f*; *fig* Stimmung *f*.

atom|e [atom] *m* Atom *n*; *fig* Spur *f*; **~ique** Atom..., atomar; *bombe f* ~ Atombombe *f*; ⚠ *aber énergie nucléaire* Atomenergie; **~iseur** [-izœr] *m* Zerstäuber *m*.

atout [atu] *m* Trumpf *m*.

atroc|e [atrɔs] entsetzlich, grauenhaft; **~ité** *f* Abscheulichkeit *f*; *pl* **~s** Greueltaten *f/pl*.

attabler [atable] (1a) *s'*~ sich an den Tisch setzen.

attach|ant, ~ante [ataʃɑ̃, -ɑ̃t] spannend.

attach|e [ataʃ] *f* Band *n*; Klammer *f*; *fig* **~s** *pl* Bindung *f*; **~é, ~ée 1.** *adj* gefesselt; verbunden (*à* mit), gebunden (*à* an); **2.** *m* Attaché *m*; **~ement** [-mɑ̃] *m* Anhänglichkeit *f*; **~er** (1a) anbinden; befestigen; *fig* ~ *ses yeux sur qn* seine Blicke auf j-n heften; ~ *de l'importance à qc* e-r Sache Bedeutung beimessen; *s'*~ *à qn, qc* an j-m, etw hängen.

attaqu|ant, ~ante [atakɑ̃, -ɑ̃t] *m, f* *Sport*: Angreifer(in) *m(f)*.

attaqu|e [atak] *f* Angriff *m*; *méd* Anfall *m*; **~er** (1m) angreifen; *s'*~ *à qc* etw in Angriff nehmen, gegen etw angehen.

attarder [atarde] (1a) *s'*~ sich verspäten; *s'*~ *à od sur qc* sich mit etw aufhalten.

atteindre [atɛ̃drə] (4b) erreichen, erlangen; treffen.

atteinte [atɛ̃t] *f* **1.** *hors d'*~ unerreichbar; **2.** *fig* Beeinträchtigung *f*, Verletzung *f*; *porter* ~ *à qc* e-r Sache Schaden zufügen.

attel|age [atlaʒ] *m* Gespann *n*; **~er** (1c) anspannen; ankuppeln.

atten|ant, ~ante [atnɑ̃, -ɑ̃t] angrenzend.

attendant [atɑ̃dɑ̃] *en* ~ unterdessen, inzwischen; *conj en* ~ *de* (+ *inf*), *en* ~ *que* (+ *subj*) (so lange) bis.

attendre [atɑ̃drə] (4a) warten; ~ *qn* j-n erwarten, auf j-n warten; ~ *de* (+ *inf*), ~ *que* (+ *subj*) warten bis; *s'*~ *à qc* auf etw gefaßt sein.

attendr|ir [atɑ̃drir] (2a) weich machen; *fig* rühren; **~issement** [-ismɑ̃] *m* Rührung *f*.

attendu [atɑ̃dy] *prép* in Anbetracht.

attentat [atɑ̃ta] *m* Attentat *n*.

attent|e [atɑ̃t] *f* Warten *n*; Erwartung *f*; **~er** (1a) ~ *à* ein Attentat verüben gegen.

attent|if, ~ive [atɑ̃tif, -iv] aufmerksam (*à* auf).

attention [atɑ̃sjõ] *f* Aufmerksamkeit *f*; ~*!* Achtung!, Vorsicht!; *faire* ~ *à qc* auf etw achten, aufpassen; *faire* ~ *à od de* (+ *inf*) zusehen, daß.

atténu|ant, ~ante [atenɥɑ̃, -ɑ̃t] mildernd; *jur circonstances f/pl atténuantes* mildernde Umstände *m/pl*; **~er** (1n) lindern, mildern.

atterr|er [atɛre] (1b) bestürzen, betroffen machen; **~ir** (2a) *mar, aviat* landen; **~issage** [-isaʒ] *m mar, aviat* Landung *f*.

attest|ation [atɛstasjõ] *f* Bescheinigung *f*; **~er** (1a) bescheinigen.

attiédir [atjedir] (2a) *st/s* lau(warm) machen, abkühlen (*a fig*) *bzw* erwärmen.

attifer [atife] F (1a) herausputzen.

attir|ail [atiraj] *m* F Kram *m*, Plunder *m*; **~ance** *f* Anziehungskraft *f*; Verlockung *f*; **~er** (1a) (her)anziehen; (an)locken.

attiser [atize] (1a) schüren.

attitré, ~e [atitre] festangestellt; ständig.

attitude [atityd] *f* Haltung *f*; Verhalten *n*.

attract|if, ~ive [atraktif, -iv] anziehend.

attraction [atraksjõ] *f* Anziehung(skraft) *f*; Attraktion *f*.

attrait [atrɛ] *m* Reiz *m*; Zauber *m*.

attrape [atrap] *f* (*farces f/pl et*) **~s** *pl* Scherzartikel *m/pl*; ⚠ *nicht* Attrappe; **~-nigaud** [-nigo] *m* (⚠ *pl attrape-nigauds*) Bauernfängerei *f*; plumper Trick *m*.

attraper [atrape] (1a) fangen; einholen; erreichen; *fig* sich zuziehen; ~

un rhume sich den Schnupfen holen; *fig ~ qn* j-n (he)reinlegen.
attray|ant, ~ante [atrɛjɑ̃, -ɑ̃t] anziehend, attraktiv.
attribuer [atribɥe] (1n) zuteilen; *~ qc à qn/qc* j-m/e-r Sache etw zuschreiben.
attribut [atriby] *m* Attribut *n*; wesentliches Merkmal *n*; *gr* Prädikatsnomen *n*.
attribution [atribysjõ] *f* Zuteilung *f*; Zuerkennung *f*.
attrister [atriste] (1a) betrüben.
attroup|ement [atrupmɑ̃] *m* Menschenauflauf *m*; **~er** (1a) *s'~* sich zusammenrotten.
au [o] *Zusammenziehung aus à u le*.
aubaine [obɛn] *f une bonne ~* ein Glücksfall.
aube [ob] *f* Morgendämmerung *f*; *fig u st/s* Beginn *m*.
aubépine [obepin] *f bot* Weißdorn *m*.
auberge [obɛrʒ] *f* Gasthof *m*; *~ de la jeunesse* Jugendherberge *f*.
aubergine [obɛrʒin] *f* **1.** *bot* Aubergine *f*, Eierfrucht *f*; **2.** F *fig* Politesse *f*.
aubergiste [obɛrʒist] *m, f* Gastwirt(in) *m(f)*.
auc|un, ~une [okɛ̃ *od* okœ̃, -yn] *mit ne u alleinstehend*: keine(r); *nach negativen Ausdrücken*: irgendeine(r); *litt d'aucuns* einige, manche; *en aucun cas* auf keinen Fall; ⚠ *ne ... aucun/aucun ... ne* (*ohne pas*).
aucunement [okynmɑ̃] keineswegs; ⚠ *mit ne beim Verb*.
audac|e [odas] *f* Kühnheit *f*; **~ieux, ~ieuse** [-jø, -jøz] kühn; frech.
au-dedans [odədɑ̃] *litt* innen; *~ de* innerhalb.
au-dehors [odəɔr] *litt* draußen; *~ de* außerhalb.
au-delà [od(ə)la] **1.** darüber hinaus; *~ de* jenseits; **2.** *m rel* Jenseits *n*.
au-dessous [odsu] unterhalb (*de* von).
au-dessus [odsy] oberhalb (*de* von).
au-devant [odvɑ̃] *~ de qn* j-m entgegen.
audible [odiblə] hörbar.
audience [odjɑ̃s] *f* Audienz *f*, Unterredung *f*; Zuhörerschaft *f*; Aufmerksamkeit *f*.
audio-visuel, ~le [odjɔvizɥɛl] audiovisuell.
audi|teur, ~trice [oditœr, -tris] *m, f* Zuhörer(in) *m(f)*; Hörer(in) *m(f)*; **~tion** *f* Hören *n*; Anhören *n*; Anhörung *f*; **~toire** [-twar] *m* Zuhörerschaft *f*; Publikum *n*.
auge [oʒ] *f* Trog *m*; Kübel *m*.
augment|ation [ogmɑ̃tasjõ] *f* Vermehrung *f*; Erhöhung *f*; Zunahme *f*; **~er** (1a) vergrößern, erhöhen; zunehmen, wachsen.
auguste [ogyst] *st/s od plais* erhaben, erlaucht.
aujourd'hui [oʒurdɥi] heute.
aulne [on] *cf aune*[1].
aumôn|e [omon] *f* Almosen *n*; **~ier** [-je] *m* Anstaltsgeistliche(r) *m*.
aune[1] [on] *m bot* Erle *f*.
aune[2] [on] *f* Elle *f*.
auparavant [oparavɑ̃] *adv* vorher.
auprès [oprɛ] **1.** *prép ~ de* dicht bei; *fig* bei; **2.** *adv* (*selten*) nahebei.
aurai [ɔre] *futur von avoir*.
auréole [ɔreɔl] *f* Heiligenschein *m*.
auriculaire [ɔrikylɛr] **1.** *adj* Ohr...; **2.** *m* kleiner Finger *m*.
aurifère [ɔrifɛr] goldhaltig.
aurore [ɔrɔr] *f* Morgenröte *f*.
ausculter [oskylte, ɔs-] (1a) *méd* abhorchen.
auspices [ospis] *m/pl* Auspizien *n/pl*; *sous de meilleurs ~* unter besseren Umständen.
aussi [osi] **1.** *adv* auch; *~ ... que* ebenso ... wie; *einschränkend*: *~* (+ *adj*) *que* (+ *subj*) wie ... auch (immer); **2.** *conj* (*als Satzanfang*) daher (*meist mit Inversion*); **~tôt** [-to] sogleich; *~ que* sobald als.
aust|ère [ostɛr] streng; **~érité** [-erite] *f* Strenge *f*; *politique f d'~* Sparpolitik *f*.
austral, ~e [ostral] (⚠ *m/pl ~s*) *géogr* südlich.
Australie [ostrali] *f l'~* Australien *n*.
austral|ien, ~ienne [ostraljɛ̃, -jɛn] **1.** *adj* australisch; **2.** ♀ *m, f* Australier(in) *m(f)*.
autant [otɑ̃] ebensoviel, ebensosehr; *d'~* gleichermaßen; (*pour*) *~ que* (+ *subj*) soweit, insofern; *en faire ~* dasselbe machen; *d'~ plus que* um so mehr als; zumal.
autarcie [otarsi] *f écon* Autarkie *f*.
autel [otɛl] *m* Altar *m*.
auteur [otœr] *m* Urheber(in) *m(f)*; Autor *m*.
authenticité [otɑ̃tisite] *f* Echtheit *f*.
authentique [otɑ̃tik] echt; authentisch.
auto [oto] *f* Auto *n*; ⚠ *une ~*.

auto... [otɔ] Selbst..., selbst...; Auto...; **~bus** [-bys] *m* (Auto-)Bus *m*; **~car** [-kar] *m* Reisebus *m*.
autochtone [otɔktɔn] **1.** *adj* eingeboren, einheimisch; **2.** *m, f* Ureinwohner(in) *m(f)*.
autocoll|ant, ~ante [otɔkɔlɑ̃, -ɑ̃t] **1.** *adj* selbstklebend; **2.** *m* Aufkleber *m*.
auto|-couchettes [otɔkuʃɛt] *train m* ~ Autoreisezug *m*; **~critique** [-kritik] *f pol* Selbstkritik *f*; **~cuiseur** [-kɥizœr] *m cuis* Schnellkochtopf *m*; **~défense** [-defɑ̃s] *f* Selbstverteidigung *f*; **~détermination** [-detɛrminasjõ] *f* Selbstbestimmung *f*; **~drome** [-drom] *m* Autorennbahn *f*; **~-école** [-ekɔl] *f* (⚠ *pl auto-écoles*) Fahrschule *f*.
autogéré, ~e [otɔʒere] selbstverwaltet.
auto|gestion [otɔʒɛstjõ] *f* Arbeiterselbstverwaltung *f*; **~graphe** [-graf] **1.** *adj* eigenhändig geschrieben; **2.** *m* Autogramm *n*.
autoguidé, ~e [otɔgide] *aviat, mil* selbstgelenkt.
automa|te [otɔmat] *m* Automat *m*; mechanisches Spielzeug; ⚠ *nicht* Warenautomat; **~tion** *f tech* Automation *f*; **~tique** [-tik] automatisch.
automne [otɔn] *m* Herbst *m*; *en* ~ im Herbst.
automobil|e [otɔmɔbil] **1.** *adj* Kraftfahrzeug...; **2.** *f* Automobil *n*; Autoindustrie *f*; ⚠ *une* ~; **~isme** *m* Automobilwesen *n*, -sport *m*; **~iste** *m, f* Kraftfahrer *m*; Autofahrer(in) *m(f)*.
auto|moteur, ~motrice [otɔmɔtœr, -mɔtris] **1.** *adj* Selbstfahr...; **2.** *m mil* Selbstfahrlafette *f*; **3.** *f* Triebwagen *m*.
autonom|e [otɔnɔm] autonom, eigenständig; **~ie** [-i] *f* Autonomie *f*, Selbständigkeit *f*; *fig* Aktionsradius *m*.
autopsie [otɔpsi] *f* Leichenöffnung *f*; *jur* Obduktion *f*.
autorail [otɔraj] *m* (Diesel-)Triebwagen *m*.
autori|sation [otɔrizasjõ] *f* Genehmigung *f*; **~ser** [-ze] (1a) ~ *qn à faire qc* j-m erlauben, etw zu tun; *s'~ de qc* sich auf etw berufen; **~taire** [-tɛr] autoritär; gebieterisch; **~té** [-te] *f* **1.** (Befehls-, Amts)Gewalt *f*; *par ~ de justice* durch gerichtliche Anordnung; **2.** Autorität *f*, Ansehen *n*; **3.** Obrigkeit *f*; Behörde *f*.
autorout|e [otɔrut] *f* Autobahn *f*; ~ *de dégagement* Entlastungsautobahn *f*; **~ier, ~ière** [-je, -jɛr] *réseau m autoroutier* Autobahnnetz *n*.
auto|-stop [otostɔp] *m faire de l'~* per Anhalter fahren; **~-stoppeur, ~-stoppeuse** [-stɔpœr, -stɔpøz] *m, f* (⚠ *pl auto-stoppeurs, -euses*) Anhalter(in) *m(f)*.
autour¹ [otur] *adv* darum herum; ~ *de prép* um ... (herum); F ungefähr.
autour² [otur] *m zo* Habicht *m*.
autre [otrə] andere(r); *l'~ jour* neulich; *l'un (avec) l'~* (mit)einander; *nous ~s Allemands* wir Deutschen; *d'~s* andere; *rien d'~* nichts anderes; *d'~ part* andererseits; *de temps à ~* dann und wann; *quel ~?* wer sonst?; *l'~ année* letztes Jahr; **~fois** [-fwa] früher, einst, ehemals; **~ment** anders (*que* als); sonst.
Autriche [otriʃ] *f l'~* Österreich *n*.
autrich|ien, ~ienne [otriʃjɛ̃, -jɛn] **1.** *adj* österreichisch; **2.** ♀ *m, f* Österreicher(in) *m(f)*.
autruche [otryʃ] *f zo* Strauß *m*.
autrui [otrɥi] *m* (*ohne pl, meist als Ergänzung*) anderer *sg*, andere *pl*.
auvent [ovɑ̃] *m* Wetter-, Schutzdach *n*.
auvergn|at, ~ate [ovɛrɲa, -at] **1.** *adj* der Auvergne, auvergnatisch; **2.** ♀ *m, f* Bewohner(in) *m(f)* der Auvergne.
aux [o] *Zusammenziehung aus à u les*.
auxiliaire [oksiljɛr] **1.** *adj* Hilfs..; **2.** *m, f* Hilfskraft *f*; **3.** *m* Hilfsverb *n*.
av. (*abr avenue*) Straße.
aval [aval] **1.** *adv en* ~ flußabwärts; *prép en ~ de* unterhalb von; **2.** *m comm* Wechselbürgschaft *f*.
avalanche [avalɑ̃ʃ] *f* Lawine *f*.
aval|er [avale] (1a) (ver)schlucken; (ver)schlingen; **~iser** (1a) *comm* als Bürge unterschreiben; *fig* billigen.
avanc|e [avɑ̃s] *f* Vormarsch *m*; Vorsprung *m*; Vorteil *m*; *comm* Vorschuß *m*; *~s pl* Annäherungsversuche *m/pl*; *à l'~, par ~, d'~* im voraus; *en ~* zu früh; **~ement** [-mɑ̃] *m* Fortschritt *m*; Beförderung *f*; **~er** (1k) vorrücken; vorwärtsbringen; vorwärtskommen; aufsteigen; *Uhr*: vorstellen, -gehen; *Geld*: vorschießen; *s'~ vers* zugehen auf.
avanie [avani] *f* Schimpf *m*; Beleidigung *f*.
avant [avɑ̃] **1.** *prép* (*zeitlich, Reihenfolge, Rangfolge, räumlich*) vor; ~ *six*

mois vor Ablauf von sechs Monaten; ~ *tout* vor allem; ~ *peu* binnen kurzem; (+ *inf*) ~ *manger* vor dem Essen; **2.** *adv* vorher; vorn; *en* ~*!* vorwärts!; **3.** *conj* ~ *que* (+ *subj*) *u* ~ *de* (+ *inf*) bevor, ehe; **4.** *adj roue f* ~ Vorderrad *n*; **5.** *m* Vorderteil *n*; *Schiff*: Bug *m*; *Sport*: Stürmer *m*.

avantag|e [avɑ̃taʒ] *m* Vorteil *m*; Überlegenheit *f*; **~er** (1l) bevorzugen; **~eux, ~euse** [-ø, -øz] vorteilhaft.

avant|-bras [avɑ̃bra] *m* (⚠ *pl unv*) Unterarm *m*; **~-coureur** [-kurœr] (⚠ *pl avant-coureurs*) *signe m* ~ Vorbote *m*, Vorzeichen *n*; **~-dernier, ~-dernière** [-dɛrnje, -dɛrnjɛr] (⚠ *pl avant-derniers, avant-dernières*) vorletzte(r); **~-garde** [-gard] *f mil* Vorhut *f*; *fig* Avantgarde *f*; **~-gardisme** [-gardismə] *m* Avantgardismus *m*; **~-goût** [-gu] *m fig* Vorgeschmack *m* (*de* auf); **~-guerre** [-gɛr] *m* Vorkriegszeit *f*; **~-hier** [avɑ̃tjɛr] vorgestern; **~-poste** [-pɔst] *m* (⚠ *pl avant-postes*) Vorposten *m*; **~-projet** [-prɔʒɛ] *m* (⚠ *pl avant-projets*) Vorentwurf *m*; **~-propos** [-prɔpo] *m* (⚠ *pl unv*) Vorwort *n*; **~-scène** [-sɛn] *f* (⚠ *pl avant-scènes*) *Theater*: Orchesterloge *f*; **~-train** [-trɛ̃] *m* (⚠ *pl avant-trains*) vorderes Fahrgestell *n*; **~-veille** [-vɛj] *f* zweiter Tag zuvor.

avar|e [avar] **1.** *adj* geizig; *être* ~ *de qc* mit etw geizen; **2.** *m* Geizhals *m*; **~ice** [-is] *f* Geiz *m*.

avar|ie [avari] *f mar, aviat* Havarie *f*; Schaden *m*; **~ié, ~iée** [-je] beschädigt; verdorben.

avatar [avatar] *m* Unglück *n*, Mißgeschick *n*; Wandlung *f*, Veränderung *f*.

avec [avɛk] *prép* mit; bei; *et* ~ *cela* und noch dazu; *adv* F damit; dazu.

aven|ant, ~ante [avnɑ̃, -ɑ̃t] *st/s* einnehmend; freundlich; *adv à l'avenant* (dem)entsprechend.

avènement [avɛnmɑ̃] *m* Regierungsantritt *m*; Thronbesteigung *f*.

avenir [avnir] *m* Zukunft *f*; *à l'*~ in Zukunft; ⚠ *nicht verwechseln mit le futur* (*grammatische Zeit*).

avent [avɑ̃] *m* Advent(szeit *f*) *m*.

aventur|e [avɑ̃tyr] *f* Abenteuer *n*; *à l'*~ aufs Geratewohl; *st/s d'*~, *par* ~ zufällig; *diseuse f de bonne* ~ Wahrsagerin *f*; ⚠ *une* ~; **~er** (1a) aufs Spiel setzen; *s'*~ sich wagen (*dans* in); **~eux, ~euse** [-ø, -øz] abenteuerlich; riskant; abenteuerlustig; **~ier, ~ière** [-je, -jɛr] **1.** *m, f* Abenteurer(in) *m(f)*; **2.** *adj esprit m aventurier* Abenteuergeist *m*; **~isme** *m* politisches Abenteurertum *n*.

avenu [avny] *nul et non* ~ null und nichtig.

avenue [avny] *f* Avenue *f*, Prachtstraße *f*, Allee *f*.

avérer [avere] (1f) *s'*~ (+ *adj*) sich als ... erweisen.

averse [avɛrs] *f* Platzregen *m*.

aversion [avɛrsjõ] *f* Abneigung *f* (*pour od contre* gegen); *prendre qn en* ~ e-e Abneigung gegen j-n bekommen.

avert|ir [avɛrtir] (2a) benachrichtigen (*qn de qc* j-n von etw); warnen; ~ *qn de* (+ *inf*) j-m raten zu; **~issement** [-ismɑ̃] *m* Warnung *f*; Vorbemerkung *f*; **~isseur** [-isœr] *m auto* Hupe *f*; ~ *d'incendie* Feuermelder *m*.

aveu [avø] *m* (⚠ *pl* ~*x*) Geständnis *n*; *de l'*~ *de* nach dem Zeugnis von, nach Aussagen von.

aveugl|e [avœglə] **1.** *adj* blind (*a fig u arch*); **2.** *m, f* Blinde(r) *m, f*; *en* ~ blindlings; **~ement** [-əmɑ̃] *m fig* Verblendung *f*; **~ément** [-emɑ̃] *adv* blindlings, unüberlegt; **~er** (1a) blind machen; blenden; verblenden; **~ette** [-ɛt] *à l'*~ *fig* aufs Geratewohl, planlos.

avia|teur, ~trice [avjatœr, -tris] *m, f* Flieger(in) *m(f)*; **~tion** *f* Flugwesen *n*, Luftfahrt *f*.

avid|e [avid] (be)gierig (*de* nach, auf); **~ité** *f* Gier *f*, Begierde *f*.

avil|ir [avilir] (2a) herabwürdigen; entwerten; **~issement** [-ismɑ̃] *m* Erniedrigung *f*; Entwertung *f*.

aviné, ~e [avine] betrunken.

avion [avjõ] *m* Flugzeug *n*; *en* ~ beim Fliegen; im Flugzeug; *aller en* ~ fliegen; *par* ~ mit Luftpost; mit dem Flugzeug; ~ *à réaction* Düsenflugzeug *n*; ~ *de bombardement* Bomber *m*; ~ *de chasse* Jagdflugzeug *n*; ~ *de combat* Kampfflugzeug *n*; ~ *commercial*, ~ *de ligne* Passagierflugzeug *n*; ~ *de reconnaissance* Aufklärer *m*; ~ *supersonique* Überschallflugzeug *n*; ~ *de transport* Verkehrsflugzeug *n*; ~ *à hélice* Propellerflugzeug *n*.

aviron [avirõ] *m* Ruder *n*; Rudersport *m*.
avis [avi] **1.** Meinung *f*, Ansicht *f*; *à mon* ~ meiner Meinung nach; *de l'~ de qn* nach j-s Ansicht; *sur l'~ de qn* auf j-s Empfehlung; *être d'~ de* (+ *inf*) *od que* (+ *subj*) der Meinung sein, daß ...; **2.** Hinweis *m*; Bekanntmachung *f*; *lettre f d'~* Benachrichtigungsschreiben *n*; ~ *de réception* Empfangsbescheinigung *f*; *sauf ~ contraire* bis auf Widerruf.
avis|é, ~ée [avize] besonnen, umsichtig; *être bien ~ de* (+ *inf*) gut beraten sein zu (+ *inf*); **~er** (1a) ~ *qn de qc* j-n von etw benachrichtigen; ~ *à qc* auf etw bedacht sein; *s'~ de qc* etw bemerken, gewahr werden; *s'~ de* (+ *inf*) sich einfallen lassen, auf den Gedanken kommen zu (+ *inf*).
aviver [avive] (1a) auffrischen; verstärken.
av. J.-C. (*abr avant Jésus-Christ*) v. Chr.
avoc|at, ~ate [avɔka, -at] **1.** *m*, *f* Rechtsanwalt *m*, -wältin *f*; **2.** *m bot* Avocado(birne) *f*.
avoine [avwan] *f* Hafer *m*.
avoir [avwar] (1) **1.** haben; besitzen; bekommen; ~ *faim* (*soif*) Hunger (Durst) haben; F *fig ~ qn* j-n reinlegen; ~ *à faire qc* etw zu tun haben; ~ *20 ans* 20 Jahre alt sein; ~ *froid* frieren; *j'ai chaud* mir ist warm; **2.** *Hilfsverb zur Bildung von zusammengesetzten Zeiten*; **3.** *il y a* es gibt, es ist (sind); *zeitlich* vor; **4.** *m comm* Guthaben *n*; *st/s* Besitz *m*.
avoisiner [avwazine] (1a) ~ *qc* angrenzen an etw.
avort|ement [avɔrtəmɑ̃] *m* Abtreibung *f*; *fig* Fehlschlagen *n*; **~er** (1a) abtreiben; *bot* verkümmern; *fig* mißglücken, fehlschlagen; *Frau*: *se faire ~* abtreiben; *fig faire ~* zum Scheitern bringen.
avou|é [avwe] *m jur* Anwalt *m*; **~er** (1a) (ein)gestehen; ~ *avoir fait qc* gestehen, etw getan zu haben.
avril [avril] *m* April *m*.
ax|e [aks] *m* Achse *f* (*bes math u fig*); ⚠ *un ~*; **~er** (1a) ausrichten (*sur* auf); **~ial, ~iale** [-jal] (⚠ *m/pl -iaux*) axial, Achsen...
ayant [ɛjɑ̃] **1.** *participe présent von avoir*; **2.** *m jur ~ cause* Rechtsnachfolger *m*; ~ *droit* Berechtigte(r) *m*, *f*.
azimut [azimyt] *m astr* Azimut *n od m*; *fig tous ~s* allseitig; völlig; weltweit; *défense f tous ~s* Rundumverteidigung *f*.
azote [azɔt] *m chim* Stickstoff *m*.
azur [azyr] *m* Himmelblau *n*; Azur *m*; tiefblauer Himmel *m*.
azyme [azim] *pain m ~* ungesäuertes Brot *n*.

B

baba [baba] **1.** *m* Rosinenkuchen *m*; **2.** F *adj* (⚠ *unv*) verblüfft, verdutzt.
babeurre [babœr] *m* Buttermilch *f*.
babill|age [babijaʒ] *m* Schwatzen *n*, Plappern *n*; **~er** (1a) schwatzen, plaudern, plappern; *Vögel*: zwitschern.
babiole [babjɔl] F *f* Kleinigkeit *f*; *fig* Bagatelle *f*, Lappalie *f*.
bâbord [babɔr] *m mar* Backbord *n*; *à ~* backbord(s).
babouche [babuʃ] *f* Pantoffel *m*.
babouin [babwɛ̃] *m zo* Pavian *m*.
bac [bak] *m* **1.** Fähre *f*; **2.** Trog *m*; **3.** F (*Kurzwort für baccalauréat*) Abi *n*.
bacantes [bakɑ̃t] F *f/pl* Schnurrbart *m*.
baccalauréat [bakalɔrea] *m* Reifeprüfung *f*, Abitur *n*.
bacchantes *cf bacantes*.
bâche [bɑʃ] *f* Plane *f*, Decke *f*.
bacheli|er, ~ère [baʃəlje, -ɛr] *m*, *f* Abiturient(in) *m*(*f*).
bachot [baʃo] *m* F Abi(tur) *n*.
bachoter [baʃɔte] (1a) F (ein)pauken, büffeln.
bacille [basil] *m biol*, *méd* Bazillus *m*.
bâcler [bɑkle] (1a) F schnell zusammenpfuschen.
bactérie [bakteri] *f biol*, *méd* Bakterie *f*.
badaud [bado] *m* Schaulustige(r) *m*.
badigeonner [badiʒɔne] (1a) über-

B

tünchen; weißen; *méd* (be-, aus-) pinseln.

badiner [badine] (1a) spaßen, schäkern.
baffe [baf] F *f* Ohrfeige *f*.
bafouer [bafwe] (1a) verhöhnen.
bafouiller [bafuje] (1a) F stammeln, stottern; faseln.
bâfrer [bɑfre] (1a) F fressen, sich vollstopfen.
bagage [bagaʒ] *m* Gepäckstück *n*; *meist pl* **~s** Gepäck *n*; *fig* Rüstzeug *n*.
bagarr|e [bagar] *f* Rauferei *f*, Schlägerei *f*; *fig* F harter Kampf *m*; **~er** F (1a) kämpfen, streiten; *se* ~ sich prügeln, (sich) raufen; **~eur** F *m* Raufbold *m*.
bagatelle [bagatɛl] *f* Kleinigkeit *f*.
bagnard [baɲar] *m* Zuchthäusler *m*.
bagne [baɲ] *m* Zuchthaus *n*; Bagno *n*.
bagnole [baɲɔl] F *f* Auto *n*; F Karre *f*.
bague [bag] *f* (Finger-)Ring *m*.
baguenauder [bagnode] (1a) umherschlendern, bummeln.
baguette [bagɛt] *f* **1.** Gerte *f*; Stab *m*; (Eß-)Stäbchen *n*; Taktstock *m*; ~ *magique* Zauberstab *m*; **2.** *frz* Stangenweißbrot *n*.
bahut [bay] *m* **1.** Anrichte *f*, (rustikales) Büfett *n*; **2.** *Schule*: F Penne *f*.
bai, ~e [bɛ] braunrot (*Pferd*).
baie [bɛ] *f* **1.** *bot* Beere *f*; **2.** Bucht *f*; **3.** Türöffnung *f*; große Fensternische *f*.
baign|ade [bɛɲad] *f* Badestelle *f*; Baden *n*; **~er** (1b) baden; *se* ~ sich baden; ⚠ *in der Badewanne*: *prendre un bain*; **~eur, ~euse** *m, f* Badende(r) *m, f*; **~oire** [-war] *f* Badewanne *f*.
bail [baj] *m* (⚠ *pl baux* [bo]) Pacht *f*; Mietvertrag *m*.
bâiller [bɑje] (1a) gähnen; klaffen.
bailler [baje] *litt la ~ belle à qn* j-m etw weismachen wollen.
bâillon [bɑjõ] *m* Knebel *m*.
bâillonner [bɑjɔne] (1a) knebeln (*a fig*).
bain [bɛ̃] *m* Bad *n*; Baden *n*; *salle f de ~s* Bad(ezimmer) *n*; *fig être dans le ~* Bescheid wissen; *prendre un ~* ein Bad nehmen, (sich) baden; *prendre un ~ de foule* den direkten Kontakt mit den Massen suchen; **~s** *pl* Badeanstalt *f*; Badeorte *m/pl*; **~-marie** [-mari] *m* (⚠ *pl bains-marie*) *cuis* Wasserbad *n*.
baïonnette [bajɔnɛt] *f mil* Seitengewehr *n*, Bajonett *n*.
baisemain [bɛzmɛ̃] *m* Handkuß *m*.
baiser [bɛze] **1.** *m* Kuß *m*; **2.** *Verb* (1b) **a)** küssen, *nur in Zssgn wie ~ la main, un crucifix* die Hand, ein Kruzifix küssen; ⚠ j-n küssen *embrasser qn*; **b)** P *se faire ~* P sich bescheißen lassen; **c)** P bumsen, *obszön* vögeln.
baiss|e [bɛs] *f* Sinken *n*, Schwinden *n*, Schwund *m*; **~er** (1b) **1.** senken; herunterlassen; *Mut*: sinken lassen; *Augen*: niederschlagen; *se ~* sich bücken; **2.** abnehmen, sinken.
bal [bal] *m* (⚠ *pl bals*) Ball *m* (*Tanz*); ⚠ *nicht verwechseln mit le ballon (de football) u la balle (de tennis)*.
balad|e [balad] *f* F Bummel *m*; *faire une ~* e-n Spaziergang machen; ⚠ *nicht verwechseln mit ballade*; **~er** F (1a) spazierenführen; *se ~* spazierengehen, bummeln.
balad|eur [baladœr] *m* Walkman *m*; **~euse** *f* Karren *m* (*der Straßenhändler*); *tech* Ableuchtlampe *f*.
balafre [balafrə] *f* Hiebwunde *f*; Schmiß *m*.
balai [balɛ] *m* Besen *m*; **~-brosse** [-brɔs] *m* (⚠ *pl balais-brosses*) Schrubber *m*.
balanc|e [balɑ̃s] *f* Waage *f* (*a astr*); Gleichgewicht *n* (*a fig*); *comm* Bilanz *f*; **~er** (1k) schaukeln, schwingen; schwanken, baumeln; ins Gleichgewicht bringen; F werfen; schmeißen; **~ier** [-je] *m* Pendel *n*; Perpendikel *m*.
balançoire [balɑ̃swar] *f* Schaukel *f*.
balay|er [balɛje] (1i) (weg)fegen, kehren; **~ette** [-ɛt] *f* Handfeger *m*; **~eur** *m* Straßenkehrer *m*; **~ures** [-yr] *f/pl* Kehricht *m*.
balbutier [balbysje] (1a) stammeln; stottern.
balcon [balkõ] *m* Balkon *m*.
baleine [balɛn] *f zo* Wal(fisch) *m*.
balisage [balizaʒ] *m aviat* Leuchtfeuer *n*; *mar* Bebakung *f*; *Wanderwege*: Markierung *f*.
balise [baliz] *f mar* Bake *f*, Boje *f*; *aviat* Leuchtfeuer *n*.
baliverne [balivɛrn] *f meist pl* **~s** Albernheiten *f/pl*.
ballade [balad] *f* Ballade *f*.
ball|ant, ~ante [balɑ̃, -ɑ̃t] schlenkernd.
balle [bal] *f* **1.** Ball *m* (*zum Spielen*); *fig renvoyer la ~ à qn* j-m die Antwort nicht schuldig bleiben; **2.** (Gewehr-)Kugel *f*; **3.** Warenballen *m*; **4.** P Gesicht *n*; **5.** **~s** *pl* F Francs *m/pl*, Franken *m/pl*; ⚠ *la ~*; ⚠ Fußball *le*

ballon, Schneeball *la boule de neige*.
ballerine [balrin] *f* Ballettänzerin *f*.
ballon [balõ] *m* (Luft-)Ballon *m*; Fußball *m*; *chim* Glaskolben *m*.
ballonné, ~e [balɔne] aufgebläht.
ballot [balo] *m* kleiner Ballen; F *fig* Dummkopf *m*.
ballott|age [balɔtaʒ] *m* (*scrutin m de*) ~ Stichwahl *f*; **~er** (1a) hin und her schütteln; hin und her rutschen.
balluchon [balyʃõ] F *m* Bündel *n*.
balnéaire [balneɛr] Bade...
bal|ourd, ~ourde [balur, -urd] tölpelhaft; **~ourdise** [-urdiz] *f* Unbeholfenheit *f*.
baltique [baltik] *la mer* ♀ die Ostsee.
baluchon *cf balluchon*.
balustrade [balystrad] *f* Geländer *n*; Brüstung *f*.
bambin [bɑ̃bɛ̃] *m* kleiner Junge *m*.
bambocher [bɑ̃bɔʃe] (1a) F in Saus und Braus leben.
bambou [bɑ̃bu] *m bot* Bambus *m*.
ban [bɑ̃] *m* **1.** **~s** *pl* Aufgebot *n*; **2.** *hist* Bann *m*, Acht *f*.
banal, ~e [banal] (⚠ *m/pl -als*) banal, gewöhnlich; seicht.
banc [bɑ̃] *m* (Sitz-)Bank *f*; Schicht *f*; *Fische*: Schwarm *m*; ⚠ *le* ~; ⚠ *Geldinstitut la banque*.
bancaire [bɑ̃kɛr] Bank...; *chèque m* ~ Bankscheck *m*.
bancal, ~e [bɑ̃kal] (⚠ *m/pl -als*) hinkend; wackelig; *fig* schief.
bandage [bɑ̃daʒ] *m méd* Verband *m*; *tech* Radreifen *m*.
bande [bɑ̃d] *f* Schar *f*, Gruppe *f*; Binde *f*; Streifen *m*; Band *n*; ~ *dessinée* Comics *pl*; ~ *magnétique* Tonband *n*.
band|eau [bɑ̃do] *m* (⚠ *pl* **~x**) Binde *f*; Stirnband *n*; Augenbinde *f*; **~er** (1a) verbinden; *Bogen*: spannen.
banderole [bɑ̃drɔl] *f* Wimpel *m*; Spruchband *n*.
bandit [bɑ̃di] *m* Gangster *m*; Bandit *m*.
bandoulière [bɑ̃duljɛr] *f* Schulterriemen *m*; *en* ~ umgehängt.
banlieue [bɑ̃ljø] *f* Vororte *m/pl*.
banlieus|ard, ~arde [bɑ̃ljøzar, -ard] *m, f* Vorortbewohner(in) *m(f)*.
bannière [banjɛr] *f* Banner *n*.
bannir [banir] (2a) verbannen.
banque [bɑ̃k] *f* Bank(haus) *f(n)*; ~ *de données* Datenbank *f*; ⚠ (Sitz-) Bank *le banc*.
banqu|eroute [bɑ̃krut] *f* Bankrott *m*; **~et** [-ɛ] *m* Festessen *n*; **~ette** [-ɛt] *f* (Sitz-)Bank *f*; *auto* Bank *f*; **~ier** [-je] *m* Bankier *m*; **~ise** [-iz] *f* Packeis *n*.
baobab [baɔbab] *m bot* Affenbrotbaum *m*.
bapt|ême [batɛm] *m* Taufe *f*; **~iser** (1a) taufen (*a fig*); **~istère** [-istɛr] *m* Taufkapelle *f*.
baquet [bakɛ] *m* Kübel *m*, Zuber *m*.
bar [bar] *m* Stehkneipe *f*; Theke *f*; Bar *f*; ⚠ *le* ~; ⚠ *nicht verwechseln mit la boîte de nuit* Nachtbar.
baragouin [baragwɛ̃] *m* Kauderwelsch *n*.
baraqu|e [barak] *f* Baracke *f*; **~é, ~ée** F (*bien*) ~ groß und kräftig; **~ement** [-mɑ̃] *m* Barackenlager *n*.
barat|in [baratɛ̃] F *m* schöne Worte *n/pl*; F Schmus *m*; **~iner** [-ine] (1a) schöne Worte machen.
baratt|e [barat] *f* Butterfaß *n*, -maschine *f*; **~er** (1a) buttern.
barb|ant, ~ante [barbɑ̃, -ɑ̃t] F geisttötend; stinklangweilig.
barbare [barbar] **1.** *adj* barbarisch; **2.** *m, f* Barbar(in) *m(f)*.
barbar|ie [barbari] *f* Barbarei *f*; Roheit *f*; **~isme** *f ling* Barbarismus *m*.
barbe [barb] *f* **1.** Bart *m*; *se faire faire la* ~ sich rasieren lassen; F *quelle* ~*!* jetzt langt's mir aber!; ~ *à papa* Zuckerwatte *f*; ⚠ *la* ~; **2.** *bot* Granne *f*.
barbeau [barbo] *m* (⚠ *pl* **~x**) *zo* Barbe *f*.
barbelé [barbəle] *adj fil m de fer* ~ *od subst* ~ *m* Stacheldraht *m*.
barb|er [barbe] F (1a) ermüden; langweilen; F anöden; **~iche** [-iʃ] *f* Kinnbart *m*; **~ier** [-je] *m früher*: Barbier *m*.
barbiturique [barbityrik] *m phm* Barbiturat *n*.
barbon [barbõ] *m plais* F *un* (*vieux*) ~ ein alter Knabe.
barbot|er [barbɔte] (1a) **1.** plätschern, planschen; **2.** F klauen; **~euse** *f* Spielanzug *m*.
barbouiller [barbuje] (1a) grob anstreichen; beschmieren; bekritzeln; *avoir l'estomac barbouillé* e-n verdorbenen Magen haben.
barbu, ~e [barby] bärtig.
barbue [barby] *f zo* Glattbutt *m*.
barda [barda] *m* F Kram *m*, Krempel *m*; *mil* Gepäck *n*.
bardeau [bardo] *m* (⚠ *pl* **~x**) (Dach-)Schindel *f*.

barder [barde] (1a) F *ça va* ~ dann kracht es.
barème [barɛm] *m* Tabelle *f*; Tarif *m*.
baril [baril] *m* Fäßchen *n*; *Erdöl*: Barrel *n*.
bariolé, ~**e** [barjɔle] bunt(scheckig).
baromètre [barɔmɛtrə] *m* Barometer *n*.
baroque [barɔk] seltsam, wunderlich; *arch* barock.
baroud [baru] *arg mil m* Kampf *m*.
barque [bark] *f mar* Barke *f*; *fig mener la* ~ das Heft in der Hand haben.
barrage [baraʒ] *m* Versperren *n*; Sperre *f*; Staudamm *m*, Talsperre *f*.
barre [bar] *f* **1.** Stange *f*; Stab *m*; *Sport*: ~ *fixe* Reck *n*; ~*s parallèles* Barren *m*; *fig c'est le coup de* ~ F da wird man ganz schön ausgenommen; **2.** *Edelmetall*: Barren *m*; **3.** *mus* Taktstrich *m*; **4.** *mar* Ruderpinne *f*; **5.** Schranke *f* (*des Gerichtshofes*).
barreau [baro] *m* (⚠ *pl* ~*x*) **1.** Gitterstange *f*; **2.** *jur* Rechtsanwaltsstand *m*; Anwaltsberuf *m*.
barrer [bare] (1a) **1.** versperren; **2.** (aus-, durch)streichen.
barr|ette [barɛt] *f* Barett *n*; Kardinalsbirett *n*; Haarspange *f*; Ordensspange *f*; ~**eur** *m* Steuermann *m*; ~**icader** [-ikade] (1a) verrammeln; ~**ière** [-jɛr] *f* Absperrung *f* (*a fig*); (Bahn-)Schranke *f*; ~*s douanières* Zollschranken *f*/*pl*.
barrique [barik] *f* Faß *n*.
bas, basse [bɑ, bɑs] **1.** *adj* niedrig (*a fig*); *geogr* Nieder...; Unter...; *mus* tief; *Stimme*: leise; *à voix basse* mit leiser Stimme; **2.** *adv bas* tief; niedrig; *à bas ...!* nieder mit ...!; *en bas* unten; *là-bas* dort; **3.** *m* Unterteil *n*; (langer) Strumpf *m*; *au bas de* unten an.
basané, ~**e** [bazane] sonnenverbrannt.
bas-bleu [bɑblø] *m* (⚠ *pl bas-bleus*) péj Blaustrumpf *m*.
bas-côté [bɑkote] *m* (⚠ *pl bas-côtés*) *Straße*: Seitenstreifen *m*; *arch* Seitenschiff *n*.
bascul|e [baskyl] *f* Schaukel(brett) *f* (*n*); Brückenwaage *f*; ~**er** (1a) umkippen; *fig* e-e andere Wendung nehmen.
bas|e [bɑz] *f* Basis *f* (*a mil*); Grundlage *f*; *chim* Base *f*, Lauge *f*; *de* ~ grundlegend; ~**er** (1a) gründen (*sur* auf); *se* ~ *sur* sich stützen auf (*fig*).
bas-fond [bɑfõ] *m* (⚠ *pl bas-fonds*) *mar* Untiefe *f*; *fig bas-fonds pl* Hefe *f* des Volkes.
basilic [bazilik] *m bot* Basilikum *n*; *zo* Basilisk *m*.
basilique [bazilik] *f arch* Basilika *f*.
basket-ball [baskɛtbol] *m Sport*: Korbball *m*.
basque [bask] **1.** *adj* baskisch; **2.** ♀ *m*, *f* Baske *m*, Baskin *f*.
basse [bɑs] *f* Baß(stimme) *m*(*f*); Bassist *m*; Baßgeige *f*; ~**-cour** [-kur] *f* (⚠ *pl basses-cours*) *agr* Hühnerhof *m*; Geflügel *n*.
bassement [bɑsmɑ̃] *adv* auf gemeine, niederträchtige Weise.
bassesse [bɑsɛs] *f* Gemeinheit *f*.
basset [basɛ] *m zo* Basset *m*; ~ *allemand* Dackel *m*.
bassin [basɛ̃] *m* Becken *n* (*a Körperteil*); *mar* Hafenbecken *n*; Dock *n*.
bassin|e [basin] *f* Wanne *f*; große Schüssel *f*; ~**er** (1a) befeuchten; *Bett*: anwärmen; F langweilen; ~**oire** [-war] *f* Bettwärmer *m*.
basson [bɑsõ] *m mus* Fagott(ist) *n*(*m*).
bastide [bastid] *f* kleines Landhaus *n* (*in Südfrankreich*).
bastingage [bastɛ̃gaʒ] *m mar* Reling *f*.
bastion [bastjõ] *m mil* Bollwerk *n*; Bastei *f*; Bastion *f* (*a fig*); ⚠ *le* ~.
bastonnade [bastɔnad] *f* Prügelstrafe *f*.
bastringue [bastrɛ̃g] F *m* Tanzlokal *n*; Kram *m*, Plunder *m*.
bas-ventre [bɑvɑ̃trə] *m* Unterleib *m*.
bât [bɑ] *m* Packsattel *m*; *fig c'est là que le* ~ (*le*) *blesse* da drückt (ihn) der Schuh.
bataclan [bataklɑ̃] *m* F Kram *m*, Krempel *m*; *et tout le* ~ und so weiter und so fort.
bataill|e [bataj] *f* Schlacht *f*; Kampf *m*; *livrer* ~ e-e Schlacht liefern; ~**er** (1a) *fig für etw* kämpfen; ~**eur,** ~**euse** streitbar, -lustig; ~**on** *m mil* Bataillon *n*.
bât|ard, ~**arde** [batar, -ard] **1.** *adj* Bastard..., Zwitter..., Misch...; uneinheitlich, unecht; **2.** *m* Bastard *m*.
bateau [bato] *m* (⚠ *pl* ~*x*) **1.** *mar* Schiff *n*, Boot *n*; *faire du* ~ Boot fahren; segeln, rudern; *fig mener qn en* ~ j-m e-n Bären aufbinden; **2.** ~*x pl* F Quadratlatschen *m*/*pl*; **3.** ~ (*de*

porte) Ausfahrt *f*; ~**-feu** [-fø] *m* (⚠ *pl bateaux-feux*) Feuerschiff *n*; ~**-mouche** [-muʃ] *m* (⚠ *pl bateaux--mouches*) kleiner Ausflugsdampfer *m* (*auf der Seine*).
bateleur [batlœr] *m* Gaukler *m*.
bat|elier [batəlje] *m* (Fluß-)Schiffer *m*; ~**ellerie** [-ɛlri] *f* (Fluß-)Schifffahrt *f*.
bath [bat] F prima, schick, (große) Klasse.
bathyscaphe [batiskaf] *m* Tiefseetauchgerät *n*.
bâti, ~**e** [bati] **1.** *adj* bebaut; *bien* ~ *Person*: gut gebaut; **2.** *m* Gestell *n*; Untersatz *m*.
batifoler [batifɔle] (1a) tändeln; herumtollen.
bât|iment [bɑtimɑ̃] *m* **1.** Gebäude *n*, Bauwerk *n*; Bau(gewerbe) *m*(*n*), Bauwesen *n*; **2.** *mar* (großes) Schiff *n*; ~**ir** (2a) bauen (*a fig*); ~**isse** [-is] *f meist péj* Gebäude *n*.
bâton [bɑtõ] *m* Stock *m*; Stab *m*; Knüppel *m*; ~ *de rouge* Lippenstift *m*.
bâtonner [bɑtɔne] (1a) verprügeln.
batt|age [bataʒ] *m* Dreschen *n*; Klopfen *n*; F *fig* Reklamerummel *m*; ~**ant,** ~**ante** [-ɑ̃, -ɑ̃t] **1.** *adj* schlagend; *Regen*: prasselnd; *le cœur battant* mit Herzklopfen; **2.** *m* Türflügel *m*; Glockenschwengel *m*.
batt|ement [batmɑ̃] *m* Schlagen *n*; Wartezeit *f*; ~**erie** *f mil*, *tech* Batterie *f*; *mus* Schlagzeug *n*; ~**eur** *m cuis* Handmixer *m*; *mus* Schlagzeuger *m*; ~**euse** *f agr* Dreschmaschine *f*.
battre [batrə] (4a) schlagen, klopfen; verprügeln; besiegen; *Getreide*: dreschen; *Münzen*: prägen; *Herz*: pochen; ~ *des cils* zwinkern; *se* ~ kämpfen.
battu, ~**e** [baty] *p/p von battre u adj* geschlagen, besiegt.
battue [baty] *f ch* Treibjagd *f*.
baudroie [bodrwa] *f zo* Seeteufel *m*.
baume [bom] *m* Balsam *m*.
bav|ard, ~**arde** [bavar, -ard] **1.** *adj* schwatzhaft; **2.** *m, f* Schwätzer(in) *m*(*f*).
bavard|age [bavardaʒ] *m* Geschwätz *n*; ~**er** (1a) schwatzen.
bavar|ois, ~**oise** [bavarwa, -waz] **1.** *adj* bay(e)risch; **2.** ♀ *m, f* Bayer(in) *m*(*f*).
bav|e [bav] *f* Speichel *m*; ~**er** (1a) sabbern; geifern; ~**ette** [-ɛt] *f* (Sabber-)Latz *m*.
Bavière [bavjɛr] *la* ~ Bayern *n*.
bavure [bavyr] *f tech* Gußnaht *f*; *fig* Mißstand *m*; Übergriff *m*; *sans* ~ tadellos.
bayer [baje] (1i) ~ *aux corneilles* Maulaffen feilhalten.
bazar [bazar] *m* Kramladen *m*; Basar *m*; F Krempel *m*.
bd (*abr boulevard*) Boulevard.
B.D. [bede] *f* (*abr bande dessinée*) Comics *pl*.
béant, béante [beɑ̃, beɑ̃t] klaffend.
béat, béate [bea, beat] selig; *péj* naiv; einfältig.
béatitude [beatityd] *f* (Glück-)Seligkeit *f*.
beatnik [bitnik] *m* Gammler *m*.
beau, bel, belle [bo, bɛl] (⚠ *bel adj vor Vokal od stummem h*; ⚠ *m/pl beaux*) **1.** *adj* schön; vornehm, fein; gut; günstig; *il fait beau* (*temps*) es ist schönes Wetter; *il a beau dire* (*faire etc*) er mag sagen (tun *etc*), was er will; *l'échapper belle* mit einem blauen Auge davonkommen; *bel et bien* wirklich, tatsächlich; *de plus belle* noch stärker; **2.** *m, f le beau* das Schöne; *un vieux beau* ein alter Schönling *m*; *une belle* ein schönes Mädchen *n*.
beaucoup [boku] viel(e); sehr; ~ *de monde* viele Leute.
beau|-fils [bofis] *m* (⚠ *pl beaux-fils*) Schwiegersohn *m*; Stiefsohn *m*; ~**-frère** [-frɛr] *m* (⚠ *pl beaux-frères*) Schwager *m*; ~**-père** [-pɛr] *m* (⚠ *pl beaux-pères*) Schwiegervater *m*; Stiefvater *m*.
beauté [bote] *f* Schönheit *f*.
beaux|-arts [bozar] *m/pl les* ~ die schönen Künste; die bildende Kunst; ~**-parents** [boparɑ̃] *m/pl* Schwiegereltern *pl*.
bébé [bebe] *m* Baby *n*; ~**-éprouvette** [-epruvɛt] *m* (⚠ *pl bébés-éprouvettes*) Retortenbaby *n*.
bec [bɛk] *m* Schnabel *m*; Spitze *f e-r Feder*; (Gas-)Brenner *m*; Ausguß *m*, Tülle *f e-r Kanne*; *mus* Mundstück *n*; F *un* ~ *fin* ein Feinschmecker; ~ *de lièvre* Hasenscharte *f*; ~ *de gaz* Gaslaterne *f*.
bécane [bekan] F *f* Fahrrad *n*.
bécasse [bekas] *f* Schnepfe *f*.
béchamel [beʃamɛl] *f cuis* (*sauce f*) ~ Bechamelsoße *f*.

bêch|e [bɛʃ] *f* Spaten *m*; **~er** (1b) umgraben; F eingebildet sein.
bécot [beko] F *m* Küßchen *n*.
becqueter [bɛkte] (1e) an-, aufpicken; F *fig* essen; F futtern.
bedaine [bədɛn] *f* F Wanst *m*.
bedeau [bədo] *m* (⚠ *pl* ~*x*) Kirchendiener *m*, Küster *m*.
bedon [bədõ] F *m cf bedaine*.
bée [be] *adj* (*nur f*) *bouche* ~ mit offenem Mund.
beffroi [bɛfrwa] *m* Rathaus-, Glocken-, Wachtturm *m*.
bégayer [begɛje] (1i) stottern; stammeln.
bègue [bɛg] **1.** *adj* stotternd; **2.** *m, f* Stotterer *m*, Stotterin *f*.
béguin [begɛ̃] *m* F *fig avoir le* ~ *pour qn* für j-n schwärmen.
beige [bɛʒ] beige, sandfarben; *Wolle*: ungefärbt.
beignet [bɛɲɛ] *m cuis* Krapfen *m*, (Berliner) Pfannkuchen *m*.
bêler [bɛle] (1b) blöken; meckern.
belette [bəlɛt] *f zo* Wiesel *n*.
belge [bɛlʒ] **1.** *adj* belgisch; **2.** ♀ *m, f* Belgier(in) *m(f)*.
Belgique [bɛlʒik] *la* ~ Belgien *n*.
bélier [belje] *m zo* Widder *m* (*a astr*).
belladone [bɛladɔn] *f bot* Tollkirsche *f*.
belle *cf beau*.
belle|-fille [bɛlfij] *f* (⚠ *pl belles-filles*) Schwiegertochter *f*; Stieftochter *f*; **~-mère** [-mɛr] *f* (⚠ *pl belles-mères*) Schwiegermutter *f*; Stiefmutter *f*; **~s-lettres** [-lɛtrə] *f/pl* schöne Literatur *f*; **~-sœur** [-sœr] *f* (⚠ *pl belles-sœurs*) Schwägerin *f*.
belliciste [bɛlisist] **1.** *adj* zum Krieg hetzend; **2.** *m, f* Kriegstreiber(in) *m(f)*.
belligér|ant, ~ante [bɛliʒerɑ̃, -ɑ̃t] kriegführend.
belliqu|eux, ~euse [bɛlikø, -øz] kriegerisch; streitlustig.
belon [bəlõ] *m zo flache, runde Austernart*.
belote [bəlɔt] *f frz Kartenspiel*.
belvédère [bɛlvedɛr] *m* Aussichtspunkt *m*.
bémol [bemɔl] *m mus* B *n*, Erniedrigungszeichen *n*.
béné|dicité [benedisite] *m* Tischgebet *n*; **~diction** [-diksjõ] *f* Segen *m*; Einsegnung *f*; Weihe *f*.
bénéfic|e [benefis] *m* Vorteil *m*, Nutzen *m*; *comm* Gewinn *m*; **~iaire** [-jɛr] **1.** *adj* gewinnbringend; **2.** *m, f* Nutznießer(in) *m(f)*; Berechtigte(r) *m, f*; **~ier** [-je] (1a) ~ *de qc* von etw profitieren; etw genießen.
bénéfique [benefik] wohltuend; günstig.
benêt [bənɛ] *m* Dummkopf *m*.
bénévole [benevɔl] freiwillig; ehrenamtlich.
bénignité [beniɲite] *f* Gutartigkeit *f* (*a méd*); Harmlosigkeit *f*.
bén|in, ~igne [benɛ̃, -iɲ] gutartig (*a méd*); harmlos.
bén|ir [benir] (2a) segnen; **~it, ~ite** [-i, -it] geweiht; *eau f bénite* Weihwasser *n*; **~itier** [-itje] *m* Weihwasserkessel *m*, -becken *n*.
benne [bɛn] *f* Kübel *m*; Wagenkasten *n*; Förderkorb *m*; ~ *basculante* Kippkübel *m*.
benzine [bɛ̃zin] *f* Waschbenzin *n*; *chim* Benzol *n*.
béot|ien, ~ienne [beɔsjɛ̃, -jɛn] **1.** *adj* banausisch; **2.** *m, f* Banause *m*.
B.E.P. [beəpe] *m* (*abr brevet d'études professionnelles*) *etwa* Berufsfachschulabschluß *m*.
B.E.P.C. [beəpese] *m* (*abr brevet d'études du premier cycle*) *etwa* Mittlere Reife *f*.
béqueter [bekte] (1e) *cf becqueter*.
béquille [bekij] *f* Krücke *f*; *Fahrrad*: Ständer *m*.
bercail [bɛrkaj] *m* (⚠ *ohne pl*) Schoß *m* der Familie, der Kirche.
berc|eau [bɛrso] *m* (⚠ *pl* ~*x*) Wiege *f*; **~er** (1k) wiegen; schaukeln; *fig* ~ *qn de qc* j-n mit etw hinhalten, verlocken; *fig se* ~ *de qc* sich in etw wiegen; **~euse** *f* Wiegenlied *n*; Schaukelstuhl *m*.
béret [berɛ] *m* Baskenmütze *f*.
berge [bɛrʒ] *f* **1.** Böschung *f*; Uferweg *m*; **2.** *arg* (Lebens-)Jahr *n*.
berg|er [bɛrʒe] *m* Schäfer *m*; Schäferhund *m*; **~ère** *f* Schäferin *f*; Lehnsessel *m*; **~erie** [-əri] *f* Schafstall *m*; Schäferei *f*; *Literatur*: Schäfergedicht *n*.
bergeronnette [bɛrʒərɔnɛt] *f zo* Bachstelze *f*.
berline [bɛrlin] *f* Grubenwagen *m*; *auto* Limousine *f*.
berlingot [bɛrlɛ̃go] *m Milchtüte*: Tetrapack *m*.
berlue [bɛrly] *f* F *avoir la* ~ sich täuschen, irren.

B

berne [bɛrn] *Fahne*: *en* ~ (auf) halbmast.
berner [bɛrne] (1a) ~ *qn* j-n zum besten halten.
besace [bəzas] *f* Quersack *m*.
bésicles [beziklə] *plais f/pl* Brille *f*.
besogn|e [bəzɔɲ] *f* Arbeit *f*; **~er** (1a) hart arbeiten; **~eux, ~euse** [-ø, -øz] (be)dürftig.
besoin [bəzwɛ̃] *m* **1.** Bedürfnis *n*; Verlangen *n*; *avoir* ~ *de* brauchen, nötig haben; *avoir* ~ *que* (+ *subj*) etw benötigen; *il n'est pas besoin de dire* es ist nicht nötig zu sagen; *au* ~ bei Bedarf, im Notfall; **2.** *écon* ~*s pl* Bedarf *m* (*en* an); **3.** F ~ *naturel* Notdurft *f*; **4.** Not *f*, Armut *f*.
bestial, ~e [bɛstjal] (⚠ *m/pl -iaux*) viehisch; bestialisch; **~ité** *f* Roheit *f*; Bestialität *f*.
bestiaux [bɛstjo] *m/pl* Vieh *n*.
bestiole [bɛstjɔl] *f* Tierchen *n*.
bêt|a, ~asse [bɛta, -as] F **1.** *adj* dumm, blöde; **2.** *m, f* Dummkopf *m*.
bétail [betaj] *m* (⚠ *ohne pl*) Vieh *n*.
bête [bɛt] **1.** *f* Tier *n*; ~*s pl a* Wild *n*; Vieh *n*; *fig* Dummkopf *m*; **2.** *adj* dumm, blöd, albern; ~ *à manger du foin* F dumm wie Bohnenstroh; **~ment** *adv* auf dumme Weise.
bêtise [betiz] *f* Dummheit *f*; Belanglosigkeit *f*; ~*s pl* dummes Zeug *n*.
béton [betõ] *m* Beton *m*; ~ *armé* Eisenbeton *m*.
bétonnière [betɔnjɛr] *f* Betonmischmaschine *f*.
bette [bɛt] *f bot* Mangold *m*.
betterave [bɛtrav] *f* Runkelrübe *f*; ~ *rouge* rote Bete *f*; ~ *à sucre* Zuckerrübe *f*.
beugler [bøgle] (1a) *Rinder*: muhen, brüllen; F *fig* grölen; dröhnen.
beurr|e [bœr] *m* Butter *f*; *fig faire son* ~ sein Schäfchen ins trockene bringen; *petit* ~ Butterkeks *m*; ⚠ *le* ~; **~er** (1a) mit Butter bestreichen; **~ier** [-je] *m* Butterdose *f*.
beuverie [bœvri] *f* Saufgelage *n*.
bévue [bevy] *f* (peinlicher) Fehler *m*.
biais [bjɛ] **1.** *adv de od en* ~ schief, schräg; **2.** *m* Schräge *f*, Schiefe *f*; *fig* Ausweg *m*; Umweg *m*; *par le* ~ *de* auf dem Umweg über.
biaiser [bjɛze] (1b) ausweichen; sich winden.
bibelot [biblo] *m* Nippsache *f*.
biberon [bibrõ] *m* Saugflasche *f*.
bibi [bibi] F ich; *c'est pour* ~ das ist für mich.
bibine [bibin] *f* F Gesöff *n*.
Bible [biblə] *f* Bibel *f*, Heilige Schrift *f*.
biblio... [biblijɔ] Buch..., Bücher...; **~bus** [-bys] *m* fahrende Bücherei *f*, Bibliotheksbus *m*; **~thécaire** [-tekɛr] *m, f* Bibliothekar(in) *m(f)*; **~thèque** [-tɛk] *f* **1.** Bibliothek *f*, Bücherei *f*; **2.** Bücherschrank *m*, -regal *n*.
biblique [biblik] biblisch, Bibel...
bic [bik] *m* (*Warenzeichen*) Kugelschreiber *m*.
bicarbonate [bikarbɔnat] *m chim* ~ *de soude* doppeltkohlensaures Natrium *n*; Natron *n*.
bicentenaire [bisɑ̃tənɛr] *m* Zweihundertjahrfeier *f*.
bich|e [biʃ] *f zo* Hirschkuh *f*; *fig ma* ~ mein Schätzchen; **~er** (1a) P *ça biche?* geht's gut?; **~onner** [-ɔne] (1a) herausputzen; verhätscheln.
bicolore [bikɔlɔr] zweifarbig.
bicoque [bikɔk] *f* F Bruchbude *f*.
bicorne [bikɔrn] *m* Zweispitz *m* (*Hut*).
bicot [biko] *m* F *péj* Nordafrikaner *m*.
bicyclette [bisiklɛt] *f* (Fahr-)Rad *n*; *aller en od à* ~ radfahren.
bidet [bidɛ] *m* Sitzbecken *n*.
bidon [bidõ] *m* **1.** Kanister *m*; **2.** F *fig* Bluff *m*; Schwindel *m*.
bidonville [bidõvil] *m* Barackensiedlung *f*, Elendsviertel *n* (*in der Nähe e-r Großstadt*); ⚠ *le* ~.
bidule [bidyl] *m* F Dings(da, -bums) *n*.
bielle [bjɛl] *f tech* Pleuelstange *f*.
bien [bjɛ̃] **1.** *m* **a)** Wohl *n*; Heil *n*; Vorteil *m*; Gute(s) *n*; **b)** Hab *n* und Gut *n*; Vermögen *n*; **2.** *adv* gut, wohl; sehr; gern; sehr viel; ~ *des fois* sehr oft; *eh* ~! nun!, na!; *je veux* ~ gern; **3.** *adj* gut, wohl; richtig; *être, se sentir* ~ sich wohl fühlen; *avoir l'air* ~ gut aussehen; F *un monsieur* ~ ein besserer Herr; **4.** *conj* ~ *que* (+ *subj*) obgleich, obwohl.
bien-être [bjɛ̃nɛtrə] *m* Wohlstand *m*, -befinden *n*.
bien|faisance [bjɛ̃fəzɑ̃s] *f* Wohltätigkeit *f*; **~fait** [-fɛ] *m* Wohltat *f*; **~faiteur, ~faitrice** [-fɛtœr, -fɛtris] *m, f* Wohltäter(in) *m(f)*; **~-fondé** [-fõde] *m* Berechtigung *f*, Stichhaltigkeit *f*; **~-fonds** [-fõ] *m* (⚠ *pl biens-fonds*) *jur* Grundbesitz *m*.

B

bienheur|eux, ~euse [bjẽnørø, -øz] (glück)selig.

biennal, ~e [bjenal] (⚠ *m/pl -aux*) zweijährig; alle zwei Jahre stattfindend.

biensé|ance [bjẽseɑ̃s] *f* Schicklichkeit *f*; **~ant, ~ante** [-ɑ̃, -ɑ̃t] schicklich.

bientôt [bjẽto] bald; *à ~!* auf ein baldiges Wiedersehen!

bienveill|ance [bjẽvɛjɑ̃s] *f* Wohlwollen *n*; **~ant, ~ante** [-ɑ̃, -ɑ̃t] wohlwollend.

bienvenu, ~e [bjẽvny] **1.** *adj* willkommen; **2.** *m, f être le bienvenu, la bienvenue* willkommen sein.

bienvenue [bjẽvny] *f* Willkommen *n*.

bière [bjɛr] *f* **1.** Bier *n*; **2.** Bahre *f*.

biffer [bife] (1a) durchstreichen.

bifteck [biftɛk] *m* Beefsteak *n*.

bifur|cation [bifyrkasjõ] *f* Gabelung *f*; Abzweigung *f*; **~quer** [-ke] (1m) sich gabeln; *Auto, Zug*: abbiegen; *fig ~ vers* überwechseln zu.

bigamie [bigami] *f* Doppelehe *f*.

bigarré, ~e [bigare] bunt(scheckig).

bigorneau [bigɔrno] *m* (⚠ *pl ~x*) *zo* Strandschnecke *f*.

big|ot, ~ote [bigo, -ɔt] frömmelnd.

bigotterie [bigɔtri] *f* Frömmelei *f*.

bigoudi [bigudi] *m* Lockenwickler *m*.

bigre [bigrə] F verdammt noch mal!; Donnerwetter; **~ment** F verflixt.

bijou [biʒu] *m* (⚠ *pl ~x*) Juwel *n*; Schmuckstück *n*.

bijout|erie [biʒutri] *f* Juwelenhandel *m*; Schmuck(laden) *m*; **~ier, ~ière** [-je, -jɛr] *m, f* Juwelier *m*.

bilan [bilɑ̃] *m comm* Bilanz *f*; Schlußabrechnung *f*; *fig* Fazit *n*; Ergebnis *n*; *déposer son ~* Konkurs anmelden.

bilatéral, ~e [bilateral] (⚠ *m/pl -aux*) zweiseitig.

bile [bil] *f* Galle *f*; *fig* schlechte Laune *f*, Ärger *m*; F *se faire de la ~* sich Sorgen machen.

bili|aire [biljɛr] Gallen...; **~eux, ~euse** [-ø, -øz] Gallen...; gallig (*a fig*).

bilingue [bilẽg] zweisprachig.

billard [bijar] *m* Billard *n*; F *c'est du ~!* das ist ganz einfach!

bille [bij] *f* Kugel *f*; Billardkugel *f*; Murmel *f*; Klotz *m*; *stylo m (à) ~* Kugelschreiber *m*.

billet [bijɛ] *m* Fahrkarte *f*; Eintrittskarte *f*; Briefchen *n*; Zettel *m*; *Loterie*: Los *n*; *~ de banque* Banknote *f*.

billion [biljõ] *m* Billion *f*; ⚠ *le ~*.

billot [bijo] *m* Hauklotz *m*; Richtblock *m*.

bimensuel, ~le [bimɑ̃sɥɛl] monatlich zweimal erscheinend.

bimestriel, ~le [bimɛstrijɛl] zweimonatlich.

binaire [binɛr] binär; aus zwei Einheiten bestehend.

biner [bine] (1a) *agr* hacken.

binette [binɛt] *f agr* Gartenhacke *f*.

biniou [binju] *m* bretonischer Dudelsack *m*.

binocle [binɔklə] *m* Kneifer *m*; Lorgnon *n*; F *~s pl* Brille *f*.

biochimique [bjɔʃimik] biochemisch.

biographie [bjɔgrafi] *f* Lebensbeschreibung *f*, Biographie *f*.

biolog|ie [bjɔlɔʒi] *f* Biologie *f*; **~iste** *m, f* Biologe *m*, Biologin *f*.

biotope [bjɔtɔp] *m* Biotop *n*.

bipartite [bipartit] *pol* Zweier..., Zweimächte...

biplace [biplas] *m* Zweisitzer *m*.

biplan [biplɑ̃] *m aviat* Doppeldecker *m*.

bipolaire [bipɔlɛr] zweipolig.

bique [bik] *f* F *zo* Ziege *f*; *fig u péj vieille ~* alte Schachtel *f*.

biréacteur [bireaktœr] *m aviat* zweistrahliges Flugzeug *n*.

bis[1], **bise** [bi, biz] graubraun; *pain m bis* Graubrot *n*.

bis[2] [bis] **1.** *adv* da capo; *bei Hausnummern*: a; **2.** *m* Wiederholung *f*, Dakapo *n*.

bisaïeul, ~e [bizajœl] *litt m, f* Urgroßvater *m*, Urgroßmutter *f*.

bisannuel, ~le [bizanɥɛl] zweijährig, -jährlich.

bisbille [bizbij] F *f kleine* Zankerei *f*.

biscornu, ~e [biskɔrny] seltsam, bizarr, wunderlich.

biscotte [biskɔt] *f* Zwieback *m*.

biscuit [biskɥi] *m* **1.** Keks *m*; Biskuit *n*; **2.** Biskuitporzellan *n*.

bise [biz] *f* **1.** Nord(ost)wind *m*; **2.** F Kuß *m*.

biseau [bizo] *m* (⚠ *pl ~x*) Schrägkante *f*, -fläche *f*.

bison [bizõ] *m zo* Büffel *m*.

bisque [bisk] *f cuis ~ d'écrevisses, ~ de homard* Krebs-, Hummersuppe *f*.

bisquer [biske] (1m) F sich ärgern.

bissextile [bisɛkstil] *année f* ~ Schaltjahr *n.*
bistre [bistrə] *m* (Dunkel-)Braun *n.*
bistro(t) [bistro] *m* F Kneipe *f.*
bitumer [bityme] (1a) asphaltieren.
bivouac [bivwak] *m* Biwak *n.*
bizarr|e [bizar] seltsam; **~erie** [-əri] *f* Absonderlichkeit *f.*
bizut(h) [bizy] *m e-r Grande Ecole*: Student *m* im ersten Studienjahr; Neuling *m*, Anfänger *m.*
blackbouler [blakbule] (1a) F *pol*, *Schule*: ~ *qn* j-n (durch)fallen lassen; *se faire* ~ durchfallen.
blaf|ard, ~arde [blafar, -ard] bleich, fahl.
blagu|e [blag] *f* **1.** Tabaksbeutel *m*; **2.** F Ulk *m*, Scherz *m*; Witz *m*; Streich *m*; *sans ~!* im Ernst!; **~er** F (1a) scherzen, spaßen; *tu blagues!* nicht möglich!, das ist nicht wahr!; ~ *qn* j-n verspotten, necken.
blaireau [blɛro] *m* (⚠ *pl ~x*) **1.** *zo* Dachs *m*; **2.** Rasierpinsel *m.*
blâmable [blɑmablə] tadelnswert.
blâm|e [blɑm] *m* Tadel *m*; **~er** (1a) tadeln.
blanc, blanche [blɑ̃, blɑ̃ʃ] **1.** *adj* weiß, hell, blank; rein, sauber; unbeschrieben; *examen m blanc* Probeexamen *n*; *mariage m blanc* nicht vollzogene Ehe *f*; *en blanc* Blanko...; unausgefüllt; *il a gelé (à) blanc* es hat gereift; **2.** *m* Weiß *n*; *comm* Weißwaren *f/pl*; Weißwein *m*; *im Text*: unbeschriebene Stelle *f.*
blanc-bec [blɑ̃bɛk] *m* (⚠ *pl blancs-becs*) Grünschnabel *m.*
blanchâtre [blɑ̃ʃɑtrə] weißlich.
Blanche-Neige [blɑ̃ʃnɛʒ] *f* Schneewittchen *n.*
blanch|eur [blɑ̃ʃœr] *f* Weiße *n u f*; **~ir** (2a) weißen; (weiß)waschen; bleichen; *cuis* abbrühen; *fig* reinwaschen; *Haar*: weiß werden; **~isserie** [-isri] *f* Wäscherei *f*; **~isseur, ~isseuse** [-isœr, -isøz] *m, f* Wäscher(in) *m(f).*
blanc-seing [blɑ̃sɛ̃] *m* (⚠ *pl blancs-seings*) Blankovollmacht *f.*
blanquette [blɑ̃kɛt] *f* **1.** weißer Schaumwein *m* (*Languedoc*); **2.** *cuis* ~ *de veau* Kalbsragout *n.*
blasé, ~e [blɑze] blasiert.
blason [blɑzõ] *m* Wappenschild *n*; *fig redorer son* ~ e-e reiche Heirat machen.
blasph|ème [blasfɛm] *m* Gotteslästerung *f*, Blasphemie *f*; **~émer** [-eme] (1f) (Gott) lästern; fluchen.
blatte [blat] *f zo* Schabe *f.*
blé [ble] *m* Weizen *m*; Getreide *n.*
bled [blɛd] *m* F *péj* Kaff *n*, Nest *n.*
blêm|e [blɛm] leichenblaß, fahl; **~ir** (2a) erblassen.
blennorragie [blɛnɔraʒi] *f méd* Tripper *m.*
bless|er [blɛse] (1b) verwunden; verletzen (*a fig*); *se* ~ sich verletzen; **~ure** [-yr] *f* Wunde *f*; Verwundung *f*; Verletzung *f*; *fig* Kränkung *f.*
blet, blette [blɛ, blɛt] *Obst*: matschig.
bleu, ~e [blø] (⚠ *m/pl ~s*) **1.** *adj* blau; *carte f bleue* Scheckkarte *f*; *zone f bleue* Kurzparkzone *f*; *peur f bleue* F Heidenangst *f*; **2.** *m* Blau *n*; *auf der Haut*: blauer Fleck *m*; *fig* Neuling *m*; *tech* Blaupause *f*; ~ (*de travail*) blauer Arbeitsanzug *m*; *cuis truite f au* ~ Forelle *f* blau; ~ *d'Auvergne* Blauschimmelkäse *m*; ⚠ blau (*betrunken*) *ist frz gris.*
bleu|âtre [bløɑtrə] bläulich; **~et** [-ɛ] *m bot* Kornblume *f*; **~ir** (2a) blau anlaufen (lassen).
blind|age [blɛ̃daʒ] *m* Panzerung *f*; **~é, ~ée 1.** *adj* gepanzert, Panzer...; **2.** *m mil* Panzer *m*; **~er** (1a) panzern.
bloc [blɔk] *m* Block *m* (*auch pol*); *fig* (feste) Einheit *f*; F Kittchen *n*; *en* ~ im ganzen; **~age** *m* Blockierung *f*; Sperre *f*, Sperrung *f*; *psych* innerer Widerstand *m.*
blockhaus [blɔkos] *m mil* Bunker *m.*
bloc-notes [blɔknɔt] *m* (⚠ *pl blocs-notes*) Notizblock *m.*
blocus [blɔkys] *m* Blockade *f.*
blond, blonde [blõ, blõd] **1.** *adj* blond; hell; *cigarette f blonde* Zigarette *f* aus hellem Tabak; **2.** *m, f* Blonde(r) *m, f*; Blondine *f*; *f* helles Bier *n.*
bloquer [blɔke] (1m) blockieren, sperren, verriegeln; zusammenfassen.
blottir [blɔtir] (2a) *se* ~ sich kauern, sich ducken.
blous|e [bluz] *f* Kittel *m*; Bluse *f*; **~er** (1a) F reinlegen; **~on** *m* Windjacke *f*; Blouson *m*; *fig* ~ *noir* Halbstarke(r) *m.*
bluff [blœf] *m* Täuschung *f*; **~er** (1a) bluffen, täuschen.
bobard [bobar] *m* F Schwindel *m*, (Zeitungs-)Ente *f.*
bobinage [bobinaʒ] *m tech* Wicklung *f*; (Auf-)Spulen *n.*

B

bobin|e [bɔbin] *f* Spule *f*; Rolle *f*; Trommel *f*; **~er** (1a) (auf)wickeln; aufspulen.
bobo [bobo] *m enf* Wehweh *n*.
bocal [bɔkal] *m* (⚠ *pl -aux*) Einmachglas *n*.
boche [bɔʃ] *péj* **1.** *adj* deutsch; **2.** ♀ *m, f* Deutsche(r) *m, f*.
bock [bɔk] *m un ~* ein kleines Bier (1/8 *l*).
bœuf [bœf, *pl* bø] **1.** *m* Ochse *m*; Rind(vieh) *n*; Rindfleisch *n*; **2.** *adj* F Bomben...; gewaltig; *succès m ~* Bombenerfolg *m*.
bof! [bɔf] pah!, ach was!, was soll's!, F null Bock!
bohème [bɔɛm] **1.** *f* leichtsinnige Künstlerwelt; **2.** *m, f* verbummeltes Genie *n*, Bohemien *m*.
bohém|ien, ~ienne [bɔemjɛ̃, -jɛn] **1.** *adj* böhmisch; **2.** *m, f* Zigeuner(in) *m(f)*; ♀ Böhme *m*, Böhmin *f*.
boire [bwar] **1.** (4u) trinken; aufsaugen; **2.** *m* Trinken *n*.
bois [bwa] *m* Holz *n*; Wald *m*; *~ pl* Geweih *n*; *mus* Holzblasinstrumente *n/pl*.
bois|age [bwazaʒ] *m* Zimmerung *f*; **~é, ~ée** bewaldet; **~er** (1a) aufforsten; *Bergbau*: auszimmern; **~erie** *f* Täfelung *f*, Holzverkleidung *f*.
boisseau [bwaso] *m* (⚠ *pl ~x*) Scheffel *m*.
boisson [bwasõ] *f* Getränk *n*; ⚠ *la ~*.
boîte [bwat] *f* **1.** Schachtel *f*; Büchse *f*, Dose *f*; Kasten *m*; *auto ~ de vitesses* Getriebe *n*; *~ aux lettres* Briefkasten *m*; *~ postale* Postfach *n*; *~ noire* Flugschreiber *m*; **2.** *~ de nuit* Nachtlokal *n*; **3.** F *péj* (Saft-)Laden *m*.
boit|er [bwate] (1a) hinken (*a fig*); **~eux, ~euse** [-ø, -øz] hinkend; wacklig.
boîtier [bwatje] *m* Gehäuse *n*.
boitiller [bwatije] (1a) leicht hinken, humpeln.
bol [bɔl] *m* **1.** (Trink-)Schale *f*; **2.** F *avoir du ~* F Schwein haben.
bolchev|ique [bɔlʃəvik] bolschewikisch; **~isme** *m* Bolschewismus *m*; **~iste** **1.** *adj* bolschewistisch; **2.** *m, f* Bolschewist(in) *m(f)*.
bolide [bɔlid] *m* Meteorstein *m*; *auto* Rennwagen *m*.
bombance [bõbɑ̃s] *f* F *faire ~* schlemmen.
bombard|ement [bõbardəmɑ̃] *m* Beschießung *f*; Bombardierung *f*; **~er** (1a) bombardieren.
bombe [bõb] *f mil* Bombe *f*; *fig* Spraydose *f*; *cuis ~ glacée* Eisbombe *f*; F *faire la ~* prassen, üppig leben.
bomb|é, ~ée [bõbe] gewölbt; **~er** (1a) (sich) wölben.
bon, bonne [bõ, bɔn] **1.** *adj* gut; tüchtig; richtig; gütig; gutmütig; naiv; *de bonne foi* aufrichtig; *de bonne heure* frühzeitig; (*à*) *bon marché* billig (*a fig*); *il est bon de* (+ *inf*) *od que* (+ *subj*) es ist gut zu ... *od* daß ...; *à quoi bon?* wozu?; *bon mot* Witz *m*; **2.** *adv trouver bon que* (+ *subj*), *juger bon de* (+ *inf*) es für richtig halten zu ... *od* daß ...; *sentir bon* gut riechen; *tenir bon* standhalten; **3.** *m* **a)** *le bon* das Gute; **b)** Gutschein *m*.
bonasse [bɔnas] (zu) gutmütig.
bon|bon [bõbõ] *m* Bonbon *m od n*; **~bonne** [-bɔn] *f* Korbflasche *f*; **~bonnière** [-bɔnjɛr] *f* Konfektschachtel *f*; F *fig* kleine hübsche Wohnung *f*; niedliches Haus *n*.
bond [bõ] *m* (Ab-, Auf-)Sprung *m*; Satz *m*; *d'un ~* mit e-m Satz; *fig* sofort; *par ~s* sprungweise.
bond|é, ~ée [bõde] überfüllt; **~ir** (2a) (auf)springen.
bonheur [bɔnœr] *m* Glück *n*; *par ~* zum Glück; ⚠ *le ~*; ⚠ *nicht verwechseln mit à la bonne heure* (*cf heure*); ⚠ *Glück haben avoir de la chance*.
bonhomie [bɔnɔmi] *f* Gutmütigkeit *f*.
bonhomme [bɔnɔm] *m* (⚠ *pl bonshommes* [bõzɔm]) F Mann *m*, Mannsbild *n*; Männchen *n*; *petit ~* Knirps *m*; *~ de neige* Schneemann *m*; ⚠ *Entsprechung*: *la bonne femme* (*getrennt geschrieben*).
boni [bɔni] *m* Überschuß *m*; Gewinn *m*; **~fier** [-fje] (1a) (ver)bessern; **~ment** *m* marktschreierische Reklame *f*; F Märchen *n*.
bonjour [bõʒur] *m* guten Morgen, guten Tag; F Gruß *m* (*à qn* an j-n).
bonne [bɔn] *f* Kinder-, Haus-, Dienstmädchen *n*.
bonnement [bɔnmɑ̃] *adv tout ~* ganz einfach, kurz gesagt.
bonnet [bɔnɛ] *m* Mütze *f*; Kappe *f*; *fig gros ~* hohes Tier *n*; F *c'est ~ blanc et blanc ~* das ist Jacke wie Hose.

bonneterie [bɔnɛtri] *f* Trikotagen *f/pl*; Wirk- und Strickwaren *f/pl*.
bonsoir [bõswar] *m* guten Abend.
bonté [bõte] *f* Güte *f*.
bonze [bõz] *m* Bonze *m* (*Priester in Ostasien*); *péj* (*Partei- etc*) Bonze *m*, hohes Tier *n*.
boom [bum] *m comm* Boom *m*.
bord [bɔr] *m* **1.** Rand *m*; Ufer *n*; *fig sur les ~s* am Rande, ein bißchen; **2.** *mar* Bord *m*; *tableau m de ~* Armaturenbrett *n*; *à ~ (de)* an Bord (von); *virer de ~* wenden; *fig* umschwenken.
bordage [bɔrdaʒ] *m* Einfassen *n*; *mar* Schiffsplanken *f/pl*.
bordée [bɔrde] *f mar mil* Breitseite *f*; Salve *f*.
bordel [bɔrdɛl] *m* **1.** P Puff *m*; **2.** F Durcheinander *n*.
bordel|ais, ~aise [bɔrdəlɛ, -ɛz] aus Bordeaux.
bordélique [bɔrdelik] F unordentlich.
border [bɔrde] (1a) einfassen, -säumen.
bordereau [bɔrdəro] *m* (⚠ *pl ~x*) *comm* Aufstellung *f*; Liste *f*; Begleitzettel *m*.
bordure [bɔrdyr] *f* Einfassung *f*, Kante *f*.
boréal, ~e [bɔreal] (⚠ *m/pl -aux*) nördlich, Nord...
borgne [bɔrɲ] **1.** *adj* einäugig; **2.** *m, f* Einäugige(r) *m, f*.
borne [bɔrn] **1.** Grenz-, Eckstein *m*; *~ kilométrique* Kilometerstein *m*; **2.** *fig* Grenze *f*, Schranke *f*; **3.** F Kilometer *m*; **4.** *tech* (Anschluß-)Klemme *f*.
born|é, ~e [bɔrne] beschränkt, engstirnig; **~er** (1a) abgrenzen; beschränken (*à qc* auf etw); *se ~ à (faire) qc* sich beschränken auf etw (darauf, etw zu tun).
bosquet [bɔskɛ] *m* Wäldchen *n*.
bosse [bɔs] *f* Beule *f*; Buckel *m*; F *avoir la ~ de* e-e Begabung haben für.
bosser [bɔse] (1a) F schuften.
bossu, ~e [bɔsy] buck(e)lig.
bot [bo] *pied m ~* Klumpfuß *m*.
botanique [bɔtanik] **1.** *adj* botanisch; **2.** *f* Botanik *f*, Pflanzenkunde *f*.
botte [bɔt] *f* **1.** Bund *m*, Bündel *n*; **2.** Stiefel *m*; **3.** *Fechten*: Stoß *m*.
botter [bɔte] (1a) *fig ~ le derrière à qn* F j-m e-n Tritt in den Hintern versetzen; F *ça me botte* das gefällt mir.
bottin [bɔtɛ̃] *m* Telefonbuch *n*.
bouc [buk] *m* **1.** (Ziegen-)Bock *m*; *fig ~ émissaire* Sündenbock *m*; **2.** Spitzbart *m*.
boucan [bukã] *m* F Höllenlärm *m*.
bouchage [buʃaʒ] *m* Ver-, Zustopfen *n*; Verkorken *n*.
bouche [buʃ] *f* Mund *m*; Maul *n*; Öffnung *f*; Mündung *f*; *~ de métro* U-Bahn-Eingang *m*.
bouche-à-bouche [buʃabuʃ] *m méd* Mund-zu-Mund-Beatmung *f*.
bouchée [buʃe] *f* Bissen *m*; *~ à la reine* Königinpastete *f*.
boucher[1] [buʃe] (1a) zu-, verstopfen; versperren.
bouch|er[2] [buʃe] *m* Fleischer *m*, Schlachter *m*, Metzger *m*; **~ère** *f* Fleischersfrau *f*; **~erie** *f* Fleischerei *f*, Metzgerei *f*; ⚠ *nicht verwechseln mit charcuterie*.
bouche-trou [buʃtru] *m* (⚠ *pl bouche-trous*) Lückenbüßer *m*.
bouchon [buʃõ] *m* Pfropfen *m*, Stöpsel *m*, Korken *m*; Pfropf *m*; *fig* (Verkehrs-)Stau *m*.
boucl|e [buklə] *f* Schleife *f*; Schnalle *f*; Flußwindung *f*; *Haar*: Locke *f*; *~ d'oreille* Ohrring *m*; **~é, ~ée** lockig, gelockt; **~er** (1a) schnallen; in Locken legen; *mil* umzingeln; F zumachen; *fig boucle-la!* halt den Mund!; F *~ qn* j-n einlochen.
bouclier [buklije] *m hist u tech* Schild *m*; *fig* Schutzwall *m*.
boud|er [bude] (1a) schmollen; *~ qn (qc)* mit j-m (mit etw) nichts zu tun haben wollen; j-n (etw) ablehnen *od* meiden; **~eur, ~euse** schmollend.
boudin [budɛ̃] *m* Blutwurst *f*.
boue [bu] *f* Schlamm *m*; Schmutz *m*; F Dreck *m*.
bouée [bwe] *f mar* Boje *f*; *~ de sauvetage* Rettungsring *m*.
bou|eux, ~euse [buø, -øz] schmutzig.
bouff|ant, ~ante [bufã, -ãt] bauschig.
bouff|e [buf] **1.** *adj mus opéra m ~* komische Oper *f*; **2.** F *f* Essen *n*, P Fressen *n*; **~ée** *f* Windstoß *m*; Lufthauch *m*; Zug *m* (*des Rauchers*); **~er** (1a) **1.** sich bauschen; **2.** F essen, fressen.
bouffi, ~e [bufi] aufgedunsen.
bouff|on, ~onne [bufõ, -ɔn] **1.** *adj* possenhaft; **2.** *m* Possenreißer *m*.
bouffonnerie [bufɔnri] *f* Possenhaftigkeit *f*; *meist pl ~s* Possen *m/pl*.

B

bouge [buʒ] *m* Dreckloch *n*; Spelunke *f*.
bougeoir [buʒwar] *m* Kerzenleuchter *m* (mit Griff).
bouger [buʒe] (1l) sich bewegen, sich rühren; bewegen, (ver)rücken.
bougie [buʒi] *f* Kerze *f*; *auto* Zündkerze *f*.
bougonner [bugɔne] (1a) F brummen; nörgeln.
bougre [bugrə] *m* **1.** F Kerl *m*; **2.** *Ausruf*: Donnerwetter!; **~ment** *adv* F verdammt, verflixt.
boui-boui [bwibwi] *m* F miese Kneipe *f*.
bouillabaisse [bujabɛs] *f cuis provenzalische* Fischsuppe *f*.
bouill|ant, ~ante [bujɑ̃, -ɑ̃t] siedend, kochend; *fig* aufbrausend.
bouilli, ~ie [buji] *cuis* **1.** *adj* gekocht; **2.** *m* gekochtes Rindfleisch *n*.
bouillie [buji] *f* Brei *m*.
bouillir [bujir] (2e) sieden, kochen (*a fig*); ⚠ *l'eau bout*; *aber faire du café, faire cuire des pommes de terre*; *faire la cuisine*.
bouilloire [bujwar] *f* Teekessel *m*.
bouillon [bujõ] *m* Luftblase *f*; Fleischbrühe *f*.
bouillonner [bujɔne] (1a) *Wasser*: brodeln, (auf)wallen (*a fig*).
bouillotte [bujɔt] *f* Wärmflasche *f*.
boulang|er [bulɑ̃ʒe] *m* Bäcker *m*; **~ère** *f* Bäckersfrau *f*; **~erie** *f* Bäckerei *f*.
boule [bul] *f* Kugel *f*; F *fig* Kopf *m*; *~ de neige* Schneeball *m*; *jeu m de ~s* Boule(spiel) *n*, Boccia(spiel) *n*.
bouleau [bulo] *m* (⚠ *pl ~x*) *bot* Birke *f*.
bouledogue [buldɔg] *m zo* Bulldogge *f*; ⚠ *le ~*.
bouler [bule] (1a) F *envoyer ~ qn* j-n fortjagen.
boulet [bulɛ] *m hist* Kanonenkugel *f*.
boulette [bulɛt] *f* Kügelchen *n*; Fleischkloß *m*; F *faire une ~* e-e Dummheit machen.
boulevard [bulvar] *m* Boulevard *m*; *~ périphérique* Ringstraße *f*.
boulevers|ement [bulvɛrsəmɑ̃] *m* Umwälzung *f*; Erschütterung *f*; **~er** (1a) umstürzen; *fig* erschüttern.
boulimie [bulimi] *f* Heißhunger *m*.
bouliste [bulist] *m Sport*: Boulespieler *m*.
boulon [bulõ] *m tech* Bolzen *m*.
boul|ot[1], **~otte** [bulo, -ɔt] *meist von e-r Frau*: rundlich, F pummelig.
boulot[2] [bulo] F *m* Arbeit *f*.
boulotter [bulɔte] F (1a) essen, F futtern.
boum [bum] F *f* Party *f*.
boumer [bume] (1a) F *ça boume?* alles in Ordnung?
bouquet [bukɛ] *m* (Blumen-)Strauß *m*; Blume *f* (*des Weins*).
bouquetin [buktɛ̃] *m zo* Steinbock *m*.
bouquin [bukɛ̃] *m* F alter Schmöker *m*; Buch *n*.
bouquin|er [bukine] (1a) F schmökern; **~iste** *m, f* Antiquariatsbuchhändler(in) *m(f)*, Bukinist(in) *m(f)*.
bourb|e [burb] *f* Morast *m*, Schlamm *m*; **~eux, ~euse** [-ø, -øz] schlammig; **~ier** [-je] *m* Sumpfloch *n*; *fig* üble Lage *f*.
bourde [burd] *f* F Schnitzer *m*.
bourdon [burdõ] *m* **1.** Hummel *f*; **2.** Brummen *n*; *mus* Baß *m*; große Glocke *f*.
bourdonner [burdɔne] (1a) summen; brummen; dröhnen; sausen (*im Ohr*).
bourg [bur] *m* (Markt-)Flecken *m*.
bourgade [burgad] *f* kleiner (Markt-)Flecken *m*.
bourge|ois, ~oise [burʒwa, -waz] **1.** *adj* bürgerlich; *péj* spießerhaft; *esprit m bourgeois* Spießbürgertum *n*; **2.** *m, f* Bürger(in) *m(f)*; *péj* Spießer *m*; **~oisie** [-wazi] *f* Bürgertum *n*.
bourgeon [burʒõ] *m bot* Knospe *f*.
bourgeonner [burʒɔne] (1a) Knospen treiben, ausschlagen.
bourgmestre [burgmɛstrə] *m in Deutschland, Holland, Belgien, in der Schweiz*: Bürgermeister *m*.
Bourgogne [burgɔɲ] *la ~* Burgund *n*; ♀ *m* Burgunder(wein) *m*.
bourguign|on, ~onne [burgiɲõ, -ɔn] **1.** *adj* burgundisch; *cuis bœuf m bourguignon* Rindsgulasch *n* mit Rotwein; *fondue f bourguignonne* Fleischfondue *n od f*; **2.** ♀ *m, f* Burgunder(in) *m(f)*.
bourlinguer [burlɛ̃ge] (1m) ein abenteuerliches Leben führen.
bourrade [burad] *f* Rippenstoß *m*.
bourrage [buraʒ] *m* F *~ de crâne* propagandistische Bearbeitung *f*; Indoktrinierung *f*.
bourrasque [burask] *f* (jäher) Windstoß *m*, (Wind-)Bö *f*.
bourré, ~e [bure] gestopft voll; F voll, blau.

bourreau [buro] *m* (⚠ *pl* ~*x*) Henker *m*.

bourrelé, ~**e** [burle] ~ *de remords* von Gewissensbissen geplagt.

bourrelier [burəlje] *m* Sattler *m*.

bourrer [bure] (1a) vollstopfen; *se* ~ *de qc* F sich den Bauch mit etw vollschlagen.

bourriche [buriʃ] *f* Korb *m*.

bourrique [burik] *f* Esel(in) *m(f)*; *fig* Dummkopf *m*; *fig faire tourner qn en* ~ j-n verrückt *od* wahnsinnig machen; F *rond comme une* ~ F sternhagelvoll.

bourru, ~**e** [bury] **1.** *fig* mürrisch; **2.** *lait m bourru* kuhwarme Milch *f*.

bours|e [burs] *f* (Geld-)Beutel *m*; Börse *f* (*a comm* ♎); Stipendium *n*; ~**ier,** ~**ière** [-je, -jɛr] **1.** *adj* Börsen...; **2.** *m, f* Stipendiat(in) *m(f)*.

boursouf(f)l|é, ~**ée** [bursufle] geschwollen (*a fig*); ~**ure** [-yr] *f méd* Schwellung *f*; *fig* Schwulst *m*.

bouscul|ade [buskylad] *f* Gedränge *n*; ~**er** (1a) anrempeln; wegstoßen; *fig* erschüttern.

bouse [buz] *f* ~ (*de vache*) (Kuh-) Mist *m*, (Kuh-)Fladen *m*.

bousiller [buzije] (1a) F kaputtmachen; *Arbeit*: hinpfuschen; *Person*: kaltmachen.

boussole [busɔl] *f* Kompaß *m*; F *perdre la* ~ den Kopf verlieren.

bout[1] [bu] *m* Ende *n*; Zipfel *m*; Spitze *f*; Stück(chen) *n*; ~ *à* ~ [butabu] (*mit den Enden*) aneinander; *à* ~ *de bras* mit ausgestreckten Armen; *au* ~ *de* am Ende von; *au* ~ *d'une année* nach einem Jahr; *de* ~ *en* ~, *d'un* ~ *à l'autre* von Anfang bis Ende; *fig aller jusqu'au* ~ nicht aufgeben; *être à* ~ am Ende, erschöpft sein; *être à* ~ *de qc* mit etw am Ende sein; *venir à* ~ *de qc* (*de qn*) mit etw (j-m) fertig werden; *connaître qc sur le* ~ *des doigts* etw ganz genau kennen; *manger un* ~ e-n Happen essen.

bout[2] [bu] *cf bouillir*.

boutade [butad] *f* (geistvoller) Scherz *m*.

bouteille [butɛj] *f* Flasche *f*.

boutiqu|e [butik] *f* Laden *m*; Boutique *f*, Modesalon *m*; ~**ier,** ~**ière** [-je, -jɛr] *m, f péj* Händler(in) *m(f)*, Krämer *m*.

boutoir [butwar] *m ch* Rüssel *m* (*des Wildschweins*).

bouton [butõ] *m* Knopf *m*; *méd* Pickel *m*; *bot* Knospe *f*; ~**-d'or** [-dɔr] *m* (⚠ *pl boutons-d'or*) *bot* Butterblume *f*.

boutonn|er [butɔne] (1a) zuknöpfen; *bot* Knospen treiben; ~**ière** [-jɛr] *f* Knopfloch *n*.

bouton-pression [butõprɛsjõ] *m* (⚠ *pl boutons-pression*) Druckknopf *m*.

bouvreuil [buvrœj] *m zo* Dompfaff *m*, Gimpel *m*.

bov|in, ~**ine** [bɔvɛ̃, -in] *zo* **1.** *adj* Rinder...; **2.** *m/pl bovins* Rinder *n/pl*.

box [bɔks] *m* (⚠ *pl boxes*) Box *f*; ⚠ *le* ~.

box|e [bɔks] *f* Boxen *n*; ⚠ *la* ~; ~**er** (1a) boxen; ~**eur** *m* Boxer *m*.

boyau [bwajo] *m* (⚠ *pl* ~*x*) Darm *m*; Schlauch *m*.

boycott|age [bɔjkɔtaʒ] *m* Boykott *m*; ~**er** (1a) boykottieren.

B.P. (*abr boîte postale*) Postfach *n*.

bracelet [braslɛ] *m* Armband *n*.

braconn|er [brakɔne] (1a) wildern; ~**ier** [-je] *m* Wilddieb *m*, Wilderer *m*.

brader [brade] (1a) verschleudern.

braguette [bragɛt] *f* Hosenschlitz *m*.

braill|ard, ~**arde** F [brɑjar, -ard] **1.** *adj* laut schreiend; **2.** *m, f* Schreihals *m*; ~**er** (1a) johlen, schreien.

braire [brɛr] (4s) *Esel*: iahen; F brüllen, schreien.

brais|e [brɛz] *f* Kohlenglut *f*; ~**er** (1b) *cuis* schmoren.

bramer [brame] (1a) *Hirsch*: röhren; F *fig* schreien, brüllen.

brancard [brɑ̃kar] *m* **1.** Tragbahre *f*; **2.** Holm *m*; Gabel(deichsel) *f*; *fig ruer dans les* ~*s* sich sträuben, sich widersetzen.

branchage [brɑ̃ʃaʒ] *m* Astwerk *n*.

branch|e [brɑ̃ʃ] *f* Ast *m*, Zweig *m*; *fig* Fach *n*; *comm* Branche *f*; *fig* Arm *m*; ~**er** (1a) anschließen; anschalten; *fig être branché* Bescheid wissen; F in sein.

branchies [brɑ̃ʃi] *f/pl* Kiemen *f/pl*.

brandir [brɑ̃dir] (2a) *Waffe*: schwingen; *fig* ~ *qc* mit etw drohen.

branle [brɑ̃l] *m* Schwingung *f*; *mettre en* ~ in Gang bringen; *donner le* ~ *à* in Bewegung setzen; ~**-bas** [-bɑ] *m mar* Klarmachen *n* (*de combat* zum Gefecht); *fig* Durcheinander *n*.

branler [brɑ̃le] (1a) wackeln.

braquage [brakaʒ] *m auto* Einschlagen *n*; *rayon m de* ~ Wendekreis *m*.

braque [brak] F *Person*: komisch, verdreht, verschroben.
braquer [brake] (1m) *Waffe*: ~ *sur* richten auf; *auto* ~ *à droite* nach rechts einschlagen; *fig* F ~ *qn contre* j-n aufbringen gegen.
bras [bra, brɑ] *m* Arm *m* (*a fig*); Oberarm *m*; *zo* Fangarm *m*; *fig* Arbeitskraft *f*; ~ *dessus* ~ *dessous* untergefaßt; *à force de* ~ durch Muskelkraft; *à tour de* ~ mit ganzer Kraft; F *fig avoir qn, qc sur les* ~ j-n, etw am Hals haben; *cela me coupe* ~ *et jambes* F das macht mich völlig fertig.
brasier [brɑzje] *m* Feuersglut *f*.
brassage [brasaʒ] *m* Bierbrauen *n*; *fig* Rassen-, Völkervermischung *f*.
brassard [brasar] *m* Armbinde *f*.
brasse [bras] *f* Brustschwimmen *n*; Stoß *m beim Schwimmen*.
brass|ée [brase] *f* Armvoll *m*; **~er** (1a) *Bier*: brauen; *fig* mischen; ~ *des affaires* viele Geschäfte betreiben; **~erie** *f* Brauerei *f*; Bierhalle *f*; **~eur**[1] *m* Bierbrauer *m*; **~eur**[2], **~euse** *m, f* Brustschwimmer(in) *m(f)*.
brav|ache [bravaʃ] *m* Großmaul *n*; **~ade** [-ad] *f* Herausforderung *f*; Angeberei *f*.
brave [brav] **1.** *adj* **a)** (*nachgestellt*) tapfer; **b)** (*vorangestellt*) rechtschaffen, anständig, ordentlich, brav; F *un* ~ *type* ein netter Kerl; ⚠ ein braves Kind *un enfant sage*; **2.** *m un* ~ ein tapferer Mann.
brav|er [brave] (1a) ~ *qn* j-m trotzen; **~oure** [-ur] *f* **1.** Tapferkeit *f*; **2.** *mus morceau m de* ~ Bravourstück *n*.
break [brɛk] *m auto* Kombi *m*.
brebis [brəbi] *f* (Mutter-)Schaf *n*.
brèche [brɛʃ] *f* Bresche *f*; Lücke *f*, Loch *n*; Scharte *f*.
bredouill|e [brəduj] *rentrer* ~ unverrichteter Dinge, mit leeren Händen zurückkehren; **~er** (1a) undeutlich sprechen; stammeln.
bref, brève [brɛf, brɛv] **1.** *adj* kurz; **2.** *adv bref* kurzum, mit einem Wort.
Brésil [brezil] *le* ~ Brasilien *n*.
brésil|ien, ~ienne [breziljɛ̃, -jɛn] **1.** *adj* brasilianisch; **2.** ♀ *m, f* Brasilianer(in) *m(f)*.
bretelles [brətɛl] *f/pl* Hosenträger *m/pl*.
bret|on, ~onne [brətõ, -ɔn] **1.** *adj* bretonisch; **2.** ♀ *m, f* Bretone *m*, Bretonin *f*.
breuvage [brœvaʒ] *m* Trank *m*; Getränk *n*.
brevet [brəvɛ] *m* Diplom *n*, (Abschluß-)Zeugnis *n*; Patent *n*; *fig* Garantie *f*; *cf a B.E.P.C.*
breveter [brəvte] (1c) patentieren.
bréviaire [brevjɛr] *m rel u fig* Brevier *n*.
bribe [brib] *f meist pl* **~s** Brocken *m/pl*, Fetzen *m/pl*.
bric-à-brac [brikabrak] *m* Trödelkram *m*.
bricolage [brikɔlaʒ] *m* Bastelei *f*; Pfuscharbeit *f*.
bricol|e [brikɔl] *f* Kleinigkeit *f*; Nebensächlichkeit *f*; **~er** (1a) (zusammen)basteln; **~eur, ~euse** *m, f* Bastler(in) *m(f)*, Heimwerker *m*.
brid|e [brid] *f* Zaum *m*, Zügel *m*; **~é, ~ée** *yeux m/pl bridés* Schlitzaugen *n/pl*; **~er** (1a) zäumen; zügeln (*a fig*).
bridge [bridʒ] *m Kartenspiel*: Bridge *n*; *méd* (Zahn-)Brücke *f*.
briève|ment [brijɛvmɑ̃] *adv* kurz; **~té** [-te] *f* Kürze *f im Ausdruck*, kurze Dauer *f*.
brigad|e [brigad] *f mil* Brigade *f*; ~ *des mœurs* Abteilung *f* der Sittenpolizei; **~ier** [-je] *m* Obergefreiter *m*; Kolonnenführer *m*.
brigand [brigɑ̃] *m* Schurke *m*; Räuber *m*.
brigandage [brigɑ̃daʒ] *m* schwerer Raub *m*.
briguer [brige] (1m) anstreben, sich bemühen um.
brill|ant, ~ante [brijɑ̃, -ɑ̃t] **1.** *adj* glänzend (*a fig*); brillant; ⚠ *adv brillamment* [-amɑ̃]; **2.** *m* Glanz *m*; Brillanz *f*; Brillant *m*.
briller [brije] (1a) glänzen (*a fig*); *Sonne*: scheinen.
brim|ade [brimad] *f* Schikane *f*; **~er** (1a) schikanieren.
brin [brɛ̃] *m* Halm *m*; *fig un* ~ (*de*) ein bißchen (+ *subst*); **~dille** [-dij] *f* Zweiglein *n*.
bringue [brɛ̃g] *f* F *faire la* ~ in Saus und Braus leben.
brioche [brijɔʃ] *f cuis* Hefegebäck *n*; F Bauch *m*.
brique [brik] *f* Ziegelstein *m*; *arg* e-e Million alte Francs.
briquer [brike] (1m) auf Hochglanz polieren.
briqu|et [brikɛ] *m* Feuerzeug *n*; **~ette** [-ɛt] *f* Preßkohle *f*, Brikett *n*; ⚠ *une* ~.

bris [bri] *m gewaltsames* Aufbrechen *n*.
brisant [brizɑ̃] *m verborgene* Klippe *f*.
brise [briz] *f* Brise *f* (*a mar*).
brisé, ~e [brize] gebrochen; *fig* zerschlagen.
bris|e-glace(s) [brizglas] *m* (⚠ *pl unv*) Eisbrecher *m*; **~e-lames** [-lam] *m* (⚠ *pl unv*) Wellenbrecher *m*; **~er** (1a) zerbrechen, -schlagen (*a fig*); *Meer*: branden; *se ~* (zer)platzen, bersten; **~e-tout** [-tu] *m* (⚠ *pl unv*) Tolpatsch *m*; **~eur** *m ~ de grève* Streikbrecher *m*.
britannique [britanik] **1.** *adj* britisch; **2.** ♀ *m*, *f* Brite *m*, Britin *f*.
broc [bro] *m* Kanne *f*, Krug *m*.
brocant|e [brɔkɑ̃t] *f* (Handel *m* mit) Trödel *m*; **~er** (1a) mit Trödel handeln; **~eur** *m* Trödler *m*.
brocart [brɔkar] *m* Brokat *m*.
broch|e [brɔʃ] *f* Bratspieß *m*; Brosche *f*; *tech* Dorn *m*, Stift *m*; Spindel *f*; **~er** (1a) heften, broschieren.
brochet [brɔʃɛ] *m zo* Hecht *m*.
brochette [brɔʃɛt] *f cuis* kleiner Bratspieß *m*; (*Art*) Schaschlik *n*.
brochure [brɔʃyr] *f* Broschüre *f*.
brod|er [brɔde] (1a) sticken; **~erie** *f* Stickerei *f*.
bronche [brɔ̃ʃ] *f méd* Bronchie *f*.
broncher [brɔ̃ʃe] (1a) straucheln; *meist verneint*: sich rühren, F mucksen; *sans ~* ohne zu murren.
bronchite [brɔ̃ʃit] *f méd* Bronchitis *f*.
bronz|e [brɔ̃z] *m* Bronze *f*; ⚠ *le ~*; **~er** (1a) *tech* bronzieren; *Haut*: bräunen; (*se*) *~* braun werden.
bross|e [brɔs] *f* Bürste *f*; Pinsel *m*; *~ à dents* Zahnbürste *f*; **~er** (1a) (ab-, aus)bürsten.
brou [bru] *m* grüne Nußschale *f*.
brouet [bruɛ] *m péj* schlechte Suppe *f*.
brouette [bruɛt] *f* Schubkarre *f*.
brouhaha [bruaa] *m* Getöse *n*.
brouillard [brujar] *m* Nebel *m*; *comm* Kladde *f*.
brouill|e [bruj] *f* Zwist *m*, Krach *m*; **~é, ~ée** **1.** *cuis* œufs *m*/*pl brouillés* Rühreier *n*/*pl*; **2.** *Himmel*: verhangen; *Teint*: blaß, unrein; **~er** (1a) verwirren; *Personen*: auseinanderbringen; *Papiere*: durcheinanderbringen; *Radio*: stören; *Ei*: rühren; *se ~ Personen*: sich entzweien.
brouillon [brujɔ̃] *m* Konzept *n*.
broussailles [brusaj] *f*/*pl* Gestrüpp *n*.
brousse [brus] *f géogr* Busch *m*.
brouter [brute] (1a) abweiden.
broyer [brwaje] (1h) zermalmen; zerkleinern; *fig ~ du noir* traurig sein, Trübsal blasen.
bru [bry] *f regional*: Schwiegertochter *f*; ⚠ *häufiger belle-fille*.
brugnon [bryɲɔ̃] *m bot* Nektarine *f*.
bruin|e [brɥin] *f* Nieselregen *m*; **~er** (1a) nieseln; **~eux, ~euse** [-ø, -øz] naßkalt.
bruire [brɥir] (*nur noch in*: *il bruit*, *ils bruissent*, *il bruissait*, *ils bruissaient u bruissant*) *st*/*s* rauschen, brausen.
bruissement [brɥismɑ̃] *st*/*s m* Rauschen *n*; Säuseln *n*, Rascheln *n*.
bruit [brɥi] *m* Geräusch *n*, Lärm *m*; Gerücht *n*.
bruitage [brɥitaʒ] *m Radio*, *Theater*: Geräuschkulisse *f*.
brûl|ant, ~ante [brylɑ̃, -ɑ̃t] glühend; brennend heiß; *fig* heiß, heikel; *st*/*s* leidenschaftlich; **~é, ~ée** **1.** *adj* verbrannt, versengt; *sentir le brûlé* brenzlig riechen; **2.** *m*, *f* Verletzte(r) *m*, *f* mit Verbrennungen.
brûle-pourpoint [brylpurpwɛ̃] *à ~* geradeheraus, ohne Umschweife.
brûl|er [bryle] (1a) **1.** (ver-, an)brennen; versengen, ausdörren; *se ~ la cervelle* sich e-e Kugel durch den Kopf jagen; **2.** *Fahrzeug*: durchfahren, ohne anzuhalten; **~ure** [-yr] *f* Brandwunde *f*; Verbrennung *f*; *~s d'estomac* Sodbrennen *n*.
brum|e [brym] *f* Dunst *m*; Nebel *m*; **~eux, ~euse** [-ø, -øz] dunstig, neb(e)lig.
brun, brune [brɛ̃ *od* brœ̃, bryn] **1.** *adj* braun; brünett; *a* dunkel; **2.** *m*, *f* Brünette(r) *m*, *f*; Dunkelhaarige(r) *m*, *f*; *m* Braun *n*.
brun|âtre [brynɑtrə] bräunlich; **~ir** (2a) bräunen.
brusqu|e [brysk] barsch, grob, heftig; jäh, plötzlich; **~er** (1m) *Person*: hart anfahren; *Dinge*: überstürzen; **~erie** [-əri] *f* barsches Wesen *n*; Grobheit *f*.
brut, ~e [bryt] roh; *champagne m brut* sehr trockener Champagner *m*; *comm poids m brut* Bruttogewicht *n*.
brutal, ~e [brytal] (⚠ *m*/*pl -aux*) brutal; gemein; hart; plötzlich; **~iser** (1a) grob behandeln; **~ité** *f* Roheit *f*; Gewalttätigkeit *f*.

brute [bryt] *f* roher Mensch *m*; Dummkopf *m*.
Bruxelles [bry(k)sɛl] Brüssel.
bruy|ant, ~ante [brɥijɑ̃, -ɑ̃t] laut, lärmend; ⚠ *adv bruyamment* [-amɑ̃].
bruyère [bryjɛr, brɥijɛr] *f* Heidekraut *n*, -land *n*.
bu, bue [by] *p/p von boire*.
buanderie [byɑ̃dri] *f* Waschküche *f*.
bûche [byʃ] *f* Scheit *n*; Klotz *m*; *~ de Noël* Biskuitrolle *f* (*Weihnachtskuchen*).
bûcher[1] [byʃe] *m* Scheiterhaufen *m*.
bûcher[2] [byʃe] (1a) F büffeln, pauken, schuften.
bûcheron [byʃrõ] *m* Holzfäller *m*.
budget [bydʒɛ] *m* Budget *n*, Etat *m*, Haushalt *m*.
budgétaire [bydʒetɛr] Haushalts...
buée [bɥe] *f* feuchter Beschlag *m*, Schwitzwasser *n*.
buffet [byfɛ] *m* Büfett *n*; Anrichte *f*; *~ (de la gare)* Bahnhofswirtschaft *f*.
buffle [byflə] *m zo* Büffel *m*.
buis [bɥi] *m bot* Buchsbaum *m*.
buisson [bɥisõ] *m* Busch *m*, Gebüsch *n*.
buissonnière [bɥisɔnjɛr] *faire l'école ~* die Schule schwänzen.
bulbe [bylb] *f bot* Zwiebel *f* (*a arch*), Knolle *f*.
bulldozer [buldozœr] *m* Planierraupe *f*.
bulle [byl] *f* **1.** Blase *f*; Sprechblase *f*; *~ de savon* Seifenblase *f*; **2.** *hist u des Papstes*: Bulle *f*.
bulletin [byltɛ̃] *m* Wahlzettel *m*; Bericht *m*; Schulzeugnis *n*; Schein *m*; *~ d'expédition* Paketkarte *f*.
buraliste [byralist] *m, f* Inhaber(in) *m(f)* e-s Tabakgeschäfts.
bureau [byro] *m* (⚠ *pl ~x*) **1.** Arbeits-, Schreibtisch *m*; **2.** Büro *n*; Arbeitszimmer *n*; Amt(szimmer) *n*, Kanzlei *f*; **~crate** [-krat] *m, f* Bürokrat(in) *m(f)*; **~cratie** [-krasi] *f péj* Bürokratie *f*; ⚠ *Aussprache*.
burette [byrɛt] *f* Kännchen *n*.
burin [byrɛ̃] *m tech* Meißel *m*; Stichel *m*.
bus[1] [bys] *m* (Stadt-)Bus *m*.
bus[2] [by] *p/s von boire*.
buse [byz] *f zo* Bussard *m*.
busqué [byske] *nez m ~* Hakennase *f*.
buste [byst] *m* Oberkörper *m*; Brustbild *n*; Büste *f*; ⚠ *le ~*.
but [by(t)] *m* Zweck *m*; Ziel *n*; *Sport*: Tor *n*; Treffer *m*; *dans le ~ de* (+ *inf*) in der Absicht zu (+ *inf*); *avoir pour ~* bezwecken; *marquer un ~* ein Tor schießen.
but|é, ~ée [byte] eigensinnig; **~er** (1a) stoßen (*contre* an); *se ~* dickköpfig werden.
butin [bytɛ̃] *m* Beute *f* (*e-s Diebes*).
butiner [bytine] (1a) *Bienen*: Honig sammeln.
butoir [bytwar] *m* Prellbock *m*, -stein *m*.
butte [byt] *f* Erdhügel *m*; Schießstand *m*, Kugelfang *m*.
buv|able [byvablə] trinkbar; **~ard** [-ar] (*papier m*) *~ m* Löschblatt *n*; **~ette** [-ɛt] *f* Erfrischungsraum *m*; Ausschank *m*; **~eur, ~euse** *m, f* Trinker(in) *m(f)*.

C

ça [sa] (F *für cela*) das, dies, es; *~ alors!* na so was!; *~ va?* wie geht's?; *~ y est* es ist soweit; *c'est ~!* stimmt!; *et avec ~?* sonst noch was?
çà [sa] **1.** *~ et là* hier und da, hin und her; **2.** *litt ah ~!* nanu!; also.
cabale [kabal] *f* Kabale *f*, Intrige *f*.
caban [kabɑ̃] *m* Regenmantel *m*.
cabane [kaban] *f* Hütte *f*; Schuppen *m*.
cabanon [kabanõ] *m* Gummizelle *f*; kleine Hütte *f*; *in der Provence*: kleines Landhaus *n*.
cabaret [kabarɛ] *m* Kabarett *n*.
cabas [kabɑ] *m* Einkaufstasche *f*.
cabillaud [kabijo] *m zo* Kabeljau *m*; Schellfisch *m*.
cabine [kabin] *f* Kabine *f*; Raum *m*; *mar a* Kajüte *f*; *Lkw*: Führerhaus *n*; *~ téléphonique* Fernsprechzelle *f*.

cabinet [kabinɛ] *m* Kammer *f*; Kabinett *n* (*a pol*); Arbeitszimmer *n*; Anwaltsbüro *n*; Arztpraxis *f*; *~s pl* W.C. *n*, Toilette *f*.
câbl|e [kɑblə] *m* Seil *n*, Tau *n*; Kabel *n*; Leitung *f*; **~er** (1a) kabeln; verkabeln; verseilen.
cabosser [kabɔse] (1a) verbeulen; ramponieren.
cabotage [kabɔtaʒ] *m mar* Küstenschiffahrt *f*.
cabrer [kɑbre] (1a) *se ~* sich bäumen; sich sträuben.
cabri [kabri] *m* Zicklein *n*.
cabriol|e [kabrijɔl] *f* Luftsprung *m*; **~et** [-ɛ] *m auto* Kabriolett *n*.
cacah(o)uète [kakawɛt, -ɥɛt] *f bot* Erdnuß *f*.
cacao [kakao] *m bot* Kakao(bohne) *m(f)*.
cacarder [kakarde] (1a) schnattern.
cacatoès [kakatɔɛs] *m zo* Kakadu *m*.
cache|-cache [kaʃkaʃ] *m* Verstecken *n* (*Spiel*); **~-col** [-kɔl] *m* (⚠ *pl unv*) feiner Schal *m*; **~mire** [-mir] *m Gewebe*: Kaschmir *m*; **~-nez** [-ne] *m* (⚠ *pl unv*) (Woll-)Schal *m*.
cacher [kaʃe] (1a) verbergen, verstecken; *se ~ de qn* sich vor j-m verstecken; *~ qc à qn* j-m etw verbergen.
cache-sexe [kaʃsɛks] *m* (⚠ *pl unv*) winziges Höschen *n*.
cachet [kaʃɛ] *m* **1.** Stempel *m*, Siegel *n*; **2.** *fig* Charakter *m*, Gepräge *n*; **3.** *phm* Kapsel *f*, Tablette *f*; **4.** Honorar *n*, Gage *f*.
cacheter [kaʃte] (1c) (ver)siegeln.
cachette [kaʃɛt] *f* Versteck *n*; *en ~* heimlich.
cachot [kaʃo] *m* (finsteres) Gefängnis *n*; Kerker *m*.
cachotterie [kaʃɔtri] *f* Geheimniskrämerei *f*.
cactus [kaktys] *m* Kaktus *m*.
c.-à-d. (*abr c'est-à-dire*) das heißt.
cadastre [kadastrə] *m* Kataster *m*; Katasteramt *n*; ⚠ *Schreibung*.
cadavre [kadavrə] *m von Menschen*: Leiche *f*; *von Tieren*: Kadaver *m*.
cadeau [kado] *m* (⚠ *pl ~x*) Geschenk *n*.
cadenas [kadnɑ] *m* Vorlegeschloß *n*.
cadenc|e [kadɑ̃s] *f* Rhythmus *m*, Takt *m*; Tempo *n*, Geschwindigkeit *f*; *mus* Kadenz *f*; **~é, ~ée** rhythmisch, taktmäßig; *au pas cadencé* im Gleichschritt.
cad|et, ~ette [kadɛ, -ɛt] *m, f* jüngerer Sohn *m*, jüngere Tochter *f*; *il est mon cadet de trois ans* er ist drei Jahre jünger als ich.
cadran [kadrɑ̃] *m* Zifferblatt *n*; *Radio*: Skala *f*; *~ solaire* Sonnenuhr *f*.
cadr|e [kɑdrə] *m* **1.** Rahmen *m* (*a fig*); **2.** *mil* Kader *m*; **3.** leitender Angestellter *od* Beamter *m*; *les ~s* das leitende Personal *n*; *~s supérieurs* (*moyens*) obere (mittlere) Führungskräfte *f/pl*; **~er** (1a) *~ avec* übereinstimmen mit; passen zu.
cad|uc, ~uque [kadyk] veraltet; bau-, hinfällig; *jur* unwirksam.
cæcum [sekɔm] *m méd* Blinddarm *m*.
caf|ard, ~arde [kafar, -ard] **1.** *adj* scheinheilig; **2.** *m, f* Scheinheilige(r) *m, f*; *Schule*: Petze *f*; **3.** *m zo* (Küchen-)Schabe *f*; **4.** *m* F *avoir le ~* traurig, mutlos, verstimmt sein; *donner le ~ à qn* j-n trübselig machen; **~arder** [-arde] (1a) *Schule*: petzen.
café [kafe] *m* Kaffee *m*; Kaffeehaus *n*, Café *n*; Wirtshaus *n*, Kneipe *f*; *~ crème* (*noir*) Kaffee *m* mit (ohne) Milch; *~ filtre* Filterkaffee *m*; ⚠ Café-Konditorei *salon de thé*; **~-concert** [-kõsɛr] *m* (⚠ *pl cafés-concerts*) Tingeltangel *n*.
caféine [kafein] *f* Koffein *n*.
café-théâtre [kafeteɑtrə] *m* (⚠ *pl cafés-théâtres*) Kleinkunsttheater *n*.
cafetier [kaftje] *m* Cafébesitzer *m*, Wirt *m*.
cafetière [kaftjɛr] *f* Kaffeekanne *f*.
cage [kaʒ] *f* Käfig *m*; *tech* Gehäuse *n*; *~ d'escalier* Treppenhaus *n*; ⚠ *la ~*.
cageot [kaʒo] *m* Lattenkiste *f*, Steige *f*.
cagibi [kaʒibi] F *m* Abstellkammer *f*; Verschlag *m*.
cagn|eux, ~euse [kaɲø, -øz] X-beinig.
cagnotte [kaɲɔt] *f* Spielkasse *f*; Gemeinschaftskasse *f*.
cag|ot, ~ote [kago, -ɔt] *litt* **1.** *m, f* Heuchler(in) *m(f)*; **2.** *adj* heuchlerisch.
cagoule [kagul] *f* Kapuze *f* (mit Augenschlitzen).
cahier [kaje] *m* (Schreib-)Heft *n*; *~ de brouillon* Schmierheft *n*, Kladde *f*; *~ de devoirs* Hausaufgabenheft *n*; *~ de textes* Aufgabenheft *n*.

C

cahin-caha [kaɛ̃kaa] *adv* soso, schlecht und recht, mühsam.
cahot [kao] *m* Stoß *m*, Ruck *m*.
cahoter [kaɔte] (1a) stoßen, rütteln; *Fahrzeug*: rumpeln.
caille [kaj] *f zo* Wachtel *f*.
caill|é [kaje] (*lait m*) ~ *m* Sauermilch *f*, dicke Milch *f*; **~er** (1a) gerinnen (lassen); F *fig on (se) caille ici* hier erfriert man ja; **~ette** [-ɛt] *f zo* Labmagen *m*.
caillot [kajo] *m* ~ (*de sang*) (Blut-) Gerinnsel *n*.
caillou [kaju] *m* (⚠ *pl* ~*x*) Kieselstein *m*; Stein(chen) *m*(*n*); ~*x pl* Schotter *m*; Kies *m*; **~ter** [-te] (1a) (be)schottern; bekiesen.
caïman [kaimɑ̃] *m zo* Kaiman *m*.
caiss|e [kɛs] *f* **1.** Kiste *f*, Kasten *m*; **2.** Kasse *f*; **3.** *mus* Resonanzkörper *m*, Trommel *f*; *grosse* ~ Pauke *f*; *fig battre la grosse* ~ Reklame machen; **~ier, ~ière** [-je, -jɛr] *m*, *f* Kassierer(in) *m*(*f*); **~on** *m* Kiste *f*, Behälter *m*; *mil* Munitionswagen *m*; *arch* Kassette *f*.
cajoler [kaʒɔle] (1a) (lieb)kosen.
cal [kal] *m* Schwiele *f*.
calamité [kalamite] *f* Unheil *n*.
calandre [kalɑ̃drə] *f auto* Kühlergrill *m*.
calcaire [kalkɛr] **1.** *adj* kalkig, Kalk...; **2.** *m* Kalk(stein) *m*.
calcification [kalsifikasjõ] *f méd* Verkalkung *f*.
calciné, ~e [kalsine] ausgebrannt, verkohlt.
calcul [kalkyl] *m* **1.** Rechnen *n*; Rechnung *f*; *fig* Berechnung *f*; **2.** *méd* Stein *m*; ~ *biliaire* Gallenstein *m*.
calcula|ble [kalkylablə] berechenbar; **~teur, ~trice 1.** *adj* (be)rechnend; **2.** *m comm u tech* Rechner *m*; **3.** *f* Taschenrechner *m*; Rechenmaschine *f*.
calculer [kalkyle] (1a) (aus-, be)rechnen (*a fig*).
cale [kal] *f* **1.** *mar* Kielraum *m*; Dock *n*; F *être à fond de* ~ ruiniert sein; **2.** Keil *m*.
calé, ~e [kale] F beschlagen (*en* in).
calebasse [kalbas] *f* **1.** *bot* Flaschenkürbis *m*; **2.** Kürbisflasche *f*.
caleçon [kalsõ] *m* Unterhose *f*; ~ *de bain* Badehose *f*.
calembour [kalɑ̃bur] *m* Wortspiel *n*, Kalauer *m*.
calendes [kalɑ̃d] *f*/*pl hist* Kalenden *f*/*pl*; *fig renvoyer qc aux* ~ (*grecques*) etw auf den Sankt-Nimmerleins-Tag verschieben.
calendrier [kalɑ̃drije] *m* Kalender *m*.
calepin [kalpɛ̃] *m* Notizbuch *n*.
caler [kale] (1a) *Motor*: abwürgen; absterben; *tech* verkeilen; *Segel*: niederholen; *Schiff*: Tiefgang haben; *fig* F satt machen.
calfater [kalfate] (1a) *mar* kalfatern, abdichten.
calfeutrer [kalføtre] (1a) zustopfen, abdichten; *se* ~ zu Hause bleiben; F hinter dem Ofen hocken.
calibre [kalibrə] *m mil* Kaliber *n*; *tech* Stärke *f*, Durchmesser *m*; Schublehre *f*; Schablone *f*; *fig* F Format *n*; Kaliber *n*.
calice [kalis] *m* Kelch *m*.
califourchon [kalifurʃõ] *à* ~ rittlings.
câl|in, ~ine [kalɛ̃, -in] **1.** *adj* zärtlich, liebevoll; zärtlichkeitsbedürftig; **2.** *m* Liebkosung *f*; **~iner** [-ine] (1a) zärtlich sein zu; verhätscheln.
call|eux, ~euse [kalø, -øz] schwielig; **~osité** [-ozite] *f* Schwiele *f*.
calm|ant, ~ante [kalmɑ̃, -ɑ̃t] **1.** *adj* beruhigend, schmerzlindernd; **2.** *m* Beruhigungs- und Schmerzmittel *n*.
calm|e [kalm] **1.** *adj* ruhig, still; **2.** *m* Ruhe *f*, Stille *f*; Windstille *f*; Gemütsruhe *f*; *avec* ~ gelassen; **~ement** [-əmɑ̃] *adv* ruhig; **~er** (1a) zur Ruhe bringen.
calomnia|teur, ~trice [kalɔmnjatœr, -tris] **1.** *adj* verleumderisch; **2.** *m*, *f* Verleumder(in) *m*(*f*).
calomn|ie [kalɔmni] *f* Verleumdung *f*; **~ier** [-je] (1a) verleumden.
calori|e [kalɔri] *f phys* Kalorie *f*; **~fère** [-fɛr] *m* Heizungsanlage *f*; **~fuger** [-fyʒe] (1l) (wärme)isolieren.
calot [kalo] *m mil* Feldmütze *f*, F Schiffchen *n*.
calott|e [kalɔt] *f* **1.** *von Priestern*: Käppchen *n*; *fig u péj la* ~ die Pfaffen *m*/*pl*; **2.** F Ohrfeige *f*; **~er** F (1a) ohrfeigen.
calqu|e [kalk] *m tech* Pause *f*, Durchzeichnung *f*; *fig* Nachahmung *f*; **~er** (1m) durchzeichnen, -pausen; *fig* ~ *qc* etw kopieren.
calvados [kalvados] *m* Apfelbranntwein *m*.
calvaire [kalvɛr] *m rel* Kalvarienberg *m*; *fig* Leidensweg *m*.
calvitie [kalvisi] *f* Kahlköpfigkeit *f*, Glatze *f*.

camarad|e [kamarad] *m, f* Kamerad(in) *m(f)*; *pol* Genosse *m*, Genossin *f*; ⚠ *Schreibung*; **~erie** Kameradschaft *f*.

cam|ard, ~arde [kamar, -ard] *litt* plattnasig, sattelnasig.

cambouis [kɑ̃bwi] *m* Schmieröl *n*; Schmiere *f*.

cambrer [kɑ̃bre] (1a) krümmen; wölben.

cambriol|age [kɑ̃brijɔlaʒ] *m* Einbruch *m*; **~er** (1a) einbrechen (*qc* in etw, *qn* bei j-m); **~eur, ~euse** *m, f* Einbrecher(in) *m(f)*.

cambrousse [kɑ̃brus] *f* F *péj* gottverlassene Gegend *f*.

came [kam] *f tech* Nocken *m*; *arbre m à ~s* Nockenwelle *f*.

camel|ot [kamlo] *m* Straßenhändler *m*; **~ote** [-ɔt] *f* F Schund *m*, Ramsch *m*.

camembert [kamɑ̃bɛr] *m* Camembertkäse *m* (*aus der Normandie*).

caméra [kamera] *f* (Film-)Kamera *f*.

camion [kamjõ] *m* Lastwagen *m*; **~-citerne** [-sitɛrn] *m* (⚠ *pl camions-citernes*) Tankwagen *m*.

camionn|age [kamjɔnaʒ] *m* Straßentransport *m*; **~ette** [-ɛt] *f* Lieferwagen *m*; **~eur** *m* Lastwagenfahrer *m*.

camisole [kamizɔl] *f ~ de force* Zwangsjacke *f*.

camomille [kamɔmij] *f bot* Kamille *f*.

camoufl|age [kamuflaʒ] *m* Tarnung *f*; **~er** (1a) tarnen; verstecken, verbergen.

camp [kɑ̃] *m* Lager *n* (*a mil u pol*); Partei *f*; *~ militaire* Truppenübungsplatz *m*; *~ de concentration* Konzentrationslager *n*; *~ de jeunes* Jugendlager *n*; *~ de vacances* Ferienlager *n*; F *ficher le ~* abhauen, sich verziehen.

campagn|ard, ~arde [kɑ̃paɲar, -ard] **1.** *adj* ländlich, bäuerlich; **2.** Landbewohner(in) *m(f)*.

campagne [kɑ̃paɲ] *f* **1.** Land *n* (*im Gegensatz zur Stadt*); Feld *n*; Gelände *n*; *à la ~* auf dem Land; *en pleine ~* weit auf dem Land draußen; **2.** *mil u fig* Feldzug *m*; *~ électorale* Wahlkampf *m*.

campan|ile [kɑ̃panil] *m* (einzeln stehender) Glockenturm *m*; **~ule** [-yl] *f bot* Glockenblume *f*.

camp|ement [kɑ̃pmɑ̃] *m mil* Lagern *n*; (*Feld-*)Lager *n*; *fig* Kampieren *n*; **~er** (1a) campen, zelten; kampieren; lagern; **~eur, ~euse** *m, f* Camper(in) *m(f)*.

camping [kɑ̃piŋ] *m* Camping *n*, Campen *n*, Zelten *n*; (*terrain m de*) *~* Campingplatz *m*; **~-car** [-kar] *m* (⚠ *pl camping-cars*) Wohnmobil *n*.

cam|us, ~use [kamy, -yz] plattnasig.

canaille [kanaj] *f* Schurke *m*, Kanaille *f*.

canal [kanal] *m* (⚠ *pl -aux*) Kanal *m*; **~isation** [-izasjõ] *f* Leitung *f*; Kanalisierung *f*; Kanalisation *f*.

canard [kanar] *m* Ente *f*, Enterich *m*; *fig* (*Zeitungs-*)Ente *f*; *péj* Zeitung *f*; *mus* falsche Note *f*; F *un froid de ~* Saukälte *f*.

canari [kanari] *m* Kanarienvogel *m*.

cancan [kɑ̃kɑ̃] *m* **1.** *meist pl ~s* Klatsch *m*, Klatscherei *f*; **2.** Cancan (*Tanz*).

cancer [kɑ̃sɛr] *m méd, astr* Krebs *m*; *fig* Krebsschaden *m*.

cancér|eux, ~euse [kɑ̃serø, -øz] **1.** *adj* Krebs..., krebsartig; krebskrank; **2.** *m, f* Krebskranke(r) *m, f*; **~igène, ~ogène** [-iʒən, -ɔʒɛn] krebserregend.

cancre [kɑ̃krə] *m* fauler Schüler *m*.

candeur [kɑ̃dœr] *f* Treuherzigkeit *f*.

candi [kɑ̃di] *sucre m ~* Kandiszucker *m*.

candid|at, ~ate [kɑ̃dida, -at] *m, f* Kandidat(in) *m(f)*; **~ature** [-atyr] *f* Kandidatur *f*; Bewerbung *f*.

candide [kɑ̃did] treuherzig.

cane [kan] *f* (*weibliche*) Ente *f*.

caner [kane] (1a) F sich drücken, kneifen.

caneton [kantõ] *m* Entchen *n*.

canevas [kanva] *m* Gitterleinen *n*; *fig* Gerüst *n*, Entwurf *m*.

caniche [kaniʃ] *m* Pudel *m*.

canicule [kanikyl] *f* Hundstage *m/pl*; Gluthitze *f*.

canif [kanif] *m* Taschenmesser *n*.

can|in, ~ine [kanɛ̃, -in] Hunde...

canine [kanin] *f* Eckzahn *m*.

caniveau [kanivo] *m* (⚠ *pl ~x*) Rinnstein *m*; *tech* Leitungskanal *m*.

canne [kan] *f* Rohr *n* (*bot*); Spazierstock *m*; *~ à sucre* Zuckerrohr *n*; *~ à pêche* Angelrute *f*.

cannelé, ~e [kanle] gerillt.

cannelle [kanɛl] *f* **1.** *bot, cuis* Zimt *m*; **2.** Faßhahn *m*.

canoë [kanɔe] *m* Kanu *n*.

canoéiste [kanɔeist] *m, f* Kanufahrer(in) *m(f)*.

C

canon [kanõ] *m* **1.** *mil* Kanone *f*; *Gewehr, Pistole*: Lauf *m*; ⚠ *le* ~; **2.** *mus* Kanon *m*; **3.** Regel *f*, Kanon *m*; **4.** F Glas *n* Wein.
canoniser [kanɔnize] (1a) *rel* heiligsprechen.
canonn|ade [kanɔnad] *f mil* Kanonendonner *m*; **~er** (1a) beschießen; **~ière** [-jɛr] *f* Kanonenboot *n*.
canot [kano] *m* Boot *n*; ~ *de sauvetage* Rettungsboot *n*; ~ *pneumatique* Schlauchboot *n*; ⚠ *nicht* Kanu.
canot|age [kanɔtaʒ] *m* Kahnfahren *n*; Rudern *n*; **~er** (1a) Kahn fahren; rudern.
cantatrice [kɑ̃tatris] *f* Sängerin *f*; ⚠ der Sänger *le chanteur*.
cantine [kɑ̃tin] *f* Kantine *f*; Speisesaal *m*.
cantique [kɑ̃tik] *m* Kirchenlied *n*; Lobgesang *m*.
canton [kɑ̃tõ] *m* Kanton *m*.
cantonal, ~e [kɑ̃tɔnal] (⚠ *m/pl -aux*) kantonal, Kantons...
cantonn|er [kɑ̃tɔne] (1a) *mil* unterbringen; *fig se* ~ *dans* sich beschränken auf; **~ier** [-je] *m* Straßenwärter *m*.
canule [kanyl] *f méd* Röhrchen *n*, Kanüle *f*.
caoutchouc [kautʃu] *m* Kautschuk *m*; Gummi *m od n*; Gummiband *n*; *bot* Gummibaum *m*.
cap [kap] *m* **1.** Kap *n*; *fig franchir le* ~ die schwierige Lage überstehen; **2.** *mar* Kurs *m*; *mettre le* ~ *sur* ... Kurs auf ... nehmen.
C.A.P. [seape] *m* (*abr certificat d'aptitude professionnelle*) *etwa* Gesellen-, Facharbeiterprüfung *f*, -brief *m*.
cap|able [kapablə] fähig; ~ *de* (+ *inf*) fähig, imstande zu (+ *inf*); **~acité** [-asite] *f* Fähigkeit *f*, Tüchtigkeit *f*; Rauminhalt *m*; Kapazität *f*.
cape [kap] *f* Umhang *m*; *fig rire sous* ~ heimlich lachen.
C.A.P.E.S [kapɛs] *m* (*abr certificat d'aptitude professionnelle à l'enseignement secondaire*) *etwa* Staatsexamen *n* für das höhere Lehramt.
capét|ien, ~ienne [kapesjɛ̃, -jɛn] *hist* Kapetinger...
capillaire [kapilɛr] kapillar; Haar...
capitaine [kapitɛn] *m mil* Hauptmann *m*; *mar* Kapitän *m*; *Sport*: Mannschaftsführer *m*.
capital, ~e [kapital] (⚠ *m/pl -aux*) **1.** *adj* hauptsächlich; Haupt...; *il est capital que* (+ *subj*) es ist von größter Wichtigkeit, daß ...; *peine f capitale* Todesstrafe *f*; **2.** *m* Kapital *n*; Vermögen *n*; **3.** *f* Hauptstadt *f*; Großbuchstabe *m*; **~iste 1.** *adj* kapitalistisch; **2.** *m, f* Kapitalist(in) *m(f)*.
capit|eux, ~euse [kapitø, -øz] berauschend; **~onner** [-ɔne] (1a) auspolstern; **~uler** [-yle] (1a) kapitulieren.
caporal [kapɔral] *m* (⚠ *pl -aux*) *mil* Gefreite(r) *m*.
cap|ot [kapo] *m auto* Motorhaube *f*; **~ote** [-ɔt] *f* Mantel *m* (mit Kapuze); *auto* Verdeck *n*; P ~ *anglaise* Kondom *n*, P Pariser *m*; **~oter** [-ɔte] (1a) *aviat, auto* sich überschlagen.
câpre [kɑprə] *f cuis* Kaper *f*.
capric|e [kapris] *m* Laune *f*; **~ieux, ~ieuse** [-jø, -jøz] launenhaft.
capricorne [kaprikɔrn] *m astr* Steinbock *m*.
capsule [kapsyl] *f* Kapsel *f*.
capt|er [kapte] (1a) *Aufmerksamkeit*: fesseln; *Quelle*: fassen; *Signal*: auffangen; *Strom*: entnehmen; **~eur** *m tech* ~ *solaire* Sonnenkollektor *m*.
capt|if, ~ive [kaptif, -iv] **1.** *adj* gefangen; **2.** *m, f* Gefangene(r) *m, f*; **~iver** [-ive] (1a) *fig* fesseln, faszinieren; **~ivité** [-ivite] *f* Gefangenschaft *f*.
captur|e [kaptyr] *f* Gefangennahme *f*; Fang *m*; **~er** (1a) fangen; festnehmen.
capuchon [kapyʃõ] *m* Kapuze *f*.
capuc|in [kapysɛ̃] *m rel* Kapuziner *m*; **~ine** *f bot* Kapuzinerkresse *f*.
caquet [kakɛ] *m*, **caquetage** [kaktaʒ] *m* Gackern *n*; F *fig* Geschwätz *n*.
caqueter [kakte] (1c) gackern; *fig* schwatzen; F tratschen.
car[1] [kar] *m* Reise-, Überlandbus *m*.
car[2] [kar] *conj* denn.
carabin|e [karabin] *f* Karabiner *m*; Gewehr *n*; ⚠ *la* ~; **~é, ~ée** F heftig; stark.
carac|tère [karaktɛr] *m* **1.** Schriftzeichen *n*; **2.** Charakter *m*; Art *f*; Merkmal *n*; ⚠ *Schreibung*.
caractéris|é, ~ée [karakterize] eindeutig; typisch; **~er** (1a) charakterisieren; kennzeichnen.
caractéristique [karakteristik] **1.** *adj* charakteristisch (*de* für); **2.** *f* Kennzeichen *n*; Wesenszug *m*.
carafe [karaf] *f* Karaffe *f*; ⚠ *Schreibung*.

C

caramboler [karɑ̃bɔle] (1a) anprallen, zusammenstoßen.
carapace [karapas] *f zo u fig* Panzer *m.*
caravan|e [karavan] *f* **1.** Karawane *f;* **2.** *auto* Wohnwagen *m;* Caravan *m;* ⚠ *la* ~; **~ing** [-iŋ] *m* Reisen *n* mit e-m Wohnwagen.
carbon|e [karbɔn] *m chim* Kohlenstoff *m; papier m* ~ Kohlepapier *n;* **~ique** *chim gaz m* ~ Kohlendioxid *n;* **~iser** [-ize] (1a) verkohlen.
carbur|ant [karbyrɑ̃] *m* Treib-, Kraftstoff *m;* **~ateur** [-atœr] *m tech* Vergaser *m.*
carcasse [karkas] *f von Tieren:* Gerippe *n; tech* Gestell *n.*
cardiaque [kardjak] *méd* **1.** *adj* Herz...; herzkrank; **2.** *m* Herzmittel *n;* **3.** *m, f* Herzkranke(r) *m, f.*
cardinal, ~e [kardinal] (⚠ *m/pl -aux*) **1.** *adj* hauptsächlich, Haupt...; *les points cardinaux* die vier Himmelsrichtungen; **2.** *m égl* Kardinal *m.*
cardon [kardõ] *m bot* Gemüseartischocke *f.*
carême [karɛm] *m* Fastenzeit *f.*
carénage [karenaʒ] *m tech* stromlinienförmige Karosserie *f.*
carence [karɑ̃s] *f* Fehlen *n;* Mangel *m.*
carène [karɛn] *f Schiff:* Kiel *m.*
caress|e [karɛs] *f* Liebkosung *f,* Zärtlichkeit *f;* **~er** (1b) streicheln, liebkosen.
cargaison [kargɛzõ] *f* (Schiffs-)Ladung *f;* Fracht *f.*
cargo [kargo] *m mar* Frachtschiff *n,* Frachter *m.*
caricatur|e [karikatyr] *f* Karikatur *f;* Zerrbild *n;* **~er** (1a) karikieren; verzerren.
carie [kari] *f méd* Karies *f.*
carié, ~e [karje] *Zahn:* kariös, hohl.
carill|on [karijõ] *m* Glockenspiel *n;* **~onner** [-ɔne] (1a) (ein)läuten.
carlin [karlɛ̃] *m zo* Mops *m.*
carlingue [karlɛ̃g] *f aviat* Kabine *f.*
carme [karm] *m rel* Karmeliter *m.*
carnage [karnaʒ] *m* Blutbad *n.*
carnass|ier, ~ière [karnasje, -jɛr] fleischfressend; **~ière** *f* Jagdtasche *f.*
carnation [karnasjõ] *f* Gesichtsfarbe *f.*
carnaval [karnaval] *m* (⚠ *pl -als*) Fasching *m,* Karneval *m;* ⚠ *Schreibung.*
carnet [karnɛ] *m* Notizbuch *n.*
carnivore [karnivɔr] **1.** *adj* fleischfressend; **2.** *m/pl* ~*s* Fleischfresser *m/pl.*
carotte [karɔt] *f* Mohrrübe *f,* Möhre *f,* Karotte *f; poil de* ~ rothaarig, fuchsrot; *fig la* ~ *et le bâton* Zuckerbrot *n* und Peitsche *f.*
carpe [karp] *f zo* Karpfen *m;* ⚠ *la* ~.
carpette [karpɛt] *f* kleiner Teppich *m;* Läufer *m;* Bettvorleger *m.*
carquois [karkwa] *m* Köcher *m.*
carr|é, ~ée [kare] **1.** *adj* Quadrat...; viereckig; eckig; *fig* deutlich, unzweideutig; ⚠ *nicht* kariert; **2.** *m* Quadrat *n,* Viereck *n; Garten:* Beet *n;* **~eau** [-o] *m* (⚠ *pl* ~*x*) Fliese *f,* Kachel *f;* Fensterscheibe *f; Kartenspiel:* Karo *n; à* ~*x* kariert, gewürfelt.
carrefour [karfur] *m* Straßenkreuzung *f; fig* Treffpunkt *m;* Scheideweg *m.*
carrel|age [karlaʒ] *m* Fliesen-, Plattenbelag *m;* **~er** (1c) mit Fliesen auslegen; **~eur** *m* Fliesen-, Plattenleger *m.*
carrément [karemɑ̃] *adv* rundweg, geradeheraus; kurz entschlossen, ohne weiteres; F *vas-y* ~*!* überleg nicht erst lange!
carrière [karjɛr] *f* **1.** Steinbruch *m;* **2.** Laufbahn *f;* Beruf *m.*
carriole [karjɔl] *f* Karren *m.*
carrossable [karɔsablə] befahrbar.
carross|e [karɔs] *m* Kutsche *f,* Karosse *f;* ⚠ *le* ~; ⚠ *Schreibung;* **~erie** *f auto* Karosserie *f.*
carrousel [karuzɛl] *m fig* Karussell *n;* ⚠ *Schreibung.*
carrure [karyr] *f* Schulterbreite *f.*
cartable [kartablə] *m* Schulmappe *f,* -ranzen *m.*
carte [kart] *f* (Land-, Spiel-, Visiten-, Speise- *etc*) Karte *f;* ~ *d'identité* Personalausweis *m; auto* ~ *grise* Kraftfahrzeugschein *m;* ~ *postale* Postkarte *f; fig donner* ~ *blanche à qn* j-m freie Hand lassen; ⚠ *nicht verwechseln mit le billet u le ticket.*
cartel [kartɛl] *m écon* Kartell *n; pol* Block *m.*
carter [kartɛr] *m tech* Gehäuse *n.*
cartilage [kartilaʒ] *m* Knorpel *m.*
cartomancienne [kartɔmɑ̃sjɛn] *f* Kartenlegerin *f.*
carton [kartõ] *m* Pappe *f;* Karton *m;* (Papp-)Schachtel *f;* Mappe *f;* ~ *gou-*

dronné Teerpappe *f*; ~ *ondulé* Wellpappe *f*; *Fußball*: ~ *jaune* (*rouge*) gelbe (rote) Karte.

C

cartonn|age [kartɔnaʒ] *m* Herstellen *n* von Kartonagen; Kartonage *f*; ⚠ *le* ~; ⚠ *Schreibung*; **~ier** [-je] *m* Aktenschrank *m*.
cartouch|e [kartuʃ] *f mil* Patrone *f*; Hülse *f*; *Zigaretten*: Stange *f*; **~ière** [-jɛr] *f mil, ch* Patronentasche *f*.
cas [kɑ, ka] *m* Fall *m* (*a méd, gr, jur*); Lage *f*; *en aucun* ~ in keinem Fall; *dans ce* ~*-là, en ce* ~ in dem Fall; *en tout* ~ jedenfalls; *en* ~ *de* im Fall (+ *gén*); *au* ~ *où* (+ *cond*), *litt en* ~ *que* (+ *subj*) falls; im Falle, daß; *faire grand* ~ *de qn, qc* auf j-n große Stücke halten, auf etw großen Wert legen.
casan|ier, ~ière [kazanje, -jɛr] *m, f* Stubenhocker(in) *m(f)*.
cascad|e [kaskad] *f* Wasserfall *m*; **~eur** *m Film*: Stuntman *m*.
case [kɑz] *f* **1.** (Eingeborenen-)Hütte *f*; **2.** Fach *n*; *Schachbrett*: Feld *n*.
casemate [kazmat] *f* Kasematte *f*; ⚠ *Schreibung*.
caser [kaze] (1a) unterbringen; verstauen.
casern|e [kazɛrn] *f* Kaserne *f*; **~er** (1a) *Truppen*: kasernieren.
casier [kazje] *m* Fach *n*; Regal *n*; Kartei *f*; ~ *judiciaire* Strafregister *n*.
casqu|e [kask] *m* (Schutz-, Sturz-) Helm *m*; *Radio*: Kopfhörer *m*; **~ette** [-ɛt] *f* (Schirm-)Mütze *f*.
cass|able [kasablə] zerbrechlich; **~ant, ~ante** [-ɑ̃, -ɑ̃t] zerbrechlich; *fig* schroff; **~ation** *f jur* Aufhebung *f*; *cour f de* ~ *Frankreich*: oberster Gerichtshof *m*.
casse[1] [kas] *f* Zerschlagen *n*; Schrott *m*.
casse[2] [kas] *arg m* Einbruch *m*.
casse|-croûte [kaskrut] *m* (⚠ *pl unv*) Imbiß *m*; **~-noisettes** [-nwazɛt] *m* (⚠ *pl unv*) Nußknacker *m*.
casser [kase] (1a) zerbrechen, zerschlagen; F kaputtmachen; *jur* für ungültig erklären; F ~ *les pieds à qn* F j-m auf den Wecker fallen; *se* ~ *Glas etc*: zersplittern.
casserole [kasrɔl] *f* Kochtopf *m* (mit Stiel).
casse-tête [kastɛt] *m* (⚠ *pl unv*) Totschläger *m* (*Waffe*); *fig* Geduldspiel *n*, harte Nuß *f*.
cassette [kasɛt] *f* Kassette *f*; *magnétophone m à* ~ Kassettenrecorder *m*.
cassis [kasis] *m* **1.** *bot* schwarze Johannisbeere *f*; (*crème f de*) ~ Likör *m* aus schwarzen Johannisbeeren; **2.** Querrinne *f*.
cassoulet [kasulɛ] *m cuis Eintopf aus Bohnen, Speck, Hammelfleisch*.
cassure [kasyr] *f* Bruch *m*.
caste [kast] *f* Kaste *f* (*a péj*).
castor [kastɔr] *m zo* Biber *m*.
cata|clysme [kataklismə] *m* (Natur-)Katastrophe *f*; **~loguer** [-lɔge] (1m) katalogisieren; **~lyseur** [-lizœr] *m chim* Katalysator *m*; **~phote** [-fɔt] *m auto etc* Rückstrahler *m*, Katzenauge *n*; **~racte** [-rakt] *f* **1.** *großer* Wasserfall *m*; Katarakt *m*; ⚠ *la* ~; **2.** *méd* grauer Star *m*.
catarrhe [katar] *m* Katarrh *m*.
catastroph|e [katastrɔf] *f* Katastrophe *f*, Unglück *n*; *en* ~ überstürzt; **~é, ~ée** F niedergeschlagen, F fertig; **~ique** katastrophal.
catéch|iser [kateʃize] (1a) *rel* den Katechismus lehren; *fig* ~ *qn* j-n instruieren; **~isme** *m* Religionsunterricht *m*; Katechismus *m*.
catégor|ie [kategɔri] *f* Kategorie *f*; Klasse *f*; Art *f*; **~ique** kategorisch, entschieden, energisch.
cathédrale [katedral] *f* Dom *m*, Kathedrale *f*, Münster *n*.
catholique [katɔlik] **1.** *adj* katholisch; F *ce n'est pas très* ~ da ist etwas faul; **2.** *m, f* Katholik(in) *m(f)*.
catimini [katimini] F *en* ~ ganz heimlich.
cauchemar [koʃmar] *m* Alptraum *m*, -drücken *n*; *fig* Greuel *m*.
caus|e [koz] *f* **1.** Ursache *f*, Grund *m*, Anlaß *m*; *à* ~ *de* wegen; F *à* ~ *que* weil; *sans* ~ grundlos; **2.** *fig* Sache *f*, Angelegenheit *f*; **3.** *jur* Prozeß *m*; *mettre en* ~ in Frage stellen; **~er** (1a) **1.** verursachen; **2.** plaudern (*avec qn de* mit j-m über); F *allg* sprechen; **~erie** *f* Plauderei *f*; **~ette** [-ɛt] *f* F Schwatz *m*.
caus|eur, ~euse [kozœr, -øz] *m, f* Plauderer *m*, Plauderin *f*.
caustique [kostik] *chim* ätzend; *fig* beißend, scharf, schneidend.
cautériser [koterize] (1a) *méd Wunde*: ausbrennen.
caution [kosjõ] *f* Bürgschaft *f*; Kaution *f*; Garantie *f*.
cautionner [kosjɔne] (1a) *jur u fig* ~ *qn* für j-n bürgen.

cavall|er [kavale] (1a) F ~ *après qn* j-m nachlaufen; **~erie** *f* Kavallerie *f*, Reiterei *f*; ⚠ *Schreibung*; **~ier, ~ière** [-je, -jɛr] **1.** *m*, *f* Reiter(in) *m(f)*; Begleiter(in) *m(f)*; **2.** *m* Kavallerist *m*; *Schach*: Springer *m*; **3.** *adj* ungehörig, ungezogen.

cav|e [kav] *f* Keller *m*; Weinkeller *m*; Kellerlokal *n*; **~eau** [-o] *m* (⚠ *pl* ~*x*) Grabgewölbe *n*, Gruft *f*.

caverne [kavɛrn] *f* Höhle *f*.

caviste [kavist] *m* Kellermeister *m* (*im Restaurant*).

cavité [kavite] *f* Hohlraum *m*.

C.C. [sese] *m* (*abr Corps consulaire*) Konsularisches Korps *n*.

C.D. [sede] *m* (*abr Corps diplomatique*) Diplomatisches Korps *n*.

ce [sə] *m* (*f* **cette** [sɛt], *pl* **ces** [se]; ⚠ *m/sg* **cet** [sɛt] *vor Vokal u stummem h*) diese(r, -s); *ce que* (*tu fais*), *ce qui* (*me plaît*) was; *c'est pourquoi* deshalb; *ce matin* heute morgen; *c'est que* nämlich, denn.

ceci [səsi] dieses, dies, das; ~ *ou cela* dies oder jenes.

cécité [sesite] *f* Blindheit *f*.

céder [sede] (1f) ~ *qc à qn* j-m etw überlassen, abtreten; ~ *à qn* j-m nachgeben; *il ne lui cède en rien* er steht ihm in nichts nach.

cédille [sedij] *f gr* Cedille *f*.

cèdre [sɛdrə] *m bot* Zeder *f*; ⚠ *le* ~.

C.E.E. [seəə] *f* (*abr Communauté économique européenne*) E(W)G *f*, Europäische (Wirtschafts-)Gemeinschaft *f*.

C.E.G. [seʒe] *m* (*abr collège d'enseignement général*) *etwa* Realschule *f*.

cégétiste [seʒetist] *m*, *f* Gewerkschaftler(in) *m(f)*, Mitglied *n* der C.G.T. (*Confédération générale du travail*).

ceindre [sɛ̃drə] (4b) *litt* umgürten; umgeben (*de* mit).

ceintur|e [sɛ̃tyr] *f* Gürtel *m*; Einfassung *f*; *aviat*, *auto* ~ *de sécurité* Sicherheitsgurt *m*; *fig se serrer la* ~ den Gürtel enger schnallen; **~er** (1a) umklammern (*in der Taille*); umgeben.

cela [s(ə)la] das (da); *il y a cinq ans de* ~ das war vor fünf Jahren; ⚠ F *cf ça*.

célébration [selebrasjõ] *f* Feier *f*; ~ *du mariage* Trauung *f*.

célèbre [selɛbrə] berühmt.

célébr|er [selebre] (1f) feiern; rühmen; **~ité** *f* Berühmtheit *f* (*a Person*).

céleri [sɛlri] *m bot* Sellerie *m od f*; ⚠ *Schreibung*.

célérité [selerite] *litt f* Schnelligkeit *f*.

céleste [selɛst] Himmels...; himmlisch; göttlich.

célibat [seliba] *m* Ehelosigkeit *f*; *rel* Zölibat *m od n*.

célibataire [selibatɛr] **1.** *adj* ledig; **2.** *m*, *f* Junggeselle *m*, Junggesellin *f*.

cell|ier [sɛlje] *m* Wein- *od* Vorratskeller *m*; **~ule** [-yl] *f* Zelle *f*.

celtique [sɛltik] keltisch.

celui [səlɥi] *m* (*f* **celle** [sɛl], *m/pl* **ceux** [sø], *f/pl* **celles** [sɛl]) der, die, das(jenige); **~-ci** [-si] dieser; **~-là** [-la] jener; ⚠ *vor de u Relativsatz kein -ci/-là*.

cendre [sɑ̃drə] *f* Asche *f*.

cendr|é, ~ée [sɑ̃dre] aschfarben; **~ée** *f* *Sport*: Aschenbahn *f*; **~ier** [-ije] *m* Aschenbecher *m*.

Cendrillon [sɑ̃drijõ] *f Märchen(gestalt)*: Aschenbrödel *n*.

cène [sɛn] *f rel* Abendmahl *n*.

cens|é, ~ée [sɑ̃se] *il est* ~ *être malade* man nimmt an, daß er krank ist; **~eur** *m* **1.** Zensor *m*; *fig* Kritiker *m*; **2.** *etwa* stellvertretender Direktor *m* e-r höheren Schule (*Disziplinfragen*).

censur|e [sɑ̃syr] *f* Zensur(behörde) *f*; *pol motion f de* ~ Mißtrauensantrag *m*; **~er** (1a) *Film*, *Buch*: zensieren; verbieten.

cent [sɑ̃] **1.** *adj* hundert; **2.** *m* Hundert *n*, *f*; *pour* ~ Prozent *n*; ⚠ *deux cents*, *aber deux cent dix*.

centaine [sɑ̃tɛn] *f* Hundert *n*; *une* ~ *de* ... ungefähr hundert ...

centenaire [sɑ̃tnɛr] **1.** *adj* hundertjährig; **2.** *m* Hundertjahrfeier *f*.

centième [sɑ̃tjɛm] **1.** hundertste(r, -s); **2.** *m* Hundertstel *n*.

centime [sɑ̃tim] *m* Centime *m* ($^1/_{100}$ *Franc*).

centimètre [sɑ̃timɛtrə] *m* Zentimeter *n od m*.

central, ~e [sɑ̃tral] (⚠ *m/pl -aux*) **1.** *adj* zentral, Mittel..., Haupt...; **2.** *m tél* Zentrale *f*; *f centrale* (*électrique*) Kraftwerk *n*; *centrale nucléaire* Kernkraftwerk *n*; **~iser** (1a) zentralisieren; zusammenfassen.

centr|e [sɑ̃trə] *m* Mittelpunkt *m*; Zentrum *n*; Hauptort *m*; *pol* Mitte *f*; *Sport*: Mittelstürmer *m*; *Fußball*: Flanke *f*; ~ *d'accueil* Beratungs-, Informationsstelle *f*; ~ *industriel* In-

C

dustriezentrum *n*; ~ *d'attraction* Anziehungspunkt *m*; ~ *d'intérêt* Brennpunkt *m* des Interesses; *au* ~ *de* in der Mitte (von); **~er** (1a) in die Mitte stellen; zentrieren; *Fußball*: flanken.
centrifuge [sɑ̃trifyʒ] zentrifugal.
centupler [sɑ̃typle] (1a) (sich) verhundertfachen.
cep [sɛp] *m* Rebstock *m*.
cèpe [sɛp] *m bot* Steinpilz *m*.
cependant [səpɑ̃dɑ̃] indessen; doch.
céramique [seramik] **1.** *adj* keramisch; **2.** *f* Keramik *f*.
cercle [sɛrklə] *m* Kreis *m*; Ring *m*; *fig* Zirkel *m*; ⚠ *nicht Zirkel als Instrument*.
cercueil [sɛrkœj] *m* Sarg *m*.
céréales [sereal] *f/pl* Getreidearten *f/pl*; Getreide *n*.
cérébral, ~e [serebral] (⚠ *m/pl -aux*) Gehirn...
cérémo|nial [seremɔnjal] *m* Zeremoniell *n*; **~nie** [-ni] *f* Feier *f*; Zeremonie *f*; Förmlichkeit *f*.
cerf [sɛr] *m zo* Hirsch *m*.
cerfeuil [sɛrfœj] *m bot* Kerbel *m*.
cerf-volant [sɛrvɔlɑ̃] *m* (⚠ *pl cerfs-volants*) Papierdrachen *m*; *zo* Hirschkäfer *m*.
ceris|e [s(ə)riz] *f* Kirsche *f*; **~ier** [-je] *m* Kirschbaum *m*.
cerne [sɛrn] *m* Rand *m*; *~s pl* Ringe *m/pl* (um die Augen).
cerner [sɛrne] (1a) umzingeln; *fig Problem*: klar erkennen.
cert|ain, ~aine [sɛrtɛ̃, -ɛn] *adj* **1.** (*nach subst*) gewiß, bestimmt, sicher; *être* ~ *de qc* e-r Sache sicher sein; **2.** (*vor subst*) gewiß (*in unbestimmtem Sinn*); *d'un certain âge* nicht mehr ganz jung; **~ainement** [-ɛnmɑ̃] *adv* gewiß; allerdings.
certes [sɛrt] *adv* sicher; zwar.
certif|icat [sɛrtifika] *m* Bescheinigung *f*; Zeugnis *n*; **~ier** [-je] (1a) beglaubigen; ~ *qc à qn* j-m etw bestätigen, bescheinigen.
certitude [sɛrtityd] *f* Gewißheit *f*.
cerveau [sɛrvo] *m* (⚠ *pl ~x*) Gehirn *n*.
cervelas [sɛrvəla] *m etwa* Fleischwurst *f*.
cervelle [sɛrvɛl] *f* Hirnsubstanz *f*; *fig* Verstand *m*; *cuis* Hirn *n*; *fig se brûler la* ~ sich e-e Kugel durch den Kopf jagen.
Cervin [sɛrvɛ̃] *le* ~ das Matterhorn.
ces [se] *cf ce*.
C.E.S. [seəɛs] *m* (*abr collège d'enseignement secondaire*) *etwa* Gesamtschule *f*.
césarienne [sezarjɛn] *f méd* Kaiserschnitt *m*.
cessation [sɛsasjõ] *f* Aufhören *n*.
cess|e [sɛs] *sans* ~ unaufhörlich; **~er** (1b) aufhören (*qc* mit etw); ~ *de* (+ *inf*) aufhören zu (+ *inf*).
cessez-le-feu [sɛselfø] *m* (⚠ *pl unv*) Waffenruhe *f*.
c'est-à-dire [sɛtadir] das heißt.
cet [sɛt] *cf ce*.
C.E.T. [seəte] *m* (*abr collège d'enseignement technique*) *etwa* Berufsfachschule *f*.
cétacé [setase] *m zo* Wal *m*.
cette [sɛt] *cf ce*.
ceux [sø] *cf celui*.
cf. (*abr confer*) vergleiche (*abr* vgl.).
chac|un, ~une [ʃakɛ̃ *od* ʃakœ̃, -yn] *m, f* jede(r, -s); *chacun de od d'entre nous* jeder von uns.
chagrin [ʃagrɛ̃] *m* Kummer *m*, Schmerz *m*.
chagriner [ʃagrine] (1a) ~ *qn* j-n betrüben, bekümmern.
chahut [ʃay] *m* F Radau *m*.
chaîne [ʃɛn] *f* Kette *f*; Reihe *f*; *Radio, TV* Programm *n*; ~ *hi-fi* Stereoanlage *f*; *travail m à la* ~ Fließbandarbeit *f*.
chair [ʃɛr] *f* Fleisch *n* (*von Menschen, lebenden Tieren, Früchten*); *en* ~ *et en os* leibhaftig; *avoir la* ~ *de poule* e-e Gänsehaut haben.
chaire [ʃɛr] *f* Kanzel *f*; Lehrstuhl *m*.
chaise [ʃɛz] *f* Stuhl *m*; ~ *longue* Liegestuhl *m*.
chaland [ʃalɑ̃] *m* Lastkahn *m*.
châle [ʃɑl] *m* Umschlagtuch *n*; Stola *f*.
chalet [ʃalɛ] *m* Sennhütte *f*; Schweizerhaus *n*.
chaleur [ʃalœr] *f* Hitze *f*; Wärme *f*; *fig* Herzlichkeit *f*.
chaleur|eux, ~euse [ʃalørø, -øz] herzlich, warm, eifrig.
châlit [ʃɑli] *m* Bettstelle *f*.
challenge [ʃalɑ̃ʒ] *m Sport*: Pokalkampf *m*; Wanderpreis *m*.
chalumeau [ʃalymo] *m* (⚠ *pl ~x*) (Trink)Halm *m*; *tech* Schweißbrenner *m*.
chalutier [ʃalytje] *m mar* Trawler *m*.
chamailler [ʃamaje] (1a) F *se* ~ sich herumzanken.

C

chambard [ʃɑ̃bar] *m* F Krach *m*, Spektakel *m*.
chambranle [ʃɑ̃brɑ̃l] *m* Tür-, Fensterstock *m*.
chambr|e [ʃɑ̃brə] *f* Zimmer *n*; Kammer *f* (*a jur, pol, tech*); *auto etc* ~ *à air* Luftschlauch *m*; ~ *à coucher* Schlafzimmer *n*; ~ *froide* Kühlraum *m*; ~ *à gaz* Gaskammer *f*; **~er** (1a) **1.** im Zimmer einsperren; **2.** *Wein*: temperieren.
chameau [ʃamo] *m* (⚠ *pl* ~*x*) *zo* Kamel *n*.
chamois [ʃamwa] *m zo* Gemse *f*; Gamsleder *n*.
champ [ʃɑ̃] *m* Acker *m*; Feld *n*; Platz *m*; *fig* Gebiet *n*; *à travers* ~ querfeldein; ~ *électrique* elektrisches Feld *n*; *laisser le* ~ *libre à qn* j-m freie Hand lassen.
champagne [ʃɑ̃paɲ] *m* Champagner *m*.
champêtre [ʃɑ̃pɛtrə] ländlich; *garde m* ~ Feldhüter *m*.
champignon [ʃɑ̃piɲɔ̃] *m bot* Pilz *m*; ~ *de Paris* (Zucht-)Champignon *m*.
champ|ion, ~ionne [ʃɑ̃pjɔ̃, -jɔn] *m, f Sport*: Meister(in) *m(f)*, Sieger(in) *m(f)*; **~ionnat** [-jɔna] *m* Meisterschaft(skampf) *f(m)*.
chance [ʃɑ̃s] *f* Glück *n*; (glücklicher) Zufall *m*; Chance *f*; Aussicht *f*; *mauvaise* ~ Mißgeschick *n*; *c'est une* ~ *que* (+ *subj*) es ist ein Glück, daß ...; *il y a peu de* ~*s pour que* (+ *subj*) es besteht wenig Aussicht, daß ...; ⚠ Glück(sgefühl) *le bonheur*.
chanceler [ʃɑ̃sle] (1c) (sch)wanken.
chanc|elier [ʃɑ̃səlje] *m* Kanzler *m*; **~ellerie** [-ɛlri] *f* Kanzlei *f*; Kanzleramt *n*.
chanc|eux, ~euse [ʃɑ̃sø, -øz] *être* ~ Glück haben.
chandail [ʃɑ̃daj] *m* (⚠ *pl* ~*s*) Pullover *m*.
chandelier [ʃɑ̃dəlje] *m* Leuchter *m*.
chandelle [ʃɑ̃dɛl] *f* Kerze *f*.
chang|e [ʃɑ̃ʒ] *m* Tausch *m*; *comm* (Geld-)Wechsel *m*; **~eable** veränderlich; **~eant, ~eante** [-ɑ̃, -ɑ̃t] veränderlich; launisch; schillernd; **~ement** [-mɑ̃] *m* (Ver-)Änderung *f*; ~ *de vitesse auto* Gangschaltung *f*.
changer [ʃɑ̃ʒe] (1l) **1.** um-, aus-, vertauschen; verändern; *Geld*: wechseln; ~ *en qc* in etw ver-, umwandeln; ~ *avec qn* mit j-m tauschen; **2.** sich (ver)ändern; **3.** ~ *de qc* (mit) etw wechseln; ~ *d'adresse* umziehen; ~ *de train* umsteigen; ~ *d'avis* seine Meinung ändern; **4.** *se* ~ sich umziehen.
chanoine [ʃanwan] *m* Domherr *m*.
chans|on [ʃɑ̃sɔ̃] *f* Lied *n*; Schlager *m*; Chanson *n*; ⚠ *la* ~; **~onnier** [-ɔnje] *m* Kabarettist *m*.
chant [ʃɑ̃] *m* Gesang *m*; Singen *n*; Lied *n*.
chantage [ʃɑ̃taʒ] *m* Erpressung *f*.
chanter [ʃɑ̃te] (1a) singen; *Hahn*: krähen; ~ *qc* etw besingen; *faire* ~ *qn* j-n erpressen.
chanterelle [ʃɑ̃trɛl] *f bot* Pfifferling *m*.
chant|eur, ~euse [ʃɑ̃tœr, -øz] *m, f* Sänger(in) *m(f)*.
chantier [ʃɑ̃tje] *m* Baustelle *f*; ~ *naval* Werft *f*.
chantonner [ʃɑ̃tɔne] (1a) vor sich hin singen.
chanvre [ʃɑ̃vrə] *m bot* Hanf *m*.
chaos [kao] *m* Chaos *n*.
chaparder [ʃaparde] (1a) F klauen.
chapeau [ʃapo] *m* (⚠ *pl* ~*x*) Hut *m*; *tech* Deckel *m*.
chapelet [ʃaplɛ] *m rel* Rosenkranz *m*.
chapelier, ~ière [ʃapəlje, -jɛr] *m, f* Hutmacher(in) *m(f)*.
chapelle [ʃapɛl] *f* Kapelle *f*.
chapelure [ʃaplyr] *f cuis* Paniermehl *n*.
chapiteau [ʃapito] *m* (⚠ *pl* ~*x*) (Zirkus-)Zelt *n*; *arch* Kapitell *n*.
chapitre [ʃapitrə] *m* Kapitel *n*.
chapon [ʃapɔ̃] *m zo* Kapaun *m*.
chaque [ʃak] *adj* jeder, jede, jedes.
char [ʃar] *m* Wagen *m*; *hist* Streitwagen *m*; *mil* Panzer *m*.
charabia [ʃarabja] *m* F Kauderwelsch *n*.
charbon [ʃarbɔ̃] *m* Kohle *f*; Kohlezeichnung *f*.
charbonn|age [ʃarbɔnaʒ] *m* Kohlenbergwerk *n*, Zeche *f*; **~ier, ~ière** [-je, -jɛr] **1.** *adj* Kohlen...; **2.** *m* Kohlenhändler *m*; Köhler *m*.
charcut|erie [ʃarkytri] *f* **1.** Fleisch- und Wurstwaren *f/pl*; **2.** Metzgerei *f*, Fleischerei *f*; **~ier** [-je] *m* Metzger *m*, Fleischer *m*.
chardon [ʃardɔ̃] *m bot* Distel *f*.
charg|e [ʃarʒ] *f* Last *f*; Belastung *f*; Ladung *f*; *fig* Bürde *f*; Verpflichtung *f*; *à la* ~ *de* zu Lasten von; *avoir qn à* ~ für j-n sorgen müssen.
charg|é, ~ée [ʃarʒe] beladen; ~ *de*

beauftragt mit; **~ement** [-əmɑ̃] *m* (Ver-)Ladung *f*; (*e-r Waffe*) Laden *n*; **~er** (1l) **1.** (be)laden, bepacken; *fig* belasten; ~ *qn de qc* j-n mit etw beauftragen; *se* ~ *de qc* etw auf sich nehmen; **2.** *mil* angreifen; **~eur** *m tech* Ladegerät *n*; *Gewehr*: Magazin *n*; *Photo*: Kassette *f*.

chariot [ʃarjo] *m* Wagen *m*; Karren *m*.

char|itable [ʃaritablə] mildtätig; **~ité** *f* Barmherzigkeit *f*; *rel* Nächstenliebe *f*.

charivari [ʃarivari] *m* Krach *m*, Radau *m*.

charlatan [ʃarlatɑ̃] *m péj* Quacksalber *m*, Scharlatan *m*.

charm|ant, ~ante [ʃarmɑ̃, -ɑ̃t] reizend, entzückend.

charm|e[1] [ʃarm] *m* Zauber *m*; Reiz *m*; **~e**[2] *m bot* Hage-, Weißbuche *f*; **~er** (1a) bezaubern; entzücken.

charn|el, ~elle [ʃarnɛl] fleischlich, körperlich, sinnlich; **~ier** [-je] *m* Massengrab *n*; **~ière** [-jɛr] *f* Scharnier *n*.

charnu, ~e [ʃarny] fleischig.

charogne [ʃarɔɲ] *f* Aas *n*; Kadaver *m*; P Dreckschwein *n*.

charpent|e [ʃarpɑ̃t] *f* Gebälk *n*; Gerüst *n*; **~ier** [-je] *m* Zimmermann *m*.

charrette [ʃarɛt] *f* Wagen *m*; Karren *m*.

charrier [ʃarje] (1a) an-, abfahren; anschwemmen.

charron [ʃarõ] *m* Wagner *m*, Stellmacher *m*.

charrue [ʃary] *f* Pflug *m*.

charte [ʃart] *f* Charta *f*; *hist* Urkunde *f*.

chartreuse [ʃartrøz] *f rel* Kartäuserkloster *n*.

chas [ʃɑ] *m* Nadelöhr *n*.

chasse [ʃas] *f* Jagd(revier) *f*(*n*) (*a fig*); ~ *d'eau* Wasserspülung *f*.

châsse [ʃɑs] *f* Reliquienschrein *m*; ~ *de lunettes* Brilleneinfassung *f*.

chasse|-mouches [ʃasmuʃ] *m* (⚠ *pl unv*) Fliegenwedel *m*; **~-neige** [-nɛʒ] *m* (⚠ *pl unv*) Schneepflug *m*.

chasser [ʃase] (1a) jagen; fort-, hinaus-, verjagen; hinauswerfen; *auto* rutschen, schleudern.

chasseur [ʃasœr] *m* **1.** Jäger *m* (*a fig*, *mil*, *aviat*); **2.** Hotelboy *m*.

châssis [ʃɑsi] *m* Rahmen *m*, Einfassung *f*; *auto* Fahrgestell *n*.

chast|e [ʃast] keusch, sittsam; **~eté** [-əte] *f* Keuschheit *f*.

chasuble [ʃazyblə] *f* Meßgewand *n*.

chat [ʃa] *m zo* Katze *f*; Kater *m*.

châtaign|e [ʃɑtɛɲ] *f* Kastanie *f*; **~ier** [ʃɑtɛɲe] *m* Kastanienbaum *m*.

châtain [ʃɑtɛ̃] (*châtaine f selten*) braun; hellbraun.

château [ʃɑto] *m* (⚠ *pl* ~*x*) Schloß *n*; ~ *fort* Burg *f*; ~ *d'eau* Wasserturm *m*; **~briant** [-brijɑ̃] *m cuis* (*dickes gegrilltes*) Rinderfilet *n*.

châtel|ain, ~aine [ʃatlɛ̃, -ɛn] *m*, *f* Schloßherr(in) *m*(*f*).

châtier [ʃɑtje] (1a) **1.** züchtigen; bestrafen (*de* mit); **2.** *adj Stil*: *châtié* gepflegt.

chatière [ʃatjɛr] *f* Katzenloch *n*; Lüftungsöffnung *f*.

châtiment [ʃɑtimɑ̃] *m* Strafe *f*; Züchtigung *f*.

chatoiement [ʃatwamɑ̃] *m* Schillern *n*.

chaton [ʃatõ] *m zo u bot* Kätzchen *n*.

chatouill|er [ʃatuje] (1a) kitzeln; **~eux, ~euse** [-ø, -øz] kitz(e)lig.

chatoyer [ʃatwaje] (1h) schillern.

châtrer [ʃɑtre] (1a) kastrieren.

chatte [ʃat] *f weibliche* Katze *f*.

chatterton [ʃatɛrtɔn] *m tech* Isolierband *n*.

chaud, chaude [ʃo, ʃod] **1.** *adj* warm; heiß; *fig* hitzig, glühend, brennend; **2.** *m* Wärme *f*.

chaudière [ʃodjɛr] *f* (Heiz-, Dampf-)Kessel *m*.

chaudron [ʃodrõ] *m* Kochkessel *m*.

chauffage [ʃofaʒ] *m* Heizung *f*; ~ *au mazout* Ölheizung *f*.

chauffard [ʃofar] *m* F rücksichtsloser Autofahrer *m*.

chauffe [ʃof] *f tech* Heizung *f*; Feuerung *f*; **~-eau** [-o] *m* (⚠ *pl unv*) Warmwasserbereiter *m*; **~-plats** [-pla] *m* (⚠ *pl unv*) Warmhalteplatte *f*.

chauff|er [ʃofe] (1a) warm machen, heizen; warm werden; *Motor*: (sich) heißlaufen; *se* ~ sich wärmen; **~erie** *f* Heizkeller *m*; *mar* Kesselraum *m*; **~eur** *m* **1.** Heizer *m*; **2.** Chauffeur *m*, Fahrer *m*; ~ *de taxi* Taxifahrer *m*; **~eur-livreur** [-livrœr] *m* (⚠ *pl chauffeurs-livreurs*) Ausfahrer *m*.

chauler [ʃole] (1a) mit Kalk düngen; kalken, weißen.

chaum|e [ʃom] *m* Halm *m*; Stoppel(feld *n*) *f*; (Dach-)Stroh *n*; **~ière** [-jɛr] *f* (strohgedeckte) Hütte *f*.

chaussée [ʃose] *f* Fahrbahn *f*.
chauss|e-pied [ʃospje] *m* (⚠ *pl chausse-pieds*) Schuhanzieher *m*; **~er** (1a) ~ *qn* j-m die Schuhe anziehen; für j-n Schuhe machen; *se* ~ (sich) die Schuhe anziehen; *se* ~ *chez* ... seine Schuhe immer bei ... kaufen; ~ *du 40* Schuhgröße 40 haben; **~e-trap(p)e** [-trap] *f* (⚠ *pl chausse-trap[p]es*) Fußangel *f*; *fig* Falle *f*; **~ette** [-ɛt] *f* Socke(n) *f(m)*.
chauss|on [ʃosõ] *m* Hausschuh *m*; *cuis* ~ *aux pommes* Apfeltasche *f*; **~ure** [-yr] *f* Schuh *m*; *~s pl a* Schuhwerk *n*.
chauve [ʃov] kahl(köpfig).
chauve-souris [ʃovsuri] *f* (⚠ *pl chauves-souris*) *zo* Fledermaus *f*.
chauv|in, ~ine [ʃovɛ̃, -in] **1.** *adj* chauvinistisch; **2.** *m, f* Chauvinist(in) *m(f)*; **~inisme** [-inismə] *m* Chauvinismus *m*.
chaux [ʃo] *f* Kalk *m*.
chavirer [ʃavire] (1a) *mar* kentern, umschlagen; *fig* ~ *qn* j-n zutiefst berühren.
chef [ʃɛf] *m* **1.** Führer(in) *m(f)*; Chef(in) *m(f)*; Anführer *m*; Oberhaupt *n*; **2.** *litt* Kopf *m*, Haupt *n*; **3.** *jur* Hauptpunkt *m*; *au premier* ~ in erster Linie; *de mon* ~ auf eigene Faust.
chef|-d'œuvre [ʃɛdœvrə] *m* (⚠ *pl chefs-d'œuvre*) Meisterwerk *n*; **~-lieu** [ʃɛfljø] *m* (⚠ *pl chefs-lieux*) Hauptort *m*.
chemin [ʃ(ə)mɛ̃] *m* Weg *m*, Straße *f* (*de* nach); ~ *de fer* Eisenbahn *f*.
cheminée [ʃ(ə)mine] *f* Kamin *m*, Schornstein *m*, Schlot *m*.
chemin|ement [ʃ(ə)minmɑ̃] *m* Wandern *n*; *fig* ~ *de la pensée* Fortschreiten *n* der Gedanken; **~er** (1a) wandern, wandeln; *fig* sich allmählich durchsetzen.
cheminot [ʃ(ə)mino] *m* Eisenbahner *m*.
chemis|e [ʃ(ə)miz] *f* **1.** Hemd *n*; **2.** Aktendeckel *m*; **3.** *tech* Mantel *m*; **~erie** *f* (Herren-)Wäschegeschäft *n*; **~ette** [-ɛt] *f* Polohemd *n*; **~ier** [-je] *m* Hemdbluse *f*.
chenal [ʃ(ə)nal] *m* (⚠ *pl -aux*) Fahrrinne *f*; Mühlbach *m*.
chenapan [ʃ(ə)napɑ̃] *m* F Taugenichts *m*.
chêne [ʃɛn] *m bot* Eiche *f*; ⚠ *le* ~.
chéneau [ʃeno] *m* (⚠ *pl ~x*) Dachrinne *f*.
chenil [ʃəni(l)] *m* Hundezwinger *m*.
chenille [ʃ(ə)nij] *f zo* Raupe *f*; *tech* Gleiskette *f*; *véhicule m à ~s* Raupenfahrzeug *n*.
chenu, ~e [ʃəny] *litt* weißhaarig; schneeweiß.
cheptel [ʃɛptɛl] *m agr* Vieh(bestand) *n(m)*.
chèque [ʃɛk] *m comm* Scheck *m*; ~ *barré* Verrechnungsscheck *m*; *centre m de ~s postaux* Postscheckamt *n*.
chéquier [ʃekje] *m* Scheckbuch *n*, -heft *n*.
cher, chère [ʃɛr] **1.** *adj* lieb (*à qn* j-m); teuer; **2.** *adv payer, vendre cher* teuer bezahlen, verkaufen; **3.** *m, f mon cher, ma chère* mein Lieber, meine Liebe.
cherch|er [ʃɛrʃe] (1a) suchen; ~ *à* (+ *inf*) versuchen zu, sich bemühen zu (+ *inf*); *aller* ~ holen (gehen); *venir* ~ abholen; *envoyer* ~ holen lassen; **~eur, ~euse** *m, f* Forscher(in) *m(f)*.
chère [ʃɛr] *f* Kost *f*; *aimer la bonne* ~ gern gut essen.
chérir [ʃerir] (2a) zärtlich lieben (*qn* j-n).
cherté [ʃɛrte] *f* hoher Preis *m* (*de* für).
chét|if, ~ive [ʃetif, -iv] schmächtig; dürftig; kümmerlich.
cheval [ʃ(ə)val] *m* (⚠ *pl -aux*) Pferd *n*; *aller à* ~ reiten; *faire du* ~ *Sport*: reiten; *être à* ~ *sur* rittlings sitzen auf; *fig* herumreiten auf.
cheval|eresque [ʃ(ə)valrɛsk] ritterlich; **~erie** *f* Rittertum *n*, -würde *f*.
cheval|et [ʃ(ə)valɛ] *m* Bock *m*; Gestell *n*; *Malerei*: Staffelei *f*; *mus* Steg *m*; **~ier** [-je] *m hist* Ritter *m*; **~ière** [-jɛr] *f* Siegelring *m*.
cheval|in, ~ine [ʃ(ə)valɛ̃, -in] Pferde...; *boucherie f chevaline* Pferdemetzgerei *f*.
cheval-vapeur [ʃ(ə)valvapœr] *m* (⚠ *pl chevaux-vapeur*) *tech* Pferdestärke *f*.
chevaucher [ʃ(ə)voʃe] (1a) reiten auf; übereinanderstehen, sich überlappen; *se* ~ sich überschneiden.
chevel|u, ~ue [ʃəvly] mit dichtem Haar(schopf); *cuir m chevelu* Kopfhaut *f*; **~ure** [-yr] *f* Haarwuchs *m*, Haare *n/pl*.
chevet [ʃəvɛ] *m* **1.** Kopfende *n des Bettes*; **2.** *arch* Apsis *f*.

cheveu [ʃ(ə)vø] *m* (⚠ *pl* ~*x*) (*Kopf-*) Haar *n*; *aux* ~*x courts* kurzhaarig; *fig couper les* ~*x en quatre* Haarspalterei treiben; ⚠ Körperhaar *le poil*.
cheville [ʃ(ə)vij] *f* Knöchel *m*; *tech* Dübel *m*; *mus* Wirbel *m*.
chèvre [ʃɛvrə] *f zo* Ziege *f*.
chevreau [ʃəvro] *m* (⚠ *pl* ~*x*) Zicklein *n*.
chèvrefeuille [ʃɛvrəfœj] *m bot* Geißblatt *n*.
chevreuil [ʃəvrœj] *m zo* Rehbock *m*, Reh *n*.
chevronné, ~**e** [ʃəvrɔne] erfahren, routiniert.
chez [ʃe] bei; zu; ~ *lui* bei *od* zu ihm (zu *od* nach Hause); *de* ~ *vous* aus Ihrem Hause; *les ouvriers de* ~ *Renault* die Arbeiter bei R.; ~ (*od dans*) *Molière* bei Molière; *j'irai* ~ *moi* ich gehe nach Hause; ~**-moi** [-mwa] *m*, ~**-nous** [-nu] *m*, ~**-toi** [-twa] *m etc* Zuhause *n*; Heim *n*.
chic [ʃik] **1.** *m* Schick *m*; **2.** *adj* schick, hochelegant; F ~*!* toll!, Klasse!
chican|e [ʃikan] *f* Schikane *f*; Streit *m*; ~**er** (1a) streiten; ~ *qn* j-n schikanieren; an j-m herumnörgeln.
chiche [ʃiʃ] knauserig; spärlich; *bot pois m* ~ Kichererbse *f*; F *je suis* ~ *de* (+ *inf*) ich trau' es mir zu, zu (+ *inf*).
chicorée [ʃikɔre] *f bot* Zichorie *f*; ~ (*endive*) Endivie *f*; ⚠ *nicht* Chicorée.
chicot [ʃiko] *m* (Baum-, Zahn-) Stumpf *m*.
chien [ʃjɛ̃] *m* **1.** Hund *m*; ~ *de berger* Schäferhund *m*; ~ *policier* Polizeihund *m*; *fig* F ~ *de temps* Sauwetter *n*; **2.** *am Gewehr*: Hahn *m*; ~**-loup** [-lu] *m* (⚠ *pl chiens-loups*) *zo* Wolfshund *m*.
chienne [ʃjɛn] *f* Hündin *f*.
chier [ʃje] (1a) P scheißen; *ça me fait* ~ F das stinkt mir.
chiffon [ʃifõ] *m* Lappen *m*, Lumpen *m*.
chiffonn|er [ʃifɔne] (1a) zerknittern; F *fig* ärgern; ~**ier,** ~**ière** [-je, -jɛr] *m, f* Lumpensammler(in) *m(f)*.
chiffr|e [ʃifrə] *m* Ziffer *f*; Zahl *f*; Geheimschrift *f*; *comm* ~ *d'affaires* Umsatz *m*; ⚠ *le* ~; ~**er** (1a) beziffern; numerieren; chiffrieren.
chignon [ʃiɲõ] *m* Haarknoten *m*.
Chili [ʃili] *le* ~ Chile *n*.
chimère [ʃimɛr] *f* Hirngespinst *n*.
chim|ie [ʃimi] *f* Chemie *f*; ⚠ *Schreibung*; ~**ique** chemisch; ~**iste** *m, f* Chemiker(in) *m(f)*.
Chine [ʃin] *la* ~ China *n*.
chin|ois, ~**oise** [ʃinwa, -waz] **1.** *adj* chinesisch; **2.** ♀ *m, f* Chinese *m*, Chinesin *f*.
chinoiserie [ʃinwazri] *f* chinesische Nippsache *f*; F *fig* Pedanterie *f*; ~*s f/pl administratives* Amtsschimmel *m*.
chiot [ʃjo] *m* junger Hund *m*, Welpe *m*.
chiottes [ʃjɔt] *f/pl* P Scheißhaus *n*.
chiper [ʃipe] (1a) F klauen.
chiqu|e [ʃik] *f* Kautabak *m*, Priem *m*; ~**er** (1m) priemen.
chiromanc|ien, ~**ienne** [kirɔmɑ̃sjɛ̃, -jɛn] *m, f* Handleser(in) *m(f)*.
chirurg|ical, ~**icale** [ʃiryrʒikal] (⚠ *m/pl -aux*) chirurgisch; ~**ien** *m* Chirurg *m*; ~ *dentiste* Zahnarzt *m*.
choc [ʃɔk] *m* Stoß *m*; Schlag *m*; Erschütterung *f*; Zusammenstoß *m*; *méd* Schock *m*; *de* ~ *Person*: aktiv, dynamisch; *Sache*: sensationell.
chocolat [ʃɔkɔla] *m* Schokolade *f*; ⚠ *le* ~.
chœur [kœr] *m* Chor *m* (*a fig u arch*); *en* ~ im Chor, gemeinsam.
choisir [ʃwazir] (2a) (aus)wählen; ~ *de faire qc* sich dafür entscheiden, etw zu tun.
choix [ʃwa] *m* Wahl *f*; Auswahl *f*; *au* ~ nach Wahl; *de* ~ erster Wahl, erstklassig.
chôm|age [ʃomaʒ] *m* Arbeitslosigkeit *f*; ~ *partiel* Kurzarbeit *f*; ~ *structurel* strukturelle Arbeitslosigkeit; *être au* ~ arbeitslos sein; ~**eur,** ~**euse** *m, f* Arbeitslose(r) *m, f*.
chope [ʃɔp] *f* Bierkrug *m*.
choqu|ant, ~**ante** [ʃɔkɑ̃, -ɑ̃t] schockierend, anstößig; ~**er** (1a) ~ *qc* gegen etw verstoßen; ~ *qn* j-n schockieren, entrüsten, verletzen.
chor|al [kɔral] *m* (⚠ *pl* ~*s*) Choral *m*; ~**ale** *f* Chor *m*, Gesangverein *m*; ~**iste** *m, f* Chorsänger(in) *m(f)*.
chose [ʃoz] *f* Sache *f*, Ding *n*; *fig* Angelegenheit *f*; *autre* ~ etwas anderes; *peu de* ~ wenig; *quelque* ~ etwas.
chou [ʃu] *m* (⚠ *pl* ~*x*) *bot* Kohl *m*; ~ *de Bruxelles* Rosenkohl *m*; ~ *rouge* Rotkohl *m*; *cuis* ~ *à la crème* Windbeutel *m* mit Schlagsahne; *fig mon* (*petit*) ~ (mein) Schatz, Liebling.
choucroute [ʃukrut] *f* Sauerkraut *n*.

chouette [ʃwɛt] **1.** *f zo* Eule *f*; **2.** *adj* F toll, prima.
chou|-fleur [ʃuflœr] *m* (⚠ *pl choux-fleurs*) Blumenkohl *m*; **~-rave** [-rav] *m*(⚠ *pl choux-raves*) Kohlrabi *m*.
choyer [ʃwaje] (1h) umhegen, -sorgen.
chrét|ien, ~ienne [kretjɛ̃, -jɛn] **1.** *adj* christlich; **2.** *m, f* Christ(in) *m(f)*; **~ienté** [-jɛ̃te] *f* Christenheit *f*.
Christ [krist] *m rel le* ~ Christus *m*.
christian|iser [kristjanize] (1a) zum Christentum bekehren; **~isme** *m* Christentum *n*.
chromé, ~e [krome] verchromt.
chroniqu|e [krɔnik] **1.** *adj* chronisch; **2.** *f* Chronik *f*; **~eur** *m* Chronist *m*; Berichterstatter *m*.
chrono|mètre [krɔnɔmɛtrə] *m* Stoppuhr *f*; **~métrer** [-metre] (1f) die Zeit abnehmen; **~métreur** [-metrœr] *m* *Sport*: Zeitnehmer *m*.
chuchoter [ʃyʃɔte] (1a) flüstern; *poét* murmeln; säuseln.
chut [ʃyt] still!, pst!
chute [ʃyt] *f* Fall *m*, (Ab-)Sturz *m*; *faire une ~ de bicyclette* vom Rad stürzen.
ci [si] **1.** *mit ce + subst* diese(r, -s) ... (hier); *à cette heure-~* um diese Zeit; **2.** *~ et ça* dies und jenes; *comme ~ comme ça* F soso lala; *par-~ par-là* hier und dort.
ci-après [siaprɛ] weiter unten.
cible [siblə] *f* (Ziel-)Scheibe *f*; Ziel *n*.
ciboire [sibwar] *m égl* Ziborium *n*.
ciboulette [sibulɛt] *f bot* Schnittlauch *m*.
cicatri|ce [sikatris] *f* Narbe *f* (*a fig*); **~ser** [-ze] (1a) (*se*) ~ vernarben.
ci-contre [sikõtrə] nebenstehend.
ci-dessous [sidsu] untenstehend; weiter unten.
ci-dessus [sidsy] obenstehend; weiter oben.
cidre [sidrə] *m* Apfelwein *m*.
ciel [sjɛl] *m* (⚠ *pl cieux* [sjø]; *Malerei*: *~s*) Himmel *m*.
cierge [sjɛrʒ] *m rel* (Wachs-)Kerze *f*.
cigale [sigal] *f zo* Grille *f*, Zikade *f*.
cigar|e [sigar] *m* Zigarre *f*; ⚠ *le* ~; ⚠ *Schreibung*; **~ette** [-ɛt] *f* Zigarette *f*.
ci-gît [siʒi] *Grabinschrift*: hier ruht.
cigogne [sigɔɲ] *f zo* Storch *m*.
cigüe [sigy] *f bot* Schierling *m*.
ci-inclus [siɛ̃kly] anbei.
ci-joint [siʒwɛ̃] anbei.
cil [sil] *m* Wimper(haar) *f* (*n*).
ciller [sije] (1a) blinzeln.
cime [sim] *f* Gipfel *m*; Wipfel *m*.
ciment [simɑ̃] *m* Zement *m*.
cimenter [simɑ̃te] (1a) zementieren; *fig* festigen.
cimetière [simtjɛr] *m* Friedhof *m*.
ciné [sine] *m* F (*abr cinéma*) Kino *n*.
cinéaste [sineast] *m* Filmemacher *m*.
ciné-club [sineklœb] *m* (⚠ *pl ciné-clubs*) Filmklub *m*.
cinéma [sinema] *m* Kino *n*; **~thèque** [-tɛk] *f* Filmothek *f*; Filmarchiv *n*; **~tique** [-tik] *f phys* Bewegungslehre *f*; **~tographique** [-tɔgrafik] Film...
cinéroman [sinerɔmɑ̃] *m* (Foto-)Roman *m* nach e-m Film.
cinétique [sinetik] *phys* kinetisch.
cingl|é, ~ée [sɛ̃gle] F bescheuert, behämmert; **~er** (1a) **1.** schlagen; peitschen; **2.** *mar* segeln (*vers* nach).
cinq [sɛ̃k; *vor Konsonant* sɛ̃] **1.** *adj* fünf; *à ~* zu fünft; *le ~ mai* der fünfte *od* am fünften Mai; **2.** *m* Fünf *f*; ⚠ *le ~*.
cinquantaine [sɛ̃kɑ̃tɛn] *f* etwa fünfzig; *Alter*: Fünfzig *f*.
cinquant|e [sɛ̃kɑ̃t] fünfzig; **~ième** [-jɛm] **1.** fünfzigste(r, -s); **2.** *m* Fünfzigstel *n*.
cinquième [sɛ̃kjɛm] **1.** fünfte(r, -s); **2.** *m* Fünftel *n*.
cintr|e [sɛ̃trə] *m* **1.** *arch* Wölbung *f*; Bogen *m*; **2.** Kleiderbügel *m*; **~é, ~ée** *Jacke*: tailliert; *arch* mit Rundbogen; F *cf cinglé*.
cirage [siraʒ] *m* Bohnern *n*; Schuhcreme *f*.
circon|cision [sirkõsizjõ] *f rel* Beschneidung *f*; **~férence** [-ferɑ̃s] *f* Umfang *m*; Umkreis *m*; **~flexe** [-flɛks] *accent m ~* Zirkumflex *m*; **~scription** [-skripsjõ] *f* Bezirk *m*; Wahlkreis *m*; **~scrire** [-skrir] (4f) *math* umschreiben; *fig* umgrenzen; **~spect, ~specte** [-spɛ, -spɛkt] umsichtig; **~spection** [-spɛksjõ] *f* Umsicht *f*; **~stance** [-stɑ̃s] *f* Umstand *m*; **~volution** [-vɔlysjõ] *f meist pl ~s* Windungen *f/pl*.
circuit [sirkɥi] *m* Umkreis *m*; Rundreise *f*; *Sport*: Rund-, Rennstrecke *f*; *tech* Stromkreis *m*; *court ~* Kurzschluß *m*.
circul|aire [sirkylɛr] **1.** *adj* kreisförmig; **2.** *f* Rundschreiben *n*; Umlauf *m*; **~ation** *f* Verkehr *m*; *Geld*: Umlauf *m*; *méd ~ du sang* Blutkreislauf

m; **~er** (1a) verkehren; fließen, zirkulieren; umlaufen, kursieren.
cir|e [sir] *f* Wachs *n*; **~é, ~ée 1.** *adj* gebohnert, poliert; **2.** *m mar* Ölzeug *n*; **~er** (1a) wichsen, bohnern; **~eur** *m* Schuhputzer *m*.
cirque [sirk] *m* Zirkus *m* (*a fig*).
cis|aille [sizaj] *f meist pl ~s* große Schere *f*; *~ à tôle* Blechschere *f*; **~eau** [-o] *m* (⚠ *pl ~x*) Meißel *m*; *~x pl* Schere *f*; *une paire de ~x* e-e Schere.
ciseler [sizle] (1d) ziselieren; *fig* ausfeilen.
citad|elle [sitadɛl] *f* Feste *f*; Zitadelle *f*; *fig* Bollwerk *n*; **~in, ~ine** [-ɛ̃, -in] **1.** *adj* städtisch; **2.** *m, f* Städter(in) *m(f)*.
citation [sitasjõ] *f* Zitat *n*; *jur* Vorladung *f*.
cité [site] *f* Stadt *f*; Siedlung *f*; *hist* Stadtstaat *m*; *droit m de ~* Bürgerrecht *n*; **~-dortoir** [-dɔrtwar] *f* (⚠ *pl cités-dortoirs*) Schlafstadt *f*; **~-jardin** [-ʒardɛ̃] *f* (⚠ *pl cités-jardins*) Gartenstadt *f*.
citer [site] (1a) anführen, zitieren; *jur* vorladen.
citerne [sitɛrn] *f* Zisterne *f*; Tank *m*.
citoy|en, ~enne [sitwajɛ̃, -ɛn] *m, f* Bürger(in) *m(f)*; Staatsangehörige(r) *m, f*; ⚠ *nicht verwechseln mit le bourgeois*; **~enneté** [-ɛnte] *f* Staatsbürgerschaft *f*.
citr|on [sitrõ] *m* Zitrone *f*; ⚠ *le ~*; **~onnier** [-ɔnje] *m* Zitronenbaum *m*.
citrouille [sitruj] *f* Kürbis *m*.
civet [sivɛ] *m cuis ~ de lièvre* Hasenpfeffer *m*.
civette [sivɛt] *f bot* Schnittlauch *m*.
civière [sivjɛr] *f* Tragbahre *f*.
civil, ~e [sivil] **1.** *adj* Bürger..., bürgerlich, Zivil...; *litt* gesittet, höflich; *responsabilité f civile* Haftpflicht *f*; *état m civil* Personenstand *m*; *bureau m de l'état civil* Standesamt *n*; *mariage m civil* standesamtliche Trauung; **2.** *m* Zivilist *m*; **~ement** [-mɑ̃] *adv* nichtkirchlich; zivilrechtlich.
civilis|ation [sivilizasjõ] *f* Zivilisation *f*; Kultur *f*; Gesittung *f*; **~er** (1a) zivilisieren.
civilité [sivilite] *litt f* Höflichkeit *f*.
civ|ique [sivik] staatsbürgerlich, Bürger...; **~isme** *m* Bürgersinn *m*.
clair, ~e [klɛr] **1.** *adj* hell, klar (*a fig*); deutlich; **2.** *adv voir ~* gut sehen; **3.** *m* Helle *f*; *~ de lune* Mondschein *m*.
claire-voie [klɛrvwa] *f* (⚠ *pl claires-voies*) Lattenzaun *m*.
clairière [klɛrjɛr] *f* Lichtung *f*.
clair-obscur [klɛrɔpskyr] *m* (⚠ *pl clairs-obscurs*) *Malerei*: Helldunkel *n*.
clairon [klɛrõ] *m mus* Horn *n*.
clairsemé, ~e [klɛrsəme] dünngesät; *Wald*: hell, licht.
clairvoy|ance [klɛrvwajɑ̃s] *f* Scharfblick *m*; **~ant, ~ante** [-ɑ̃, -ɑ̃t] klarblickend.
clameur [klamœr] *f* Geschrei *n*.
clan [klɑ̃] *m* Clan *m*; *fig* Klüngel *m*; Sippschaft *f*.
clandest|in, ~ine [klɑ̃dɛstɛ̃, -in] heimlich; verborgen; *passager m clandestin* blinder Passagier *m*.
clapot|ement [klapɔtmɑ̃] *m od* **~is** [-i] *m*, Plätschern *n*; **~er** (1a) plätschern.
claquage [klakaʒ] *m méd* Muskelzerrung *f*.
claque [klak] *f* Klaps *m*; Ohrfeige *f*; (*chapeau m*) *~* Klappzylinder *m*; **~ment** *m* Klatschen *n*, Knallen *n*, Schnalzen *n*.
claqu|er [klake] (1m) klatschen, knallen, klappern; *Geld*: verjubeln; *faire ~ la porte* die Tür zuknallen; *faire ~ sa langue* mit der Zunge schnalzen; *Sport*: *se ~ un muscle* sich e-e Muskelzerrung zuziehen; **~ette** [-ɛt] *f* Klappe *f* (*bei Filmaufnahmen*); *~s pl* Step(tanz) *m*.
clarifier [klarifje] (1a) (ab)klären (*a fig*).
clarinette [klarinɛt] *f mus* Klarinette *f*.
clarté [klarte] *f* Helle *f*; Schein *m*; *fig* Klarheit *f*; Deutlichkeit *f*.
classe [klas] *f* **1.** Klasse *f*; Schicht *f*; **2.** (Schul-)Klasse *f*; Stunde *f*; Unterricht *m*; *aller en ~* zur Schule gehen; *faire la ~* unterrichten, Unterricht geben; *~ verte* Schullandheim *n*; *~ de neige* Skilager *n*; **3.** *fig* Rang *m*; Format *n*; **4.** *mil* Jahrgang *m*; *faire ses ~s* seine Grundausbildung machen.
classement [klasmɑ̃] *m* (Ein-)Ordnung *f*; Einteilung *f*; Ablage *f* (*von Briefen etc*); *Sport*: Bewertung *f*; Tabelle *f*.
class|er [klase] (1a) einordnen, klassifizieren, einteilen; *Akten etc*: ablegen, abheften; F *~ qn* j-n abschätzig beurteilen; **~eur** *m* (Akten-)Ordner *m*; Aktenschrank *m*.

classi|cisme [klasisismə] *m* Klassik *f* (*Literatur*); *arch* Klassizismus *m*; **~fication** [-fikasjõ] *f* Klassifizierung *f*; **~fier** [-fje] (1a) klassifizieren.
classique [klasik] klassisch; *arch, Kunst a*: klassizistisch; *fig* herkömmlich; konventionell.
clause [kloz] *f* Klausel *f*.
clavecin [klavsɛ̃] *m mus* Cembalo *n*.
clavicule [klavikyl] *f* Schlüsselbein *n*.
clavier [klavje] *m* Tastatur *f*; Klaviatur *f*.
clayonnage [klɛjɔnaʒ] *m* Flechtwerk *n*.
clé [kle] *f* Schlüssel *m* (*a tech, mus, fig*); *fermer à ~* absperren; *la ~ est sur la porte* der Schlüssel steckt; *sous ~* unter Verschluß; *fig prendre la ~ des champs* das Weite suchen; *arch ~ de voûte* Schlußstein *m*.
clébard [klebar] *m od* **clebs** [klɛps] *m* F *péj* Köter *m*.
clef [kle] *f cf clé*.
clém|ence [klemɑ̃s] *st/s f* Milde *f*; **~ent, ~ente** [-ɑ̃, -ɑ̃t] gütig; mild.
clerc [klɛr] *m* **1.** Schreiber *m*; Kanzlist *m*; **2.** Geistliche(r) *m*.
clergé [klɛrʒe] *m* Klerus *m*.
clérical, ~e [klerikal] (⚠ *m/pl -aux*) geistlich, klerikal.
cliché [kliʃe] *m* Klischee *n*; *Foto*: Negativ *n*.
cli|ent, ~ente [klijɑ̃, -ɑ̃t] *m, f* Kunde *m*, Kundin *f*; *méd* Patient(in) *m(f)*; **~entèle** [-ɑ̃tɛl] *f* Kundschaft *f*.
clign|er [kliɲe] (1a) *~ (des yeux)* blinzeln; *~ de l'œil à qn* j-m zuzwinkern; **~otant** [-ɔtɑ̃] *m* Blinklicht *n*; **~oter** [-ɔte] (1a) blinken.
climat [klima] *m* Klima *n*; *fig* Atmosphäre *f*.
climat|ique [klimatik] klimatisch; *station f ~* Luftkurort *m*; **~isation** [-izasjõ] *f* Klimaanlage *f*; **~isé, ~isée** klimatisiert; **~ologie** [-ɔlɔʒi] *f* Klimakunde *f*.
clin [klɛ̃] *m ~ d'œil* Augenzwinkern *n*; *en un ~ d'œil* im Nu.
clin|icien [klinisjɛ̃] *m* praktizierender Arzt *m*; **~ique 1.** *adj* klinisch; **2.** *f* Klinik *f*.
clinqu|ant, ~ante [klɛ̃kɑ̃, -ɑ̃t] protzig; kitschig.
clique [klik] *f péj* Sippschaft *f*; Clique *f*.
cliquet [klikɛ] *m* Sperrklinke *f*.
cliquet|er [klikte] (1c) klirren; rasseln; **~is** [-i] *m* Geklirr *n*; *Motor*: Klopfen *n*.
clivage [klivaʒ] *m fig* Kluft *f*; Spaltung *f*.
cloaque [klɔak] *m* Kloake *f*; ⚠ *le ~*.
cloch|ard, ~arde [klɔʃar, -ard] *m, f* Stadtstreicher(in) *m(f)*, F Penner *m*.
cloche [klɔʃ] *f* Glocke *f*; **~-pied** [-pje] *aller, sauter à ~* auf einem Bein hüpfen.
cloch|er [klɔʃe] **1.** *m* Glocken-, Kirchturm *m*; *fig esprit m de ~* Lokalpatriotismus *m*; **2.** *Verb* (1a) F *ça cloche* da stimmt etwas nicht; **~ette** [-ɛt] *f* Glöckchen *n*.
cloison [klwazõ] *f* Scheidewand *f*; *mar* Schott *n*; *fig* Schranke *f*.
cloîtr|e [klwɑtrə] *m* **1.** *arch* Kreuzgang *m*; **2.** Kloster *n*; **~er** (1a) *fig se ~* sich abschließen, sich zurückziehen.
clope [klɔp] *m od f* F Kippe *f*, Zigarettenstummel *m*.
clopin-clopant [klɔpɛ̃klɔpɑ̃] *adv* F humpelnd, hinkend.
clopiner [klɔpine] (1a) humpeln.
cloporte [klɔpɔrt] *m* Kellerassel *f*.
cloque [klɔk] *f* (Haut-)Blase *f*.
clore [klɔr] (4k) *litt* (ver-, zu)schließen.
clos, close [klo, kloz] **1.** *p/p von clore* geschlossen; *maison f close* Freudenhaus *n*; **2.** *m* Weinberg(lage) *m(f)*; Grundstück *n*.
clôtur|e [klotyr] *f* **1.** Einfriedigung *f*; Zaun *m*; **2.** *comm* (Ab-)Schluß *m*; **~er** (1a) einfriedigen; *fig* (ab)schließen.
clou [klu] *m* Nagel *m*; *fig* Höhepunkt *m*; *méd* Furunkel *m*; F *~s pl* Fußgängerüberweg *m*; *cuis ~ de girofle* Gewürznelke *f*; F *vieux ~* alte Karre; **~er** (1a) (an-, auf)nageln; **~té, ~tée** [-te] genagelt; *passage m clouté* Fußgängerüberweg *m*.
clown [klun] *m* Clown *m*.
club [klœb] *m* Klub *m*.
coaguler [kɔagyle] (1a) *chim* gerinnen lassen; ausflocken; *(se) ~* gerinnen.
coali|ser [kɔalize] (1a) *bes pol se ~* sich verbünden; **~tion** *f bes pol* Bündnis *n*; Koalition *f*.
coasser [kɔase] (1a) quaken.
cobaye [kɔbaj] *m zo* Meerschweinchen *n*; *fig* Versuchskaninchen *n*.
cocagne [kɔkaɲ] *f mât m de ~* Klettermast *m* (*Volksspiel*); *pays m de ~* Schlaraffenland *n*.
cocarde [kɔkard] *f* Kokarde *f*; Schleife *f*.

cocasse [kɔkas] F komisch, ulkig.
coccinelle [kɔksinɛl] *f* Marienkäfer *m*; F *auto* Käfer *m*.
coche [kɔʃ] *m früher* Kutsche *f*; ⚠ *le* ~.
cocher [kɔʃe] **1.** *m* Kutscher *m*; **2.** *Verb* (1a) abhaken (*auf e-r Liste*).
cochère [kɔʃɛr] *porte f* ~ Torweg *m*, Durchfahrt *f*.
cochon [kɔʃõ] **1.** *m zo* Schwein *n*; *fig* F Ferkel *n*; ~ *d'Inde* Meerschweinchen *n*; ⚠ Schweinefleisch *le porc*; **2.** *adj* ~, ~*ne* [-ɔn] F schmutzig; schweinisch, zotig.
cochonn|er [kɔʃɔne] (1a) F hinpfuschen; **~erie** *f* F Schweinerei *f*; Dreck *m*; Zote *f*.
cocktail [kɔktɛl] *m* Cocktail *m*; *fig* Mischung *f*.
coco [kɔko] *m noix f de* ~ Kokosnuß *f*.
cocon [kɔkõ] *m zo* Kokon *m*, (Seiden-)Raupengespinst *n*.
cocorico [kɔkɔriko] *m* Kikeriki *n*.
cocotier [kɔkɔtje] *m* Kokospalme *f*.
cocotte [kɔkɔt] *f cuis* Schmortopf *m*; *enf* Huhn *n*; F Liebling *m*; *péj* Kokotte *f*, Halbweltdame *f*.
cocu [kɔky] F *m* betrogener, gehörnter Ehemann *m*, Liebhaber *m*; *litt* Hahnrei *m*.
code [kɔd] *m* **1.** *jur* Gesetzbuch *n*; ~ *civil* BGB (= Bürgerliches Gesetzbuch); ~ *pénal* Strafgesetzbuch *n*; ~ *de la route* Straßenverkehrsordnung *f*; **2.** F Verkehrsregeln *f/pl*; *se mettre en* ~ abblenden; **3.** Kodex *m*; Code *m*; ~ *postal* Postleitzahl *f*.
cœur [kœr] *m* Herz *n* (*a fig*); *à* ~ *joie* nach Herzenslust; *de bon* ~ von Herzen gern; *par* ~ auswendig; *j'ai mal au* ~ mir ist übel.
coffrage [kɔfraʒ] *m tech* Ein-, Verschalung *f*.
coffre [kɔfrə] *m* Kasten *m*; Truhe *f*; *auto* Kofferraum *m*; ⚠ *nicht* Koffer; **~-fort** [-fɔr] *m* (⚠ *pl coffres-forts*) Geldschrank *m*, Tresor *m*.
coffret [kɔfrɛ] *m* Kästchen *n*; Kassette *f*.
cogérer [kɔʒere] (1f) mitverwalten, -bestimmen.
cogestion [kɔʒɛstjõ] *f pol*, *jur* Mitbestimmung *f*.
cognassier [kɔɲasje] *m bot* Quittenbaum *m*.
cogn|ée [kɔɲe] *f* Axt *f*; **~er** (1a) *Motor*: klopfen; ~ *qc* an etw stoßen; ~ *à*, *contre* auf, gegen ... schlagen, hämmern; *se* ~ *à*, *contre qc* sich an etw stoßen.
cohér|ence [kɔerɑ̃s] *f* Zusammenhang *m*, -halt *m*; **~ent, ~ente** [-ɑ̃, -ɑ̃t] zusammenhängend, eng verbunden; kohärent.
cohésion [kɔezjõ] *f* Zusammenhang *m*, -halt *m*.
cohue [kɔy] *f* Menschenmenge *f*; Gewühl *n*.
coiff|e [kwaf] *f* (Trachten-)Haube *f*; **~er** (1a) ~ *qn* j-n frisieren; ~ *qn d'un bonnet* j-m e-e Mütze aufsetzen; *fig* ~ *qc* etw bedecken; *se* ~ sich frisieren, sich kämmen; **~eur, ~euse** *m*, *f* Friseur *m*, Friseuse *f*; *f* Frisiertisch *m*; **~ure** [-yr] *f* Kopfbedeckung *f*; Frisur *f*.
coin [kwɛ̃] *m* **1.** Ecke *f* (*a fig*); **2.** *tech* (Spalt-)Keil *m*; *für Münzen*: Prägestempel *m*.
coincer [kwɛ̃se] (1k) (ein)klemmen; quetschen; *fig* ~ *qn* j-n in die Enge treiben.
coïncid|ence [kɔɛ̃sidɑ̃s] *f zeitliches* Zusammenfallen *n*, -treffen *n*; **~er** (1a) *zeitlich* zusammenfallen, -treffen (*avec* mit).
coing [kwɛ̃] *m bot* Quitte *f*.
col [kɔl] *m* **1.** Kragen *m*; *e-r Flasche*: Hals *m*; **2.** *géogr* (Gebirgs-)Paß *m*.
colère [kɔlɛr] *f* Zorn *m*; Wut *f*.
colérique [kɔlerik] jähzornig; hitzig.
colimaçon [kɔlimasõ] *m zo* Schnecke *f*; *escalier m en* ~ Wendeltreppe *f*.
colis [kɔli] *m* Paket *n*; Frachtstück *n*; ~ *postal* Postpaket *n*.
collabor|ateur, ~atrice [kɔlabɔratœr, -atris] *m*, *f* Mitarbeiter(in) *m(f)*; **~ation** *f* Mitarbeit *f*; *pol péj* Zusammenarbeit *f* mit dem Feind, Kollaboration *f*; **~er** (1a) mitarbeiten (*à qc* an etw).
coll|ant, ~ante [kɔlɑ̃, -ɑ̃t] **1.** *adj* klebend; eng anliegend; F *fig* aufdringlich; **2.** *m* Strumpfhose *f*.
collatéral, ~e [kɔlateral] (⚠ *m/pl -aux*) Seiten...; Neben...; *jur* zur Seitenlinie gehörig.
collat|ion [kɔlasjõ] *f* Imbiß *m*; **~ionner** [-jɔne] (1a) vergleichen, prüfen.
colle [kɔl] *f* **1.** Klebstoff *m*; Leim *m*; **2.** *Schülersprache*: knifflige Frage *f*; Nachsitzen *n*, Arrest *m*.
collect|e [kɔllɛkt] *f* (Geld-)Sammlung *f*; *rel* Kollekte *f*; **~if, ~ive** [-if, -iv] gemeinschaftlich; Sammel..., Kollektiv...

C

collect|ion [kɔlɛksjõ] *f* Sammlung *f*; (Buch-)Reihe *f*; Kollektion *f*; **~ionner** [-jɔne] (1a) sammeln.
collectivité [kɔlɛktivite] *f* Gemeinschaft *f*.
collège [kɔlɛʒ] *m in Frankreich (seit 1977) etwa* Gesamtschule *f (bis einschließlich Sekundarstufe I)*; ⚠ *le lycée (seit 1977)* Oberstufe *(bis Abitur)*.
collég|ial, ~iale [kɔleʒjal] (⚠ *m/pl -iaux*) **1.** *égl* Stifts...; **2.** kollegial; **~ien, ~ienne** *m, f* Schüler(in) *m(f)* e-s Collège.
collègue [kɔlɛg] *m, f* Kollege *m*, Kollegin *f*; ⚠ *nicht verwechseln mit le collège*.
coller [kɔle] (1a) **1.** (an-, auf-, zusammen)kleben, leimen; *fig* drücken, pressen; *Kleidung*: hauteng sitzen; *se ~ contre qn* sich an j-n (an-)schmiegen; **2.** *Schülersprache*: *~ qn* j-m e-e schwierige Frage stellen; j-n durchfallen lassen; *être collé* durchrasseln; nachsitzen müssen.
collet [kɔlɛ] *m cuis* Halsstück *n*; *prendre qn au ~* j-n am Kragen packen.
colleter [kɔlte] (1c) *se ~* sich balgen, sich raufen.
collier [kɔlje] *m* Halsband *n*, -kette *f*.
colline [kɔlin] *f* Hügel *m*.
collision [kɔlizjõ] *f* Zusammenstoß *m*, Kollision *f (a fig)*.
colloque [kɔlɔk] *m* Kolloquium *n*.
collutoire [kɔlytwar] *m phm* Mundwasser *n*.
collyre [kɔlir] *m phm* Augentropfen *m/pl*.
Cologne [kɔlɔɲ] Köln.
colombage [kɔlõbaʒ] *m arch* Fachwerk *n*.
colomb|e [kɔlõb] *f zo* Taube *f*; *fig ~ de la paix* Friedenstaube *f*; **~ier** [-je] *m* Taubenhaus *n*, -schlag *m*.
colon [kɔlõ] *m* **1.** (An-)Siedler *m*; **2.** Kind *n* in e-r Ferienkolonie.
colonel [kɔlɔnɛl] *m* Oberst *m*.
colon|ial, ~iale [kɔlɔnjal] (⚠ *m/pl -iaux*) Kolonial..., kolonial; **~ie** [-i] *f* Kolonie *f*; Siedlung *f*; *~ de vacances* Ferienkolonie *f*, -lager *n*.
colonis|ation [kɔlɔnizasjõ] *f* Kolonisierung *f*; Besiedlung *f*; **~er** (1a) kolonisieren; besiedeln.
colonne [kɔlɔn] *f* Säule *f (a fig, tech)*; Zeitungs-, Textspalte *f*, Kolumne *f*; (Zahlen-)Kolonne *f*; *mil, pol* Kolonne *f*.
color|ant, ~ante [kɔlɔrɑ̃, -ɑ̃t] **1.** *adj* Farb...; **2.** *m* Farbstoff *m*; **~er** (1a) färben; **~is** [-i] *m* Kolorit *n*; Färbung *f*.
colossal, ~e [kɔlɔsal] (⚠ *m/pl -aux*) gewaltig, kolossal, riesengroß.
colosse [kɔlɔs] *m* Koloß *m*, Riese *m (a fig)*.
colport|age [kɔlpɔrtaʒ] *m comm* Hausieren *n*; *fig* Kolportieren *n (von Nachrichten)*; **~er** (1a) hausieren; *fig* kolportieren, verbreiten; **~eur, ~euse** *m, f* Hausierer(in) *m(f)*.
coltiner [kɔltine] (1a) *Lasten*: tragen.
colza [kɔlza] *m bot* Raps *m*.
combat [kõba] *m* Kampf *m*; Gefecht *n*.
combatt|ant, ~ante [kõbatɑ̃, -ɑ̃t] **1.** *adj* kämpfend, Kampf...; **2.** *m* Soldat *m* im Kampf; *ancien combattant* (ehemaliger) Kriegsteilnehmer *m*.
combattre [kõbatrə] (4a) (be)kämpfen; *~ l'ennemi, ses passions, une maladie* den Feind, seine Leidenschaften, e-e Krankheit bekämpfen; *~ contre qn, pour qc* gegen j-n, für etw kämpfen.
combien [kõbjɛ̃] *adv* wieviel; wie (sehr); *~ de fois* wie oft; *~ de temps* wie lange.
combinaison [kõbinɛzõ] *f* **1.** Zusammenstellung *f*; Verbindung *f*; Kombination *f*; **2.** *fig* Mittel *n*; Trick *m*; **3.** Arbeits-, Monteuranzug *m*, Kombination *f*; Unterrock *m*; Strampelhöschen *n*.
combin|e [kõbin] F *f* Trick *m*; Dreh *m* F, Masche *f* F; **~er** (1a) verbinden; kombinieren.
combl|e [kõblə] **1.** *m* a) *fig* Gipfel *m*; Höhepunkt *m*; b) Dach(form) *n(f)*; Dachstuhl *m*; *pl* **~s** Dachgeschoß *n*; **2.** *adj* übervoll; **~er** (1a) anfüllen; zuschütten; *fig* überhäufen *(qn de qc* j-n mit etw); ausfüllen.
combust|ible [kõbystiblə] **1.** *adj* brennbar; **2.** *m* Brennstoff *m*; **~ion** *f* Verbrennung *f*.
coméd|ie [kɔmedi] *f* Komödie *f*; *fig* Theater *n*; Zirkus *m*; **~ien, ~ienne** *m, f* Komödiant(in) *m(f)*; Schauspieler(in) *m(f) (a fig)*.
comestible [kɔmɛstiblə] **1.** *adj* eßbar; **2.** *~s m/pl* Nahrungsmittel *n/pl*.
comète [kɔmɛt] *f* Komet *m*; ⚠ *la ~*.
comices [kɔmis] *m/pl ~ agricoles* Landwirtschaftsverein *m*.
comique [kɔmik] **1.** *adj* komisch; **2.** *m*

Komiker *m*; Komödienschreiber *m*; Komik *f*; ⚠ *le* ~.

comité [kɔmite] *m* Ausschuß *m*, Komitee *n*; ~ *d'entreprise* Betriebsrat *m*; ⚠ *Schreibung*.

commandant [kɔmɑ̃dɑ̃] *m mil* Kommandant *m*; Kapitän *m*; *Dienstgrad*: Major *m*; ~ *en chef* Oberbefehlshaber *m*; *aviat* ~ *de bord* Flugkapitän *m*.

command|e [kɔmɑ̃d] *f* Bestellung *f*; *tech* Steuerung *f*; Antrieb *m*; **~ement** [-mɑ̃] *m mil* Kommando *n*; Befehl *m*; *rel* Gebot *n*; **~er** (1a) bestellen; befehlen; (F herum)kommandieren (*qn* j-n) *fig* erfordern, verlangen; *tech* steuern; bedienen; **~eur** *m* Kommandeur *m* (*e-s Verdienstordens*).

comme [kɔm] **1.** *adv* (*in der Weise*) wie; (*in der Eigenschaft*) als; **2.** *conj zeitlich*: als; *Grund*: da; *in Vergleichen*: wie; (eben)so wie; F ~ *ci* ~ *ça* soso lala; *c'est tout* ~ das ist fast genauso; ~ *il faut* anständig; ~ *si* als ob; ⚠ *nicht verwechseln mit comment*.

commémora|tif, ~tive [kɔmemɔratif, -tiv] Gedächtnis...; Gedenk...; **~tion** *f* Gedenkfeier *f*; Gedenken *n*.

commenç|ant, ~ante [kɔmɑ̃sɑ̃, -ɑ̃t] *m, f* Anfänger(in) *m(f)*.

commenc|ement [kɔmɑ̃smɑ̃] *m* Anfang *m*; **~er** (1k) anfangen, beginnen; ~ *qc par qc* etw mit etw anfangen; ~ *à* (*od selten de*) (+ *inf*) beginnen zu (+ *inf*); ~ *par faire qc* zuerst etw tun.

comment [kɔmɑ̃] *adv* wie?, wie!

comment|aire [kɔmɑ̃tɛr] *m* Kommentar *m*; **~ateur, ~atrice** [-atœr, -atris] *m, f* Kommentator(in) *m(f)*; **~er** (1a) kommentieren.

commerç|ant, ~ante [kɔmɛrsɑ̃, -ɑ̃t] **1.** *adj* Handels...; **2.** *m, f* Geschäftsmann *m*, -frau *f*; Kaufmann *m*.

commerc|e [kɔmɛrs] *m* Handel *m*; *fig* Umgang *m*; **~er** (1k) Handel treiben.

commercial, ~e [kɔmɛrsjal] (⚠ *m/pl -iaux*) kaufmännisch, Handels...; **~iser** (1a) vermarkten.

commère [kɔmɛr] *f* Klatschbase *f*.

commettre [kɔmɛtrə] (4p) *Verbrechen*: begehen; *jur* beauftragen.

commis [kɔmi] *m* kaufmännische(r) Angestellte(r) *m*; ~ *voyageur* Handlungsreisende(r) *m*.

commisération [kɔmizerasjõ] *f* Mitleid *n*, Erbarmen *n*.

commissaire [kɔmisɛr] *m* Kommissar *m*; *comm* ~ *aux comptes* Wirtschaftsprüfer *m*; **~-priseur** [-prizœr] *m* (⚠ *pl commissaires-priseurs*) Auktionator *m*.

commissariat [kɔmisarja] *m* Kommissariat *n*; ~ *de police* Polizeirevier *n*.

commiss|ion [kɔmisjõ] *f* Auftrag *m*, Besorgung *f*; Ausschuß *m*, Kommission *f*; *comm* Provision *f*; **~ionnaire** [-jɔnɛr] *m* Beauftragte(r) *m*, Kommissionär *m*; Bote *m*, Laufbursche *m*; **~ionner** (1a) ~ *qn* j-n beauftragen.

commod|e [kɔmɔd] **1.** *adj* bequem; umgänglich; ⚠ *adv commodément*; **2.** *f* Kommode *f*; **~ité** *f* Bequemlichkeit *f*; **~s** *pl litt* Toilette *f*.

commotion [kɔmɔsjõ] *f méd* ~ *cérébrale* Gehirnerschütterung *f*.

comm|un, ~une [kɔmɛ̃ *od* kɔmœ̃, -yn] gemeinsam, -schaftlich; alltäglich; *transports m/pl en commun* öffentliche Verkehrsmittel *n/pl*; ~ *à plusieurs* mehreren gemeinsam; ⚠ *adv communément*.

communal, ~e [kɔmynal] (⚠ *m/pl -aux*) Gemeinde...; **~iser** (1a) der Gemeinde unterstellen.

communau|taire [kɔmynotɛr] Gemeinschafts...; **~té** [-te] *f* Gemeinsamkeit *f*; Gemeinschaft *f* (*a pol, rel*).

commune [kɔmyn] *f* (Land- *od* Stadt-)Gemeinde *f*.

communica|tif, ~tive [kɔmynikatif, -tiv] mitteilsam; **~tion** *f* Mitteilung *f*; Verbindung *f* (*a mil, tél, Verkehr*); *tél a* Gespräch *n*; *allg* Kommunikation *f*; Kontakt *m*; Verständigung *f*.

commun|ier [kɔmynje] (1a) *rel* die Kommunion empfangen; **~ion** *f rel* Gemeinschaft *f*; Abendmahl *n*, Kommunion *f*; *fig* Übereinstimmung *f*.

communiqu|é [kɔmynike] *m pol* Kommuniqué *n*; Mitteilung *f*; **~er** (1m) mitteilen; ~ *qc à qn* j-n mit etw anstecken (*a fig*); ~ *avec* in Verbindung stehen mit; *se* ~ sich ausbreiten.

commun|isme [kɔmynismə] *m* Kommunismus *m*; **~iste 1.** *adj* kommunistisch; **2.** *m, f* Kommunist(in) *m(f)*.

commuta|teur [kɔmytatœr] *m tech* Schalter *m*; **~tion** *f jur* ~ *de peine* Strafumwandlung *f*.

compact, ~e [kõpakt] dicht; fest.
compagn|e [kõpaɲ] *f* Gefährtin *f*; Begleiterin *f*; **~ie** [-i] *f* Gesellschaft *f* (*a comm*); Begleitung *f*; *mil* Kompanie *f*; **~on** *m* Gefährte *m*; Begleiter *m*.
compar|able [kõparablə] vergleichbar (*à, avec* mit); **~aison** *f* Vergleich *m*; *en ~ de, par ~ à od avec* im Vergleich zu, mit; **~aître** [-ɛtrə] (4z) erscheinen (*en justice* vor Gericht); **~atif, ~ative** [-atif, -ativ] **1.** *adj* vergleichend; Vergleichs...; **2.** *m gr* Komparativ *m*; **~ativement** [-ativmã] *adv* vergleichsweise; verglichen (*à* mit); **~er** (1a) *~ à od avec* vergleichen mit.
compartiment [kõpartimã] *m* Fach *n*; Feld *n*; *Eisenbahn*: Abteil *n*.
compartimenter [kõpartimãte] (1a) (in Fächer) einteilen; abgrenzen.
compas [kõpa] *m* Zirkel *m*; *mar* Kompaß *m*.
compassion [kõpasjõ] *f* Mitleid *n*.
compatible [kõpatiblə] vereinbar.
compatir [kõpatir] (2a) *~ à* mitfühlen mit.
compatriote [kõpatrijɔt] *m, f* Landsmann *m*, -männin *f*.
compens|ateur, ~atrice [kõpãsatœr, -atris] ausgleichend; **~ation** *f* Ausgleich *m*, Ersatz *m*; **~er** (1a) ausgleichen, ersetzen.
compère [kõpɛr] *m litt* Gevatter *m*; *fig* Kerl *m*; Bursche *m*.
compét|ence [kõpetãs] *f* Zuständigkeit *f* (*a jur*); Sachkenntnis *f*; **~ent, ~ente** [-ã, -ãt] zuständig; kompetent; sachkundig.
compét|itif, ~itive [kõpetitif, -itiv] konkurrenz-, wettbewerbsfähig; *société f compétitive* Leistungsgesellschaft *f*; **~ition** *f* Wettbewerb *m*.
complai|re [kõplɛr] (4aa) *~ à qn litt* j-m gefällig sein; *se ~ à* (+ *inf*) sich darin gefallen zu (+ *inf*); **~sance** [-zãs] *f* Gefälligkeit *f*; **~sant, ~sante** [-zã, -zãt] gefällig (*pour od envers qn* j-m gegenüber).
complé|ment [kõplemã] *m* Ergänzung *f* (*a gr*); **~mentaire** [-mãtɛr] ergänzend.
compl|et, ~ète [kõplɛ, -ɛt] **1.** *adj* vollständig; vollkommen; *Hotel*: belegt; **2.** *m* (Herren-)Anzug *m*; **~ètement** [-ɛtmã] *adv* völlig.
compléter [kõplete] (1f) vervollständigen.
complex|e [kõplɛks] **1.** *adj* vielschichtig; komplex; **2.** *m* Komplex *m* (*a arch, psych*); **~é, ~ée** *psych* gehemmt; F verklemmt; **~ion** *litt f* Konstitution *f*; *fig* Veranlagung *f*; **~ité** *f* Kompliziertheit *f*.
complication [kõplikasjõ] *f* Verwicklung *f*; Komplikation *f* (*a méd*).
complic|e [kõplis] **1.** *adj* mitschuldig; **2.** *m, f* Komplize *m*, Komplizin *f*; **~ité** *f* Mitschuld *f*; Mittäterschaft *f*.
complimen|t [kõplimã] *m* Kompliment *n*; Empfehlung *f*; **~ter** [-te] (1a) *~ qn pour qc* j-n zu etw beglückwünschen.
compliqu|é, ~ée [kõplike] verwickelt, kompliziert; **~er** (1m) komplizieren; erschweren.
compl|ot [kõplo] *m* Verschwörung *f*; **~oter** [-ɔte] (1a) ein Komplott schmieden; *~ qc* etw anzetteln, aushecken.
comport|ement [kõpɔrtəmã] *m* Verhalten *n*; **~er** (1a) enthalten, umfassen; zur Folge haben; *se ~* sich betragen, sich verhalten.
compos|ant [kõpozã] *m* Bestandteil *m*, Komponente *f*; **~é, ~ée 1.** *adj* zusammengesetzt (*de* aus); **2.** *m* Zusammensetzung *f*; **~er** (1a) zusammensetzen; ausarbeiten, verfassen; *tél Nummer*: wählen; *mus* komponieren; *se ~ de* bestehen aus.
composi|teur, ~trice [kõpozitœr, -tris] *m, f* Komponist(in) *m(f)*; **~tion** *f* Zusammensetzung *f*; Komposition *f* (*a mus*); *Schule*: Klassenarbeit *f*.
composteur [kõpɔstœr] *m* (Fahrkarten-)Entwerter *m*.
compote [kõpɔt] *f* Kompott *n*; ⚠ *la ~*; ⚠ *Schreibung*.
compréhens|ible [kõpreãsiblə] begreiflich; *il est ~ que* (+ *subj*) es ist verständlich, daß ...; **~if, ~ive** [-if, -iv] verständnisvoll; **~ion** *f* Verständnis *n*; Auffassungsgabe *f*.
comprendre [kõprãdrə] (4q) **1.** verstehen, begreifen; *~ que* (+ *ind*) verstehen, daß ...; *je comprends que* (+ *subj*) mir ist verständlich, daß ...; *faire ~ qc à qn* j-m etw verständlich machen; j-m etw zu verstehen geben; *se faire ~* sich verständlich machen; **2.** enthalten, umfassen.
compress|e [kõprɛs] *f méd* Kompresse *f*, Umschlag *m*; **~eur** *m tech* Kompressor *m*; **~ion** *f* Druck *m*; Verdichtung *f*; Kompression *f*.
comprim|é [kõprime] *m* Tablette *f*;

C

~er (1a) zusammendrücken; *tech* verdichten.

compr|is, ~ise [kõpri, -iz] (⚠ *vor subst unv*) *y* ~ mit einbegriffen; ~ *dans* inbegriffen in; *non* ~ nicht mit einbegriffen.

compro|mettre [kõprɔmɛtrə] (4p) schaden; gefährden; kompromittieren; **~mis** [-mi] *m* Kompromiß *m*.

compt|abilité [kõtabilite] *f* Buchführung *f*, -haltung *f*; **~able** *m, f* Buchhalter(in) *m(f)*; **~ant** [-ɑ̃] *comm* bar; *au* ~ gegen Barzahlung.

compt|e [kõt] *m* Rechnen *n*, Berechnung *f*; *comm* Konto *n*; *fig* Rechenschaft *f*; *à bon* ~ preiswert; *se rendre* ~ *de qc* sich über etw klar sein; *tenir* ~ *de qc* etw berücksichtigen; ~ *tenu de* unter Berücksichtigung von; *pour mon* ~ was mich betrifft; *prendre qc sur son* ~ etw auf seine Kappe nehmen; ~ *rendu* Bericht *m*, Rezension *f*; *Schule*: Nacherzählung *f*; **~er** (1a) zählen; (an-, aus-, be-) rechnen; ~ *avec* rechnen mit; ~ *sur* zählen *od* sich verlassen auf; ~ *que* damit rechnen, daß ...; ~ (+ *inf*) beabsichtigen zu (+ *inf*); **~e-tours** [-tur] *m* (⚠ *pl unv*) *tech* Drehzahlmesser *m*; **~eur** *m* Zähler *m* (*a tech*); **~ine** *f* Abzählreim *m*; **~oir** *m* Theke *f*; Ladentisch *m*; Kontor *n*.

comt|e [kõt] *m* Graf *m*; **~é** *m* Grafschaft *f*; **~esse** [-ɛs] *f* Gräfin *f*.

con [kõ] P (*auch f conne* [kɔn]) **1.** *adj* P saublöd, -dämlich, -doof; **2.** *m* F Blödmann *m*, Trottel *m*; *als Schimpfwort* P Arschloch *n*.

concasser [kõkase] (1a) zerkleinern, zerstoßen.

concave [kõkav] konkav.

concéder [kõsede] (1f) bewilligen; ~ *que* zugeben, daß ...

concentr|ation [kõsɑ̃trasjõ] *f* Konzentration *f* (*a fig*); **~er** (1a) konzentrieren; *se* ~ sich sammeln, konzentrieren (*sur* auf).

concept [kõsɛpt] *m* Begriff *m*.

conception [kõsɛpsjõ] *f* Vorstellung *f*; Planung *f*, Gestaltung *f*, Konzeption *f*; *biol* Empfängnis *f*.

concern|ant [kõsɛrnɑ̃] *prép* betreffend, bezüglich; **~er** (1a) ~ *qc, qn* etw, j-n betreffen, angehen; *en ce qui me concerne* was mich betrifft.

concert [kõsɛr] *m* Konzert *n* (*a fig*); *de* ~ *avec* in Übereinstimmung mit; ⚠ *nicht verwechseln mit le concerto*.

concerter [kõsɛrte] (1a) vereinbaren; *se* ~ sich absprechen.

concerto [kõsɛrto] *m* Konzert *n* (*Komposition*).

concess|ion [kõsɛsjõ] *f* Bewilligung *f*; Konzession *f*; Zugeständnis *n*; **~ionnaire** [-jɔnɛr] *m* Konzessionsinhaber *m*; Vertragshändler *m*.

concev|able [kõsəvablə] begreiflich; **~oir** (3a) begreifen; ersinnen, entwerfen; *biol* empfangen; *ainsi conçu* folgendermaßen abgefaßt.

concierge [kõsjɛrʒ] *m, f* Pförtner(in) *m(f)*; Hausmeister(in) *m(f)*; *f fig* Klatschbase *f*.

concili|able [kõsiljablə] vereinbar; **~ant, ~ante** [-ɑ̃, -ɑ̃t] entgegenkommend; versöhnlich; **~er** (1a) in Einklang bringen.

conc|is, ~ise [kõsi, -iz] prägnant; knapp; **~ision** [-izjõ] *f* Bündigkeit *f*, Kürze *f*.

concitoy|en, ~enne [kõsitwajɛ̃, -ɛn] *m, f* Mitbürger(in) *m(f)*.

conclu|ant, ~ante [kõklyɑ̃, -ɑ̃t] überzeugend, schlüssig.

conclu|re [kõklyr] (4l) (ab)schließen, zu Ende bringen; ~ *de qc* aus etw folgern; ~ *à qc* auf etw schließen; ~ *un contract* e-n Vertrag schließen; **~sion** [-zjõ] *f* Schluß(folgerung) *m(f)*.

concombre [kõkõbrə] *m bot* Gurke *f*.

concordance [kõkɔrdɑ̃s] *f* Übereinstimmung *f*; *gr* ~ *des temps* Zeitenfolge *f*.

concord|e [kõkɔrd] *f* Eintracht *f*; **~er** (1a) übereinstimmen.

concourir [kõkurir] (2i) **1.** ~ *à qc* an etw mitwirken; ~ *à* (+ *inf*) dazu beitragen zu (+ *inf*); **2.** an e-m Wettbewerb teilnehmen.

concours [kõkur] *m* **1.** Wettbewerb *m*; Ausleseverfahren *n*; **2.** Unterstützung *f*; Mitwirkung *f*; *avec le* ~ *de qn* mit j-s Hilfe; **3.** Andrang *m*; ⚠ *nicht* Konkurs.

con|cret, ~crète [kõkrɛ, -krɛt] konkret; gegenständlich; **~crétiser** [-kretize] (1a) verdeutlichen.

conçu, ~e [kõsy] *p/p von concevoir*.

concurr|ence [kõkyrɑ̃s] *f* Konkurrenz *f*, Wettbewerb *m* (*a comm*); *jusqu'à* ~ *de* bis zur Summe von; **~ent, ~ente** [-ɑ̃, -ɑ̃t] **1.** *adj* konkurrierend; **2.** *m, f* Mitbewerber(in) *m(f)*, Konkurrent(in) *m(f)*; **~entiel, ~entielle** [-ɑ̃sjɛl] konkurrenzfähig.

condamn|able [kõdanablə] verwerflich; **~ation** *f* Verurteilung *f* (*a fig*); **~er** (1a) **1.** *jur u allg* verurteilen (*qn à qc* j-n zu etw); **2.** *~ la porte* die Tür zumauern, verstellen.
condenser [kõdɑ̃se] (1a) kondensieren; *fig* gedrängt darstellen.
condescen|dance [kõdesɑ̃dɑ̃s] *f péj* Herablassung *f*; **~dre** [-drə] (4a) *~ à* sich herablassen zu.
condiment [kõdimɑ̃] *m* Gewürz *n*.
condisciple [kõdisiplə] *m,f* Mitschüler(in) *m(f)*; Studienkollege *m*, -in *f*.
condit|ion [kõdisjõ] *f* **1.** Bedingung *f*; Voraussetzung *f*; *à (la) ~ que* (+ *subj*), *bei gleichem Subjekt*: *à (la) ~ de* (+ *inf*) unter der Bedingung, daß; **2.** Verfassung *f*, Kondition *f*; **3.** Stellung *f*, Rang *m*; **~ionnement** [-jɔnmɑ̃] *m Waren*: Verpackung *f*; Konditionierung *f*.
condoléances [kõdɔleɑ̃s] *f/pl* Beileid *n*.
conduc|teur, ~trice [kõdyktœr, -tris] **1.** *adj* leitend; **2.** *m,f* Fahrer(in) *m(f)*; Führer(in) *m(f)*; *m phys* Leiter *m*.
conduire [kõdɥir] (4c) führen, leiten; *auto* fahren; *~ à* (+ *inf*) dazu bringen zu (+ *inf*); *permis m de ~* Führerschein *m*; *se ~* sich betragen.
conduit [kõdɥi] *m* Rinne *f*; Röhre *f*; Leitung *f*.
conduite [kõdɥit] *f* Führung *f*; *tech* (Zu-)Leitung *f*; *fig* Betragen *n*; *auto* Fahren *n*, Steuern *n*.
cône [kon] *m* Kegel *m* (*a math*); *bot* Tannenzapfen *m*; *tech* Konus *m*.
confect|ion [kõfɛksjõ] *f* Anfertigung *f*; *bes* Konfektion *f*; **~ionner** [-jɔne] (1a) an-, verfertigen, herstellen.
confédération [kõfederasjõ] *f* Bund *m*; Staatenbund *m*.
confér|ence [kõferɑ̃s] *f* Konferenz *f*, Besprechung *f*; Vortrag *m*, Vorlesung *f*; *pol ~ au sommet* Gipfelkonferenz *f*; **~encier, ~encière** [-ɑ̃sje, -ɑ̃sjɛr] *m, f* Redner(in) *m(f)*; Referent(in) *m(f)*; **~er** (1f) **1.** übertragen, verleihen; **2.** sich besprechen, konferieren.
confess|er [kõfɛse] (1b) gestehen; *rel* beichten; *~ qc* sich zu etw bekennen; *se ~ rel* die Beichte ablegen; **~ion** *f rel* Bekenntnis *n* (*a fig*); Beichte *f*; **~ionnal** [-jɔnal] *m* (⚠ *pl -aux*) Beichtstuhl *m*.
confiance [kõfjɑ̃s] *f* Vertrauen *n*; *avoir ~ dans od en qc, qn* Vertrauen zu etw, j-m haben; *faire ~ à qn* j-m vertrauen.
confid|ence [kõfidɑ̃s] *f* vertrauliche Mitteilung *f*; **~ent, ~ente** [-ɑ̃, -ɑ̃t] *m, f* Vertraute(r) *m,f*; **~entiel, ~entielle** [-ɑ̃sjɛl] vertraulich.
confier [kõfje] (1a) anvertrauen (*qc à qn* j-m etw).
con|finer [kõfine] (1a) *litt* einsperren; verbannen; *st/s ~ à* angrenzen an; **~fins** [-fɛ̃] *m/pl* (äußerste) Grenze *f*; Rand *m*; *aux ~ de* am Ende (+ *gén*).
confire [kõfir] (4o) *Früchte etc* einlegen; kandieren.
confirm|ation [kõfirmasjõ] *f* Bestätigung *f*, Bekräftigung *f*; *rel* Konfirmation *f*; Firmung *f*; **~er** (1a) bestätigen, bekräftigen; bestärken; *rel* konfirmieren; firmen.
confiscation [kõfiskasjõ] *f* Beschlagnahme *f*.
confiserie [kõfizri] *f* Süßwaren *f/pl*, Zuckerwerk *n*; Süßwarengeschäft *n*.
confisquer [kõfiske] (1m) beschlagnahmen.
conf|it, ~ite [kõfi, -it] *cuis* kandiert; eingelegt.
confiture [kõfityr] *f* Konfitüre *f*, Marmelade *f*.
conflictuel, ~le [kõfliktɥɛl] konfliktgeladen.
conflit [kõfli] *m* Konflikt *m* (*a pol, jur*); Streit *m*.
confluent [kõflyɑ̃] *m von Flüssen*: Zusammenfluß *m*.
confondre [kõfõdrə] (4a) verwechseln; *st/s* vermengen; verblüffen.
conformation [kõfɔrmasjõ] *f* Form *f*; (Körper-)Bau *m*.
conform|e [kõfɔrm] *~ à* gemäß; entsprechend; **~ément** [-emɑ̃] *adv ~ à* gemäß; laut; **~er** (1a) *~ à* anpassen; richten nach; *se ~ à qc* sich nach etw richten; **~isme** *m* Konformismus *m*, bedingungsloses Sichanpassen *n*; **~ité** *f* Gleichförmigkeit *f*.
confort [kõfɔr] *m* Komfort *m*; Behaglichkeit *f*.
confortable [kõfɔrtablə] behaglich, komfortabel.
confrère [kõfrɛr] *m in freien Berufen*: Kollege *m*.
confront|ation [kõfrõtasjõ] *f* Gegenüberstellung *f*; **~er** (1a) gegenüberstellen, vergleichen.
conf|us, ~use [kõfy, -yz] wirr; undeutlich; unklar; verwirrt; beschämt; **~usément** [-yzemɑ̃] *adv*

undeutlich; vage; **~usion** [-yzjõ] *f* Verwirrung *f*; Verlegenheit *f*; Verwechslung *f*.
congé [kõʒe] *m* Urlaub *m*; Kündigung *f*; *avoir* ~ freihaben; *prendre* ~ *de qn* sich von j-m verabschieden; *être en* ~ im, in, auf Urlaub sein.
congédier [kõʒedje] (1a) verabschieden; entlassen, kündigen (*qn* j-m).
congélateur [kõʒelatœr] *m* Tiefkühltruhe *f*.
congel|é, ~ée [kõʒle] *viandes f/pl congelées* Gefrierfleisch *n*; **~er** (1d) einfrieren; tiefkühlen; *se* ~ gefrieren.
congénère [kõʒenɛr] *m* Artgenosse *m*.
congénital, ~e [kõʒenital] (⚠ *m/pl -aux*) angeboren (*a fig*).
congère [kõʒɛr] *f* Schneeverwehung *f*.
congestion [kõʒɛstjõ] *f méd* Blutandrang *m*.
conglomérat [kõglɔmera] *m géol* Konglomerat *n* (*a fig*).
congratuler [kõgratyle] (1a) *st/s* überschwenglich gratulieren (*qn* j-m).
congrégation [kõgregasjõ] *f rel* Kongregation *f*; geistlicher Orden *m*.
congrès [kõgrɛ] *m* Kongreß *m*; Tagung *f*.
congressiste [kõgrɛsist] *m, f* Kongreßteilnehmer(in) *m(f)*.
congru, ~e [kõgry] *portion f congrue* Existenzminimum *n*.
conifère [kɔnifɛr] *m bot* Nadelbaum *m*.
conique [kɔnik] konisch, kegelförmig.
conjectur|e [kõʒɛktyr] *f* Mutmaßung *f*, Vermutung *f*; **~er** (1a) *st/s* mutmaßen.
conj|oint, ~ointe [kõʒwɛ̃, -wɛ̃t] **1.** *adj* gemeinsam; verbunden; **2.** *meist m* Ehegatte *m*, -gattin *f*.
conjonction [kõʒõksjõ] *f st/s* Verbindung *f*; *gr* Konjunktion *f* (*a astr*).
conjonc|tive [kõʒõktiv] *f méd* Bindehaut *f*; **~ture** [-tyr] *f* Zusammentreffen *n*; Umstände *m/pl*; *écon* Konjunktur *f*.
conjugaison [kõʒygɛzõ] *f gr* Konjugation *f*.
conju|gal, ~ale [kõʒygal] (⚠ *m/pl -aux*) ehelich; **~guer** [-ge] (1m) vereinigen; *gr* konjugieren.
conjur|ation [kõʒyrasjõ] *f* Ver-, Beschwörung *f*; **~er** (1a) beschwören (*qn de* + *inf* j-n zu + *inf*); *se* ~ *contre qn* sich gegen j-n verschwören.
connaiss|ance [kɔnɛsɑ̃s] *f* **1.** Kenntnis *f*; **2.** *bes phil* Erkenntnis *f*; **3.** Bewußtsein *n*; *perdre* ~ das Bewußtsein verlieren; *reprendre* ~ wieder zu sich kommen; **4.** Bekannte(r) *m, f*; Bekanntschaft *f*; *faire* ~ *avec qn od la* ~ *de qn* j-n kennenlernen; **~eur** *m* Kenner *m*.
connaître [kɔnɛtrə] (4z) kennen; kennenlernen; *s'y* ~ *en qc* sich verstehen auf etw; *faire* ~ *qc* etw bekanntgeben.
connecter [kɔnɛkte] (1a) *tech* anschließen; verbinden.
connerie [kɔnri] *f* P Mist *m*; Krampf *m*.
connex|e [kɔnɛks] verbunden; **~ion** *f* Verknüpfung *f*; Zusammenhang *m*; *tech* Anschluß *m*.
connivence [kɔnivɑ̃s] *f* heimliches Einverständnis *n*; *être de* ~ *avec qn* mit j-m unter e-r Decke stecken.
connu, ~e [kɔny] *p/p von connaître u adj* bekannt.
conque [kõk] *f zo* Meeresschnecke *f*.
conquér|ant [kõkerɑ̃] *m* Eroberer *m*; **~ir** (2l) erobern.
conquerrai [kõkɛre] *futur von conquérir*.
conquête [kõkɛt] *f* Eroberung *f*.
conquis [kõki] *p/s u p/p* (*f* **~e**) *von conquérir*.
consacrer [kõsakre] (1a) **1.** *rel* (ein-)weihen; **2.** widmen; *se* ~ *à qc, qn* sich e-r Sache, j-m widmen.
consangu|in, ~ine [kõsɑ̃gɛ̃, -in] blutsverwandt; *frère m consanguin* Halbbruder *m* väterlicherseits.
conscience [kõsjɑ̃s] *f* **1.** Gewissen *n*; **2.** Bewußtsein *n* (*a phil*).
conscienc|ieux, ~ieuse [kõsjɑ̃sjø, -jøz] gewissenhaft.
consc|ient, ~iente [kõsjɑ̃, -jɑ̃t] bewußt.
conscription [kõskripsjõ] *f mil* Aushebung *f*.
conscrit [kõskri] *m mil* Einberufene(r) *m*.
consécration [kõsekrasjõ] *f rel* Weihe *f*; *fig* Krönung *f*.
consécut|if, ~ive [kõsekytif, -iv] aufeinanderfolgend; ~ *à* e-e Folge von; **~ivement** [-ivmɑ̃] *adv* hintereinander.

conseil [kõsɛj] *m* Rat(schlag) *m*; Ratgeber *m*; Ratsversammlung *f*, -sitzung *f*; ~ *municipal* Gemeinde-, Stadtrat *m*; ~ *de classe* Lehrerkonferenz *f*.

conseiller[1] [kõsɛje] (1b) raten; ~ *qn* j-n beraten; ~ *qc à qn* j-m zu etw raten.

conseill|er[2] [kõsɛje] *m* Berater *m*, Ratgeber *m*, Rat *m* (*Person*); ~ *municipal* Gemeinde-, Stadtrat(smitglied *n*) *m*; **~ère** *f* Beraterin *f*, Ratgeberin *f*.

consent|ement [kõsɑ̃tmɑ̃] *m* Einwilligung *f*; **~ir** (2b) einwilligen (*à qc* in etw); gewähren (*qc* etw); ~ *à ce que* (+ *subj*) damit einverstanden sein, daß ...

conséqu|ence [kõsekɑ̃s] *f* Folge *f*, Konsequenz *f*, Auswirkung *f*; *en* ~ infolgedessen, dementsprechend; **~ent, ~ente** [-ɑ̃, -ɑ̃t] konsequent; *par conséquent* folglich.

conserv|ateur, ~atrice [kõsɛrvatœr, -atris] **1.** *adj* konservativ; **2.** *m pol* Konservative(r) *m*; *Museum*: Konservator *m*; **~ation** *f* Erhaltung *f*; **~atoire** [-atwar] *m* Konservatorium *n*.

conserv|e [kõsɛrv] *f* Eingemachte(s) *n*; Konserve *f*; **~er** (1a) konservieren; aufbewahren; erhalten.

considér|able [kõsiderablə] beträchtlich; **~ation** *f* **1.** Überlegung *f*; Berücksichtigung *f*; *en* ~ *de* mit Rücksicht auf; *prendre en* ~ in Betracht *od* Erwägung ziehen; **2.** Achtung *f*; Ansehen *n*; **3.** **~s** *pl* Ansichten *f/pl*; Meinungen *f/pl*; **~er** (1f) betrachten; berücksichtigen.

consign|e [kõsiɲ] *f* (An)Weisung *f*; Gepäckaufbewahrung *f*; *Flaschen*: Pfand *n*; *Schule*: Nachsitzen *n*; **~er** (1a) hinterlegen; Pfand verlangen (*qc* für etw); *Schüler*: nachsitzen lassen.

consist|ance [kõsistɑ̃s] *f* Festigkeit *f*; **~ant, ~ante** [-ɑ̃, -ɑ̃t] dick; nahrhaft; **~er** (1a) bestehen (*en*, *dans* in, aus); ~ *à* (+ *inf*) darin bestehen zu (+ *inf*).

consol|ant, ~ante [kõsɔlɑ̃, -ɑ̃t] tröstlich; **~ation** *f* Trost *m*.

console [kõsɔl] *f* Konsole *f*; Konsoltisch *m*.

consoler [kõsɔle] (1a) trösten; lindern.

consolider [kõsɔlide] (1a) (be)festigen, sichern.

consomma|teur, ~trice [kõsɔmatœr, -tris] *m*, *f* Verbraucher(in) *m*, *f*; Konsument(in) *m*(*f*); **~tion** *f* Verbrauch *m*; *im Lokal*: Verzehr *m*; Getränk *n*.

consomm|é [kõsɔme] *m cuis* Kraftbrühe *f*; **~er** (1a) verbrauchen; verzehren.

cons|onance [kõsɔnɑ̃s] *f* Klang *m*; **~onne** *f* Mitlaut *m*, Konsonant *m*.

conspir|ateur, ~atrice [kõspiratœr, -atris] **1.** *adj* verschwörerisch; **2.** *m*, *f* Verschwörer(in) *m*(*f*); Verschworene(r) *m*, *f*; **~ation** *f* Verschwörung *f*; **~er** (1a) sich verschwören.

conspuer [kõspɥe] *st/s* (1a) niederschreien.

constance [kõstɑ̃s] *f* Beständigkeit *f*, Ausdauer *f*, Beharrlichkeit *f*, Standhaftigkeit *f*.

const|ant, ~ante [kõstɑ̃, -ɑ̃t] **1.** *adj* beständig, ausdauernd, standhaft, beharrlich; ⚠ *adv constamment* [-amɑ̃]; **2.** *f* Konstante *f*.

constat [kõsta] *m* (amtliches) Protokoll *n*.

constat|ation [kõstatasjõ] *f* Feststellung *f*; **~er** (1a) feststellen.

constellation [kõstɛlasjõ] *f* Sternbild *n*.

constern|ation [kõstɛrnasjõ] *f* Bestürzung *f*; **~er** (1a) in Bestürzung versetzen; *meist adj consterné(e)* bestürzt, betroffen, erschüttert.

constipation [kõstipasjõ] *f méd* Verstopfung *f*.

constituer [kõstitɥe] (1a) bilden, darstellen, bedeuten; konstituieren, begründen; *jur zu etw* einsetzen; *ein Gehalt etc* aussetzen; *se* ~ sich konstituieren.

constitu|tion [kõstitysjõ] *f* **1.** Beschaffenheit *f*; (physische) Konstitution *f*; **2.** *pol* Verfassung *f*; **~tionnel, ~tionnelle** [-sjɔnɛl] verfassungsmäßig, Verfassungs...

construc|teur, ~trice [kõstryktœr, -tris] **1.** *adj* schöpferisch; **2.** *m* Erbauer *m*; Baumeister *m*; ~ *mécanicien* Maschinenbauer *m*; **~tif, ~tive** [-tif, -tiv] konstruktiv; kreativ; **~tion** *f* Erbauung *f*; Bau *m*; Bauwerk *n*; Konstruktion *f*; *fig* Aufbau *m*.

construire [kõstrɥir] (4c) (er-)bauen, errichten; konstruieren; *fig* anordnen, gestalten.

consul [kõsyl] *m* Konsul *m*; **~at** [-a] *m* Konsulat *n*.

consult|ant, ~ante [kõsyltɑ̃, -ɑ̃t] beratend; **~atif, ~ative** [-atif, -ativ] beratend; **~ation** *f* Beratung *f*; Sprechstunde *f*; Befragung *f*; *jur* Gutachten *n*; **~er** (1a) um Rat fragen; konsultieren.
consumer [kõsyme] (1a) *st/s* auf-, verzehren.
contact [kõtakt] *m* Berührung *f*; Kontakt *m* (*a fig*); *entrer en ~ avec qn* mit j-m in Verbindung treten; *auto mettre le ~* die Zündung einschalten.
contag|ieux, ~ieuse [kõtaʒjø, -jøz] ansteckend (*méd u fig*); **~ion** *f* Ansteckung *f*.
contaminer [kõtamine] (1a) infizieren; verseuchen.
conte [kõt] *m* Erzählung *f*; Geschichte *f*; *~ (de fées)* Märchen *n*.
contempl|atif, ~ative [kõtɑ̃platif, -ativ] beschaulich; **~er** (1a) betrachten; nachsinnen.
contempor|ain, ~aine [kõtɑ̃pɔrɛ̃, -ɛn] **1.** *adj* zeitgenössisch; **2.** *m* Zeitgenosse *m*.
conten|ance [kõtnɑ̃s] *f* Inhalt *m*; *fig* Haltung *f*; Gelassenheit *f*; **~ir** (2h) **1.** enthalten, fassen; **2.** in Schranken halten.
cont|ent, ~ente [kõtɑ̃, -ɑ̃t] zufrieden (*de* mit); *être ~ que* (+ *subj*) sich freuen, daß ...
content|ement [kõtɑ̃tmɑ̃] *m* Zufriedenheit *f*; Befriedigung *f*; **~er** (1a) zufriedenstellen; befriedigen; *se ~ de (faire) qc* sich mit etw begnügen; sich darauf beschränken zu (+ *inf*).
contenu [kõtny] *m* Inhalt *m*.
conter [kõte] *st/s* (1a) erzählen.
contest|able [kõtɛstablə] bestreitbar; **~ataire** [-atɛr] *pol* **1.** *adj* rebellisch; Protest...; **2.** *m* Protestler *m*; Systemveränderer *m*; **~ation** *f pol* Protest (-bewegung) *m(f)*; **~er** (1a) bestreiten (*que* + *subj* daß ...).
contexte [kõtɛkst] *m* Kontext *m*; Zusammenhang *m*.
contig|u, ~üe [kõtigy] angrenzend; benachbart (*a fig*).
contin|ence [kõtinɑ̃s] *f* Enthaltsamkeit *f*; **~ent** [-ɑ̃] *m* Kontinent *m*, Erdteil *m*.
contingent [kõtɛ̃ʒɑ̃] *m* Anteil *m*; Kontingent *n*.
continu, ~e [kõtiny] stetig; fortlaufend; ununterbrochen.
continu|ation [kõtinɥasjõ] *f* Fortsetzung *f*; Fortdauer *f*; **~el, ~elle** beständig; **~er** (1n) fortsetzen; fortfahren; fortdauern; *~ à od de* (+ *inf*) weiter(hin) (+ *inf*); **~ité** *f* Beständigkeit *f*; Kontinuität *f*.
contorsion [kõtɔrsjõ] *f* Verdrehung *f*, Verrenkung *f*.
contour [kõtur] *m* Umriß *m*, Kontur *f*; ⚠ *le ~*; **~ner** [-ne] (1a) herumgehen, -fahren, -fließen um; *fig* umgehen.
contracept|if, ~ive [kõtrasɛptif, -iv] empfängnisverhütend.
contract|er [kõtrakte] (1a) **1.** zusammenziehen; **2.** *Bündnis*: schließen; *Versicherung*: abschließen; *Krankheit*: sich zuziehen; *Gewohnheit*: annehmen; **~uel, ~uelle** [-ɥɛl] **1.** *adj* vertraglich; **2.** *m*, *f* Hilfspolizist *m*, Politesse *f*.
contradic|tion [kõtradiksjõ] *f* Widerspruch *m*; **~toire** [-twar] widersprüchlich.
contraindre [kõtrɛ̃drə] (4b) zwingen (*qn à od de* + *inf* j-n zu + *inf*).
contrainte [kõtrɛ̃t] *f* Zwang *m*; Gezwungenheit *f*.
contraire [kõtrɛr] **1.** *adj* gegensätzlich, gegenteilig, entgegengesetzt (*à*); nachteilig; **2.** *m* Gegenteil *n*, -satz *m*; *au ~* im Gegenteil; *au ~ de* im Gegensatz zu; **~ment** *~ à* im Gegensatz zu, entgegen ...
contrari|ant, ~ante [kõtrarjɑ̃, -ɑ̃t] ärgerlich, widerwärtig; **~er** (1a) behindern; stören; *~ qn* j-m widersprechen; j-n ärgern; **~été** [-ete] *f* Verärgerung *f*; Unannehmlichkeit *f*.
contrast|e [kõtrast] *m* Gegensatz *m*, Kontrast *m*; **~er** (1a) im Gegensatz stehen (*avec* zu), kontrastieren.
contrat [kõtra] *m* Vertrag *m*, Kontrakt *m*; ⚠ *Schreibung*.
contravention [kõtravɑ̃sjõ] *f jur* Übertretung *f*, Verstoß *m*; Strafzettel *m*.
contre [kõtrə] **1.** *prép* gegen; (*tout*) *~* (dicht) neben *od* bei; **2.** *adv* dagegen; *par ~* andererseits; **3.** *m le pour et le ~* das Für und Wider.
contre|balancer [kõtrəbalɑ̃se] (1k) ein Gegengewicht bilden (*qc* zu etw); aufwiegen; **~bande** [-bɑ̃d] *f* Schmuggel(ware) *m(f)*; **~bandier** [-bɑ̃dje] *m* Schmuggler *m*; **~carrer** [-kare] (1a) behindern; durchkreuzen; **~cœur** [-kœr] *à ~* mit Widerwillen, ungern; **~coup** [-ku] *m*

Rückwirkung *f*; **~-courant** [-kurɑ̃] *m* (⚠ *pl contre-courants*) Gegenströmung *f*; **~dire** [-dir] (4m) ~ *qn* j-m widersprechen; ⚠ *vous contredisez*.
contrée [kõtre] *litt f* Gegend *f*; Landstrich *m*.
contre|façon [kõtrəfasõ] *f betrügerische* Nachahmung *f*, Fälschung *f*; **~faire** [-fɛr] (4n) *betrügerisch* nachahmen, -machen, fälschen; **~fait, ~faite** [-fɛ, -fɛt] mißgestaltet; **~fort** [-fɔr] *m arch* Strebepfeiler *m*; Widerlager *n*; *géogr* **~s** *pl* Vorberge *m/pl*; **~-jour** [-ʒur] *à* ~ gegen das Licht, im Gegenlicht; **~maître** [-mɛtrə] *m* Werkmeister *m*; Polier *m*; **~-mesure** [-məzyr] *f* (⚠ *pl contre-mesures*) Gegenmaßnahme *f*; **~partie** [-parti] *f* Ausgleich *m*; *en* ~ als Gegenleistung; **~-pied** [-pje] *m* Gegenteil *n*; **~-plaqué** [-plake] *m* Sperrholz *n*; **~poids** [-pwa] *m* Gegengewicht *n*; **~sens** [-sɑ̃s] *m* Sinnwidrigkeit *f*; *à* ~ widersinnig; verkehrt; **~signer** [-siɲe] (1a) gegenzeichnen; **~temps** [-tɑ̃] *m* widriger Umstand; *à* ~ zur Unzeit; **~-valeur** [-valœr] *f* Gegenwert *m*; **~venir** [-v(ə)nir] (2h) *jur* ~ *à qc* gegen etw verstoßen, etw übertreten; **~vent** [-vɑ̃] *m* Fensterladen *m*.
contribu|able [kõtribɥablə] *m* Steuerzahler *m*; **~er** (1n) ~ *à qc* zu etw beitragen, beisteuern.
contribution [kõtribysjõ] *f* Beitrag *m*; Steuer *f*.
contrition [kõtrisjõ] *f* Reue *f* (*bes rel*).
contrôl|e [kõtrol] *m* Kontrolle *f*; ⚠ *le* ~; **~er** (1a) kontrollieren, prüfen, beaufsichtigen; **~eur, ~euse** *m, f* Kontrolleur(in) *m(f)*; Schaffner *m*; ⚠ *Schreibung*.
controverse [kõtrɔvɛrs] *f* Kontroverse *f*, Streit *m*.
contumace [kõtymas] *f jur être condamné par* ~ in Abwesenheit verurteilt werden.
contusion [kõtyzjõ] *f méd* Prellung *f*, Quetschung *f*.
convainc|ant, -ante [kõvɛ̃kɑ̃, -ɑ̃t] überzeugend.
convainc|re [kõvɛ̃krə] (4i) **1.** ~ *qn de qc* j-n von etw überzeugen; **2.** ~ *qn de qc* j-n e-r Sache überführen; **~u, ~ue** [-y] überzeugt.
convalesc|ence [kõvalesɑ̃s] *f* Genesung *f*; **~ent, ~ente** [-ɑ̃, -ɑ̃t] **1.** *adj* genesend; **2.** *m, f* Genesende(r) *f(m)*.
conven|able [kõvnablə] passend; angemessen; zufriedenstellend; **~ance** *f* **~s** *pl* Schicklichkeit *f*; *qc à ma* ~ etw Passendes.
convenir [kõvnir] (2h) **1.** (*mit avoir*) ~ *à qn* j-m passen, gefallen; ~ *à qc* zu etw passen; **2.** (*mit avoir*; *st/s être*) ~ *de qc* etw vereinbaren; etw zugeben; **3.** *il convient de* (+ *inf*) *od que* (+ *subj*) es empfiehlt sich zu (+ *inf*).
convent|ion [kõvɑ̃sjõ] *f* Übereinkunft *f*, Verabredung *f*, Abkommen *n*; Konventionen *f/pl*; **~ionnel, ~ionnelle** [-jɔnɛl] förmlich; konventionell, herkömmlich.
converger [kõvɛrʒe] (1l) *in e-m Punkt*: zusammenlaufen, konvergieren; *fig* übereinstimmen.
convers|ation [kõvɛrsasjõ] *f* Gespräch *n*, Unterhaltung *f*; **~er** (1a) sich unterhalten; **~ion** *f rel* Bekehrung *f*, Übertritt *m*; *comm* Konvertierung *f*; *allg* Umwandlung *f*.
convert|i, ~ie [kõvɛrti] *rel* **1.** *adj* bekehrt; **2.** *m, f* Bekehrte(r) *f(m)*, Konvertit(in) *m(f)*; **~ible** *comm* umtauschbar; konvertierbar; **~ir** (2a) *rel* bekehren; *comm* konvertieren, umrechnen.
convexe [kõvɛks] konvex.
conviction [kõviksjõ] *f* Überzeugung *f*.
convier [kõvje] (1a) *st/s* ~ *qn à qc* j-n zu etw einladen.
convive [kõviv] *st/s m, f* Gast *m*.
convocation [kõvɔkasjõ] *f* Einberufung *f*; Vorladung *f*.
convoi [kõvwa] *m* Geleitzug *m*.
convoit|er [kõvwate] *st/s* (1a) begehren; **~ise** [-iz] *f* Begehrlichkeit *f*.
convoquer [kõvɔke] (1m) einbe-, zusammenrufen; vorladen.
convoyer [kõvwaje] (1h) eskortieren.
convuls|er [kõvylse] (1a) (*se* ~ sich) krampfhaft verzerren; **~if, ~ive** [-if, -iv] krampfhaft; **~ion** *f* Zuckung *f*; Krampf *m*.
coopérant [kɔɔperɑ̃] *m* Entwicklungshelfer *m*.
coopéra|teur *m*, **~trice** *f* [kɔɔperatœr, -tris] Mitarbeiter(in) *m(f)*; **~tif, ~tive** [-tif, -tiv] **1.** *adj* kooperativ; genossenschaftlich; **2.** *f* Genossenschaft *f*; **~tion** *f* Zusammenarbeit *f*.
coopérer [kɔɔpere] (1f) ~ *à qc* an etw mitarbeiten.
coordina|teur, ~trice [kɔɔrdinatœr,

-tris] **1.** *adj* koordinierend; **2.** *m* Koordinator *m*; **~tion** *f* Koordinierung *f*; *gr* Beiordnung *f*.
coordonner [kɔɔrdɔne] (1a) koordinieren, aufeinander abstimmen.
copain [kɔpɛ̃] F *m* Freund *m*, F Kumpel *m*.
copiage [kɔpjaʒ] *m Schule*: Abschreiben *n*.
copie [kɔpi] *f* Abschrift *f*; Kopie *f*; Duplikat *n*; Abbild *n*, Nachbildung *f*; *Schule*: (Klassen-, Haus-)Arbeit *f*.
copier [kɔpje] (1a) abschreiben (*sur qn* von j-m); kopieren; nachbilden.
copi|eux, ~euse [kɔpjø, -øz] reichlich.
copine [kɔpin] F *f* Freundin *f*.
copropriété [kɔprɔprijete] *f* Miteigentum *n*.
coq [kɔk] *m* **1.** *zo* Hahn *m*; **2.** *mar* Schiffskoch *m*.
coque [kɔk] *f mar*, *aviat* Rumpf *m*; *st/s* (Eier-, Nuß-)Schale *f*; *œuf m à la ~* weichgekochtes *od* weiches Ei *n*; **~licot** [-liko] *m bot* Klatschmohn *m*; **~luche** [-lyʃ] *f* Keuchhusten *m*; *fig* Liebling *m*.
coqu|et, ~ette [kɔkɛ, -ɛt] hübsch; kokett.
coquetier [kɔktje] *m* Eierbecher *m*.
coquetterie [kɔkɛtri] *f* Koketterie *f*; Gefallsucht *f*.
coquillage [kɔkijaʒ] *m* Muschel (-schale) *f*.
coquille [kɔkij] *f* Muschel(schale) *f*; Schneckengehäuse *n*; Eier-, Mandel-, Nußschale *f*.
coqu|in, ~ine [kɔkɛ̃, -in] **1.** *adj bes Kinder*: spitzbübisch, schelmisch; **2.** *m*, *f* Schlingel *m*; **~inerie** [-inri] *f* Schelmerei *f*; Pfiffigkeit *f*.
cor [kɔr] *m* **1.** *mus* (Wald-)Horn *n*; Hornbläser *m*; **2.** *méd* Hühnerauge *n*.
corail [kɔraj] *m* (⚠ *pl coraux*) Koralle *f*.
corbeau [kɔrbo] *m* (⚠ *pl ~x*) *zo* Rabe *m*.
corbeille [kɔrbɛj] *f* Korb *m*.
corbillard [kɔrbijar] *m* Leichenwagen *m*.
cordage [kɔrdaʒ] *m mar* Tau(werk) *n*.
cord|e [kɔrd] *f* Seil *n*; Strick *m*; Schnur *f*; (Bogen-)Sehne *f*; *mus* Saite *f*; *~s vocales* Stimmbänder *n/pl*; **~ée** *f Bergsteiger*: Seilschaft *f*.
cordelière [kɔrdəljɛr] *f* Kordel *f*; Schnur *f*.
cordial, ~e [kɔrdjal] (⚠ *m/pl -iaux*) herzlich; *phm* herzstärkend; **~ité** *f* Herzlichkeit *f*.
cordon [kɔrdõ] *m* Schnur *f*; Litze *f*; Ordensband *n*; Absperrung *f*; **~-bleu** *m* (⚠ *pl cordons-bleus*) F geschickte Köchin *f*.
cordonnier [kɔrdɔnje] *m* Schuhmacher *m*.
coriace [kɔrjas] zäh (wie Leder); *fig* hartnäckig.
cormoran [kɔrmɔrã] *m zo* Kormoran *m*.
corn|e [kɔrn] *f zo u allg* Horn *n*; Hornhaut *f*; *Schnecke*: Fühler *m*; *Buch*: Eselsohr *n*; *auto* Hupe *f*; *fig avoir des ~s* betrogen werden (*Ehe*); *~ à chaussures* Schuhanzieher *m*; **~ée** *f Auge*: Hornhaut *f*.
corneille [kɔrnɛj] *f zo* Krähe *f*.
cornemuse [kɔrnəmyz] *f* Dudelsack *m*.
corner[1] [kɔrne] (1a) *auto* hupen; *~ qc* an etw e-e Ecke umknicken.
corner[2] [kɔrnɛr] *m Fußball*: Eckball *m*.
cornet [kɔrnɛ] *m* Horn *n* (*a mus*); Hörrohr *n*; (spitze) Tüte *f*; *~ à dés* Würfelbecher *m*.
corniche [kɔrniʃ] *f* kurvenreiche Küstenstraße *f*; *arch* Kranzgesims *n*.
cornichon [kɔrniʃõ] *m* Gewürzgürkchen *n*.
corniste [kɔrnist] *m mus* Hornist *m*.
cornu, ~e [kɔrny] **1.** *adj* gehörnt; gezackt; **2.** *f chim* Retorte *f*.
coron [kɔrõ] *m* Wohnsiedlung *f* für Bergarbeiter.
coronaire [kɔrɔnɛr] *méd* Herzkranz..., Koronar...
corpor|atif, ~ative [kɔrpɔratif, -ativ] ständisch; **~ation** *f* Körperschaft *f*; *früher* Gilde *f*, Zunft *f*.
corporel, ~le [kɔrpɔrɛl] körperlich.
corps [kɔr] *m* **1.** Körper *m*, Leib *m*; Leichnam *m*; *combattre ~ à ~* Mann gegen Mann kämpfen; **2.** Körperschaft *f*; Gruppe *f*; *~ enseignant* Lehrerschaft *f*; **3.** Hauptteil *m*; *Schiff*: Rumpf *m*; *Texte*: Corpus *n*.
corpul|ence [kɔrpylãs] *f* Beleibtheit *f*; **~ent, ~ente** [-ã, -ãt] (wohl)beleibt.
corpuscule [kɔrpyskyl] *m phys* Teilchen *n*, Partikel *f*.
correct, ~e [kɔrɛkt] richtig; fehlerfrei; korrekt (*a Person*); *Arbeit*: passabel.
correction [kɔrɛksjõ] *f* **1.** Richtigkeit *f*, Korrektheit *f*; **2.** Verbesserung *f*

(*als Handlung*), Korrektur *f*; **3.** Tracht *f* Prügel.
corrélation [kɔrelasjõ] *f* Wechselbeziehung *f*.
correspond|ance [kɔrɛspõdɑ̃s] *f* **1.** Übereinstimmung *f*; **2.** *Verkehr*: Anschluß *m*; **3.** Briefwechsel *m*, Korrespondenz *f*; **~ancier, ~ancière** [-ɑ̃sje, -ɑ̃sjɛr] *m, f* Handelskorrespondent(in) *m(f)*; **~ant, ~ante** [-ɑ̃, -ɑ̃t] **1.** *adj* entsprechend; **2.** *m, f* Korrespondent(in) *m(f)*, Berichterstatter(in) *m(f)*; Brieffreund(in) *m(f)*.
correspondre [kɔrɛspõdrə] (4a) korrespondieren (*avec* mit); in Verbindung stehen; ~ *à qc* e-r Sache entsprechen.
corridor [kɔridɔr] *m* Gang *m*, Flur *m*.
corrig|é [kɔriʒe] *m* (Muster-)Lösung *f* (*Schule*); **~er** (1l) verbessern, berichtigen; *Kind*: schlagen; ~ *qn de qc* j-n von etw heilen.
corroborer [kɔrɔbɔre] (1a) (ver)stärken; bekräftigen.
corroder [kɔrɔde] (1a) ätzen; zersetzen.
corromp|re [kɔrõprə] (4a) korrumpieren, verderben; bestechen; *se* ~ sich zersetzen; *fig* in Verfall geraten; **~u, ~ue** [-y] *p/p von corrompre u adj* korrupt.
corros|if, ~ive [kɔrozif, -iv] **1.** *adj* ätzend; *fig* beißend; **2.** *m* Ätzmittel *n*.
corruption [kɔrypsjõ] *f* Bestechung *f*; Korruption *f*.
corsage [kɔrsaʒ] *m* (Damen-)Bluse *f*.
corsaire [kɔrsɛr] *m hist* Freibeuter *m*; Korsar *m*.
corse [kɔrs] **1.** *adj* korsisch; **2.** ♀ *m, f* Korse *m*, Korsin *f*; **3.** *la* ♀ Korsika *n*.
corset [kɔrsɛ] *m* Korsett *n*; ⚠ *Schreibung*.
cortège [kɔrtɛʒ] *m* Gefolge *n*; Demonstrations-, Hochzeits-, Trauerzug *m*.
cortex [kɔrtɛks] *m* ~ *cérébral* Großhirnrinde *f*.
corvée [kɔrve] *f* Fron(dienst) *f(m)*; lästige Arbeit *f*; Last *f*; *mil* Sonderdienst *m*.
coryphée [kɔrife] *litt m* Parteiführer *m*; führender Kopf *m*.
cosmétique [kɔsmetik] **1.** *adj* kosmetisch; **2.** *f* Kosmetik *f*; *m* Schönheitsmittel *n*.
cosmique [kɔsmik] kosmisch.
cosmopolite [kɔsmɔpɔlit] **1.** *adj* kosmopolitisch, weltbürgerlich; **2.** *m* Kosmopolit *m*, Weltbürger *m*.
cosse [kɔs] *f* Schote *f*, Hülse *f*.
cossu, ~e [kɔsy] wohlhabend; stattlich.
costaud [kɔsto] (⚠ *f unv*) F stämmig, kräftig; robust.
costum|e [kɔstym] *m* (Herren-)Anzug *m*; Kostüm *n*; Tracht *f*; ~ *régional* Volkstracht *f*; ⚠ Damenkostüm *le tailleur*; **~er** (1a) (*se*) ~ (sich) verkleiden, kostümieren.
cote [kɔt] *f* Anteil *m*, Quote *f*; Kursnotierung *f*; Kennziffer *f*, Aktenzeichen *n*; Bewertung *f*; *fig* F *avoir la* ~ sehr angesehen sein.
côte [kot] *f* **1.** Rippe *f*; Kotelett *n*; **2.** Steigung *f*, Hang *m*; **3.** Küste *f*.
coté, ~e [kɔte] geschätzt, angesehen; bewertet.
côté [kote] *m* Seite *f*; *à* ~ nebenan; *à* ~ *de* neben; *de* ~ beiseite, zur Seite; *de l'autre* ~ auf der anderen Seite, auf die andere Seite, von der anderen Seite, andererseits; *du* ~ *de* in der Nähe von; in Richtung auf; *par le* ~ von der Seite (her); *sur le* ~ auf der Seite.
coteau [kɔto] *m* (⚠ *pl* ~*x*) Hügel *m*, Abhang *m*.
côtelette [kotlɛt] *f cuis* Kotelett *n*; ⚠ *la* ~.
cotis|ation [kɔtizasjõ] *f* (Mitglieds-)Beitrag *m*; Anteil *m*; **~er** (1a) Beitrag zahlen.
coton [kɔtõ] *m* Baumwolle *f*.
cotonn|ier, ~ière [kɔtɔnje, -jɛr] **1.** *adj* Baumwoll...; **2.** *m* Baumwollstrauch *m*.
côtoyer [kotwaje] (1h) ~ *qn* mit j-m zusammenkommen; *st/s* ~ *qc* an etw entlanglaufen.
cotte [kɔt] *f* blaue Latzhose *f* (*der Arbeiter*); ~ *de mailles* Panzerhemd *n*.
cou [ku] *m* (⚠ *pl* ~*s*) Hals *m*.
couac [kwak] *m* Mißton *m*.
couard, couarde [kwar, kward] *litt* feig.
couardise [kwardiz] *f* Feigheit *f*.
couch|age [kuʃaʒ] *m* Übernachten *n*; *sac m de* ~ Schlafsack *m*; **~ant** [-ɑ̃] **1.** *st/s m* Westen *m*; **2.** *adj soleil m* ~ untergehende Sonne *f*.
couch|e [kuʃ] *f* **1.** Schicht *f* (*a fig*); **2.** *fausse* ~ Fehlgeburt *f*; ~*s pl* Niederkunft *f*, Kindbett *n*; **3.** *Säuglinge*:

C

Windel *f*; **~é, ~ée** liegend; **~er** (1a) **1.** (hin)legen, zu Bett bringen, übernachten lassen; schlafen, übernachten; *se ~* zu Bett gehen; F *~ avec qn* mit j-m schlafen; **2.** *m ~ du soleil* Sonnenuntergang *m*; **~ette** [-ɛt] *f* Platz *m* im Liegewagen.
couci-couça [kusikusa] F soso lala.
coucou [kuku] *m* Kuckuck *m*; Kuckucksuhr *f*.
coude [kud] *m* Ell(en)bogen *m*; (Straßen-)Biegung *f*; *jouer des ~s* sich durchdrängeln; *fig* die Ellenbogen gebrauchen.
cou-de-pied [kudpje] *m* (⚠ *pl cous-de-pied*) Spann *m*, Rist *m*.
coudoyer [kudwaje] (1h) *~ qn* mit j-m in Berührung kommen.
coudre [kudrə] (4d) (zusammen-, an)nähen.
coudrier [kudrije] *m bot* Hasel(nuß)-strauch *m*.
couenne [kwan] *f* Schwarte *f*.
couffin [kufɛ̃] *m* Tragkorb *m*.
couille [kuj] P *f* Hoden *m*.
coul|age [kulaʒ] *m tech* Guß *m*; *fig*, *comm* Verlust *m*; **~ant, ~ante** [-ɑ̃, -ɑ̃t] *Stil*: flüssig; *fig* großzügig; nachsichtig; **~er** (1a) fließen; auslaufen; untergehen, versinken; verstreichen; *tech* gießen; *Schiff*: versenken; F *se la ~ douce* ein angenehmes Leben führen; ⚠ *il a coulé*.
couleur [kulœr] *f* Farbe *f*.
couleuvre [kulœvrə] *f zo* Natter *f*.
coulis [kuli] **1.** *adj vent m ~* Zugluft *f*; **2.** *m cuis* Püree *n*.
coulisse [kulis] *f* **1.** *tech* Falz *m*; Führung *f*; *à ~* Schiebe...; **2.** *Theater*: Seiten- und Hinterbühne *f*; *fig dans les ~s* hinter den Kulissen.
couloir [kulwar] *m* Flur *m*; Gang *m*.
coup [ku] *m* Schlag *m*, Stich *m*, Stoß *m*; Schuß *m*; Schluck *m*; (Spiel-)Zug *m*; *fig* Coup *m*, Stückchen *n*; *~ d'État* Staatsstreich *m*; *~ de chance* Glücksfall *m*; *donner un ~ de main* behilflich sein; *~ de feu* Schuß *m*; *~ de génie* Geistesblitz *m*; *~ de maître* Meisterstück *n*; *~ d'œil* Blick *m*; *~ de pied* Tritt *m*; *~ de téléphone* Anruf *m*; *avoir un ~ de soleil* e-n Sonnenbrand haben; *~ franc Sport*: Freistoß *m*; *tout d'un ~* mit e-m Male; *tout à ~* plötzlich; *à ~s de* mit, durch, mittels; *à ~ sûr* sicherlich; *du ~* deshalb; *du même ~* bei dieser Gelegenheit; *pour le ~* (für) diesmal; F *être dans le ~* mitmachen, mit dabei sein; *tenir le ~* durchhalten.
coupable [kupablə] schuldig.
coupage [kupaʒ] *m* Schneiden *n*; *Wein*: Verschnitt *m*.
coup-de-poing [kudpwɛ̃] *m* (⚠ *pl coups-de-poing*) Schlagring *m*.
coupe[1] [kup] *f* Schneiden *n*; Schnitt *m*; Zuschneiden *n*; *Holz*: Fällen *n*.
coupe[2] [kup] *f* (Trink)Schale *f*; Pokal *m*.
coupe|-circuit [kupsirkɥi] *m* (⚠ *pl unv*) *tech* Sicherung *f*, Sicherheitsschalter *m*; **~-papier** [-papje] *m* (⚠ *pl unv*) Papiermesser *n*.
couper [kupe] (1a) (ab-, auf-, durch-, zer)schneiden; unterbrechen; trennen; streichen, kürzen; *Wein*: verschneiden; *Flüssigkeit*: mischen; *Tier*: kastrieren; *Karten*: abheben.
couplage [kuplaʒ] *m tech* Kopplung *f*.
coupl|e [kuplə] *m* Paar *n* (*lebender Wesen*); **~er** (1a) *tech* koppeln.
couplet [kuplɛ] *m* Strophe *f*.
coupole [kupɔl] *f arch* Kuppel *f*; *la* ♀ die Académie Française.
coupon [kupõ] *m* Tuchrest *m*; *comm* Zinsschein *m*; *allg* Abschnitt *m*.
coupure [kupyr] *f* Schnitt(wunde) *m(f)*; Kürzung *f*; Einschnitt *m*; Geldschein *m*, Banknote *f*.
cour [kur] *f* Hof *m*; *jur* Gerichtshof *m*; ⚠ *la ~*; ⚠ *nicht verwechseln mit le cours u la course*.
courag|e [kuraʒ] *m* Mut *m*; ⚠ *le ~*; **~eux, ~euse** [-ø, -øz] mutig, beherzt.
couramment [kuramɑ̃] *adv* geläufig, fließend.
cour|ant, ~ante [kurɑ̃, -ɑ̃t] **1.** *adj* laufend; fließend; üblich, gebräuchlich; **2.** *m* Strom *m* (*a fig u Elektrizität*); Strömung *f*; Lauf *m*; *~ d'air* Luftzug *m*; *au ~* auf dem laufenden.
courbature [kurbatyr] *f* Glieder-, Kreuzschmerzen *m/pl*.
courb|e [kurb] **1.** *adj* gebogen; krumm; **2.** *f* Kurve *f*; Krümmung *f*; Wölbung *f*; **~er** (1a) krümmen, biegen; *se ~* sich bücken; **~ure** [-yr] *f* Krümmung *f*.
coureur [kurœr] *m* Läufer *m*; Rennfahrer *m*.
courge [kurʒ] *f bot* Kürbis *m*.
courgettes [kurʒɛt] *f/pl bot* Zucchini *pl*.
courir [kurir] (2i) rennen; *schnell* laufen; fließen; *Gerücht*: umgehen, im

Umlauf sein; ~ *qc* etw viel besuchen; e-r Sache nachlaufen; ~ *les femmes* F hinter den Frauen her sein; *en courant* eilig; ⚠ *il a couru*.
couronn|e [kurɔn] *f* Krone *f*; Kranz *m* (*a tech*); **~é, ~ée** gekrönt (*de* von); **~ement** [-mɑ̃] *m* Krönung *f*; **~er** (1a) krönen; *fig* auszeichnen; vollenden; bekränzen.
courrai [kure] *futur von courir*.
courre [kur] *chasse f à* ~ Hetzjagd *f*.
courrier [kurje] *m* Post(sachen *f/pl*) *f*, Korrespondenz *f*; Postflugzeug *n*, -schiff *n*, -wagen *m*; Kurier *m*, Bote *m*; *par le même* ~ mit gleicher Post; *par retour du* ~ postwendend, umgehend.
courroie [kurwa] *f* Riemen *m*, Gurt *m*; *auto* Keilriemen *m*.
courroucer [kuruse] (1k) *st/s* erzürnen.
courroux [kuru] *m st/s* Zorn *m*, Grimm *m*.
cours [kur] *m* **1.** Lauf *m*; Strömung *f*; *zeitlich*: Verlauf *m*; *au* ~ *de* im Laufe (+ *gén*); **2.** *écon* Kurs *m*; **3.** Unterrichtsstunde *f*; Vorlesung *f*; Kursus *m*; Lehrbuch *n*; ⚠ *nicht verwechseln mit la cour u la course*.
course [kurs] *f* Laufen *n*; Wettrennen *n*; Fahrt *f* (*e-s Wagens*); ~ *en montagne* Bergtour *f*.
court[1] [kur] *m* (*a* ~ *de tennis*) Tennisplatz *m*.
court[2], courte [kur, kurt] kurz; *à court de* ohne.
court-circuit [kursirkɥi] *m* (⚠ *pl courts-circuits*) *tech* Kurzschluß *m*.
courtier [kurtje] *m* Makler *m*.
courtisan [kurtizɑ̃] *m hist* Höfling *m*.
courtisane [kurtizan] *f* Kurtisane *f*.
courtiser [kurtize] (1a) ~ *qn* j-m den Hof machen; *fig péj* j-n hofieren.
court|ois, ~oise [kurtwa, -waz] rücksichtsvoll; höflich; *hist* höfisch; **~oisie** [-wazi] *f* Höflichkeit *f*; Vornehmheit *f*.
couru, ~e [kury] *p/p von courir u adj* vielbesucht.
courus [kury] *p/s von courir*.
couscous [kuskus] *m cuis* Kuskus *m*.
cous|in, ~ine [kuzɛ̃, -in] *m* Vetter *m*; *f* Base *f*, Kusine *f*.
cousis [kuzi] *p/s von coudre*.
coussin [kusɛ̃] *m* Kissen *n*.
coussinet [kusinɛ] *m* kleines Kissen *n*; *tech* Lager *n*.
cousu, ~e [kuzy] *p/p von coudre u adj* genäht; *fig être* (*tout*) ~ *d'or* steinreich sein.
coût [ku] *m* Kosten *pl*.
coûtant [kutɑ̃] *prix m* ~ Selbstkostenpreis *m*.
couteau [kuto] *m* (⚠ *pl* ~*x*) Messer *n*.
coutelas [kutlɑ] *m großes* Küchenmesser *n*.
coutellerie [kutɛlri] *f* Messer-, Schneidwaren *f/pl*; Schneidwarenindustrie *f*, -fabrik *f*.
coûter [kute] (1a) kosten; ~ *cher* teuer sein; *fig* ~ *cher à qn* j-n teuer zu stehen kommen; *coûte que coûte* koste es, was es wolle.
coût|eux, ~euse [kutø, -øz] kostspielig.
coutume [kutym] *f* Gewohnheit *f*; Brauch *m*, Sitte *f*.
coutur|e [kutyr] *f* Naht *f*; Nähen *n*; Näharbeit *f*; **~ier** [-je] *m* Modeschöpfer *m*; **~ière** [-jɛr] *f* Schneiderin *f*.
couvain [kuvɛ̃] *m* Brut *f*.
couvée [kuve] *f* Nest *n* voller Eier *od* voller Junge; Brut *f*.
couvent [kuvɑ̃] *m* Kloster *n*.
couver [kuve] (1a) (be-, aus-)brüten; *fig* aushecken; F *Krankheit*: ausbrüten; ~ *qn* j-n verhätscheln; *fig* ~ *sous la cendre* unter der Oberfläche schwelen.
couvercle [kuvɛrklə] *m* Deckel *m*.
couv|ert, ~erte [kuvɛr, -ɛrt] **1.** *p/p von couvrir u adj* bedeckt; überdacht; *être bien* ~ warm angezogen sein; gut zugedeckt sein; *à* ~ *de* sicher vor; *fig sous le* ~ *de* unter dem Vorwand von; **2.** *m* Gedeck *n*; Besteck *n*; *mettre le* ~ den Tisch decken; ⚠ *nicht* Kuvert.
couverture [kuvɛrtyr] *f* Decke *f*; Umschlag *m*; Einband *m*; *Zeitung*: Titelseite *f*; *mil* Deckung *f*.
couveuse [kuvøz] *f* Brutapparat *m*, -kasten *m*.
couvre|-chef [kuvrəʃɛf] *m* (⚠ *pl couvre-chefs*) *plais* Kopfbedeckung *f*; **~-feu** [-ø] *m* (⚠ *pl couvre-feux*) Ausgangssperre *f*; **~-lit** [-li] *m* (⚠ *pl couvre-lits*) Tagesdecke *f*.
couvreur [kuvrœr] *m* Dachdecker *m*.
couvrir [kuvrir] (2f) (be-, zu-)decken; *fig* überhäufen (*de* mit); ~ *qn* j-n decken; *se* ~ sich warm anziehen.
crabe [krab] *m* Krebs *m*; Krabbe *f*; ⚠ *le* ~.

crachat [kraʃa] *m* Spucke *f*.
crach|é [kraʃe] F *tout* ~ ganz aus dem Gesicht geschnitten; **~er** (1a) spucken; spritzen (*Füllhalter*); **~in** *m* Nieselregen *m*; **~oir** [-war] *m* Spucknapf *m*; **~oter** [-ɔte] (1a) oft ausspucken.
crack [krak] *m* F Kanone *f*, *Sport*: As *n*.
craie [krɛ] *f* Kreide *f*.
craignis [krɛɲi] *p/s von craindre*.
craindre [krɛ̃drə] (4b) ~ *qn*, *qc* j-n, etw fürchten, sich vor j-m *od* etw fürchten; ~ *de* (+ *inf*) sich scheuen zu (+ *inf*); ~ *que* (*ne*) (+ *subj*) fürchten, daß ...
crainte [krɛ̃t] *f* Furcht *f*, Scheu *f*, Angst *f*; *de* ~ *de* aus Furcht vor.
craint|if, ~ive [krɛ̃tif, -iv] furchtsam, ängstlich.
cramoisi, ~e [kramwazi] karmesinrot.
crampe [krɑ̃p] *f méd* Krampf *m*; ⚠ *la* ~.
cramp|on [krɑ̃põ] *m* Klammer *f*; *Bergsteigen*: Steigeisen *n*; **~onner** [-ɔne] (1a) an-, verklammern; *se* ~ (*à*) sich klammern (an).
cran [krɑ̃] *m* Einschnitt *m*, Kerbe *f*; F *avoir du* ~ Schneid haben.
crân|e [krɑn] *m* Schädel *m*; **~er** F angeben; **~erie** *f* Großsprecherei *f*.
crapaud [krapo] *m zo* Kröte *f*.
crapule [krapyl] *f* Lumpenpack *n*; Lump *m*.
craque [krak] *f* F Aufschneiderei *f*; Lügenmärchen *n*; **~lé, ~lée** [krakle] rissig; **~lure** [-lyr] *f* Riß *m*, Sprung *m*; **~ment** *m* Krachen *n*, Knarren *n*.
craquer [krake] (1m) krachen, knacken, knirschen.
craqueter [krakte] (1c) knistern; klappern (*Storch*).
crass|e [kras] **1.** *adj* extrem; **2.** *f* Schmutz *m*, Dreck *m*; **~eux, ~euse** [-ø, -øz] schmutzig, dreckig.
cratère [kratɛr] *m* Krater *m*.
cravache [kravaʃ] *f* Reitpeitsche *f*.
cravate [kravat] *f* Krawatte *f*, Schlips *m*; ⚠ *Schreibung*.
crawl [krol] *m Sport*: Kraulen *n*.
cray|on [krɛjõ] *m* Bleistift *m*, Stift *m*; Bleistift-, Kreidezeichnung *f*; ~ *feutre* Filzstift *m*; **~onner** [-ɔne] (1a) kritzeln; skizzieren.
créanc|e [kreɑ̃s] *f comm* (Schuld-)Forderung *f*; *Diplomatie*: *lettres f/pl de* ~ Beglaubigungsschreiben *n*; **~ier, ~ière** [-je, -jɛr] *m*, *f* Gläubiger(in) *m(f)*.
créa|teur, ~trice [kreatœr, -tris] **1.** *adj* schöpferisch, kreativ; **2.** *m*, *f* Schöpfer(in) *m(f)*; **~tion** *f* Schöpfung *f*; Schaffung *f*; Schaffen *n*; *Theater*: Erstinszenierung *f*; **~ture** [-tyr] *f* Geschöpf *n*.
crécelle [kresɛl] *f* Klapper *f*.
crèche [krɛʃ] *f* Krippe *f*; Kinderkrippe *f*.
créd|ibilité [kredibilite] *f* Glaubwürdigkeit *f*; **~ible** glaubwürdig.
crédit [kredi] *m* Kredit *m*; *fig* Ansehen *n*.
crédit|er [kredite] (1a) gutschreiben (*qn d'une somme* j-m e-n Betrag); **~eur** *m comm* Kreditor *m*.
crédul|e [kredyl] leichtgläubig; **~ité** *f* Leichtgläubigkeit *f*.
créer [kree] (1a) (er)schaffen; *fig* gründen; erfinden; ersinnen.
crémaillère [kremajɛr] *f tech* Zahnstange *f*; *chemin m de fer à* ~ Zahnradbahn *f*; *fig pendre la* ~ die neue Wohnung einweihen.
crématoire [krematwar] **1.** *adj* Verbrennungs...; **2.** *m* Krematorium *n*.
crème [krɛm] *f* Sahne *f*, Rahm *m*; Creme *f*; *fig* F Creme *f* (der Gesellschaft).
crémerie [krɛmri] *f* Milchgeschäft *n*.
crémier [kremje] *m* Milchhändler *m*.
créneau [kreno] *m* (⚠ *pl* ~*x*) Zinne *f*; Schießscharte *f*; Parklücke *f*; *écon* Marktlücke *f*.
créneler [krenle] (1c) mit Zinnen bewehren; auszacken; kerben.
crêpe [krɛp] **1.** *m* Krepp *m*; Trauerflor *m*; **2.** *f* (dünner) Pfann-, Eierkuchen *m*.
crêper [krɛpe] (1b) *Haare*: toupieren.
crépi [krepi] *m* Bewurf *m*, Putz *m*.
crép|ir [krepir] (2a) verputzen; **~iter** [-ite] (1a) knistern, prasseln; **~u, ~ue** [-y] kraus.
crépuscule [krepyskyl] *m* Dämmerung *f*.
cresson [krɛsõ *od* krəsõ] *m bot* Kresse *f*.
crétacé, ~e [kretase] *géol* **1.** *adj* Kreide..., kreidig; **2.** *m* Kreidezeitalter *n*.
Crète [krɛt] *la* ~ Kreta *n*.
crête [krɛt] *f* (Hahnen-)Kamm *m*; Bergkamm *m*; Dachfirst *m*.
crét|in, ~ine [kretɛ̃, -in] **1.** *adj* schwachsinnig; F dumm, blöd; **2.** *m*,

f Schwachsinnige(r) *m, f*; F Dummkopf *m*, Idiot *m*.
crétin|iser [kretinize] (1a) verdummen; **~isme** *m méd* Kretinismus *m*.
creuser [krøze] (1a) ausgraben, -bohren, -höhlen; *fig se ~ la cervelle* sich den Kopf zerbrechen.
creuset [krøzɛ] *m tech u fig* Schmelztiegel *m*.
creux, creuse [krø, krøz] **1.** *adj* hohl; *heures f/pl creuses* Zeiten, in denen wenig Betrieb ist; *adv sonner creux* hohl klingen; **2.** *m* Höhlung *f*; *fig* Leere *f*.
crevaison [krəvɛzõ] *f* Platzen *n*; *auto, Fahrrad*: Reifenpanne *f*.
crev|ant, ~ante [krəvɑ̃, -ɑ̃t] F ermüdend.
crevass|e [krəvas] *f* Spalt *m*, Riß *m*; **~er** (1a) rissig machen; *se ~* Risse bekommen.
crever [krəve] (1d) platzen lassen, zerstechen, aufschlitzen; bersten, platzen; krepieren, eingehen; F *j'ai crevé* ich habe e-n Platten (*e-e Reifenpanne*).
crevette [krəvɛt] *f zo* Garnele *f*.
cri [kri] *m* Schrei *m*; Ruf *m*; *fig le dernier ~* der letzte Schrei.
criailler [krijɑje] (1a) kreischen; keifen.
cri|ant, ~ante [krijɑ̃, -ɑ̃t] (himmel-) schreiend.
cri|ard, ~arde [krijar, -ard] schreiend, kreischend; *Farbe*: grell.
cribl|e [kriblə] *m* Sieb *n*; **~er** (1a) durchlöchern, -bohren; (aus)sieben.
cric [krik] *m* Wagenheber *m*.
cri|ée [krije] *f vente f à la ~* öffentliche Versteigerung; **~er** (1a) schreien; (zu-, aus)rufen; knarren; knirschen.
crime [krim] *m* Verbrechen *n*.
criminalité [kriminalite] *f* Kriminalität *f*.
crimin|el, ~elle [kriminɛl] **1.** *adj* verbrecherisch; Kriminal...; **2.** *m, f* Verbrecher(in) *m(f)*.
crin [krɛ̃] *m* Roßhaar *n* (*bes Mähne u Schweif*); *fig à tous ~s* leidenschaftlich, mit Leib und Seele.
crinière [krinjɛr] *f* Mähne *f*.
criquet [krikɛ] *m zo* Feldheuschrecke *f*.
crise [kriz] *f* Krise *f* (*à méd*); *~ cardiaque* Herzanfall *m*; Herzschlag *m*; *~ du logement* Wohnungsnot *f*.
crisper [krispe] (1a) verkrampfen, verzerren; F *fig* wütend machen.
crisser [krise] (1a) knirschen.
cristal [kristal] *m* (⚠ *pl -aux*) Kristall *m*; Kristall(glas) *n*.
cristall|in, ~ine [kristalɛ̃, -in] **1.** *adj* kristallklar; kristallin(isch); **2.** *m Auge*: Linse *f*.
cristalliser [kristalize] (1a) kristallisieren; *fig (se) ~* deutlich werden.
critère [kritɛr] *m* Kriterium *n*; Maßstab *m*.
critiqu|e [kritik] **1.** *adj* kritisch; **2.** *m* Kritiker(in) *m(f)*; **3.** *f* Kritik *f* (*de* an); Rezension *f*; **~er** (1m) kritisieren.
croasser [krɔase] (1a) krächzen.
croc [kro] *m* Fangzahn *m*; Haken *m*.
croc-en-jambe [krɔkɑ̃ʒɑ̃b] *m* (⚠ *pl crocs-en-jambe*) Beinstellen *n*.
croch|et [krɔʃɛ] *m* Haken *m*; Häkelnadel *f*; *Straße*: Bogen *m*; **~s** *pl* eckige Klammern *f/pl*; *faire du ~* häkeln; **~eter** [krɔʃte] (1e) mit dem Dietrich öffnen; **~u, ~ue** [-y] krumm; hakenförmig.
crocodile [krɔkɔdil] *m zo* Krokodil *n*.
croire [krwar] (4v) **1.** glauben (*qc, qn* etw, j-m); *~ qc de qn* etw von j-m glauben; *je le crois* ich glaube es; ich glaube (es) ihm; *on le croyait médecin* man hielt ihn für e-n Arzt; *en ~ qn* sich auf j-n verlassen; *à en ~ les journaux* wenn man den Zeitungen Glauben schenken will; *faire ~ qc à qn* j-m etw weismachen; **2.** *~ à qc* an etw glauben; *~ en qn* an j-n glauben; *~ en Dieu* an Gott glauben; **3.** *se ~ qn* sich für j-n halten; *il se croit intelligent* er hält sich für intelligent.
crois|ade [krwazad] *f* Kreuzzug *m*; **~é, ~ée 1.** *adj* gekreuzt; **2.** *m* Kreuzfahrer *m*; **3.** *f* Kreuzung *f*; **~ement** [-mɑ̃] *m* Kreuzen *n*; Kreuzung *f* (*a biol*); **~er** (1a) kreuzen (*a mar, biol*); *~ qn* j-m begegnen; **~eur** *m mar* Kreuzer *m*; **~ière** [-jɛr] *f mar* Kreuzfahrt *f*.
croiss|ance [krwasɑ̃s] *f* Wachstum *n*; **~ant, ~ante** [-ɑ̃, -ɑ̃t] **1.** *adj* wachsend; zunehmend; **2.** *m* Mondsichel *f*; *Islam*: Halbmond *m*; *cuis* Hörnchen *n*.
croître [krwɑtrə] (4w) wachsen.
croix [krwa] *f* Kreuz *n*; ⚠ *la ~*.
croqu|ant, ~ante [krɔkɑ̃, -ɑ̃t] knusprig.
croque|-mitaine [krɔkmitɛn] *m* (⚠ *pl croque-mitaines*) Schwarzer Mann *m*; **~-monsieur** *m* (⚠ *pl unv*)

C

cuis Schinkentoast *m* mit Käse; **~-mort** [-mɔr] F *m* (⚠ *pl croque--morts*) Sargträger *m*.
croquer [krɔke] (1m) **1.** knabbern; knuspern; *im Mund*: krachen, knirschen; **2.** skizzieren, entwerfen.
croquis [krɔki] *m* Skizze *f*.
crosse [krɔs] *f* Bischofs-, Krummstab *m*; Gewehrkolben *m*; Hockeyschläger *m*.
crotale [krɔtal] *m* Klapperschlange *f*.
crott|e [krɔt] *f* Kot *m*; F *fig ~ de bique* Plunder *m*; **~in** *m* Pferdemist *m*.
croul|ant, ~ante [krulɑ̃, -ɑ̃t] baufällig; **~er** (1a) einstürzen; zusammenbrechen.
croup [krup] *m méd* Krupp *m*.
croupe [krup] *f* Kruppe *f*, Kreuz *n des Pferdes*.
croupion [krupjõ] *m der Vögel*: Bürzel *m*, Steiß *m*.
croupir [krupir] (2a) *Wasser*: stillstehen, faulig werden; *Person*: dahinvegetieren.
croustill|ant, ~ante [krustijɑ̃, -ɑ̃t] knusprig.
croût|e [krut] *f* Kruste *f*, Rinde *f*; Schorf *m*; F *casser la ~* e-n Imbiß zu sich nehmen; **~er** (1a) F futtern; **~on** *m* (Brot-)Kanten *m*; Brotwürfel *m*.
croy|able [krwajablə] (*meist negativ*) glaubhaft; **~ance** *f* Glaube(n) *m*; **~ant, ~ante** [-ɑ̃, -ɑ̃t] *rel* **1.** *adj* gläubig; **2.** *m, f* Gläubige(r) *m, f*.
C.R.S. [seɛrɛs] (*abr compagnie républicaine de sécurité*) *etwa* Bereitschaftspolizei *f*.
cru, ~e [kry] **1.** *p/p von croire*; **2.** *adj* ungekocht, unbearbeitet, roh; grell; *fig* geradeheraus; **3.** *m* (Wein-)Gebiet *n*; Weinberg *m*; *du ~* einheimisch; *fig de mon ~* von mir erfunden.
cruauté [kryote] *f* Grausamkeit *f*.
cruche [kryʃ] *f* Krug *m*.
cruci|al, ~ale [krysjal] (⚠ *m/pl -aux*) entscheidend.
cruci|fié [krysifje] *m* Gekreuzigte(r) *m*; **~fiement** [-fimɑ̃] *m* Kreuzigung *f*; **~fier** [-fje] (1a) kreuzigen; **~fix** [-fi] *m* Kruzifix *n*; **~fixion** [-fiksjõ] *f Kunst*: Kreuzigung *f*.
crudité [krydite] *f* Grobheit *f*; Härte *f*; **~s** *pl* Rohkost *f*.
crue [kry] *f* Hochwasser *n*.
cruel, ~le [kryɛl] grausam.
crûment [krymɑ̃] *adv* unumwunden, schonungslos.
crus [kry] *p/s von croire*.
crustacés [krystase] *m/pl zo* Krusten-, Krebstiere *n/pl*.
crypte [kript] *f* Krypta *f*.
cubage [kybaʒ] *m* Kubikinhalt *m*.
cub|e [kyb] *math* **1.** *m* Würfel *m*; Kubikzahl *f*, dritte Potenz *f*; **2.** *adj* Kubik...; **~ique** kubisch; **~isme** *m Kunst*: Kubismus *m*; **~iste** *m* Kubist *m*.
cueill|ette [kœjɛt] *f* Obsternte *f*; Erntezeit *f*; **~ir** (2c) pflücken; *fig* ernten.
cuiller *od* **cuillère** [kɥijɛr] *f* Löffel *m*.
cuillerée [kɥij(e)re] *f* Löffelvoll *m*.
cuir [kɥir] *m* Leder *n*; *~ chevelu* Kopfhaut *f*.
cuirass|e [kɥiras] *f* Harnisch *m*; Panzer *m* (*a zo u mar*); **~é, ~ée 1.** *adj* gepanzert; **2.** *m* Panzerkreuzer *m*; **~er** (1a) panzern.
cuire [kɥir] (4c) kochen; braten; backen; *faire ~ qc* etw kochen, braten, backen; ⚠ *aber*: *faire du café* Kaffee kochen; *l'eau bout* das Wasser kocht.
cuisine [kɥizin] *f* Küche *f*; *faire la ~* kochen (*die Mahlzeiten bereiten*).
cuisin|é [kɥizine] *plat m ~* Fertiggericht *n*; **~er** (1a) zubereiten, kochen; **~ier** [-je] *m* Koch *m*; **~ière** *f* [-jɛr] Köchin *f*; Küchenherd *m*.
cuiss|e [kɥis] *f* (Ober-)Schenkel *m*; **~eau** *m* (⚠ *pl ~x*) Kalbskeule *f*.
cuisson [kɥisõ] *f* Kochen *n*; Backen *n*; Sieden *n*; Garen *n*.
cuistre [kɥistrə] *litt m* Pedant *m*.
cuit, cuite [kɥi, kɥit] *p/p von cuire u adj* **1.** gekocht; gebraten; gebacken; **2.** *Ton etc*: gebrannt.
cuite [kɥit] *f* **1.** Brennen *n*, Brand *m* (*von Porzellan*); **2.** F Rausch *m*.
cuivr|e [kɥivrə] *m* Kupfer *n*; *~ jaune* Messing *n*; **~er** (1a) verkupfern.
cul [ky] *m* P Arsch *m*.
culbut|e [kylbyt] *f* Purzelbaum *m*; *faire la ~* e-n Purzelbaum schießen; **~er** (1a) umwerfen; über den Haufen rennen; *Wagen*: sich überschlagen.
cul-de-jatte [kydʒat] *m* (⚠ *pl culs--de-jatte*) Krüppel *m* ohne Beine.
cul-de-sac [kydsak] *m* (⚠ *pl culs-de--sac*) Sackgasse *f* (*a fig*).
culinaire [kylinɛr] Koch..., Küchen..., kulinarisch.
culmin|ant [kylminɑ̃] *point m ~ astr* Kulminationspunkt *m*; *fig* Höhepunkt *m*; **~er** (1a) seinen höchsten

Punkt haben; *fig* den Höhepunkt erreichen.

culot [kylo] F *m* Frechheit *f*, Unverschämtheit *f*.

culott|e [kylɔt] *f* (kurze) Hose *f*; Schlüpfer *m*; **~é, ~ée** F frech, dreist.

culpabilité [kylpabilite] *f* Schuld *f*.

culte [kylt] *m rel* Kult(us) *m*; Religion *f*; Konfession *f*; Gottesdienst *m*.

cultiv|able [kyltivablə] *agr* anbaufähig; **~ateur, ~atrice** [-atœr, -atris] *m, f* Landwirt(in) *m(f)*; **~é, ~ée** *agr* bebaut; *fig* gebildet; **~er** (1a) **1.** *agr* an-, bebauen, bestellen; (an)pflanzen, ziehen; **2.** *fig* betreiben, pflegen, üben; *se* ~ sich weiterbilden.

cultur|e [kyltyr] *f* **1.** *agr* Bebauung *f*; Zucht *f*; Anbau *m*; **2.** Bildung *f*; Kultur *f*; **~el, ~elle** kulturell, Kultur...; **~isme** *m* Bodybuilding *n*.

cumin [kymɛ̃] *m bot* Kümmel *m*.

cumuler [kymyle] (1a) *mehrere Ämter etc*: gleichzeitig bekleiden *od* haben.

cunéiforme [kyneifɔrm] keilförmig.

cupidité [kypidite] *f* Begierde *f*, Habsucht *f*.

cur|able [kyrablə] heilbar; **~ateur** [-atœr] *m jur* Pfleger *m*.

cure [kyr] *f* **1.** *méd* Kur *f*; **2.** *égl* Pfarre *f*; Pfarrstelle *f*.

curé [kyre] *m* (katholischer) Pfarrer *m*.

cure-dent [kyrdɑ̃] *m* (⚠ *pl cure-dents*) Zahnstocher *m*.

curer [kyre] (1a) reinigen, säubern.

curi|eux, ~euse [kyrjø, -øz] **1.** neugierig; wißbegierig; **2.** seltsam, sonderbar.

curiosité [kyrjɔzite] *f* **1.** Neugierde *f*; Wißbegier *f*; **2.** *~s pl* Sehenswürdigkeiten *f/pl*.

curiste [kyrist] *m, f* Kurgast *m*.

curriculum vitæ [kyrikylɔmvite] *m* (⚠ *pl unv*) Lebenslauf *m*.

cutané, ~e [kytane] Haut...

cuv|e [kyv] *f* Gärbehälter *m*, Bütte *f*, Bottich *m*; **~ée** [-e] *f* Inhalt *m* e-s Gärbehälters; Weinsorte *f*; **~er** (1a) in der Kellerei gären; *fig* ~ *son vin* seinen Rausch ausschlafen; **~ette** [-ɛt] *f* (Wasch-)Schüssel *f*; Waschbecken *n*.

CV *m* (*abr cheval-vapeur*) *auto* (Steuer-)PS *n*.

cybernét|icien, ~icienne [sibɛrnetisjɛ̃, -isjɛn] *m, f* Kybernetiker(in) *m(f)*; **~ique** *f* Kybernetik *f*.

cyclable [siklablə] *piste f* ~ Radfahrweg *m*.

cyclamen [siklamɛn] *m bot* Alpenveilchen *n*.

cycle[1] [siklə] *m* **1.** *allg* Kreis *m*; Zyklus *m*; *Literatur*: Sagenkreis *m*; **2.** *Schule*: ~ *élémentaire* 1.–5. Volksschulklasse *f*; *premier* ~ 1.–4. Gymnasialklasse; *Universität*: 1. + 2. Studienjahr *n*; *second* ~ 5.–7. Gymnasialklasse; *Universität*: 3. + 4. Studienjahr *n*; *troisième* ~ Studienzeit nach ‚licence' + ‚maîtrise' mit Abschluß ‚doctorat'.

cycle[2] [siklə] *m meist pl ~s* Fahr- *u* Dreiräder *n/pl*.

cycl|isme [siklismə] *m* Radsport *m*; **~iste** *m, f* Radfahrer(in) *m(f)*; **~omoteur** [-ɔmɔtœr] *m* Mofa *n*.

cyclone [siklon] *m* Wirbelsturm *m*.

cygne [siŋ] *m zo* Schwan *m*.

cylindr|e [silɛ̃drə] *m math, tech* Zylinder *m*; Walze *f*; Rolle *f*; ⚠ *nicht* Zylinder(hut); **~ée** [-e] *f auto* Hubraum *m*; **~er** (1a) walzen.

cymbale [sɛ̃bal] *f mus* Becken *n*.

cyn|ique [sinik] zynisch; *philos* kynisch; **~isme** *m* Zynismus *m*; *philos* Kynismus *m*.

cyprès [siprɛ] *m* Zypresse *f*; ⚠ *le* ~.

cyrillique [sirilik] kyrillisch.

cystite [sistit] *f méd* Blasenentzündung *f*.

D

dactylo [daktilo] *f* Schreibkraft *f*; Maschinenschreiben *n*; **~graphie** [-grafi] *f* Maschinenschreiben *n*.

dada [dada] *m enf* Pferdchen *n*; F Steckenpferd *n*.

dadais [dadɛ] *m* (*grand*) ~ Tolpatsch *m*.

daigner [dɛɲe] (1b) *st/s* ~ (+ *inf*) die

Güte haben zu (+ *inf*), geruhen zu (+ *inf*).
daim [dɛ̃] *m* Damhirsch *m*; Damwild *n*; Wildleder *n*.
dais [dɛ] *m* Baldachin *m*.
dallage [dalaʒ] *m* Plattenbelag *m*.
dall|e [dal] *f* **1.** Steinplatte *f*; Fliese *f*; **2.** P *que* ~ nichts; **~er** (1a) mit Platten belegen.
dalton|ien, ~ienne [daltɔnjɛ̃, -jɛn] farbenblind.
damas [dama] *m* Damast(seide *f*) *m*; Damaszenerklinge *f*.
dam|e [dam] *f* **1.** Dame *f* (*a im Karten-, Schach- u Damespiel*); Frau *f*; **2.** *tech* Stampfer *m*; **~e-jeanne** [-ʒan] *f* (⚠ *pl dames-jeannes*) große (Korb-)Flasche *f*; **~er** (1a) *Dame-, Schachspiel*: zur Dame machen; *tech* (fest)stampfen.
damier [damje] *m* Schachbrett *n*.
damn|able [danablə] *rel* verdammenswert; **~ation** *f* Verdammung *f*, Verdammnis *f*; **~er** (1a) verdammen; *fig faire* ~ *qn* j-n zur Verzweiflung bringen.
dancing [dɑ̃siŋ] *m* Tanzlokal *n*.
dandin|ement [dɑ̃dinmɑ̃] *m* Schwanken *n*, Schaukeln *n*; **~er** (1a) *se* ~ hin und her schaukeln; watscheln.
dandy [dɑ̃di] *m* Dandy *m*.
Danemark [danmark] *le* ~ Dänemark *n*.
danger [dɑ̃ʒe] *m* Gefahr *f*; ~ *de mort* Lebensgefahr *f*; *courir le* ~ *de* (+ *inf*) Gefahr laufen zu (+ *inf*).
danger|eux, ~euse [dɑ̃ʒrø, -øz] gefährlich.
dan|ois, ~oise [danwa, -waz] **1.** *adj* dänisch; **2.** ♀ *m, f* Däne, Dänin *m, f*.
dans [dɑ̃] **1.** *örtlich*: in, auf, an; ~ *la rue* auf der Straße; ~ (*od chez*) *Molière* bei Molière; *fig être* ~ *le commerce* im Handel tätig sein; *boire* ~ *un verre* aus e-m Glas trinken; **2.** *zeitlich*: innerhalb von, in; ~ *les 24 heures* innerhalb von 24 Stunden; ~ *trois jours* in 3 Tagen; **3.** *Art u Weise*: ~ *ces circonstances* unter diesen Umständen; *avoir* ~ *les 50 ans* etwa 50 Jahre alt sein.
dans|ant, ~ante [dɑ̃sɑ̃, -ɑ̃t] tanzend; *soirée f dansante* Tanzabend *m*.
dans|e [dɑ̃s] *f* Tanz *m*; ⚠ *la* ~; **~er** (1a) tanzen; **~eur** *m*, **~euse** *f* Tänzer(in) *m(f)*.
Danube [danyb] *le* ~ die Donau.
dard [dar] *m hist* Wurfspieß *m*; *Biene, Skorpion etc*: Stachel *m*.
dare-dare [dardar] F eiligst, schleunigst.
darne [darn] *f* Fischfilet *n*.
dartre [dartrə] *f méd* (Haut-)Flechte *f*.
dat|e [dat] *f* Datum *n*; Zeitpunkt *m*; Termin *m*; *de longue* ~ seit langem; ⚠ *la* ~; **~er** (1a) datieren; ~ *de* stammen aus; *à* ~ *de ce jour* von diesem Tage an.
datt|e [dat] *f* Dattel *f*; **~ier** [-je] *m* Dattelpalme *f*.
daube [dob] *f cuis* Schmoren *n*; Schmorfleisch *n*.
dauphin [dofɛ̃] *m* **1.** *zo* Delphin *m*; **2.** *hist* Dauphin *m* (*französischer Thronfolger*); *fig* Kronprinz *m*, Nachfolger *m*.
davantage [davɑ̃taʒ] mehr (*que* als).
D.C.A. *f* (*abr défense contre avions*) Flak *f*.
de [də] (*vor Vokal u stummem h d'*; ⚠ *„de le" wird zu du, „de les" zu des*); **1.** *prép* von; *örtlich*: von ... her, von ... weg, aus; ~ *ce côté-ci* von, auf, nach dieser Seite; *zeitlich*: ~ *jour* tagsüber; ~ *nos jours* heutzutage; *je n'ai pas dormi* ~ *la nuit* ich habe die ganze Nacht nicht geschlafen; ~ ... *à* von ... bis; *Grund*: ~ *peur* vor Angst; *Art u Weise*: ~ *force* mit Gewalt; ~ *plus en plus grand* immer größer; *Maßangabe*: *une planche* ~ *10 cm* ~ *large* ein 10 cm breites Brett; *vor inf*: zu; *cesser* ~ *travailler* aufhören zu arbeiten; **2.** *Teilungsartikel* (*meist unübersetzt*): *du pain* Brot; *des petits pains* Brötchen; ⚠ *nach Mengenangaben nur de*.
dé [de] *m* (*Spiel-*)Würfel *m*; ~ (*à coudre*) Fingerhut *m*.
déambul|atoire [deɑ̃bylatwar] *m arch* Chorumgang *m*; **~er** (1a) umherschlendern.
débâcle [debɑklə] *f* Eisgang *m*; *fig* wilde Flucht *f*, Auflösung *f*; Zusammenbruch *m*; Debakel *n*; ⚠ *la* ~.
déballer [debale] (1a) auspacken.
débandade [debɑ̃dad] *f* Auseinanderrennen *n*; Auflösung *f*.
débarbouiller [debarbuje] (1a) ~ *un enfant* e-m Kind das Gesicht waschen.
débarcadère [debarkadɛr] *m mar* Landungsbrücke *f*; Landeplatz *m*.
débard|age [debardaʒ] *m mar*

Löschen *n*; **~er** (1a) *mar* ausladen, löschen; *Holz*: abfahren.
débarqu|ement [debarkəmɑ̃] *m* Ausladen *n*, Löschen *n*; *Passagiere*: Anlandgehen *n*, Vonbordgehen *n*; *mil* Landung *f*; **~er** (1m) *mar* ans Land setzen, ausladen; *mil Truppen*: landen; *allg* an Land *od* von Bord gehen.
débarr|as [debara] *m* **1.** F *bon* ~ e-e wahre Erlösung!; **2.** Abstellraum *m*; **~asser** [-ase] (1a) aus-, abräumen; ~ *de qc* von etw befreien; *se* ~ *de qn* (*qc*) sich j-n (etw) vom Halse schaffen.
débat [deba] *m* Debatte *f*, Erörterung *f*; ⚠ *le* ~.
débattre [debatrə] (4a) ~ *qc* etw debattieren, durchsprechen; *se* ~ sich wehren; *fig* sich abmühen (*contre* mit).
débauch|e [deboʃ] *f* Ausschweifung *f*; **~é, ~ée 1.** *adj* ausschweifend, lasterhaft, liederlich; **2.** *m*, *f* Wüstling *m*; liederliches Frauenzimmer *n*; **~er** (1a) **1.** *Personal*: entlassen, abbauen; abwerben; **2.** F verleiten, verführen.
débil|e [debil] **1.** *adj* schwächlich; hinfällig; *fig* ohnmächtig; F blöd, doof; **2.** *m* ~ *mental* Schwachsinnige(r) *m*; **~ité** *f* Schwäche *f*; ~ *mentale* Schwachsinn *m*.
débin|e [debin] P *f* Not *f*, Elend *n*; **~er** (1a) F anschwärzen; *se* ~ türmen, abhauen.
débit [debi] *m* **1.** Absatz *m*; Vertrieb *m*; **2.** ~ *de tabac* Tabakladen *m*; ~ *de boissons* Schankwirtschaft *f*; **3.** Redeweise *f*; Vortrag *m*; **4.** Ergiebigkeit *f*; Durchflußmenge *f*; Ausstoß *m*; Leistung *f*; **5.** *comm* Soll *n*, Debet *n*.
débit|ant, ~ante [debitɑ̃, -ɑ̃t] *m*, *f* Inhaber(in) *m*(*f*) e-s Ausschanks, e-s Tabakladens; **~er** (1a) **1.** verkaufen, absetzen; **2.** *péj* von sich geben; aufsagen; herleiern; **3.** liefern, abgeben, ausstoßen; **4.** *comm* ~ *qn d'une somme* j-n mit e-m Betrag belasten.
débi|teur *m*, **~trice** *f* [debitœr, -tris] **1.** *m*, *f* Schuldner(in) *m*(*f*); **2.** *adj* Schuldner...
déblai [deblɛ] *m meist* **~s** *pl* Aushub *m*; Schutt *m*, Trümmer *pl*.
déblatérer [deblatere] (1f) ~ *contre* schimpfen auf.
déblayer [deblɛje] (1i) *e-n Platz*: abräumen; *von Schutt*: freilegen; *Erde etc*: wegschaffen.
déblocage [deblɔkaʒ] *m tech* Lösen *n*; *écon* ~ *des prix* Freigabe *f* der Preise.
débloquer [deblɔke] (1m) *tech* lösen; *écon Preise etc*: freigeben; F Blödsinn reden.
déboires [debwar] *m*/*pl* Enttäuschungen *f*/*pl*.
déboiser [debwaze] (1a) abholzen; entwalden.
déboîter [debwate] (1a) ausrenken; *auto* ausscheren.
débonnaire [debɔnɛr] gutmütig.
débord|ement [debɔrdəmɑ̃] *m* Überlaufen *n*, Überschwemmung *f*; *fig* ~ *de joie* Überschwang *m* der Freude; **~s** *pl* Exzesse *m*/*pl*; **~er** (1a) über die Ufer treten; überlaufen; *fig faire* ~ *le vase* das Maß vollmachen; ~ *de santé* vor Gesundheit strotzen.
débouch|é [debuʃe] *m* **1.** Ausgang *m*; Einmündung *f*; **2.** *écon* Absatzmarkt *m*; **3.** **~s** *pl* Berufsaussichten *f*/*pl*; **~er** (1a) entkorken; *Rohr*: freimachen; ~ *de* herauskommen aus; *Weg*: ~ *dans* einmünden in; *fig* ~ *sur* führen zu.
déboucler [debukle] (1a) aufschnallen.
débouler [debule] (1a) herunterrennen, -purzeln.
déboulonner [debulɔne] (1a) abschrauben; *fig* ~ *qn* j-n absägen.
débourser [deburse] (1a) *Geld*: ausgeben.
debout [dəbu] aufrecht(stehend); *être* ~ stehen; auf(gestanden) sein; *fig tenir* ~ Hand und Fuß haben.
déboutonner [debutɔne] (1a) aufknöpfen.
débraillé, ~e [debraje] schlampig, salopp.
débrancher [debrɑ̃ʃe] (1a) *tech* abschalten.
débrayer [debrɛje] (1i) auskuppeln; *fig* die Arbeit niederlegen.
débridé, ~e [debride] zügellos; entfesselt.
débris [debri] *m*/*pl* Trümmer *pl*; Scherben *f*/*pl*.
débrouill|ard, ~arde [debrujar, -ard] pfiffig, schlau; **~er** (1a) entwirren, ordnen; *fig* (auf)klären; *se* ~ sich zu helfen wissen, zurechtkommen.
débusquer [debyske] (1m) aufscheuchen; vertreiben; *fig* verdrängen.
début [deby] *m* Beginn *m*, Anfang *m*; *Theater*, *Politik etc*: **~s** *pl* Debüt *n*,

erstes Auftreten *n*; ~ *mai* Anfang Mai.
début|ant, ~ante [debytɑ̃, -ɑ̃t] *m, f* Anfänger(in) *m(f)*; Neuling *m*; **~er** (1a) anfangen, beginnen.
deçà [dəsa] *adv en* ~ diesseits; *prép en* ~ *de* diesseits (+ *gén*).
décacheter [dekaʃte] (1c) *Umschlag*: öffnen.
décad|ence [dekadɑ̃s] *f* Verfall *m*; Dekadenz *f*; **~ent, ~ente** [-ɑ̃, -ɑ̃t] dekadent; angekränkelt.
décaféiné, ~e [dekafeine] *café m* ~ koffeinfreier Kaffee *m*.
décal|age [dekalaʒ] *m* Verschiebung *f*; Abstand *m*; Unterschied *m*; **~er** (1a) verschieben; versetzen.
décalqu|age [dekalkaʒ] *m od* **décalqu|e** [dekalk] *m* (Ab-, Durch)Pausen *n*; Pause *f*; **~er** (1m) (ab-, durch-) pausen.
décamper [dekɑ̃pe] (1a) F abhauen, sich verziehen.
décaper [dekape] (1a) abbeizen; entrosten.
décapiter [dekapite] (1a) enthaupten, köpfen.
décapotable [dekapɔtablə] **1.** *adj* mit zurückklappbarem Verdeck; **2.** *f* (*voiture f*) ~ Kabriolett *n*.
décapsul|er [dekapsyle] (1a) den Deckel abnehmen von; **~eur** *m* Flaschenöffner *m*.
décéd|é, ~ée [desede] verstorben; **~er** (1f) (ver)sterben, verscheiden.
déceler [desle] (1d) nachweisen, feststellen; erkennen lassen.
décembre [desɑ̃brə] *m* Dezember *m*.
décence [desɑ̃s] *f* Anstand *m*.
décennie [deseni] *f* Jahrzehnt *n*.
déc|ent, ~ente [desɑ̃, -ɑ̃t] (wohl)anständig; zurückhaltend; diskret; ⚠ *adv décemment* [-amɑ̃].
décentraliser [desɑ̃tralize] (1a) dezentralisieren.
déception [desɛpsjõ] *f* Enttäuschung *f*.
décerner [desɛrne] (1a) *Preis*: verleihen, zuerkennen.
décès [desɛ] *m* Ableben *n*; Tod *m*.
décev|ant, ~ante [desəvɑ̃, -ɑ̃t] enttäuschend.
décevoir [desəvwar] (3a) enttäuschen.
déchaîn|ement [deʃɛnmɑ̃] *m* Entfesselung *f*; Ausbruch *m*; **~er** (1b) losketten; *fig* entfesseln; *se* ~ aus-, losbrechen.
déchanter [deʃɑ̃te] (1a) klein beigeben.
décharg|e [deʃarʒ] *f phys* Entladung *f*; *comm u jur* Entlastung *f*; *mil* Salve *f*; ~ *publique* Müllkippe *f*, Deponie *f*; **~er** (1l) ab-, ausladen; entladen (*a Batterie*); *mar* löschen; *fig* entlasten; erleichtern; *Waffe*: abfeuern.
décharné, ~e [deʃarne] mager, dürr.
déchausser [deʃose] (1a) ~ *qn* j-m die Schuhe ausziehen; *se* ~ sich die Schuhe ausziehen; *Zahn*: wackeln.
dèche [dɛʃ] F *f* Geldverlegenheit *f*; F Klemme *f*.
déchéance [deʃeɑ̃s] *f* Verfall *m*; *jur* Verlust *m* e-s Rechtes.
déchet [deʃɛ] *m meist pl* **~s** Abfälle *m/pl*, Abfall *m*.
déchiffrer [deʃifre] (1a) entschlüsseln, entziffern; *mus* vom Blatt spielen *od* singen.
déchiquet|e, ~ée [deʃikte] gezackt, zerklüftet; **~er** (1c) zerstückeln, zerfetzen.
déchir|ant, ~ante [deʃirɑ̃, -ɑ̃t] herzzerreißend; **~ement** [-mɑ̃] *m* (Zer-) Reißen *n*; *fig* (tiefer) Schmerz *m*; **~er** (1a) zerreißen (*a fig*); *se* ~ reißen; **~ure** [-yr] *f* Riß *m*.
déchoir [deʃwar] (3m) verfallen; ~ *de son rang* seinen Rang verlieren.
déchu, ~e [deʃy] heruntergekommen; *Herrscher*: gestürzt.
décid|é, ~ée [deside] entschlossen; bestimmt; *être* ~ *à qc* entschlossen sein zu etw; **~ément** [-emɑ̃] *adv* wirklich; entschieden; **~er** (1a) ~ *qc* etw beschließen; ~ *qn à (faire) qc* j-n zu etw veranlassen; ~ *de qc* über etw entscheiden; ~ *de* (+ *inf*) *od se* ~ *à* (+ *inf*) beschließen zu (+ *inf*), sich entschließen zu (+ *inf*).
décimal, ~e [desimal] (⚠ *m/pl -aux*) Dezimal..., Zehner...
décis|if, ~ive [desizif, -iv] entscheidend; **~ion** *f* Entscheidung *f*; Entschluß *m*; Entschlossenheit *f*.
déclam|atoire [deklamatwar] *péj* schwülstig; **~er** (1a) deklamieren.
déclar|ation [deklarasjõ] *f* Erklärung *f*; *bei Behörden*: Anmeldung *f*; **~er** (1a) erklären; anmelden; angeben; *se* ~ sich äußern; *Feuer, Epidemie*: ausbrechen; *se* ~ *coupable* sich für schuldig erklären.
déclasser [deklase] (1a) deklassieren; niedriger einstufen.
déclench|ement [deklɑ̃ʃmɑ̃] *m* Aus-

lösen *n*, -ung *f*; **~er** (1a) auslösen; *se* ~ losgehen; ausbrechen; **~eur** *m* *Foto*: Auslöser *m*.
déclic [deklik] *m* Auslösevorrichtung *f*; Klicken *n*.
déclin [deklɛ̃] *m* Niedergang *m*, Verfall *m*.
déclin|aison [deklinɛzõ] *f gr* Deklination *f*; **~er** (1a) verfallen; abnehmen; *Gesundheit*: sich verschlechtern; *Angebot*, *Ehrung*, *Verantwortung*: ablehnen; *gr* deklinieren; ~ *ses nom*, *prénoms et qualités* seine Personalien angeben.
déclive [dekliv] (*en*) ~ abschüssig.
décocher [dekɔʃe] (1a) *Pfeil*: abschießen; *Blick*: werfen.
décoiffer [dekwafe] (1a) *Haare*: zerzausen.
décoll|age [dekɔlaʒ] *m aviat* Start *m*; **~er** (1a) *Geleimtes*: losmachen, ablösen; *aviat* starten, abheben.
décollet|é, ~ée [dekɔlte] **1.** *adj Kleid*: ausgeschnitten; **2.** *m* Dekolleté *n*.
décoloniser [dekɔlɔnize] (1a) entkolonisieren.
décolorer [dekɔlɔre] (1a) bleichen.
décombres [dekõbrə] *m/pl* Trümmer *pl*; (Bau-)Schutt *m*.
décommander [dekɔmɑ̃de] (1a) abbestellen; absagen.
décompos|er [dekõpɔze] (1a) zersetzen; zerlegen; *fig* entstellen; *se* ~ verwesen; *Gesicht*: sich verzerren; **~ition** *f* Zerlegung *f*; Verwesung *f*.
décompt|e [dekõt] *m* Abzug *m* (*von e-r Summe*); Abrechnung *f*; **~er** (1a) abrechnen, abziehen.
déconcert|ant, ~ante [dekõsɛrtɑ̃, -ɑ̃t] verwirrend, beunruhigend; **~er** (1a) ~ *qn* j-n aus der Fassung bringen.
déconf|it, ~ite [dekõfi, -it] betreten; enttäuscht; **~iture** [-ityr] *f* Scheitern *n*; Pleite *f*.
décongeler [dekõʒle] (1d) auftauen.
décongestionner [dekõʒɛstjɔne] (1a) *Straße*: entlasten.
déconnecter [dekɔnɛkte] (1a) abschalten.
déconner [dekɔne] P (1a) Blödsinn machen, reden.
déconseiller [dekõsɛje] (1b) abraten (*qc à qn* j-m von etw).
déconsidérer [dekõsidere] (1f) in Mißkredit bringen.
décontenancer [dekõtnɑ̃se] (1k) aus der Fassung bringen.
décontracté, ~e [dekõtrakte] entspannt; F lässig; zwanglos.
déconvenue [dekõvny] *f* Enttäuschung *f*.
décor [dekɔr] *m* Ausstattung *f*; Schmuck *m*; **~s** *pl* Bühnenbild *n*; *fig* Umgebung *f*; **~atif, ~ative** [-atif, -ativ] schmückend; **~ation** *f* Verzierung *f*; Orden *m*; **~er** (1a) ausschmücken (*de* mit); ~ *qn* j-m e-n Orden verleihen.
décortiquer [dekɔrtike] (1m) schälen; *fig* zerpflücken.
découcher [dekuʃe] (1a) auswärts schlafen.
découdre [dekudrə] (4d) auftrennen.
découler [dekule] (1a) ~ *de* herrühren aus, sich ergeben aus.
découper [dekupe] (1a) ausschneiden, zerschneiden; *fig se* ~ sich abheben (*sur* von *od* gegen).
découpure [dekupyr] *f* Aus-, Einschnitt *m*.
décourag|ement [dekuraʒmɑ̃] *m* Mutlosigkeit *f*; **~er** (1l) entmutigen; ~ *qn de qc* j-n von etw abbringen; *se* ~ den Mut verlieren.
décousu, ~e [dekuzy] ab-, aufgetrennt; *fig* zusammenhanglos.
découv|ert, ~erte [dekuvɛr, -ɛrt] unbedeckt, offen; *fig à visage découvert* ohne Verstellung; *à découvert* ungedeckt (*a Konto*).
découverte [dekuvɛrt] *f* Entdeckung *f*.
découvrir [dekuvrir] (2f) aufdecken; entdecken; *se* ~ den Hut abnehmen; *Wetter*: sich aufklären, aufklaren.
décrasser [dekrase] (1a) säubern.
décrép|it, ~ite [dekrepi, -it] altersschwach.
décret [dekrɛ] *m* Verordnung *f*, Erlaß *m*.
décréter [dekrete] (1f) ver-, anordnen.
décrire [dekrir] (4f) beschreiben.
décrocher [dekrɔʃe] (1a) vom Haken nehmen; abnehmen (*a tél*); F *fig Preis etc*: erlangen.
décroissance [dekrwasɑ̃s] *f* Abnahme *f*, Rückgang *m*, Sinken *n*.
décroître [dekrwɑtrə] (4w) abnehmen, zurückgehen, schwinden.
décrotter [dekrɔte] (1a) säubern, den Schmutz abkratzen (*qc* von etw).
décrypter [dekripte] (1a) entschlüsseln.

déçu, ~e [desy] *p/p von décevoir u adj* enttäuscht.
décupler [dekyple] (1a) (sich) verzehnfachen.
dédaign|er [dedɛɲe] (1b) verachten, geringschätzen; verschmähen; ~ *de* (+ *inf*) es nicht der Mühe wert halten zu (+ *inf*); **~eux, ~euse** [-ø, -øz] verächtlich, geringschätzig.
dédain [dedɛ̃] *m* Verachtung *f*, Geringschätzung *f*.
dédale [dedal] *m* Labyrinth *n*.
dedans [dədɑ̃] **1.** *adv* darin; hinein; **2.** *m* Innere(s) *n*.
dédicace [dedikas] *f* Widmung *f*.
dédier [dedje] (1a) weihen; widmen.
dédire [dedir] (4m) *se* ~ sein Wort zurücknehmen; ⚠ *vous vous dédisez*.
dédommag|ement [dedɔmaʒmɑ̃] *m* Entschädigung *f*; **~er** (1l) entschädigen (*de* für).
dédouaner [dedwane] (1a) verzollen, zollamtlich abfertigen.
dédoubler [deduble] (1a) halbieren; teilen.
déduction [dedyksjõ] *f comm* Abzug *m*; *phil* Ableitung *f*, Schlußfolgerung *f*.
déduire [dedɥir] (4c) *comm* abziehen; *phil* deduzieren; *allg* folgern, ableiten (*de* von).
déesse [deɛs] *f* Göttin *f*.
défaill|ance [defajɑ̃s] *f* Ohnmacht *f*, Schwäche *f*; *tech* Versagen *n*; **~ant, ~ante** [-ɑ̃, -ɑ̃t] kraftlos, schwach.
défaillir [defajir] (2n) schwach, ohnmächtig werden.
défaire [defɛr] (4n) auf-, losmachen; auseinandernehmen; *st/s* ~ *qn de* j-n befreien von; *se* ~ sich (auf)lösen; *se* ~ *de qn, de qc* sich j-n, etw vom Halse schaffen.
défaite [defɛt] *f* Niederlage *f*.
défait|isme [defɛtismə] *m* Defätismus *m*, Miesmacherei *f*; **~iste** *m, f* Defätist(in) *m(f)*, Miesmacher *m*.
défaut [defo] *m* **1.** Fehler *m*; Mangel *m*; ~ *de caractère* Charakterfehler *m*; **2.** Fehlen *n*; *à* ~ *de* in Ermangelung von; *faire* ~ fehlen; **3.** *jur* Nichterscheinen *n*; ⚠ *nicht verwechseln mit la faute*.
défaveur [defavœr] *f* Ungnade *f*.
défavor|able [defavɔrablə] ungünstig; **~iser** (1a) benachteiligen.
défection [defɛksjõ] *f* Abtrünnigwerden *n*, Abfall *m*.
défectu|eux, ~euse [defɛktɥø, -øz] mangelhaft; defekt; **~osité** [-ozite] *f* Mangelhaftigkeit *f*; Fehler *m*.
défendable [defɑ̃dablə] vertretbar.
défendre [defɑ̃drə] (4a) **1.** verteidigen; **2.** verbieten (*qc à qn* j-m etw; *à qn de faire qc* j-m, etw zu tun).
défens|e [defɑ̃s] *f* **1.** *mil* Verteidigung *f* (*a fig, jur*); **2.** Verbot *n*; **3.** *zo* Stoßzahn *m*; **~eur** *m* Verteidiger(in) *m(f)* (*a jur*); **~ive** [-iv] *f* Defensive *f*; *être sur la* ~ in der Defensive sein.
déférence [deferɑ̃s] *f* Ehrerbietung *f*.
déférer [defere] (1f) ~ *qn à la justice* j-n vor Gericht bringen.
déferler [defɛrle] (1a) branden; *fig* strömen.
défi [defi] *m* Herausforderung *f*.
défi|ance [defjɑ̃s] *f* Mißtrauen *n*; **~ant, ~ante** [-ɑ̃, -ɑ̃t] mißtrauisch.
déficience [defisjɑ̃s] *f* Schwäche *f*.
déficit [defisit] *m* Fehlbetrag *m*, Defizit *n*; **~aire** [-ɛr] defizitär; Verlust...
défier [defje] (1a) ~ *qn* j-n herausfordern; *fig* ~ *qc* e-r Sache trotzen; *st/s se* ~ *de qn* j-m mißtrauen.
défigurer [defigyre] (1a) entstellen, verunstalten.
défil|é [defile] *m* Aufmarsch *m*, Parade *f*; *géogr* Engpaß *m*; **~er** (1a) vorbei-, aufmarschieren.
défin|i, ~ie [defini] bestimmt; **~ir** (2a) bestimmen; **~itif, ~itive** [-itif, -itiv] endgültig; *en définitive* schließlich; **~ition** *f* (Begriffs-)Bestimmung *f*.
défleurir [deflœrir] (2a) ab-, verblühen.
défoliation [defɔljasjõ] *f bot* Laubfall *m*; *mil* Entlaubung *f*.
défoncer [defõse] (1k) den Boden einschlagen; eindrücken; *Straße*: stark beschädigen.
déform|ation [defɔrmasjõ] *f* Verformung *f*; Mißbildung *f*; Entstellung *f* (*a fig*); ~ *professionnelle* Abfärben *n* des Berufs auf den Menschen; **~er** (1a) verformen, verunstalten, entstellen, verzerren; *se* ~ sich verformen.
défouler [defule] (1a) *se* ~ sich abreagieren; sich austoben.
défricher [defriʃe] (1a) *agr* urbar machen; roden.
défroisser [defrwase] (1a) *Kleidung etc*: glätten, glattstreichen.
défunt [defɛ̃, -fœ̃], **défunte** [defɛ̃t, -fœ̃t] **1.** *adj* verstorben; **2.** *m, f* Verstorbene(r) *m, f*.

dégag|é, ~ée [degaʒe] frei; klar; ungezwungen; **~ement** [-mɑ̃] *m* Befreiung *f*; Freilegung *f e-r Straße*; Freiwerden *n*, Freisetzung *f*; voie *f* de ~ Entlastungsstraße *f*; **~er** (1l) aus-, einlösen; befreien, entbinden; freimachen, -legen; räumen; ausstrahlen, verströmen.
dégarnir [degarnir] (2a) (ab-, aus-) räumen; entblößen; se ~ leer *od* kahl werden.
dégât [degɑ] *m* Schaden *m*.
dégel [deʒɛl] *m* Auftauen *n*; Tauwetter *n* (*a pol*).
dégeler [deʒle] (1d) (auf)tauen.
dégénér|er [deʒenere] (1f) entarten; *fig* ausarten (en in); **~escence** [-esɑ̃s] *f* Entartung *f*.
dégivr|er [deʒivre] (1a) abtauen; *tech* enteisen, entfrosten; **~eur** *m* Enteiser *m*, Entfroster *m*.
déglutir [deglytir] (2a) schlucken.
dégobiller [degɔbije] (1a) P kotzen.
dégonfler [degɔ̃fle] (1a) Luft ab-, herauslassen (qc aus etw); se ~ (die) Luft verlieren; F e-n Rückzieher machen.
dégot(t)er [degɔte] (1a) F auftreiben, -gabeln.
dégouliner [deguline] (1a) tropfen, tröpfeln.
dégourd|i, ~ie [degurdi] pfiffig, aufgeweckt; **~ir** (2a) *Glieder*: bewegen, lockern; se ~ les jambes sich die Beine vertreten.
dégoût [degu] *m* Ekel *m*, Abscheu *m* (pour vor).
dégoût|ant, ~ante [degutɑ̃, -ɑ̃t] ekelhaft, abscheulich; **~er** (1a) anekeln; ~ qn de qc j-m etw verleiden.
dégoutter [degute] (1a) (herab)tropfen.
dégrader [degrade] (1a) herabsetzen, entwürdigen, erniedrigen; *mil* degradieren; se ~ *Lage*: sich verschlechtern; *Gebäude*: verfallen.
dégraisser [degrɛse] (1b) das Fett abschöpfen (qc von etw); Fettflecken entfernen (qc aus etw).
degré [dəgre] *m* Stufe *f*; Grad *m*; Stadium *n*; ⚠ *aber les grades militaires*.
dégrever [degrəve] (1d) *von Steuern etc*: entlasten.
dégringoler [degrɛ̃gɔle] (1a) F hinunterpurzeln.
dégriser [degrize] (1a) nüchtern machen.

déguenillé, ~e [deg(ə)nije] zerlumpt.
déguerpir [degɛrpir] (2a) sich aus dem Staube machen.
dégueulasse [degœlas] P zum Kotzen; widerlich.
déguis|ement [degizmɑ̃] *m* Verkleidung *f*; **~er** (1a) verkleiden; verstellen; se ~ sich verkleiden (en als).
dégust|ation [degystasjɔ̃] *f* Kosten *n*, Probieren *n*; **~er** (1a) kosten, probieren, versuchen.
dehors [dəɔr] **1.** *adv* draußen; hinaus; **2.** *prép* en ~ de außerhalb (+ *gén*); außer (+ *dat*); **3.** *m* Äußere(s) *n*.
déifier [deifje] (1a) zum Gott machen.
déjà [deʒa] schon, bereits.
déjection [deʒɛksjɔ̃] *f méd* Stuhlgang *m*; *géol* Auswurf *m*.
déjeuner [deʒœne] **1.** (1a) (zu) Mittag essen; frühstücken; **2.** *m* Mittagessen *n*; petit ~ Frühstück *n*.
déjouer [deʒwe] (1a) vereiteln.
delà [dəla] *cf* au-delà.
délabré, ~e [delabre] verfallen.
délacer [delase] (1k) aufschnüren.
délai [delɛ] *m* Aufschub *m*; Frist *f*, Termin *m*; sans ~ unverzüglich; dans les ~s termingerecht.
délaisser [delɛse] (1b) im Stich lassen; aufgeben; vernachlässigen.
délass|ement [delasmɑ̃] *m* Erholung *f*; **~er** (1a) entspannen; se ~ sich erholen.
déla|teur *m*, **~trice** *f* [delatœr, -tris] Denunziant(in) *m*(*f*); **~tion** *f* Denunziation *f*.
délavé, ~e [delave] verwaschen.
délayer [deleje] (1i) anrühren; *fig* verwässern.
delco [dɛlko] *m auto* Batteriezündanlage *f*.
délect|able [delɛktablə] *st/s* köstlich; **~er** (1a) se ~ à *od* de qc sich an etw ergötzen.
délégation [delegasjɔ̃] *f* Abordnung *f*, Delegation *f*; *jur* Vollmacht *f*.
délégu|é, ~ée [delege] *m, f* Beauftragte(r) *m, f*; Delegierte(r) *m, f*; **~er** (1f) *seine Amtsgewalt*: übertragen; *j-n* abordnen, entsenden.
délester [delɛste] (1a) entlasten; *iron* erleichtern (qn de qc j-n um etw).
délibér|ation [deliberasjɔ̃] *f* Beratung *f*; Überlegung *f*; Beschluß *m*; **~é, ~ée** entschlossen, entschieden; **~ément** [-emɑ̃] *adv* absichtlich; **~er** (1f) beratschlagen; *st/s* überlegen.

D

D

délic|at, ~ate [delika, -at] zart, fein; schwach, empfindlich; schwierig, heikel; taktvoll; **~atesse** [-atɛs] *f* Zartheit *f*, Feinheit *f*; Empfindlichkeit *f*; Zartgefühl *n*, Takt *m*.
délic|e [delis] *m* Freude *f*, Wonne *f*; *~s pl* Genüsse *m/pl*; **~ieux, ~ieuse** [-jø, -jøz] köstlich.
déli|é, ~ée [delje] **1.** *avoir la langue déliée* ein flinkes Mundwerk haben; **2.** *st/s* dünn, schlank; **~er** (1a) auf-, ent-, losbinden; lösen.
délimiter [delimite] (1a) abgrenzen.
délinqu|ance [delɛ̃kɑ̃s] *f* Kriminalität *f*; **~ant, ~ante** *m, f jur* Straffällige(r) *m, f*; Delinquent(in) *m(f)*.
délir|e [delir] *m* Wahn(sinn) *m*; **~er** (1a) phantasieren; F spinnen; *fig ~ de joie* vor Freude rasen.
délit [deli] *m* Vergehen *n*.
délivr|ance [delivrɑ̃s] *f* Befreiung *f*; Aushändigung *f*, -stellung *f*; **~er** (1a) befreien; aushändigen, ausliefern; ausfertigen, ausstellen.
déloger [delɔʒe] (1l) ausquartieren; verjagen.
déloyal, ~e [delwajal] (⚠ *m/pl -aux*) unfair, unehrenhaft; *concurrence f déloyale* unlauterer Wettbewerb *m*.
deltaplane [dɛltaplan] *m* Flugdrachen *m*.
déluge [delyʒ] *m* Sintflut *f*; *un ~ de* e-e Flut von ...
déluré, ~e [delyre] gewitzt, pfiffig; *péj* ungeniert, keß.
demain [d(ə)mɛ̃] *adv* morgen.
demande [d(ə)mɑ̃d] *f* Bitte *f*; Antrag *m*, Gesuch *n*; *écon* Nachfrage *f*; *jur* Klage *f*.
demandé, ~e [d(ə)mɑ̃de] gefragt, begehrt.
demander [d(ə)mɑ̃de] (1a) *~ qc à qn* j-n um etw bitten; etw von j-m verlangen; j-n nach etw fragen; *~ à qn de faire qc* j-n bitten, etw zu tun; *~ que* (+ *subj*) (darum) bitten *od* verlangen, daß ...; *~ à* (+ *inf*) bitten *od* verlangen *od* wünschen zu (+ *inf*); *~ qn* j-n *od* nach j-m verlangen.
démang|eaison [demɑ̃ʒɛzõ] *f* Jucken *n*; **~er** (1l) jucken.
démanteler [demɑ̃tle] (1d) niederreißen; *fig* zerschlagen.
démaquiller [demakije] (1a) *se ~* sich abschminken.
démarcation [demarkasjõ] *f* Abgrenzung *f*; Grenzlinie *f*.
démarche [demarʃ] *f* Gang *m*; *fig* Schritt *m*; *faire des ~s* Schritte unternehmen.
démarr|age [demaraʒ] *m* Anfahren *n*, Starten *n*; *fig* Beginn *m*; **~er** (1a) *auto etc* anlassen, starten; anfahren; *Motor*: anspringen; *fig* in Gang bringen; in Gang kommen; **~eur** *m auto etc* Anlasser *m*, Starter *m*.
démasquer [demaske] (1m) entlarven.
démêl|é [demele] *m* Auseinandersetzung *f*, Streit *m*; **~er** (1b) entwirren; *fig* aufklären.
déménag|ement [demenaʒmɑ̃] *m* Umzug *m*; **~er** (1l) aus-, umziehen; *Möbel*: fortschaffen; ⚠ *il a déménagé*.
démence [demɑ̃s] *f* Wahnsinn *m*.
démenti [demɑ̃ti] *m pol* Dementi *n*.
démentiel, ~le [demɑ̃sjɛl] unsinnig.
démentir [demɑ̃tir] (2b) Lügen strafen; widerlegen; dementieren.
démesuré, ~e [deməzyre] übermäßig, maßlos.
démettre [demɛtrə] (4p) **1.** aus-, verrenken; **2.** *~ qn de ses fonctions* j-n seines Amtes entheben.
demeurant [dəmœrɑ̃] *st/s au ~* ansonsten; übrigens.
demeur|e [dəmœr] *st/s f* Wohnsitz *m*; **~er** (1a) **1.** (*avoir*) wohnen; **2.** (*être*) bleiben.
demi, ~e [d(ə)mi] **1.** *adj* (*unv vor subst*) halb; *une heure et ~e* anderthalb Stunden; *Uhrzeit*: halb zwei; ⚠ *aber une demi-heure* e-e halbe Stunde; **2.** *adv à demi* halb, zur Hälfte; **3.** *m* (kleines) Glas Bier; *Sport*: Läufer *m*, Mittelfeldspieler *m*.
demi-finale [d(ə)mifinal] *f* (⚠ *pl demi-finales*) *Sport*: Halb-, Semifinale *n*.
démilitariser [demilitarize] (1a) entmilitarisieren.
demi-mot [dmimo] *à ~* ohne viel Worte.
demi-sel [d(ə)misɛl] leicht gesalzen.
démiss|ion [demisjõ] *f* Rücktritt *m*; **~ionner** [-jɔne] (1a) zurücktreten.
demi-tour [d(ə)mitur] *m* Kehrtwendung *f*; *faire ~* kehrtmachen, umkehren.
démocratie [demɔkrasi] *f* Demokratie; *f*; ⚠ *Aussprache*.
démocratique [demɔkratik] demokratisch.

démodé, ~e [demɔde] altmodisch.
demoiselle [d(ə)mwazɛl] *f* Fräulein *n*; ⚠ *nicht in der Anrede*.
démol|ir [demɔlir] (2a) ab-, niederreißen; *fig* kaputtmachen, demolieren, zugrunde richten; F *j-n* zusammenschlagen; **~isseur** [-isœr] *m* Abbrucharbeiter *m*.
démon [demõ] *m* Dämon *m*; Teufel *m*.
démoniaque [demɔnjak] dämonisch; teuflisch.
démonstra|tif, ~tive [demõstratif, -tiv] **1.** *Person*: überschwenglich; **2.** *gr* hinweisend; **~tion** *f* Beweis(führung) *m(f)*; Vorführung *f*; Bekundung *f*, Demonstration *f*; ⚠ *pol Demonstration*: *manifestation f*.
démonter [demõte] (1a) zerlegen, auseinandernehmen; abmontieren; *fig* aus der Fassung bringen.
démontrer [demõtre] (1a) beweisen, aufzeigen.
démoraliser [demɔralize] (1a) entmutigen, demoralisieren.
démordre [demɔrdrə] (4a) *ne pas ~ de qc* nicht von etw abgehen, ablassen.
démunir [demynir] (2a) *~ qn de qc* j-m etw wegnehmen; *être démuni (d'argent)* ohne Geld, mittellos sein.
dénatur|é, ~ée [denatyre] entartet; **~er** (1a) entstellen, verfälschen.
dénazifier [denazifje] (1a) entnazifizieren.
dénégation [denegasjõ] *f* Leugnen *n*, Abstreiten *n*.
dénicher [deniʃe] (1a) aufstöbern, auftreiben.
dénier [denje] (1a) (ab)leugnen; *~ à qn le droit de* (+ *inf*) j-m das Recht absprechen zu (+ *inf*).
dénigrer [denigre] (1a) anschwärzen, verleumden.
dénivellation [denivɛlasjõ] *f* Höhenunterschied *m*.
dénombr|ement [denõbrəmã] *m* Zählung *f*; **~er** (1a) (auf)zählen.
dénomina|teur [denɔminatœr] *m math* Nenner *m*; **~tion** *f* Benennung *f*.
dénommer [denɔme] (1a) benennen; namentlich aufführen.
dénonc|er [denõse] (1k) anzeigen; denunzieren; *Vertrag*: (auf)kündigen; *fig* anprangern; **~iateur** *m*, **~iatrice** *f* [-jatœr, -jatris] Denunziant(in) *m(f)*; **~iation** [-jasjõ] *f* Anzeige *f*; Denunziation *f*; *jur* Kündigung *f*.
dénoter [denɔte] (1a) *~ qc* auf etw hindeuten.
dénouement [denumã] *m Literatur*: (Auf-)Lösung *f*, Ausgang *m*.
dénouer [denwe] (1a) aufknoten; lösen (*a fig*).
dénoyauter [denwajote] (1a) entkernen, entsteinen.
denrée [dãre] *f* Eßware *f*; *~s (alimentaires)* Lebensmittel *n/pl*.
dense [dãs] dicht, fest.
densité [dãsite] *f* Dichte *f*.
dent [dã] *f* Zahn *m*; Zacken *m*, Zinke *f*; Horn *n* (*Berggipfel*); *avoir mal aux ~s* Zahnschmerzen haben; ⚠ *la ~*.
dent|aire [dãtɛr] Zahn...; **~é, ~ée** gezackt; *roue f dentée* Zahnrad *n*.
dentelé, ~e [dãtle] gezahnt, gezackt.
dentelle [dãtɛl] *f* Spitze *f*.
dent|ier [dãtje] *m künstliches* Gebiß *n*; **~ifrice** [-ifris] *m* Zahnpasta *f*; **~iste** *m*, *f* Zahnarzt *m*, -ärztin *f*; **~ition** *f* (natürliches) Gebiß *n*.
dénuder [denyde] (1a) entblößen.
denué, ~e [denɥe] *~ de qc* ohne etw; ...los.
dépann|age [depanaʒ] *m auto* Reparatur *f*; Pannenhilfe *f*; *service m de ~* Abschleppdienst *m*; **~er** (1a) instand setzen; abschleppen; *fig* F *~ qn* j-m aushelfen; **~euse** *f* Abschleppwagen *m*.
dépareillé, ~e [depareje] unvollständig.
déparer [depare] (1a) verunstalten.
départ [depar] *m* Abreise *f*, Aufbruch *m*, Abmarsch *m*, Abfahrt *f*, Abflug *m*; *Sport*: Start *m*; *point m de ~* Ausgangspunkt *m*.
département [departəmã] *m in Frankreich*: Departement *n*; *allg* Geschäftsbereich *m*.
départir [departir] (2b) *st/s* anvertrauen, übertragen; *se ~ de qc* etw aufgeben.
dépasser [depase] (1a) überholen; überragen, übersteigen; übertreffen.
dépaysé, ~e [depeize] *se sentir ~* sich fremd, verlassen vorkommen.
dépaysement [depeizmã] *m* Fremdsein *n*; Tapeten-, Ortswechsel *m*.
dépecer [depəse] (1d *u* 1k) zerstückeln, zerlegen.
dépêch|e [depɛʃ] *f* Depesche *f*; **~er** (1b) *se ~* sich beeilen (*de* + *inf* zu + *inf*).

D

dépeindre [depɛ̃drə] (4b) schildern.
dépendance [depɑ̃dɑ̃s] *f* Abhängigkeit *f*; Zusammenhang *m*; **~s** *pl* Nebengebäude *n/pl*.
dépendre [depɑ̃drə] (4a) abhängen, abhängig sein (*de* von); gehören (*de* zu); *cela dépend* das kommt darauf an, je nachdem.
dépens [depɑ̃] *m/pl aux ~ de* auf Kosten von.
dépens|e [depɑ̃s] *f* Ausgabe *f*, Aufwendung *f*; Aufwand *m*; **~er** (1a) ausgeben, aufwenden; **~ier, ~ière** [-je, -jɛr] verschwenderisch.
déperdition [depɛrdisjõ] *f* Verlust *m*; Schwund *m*.
dépérir [deperir] (2a) dahinsiechen; verkümmern; zugrunde gehen.
dépeupler [depœple] (1a) entvölkern.
dépilatoire [depilatwar] *crème f ~* Enthaarungscreme *f*.
dépit [depi] *m* Ärger *m*, Verdruß *m*; *en ~ de* trotz.
déplac|é, ~ée [deplase] unpassend, unangebracht; *pol personne f déplacée* Vertriebene(r) *m, f*; **~ement** [-mɑ̃] *m* Versetzung *f*; Umstellung *f*; Reise *f*, Fahrt *f*; **~er** (1k) versetzen; verschieben; verlagern; *se ~* sich (fort)bewegen; verreisen.
déplaire [deplɛr] (4aa) mißfallen (*à qn* j-m) .
déplais|ant, ~ante [deplɛzɑ̃, -ɑ̃t] unangenehm, mißliebig; **~ir** *m* Mißfallen *n*.
dépl|iant [deplijɑ̃] *m* Faltprospekt *m*; **~ier** [-ije] (1a) auseinanderfalten.
déploiement [deplwamɑ̃] *m fig* Entfaltung *f*; *mil* Aufmarsch *m*.
déplor|able [deplɔrablə] beklagenswert; **~er** (1a) bedauern, beklagen.
déployer [deplwaje] (1h) entfalten (*Segel, Flügel, fig*).
déplu [deply] *p/p von déplaire*.
déport|ation [depɔrtasjõ] *pol* Verschleppung *f*, Deportation *f*; **~er** (1a) aus der Fahrtrichtung drängen; *pol* deportieren, verschleppen.
dépos|er [depoze] (1a) niederlegen; absetzen; deponieren; *Geld*: einzahlen; *Gesetz*: einbringen; *Schlamm*: ablagern; *jur* aussagen; **~ition** *f jur* Aussage *f*.
déposséder [depɔsede] (1f) enteignen.
dépôt [depo] *m* Niederlegung *f*; (Bank-)Einlage *f*; Depot *n*, Lager *n*; Aufbewahrungsort *m*; *jur* Verwahrung *f*; *géol* Ablagerung *f*.
dépotoir [depɔtwar] *m* Müllkippe *f*.
dépouill|e [depuj] *f* Balg *m*; *st/s ~ (mortelle)* sterbliche Hülle *f*; **~é, ~ée** *Stil*: schmucklos; *~ de* frei von; **~er** (1a) **1.** das Fell abziehen (*un animal* e-m Tier); *~ qn de qc* j-n e-r Sache berauben; **2.** nachprüfen; auswerten; *~ un scrutin* die Stimmen auszählen.
dépourvu, ~e [depurvy] *~ de* ohne, ...los; *au dépourvu* unvorbereitet.
dépoussiérer [depusjere] (1f) ab-, entstauben.
déprav|ation [depravasjõ] *f* Verderbtheit *f*; **~er** (1a) *Sitten*: verderben.
dépréc|iatif, ~iative [depresjatif, -jativ] *ling* abwertend; **~ier** [-je] (1a) ab-, entwerten; herabsetzen.
dépress|if, ~ive [deprɛsif, -iv] *psych* depressiv; **~ion** *f géogr* Senkung *f*, Senke *f*; *Wetter*: Tief *n*; *psych* Depression *f*; *écon* Rezession *f*.
déprimer [deprime] (1a) bedrücken, deprimieren.
depuis [dəpɥi] **1.** *prép* seit; von ... an (*a Ort*); **2.** *adv* seitdem; **3.** *conj ~ que* (+ *ind*) seit(dem).
déput|ation [depytasjõ] *f* Abordnung *f*.
déput|é [depyte] *m pol* Abgeordnete(r) *m, f*; **~er** (1a) abordnen.
déraciner [derasine] (1a) entwurzeln; *fig* ausrotten.
déraill|er [derɑje] (1a) entgleisen; F *fig* spinnen, Unsinn reden; ⚠ *il a déraillé*; **~eur** *m Fahrrad*: Gangschaltung *f*.
déraisonnable [derɛzɔnablə] unvernünftig.
dérang|ement [derɑ̃ʒmɑ̃] *m* Störung *f*; Unordnung *f*; **~er** (1l) stören; durcheinanderbringen; *se ~* sich bemühen.
dérap|age [derapaʒ] *m auto* Schleudern *n*; Rutschen *n*; **~er** (1a) *auto* ins Schleudern kommen, schleudern; rutschen; *fig* außer Kontrolle geraten; ⚠ *il a dérapé*.
derechef [dərəʃɛf] *litt* von neuem.
dérégler [deregle] (1f) in Unordnung bringen.
dérision [derizjõ] *f* Spott *m*.
dérisoire [derizwar] lächerlich.
dériv|atif [derivatif] *m* Ablenkung *f*;

~ation *f* Ableitung *f*; *tech* Nebenschluß *m*.

dériv|e [deriv] *f mar* Abdrift *f*; *fig aller à la* ~ sich treiben lassen; **~er** (1a) ableiten; stammen (*de* von); *mar* abtreiben, abgetrieben werden.

dern|ier, ~ière [dɛrnje, -jɛr] letzte(r, -s); äußerste(r, -s); *nach dem subst*: vergangen, vorig; **~ièrement** [-jɛrmɑ̃] kürzlich, neulich.

dérob|ée [derɔbe] *à la* ~ heimlich; **~er** (1a) *st/s* entwenden, stehlen; *se* ~ *à qc* sich e-r Sache entziehen.

dérogation [derɔgasjõ] *f jur* Abweichung *f* (*à* von).

déroger [derɔʒe] (1l) zuwiderhandeln, verstoßen (*à qc*).

dérouler [derule] (1a) abrollen; *se* ~ verlaufen, sich abspielen.

dérout|e [derut] *f mil* wilde Flucht; *fig* Zusammenbruch *m*; **~er** (1a) ~ *qn* j-n verwirren, verunsichern.

derrière [dɛrjɛr] **1.** *adv* hinten; **2.** *prép* hinter; **3.** *m* Hinter-, Rückseite *f*; Hinterteil *n*, Hintern *m*.

des [de] *zusammengezogen aus de + les*.

dès [dɛ] **1.** *prép* schon seit, von ... an, schon in; ~ *lors* von da an, schon damals; ~ *demain* gleich morgen; **2.** *conj* ~ *que* sobald, sowie.

désabus|é, ~ée [dezabyze] enttäuscht; ernüchtert; **~er** (1a) ~ *qn* j-m die Augen öffnen.

désaccord [dezakɔr] *m* Mißklang *m*; Unstimmigkeit *f*; Uneinigkeit *f*.

désaccoutumer [dezakutyme] (1a) abgewöhnen; *se* ~ *de* (+ *inf*) sich etw abgewöhnen.

désaffecté, ~e [dezafɛkte] stillgelegt, nicht mehr benutzt.

désagréable [dezagreablə] unangenehm.

désagréger [dezagreʒe] (1g) *se* ~ sich zersetzen, sich auflösen.

désagrément [dezagremɑ̃] *m* Unannehmlichkeit *f*.

désaltér|ant, ~ante [dezalterɑ̃, -ɑ̃t] durststillend.

désamorcer [dezamɔrse] (1k) entschärfen (*a fig*).

désappoint|ement [dezapwɛ̃tmɑ̃] *m* Enttäuschung *f*; **~er** (1a) enttäuschen.

désapprendre [dezaprɑ̃drə] (4q) verlernen.

désapprouver [dezapruve] (1a) mißbilligen.

désarm|ement [dezarməmɑ̃] *m mil* Abrüstung *f*; **~er** (1a) entwaffnen (*a fig*); *mil* abrüsten.

désarroi [dezarwa] *m* Verwirrung *f*.

désarticuler [dezartikyle] (1a) *se* ~ sich verrenken.

désastr|e [dezastrə] *m* schweres Unglück *n*, Katastrophe *f*; **~eux, ~euse** [-ø, -øz] katastrophal, unheilvoll, verheerend.

D

désavantag|e [dezavɑ̃taʒ] *m* Nachteil *m*; **~er** (1l) benachteiligen; **~eux, ~euse** [-ø, -øz] nachteilig.

désaveu [dezavø] *m* Widerruf *m*; Nichtanerkennung *f*; Mißbilligung *f*.

désavouer [dezavwe] (1a) widerrufen; (ver)leugnen; mißbilligen.

descend|ance [desɑ̃dɑ̃s] *f* Nachkommenschaft *f*; **~ant, ~ante** [-ɑ̃, -ɑ̃t] *m, f* Abkömmling *m*, Nachkomme *m*.

descendre [desɑ̃drə] (4a) **1.** (*mit être*) hinunter-, herunter-, hinab-, herabsteigen, -gehen, -fahren, -kommen; aussteigen; fallen; ~ *chez qn* bei j-m absteigen; ~ *de qn* von j-m abstammen; ~ *de cheval* vom Pferd steigen; ~ *d'une voiture* aus e-m Wagen steigen; **2.** (*mit avoir*) herunternehmen; heruntertragen; F *Person*: abknallen.

descente [desɑ̃t] *f* Abstieg *m*; Abfahrt *f*; Gefällstrecke *f*; *Ski*: Abfahrtslauf *m*; ~ *de lit* Bettvorleger *m*.

description [dɛskripsjõ] *f* Beschreibung *f*.

désemparé, ~e [dezɑ̃pare] hilf-, ratlos.

désenchanté, ~e [dezɑ̃ʃɑ̃te] ernüchtert; enttäuscht.

désennuyer [dezɑ̃nɥije] (1h) ~ *qn* j-m die Langeweile vertreiben.

déséquilibr|e [dezekilibrə] *m* Ungleichgewicht *n*; *psych* Unausgeglichenheit *f*; **~é, ~ée** unausgeglichen; seelisch gestört; **~er** (1a) aus dem Gleichgewicht bringen (*a fig*).

dés|ert, ~erte [dezɛr, -ɛrt] **1.** *adj* wüst, öde; **2.** *m* Wüste *f*.

désert|er [dezɛrte] (1a) verlassen; *fig* abfallen von; *mil* fahnenflüchtig werden, desertieren; ⚠ *il a déserté*; **~eur** *m mil* Fahnenflüchtige(r) *m*; *fig* Abtrünnige(r) *m*.

désespér|é, ~ée [dezɛspere] verzweifelt; **~ément** [-emɑ̃] *adv* hoffnungslos; verzweifelt; **~er** (1f) verzweifeln; ~ *de qc* die Hoffnung auf

etw aufgeben; ~ *qn* j-n zur Verzweiflung bringen.
désespoir [dezɛspwar] *m* Verzweiflung *f*.
déshabill|é [dezabije] *m* Negligé *n*; **~er** (1a) ~ *qn* j-n ausziehen, entkleiden; *se* ~ sich ausziehen.
D
déshabituer [dezabitɥe] (1a) ~ *qn* (*se* ~) *de qc* j-m (sich) etw abgewöhnen.
désherbant [dezɛrbɑ̃] *m* Unkrautvernichtungsmittel *n*.
déshériter [dezerite] (1a) enterben.
déshonorer [dezɔnɔre] (1a) entehren; ~ *qn a* j-m Schande machen.
desiderata [deziderata] *m/pl* Wünsche *m/pl*; ⚠ *Schreibung*.
désigner [deziɲe] (1a) bezeichnen, bestimmen.
désillusionner [dezilyzjɔne] (1a) enttäuschen.
désinence [dezinɑ̃s] *f gr* Endung *f*.
désinfecter [dezɛ̃fɛkte] (1a) desinfizieren.
désintégration [dezɛ̃tegrasjõ] *f* Auflösung *f*, Zerfall *m*; *phys* Atomspaltung *f*.
désintéress|é, ~ée [dezɛ̃terɛse] uneigennützig; unparteiisch; **~ement** [-mɑ̃] *m* Uneigennützigkeit *f*; Unparteilichkeit *f*; **~er** (1b) *se* ~ *de* das Interesse verlieren an.
désintoxication [dezɛ̃tɔksikasjõ] *f cure de* ~ Entziehungskur *f*.
désinvolt|e [dezɛ̃vɔlt] ungezwungen; *péj* ungeniert; **~ure** [-yr] *f péj* Ungeniertheit *f*.
désir [dezir] *m* Wunsch *m*; **~able** wünschenswert; **~er** (1a) wünschen; ~ (+ *inf*) wünschen *od* begehren zu (+ *inf*); ~ *que* (+ *subj*) (sich) wünschen, daß ...
désister [deziste] (1a) *jur se* ~ *de qc* auf etw verzichten.
désobéissance [dezɔbeisɑ̃s] *f* Ungehorsam *m*.
désodorisant [dezɔdɔrizɑ̃] *m* Deodorant *n*.
désœuvr|é, ~ée [dezœvre] untätig, müßig; **~ement** [-əmɑ̃] *m* Untätigkeit *f*, Nichtstun *n*, Müßiggang *m*.
désol|é, ~ée [dezɔle] untröstlich (*de* über); *je suis* ~ es tut mir leid; **~er** (1a) aufs tiefste betrüben.
désordonné, ~e [dezɔrdɔne] unordentlich; ungezügelt.
désordre [dezɔrdrə] *m* Unordnung *f*.
désorienter [dezɔrjɑ̃te] (1a) verwirren.
désormais [dezɔrmɛ] von jetzt ab, künftig.
désosser [dezɔse] (1a) *cuis* entbeinen; entgräten.
despotisme [dɛspɔtismə] *m* Despotismus *m*, Gewaltherrschaft *f*.
dessaler [desale] (1a) entsalzen.
dessécher [deseʃe] (1f) austrocknen.
dessein [desɛ̃] *m* Absicht *f*; *à* ~ absichtlich.
desserrer [desɛre] (1b) lockern, lösen.
dessert [desɛr] *m* Nachtisch *m*.
desservir [desɛrvir] (2b) *Verkehrsmittel*: (regelmäßig) fahren nach *od* zu, anlaufen; *Tisch*: abräumen; ~ *qn* j-m schaden.
dessin [desɛ̃] *m* Zeichnung *f*; Zeichnen *n*; Zeichenkunst *f*; Muster *n*; ~ *animé* Zeichentrickfilm *m*; ⚠ *nicht verwechseln mit le dessein.*
dessin|ateur, ~atrice [desinatœr, -atris] *m*, *f* Zeichner(in) *m*(*f*); **~er** (1a) zeichnen; *bande*(*s*) *dessinée*(*s*) *f*(*pl*) Comics *pl*.
dessous [d(ə)su] **1.** *adv* darunter; *en* ~ unten; *fig* versteckt, heimlich; **2.** *m* Unterseite *f*; *fig les* ~ *pl* die Hintergründe; *avoir le* ~ den kürzeren ziehen.
dessus [d(ə)sy] **1.** *adv* darüber, d(a)rauf; *en* ~ oben drauf; *de* ~ *la table* vom Tisch hoch; **2.** *m* Oberseite *f*; *fig avoir le* ~ die Oberhand behalten.
destin [dɛstɛ̃] *m* Schicksal *n*.
destin|ataire [dɛstinatɛr] *m* Empfänger *m*; **~ation** *f* Bestimmung *f*, -sort *m*; **~ée** [-e] *f* Schicksal *n*; **~er** (1a) bestimmen, ausersehen (*à* zu *od* für).
destituer [dɛstitɥe] (1a) absetzen.
destruction [dɛstryksjõ] *f* Zerstörung *f*.
désu|et, ~ète [dezɥɛ *od* desɥɛ, -ɛt] überholt, altmodisch; **~étude** [-etyd] *f tomber en* ~ außer Gebrauch kommen.
désun|ion [dezynjõ] *f* Zwietracht *f*; **~ir** (2a) entzweien.
détacher [detaʃe] (1a) **1.** losmachen, -reißen, abtrennen, lösen; *mil* abkommandieren; *se* ~ *sur* sich abheben gegen; **2.** von Flecken reinigen.
détail [detaj] *m* Einzelheit *f*; Kleinigkeit *f*; *comm* Einzelverkauf *m*, -handel *m*; *au* ~ stückweise, einzeln; *en* ~ ausführlich.

détaillant [detajɑ̃] *m* Einzel-, Kleinhändler *m.*
détartrer [detartre] (1a) entkalken.
détecter [detɛkte] (1a) entdecken, aufspüren.
déteindre [detɛ̃drə] (4b) verblassen; ~ *sur* abfärben auf (*a fig*).
dételer [detle] (1c) ausspannen; auskuppeln.
détendre [detɑ̃drə] (4a) entspannen; *se* ~ die Spannung verlieren; *fig* sich entspannen.
détenir [detnir] (2h) behalten; besitzen, innehaben; *jur* gefangenhalten.
détent|e [detɑ̃t] *f* **1.** *Waffe*: Abzug *m*; **2.** *fig a pol* Entspannung *f*; **~eur** *m* Besitzer *m*; Inhaber *m.*
détention [detɑ̃sjõ] *f* Besitz *m*; *jur* Haft *f.*
détenu, ~e [detny] *m, f* Häftling *m.*
détergent [detɛrʒɑ̃] *m* Reinigungsmittel *n.*
détériorer [deterjɔre] (1a) verschlechtern; beschädigen.
détermin|ant, ~ante [detɛrminɑ̃, -ɑ̃t] bestimmend; **~ation** *f* Bestimmung *f*; Entschluß *m*; Entschlossenheit *f*; **~er** (1a) bestimmen; beschließen; veranlassen (*à* + *inf* zu).
déterrer [detɛre] (1b) ausgraben.
détest|able [detɛstablə] abscheulich; **~er** (1a) verabscheuen.
détonation [detɔnasjõ] *f* Knall *m.*
détonner [detɔne] (1a) falsch singen; *fig* nicht dazu passen.
détour [detur] *m* Krümmung *f*; Umweg *m*; *fig sans ~s* ohne Umschweife.
détourn|ement [deturnəmɑ̃] *m* Umleitung *f*; ~ *d'avion* Flugzeugentführung *f*; **~er** (1a) umleiten; *Flugzeug*: entführen; *Kopf*: abwenden; *Geld*: unterschlagen; *se* ~ sich abwenden.
détrac|teur, ~trice [detraktœr, -tris] *m, f* Verleumder(in) *m(f).*
détraquer [detrake] (1m) verderben; F kaputtmachen.
détresse [detrɛs] *f* (höchste) Not *f*; Verzweiflung *f.*
détriment [detrimɑ̃] *m au ~ de* zum Nachteil von.
détritus [detritys] *m* Abfall *m.*
détroit [detrwa] *m* Meerenge *f.*
détromper [detrõpe] (1a) e-s Besseren belehren.
détrôner [detrone] (1a) entthronen (*a fig*).
détruire [detrɥir] (4c) zerstören.
dette [dɛt] *f comm, fig* Schuld *f.*
deuil [dœj] *m* Trauer *f*; Trauerkleidung *f*; Trauerzeit *f*, -zug *m.*
deux [dø] **1.** *adj* zwei; *les* ~ (die) beide(n); *tous (les)* ~ alle beide; *à* ~ zu zweit; *en* ~ in zwei Teile(n); ~ *à od par* ~ paarweise; *tous les ~ jours* alle zwei Tage; *nous* ~ wir beide; *le ~ mai* der zweite *od* am zweiten Mai; **2.** *m* Zwei *f*; ⚠ *le* ~.
deuxième [døzjɛm] zweite(r, -s); **~ment** *adv* zweitens.
dévaliser [devalize] (1a) ausplündern.
dévaloris|ation [devalɔrizasjõ] *f* Ent-, Abwertung *f*, Wertverlust *m*; **~er** (1a) ent-, abwerten, wertlos machen.
dévalu|ation [devalɥasjõ] *f Währung*: Abwertung *f*; **~er** (1a) abwerten.
devancer [d(ə)vɑ̃se] (1k) ~ *qn, qc* j-m, e-r Sache vorangehen, zuvorkommen; j-m überlegen sein.
devant [d(ə)vɑ̃] **1.** *adv* vorn; voran; **2.** *prép* vor; *fig* angesichts; **3.** *m* Vorderseite *f*; *de* ~ Vorder...
devanture [d(ə)vɑ̃tyr] *f* Schaufenster *n.*
dévaster [devaste] (1a) verwüsten.
déveine [devɛn] *f* F Pech(strähne) *n(f).*
développ|ement [devlɔpmɑ̃] *m* Entwicklung *f*; **~er** (1a) entwickeln.
devenir [dəvnir] (2h) werden.
dévergondé, ~e [devɛrgõde] zügellos; schamlos.
déverser [devɛrse] (1a) entleeren; ausschütten.
dévêtir [devɛtir] (2g) entkleiden.
déviation [devjasjõ] *f* Umleitung *f*; Abweichung *f.*
dévier [devje] (1a) umleiten; abweichen (*de* von).
devin, devineresse [dəvɛ̃, dəvinrɛs] *m, f* Wahrsager(in) *m(f)*; (Hell-)Seher(in) *m(f).*
devin|er [d(ə)vine] (1a) (er)raten; **~ette** [-ɛt] *f* Rätsel *n.*
devis [d(ə)vi] *m* Kostenvoranschlag *m.*
dévisager [devisaʒe] (1l) anstarren.
devise [d(ə)viz] *f* Wahlspruch *m*; Devise *f* (*a comm*).
dévisser [devise] (1a) losschrauben; *Bergsteiger*: abstürzen.
dévoiler [devwale] (1a) enthüllen.

devoir [dəvwar] **1.** (3a) müssen; sollen; schulden; verdanken; **2.** *m* Pflicht *f*; (Schul-)Aufgabe *f*.
dévorer [devɔre] (1a) verschlingen (*a fig Buch*); fressen; *fig* verzehren.
dév|ot, ~ote [devo, -ɔt] fromm; *péj* frömmelnd; **~otion** [-osjõ] *f* Frömmigkeit *f*, Andacht *f*; *péj* Frömmelei *f*.

dévou|é, ~ée [devwe] ergeben; **~ement** [devumɑ̃] *m* Ergebenheit *f*; Aufopferung *f*; **~er** [devwe] (1a) *se ~* sich (auf)opfern; sich hingeben.
dextérité [dɛksterite] *f* Geschicklichkeit *f*.
diabète [djabɛt] *m* Zuckerkrankheit *f*, Diabetes *m od* F *f*; ⚠ *le ~*.
diable [djablə] *m* Teufel *m*.
diabolique [djabɔlik] teuflisch.
diacre [djakrə] *m égl* Diakon *m*.
diagnost|ic [djagnɔstik] *m méd* Diagnose *f*; ⚠ *le ~*; **~iquer** [-ike] (1m) *méd* diagnostizieren.
diagramme [djagram] *m* Diagramm *n*.
dialecte [djalɛkt] *m* Mundart *f*, Dialekt *m*.
dialogue [djalɔg] *m* (Zwie-)Gespräch *n*, Dialog *m*.
diamètre [djamɛtrə] *m math* Durchmesser *m*.
diapason [djapazõ] *m mus* Kammerton *m*; Stimmgabel *f*; *fig se mettre au ~ de qn* sich auf j-n einstellen.
diaphane [djafan] durchsichtig.
diaphragme [djafragmə] *m* Zwerchfell *n*; *Foto*: Blende *f*; *Radio*: Membran *f*.
diapositive [djapɔzitiv] *f* Dia(positiv) *n*; ⚠ *la ~*.
diarrhée [djare] *f méd* Durchfall *m*.
dictat|eur [diktatœr] *m* Diktator *m*; **~ure** [-yr] *f* Diktatur *f*.
dict|ée [dikte] *f* Diktat *n*; ⚠ *la ~*; **~er** (1a) diktieren; vorschreiben.
diction [diksjõ] *f* Sprech-, Redeweise *f*.
dictionnaire [diksjɔnɛr] *m* Wörterbuch *n*.
dicton [diktõ] *m* sprichwörtliche Redensart *f*.
dièse [djɛz] *m mus* Kreuz *n*.
diète [djɛt] *f* **1.** *méd* Diät *f*; Fasten *n*; **2.** *hist* Reichstag *m*.
Dieu [djø] *m* Gott *m*; ⚠ *Mythologie*: *le dieu, pl les dieux*.
diffamer [difame] (1a) verleumden.
différ|ence [diferɑ̃s] *f* Unterschied *m*; *math* Differenz *f*; *à la ~ de* im Unterschied zu; **~encier** [-ɑ̃sje] (1a) unterscheiden, differenzieren; **~end** [-ɑ̃] *m* Meinungsverschiedenheit *f*, Differenz *f*; **~ent, ~ente** [-ɑ̃, -ɑ̃t] verschieden; *différentes personnes* mehrere Leute; ⚠ *différant = participe présent von différer*; **~entiel** [-ɑ̃sjɛl] *m auto* Ausgleichsgetriebe *n*, Differential *n*.
différer [difere] (1f) **1.** aufschieben; *TV en différé* als Aufzeichnung; **2.** *~ de qc* von etw abweichen, verschieden sein.
difficile [difisil] schwierig; *il est ~ de* (+ *inf*) es ist schwer zu (+ *inf*).
difficulté [difikylte] *f* Schwierigkeit *f*.
difform|e [difɔrm] mißgestaltet; **~ité** *f* Mißbildung *f*.
diff|us, ~use [dify, -yz] zerstreut; diffus (*a fig*).
diffus|er [difyze] (1a) zerstreuen; verbreiten; *Radio*: ausstrahlen, senden; **~ion** *f* Ausstrahlung *f*, Übertragung *f*; Verbreitung *f*.
digérer [diʒere] (1f) verdauen.
digeste [diʒɛst] *od* **digestible** [diʒɛstiblə] leicht verdaulich.
digest|if, ~ive [diʒɛstif, -iv] **1.** *adj* Verdauungs...; **2.** *m* Verdauungsschnaps *m*.
digestion [diʒɛstjõ] *f* Verdauung *f*.
digital, ~e [diʒital] (⚠ *m/pl -aux*) Finger...; *EDV* digital; *empreinte f digitale* Fingerabdruck *m*.
dign|e [diɲ] würdig, wert (*de qc* e-r Sache); **~itaire** [-itɛr] *m* Würdenträger *m*; **~ité** *f* Würde *f*; Amt *n*.
digression [digrɛsjõ] *f* Abschweifung *f*.
digue [dig] *f* Damm *m*, Deich *m*; ⚠ *la ~*.
dilapider [dilapide] (1a) vergeuden.
dilater [dilate] (1a) ausdehnen.
dilemme [dilɛm] *m* Dilemma *n*.
dilig|ence [diliʒɑ̃s] *f st/s* Eifer *m*; *hist* Postkutsche *f*; **~ent, ~ente** [-ɑ̃, -ɑ̃t] eifrig.
diluer [dilɥe] (1n) verdünnen.
dimanche [dimɑ̃ʃ] *m* Sonntag *m*.
dimension [dimɑ̃sjõ] *f* Ausdehnung *f*; Dimension *f*; Ausmaß *n*.
diminuer [diminɥe] (1n) vermindern, verringern; abnehmen, sich vermindern, sich verringern.
diminu|tif [diminytif] *m* Verkleinerungsform *f*; **~tion** *f* Verminderung

f, Verringerung *f*; Abnahme *f*, Rückgang *m*; Senkung *f*, Herabsetzung *f*.
dind|e [dɛ̃d] *f* Truthenne *f*, Pute *f*; **~on** *m* Truthahn *m*, Puter *m*; *prov être le ~ de la farce* der Dumme sein.
dîner [dine] **1.** (1a) zu Abend essen; **2.** *m* Abendessen *n*.
dingue [dɛ̃g] F übergeschnappt.
diocèse [djɔsɛz] *m* Diözese *f*; ⚠ *le ~*.
diploma|te [diplɔmat] **1.** *adj* diplomatisch (*Person*); **2.** *m* Diplomat *m*; **~tie** [-si] *f* Diplomatie *f*; ⚠ *Aussprache*; **~tique** [-tik] diplomatisch.
diplôm|e [diplom] *m* Diplom *n*, Zeugnis *n*; **~é, ~ée** staatlich geprüft.
dire [dir] (4m) **1.** sagen; nennen; aufsagen; *vouloir ~* bedeuten; *à vrai ~* offen gestanden; *c'est ~ satzeinleitend*: das besagt; *c'est tout ~* das besagt alles; *et ~ que* ... wenn man bedenkt, daß ...; *cela va sans ~* das versteht sich von selbst; **2.** *m au(x) ~(s) de qn* nach j-s Aussage.
direct, ~e [dirɛkt] direkt; gerade; unmittelbar; *train m direct* Eilzug *m*; *TV en direct* live.
direc|teur, ~trice [dirɛktœr, -tris] **1.** *adj* leitend, Leit...; **2.** *m*, *f* Direktor(in) *m(f)*, Leiter(in) *m(f)*.
direction [dirɛksjõ] *f* **1.** Richtung *f*; **2.** Leitung *f*, Lenkung *f*.
directive [dirɛktiv] *f* Richtlinie *f*.
dirig|eable [diriʒablə] **1.** *adj* lenkbar; **2.** *m* Luftschiff *n*; **~eant** [-ɑ̃] *m bes pol* Führer *m*, Machthaber *m* (*a péj*); **~er** (1l) führen, leiten, lenken; richten (*sur od vers* auf); *se ~ vers* zugehen *od* zusteuern auf.
discern|ement [disɛrnəmɑ̃] *m* Unterscheidung(svermögen) *f(m)*; Einsicht *f*; **~er** (1a) wahrnehmen; unterscheiden.
discipl|e [disiplə] *m* Jünger *m*, Anhänger *m*, Schüler *m*; **~ine** *f* Disziplin *f*; **~iner** [-ine] (1a) an Zucht gewöhnen; disziplinieren.
discontinu, ~e [diskõtiny] unterbrochen; unzusammenhängend.
discord|ance [diskɔrdɑ̃s] *f* Nichtübereinstimmung *f*; **~ant, ~ante** [-ɑ̃, -ɑ̃t] nicht übereinstimmend; *mus* verstimmt.
discorde [diskɔrd] *f* Zwietracht *f*.
discothèque [diskɔtɛk] *f* Diskothek *f*.
discours [diskur] *m* Rede *f*; *faire od prononcer un ~* e-e Rede halten.
discréditer [diskredite] (1a) in Mißkredit *od* Verruf bringen.
discr|et, ~ète [diskrɛ, -ɛt] taktvoll; diskret; verschwiegen; dezent, unaufdringlich.
discrétion [diskresjõ] *f* Diskretion *f*; Takt *m*; Verschwiegenheit *f*; *à ~* nach Belieben.
discrimination [diskriminasjõ] *f* Diskriminierung *f*; Unterscheidung *f*.
disculper [diskylpe] (1a) *~ qn* j-n entlasten; *se ~* seine Unschuld beweisen.
discussion [diskysjõ] *f* Diskussion *f*, Aussprache *f*, Erörterung *f*.
discuter [diskyte] (1a) diskutieren, erörtern.
disette [dizɛt] *f* Hungersnot *f*; Mangel *m*.
diseur [dizœr] *m excellent ~* Vortragskünstler *m*.
diseuse [dizøz] *f ~ de bonne aventure* Wahrsagerin *f*.
disgrâce [dizgrɑs] *f* Ungnade *f*.
disgracier [dizgrasje] (1a) *~ qn* j-m seine Gunst entziehen.
disjoindre [dizʒwɛ̃drə] (4b) trennen.
disjoncteur [dizʒõktœr] *m* (Sicherungs-)Schutzschalter *m*.
disloquer [dislɔke] (1m) auseinanderreißen; *méd* ausrenken.
disparaître [disparɛtrə] (4z) verschwinden; ⚠ *mit avoir, selten être*.
disparité [disparite] *f* Ungleichheit *f*.
disparition [disparisjõ] *f* Verschwinden *n*.
dispens|aire [dispɑ̃sɛr] *m méd* Ambulanz *f*; **~er** (1a) austeilen; erweisen; *~ de qc* von etw entbinden, befreien.
disperser [dispɛrse] (1a) zer-, verstreuen.
dispon|ibilité [dispɔnibilite] *f* Verfügbarkeit *f*; **~ible** verfügbar.
dispos [dispo] *frais et ~* frisch und munter.
dispos|er [dispoze] (1a) disponieren; anordnen; *~ de qn, qc* über j-n, etw verfügen; *se ~ à faire qc* sich anschicken, etw zu tun; **~itif** [-itif] *m* Vorrichtung *f*.
disposition [dispozisjõ] *f* Anordnung *f*; Verfügung *f*; *meist ~s pl* Anlagen *f/pl*; Stimmung *f*.
disproportion [disprɔpɔrsjõ] *f* Mißverhältnis *n*.
disput|e [dispyt] *f* Streit *m*, Wort-

wechsel *m*, Disput *m*; ⚠ *la* ~; **~er** (1a) *Wettkampf*: austragen; ~ *qc à qn* j-m etw streitig machen; *se* ~ sich streiten.
disqualifier [diskalifje] (1a) disqualifizieren.
disque [disk] *m* Scheibe *f*; Diskus *m*; (Schall-)Platte *f*.
dissemblable [disɑ̃blablə] unähnlich.
disséminer [disemine] (1a) aus-, zerstreuen; verbreiten.
dissension [disɑ̃sjõ] *f meist* **~s** *pl* Zwistigkeiten *f/pl*.
disséquer [diseke] (1f *u* 1m) sezieren; genau untersuchen.
dissertation [disɛrtasjõ] *f Schule*: Aufsatz *m*; ⚠ *nicht* Dissertation.
dissimuler [disimyle] (1a) verhehlen, verbergen.
dissipation [disipasjõ] *f* Verschwendung *f*, Vergeudung *f*; Unaufmerksamkeit *f*.
dissiper [disipe] (1a) zerstreuen, vertreiben; verschwenden, vergeuden; ablenken.
dissociation [disɔsjasjõ] *f fig* Trennung *f*.
dissolu, ~e [disɔly] ausschweifend, liederlich.
dissolution [disɔlysjõ] *f allg* Auflösung *f*.
dissolvant [disɔlvɑ̃] *m chim* Lösungsmittel *n*; Nagellackentferner *m*.
dissoudre [disudrə] (4bb) auflösen.
dissuader [disɥade] (1a) ~ *qn de (faire) qc* j-n von etw abbringen; j-m ausreden, etw zu tun.
dissuasion [disɥazjõ] *f pol* Abschreckung *f*; *force f de* ~ Abschreckungsstreitmacht *f*.
distanc|e [distɑ̃s] *f* Abstand *m*, Entfernung *f*; Distanz *f* (*a fig*); *à* ~ aus der Entfernung; **~er** (1k) hinter sich lassen; *se* ~ *de* sich distanzieren von.
dist|ant, ~ante [distɑ̃, -ɑ̃t] entfernt; *fig* reserviert.
distiller [distile] (1a) destillieren; *Schnaps*: brennen; ⚠ *Aussprache*.
dist|inct, ~incte [distɛ̃, -ɛ̃kt] deutlich; ~ *de* verschieden von.
distinction [distɛ̃ksjõ] *f* Unterscheidung *f*, Unterschied *m*; Auszeichnung *f*; Vornehmheit *f*.
distingu|é, ~ée [distɛ̃ge] vornehm; **~er** (1m) wahrnehmen; unterscheiden (*qc de qc* etw von etw); auszeichnen.
distraction [distraksjõ] *f* Zerstreuung *f*, Abwechslung *f*, Unterhaltung *f*; Zerstreutheit *f*.
distraire [distrɛr] (4s) ablenken, zerstreuen, unterhalten.
distr|ait, ~aite [distrɛ, -ɛt] zerstreut.
distray|ant, ~ante [distrɛjɑ̃, -ɑ̃t] unterhaltsam.
distribuer [distribɥe] (1n) aus-, verteilen.
distribu|teur [distribytœr] *m* Verteiler *m*; ~ (*automatique*) Automat *m*; ~ *d'essence* Tanksäule *f*; **~tion** *f* Aus-, Verteilung *f*; *Waren*: Vertrieb *m*; *Post*: Zustellung *f*.
district [distrikt] *m* Bezirk *m*.
dit, dite [di, dit] *p/p von dire u adj* gesagt; genannt; festgesetzt.
diurne [djyrn] Tages..., Tag...
divaguer [divage] (1m) dummes Zeug reden.
diverg|ence [divɛrʒɑ̃s] *f* Meinungsverschiedenheit *f*; Divergenz *f*; **~er** (1l) auseinandergehen; voneinander abweichen.
div|ers, ~erse [divɛr, -ɛrs] verschieden.
divers|ion [divɛrsjõ] *f* Ablenkung *f*; **~ité** *f* Mannigfaltigkeit *f*; Verschiedenheit *f*.
divert|ir [divɛrtir] (2a) unterhalten; **~issement** [-ismɑ̃] *m* Vergnügen *n*.
div|in, ~ine [divɛ̃, -in] göttlich.
divin|ation [divinasjõ] *f* Weis-, Wahrsagen *n*; **~ité** *f* Göttlichkeit *f*; Gottheit *f*.
divis|er [divize] (1a) (ein)teilen (*en* in); *fig* spalten, trennen; *math* dividieren; **~ion** *f* Teilung *f*; Gliederung *f*; *math*, *mil* Division *f*.
divorc|e [divɔrs] *m* (Ehe-)Scheidung *f*; **~er** (1k) sich scheiden lassen (*d'avec* von).
divulguer [divylge] (1m) unter die Leute bringen, verbreiten.
dix [dis, *vor Konsonant* di, *vor Vokal* diz] zehn; *à* ~ zu zehnt; *le* ~ *mars* der zehnte *od* am zehnten März; **~-huit** [dizɥit] achtzehn; **~ième** [dizjɛm] **1.** zehnte(r, -s); **2.** *m* Zehntel *n*; **~-neuf** [diznœf] neunzehn; **~-sept** [dissɛt] siebzehn.
dizaine [dizɛn] *f* Anzahl *f* von zehn; *une* ~ *de* ... ungefähr zehn ...
do [do] *m mus* c *od* C *n*.
docile [dɔsil] gelehrig; folgsam, willig.
docker [dɔkɛr] *m* Hafenarbeiter *m*.

doct|e [dɔkt] *péj* hochgelehrt; **~eur** *m* Doktor *m*; Arzt *m*; **~orat** [-ɔra] *m* Doktorwürde *f*; **~oresse** [-ɔrɛs] F *f* Ärztin *f*; **~rine** [-rin] *f* Lehre *f*.

document [dɔkymɑ̃] *m* Dokument *n*, Schriftstück *n*, Urkunde *f*.

document|aire [dɔkymɑ̃tɛr] **1.** *adj* dokumentarisch; **2.** *m Kino*: Kulturfilm *m*; **~er** (1a) *se ~* sich informieren.

dodo [dodo] *enf m* Schlaf *m*; *faire ~* schlafen.

dodu, ~e [dɔdy] gut genährt.

dogme [dɔgmə] *m* Dogma *n*.

doigt [dwa] *m* Finger *m*; *~ de pied* Zehe *f*; *savoir qc sur le bout des ~s* etw aus dem Effeff können.

doigté [dwate] *m mus* Fingersatz *m*; *fig* Fingerspitzengefühl *n*.

dois, doit [dwa] *cf devoir*.

doléances [dɔleɑ̃s] *f/pl* Beschwerden *f/pl*.

domaine [dɔmɛn] *m* Land-, Staatsgut *n*; *fig* Bereich *m*, Gebiet *n*; ⚠ *le ~*.

dôme [dom] *m* Kuppel *f*; ⚠ *nicht* Dom.

domestiqu|e [dɔmɛstik] **1.** *adj* häuslich; Haus...; **2.** *m* Hausangestellte(r) *m*; *péj* Diener *m*; **~er** (1m) zähmen.

domicile [dɔmisil] *m* Wohnort *m*, -sitz *m*.

domicilié, ~e [dɔmisilje] wohnhaft.

domin|ant, ~ante [dɔminɑ̃, -ɑ̃t] beherrschend; **~ation** *f* Herrschaft *f*; **~er** (1a) beherrschen (*a fig*); übertreffen.

dominical, ~e [dɔminikal] (⚠ *m/pl -aux*) sonntäglich.

dommage [dɔmaʒ] *m* Schaden *m*; *c'est ~* das ist schade; *il est ~ que* (+ *subj*) es ist schade, daß ...; *jur ~s et intérêts m/pl* Schaden(s)ersatz *m*, Entschädigung *f*.

dompt|er [dõte] (1a) bezwingen, bändigen; **~eur** *m* Dompteur *m*, (Tier-)Bändiger *m*.

D.O.M.-T.O.M. [dɔmtɔm] *m/pl* (*abr départements et territoires d'outre-mer*) überseeische Departements und Gebiete.

don [dõ] *m* Schenkung *f*; Spende *f*; Gabe *f*.

donation [dɔnasjõ] *f* Schenkung *f*.

donc [dõk] also, folglich; denn, doch.

donjon [dõʒõ] *m* Bergfried *m*.

donn|é, ~ée [dɔne] gegeben; bestimmt; *étant donné qc* in Anbetracht e-r Sache, mit Rücksicht auf etw; **~ée** *f math* bekannte Größe; **~s** *pl* Daten *n/pl* (*a EDV*); **~er** (1a) geben; schenken; angeben; *~ sur* hinausgehen nach *od* auf; **~eur** *m méd* Spender *m*.

dont [dõ] wovon; dessen, deren.

doré, ~e [dɔre] vergoldet; goldgelb.

dorénavant [dɔrenavɑ̃] von nun an; künftig.

dorer [dɔre] (1a) vergolden.

dorloter [dɔrlɔte] (1a) verzärteln.

dorm|eur, ~euse [dɔrmœr, -øz] *m, f* Schläfer(in) *m(f)*; **~ir** (2b) schlafen; ruhen.

dorsal, ~e [dɔrsal] (⚠ *m/pl -aux*) Rücken...

dortoir [dɔrtwar] *m* Schlafsaal *m*.

dorure [dɔryr] *f* Vergoldung *f*.

doryphore [dɔrifɔr] *m* Kartoffelkäfer *m*.

dos [do] *m* Rücken *m*; Rückseite *f*; (Stuhl-)Lehne *f*.

dosage [dozaʒ] *m* Dosierung *f*.

dos|e [doz] *f* Dosis *f*; Menge *f*; **~er** (1a) dosieren (*a fig*).

dossier [dosje] *m* **1.** Rückenlehne *f*; **2.** Akten *f/pl*; Unterlagen *f/pl*.

dot [dɔt] *f* Mitgift *f*; **~er** (1a) ausstatten (*de* mit).

douane [dwan] *f* Zoll *m*.

douan|ier, ~ière [dwanje, -jɛr] **1.** *adj* Zoll...; **2.** *m* Zollbeamte(r) *m*.

doublage [dublaʒ] *m Kleidung*: Füttern *n*; *Film*: Synchronisation *f*.

doubl|e [dublə] **1.** *adj* doppelt, zweifach; **2.** *m* Duplikat *n*; *Tennis*: Doppel *n*; *le ~* doppelt so viel *od* groß; **~er** (1a) (sich) verdoppeln; *auto* überholen; *Film*: synchronisieren; *Kleider*: füttern; **~ure** [-yr] *f Kleidung*: Futter *n*.

douceâtre [dusɑtrə] süßlich.

doucement [dusmɑ̃] *adv* sanft, sachte, behutsam; leise.

douceur [dusœr] *f* **1.** Süßigkeit *f*; *pl ~s* Leckereien *f/pl*; **2.** Sanftheit *f*, Zartheit *f*; *fig ~s pl* Annehmlichkeiten *f/pl*.

douche [duʃ] *f* Dusche *f*.

doué, ~e [dwe] (1a) begabt; *~ de qc* ausgestattet mit etw.

douille [duj] *f tech* Fassung *f*; Hülse *f*.

douill|et, ~ette [dujɛ, -ɛt] mollig; wohlig; zimperlich.

douleur [dulœr] *f* Schmerz *m* (*a fig*).

doulour|eux, ~euse [dulurø, -øz] schmerzhaft; schmerzlich.
dout|e [dut] *m* Zweifel *m*; Bedenken *n*; **~er** (1a) zweifeln (*de* an); *se ~ de qc* etw ahnen, vermuten; **~eux, ~euse** [-ø, -øz] zweifelhaft.
doux, douce [du, dus] süß; mild; sanft; weich, zart.
douzaine [duzɛn] *f* Dutzend *n*.
douze [duz] zwölf.
douzième [duzjɛm] **1.** zwölfte(r, -s); **2.** *m* Zwölftel *n*.
doyen [dwajɛ̃] *m* Dekan *m*.
dragon [dragõ] *m* Drache *m*.
dragu|e [drag] *f* (Schwimm-)Bagger *m*; **~er** (1m) (aus)baggern; *Minen*: räumen; F *fig* anhauen; aufreißen.
drainage [drɛnaʒ] *m* Entwässerung *f*; *fig Kapital*: Zusammenziehung *f*.
dramatique [dramatik] dramatisch (*a fig*).
dramaturge [dramatyrʒ] *m* Dramatiker *m*, Bühnenautor *m*.
drame [dram] *m* Drama *n* (*a fig*).
drap [dra] *m* Tuch *n*; *~ de lit* Bettlaken *n*.
drap|eau [drapo] *m* (⚠ *pl ~x*) Fahne *f*; **~er** (1a) mit Tuch ausschlagen *od* behängen; drapieren; **~erie** *f* Faltenwurf *m*; Tuchfabrikation *f*, -handel *m*.
dressage [drɛsaʒ] *m* Dressur *f*, Abrichten *n*; Drill *m*.
dresser [drɛse] (1b) **1.** aufstellen; errichten; *Zelt*: aufschlagen; *Vertrag*: aufsetzen; *se ~* sich aufrichten; **2.** *Speisen*: anrichten; **3.** dressieren, abrichten; *~ qn contre qn* j-n gegen j-n aufbringen.
drille [drij] *m joyeux ~* lustiger *od* fideler Kerl.
drogu|e [drɔg] *f* Droge *f*, Rauschgift *n*; **~é, ~ée** *m*, *f* Drogensüchtige(r) *m*, *f*; **~er** (1a) mit Arzneien vollstopfen; *se ~* Rauschgift nehmen; **~erie** *f* Drogerie *f*; **~iste** *m*, *f* Drogist(in) *m(f)*; ⚠ *Schreibung*.
droit, droite [drwa, drwat] **1.** *adj* rechte(r, -s); gerade; aufrecht; rechtschaffen; **2.** *adv tout droit* gerade(aus); **3.** *m* Recht *n*; Rechtswissenschaft *f*; Gebühr *f*; *de ~* von Rechts wegen; *à qui de ~* an die zuständige Stelle; *faire son ~* Jura studieren.
droite [drwat] *f* Rechte *f* (*a pol*), rechte Hand *od* Seite; *à ~* rechts.
droit|ier, ~ière [drwatje, -jɛr] *être ~* Rechtshänder(in) sein; **~ure** [-yr] *f* Aufrichtigkeit *f*.
drolatique [drolatik] *litt* tolldreist.
drôle [drol] **1.** *adj* lustig, drollig; komisch; seltsam, sonderbar; *une ~ d'idée* e-e komische Idee; F *~ de ...* enorm, ungeheuer ...; **2.** *m un ~* F e-e komische Nummer; **~ment** *adv* F enorm; **~rie** [-ri] *f* Komik *f*.
dromadaire [drɔmadɛr] *m zo* Dromedar *n*.
dru, ~e [dry] dicht.
D.S.T. (*abr direction f de la surveillance du territoire*) Geheimdienst *m*.
du [dy] *zusammengezogen aus de u le*.
dû, due [dy] *p/p von devoir*.
dubitat|if, ~ive [dybitatif, -iv] zweifelnd.
duc [dyk] *m* Herzog *m*.
duch|é [dyʃe] *m* Herzogtum *n*; **~esse** [-ɛs] *f* Herzogin *f*.
duel [dɥɛl] *m* Duell *n*; *se battre en ~* sich duellieren.
dûment [dymɑ̃] *adv* vorschriftsmäßig; gebührend.
dune [dyn] *f* Düne *f*.
duo [dyo] *m mus* Duett *n*; Duo *n*.
duodénum [dɥɔdenɔm] *m* Zwölffingerdarm *m*.
dup|e [dyp] *f être la ~ de qn* von j-m betrogen werden; *être ~ de qc* auf etw hereinfallen; **~er** (1a) prellen, betrügen; **~erie** *f* Betrügerei *f*.
duplex [dyplɛks] *m* zweigeschossiges Appartement *n*.
duplicat|a [dyplikata] *m* Zweitschrift *f*; **~eur** *m* Vervielfältiger *m*.
duplicité [dyplisite] *f* Doppelzüngigkeit *f*.
dur, ~e [dyr] **1.** *adj* hart; *fig* schwierig; streng; **2.** *adv travailler dur* hart arbeiten; *frapper dur* kräftig (zu-)schlagen; **~able** dauerhaft; **~ant** [-ɑ̃] *prép* während.
durc|ir [dyrsir] (2a) (ver-, ab)härten; *(se) ~* hart werden; **~issement** [-ismɑ̃] *m* Hartwerden *n*; *fig* Verhärtung *f*.
dur|ée [dyre] *f* Dauer *f*; **~er** (1a) dauern; halten.
dur|eté [dyrte] *f* Härte *f*; *fig* Strenge *f*; **~illon** [-ijõ] *m* Schwiele *f*.
duvet [dyvɛ] *m* Flaum *m*; Daunen *f/pl*; Daunenschlafsack *m*.
dynam|ique [dinamik] **1.** *adj* dyna-

misch; *fig* tatkräftig; **2.** *f* Dynamik *f* (*a fig*); **~isme** *m fig* Dynamik *f*, Energie *f*; **~ite** [-it] *f* Dynamit *n*; ⚠ *la ~*.

dynamo [dinamo] *f tech* Dynamo *m*; Lichtmaschine *f*; ⚠ *la ~*.

dynastie [dinasti] *f* Dynastie *f*, Herrscherhaus *n*.

dys|enterie [disɑ̃tri] *f méd* Ruhr *f*; **~lexie** [-lɛksi] *f psych* Legasthenie *f*; **~pepsie** [-pɛpsi] *f* Verdauungsschwäche *f*.

E

eau [o] *f* (⚠ *pl ~x*) Wasser *n*; *~x pl* Gewässer *n/pl*; Heilquellen *f/pl*; *nager entre deux ~x fig* es mit keinem verderben wollen; *tomber à l'~* ins Wasser fallen (*a fig*).

eau-de-vie [odvi] *f* (⚠ *pl eaux-de--vie*) Branntwein *m*; Schnaps *m*.

eau-forte [ofɔrt] *f* (⚠ *pl eaux-fortes*) Radierung *f*.

ébahi, ~ie [ebai] verblüfft, sprachlos, verdutzt.

ébattre [ebatrə] (4a) *s'~* sich tummeln.

ébauch|e [eboʃ] *f* Skizze *f*; Entwurf *m*; schwacher Versuch *m*; **~er** (1a) entwerfen; *~ un sourire* ein Lächeln andeuten.

ébène [ebɛn] *f* Ebenholz *n*.

ébéniste [ebenist] *m* Kunsttischler *m*.

éberlué, ~e [ebɛrlɥe] F verdutzt.

éblou|ir [ebluir] (2a) blenden; *fig* verblüffen; **~issement** [-ismɑ̃] *m* Blendung *f*; *fig* Staunen *n*.

éborgner [ebɔrɲe] (1a) *~ qn* j-m ein Auge ausschlagen *od* ausstechen.

éboueur [ebwœr] *m* Müllmann *m*.

éboul|ement [ebulmɑ̃] *m* Erd-, Bergrutsch *m*; Einsturz *m*; **~er** (1a) *s'~* einstürzen; **~is** [-i] *m* Geröll *n*; Schutt *m*.

ébouriffer [eburife] (1a) *Haar*: zerzausen; F *fig* verblüffen.

ébranler [ebrɑ̃le] (1a) erschüttern; *s'~* sich in Bewegung setzen.

ébriété [ebrijete] *f* Trunkenheit *f*.

ébruiter [ebrɥite] (1a) *Nachricht*: verbreiten.

ébullition [ebylisjɔ̃] *f* Aufkochen *n*, Sieden *n*.

écaill|e [ekaj] *f zo, bot* Schuppe *f*; Schildpatt *n*; **~er** (1a) abschuppen; *Austern*: aufmachen; *s'~* abbröckeln, abblättern.

écale [ekal] *f* (grüne Nuß-)Schale *f*.

écarlate [ekarlat] **1.** *f* Scharlachfarbe *f*; **2.** *adj* scharlachrot.

écarquiller [ekarkije] (1a) *Augen*: aufsperren.

écart [ekar] *m* Abstand *m*, Spanne *f*, Spielraum *m*; Abweichung *f*, Verstoß *m*; Sprung *m* zur Seite; *grand ~* Spagat *m od n*; *à l'~* abseits, beiseite; *à l'~ de* weit weg von.

écarteler [ekartəle] (1d) vierteilen; *fig* hin- und herreißen.

écart|ement [ekartəmɑ̃] *m* Abstand *m*, Entfernung *f*; *tech* Spurweite *f*; **~er** (1a) wegschieben, entfernen; *Beine*: spreizen; *fig Gedanken*: verwerfen, ablehnen; *s'~ de* sich entfernen von, abweichen von.

ecclésiastique [eklezjastik] kirchlich, geistlich.

écervelé, ~e [esɛrvəle] leichtsinnig, gedankenlos.

échafaud [eʃafo] *m hist* Schafott *n*.

échafaud|age [eʃafodaʒ] *m* Baugerüst *n*; **~er** (1a) aufstapeln; *fig Plan*: entwerfen.

échalote [eʃalɔt] *f bot* Schalotte *f*; ⚠ *Schreibung*.

échancrer [eʃɑ̃kre] (1a) ausschneiden.

échang|e [eʃɑ̃ʒ] *m* Austausch *m*; *~s extérieurs* Außenhandel *m*; **~er** (1l) um-, austauschen (*contre qc* gegen *od* für etw); (aus)wechseln; **~eur** *m* Verkehrsknoten *m*, -kreuz *n*.

échantillon [eʃɑ̃tijɔ̃] *m* Probe(stück) *f(n)*, Muster *n*.

échapp|atoire [eʃapatwar] *f* Ausflucht *f*; **~ée** *f* schmaler Durchblick *m*; *Radsport*: Ausreißversuch *m*; **~ement** [-mɑ̃] *m auto* Auspuff *m*.

échapper [eʃape] (1a) entkommen, entgehen, entwischen (*à qn, qc* j-m,

e-r Sache); entfahren; entfallen; *l'~ belle* mit e-m blauen Auge davonkommen.
écharde [eʃard] *f* Splitter *m*.
écharpe [eʃarp] *f* Schärpe *f*; Schal *m*; *méd* (Arm-)Binde *f*, Schlinge *f*.
échasse [eʃas] *f* Stelze *f*.
échaud|é [eʃode] *m Gebäck*: Windbeutel *m*; **~er** (1a) (ab-, ver)brühen.
échauff|é, ~ée [eʃofe] erhitzt; **~ement** [-mɑ̃] *m* Erhitzung *f*; **~er** (1a) erwärmen; erhitzen (*a fig*); *s'~* warm werden, sich ereifern; **~ourée** [-ure] *f* Krawall *m*, Tumult *m*.
échéance [eʃeɑ̃s] *f comm, jur* Fälligkeit *f*; Verfalltag *m*; *à brève, longue ~* kurz-, langfristig.
échéant [eʃeɑ̃] *le cas ~* gegebenenfalls.
échec [eʃɛk] *m* Mißerfolg *m*; Scheitern *n*; Schlappe *f*; *essuyer od subir un ~* e-e Niederlage erleiden; *~ scolaire* schulisches Versagen *n*.
échecs [eʃɛk] *m/pl* Schach(spiel) *n*; *jouer aux ~ Schach spielen*.
échelle [eʃɛl] *f* Leiter *f*; Skala *f*; *fig* Rangordnung *f*, Stufenleiter *f*; Maßstab *m*; *~ double* Stehleiter *f*; *grande ~* Feuerwehrleiter *f*; *sur une grande ~* in großem Maßstab *od* Stil; *fig faire monter qn à l'~* j-n hochnehmen, verulken.
échelon [eʃlõ] *m* Leitersprosse *f*; *fig* Stufe *f*, Ebene *f*; Rangstufe *f*; Dienstgrad *m*; *mil* Staffel *f*.
échelonner [eʃlɔne] (1a) staffeln; abstufen; verteilen.
écheveau [eʃvo] *m* (⚠ *pl ~x*) *Wolle*: Strang *m*; *fig* Durcheinander *n*.
échevelé, ~e [eʃəvle] zerzaust.
échin|e [eʃin] *f* Rückgrat *n* (*a fig*); **~er** (1a) F *s'~* sich abrackern.
échiquier [eʃikje] *m* Schachbrett *n*.
écho [eko] *m* Echo *n*.
échoir [eʃwar] (3m) *comm* fällig werden, verfallen; *~ à qn* j-m anheimfallen, zufallen.
échouer [eʃwe] (1a) *Schiff*: stranden; *fig* scheitern; durchfallen.
échu, ~e [eʃy] *p/p von échoir*.
éclabousser [eklabuse] (1a) be-, vollspritzen.
éclair [eklɛr] *m* Blitz *m*; *fig* Aufblitzen *n*; *Gebäck*: Liebesknochen *m*; **~age** *m* Beleuchtung *f*, Licht *n* (*a fig*).
éclairc|ie [eklɛrsi] *f Wetter*: Aufheiterung *f*; **~ir** (2a) aufhellen; lichten; *fig* aufklären; *s'~* sich aufklären, heller werden.
éclair|er [eklɛre] (1b) (be-, er)leuchten; *~ qn* j-m leuchten; *fig ~ qc, qn* etw, j-n aufklären (*sur* über); **~eur, ~euse** *m, f* Pfadfinder(in) *m(f)*.
éclat [ekla] *m* Splitter *m*; Aufsehen *n*; Glanz *m*, Pracht *f*; *~ de rire* schallendes Gelächter *n*.
éclat|ant, ~ante [eklatɑ̃, -ɑ̃t] glänzend (*a fig*); schallend; offenkundig; **~er** (1a) platzen, bersten; knallen, krachen, erschallen; glänzen; *Streit*: ausbrechen; *fig* sich auflösen; zersplittern; *~ de rire* laut auflachen.
éclips|e [eklips] *f* (*Mond-, Sonnen-*) Finsternis *f*; **~er** (1a) *Himmelskörper*: verfinstern; *fig ~ qn* j-n in den Schatten stellen; F *s'~* verschwinden.
éclopé, ~e [eklɔpe] F *plais* lahm, gehunfähig.
éclore [eklɔr] (4k) aus dem Ei kriechen; *Blumen*: aufblühen.
éclus|e [eklyz] *f* Schleuse *f*; **~er** (1a) durchschleusen; P saufen.
écœur|ant, ~ante [ekœrɑ̃, -ɑ̃t] widerlich, ekelhaft; **~ement** [-mɑ̃] *m* Ekel *m* (*a fig*); **~er** (1a) anwidern, anekeln.
écol|e [ekɔl] *f* Schule *f*; *~ primaire* Grundschule *f*; *~ secondaire* höhere Schule; *in Frankreich*: *grande ~* (elitäre) Hochschule *f*; **~ier, ~ière** [-je, -jɛr] *m, f* Schüler(in) *m(f)*.
écolog|ie [ekɔlɔʒi] *f* Ökologie *f*; **~iste** *m, f* Umweltschützer(in) *m(f)*.
éconduire [ekõdɥir] (4c) abweisen.
économe [ekɔnɔm] **1.** *adj* sparsam; ⚠ *auf Personen bezogen*; **2.** *m, f* Verwalter(in) *m(f)*.
économ|ie [ekɔnɔmi] *f* Wirtschaft (-lichkeit) *f*; Sparsamkeit *f*; *~ d'entreprise* Betriebswirtschaft *f*; *~ nationale* Volkswirtschaft *f*; *~ libérale* freie Marktwirtschaft *f*; *~ politique* Nationalökonomie *f*; *~s pl* Ersparnisse *f/pl*; *faire des ~s* sparen; **~ique** wirtschaftlich; Wirtschafts...; ⚠ *auf Sachen bezogen*; **~iser** (1a) *~ qc* etw (ein)sparen; *~ sur qc* an etw sparen; **~iste** *m, f* Volkswirtschaftler(in) *m(f)*.
écoper [ekɔpe] (1a) *Schiff*: ausschöpfen; F *fig* bestraft werden.
écorce [ekɔrs] *f* Rinde *f*; Schale *f*.
écorcher [ekɔrʃe] (1a) das Fell abziehen, enthäuten; aufschürfen; radebrechen.
écoss|ais, ~aise [ekɔsɛ, -ɛz] **1.** *adj*

schottisch; **2.** 𝔖 *m*, *f* Schotte *m*, Schottin *f*.
Écosse [ekɔs] *f l'*~ Schottland *n*.
écosser [ekɔse] (1a) enthülsen.
écot [eko] *litt m* Anteil *m* (*an der Zeche*).
écoulement [ekulmɑ̃] *m* Abfluß *m*; *Zeit*: Ablauf *m*; *comm* Absatz *m*.
écouler [ekule] (1a) *comm* absetzen; *s'*~ abfließen; sich verlaufen; *Zeit*: vergehen; *comm* Absatz finden.
écourter [ekurte] (1a) (ab-, ver)kürzen.
écoute [ekut] *f* Hören *n* (*bes Radio*); *tél* Abhören *n*; *être à l'*~ *Radio*: hören; *aux* ~*s* auf der Lauer, in Erwartung.
écout|er [ekute] (1a) (an)hören, horchen, lauschen; ~ *qn* j-m zuhören; j-n anhören; auf j-n hören; ~**eur** *m* (Telefon-)Hörer *m*; Kopfhörer *m*.
écran [ekrɑ̃] *m* Wandschirm *m*; Bildschirm *m*; *Kino*: Leinwand *f*; *le petit* ~ das Fernsehen; ~ *radar* Radarschirm *m*.
écraser [ekrɑze] (1a) zermalmen (*a fig*), zerdrücken, zerquetschen; *auto* überfahren; *fig* zerschlagen, vernichten; *Flugzeug*: *s'*~ *au sol* am Boden zerschellen, abstürzen.
écrémer [ekreme] (1f) entrahmen.
écrevisse [ekrəvis] *f zo* Krebs *m*.
écrier [ekrije] (1a) *s'*~ ausrufen.
écrin [ekrɛ̃] *m* Schmuckkästchen *n*.
écrire [ekrir] (4f) schreiben; *s'*~ sich schreiben; geschrieben werden.
écrit [ekrit] *m* Schrift(stück) *f*(*n*); *Prüfung*: *l'*~ das Schriftliche; *par* ~ schriftlich.
écrit|eau [ekrito] *m* (⚠ *pl* ~*x*) (Hinweis-)Schild *n*; ~**ure** [-yr] *f* Schrift *f*; *comm* Buchung *f*; *les* (*Saintes*) 𝔖*s* die (Heilige) Schrift.
écrivailler [ekrivaje] (1a) *péj* hin-, zusammenschmieren.
écrivain [ekrivɛ̃] *m* Schriftsteller(in) *m*(*f*).
écrou [ekru] *m* (⚠ *pl* ~*s*) **1.** (Schrauben-)Mutter *f*; **2.** *jur* Inhaftierung *f*.
écrouer [ekrue] (1a) *jur* inhaftieren.
écrouler [ekrule] (1a) *s'*~ einstürzen; zusammenbrechen (*a fig*).
écru, ~**e** [ekry] ungebleicht.
écu [eky] *m hist* (Wappen-)Schild *m od n*; Taler *m*.
écueil [ekœj] *m* Riff *n*; Klippe *f* (*a fig*).
écuelle [ekɥɛl] *f* Napf *m*.
éculé, ~**e** [ekyle] *Schuhe*: abgelaufen; *fig* abgedroschen.
écum|e [ekym] *f* Schaum *m*; ~**er** (1a) (ab)schäumen; *fig* ausplündern.
écureuil [ekyrœj] *m zo* Eichhörnchen *n*.
écurie [ekyri] *f* Pferdestall *m*; *Sport*: Rennstall *m*.
écusson [ekysõ] *m* Wappenschild *m*; *mil* Kragenspiegel *m*; Abzeichen *n*.
écuy|er [ekɥije] *m* (Kunst-)Reiter *m*; *hist* Schildknappe *m*; ~**ère** *f* Kunstreiterin *f*.
eczéma [egzema] *m méd* Hautausschlag *m*, Ekzem *n*.
édente [edɑ̃te] zahnlos.
E.D.F. [edeɛf] *f* (*abr Électricité de France*) Frz. Elektrizitätsgesellschaft.
édicter [edikte] (1a) verordnen.
édifi|ant, ~**ante** [edifjɑ̃, -ɑ̃t] erbaulich.
édification [edifikasjõ] *f* Erbauung *f* (*a fig*).
édifice [edifis] *m* Gebäude *n*.
édifier [edifje] (1a) erbauen (*a fig*).
édiles [edil] *m*/*pl* Stadtverwaltung *f*; Stadtväter *m*/*pl* (*a iron*).
édit [edi] *m* Edikt *n*.
édi|ter [edite] (1a) herausgeben; ~**teur,** ~**trice** *m*, *f* Verleger(in) *m*(*f*); ~**tion** *f* Ausgabe *f*; Auflage *f*; ~*s pl* Verlag *m*; ~**torial** [-tɔrjal] *m* (⚠ *pl* -*iaux*) Leitartikel *m*.
édredon [edrədõ] *m* Daunenbett *n*; Federbett *n*.
éduca|teur, ~**trice** [edykatœr, -tris] *m*, *f* Erzieher(in) *m*(*f*); ~**tif,** ~**tive** [-tif, -tiv] erzieherisch; belehrend; ~**tion** Erziehung *f*; Bildung *f*.
éduquer [edyke] (1m) erziehen.
effacer [efase] (1k) auslöschen; ausradieren; (weg)streichen; aus-, verwischen; *s'*~ verblassen, verschwinden; *Person*: zurücktreten.
effar|ement [efarmɑ̃] *m* Bestürzung *f*; ~**er** (1a) verwirren.
effaroucher [efaruʃe] (1a) auf-, verscheuchen; *fig* ab-, erschrecken.
effect|if, ~**ive** [efɛktif, -iv] **1.** *adj* wirklich, tatsächlich; **2.** *m* (Personal-)Bestand *m*.
effectuer [efɛktɥe] (1a) aus-, durchführen, unternehmen; *s'*~ erfolgen, vor sich gehen.
efféminé, ~**e** [efemine] *péj* weibisch.
effervesc|ence [efɛrvesɑ̃s] *f* Aufwallung *f*; *fig* Aufregung *f*; Gärung *f*;

E

~ent, ~ente [-ɑ̃, -ɑ̃t] aufwallend; *fig* brodelnd.
effet [efɛ] *m* **1.** Wirkung *f*; Ergebnis *n*; *à cet ~* zu diesem Zweck; *en ~* denn, nämlich; in der Tat; *faire de l'~* wirken; *faire l'~ de* den Eindruck machen von ...; **2.** *~s pl* Habseligkeiten *f/pl*, Sachen *f/pl*; Kleider *n/pl*; **3.** *comm ~s pl* Effekten *f/pl*.
effeuiller [efœje] (1a) entblättern.
efficac|e [efikas] wirksam; **~ité** *f* Wirksamkeit *f*, Effektivität *f*.
effigie [efiʒi] *f* Bildnis *n*.
effilé, ~e [efile] dünn; zugespitzt.
efflanqué, ~e [eflɑ̃ke] abgemagert, dürr.
effleurer [eflœre] (1a) streifen (*a fig*); leicht berühren.
effluve [eflyv] *m* Ausdünstung *f*; Geruch *m*; *fig* Ausstrahlung *f*.
effondrer [efõdre] (1a) *s'~* einstürzen; zusammenbrechen (*a fig*).
efforcer [efɔrse] (1k) *s'~ de* (+ *inf*) sich anstrengen, sich bemühen zu (+ *inf*).
effort [efɔr] *m* Anstrengung *f*; Mühe *f*; *faire un ~* sich anstrengen.
effraction [efraksjõ] *f jur* Einbruch [*m*.]
effray|ant, ~ante [efrɛjɑ̃, -ɑ̃t] schrecklich; **~er** (1i) *~ qn* j-n erschrecken; *s'~* (sich) erschrecken (*de* über).
effréne, ~e [efrene] zügellos, wild.
effriter [efrite] (1a) *s'~* verwittern; zerbröckeln; abbröckeln (*a fig*).
effroi [efrwa] *st/s m* Entsetzen *n*.
effront|é, ~ée [efrõte] frech; unverschämt; **~erie** *f* Frechheit *f*.
effroyable [efrwajablə] entsetzlich.
effusion [efyzjõ] *f* **1.** *~ de sang* Blutvergießen *n*; **2.** *litt ~s pl* Gefühlsausbrüche *m/pl*.
égal, ~e [egal] (⚠ *m/pl -aux*) gleich; gleichmäßig; eben; gleichgültig; *d'~ à ~* wie seinesgleichen; *sans ~* unvergleichlich; *ça lui est ~* das ist ihm gleich; **~ement** [-mɑ̃] *adv* gleichermaßen; gleichfalls, auch.
égal|er [egale] (1a) *~ qn* (*od qc*) j-m (*od* e-r Sache) gleichkommen; **~iser** (1a) aus-, angleichen; gleichmäßig verteilen; ebnen; **~ité** *f* Gleichheit *f*; Gleichförmigkeit *f*; Ebenheit *f*; *à ~ de* bei Gleichheit (+ *gén*).
égard [egar] *m à cet ~* in dieser Beziehung; *à l'~ de* hinsichtlich; *eu ~ à* in Anbetracht (+ *gén*); *par ~ à* mit Rücksicht auf; *~s pl* Achtung *f*, Aufmerksamkeit *f*; *manque m d'~s* Rücksichtslosigkeit *f*.
égarer [egare] (1a) irreleiten; *Gegenstände*: verlegen; *s'~* sich verirren; *vom Thema*: abschweifen.
égayer [egɛje] (1i) erheitern; auflockern.
églantine [eglɑ̃tin] *f* wilde Rose *f*, Heckenrose *f*.
église [egliz] *f* Kirche *f*.
égo|ïsme [egɔismə] *m* Egoismus *m*; **~ïste** **1.** *adj* egoistisch; **2.** *m, f* Egoist(in) *m(f)*.
égorger [egɔrʒe] (1l) die Kehle durchschneiden (*qn* j-m); *fig* schröpfen.
égosiller [egozije] (1a) *s'~* sich heiser schreien.
égout [egu] *m* (Abwasser-)Kanal *m*.
égoutter [egute] (1a) abtropfen lassen.
égratign|er [egratiɲe] (1a) zerkratzen, (auf)ritzen; **~ure** [-yr] *f* Kratzwunde *f*, Schramme *f*.
égrener [egrəne] (1d) auskörnen; abbeeren.
Égypte [eʒipt] *f l'~* Ägypten *n*.
égypt|ien, ~ienne [eʒipsjɛ̃, -jɛn] **1.** *adj* ägyptisch; **2.** ♀ *m, f* Ägypter(in) *m(f)*.
eh [e] he!, hallo!; ach!; *~ bien!* nun!; na!; na schön!
éhonté, ~e [eõte] schamlos.
éjecter [eʒɛkte] (1a) (hin)auswerfen, hinausschleudern.
éjection [eʒɛksjõ] *f* Auswerfen *n*.
élaborer [elabɔre] (1a) ausarbeiten.
élaguer [elage] (1m) *Baum*: beschneiden, lichten.
élan [elɑ̃] *m* **1.** Anlauf *m*; Schwung *m*; *fig* Eifer *m*; Anwandlung *f*; Begeisterung *f*; **2.** *zo* Elch *m*.
élancer [elɑ̃se] (1k) **1.** *méd* heftig stechen; **2.** *s'~* hervor-, losstürzen; *fig* sich emporschwingen; *Turm*: emporragen.
élargir [elarʒir] (2a) erweitern; verbreitern.
élasticité [elastisite] *f* Dehnbarkeit *f*; Elastizität *f*; Spannkraft *f*.
élastique [elastik] **1.** *adj* elastisch; **2.** *m* Gummiband *n*.
élec|teur, ~trice [elɛktœr, -tris] **1.** *m, f* Wähler(in) *m(f)*; **2.** *m hist* Kurfürst *m*.
élection [elɛksjõ] *f* Wahl *f*.
élector|al, ~ale [elɛktɔral] (⚠ *m/pl -aux*) Wahl...; *hist* kurfürstlich; **~at** [-a] *m* **1.** Wahlrecht *n*; Wählerschaft *f*; **2.** *hist* Kurfürstentum *n*.

électri|cien [elɛktrisjɛ̃] *m* Elektriker *m*; **~cité** [-site] *f* Elektrizität *f*; **~fication** [-fikɑsjõ] *f* Elektrifizierung *f*; **~fier** [-fje] (1a) elektrifizieren.
électr|ique [elɛktrik] elektrisch; **~iser** (1a) elektrisieren; *fig* begeistern.
électro|-aimant [elɛktrɔɛmɑ̃] *m* (⚠ *pl électro-aimants*) Elektromagnet *m*; **~cardiogramme** [-kardjɔgram] *m méd* Elektrokardiogramm *n* (*abr* EKG); **~cuter** [-kyte] (1a) durch e-n elektrischen Schlag töten; **~cution** [-kysjõ] *f* tödlicher elektrischer Schlag *m*; Hinrichtung *f* durch Elektrizität; **~ménager** [-menaʒe] *appareils m/pl* **~s** elektrische Haushaltsgeräte *n/pl*.
électronic|ien, ~ienne [elɛktrɔnisjɛ̃, -jɛn] *m, f* Elektroniker(in) *m(f)*.
électronique [elɛktrɔnik] **1.** *adj* elektronisch; **2.** *f* Elektronik *f*.
électrophone [elɛktrɔfɔn] *m* Plattenspieler *m*.
élégance [elegɑ̃s] *f* Eleganz *f*.
élég|ant, ~ante [elɛgɑ̃, -ɑ̃t] elegant; ⚠ *adv élégamment* [-amɑ̃].
élément [elemɑ̃] *m* Element *n*; Bestandteil *m*; Komponente *f*; Bauteil *n*; **~s** *pl* Grundbegriffe *m/pl*.
élémentaire [elemɑ̃tɛr] Grund..., elementar.
éléphant [elefɑ̃] *m zo* Elefant *m*.
élevage [elvaʒ] *m* Züchtung *f*; Viehzucht *f*.
éléva|teur [elevatœr] *m* Hebevorrichtung *f*; Lastenaufzug *m*; **~tion** *f* Erhebung *f*, Erhöhung *f* (*a fig*); Anstieg *m*; Anhöhe *f*.
élève [elɛv] *m, f* Schüler(in) *m(f)*.
élev|é, ~ée [elve] hochgelegen; *Preis etc*: hoch; *fig* erhaben; *bien* **~** wohlerzogen; *mal* **~** ungezogen; **~er** (1d) erheben; erhöhen; errichten; *Kinder*: aufziehen; *Tiere*: züchten; *s'*~ sich erheben; ansteigen; *s'*~ *contre qn* gegen j-n auftreten; *s'*~ *à* sich belaufen auf; **~eur, ~euse** *m, f* Viehzüchter(in) *m(f)*.
éligible [eliʒiblə] wählbar.
élimé, ~e [elime] abgetragen.
élimin|atoire [eliminatwar] *f* Ausscheidungswettkampf *m*; **~er** (1a) beseitigen, entfernen, eliminieren.
élire [elir] (4x) (er)wählen.
élite [elit] *f* Auslese *f*, Elite *f*.
elle(s) [ɛl] *f/(pl)* sie.
élocution [elɔkysjõ] *f* Sprech-, Redeweise *f*.
éloge [elɔʒ] *m* Lob(rede) *n(f)*; ~ *funèbre* Nachruf *m*.
éloigné, ~e [elwaɲe] fern, entfernt.
éloign|ement [elwaɲmɑ̃] *m* Entfernung *f*; Abstand *m*; *fig* Fernsein *n*; **~er** (1a) wegnehmen; entfernen; *fig* entfremden; *s'*~ *de* sich entfernen von.
élongation [elõgasjõ] *f méd* Zerrung *f*.
éloquence [elɔkɑ̃s] *f* Beredsamkeit *f*.
éloqu|ent, ~ente [ɛlɔkɑ̃, -ɑ̃t] beredt; ⚠ *adv éloquemment* [-amɑ̃].
élu, ~e **1.** *p/p von élire u adj* gewählt; auserwählt; **2.** *m, f fig* Auserwählte(r) *f(m)*; *pol les élus* die Abgeordneten *m/pl*.
élucider [elyside] (1a) (auf)klären.
élucubrations [elykybrasjõ] *f/pl* Hirngespinste *n/pl*.
éluder [elyde] (1a) *fig* umgehen.
émacié, ~e [emasje] abgezehrt.
émail [emaj] *m* (⚠ *pl émaux*) Email *n*; Zahnschmelz *m*.
émanation [emanasjõ] *f* Ausdünstung *f*; *fig* Ausstrahlung *f*.
émancipation [emɑ̃sipasjõ] *f* Befreiung *f*; Gleichberechtigung *f*, Gleichstellung *f*; Emanzipation *f*.
émaner [emane] (1a) ausgehen, herrühren (*de* von).
emball|age [ɑ̃balaʒ] *m* Verpackung *f*; **~er** (1a) ein-, verpacken; F *fig* begeistern; F *Verbrecher*: schnappen; *s'*~ *Motor*: aufheulen; F *fig* sich begeistern; aufbrausen.
embarca|dère [ɑ̃barkadɛr] *m mar* Landeplatz *m*; Landungsbrücke *f*; **~tion** *f* (kleines) Boot *n*.
embargo [ɑ̃bargo] *m* Embargo *n*, Handelssperre *f*.
embarqu|ement [ɑ̃barkəmɑ̃] *m* Verschiffung *f*, Verladung *f*; Anbordgehen *n*, Einsteigen *n*; **~er** (1m) an Bord bringen *od* (*a s'*~) gehen; verschiffen; F *s'*~ *dans* sich einlassen auf.
embarras [ɑ̃bara] *m* schwierige Lage, Notlage *f*; Verlegenheit *f*, Verwirrung *f*.
embarrass|ant, ~ante [ɑ̃barasɑ̃, -ɑ̃t] hinderlich; lästig; peinlich; **~é, ~ée** verlegen, betreten; wirr, verworren; **~er** (1a) (be)hindern, stören; in Verlegenheit bringen.
embauch|age [ɑ̃boʃaʒ] *m* An-, Einstellung *f*; **~er** (1a) an-, einstellen.
embaumer [ɑ̃bome] (1a) einbalsa-

E

mieren; mit Duft erfüllen; duften.
embellir [ɑ̃bɛlir] (1a) verschönern; schöner werden.
embêt|ant, ~ante [ɑ̃bɛtɑ̃, -ɑ̃t] F langweilig; ärgerlich; **~ement** [-mɑ̃] F *m* Ärger *m*; **~er** F (1a) langweilen; ärgern; belästigen.
emblée [ɑ̃ble] *d'~* sofort, ohne weiteres.
emblème [ɑ̃blɛm] *m* Sinnbild *n*, Emblem *n*.
emboîter [ɑ̃bwate] (1a) einfügen, einpassen; *~ le pas à qn* j-m auf dem Fuße folgen.
embonpoint [ɑ̃bõpwɛ̃] *m* Körperfülle *f*.
embouchure [ɑ̃buʃyr] *f* Mündung *f*; *mus* Mundstück *n*.
embourber [ɑ̃burbe] (1a) in den Morast fahren; *s'~* im Dreck steckenbleiben.
embourgeoiser [ɑ̃burʒwaze] (1a) *s'~* verbürgerlichen.
embouteill|age [ɑ̃butɛjaʒ] *m* Verkehrsstauung *f*; **~er** (1b) *Straße*: verstopfen.
emboutir [ɑ̃butir] (2a) eindrücken; zerbeulen.
embranchement [ɑ̃brɑ̃ʃmɑ̃] *m* Ab-, Verzweigung *f*.
embraser [ɑ̃braze] (1a) *litt* versengen; in (rote) Glut tauchen.
embrasser [ɑ̃brase] (1a) küssen; umarmen; *fig Zeitraum*: umfassen; *st/s Beruf*: ergreifen; *~ du regard* überblicken.
embrasure [ɑ̃brɑzyr] *f* Tür-, Fensteröffnung *f*.
embrayage [ɑ̃brɛjaʒ] *m auto* Kupplung *f*.
embrocher [ɑ̃brɔʃe] (1a) aufspießen.
embrouiller [ɑ̃bruje] (1a) durcheinanderbringen, verwirren; *s'~* in Verwirrung geraten.
embroussaillé, ~e [ɑ̃brusaje] voller Gestrüpp; struppig.
embruns [ɑ̃brɛ̃, -œ̃] *m/pl mar* Gischt *m od f*.
embûches [ɑ̃byʃ] *f/pl fig* Fallen *f/pl*, Fallstricke *m/pl*.
embuer [ɑ̃bɥe] (1a) *Glas, Fenster*: beschlagen.
embuscade [ɑ̃buskad] *f mil* Hinterhalt *m*.
éméché, ~e [emeʃe] F beschwipst.
émeraude [ɛmrod] **1.** *f* Smaragd *m*; **2.** *adj* smaragden.
émerger [emɛrʒe] (1l) auftauchen.
émeri [emri] *m* Schmirgel *m*; *papier (d')~* Schmirgel-, Schleifpapier *n*.
émérite [emerit] bedeutend; verdient.
émerveiller [emɛrvɛje] (1a) in Verwunderung setzen; *s'~* staunen (*de* über).
émetteur [emɛtœr] *m Radio*: Sender *m*.
émettre [emɛtrə] (4p) (aus)senden; *Meinung*: äußern; *comm Aktien etc*: ausgeben.
émeute [emøt] *f* Aufruhr *m*.
émietter [emjɛte] (1b) zerkrümeln.
émigr|ation [emigrasjõ] *f* Auswanderung *f*.
émigr|é, ~ée [emigre] *m, f pol* Emigrant(in) *m(f)*; **~er** (1a) auswandern.
émin|ence [eminɑ̃s] *f* **1.** Anhöhe *f*; **2.** ♀ Eminenz *f* (*Titel*); **~ent, ~ente** [-ɑ̃, -ɑ̃t] hervorragend, außerordentlich.
émiss|aire [emisɛr] *m* Geheimbote *m*; **~ion** *f Radio*: Sendung *f*; *comm* Ausgabe *f*.
emmagasiner [ɑ̃magazine] (1a) speichern, lagern.
emmancher [ɑ̃mɑ̃ʃe] (1a) *fig* einfädeln, einleiten.
emmêler [ɑ̃mɛle] (1a) verwirren; *fig* durcheinanderbringen, komplizieren.
emménager [ɑ̃menaʒe] (1l) *Wohnung*: einziehen; ⚠ *il a emménagé*.
emmener [ɑ̃mne] (1d) wegbringen; mitnehmen; ⚠ *im allg auf Personen bezogen*.
emmerder [ɑ̃mɛrde] (1a) P *~ qn* j-n nerven, j-m auf den Geist *od* auf den Wecker gehen; P *s'~* sich zu Tode langweilen.
emmitoufler [ɑ̃mitufle] (1a) (*s'~* sich) einmumme(l)n.
émoi [emwa] *m* Aufregung *f*.
émoluments [emɔlymɑ̃] *m/pl* Dienstbezüge *m/pl*, Gehalt *n*.
émot|if, ~ive [emɔtif, -iv] Gefühls...; überempfindlich.
émotion [emosjõ] *f* Auf-, Erregung *f*; Ergriffenheit *f*, Rührung *f*.
émoulu, ~e [emuly] *frais émoulu, fraîche émoulue* frischgebacken (*fig*).
émousser [emuse] (1a) stumpf machen; *fig* abstumpfen.
émouvoir [emuvwar] (3d) ergreifen (*fig*), rühren; *s'~* sich erregen.
empailler [ɑ̃paje] (1a) *Tiere*: ausstopfen.

empaqueter [ɑ̃pakte] (1c) einpacken.
emparer [ɑ̃pare] (1a) *s'~ de* sich bemächtigen (+ *gén*); ergreifen.
empâter [ɑ̃pɑte] (1a) *s'~* dicker werden.
empêchement [ɑ̃pɛʃmɑ̃] *m* Hindernis *n*; Hinderungsgrund *m*.
empêcher [ɑ̃pɛʃe] (1b) hindern; *~ qc* etw verhindern; *~ qn de faire qc* j-n an etw hindern; *~ que* (+ *subj*) verhindern, daß ...; *(il) n'empêche que* ... trotzdem, und doch; *ne (pas) pouvoir s'~ de faire qc* nicht umhinkönnen, etw zu tun; etw unbedingt tun müssen.
empereur [ɑ̃prœr] *m* Kaiser *m*.
empeser [ɑ̃pəze] (1d) *Wäsche*: stärken.
empester [ɑ̃pɛste] (1a) verpesten; stinken.
empêtrer [ɑ̃pɛtre] (1b) *s'~ dans* sich verwickeln in (*a fig*).
empha|se [ɑ̃fɑz] *f* Pathos *n*, Emphase *f*; **~tique** [-tik] emphatisch.
empiéter [ɑ̃pjete] (1f) *~ sur* übergreifen auf; vordringen in.
empiffrer [ɑ̃pifre] (1a) F *s'~* sich vollstopfen, sich den Bauch vollschlagen.
empiler [ɑ̃pile] (1a) aufstapeln.
empire [ɑ̃pir] *m* Kaiserreich *n*; Reich *n*; *fig* Einfluß *m*.
empirer [ɑ̃pire] (1a) (sich) verschlimmern, schlimmer machen *od* werden.
empirique [ɑ̃pirik] empirisch, auf Erfahrung beruhend.
emplacement [ɑ̃plasmɑ̃] *m* Platz *m*, Stelle *f*, Ort *m*.
emplette [ɑ̃plɛt] *f* Einkauf *m*.
emplir [ɑ̃plir] (2a) *st/s* (*s'*)*~* (sich) füllen.
emploi [ɑ̃plwa] *m* **1.** Gebrauch *m*, An-, Verwendung *f*; *~ du temps* Zeit-, Stundenplan *m*; **2.** Arbeitsplatz *m*, Anstellung *f*; *écon plein ~* Vollbeschäftigung *f*.
employ|é, ~ée [ɑ̃plwaje] *m, f* Angestellte(r) *m, f*; **~er** (1h) an-, verwenden, gebrauchen; beschäftigen; *s'~ à (faire) qc* sich für etw einsetzen; **~eur** *m* Arbeitgeber *m*.
empocher [ɑ̃pɔʃe] (1a) in die Tasche stecken.
empoigner [ɑ̃pwaɲe] (1a) ergreifen, packen.
empoisonner [ɑ̃pwazɔne] (1a) vergiften.
emporter [ɑ̃pɔrte] (1a) wegtragen, -bringen; mitnehmen; fortreißen; hinwegraffen; *l'~* den Sieg davontragen; sich durchsetzen; *l'~ sur qn* j-n übertreffen; die Oberhand gewinnen über j-n; *s'~* sich erregen.
empreinte [ɑ̃prɛ̃t] *f* Abdruck *m*; Spur *f*; *fig* Gepräge *n*; *~ digitale* Fingerabdruck *m*.
empress|ement [ɑ̃prɛsmɑ̃] *m* Eifer *m*; **~er** (1b) *s'~ de faire qc* sich beeilen, etw zu tun.
emprise [ɑ̃priz] *f* Einfluß *m*, Macht *f*.
emprisonn|ement [ɑ̃prizɔnmɑ̃] *m* Gefängnisstrafe *f*; Haft *f*; **~er** (1a) einsperren; *fig* einschließen.
emprunt [ɑ̃prɛ̃, -œ̃] *m* Entlehnung *f*; Anleihe *f*.
emprunt|é, ~ée [ɑ̃prɛ̃te, -prœ̃-] unbeholfen; **~er** (1a) **1.** *~ qc à qn* sich etw von j-m leihen, borgen; *~ de l'argent* Geld aufnehmen; **2.** *Weg, Treppe*: benutzen.
ému, ~e [emy] *p/p von émouvoir u adj* gerührt, ergriffen.
émulation [emylasjõ] *f* Nacheiferung *f*; Wetteifer *m*.
en[1] [ɑ̃] *prép* **1.** *Ort*: in, nach; *~ France* in, nach Frankreich; *~ ville* in der (die) Stadt; *de ville ~ ville* von Stadt zu Stadt; **2.** *Zeit*: *~ 1789* (*~ l'an 1789*) im Jahre 1789; *~ été* im Sommer; *~ 15 jours* binnen, innerhalb von (*zum Unterschied von dans* = nach) 14 Tagen; *Gleichzeitigkeit beim gérondif* (*oft durch tout verstärkt*): *~ mangeant* beim Essen; **3.** *Art u Weise*: *agir ~ ami* als Freund handeln; *~ cercle* im Kreis; *~ (qualité de)* wie, als; *~ vente* zum Verkauf; *~ français* auf französisch; *beim gérondif ~ forgeant* durch das Schmieden; indem ...; **4.** *Stoff*: aus; *~ or* aus Gold; **5.** *nach Verben, adj u subst*: *croire ~ Dieu* an Gott glauben; *riche ~ qc* reich an etw; *avoir confiance ~ qn* Vertrauen zu j-m haben.
en[2] [ɑ̃] *adv u pron* (*vertritt Konstruktionen mit de*) **1.** *örtlich*: *j'~ viens* ich komme von dort; **2.** *fig*: *qu'~ pensez-vous?* was halten Sie davon?; *c'~ est fait* es ist geschehen; es ist aus damit; *qu'~ dites-vous?* was sagen Sie dazu?; **3.** *als partitiver Genitiv*: welche (-s, -n), davon; *il y ~ a deux* es sind (*ihrer*) zwei; *il n'y ~ a plus* es sind keine mehr da; *~ connaître qui* Leute kennen, die; *j'~ ai* ich habe

welche; *j'~ ai cinq* ich habe fünf (davon); **4.** *possessiv*: *qui ~ est le propriétaire?* wer ist sein (*od* der) Besitzer?; **5.** *kausal*: *je n'~ suis pas plus heureux* ich bin darum nicht glücklicher.

E.N.A. [ena] *f* (*abr École nationale d'administration*) Nationale Verwaltungshochschule.

E

encadrer [ãkadre] (1a) einrahmen; einfügen; *Besucher*: betreuen.

encaisser [ãkεse] (1b) *comm* einkassieren; *fig* einstecken, hinnehmen (müssen); F *je ne peux pas l'~* ich kann ihn nicht leiden.

encan [ãkã] *m mettre à l'~* versteigern.

encanailler [ãkanaje] (1a) *s'~* vulgär werden.

encapuchonné, ~e [ãkapyʃɔne] eingemummt.

en-cas [ãkɑ] *m* (⚠ *pl unv*) *cuis* kalter Imbiß *m*.

encastrer [ãkastre] (1a) *tech* einbauen, einlassen.

encaustique [ãkostik] *f* Bohnerwachs *n*.

enceinte[1] [ãsɛ̃t] schwanger.

enceinte[2] [ãsɛ̃t] *f* Ringmauer *f*; Umwallung *f*; abgeschlossener Bereich *m*; *~ (acoustique)* Lautsprecherbox *f*.

encens [ãsã] *m* Weihrauch *m*.

encenser [ãsãse] (1a) beweihräuchern.

encercl|ement [ãsεrkləmã] *m* Einkreisung *f*; **~er** (1a) einkreisen, umzingeln.

enchaîn|ement [ãʃεnmã] *m* Verkettung *f*; Zusammenhang *m*; **~er** (1b) anketten; fesseln; *fig* verketten, verknüpfen, verbinden.

enchant|é, ~ée [ãʃãte] verzaubert; entzückt; *Floskel ~!* sehr erfreut!; **~ement** [-mã] *m* Zauber *m*; Entzücken *n*; **~er** (1a) be-, verzaubern; entzücken.

enchâsser [ãʃɑse] (1a) *Edelstein*: fassen.

enchère [ãʃεr] *f* höheres Angebot *n*; *vente f aux ~s* Versteigerung *f*, Auktion *f*; *mettre (vendre) aux ~s* versteigern.

enchérir [ãʃerir] (2a) *~ sur qn* mehr bieten als j.

enchevêtrer [ãʃ(ə)vεtre] (1b) durcheinanderbringen, verwickeln.

enclaver [ãklave] (1a) *fremdes Gebiet*: einschließen.

enclencher [ãklãʃe] (1a) einklinken, -schalten; in Gang setzen.

encl|in, ~ine [ãklɛ̃, -in] *~ à* neigend zu; *être ~ à* neigen zu.

enclos [ãklo] *m* Einfriedung *f*; umzäunter Platz *m*.

enclume [ãklym] *f* Amboß *m*.

encoche [ãkɔʃ] *f* Kerbe *f*; Nut *f*.

encoignure [ãkɔɲyr] *f* Ecke *f*; Eckschrank *m*.

encoller [ãkɔle] (1a) leimen, gummieren.

encolure [ãkɔlyr] *f* Hals *m* (*bei Tieren*); Kragenweite *f*.

encombr|ant, ~ante [ãkõbrã, -ãt] sperrig; *fig* lästig; **~ement** [-əmã] *m* Verkehrsstau(ung) *m(f)*; Gedränge *n*; **~er** (1a) versperren; verstopfen; überfüllen; *s'~ de* sich belasten mit.

encontre [ãkõtrə] *à l'~ de* im Gegensatz zu, entgegen.

encorbellement [ãkɔrbεlmã] *m arch* Vorsprung *m*; Erker *m*.

encore [ãkɔr] **1.** *adv* (immer) noch; nochmals; *einschränkend mit Inversion*: allerdings, freilich; **2.** *conj litt ~ que* (+ *subj*) obgleich.

encourager [ãkuraʒe] (1l) ermutigen, aufmuntern.

encourir [ãkurir] (2i) *litt ~ qc* etw zu gewärtigen haben; sich etw zuziehen.

encrasser [ãkrase] (1a) verschmutzen.

encr|e [ãkrə] *f* Tinte *f*; *par une nuit d'~* in e-r stockfinsteren Nacht; **~ier** [-ije] *m* Tintenfaß *n*.

encroûter [ãkrute] (1a) mit e-r Kruste überziehen; *s'~ fig* abstumpfen.

encyclopédie [ãsiklɔpedi] *f* Konversationslexikon *n*, Enzyklopädie *f*.

endetter [ãdεte] (1b) *s'~* Schulden machen.

endiablé, ~e [ãdjable] *fig* wild; leidenschaftlich.

endiguer [ãdige] (1m) eindeichen.

endimanché, ~e [ãdimãʃe] sonntäglich gekleidet.

endive [ãdiv] *f bot, cuis* Chicorée *f*; ⚠ *nicht* Endivie.

endoctriner [ãdɔktrine] (1a) indoktrinieren.

endommager [ãdɔmaʒe] (1l) beschädigen.

endorm|i, ~ie [ãdɔrmi] schlafend; *fig* verschlafen, F schlafmützig; **~ir** (2b) einschläfern; betäuben; *s'~* einschlafen.

endosser [ãdose] (1a) *Kleid*: anziehen; *fig* ~ *qc* etw auf sich nehmen.
endroit [ãdrwa] *m* **1.** Stelle *f*; Ort *m*; **2.** Ober-, Vorderseite *f*.
enduire [ãdɥir] (4c) be-, überstreichen (*de* mit).
enduit [ãdɥi] *m* Überzug *m*; (Ver-)Putz *m*.
endurance [ãdyrãs] *f* Ausdauer *f*.
endurc|ir [ãdyrsir] (2a) abhärten; *fig* abstumpfen; **~issement** [-ismã] *m* Abhärtung *f*.
endurer [ãdyre] (1a) ertragen, aushalten, erdulden.
énerg|ie [enɛrʒi] *f* Energie *f*; Tatkraft *f*; **~ique** energisch, tatkräftig.
énerv|ant, ~ante [enɛrvã, -ãt] nervenaufreibend; **~é, ~ée** erregt; nervös; **~er** (1a) nervös machen; *s'*~ sich aufregen.
enfance [ãfãs] *f* Kindheit *f*.
enfant [ãfã] *m od f* Kind *n* (*Junge od Mädchen*); ~ *de chœur* Chorknabe *m*; *fig* Unschuldslamm *n*.
enfant|er [ãfãte] (1a) *litt* gebären; **~illage** [-ijaʒ] *m* Kinderei *f*; **~in, ~ine** kindlich, Kinder...; ⚠ *aber les maladies infantiles* die Kinderkrankheiten.
enfer [ãfɛr] *m* Hölle *f* (*a fig*).
enfermer [ãfɛrme] (1a) einschließen, einsperren.
enfiévrer [ãfjevre] (1f) ~ *qn fig* j-n (leidenschaftlich) erregen.
enfiler [ãfile] (1a) einfädeln; auf e-n Faden ziehen; *Kleidung*: überziehen.
enfin [ãfɛ̃] endlich, schließlich; kurz gesagt; nun (ja).
enflammer [ãflame] (1a) anzünden; *fig* entflammen, begeistern; *s'*~ sich entzünden (*a méd*), Feuer fangen (*a fig*).
enfl|er [ãfle] (1a) (an-, auf)schwellen, dick werden; **~ure** [-yr] *f* Schwellung *f*.
enfoncer [ãfõse] (1k) **1.** einrammen, (tief) einschlagen; eindrücken; **2.** ver-, einsinken; *s'*~ untergehen; vordringen.
enfouir [ãfwir] (2a) vergraben.
enfourcher [ãfurʃe] (1a) *Pferd*: besteigen; ~ *un vélo* sich auf ein Fahrrad schwingen.
enfourner [ãfurne] (1a) hineinschieben; F verfrachten.
enfreindre [ãfrɛ̃drə] (4b) übertreten, zuwiderhandeln.
enfuir [ãfɥir] (2d) *s'*~ (ent)fliehen.
enfumer [ãfyme] (1a) ein-, verräuchern.
engagé, ~e [ãgaʒe] **1.** *adj* engagiert; **2.** *m mil* Freiwillige(r) *m*.
engagement [ãgaʒmã] *m* Verpflichtung *f*; Einstellung *f*; *fig* Einsatz *m* (*a mil*); Verpfändung *f*.
engager [ãgaʒe] (1l) verpfänden (*a fig*); verpflichten (*qn à qc* j-n zu etw); *Arbeitskräfte*: einstellen; *Gespräch*: beginnen; ~ *qn dans* j-n hineinziehen in; *s'*~ *Kampf etc*: beginnen; *mil* sich freiwillig melden; *s'*~ *à (faire) qc* sich zu etw verpflichten; *fig s'*~ *dans qc* sich auf etw einlassen; *s'*~ *dans une rue* in e-e Straße einbiegen.
engelure [ãʒlyr] *f* Frostbeule *f*.
engendrer [ãʒãdre] (1a) (er)zeugen; *fig* verursachen.
engin [ãʒɛ̃] *m* Gerät *n*; Maschine *f*; Rakete *f*; F *péj* Ding *n*.
englober [ãglɔbe] (1a) umfassen.
engloutir [ãglutir] (2a) verschlingen.
engorger [ãgɔrʒe] (1l) verstopfen.
engouement [ãgumã] *m* Begeisterung *f*, Schwärmerei *f*.
engouffrer [ãgufre] (1a) verschlingen; *s'*~ strömen, sich ergießen.
engourdir [ãgurdir] (2a) gefühllos machen; *fig* träge machen, abstumpfen; *s'*~ gefühllos werden, erstarren.
engrais [ãgrɛ] *m* Dünger *m*, Dung *m*.
engraisser [ãgrɛse] (1b) mästen; düngen; fett werden.
engrenage [ãgrənaʒ] *m* Verzahnung *f*; Getriebe *n*; *fig* Räderwerk *n*; Verkettung *f*.
engueuler [ãgœle] P (1a) anbrüllen, anschnauzen.
enhardir [ãardir] (2a) kühn machen, ermutigen.
énigmatique [enigmatik] rätselhaft.
énigme [enigmə] *f* Rätsel *n*.
enivr|ement [ãnivrəmã] *m fig* Rausch *m*; **~er** (1a) berauschen; *fig a* betören; *fig s'*~ *de qc* in etw schwelgen.
enjamb|ée [ãʒãbe] *f* (großer, langer) Schritt *m*; **~ement** [-mã] *m Metrik*: Übergreifen *n* des Satzes in den nächsten Vers, Zeilensprung *m*; **~er** (1a) überschreiten, -springen; *Tal*: überspannen.
enjeu [ãʒø] *m* (⚠ *pl* ~*x*) Einsatz *m* (*im Spiel*); *fig* Problem *n*; Thema *n*.
enjoindre [ãʒwɛ̃drə] (4b) ~ *qc à qn*

E

j-m etw einschärfen, ausdrücklich befehlen.
enjoliv|er [ɑ̃ʒɔlive] (1a) verzieren; **~eur** *m* Radkappe *f*.
enjoué, ~e [ɑ̃ʒwe] munter, heiter, lustig.
enlacer [ɑ̃lase] (1k) umranken, umschlingen; umarmen.
enlaidir [ɑ̃ledir] (2a) verunstalten, verschandeln.

E

enlèvement [ɑ̃lɛvmɑ̃] *m* Wegnahme *f*, Abtransport *m*, Beseitigung *f*; *jur* Entführung *f*, Raub *m*.
enlever [ɑ̃lve] (1d) wegnehmen, -schaffen, abtransportieren; entfernen, beseitigen; *j-n* entführen; *fig* mit sich fortreißen; hinwegraffen; *mil* erstürmen.
enliser [ɑ̃lize] (1a) *s'~* versinken; steckenbleiben.
enluminure [ɑ̃lyminyr] *f* Buch-, Miniaturmalerei *f*.
enneig|ement [ɑ̃nɛʒmɑ̃] *m* Schneeverhältnisse *n/pl*; **~é, ~ée** verschneit.
ennemi, ~e [ɛnmi] **1.** *m, f* Feind(in) *m(f)*; **2.** *adj* feindlich.
ennoblir [ɑ̃nɔblir] (2a) *fig* adeln, auszeichnen; ⚠ *nicht verwechseln mit anoblir*.
ennui [ɑ̃nɥi] *m* **1.** Langeweile *f*; **2.** *meist pl* ~*s* Ärger *m*, Unannehmlichkeiten *f/pl*, Verdruß *m*.
ennuyer [ɑ̃nɥije] (1h) ärgern, auf die Nerven fallen (*qn* j-m); langweilen, ermüden; beunruhigen; *s'~* sich langweilen; *s'~ de qn* sich nach j-m sehnen, j-n vermissen.
ennuy|eux, ~euse [ɑ̃nɥijø, -øz] lästig, unangenehm; langweilig.
énonc|é [enõse] *m* Äußerung *f*; Wortlaut *m*; **~er** (1k) ausdrücken; darlegen.
enorgueillir [ɑ̃nɔrgœjir] (2a) *s'~ de qc* auf etw stolz sein.
énorm|e [enɔrm] enorm, gewaltig, ungeheuer; **~ément** [-emɑ̃] *adv* enorm, gewaltig; F ~ *de* ungeheuer viel(e).
enquérir [ɑ̃kerir] (2l) *st/s s'~ de* sich erkundigen nach.
enquête [ɑ̃kɛt] *f* Untersuchung *f*; Erhebung *f*, Umfrage *f*, Befragung *f*; *jur* Ermittlungen *f/pl*.
enquiquiner [ɑ̃kikine] F (1a) auf die Nerven gehen (*qn* j-m), ärgern.
enraciner [ɑ̃rasine] (1a) einpflanzen; *s'~ fig* Wurzel fassen; sich einbürgern.
enragé, ~e [ɑ̃raʒe] tollwütig; *fig* fanatisch.
enrayer [ɑ̃rɛje] (1i) hemmen; aufhalten.
enregistr|ement [ɑ̃rəʒistrəmɑ̃] *m* Eintragung *f*; Registrierung *f*; (*Schallplatten-*, *Tonband-*, *Film-*) Aufnahme *f*; ~ *des bagages* Gepäckaufgabe *f*, -annahme *f*; **~er** (1a) eintragen, einschreiben, registrieren; *Film, Schallplatten etc*: aufnehmen; *faire ~ Gepäck*: aufgeben.
enrhum|é, ~ée [ɑ̃ryme] verschnupft; erkältet; **~er** (1a) *s'~* sich e-n Schnupfen holen; sich erkälten.
enrichir [ɑ̃riʃir] (2a) reich machen; bereichern; *s'~* reich werden; *péj* sich bereichern.
enrôler [ɑ̃role] (1a) anwerben; aufnehmen.
enrou|é, ~ée [ɑ̃rwe] heiser; **~er** (1a) *s'~* heiser werden.
enrouler [ɑ̃rule] (1a) auf-, zusammenrollen; aufwickeln.
ensanglanter [ɑ̃sɑ̃glɑ̃te] (1a) mit Blut beflecken.
enseign|ant, ~ante [ɑ̃sɛɲɑ̃, -ɑ̃t] *m, f* Lehrkraft *f*, Lehrer(in) *m(f)*.
enseigne [ɑ̃sɛɲ] *f* Schild *n*.
enseign|ement [ɑ̃sɛɲmɑ̃] *m* Unterricht *m*; Unterrichts-, Schulwesen *n*; Schuldienst *m*; Lehre *f*; ~ *primaire* Grundschulwesen *n*; ~ *secondaire* höheres Schulwesen *n*; ~ *supérieur* Hochschulwesen *n*; **~er** (1a) lehren; unterrichten; ~ *qc à qn* j-m etw beibringen.
ensemble [ɑ̃sɑ̃blə] **1.** *adv* zusammen, miteinander; gleichzeitig; *aller ~* zueinander passen; **2.** *m* Ganze(s) *n*, Gesamtheit *f*; Gruppe *f*; *math* Menge *f*; *dans l'~* insgesamt, im allgemeinen.
enserrer [ɑ̃sɛre] (1b) umschließen.
ensevelir [ɑ̃səvlir] (2a) begraben.
ensoleillé, ~e [ɑ̃sɔlɛje] sonnig.
ensommeillé, ~e [ɑ̃sɔmɛje] verschlafen.
ensorceler [ɑ̃sɔrsəle] (1c) behexen; *fig* bezaubern, betören.
ensuite [ɑ̃sɥit] darauf, dann; *fig* außerdem.
ensuivre [ɑ̃sɥivrə] (4h) *s'~* sich ergeben (*de* aus).
entailler [ɑ̃taje] (1a) einkerben.
entamer [ɑ̃tame] (1a) anschneiden; anbrechen; anzapfen; *allg* anfangen;

in Angriff nehmen; *fig* beeinträchtigen.
entasser [ãtɑse] (1a) auf-, anhäufen.
entendre [ãtɑ̃drə] (4a) hören; verstehen; *st/s* beabsichtigen; *s'~* sich verstehen; *s'~ à qc* sich auf etw verstehen.
entendu, ~e [ãtɑ̃dy] abgemacht; *bien ~* natürlich, selbstverständlich.
entente [ãtɑ̃t] *f* Verständigung *f*; Einvernehmen *n*; Übereinkunft *f*, Abkommen *n*; *pol* Bündnis *n*.
enterr|ement [ãtɛrmɑ̃] *m* Beerdigung *f*; **~er** (1b) begraben (*a fig*); beerdigen.
en-tête [ãtɛt] *m* (⚠ *pl en-têtes*) *Zeitung etc*: Titel *m*, Kopf *m*; Briefkopf *m*.
entêt|é, ~ée [ãtɛte] eigensinnig, dickschädelig; **~ement** [-mɑ̃] *m* Eigensinn *m*; **~er** (1b) *s'~* eigensinnig werden; *s'~ dans* sich versteifen auf.
enthousias|mer [ãtuzjasme] (1a) begeistern; *s'~ pour* sich begeistern für; **~te** [-t] begeistert, enthusiastisch.
enticher [ãtiʃe] (1a) *s'~ de* sich vernarren in.
ent|ier, ~ière [ãtje, -jɛr] ganz; vollständig; *Charakter*: geradlinig; *en entier* ganz.
entité [ãtite] *f* Wesen(heit) *n(f)*.
entonner [ãtɔne] (1a) *Lied*: anstimmen.
entonnoir [ãtɔnwar] *m* Trichter *m*.
entorse [ãtɔrs] *f méd* Verstauchung *f*; *fig faire une ~ à* verstoßen gegen.
entortiller [ãtɔrtije] (1a) ein-, umwickeln, herumschlingen.
entour|age [ãturaʒ] *m* Umgebung *f*; Einfassung *f*; **~er** (1a) *~ de* umgeben, umringen mit.
entracte [ãtrakt] *m* Pause *f*; *fig* Atempause *f*.
entraid|e [ãtrɛd] *f* gegenseitige Hilfe; **~er** (1b) *s'~* einander beistehen.
entrailles [ãtrɑj] *f/pl* Eingeweide *pl*.
entrain [ãtrɛ̃] *m* Schwung *m*, Begeisterung *f*.
entraîn|ement [ãtrɛnmɑ̃] *m* **1.** Training *n*; Übung *f*; **2.** *tech* Antrieb *m*; **3.** *fig* Hang *m*, Neigung *f*; **~er** (1b) **1.** mit sich fortreißen; *fig* nach sich ziehen; verführen, verleiten; *~ qn à faire qc* j-n dazu veranlassen, etw zu tun; **2.** trainieren; *s'~ Sport*: trainieren; *allg* sich üben; **~eur** *m* Trainer *m*.
entrav|e [ãtrav] *f* Fessel *f*; Hindernis *n*; **~er** (1a) hemmen, hindern.
entre [ãtrə] **1.** *örtlich u zeitlich*: zwischen; *~ les mains de qn* in j-s Händen, in j-s Gewalt; **2.** *fig* unter; *le meilleur d'~ nous* der Beste von uns; *~ autres* unter anderem; *~ nous* unter uns.
entre|bâiller [ãtrəbɑje] (1a) halb öffnen; *Tür*: anlehnen; **~choquer** [-ʃɔke] (1m) aneinanderstoßen; **~côte** [-kot] *f* Rippenstück *n*; **~couper** [-kupe] (1a) unterbrechen; **~croiser** [-krwaze] (1a) (*s'~* sich) kreuzen.
entre-deux-guerres [ãtrədøgɛr] *m* Zeit *f* zwischen den zwei Weltkriegen.
entrée [ãtre] *f* Eingang *m*; Einfahrt *f*; Eintritt *m*; Einreise *f*; Eintrittsgeld *n*; *Wohnung*: Vorraum *m*; *cuis* Vorspeise *f*; *EDV* Eingabe *f*; *d'~* von Anfang an.
entre|faite [ãtrəfɛt] *f sur ces ~s* unterdessen; in diesem Augenblick; **~filet** [-filɛ] *m* Pressenotiz *f*.
entre|lacer [ãtrəlase] (1k) ineinanderschlingen; **~larder** [-larde] (1a) spicken.
entre|mets [ãtrəmɛ] *m cuis* Süßspeise *f*; Nachtisch *m*; ⚠ *Singular*; **~mettre** [-mɛtrə] (4p) *st/s s'~* vermitteln; **~mise** [-miz] *f* Vermittlung *f*; Fürsprache *f*.
entreposer [ãtrəpoze] (1a) einlagern.
entrepôt [ãtrəpo] *m* Lager(haus) *n*.
entrepren|ant, ~ante [ãtrəprənɑ̃, -ɑ̃t] unternehmungslustig.
entre|prendre [ãtrəprɑ̃drə] (4q) unternehmen; **~preneur** [-prənœr] *m* Unternehmer *m*; **~prise** [-priz] *f* Unternehmen *n*, Unternehmung *f*.
entrer [ãtre] (1a) **1.** (*être*) eintreten; hineingehen, -fahren, -passen; einströmen; ein Bestandteil sein (*dans* von); *faire ~* hineinbringen; hereinbitten; *~ dans un métier* sich e-m Beruf zuwenden; **2.** (*avoir*) hineinbringen.
entresol [ãtrəsɔl] *m* Zwischenstock *m*, -geschoß *n*.
entre-temps [ãtrətɑ̃] inzwischen.
entretenir [ãtrətnir] (2h) unterhalten; erhalten; aufrechterhalten; *s'~ de qc* sich über etw unterhalten.
entretien [ãtrətjɛ̃] *m* Unterhalt *m*; Unterhaltung *f*; Instandhaltung *f*; Unterredung *f*, Gespräch *n*.
entre|voir [ãtrəvwar] (3b) undeut-

lich *od* flüchtig sehen; *fig* ahnen; **~vue** [-vy] *f* Zusammenkunft *f*; Unterredung *f*.
entrouvrir [ɑ̃truvrir] (2f) halb *od* ein wenig öffnen.
énumér|ation [enymerasjõ] *f* Aufzählung *f*; **~er** (1f) aufzählen.
envah|ir [ɑ̃vair] (2a) überfallen; einfallen, -dringen (*qc* in etw); *Gefühl*: überkommen; **~issant, ~issante** [-isɑ̃, -isɑ̃t] aufdringlich; **~isseur** [-isœr] *m* Angreifer *m*; Eindringling *m*.

E

envelopp|e [ɑ̃vlɔp] *f* (Brief-)Umschlag *m*; Hülle *f*; **~er** (1a) einwickeln, -hüllen; umfassen (*a mil*).
envenimer [ɑ̃vnime] (1a) vergiften (*a fig*).
envergure [ɑ̃vɛrgyr] *f* Spannweite *f*; *fig* Ausmaß *n*, Umfang *m*; Bedeutung *f*.
enverrai [ɑ̃vɛre] *futur von envoyer*.
envers [ɑ̃vɛr] **1.** *prép* gegen; **2.** *m* Rück-, Kehrseite *f*; *à l'~* umgekehrt, verkehrt herum.
enviable [ɑ̃vjablə] beneidenswert.
envie [ɑ̃vi] *f* Neid *m*; Lust *f* (*de* auf); Bedürfnis *n*.
envi|er [ɑ̃vje] (1a) beneiden (*qc à qn* j-n um etw); **~eux, ~euse** [-ø, -øz] neidisch, mißgünstig.
environ [ɑ̃virõ] *adv* ungefähr, etwa, zirka; **~s** *m/pl* Umgebung *f*; Nähe *f*; *aux ~ de* in der Nähe von.
environn|ement [ɑ̃virɔnmɑ̃] *m* Umwelt *f*; **~er** (1a) umgeben.
envisager [ɑ̃vizaʒe] (1l) ins Auge fassen; erwägen; *~ de faire qc* beabsichtigen, etw zu tun.
envoi [ɑ̃vwa] *m* Sendung *f*.
envoler [ɑ̃vɔle] (1a) *s'~* davonfliegen; *Flugzeug*: starten (*pour* nach); *fig* entschwinden.
envoûter [ɑ̃vute] (1a) behexen; verzaubern (*a fig*).
envoy|é [ɑ̃vwaje] *m* (Ab-)Gesandte(r) *m*; *~ spécial* Sonderberichterstatter *m*; **~er** (1p) schicken; *~ chercher* holen lassen.
épagneul [epaɲœl] *m zo* Spaniel *m*.
épais, épaisse [epɛ, epɛs] dick; dicht.
épaisseur [epɛsœr] *f* Dicke *f*; Dichte *f*.
épancher [epɑ̃ʃe] (1a) *st/s s'~* sich aussprechen.
épanou|ir [epanwir] (2a) *s'~* sich entfalten (*a fig*); **~issement** [-ismɑ̃] *m* Aufblühen *n*; *fig* Entfaltung *f*.
épargne [eparɲ] *f* Sparen *n*; Ersparnis *f*; **~-logement** *f* Bausparen *n*.
épargner [eparɲe] (1a) (er)sparen; schonen(d behandeln).
éparpiller [eparpije] (1a) zerstreuen.
épars, éparse [epar, epars] zerstreut.
épat|ant, ~ante [epatɑ̃, -ɑ̃t] F toll, prima; **~er** (1a) verblüffen; imponieren (*qn* j-m).
épaul|e [epol] *f* Schulter *f*; **~er** (1a) *Gewehr*: anlegen; *fig* unterstützen.
épave [epav] *f* Wrack *n* (*a fig*); Strandgut *n*.
épée [epe] *f* Schwert *n*; Degen *m*.
épeler [eple] (1c) buchstabieren.
éperdu, ~e [epɛrdy] außer sich; leidenschaftlich; verzweifelt.
éperon [eprõ] *m* Sporn *m*.
éperonner [eprɔne] (1a) die Sporen geben (*un cheval* e-m Pferd); *fig* anspornen.
épervier [epɛrvje] *m zo* Sperber *m*.
éphémère [efemɛr] kurzlebig, vergänglich.
épi [epi] *m* Ähre *f*; Haarbüschel *n*; *auto stationnement m en ~* Schrägparken *n*.
épice [epis] *f* Gewürz *n*.
épicéa [episea] *m bot* Fichte *f*.
épic|er [epise] (1k) würzen; **~erie** *f* Lebensmittelgeschäft *n*; **~ier, ~ière** [-je, -jɛr] *m, f* Lebensmittelhändler(in) *m(f)*.
épidémie [epidemi] *f* Seuche *f*.
épier [epje] (1a) belauschen, -lauern; abpassen.
épiler [epile] (1a) enthaaren.
épilogu|e [epilɔg] *m* Epilog *m*, Nachwort *n*; **~er** (1m) *~ sur* sich auslassen über, kommentieren.
épinard [epinar] *m meist pl* **~s** Spinat *m*.
épine [epin] *f* Dorn *m*; Stachel *m*; *~ dorsale* Rückgrat *n*.
épingl|e [epɛ̃glə] *f* Nadel *f*; *fig tiré à quatre ~s* wie aus dem Ei gepellt; **~er** (1a) anstecken; F *fig* schnappen, erwischen.
épique [epik] episch.
épiscopal, ~e [episkɔpal] (⚠ *m/pl -aux*) bischöflich.
épisode [epizɔd] *m* Episode *f*; ⚠ *un ~*.
épistolaire [epistɔlɛr] Brief..., brieflich.
épitaphe [epitaf] *f* Grabinschrift *f*.
épithète [epitɛt] *f* schmückendes Beiwort *n*, Epitheton *n*; *gr adjectif m ~* attributives Adjektiv *n*.

épître [epitrə] *f rel* Epistel *f*; *iron* Brief *m*.
éploré, ~e [eplɔre] verweint.
éplucher [eplyʃe] (1a) *Kartoffeln etc*: schälen; *Gemüse*: putzen; *fig* genau prüfen; **~ures** [-yr] *f/pl* Schalen *f/pl*; Abfälle *m/pl*.
épong|e [epõʒ] *f* Schwamm *m*; **~er** (1l) auf-, abwischen.
épopée [epɔpe] *f* Epos *n*.
époque [epɔk] *f* Zeit *f*; Epoche *f*; *meuble m d'~* Stilmöbel *n*.
époumoner [epumɔne] (1a) *s'~* F sich den Mund fusselig reden.
épous|e [epuz] *f* Gattin *f*, Ehefrau *f*; **~er** (1a) heiraten (*qn* j-n); *fig* sich einsetzen für; sich anpassen.
épousseter [epuste] (1c) abstauben.
époustoufl|ant, ~ante [epustuflɑ̃, -ɑ̃t] F verblüffend, erstaunlich.
épouvant|able [epuvɑ̃tablə] entsetzlich, grauenhaft, furchtbar; **~ail** [-aj] *m* (⚠ *pl* ~s) Vogelscheuche *f*; Schreckgespenst *n*.
épouvant|e [epuvɑ̃t] *f* Entsetzen *n*, Grauen *n*; *film m d'~* Horrorfilm *m*; **~er** (1a) entsetzen, erschrecken.
époux [epu] *m* Gatte *m*, Ehemann *m*; *les ~ pl* die Eheleute *pl*.
éprendre [eprɑ̃drə] (4q) *st/s s'~ de* sich verlieben in.
épreuve [eprœv] *f* Probe *f*; Prüfung *f*; Probedruck *m*, -abzug *m*; *Foto*: Abzug *m*; *à toute ~* unbedingt; bewährt, erprobt; *à l'~ de* widerstandsfähig gegen; *mettre à l'~* erproben.
éprouv|er [epruve] (1a) erproben; *fig* empfinden, verspüren; **~ette** [-ɛt] *f chim* Reagenzglas *n*.
épuis|é, ~ée [epɥize] erschöpft; *Auflage*: vergriffen; **~ement** [-mɑ̃] *m* Erschöpfung *f*; **~er** (1a) aus-, erschöpfen; *s'~* zu Ende gehen; *s'~ à faire qc* sich mit etw abmühen.
épur|ation [epyrasjõ] *f* Reinigung *f*; *station f d'~* Kläranlage *f*; **~er** (1a) reinigen.
équateur [ekwatœr] *m* **1.** Äquator *m*; **2.** *l'*Ⓔ Ecuador *n*.
équation [ekwasjõ] *f math* Gleichung *f*.
équerre [ekɛr] *f* Winkel(dreieck) *m(n)*.
équestre [ekɛstrə] *statue f ~* Reiterstatue *f*.
équilibr|e [ekilibrə] *m* Gleichgewicht *n* (*a fig*); **~é, ~ée** ausgeglichen; **~er** (1a) ausbalancieren, -gleichen; *tech* auswuchten.
équinoxe [ekinɔks] *m* Tagundnachtgleiche *f*.
équipage [ekipaʒ] *m* Mannschaft *f*.
équip|e [ekip] *f* Mannschaft *f*; *Arbeiter*: Schicht *f*; *Forscher*: Team *n*; **~ement** [-mɑ̃] *m* Ausrüstung *f*, -stattung *f*; **~er** (1a) ausstatten, -rüsten, *allg* versehen (*de* mit).
équitable [ekitablə] gerecht.
équitation [ekitasjõ] *f* Reiten *n*.
équité [ekite] *f* Gerechtigkeit *f*.
équival|ence [ekivalɑ̃s] *f* Gleichwertigkeit *f*; **~ent, ~ente** [-ɑ̃, -ɑ̃t] **1.** *adj* gleichwertig (*à* mit); **2.** *m* Äquivalent *n*, Entsprechung *f*; **~oir** (3h) *~ à* entsprechen, gleichwertig sein mit.
équivoque [ekivɔk] **1.** *adj* zweideutig; **2.** *f* Zweideutigkeit *f*.
érable [erablə] *m bot* Ahorn *m*.
érafler [erafle] (1a) ritzen, schrammen.
ère [ɛr] *f* Ära *f*, Epoche *f*.
érection [erɛksjõ] *f* Errichtung *f*; *Penis*: Erektion *f*.
éreinter [erɛ̃te] (1a) ermüden, erschöpfen; *s'~* sich abmühen, sich abrackern.
ergoter [ɛrgɔte] (1a) nörgeln, mäkeln.
ériger [eriʒe] (1l) auf-, errichten; *s'~ en* sich aufspielen als.
ermitage [ɛrmitaʒ] *m* Einsiedelei *f*.
ermite [ɛrmit] *m* Einsiedler *m*.
érosion [erɔzjõ] *f géol* Erosion *f*; *fig* Zerfall *m*.
érot|ique [erɔtik] erotisch, Liebes...; **~isme** *m* Erotik *f*.
err|ant, ~ante [ɛrɑ̃, -ɑ̃t] wandernd; unstet; **~ata** [-ata] *m* Druckfehlerverzeichnis *n*; **~er** (1b) umherirren, -schweifen; **~eur** *f* Irrtum *m*; *par ~* irrtümlich; ⚠ *une ~*; **~oné, ~onée** [-ɔne] fehlerhaft; irrtümlich.
éructer [erykte] (1a) aufstoßen.
érud|it, ~ite [erydi, -it] gelehrt; **~ition** *f* Gelehrsamkeit *f*.
éruption [erypsjõ] *f* Ausbruch *m*; *méd* Ausschlag *m*.
es [ɛ] *cf être*.
ès [ɛs] *prép docteur m ~ lettres* Dr. phil.
escabeau [ɛskabo] *m* (⚠ *pl* ~x) Schemel *m*; Hocker *m*; Tritthocker *m*.
escadr|e [ɛskadrə] *f mil* Geschwader *n*; **~ille** [-ij] *f aviat* Staffel *f*; **~on** *m* Schwadron *f*; Schar *f*; ⚠ *un ~*.
escalad|e [ɛskalad] *f* Ersteigen *n*, -ung *f*; Klettern *n*; *mil u fig* Eskala-

E

tion *f*; Verschärfung *f*; **~er** (1a) ersteigen.
escale [ɛskal] *f* Anlegeplatz *m*; Zwischenstation *f*; *faire* ~ *à* anlaufen; *aviat* zwischenlanden in.
escalier [ɛskalje] *m* Treppe *f*; *dans l'*~ auf der Treppe; ~ *roulant* Rolltreppe *f*.
escalope [ɛskalɔp] *f* Schnitzel *n*.
escamot|able [ɛskamɔtablə] versenkbar; **~er** (1a) verschwinden lassen; wegzaubern; *fig* umgehen; **~eur** *m* Taschenspieler *m*.
escapade [ɛskapad] *f* Eskapade *f*; *fig* Seitensprung *m*.
escargot [ɛskargo] *m* Schnecke *f*.
escarmouche [ɛskarmuʃ] *f mil* Scharmützel *n*; *fig* Geplänkel *n*.
escarp|é, ~ée [ɛskarpe] schroff, steil; **~ement** [-əmɑ̃] *m* Steilhang *m*.
escient [ɛsjɑ̃] *m à bon* ~ überlegt.
esclandre [ɛsklɑ̃drə] *m* Szene *f*; Skandal *m*.
esclavage [ɛsklavaʒ] *m* Sklaverei *f*; Knechtschaft *f*.
esclave [ɛsklav] *m, f* Sklave *m*, Sklavin *f*.
escompt|e [ɛskõt] *m écon* Diskont *m*; *comm* Skonto *m od n*; **~er** (1a) diskontieren; *fig* ~ *qc* etw erwarten, erhoffen.
escort|e [ɛskɔrt] *f* Geleit *n*; **~er** (1a) geleiten, eskortieren.
escouade [ɛskwad] *f* Gruppe *f*, Schar *f*.
escrim|e [ɛskrim] *f* Fechten *n*; **~er** (1a) *s'*~ sich abplagen.
escroc [ɛskro] *m* Schwindler *m*, Betrüger *m*, Gauner *m*.
escroqu|er [ɛskrɔke] (1m) ~ *qc* etw erschwindeln, ergaunern; ~ *qc à qn* j-n um etw betrügen, prellen; ~ *qn* j-n betrügen; **~erie** *f* Betrug *m*, Schwindel *m*, Gaunerei *f*.
espac|e [ɛspas] *m* Raum *m*; Weltraum *m*; Zwischenraum *m*; *~s verts* Grünflächen *f/pl*; **~er** (1k) Abstand lassen zwischen; *s'*~ immer weiter auseinander liegen.
espadrille [ɛspadrij] *f* Segeltuchsandale *f*.
Espagne [ɛspaɲ] *f l'*~ Spanien *n*.
espagnol, ~e [ɛspaɲɔl] **1.** *adj* spanisch; **2.** ♀ *m, f* Spanier(in) *m(f)*.
espèce [ɛspɛs] *f* Art *f*; Gattung *f*; Sorte *f*; *une* ~ *de* ... etwas wie ...; ~ *d'abruti! péj* blöder Kerl!; *en l'*~ im vorliegenden Fall; *en ~s comm* (in) bar.
espérance [ɛsperɑ̃s] *f* Hoffnung *f*.
espérer [ɛspere] (1f) hoffen; ~ *qc* etw erhoffen; *st/s* ~ *en qn* auf j-n vertrauen; ~ *que* (+ *futur*) hoffen, daß ...; ~ *faire qc* hoffen, etw zu tun.
espiègle [ɛspjɛglə] schelmisch.
espi|on, ~onne [ɛspjõ, -ɔn] *m, f* Spion(in) *m(f)*.
espionn|age [ɛspjɔnaʒ] *m* Spionage *f*; ⚠ *un* ~; **~er** (1a) aus-, nachspionieren.
espoir [ɛspwar] *m* Hoffnung *f*.
esprit [ɛspri] *m* Geist *m*; Verstand *m*; Witz *m*; *faire de l'*~ witzig tun; *perdre l'*~ den Verstand verlieren; *reprendre ses ~s* wieder zu sich kommen.
Esquim|au, ~aude [ɛskimo, -od] (⚠ *m/pl ~x*) **1.** *m, f* Eskimo *m*, Eskimofrau *f*; **2.** *esquimau m* Eis *n* am Stiel mit Schokoladenüberzug.
esquinter [ɛskɛ̃te] (1a) F kaputtmachen, ramponieren.
esquiss|e [ɛskis] *f* Skizze *f*, Entwurf *m*; **~er** (1a) entwerfen, skizzieren.
esquiver [ɛskive] (1a) (geschickt) ausweichen (*qc* e-r Sache; *a fig*); *s'*~ sich heimlich davonmachen.
essai [esɛ] *m* Versuch *m*; Probe *f*; Erprobung *f*; *Literatur*: Essay *m*; *à l'*~, *à titre d'*~ versuchsweise.
essaim [esɛ̃] *m* (Bienen-)Schwarm *m*.
essayer [esɛje] (1i) versuchen; (an-)probieren; ~ *de faire qc* versuchen, etw zu tun; *s'*~ *à* (*faire*) *qc* sich in etw versuchen.
essence [esɑ̃s] *f* Benzin *n*; *chim* Essenz *f*; *phil* Wesen *n*; Sosein *n*; *bot* Baumart *f*.
essentiel, ~le [esɑ̃sjɛl] **1.** *adj* wesentlich; **2.** *m* Wesentliche(s) *n*, Hauptsache *f*.
essieu [esjø] *m* (⚠ *pl ~x*) (Wagen-)Achse *f*.
essor [esɔr] *m bes écon* Aufschwung *m*; *prendre un* ~ e-n Aufschwung nehmen, aufblühen.
essor|er [esɔre] (1a) *Wäsche*: schleudern; **~euse** *f* (Wäsche-)Schleuder *f*.
essoufflé, ~e [esufle] außer Atem.
essuie|-glace [esɥiglas] *m* (⚠ *pl unv od essuie-glaces*) *auto* Scheibenwischer *m*; **~-mains** [-mɛ̃] *m* (⚠ *pl unv*) Handtuch *n*.
essuyer [esɥije] (1h) abwischen, abtrocknen; *fig* hinnehmen müssen.

est[1] [ɛ] *cf être.*
est[2] [ɛst] **1.** *m* Ost(en) *m*; *à l'~ de* östlich von; **2.** *adj* östlich, Ost...
est-allem|and, ~ande [ɛstalmɑ̃, -ɑ̃d] *pol* DDR-..., der DDR; ostdeutsch.
estampe [ɛstɑ̃p] *f* (Kupfer-)Stich *m*; Holzschnitt *m*; Graphik *f*.
esthéticienne [ɛstetisjɛn] *f* Kosmetikerin *f*.
esthétique [ɛstetik] **1.** *adj* ästhetisch; **2.** *f* Ästhetik *f*.
estima|ble [ɛstimablə] schätzenswert, achtbar; **~tif, ~tive** [-tif, -tiv] auf Schätzung beruhend; *devis m ~* Kostenvoranschlag *m*; **~tion** *f* Schätzung *f*, Bewertung *f*, Veranschlagung *f*; Hochrechnung *f*.
estime [ɛstim] *f* (Hoch-)Achtung *f*, Ansehen *n*, Wertschätzung *f*.
estimer [ɛstime] (1a) (ab)schätzen, veranschlagen; (hoch)achten; *~ que* ... der Ansicht sein, daß ...; *~ qc convenable* etw für angemessen halten; *s'~ heureux de* (+ *inf*) sich glücklich schätzen zu (+ *inf*).
estiv|al, ~ale [ɛstival] (⚠ *m/pl -aux*) sommerlich, Sommer...; **~ant, ~ante** [-ɑ̃, -ɑ̃t] *m, f* Sommergast *m*.
estomac [ɛstɔma] *m* Magen *m*.
estomper [ɛstɔ̃pe] (1a) verwischen.
estrade [ɛstrad] *f* Podium *n*.
estropier [ɛstrɔpje] (1a) zum Krüppel machen; verstümmeln.
estuaire [ɛstɥɛr] *m* Trichtermündung *f*.
estudiant|in, ine [ɛstydjɑ̃tɛ̃, -in] studentisch, Studenten...
et [e] und; *st/s ~ ... ~ ...* sowohl ... als auch ...
étable [etablə] *f* (Vieh-)Stall *m*.
établi [etabli] *m* Hobelbank *f*; Werktisch *m*.
établ|ir [etablir] (2a) einrichten, errichten, anlegen, (be)gründen, schaffen; feststellen; auf-, ausstellen, abfassen; *~ le contact* einschalten; *s'~* sich niederlassen; **~issement** [-ismɑ̃] *m* Einrichtung *f*, Gründung *f*; Niederlassung *f*; (Fabrik- *etc*) Anlage *f*; Anstalt *f*, Institut *n*; Feststellung *f*; Auf-, Ausstellung *f*, Abfassung *f*; *~ industriel* Industriebetrieb *m*; *~ thermal* Kuranstalt *f*.
étage [etaʒ] *m* Stock(werk) *m*(*n*); *fig* Stufe *f*; ⚠ *un ~*.
étagère [etaʒɛr] *f* Gestell *n*; Regal *n*; Bücherbrett *n*.
étai [etɛ] *m* Stütze *f*.
étain [etɛ̃] *m* Zinn *n*.
étal|age [etalaʒ] *m* Auslage *f*, Schaufenster *n*; **~er** (1a) auslegen; ausbreiten; ver-, aufteilen; zur Schau stellen.
étalon [etalɔ̃] *m* **1.** *zo* Hengst *m*; **2.** Eich-, Normalmaß *n*; Standard *m*.
étamer [etame] (1a) verzinnen.
étanch|e [etɑ̃ʃ] (wasser)dicht; **~er** (1a) *tech* abdichten; *litt Durst*: löschen.
étang [etɑ̃] *m* Teich *m*.
étape [etap] *f* Etappe *f*, (Teil-)Strecke *f*; Aufenthalt *m*; *fig* Abschnitt *m*; ⚠ *Schreibung*.
état [eta] *m* **1.** Zustand *m*, Stand *m*, Lage *f*; *~ civil* Standesamt *n*; Familienstand *m*; *~ d'âme* Gemütsverfassung *f*; *en ~ de* im Zustand (+ *gén*); *être en ~ de faire qc* imstande sein, etw zu tun; *hors d'~* außerstande; **2.** ⚲ Staat *m*; **3.** Aufstellung *f*; **4.** *hist* Stand *m*; *~s généraux* Generalstände *m/pl*; **~-major** [-maʒɔr] *m* (⚠ *pl états-majors*) *mil* Stab *m*.
États-Unis [etazyni] *m/pl les ~* die Vereinigten Staaten *m/pl*.
étau [eto] *m* (⚠ *pl ~x*) Schraubstock *m*.
étayer [etɛje] (1i) (ab)stützen.
etc. [ɛtsetera] (*abr et cetera*) usw. (und so weiter).
été[1] [ete] *m* Sommer *m*; *en ~* im Sommer.
été[2] [ete] *p/p von être.*
éteindre [etɛ̃drə] (4b) (aus)löschen, ausmachen, abdrehen.
étendard [etɑ̃dar] *m mil* Standarte *f*.
étendre [etɑ̃drə] (4a) ausbreiten, ausspannen; *Wäsche*: aufhängen; *Wein etc*: strecken; *Macht*: erweitern.
étendue [etɑ̃dy] *f* Ausdehnung *f*, Weite *f*, Umfang *m* (*a fig*).
étern|el, ~elle [etɛrnɛl] ewig; **~iser** (1a) ausdehnen, in die Länge ziehen; **~ité** *f* Ewigkeit *f*.
éternuer [etɛrnɥe] (1n) niesen.
êtes [ɛt] *cf être.*
éther [etɛr] *m* Äther *m*.
éthique [etik] **1.** *adj* ethisch; **2.** *f* Ethik *f*.
ethnique [ɛtnik] ethnisch, Volks...
étinceler [etɛ̃sle] (1c) funkeln, glänzen.
étincelle [etɛ̃sɛl] *f* Funke *m*.
étioler [etjɔle] (1a) *s'~* verkümmern; schwächer werden.

étique [etik] *litt* mager.
étiqueter [etikte] (1c) beschriften; *fig* einordnen.
étiquette [etikɛt] *f* Aufschrift *f*; Etikett *n*, Zettel *m*; *Umgangsformen*: Etikette *f*; ⚠ *une* ~.
étirer [etire] (1a) recken, strecken; *s'*~ sich dehnen.
étoff|e [etɔf] *f* Stoff *m*; *fig avoir l'*~ *de qc* das Zeug zu etw haben; ⚠ *une* ~; **~er** (1a) erweitern, ausschmücken.
étoile [etwal] *f* Stern *m*; *fig* ~ *de cinéma* Filmstar *m*; ~ *filante* Sternschnuppe *f*; *à la belle* ~ unter freiem Himmel.
étonn|ant, ~ante [etɔnɑ̃, -ɑ̃t] erstaunlich; **~é, ~ée** erstaunt, verwundert (*de* über); **~ement** [-mɑ̃] *m* Erstaunen *n*, Verwunderung *f*; **~er** (1a) in Erstaunen setzen; *s'*~ *de* sich wundern *od* staunen über; *s'*~ *que* (+ *subj*) sich wundern, daß ...
étouff|ant, ~ante [etufɑ̃, -ɑ̃t] schwül; bedrückend; **~ée** *cuis à l'*~ gedämpft, gedünstet; **~er** (1a) ersticken (*a fig*); *fig* dämpfen, unterdrücken; *Skandal*: vertuschen.
étourderie [eturdəri] *f* Unbesonnenheit *f*, Leichtsinn *m*.
étourd|i, ~ie [eturdi] gedankenlos, unbesonnen, leichtsinnig; **~ir** (2a) betäuben; verwirren; **~issement** [-ismɑ̃] *m* Betäubung *f*; Schwindel(gefühl) *m*(*n*).
étrange [etrɑ̃ʒ] seltsam, sonderbar.
étrang|er, ~ère [etrɑ̃ʒe, -ɛr] **1.** *adj* fremd; ausländisch; **2.** *m*, *f* Fremde(r) *m*, *f*; Ausländer(in) *m*(*f*); **3.** *m* Ausland *n*; *à l'étranger* im *od* ins Ausland.
étrangl|ement [etrɑ̃gləmɑ̃] *m* Erwürgen *n*, Erdrosseln *n*; **~er** (1a) erwürgen, erdrosseln; *tech* drosseln; *fig* abwürgen.
être [ɛtrə] (1) **1.** sein; *Passiv*: werden; *je suis mieux* es geht mir besser; ~ *à qn* j-m gehören *od* zukommen; *il est de Paris* er ist aus Paris; *en* ~ mitmachen; ~ *après qn* hinter j-m hersein; *nous sommes lundi* wir haben Montag; *je n'y suis pas* ich bin noch nicht so weit; *je n'y suis pour rien* ich habe damit nichts zu tun; *st/s il est des gens qui* ... es gibt Leute, die ...; **2.** *m* Wesen *n*; Mensch *m*; *phil* Sein *n*.
étreindre [etrɛ̃drə] (4b) in die Arme schließen; umklammern; beklemmen.
étrennes [etrɛn] *f/pl* Neujahrsgeschenk(e) *n*(*pl*).
étrier [etrije] *m* Steigbügel *m*.
étriller [etrije] (1a) striegeln; F *fig* runtermachen; neppen.
étriqué, ~e [etrike] eng; *fig* kümmerlich.
étroit, étroite [etrwa, etrwat] schmal; eng; engherzig, -stirnig.
étroitesse [etrwatɛs] *f* Enge *f*; Beschränktheit *f*.
étude [etyd] *f* Studium *n*; Studie *f*, Untersuchung *f*; *mus* Übung *f*; *Schüler*: Arbeitsraum *m*; Selbstbeschäftigung *f*; **~s** *pl* Studienzeit *f*; Ausbildung *f*; *faire ses* ~*s* studieren.
étudi|ant *m*, **~ante** *f* [etydjɑ̃, -ɑ̃t] Student(in) *m*(*f*); **~é, ~ée** durchdacht; *Stil*: gesucht; **~er** (1a) studieren; einüben; lernen; untersuchen.
étui [etɥi] *m* Futteral *n*, Etui *n*.
étuv|e [etyv] *f* Schwitzbad *n*; **~ée** [-e] *cuis à l'*~ gedünstet.
étymologie [etimɔlɔʒi] *f ling* Etymologie *f*.
eu, eue [y] *p/p von avoir*.
euphémique [øfemik] beschönigend, euphemistisch.
euphonie [øfɔni] *f* Wohlklang *m*.
euphorie [øfɔri] *f* Euphorie *f*, Hochstimmung *f*.
Europe [ørɔp] *f l'*~ Europa *n*.
europé|en, ~enne [ørɔpeɛ̃, -ɛn] **1.** *adj* europäisch; **2.** ♀ *m*, *f* Europäer(in) *m*(*f*).
eus [y] *p/s von avoir*.
euthanasie [øtanazi] *f* Euthanasie *f*; Sterbehilfe *f*.
eux [ø] *m/pl* sie (*alleinstehend od mit prép*).
évacuer [evakɥe] (1n) ausscheiden; entleeren; *mil* räumen, evakuieren.
évad|é [evade] *m* entwichener Häftling *m*, Ausbrecher *m*; **~er** (1a) *s'*~ ausbrechen; flüchten.
évaluer [evalɥe] (1n) abschätzen, veranschlagen.
Évangile [evɑ̃ʒil] *m* Evangelium *n*.
évanou|ir [evanwir] (2a) *s'*~ ohnmächtig werden; *fig* vergehen; **~issement** [-ismɑ̃] *m* Ohnmacht *f*; *fig* Verschwinden *n*.
évapor|ation [evapɔrasjõ] *f* Verdunstung *f*, Verdampfung *f*; **~er** (1a) *s'*~ verdunsten, verdampfen.

évas|er [evaze] (1a) ausweiten; **~if, ~ive** [-if, -iv] ausweichend; **~ion** *f* Flucht *f*; Ausbrechen *n*.
évêché [eveʃe] *m* Bistum *n*.
éveil [evɛj] *m* Erwachen *n*; *en ~* wachsam.
éveiller [evɛje] (1b) (er)wecken; *s'~* erwachen.
événement [evɛnmɑ̃] *m* Ereignis *n*.
éventail [evɑ̃taj] *m* (⚠ *pl ~s*) Fächer *m*; *fig* Umfang *m*; Spektrum *n*; *en ~* fächerförmig.
évent|é, ~ée [evɑ̃te] windig; *Getränk*: schal; *Geheimnis*: aufgedeckt; **~er** (1a) fächeln; *fig* aufdecken, lüften; *s'~* schal werden; seinen Duft verlieren.
éventrer [evɑ̃tre] (1a) den Bauch aufschlitzen (*qn* j-m); *Gegenstände*: aufreißen, -schlitzen.
éventualité [evɑ̃tɥalite] *f* Eventualität *f*, Möglichkeit *f*.
éventuel, ~le [evɑ̃tɥɛl] eventuell, möglich.
évêque [evɛk] *m* Bischof *m*.
évertuer [evɛrtɥe] (1n) *s'~* sich bemühen (*à faire qc* mit etw).
éviction [eviksjõ] *f* Ausschaltung *f*, Verdrängung *f*.
évidence [evidɑ̃s] *f* Augenscheinlichkeit *f*, Evidenz *f*; *en ~* deutlich sichtbar; *mettre en ~* hervorheben.
évid|ent, ~ente [evidɑ̃, -ɑ̃t] augenscheinlich, offenbar; ⚠ *adv évidemment* [-amɑ̃].
évider [evide] (1a) aushöhlen.
évier [evje] *m* Ausguß *m*, Spülbecken *n*.
évincer [evɛ̃se] (1k) ausschalten, verdrängen.
éviter [evite] (1a) (ver)meiden; umgehen; *~ de faire qc* es vermeiden *od* sich hüten, etw zu tun; *~ que ...* (*ne*) (+ *subj*) vermeiden, daß ...
évocation [evɔkasjõ] *f* Heraufbeschwören *n*.
évoluer [evɔlɥe] (1n) sich entwikkeln; sich verändern; Bewegungen ausführen.
évolution [evɔlysjõ] *f* Entwicklung *f*.
évoquer [evɔke] (1m) *Geister*: beschwören; *fig* in Erinnerung rufen, wachrufen, sich vergegenwärtigen; *~ un problème* e-e Frage aufwerfen.
ex. (*abr exemple*) z. B. (zum Beispiel).
ex-... [ɛks] *in Zssgn* Ex...; ehemalige(r, -s).
exact, exacte [ɛgza(kt), ɛgzakt] genau, exakt; pünktlich.
exactitude [ɛgzaktityd] *f* Genauigkeit *f*, Sorgfalt *f*; Pünktlichkeit *f*.
exagér|ation [ɛgzaʒerasjõ] *f* Übertreibung *f*; **~er** (1f) übertreiben.
exalt|é, ~ée [ɛgzalte] überspannt; **~er** (1a) begeistern; preisen; steigern.
examen [ɛgzamɛ̃] *m* Prüfung *f*; Untersuchung *f*; *passer un ~* e-e Prüfung machen; *être reçu od réussir à un ~* e-e Prüfung bestehen; *~ d'entrée* Aufnahmeprüfung *f*; ⚠ *Aussprache*.
examiner [ɛgzamine] (1a) prüfen; untersuchen.
exaspér|ation [ɛgzasperasjõ] *f* Erbitterung *f*; **~er** (1f) erbittern, in Wut bringen; *méd* verschlimmern.
exaucer [ɛgzose] (1k) erhören; erfüllen.
excavateur [ɛkskavatœr] *m* Bagger *m*.
excéd|ent [ɛksedɑ̃] *m* Überschuß *m*, -maß *n*; *en ~* überschüssig; **~er** (1f) *ein Maß*: überschreiten, -steigen.
excellence [ɛksɛlɑ̃s] *f* Vortrefflichkeit *f*; ♀ Exzellenz *f* (*Titel*); *par ~* ganz besonders, schlechthin.
excell|ent, ~ente [ɛksɛlɑ̃, -ɑ̃t] ausgezeichnet, vortrefflich; **~er** (1b) sich auszeichnen (*dans*, *en* in).
excentrique [ɛksɑ̃trik] exzentrisch (*a fig*); abgelegen; *fig* überspannt.
excepté, ~e [ɛksɛpte] **1.** *adj* ausgenommen (⚠ *Nachstellung*); **2.** *prép* (*unv*) außer; *excepté que ...* abgesehen davon, daß ...
excepter [ɛksɛpte] (1a) ausnehmen.
exception [ɛksɛpsjõ] *f* Ausnahme *f*; *à l'~ de* mit Ausnahme von.
exceptionnel, ~le [ɛksɛpsjɔnɛl] außergewöhnlich.
excès [ɛksɛ] *m* Übermaß *n*; *à l'~* unmäßig; *~ de vitesse* Geschwindigkeitsüberschreitung *f*.
excess|if, ~ive [ɛksesif, -iv] übermäßig, übertrieben.
excit|ation [ɛksitasjõ] *f* Auf-, An-, Erregung *f*; **~é, ~ée** aufgeregt, erregt; **~er** (1a) erregen; anregen; reizen.
exclam|ation [ɛksklamasjõ] *f* Ausruf *m*; **~er** (1a) *s'~* (aus)rufen.
exclure [ɛksklyr] (4l) ausschließen.
exclus|if, ~ive [ɛksklyzif, -iv] ausschließlich; exklusiv; **~ion** *f* Aus-

schluß *m*; *à l'~ de* mit Ausnahme von; **~ivité** [-ivite] *f* Alleinvertrieb *m*, -aufführungsrecht *n*.
excommunier [ɛkskɔmynje] (1a) aus der Kirche ausschließen, exkommunizieren.
excrément [ɛkskremɑ̃] *m* Exkrement *n*; Kot *m*.
excursion [ɛkskyrsjõ] *f* Ausflug *m*.
excus|e [ɛkskyz] *f* Entschuldigung *f*; Ausrede *f*; **~er** (1a) entschuldigen.
exécr|able [egzekrablə] abscheulich; **~ation** *f* Abscheu *m*; **~er** (1f) verabscheuen.
exécut|er [egzekyte] (1a) ausführen; *mus* vortragen; *jur* vollstrecken; hinrichten; **~if, ~ive** [-if, -iv] vollziehend, Exekutiv...
exécution [egzekysjõ] *f* Ausführung *f*; *jur* Vollstreckung *f*; Hinrichtung *f*; *mus* Aufführung *f*, Vortrag *m*.
exemplaire [ɛgzɑ̃plɛr] **1.** *adj* mustergültig, exemplarisch; **2.** *m* Exemplar *n*.
exemple [ɛgzɑ̃plə] *m* Beispiel *n*; *par ~* zum Beispiel; ⚠ *Schreibung*.
exempt, exempte [ɛgzɑ̃, ɛgzɑ̃t] frei, befreit (*de* von).
exempter [ɛgzɑ̃te] (1a) befreien, freistellen (*de* von).
exemption [ɛgzɑ̃psjõ] *f* Befreiung *f*; *~ d'impôt(s)* Steuerfreiheit *f*.
exercer [ɛgzɛrse] (1k) ausüben, betreiben; *Arzt*: praktizieren; *Gedächtnis etc*: ausbilden, schulen; *s'~* üben.
exercice [ɛgzɛrsis] *m* Übung *f*; Ausübung *f*; *mil* Exerzieren *n*; *comm* Geschäfts-, Rechnungsjahr *n*; ⚠ *Schreibung*.
exhaler [ɛgzale] (1a) ausströmen, ausdünsten.
exhaust|if, ~ive [ɛgzostif, -iv] *Studie etc*: erschöpfend.
exhiber [ɛgzibe] (1a) vorzeigen; zur Schau stellen.
exhorter [ɛgzɔrte] (1a) ermahnen.
exhumer [ɛgzyme] (1a) exhumieren; ausgraben.
exig|eant, ~eante [ɛgziʒɑ̃, -ɑ̃t] anspruchsvoll; **~ence** [-ɑ̃s] *f* anspruchsvolles Wesen *n*; Anspruch *m*; Forderung *f*; **~er** (1l) (er)fordern, verlangen.
exigu, exigüe [ɛgzigy] sehr klein; eng.
exigüité [ɛgzigɥite] *f* Kleinheit *f*; Enge *f*.
exil [ɛgzil] *m* Exil *n*, Verbannung *f*; **~er** (1a) verbannen; *s'~* ins Exil gehen.
exist|ence [ɛgzistɑ̃s] *f* Vorhandensein *n*; Existenz *f*; Dasein *n*; **~er** (1a) bestehen, existieren; *il existe* es gibt.
exode [ɛgzɔd] *m* Auszug *m*; Abwanderung *f*; *~ rural* Landflucht *f*.
exonérer [ɛgzɔnere] (1f) (von Steuern *od* Gebühren) befreien.
exorbit|ant, ~ante [ɛgzɔrbitɑ̃, -ɑ̃t] übermäßig, maßlos; *Preis*: horrend.
exotique [ɛgzɔtik] exotisch, fremd (-artig).
exp. (*abr expéditeur*) Abs. (Absender).
expans|if, ~ive [ɛkspɑ̃sif, -iv] *phys* Ausdehnungs...; *Person*: mitteilsam; **~ion** *f* Ausdehnung *f*, Ausweitung *f*, Expansion *f*.
expatrier [ɛkspatrije] (1a) *Geld*: im Ausland anlegen; *s'~* emigrieren.
expectative [ɛkspɛktativ] *f être dans l'~* abwarten.
expectorer [ɛkspɛktɔre] (1a) ausspucken.
expédient [ɛkspedjɑ̃] *m* Notbehelf *m*; Ausweg *m*.
expédier [ɛkspedje] (1a) absenden, verschicken; (zügig) erledigen.
expédi|teur, ~trice [ɛkspeditœr, -tris] *m*, *f* Absender(in) *m(f)*; **~tif, ~tive** [-tif, -tiv] flink, zügig; **~tion** *f* Absendung *f*, Versand *m*; Expedition *f* (*a mil*).
expérience [ɛksperjɑ̃s] *f* Erfahrung *f*; Experiment *n*.
expériment|é, ~ée [ɛksperimɑ̃te] erfahren; **~er** (1a) ausprobieren, erproben.
exp|ert, ~erte [ɛkspɛr, -ɛrt] **1.** *adj* sachkundig (*en la matière* auf dem Gebiet); **2.** *m*, *f* Sachverständige(r) *m*, *f*, Fachmann *m*.
expertise [ɛkspɛrtiz] *f* Gutachten *n*, Expertise *f*.
expi|ation [ɛkspjasjõ] *f* Sühne *f*; Buße *f*; **~er** (1a) (ab)büßen; sühnen.
expir|ation [ɛkspirasjõ] *f* Ausatmung *f*; *fig* Ablauf *m*; **~er** (1a) ausatmen; verscheiden, sterben; *Frist, Vertrag etc*: erlöschen, ablaufen.
explicable [ɛksplikablə] erklärbar.
explication [ɛksplikasjõ] *f* Erklärung *f*, Erläuterung *f*; Auseinandersetzung *f*.
explicite [ɛksplisit] eindeutig; explizit; ausdrücklich.
expliquer [ɛksplike] (1m) erklären,

erläutern; *s'*~ sich äußern; sich aussprechen.
exploit [ɛksplwa] *m* (Helden-)Tat *f*, Großtat *f*; Leistung *f*.
exploit|ation [ɛksplwatasjõ] *f* Nutzung *f*; Ausbeutung *f*; Betrieb *m*; **~er** (1a) ausnutzen, ausbeuten (*a fig*); *Kohle etc*: abbauen; *Geschäft*: betreiben.
explor|ation [ɛksplɔrasjõ] *f* Erforschung *f*; Untersuchung *f*; **~er** (1a) erforschen.
explos|er [ɛksploze] (1a) explodieren; *fig* ausbrechen; **~if, ~ive** [-if, -iv] **1.** *adj* explosiv (*a fig*); **2.** *m* Sprengstoff *m*; **~ion** *f* Explosion *f*; Knall *m*.
export|ateur, ~atrice [ɛkspɔrtatœr, -atris] **1.** *adj* Ausfuhr...; **2.** *m* Exporteur *m*; **~ation** *f* Export *m*, Ausfuhr *f*; **~er** (1a) exportieren, ausführen.
expos|é [ɛkspoze] *m* Referat *n*; Darlegung *f*; **~er** (1a) ausstellen; darlegen, auseinandersetzen; *der Luft etc*: aussetzen; *Foto*: belichten; **~ition** *f* Ausstellung *f*; Darlegung *f*; Aussetzung *f*; *Foto*: Belichtung *f*.
exprès[1] [ɛksprɛ] *adv* absichtlich; extra.
exprès[2], **expresse** [ɛksprɛs] **1.** *adj* ausdrücklich; *défense f expresse* ausdrückliches Verbot; **2.** *adj* (*unv*) *lettre f exprès* [-ɛksprɛs] Eilbrief *m*.
express [ɛksprɛs] **1.** *adj* (*unv*) Schnell...; *voie f* ~ Schnellstraße *f*; **2.** *m* Schnellzug *m*; Espresso *m*.
expressément [ɛksprɛsemɑ̃] *adv* ausdrücklich.
express|if, ~ive [ɛksprɛsif, -iv] ausdrucksvoll; **~ion** *f* Ausdruck *m*.
exprimer [ɛksprime] (1a) ausdrücken.
exproprier [ɛksprɔprije] (1a) enteignen.
expulser [ɛkspylse] (1a) aus-, vertreiben.
exqu|is, ~ise [ɛkski, -iz] auserlesen; köstlich.
extase [ɛkstaz] *f* Verzückung *f*, Ekstase *f*; ⚠ *Schreibung*.
extens|eur [ɛkstɑ̃sœr] *Sport*: Expander *m*; **~ible** dehnbar; **~if, ~ive** [-if, -iv] *agr* extensiv; **~ion** *f* Ausdehnung *f* (*a fig*).
exténuer [ɛkstenɥe] (1n) entkräften.
extérieur, ~e [ɛksterjœr] **1.** *adj* äußere(r, -s), äußerlich, Außen...; auswärtig; **2.** *m* Äußere(s) *n*; Außenseite *f*; *à l'extérieur* außen; *à l'extérieur de* außerhalb von; **~ement** [-mɑ̃] *adv* äußerlich.
extérioriser [ɛksterjɔrize] (1a) äußern; *s'*~ sich äußern; aus sich herausgehen.
exterminer [ɛkstɛrmine] (1a) ausrotten, vernichten, vertilgen.
externe [ɛkstɛrn] äußerlich; außerhalb wohnend.
extincteur [ɛkstɛ̃ktœr] *m* Feuerlöscher *m*.
extinction [ɛkstɛ̃ksjõ] *f* Löschen *n*; *fig* Erlöschen *n*.
extirper [ɛkstirpe] (1a) (her)ausreißen; *fig* ausrotten.
extorquer [ɛkstɔrke] (1m) erpressen, erzwingen.
extorsion [ɛkstɔrsjõ] *f* Erpressung *f*, Erzwingung *f*.
extra [ɛkstra] (⚠ *unv*) **1.** *adj* vorzüglich, ausgezeichnet; **2.** *m* Aushilfskellner *m*; *un* ~ etwas Besonderes.
extraction [ɛkstraksjõ] *f Bodenschätze*: Förderung *f*, Gewinnung *f*; *Zahn, Wurzel* (*math*): Ziehen *n*.
extradition [ɛkstradisjõ] *f jur* Auslieferung *f*.
extraire [ɛkstrɛr] (4s) *Zahn, Wurzel* (*math*): ziehen; *Bodenschätze*: fördern; *Buch*: exzerpieren.
extrait [ɛkstrɛ] *m* Auszug *m*; Extrakt *m*.
extraordinaire [ɛkstraɔrdinɛr] außerordentlich, außergewöhnlich; merkwürdig.
extravag|ance [ɛkstravagɑ̃s] *f* Überspanntheit *f*, Übertriebenheit *f*, Extravaganz *f*; **~ant, ~ante** [-ɑ̃, -ɑ̃t] überspannt, übertrieben, extravagant.
extrême [ɛkstrɛm] **1.** *adj* äußerst; **2.** *m* Extrem *n*; *à l'*~ bis zum Äußersten; **~-onction** [-õksjõ] *f égl* Letzte Ölung *f*; **≗-Orient** [-ɔrjɑ̃] *m l'*~ der Ferne Osten, Ostasien *n*.
extrémiste [ɛkstremist] *m, f pol* Radikale(r) *m, f*.
extrémité [ɛkstremite] *f* äußerstes Ende *n*; äußerste Not *f*; **~s** *pl* Gliedmaßen *f/pl*.
extrinsèque [ɛkstrɛ̃sɛk] äußerlich.
exubér|ance [ɛgzyberɑ̃s] *f* Überfülle *f*; Überschwenglichkeit *f*; **~ant, ~ante** [-ɑ̃, -ɑ̃t] üppig; überschwenglich.
exultation [ɛgzyltasjõ] *f* Jubel *m*, Frohlocken *n*.
ex-voto [ɛksvɔto] *m* (⚠ *pl unv*) *rel* Votivbild *n*.

E

F

F (*abr franc*[s]) Franc(s) *bzw* Franken.
fa [fa] *m mus* f *od* F *n*.
fable [fablə] *f* Fabel *f*.
fabric|ant, ~ante [fabrikɑ̃, -ɑ̃t] *m, f* Fabrikant(in) *m(f)*, Hersteller(in) *m(f)*; **~ation** *f* Herstellung *f*, Fertigung *f*.
fabriqu|e [fabrik] *f* Fabrik *f*; **~er** (1m) herstellen; *péj* fabrizieren; F machen, treiben; ⚠ *participe présent fabriquant*, *aber le fabricant*.
fabul|eux, ~euse [fabylø, -øz] märchenhaft.
fabuliste [fabylist] *m* Fabeldichter *m*.
façade [fasad] *f* Fassade *f* (*a fig*).
face [fas] *f* Gesicht *n*; *Münze*: Vorderseite *f*; *de ~* von vorn; *en ~ de* gegenüber von; *~ à ~* Auge in Auge; *en ~* ins Gesicht; *faire ~ à* die Stirn bieten.
fâch|é, ~ée [fɑʃe] verärgert; **~er** (1a) ärgern; *se ~* böse werden; **~eux, ~euse** [-ø, -øz] ärgerlich, mißlich, unerfreulich.
facial, ~e [fasjal] (⚠ *m/pl -aux od -als*) Gesichts...
facile [fasil] leicht, einfach; *~ à faire* leicht zu tun; ⚠ *il est ~ de faire qc*.
facilit|é [fasilite] *f* Leichtigkeit *f*; *~s pl* Erleichterungen *f/pl*; **~er** (1a) erleichtern.
façon [fasõ] *f* **1.** Art *f*, Weise *f*; *de ~ que* (*od à ce que*) so ... daß; *de toute ~* auf jeden Fall; *de cette ~* auf diese Weise, so; *à la ~ de* auf die Art von; **2.** *~s pl* Benehmen *n*; Gehabe *n*; *sans ~* ohne Umstände, ohne weiteres; **3.** *Kleidung*: Verarbeitung *f*, Schnitt *m*.
façonner [fasɔne] (1a) gestalten, formen; bearbeiten; *fig* prägen.
facteur [faktœr] *m* **1.** Briefträger *m*; **2.** *math u allg* Faktor *m*.
factice [faktis] künstlich, nachgemacht.
faction [faksjõ] *f* umstürzlerische Partei *f*; *mil* Wache *f*; *être de ~* Wache (*od* auf Posten) stehen.
factrice [faktris] *f* Briefträgerin *f*.
factur|e [faktyr] *f comm* Rechnung *f*; *Literatur*: Komposition *f*; **~er** (1a) in Rechnung stellen, berechnen.
facultat|if, ~ive [fakyltatif, -iv] unverbindlich; wahlfrei; freiwillig; *arrêt m facultatif* Bedarfshaltestelle *f*.
faculté [fakylte] *f* Fähigkeit *f*, Vermögen *n*; *Universität*: Fakultät *f*.
fadaises [fadɛz] *f/pl* Albernheiten *f/pl*.
fade [fad] fad(e), geschmacklos, schal; *fig a* abgeschmackt.
fagot [fago] *m* Reisigbündel *n*.
faibl|e [fɛblə] **1.** *adj* schwach; **2.** *m* schwache Seite *f*; Vorliebe *f*; **~esse** [-ɛs] *f* Schwäche(anfall) *f(m)*; **~ir** (2a) schwach werden.
faïence [fajɑ̃s] *f* Steingut *n*; Fayence *f*; ⚠ *Schreibung*.
faille[1] [faj] *f géol* Spalte *f*, Verwerfung *f*; *fig* Bruch *m*.
faille[2] [faj] *subj von falloir*.
faillir [fajir] (2n) **1.** *j'ai failli tomber, etc* ich wäre beinahe gefallen *etc*; **2.** *litt ~ à son devoir* seine Pflicht versäumen.
faillite [fajit] *f comm* Bankrott *m*, Konkurs *m*.
faim [fɛ̃] *f* Hunger *m*; *avoir ~* Hunger haben; *manger à sa ~* sich satt essen.
fainé|ant, ~ante [fɛneɑ̃, -ɑ̃t] **1.** *adj* müßig, faul; **2.** *m, f* Faulenzer(in) *m(f)*.
faire [fɛr] (4n) **1.** machen; tun; *~ la cuisine* kochen; *~ jeune* jung aussehen; *ne ~ que ~ qc* bloß etw tun; *avoir à ~ à* zu schaffen haben mit; *~ que* zur Folge haben, daß; *~ dans son lit* ins Bett machen; *~ du tennis* Tennis spielen; *~ son droit* Jura studieren; *~ le malade* sich krank stellen; **2.** *mit inf*: lassen, veranlassen; *~ rire qn* j-n zum Lachen bringen; **3.** *unpersönlich*: sein; *il fait chaud* es ist warm; **4.** *se ~* zustande kommen; gemacht werden; *ça ne se fait pas* so was tut man nicht; *se ~ rare* selten werden; *se ~ vieux* altern; *se ~ à qc* sich an etw gewöhnen; *ne pas s'en ~* die Dinge leichtnehmen, sich nichts daraus machen.
faire-part [fɛrpar] *m* (⚠ *pl unv*) (Familien-)Anzeige *f*.
faisable [fəzablə] machbar.
faisan [fəzɑ̃] *m* Fasan *m*.
faisceau [fɛso] *m* (⚠ *pl ~x*) Bündel *n*; Strahl *m*.
fait[1] [fɛ] *m* Tatsache *f*, Faktum *n*; Tat *f*, Handlung *f*; Ereignis *n*; *au ~* [ofɛt] übrigens; *de ~* [dəfɛt] in der Tat; *de ce ~* deshalb; *en ~* [ɑ̃fɛt] in

Wirklichkeit; *du* ~ *de* infolge; *en* ~ *de* was ... betrifft; *tout à* ~ völlig.
fait[2]**, faite** [fɛ, fɛt] *p/p von faire u adj* gemacht; erledigt; beschaffen; *Käse*: reif; *Arbeit*: *tout* ~ ganz fertig; *Person*: *bien* ~ gutgewachsen; *être* ~ F geliefert sein.
faîte [fɛt] *m* First *m*; Gipfel *m*.
falaise [falɛz] *f* Steilküste *f*; Klippe *f*.
fallac|ieux, ~ieuse [falasjø, -øz] trügerisch.
falloir [falwar] (3c) *il faut* es ist nötig, man muß; *il faut faire qc* man muß etw tun; *il me faut qc* ich habe etw nötig, brauche etw; *il me faut sortir*, *il faut que je sorte* ich muß ausgehen; *comme il faut* wie sich's gehört; *il s'en faut de beaucoup* es fehlt viel daran.
fallu [faly] *p/p von falloir*.
falot[1] [falo] *m* große Laterne *f*.
fal|ot[2]**, ~ote** [falo, -ɔt] unscheinbar (*Person*).
falsifier [falsifje] (1a) (ver)fälschen.
famé, ~e [fame] *mal* ~ verrufen.
famélique [famelik] ausgehungert.
fam|eux, ~euse [famø, -øz] berühmt; gewaltig; hervorragend.
familial, ~e [familjal] (⚠ *m/pl -aux*) Familien...
familiar|iser [familjarize] (1a) vertraut machen; **~ité** *f* Vertraulichkeit *f*; Vertrautheit *f* (*avec* mit).
famil|ier, ~ière [familje, -jɛr] vertraut, vertraulich, ungezwungen; *langage m familier* Umgangssprache *f*.
famille [famij] *f* Familie *f*.
famine [famin] *f* Hungersnot *f*.
fanal [fanal] *m* (⚠ *pl -aux*) *mar* Leuchtfeuer *n*.
fanat|ique [fanatik] **1.** *adj* fanatisch; **2.** *m, f* Fanatiker(in) *m(f)*; begeisterter Anhänger *m*, begeisterte Anhängerin *f*; **~isme** *m* Fanatismus *m*.
faner [fane] (1a) *se* ~ verwelken; verblühen.
fanfar|e [fɑ̃far] *f* Blaskapelle *f*; Blechmusik *f*; **~on, ~onne 1.** *adj* prahlerisch; **2.** *m* Großsprecher *m*, Aufschneider *m*; **~onnade** [-ɔnad] *f* Prahlerei *f*, Aufschneiderei *f*.
fange [fɑ̃ʒ] *f* Schlamm *m*; Schmutz *m*.
fanion [fanjõ] *m* Fähnchen *n*.
fantais|ie [fɑ̃tɛzi] *f* Laune *f*, Lust *f*; Gutdünken *n*; Einfallsreichtum *m*; ⚠ *nicht* Phantasie; **~iste 1.** *adj Person*: unkonventionell; *péj* unseriös; **2.** *m* eigenwilliger Mensch *m*.
fantasme [fɑ̃tasmə] *m* Phantasiegebilde *n*.
fantasque [fɑ̃task] *Person*: schrullig, wunderlich.
fantassin [fɑ̃tasɛ̃] *m* Infanterist *m*.
fantastique [fɑ̃tastik] phantastisch.
fantoche [fɑ̃tɔʃ] *m fig* Marionette *f*.
fantôme [fɑ̃tom] *m* Phantom *n*, Gespenst *n*.
faon [fɑ̃] *m* Kitz *n*, Hirsch-, Rehkalb *n*.
farandole [farɑ̃dɔl] *f provenzalischer Tanz*.
farce [fars] *f* Posse *f*, Schwank *m*; Streich *m*; *cuis* Füllung *f*.
farc|eur, ~euse [farsœr, -øz] *m, f* Spaßmacher(in) *m(f)*, Witzbold *m*.
farcir [farsir] (2a) *cuis* füllen; *fig* vollstopfen; *se* ~ *un bon repas* sich ein gutes Essen einverleiben.
fard [far] *m* Schminke *f* (*a fig*).
fardeau [fardo] *m* (⚠ *pl* ~*x*) Last *f*, Bürde *f*.
farder [farde] (1a) schminken; *fig* beschönigen.
farfelu, ~e [farfəly] sonderbar, seltsam, F spinnig.
farfouiller [farfuje] (1a) F herumstöbern.
fariboles [faribɔl] *f/pl* F nichtiges Geschwätz *n*.
farine [farin] *f* Mehl *n*.
farouche [faruʃ] scheu; wild, heftig.
fart [fart] *m* (Schi-)Wachs *n*.
fascicule [fasikyl] *m* Heft *n*; Lieferung *f* (*e-s Werkes*).
fascin|ant, ~ante [fasinɑ̃, -ɑ̃t] faszinierend, bezaubernd; **~ation** *f* Faszination *f*, Zauber *m*; **~er** (1a) faszinieren, bezaubern.
fascisme [faʃismə] *m* Faschismus *m*.
fasciste [faʃist] **1.** *m, f* Faschist(in) *m(f)*; **2.** *adj* faschistisch.
fasse [fas] *subj von faire*.
faste[1] [fast] *m* Gepränge *n*, Prunk *m*.
faste[2] [fast] *adj jour m* ~ Glückstag *m*.
fastidi|eux, ~euse [fastidjø, -øz] langweilig.
fastu|eux, ~euse [fastɥø, -øz] prunk-, prachtvoll.
fat [fa(t)] **1.** *adj/m* geckenhaft, eingebildet; **2.** *m* Geck *m*, Laffe *m*.
fatal, ~e [fatal] (⚠ *m/pl* ~*s*) verhängnisvoll; tödlich; zwangsläufig.
fatal|isme [fatalismə] *m* Fatalismus *m*; **~iste 1.** *adj* fatalistisch; **2.** *m, f*

F

Fatalist(in) *m(f)*; **~ité** *f* Verhängnis *n*; Schicksal *n*.
fatidique [fatidik] schicksalhaft.
fatig|ant, ~ante [fatigɑ̃, -ɑ̃t] ermüdend; lästig.
fatigu|e [fatig] *f* Ermüdung *f*; Strapaze *f*; **~é, ~ée** müde; erschöpft; **~er** (1m) ermüden; ~ *qn* j-m lästig fallen; *se* ~ müde werden; ⚠ *fatiguant participe présent, aber fatigant adj.*
fatras [fatra] *m péj* Wust *m*, Durcheinander *n*.
fatuité [fatɥite] *f* Überheblichkeit *f*, Dünkel *m*.
faubourg [fobur] *m* Vorstadt *f*.
faubour|ien, ~ienne [foburjɛ̃, -jɛn] vorstädtisch.
fauch|é, ~ée [foʃe] F blank, abgebrannt; **~er** (1a) *agr* mähen; *fig* dahinraffen; F stehlen, F klauen; **~eur** *m* Mäher *m*, Schnitter *m*; **~euse** *f* Mähmaschine *f*.
faucille [fosij] *f* Sichel *f*.
faucon [fokõ] *m zo* Falke *m*.
faudra [fodra] *il* ~ *futur von falloir.*
faufiler [fofile] (1a) heften; *se* ~ sich durchwinden; sich einschleichen.
faune [fon] **1.** *f* Fauna *f*; Tierwelt *f*; **2.** *m Mythologie*: Faun *m*.
faussaire [fosɛr] *m* Fälscher *m*.
faussement [fosmɑ̃] *adv* fälschlich; auf falsche Weise.
fausser [fose] (1a) fälschen; verdrehen; verderben.
fausseté [foste] *f* Falschheit *f*; Unaufrichtigkeit *f*.
faut [fo] *il* ~ *cf falloir.*
faute [fot] *f* Fehler *m*; Verfehlung *f*; Schuld *f*; *Sport*: Foul *n*; *par sa* ~ durch seine Schuld; *être en* ~ im Unrecht sein; ~ *de* aus Mangel an, mangels; *sans* ~ ganz gewiß.
fauteuil [fotœj] *m* Sessel *m*.
fauteur [fotœr] *m* Anstifter *m*.
faut|if, ~ive [fotif, -iv] schuldig; fehlerhaft.
fauve [fov] **1.** *adj* falb, fahlrot; *bêtes f/pl* ~*s* wilde Tiere *n/pl*, Raubtiere *n/pl*; **2.** *m zo* Raubtier *n*; große Raubkatze *f*; *m/pl Malerei*: *les* ~*s* die Fauves *m/pl*.
fauvette [fovɛt] *f zo* Grasmücke *f*.
faux[1] [fo] *f* Sense *f*.
faux[2]**, fausse** [fo, fos] **1.** *adj* falsch; unaufrichtig; künstlich; Schein...; *faux col m* abknöpfbarer Kragen; *faux pas m* Fehltritt *m*; *fausse clef f* Nachschlüssel *m*; *fausse couche f méd* Fehlgeburt *f*; *fausse monnaie f* Falschgeld *n*; **2.** *adv chanter faux* falsch singen; **3.** *m* Fälschung *f*.
faux|-filet [fofilɛ] *m* (⚠ *pl faux-filets*) *cuis* Lendenstück *n*; **~-fuyant** [-fɥijɑ̃] *m* (⚠ *pl faux-fuyants*) Ausrede *f*, Ausflucht *f*.
faveur [favœr] *f* Gunst *f*; Gefallen *m*; Vorrecht *n*; *à la* ~ *de* begünstigt von; *en* ~ *de* zugunsten von.
favorable [favɔrablə] geneigt, wohlgesinnt (*à qn* j-m); günstig.
favor|i, ~ite [favɔri, -it] **1.** *adj* Lieblings...; **2.** *m, f* Günstling *m*, Liebling *m*; *Sport*: Favorit(in) *m(f)*; **3.** *favoris m/pl* Backenbart *m*; **~iser** (1a) begünstigen; fördern; **~itisme** [-itismə] *m* Günstlingswirtschaft *f*.
fébrile [febril] fieberhaft.
féc|ond, ~onde [fekõ, -õd] fruchtbar (*a fig*); **~ondité** [-õdite] *f* Fruchtbarkeit *f*.
fécule [fekyl] *f in Lebensmitteln*: Stärke *f*.
fédéral, ~e [federal] (⚠ *m/pl -aux*) Bundes...; eidgenössisch; **~isme** *m* Föderalismus *m*.
fédéra|tif, ~tive [federatif, -tiv] föderativ; **~tion** *f* Bündnis *n*, Bund *m*; Verband *m*.
fée [fe] *f* Fee *f*; *fig* guter Geist *m*.
féer|ie [fe(e)ri] *f* Märchenspiel *n*; **~ique** zauberhaft.
feindre [fɛ̃drə] (4b) heucheln, vortäuschen; ~ *de* (+ *inf*) so tun (*od* sich stellen), als ob ...
feinte [fɛ̃t] *f* Täuschung *f*, Finte *f*.
fêler [fɛle] (1b) *se* ~ *Glas*: springen, rissig werden; F *avoir la tête fêlée* nicht ganz richtig im Kopf sein.
félicit|ations [felisitasjõ] *f/pl* Glückwunsch *m*, -wünsche *m/pl*; **~er** (1a) ~ *qn de od pour* j-n beglückwünschen, j-m gratulieren zu.
fél|in, ~ine [felɛ̃, -in] katzenartig.
fêlure [fɛlyr] *f* Sprung *m*, Riß *m*.
femelle [fəmɛl] **1.** *f* Weibchen *n* (*von Tieren*); F *péj* Weibsbild *n*; **2.** *adj zo, bot* weiblich.
fémin|in, ~ine [feminɛ̃, -in] **1.** *adj* weiblich; **2.** *m gr* Femininum *n*; **~isme** *m* Frauenbewegung *f*; **~iste 1.** *adj* feministisch; **2.** *m, f* Frauenrechtlerin *f*, Feminist(in) *m(f)*.
femme [fam] *f* Frau *f*, Weib *n*; Ehefrau *f*; ~ *peintre* Malerin *f*.
fémur [femyr] *m* Oberschenkelknochen *m*.

fenaison [fənɛzõ] *f agr* Heuernte *f*.
fendiller [fɑ̃dije] (1a) rissig machen; *se ~ Haut*: aufspringen.
fendre [fɑ̃drə] (4a) spalten; aufschlitzen; *fig* zerreißen; *se ~* bersten, (zer)platzen.
fenêtre [f(ə)nɛtrə] *f* Fenster *n*; ⚠ *la ~*.
fenouil [fənuj] *m* Fenchel *m*.
fente [fɑ̃t] *f* Spalte *f*; Riß *m*; Schlitz *m*.
féod|al, ~e [feɔdal] (⚠ *m/pl -aux*) feudal; Lehns...; **~alité** [-alite] *f* Lehnswesen *n*; Feudalismus *m*.
fer [fɛr] *m* Eisen *n*; *fig de ~* eisern, stählern; *~ à cheval* Hufeisen *n*; *~ électrique* elektrisches Bügeleisen *n*.
ferai [f(ə)re] *futur von faire*.
fer-blanc [fɛrblɑ̃] *m* (*Weiß-*)Blech *n*.
ferblant|erie [fɛrblɑ̃tri] *f* Blechwaren(herstellung *f*, -handel *m*) *f/pl*; **~ier** [-je] *m* Blechschmied *m*; Klempner *m*, Spengler *m*.
férié [ferje] *jour m ~* Feiertag *m*.
férir [ferir] *sans coup ~* ohne Schwertstreich; *fig* mühelos.
ferme[1] [fɛrm] *adj u adv* fest; hart; sicher; standhaft.
ferme[2] [fɛrm] *f* Bauernhof *m*, Gehöft *n*.
ferment [fɛrmɑ̃] *m* Gärungsstoff *m*, Ferment *n*.
ferment|ation [fɛrmɑ̃tasjõ] *f* Gärung *f*; **~er** (1a) gären.
fermer [fɛrme] (1a) zumachen; (ver)schließen.
fermet|é [fɛrməte] *f* Festigkeit *f* (*a fig*); Entschlossenheit *f*; **~ure** [-yr] *f* Verschluß *m*; Schließung *f*; *~ éclair* Reißverschluß *m*.
ferm|ier, ~ière [fɛrmje, -jɛr] *m, f* Bauer *m*, Bäuerin *f*; Landwirt *m*; *jur* Pächter(in) *m(f)*.
fermoir [fɛrmwar] *m* Verschluß *m*.
féroc|e [ferɔs] wild, reißend; blutdürstig; grausam; **~ité** *f* Wildheit *f*; *fig* Grausamkeit *f*.
ferraille [fɛraj] *f* Alteisen *n*, Schrott *m*.
ferr|é, ~ée [fɛre] beschlagen (*a fig*); *voie f ferrée* Gleis *n*, Schienenstrang *m*; **~er** (1b) *mit Eisen* beschlagen.
ferronn|erie [fɛrɔnri] *f* Kunstschlosserei *f*; **~ier** [-je] *m* (*~ d'art*) Kunstschmied *m*, -schlosser *m*.
ferroviaire [fɛrɔvjɛr] Eisenbahn...
ferrure [feryr] *f* Eisen-, Hufbeschlag *m*.
ferry-boat [feribot] *m* (⚠ *pl ferry-boats*) Fährschiff *n*; Eisenbahnfähre *f*.
fertil|e [fɛrtil] fruchtbar, ergiebig; **~iser** (1a) fruchtbar machen; **~ité** *f* Fruchtbarkeit *f*.
férule [feryl] *f* Rute *f*; *fig sous la ~ de qn* unter j-s Fuchtel.
ferv|ent, ~ente [fɛrvɑ̃, -ɑ̃t] glühend, inbrünstig; **~eur** *f* Inbrunst *f*; Eifer *m*.
fess|e [fɛs] *f* Hinterbacke *f*; *~s pl* Hintern *m*, Gesäß *n*; **~ée** *f* (Tracht *f*) Prügel *m/pl*.
festin [fɛstɛ̃] *m* Festmahl *n*, Schmaus *m*.
festival [fɛstival] *m* (⚠ *pl ~s*) Festspiele *n/pl*, Festival *n*.
festivités [fɛstivite] *f/pl* Festlichkeiten *f/pl*.
festoyer [fɛstwaje] (1h) schmausen.
fêtard [fɛtar] F *m* Lebemann *m*.
fête [fɛt] *f* Fest *n*; Feiertag *m*; Namenstag *m*; *faire la ~* ordentlich feiern; **♀-Dieu** [-djø] *f* Fronleichnam(sfest) *m(n)*.
fêter [fɛte] (1b) feiern.
fétide [fetid] stinkend.
fétu [fety] *m ~ (de paille)* Strohhalm *m*.
feu[1] [fø] *m* (⚠ *pl ~x*) Feuer *n* (*a mil, fig*); Hitze *f*, Glut *f*; Licht *n*; *fig* Begeisterung *f*; *~x pl* Leuchtfeuer *n*; *au coin du ~* am Herd, am Kamin; *coup de ~ mil* Schuß *m*; *~ d'artifice* Feuerwerk *n*; *~ (de circulation)* Ampel *f*; *~ arrière auto* Schlußlicht *n*, Rücklicht *n*; *~ stop* Bremslicht *n*; *~x de position* Standlicht *n*; *~x de croisement* Abblendlicht *n*; *~x de route* Fernlicht *n*; *fig ~ vert* grünes Licht.
feu[2] [fø] *adj (unv) litt ~ son père* sein seliger Vater.
feuillage [fœjaʒ] *m* Laub(werk) *n*.
feuille [fœj] *f* Blatt *n* (*a Zeitung*); Folie *f*; *~s pl a* Laub *n*; *~s mortes* dürres Laub *n*; *~ d'impôt* Steuerbescheid *m*.
feuillet [fœjɛ] *m* (einzelnes) Blatt *n* (*im Heft od Buch*).
feuillet|er [fœjte] (1c) (durch- *od* um)blättern; *cuis pâte f feuilletée* Blätterteig *m*; **~on** *m* Fortsetzungsroman *m*; *TV* Sendereihe *f*, Serie *f*.
feuillu, ~e [fœjy] dicht belaubt.
feutre [føtrə] *m* Filz *m*; Filzhut *m*; Filzschreiber *m*.
feutré, ~e [føtre] aus Filz; *Geräusch*: gedämpft.
fève [fɛv] *f bot* (Dicke) Bohne *f*.

février [fevrije] *m* Februar *m*.
FF (*abr franc[s] français*) französischer (französische) Franc(s).
fi [fi] *litt* ~ *(donc)!* pfui!; *faire* ~ *de* verschmähen.
fiable [fjablə] zuverlässig.
fiacre [fjakrə] *m* Droschke *f*.
fiançailles [f(i)jɑ̃saj] *f/pl* Verlobung *f*.
fianc|é, ~ée [f(i)jɑ̃se] *m, f* Verlobte(r) *m, f*; **~er** (1k) *se* ~ *avec* sich verloben mit.
fibre [fibrə] *f* Faser *f*; *fig* Kern *m*; Ader *f*; ~ *optique* Glasfaser *f*; ~ *de verre* Glaswolle *f*.
fibr|eux, ~euse [fibrø, -øz] faserig.
ficeler [fisle] (1c) ver-, zu-, festschnüren.
ficelle [fisɛl] *f* Bindfaden *m*, Schnur *f*; langes Weißbrot *n*; *fig* Kniff *m*, Trick *m*.
fiche [fiʃ] *f* **1.** Zettel *m*, Schein *m*, (Kartei-)Karte *f*; **2.** (*elektrischer*) Stecker *m*.
ficher [fiʃe] (1a) F machen, tun; geben; werfen, schmeißen; *fiche-moi la paix* (*le camp*)*!* laß mich in Ruhe! (mach, daß du fortkommst!); *se* ~ *de qc, qn* auf etw, j-n pfeifen.
fichier [fiʃje] *m* Kartei(kasten) *f*(*m*); *EDV* Datei *f*.
fichtre! [fiʃtrə] F Donnerwetter!
fichu, ~e [fiʃy] F kaputt, futsch; erledigt; verdammt, verflixt; *être mal* ~ sich schlecht fühlen; schlecht gemacht sein.
fict|if, ~ive [fiktif, -iv] erdacht, fiktiv.
fidèle [fidɛl] **1.** *adj* treu, zuverlässig; ⚠ *nicht* fidel; **2.** *m, f rel* Gläubige(r) *m, f*.
fidélité [fidelite] *f* Treue *f*; Genauigkeit *f*, Zuverlässigkeit *f*; *tech haute* ~ High-Fidelity *f*.
fief [fjɛf] *m hist* Lehen *n*; *pol* Hochburg *f*; *fig* Domäne *f*.
fiel [fjɛl] *m* Galle *f* (*der Tiere*); *fig* Bitterkeit *f*.
fiente [fjɑ̃t] *f* (Tier-)Mist *m*, Kot *m*.
fier[1] [fje] (1a) *se* ~ *à qn, qc* j-m (ver)trauen, sich auf etw verlassen.
fier[2], **fière** [fjɛr] stolz (*de* auf).
fierté [fjɛrte] *f* Stolz *m*.
fièvre [fjɛvrə] *f* Fieber *n*; *fig* Aufregung *f*.
fiévr|eux, ~euse [fjevrø, -øz] fiebrig; *fig* fieberhaft.
fifre [fifrə] *m* Querpfeife *f*; Pfeifer *m*.
figer [fiʒe] (1l) fest werden lassen; *fig* lähmen; *se* ~ fest werden, erstarren (*a fig*).
figu|e [fig] *f* Feige *f*; **~ier** [-je] *m* Feigenbaum *m*.
figur|ant, ~ante [figyrɑ̃, -ɑ̃t] *m, f* *Bühne*: Statist(in) *m*(*f*).
figurat|if, ~ive [figyratif, -iv] bildlich; *Kunst*: gegenständlich.
figure [figyr] *f* Gesicht *n*; Figur *f*; Gestalt *f*; F *se casser la* ~ hinfallen.
figur|é, ~ée [figyre] (*a au figuré*) bildlich, übertragen; **~er** (1a) abbilden; darstellen; vorkommen, erscheinen; als Statist auftreten; *se* ~ *qc* sich etw vorstellen.
fil [fil] *m* Faden *m* (*a fig*); Garn *n*; Draht *m*, Leitung *f*; ~ *de fer barbelé* Stacheldraht *m*; *tél coup m de* ~ Anruf *m*.
filage [filaʒ] *m* Spinnen *n*.
filament [filamɑ̃] *m* Faser *f*; Heizdraht *m*, Glühfaden *m*.
filandr|eux, ~euse [filɑ̃drø, -øz] fas(e)rig, sehnig (*Fleisch*).
fil|ant, ~ante [filɑ̃, -ɑ̃t] dickflüssig; *étoile f filante* Sternschnuppe *f*.
filasse [filas] *f* Hanf-, Flachsfasern *f/pl*.
filature [filatyr] *f* Spinnerei *f*; *fig* Beschattung *f* (*durch die Polizei*).
file [fil] *f* Reihe *f*; (*Auto-*)Schlange *f*; *Verkehr*: Spur *f*; *à la* ~ hintereinander; *à la* ~ *indienne* im Gänsemarsch.
filer [file] (1a) spinnen; F geben, *Tritt*: versetzen; *Person*: beschatten; *Käse etc*: Fäden ziehen; F weglaufen; flitzen, sausen; *fig Zeit*: vergehen; ~ *à l'anglaise* sich verdrücken.
filet [filɛ] *m* dünner (Wasser-)Strahl *m*; Netz *n*; *cuis* Filet *n*.
filial, ~e [filjal] (⚠ *m/pl -aux*) **1.** *adj* kindlich, Kindes...; **2.** *f comm* Tochtergesellschaft *f*.
filiation [filjasjõ] *f* Abstammung *f*; *fig* Zusammenhang *m*.
filière [filjɛr] *f* Stufenleiter *f*, Linie *f*, Kette *f*; *par la* ~ von der Pike auf.
filiforme [filifɔrm] fadenförmig.
filigrane [filigran] *m* Wasserzeichen *n*; *fig en* ~ im Hintergrund.
fill|e [fij] *f* Tochter *f*; Mädchen *n*; *vieille* ~ alte Jungfer *f*; **~ette** [-ɛt] *f* kleines Mädchen *n*.
filleul, ~e [fijœl] *m, f* Patenkind *n*.
film [film] *m* Film *m*; dünne Schicht *f*; ~ *documentaire* Dokumentar-, Kulturfilm *m*; ~ *en couleurs* Farb-

film *m*; ~ *muet* Stummfilm *m*; ~ *parlant, sonore* Tonfilm *m*; ~ *policier* Kriminalfilm *m*; **~er** (1a) filmen.

filon [filõ] *m Bergbau*: (Erz-)Gang *m*, Ader *f*; F *fig* einträglicher Posten *m*.

filou [filu] *m* Gauner *m*; F Schlingel *m*.

fils [fis] *m* Sohn *m*.

filtre [filtrə] *m* Filter *m*.

filtrer [filtre] (1a) filtern; streng kontrollieren; durchsickern (*a fig*).

fin[1] [fɛ̃] *f* Schluß *m*, Ende *n*; Ziel *n*, Zweck *m*; *à la* ~ schließlich; *en* ~ *de compte* letztlich; *à cette* ~ zu diesem Zweck; *aux* ~*s de* (+ *inf*) zwecks.

fin[2], **fine** [fɛ̃, fin] fein; dünn; auserlesen; zart; feinsinnig; F *fine gueule f* Feinschmecker *m*; *fines herbes f/pl* Küchenkräuter *n/pl*; *au fin fond de* ganz weit hinten in; *le fin du fin* das Allerfeinste.

final, ~e [final] (⚠ *m/pl* ~*s*) End..., Schluß...; *gr* final.

final(e) [final] *m mus* Finale *n*.

finale [final] *f Sport*: Finale *n*, Endspiel *n*; *gr* Endsilbe *f*; ⚠ *la* ~.

finalement [finalmɑ̃] *adv* schließlich.

finalité [finalite] *f phil* Finalität *f*, Zweckbestimmtheit *f*.

financ|e [finɑ̃s] *f* Finanzwelt *f*; ~*s pl* Finanzen *f/pl*, Geldmittel *n/pl*; Finanz-, Geldwesen *n*; **~er** (1k) finanzieren; **~ier, ~ière** [-je, -jɛr] **1.** *adj* finanziell; Finanz...; **2.** *m* Finanzmann *m*.

finasserie [finasri] *f* Raffiniertheit *f*.

fin|aud, ~aude [fino, -od] pfiffig, listig.

fine [fin] *f* feinster Kognak *m*.

finesse [finɛs] *f* Feinheit *f*; Erlesenheit *f*.

fini, ~e [fini] fertig; vergangen; *math, phil* endlich; *bien* ~ gut gearbeitet; *il est fini* er ist erledigt; *ivrogne m fini* Erzsäufer *m*.

finir [finir] (2a) enden, schließen; beend(ig)en, fertigstellen, abschließen, vollenden; ~ *de faire qc* mit etw aufhören; *en* ~ *avec qc* e-r Sache ein Ende machen; ~ *par faire qc* schließlich etw tun.

finition [finisjõ] *f* Fertigstellung *f*; Verarbeitung *f*.

Finlande [fɛ̃lɑ̃d] *la* ~ Finnland *n*.

firme [firm] *f* Firma *f*.

fis [fi] *p/s von faire*.

fisc [fisk] *m* Staatskasse *f*, Fiskus *m*; Steuerbehörde *f*.

fiscal, ~e [fiskal] (⚠ *m/pl -aux*) steuerlich, fiskalisch.

fissile [fisil] *phys* spaltbar.

fissure [fisyr] *f* Spalte *f*; Riß *m*.

fix|age [fiksaʒ] *m Foto*: Fixieren *n*; **~ateur** [-atœr] *m* Fixiermittel *n*; Haarfestiger *m*; **~ation** *f* Festmachen *n*; Festsetzung *f*; Fixierung *f* (*a psych*); *Schi*: Bindung *f*.

fix|e [fiks] **1.** *adj* fest; unbeweglich; beständig; *à prix* ~ zum Festpreis; **2.** *m* festes Gehalt *n*; **~er** (1a) befestigen; bestimmen, festsetzen; fixieren; anstarren; *se* ~ sich niederlassen; *Sachen*: sich stabilisieren.

flacon [flakõ] *m* Fläschchen *n*.

flageller [flaʒɛle] (1b) geißeln.

flageoler [flaʒɔle] (1a) schlottern.

flagorner [flagɔrne] (1a) *litt* liebedienern, umschmeicheln.

flagr|ant, ~ante [flagrɑ̃, -ɑ̃t] offenkundig; *jur en flagrant délit* in flagranti, auf frischer Tat.

flair [flɛr] *m Tier*: Witterung *f*; *fig* Gespür *n*; ⚠ *nicht* Flair; **~er** (1b) wittern, schnuppern; riechen.

flam|and, ~ande [flamɑ̃, -ɑ̃d] flämisch.

flamant [flamɑ̃] *m zo* ~ (*rose*) Flamingo *m*.

flamb|ant [flɑ̃bɑ̃] ~ *neuf* (⚠ *f unv od flambant neuve*) funkelnagelneu; **~eau** [-o] *m* (⚠ *pl* ~*x*) Fackel *f* (*a fig*); **~ée** *f* hell aufloderndes Feuer *n*; *fig* Auflodern *n*; ~ *des prix* Preisauftrieb *m*; **~er** (1a) auflodern; (ab)sengen; *cuis* flambieren.

flamboy|ant, ~ante [flɑ̃bwajɑ̃, -ɑ̃t] flammend; funkelnd; *arch* spätgotisch; **~er** (1h) (auf)lodern, (auf-)leuchten.

flamme [flam] *f* Flamme *f* (*a fig*).

flan [flɑ̃] *m* Pudding *m*; F *fig* Quatsch *m*.

flanc [flɑ̃] *m* Seite *f*; Flanke *f*; Abhang *m*; ⚠ *le* ~.

flancher [flɑ̃ʃe] (1a) F schwach werden.

Flandre [flɑ̃drə] *la* ~ Flandern *n*.

flân|er [flane] (1a) (umher)schlendern, (umher)bummeln; **~eur, ~euse** *m, f* Spaziergänger(in) *m(f)*.

flanquer [flɑ̃ke] (1m) flankieren; *mil* Flankenschutz geben (*qn* j-m); F schleudern, werfen, schmeißen; *Schlag*: versetzen.

F

flapi, ~e [flapi] F kaputt, todmüde.
flaque [flak] *f* Pfütze *f*, Lache *f*.
flash [flaʃ] *m Foto*: Blitzlicht(gerät) *n*; *Presse*: kurze (wichtige) Meldung *f*.
flasque [flask] schlaff.
flatt|er [flate] (1a) ~ *qn* j-m schmeicheln; *se* ~ *de* (+ *inf*) sich einbilden zu; **~erie** *f* Schmeichelei *f*; **~eur, ~euse** 1. *adj* schmeichlerisch; schmeichelhaft; 2. *m*, *f* Schmeichler(in) *m(f)*.
flatulence [flatylɑ̃s] *f méd* Blähung *f*.
fléau [fleo] *m* (⚠ *pl* ~x) Dreschflegel *m*; *fig* Geißel *f*.
flèche [flɛʃ] *f* Pfeil *m*; (Turm-)Spitze *f*.
fléchir [fleʃir] (2a) beugen; sich biegen; *fig* rühren, erweichen; sich beugen.
flemme [flɛm] F *f* Faulheit *f*; *avoir la* ~ *de faire qc* zu faul sein, etw zu tun.
flétrir [fletrir] (2a) 1. verdorren lassen, verwelken lassen; *se* ~ verwelken; dahinschwinden; 2. brandmarken.
fleur [flœr] *f* Blume *f*; Blüte *f* (*a fig*); *à* ~ *de* auf gleicher Höhe mit.
fleur|i, ~ie [flœri] blühend; geblümt; *fig* blumig; **~ir** (2a) blühen; mit Blumen schmücken; **~iste** *m*, *f* Blumenhändler(in) *m(f)*, -züchter(in) *m(f)*.
fleuron [flœrɔ̃] *m fig* Kleinod *n*.
fleuve [flœv] *m* Fluß *m*, Strom *m*.
flex|ible [flɛksiblə] biegsam; *fig* anpassungsfähig; **~ion** *f* Biegung *f*; Beuge *f*; *gr* Flexion *f*, Beugung *f*.
flibustier [flibystje] *m hist* Freibeuter *m*.
flic [flik] F *m* Polizist *m*; *péj* Bulle *m*.
flirter [flœrte] (1a) flirten.
flocon [flɔkɔ̃] *m* Flocke *f*.
floraison [flɔrɛzɔ̃] *f* Blühen *n*; Blüte(zeit) *f* (*a fig*).
floral, ~e [flɔral] (⚠ *m/pl -aux*) Blumen...
floriss|ant, ~ante [flɔrisɑ̃, -ɑ̃t] blühend (*fig*).
flot [flo] *m* Flut *f* (*a fig*); *fig* Strom *m*; ~*s pl* Wogen *f/pl*, Wellen *f/pl*; *à* ~*s* in Strömen; *à* ~ *mar* flott; *remettre à* ~ flottmachen (*a fig*).
flott|ant, ~ante [flɔtɑ̃, -ɑ̃t] schwimmend; schwebend, wehend, fließend; schwankend.
flott|e [flɔt] *f* Flotte *f*; F Wasser *n*; **~er** (1a) schwimmen, auf dem Wasser treiben; *fig* flattern; schwanken; **~eur** *m* (Holz-)Flößer *m*; *tech* Schwimmer *m*.
flou, ~e [flu] unscharf; weich; *fig* verschwommen.
fluctuation [flyktɥasjɔ̃] *f* Schwankung *f*.
fluctuer [flyktɥe] (1n) *bes comm* schwanken.
flu|et, ~ette [flyɛ, -ɛt] schmächtig, dünn.
fluide [flɥid] 1. *adj* flüssig; 2. *m phys* Flüssigkeit *f*; *fig* Fluidum *n*.
flût|e [flyt] *f* Flöte *f*; Sektglas *n*; langes, dünnes Brot *n*; **~iste** *m*, *f* Flötist(in) *m(f)*.
fluvial, ~e [flyvjal] (⚠ *m/pl -aux*) Fluß...
flux [fly] *m mar* Flut *f*; *méd* Ausfluß *m*; *le* ~ *et le reflux* Ebbe *f* und Flut *f*.
F.M. [ɛfɛm] (*abr fréquence f modulée*) UKW (Ultrakurzwelle).
fœtus [fetys] *m biol* Fötus *m*.
foi [fwa] *f* Glaube(n) *m*; *bonne* ~ Aufrichtigkeit *f*; *de bonne* ~ gutgläubig; *ma* ~! aber gewiß!; *sur la* ~ *de* im Vertrauen auf; ⚠ *nicht verwechseln mit le foie u la fois*.
foie [fwa] *m* Leber *f*; ⚠ *le* ~.
foin [fwɛ̃] *m* Heu *n*.
foire [fwar] *f* Jahrmarkt *m*, Volksfest *n*; *comm* Messe *f*.
fois [fwa] *f* Mal *n*; *une* ~ einmal; *une* ~ *pour toutes* ein für allemal; *pour la première (dernière)* ~ zum ersten (letzten) Mal; *à la* ~ zugleich; F *des* ~ manchmal; *chaque* ~ *que* jedesmal wenn; ⚠ *nicht verwechseln mit la foi u le foie*.
foison [fwazɔ̃] *f à* ~ in Hülle und Fülle.
foisonner [fwazɔne] (1a) reichlich vorhanden sein; sich stark vermehren; ~ *en, de* Überfluß haben an.
folâtre [fɔlɑtrə] fröhlich, ausgelassen.
folie [fɔli] *f* Verrücktheit *f*, Narrheit *f*, Wahnsinn *m*, Torheit *f*.
folklor|e [fɔlklɔr] *m* Volkskunde *f*; Folklore *f*; F *péj* Theater *n*; ⚠ *le* ~; **~ique** volkskundlich, folkloristisch.
folle [fɔl] *cf fou*.
follement [fɔlmɑ̃] *adv* sehr; F wahnsinnig.
follet [fɔlɛ] *feu m* ~ Irrlicht *n*.
fomenter [fɔmɑ̃te] (1a) anstiften.
fonc|é, ~ée [fɔ̃se] dunkel(farbig); **~er** (1k) *Brunnen*: graben; *Farben*:

dunkler machen (werden); *auto* rasen; ~ *sur* sich stürzen auf.

fonc|ier, ~ière [fõsje, -jɛr] Grund...; *fig* grundlegend.

fonction [fõksjõ] *f* Amt(sgeschäft) *n*; Tätigkeit *f*; Funktion *f*; ~ *publique* öffentlicher Dienst *m*; *faire* ~ *de* tätig sein als; *Sache*: dienen als; *être en* ~ im Amt sein; *en* ~ *de* entsprechend, je nach; *être* ~ *de qc* von etw abhängen.

fonctionn|aire [fõksjɔnɛr] *m, f* Beamte(r) *m*, Beamtin *f*; **~el, ~elle** funktionell; zweckmäßig; **~er** (1a) arbeiten, funktionieren, in Betrieb sein, laufen.

fond [fõ] *m* Grund *m*; Boden *m*; Unter-, Hintergrund *m*; Grundlage *f*; Gehalt *m*; *article m de* ~ Leitartikel *m*; *au* ~ *du couloir* am Ende des Ganges; *de* ~ *en comble* von oben bis unten; *à* ~ gründlich; *au* ~, *dans le* ~ im Grunde; *Sport*: *ski de* ~ Skilanglauf *m*; ⚠ *nicht verwechseln mit fonds.*

fondamental, ~e [fõdamɑ̃tal] (⚠ *m/pl -aux*) grundlegend, wesentlich.

fond|ant, ~ante [fõdɑ̃, -ɑ̃t] schmelzend; saftig; im Munde zergehend; **~ateur, ~atrice** [-atœr, -atris] *m, f* Gründer(in) *m(f)*; **~ation** *f* Gründung *f*; Stiftung *f*; **~s** *pl* Fundament *n*, Grundmauern *f/pl.*

fond|é, ~ée [fõde] **1.** *adj* berechtigt; begründet; **2.** *m* ~ *de pouvoir* Bevollmächtigte(r) *m*; **~ement** [-mɑ̃] *m fig* Grundlage *f*, Fundament *n*; ⚠ *nicht verwechseln mit fondation*; **~er** (1a) (be)gründen; den Grund legen zu; stiften; *se* ~ *sur* sich stützen auf; **~erie** *f* Gießerei *f*.

fondre [fõdrə] (4a) (ver)schmelzen (*a fig*); (weg)tauen; *tech* gießen; *fig* ~ *en larmes* in Tränen zerfließen; ~ *sur* losstürzen auf.

fonds [fõ] *m* **1.** *sg* Grund und Boden *m*; Grundstück *n*; *fig* Schatz *m*; Bestand *m*; ~ *de commerce* Geschäft *n*; **2.** *pl* Gelder *n/pl*; Kapital *n*.

fondu, ~e [fõdy] *p/p von fondre u adj* geschmolzen; *Farben*: verschwommen.

fondue [fõdy] *f cuis* Fondue *n od f*.

font [fõ] *cf faire.*

fontaine [fõtɛn] *f* Springbrunnen *m*; ⚠ *nicht* Fontäne.

fonte [fõt] *f* Gußeisen *n*; Guß *m*; ~ *des neiges* Schneeschmelze *f*.

fonts [fõ] *m/pl* ~ *baptismaux* Taufbecken *n*.

football [futbol] *m* Fußball *m*; *jouer au* ~ Fußball spielen; **~eur, ~euse** *m, f* Fußballspieler(in) *m(f)*.

for [fɔr] *m dans mon* ~ *intérieur* im Innersten.

for|ain, ~aine [fɔrɛ̃, -ɛn] **1.** *adj* Jahrmarkts...; **2.** *m* Schausteller *m*.

forçat [fɔrsa] *m hist* Galeerensträfling *m*; Zuchthäusler *m*.

force[1] [fɔrs] *f* Kraft *f*; Gewalt *f*; Macht *f*; Stärke *f*; ~ *majeure* höhere Gewalt *f*; *à* ~ *de travail(ler)* durch vieles Arbeiten; *à toute* ~ mit aller Gewalt; mit allen Mitteln; *de, par* ~ zwangsweise; *de toutes ses* **~s** aus Leibeskräften; ~ *de frappe* französische Atomstreitmacht *f*.

force[2] [fɔrs] *litt adv* viel, zahlreich.

forc|é, ~ée [fɔrse] er-, gezwungen; Zwangs...; *atterrissage m forcé* Notlandung *f*; *mil marche f forcée* Eilmarsch *m*; **~ément** [-emɑ̃] *adv* zwangsläufig; **~ené, ~enée** [-əne] **1.** *adj* leidenschaftlich; **2.** *m* Wahnsinnige(r) *m*; **~er** (1k) zwingen (*qn à [faire] qc* j-n zu etw); *Tür*: aufbrechen; *Sport u allg*: sich verausgaben; *fig* ~ *la note* übertreiben.

forer [fɔre] (1a) (an-, aus)bohren.

forest|ier, ~ière [fɔrɛstje, -jɛr] **1.** *adj* Forst..., Wald...; **2.** *m* Förster *m*.

foret [fɔrɛ] *m tech* Bohrer *m*.

forêt [fɔrɛ] *f* Wald *m* (*a fig*); ~ *vierge* Urwald *m*.

foreuse [fɔrøz] *f* Bohrmaschine *f*.

forfait [fɔrfɛ] *m* **1.** *litt* Freveltat *f*; **2.** *comm* Pauschalpreis *m*, Pauschale *f*; **3.** Reugeld *n* (*beim Rennen*); *déclarer* ~ zurücktreten, aufgeben.

forfaitaire [fɔrfɛtɛr] Pauschal...

forfanterie [fɔrfɑ̃tri] *f* Prahlerei *f*.

forg|e [fɔrʒ] *f* Schmiede *f*; **~er** (1l) schmieden; *fig* prägen; F aushecken; **~eron** [-ərõ] *m* Schmied *m*.

formal|iser [fɔrmalize] (1a) *se* ~ *de qc* sich an etw stoßen, etw übelnehmen; **~iste** formalistisch, förmlich; **~ité** *f* Formalität *f*.

format [fɔrma] *m* Format *n*.

formation [fɔrmasjõ] *f* (Aus-)Bildung *f*; Werden *n*, Entstehen *n*; Schulung *f*; *mil, géol* Formation *f*.

forme [fɔrm] *f* Form *f*, Gestalt *f*; *dans les* **~s** in aller Form; *en* ~ *de* in Form von; *pour la* ~ zum Schein; *être en* ~ in (Hoch-)Form sein.

F

form|el, ~elle [fɔrmɛl] formell, ausdrücklich; formal; **~er** (1a) formen, bilden; ausbilden, entwickeln; *Plan*: fassen; *tél ~ le numéro* die Nummer wählen.
formidable [fɔrmidablə] gewaltig, kolossal; F prima, Klasse.
formulaire [fɔrmylɛr] *m* Formular *n*.
formul|e [fɔrmyl] *f* Formel *f*; Methode *f*, Typ *m*; Formular *n*, Vordruck *m*; **~er** (1a) formulieren; abfassen; äußern.
fort, forte [fɔr, fɔrt] **1.** *adj* stark, kräftig; fest; dick, beleibt; gewaltig, heftig; beträchtlich; *Soße*: scharf; *Schule*: bewandert, tüchtig; *à plus forte raison* um so mehr; *être ~ de qc* sich verlassen können auf etw; *être ~ en anglais* in Englisch gut sein; **2.** *adv* stark, sehr; **3.** *m* Stärke *f*; starke Seite *f*; *mil* Fort *n*.
forteresse [fɔrtərɛs] *f* Festung *f*.
fortifi|ant, ~ante [fɔrtifjɑ̃, -ɑ̃t] **1.** *adj* stärkend; **2.** *m* Stärkungsmittel *n*.
fortif|ication *f* [fɔrtifikasjõ] Befestigung *f*; *~s pl* Befestigungsanlagen *f/pl*; **~ier** [-je] (1a) (ver)stärken; *mil* befestigen.
fort|uit, ~uite [fɔrtɥi, -ɥit] zufällig; unerwartet.
fortune [fɔrtyn] *f* Schicksal *n*; Glück *n*; Vermögen *n* (*Geld*); *faire ~* sein Glück machen; *de ~* behelfsmäßig; *sans ~* unbemittelt.
fortuné, ~e [fɔrtyne] vermögend, begütert.
fosse [fos] *f* Grube *f*; Schacht *m*; Grab *n*.
fossé [fose] *m* Graben *m* (*a fig*).
fossoyeur [foswajœr] *m* Totengräber *m*.
fou, folle [fu, fɔl] **1.** *adj* (⚠ *m vor Vokal fol*; *m/pl fous*) verrückt, irr, wahnsinnig; *être ~ de qn* (*de qc*) nach j-m (auf etw) verrückt sein; **2.** *m, f* Verrückte(r) *m, f*.
foudre [fudrə] *f* Blitz(schlag) *m*; *fig coup m de ~* Liebe *f* auf den ersten Blick; ⚠ *aber le ~ de Jupiter* Jupiters Blitzstrahl *m*.
foudroy|ant, ~ante [fudrwajɑ̃, -ɑ̃t] überwältigend; tödlich; **~er** (1h) (tödlich) treffen; *~ qn du regard* j-m vernichtende Blicke zuwerfen.
fouet [fwɛ] *m* Peitsche *f*; *de plein ~* mit voller Wucht.
fouetter [fwɛte] (1b) peitschen; schlagen (*a cuis*).
fougère [fuʒɛr] *f* Farnkraut *n*.
fougue [fug] *f* Begeisterung *f*, Feuer *n*, Schwung *m*.
fouill|e [fuj] *f* Durchsuchung *f*; *~s pl Archäologie*: Ausgrabungen *f/pl*; **~er** (1a) Ausgrabungen machen; durchsuchen; wühlen; herumkramen.
fouillis [fuji] *m* F Durcheinander *n*, Wust *m*.
fouin|e [fwin] *f* Stein-, Hausmarder *m*; **~er** (1a) F herumschnüffeln.
foulard [fular] *m* seidenes Halstuch *n*, Seidenschal *m*.
foule [ful] *f* Menge *f*, Gedränge *n*; Volk *n*, Leute *pl*; Masse *f*; *une ~ de* e-e Menge von; *en ~* in Scharen.
foul|er [fule] (1a) niedertreten; *Trauben*: keltern; *fig ~ aux pieds* mit Füßen treten; *se ~ le pied* sich den Fuß verstauchen; F *fig ne pas se ~* sich kein Bein ausreißen; **~ure** [-yr] *f* Verstauchung *f*.
four [fur] *m* Backofen *m*, Bratröhre *f*; *tech* Ofen *m*; *petits ~s pl* kleine verzierte Kuchen *m/pl*.
fourb|e [furb] **1.** *adj* schurkisch; **2.** *m* Schurke *m*; **~erie** [-əri] *f* Schurkerei *f*, Betrügerei *f*.
fourbir [furbir] (2a) blank putzen.
fourbu, ~e [furby] erschöpft, zerschlagen.
fourch|e [furʃ] *f* (Fahrrad-, Heu-, Mist-)Gabel *f*; Gabelung *f*; **~er** (1a) *fig la langue lui a fourché* er hat sich versprochen; **~ette** [-ɛt] *f* (Eß-)Gabel *f*; *comm* Spanne *f*; **~on** *m* Zinke *f*; **~u, ~ue** [-y] gabelförmig, gespalten.
fourgon [furgõ] *m* Kastenwagen *m*; Gepäckwagen *m*; *~ funèbre* Leichenwagen *m*.
fourguer [furge] (1m) F verkaufen, verkloppen P.
fourmi [furmi] *f zo* Ameise *f*.
fourmilière [furmiljɛr] *f* Ameisenhaufen *m*; *fig* Gewimmel *n*.
fourmiller [furmije] (1a) wimmeln.
fourn|aise [furnɛz] *f fig* Backofen *m* (*heißer Raum*); **~eau** [-o] *m* (⚠ *pl ~x*) Ofen *m*; Herd *m*; (Pfeifen-)Kopf *m*; *haut ~* Hochofen *m*; **~ée** *f* Ofenfüllung *f*; *fig* Schub *m*; F Ladung *f*.
fourn|i, ~ie [furni] *Haar*: dicht; *bien ~* gut ausgestattet; **~ir** (2a) (be)liefern; besorgen; *~ un effort* e-e Anstrengung machen.
fourni|sseur [furnisœr] *m* Lieferant *m*; Kaufmann *m*; **~ture** [-tyr] *f* Lieferung *f*; *pl ~s* Bedarf *m*; Zubehör *n*.

fourrag|e [furaʒ] *m* (Vieh-)Futter *n*; **~er**[1] (1l) F herumstöbern, -wühlen; **~er**[2], **~ère** *agr* Futter...
fourré[1] [fure] *m* Dickicht *n*.
fourré[2], **~e** [fure] gefüllt; gefüttert.
fourreau [furo] *m* (⚠ *pl* ~*x*) *Schwert*: Scheide *f*.
fourrer [fure] (1a) hineinstecken, -stopfen; füllen; füttern; ~ *son nez partout* seine Nase in alles stecken; *se* ~ sich verkriechen.
fourr|e-tout [furtu] *m* (⚠ *pl unv*) große Reisetasche *f*; **~eur** *m* Kürschner *m*; **~ière** [-jɛr] *f* Tierasyl *n*; Platz *m* für abgeschleppte Autos; **~ure** [-yr] *f* Pelz *m*.
fourvoyer [furvwaje] (1h) *litt* irreführen; *se* ~ sich verlaufen; *fig* auf Abwege geraten; auf dem Holzweg sein.
foutre [futrə] P (4a) machen, tun; schmeißen; *Schlag*: versetzen, verpassen ; *se* ~ *de qn* sich über j-n lustig machen; ~ *la paix à qn* j-n in Ruhe lassen; ~ *le camp* verschwinden, verduften; *je m'en fous!* das ist mir piepegal!
foutu, ~e [futy] P *adj u p/p von foutre cf fichu*.
foyer [fwaje] *m* Feuer(stelle) *n(f)*, Herd *m* (*a fig*); Hausstand *m*, Heim *n*; Wohnheim *n*; *Theater*: Foyer *n*, Wandelgang *m*; *phys* Brennpunkt *m*; *femme f au* ~ Hausfrau *f*.
fr. (*abr franc*[*s*]) Franc(s) *m(pl)*, Franken *m(pl)*.
fracas [fraka] *m* Getöse *n*, Krach *m*.
fracasser [frakase] (1a) zerschmettern.
fraction [fraksjõ] *f* Bruchstück *n*, -teil *m*; *math* Bruch *m*; *pol Partei*: Gruppierung *f*; ⚠ *nicht* Fraktion.
fractionner [fraksjɔne] (1a) zerteilen (*en* in).
fractur|e [fraktyr] *f méd* Bruch *m*; **~er** (1a) (auf)brechen.
fragil|e [fraʒil] zerbrechlich; anfällig, empfindlich; unsicher, vergänglich; **~ité** *f* Zerbrechlichkeit *f*; Anfälligkeit *f*; Unbeständigkeit *f*.
fragment [fragmɑ̃] *m* Bruchstück *n*; Auszug *m*.
fragmentaire [fragmɑ̃tɛr] bruchstückhaft.
frai [frɛ] *m* Laichzeit *f*; Laich *m*.
fraîch|eur [frɛʃœr] *f* Frische *f*; **~ir** (2a) *mar* auffrischen; kühler werden.
frais[1], **fraîche** [frɛ, frɛʃ] frisch, kühl (*a fig*); unverbraucht; *de fraîche date* neu; *servir frais* kalt servieren; *mettre au frais* kühl lagern; *il fait frais dehors* es ist frisch draußen.
frais[2] [frɛ] *m/pl* Kosten *pl*; Unkosten *pl*; Ausgaben *f/pl*.
frais|e [frɛz] *f* **1.** *bot* Erdbeere *f*; **2.** *tech* Fräse *f*; **~er** (1b) *tech* (aus)fräsen.
framboise [frɑ̃bwaz] *f* Himbeere *f*.
franc[1], **franche** [frɑ̃, frɑ̃ʃ] frei; freimütig, offen(herzig).
franc[2], **franque** [frɑ̃, frɑ̃k] *hist* **1.** *adj* fränkisch; **2.** ♀ *m*, *f* Franke *m*, Fränkin *f*.
franc[3] [frɑ̃] *m* Franc *m*, Franken *m* (*Währung*).
franç|ais, ~aise [frɑ̃sɛ, -ɛz] **1.** *adj* französisch; **2.** ♀ *m*, *f* Franzose *m*, Französin *f*.
France [frɑ̃s] *la* ~ Frankreich *n*.
franch|ement [frɑ̃ʃmɑ̃] *adv* offen, freimütig; **~ir** (2a) übersteigen, -schreiten, -springen; **~ise** [-iz] *f* Freiheit *f* (*von Abgaben*); Freimütigkeit *f*; **~issable** [-isablə] überschreitbar.
franciser [frɑ̃size] (1a) französisieren.
franc|-maçon [frɑ̃masõ] *m* (⚠ *pl francs-maçons*) Freimaurer *m*; **~-maçonnerie** [-masɔnri] *f* Freimaurerei *f*.
franco [frɑ̃ko] **1.** portofrei, franko; **2.** *in Zssgn* französisch; **~phone** [-fɔn] französischsprachig.
franc|-parler [frɑ̃parle] *m* Freimut *m*; **~-tireur** [-tirœr] *m* (⚠ *pl francs-tireurs*) Freischärler *m*, Heckenschütze *m*.
frange [frɑ̃ʒ] *f* Franse *f*.
franquette [frɑ̃kɛt] F *à la bonne* ~ ohne Umstände.
frappe [frap] *f* Maschinenschreiben *n*; Anschlag *m*.
frapper [frape] (1a) schlagen; (be)treffen; heimsuchen; kaltstellen, mit Eis kühlen; *Münzen*: prägen; *fig* überraschen, verblüffen; ~ *dans les mains* in die Hände klatschen; ~ *à la porte* an die Tür klopfen.
frasque [frask] *f* Eskapade *f*.
fratern|el, ~elle [fraternɛl] brüderlich, Bruder...; **~iser** (1a) sich verbrüdern; **~ité** *f* Brüderschaft *f*; Brüderlichkeit *f*.
fratricide [fratrisid] **1.** *m* Bruder- (*od* Geschwister)mord *m*; **2.** *m*, *f* Bruder-, Schwestermörder(in) *m(f)*.

F

fraud|e [frod] *f* Betrug *m*; Fälschung *f*; **~er** (1a) betrügen; fälschen.
fraudul|eux, ~euse [frodylø, -øz] betrügerisch.
frayer [frɛje] (1i) *Weg*: bahnen; *Fische*: laichen; *fig* ~ *avec qn* mit j-m verkehren.
frayeur [frɛjœr] *f* Schreck(en) *m*.
fredaine [frədɛn] *f* Streich *m*, Eskapade *f*.
fredonner [frədɔne] (1a) trällern.
frein [frɛ̃] *m* Bremse *f*; *fig* Zügel *m*; ~ *à disque* Scheibenbremse *f*; ~ *à main* Handbremse *f*.
frein|age [frɛnaʒ] *m* Bremsen *n*; **~er** (1b) bremsen.
frêle [frɛl] zart; schwächlich.
frelon [frəlõ] *m zo* Hornisse *f*.
freluquet [frəlykɛ] *m péj* Laffe *m*, Geck *m*.
frém|ir [fremir] (2a) *Blätter*: rauschen; *Wasser vor dem Kochen*: summen; *fig* schaudern; **~issement** [-ismɑ̃] *m* Rauschen *n*, Summen *n*; Schauder *m*.
frêne [frɛn] *m bot* Esche *f*.
frénésie [frenezi] *f* Raserei *f*, Wahnsinn *m*; **~tique** [-tik] rasend, frenetisch.
fréqu|ence [frekɑ̃s] *f* Häufigkeit *f*; Frequenz *f*; **~ent, ~ente** [-ɑ̃, -ɑ̃t] häufig; ⚠ *adv fréquemment* [-amɑ̃].
fréquent|ation [frekɑ̃tasjõ] *f* häufiger Besuch *m*; Umgang *m*; **~er** (1a) oft (*od* regelmäßig) besuchen; ~ *qn* mit j-m verkehren.
frère [frɛr] *m* Bruder *m*.
frérot [frero] F *m* Brüderchen *n*.
fresque [frɛsk] *f* Fresko(malerei) *n(f)*; ⚠ *la* ~.
fret [frɛ] *m* Fracht(geld) *f(n)*.
frétiller [fretije] (1a) zappeln.
fretin [frətɛ̃] *m menu* ~ *fig* kleine Fische *m/pl*.
friable [frijablə] brüchig, bröckelig; zerreibbar.
fri|and, ~ande [frijɑ̃, -ɑ̃d] *être* ~ *de qc* nach etw gierig sein; **~andise** [-ɑ̃diz] *f meist pl* **~s** Leckereien *f/pl*.
fric [frik] *m* F Moneten *f/pl*, Zaster *m*, Pinkepinke *f*.
fricandeau [frikɑ̃do] *m* (⚠ *pl* **~x**) *cuis* gespickte Kalbsnuß *f*.
fricassée [frikase] *f cuis* Frikassee *n*; ⚠ *la* ~.
friche [friʃ] *f agr* Brachland *n*.
fricoter [frikɔte] (1a) F aushecken; krumme Geschäfte machen.
friction [friksjõ] *f* Reibung *f*; Einreibung *f*, (Kopf-)Massage *f*.
frictionner [friksjɔne] (1a) ein-, abreiben, frottieren.
frigidaire [friʒidɛr] *m* (*Markenname*) Kühlschrank *m*.
frigo [frigo] *m* F *abr* Kühlschrank *m*.
frigorif|ier [frigɔrifje] (1a) einfrieren; **~ique** Kühl...; Kälte...
fril|eux, ~euse [frilø, -øz] kälteempfindlich, leicht fröstelnd.
frimas [frimɑ] *litt m* Rauhreif *m*.
frimousse [frimus] F *f* Gesicht *n*.
fringale [frɛ̃gal] F *f* Heißhunger *m*.
fring|ant, ~ante [frɛ̃gɑ̃, -ɑ̃t] lebhaft, munter.
fringues [frɛ̃g] *f/pl* F Klamotten *pl*.
friper [fripe] (1a) zerknittern.
frip|ier, ~ière [fripje, -jɛr] *m,f* Trödler(in) *m(f)*.
frip|on, ~onne [fripõ, -ɔn] **1.** *adj* schalkhaft, schelmisch; **2.** *m,f* Schlingel *m*.
fripouille [fripuj] F *f* Schuft *m*; Gesindel *n*.
frire [frir] (4m) braten, backen.
frise [friz] *f arch* Fries *m*; ⚠ *la* ~.
friser [frize] (1a) (sich) kräuseln, wellen; streifen, grenzen an; ⚠ *nicht* frisieren.
frisson [frisõ] *m* Schau(d)er *m*, Frösteln *n*.
frissonner [frisɔne] (1a) frösteln, schaudern; zittern.
frit, frite [fri, frit] *p/p von frire u adj* gebacken, gebraten; (*pommes de terre*) *frites f/pl* Pommes frites *pl*.
friture [frityr] *f* Backen *n*, Braten *n*; Backfett *n*; kleine gebratene Fische *m/pl*; *Radio*, *tél* Störgeräusch *n*.
frivole [frivɔl] leichtfertig; oberflächlich.
froc [frɔk] *m* Mönchskutte *f*.
froid, froide [frwa, frwad] **1.** *adj* kalt (*a fig*); *j'ai froid* ich friere, mir ist kalt; *il fait froid* es ist kalt; *fig être en froid* (*avec*) auf gespanntem Fuße stehen (mit); *prendre froid* sich erkälten; **2.** *m* Kälte *f*.
froid|ement [frwadmɑ̃] *adv fig* kühl, gleichgültig; kaltblütig; **~eur** *f* (Gefühls-)Kälte *f*; ⚠ *nur fig*.
froisser [frwase] (1a) zerknittern; *fig* kränken.
frôler [frole] (1a) streifen; leicht berühren; *fig* mit knapper Not entkommen (*qc* e-r Sache).
fromag|e [frɔmaʒ] *m* Käse *m*; ~ *blanc*

Quark *m*; **~er, ~ère 1.** *adj* Käse...; **2.** *m* Käsehändler *m*, -hersteller *m*.
froment [frɔmɑ̃] *m* Weizen *m*.
fronc|e [frɔ̃s] *f* Kräuselfalte *f*; **~er** (1k) fälteln, kräuseln; *~ les sourcils* die Stirn runzeln.
frondaison [frɔ̃dɛzɔ̃] *litt f* Blatt-, Laubwerk *n*.
frond|e [frɔ̃d] *f* Schleuder *f*; *hist* Fronde *f*; **~eur, ~euse** aufrührerisch, aufsässig.
front [frɔ̃] *m* Stirn *f*; Vorderseite *f*; *mil* Front *f*; *avoir le ~ de faire qc* die Stirn haben, etw zu tun; *de ~* von vorn, frontal; *fig* offen; *faire ~ à* die Stirn bieten; ⚠ *le ~*.
frontal|ier, ~ière [frɔ̃talje, -jɛr] **1.** *adj* Grenz...; **2.** *m* Grenzgänger *m*, -bewohner *m*.
frontière [frɔ̃tjɛr] *f* Grenze *f*.
frontispice [frɔ̃tispis] *m* Titelblatt *n*, -bild *n*.
fronton [frɔ̃tɔ̃] *m arch* Giebeldreieck *n*.
frott|ement [frɔtmɑ̃] *m* Reiben *n*, Reibung *f*; **~er** (1a) (ab)reiben; frottieren; *Fußboden*: scheuern, bohnern; *Streichholz*: anzünden.
frou-frou [frufru] *m* Rascheln *n*, Knistern *n*.
frousse [frus] *f* F Heidenangst *f*.
fruct|ifier [fryktifje] (1a) Früchte tragen; *Geld*: Zinsen bringen; **~ueux, ~ueuse** [-ɥø, -ɥøz] einträglich; vorteilhaft.
frugal, ~e [frygal] (⚠ *m/pl -aux*) genügsam; kärglich; **~ité** *f* Einfachheit *f*; Genügsamkeit *f*.
fruit [frɥi] *m* Frucht *f*; *fig* Folge *f*; Gewinn *m*; *~s pl* Obst *n*; *~s de mer* Meeresfrüchte *f/pl*; ⚠ *le ~*.
fruit|é, ~ée [frɥite] fruchtig; **~ier, ~ière** [-je, -jɛr] Frucht..., Obst...
fruste [fryst] rauh; verwittert; *fig* roh, ungeschliffen.
frustration [frystrasjɔ̃] *f* Enttäuschung *f*, F Frust *m*.
frustrer [frystre] (1a) frustrieren, enttäuschen; *~ qn de qc* j-n um etw bringen, prellen.
fuel [fjul] *m* Heizöl *n*.
fugace [fygas] flüchtig, vergänglich.
fugit|if, ~ive [fyʒitif, -iv] **1.** *adj* flüchtig; rasch vorübergehend; **2.** *m, f* Flüchtling *m*.
fugue [fyg] *f* Ausreißen *n* (*bes von Kindern*); *mus* Fuge *f*.
fuir [fɥir] (2d) fliehen; meiden; *fig* dahinschwinden; *Faß*: lecken; *Hahn*: tropfen; *Flüssigkeit*: auslaufen; ⚠ *il a fui*.
fuite [fɥit] *f* **1.** Flucht *f*; *mettre en ~* in die Flucht schlagen; *prendre la ~* die Flucht ergreifen; **2.** undichte Stelle *f*, Leck *n*; Ausfließen *n*, -strömen *n*.
fulgur|ant, ~ante [fylgyrɑ̃, -ɑ̃t] funkelnd; blitzschnell; gewaltig.
fulmin|ant, ~ante [fylminɑ̃, -ɑ̃t] wütend; **~er** (1a) wettern, toben.
fumé, ~e [fyme] geräuchert.
fume-cigare(tte) [fymsigar, (-sigarɛt)] *m* (⚠ *pl unv*) Zigarren- (Zigaretten)spitze *f*.
fum|ée [fyme] *f* Rauch *m*; Dampf *m*, Dunst *m*; **~er** (1a) rauchen; räuchern; düngen; **~et** [-ɛ] *m* Aroma *n*, Geruch *m*; **~eur, ~euse** *m, f* Raucher(in) *m(f)*.
fum|eux, ~euse [fymø, -øz] verschwommen; dunstig.
fum|ier [fymje] *m* Mist *m*, Dung *m*; P Miststück *n*; **~iste** *m fig* Bluffer *m*; **~isterie** [-istəri] *f* Schwindel *m*; **~oir** *m* Raucherzimmer *n*; Räucherkammer *f*.
funambule [fynɑ̃byl] *m, f* Seiltänzer(in) *m(f)*.
funèbre [fynɛbrə] Begräbnis..., Leichen...; *fig* düster, traurig.
funér|ailles [fyneraj] *f/pl* Leichenbegängnis *n*; **~aire** [-ɛr] Grab..., Begräbnis...
funeste [fynɛst] unheilvoll, verhängnisvoll (*à* für).
funiculaire [fynikylɛr] *m* (Stand-) Seilbahn *f*.
fur [fyr] *au ~ et à mesure* nach und nach; *au ~ et à mesure que* (*de*) in dem Maße wie (je nach).
furet [fyrɛ] *m zo* Frettchen *n*.
fureter [fyrte] (1e) herumschnüffeln.
fureur [fyrœr] *f* Wut *f*, Raserei *f*; *faire ~* großen Erfolg haben, Furore machen.
furib|ond, ~onde [fyribɔ̃, -ɔ̃d] rasend, wütend.
furi|eux, ~euse [fyrjø, -øz] wütend.
furt|if, ~ive [fyrtif, -iv] verstohlen, heimlich; flüchtig.
fus [fy] *p/s von être*.
fusain [fyzɛ̃] *m* Kohle *f* (*zum Zeichnen*); Kohlezeichnung *f*.
fus|eau [fyzo] *m* (⚠ *pl ~x*) Spindel *f*; (Spitzen-)Klöppel *m*; *~ horaire* Zeitzone *f*; **~ée** *f* Rakete *f*; Zünder *m*.
fuselage [fyzlaʒ] *m aviat* Rumpf *m*.

fus|er [fyze] (1a) (unter Zischen) abbrennen; *fig Gelächter*: erschallen; **~ible** *m* (*elektrische*) Sicherung *f*.
fusil [fyzi] *m* Gewehr *n*.
fusill|ade [fyzijad] *f* Schießerei *f*; **~er** (1a) erschießen.
fusion [fyzjõ] *f* (Ver-)Schmelzen *n*; Verschmelzung *f*, Fusion *f*.
fusionner [fyzjɔne] (1a) *bes comm* fusionieren; ⚠ *Schreibung*.
fustiger [fystiʒe] (1l) *fig litt* geißeln.
fut [fy] *p/s von être*.
fût [fy] Schaft *m*; Stamm *m*; Faß *n*.
futaie [fytɛ] *f* Hochwald *m*.
futé, ~e [fyte] pfiffig, gerissen.
futil|e [fytil] nichtssagend, belanglos, nichtig; oberflächlich; **~ité** *f* Bedeutungslosigkeit *f*, Nichtigkeit *f*.
futur, ~e [fytyr] **1.** *adj* zukünftig; **2.** *m, f* F Zukünftige(r) *m, f*; **3.** *m gr* Zukunft *f*.
fuy|ant, ~ante [fɥijɑ̃, -ɑ̃t] fliehend; *Blick*: ausweichend.

G

gabarit [gabari] *m tech* Schablone *f*; Größe *f*; *fig* Art *f*, Schlag *m*.
gabegie [gabʒi] *f* Mißwirtschaft *f*.
gâch|er [gɑʃe] (1a) *Mörtel*: anrühren; *fig* verpfuschen; verschwenden, vergeuden; **~ette** [-ɛt] *f mil* Abzug(shebel) *m*; **~is** [-i] *m* Mörtel *m*; *fig* Durcheinander *n*; Verschwendung *f*; *être dans le ~* in der Patsche sitzen.
gadget [gadʒɛt] *m* technische Spielerei *f*.
gaffe [gaf] *f mar* Bootshaken *m*; F Dummheit *f*, Schnitzer *m*; F *faire ~* aufpassen.
gaga [gaga] (⚠ *unv*) F vertrottelt.
gag|e [gaʒ] *m* Pfand *n*; *fig* Unterpfand *n*; Beweis *m*; *~s pl* Lohn *m* (*für Hauspersonal*); *mettre en ~* verpfänden; ⚠ *le ~*; *nicht* Gage; **~er** (1l) *jur* durch ein Pfand sichern; *litt* wetten; **~eüre** [-yr] *f litt c'est une ~* das ist ein aussichtsloses Unterfangen; ⚠ *Aussprache*.
gagn|ant, ~ante [gaɲɑ̃, -ɑ̃t] **1.** *adj* Gewinn…; siegreich; **2.** *m, f* Gewinner(in) *m(f)*.
gagne|-pain [gaɲpɛ̃] *m* (⚠ *pl unv*) Broterwerb *m*; **~-petit** [-pəti] *m* (⚠ *pl unv*) Kleinverdiener *m*.
gagner [gaɲe] (1a) gewinnen; verdienen; einsparen; sich ausdehnen auf, erfassen; *Ort*: erreichen; *~ au change* e-n guten Tausch machen.
gai, ~e [ge, gɛ] fröhlich, lustig; angeheitert; ⚠ *adv gaiement od gaîment*.
gaieté [gete] *f* Fröhlichkeit *f*, Heiterkeit *f*, Lustigkeit *f*; *de ~ de cœur* gern; ⚠ *Schreibung a gaîté*.
gaill|ard, ~arde [gajar, -ard] **1.** *adj* munter; frisch; *Reden*: locker; **2.** *m* Kerl *m*; kräftiger Bursche *m*; **~ardise** [-ardiz] *f* schlüpfrige Äußerung *f*.
gain [gɛ̃] *m* Gewinn *m*; Vorteil *m*; Verdienst *m*; *avoir ~ de cause* sich durchsetzen, gewinnen.
gaine [gɛn] *f* **1.** *bot* Blattscheide *f*; *Dolch*: Scheide *f*; *tech* Hülle *f*; **2.** Hüfthalter *m*.
gala [gala] *m* Fest-, Galaveranstaltung *f*.
gal|ant, ~ante [galɑ̃, -ɑ̃t] galant.
galanterie [galɑ̃tri] *f* Höflichkeit *f*.
galbé, ~e [galbe] geschweift, gerundet.
gale [gal] *f* Krätze *f*; Räude *f*.
galère [galɛr] *f hist* Galeere *f*; *~s pl* Galeerenstrafe *f*.
galerie [galri] *f* Galerie *f*, Empore *f*; Publikum *n*; *auto* Dachgepäckträger *m*; *tech* Stollen *m*.
galet [galɛ] *m* Kiesel(stein) *m*; *tech* (Lauf-)Rolle *f*.
galetas [galtɑ] *m* armselige Behausung *f*.
galette [galɛt] *f* (flacher) Blätterteigkuchen *m*; (Buchweizen-)Pfannkuchen *m*; F *fig* Moneten *pl*.
gal|eux, ~euse [galø, -øz] räudig; *brebis f galeuse fig* schwarzes Schaf *n*.
galimatias [galimatja] *m* verworrenes Gerede *n*.

galipette [galipɛt] F *f* Purzelbaum *m*.
gallicisme [galisismə] *m* französische Spracheigentümlichkeit *f*.
galoche [galɔʃ] *f* Holzpantoffel *m*.
galon [galõ] *m* Tresse *f*; *mil a* Dienstgradabzeichen *n*.
galop [galo] *m* Galopp *m*; ⚠ *Schreibung*.
galoper [galɔpe] (1a) galoppieren; rennen; ⚠ *Schreibung*; *il a galopé*.
galopin [galɔpɛ̃] *m* Bengel *m*.
galvauder [galvode] (1a) entwürdigen.
gambad|e [gɑ̃bad] *f* Luftsprung *m*; **~er** (1a) hüpfen.
gamelle [gamɛl] *f* Kochgeschirr *n*.
gam|in, ~ine [gamɛ̃, -in] **1.** *m*, *f* kleiner Junge; kleines Mädchen; **2.** *adj* jungenhaft; schelmisch; **~inerie** [-inri] *f* Dummerjungenstreich *m*.
gamme [gam] *f* Tonleiter *f*; *fig* Skala *f*, Palette *f*.
gammée [game] *adj* (*nur f*) *croix f* ~ Hakenkreuz *n*.
gangrène [gɑ̃grɛn] *f méd* Brand *m*; *fig* Krebsschaden *m*.
gant [gɑ̃] *m* Handschuh *m*; ~ *de toilette* Waschlappen *m*.
ganté, ~e [gɑ̃te] mit Handschuhen.
garag|e [garaʒ] *m* **1.** Garage *f*; **2.** (Autoreparatur-)Werkstatt *f*; ⚠ *le* ~; **~iste** *m* (*selbständiger*) Automechaniker *m*.
gar|ant, ~ante [garɑ̃, -ɑ̃t] *m*, *f* Bürge *m*, Bürgin *f*; *se porter* ~ bürgen (*de* für).
garant|ie [garɑ̃ti] *f* Garantie *f*; **~ir** (2a) bürgen für; garantieren; schützen (*de*, *contre* vor, gegen).
garçon [garsõ] *m* **1.** Junge *m*; junger Mann *m*; *vieux* ~ Junggeselle *m*; **2.** Gehilfe *m*; Geselle *m*; ~ (*de café*) Kellner *m*.
garçonn|e [garsɔn] *f* Junggesellin *f*; **~ière** [-jɛr] *f* Junggesellenwohnung *f*.
garde[1] [gard] *f* **1.** Bewachung *f*, Aufsicht *f* (*de* über); *chien m de* ~ Wachhund *m*; **2.** Aufbewahrung *f*; ~ *à vue* Polizeigewahrsam *m*; **3.** Obhut *f*; *jur droit m de* ~ Sorgerecht *n*; **4.** (Ob-)Acht *f*; *prendre* ~ achtgeben; **5.** *bes mil* Wache *f*; *être de* ~ Wachdienst, Bereitschaftsdienst haben; *monter la* ~ Wache halten; **6.** *mil* Garde *f*.
garde[2] [gard] *m* Wächter *m*, Wärter *m*; *mil* Gardist *m*.
garde|-barrière [gardəbarjɛr] *m* (⚠ *pl gardes-barrière*[*s*]) Schrankenwärter *m*; **~-boue** [-bu] *m* (⚠ *pl unv*) Schutzblech *n*; *auto* Kotflügel *m*; **~-chasse** [-ʃas] *m* (⚠ *pl gardes-chasse*[*s*]) Jagdaufseher *m*; **~-fou** [-fu] *m* (⚠ *pl garde-fous*) Geländer *n*; **~-manger** [-mɑ̃ʒe] *m* (⚠ *pl unv*) Fliegenschrank *m*.
gard|er [garde] (1a) bewachen, behüten; pflegen; aufbewahren; bewahren; halten; zurückbehalten; *se* ~ *de* sich hüten vor; **~erie** [-əri] *f* Kinderhort *m*.
garde-robe [gardərɔb] *f* (⚠ *pl garde-robes*) Kleiderschrank *m*; Garderobe *f* (*Kleidung*); ⚠ *nicht* Kleiderablage.
gard|ien *m*, **~ienne** *f* [gardjɛ̃, -jɛn] Aufseher(in) *m*(*f*), Wächter(in) *m*(*f*), Wärter(in) *m*(*f*); Hausmeister(in) *m* (*f*); *gardien* (*de but*) Torhüter *m*, -wart *m*; *gardien de la paix* Polizeibeamte(r) *m*.
gare[1] [gar] *f* Bahnhof *m*; ~ *routière* Omnibusbahnhof *m*.
gare[2] [gar] ~ *à ...!* paß auf ...!; ~ *à toi!* nimm dich in acht!
garer [gare] (1a) abstellen, parken; *se* ~ ausweichen; parken.
gargariser [gargarize] (1a) *se* ~ gurgeln; *fig* F *se* ~ *de* sich berauschen an.
gargote [gargɔt] *f péj* mieses Eßlokal *n*.
gargouille [garguj] *f arch* Wasserspeier *m*.
garnement [garnəmɑ̃] *m* Schlingel *m*, Bengel *m*.
garn|ir [garnir] (2a) ausstatten, versehen (*de* mit); ausschmücken, verzieren; garnieren; **~ison** [-izõ] *f mil* Garnison *f*; **~iture** [-ityr] *f* Ausrüstung *f*, Ausstattung *f*, Zubehör *n*; Verzierung *f*; *cuis* Beilage *f*; *auto* ~ *de frein* Bremsbelag *m*.
garrotter [garɔte] (1a) fesseln.
gars [gɑ] F *m* Bursche *m*, Kerl *m*.
gas-oil [gazwal, gazɔjl] *m* Dieselkraftstoff *m*.
gaspiller [gaspije] (1a) verschwenden, vergeuden.
gastrique [gastrik] Magen...
gastronomique [gastrɔnɔmik] gastronomisch, Feinschmecker...
gâteau [gɑto] *m* (⚠ *pl* ~*x*) Kuchen *m*; ~*x secs* Teegebäck *n*.
gâter [gɑte] (1a) verderben; verwöhnen, verziehen.

gât|eux, ~euse [gɑtø, -øz] kindisch, verkalkt, vertrottelt.
gauch|e [goʃ] **1.** *adj* linke(r, -s); linkisch; *à* ~ links; *à* ~ *de* links von; **2.** *f* Linke *f* (*a pol*), linke Seite *od* Hand; *de la* ~ von links; **~er, ~ère** *être* ~ Linkshänder(in) sein; **~erie** *f* linkisches Wesen *n*; **~ir** (2a) (*se*) ~ sich verziehen, sich verbiegen; **~iste** *m, f pol* Linksextreme(r) *m, f*.
gaudriole [godrijɔl] *f* F loser Scherz *m*.
gaufre [gofrə] *f* Waffel *f*; (Bienen-)Wabe *f*.
gaule [gol] *f lange* Stange *f*.
Gaule [gol] *la* ~ (*a les* ~*s*) Gallien *n*.
gaul|ois, ~oise [golwa, -waz] **1.** *adj* gallisch; *fig* deftig, derb, lose; **2.** ♀ *m, f* Gallier(in) *m(f)*.
gauloiserie [golwazri] *f* derber Witz *m*, Zote *f*.
gaver [gave] (1a) mästen; (voll)stopfen.
gavroche [gavrɔʃ] *m* Pariser Straßenjunge *m*.
gaz [gɑz] *m* Gas *n*; ~ *naturel* Erdgas *n*; F *à pleins* ~ mit Vollgas; *mettre les* ~ Vollgas geben.
gaze [gɑz] *f* Gaze *f*; *phm* (Verband-)Mull *m*.
gazer [gaze] (1a) **1.** durch Giftgas töten, vergasen; **2.** F *auto* rasen; F *ça gaze* das klappt ja!
gazette [gazɛt] *f* Zeitung *f*.
gaz|eux, ~euse [gazø, -øz] gasförmig; mit Kohlensäure versetzt; *eau f gazeuse* Sprudel *m*.
gazoduc [gazɔdyk] *m* Ferngasleitung *f*.
gazole [gazɔl] *m* Dieselkraftstoff *m*.
gazomètre [gazɔmɛtrə] *m* Gaskessel *m*.
gazon [gazõ] *m* Rasen *m*.
gazouiller [gazuje] (1a) zwitschern; *Wasser*: plätschern.
G.D.F. (*abr Gaz de France*) Frz. Gasgesellschaft.
geai [ʒɛ] *m zo* Eichelhäher *m*.
gé|ant, ~ante [ʒeɑ̃, -ɑ̃t] **1.** *m, f* Riese *m*, Riesin *f*; **2.** *adj* riesig.
geindre [ʒɛ̃drə] (4b) stöhnen; jammern.
gel [ʒɛl] *m* Frost *m*; *fig* Einfrieren *n*; *chim* Gel *n*.
gel|ée [ʒ(ə)le] *f* **1.** Frost *m*; ~ *blanche* Reif *m*; **2.** *cuis* Aspik *m*, Sülze *f*, Gelee *n*; **~er** (1d) zum Gefrieren bringen; ge-, ein-, erfrieren; *il gèle* es friert.
Gémeaux [ʒemo] *m/pl astr* Zwillinge *m/pl*.
gém|ir [ʒemir] (2a) stöhnen, ächzen; **~issement** [-ismɑ̃] *m* Stöhnen *n*.
gemme [ʒɛm] *f* Edelstein *m*.
gên|ant, ~ante [ʒɛnɑ̃, -ɑ̃t] hinderlich, störend; lästig, beschwerlich; peinlich.
gencive [ʒɑ̃siv] *f* Zahnfleisch *n*.
gendarm|e [ʒɑ̃darm] *m* Gendarm *m*; **~erie** [-əri] *f* Gendarmerie *f*.
gendre [ʒɑ̃drə] *m* Schwiegersohn *m*.
gène [ʒɛn] *m biol* Gen *n*.
gên|e [ʒɛn] *f* Beklemmung *f*; *fig* Zwang *m*; (Geld-)Verlegenheit *f*; *sans* ~ ungeniert; frech, rücksichtslos; **~é, ~ée** verlegen, betreten; **~er** (1b) beengen, behindern; stören; in Verlegenheit bringen; *fig se* ~ sich Zwang antun, sich genieren (*avec qn* vor j-m).
général, ~e [ʒeneral] (⚠ *m/pl -aux*) **1.** *adj* allgemein, generell; *en général* im allgemeinen; **2.** *m* General *m*; **~ement** [-mɑ̃] *adv* meistens; allgemein; **~iser** (1a) verallgemeinern; **~iste** *m* praktischer Arzt *m*, Allgemeinmediziner *m*; **~ité** *f* Allgemeingültigkeit *f*; ~*s pl* Allgemeine(s) *n*.
généra|teur, ~trice [ʒeneratœr, -tris] **1.** *adj* erzeugend; bewirkend; **2.** *m tech* Generator *m*.
génération [ʒenerasjõ] *f* (Er-)Zeugung *f*; Generation *f*.
génér|eux, ~euse [ʒenerø, -øz] edelmütig; großzügig; freigebig; *Boden*: ertragreich.
générique [ʒenerik] **1.** *adj* Gattungs...; **2.** *m Kino*: Vorspann *m*.
générosité [ʒenerozite] *f* Edelmut *m*; Großzügigkeit *f*; Freigebigkeit *f*.
genèse [ʒənɛz] *f* Entstehung *f*, Genese *f*.
genêt [ʒ(ə)nɛ] *m bot* Ginster *m*.
génétique [ʒenetik] **1.** *adj* genetisch; **2.** *f* Genetik *f*.
Genève [ʒ(ə)nɛv] Genf.
genévrier [ʒənevrije] *m bot* Wacholder(strauch) *m*.
génial, ~e [ʒenjal] (⚠ *m/pl -iaux*) genial.
génie [ʒeni] *m* Geist *m*; Genie *n*; *mil* Pioniertruppe *f*; Pionierwesen *n*; ~ *civil* Bauingenieurwesen *n*; Hoch- und Tiefbau *m*; ~ *génétique* Gentechnologie *f*.
genièvre [ʒənjɛvrə] *m* Wacholder (-beere *f*, -strauch *m*, -schnaps *m*) *m*.

génisse [ʒenis] *f agr* Färse *f*, Kalbin *f*.
génital, ~e [ʒenital] (⚠ *m/pl -aux*) Geschlechts..., genital.
génocide [ʒenɔsid] *m* Völkermord *m*.
genou [ʒ(ə)nu] *m* (⚠ *pl ~x*) Knie *n*; *à ~x* auf den Knien.
genre [ʒɑ̃r] *m* Art *f*, Gattung *f*; *gr* Genus *n*, Geschlecht *n*.
gens [ʒɑ̃] *m/pl* Leute *pl*; ⚠ *vorangehendes adj steht im f/pl*.
gentiane [ʒɑ̃sjan] *f bot* Enzian *m*.
gent|il, ~ille [ʒɑ̃ti, -ij] nett, freundlich, liebenswürdig; *Kind*: lieb, artig.
gentilhomme [ʒɑ̃tijɔm] *m* (⚠ *pl gentilshommes* [ʒɑ̃tizɔm]) *hist* Edelmann *m*.
gentillesse [ʒɑ̃tijɛs] *f* Freundlichkeit *f*, Liebenswürdigkeit *f*.
gentiment [ʒɑ̃timɑ̃] *adv* nett, liebenswürdig; brav.
géograph|ie [ʒeɔgrafi] *f* Erdkunde *f*, Geographie *f*; **~ique** geographisch.
géôle [ʒol] *f litt* Kerker *m*.
géologie [ʒeɔlɔʒi] *f* Geologie *f*, Erdgeschichte *f*.
géométrie [ʒeɔmetri] *f* Geometrie *f*, Raumlehre *f*.
gérance [ʒerɑ̃s] *f* Geschäftsführung *f*.
géranium [ʒeranjɔm] *m bot* Geranie *f*.
gér|ant, ~ante [ʒerɑ̃, -ɑ̃t] *m, f* Geschäftsführer(in) *m(f)*.
gerbe [ʒɛrb] *f* Garbe *f*; (Blumen-)Strauß *m*.
gercer [ʒɛrse] (1k) *Haut*: rissig machen; (*se*) ~ rissig werden, aufspringen.
gerçure [ʒɛrsyr] *f* Riß *m*, Schrunde *f*.
gérer [ʒere] (1f) verwalten; *Geschäft*: führen.
germ|ain¹, ~aine [ʒɛrmɛ̃, -ɛn] *cousin germain, cousine germaine* Vetter *m*, Kusine *f* (ersten Grades).
germ|ain², ~aine [ʒɛrmɛ̃, -ɛn] *hist* germanisch.
german|ique [ʒɛrmanik] germanisch; deutsch; **~isme** *m* deutsche Spracheigentümlichkeit *f*.
germano-... [ʒɛrmano] *in Zssgn* deutsch-...
germ|e [ʒɛrm] *m* Keim *m* (*a fig*); **~er** (1a) keimen.
gérontologie [ʒerɔ̃tɔlɔʒi] *f* Altersforschung *f*.
gestation [ʒɛstasjɔ̃] *f zo, méd* Trächtigkeit *f*; Schwangerschaft *f*.
geste [ʒɛst] *m* Geste *f*, Gebärde *f*; ⚠ *le ~*.
gesticuler [ʒɛstikyle] (1a) gestikulieren.
gestion [ʒɛstjɔ̃] *f* Geschäftsführung *f*; Verwaltung *f*.
gibecière [ʒipsjɛr] *f* Umhänge-, Jagdtasche *f*.
gibet [ʒibɛ] *m* Galgen *m*.
gibier [ʒibje] *m* Wild(bret) *n*.
giboulée [ʒibule] *f* Regen-, Graupelschauer *m*.
gicl|er [ʒikle] (1a) heraus-, hervorspritzen; **~eur** *m auto* Vergaserdüse *f*.
gifl|e [ʒiflə] *f* Ohrfeige *f*, Backpfeife *f*; **~er** (1a) ohrfeigen.
gigantesque [ʒigɑ̃tɛsk] riesenhaft.
gigot [ʒigo] *m* Hammelkeule *f*.
gigoter [ʒigɔte] (1a) F zappeln, strampeln.
gilet [ʒilɛ] *m* Weste *f*; Unterhemd *n*; *~ de sauvetage* Schwimmweste *f*; ⚠ *nicht verwechseln mit la veste*.
gingembre [ʒɛ̃ʒɑ̃brə] *m bot* Ingwer *m*.
girafe [ʒiraf] *f* Giraffe *f*; ⚠ *Schreibung*.
giratoire [ʒiratwar] Kreis..., kreisend.
girofl|e [ʒirɔflə] *m clou m de ~* Gewürznelke *f*; **~ée** *f bot* Levkoje *f*; Goldlack *m*.
girolle [ʒirɔl] *f bot* Pfifferling *m*.
giron [ʒirɔ̃] *m* Schoß *m* (*a fig*).
girouette [ʒirwɛt] *f* Wetterfahne *f*.
gisement [ʒizmɑ̃] *m géol* Lagerstätte *f*, Vorkommen *n*; *~ pétrolier* (*od de pétrole*) Erdöllagerstätte *f*.
gît [ʒi] (*von gésir* liegen, ruhen *von Toten*) *ci-gît* ... hier ruht ...
git|an, ~ane [ʒitɑ̃, -an] **1.** *adj* Zigeuner...; **2.** ♀ *m, f* Zigeuner(in) *m(f)*.
gîte [ʒit] *m* Unterkunft *f*; Lager *n*.
givr|e [ʒivrə] *m* Rauhreif *m*; **~er** (1a) vereisen; zufrieren; mit Rauhreif bedecken.
glace [glas] *f* Eis *n* (*a fig*); Speiseeis *n*; Spiegel *m*; Spiegelglas *n*; (Glas-)Scheibe *f*; (Wagen-)Fenster *n*; *cuis* Zuckerguß *m*.
glac|é, ~ée [glase] vereist; eisig; frostig; *cuis marrons m/pl glacés* kandierte Kastanien *f/pl*; **~er** (1k) gefrieren, erstarren lassen; glänzend machen; glasieren, lasieren; mit Zuckerguß überziehen; *se ~* zu Eis werden; *fig* erstarren.

G H

glac|iaire [glasjɛr] Eis..., Gletscher...; **~ial, ~iale** [-jal] (⚠ *m/pl -iaux od -ials*) eiskalt; eisig; **~ier** [-je] *m* Gletscher *m*; Eiskonditor *m*; **~ière** [-jɛr] *f* Eisschrank *m*.
glacis [glasi] *m* Glacis *n*; Abschrägung *f*.
glaçon [glasõ] *m* Eisscholle *f*; Eiszapfen *m*; Eiswürfel *m*.
glaïeul [glajœl] *m bot* Gladiole *f*.
glaise [glɛz] *f* (*a terre f ~*) Ton(erde) *m*(*f*), Lehm *m*.
glaive [glɛv] *m hist u fig* Schwert *n*.
gland [glɑ̃] *m* Eichel *f*; Quaste *f*.
glande [glɑ̃d] *f* Drüse *f*.
glaner [glane] (1a) Ähren lesen; *fig* sammeln.
glapir [glapir] (2a) kläffen.
glas [glɑ] *m* Totenglocke *f*, Totengeläute *n*.
glauque [glok] meergrün.
glèbe [glɛb] *f litt* Scholle *f* (*Boden*).
gliss|ade [glisad] *f* Ausgleiten *n*, Schlittern *n*; Rutschpartie *f*; **~ant, ~ante** [-ɑ̃, -ɑ̃t] glatt, schlüpfrig, rutschig.
gliss|ement [glismɑ̃] *m* Gleiten *n*; *fig* Verschiebung *f*; *~ de terrain* Erdrutsch *m*; **~er** (1a) schieben, stecken (*dans* in); ab-, aus-, entgleiten; rutschen; schlittern; *se ~* (sich ein)schleichen; **~ière** [-jɛr] *f tech* Führungsschiene *f*; *~ de sécurité* Leitplanke *f*.
global, ~e [glɔbal] (⚠ *m/pl -aux*) gesamt, Global...; Pauschal...
globe [glɔb] *m* Kugel *f*; Globus *m*; Erdkugel *f*.
globul|e [glɔbyl] *m* Kügelchen *n*; *méd* Blutkörperchen *n*; **~eux, ~euse** [-ø, -øz] *Augen*: vorstehend.
gloire [glwar] *f* Ruhm *m*; Glanz *m*.
glori|eux, ~euse [glɔrjø, -øz] ruhmreich, glorreich.
glorifier [glɔrifje] (1a) verherrlichen.
gloriole [glɔrjɔl] *f péj* Selbstgefälligkeit *f*; ⚠ *nicht* Gloriole.
gloser [gloze] (1a) glossieren; ⚠ *Schreibung*.
glotte [glɔt] *f* Stimmritze *f*; *coup m de ~* Knacklaut *m*.
glouglou [gluglu] *m* Kollern *n* (*des Puters*); Gluckern *n* (*Flüssigkeiten*).
glousser [gluse] (1a) glucken; glucksen.
glout|on, ~onne [glutõ, -ɔn] gefräßig; **~onnerie** [-ɔnri] *f* Gefräßigkeit *f*.
glu [gly] *f* Vogelleim *m*; Klebstoff *m*.
glu|ant, ~ante [glyɑ̃, -ɑ̃t] klebrig.
glucide [glysid] *m chim meist pl ~s* Kohlehydrate *n/pl*.
glucose [glykoz] *m* Traubenzucker *m*, Glucose *f*; ⚠ *le ~*.
gluten [glytɛn] *m chim* Kleber *m*.
gnangnan [ɲɑ̃ɲɑ̃] F schlafmützig.
gnome [gnom] *m* Gnom *m*; häßlicher Zwerg *m*.
go [go] *tout de ~* geradeheraus; ohne weiteres.
G.O. (*abr grandes ondes*) LW (Langwelle).
gobelet [gɔblɛ] *m* Becher *m*.
gober [gɔbe] (1a) ausschlürfen; F leichtfertig glauben.
goberger [gɔbɛrʒe] (1l) F *se ~* sich gute Tage machen.
godasse [gɔdas] F *f* Schuh *m*, Latschen F *m*.
godet [gɔdɛ] *m* Farbnäpfchen *n*; (Förder-)Becher *m*, Bagger-, Schöpfeimer *m*.
godiche [gɔdiʃ] F linkisch, ungeschickt; doof F.
godiller [gɔdije] (1a) *Ski*: wedeln.
goéland [gɔelɑ̃] *m* Seemöwe *f*.
goélette [gɔelɛt] *f mar* Schoner *m*.
goémon [gɔemõ] *m bot* Tang *m*.
gogo [gogo] F *à ~* in Hülle und Fülle.
goguen|ard, ~arde [gɔgnar, -ard] spöttisch.
goguette [gɔgɛt] *f* F *être en ~* e-n Schwips haben.
goinfr|e [gwɛ̃frə] **1.** *m* Vielfraß *m*; **2.** *adj* gefräßig; **~er** (1a) *se ~ péj* sich vollfressen.
goitre [gwatrə] *m* Kropf *m*.
golf [gɔlf] *m Sport*: Golf *n*.
golfe [gɔlf] *m géogr* Golf *m*; ⚠ *nicht verwechseln mit golf* (*Sport*).
gomm|e [gɔm] *f* Gummi *m*; Radiergummi *m*; ⚠ *la ~*; **~er** (1a) (aus)radieren; gummieren; *fig* beseitigen.
gond [gõ] *m* Türangel *f*.
gondol|e [gõdɔl] *f* Gondel *f*; **~er** (1a) *Papier*: sich wellen; F *se ~* sich biegen vor Lachen.
gonfler [gõfle] (1a) anschwellen; aufblähen, -blasen, -pumpen; *fig* aufbauschen; F *fig être gonflé* draufgängerisch, frech sein.
gonzesse [gõzɛs] *f* F *péj* Weib *n*, Frauenzimmer *n*.
goret [gɔrɛ] *m* Ferkel *n* (*a fig*).
gorge [gɔrʒ] *f* Hals *m*, Kehle *f*, Gurgel *f*; Rachen *m*; *st/s* Busen *m*; *géogr*

Schlucht *f*; *avoir mal à la ~* Halsschmerzen haben.
gorgée [gɔrʒe] *f* Schluck *m*.
gorille [gɔrij] *m zo* Gorilla *m*; F *fig* Leibwächter *m*.
gosier [gozje] *m* Schlund *m*, Kehle *f*.
gosse [gɔs] F *m, f* Kind *n*; Junge *m*, Bengel F *m*; Mädchen *n*, Gör F *n*.
gothique [gɔtik] **1.** *adj* gotisch; **2.** *m* Gotik *f*; ⚠ *Schreibung*; *le ~*.
gouache [gwaʃ] *f* Guaschfarbe *f*, -malerei *f*.
gouape [gwap] *f* F Lump *m*.
goudron [gudrõ] *m* Teer *m*.
goudronn|er [gudrɔne] (1a) teeren; **~euse** *f* Straßenteermaschine *f*.
gouffre [gufrə] *m* Abgrund *m* (*a fig*).
goujat [guʒa] *m* Grobian *m*, Flegel *m*.
goujon [guʒõ] *m zo* Gründling *m*.
goul|et [gulɛ] *m* enge Hafenzufahrt *f*; Engpaß *m*; **~ot** [-o] *m* Flaschenhals *m*; *boire au ~* aus der Flasche trinken; **~u, ~ue** [-y] gefräßig, gierig.
goupill|e [gupij] *f tech* Stift *m*; **~on** *m* Weih(wasser)wedel *m*; Flaschenbürste *f*.
gourd, gourde [gur, gurd] starr, steif (vor Kälte).
gourde [gurd] *f* Flaschenkürbis *m*; Feldflasche *f*; F *fig* Dummkopf *m*, Dussel F *m*.
gourdin [gurdɛ̃] *m* Knüppel *m*.
gourer [gure] (1a) F *se ~* sich täuschen.
gourm|and, ~ande [gurmɑ̃, -ɑ̃d] **1.** *adj* schlemmerhaft, eßlustig, naschhaft; **2.** *m, f* Vielfraß *m*, Schlemmer *m*; **~andise** [-ɑ̃diz] *f* Schlemmerei *f*, Naschhaftigkeit *f*; *~s pl* Leckerbissen *m/pl*; Leckereien *f/pl*.
gourmet [gurmɛ] *m* Feinschmecker *m*.
gousse [gus] *f* Hülse *f*, Schote *f*; *~ d'ail* Knoblauchzehe *f*.
gousset [gusɛ] *m* Westentasche *f*.
goût [gu] *m* Geschmack(ssinn) *m* (*a fig*); Lust *f*, Gefallen *n*; *~s pl* Neigungen *f/pl*; *de bon ~* geschmackvoll; *à mon ~* meiner Meinung nach; *chacun son ~* jeder nach seinem Geschmack; *prendre ~ à qc* Gefallen an etw finden.
goûter [gute] **1.** (1a) kosten, probieren (*qc*, *st/s à od de qc* etw); *fig* genießen; Geschmack finden an; *am Nachmittag*: e-n Imbiß einnehmen, vespern; **2.** *m* Nachmittagskaffee *m*, -imbiß *m*, *östr* Jause *f*.
goutt|e [gut] *f* **1.** Tropfen *m*; *~ à ~* tropfenweise; **2.** *méd* Gicht *f*; **3.** *litt ne ... ~* überhaupt nichts; **~er** (1a) tropfen.
goutt|eux, ~euse [gutø, -øz] gichtkrank; Gicht...
gouttière [gutjɛr] *f* Dachrinne *f*.
gouvernail [guvɛrnaj] *m* (⚠ *pl ~s*) Steuerruder *n*.
gouvernante [guvɛrnɑ̃t] *f* Kinderfräulein *n*, Erzieherin *f*; Haushälterin *f*.
gouverne [guvɛrn] *f mar, aviat* Steuerung *f*; *fig* Richtschnur *f*.
gouvernement [guvɛrnəmɑ̃] *m* Regierung *f*.
gouvernemental, ~e [guvɛrnəmɑ̃tal] (⚠ *m/pl -aux*) Regierungs...
gouvern|er [guvɛrne] (1a) regieren; (be)herrschen; *mar* steuern; **~eur** *m* Gouverneur *m*; Statthalter *m*.
grabat [graba] *m* ärmliches Bett *n*.
grâce [grɑs] *f* Gnade *f*; Gunst *f*; *jur* Begnadigung *f*; Grazie *f*, Anmut *f*; Dank *m*; *de bonne* (*mauvaise*) *~* gern (ungern); *coup m de ~* Todesstoß *m*, Gnadenstoß *m*, -schuß *m*; *faire ~ à qn de qc* j-m etw erlassen; *par la ~ de Dieu* von Gottes Gnaden; *~ à Dieu!* Gott sei Dank!; *~ à* dank, auf Grund; ⚠ *accent circonflexe*.
gracier [grasje] (1a) begnadigen.
graci|eux, ~euse [grasjø, -øz] anmutig; freundlich; unentgeltlich.
gracile [grasil] schlank, zierlich.
gradation [gradasjõ] *f* Abstufung *f*.
grade [grad] *m* Dienstgrad *m*, Rang *m*.
grad|é [grade] *m mil* Unteroffizier *m*; **~in** *m* Stufe *f*; *~s pl* (ansteigende) Sitzreihen *f/pl*; **~uer** [-ɥe] (1n) abstufen; allmählich steigern.
grain [grɛ̃] *m* Korn *n*; Körnchen *n*; Kaffeebohne *f*; Beere *f*.
graine [grɛn] *f* Samenkorn *n*; Samen *m*, Saat *f*; **~terie** [-tri] *f* Samenhandel *m*, -handlung *f*.
graissage [grɛsaʒ] *m* Schmieren *n*; *auto faire un ~* abschmieren.
graiss|e [grɛs] *f* Fett *n*; **~er** (1b) einfetten, abschmieren; fettig machen; **~eux, ~euse** [-ø, -øz] fettig.
graminées [gramine] *f/pl bot* Gräser *n/pl*.
grammair|e [gramɛr] *f* Grammatik *f*; **~ien** *m* Grammatiker *m*.
grammatical, ~e [gramatikal] (⚠ *m/pl -aux*) grammatisch, grammatikalisch.

gramme [gram] *m* Gramm *n*.
grand, grande [grɑ̃, grɑ̃d] **1.** *adj* groß; *les grandes personnes* die Erwachsenen; *au grand air* im Freien; *grand cri m* lauter Schrei *m*; *grand malade m* Schwerkranker *m*; *il est grand temps* es ist höchste Zeit; *Schule*: *les grandes classes* die oberen Klassen; **2.** *adv voir grand* hoch hinauswollen; *grand ouvert* weit offen.
grand-chose [grɑ̃ʃoz] *pas* ~ nicht viel.
Grande-Bretagne [grɑ̃dbrətaɲ] *la* ~ Großbritannien *n*.
grandement [grɑ̃dmɑ̃] *adv* in hohem Maße, sehr.
grandeur [grɑ̃dœr] *f* Größe *f*, Erhabenheit *f*.
grandiloquence [grɑ̃dilɔkɑ̃s] *f* hochtrabende Ausdrucksweise *f*.
grandir [grɑ̃dir] (2a) größer werden, wachsen, zunehmen; ⚠ *il a grandi*.
grand|-mère [grɑ̃mɛr] *f* (⚠ *pl grand*[*s*]*-mères*) Großmutter *f*; **~-messe** [-mɛs] *f* (⚠ *pl grand*[*s*]*-messes*) *égl* Hochamt *n*; **~-peine** [-pɛn] *à* ~ mit großer Mühe; **~-père** [-pɛr] *m* (⚠ *pl grands-pères*) Großvater *m*; **~-peur** [-pœr] *f avoir* ~ große Angst haben; **~-route** [-rut] *f* (⚠ *pl grand*[*s*]*-routes*) Landstraße *f*; **~-rue** [-ry] *f* (⚠ *pl grand*[*s*]*-rues*) Hauptstraße *f*; **~s-parents** [-parɑ̃] *m/pl* Großeltern *pl*.
grange [grɑ̃ʒ] *f* Scheune *f*.
granivore [granivɔr] *zo* körnerfressend.
granul|eux, ~euse [granylø, -øz] körnig.
graph|ie [grafi] *f ling* Schreibung *f*; **~ique 1.** *adj* graphisch; **2.** *m* Schaubild *n*, Graphik *f*; ⚠ *le* ~.
grappe [grap] *f* Traube *f*; ~ *de raisin* Weintraube *f*.
grappiller [grapije] (1a) *in Weinbergen*: Nachlese halten; *fig* kleine Vorteile herausschlagen.
grappin [grapɛ̃] *m Kran*: Greifer *m*; F *fig mettre le* ~ *sur qn* j-n mit Beschlag belegen.
gras, grasse [grɑ, grɑs] **1.** *adj* fett(ig); dick; *agr* fruchtbar; *mardi m gras* Fastnachtsdienstag *m*; **2.** *m* fettes Fleisch *n*.
grasseyer [graseje] (1b) das R guttural sprechen.
grassouill|et, ~ette [grasujɛ, -ɛt] F dicklich, mollig.
gratification [gratifikasjõ] *f* Sondervergütung *f*, Gratifikation *f*.
gratifier [gratifje] (1a) ~ *qn de qc* j-m etw zukommen lassen.
gratin [gratɛ̃] *m cuis* Kruste *f* (*beim Überbacken*); *au* ~ überbacken.
gratiné, ~e [gratine] *cuis* überbacken, gratiniert; *fig* F unglaublich.
gratis [gratis] unentgeltlich.
gratitude [gratityd] *f* Dankbarkeit *f*.
gratte-ciel [gratsjɛl] *m* (⚠ *pl unv*) Wolkenkratzer *m*.
gratte-papier [gratpapje] *m* (⚠ *pl unv*) Schreiberling *m*.
gratter [grate] (1a) ab-, auskratzen; kratzen; scharren; ausradieren.
grat|uit, ~uite [gratɥi, -ɥit] unentgeltlich, kostenlos; grundlos, unbegründet; **~uité** [-ɥite] *f* Unentgeltlichkeit *f*; Grundlosigkeit *f*.
gravats [grava] *m/pl* Bauschutt *m*.
grave [grav] ernst, schwer(wiegend), schlimm; würdevoll; tief (*Ton*); **~ment** *adv* ernst(lich).
graver [grave] (1a) (ein)gravieren, (ein)schneiden; ~ *qc dans sa mémoire* etw ins Gedächtnis (ein)graben.
gravier [gravje] *m* Kies *m*.
gravillon [gravijõ] *m für Straßen*: Splitt *m*.
grav|ir [gravir] (2a) erklimmen; **~itation** [-itasjõ] *f phys* Schwerkraft *f*.
gravit|é [gravite] *f* Ernst *m*, Schwere *f*, Gewicht *n* (*fig*); Würde *f*; **~er** (1a) ~ *autour de* ... umkreisen.
gravure [gravyr] *f* Gravierkunst *f*; (Kupfer-)Stich *m*; Graphik *f*.
gré [gre] *m bon* ~, *mal* ~ wohl oder übel; *contre le* ~ *de qn* gegen den Willen j-s; *de bon* ~ gern; *savoir* ~ *de qc à qn* j-m für etw dankbar sein.
grec, grecque [grɛk] **1.** *adj* griechisch; **2.** ♀ *m, f* Grieche *m*, Griechin *f*.
Grèce [grɛs] *la* ~ Griechenland *n*.
greff|e [grɛf] **1.** *m jur* Geschäftsstelle *f* des Gerichts; **2.** *f agr* Pfropfreis *n*; Pfropfen *n*; *méd* ~ *du cœur* Herzverpflanzung *f*; **~er** (1b) pfropfen; *méd* verpflanzen; **~ier** [-je] *m* Gerichtsschreiber *m*.
grégaire [gregɛr] Herden...; *instinct m* ~ Herdentrieb *m*.
grêle[1] [grɛl] dünn, schmal, mager.
grêl|e[2] [grɛl] *f* Hagel *m*; **~er** (1a) hageln; *il grêle* es hagelt; **~on** *m* Hagelkorn *n*.
grelot [grəlo] *m* Schelle *f*.

grelotter [grəlɔte] (1a) vor Kälte zittern.
grenad|e [grənad] *f bot* Granatapfel *m*; *mil* Granate *f*; **~ine** *f* Granatapfelsirup *m*.
grenat [grəna] **1.** *m* Granat(stein) *m*; **2.** *adj* (⚠ *unv*) granatfarben.
grenier [grənje] *m* Speicher *m*, Dachboden *m*.
grenouille [grənuj] *f zo* Frosch *m*.
grès [grɛ] *m* Sandstein *m*; Steinzeug *n*.
grésil [grezil] *m* Graupeln *f/pl*.
grésiller [grezije] (1a) brutzeln; knistern.
grève [grɛv] *f* **1.** Streik *m*; *faire* ~, *se mettre en* ~ streiken; ~ *de la faim* Hungerstreik *m*; ~ *du zèle* Dienst *m* nach Vorschrift; **2.** (Sand-, Kies-) Strand *m*.
grever [grəve] (1d) belasten.
gréviste [grevist] *m*, *f* Streikende(r) *m*, *f*.
gribouiller [gribuje] (1a) kritzeln, (hin)schmieren.
grief [griɛf] *m* Beschwerde *f*.
grièvement [grijɛvmɑ̃] *adv* ~ *blessé* schwerverletzt, -verwundet.
griff|e [grif] *f* Kralle *f*, Klaue *f*; *comm* Namensstempel *m*; *fig* Stempel *m*; **~er** (1a) kratzen; **~on** *m Fabeltier*: Greif *m*.
griffonn|age [grifɔnaʒ] *m* Gekritzel *n*; **~er** (1a) (hin)kritzeln.
grignoter [griɲɔte] (1a) (ab-, an-) knabbern.
grigou [grigu] *m* F Geizhals *m*.
gril [gril] *m* (Brat-)Rost *m*.
grill|ade [grijad] *f* gegrilltes Fleisch *n*; **~age** *m* Drahtgitter *n*; Drahtzaun *m*.
grille [grij] *f* Gitter *n*; (Feuer-)Rost *m*; *fig* Tabelle *f*, Schema *n*.
griller [grije] (1a) braten, grillen, toasten, rösten; durchbrennen lassen; ~ *un feu rouge* ein Rotlicht überfahren.
grillon [grijõ] *m zo* Grille *f*.
grimac|e [grimas] *f* Grimasse *f*; **~er** (1k) Gesichter schneiden.
grimer [grime] (1a) (*se*) ~ (sich) schminken.
grimper [grɛ̃pe] (1a) klettern, (an)steigen (*a fig*); ⚠ *il a grimpé*.
grinc|ement [grɛ̃smɑ̃] *m* Knarren *n*, Quietschen *n*; Knirschen *n*; **~er** (1k) *Tür*: knarren; *Reifen* quietschen; ~ *des dents* mit den Zähnen knirschen.
grinch|eux, ~euse [grɛ̃ʃø, -øz] mürrisch, brummig.
gringalet [grɛ̃galɛ] *m* F schmächtiges Männchen *n*.
griotte [grijɔt] *f bot* Weichselkirsche *f*.
gripp|e [grip] *f* **1.** *méd* Grippe *f*; **2.** *prendre qn en* ~ gegen j-n eingenommen sein; **~é, ~ée** *méd* grippekrank; **~er** (1a) (*se*) ~ *tech* sich festfressen.
grippe-sou [gripsu] *m* (⚠ *pl grippe-sou*[*s*]) F Pfennigfuchser *m*.
gris, grise [gri, griz] grau; düster, trübe; *fig* angetrunken, benebelt.
grisaille [grizaj] *f* Eintönigkeit *f*.
grisâtre [grizɑtrə] grau, gräulich.
gris|er [grize] (1a) berauschen, benebeln; **~erie** *f fig* Rausch *m*.
grisonner [grizɔne] (1a) grau werden.
Grisons [grizõ] *m/pl les* ~ Graubünden *n*.
grisou [grizu] *m* Grubengas *n*; *coup m de* ~ Schlagwetterexplosion *f*.
grive [griv] *f zo* Drossel *f*.
grivèlerie [grivɛlri] *f* Zechprellerei *f*.
griv|ois, ~oise [grivwa, -waz] *Witz*: schlüpfrig.
grogner [grɔɲe] (1a) grunzen; brummen; knurren.
groin [grwɛ̃] *m* Schweinerüssel *m*.
grommeler [grɔmle] (1c) vor sich hin brummen.
grond|ement [grõdmɑ̃] *m* Brummen *n*; Knurren *n*; *Donner*: Grollen *n*, Rollen *n*; **~er** (1a) brummen, murren; knurren; (aus)schelten; *Donner*: grollen, rollen.
gros, grosse [gro, gros] **1.** *adj* dick, stark; groß, mächtig, massig; grob, derb; schwanger (*a fig*); *mar grosse mer f* schwere See; *avoir le cœur gros* Kummer haben; **2.** *adv gagner gros* viel, gut verdienen; *comm en gros* im großen; **3.** *m comm* Großhandel *m*; *le gros de* ... der größte Teil ...
groseille [grozɛj] *f bot* Johannisbeere *f*; ~ *à maquereau* Stachelbeere *f*.
gross|esse [grosɛs] *f* Schwangerschaft *f*; **~eur** *f* Dicke *f*; Größe *f*; Schwellung *f*.
gross|ier, ~ière [grosje, -jɛr] grob, plump; flegelhaft; *Worte*: derb, unanständig; **~ièrement** [-jɛrmɑ̃] *adv* grob; in großen Zügen; **~ièreté** [-jɛrte] *f* Grobheit *f*; Flegelei *f*; unanständiger Ausdruck *m*; **~ir** (2a)

dicker machen (werden); vergrößern; *fig* übertreiben.

grossiste [grosist] *m, f comm* Großhändler(in) *m(f)*.

grotesque [grɔtɛsk] grotesk, F komisch.

grotte [grɔt] *f* Höhle *f*; Grotte *f*.

grouiller [gruje] (1a) wimmeln (*de* von); F *se* ~ sich beeilen.

group|e [grup] *m* Gruppe *f*; ⚠ *le* ~; **~ement** [-mɑ̃] *m* Gruppierung *f*; Verband *m*; **~er** (1a) zusammenfassen, vereinigen; gruppieren.

gruau [gryo] *m* Grütze *f*.

grue [gry] *f zo* Kranich *m*; *tech* Kran *m*; F Dirne *f*; *fig faire le pied de* ~ lange warten müssen.

G H

gruger [gryʒe] (1l) ~ *qn* j-n hereinlegen.

grumeau [grymo] *m* (⚠ *pl* ~*x*) Klumpen *m*.

grumeler [grymle] (1c) *se* ~ klumpig werden.

gruyère [gryjɛr] *m* Schweizer Käse *m*.

gué [ge] *m* Furt *f*.

guenilles [gənij] *f/pl* Lumpen *m/pl*.

guenon [gənõ] *f* Affenweibchen *n*.

guêpe [gɛp] *f zo* Wespe *f*.

guère [gɛr] *ne* ... ~ nicht viel, nicht sehr, nicht gerade; fast nicht, kaum.

guéridon [geridõ] *m* (*rundes*) Tischchen *n*.

guér|ir [gerir] (2a) heilen; gesund werden; **~ison** [-izõ] *f* Heilung *f*, Genesung *f*.

guérite [gerit] *f mil* Schilderhaus *n*; *allg* Bude *f*; Baubaracke *f*.

guerre [gɛr] *f* Krieg *m*; *fig* Kampf *m*; *Grande* ♀ *od Première* ♀ *mondiale* Erster Weltkrieg *m*; *Seconde* ♀ *mondiale* Zweiter Weltkrieg *m*; ~ *des étoiles* Krieg der Sterne; *fig à la* ~ *comme à la* ~ das geht nun mal nicht anders; *fig de* ~ *lasse* um des lieben Friedens willen; *en* ~ im Kriegszustand; *fig c'est de bonne* ~ das ist durchaus rechtens; *faire la* ~ Krieg führen (*à* mit, gegen).

guerr|ier, ~ière [gɛrje, -jɛr] **1.** *adj* kriegerisch; **2.** *m* Krieger *m*.

guet [gɛ] *m faire le* ~ auf der Lauer sein, liegen.

guet-apens [gɛtapɑ̃] *m* (⚠ *pl guets-apens* [gɛtapɑ̃]) Hinterhalt *m*.

guetter [gɛte] (1b) (be)lauern, auflauern (*qn* j-m).

gueul|e [gœl] *f* Maul *n*; F Gesicht *n*; F Aussehen *n*; P *ta* ~! halt die Schnauze, halt's Maul!; **~e-de-loup** [-dəlu] *f* (⚠ *pl gueules-de-loup*) *bot* Löwenmaul *n*; **~er** (1a) F brüllen, schreien; **~eton** [-tõ] F *m* Festessen *n*.

gueux, gueuse [gø, gøz] *litt m, f* Bettler(in) *m(f)*.

gui [gi] *m bot* Mistel *f*.

guichet [giʃɛ] *m Bank, Post*: Schalter *m*.

guid|e [gid] **1.** *m* (Reise-)Führer *m* (*Person u Buch*); **2.** *f* Pfadfinderin *f*; **3. ~s** *f/pl* Zügel *m/pl*; **~er** (1a) führen, lenken, leiten.

guidon [gidõ] *m Fahrrad*: Lenkstange *f*; *Schußwaffe*: Korn *n*.

guignol [giɲɔl] *m* Kasperle(theater) *m(n)*; *fig* Hanswurst *m*.

guillemets [gijmɛ] *m/pl* Anführungszeichen *n/pl*.

guillotiner [gijɔtine] (1a) durch das Fallbeil hinrichten.

guimbarde [gɛ̃bard] *f* F alte Karre *f*.

guindé, ~e [gɛ̃de] *Person*: steif; *Stil*: geschraubt.

guinder [gɛ̃de] (1a) *tech* hieven, hochwinden.

guinguette [gɛ̃gɛt] *f* Lokal *n* im Grünen.

guirlande [girlɑ̃d] *f* Girlande *f*; ⚠ *Schreibung*.

guise [giz] *f à sa* ~ nach seiner Weise; *en* ~ *de* als; (an)statt.

guitare [gitar] *f* Gitarre *f*; ⚠ *Schreibung*.

guttural, ~e [gytyral] (⚠ *m/pl -aux*) kehlig, Kehl..., guttural.

gymnase [ʒimnɑz] *m* Turnhalle *f*; *nur Schweiz*: Gymnasium *n*.

gymnast|e [ʒimnast] *m, f* Turner(in) *m(f)*; **~ique 1.** *adj* gymnastisch; *pas m* ~ Laufschritt *m*; **2.** *f* Gymnastik *f*, Turnen *n*; *faire de la* ~ turnen.

gynécologue [ʒinekɔlɔg] *m, f méd* Frauenarzt *m*, -ärztin *f*.

gypse [ʒips] *m* Gips *m*; ⚠ *Schreibung*.

H

(**'h** *bedeutet h aspiré, das Apostrophierung und Bindung ausschließt*)

h (*abr heure*) *Uhrzeit*: ^{h}, Uhr.
habil|e [abil] geschickt, gewandt; **~eté** [-te] *f* Geschicklichkeit *f*.
habiliter [abilite] (1a) *jur* ermächtigen.
habill|ement [abijmɑ̃] *m* Kleidung *f*; **~er** (1a) (an-, be)kleiden, anziehen; *s'~* sich anziehen.
habit [abi] *m ~ noir* Frack *m*; *~s pl* Kleider *n/pl*.
habit|able [abitablə] bewohnbar; **~acle** [-aklə] *m aviat* Pilotenkanzel *f*; *auto* Fahrgastraum *m*.
habit|ant, ~ante [abitɑ̃, -ɑ̃t] Ein-, Bewohner(in) *m(f)*; **~at** [-a] *m* Siedlung(sgebiet *n*, -raum *m*) *f*; Wohnverhältnisse *n/pl*; *bot*, *zo* Standort *m*, Heimat *f*; **~ation** *f* Wohnung *f*; **~er** (1a) (be)wohnen.
habitude [abityd] *f* Gewohnheit *f*; *d'~* normalerweise, gewöhnlich; *par ~* aus Gewohnheit.
habitu|é, ~ée [abitɥe] *m, f* Stammgast *m*; **~el, ~elle** [-ɛl] üblich, gewöhnlich; **~er** (1a) gewöhnen (*qn à* j-n an); *s'~ à qc, qn* sich an etw, j-n gewöhnen; *s'~ à* (+ *inf*) sich daran gewöhnen zu (+ *inf*).
'hâblerie [ɑbləri] *f* Prahlerei *f*.
'hache [aʃ] *f* Axt *f*, Beil *n*.
'hach|er [aʃe] (1a) zerhacken; **~ette** [-ɛt] *f* Handbeil *n*; **~is** [-i] *m cuis* Gehackte(s) *n*; **~oir** *m* Fleischwolf *m*; Hackbrett *n*.
'hachurer [aʃyre] (1a) schraffieren.
'hag|ard, ~arde [agar, -ard] verstört.
'haie [ɛ] *f* Hecke *f*; *Sport*: Hürde *f*; *course f de ~s* Hürdenlauf *m*; *fig faire la ~* Spalier bilden.
'haillon [ajõ] *m meist pl ~s* Lumpen *m/pl*, Fetzen *m/pl*.
'haine [ɛn] *f* Haß *m*.
'haïr [air] (2m) hassen.
'haïssable [aisablə] hassenswert.
'halage [alaʒ] *m mar* Treideln *n*.
'hâl|e [ɑl] *m* Sonnen-, Wetterbräune *f*; **~é, ~ée** sonnen-, wettergebräunt.
haleine [alɛn] *f* Atem *m*; *hors d'~* atemlos; *fig de longue ~* langwierig.
'haler [ale] (1a) *mar* treideln.
'hâler [ɑle] (1a) *Haut*: bräunen.
'haleter [alte] (1e) keuchen.
'hall [ol] *m Hotel*, *Bahnhof*: Halle *f*.
'halle [al] *f* Markthalle *f*.
hallucination [alysinasjõ] *f* Sinnestäuschung *f*.
'halo [alo] *m* Hof *m* (*um Sonne*, *Mond*).
'halte [alt] *f* **1.** Halt *m*, Rast *f*; *faire ~* haltmachen; **2.** *mil* halt!; ⚠ *la ~*.
haltère [altɛr] *m Sport*: Hantel *f*; *poids m/pl et ~s* Gewichtheben *n*.
'hamac [amak] *m* Hängematte *f*.
'hameau [amo] *m* (⚠ *pl ~x*) Weiler *m*.
hameçon [amsõ] *m* Angelhaken *m*.
'hampe [ɑ̃p] *f* Fahnenstange *f*.
'hanap [anap] *m* Humpen *m*.
'hanche [ɑ̃ʃ] *f* Hüfte *f*.
'handicapé, ~e [ɑ̃dikape] behindert (*körperlich od geistig*).
'hangar [ɑ̃gar] *m* Halle *f*, Schuppen *m*.
'hanneton [antõ] *m zo* Maikäfer *m*.
'hant|er [ɑ̃te] (1a) spuken; heimsuchen, verfolgen; **~ise** [-iz] *f* Angst *f*; Zwangsvorstellung *f*.
'happer [ape] (1a) schnappen; *fig* erfassen, erwischen.
'harangu|e [arɑ̃g] *f* Ansprache *f*; **~er** (1a) e-e Ansprache halten (*qn* an j-n).
'haras [arɑ] *m* Gestüt *n*.
'harassé, ~e [arase] erschöpft.
'harceler [arsəle] (1d) belästigen, quälen; *mil* beunruhigen.
'harde [ard] *f Wild*: Rudel *n*; *Hunde*: Koppel *f*; *~s pl péj* alte Kleidungsstücke *n/pl*.
'hardi, ~e [ardi] kühn; dreist; ⚠ *adv hardiment*.
'hardiesse [ardjɛs] *f* Kühnheit *f*.
'hareng [arɑ̃] *m* Hering *m*.
'hargn|eux, ~euse [arɲø, -øz] zänkisch; bissig.
'haricot [ariko] *m* Bohne *f*; *~s verts* grüne Bohnen; F *c'est la fin des ~s* jetzt ist alles aus.
harmonie [armɔni] *f* Harmonie *f*; Harmonielehre *f*; Übereinstimmung *f*.
harmoni|eux, ~euse [armɔnjø, -øz] harmonisch.
harmoniser [armɔnize] (1a) harmonisieren, abstimmen; *s'~* harmonieren (*avec* mit).

G H

'harnacher [arnaʃe] (1a) *Pferde*: (an)schirren.
'harnais [arnɛ] *m* Pferdegeschirr *n*; *fig* Gurtzeug *n*, Gurte *m/pl*.
'haro [aro] *m litt crier* ~ *sur qn* sich über j-n laut entrüsten.
harpagon [arpagõ] *m* Geizhals *m*.
'harpe [arp] *f mus* Harfe *f*.
'harpon [arpõ] *m* Harpune *f*.
'hasard [azar] *m* Zufall *m*; *au* ~ auf gut Glück, aufs Geratewohl; *par* ~ zufällig.
'hasarder [azarde] (1a) wagen, riskieren; *se* ~ *à faire qc* es wagen, etw zu tun.
'hât|e [ɑt] *f* Hast *f*, Eile *f*; *à la* ~ hastig; *en* ~ in Eile; *avoir* ~ *de faire qc* es kaum erwarten können, etw zu tun; **~er** (1a) beschleunigen; *se* ~ sich beeilen (*de faire qc* etw zu tun).
'hât|if, ~ive [ɑtif, -iv] hastig, übereilt; flüchtig; *agr* Früh...
'hauss|e [os] *f écon* Preiserhöhung *f*; Steigen *n* der Kurse; *allg* Anstieg *m*, Steigen *n*; *mil* Visier *n*; **~er** (1a) heben (*Ton, Stimme*); ~ *les épaules* die Achseln zucken.
'haut, 'haute [o, ot] **1.** *adj* hoch; laut; *le haut Moyen Âge* das frühe Mittelalter; *la haute Seine* die obere Seine; *à voix haute* laut; **2.** *adv haut* hoch; oben; *là-haut* da oben; *de haut* von oben; *de haut en bas* von oben nach *od* bis unten; *en haut* oben; *en haut de* ... oben auf ...; **3.** *m* oberer Teil; *du haut de qc* von etw herunter.
'haut|ain, ~aine [otɛ̃, -ɛn] hochmütig, stolz.
'hautbois [obwa] *m mus* Oboe *f*; ⚠ *le* ~.
'hautement [otmɑ̃] *adv* freiheraus; überaus.
'hauteur [otœr] *f* Höhe *f*; *fig* Hochmut *m*.
'haut|-fond [ofõ] *m* (⚠ *pl hauts-fonds*) Untiefe *f*; **~-le-cœur** [olkœr] *m* (⚠ *pl unv*) Übelkeit *f*; *fig* Ekel *m*; **~-parleur** [oparlœr] *m* (⚠ *pl haut-parleurs*) *tech* Lautsprecher *m*.
'havre [ɑvrə] *m st/s* Zufluchtsort *m*.
hebdomadaire [ɛbdɔmadɛr] **1.** *adj* wöchentlich; **2.** *m* Wochenblatt *n*.
héberger [ebɛrʒe] (1l) beherbergen.
hébété, ~e [ebete] stumpfsinnig.
hébraïque [ebraik] hebräisch.
hébreu [ebrø] *adj* (⚠ *nur m, pl* ~*x*) hebräisch; *l'*~ *m* das Hebräische.
hécatombe [ekatõb] *f* Blutbad *n*.
hectare [ɛktar] *m* (*abr* ha) Hektar *n od m*.
hectolitre [ɛktɔlitrə] *m* (*abr* hl) Hektoliter *m od n*.
'hein [ɛ̃] F was?, na?, ja?, wie?
'hélas [elɑs] ach!, leider!
'héler [ele] (1f) herbeirufen.
hélianthe [eljɑ̃t] *m bot* Sonnenblume *f*.
hélice [elis] *f mar* Schraube *f*; *aviat* Propeller *m*; *escalier m en* ~ Wendeltreppe *f*.
hélicoptère [elikɔptɛr] *m* Hubschrauber *m*.
héliport [elipɔr] *m* Hubschrauberlandeplatz *m*.
helvétique [ɛlvetik] schweizerisch, helvetisch.
hématome [ematom] *m méd* Bluterguß *m*.
hémi|cycle [emisiklə] *m* Halbrund *n* (*e-s Saals*); **~sphère** [-sfɛr] *m* (Erd-, Himmels-)Halbkugel *f*, Hemisphäre *f*; ⚠ *un* ~; **~stiche** [-stiʃ] *m* Halbvers *m*.
hémophilie [emɔfili] *f méd* Bluterkrankheit *f*.
hémorragie [emɔraʒi] *f* Blutung *f*; ~ *nasale* Nasenbluten *n*.
'henn|ir [ɛnir] (2a) wiehern; **~issement** [-ismɑ̃] *m* Gewieher *n*.
hépatique [epatik] Leber...
héraldique [eraldik] **1.** *adj* Wappen...; **2.** *f* Wappenkunde *f*.
herb|e [ɛrb] *f* Gras *n*; Kraut *n*; *mauvaise* ~ Unkraut *n*; **~eux, ~euse** [-ø, -øz] grasbewachsen; **~icide** [-isid] *m* Unkrautvertilgungsmittel *n*; **~ier** [-je] *m* Herbarium *n*.
herboriste [ɛrbɔrist] *m, f* (Heil-)Kräuterhändler(in) *m(f)*.
'hère [ɛr] *m pauvre* ~ armer Tropf.
héréditaire [ereditɛr] erblich.
hérédité [eredite] *f* Vererbung *f*; Erbanlagen *f/pl*.
héré|sie [erezi] *f* Ketzerei *f*; **~tique** [-tik] **1.** *adj* ketzerisch; **2.** *m, f* Ketzer(in) *m(f)*.
'hérissé, ~e [erise] gesträubt, hochstehend (*Haare*); *fig* ~ *de* voll von.
'herisson [erisõ] *m zo* Igel *m*.
hérit|age [eritaʒ] *m* Erbe *n*, Erbschaft *f*; **~er** (1a) erben; ~ *qc de qn* etw von j-m erben; ~ *de qc* etw erben; ~ *de qn* j-n beerben; **~ier** *m*, **~ière** *f* [-je, -jɛr] Erbe *m*, Erbin *f*.

hermétique [ɛrmetik] hermetisch, luftdicht.

hermine [ɛrmin] *f zo* Hermelin *n*; Hermelinpelz *m*.

'hernie [ɛrni] *f méd* (Eingeweide-) Bruch *m*.

héroïne[1] [erɔin] *f Rauschgift*: Heroin *n*; ⚠ *une* ~.

héro|ïne[2] [erɔin] *f* Heldin *f*; **~ïque** heroisch; **~ïsme** *m* Heldenmut *m*, Heldentum *n*.

'héron [erõ] *m zo* Reiher *m*.

'héros [ero] *m* Held *m*; ⚠ *le héros, aber l'héroïne*.

'hers|e [ɛrs] *f agr* Egge *f*; **~er** (1a) eggen.

hésit|ation [ezitasjõ] *f* Zögern *n*, Zaudern *n*, Unschlüssigkeit *f*; **~er** (1a) zögern, zaudern (*à* + *inf* zu), (sich) unschlüssig sein (*sur* über).

hétérogène [eterɔʒɛn] anders-, fremdartig, heterogen.

'hêtre [ɛtrə] *m bot* Buche *f*.

heure [œr] *f* Stunde *f*; Uhr(zeit) *f*; Zeit *f*; *à l'*~ rechtzeitig; stundenweise; *de bonne* ~ früh; *tout à l'*~ gleich, sofort; soeben, vorhin; *à tout à l'*~! bis nachher!; *à la bonne* ~ so laß ich mir's gefallen!, recht so!; *à l'*~ *actuelle* gegenwärtig; *à toute* ~ jederzeit; *sur l'*~ auf der Stelle; *quelle* ~ *est-il?* wie spät ist es?; *il est six* ~*s* es ist 6 (Uhr); *il est l'*~ *de partir* es ist Zeit abzufahren.

heur|eux, ~euse [ørø, -øz] glücklich; **~eusement** [-øzmã] *adv* glücklicherweise.

'heurt [œr] *m* Zusammenstoß *m*.

'heurter [œrte] (1a) (an)stoßen; *fig* verletzen; *se* ~ zusammenstoßen (*a fig*); *se* ~ *à* stoßen auf.

'heurtoir [œrtwar] *m* Türklopfer *m*.

hexagone [ɛgzagɔn] *m* **1.** Sechseck *n*; **2.** *l'*♀ *Bezeichnung für Frankreich*.

hiberner [ibɛrne] (1a) Winterschlaf halten.

'hibou [ibu] *m* (⚠ *pl* ~*x*) *zo* Eule *f*.

'hic [ik] F *m* Hauptschwierigkeit *f*.

'hid|eux, ~euse [idø, -øz] scheußlich.

hier [jɛr] gestern.

'hiérarchie [jerarʃi] *f* Hierarchie *f*.

hilarité [ilarite] *f* Heiterkeit *f*.

hipp|ique [ipik] Pferde..., Reit...; **~isme** *m* Reitsport *m*.

hippo|drome [ipɔdrom] *m* Pferderennbahn *f*; **~potame** [-pɔtam] *m zo* Nilpferd *n*.

hirondelle [irõdɛl] *f zo* Schwalbe *f*.

hirsute [irsyt] struppig.

'hisser [ise] (1a) hissen; hinaufziehen; *se* ~ sich emporziehen.

histoire [istwar] *f* Geschichte *f*; ~*s pl* Scherereien *f/pl*; F ~ *de* (+ *inf*) (bloß) um zu (+ *inf*); *faire des* ~*s* sich zieren.

histor|ien, ~ienne [istɔrjɛ̃, -jɛn] *m, f* Historiker(in) *m(f)*; Geschichtsschreiber *m*; **~ier** [-je] (1a) ausschmücken, verzieren; **~iette** [-jɛt] *f* Histörchen *n*, Anekdote *f*; **~ique 1.** *adj* geschichtlich, historisch; **2.** *m* geschichtlicher Überblick *m*.

hiver [ivɛr] *m* Winter *m*; *en* ~ im Winter.

hivern|al, ~ale [ivɛrnal] (⚠ *m/pl -aux*) winterlich; **~ant, ~ante** [-ã, -ãt] *m, f* Winterkurgast *m*.

H.L.M. [aʃɛlɛm] *m od f* (*abr habitation à loyer modéré*) Sozialwohnung *f*.

'hobereau [ɔbro] *m* (⚠ *pl* ~*x*) (Land-) Junker *m*; *péj* Krautjunker *m*.

'hochement [ɔʃmã] *m* ~ *de tête* Kopfschütteln *n*.

'hocher [ɔʃe] (1a) *Kopf*: schütteln, wiegen.

'hochet [ɔʃɛ] *m* Kinderklapper *f*.

'holà [ɔla] holla!, he!; oho!

'hold-up [ɔldœp] *m* (⚠ *pl unv*) Raubüberfall *m*.

'holland|ais, ~aise [ɔlãdɛ, -ɛz] **1.** *adj* holländisch; **2.** ♀ *m, f* Holländer(in) *m(f)*.

holocauste [ɔlɔkost] *m rel* Brandopfer *n*; *fig* Opfer *n*, Holocaust *m*.

'homard [ɔmar] *m* Hummer *m*.

homicide [ɔmisid] **1.** *st/s adj* mörderisch; Mord...; **2.** *m, f* Mörder(in) *m(f)*; **3.** *m jur* Tötung *f*; Totschlag *m*.

hommage [ɔmaʒ] *m* Ehrerbietung *f*, Huldigung *f*.

homme [ɔm] *m* Mensch *m*; Mann *m*; ~ *de lettres* Literat *m*; ~ *d'affaires* Geschäftsmann *m*; ~ *de main* Helfershelfer *m*; *fig* ~ *de paille* Strohmann *m*; ~ *de la rue* Mann auf der Straße; **~-grenouille** [-grɛnuj] *m* (⚠ *pl hommes-grenouilles*) Froschmann *m*; **~-sandwich** [-sãdwitʃ] *m* (⚠ *pl hommes-sandwich*[e]*s*) Plakatträger *m*.

homo|gène [ɔmɔʒɛn] gleichartig, homogen; **~logue** [-lɔg] **1.** *adj* entsprechend; **2.** *m* (Amts-)Kollege *m*; **~loguer** [-lɔge] (1m) anerkennen, bestätigen; genehmigen; **~nyme**

[-nim] **1.** *adj* gleichlautend; **2.** *m* Namensvetter *m*; *ling* Homonym *n*.
'Hongrie [õgri] *la ~* Ungarn *n*.
'hongr|ois, ~oise [õgrwa, -waz] **1.** *adj* ungarisch; **2.** ♀ *m, f* Ungar(in) *m(f)*.
honnête [ɔnɛt] ehrlich; anständig (*a fig*); angemessen; **~ment** *adv* anständigerweise; ganz gut; **~té** [-te] Ehrlichkeit *f*, Anständigkeit *f*, Redlichkeit *f*.
honneur [ɔnœr] *m* Ehre *f*; *en l'~ de* zu Ehren von; *faire ~ à* Ehre machen; ⚠ *un ~*.
honor|abilité [ɔnɔrabilite] *f* Ehrbarkeit *f*, Ehrenhaftigkeit *f*; **~able** ehrenvoll, -haft; anerkennenswert.
honor|aire [ɔnɔrɛr] **1.** *adj* Ehren...; **2.** *~s m/pl* Honorar *n*, Gebühren *f/pl*; **~er** (1a) ehren; *s'~ de qc* auf etw stolz sein.
'hont|e [õt] *f* Scham *f*; Schande *f*; *avoir ~ de* sich schämen für; *faire ~ à qn* j-m Schande machen; j-m ins Gewissen reden; **~eux, ~euse** [-ø, -øz] schändlich; verschämt, schamhaft.
hôpital [ɔpital] *m* (⚠ *pl -aux*) Krankenhaus *n*.
'hoquet [ɔkɛ] *m* Schluckauf *m*.
horaire [ɔrɛr] **1.** *adj* Stunden...; **2.** *m* Fahr-, Stunden-, Zeitplan *m*.
'horde [ɔrd] *f* Horde *f*.
horizon [ɔrizõ] *m* Horizont *m*.
horizontal, ~e [ɔrizõtal] (⚠ *m/pl -aux*) waagerecht, horizontal.
horlog|e [ɔrlɔʒ] *f* (öffentliche) Uhr *f*, Turmuhr *f*; **~er, ~ère** *m, f* Uhrmacher(in) *m(f)*; **~erie** *f* Uhrenindustrie *f*; Uhrengeschäft *n*.
'hormis [ɔrmi] *st/s prép* außer.
hormone [ɔrmɔn] *f biol* Hormon *n*; ⚠ *une ~*.
horr|eur [ɔrrœr] *f* Entsetzen *n*; Abscheu *m*; Entsetzlichkeit *f*; *avoir ~ de* verabscheuen; (*quelle*) *~!* wie entsetzlich!; **~ible** entsetzlich, abscheulich, grauenhaft; fürchterlich; **~ifié, ~ifiée** [-ifje] entsetzt (*de od par* über).
horripil|ant, ~ante [ɔripilɑ̃, -ɑ̃t] nervenaufreibend.
'hors [ɔr] *prép ~* (*de*) außerhalb; außer; *~ de prix* unerschwinglich; *~ du sujet* nicht zum Thema gehörig; *Fußball*: *~ jeu* abseits; *être ~ de soi* außer sich sein; **~-bord** [-bɔr] *m* (⚠ *pl unv*) Boot *n* mit Außenbordmotor; **~-d'œuvre** [-dœvrə] *m* (⚠ *pl unv*) *cuis* Vorspeise *f*; **~-la-loi** *m* (⚠ *pl unv*) Gesetzlose(r) *m*, Bandit *m*.
horticulture [ɔrtikyltyr] *f* Gartenbau *m*.
hospice [ɔspis] *m* Hospiz *n*; Heim *n*.
hospital|ier, ~ière [ɔspitalje, -jɛr] gastfreundlich, gastlich; Krankenhaus...; **~iser** (1a) in ein Krankenhaus bringen; **~ité** *f* Gastfreundschaft *f*, Gastlichkeit *f*.
hostil|e [ɔstil] feindlich; **~ité** *f* Feindseligkeit *f*, Feindschaft *f*.
hôte [ot] *m* Gastgeber *m*; Gast *m*; *table f d'~* Stammtisch *m*.
hôtel [otɛl] *m* Hotel *n*; Gasthof *m*; *~* (*particulier*) herrschaftliches Stadthaus *n*; *~ de ville* Rathaus *n*; **~-Dieu** [-djø] *m* (⚠ *pl hôtels-Dieu*) städtisches Krankenhaus *n*.
hôtel|ier, ~ière [otəlje, -jɛr] **1.** *adj* Hotel...; **2.** *m, f* Hotelbesitzer(in) *m(f)*; Gastwirt(in) *m(f)*.
hôtellerie [otɛlri] *f* Hotelgewerbe *n*.
hôtesse [otɛs] *f* Gastgeberin *f*; Hostess *f*; *~ de l'air* Stewardeß *f*.
'hotte [ɔt] *f* **1.** Kiepe *f*, Tragekorb *m*; **2.** Rauchfang *m*; Dunstabzugshaube *f*.
'houblon [ublõ] *m bot* Hopfen *m*.
'houille [uj] *f* (Stein-)Kohle *f*.
'houle [ul] *f mar* Dünung *f*.
'houl|eux, ~euse [ulø, -øz] *Meer*: bewegt; *fig* unruhig, erregt.
'houppe [up] *f* Quaste *f*; Schopf *m*, Haarbüschel *n*.
'houspiller [uspije] (1a) ausschimpfen, -schelten.
'housse [us] *f* Hülle *f*, Überzug *m*; *auto etc* Schonbezug *m*; *Pferd*: Satteldecke *f*.
'houx [u] *m bot* Stechpalme *f*.
'hublot [yblo] *m* Bullauge *n*; Sichtfenster *n*.
'hue [y] hü!
'hu|ée [ɥe] *f meist pl ~s* Buhrufe *m/pl*, Mißfallenskundgebungen *f/pl*; **~er** (1a) auszischen, auspfeifen; *Eule*: schreien.
'huguen|ot, ~ote [ygno, -ɔt] **1.** *adj* hugenottisch; **2.** *m, f* Hugenotte , -in *m, f*.
huilage [ɥilaʒ] *m* Ölen *n*.
huil|e [ɥil] *f* Öl *n*; ⚠ *nicht* Erdöl *u nicht* Heizöl; **~er** (1a) (ein)ölen, schmieren; **~eux, ~euse** [-ø, -øz] ölig, fettig; **~ier** [-je] *m* Ständer *m* für Öl und Essig.
'huis [ɥi] *m à ~ clos* bei verschlosse-

nen Türen; *jur* unter Ausschluß der Öffentlichkeit.
huissier [ɥisje] *m* Amtsdiener *m*; Gerichtsvollzieher *m*.
'huit [ɥit; *vor Konsonant* ɥi] acht; ~ *jours* acht Tage, eine Woche; *demain en* ~ morgen in acht Tagen; *le* ~ *mai* der achte *od* am achten Mai.
'huit|aine [ɥitɛn] *f une* ~ *de* ungefähr acht; *une* ~ (*de jours*) etwa eine Woche; **~ante** [-ɑ̃t] *in Belgien u in der frz Schweiz*: achtzig; **~ième** [-jɛm] achte(r, -s).
huître [ɥitrə] *f* Auster *f*.
hum|ain, ~aine [ymɛ̃, -ɛn] menschlich; human.
human|iser [ymanize] (1a) vermenschlichen; humaner machen; **~itaire** [-itɛr] menschenfreundlich, humanitär, wohltätig; **~ité** *f* Menschheit *f*; Menschlichkeit *f*; menschliche Natur *f*.
humble [ɛ̃blə, œ̃-] demütig; bescheiden; niedrig.
humecter [ymɛkte] (1a) anfeuchten.
'humer [yme] (1a) tief einatmen.
humeur [ymœr] *f* Stimmung *f*, Laune *f*; Gemüt(sart) *n(f)*; *être de bonne, mauvaise* ~ guter, schlechter Laune sein; ⚠ *nicht verwechseln mit humour*.
humid|e [ymid] feucht; **~ificateur** [-ifikatœr] *m tech* Luftbefeuchter *m*; **~ité** *f* Nässe *f*, Feuchtigkeit *f*.
humili|ation [ymiljasjõ] *f* Demütigung *f*; **~er** (1a) demütigen.
humilité [ymilite] *f* Demut *f*.
humor|iste [ymɔrist] **1.** *adj* humoristisch; **2.** *m*, *f* Humorist(in) *m(f)*; **~istique** [-istik] humoristisch.
humour [ymur] *m* Humor *m*; ⚠ *nicht verwechseln mit humeur*.
'hurl|ement [yrləmɑ̃] *m* Heulen *n*; **~s** *pl* Geschrei *n*, Gebrüll *n*; **~er** (1a) brüllen, schreien; heulen.
hurluberlu [yrlybɛrly] *m* Wirrkopf *m*.
'hutte [yt] *f* Hütte *f*.
hydrat|ant, ~ante [idratɑ̃, -ɑ̃t] *Kosmetik*: Feuchtigkeits...
hydraulique [idrolik] **1.** *adj* hydraulisch; **2.** *f* Hydraulik *f*.
hydravion [idravjõ] *m* Wasserflugzeug *n*.
hydro|carbure [idrɔkarbyr] *m chim* Kohlenwasserstoff *m*; **~gène** [-ʒɛn] *m chim* Wasserstoff *m*; **~glisseur** [-glisœr] *m* Gleitboot *n*; **~mel** [-mɛl] *m* Met *m*; **~thérapie** [-terapi] *f* Wasserheilkunde *f*.
hyène [jɛn] *f zo* Hyäne *f*.
hygiène [iʒjɛn] *f* Hygiene *f*, Gesundheitspflege *f*.
hygiénique [iʒjenik] hygienisch.
hymen, hyménée [imɛn, imene] *m poét* Vermählung *f*, Ehe *f*.
hymne [imnə] **1.** *m* Hymne *f*; **2.** *f rel* (geistlicher) Lobgesang *m*, Hymnus *m*.
hyper... [ipɛr] *in Zssgn* Hyper..., hyper...; über...
hyper|bole [ipɛrbɔl] *f* Hyperbel *f* (*a math*); **~marché** [-marʃe] *m* großer Supermarkt *m*; **~sensible** [-sɑ̃siblə] überempfindlich; **~tension** [-tɑ̃sjõ] *f méd* erhöhter Blutdruck *m*; **~trophie** [-trɔfi] *f méd* krankhafte Vergrößerung *f*.
hypnotiser [ipnɔtize] (1a) hypnotisieren.
hypo|crisie [ipɔkrizi] *f* Heuchelei *f*, Scheinheiligkeit *f*; **~crite** [-krit] **1.** *adj* heuchlerisch; **2.** *m*, *f* Heuchler(in) *m(f)*; **~thèque** [-tɛk] *f comm* Hypothek *f*; **~thèse** [-tɛz] *f* Hypothese *f*, Annahme *f*; Möglichkeit *f*.

I

I

iceberg [ajsbɛrg] *m géogr* Eisberg *m*.
ici [isi] hier; hierher; *jusqu'*~ bis hierher; bis jetzt; *par* ~ hier entlang; *d'*~ *peu* binnen kurzem; *d'*~ (*à*) *huit jours* in acht Tagen; *d'*~ (*à ce*) *que* (+ *subj*) bis.
icône [ikon] *f* Ikone *f*.
icono|claste [ikɔnɔklast] *m* Bilderstürmer *m*; **~graphie** [-grafi] *f* Ikonographie *f*; Illustrationen *f/pl*.
id. (*abr idem*) desgl. (desgleichen).
idéal, ~e [ideal] (⚠ *m/pl -als od -aux*)

1. *adj* ideal, vollkommen; **2.** *m* Ideal *n*.
idée [ide] *f* Idee *f*; Begriff *m*, Vorstellung *f*; Gedanke *m*, Einfall *m*; Meinung *f*; *à mon ~* für meine Begriffe; *à l'~ de* beim Gedanken an; *avoir l'~ de* (+ *inf*) daran denken zu (+ *inf*); *avoir dans l'~ que* ... sich vorstellen können, daß ...; *se faire une ~ de* sich e-e Vorstellung machen von; *se faire des ~s* sich Gedanken machen; sich etw vormachen.
ident|ifier [idɑ̃tifje] (1a) identifizieren, gleichsetzen (*qc avec od à qc* etw mit etw); *s'~ avec od à qn, qc* sich mit j-m, etw identifizieren; **~ique** identisch; gleichbedeutend; **~ité** *f* Identität *f*; Übereinstimmung *f*; Personalien *pl*; *carte f d'~* Personalausweis *m*.
I
idéolog|ie [ideɔlɔʒi] *f* Ideologie *f*; **~ique** ideologisch.
idiome [idjom] *m* Idiom *n*; Spracheigentümlichkeit *f*.
idiot, idiote [idjo, idjɔt] **1.** *adj* blödsinnig, idiotisch; **2.** *m, f* Idiot(in) *m(f)*, Dummkopf *m*, Trottel *m*.
idiotie [idjɔsi] *f* Idiotie *f*, Dummheit *f*, Blödsinn *m*; ⚠ *Aussprache*.
idiotisme [idjɔtismə] *m ling* Spracheigenheit *f*.
idolâtr|e [idɔlɑtrə] *m, f* Götzendiener(in) *m(f)*; **~er** (1a) abgöttisch lieben *od* verehren; **~ie** [-i] *f* Götzendienst *m*; *fig* abgöttische Verehrung *f*.
idole [idɔl] *f* Idol *n*, Abgott *m*; ⚠ *une ~*.
idylle [idil] *f* romantische Liebe *f*; Idylle *f*.
if [if] *m bot* Eibe *f*.
ignare [iɲar] *péj* **1.** *adj* ungebildet; **2.** *m, f* Ignorant(in) *m(f)*.
ignifuge [iɲifyʒ, igni-] *produit m ~* Feuerschutzmittel *n*.
ignoble [iɲɔblə] schändlich, gemein.
ignor|ance [iɲɔrɑ̃s] *f* Unwissenheit *f*; **~ant, ~ante** [iɲɔrɑ̃, -ɑ̃t] unwissend; **~er** (1a) nicht wissen; *ne pas ~* sehr wohl wissen.
il [il] er, es (*mit Verb*).
île [il] *f* Insel *f*.
illégal, ~e [ilegal] (⚠ *m/pl -aux*) illegal, ungesetzlich.
illégitime [ileʒitim] unrechtmäßig; *jur* unehelich; *fig* unberechtigt.
illettré, ~e [iletre] **1.** *adj* des Lesens und Schreibens unkundig; **2.** *m, f* Analphabet(in) *m(f)*.
illicite [ilisit] unerlaubt.
illimité, ~e [ilimite] unbegrenzt.
illisible [ilizibləl] unleserlich; unlesbar.
illuminer [ilymine] (1a) be-, erleuchten; erhellen.
illus|ion [ilyzjõ] *f* Illusion *f*, Täuschung *f*; **~ionner** [-jɔne] (1a) *s'~ sur* sich etw vormachen über; **~ionniste** [-jɔnist] *m* Zauberkünstler *m*.
illustration [ilystrasjõ] *f* Illustration *f*, Abbildung *f*; Veranschaulichung *f*.
illustr|e [ilystrə] berühmt; **~er** (1a) illustrieren (*a fig*), bebildern; veranschaulichen; *s'~ par, dans qc* sich durch etw auszeichnen.
îlot [ilo] *m* Inselchen *n*; Verkehrsinsel *f*; Häuserblock *m*.
ils [il] *m/pl* sie (*mit Verb*).
image [imaʒ] *f* Bild *n*; Ab-, Eben-, Sinnbild *n*; Vorstellung *f*; *~ de marque* Image *n*; ⚠ *une ~*.
imagin|able [imaʒinablə] denkbar, vorstellbar; **~aire** [-ɛr] eingebildet, imaginär; **~atif, ~ative** [-atif, -ativ] phantasievoll, erfinderisch.
imagin|ation [imaʒinasjõ] *f* Einbildung(skraft) *f*, Phantasie *f*; ⚠ *nicht verwechseln mit la fantaisie*; **~er** (1a) *(s')~* sich denken, sich vorstellen; sich ausdenken; sich einbilden; *~ que* (+ *ind od subj*) sich vorstellen (können), daß ...
imbattable [ɛ̃batablə] unschlagbar.
imbécile [ɛ̃besil] **1.** *adj* dumm, blöd; *méd* schwachsinnig; **2.** *m, f* Dummkopf *m*.
imbécillité [ɛ̃besilite] *f* Dummheit *f*; ⚠ *Schreibung*.
imberbe [ɛ̃bɛrb] bartlos.
imbiber [ɛ̃bibe] (1a) (durch)tränken (*de qc* mit etw).
imbu, ~e [ɛ̃by] *~ de fig* durchdrungen von.
imbuvable [ɛ̃byvablə] nicht trinkbar; F ungenießbar.
imit|ateur, ~atrice [imitatœr, -atris] *m, f* Nachahmer(in) *m(f)*; **~ation** *f* Nachahmung *f*; **~er** (1a) nachahmen.
immaculé, ~e [imakyle] unbefleckt, rein.
immangeable [ɛ̃mɑ̃ʒablə] ungenießbar; ⚠ *Aussprache*.

immatériel, ~le [imaterjɛl] immateriell, geistig.
immatricul|ation [imatrikylasjõ] *f* Registrierung *f*, Eintragung *f*; *auto plaque f d'~* Nummernschild *n*; **~er** (1a) eintragen, -schreiben.
immaturité [imatyrite] *st/s f* Unreife *f*.
immédi|at, ~ate [imedja, -at] unmittelbar; unverzüglich, sofortig; *dans l'immédiat* für den Augenblick; **~atement** [-atmɑ̃] *adv* sofort; unmittelbar.
immémorial, ~e [imemɔrjal] (⚠ *m/pl -aux*) uralt.
immense [imɑ̃s] unermeßlich, ungeheuer.
immerger [imɛrʒe] (1l) versenken, eintauchen.
immersion [imɛrsjõ] *f* Versenken *n*, Untertauchen *n*.
immeuble [imœblə] *m* Gebäude *n*, Haus *n*.
immigr|ant, ~ante [imigrɑ̃, -ɑ̃t] *m, f* Einwanderer *m*, Einwanderin *f*; **~ation** *f* Einwanderung *f*; **~er** (1a) einwandern.
immin|ent, ~ente [iminɑ̃, -ɑ̃t] unmittelbar bevorstehend, drohend.
immiscer [imise] (1k) *s'~ dans qc* sich in etw einmischen.
immobil|e [imɔbil] unbeweglich; **~ier, ~ière** [-je, -jɛr] **1.** *adj* Immobilien...; **2.** *m* Grundstückshandel *m*; **~isation** [-izasjõ] *f* Stillegung *f*, Blockierung *f*; **~iser** (1a) stillegen, blockieren; ruhigstellen; *fig* lähmen; *s'~* stehen-, liegenbleiben.
immoler [imɔle] (1a) *rel u litt* opfern.
immond|e [imõd] schmutzig; **~ices** [-is] *f/pl* Unrat *m*.
immoral, ~e [imɔral] (⚠ *m/pl -aux*) unmoralisch.
immort|aliser [imɔrtalize] (1a) unsterblich machen; **~alité** [-alite] *f* Unsterblichkeit *f*; **~el, ~elle** unsterblich.
immunité [imynite] *f* Straffreiheit *f*, Immunität *f*.
impact [ɛ̃pakt] *m* Wirkung *f*, Einfluß *m*.
impair, ~e [ɛ̃pɛr] ungerade.
impardonnable [ɛ̃pardɔnablə] unverzeihlich.
impar|fait, ~faite [ɛ̃parfɛ, -fɛt] unvollkommen.
impartial, ~e [ɛ̃parsjal] (⚠ *m/pl -aux*) unparteiisch.
impass|e [ɛ̃pas] *f* Sackgasse *f* (*a fig*); **~ible** unbewegt, gefaßt.
impatience [ɛ̃pasjɑ̃s] *f* Ungeduld *f*.
impati|ent, ~ente [ɛ̃pasjɑ̃, -ɑ̃t] ungeduldig; **~enter** [-ɑ̃te] (1a) *s'~* die Geduld verlieren.
impeccable [ɛ̃pɛkablə] tadellos, einwandfrei.
impénétrable [ɛ̃penetrablə] undurchdringlich; *fig* unerforschlich.
impérat|if, ~ive [ɛ̃peratif, -iv] **1.** *adj* zwingend; vordringlich; **2.** *m gr* Imperativ *m*; *pl* **~s** Erfordernisse *n/pl*.
impératrice [ɛ̃peratris] *f* Kaiserin *f*.
imperceptible [ɛ̃pɛrsɛptiblə] unmerklich.
imperfection [ɛ̃pɛrfɛksjõ] *f* Unvollkommenheit *f*.
impérial, ~e [ɛ̃perjal] (⚠ *m/pl -aux*) kaiserlich; *fig* majestätisch; **~isme** *m* Imperialismus *m*.
impéri|eux, ~euse [ɛ̃perjø, -øz] gebieterisch; vordringlich.
impérissable [ɛ̃perisablə] unvergänglich.
imperméable [ɛ̃pɛrmeablə] **1.** *adj* undurchdringlich; **2.** *m* Regenmantel *m*.
impersonnel, ~le [ɛ̃pɛrsɔnɛl] unpersönlich.
impertin|ence [ɛ̃pɛrtinɑ̃s] *f* Unverschämtheit *f*; **~ent, ~ente** [-ɑ̃, -ɑ̃t] unverschämt.
imperturbable [ɛ̃pɛrtyrbablə] unerschütterlich.
impétuosité [ɛ̃petɥozite] *f* Ungestüm *n*, Heftigkeit *f*.
impie [ɛ̃pi] gottlos.
impitoyable [ɛ̃pitwajablə] mitleids-, schonungslos.
implacable [ɛ̃plakablə] unversöhnlich; unerbittlich.
implanter [ɛ̃plɑ̃te] (1a) einführen; ansiedeln; *s'~* sich festsetzen, sich ansiedeln.
implicite [ɛ̃plisit] implizit, mitenthalten.
impliquer [ɛ̃plike] (1m) mit hineinziehen, verwickeln; mit einbegreifen, voraussetzen.
implorer [ɛ̃plɔre] (1a) anflehen.
impoli, ~e [ɛ̃pɔli] unhöflich; ⚠ *adv impoliment*; **~tesse** [-tɛs] *f* Unhöflichkeit *f*.
impondérable [ɛ̃põderablə] *fig* unwägbar.
impopulaire [ɛ̃pɔpylɛr] unbeliebt, unpopulär.

import|ance [ɛ̃pɔrtɑ̃s] *f* Wichtigkeit *f*, Bedeutung *f*; **~ant, ~ante** [-ɑ̃, -ɑ̃t] **1.** *adj* wichtig, bedeutend; beträchtlich; **2.** *m* Hauptsache *f*.

import|ateur, ~atrice [ɛ̃pɔrtatœr, -atris] **1.** *adj* Einfuhr..., Import...; **2.** *m* Importeur *m*; **~ation** *f* Einfuhr *f*, Import *m*.

importer [ɛ̃pɔrte] (1a) **1.** importieren, einführen; **2.** wichtig sein (*à* für); *il importe de* (+ *inf*) *od que* (+ *subj*) es kommt darauf an, zu ... *od* daß ...; *peu importe* das ist nicht so wichtig; *n'importe où* irgendwo (-hin), ganz gleich wo(hin); *n'importe qui* irgendwer, jeder (beliebige).

import|un, ~une [ɛ̃pɔrtɛ̃ *od* ɛ̃pɔrtœ̃, -yn] lästig, aufdringlich; **~uner** [-yne] (1a) belästigen.

I

impos|able [ɛ̃pozablə] steuerpflichtig; **~ant, ~ante** [-ɑ̃, -ɑ̃t] imponierend; **~er** (1a) auferlegen, aufzwingen; besteuern; *en ~ à qn* j-m imponieren, j-n beeindrucken; *s'~* geboten sein; sich durchsetzen; **~ition** *f* Besteuerung *f*.

imposs|ibilité [ɛ̃pɔsibilite] *f* Unmöglichkeit *f*; **~ible** unmöglich.

imposteur [ɛ̃pɔstœr] *m* Betrüger *m*.

impôt [ɛ̃po] *m* Steuer *f*; *~ sur le revenu* Einkommen(s)steuer *f*.

impot|ent, ~ente [ɛ̃pɔtɑ̃, -ɑ̃t] gebrechlich; ⚠ *nicht* impotent.

impraticable [ɛ̃pratikablə] nicht machbar; *Weg*: unbefahrbar.

imprécation [ɛ̃prekasjõ] *litt f* Verwünschung *f*.

impréc|is, ~ise [ɛ̃presi, -iz] ungenau.

imprégner [ɛ̃preɲe] (1f) (durch-) tränken, sättigen (*de* mit).

impression [ɛ̃prɛsjõ] *f* Eindruck *m*; Druck *m* (*Buch*).

impressionner [ɛ̃prɛsjɔne] (1a) Eindruck machen, beeindrucken.

imprévisible [ɛ̃previziblə] unvorhersehbar.

imprévu, ~e [ɛ̃prevy] **1.** *adj* unvorhergesehen; **2.** *m sauf ~* wenn nichts dazwischenkommt.

imprimante [ɛ̃primɑ̃t] *f EDV* Drucker *m*.

imprim|é [ɛ̃prime] *m* Drucksache *f*; Vordruck *m*; **~er** (1a) (ab-, be-) drucken; **~erie** *f* Buchdruckerkunst *f*; Druckerei *f*; **~eur** *m* Drucker *m*.

improbable [ɛ̃prɔbablə] unwahrscheinlich.

improduct|if, ~ive [ɛ̃prɔdyktif, -iv] unergiebig, unrentabel.

impromptu, ~e [ɛ̃prõpty] überraschend, improvisiert.

impropre [ɛ̃prɔprə] unpassend (*à* für).

improv|iser [ɛ̃prɔvize] (1a) improvisieren; *Rede*: aus dem Stegreif halten; **~iste** *à l'~* unvermutet.

imprud|ence [ɛ̃prydɑ̃s] *f* Unvorsichtigkeit *f*; *jur* Fahrlässigkeit *f*; **~ent, ~ente** [-ɑ̃, -ɑ̃t] unvorsichtig; ⚠ *adv imprudemment* [-amɑ̃].

impudence [ɛ̃pydɑ̃s] *f* Unverschämtheit *f*.

impudique [ɛ̃pydik] unzüchtig.

impuiss|ance [ɛ̃pɥisɑ̃s] *f* Unvermögen *n*; Machtlosigkeit *f*, Ohnmacht *f*; **~ant, ~ante** [-ɑ̃, -ɑ̃t] machtlos; *méd* impotent.

impulsion [ɛ̃pylsjõ] *f* Anstoß *m*; *fig* Antrieb *m*, Impuls *m*.

impunément [ɛ̃pynemɑ̃] *adv* straflos.

impuni, ~e [ɛ̃pyni] ungestraft; straflos.

impur, ~e [ɛpyr] unrein, unsauber; unzüchtig.

imputer [ɛ̃pyte] (1a) *~ qc à qn* j-m etw zur Last legen; *~ qc à qc* etw e-r Sache zuschreiben.

inabordable [inabɔrdablə] *Preis*: unerschwinglich.

inacceptable [inaksɛptablə] unannehmbar.

inaccessible [inaksesiblə] unerreichbar, unzugänglich.

inaccoutumé, ~e [inakutyme] ungewohnt; ungewöhnlich.

inachevé, ~e [inaʃve] unvollendet.

inact|if, ~ive [inaktif, -iv] untätig; nicht berufstätig.

inadaptation [inadaptasjõ] *f* mangelnde Anpassung(sfähigkeit) *f*.

inadmissible [inadmisiblə] unzulässig.

inadvertance [inadvɛrtɑ̃s] *f par ~* aus Versehen.

inaliénable [inaljenablə] unveräußerlich.

inaltérable [inalterablə] unveränderlich; haltbar.

inanimé, ~e [inanime] leblos.

inanition [inanisjõ] *f* Entkräftung *f*.

inaperçu, ~e [inapɛrsy] *passer ~* unbemerkt bleiben.

inappréciable [inapresjablə] unschätzbar; verschwindend klein.

inapte [inapt] untauglich (*à* für).
inattendu, ~e [inatɑ̃dy] unerwartet, unverhofft, unvermutet.
inattent|if, ~ive [inatɑ̃tif, -iv] unaufmerksam.
inaugural, ~e [inogyral] (⚠ *m/pl -aux*) Eröffnungs..., Einweihungs...
inaugurer [inogyre] (1a) feierlich einweihen, eröffnen; einführen.
incalculable [ɛ̃kalkylablə] unberechenbar.
incandescence [ɛ̃kɑ̃desɑ̃s] *f* Weißglut *f*; *lampe f à ~* Glühlampe *f*.
incantation [ɛ̃kɑ̃tasjõ] *f* Beschwörung *f*; Zauberformel *f*.
incap|able [ɛ̃kapablə] unfähig (*de [faire] qc* zu etw, etw zu tun); **~acité** [-asite] *f* Unfähigkeit *f* (*de* zu).
incarcérer [ɛ̃karsere] (1f) einkerkern.
incarner [ɛ̃karne] (1a) verkörpern, darstellen.
incartade [ɛ̃kartad] *f* Torheit *f*.
incassable [ɛ̃kasablə] unzerbrechlich.
incendiaire [ɛ̃sɑ̃djɛr] **1.** *adj* Brand...; *fig* aufrührerisch, Hetz...; **2.** *m, f* Brandstifter(in) *m(f)*.
incend|ie [ɛ̃sɑ̃di] *m* Brand *m*; ⚠ *un ~*; **~ier** [-je] (1a) in Brand stecken.
incert|ain, ~aine [ɛ̃sɛrtɛ̃, -ɛn] ungewiß, unsicher, unbestimmt; **~itude** [-ityd] *f* Ungewißheit *f*.
incess|amment [ɛ̃sesamɑ̃] *adv* unverzüglich; **~ant, ~ante** [-ɑ̃, -ɑ̃t] unaufhörlich.
inceste [ɛ̃sɛst] *m* Blutschande *f*.
incident [ɛ̃sidɑ̃] *m* Zwischenfall *m*; *~ de parcours* Mißgeschick *n*.
incinérer [ɛ̃sinere] (1f) einäschern.
incis|if, ~ive [ɛ̃sizif, -iv] bissig, schneidend.
inciter [ɛ̃site] (1a) *~ qn à* j-n anregen, reizen, verleiten zu.
inclin|aison [ɛ̃klinɛzõ] *f* Gefälle *n*, Neigung *f*; Schräge *f*; **~ation** *f* Neigung *f*, Hang *m* (*pour qc* zu etw); *~ de tête* Kopfnicken *n*; **~er** (1a) neigen; *fig ~ à* neigen zu; *s'~* sich (ver)beugen.
inclure [ɛ̃klyr] (4l) beilegen; einbeziehen, enthalten.
incl|us, ~use [ɛ̃kly, -yz] einschließlich.
incohér|ent, ~ente [ɛ̃kɔerɑ̃, -ɑ̃t] unzusammenhängend (*a fig*).
incolore [ɛ̃kɔlɔr] farblos.
incomber [ɛ̃kõbe] (1a) obliegen (*à qn* j-m).
incombustible [ɛ̃kõbystiblə] feuerfest, unverbrennbar.
incommensurable [ɛ̃kɔmɑ̃syrablə] maßlos.
incommod|e [ɛ̃kɔmɔd] unpraktisch; **~er** (1a) belästigen.
incom|parable [ɛ̃kõparablə] unvergleichlich; **~patible** [-patiblə] unvereinbar (*avec* mit); **~préhensible** [-preɑ̃siblə] unbegreiflich, unverständlich.
incon|cevable [ɛ̃kõsvablə] unbegreiflich, unfaßbar; **~ciliable** [-siljablə] unvereinbar (*avec* mit).
inconnu, ~e [ɛ̃kɔny] unbekannt.
inconsci|ent, ~ente [ɛ̃kõsjɑ̃, -ɑ̃t] **1.** *adj* unüberlegt; bewußtlos; unbewußt; ⚠ *adv inconsciemment* [-amɑ̃]; **2.** *m psych l'~* das Unbewußte.
inconsidéré, ~e [ɛ̃kõsidere] unbedacht, unbesonnen.
inconsolable [ɛ̃kõsɔlablə] untröstlich.
inconst|ant, ~ante [ɛ̃kõstɑ̃, -ɑ̃t] unbeständig.
incontestable [ɛ̃kõtɛstablə] unbestreitbar, unstrittig.
inconven|ant, ~ante [ɛ̃kõvnɑ̃, -ɑ̃t] unschicklich.
inconvénient [ɛ̃kõvenjɑ̃] *m* Nachteil *m*.
inconvertible [ɛ̃kõvɛrtiblə] *comm* nicht umtauschbar.
incorporer [ɛ̃kɔrpɔre] (1a) beimengen; einverleiben; *mil* einberufen.
incorrect, ~e [ɛ̃kɔrɛkt] unrichtig; un-, inkorrekt.
incorrigible [ɛ̃kɔriʒiblə] unverbesserlich.
incorruptible [ɛ̃kɔryptiblə] unveränderlich; unbestechlich.
incrédule [ɛ̃kredyl] skeptisch, ungläubig.
incriminer [ɛ̃krimine] (1a) beschuldigen; beanstanden.
incroyable [ɛ̃krwajablə] unglaublich.
incubation [ɛ̃kybasjõ] *f* Brüten *n*; *méd* Inkubationszeit *f*.
inculper [ɛ̃kylpe] (1a) anklagen, beschuldigen.
inculquer [ɛ̃kylke] (1m) *~ qc à qn* j-m etw einschärfen.
inculte [ɛ̃kylt] unbebaut; ungepflegt (*Bart*); ungebildet.
incurable [ɛ̃kyrablə] unheilbar.
incurie [ɛ̃kyri] *f* Nachlässigkeit *f*, Schlamperei *f* F.
incursion [ɛ̃kyrsjõ] *f mil* Einfall *m*; *fig* Abstecher *m*.
Inde [ɛ̃d] *f l'~* Indien *n*.

I

indéc|ent, ~ente [ɛ̃desɑ̃, -ɑ̃t] unanständig.
indéchiffrable [ɛ̃deʃifrablə] unentzifferbar; rätselhaft.
indéc|is, ~ise [ɛ̃desi, -iz] unentschieden; unentschlossen; ungenau.
indéfin|i, ~ie [ɛ̃defini] unbestimmt; **~iment** [-imɑ̃] *adv* unbegrenzt; **~issable** [-isablə] unbestimmbar.
indélébile [ɛ̃delebil] unauslöschlich.
indemne [ɛ̃dɛmnə] unverletzt.
indemn|iser [ɛ̃dɛmnize] (1a) entschädigen (*de qc* für etw); **~ité** *f* Entschädigung *f*; Schaden(s)ersatz *m*; Vergütung *f*, Zulage *f*.
indéniable [ɛ̃denjablə] unleugbar.
indépend|ance [ɛ̃depɑ̃dɑ̃s] *f* Unabhängigkeit *f*; **~ant, ~ante** [-ɑ̃, -ɑ̃t] unabhängig (*de* von); ⚠ *adv indépendamment* [-amɑ̃].
indescriptible [ɛ̃dɛskriptiblə] unbeschreiblich.
indésirable [ɛ̃dezirablə] unerwünscht.
index [ɛ̃dɛks] *m* **1.** Index *m*, Register *n*; **2.** Zeigefinger *m*.
indica|teur, ~trice [ɛ̃dikatœr, -tris] **1.** *adj* Hinweis...; **2.** *m* Anzeiger *m*; Indikator *m*; Kursbuch *n*; **~tif, ~tive** [-tif, -tiv] **1.** *adj* anzeigend, informatorisch; **2.** *m gr* Indikativ *m*; *Radio*: Erkennungsmelodie *f*; *tél* Vorwählnummer *f*; **~tion** Angabe *f*, Hinweis *m*, Auskunft *f*; Merkmal *n*, Anzeichen *n*.
indice [ɛ̃dis] *m* Anzeichen *n*, Hinweis *m*; (*Lebenshaltungs- etc*) Index *m*.
indicible [ɛ̃disiblə] unaussprechlich, unsagbar.
ind|ien, ~ienne [ɛ̃djɛ̃, -jɛn] **1.** *adj* indisch; indianisch; **2.** 𝔔 *m*, *f* Inder(in) *m(f)*; Indianer(in) *m(f)*.
indiffér|emment [ɛ̃diferamɑ̃] *adv* unterschiedslos; **~ence** [-ɑ̃s] *f* Gleichgültigkeit *f*; **~ent, ~ente** [-ɑ̃, -ɑ̃t] gleichgültig.
indigène [ɛ̃diʒɛn] *m*, *f* Eingeborene(r) *m*, *f*.
indig|ent, ~ente [ɛ̃diʒɑ̃, -ɑ̃t] bedürftig.
indigeste [ɛ̃diʒɛst] schwer-, unverdaulich.
indigestion [ɛ̃diʒɛstjõ] *f méd* Magenverstimmung *f*.
indignation [ɛ̃diɲasjõ] *f* Entrüstung *f*, Empörung *f*.
indign|e [ɛ̃diɲ] unwürdig (*de qn, de qc* j-s, e-r Sache); **~er** (1a) empören; *s'~ de qc, contre qn* sich über etw, über j-n entrüsten, empören.
indiquer [ɛ̃dike] (1m) (an)zeigen, hinweisen auf, angeben.
indiscr|et, ~ète [ɛ̃diskrɛ, -ɛt] indiskret.
indiscutable [ɛ̃diskytablə] unbestreitbar; ⚠ *nicht* indiskutabel.
indispensable [ɛ̃dispɑ̃sablə] unentbehrlich, unerläßlich.
indisponible [ɛ̃dispɔniblə] nicht verfügbar; unabkömmlich.
indispos|é, ~ée [ɛ̃dispoze] unpäßlich; **~er** (1a) verstimmen, verärgern.
indissoluble [ɛ̃disɔlyblə] un(auf)löslich.
indist|inct, ~incte [ɛ̃distɛ̃(kt), -ɛ̃kt] undeutlich, ungenau.
individu [ɛ̃dividy] *m* Individuum *n* (*a péj*).
individu|el, ~elle [ɛ̃dividɥɛl] individuell, persönlich; einzeln.
Indochin|e [ɛ̃dɔʃin] *f l'~* Indochina *n*; **𝔔ois, 𝔔oise** indochinesisch.
indocile [ɛ̃dɔsil] unfolgsam.
indol|ent, ~ente [ɛ̃dɔlɑ̃, -ɑ̃t] träge; lässig.
indolore [ɛ̃dɔlɔr] schmerzlos.
indu, ~e [ɛ̃dy] *à une heure ~e* zu unpassender Zeit.
indubitable [ɛ̃dybitablə] unzweifelhaft.
induire [ɛ̃dɥir] (4c) **1.** *~ qn en erreur* j-n irreführen; **2.** folgern.
indulg|ence [ɛ̃dylʒɑ̃s] *f* Nachsicht *f*; **~ent, ~ente** [-ɑ̃, -ɑ̃t] nachsichtig.
indûment [ɛ̃dymɑ̃] *adv* unberechtigt.
industrialiser [ɛ̃dystrijalize] (1a) industrialisieren.
industr|ie [ɛ̃dystri] *f* Industrie *f*; *~ lourde* Schwerindustrie *f*; *~ automobile* Autoindustrie *f*; **~iel, ~ielle** [-ijɛl] **1.** *adj* industriell, Industrie...; **2.** *m* Industrielle(r) *m*.
inébranlable [inebrɑ̃lablə] unerschütterlich.
inéd|it, ~ite [inedi, -it] noch ungedruckt; ganz neu.
ineffable [inefablə] unaussprechlich.
inefficace [inefikas] unwirksam.
inégal, ~e [inegal] (⚠ *m/pl -aux*) ungleich(mäßig); uneben; **~ité** *f* Ungleichheit *f*; Unebenheit *f*.
inéluctable [inelyktablə] unabwendbar, unvermeidlich.
inepte [inɛpt] dumm, albern.
ineptie [inɛpsi] *f* Dummheit *f*; *~s pl*

dummes Zeug *n*, Unsinn *m*; ⚠ *Aussprache*.
inépuisable [inepɥizablə] unerschöpflich.
inerte [inɛrt] regungslos; träge.
inertie [inɛrsi] *f* Trägheit *f* (*a phys*), Untätigkeit *f*; ⚠ *Aussprache*.
inespéré, ~e [inɛspere] unverhofft.
inestimable [inɛstimablə] unschätzbar.
inévitable [inevitablə] unvermeidlich.
inex|act, ~acte [inɛgza(kt), -akt] ungenau; unpünktlich.
inexcusable [inɛkskyzablə] unentschuldbar.
inexorable [inɛgzɔrablə] unerbittlich.
inexpérience [inɛksperjɑ̃s] *f* Unerfahrenheit *f*.
inexpérimenté, ~e [inɛksperimɑ̃te] unerfahren.
inexplicable [inɛksplikablə] unerklärlich.
inexprimable [inɛksprimablə] unaussprechlich.
inextricable [inɛkstrikablə] unentwirrbar (*a fig*).
infaillible [ɛ̃fajiblə] unfehlbar.
infâme [ɛ̃fɑm] ehrlos, niederträchtig, infam; ⚠ *aber infamie*.
infamie [ɛ̃fami] *f* Ehrlosigkeit *f*, Schande *f*; Schändlichkeit *f*.
infantile [ɛ̃fɑ̃til] Kinder...; *péj* kindisch, infantil.
infarctus [ɛ̃farktys] *m méd ~ du myocarde* Herzinfarkt *m*.
infatigable [ɛ̃fatigablə] unermüdlich.
infatué, ~e [ɛ̃fatɥe] *être ~ de sa personne* sehr von sich eingenommen sein.
infect, ~e [ɛ̃fɛkt] ekelhaft; scheußlich; **~er** (1a) anstecken, infizieren; verpesten.
infection [ɛ̃fɛksjõ] *f méd* Ansteckung *f*, Infektion *f*; *fig* scheußlicher Gestank *m*.
inférieur, ~e [ɛ̃ferjœr] **1.** *adj* untere(r, -s), Unter...; geringer, niedriger (*à* als); **2.** *m, f* Untergebene(r) *m, f*.
infériorité [ɛ̃ferjɔrite] *f* Unterlegenheit *f*; Minderwertigkeit *f*.
infernal, ~e [ɛ̃fɛrnal] (⚠ *m/pl -aux*) höllisch.
infester [ɛ̃fɛste] (1a) heimsuchen; befallen.
infidèle [ɛ̃fidɛl] untreu; *rel* ungläubig.
infiltrer [ɛ̃filtre] (1a) *s'~* eindringen; *fig* sich einschleichen.
infime [ɛ̃fim] winzig (klein).
infini, ~e [ɛ̃fini] unendlich; ⚠ *adv infiniment*.
infinité [ɛ̃finite] *f* Unendlichkeit *f*; Unmenge *f*.
infirm|e [ɛ̃firm] behindert; gebrechlich; **~er** (1a) *fig* entkräften; **~erie** [-əri] *f* Krankenabteilung *f*; *mil* Krankenrevier *n*; **~ier, ~ière** *m, f* [-je, -jɛr] Krankenpfleger *m*, -schwester *f*; **~ité** *f* Gebrechen *n*.
inflamma|ble [ɛ̃flamablə] entzündbar; **~tion** *f méd* Entzündung *f*.
inflation [ɛ̃flasjõ] *f* Inflation *f*.
infléchir [ɛ̃fleʃir] (2a) biegen; *fig* ändern.
inflexion [ɛ̃flɛksjõ] *f* Biegung *f*.
infliger [ɛ̃fliʒe] (1l) *Strafe*: auferlegen, verhängen; *Beleidigung*: zufügen.
influ|ence [ɛ̃flyɑ̃s] *f* Einfluß *m*; **~encer** [-ɑ̃se] (1k) beeinflussen; **~ent, ~ente** [-ɑ̃, -ɑ̃t] einflußreich; **~er** (1n) Einfluß haben (*sur* auf).
informatic|ien, ~ienne [ɛ̃fɔrmatisjɛ̃, -jɛn] *m, f* Informatiker(in) *m(f)*.
information [ɛ̃fɔrmasjõ] *f* Information *f*; Nachricht *f*; Auskunft *f*; *jur* Ermittlungen *f/pl*.
informatique [ɛ̃fɔrmatik] *f* Datenverarbeitung *f*; Informatik *f*.
informe [ɛ̃fɔrm] formlos.
informer [ɛ̃fɔrme] (1a) *~ qn de qc* j-n von etw benachrichtigen, in Kenntnis setzen, j-n über etw informieren, unterrichten; *jur ~ contre qn* gegen j-n Ermittlungen durchführen; *s'~ de qc auprès de qn* sich nach etw bei j-m erkundigen.
infortuné, ~e [ɛ̃fɔrtyne] unglücklich, glücklos.
infraction [ɛ̃fraksjõ] *f* Verstoß *m*; *~ au code de la route* Verkehrsdelikt *n*.
infranchissable [ɛ̃frɑ̃ʃisablə] unüberwindlich.
infrastructure [ɛ̃frastryktyr] *f écon* Infrastruktur *f*; *Straße*: Unterbau *m*.
infroissable [ɛ̃frwasablə] knitterfrei.
infructu|eux, ~euse [ɛ̃fryktɥø, -øz] erfolglos, vergeblich.
infuser [ɛ̃fyze] (1a) **1.** *in e-r Flüssigkeit*: *faire ~* ziehen lassen; **2.** *fig* einflößen.

infusion [ɛ̃fyzjõ] *f* (Kräuter-)Tee *m*; Aufguß *m*; ⚠ *nicht* Infusion.
ingéni|eur [ɛ̃ʒenjœr] *m* Ingenieur *m*; **~eux, ~euse** [-ø, -øz] erfinderisch, einfallsreich; sinnreich, geschickt; **~osité** [-ozite] *f* Erfindungsgabe *f*, Einfallsreichtum *m*.
ingénu, ~e [ɛ̃ʒeny] unbefangen, naiv.
ingér|ence [ɛ̃ʒerɑ̃s] *f* Einmischung *f*; **~er** (1f) *Nahrung*: aufnehmen; *s'~* sich einmischen (*dans* in).
ingr|at, ~ate [ɛ̃gra, -at] undankbar.
ingrédient [ɛ̃gredjɑ̃] *m* Zutat *f*; Bestandteil *m*.
inguérissable [ɛ̃gerisablə] unheilbar.
ingurgiter [ɛ̃gyrʒite] (1a) gierig verschlingen.
inhabitable [inabitablə] unbewohnbar.
inhabituel, ~le [inabitɥɛl] ungewohnt; ungewöhnlich.
inhaler [inale] (1a) einatmen, inhalieren.
inhér|ent, ~ente [inerɑ̃, -ɑ̃t] innewohnend, anhaftend (*à qc* e-r Sache).
inhibition [inibisjõ] *f psych* Hemmung *f*.
inhum|ain, ~aine [inymɛ̃, -ɛn] unmenschlich.
inhumer [inyme] (1a) bestatten.
inimitable [inimitablə] unnachahmlich.
inimitié [inimitje] *f* Feindschaft *f*.
ininflammable [inɛ̃flamablə] unentzündbar.
inintelligible [inɛ̃teliʒiblə] unverständlich.
iniquité [inikite] *f* Ungerechtigkeit *f*.
initial, ~e [inisjal] (⚠ *m/pl -aux*) Anfangs...
initia|teur, ~trice [inisjatœr, -tris] *m, f* Initiator(in) *m(f)*; **~tive** [-tiv] *f* Initiative *f*; *syndicat m d'~* Fremdenverkehrsamt *n*.
initier [inisje] (1a) einweihen; *s'~ à qc* sich mit etw vertraut machen.
injecter [ɛ̃ʒɛkte] (1a) einspritzen; *injecté de sang Auge*: blutunterlaufen.
injection [ɛ̃ʒɛksjõ] *f* Einspritzung *f*, Injektion *f*.
injonction [ɛ̃ʒõksjõ] *f* (ausdrücklicher) Befehl *m*.
injur|e [ɛ̃ʒyr] *f* Beleidigung *f*; Schimpfwort *n*; **~ier** [-je] (1a) beschimpfen; **~ieux, ~ieuse** [-jø, -jøz] beleidigend.
injust|e [ɛ̃ʒyst] ungerecht; **~ice** [-is] *f* Ungerechtigkeit *f*, Unrecht *n*.
inlassable [ɛ̃lasablə] unermüdlich.
inné, ~e [in(n)e] angeboren.
innoc|ence [inɔsɑ̃s] *f* Unschuld *f*; **~ent, ~ente** [-ɑ̃, -ɑ̃t] unschuldig; naiv; harmlos.
innombrable [inõbrablə] unzählig.
innovation [inɔvasjõ] *f* Neuerung *f*.
inoccupé, ~e [inɔkype] untätig; unbewohnt, leer.
inoculer [inɔkyle] (1a) einimpfen.
inodore [inɔdɔr] geruchlos.
inoffens|if, ~ive [inɔfɑ̃sif, -iv] harmlos.
inond|ation [inõdasjõ] *f* Überschwemmung *f*; **~er** (1a) überschwemmen.
inopér|ant, ~ante [inɔperɑ̃, -ɑ̃t] wirkungslos.
inopiné, ~e [inɔpine] unerwartet, unvermutet; ⚠ *adv inopinément*.
inoubliable [inublijablə] unvergeßlich.
inouï, ~e [inwi] unglaublich, unerhört.
inoxydable [inɔksidablə] rostfrei.
inqui|et, ~ète [ɛ̃kjɛ, -ɛt] unruhig.
inquiét|er [ɛ̃kjete] (1f) beunruhigen; *s'~* sich sorgen; **~ude** [-yd] *f* Unruhe *f*, Besorgnis *f*.
insalubre [ɛ̃salybrə] ungesund.
insatiable [ɛ̃sasjablə] unersättlich.
inscription [ɛ̃skripsjõ] *f* Einschreibung *f*; In-, Aufschrift *f*; *Universität*: Immatrikulation *f*.
inscrire [ɛ̃skrir] (4f) eintragen; anmelden; *s'~* sich einschreiben; sich anmelden; *fig s'~ dans* in Verbindung stehen mit.
insect|e [ɛ̃sɛkt] *m* Insekt *n*; **~icide** [-isid] *m* Insektenvertilgungsmittel *n*.
insensé, ~e [ɛ̃sɑ̃se] unsinnig, sinnlos.
insens|ibiliser [ɛ̃sɑ̃sibilize] (1a) *méd* betäuben; **~ible** unempfindlich; unmerklich.
inséparable [ɛ̃separablə] untrennbar (*de qc* mit etw verbunden); unzertrennlich.
insérer [ɛ̃sere] (1f) einfügen, -setzen; *s'~ dans* in Zusammenhang stehen mit; sich einordnen in.
insertion [ɛ̃sɛrsjõ] *f* Einfügung *f*, -setzung *f*.
insidi|eux, ~euse [ɛ̃sidjø, -øz] hinterhältig, heimtückisch.
insigne [ɛ̃siɲ] *m* Abzeichen *n*.

insignifi|ant, ~ante [ɛ̃siɲifjɑ̃, -ɑ̃t] unbedeutend.
insinuer [ɛ̃sinɥe] (1n) zu verstehen geben; *s'*~ (unbemerkt) eindringen; sich einschmeicheln.
insipide [ɛ̃sipid] geschmacklos, fade.
insister [ɛ̃siste] (1a) darauf bestehen, nicht lockerlassen; ~ *pour* (+ *inf*) darauf bestehen *od* beharren zu (+ *inf*); ~ *sur qc* Nachdruck auf etw legen.
insolation [ɛ̃sɔlasjõ] *f* Sonnenstich *m*.
insol|ence [ɛ̃sɔlɑ̃s] *f* Frechheit *f*, Unverschämtheit *f*; **~ent, ~ente** [-ɑ̃, -ɑ̃t] frech, unverschämt; ⚠ *adv insolemment* [-amɑ̃].
insolite [ɛ̃sɔlit] ungewöhnlich.
insoluble [ɛ̃sɔlyblə] unlöslich; unlösbar.
insolvable [ɛ̃sɔlvablə] zahlungsunfähig, insolvent.
insomnie [ɛ̃sɔmni] *f* Schlaflosigkeit *f*.
insonoriser [ɛ̃sɔnɔrize] (1a) schalldicht machen.
insouci|ant, ~ante [ɛ̃susjɑ̃, -ɑ̃t] sorglos, unbekümmert.
insoutenable [ɛ̃sutnablə] unhaltbar; nicht auszuhalten.
inspec|ter [ɛ̃spɛkte] (1a) beaufsichtigen, inspizieren, mustern; **~teur, ~trice** *m, f* Aufsichtsbeamte(r) *m*, -beamtin *f*; Inspektor(in) *m(f)*; ~ *(de l'enseignement primaire)* Schulrat *m*, -rätin *f*.
inspection [ɛ̃spɛksjõ] *f* Inspektion *f*, Aufsicht *f*.
inspir|ation [ɛ̃spirasjõ] *f* Einatmen *n*; *fig* Eingebung *f*, Inspiration *f*; **~er** (1a) einatmen; inspirieren, begeistern, anregen.
instable [ɛ̃stablə] labil; unbeständig.
install|ation [ɛ̃stalasjõ] *f* Installation *f*, Anlage *f*, Einrichtung *f*; Amtseinführung *f*; **~er** (1a) installieren, einbauen; unterbringen; einführen; *s'*~ sich niederlassen; sich festsetzen.
instamment [ɛ̃stamɑ̃] *adv* inständig.
instance [ɛ̃stɑ̃s] *f* dringende Bitte *f*; *jur* Klage *f*, Verfahren *n*, Instanz *f*; *sur les ~s de qn* auf j-s Drängen.
instant [ɛ̃stɑ̃] *m* Augenblick *m*; *à l'*~ soeben; *en un* ~ im Nu; *par ~s* zeitweise; *à l'~ où* in dem Moment, als.
instantané, ~e [ɛ̃stɑ̃tane] **1.** *adj* augenblicklich; **2.** *m Foto*: Momentaufnahme *f*; **~ment** *adv* sofort.
instar [ɛ̃star] *litt à l'~ de* nach Art von.
instauration [ɛ̃stɔrasjõ] *f* Einführung *f*.
instiga|teur, ~trice [ɛ̃stigatœr, -tris] *m, f* Anstifter(in) *m(f)*; **~tion** *f à l'~ de* auf Betreiben von.
instiller [ɛ̃stile] (1a) einträufeln.
instinct [ɛ̃stɛ̃] *m* Instinkt *m*, Trieb *m*.
instinct|if, ~ive [ɛ̃stɛ̃ktif, -iv] instinktiv.
instituer [ɛ̃stitɥe] (1n) einsetzen, einführen.
institut [ɛ̃stity] *m* (Forschungs-) Institut *n*; ~ *de beauté* Schönheitssalon *m*.
institu|teur, ~trice [ɛ̃stitytœr, -tris] *m, f* (Volksschul-)Lehrer(in) *m(f)*.
institution [ɛ̃stitysjõ] *f* **1.** Einrichtung *f*, Institution *f*; Einsetzung *f*, Einführung *f*; **2.** (private) Erziehungs- *od* Lehranstalt *f*.
instruct|eur [ɛ̃stryktœr] *m mil* Ausbilder *m*; **~if, ~ive** [-if, -iv] lehrreich.
instruction [ɛ̃stryksjõ] *f* Ausbildung *f*, Unterricht *m*; Wissen *n*, Kenntnisse *f/pl*; Vorschrift *f*; *jur* Untersuchung *f*; *EDV* Befehl *m*; ~ *civique* Staatsbürgerkunde *f*.
instruire [ɛ̃strɥir] (4c) unterrichten; *jur* ermitteln.
instrument [ɛ̃strymɑ̃] *m* Instrument *n*, Werkzeug *n*; *jur* Urkunde *f*.
insu [ɛ̃sy] *à l'~ de* ohne Wissen (+ *gén*); *à mon* ~ ohne mein Wissen.
insubmersible [ɛ̃sybmɛrsiblə] unsinkbar.
insubordination [ɛ̃sybɔrdinasjõ] *f* Ungehorsam *m* (*a mil*).
insuccès [ɛ̃syksɛ] *m* Mißerfolg *m*.
insuffis|ant, ~ante [ɛ̃syfizɑ̃, -ɑ̃t] ungenügend, unzulänglich; ⚠ *adv insuffisamment* [-amɑ̃].
insuffler [ɛ̃syfle] (1a) einblasen, -flößen.
insulaire [ɛ̃sylɛr] **1.** *adj* Insel...; **2.** *m, f* Inselbewohner(in) *m(f)*.
insult|e [ɛ̃sylt] *f* Beleidigung *f*; **~er** (1a) beleidigen, beschimpfen.
insupportable [ɛ̃sypɔrtablə] unerträglich; unausstehlich.
insurger [ɛ̃syrʒe] (1l) *s'~ contre* sich erheben *od* empören gegen.
insurmontable [ɛ̃syrmõtablə] unüberwindlich.
insurrection [ɛ̃syrɛksjõ] *f* Aufstand *m*.
intact, ~e [ɛ̃takt] unberührt, intakt, unversehrt.
intarissable [ɛ̃tarisablə] nie versiegend, unerschöpflich.

I

intégral, ~e [ɛ̃tegral] (⚠ *m/pl -aux*) vollständig.
intégr|ant, ~ante [ɛ̃tegrɑ̃, -ɑ̃t] *partie f intégrante* wesentlicher Bestandteil *m*.
intègre [ɛ̃tɛgrə] unbescholten, rechtschaffen.
intégrité [ɛ̃tegrite] *f* Vollständigkeit *f*; Rechtschaffenheit *f*.
intellig|ence [ɛ̃teliʒɑ̃s] *f* Intelligenz *f*, Klugheit *f*, Einsicht *f*; Einvernehmen *n*; **~ent, ~ente** [-ɑ̃, -ɑ̃t] intelligent, klug; **~ible** verständlich.
intempér|ance [ɛ̃tɑ̃perɑ̃s] *f* Unmäßigkeit *f*; **~ies** [-i] *f/pl* Witterungsunbilden *pl*.
intempest|if, ~ive [ɛ̃tɑ̃pɛstif, -iv] unangebracht.
intenable [ɛ̃t(ə)nablə] unhaltbar; unerträglich.
I
intend|ance [ɛ̃tɑ̃dɑ̃s] *f* Verwaltung *f*; **~ant, ~ante** [-ɑ̃, -ɑ̃t] *m, f* Verwalter(in) *m(f)*; *Schule*: Verwaltungsdirektor(in) *m(f)*.
intense [ɛ̃tɑ̃s] intensiv, stark; ⚠ *adv intensément*.
intens|if, ~ive [ɛ̃tɑ̃sif, -iv] intensiv.
intensité [ɛ̃tɑ̃site] *f* Intensität *f*, Stärke *f*.
intenter [ɛ̃tɑ̃te] (1a) *Prozeß*: anstrengen.
intention [ɛ̃tɑ̃sjõ] *f* Absicht *f*.
intentionnel, ~le [ɛ̃tɑ̃sjɔnɛl] absichtlich.
inter [ɛ̃tɛr] *m* **1.** (*abr intérieur*) *Sport*: Halbstürmer *m*; **2.** (*abr interurbain*) *tél* Fernamt *n*.
intercaler [ɛ̃tɛrkale] (1a) einschieben.
intercéder [ɛ̃tɛrsede] (1f) *~ pour qn* sich für j-n verwenden.
intercepter [ɛ̃tɛrsɛpte] (1a) abfangen; *Brief*: unterschlagen.
interchangeable [ɛ̃tɛrʃɑ̃ʒablə] austauschbar, auswechselbar.
interclasse [ɛ̃tɛrklas] *m* kurze Pause *f* (zwischen 2 Unterrichtsstunden).
interdépendance [ɛ̃tɛrdepɑ̃dɑ̃s] *f* gegenseitige Abhängigkeit *f*.
inter|diction [ɛ̃tɛrdiksjõ] *f* Verbot *n*; **~dire** [-dir] (4m) untersagen, verbieten (*à qn de faire qc* j-m, etw zu tun); *jur* entmündigen; ⚠ *vous interdisez*; **~dit, ~dite** [-di, -dit] verboten; bestürzt, verblüfft, sprachlos; *jur* entmündigt.
intéress|ant, ~ante [ɛ̃terɛsɑ̃, -ɑ̃t] interessant; **~é, ~ée** betroffen; interessiert; eigennützig; **~er** (1b) interessieren; betreffen; *comm* beteiligen; *s'~ à* sich interessieren für.
intérêt [ɛ̃terɛ] *m* Interesse *n*; Eigennutz *m*; *~s pl* Zinsen *m/pl*.
interférence [ɛ̃tɛrferɑ̃s] *f phys* Interferenz *f*, Überlagerung *f* (*a fig*).
intérieur, ~e [ɛ̃terjœr] **1.** *adj* innere(r, -s), innerlich; **2.** *m* Innere(s) *n*; Inland *n*; Zuhause *n*; *à l'~ de* in, innerhalb (+ *gén*).
intérim [ɛ̃terim] *m* Zwischenzeit *f*; Vertretung *f*.
intérioriser [ɛ̃terjɔrize] (1a) verinnerlichen.
interligne [ɛ̃tɛrliɲ] *m* Zwischenraum *m* (zwischen zwei Zeilen).
interlocu|teur, ~trice [ɛ̃tɛrlɔkytœr, -tris] *m, f* Gesprächspartner(in) *m(f)*.
interloquer [ɛ̃tɛrlɔke] (1m) stutzig machen.
interlude [ɛ̃tɛrlyd] *m TV, Radio*: Pausenfüller *m*.
intermède [ɛ̃tɛrmɛd] *m* Zwischenspiel *n*.
intermédiaire [ɛ̃tɛrmedjɛr] **1.** *adj* dazwischenliegend, Zwischen...; **2.** *m* Vermittler(in) *m(f)*, Mittelsmann *m*; Vermittlung *f*; *par l'~ de qn* durch j-s Vermittlung.
interminable [ɛ̃tɛrminablə] endlos.
intermitt|ence [ɛ̃tɛrmitɑ̃s] *f par ~* in Abständen; unregelmäßig; **~ent, ~ente** [-ɑ̃, -ɑ̃t] unregelmäßig.
internat [ɛ̃tɛrna] *m* **1.** Internat *n*; **2.** Assistenzarztzeit *f*.
international, ~e [ɛ̃tɛrnasjɔnal] (⚠ *m/pl -aux*) international.
intern|e [ɛ̃tɛrn] **1.** *adj* innerlich; **2.** *m, f* Internatsschüler(in) *m(f)*; Assistenzarzt *m*, -ärztin *f*; **~er** (1a) internieren.
interpeller [ɛ̃tɛrpəle] (1a *für die Schreibung*, 1c *für die Aussprache*) *~ qn* j-m e-e Frage stellen; *péj* j-n anfahren; *Polizei*: j-s Personalien überprüfen.
interphone [ɛ̃tɛrfɔn] *m* Sprechanlage *f*.
interpoler [ɛ̃tɛrpɔle] (1a) einschieben (*in e-n Text*).
interposer [ɛ̃tɛrpoze] (1a) dazwischenstellen; *jur par personne interposée* durch e-n Mittelsmann.
interprétation [ɛ̃tɛrpretasjõ] *f* **1.** Interpretation *f*, Deutung *f*, Ausle-

gung *f*; **2.** *Theater*: Darstellung *f*; **3.** Dolmetschen *n*.

inter|prète [ɛ̃tɛrprɛt] *m*, *f* Dolmetscher(in) *m(f)*; Interpret(in) *m(f)*, Ausleger(in) *m(f)*; **~préter** [-prete] (1f) interpretieren, auslegen, deuten; *Rolle*: darstellen.

interroga|tion [ɛ̃tɛrɔgasjõ] *f* Frage(form) *f*; *point m d'~* Fragezeichen *n*; **~toire** [-twar] *m* Verhör *n*.

interroger [ɛ̃tɛrɔʒe] (1l) ab-, be-, ausfragen; *jur* verhören.

interrompre [ɛ̃tɛrõprə] (4a) unterbrechen.

interrup|teur [ɛ̃tɛryptœr] *m* Unterbrecher *m*, Schalter *m*; **~tion** *f* Unterbrechung *f*.

intersection [ɛ̃tɛrsɛksjõ] *f* Schnittpunkt *m*; Kreuzung *f*.

interurb|ain, ~aine [ɛ̃tɛryrbɛ̃, -ɛn] Fern...; *communication f interurbaine* Ferngespräch *n*.

intervalle [ɛ̃tɛrval] *m* Zwischenraum *m*, -zeit *f*.

intervenir [ɛ̃tɛrvənir] (2h) einschreiten, -greifen; vermitteln; sich ereignen.

intervention [ɛ̃tɛrvɑ̃sjõ] *f* Eingreifen *n*; *méd* Eingriff *m*.

interview [ɛ̃tɛrvju] *f* Interview *n*; ⚠ *une ~*.

intest|in, ~ine [ɛ̃tɛstɛ̃, -in] **1.** *adj* innere(r, -s), intern; **2.** *m* Darm *m*; **~inal, ~inale** [-inal] (⚠ *m/pl -aux*) Darm...

intime [ɛ̃tim] intim; vertraut; gemütlich.

intimer [ɛ̃time] (1a) *jur* vorladen; *Befehl*: erteilen.

intimider [ɛ̃timide] (1a) einschüchtern.

intimité [ɛ̃timite] *f* Vertrautheit *f*; Gemütlichkeit *f*; Privatleben *n*.

intituler [ɛ̃tityle] (1a) betiteln.

intolér|able [ɛ̃tɔlerablə] unerträglich; **~ance** *f* Unduldsamkeit *f*; **~ant, ~ante** [-ɑ̃, -ɑ̃t] unduldsam.

intoxication [ɛ̃tɔksikasjõ] *f* Vergiftung *f*.

intoxiquer [ɛ̃tɔksike] (1m) vergiften (*a fig*).

intransige|ant, ~ante [ɛ̃trɑ̃ziʒɑ̃, -ɑ̃t] unnachgiebig.

intransit|if, ~ive [ɛ̃trɑ̃zitif, -iv] *gr* intransitiv.

intrépid|e [ɛ̃trepid] unerschrocken; **~ité** *f* Unerschrockenheit *f*.

intrig|ant, ~ante [ɛ̃trigɑ̃, -ɑ̃t] **1.** *adj* intrigant; **2.** *m*, *f* Intrigant(in) *m(f)*.

intrigu|e [ɛ̃trig] *f* Intrige *f*, Machenschaft *f*, Ränkespiel *n*; **~s** *pl a* Umtriebe *m/pl*; **~er** (1m) intrigieren, Ränke schmieden; *~ qn* j-n stutzig machen.

intrinsèque [ɛ̃trɛ̃sɛk] eigentlich, wahr.

introduction [ɛ̃trɔdyksjõ] *f* Einführung *f*; Einleitung *f*.

introduire [ɛ̃trɔdɥir] (4c) einführen; *s'~ dans* eindringen in.

introniser [ɛ̃trɔnize] (1a) inthronisieren, feierlich einsetzen; ⚠ *Schreibung*.

introuvable [ɛ̃truvablə] unauffindbar.

intr|us, ~use [ɛ̃try, -yz] *m*, *f* Eindringling *m*; **~usion** [-yzjõ] *f* Eindringen *n*.

intuition [ɛ̃tɥisjõ] *f* Intuition *f*, (Vor-) Ahnung *f*.

inusable [inyzablə] unverwüstlich.

inusité, ~e [inyzite] ungebräuchlich.

inutil|e [inytil] unnütz, nutzlos; unnötig, zwecklos; **~isable** [-izablə] unbrauchbar.

invalid|e [ɛ̃valid] erwerbs-, arbeits-, dienstunfähig; **~er** (1a) *jur*, *pol* annullieren.

invariable [ɛ̃varjablə] unveränderlich.

invasion [ɛ̃vazjõ] *f* Invasion *f*.

invective [ɛ̃vɛktiv] *f* Beschimpfung *f*.

inventaire [ɛ̃vɑ̃tɛr] *m* Inventar *n*; *comm* Inventur *f*.

inven|ter [ɛ̃vɑ̃te] (1a) erfinden; **~teur, ~trice** *m*, *f* Erfinder(in) *m(f)*; **~tif, ~tive** [-tif, -tiv] erfinderisch.

invention [ɛ̃vɑ̃sjõ] *f* Erfindung *f*.

invers|e [ɛ̃vɛrs] **1.** *adj* umgekehrt; **2.** *m* Gegenteil *n*; **~er** (1a) umkehren, umpolen.

investigation [ɛ̃vɛstigasjõ] *f* Nachforschung *f*.

invest|ir [ɛ̃vɛstir] (2a) (in ein Amt) einsetzen; *comm* anlegen, investieren; *mil* einschließen; **~issement** [-ismɑ̃] *m comm* Anlage *f*, Investition *f*; ⚠ *frz investition gibt es nicht*.

invétéré, ~e [ɛ̃vetere] eingefleischt, eingewurzelt.

invincible [ɛ̃vɛ̃siblə] unbesiegbar; unüberwindlich.

inviolable [ɛ̃vjɔlablə] unverletzlich.

invisible [ɛ̃viziblə] unsichtbar.

invit|ation [ɛ̃vitasjõ] *f* Einladung *f*; Aufforderung *f*; **~é, ~ée** *m*, *f* Gast *m*;

~er (1a) einladen (*qn à qc* j-n zu etw); auffordern (*à + inf* zu).
invocation [ɛ̃vɔkasjõ] *f rel* Anrufung *f*.
involontaire [ɛ̃vɔlõtɛr] unfreiwillig, unabsichtlich, unwillkürlich.
invoquer [ɛ̃vɔke] (1m) anrufen; sich berufen auf.
invraisemblable [ɛ̃vrɛsɑ̃blablə] unwahrscheinlich.
invulnérable [ɛ̃vylnerablə] unverwundbar.
iode [jɔd] *m chim* Jod *n*.
irai [ire] *futur von aller*.
Iran [irɑ̃] *m l'~* (der) Iran.
Iraq [irak] *m l'~* (der) Irak.
irascible [irasiblə] jähzornig.
iris [iris] *m méd* Regenbogenhaut *f*; *bot* Schwertlilie *f*.
I
irland|ais, ~aise [irlɑ̃dɛ, -ɛz] **1.** *adj* irisch; **2.** ♀ *m, f* Ire *m*, Irin *f*.
Irlande [irlɑ̃d] *f l'~* Irland *n*.
iron|ie [irɔni] *f* Ironie *f*; **~ique** ironisch; **~iser** (1a) ironische Bemerkungen machen.
irradiation [iradjasjõ] *f* Bestrahlung *f*; (Aus-)Strahlung *f*.
irraisonné, ~e [irɛzɔne] unbewußt; unsinnig.
irréalisable [irealizablə] unausführbar.
irrecevable [irəsəvablə] unannehmbar.
irréconciliable [irekõsiljablə] unversöhnlich.
irrécupérable [irekyperablə] nicht mehr brauchbar.
irrécusable [irekyzablə] nicht anfechtbar.
irréductible [iredyktiblə] nicht reduzierbar; *fig* unbeugsam.
irréel, ~le [ireɛl] irreal, unwirklich.
irréfléchi, ~e [irefleʃi] unüberlegt, gedankenlos.
irréfutable [irefytablə] unwiderlegbar.
irrégul|ier, ~ière [iregylje, -jɛr] unregelmäßig.
irré|médiable [iremedjablə] unheilbar; unabänderlich; **~parable** [-parablə] nicht wiederherstellbar; nicht wiedergutzumachen; unersetzlich; **~préhensible** [-preɑ̃siblə] *st/s* untadelig; **~prochable** [-prɔʃablə] tadellos, einwandfrei; **~sistible** [-zistiblə] unwiderstehlich.
irrésolu, ~e [irezɔly] unentschlossen.
irresponsable [irɛspõsablə] nicht verantwortlich; verantwortungslos.
irré|versible [irevɛrsiblə] nicht umkehrbar; nicht mehr rückgängig zu machen; **~vocable** [-vɔkablə] unwiderruflich.
irri|gation [irigasjõ] *f agr* Bewässerung *f*; **~guer** [-ge] (1m) bewässern, berieseln.
irrit|able [iritablə] reizbar; **~er** (1a) reizen.
irruption [irypsjõ] *f* Einbruch *m*, Einfall *m*.
islam [islam] *m rel* Islam *m*.
isol|ant, ~ante [izɔlɑ̃, -ɑ̃t] **1.** *adj* isolierend; **2.** *m* Isolierstoff *m*; **~ation** *f tech* Isolierung *f*; Dämmung *f*; **~é, ~ée** einzeln; isoliert; abgelegen; einsam.
isol|ement [izɔlmɑ̃] *m* Einsamkeit *f*; Abgelegenheit *f*; *pol* Isolation *f*; ⚠ *nicht verwechseln mit isolation*; **~er** (1a) isolieren; **~oir** *m* Wahlzelle *f*.
Israël [israɛl] *m* (⚠ *wird artikellos gebraucht*) Israel *n*.
israél|ien, ~ienne [israeljɛ̃, -jɛn] **1.** *adj* israelisch; **2.** ♀ *m, f* Israeli *m, f*.
issu, ~e [isy] *~ de* abstammend von, entstanden aus.
issue [isy] *f* Ausgang *m*; *fig* Ausweg *m*; Ende *n*.
isthme [ismə] *m* Landenge *f*.
Italie [itali] *f l'~* Italien *n*.
ital|ien, ~ienne [italjɛ̃, -jɛn] **1.** *adj* italienisch; **2.** ♀ *m, f* Italiener(in) *m(f)*; **~ique** *m* Schräg-, Kursivschrift *f*.
itinéraire [itinerɛr] *m* Route *f*, Strecke *f*.
ivoire [ivwar] *m* Elfenbein *n*.
ivr|e [ivrə] betrunken; *fig* trunken (*de* vor); **~esse** [-ɛs] *f* Trunkenheit *f*, Rausch *m*.
ivrogn|e [ivrɔɲ] **1.** *adj* trunksüchtig; **2.** *m, f* Säufer(in) *m(f)*; **~erie** [-əri] *f* Trunksucht *f*.

J

jacasser [ʒakase] (1a) schreien (*Elster*); plappern.
jachère [ʒaʃɛr] *f agr* Brachliegen *n*; Brachland *n*.
jacinthe [ʒasɛ̃t] *f bot* Hyazinthe *f*.
jacter [ʒakte] (1a) F quasseln.
jadis [ʒadis] früher, einstmals.
jaillir [ʒajir] (2a) hervorsprudeln, -brechen; entspringen; *fig* emporragen.
jalon [ʒalõ] *m* Absteckpfahl *m*; *fig* Anhaltspunkt *m*.
jalonner [ʒalɔne] (1a) abstecken; *fig* kennzeichnen.
jalousie [ʒaluzi] *f* **1.** Eifersucht *f*; Neid *m*; **2.** Jalousie *f*.
jal|oux, ~ouse [ʒalu, -uz] eifersüchtig; neidisch.
jamais [ʒamɛ] **1.** *positiv*: je(mals); *à ~* für immer; **2.** *negativ*: *ne ... ~* nie(mals); *ne ... ~ que* immer nur; *~ au grand ~* nie und nimmer.
jambe [ʒɑ̃b] *f* Bein *n*; *fig par-dessus la ~* nachlässig, oberflächlich.
jambon [ʒɑ̃bõ] *m* Schinken *m*.
jante [ʒɑ̃t] *f* (Rad-)Felge *f*.
janvier [ʒɑ̃vje] *m* Januar *m*.
Japon [ʒapõ] **1.** *le ~* Japan *n*; **2.** ⚲ *m* japanisches Porzellan *n*.
japon|ais, ~aise [ʒapɔnɛ, -ɛz] **1.** *adj* japanisch; **2.** ⚲ *m, f* Japaner(in) *m(f)*.
japper [ʒape] (1a) kläffen.
jaquette [ʒakɛt] *f* Cut *m*; Kostümjacke *f*; Schutzumschlag *m* (*e-s Buches*).
jardin [ʒardɛ̃] *m* Garten *m*.
jardin|age [ʒardinaʒ] *m* Gartenbau *m*, -arbeit *f*; **~et** [-ɛ] *m* Gärtchen *n*; **~ier, ~ière** [-je, -jɛr] *m, f* Gärtner(in) *m(f)*.
jargon [ʒargõ] *m* Fach-, Berufssprache *f*, Jargon *m*; *péj* Kauderwelsch *n*.
jarret [ʒarɛ] *m* Kniekehle *f*; *cuis* Haxe *f*.
jars [ʒar] *m zo* Gänserich *m*.
jas|er [ʒɑze] (1a) schwatzen, klatschen; **~eur, ~euse 1.** *adj* schwatzhaft; **2.** *m, f* Schwätzer(in) *m(f)*.
jaspe [ʒasp] *m* Jaspis *m*.
jatte [ʒat] *f* Napf *m*.
jaug|e [ʒoʒ] *f* Eichmaß *n*; *tech* Lehre *f*; Meßstab *m*; **~er** (1l) eichen; messen; *fig* abschätzen.
jaunâtre [ʒonɑtrə] gelblich.
jaun|e [ʒon] gelb; **~ir** (2a) gelb färben; gelb werden; **~isse** [-is] *f méd* Gelbsucht *f*.
Javel [ʒavɛl] *eau f de ~* Chlorwasser *n* (*zum Desinfizieren*).
javelot [ʒavlo] *m hist* Wurfspieß *m*; *Sport*: Speer *m*.
J.-C. (*abr Jésus-Christ*) Chr. (Christus).
je [ʒ(ə)] ich.
jean-foutre [ʒɑ̃futrə] P *m* (⚠ *pl unv*) Taugenichts *m*.
je-m'en-fichisme [ʒmɑ̃fiʃismə] F *m*, **je-m'en-foutisme** [ʒmɑ̃futismə] F *m* Gleichgültigkeit *f*.
Jésus-Christ [ʒezykri] *rel* Jesus Christus.
jet [ʒɛ] *m* Wurf *m*; Strahl *m*; *bot* Trieb *m*; *~ d'eau* Wasserstrahl *m*; Springbrunnen *m*, Fontäne *f*.
jetée [ʒ(ə)te] *f mar* Mole *f*, Hafendamm *m*.
jeter [ʒ(ə)te] (1c) werfen; wegwerfen; *bot* treiben; *~ un pont* e-e Brücke schlagen.
jeton [ʒ(ə)tõ] *m* Spielmarke *f*; Fernsprechmünze *f*.
jeu [ʒø] *m* (⚠ *pl ~x*) Spiel *n*; Spielfeld *n*; Scherz *m*; *tech* Spiel *n*; *von Gegenständen*: Garnitur *f*, Satz *m*.
jeudi [ʒødi] *m* Donnerstag *m*.
jeun [ʒɛ̃, ʒœ̃] *à ~* nüchtern.
jeune [ʒœn] jung; jugendlich.
jeûn|e [ʒøn] *m* Fasten *n*; **~er** (1a) fasten.
jeunesse [ʒœnɛs] *f* Jugend *f*; Jugendzeit *f*; Jugendlichkeit *f*.
joaillerie [ʒɔajri] *f* Juweliergeschäft *n*; Juwelen *pl*, Schmuck *m*.
joaill|ier, ~ière [ʒɔaje, -jɛr] *m, f* Juwelier *m*, Juwelenhändler(in) *m(f)*.
joie [ʒwa] *f* Freude *f*.
joindre [ʒwɛ̃drə] (4b) aneinanderfügen, -legen; hinzufügen; *Personen*: erreichen, treffen; *Hände*: falten; *se ~ à qn* sich j-m anschließen.
joint[1], **jointe** [ʒwɛ̃, ʒwɛ̃t] verbunden; beigefügt.
joint[2] [ʒwɛ̃] *m* Gelenk *n* (*a tech*); (Mauer-)Fuge *f*; Dichtung *f*.
joli, ~e [ʒɔli] hübsch, nett; ⚠ *adv joliment*.
jonc [ʒõ] *m bot* Binse *f*.
joncher [ʒõʃe] (1a) bestreuen, bedecken.

jonction [ʒõksjõ] *f* Verbindung *f*, Vereinigung *f*.
jongl|er [ʒõgle] (1a) jonglieren; **~erie** [-əri] *f* Gaukelei *f*; **~eur** *m* Jongleur *m*; Gaukler *m*.
jonquille [ʒõkij] *f bot* Narzisse *f*, Osterglocke *f*.
joue [ʒu] *f* Backe *f*.
jouer [ʒwe] (1a) spielen; spielen um, setzen; *fig* aufs Spiel setzen; *tech* Spiel haben; *Holz*: sich werfen; *Regelung*: gelten; ~ *aux cartes* Karten spielen; ~ *d'un instrument* ein *od* auf e-m Instrument spielen; *se* ~ gespielt werden; sich abspielen; sich entscheiden; *se* ~ *de qn* j-n täuschen.
jou|et [ʒwɛ] *m* Spielzeug *n*; **~eur, ~euse** *m*, *f* Spieler(in) *m(f)*.
joufflu, ~e [ʒufly] pausbäckig.
joug [ʒu] *m* Joch *n*.
jou|ir [ʒwir] (2a) ~ *de* genießen; haben, besitzen; **~issance** [-isɑ̃s] *f* Genuß *m*; *jur* Nutzung *f*.
joujou [ʒuʒu] F *m* (⚠ *pl* ~*x*) Spielzeug *n*.
jour [ʒur] *m* Tag *m*; (Tages-)Licht *n*; Fenster *n*, Öffnung *f*; ~ *de l'an* Neujahrstag *m*; *le* ~ *od de* ~ am Tage, tagsüber; *un* ~ e-s Tages; *vivre au* ~ *le* ~ von der Hand in den Mund leben; *au grand* ~ am hellen Tage; *de nos* ~*s* heutzutage; *du* ~ *au lendemain* von heute auf morgen, im Handumdrehen; *l'autre* ~ neulich; *être à* ~ auf dem laufenden sein; *mettre à* ~ auf den neuesten Stand bringen; *mettre au* ~ ans Licht, zur Welt bringen; *fig se faire* ~ zum Durchbruch kommen; *par* ~ täglich; *un* ~ *ou l'autre* über kurz oder lang; *d'un* ~ *à l'autre od de* ~ *en* ~ von Tag zu Tag; ~ *pour* ~ auf den Tag genau; *il fait* ~ es ist hell.
journal [ʒurnal] *m* (⚠ *pl -aux*) Zeitung *f*; Tagebuch *n*; *TV*, *Radio*: Nachrichten *f/pl*.
journal|ier, ~ière [ʒurnalje, -jɛr] **1.** *adj* täglich; **2.** *m*, *f* Tagelöhner(in) *m(f)*; **~iste** *m*, *f* Journalist(in) *m(f)*.
journée [ʒurne] *f* Tag *m*; Tagewerk *n*; Arbeitstag *m*.
jovial, ~e [ʒɔvjal] (⚠ *m/pl -aux od -als*) fröhlich, heiter; **~ité** *f* Frohsinn *m*, Heiterkeit *f*.
joyau [ʒwajo] *m* (⚠ *pl* ~*x*) Kleinod *n*, Juwel *n*.
joy|eux, ~euse [ʒwajø, -øz] lustig, fröhlich.
jubiler [ʒybile] (1a) sich unbändig freuen.
jucher [ʒyʃe] (1a) (hoch) hinaufstellen, -legen; *Vogel*: hoch sitzen.
judici|aire [ʒydisjɛr] gerichtlich; *police f* ~ Kriminalpolizei *f*; **~eux, ~euse** [-ø, -øz] gescheit, vernünftig.
juge [ʒyʒ] *m* Richter(in) *m(f)*; Schiedsrichter *m*.
jugement [ʒyʒmɑ̃] *m* Urteil(sspruch) *n(m)*; Urteilsvermögen *n*; *porter un* ~ *sur qc* sich über etw äußern; *rel le* ♀ *dernier* das Jüngste Gericht *n*.
juger [ʒyʒe] (1l) richten, (ab)urteilen; beurteilen; halten für; ~ *de* entscheiden über, ermessen.
juguler [ʒygyle] (1a) im Keim ersticken; unter Kontrolle bringen.
juif, juive [ʒɥif, ʒɥiv] **1.** *adj* jüdisch; **2.** ♀ *m*, *f* Jude *m*, Jüdin *f*.
juillet [ʒɥijɛ] *m* Juli *m*.
juin [ʒɥɛ̃] *m* Juni *m*.
jum|eau, ~elle [ʒymo, -ɛl] (⚠ *m/pl* ~*x*) **1.** *adj* Zwillings...; Doppel...; **2.** *m*, *f* Zwilling(sbruder *m*, -schwester *f*) *m*; *jumeaux m/pl od jumelles f/pl* Zwillinge *m/pl*.
jumel|age [ʒymlaʒ] *m* Koppeln *n*; *fig Städte*: Partnerschaft *f*; **~er** (1c) koppeln; *fig Städte*: durch e-e Partnerschaft verbinden.
jumelles [ʒymɛl] *f/pl* Fernglas *n*.
jument [ʒymɑ̃] *f zo* Stute *f*.
jungle [ʒɛ̃glə, ʒœ̃-] *f* Dschungel *m*; ⚠ *la* ~.
jupe [ʒyp] *f* (Frauen-)Rock *m*; **~-culotte** [-kylɔt] *f* (⚠ *pl jupes-culottes*) Hosenrock *m*.
jupon [ʒypõ] *m* Unterrock *m*; *fig courir le* ~ ein Schürzenjäger sein.
jur|é [ʒyre] *m jur* Geschworene(r) *m*; **~er** (1a) schwören; versichern; fluchen; ~ *avec qc* sich nicht vertragen mit etw.
jurid|iction [ʒyridiksjõ] *f* Rechtsprechung *f*, Gerichtsbarkeit *f*; **~ique** rechtlich, juristisch; gerichtlich.
juris|consulte [ʒyriskõsylt] *m* Rechtskundige(r) *m*; **~prudence** [-prydɑ̃s] *f* Rechtsprechung *f*.
juron [ʒyrõ] *m* Fluch *m*.
jury [ʒyri] *m jur* Geschworenen *pl*; *allg* Jury *f*; Prüfungskommission *f*; ⚠ *le* ~.
jus [ʒy] *m* Saft *m*; *cuis* Bratensaft *m*; F Kaffee *m*.

J K

jusque [ʒysk(ə)] (*vor Vokal jusqu'*) **1.** *prép meist mit à*: *jusqu'à* bis; *jusqu'alors* bis jetzt; **2.** *adv* sogar; **3.** *conj jusqu'à ce que* (+ *subj*) bis.
juste [ʒyst] **1.** *adj* gerecht, berechtigt; richtig, genau, passend; (zu) eng; **2.** *adv* genau; gerade noch.
justement [ʒystəmɑ̃] *adv* gerade, eben; zu Recht.
justesse [ʒystɛs] *f* Richtigkeit *f*, Genauigkeit *f*; *de* ~ mit knapper Not; ⚠ *nicht verwechseln mit justice*.
justice [ʒystis] *f* Gerechtigkeit *f*, Recht *n*; Rechtspflege *f*, Justiz *f*; Gericht(shof *m*) *n*.
justifiable [ʒystifjablə] vertretbar.
justification [ʒystifikasjõ] *f* Rechtfertigung *f*; Nachweis *m*.
justifier [ʒystifje] (1a) rechtfertigen; begründen; ~ *de qc* etw nachweisen; *se* ~ *de qc* (*devant qn*) sich für etw (vor j-m) verantworten.
jut|eux, ~euse [ʒytø, -øz] saftig.
juvénile [ʒyvenil] jugendlich.
juxtaposer [ʒykstapoze] (1a) nebeneinanderstellen, -legen; aneinanderreihen.

K

kaki [kaki] kakifarben.
kangourou [kɑ̃guru] *m zo* Känguruh *n*.
karaté [karate] *m* Karate *n*.
képi [kepi] *m* Schirmmütze *f*; Käppi *n*.
kermesse [kɛrmɛs] *f* Kirmes *f*.
kif-kif [kifkif] F *c'est* ~ das ist ganz egal.
kilo|(gramme) [kilo, kilɔgram] *m* (*abr* kg) Kilo(gramm) *n*; **~métrage** [-metraʒ] *m* Kilometerzahl *f*; **~mètre** [-mɛtrə] *m* (*abr* km) Kilometer *m*; **~métrique** [-metrik] Kilometer...
kiosque [kjɔsk] *m* Kiosk *m*, Blumen-, Zeitungsstand *m*; (Garten-)Pavillon *m*.
klaxon [klaksɔn] *m auto* Hupe *f*.
klaxonner [klaksɔne] (1a) hupen.
knout [knut] *m* Knute *f*; ⚠ *le* ~.
krach [krak] *m écon* Börsenkrach *m*.
Kremlin [krɛmlɛ̃] *le* ~ der Kreml.
kyste [kist] *m méd* Zyste *f*; ⚠ *le* ~.

L

la[1] [la] *cf le*.
la[2] [la] *m mus* a *od* A *n*.
là [la] da, dahin, dort, dorthin; *de* ~ von dorther; *kausal*: daher; *par* ~ da, dort (entlang, hindurch); **~-bas** [-ba] da drüben, dahinten, dort.
label [labɛl] *m comm* Warenkennzeichen *n*.
labeur [labœr] *st/s m* mühselige Arbeit *f*, Mühsal *f*.
labile [labil] *chim* instabil; ⚠ *nicht psych* labil.
labor|atoire [labɔratwar] *m* Labor(atorium) *n*; ~ *de langues* Sprachlabor *n*; **~ieux, ~ieuse** [-jø, -jøz] arbeitsam; mühselig.
labour [labur] *m* Feldarbeit *f*, Feldbestellung *f*; Pflügen *n*, Ackern *n*; **~er** (1a) pflügen, ackern.
lac [lak] *m* See *m*.
lacer [lase] (1k) (zu)schnüren.
lacérer [lasere] (1f) zerreißen.
lacet [lasɛ] *m* Schnürsenkel *m*, -band *n*; *pl* ~*s* Serpentinen *f/pl*.
lâch|e [lɑʃ] locker, schlaff; *fig* feige; gemein; kraftlos; **~er** (1a) los-, fahrenlassen; fallenlassen; *Bremsen*: nachgeben, versagen; *Seil*: reißen; **~eté** [-te] *f* Feigheit *f*.

lacrymogène [lakrimɔʒɛn] *gaz m* ~ Tränengas *n*.
lacs [lɑ] *m* Schlinge *f*; *fig* Falle *f*.
lacté, ~e [lakte] Milch...
lacune [lakyn] *f* Lücke *f*.
là-dedans [lad(ə)dɑ̃] drin(nen).
là-dessous [latsu] d(a)runter.
là-dessus [latsy] d(a)rüber, d(a)rauf.
ladre [lɑdrə] *litt* geizig.
là-haut [lao] da (dr)oben.
laïc [laik] *cf laïque*.
laid, laide [lɛ, lɛd] häßlich.
laideur [lɛdœr] *f* Häßlichkeit *f*.
lainage [lɛnaʒ] *m* Wollstoff *m*, -jacke *f*.
lain|e [lɛn] *f* Wolle *f*; ~ *de verre* Glaswolle *f*; **~eux, ~euse** [-ø, -øz] wollig.
laïque [laik] (⚠ *m a laïc*) **1.** *égl* Laien..., weltlich; **2.** bekenntnisneutral, nichtkirchlich, laizistisch.
laisse [lɛs] *f* Leine *f*.
laisser [lɛse] (1b) lassen; unter-, sein-, übrig-, zurück-, liegenlassen; zulassen; hinterlassen; vermachen; ~ *faire qc à qn* j-n etw tun lassen; *se* ~ *aller* sich gehenlassen; *se* ~ *faire* sich alles gefallen lassen.
laisser|-aller [lɛseale] *m* Sichgehenlassen *n*, Nachlässigkeit *f*, Schlendrian *m* F; **~-faire** [-fɛr] *m* Gewährenlassen *n*.
laissez-passer [lɛsepase] *m* (⚠ *pl unv*) Passierschein *m*.
lait [lɛ] *m* Milch *f*.
lait|age [lɛtaʒ] *m meist pl* ~*s* Milchprodukte *n/pl*; **~erie** *f* Molkerei *f*; Milchgeschäft *n*; **~ier, ~ière** [-je, -jɛr] **1.** *adj* Milch..., Molkerei...; **2.** *m, f* Milchhändler(in) *m(f)*.
laiton [lɛtõ] *m* Messing *n*.
laitue [lety] *f bot* Kopfsalat *m*.
laïus [lajys] *m* F (endlose) Rede *f*.
lambeau [lɑ̃bo] *m* (⚠ *pl* ~*x*) Lumpen *m*, Fetzen *m*.
lambiner [lɑ̃bine] (1a) F trödeln.
lambris [lɑ̃bri] *m* Täfelung *f*.
lame [lam] *f* **1.** dünne Platte *f*; (Rasier- *etc*)Klinge *f*; **2.** Woge *f*, Welle *f*.
lament|able [lamɑ̃tablə] kläglich, jämmerlich, jammervoll; **~ation** *f* Jammern *n*, Klagen *n*; **~er** (1a) *se* ~ jammern.
laminoir [laminwar] *m tech* Walzwerk *n*.
lampadaire [lɑ̃padɛr] *m* Stehlampe *f*; Laternenpfahl *m*, Straßenlaterne *f*.
lampe [lɑ̃p] *f* Lampe *f*; Glühlampe *f*; *Radio*: Röhre *f*.
lampée [lɑ̃pe] *f* tüchtiger Schluck *m*.
lamproie [lɑ̃prwa] *f zo* Neunauge *n*.
lance [lɑ̃s] *f* Lanze *f*; *Feuerwehr*: Spritzdüse *f*; Spritze *f*.
lancé, ~e [lɑ̃se] in Schwung, in Fahrt.
lance-flammes [lɑ̃sflam] *m* (⚠ *pl unv*) *mil* Flammenwerfer *m*.
lancement [lɑ̃smɑ̃] *m Sport*: Werfen *n*; *Schiff*: Stapellauf *m*; *Rakete*: Abschuß *m*; *fig* Einführung *f*, Lancierung *f*.
lancer [lɑ̃se] (1k) schleudern, werfen; ausstoßen; *Motor*: anwerfen; *Schiff*: vom Stapel lassen; *Unternehmen*: in Gang bringen; fördern; *se* ~ *sur* sich stürzen auf.
lancin|ant, ~ante [lɑ̃sinɑ̃, -ɑ̃t] *Schmerz*: stechend.
landau [lɑ̃do] *m* Kinderwagen *m*.
lande [lɑ̃d] *f* Heide(land) *f(n)*.
langage [lɑ̃gaʒ] *m* Fachsprache *f*; Rede-, Ausdrucksweise *f*; ⚠ *Unterschied zu la langue*.
lange [lɑ̃ʒ] *m* Windel *f*, Wickeltuch *n*.
langour|eux, ~euse [lɑ̃gurø, -øz] schmachtend.
langu|e [lɑ̃g] *f* **1.** Zunge *f*; *mauvaise* ~ Lästermaul *n*; **2.** Sprache *f*; ~ *étrangère* Fremdsprache *f*; ~ *maternelle* Muttersprache *f*; ~ *véhiculaire* Verkehrssprache *f*; **~ette** [-ɛt] *f Schuh etc*: Zunge *f*.
langu|eur [lɑ̃gœr] *f* Mattigkeit *f*; Schmachten *n*; **~ir** (2a) stocken; schmachten; **~issant, ~issante** [-isɑ̃, -isɑ̃t] stockend, flau (*Börse*); schmachtend.
lanière [lanjɛr] *f* (langer, schmaler) Riemen *m*.
lanterne [lɑ̃tɛrn] *f* Laterne *f*.
lapalissade [lapalisad] *f* Binsenwahrheit *f*.
laper [lape] (1a) (auf)lecken.
lapid|aire [lapidɛr] lapidar; **~er** (1a) steinigen; mit Steinen bewerfen.
lapin [lapɛ̃] *m* Kaninchen *n*; *fig poser un* ~ *à qn* j-n versetzen (*vergeblich warten lassen*).
laps [laps] *m* ~ *de temps* Zeitraum *m*.
laque [lak] *f* Lack *m*; Haarspray *n*; ⚠ *la* ~.
laquelle [lakɛl] *cf lequel*.
larcin [larsɛ̃] *m kleiner* Diebstahl *m*; Diebesgut *n*.
lard [lar] *m* Speck *m*.

lard|er [larde] (1a) *cuis u fig* spicken; **~on** *m* Speckstreifen *m*.
larg|e [larʒ] **1.** *adj* breit; weit; *fig* freigebig; **2.** *adv* weit; **3.** *m* Breite *f*; *fig* Platz *m*, Bewegungsfreiheit *f*; *mar* hohe, offene See *f*; *fig prendre le ~* das Weite suchen; **~esse** [-ɛs] *f* Freigebigkeit *f*; **~eur** *f* Breite *f*; *fig ~ d'esprit* liberale Gesinnung.
larme [larm] *f* Träne *f*.
larmoyer [larmwaje] (1h) *péj* jammern, flennen.
larron [larõ] *m* Dieb *m*.
larv|e [larv] *f* (Insekten-)Larve *f*; **~é, ~ée** latent, verborgen.
laryngite [larɛ̃ʒit] *f méd* Kehlkopfentzündung *f*.
larynx [larɛ̃ks] *m* Kehlkopf *m*.
las, lasse [lɑ, lɑs] müde; überdrüssig.
lasser [lɑse] (1a) langweilen; *se ~ de qc* e-r Sache müde *od* überdrüssig werden.
lassitude [lɑsityd] *f* Müdigkeit *f*; Überdruß *m*.
lat|ent, ~ente [latɑ̃, -ɑ̃t] latent; verborgen.
latéral, ~e [lateral] (⚠ *m/pl -aux*) seitlich, Neben...
lat|in, ~ine [latɛ̃, -in] lateinisch.
latitude [latityd] *f* geographische Breite *f*; *fig* (Handlungs-)Freiheit *f*.
latrines [latrin] *f/pl* Latrine *f*.
latt|e [lat] *f* Latte *f*; **~is** [-i] *m* Lattenwerk *n*.
lauré|at, ~ate [lɔrea, -at] **1.** *adj* preisgekrönt; **2.** *m, f* Preisträger(in) *m(f)*.
laurier [lɔrje] *m* Lorbeer *m*.
lavable [lavablə] waschbar, -echt.
lav|abo [lavabo] *m* Waschbecken *n*; *~s pl* Toilette *f*; **~age** *m* Waschen *n*, Wäsche *f*; *pol ~ de cerveau* Gehirnwäsche *f*.
lavande [lavɑ̃d] *f bot* Lavendel *m*.
lave [lav] *f* Lava *f*.
lave-glace [lavglas] *m* (⚠ *pl lave-glaces*) Scheibenwaschanlage *f*.
lav|ement [lavmɑ̃] *m méd* Einlauf *m*; (Aus-)Spülung *f*; **~er** (1a) (ab)waschen; *Zähne*: putzen.
lav|erie *f* Wäscherei *f*; **~ette** [-ɛt] *f* Spüllappen *m*; *fig u péj* Waschlappen *m*; **~eur, ~euse** *m, f* Wäscher(in) *m(f)*.
lave-vaisselle [lavvɛsɛl] *m* (⚠ *pl unv*) Geschirrspülmaschine *f*.
lavoir [lavwar] *m* Waschhaus *n*, -platz *m*.
laxat|if, ~ive [laksatif, -iv] **1.** *adj* abführend; **2.** *m* Abführmittel *n*.
lax|isme [laksismə] *m* Laxheit *f*; **~iste** lax.
layette [lɛjɛt] *f* Babywäsche *f*.
le, la, les [lə, la, le] *m, f, pl* **1.** *bestimmter Artikel*: der, die, das; die; **2.** *Personalpronomen (direktes Objekt)*: ihn, sie, es; sie.
leader [lidœr] *m* (Partei-)Führer *m*; Erste(r) *m*.
lécher [leʃe] (1f) (ab-, be)lecken; *fig* F *~ les vitrines* e-n Schaufensterbummel machen.
leçon [l(ə)sõ] *f* Lehrstunde *f*, Lektion *f*; Lehre *f*.
lec|teur, ~trice [lɛktœr, -tris] *m, f* Leser(in) *m(f)*; Lektor(in) *m(f)*; *nur m* Abspielgerät *n*; *lecteur de cassettes* Kassettenrecorder *m*; **~ture** [-tyr] *f* (Vor-)Lesen *n*; Lesestoff *m*, Lektüre *f*; *Parlament*: Lesung *f*.
ledit, ladite [lədi, ladit] (*pl lesdits, lesdites*) besagte(r, -s), obige(r, -s).
légal, ~e [legal] (⚠ *m/pl -aux*) gesetzlich, legal; **~iser** (1a) amtlich beglaubigen; legalisieren; **~ité** *f* Gesetzlichkeit *f*, Legalität *f*.
légataire [legatɛr] *m, f* Vermächtnisnehmer(in) *m(f)*.
légendaire [leʒɑ̃dɛr] sagenhaft, legendär.
légende [leʒɑ̃d] *f* Legende *f*, Sage *f*; Beschriftung *f*, Zeichenerklärung *f*.
lég|er, ~ère [leʒe, -ɛr] leicht, locker; leichtsinnig, -fertig; *à la légère* leichthin; **~èrement** [-ɛrmɑ̃] *adv* leicht; ein wenig; leichtsinnig; **~èreté** [-ɛrte] *f* Leichtigkeit *f*, Leichtheit *f*; Leichtfertigkeit *f*, Leichtsinn *m*.
légion [leʒjõ] *f* Legion *f*.
légionnaire [leʒjɔnɛr] *m mil* (Fremden-)Legionär *m*; ⚠ *Schreibung*.
législa|teur, ~trice *m, f* [leʒislatœr, -tris] Gesetzgeber(in) *m(f)*; **~tif, ~tive** [-tif, -tiv] gesetzgebend; (*élections f/pl*) *législatives f/pl* Parlamentswahlen *f/pl*; **~tion** *f* Gesetzgebung *f*; **~ture** [-tyr] *f* Legislaturperiode *f*.
légitimation [leʒitimasjõ] *f* Legitimierung *f*, Anerkennung *f*.
légitime [leʒitim] rechtmäßig, legitim; gerecht(fertigt).
legs [lɛ(g)] *m* Vermächtnis *n*.
léguer [lege] (1f *u* 1m) *testamentarisch* vermachen; hinterlassen.
légume [legym] *m* Gemüse *n*; ⚠ *le ~*.

Léman [lemɑ̃] *le lac* ~ der Genfer See.
lendemain [lɑ̃dmɛ̃] *m le* ~ der folgende Tag; am Tag danach; *sans* ~ ohne Dauer.
lent, lente [lɑ̃, lɑ̃t] langsam; träge.
lenteur [lɑ̃tœr] *f* Langsamkeit *f*; Schwerfälligkeit *f*.
lentille [lɑ̃tij] *f bot u tech* Linse *f*.
L.E.P. [lɛp] *m* (*abr lycée d'enseignement professionnel*) Fachoberschule *f*.
lèpre [lɛprə] *f* Aussatz *m*, Lepra *f*.
lépr|eux, ~euse [leprø, -øz] *m, f* Aussätzige(r) *m, f*.
lequel, laquelle [ləkɛl, lakɛl] (*pl lesquels, lesquelles*) *Frage- u Relativpronomen*: welche(r, -s); der, die, das, die.
les [le] *cf le*.
lèse-majesté [lɛzmaʒɛste] *f crime m de* ~ Majestätsverbrechen *n*, -beleidigung *f*.
léser [leze] (1f) beeinträchtigen, verletzen.
lésiner [lezine] (1a) knausern.
lésion [lezjõ] *f méd* Verletzung *f*.
lesquels, lesquelles [lekɛl] *cf lequel*.
lessiv|e [lɛsiv] *f* Waschmittel *n*; Lauge *f*; Wäsche *f*; **~euse** *f* Waschkessel *m*.
lest [lɛst] *m* Ballast *m*.
leste [lɛst] flink; *fig* respektlos; schlüpfrig.
léthargie [letarʒi] *f* Lethargie *f*, Teilnahmslosigkeit *f*.
lettre [lɛtrə] *f* **1.** Buchstabe *m*; *à la* ~, *au pied de la* ~ (wort)wörtlich; *en toutes ~s* ausgeschrieben; **2.** Brief *m*; ~ *recommandée* eingeschriebener Brief *m*; **3.** *~s pl* Literatur *f*; Sprach- und Literaturwissenschaft *f*; Geisteswissenschaften *f/pl*.
lettré, ~e [lɛtre] gebildet.
leu [lø] *à la queue* ~ ~ im Gänsemarsch; e-r hinter dem andern.
leucémie [løsemi] *f méd* Leukämie *f*.
leur [lœr] **1.** *Possessivpronomen* (*pl ~s*) ihr(e); *le, la* ~, *les ~s* der, die, das ihr(ig)e, die ihr(ig)en; ihre(r, -s); **2.** *Personalpronomen* (*mit Verb*) ihnen; ⚠ *unverändert*.
leurr|e [lœr] *m* Köder *m*; *fig* Lockmittel *n*; **~er** (1a) ködern; *fig* täuschen.
levain [ləvɛ̃] *m* Sauerteig *m*.
levant [ləvɑ̃] *soleil* ~ aufgehende Sonne.
lev|é, ~ée [l(ə)ve] auf(gestanden); erhoben; **~ée** *f* Aufhebung *f* (*e-r Sitzung, Belagerung*); *mil* Aushebung *f*; Leerung *f* (*e-s Briefkastens*); Damm *m*; Stich *m* (*Kartenspiel*).
lever [l(ə)ve] (1d) **1.** hoch-, erheben, heben; *Verbot etc*: aufheben; *mil* ausheben; *Saat*: aufgehen; *Teig*: gehen; *se* ~ aufstehen; sich erheben (*a fig*); *Gestirn*: aufgehen; *Tag*: anbrechen; **2.** *m* Aufstehen *n*; ~ *du jour* Tagesanbruch *m*; ~ *du soleil* Sonnenaufgang *m*; ~ *du rideau Theater*: Vorstellungsbeginn *m*.
levier [l(ə)vje] *m* Hebel *m*.
levraut [ləvro] *m* Häschen *n*.
lèvre [lɛvrə] *f* Lippe *f*.
lévrier [levrije] *m* Windhund *m*.
levure [l(ə)vyr] *f* Hefe *f*; ~ *chimique* Backpulver *n*.
lexique [lɛksik] *m* Wortschatz *m*; Lexikon *n*.
lézard [lezar] *m zo* Eidechse *f*.
lézarde [lezard] *f* Riß *m*.
liaison [ljɛzõ] *f* Liebschaft *f*; Verbindung *f*; Bindung *f*.
li|ant, ~ante [ljɑ̃, -ɑ̃t] zugänglich, gesellig, kontaktfreudig.
liasse [ljas] *f* (Akten-)Stoß *m*, Bündel *n*.
Liban [libɑ̃] *le* ~ (der) Libanon.
libations [libasjõ] *f/pl* Zechgelage *n*.
libell|é [libɛle] *m* Wortlaut *m*; **~er** (1b) abfassen, ausfertigen.
libellule [libɛlyl] *f zo* Libelle *f*.
libéral, ~e [liberal] (⚠ *m/pl -aux*) liberal; frei(heitlich gesinnt); *arts libéraux m/pl* freie Künste *f/pl*; *profession f libérale* freier Beruf *m*; **~isme** *m* Liberalismus *m*; **~ité** *f* Freigebigkeit *f*.
libér|ateur, ~atrice [liberatœr, -atris] **1.** *adj* befreiend; **2.** *m, f* Befreier(in) *m(f)*; **~ation** *f* Befreiung *f*; Freilassung *f*; *mil* Entlassung *f*; **~er** (1f) befreien (*de* von); freilassen; entbinden (von); entlasten.
liberté [libɛrte] *f* Freiheit *f*.
libert|in, ~ine [libɛrtɛ̃, -in] **1.** *adj* liederlich, ausschweifend; **2.** *m* Lebemann *m*.
libidin|eux, ~euse [libidinø, -øz] *litt* lüstern, geil.
libraire [librɛr] *m, f* Buchhändler(in) *m(f)*.
librairie [librɛri] *f* Buchhandlung *f*.
libre [librə] frei (*de* von); **~-échange** [libreʃɑ̃ʒ] *m* Freihandel *m*; **~-servi-**

ce [-sɛrvis] *m* (⚠ *pl libres-services*) Selbstbedienung *f*; Selbstbedienungsladen *m*.
librettiste [librɛtist] *m* Operntextdichter *m*.
lice [lis] *f* Kampfplatz *m*.
licenc|e [lisɑ̃s] *f* **1.** Erlaubnis *f*, Lizenz *f*; **2.** Licence *f* (*akademischer Grad in Frankreich*); **3.** *fig* Freiheit *f*; *péj* Zügellosigkeit *f*; **~ié, ~iée** [-je] *m, f* Inhaber(in) *m(f)* e-r Licence.
licenc|iement [lisɑ̃simɑ̃] *m* Entlassung *f*; **~ier** [-je] (1a) entlassen; **~ieux, ~ieuse** [-jø, -jøz] anstößig; zügellos.
lichen [likɛn] *m bot* Flechte *f*.
lie [li] *f* Boden-, Weinhefe *f*; *fig* Hefe *f*, Abschaum *m* (*des Volkes*).
liège [ljɛʒ] *m bot* Kork *m*.
lien [ljɛ̃] *m* Band *n*; (Ver-)Bindung *f*.
lier [lje] (1a) (zusammen)binden; verbinden, vereinigen; *~ amitié avec qn* Freundschaft schließen mit j-m.
lierre [ljɛr] *m bot* Efeu *m*.
liesse [ljɛs] *f une foule en ~* e-e jubelnde Menge.
lieu [ljø] *m* (⚠ *pl ~x*) Ort *m*, Stätte *f*; *~x pl* Örtlichkeit *f*; Räume *m/pl*; *jur* Tatort *m*; *au ~ de* (an)statt; *avoir ~* stattfinden; *donner ~ à* Anlaß geben zu; *en premier ~* zuerst; *en dernier ~* schließlich; *~ de destination* Bestimmungsort; *il y a ~ de* (+ *inf*) es ist Grund vorhanden, zu ...; *s'il y a ~* gegebenenfalls; *tenir ~ de qc* etw ersetzen.
lieue [ljø] *f* Meile *f*.
lieutenant [ljøtnɑ̃] *m* Oberleutnant *m*; **~-colonel** [-kɔlɔnɛl] *m* (⚠ *pl lieutenants-colonels*) Oberstleutnant *m*.
lièvre [ljɛvrə] *m* Hase *m*.
ligament [ligamɑ̃] *m* (Gelenk-)Band *n*.
ligature [ligatyr] *f méd* Unterbindung *f*.
lign|e [liɲ] *f* Linie *f*, Strich *m*; (Verkehrs-)Linie *f*, Strecke; Zeile *f*; *tél, tech* Leitung *f*; *mil* Stellung *f*; *mar* Leine *f*; *Angeln*: Angelschnur *f*; *mil en ~* im Einsatz; *à la ~!* neue Zeile!; *hors ~* außergewöhnlich; *pêcher à la ~* angeln; **~ée** *f* Nachkommenschaft *f*; **~er** (1a) lin(i)ieren.
lign|eux, ~euse [liɲø, -øz] holzig.
lignite [liɲit] *m* Braunkohle *f*.
ligu|e [lig] *f* Liga *f*; **~er** (1m) *se ~* sich verbünden.
lilas [lila] **1.** *m* Flieder *m*; **2.** *adj* (⚠ *unv*) lila.
limace [limas] *f zo* Nacktschnecke *f*.
limaçon [limasõ] *m zo* Schnecke *f mit Haus*.
lim|e [lim] *f* Feile *f*; *~ à ongles* Nagelfeile *f*; **~er** (1a) feilen.
limier [limje] *m* Spürhund *m*.
limitation [limitasjõ] *f* Be-, Einschränkung *f*, Begrenzung *f*.
limit|e [limit] *f* Grenze *f*; *à la ~* äußerstenfalls; *dans les ~s de* im Rahmen (+ *gén*); *date f ~* äußerster Termin; **~er** (1a) begrenzen, beschränken (*à* auf).
limitrophe [limitrɔf] angrenzend (*de* an).
limoger [limɔʒe] (1l) kaltstellen, F abhalftern.
limon [limõ] *m* Schlamm *m*.
limonade [limɔnad] *f* Limonade *f*.
limpide [lɛ̃pid] klar, rein.
lin [lɛ̃] *m* Flachs *m*; Leinen *n*.
linceul [lɛ̃sœl] *m* Leichentuch *n*.
linéament [lineamɑ̃] *litt m* Grundzug *m*.
ling|e [lɛ̃ʒ] *m* Tuch *n*; Wäsche *f*; *~ fin* Feinwäsche *f*; *~ (de corps)* Unterwäsche *f*; ⚠ *le ~*; **~erie** *f* Damen(unter)wäsche *f*.
lingot [lɛ̃go] *m Metall*: Barren *m*.
linguist|e [lɛ̃gɥist] *m* Sprachwissenschaftler *m*; **~ique 1.** *f* Sprachwissenschaft *f*, Linguistik *f*; **2.** *adj* sprachwissenschaftlich.
lion, lionne *f* [ljõ, ljɔn] *m, f zo* Löwe *m*, Löwin *f*.
lippe [lip] *f faire la ~* schmollen.
liquéfier [likefje] (1a) verflüssigen.
liqueur [likœr] *f* Likör *m*; ⚠ *la ~*.
liquidation [likidasjõ] *f* Auflösung *f*; Tilgung *f*; *comm* Ausverkauf *m*; *fig* Liquidierung *f*, Beseitigung *f*.
liquid|e [likid] **1.** *adj* flüssig; **2.** *m* Flüssigkeit *f*; **~er** (1a) auflösen; tilgen; ausverkaufen; *fig* erledigen, regeln; *j-n* liquidieren, beseitigen.
lire[1] [lir] (4x) lesen; vorlesen.
lire[2] [lir] *f* Lira *f* (*italienische Währung*).
lis[1] [lis] *m bot* Lilie *f*; ⚠ *le ~*.
lis[2] [li] *cf lire*.
liseron [lizrõ] *m bot* Winde *f*.
lis|eur, ~euse [lizœr, -øz] *m, f* (Viel-)Leser(in) *m(f)*, Leseratte *f* F; *f* Buchhülle *f*; Bettjäckchen *n*.

L

lis|ibilité [lizibilite] *f* Lesbarkeit *f*; **~ible** leserlich.
lisière [lizjɛr] *f* (Wald-)Saum *m*.
lisse [lis] glatt.
lisser [lise] (1a) glätten.
liste [list] *f* Liste *f*, Verzeichnis *n*.
lit[1] [li] *m* Bett *n* (*a Flußbett*); Lager *n*; *géol* Schicht *f*; *du premier ~* aus erster Ehe.
lit[2] [li] *cf lire*.
litanie [litani] *f* Litanei *f* (*a fig*); *fig c'est toujours la même ~* das ist immer die alte Leier.
literie [litri] *f* Bettzeug *n*.
lithographie [litɔgrafi] *f* Steindruck *m*, Lithographie *f*.
litig|e [litiʒ] *m* (Rechts-)Streit *m*; **~ieux, ~ieuse** [-jø, -jøz] strittig.
litre [litrə] *m* Liter *n od m*.
littér|aire [literɛr] literarisch; **~al, ~ale** (⚠ *m/pl -aux*) wörtlich, buchstäblich; **~ature** [-atyr] *f* Literatur *f*, Schrifttum *n*; Schriftstellerei *f*; ⚠ *Schreibung*.
littoral, ~e [litɔral] (⚠ *m/pl -aux*) **1.** *adj* Küsten...; **2.** *m* Küstenstrich *m*, -streifen *m*.

L

livide [livid] fahl, blaß.
livr|able [livrablə] lieferbar; **~aison** *f* Lieferung *f*.
livre[1] [livrə] *m* Buch *n*; *à ~ ouvert übersetzen*: fließend.
livre[2] [livrə] *f* Pfund *n*.
livrée [livre] *f* Livree *f*.
livrer [livre] (1a) (ab-, aus-)liefern; *fig* preisgeben.
livret [livrɛ] *m* kleines Heft *n*, Büchlein *n*; *Oper*: Libretto *n*; *~ scolaire* Zeugnis(heft) *n*.
livreur [livrœr] *m* Aus-, Anlieferer *m*.
lobe [lɔb] *m méd* Lappen *m*; *~ de l'oreille* Ohrläppchen *n*.
local, ~e [lɔkal] (⚠ *m/pl -aux*) **1.** *adj* örtlich, Orts...; **2.** *m* Raum *m*; *locaux pl* Räumlichkeiten *f/pl*; **~iser** (1a) lokalisieren; **~ité** *f* Ort(schaft) *m(f)*.
loca|taire [lɔkatɛr] *m, f* Mieter(in) *m(f)*; **~tif, ~tive** [-tif, -tiv] Miet...; **~tion** *f* Vermietung *f*; Mieten *n*; Miete *f*; Verleih *m*; Ferienwohnung *f*; *Theater*: Vorverkauf *m*.
lock-out [lɔkawt] *m* (⚠ *pl unv*) Aussperrung *f*; **~er** (1a) *Arbeiter*: aussperren.
locomo|tion [lɔkɔmɔsjõ] *f* Fortbewegung *f*; **~tive** [-tiv] *f* Lokomotive *f*; *fig* treibende Kraft *f*.
locution [lɔkysjõ] *f* Redensart *f*, Wendung *f*.
loge [lɔʒ] *f* Pförtnerwohnung *f*; *Theater, Freimaurer*: Loge *f*; **~able** bewohnbar.
logement [lɔʒmã] *m* Wohnung *f*; Unterkunft *f*, Quartier *n*.
log|er [lɔʒe] (1l) beherbergen, unterbringen; wohnen; **~eur, ~euse** *m, f* Zimmervermieter(in) *m(f)*, Wirt(in) *m(f)*.
logiciel [lɔʒisjɛl] *m EDV* Software *f*.
logique [lɔʒik] **1.** *adj* logisch; **2.** *f* Logik *f*.
logis [lɔʒi] *litt m* Haus *n*.
logistique [lɔʒistik] *f mil* Logistik *f*, Versorgung *f*.
loi [lwa] *f* Gesetz *n*; **~-cadre** [-kadrə] *f* (⚠ *pl lois-cadres*) Rahmengesetz *n*.
loin [lwɛ̃] *adv* weit (weg), fern; *au ~* in der Ferne, weit weg; *de ~* aus der Ferne, von weitem; *fig* bei weitem; *revenir de ~* noch einmal davongekommen sein; *~ de* weit (weg) von; *conj d'aussi ~ que* (+ *ind od subj*) sobald.
loint|ain, ~aine [lwɛ̃tɛ̃, -ɛn] **1.** *adj* fern, entfernt; **2.** *m* Ferne *f*; Hintergrund *m*.
loir [lwar] *m zo* Siebenschläfer *m*.
loisible [lwaziblə] gestattet.
loisir *m* Muße *f*, Freizeit *f*; *~s pl* Freizeitbeschäftigungen *f/pl*.
lomb|ard, ~arde [lõbar, -ard] lombardisch; *hist* langobardisch.
lombes [lõb] *m/pl méd* Lenden *f/pl*.
london|ien, ~ienne [lõdɔnjɛ̃, -jɛn] **1.** *adj* Londoner; **2.** ♀ *m, f* Londoner(in) *m(f)*.
Londres [lõdrə] London.
long, longue [lõ, lõg] **1.** *adj* lang; *chaise f longue* Liegestuhl *m*; *à long terme* langfristig; *à la longue* auf die Dauer; *être ~* lange dauern; *être ~ à faire qc* lange brauchen, um etw zu tun; *de longue main* seit langer Zeit; **2.** *adv en dire long* vielsagend sein; **3.** *m* Länge *f*; *de deux mètres de long* von 2 Meter Länge; *le long de* längs (+ *gén*), entlang; *tomber de son long* der Länge nach hinschlagen; *de long en large* auf und ab, hin und her; *tout au long od tout le long de l'année* das ganze Jahr über.
longe [lõʒ] *f Pferde*: Leine *f*; *cuis* Lendenstück *n*, -braten *m*.

longer [lõʒe] (1l) entlanggehen, -fahren *etc* an; sich erstrecken längs.
longévité [lõʒevite] *f* (lange) Lebensdauer *f*.
longitude [lõʒityd] *f* geographische Länge *f*.
longtemps [lõtã] *adv* lange (*zeitlich*); *il y a* ~ vor langer Zeit.
longuement [lõgmã] *adv* lange; lang und breit (*reden*).
longueur [lõgœr] *f* Länge *f*.
longue-vue [lõgvy] *f* (⚠ *pl longues-vues*) Fernrohr *n*.
lopin [lɔpɛ̃] *m* Stück(chen) *n*.
loquace [lɔkas] gesprächig.
loque [lɔk] *f* Lumpen *m*, Fetzen *m*; *Mensch*: Wrack *n*.
loquet [lɔkɛ] *m* Klinke *f*, Drücker *m*.
loquet|eux, ~euse [lɔktø, -øz] zerlumpt.
lorgn|er [lɔrɲe] (1a) verstohlen betrachten; *fig* schielen nach; **~on** *m* Kneifer *m*.
loriot [lɔrjo] *m zo* Goldamsel *f*.
lorr|ain, ~aine [lɔrɛ̃, -ɛn] lothringisch.
Lorraine [lɔrɛn] *la* ~ Lothringen *n*.
lors [lɔr] *dès od depuis* ~ seitdem; demzufolge; ~ *de* zur Zeit (+ *gén*), bei.
lorsque [lɔrsk(ə)] als, wenn (*zeitlich*).
lot [lo] *m* Anteil *m*; Los *n*; Gewinn *m*; *fig* Schicksal *n*; *gagner le gros* ~ das Große Los ziehen.
loterie [lɔtri] *f* Lotterie *f*; ⚠ *Schreibung*.
lotion [losjõ] *f* Gesichts-, Haarwasser *n*.
lotissement [lɔtismã] *m* Aufteilung *f*, Parzellierung *f*; (Grundstücks-)Parzelle *f*.
loto [lɔto] *m* Lotto *n*; ~ *sportif* Fußballtoto *n*.
louable [lwablə] **1.** lobenswert; **2.** vermietbar.
louage [lwaʒ] *m* Vermietung *f*.
louange [lwãʒ] *f* Lob *n*.
loubar(d) [lubar] *m* F Rocker *m*.
louche[1] [luʃ] *adj* undurchsichtig, verdächtig, anrüchig, fragwürdig.
louche[2] [luʃ] *f* Schöpflöffel *m*.
loucher [luʃe] (1a) schielen.
louer [lwe] (1a) **1.** (ver)mieten; **2.** loben (*de od pour* für); *se* ~ *de* zufrieden sein mit.
louf(oque) [luf(ɔk)] F verrückt.
loulou [lulu] *m zo* Spitz *m*.
loup [lu] *m zo* Wolf *m*.
loupe [lup] *f* Lupe *f*.
louper [lupe] (1a) F verpfuschen, vermasseln, verpatzen; verpassen (*Zug, Person*).
loup-garou [lugaru] *m* (⚠ *pl loups-garous*) Werwolf *m*.
lourd, lourde [lur, lurd] schwer; schwerfällig; schwül, drückend; *j'ai la tête lourde* ich habe e-n schweren Kopf.
lourd|aud, ~aude [lurdo, -od] **1.** *adj* plump, schwerfällig; **2.** *m, f* Tölpel *m*, Tolpatsch *m*; **~ement** [-əmã] *adv* schwerfällig; **~eur** *f fig* Schwere *f*; Schwerfälligkeit *f*.
loustic [lustik] *m* F Witzbold *m*.
loutre [lutrə] *f zo* Fischotter *m*.
louve [luv] *f zo* Wölfin *f*.
louvoyer [luvwaje] (1h) *mar* kreuzen; *fig* lavieren.
loyal, ~e [lwajal] (⚠ *m/pl -aux*) anständig, fair, loyal; redlich, rechtschaffen, treu.
loyauté [lwajote] *f* Anständigkeit *f*, Loyalität *f*; Redlichkeit *f*, (Pflicht-) Treue *f*.
loyer [lwaje] *m* Miete *f*.
lu [ly] *p/p von lire*.
lubie [lybi] *f* Marotte *f*, Schrulle *f*.
lubricité [lybrisite] *f* Lüsternheit *f*.
lubrifier [lybrifje] (1a) *tech* schmieren.
lubrique [lybrik] lüstern, geil.
lucarne [lykarn] *f* Dachfenster *n*, -luke *f*.
lucid|e [lysid] *Geist*: klar, scharf, hellsichtig; **~ité** *f* Klarheit *f*, Scharfblick *m*.
lucrat|if, ~ive [lykratif, -iv] gewinnbringend, einträglich, lohnend.
lueur [lɥœr] *f* Lichtschein *m*.
luge [lyʒ] *f* Rodelschlitten *m*; *faire de la* ~ rodeln, Schlitten fahren.
lugubre [lygybrə] düster, trostlos.
lui [lɥi] *Personalpronomen* **1.** *verbunden m u f* ihm; ihr; **2.** *unverbunden, betont m* er; ihn; ihm; sich.
luire [lɥir] (4c) leuchten, glänzen; ⚠ *p/p lui*.
lumbago [lɛ̃bago, lœ̃-] *m méd* Hexenschuß *m*.
lumière [lymjɛr] *f* Licht *n* (*a fig*); *siècle m des ~s* Zeitalter *n* der Aufklärung; *iron ce n'est pas une* ~ er (sie) ist keine Leuchte; *à la* ~ *de* aufgrund (+ *gén*).
lumin|aire [lyminɛr] *m* Beleuchtung(sgerät) *f*(*n*); **~eux, ~euse** [-ø,

-øz] leuchtend, Licht...; *affiche f lumineuse* Leuchtreklame *f*.
lun|aire [lynɛr] Mond...; **~atique** [-atik] launisch.
lundi [lɛ̃di, lœ̃-] *m* Montag *m*.
lune [lyn] *f* Mond *m*.
lunette [lynɛt] *f* Fernglas *n*; *~s pl* Brille *f*; *~s de soleil* Sonnenbrille *f*; *auto ~ arrière* Heckscheibe *f*.
lurette [lyrɛt] *f* F *il y a belle ~* es ist schon lange her.
luron [lyrõ] *gai ~* fideler Kerl *m*.
lus [ly] *p/s von lire*.
lustr|e [lystrə] *m* Kronleuchter *m*, Lüster *m*; Glanz *m*; **~er** (1a) glänzend machen, polieren.
lut[1] [lyt] *m tech* Kitt *m*.
lut[2] [ly] *p/s von lire*.
luth [lyt] *m mus* Laute *f*.
lutin [lytɛ̃] *m* Kobold *m*.
lutrin [lytrɛ̃] *m* Noten-, Chorpult *n*.
lutt|e [lyt] *f* Kampf *m*, Ringen *n* (*a Sport*), Ringkampf *m*; **~er** (1a) kämpfen; ringen; **~eur, ~euse** *m, f* Kämpfer(in) *m(f)*; *nur m* Ringer *m*.
luxation [lyksasjõ] *f méd* Verrenkung *f*.
luxe [lyks] *m* Luxus *m*.
Luxembourg [lyksɑ̃bur] *le ~* Luxemburg *n*.
luxer [lykse] (1a) *se ~ le bras, etc* sich den Arm *etc* verrenken.
luxu|eux, ~euse [lyksɥø, -øz] luxuriös.
luxur|e [lyksyr] *f* Wollust *f*, Sinnenlust *f*; **~iant, ~iante** [-jɑ̃, -jɑ̃t] üppig wuchernd; **~ieux, ~ieuse** [-jø, -jøz] lüstern, wollüstig; ⚠ *nicht* luxuriös.
lycée [lise] *m* höhere Schule *f*, Gymnasium *n*.
lycé|en, ~enne [liseɛ̃, -ɛn] *m, f* Gymnasiast(in) *m(f)*.
lynx [lɛ̃ks] *m zo* Luchs *m*.
lyre [lir] *f mus* Leier *f*.
lyrique [lirik] lyrisch.
lyrisme [lirismə] *m* Lyrik *f*; *fig* Begeisterung *f*.
lys [lis] *m cf lis*[1].

M

M

M. (*abr monsieur*) Herr.
ma [ma] *cf mon*.
maboul, ~e [mabul] F verrückt, meschugge F.
macabre [makabrə] schauerlich, makaber.
macadamiser [makadamize] (1a) *Straßen*: beschottern; makadamisieren.
macaron [makarõ] *m* **1.** *cuis* Makrone *f*; **2.** Aufkleber *m*; Plakette *f*.
macédoine [masedwan] *f cuis ~ de légumes* Mischgemüse *n*; *~ de fruits* Obstsalat *m*.
macérer [masere] (1f) *cuis faire ~* ziehen lassen.
mâche [mɑʃ] *f bot* Feldsalat *m*, Rapunzel *f*.
mâcher [mɑʃe] (1a) kauen; *fig ne pas ~ ses mots* kein Blatt vor den Mund nehmen.
machin [maʃɛ̃] *m* F Ding(sda) *n*.
machin|al, ~ale [maʃinal] (⚠ *m/pl -aux*) mechanisch, automatisch; **~ation** *f* Komplott *n*; *pl ~s* Machenschaften *f/pl*, Umtriebe *m/pl*.
machine [maʃin] *f* Maschine *f* (*a für Motorrad*); Lokomotive *f*; (Schreib-) Maschine *f*; *fig* Maschinerie *f*; *~ à écrire, à coudre, à laver* Schreib-, Näh-, Waschmaschine *f*; **~-outil** [-uti] *f* (⚠ *pl machines-outils*) Werkzeugmaschine *f*; **~rie** [-ri] *f* Maschinenpark *m*, -raum *m*.
machiniste [maʃinist] *m* Busfahrer *m*, U-Bahn-Fahrer *m*, Lokomotivführer *m*; *Theater*: Bühnenarbeiter *m*.
mâchoire [mɑʃwar] *f* Kiefer *m*; *~s pl a* Kinnbacken *pl*.
mâchonner [mɑʃɔne] (1a) langsam *od* mit Mühe kauen; *fig* murmeln.
maçon [masõ] *m* Maurer *m*.
maçonn|er [masɔne] (1a) mauern; **~erie** *f* Mauerwerk *n*.
maculer [makyle] (1a) *st/s* beflecken.
madame [madam] *f* (*abr Mme*), (⚠ *pl mesdames* [medam], *abr Mmes*) Frau (+ *Name*).
mademoiselle [madmwazɛl] *f* (*abr*

Mlle), (⚠ *pl mesdemoiselles* [medmwazɛl], *abr Mlles*) Fräulein (+ *Name*).
madère [madɛr] *m* Madeirawein *m*.
madone [madɔn] *f* Marienbild *n*; Madonna *f*; ⚠ *Schreibung*.
magasin [magazɛ̃] *m* Laden *m*, Geschäft *n*; Speicher *m*, Lagerhaus *n*; *grand* ~ Kauf-, Warenhaus *n*.
magasin|age [magazinaʒ] *m* Lagerung *f*, Speicherung *f*; **~ier** [-je] *m* Magazinverwalter *m*, Lagerist *m*.
magazine [magazin] *m* Magazin *n*, illustrierte Zeitschrift *f*; ⚠ *nicht verwechseln mit magasin*.
mag|e [maʒ] *m* Magier *m*; *les Rois* ~*s* die Heiligen Drei Könige; **~icien, ~icienne** [-isjɛ̃, -isjɛn] *m, f* Zauberer *m*, Zauberin *f*.
mag|ie [maʒi] *f* Magie *f*; *fig* Zauber *m*; **~ique** magisch, Zauber...
magistral, ~e [maʒistral] (⚠ *m/pl -aux*) meisterhaft; F ordentlich; *cours m magistral* Vorlesung *f*.
magistrat [maʒistra] *m* hoher Beamter *m*; Richter *m*.
magistrature [maʒistratyr] *f* Richteramt *n*, -stand *m*; Amtsdauer *f*; ~ *assise* Richterstand *m*; ~ *debout* Staatsanwaltschaft *f*.
magnanim|e [maɲanim] großherzig; **~ité** *f* Großherzigkeit *f*.
magnétique [maɲetik] magnetisch.
magnéto [maɲeto] **1.** *f auto* (Magnet-)Zündung *f*; **2.** *m abr magnétophone*.
magnéto|phone [maɲetɔfɔn] *m* Tonbandgerät *n*; **~scope** [-skɔp] *m* Videorecorder *m*.
magnif|icence [maɲifisɑ̃s] *f* Pracht *f*; **~ique** herrlich, prächtig.
magot [mago] *m* **1.** *zo* Magot *m*, Berberaffe *m*; **2.** *fig* F verborgener Schatz *m*, verstecktes Geld *n*.
mai [mɛ] *m* Mai *m*.
maigr|e [mɛgrə] mager; *fig* dünn, dürr, dürftig; **~eur** *f* Magerkeit *f*; **~ir** (2a) mager werden, abnehmen; ⚠ *il a maigri*.
maille [maj] *f* Masche *f*; *Kette*: Glied *n*; *fig avoir* ~ *à partir avec qn* mit j-m ein Hühnchen zu rupfen haben.
maillet [majɛ] *m* Holzhammer *m*.
maillon [majɔ̃] *m Kette*: Glied *n*.
maillot [majo] *m* Trikot *n* (*der Sportler, Tänzerinnen etc*); ~ *de bain* Badeanzug *m*, -hose *f*; ~ *de corps* Unterhemd *n*.
main [mɛ̃] *f* Hand *f*; *mil coup m de* ~ Handstreich *m*; *donner un coup de* ~ *à qn* j-m helfen; *à la* ~ in *od* mit der Hand; *à* ~ *armée* bewaffnet; *à* ~ *levée* freihändig; *bas les* ~*s!* Finger weg!; *la* ~ *dans la* ~ Hand in Hand; *de la* ~ mit der Hand; *fig prendre qc en* ~ etw in die Hand nehmen; *en* ~*s propres* eigenhändig; *en un tour de* ~ im Handumdrehen; *haut les* ~*s!* Hände hoch!; *mener par la* ~ an der Hand führen; *sous la* ~ griffbereit.
main|-d'œuvre [mɛ̃dœvrə] *f* (⚠ *pl mains-d'œuvre*) Arbeitskräfte *f/pl*; Arbeit *f*; **~-forte** [-fɔrt] *f prêter* ~ *à qn* j-m Beistand leisten; **~mise** [-miz] *f* Aneignung *f*, Inbesitznahme *f*.
maint, mainte [mɛ̃, mɛ̃t] *st/s* manche(r, -s); *à maintes reprises* wiederholt.
maintenant [mɛ̃tnɑ̃] jetzt, nun.
maintenir [mɛ̃t(ə)nir] (2h) aufrechterhalten, erhalten, beibehalten; ~ *son opinion* bei seiner Meinung bleiben; *se* ~ sich (er)halten.
maintien [mɛ̃tjɛ̃] *m* Aufrechterhaltung *f*; Fortbestand *m*.
mair|e [mɛr] *m* Bürgermeister *m*; **~ie** [-i] *f* Rathaus *n*, Gemeindeamt *n*.
mais [mɛ] aber; sondern; ~ *non!* aber nein!; *litt je n'en puis* ~ ich kann nichts dafür.
maïs [mais] *m bot* Mais *m*.
maison [mɛzɔ̃] *f* Haus *n*; *comm* Firma *f*; *à la* ~ zu *od* nach Hause; ~ *close* Bordell *n*; ~ *de retraite* Altersheim *n*; ~ *mère* Stammhaus *n*; *pâté m* ~ hausgemachte Pastete *f*.
maîtr|e [mɛtrə] *m* Herr *m*; Lehrer *m*; Meister *m*; ~ *nageur* Bademeister *m*; ~ *chanteur* Erpresser *m*; *Universität*: ~ *de conférences* Dozent(in) *m(f)*; **~esse** [-ɛs] **1.** *f* Herrin *f*; Lehrerin *f*; Mätresse *f*, Geliebte *f*; ~ *de maison* Hausherrin *f*, Dame *f* des Hauses; **2.** *adj qualité f* ~ Haupteigenschaft *f*; *idée f* ~ Leitgedanke *m*.
maîtris|e [mɛtriz] *f* Beherrschung *f*, Herrschaft *f*; Magisterprüfung *f*; ~ *de conférences* Dozentur *f*; **~er** (1a) bändigen; beherrschen.
majest|é [maʒɛste] *f* Majestät *f*; **~ueux, ~ueuse** [-ɥø, -ɥøz] majestätisch.
majeur, ~e [maʒœr] **1.** wichtig(ste, -r, -s), Haupt...; **2.** *mus* Dur; **3.** *jur* volljährig; **4.** *m* Mittelfinger *m*.

M

major [maʒɔr] *m* Erste(r) *m*; *mil* Standortoffizier *m*; Stabsarzt *m*; ⚠ *nicht* Major; **~er** (1a) *Preis*: erhöhen; **~ette** [-ɛt] *f* Majorette *f*; *etwa*: Funkenmariechen *n*; **~itaire** [-itɛr] Mehrheits...; **~ité** *f* **1.** Mehrheit *f* (*bes pol*), Mehrzahl *f*; **2.** *jur* Volljährigkeit *f*.
majuscule [maʒyskyl] *adj u subst f* (*lettre f*) ~ großer Buchstabe *m*.
mal [mal] **1.** *m* (⚠ *pl maux* [mo]) Böse(s) *n*, Schlimme(s) *n*; Übel *n*; Krankheit *f*, Leiden *n*; Mühe *f*; *faire ~* weh tun; *avoir ~ aux dents* Zahnschmerzen haben; *~ de cœur* Übelkeit *f*; *~ de mer* Seekrankheit *f*; *~ du pays* Heimweh *n*; *se donner du ~* sich Mühe geben; *j'ai du ~ à faire qc* es fällt mir schwer, etw zu tun; *dire du ~ de qn* j-m Schlechtes nachsagen; **2.** *adv* schlecht, schlimm, übel; *~ à l'aise* unbehaglich; *~ fait* mißgestaltet; *de ~ en pis* immer schlechter; *pas ~* ganz gut; *pas ~ de* ziemlich viel(e); *s'y prendre ~* es falsch anpacken; **3.** *adj être ~* sich nicht wohl fühlen.
malad|e [malad] krank; *tomber ~* krank werden; **~ie** [-i] *f* Krankheit *f*; **~if, ~ive** [-if, -iv] kränklich; krankhaft.
maladr|esse [maladrɛs] *f* Ungeschick(lichkeit) *n*(*f*); **~oit, ~oite** [-wa, -wat] ungeschickt.
malais|e [malɛz] *m* Unwohlsein *n*; *fig* Unbehagen *n*; *pol* Malaise *f*; ⚠ *le ~*; **~é, ~ée** *st/s* schwierig.
malaria [malarja] *f méd* Malaria *f*.
malavisé, ~e [malavize] *st/s* unklug, unüberlegt.
malaxer [malakse] (1a) (durch)kneten.
malchance [malʃɑ̃s] *f* Mißgeschick *n*; Unglück *n*, Pech *n* F.
mâle [mɑl] **1.** *adj* männlich; **2.** *m zo* Männchen *n*; F Mann *m*.
malé|diction [malediksjõ] *f* Verwünschung *f*, Fluch *m*; **~fique** [-fik] unheilvoll.
malencontr|eux, ~euse [malɑ̃kõtrø, -øz] leidig, unangenehm.
malentendu [malɑ̃tɑ̃dy] *m* Mißverständnis *n*.
mal|faisant, ~faisante [malfəzɑ̃, -fəzɑ̃t] bösartig; schädlich; **~faiteur** [-fɛtœr] *m* Übeltäter *m*; **~famé, ~famée** [-fame] verrufen.
malgache [malgaʃ] **1.** *adj* madagassisch; **2.** ♀ *m*, *f* Madagasse *m*, -in *f*.
malgré [malgre] *prép* trotz; *conj ~ que* (+ *subj*) obwohl; *~ moi* gegen meinen Willen.
malhabile [malabil] ungeschickt.
malheur [malœr] *m* Unglück *n*; Mißgeschick *n*; *par ~* unglücklicherweise; *porter ~* Unglück bringen; **~eusement** [-øzmɑ̃] *adv* unglücklicherweise, leider; **~eux, ~euse** [-ø, -øz] unglücklich; *vorangestellt*: unbedeutend.
malhonnêt|e [malɔnɛt] unehrlich, unredlich; **~eté** [-te] *f* Unehrlichkeit *f*, Unredlichkeit *f*.
malic|e [malis] *f* Bosheit *f*; Schalkhaftigkeit *f*; **~ieux, ~ieuse** [-jø, -jøz] boshaft; schelmisch, schalkhaft.
malignité [maliɲite] *f* Boshaftigkeit *f*; Bösartigkeit *f*.
malin, maligne [malɛ̃, maliɲ] schlau, pfiffig, gewitzt; boshaft; *méd* bösartig; F *ce n'est pas malin!* das ist doch ganz einfach!
malingre [malɛ̃grə] schwächlich.
malintentionné, ~e [malɛ̃tɑ̃sjɔne] übelgesinnt.
malle [mal] *f* Überseekoffer *m*.
malléable [maleablə] schmiedbar; *fig* bildsam.
malmener [malməne] (1d) übel behandeln; hart mitnehmen.
malodor|ant, -ante [malɔdɔrɑ̃, -ɑ̃t] übelriechend.
malotru, ~e [malɔtry] ungehobelt, flegelhaft.
malpropre [malprɔprə] unsauber; unanständig.
mal|sain, ~saine [malsɛ̃, -sɛn] ungesund.
mal|séant, ~séante [malseɑ̃, -seɑ̃t] *st/s* unanständig; **~sonnant, ~sonnante** [-sɔnɑ̃, -sɔnɑ̃t] *st/s* anstößig.
malt [malt] *m* Malz *n*.
maltraiter [maltrɛte] (1b) mißhandeln.
malveill|ance [malvɛjɑ̃s] *f* Böswilligkeit *f*; Boshaftigkeit *f*; **~ant, ~ante** [-ɑ̃, -ɑ̃t] böswillig; boshaft, gehässig.
malvenu, ~e [malvəny] *être ~ de od à* (+ *inf*) nicht berechtigt sein zu (+ *inf*).
maman [mamɑ̃] *f* Mama *f*.
mamelle [mamɛl] *f* Brust(drüse) *f*.
mamelon [mamlõ] *m* Brustwarze *f*; Kuppe *f*, Hügel *m*.
mammifère [mamifɛr] *m* Säugetier *n*.

M

manche[1] [mɑ̃ʃ] *m* Griff *m*, Stiel *m*, Heft *n*; Hals *m* (*Geige*).
manche[2] [mɑ̃ʃ] *f* Ärmel *m*; *la* ♀ der Ärmelkanal.
manch|ette [mɑ̃ʃɛt] *f* Manschette *f*; *Zeitung*: Schlagzeile *f*; **~on** *m* Muff *m*; *tech* Muffe *f*.
manch|ot, ~ote [mɑ̃ʃo, -ɔt] **1.** *adj* einarmig, -händig; **2.** *m, f* Einarmige(r) *m, f*; **3.** *m zo* Pinguin *m*.
mandat [mɑ̃da] *m* **1.** Mandat *n*; Auftrag *m*, Vollmacht *f*; **2.** Postanweisung *f*.
mandat|aire [mɑ̃datɛr] *m, f* Bevollmächtigte(r) *f(m)*; **~er** (1a) **1.** per Post anweisen; **2.** beauftragen.
mander [mɑ̃de] (1a) *st/s* zu sich bitten; rufen lassen.
mandrin [mɑ̃drɛ̃] *m tech* Spannfutter *n*.
manège [manɛʒ] *m* Reitbahn *f*; Karussell *n*; *fig* Schliche *m/pl.*; *faire un tour de ~* Karussell fahren; ⚠ *le ~*.
manette [manɛt] *f tech* Hebel *m*.
mange|able [mɑ̃ʒablə] eßbar; **~aille** [-aj] *f* F *péj* Fraß *m*; **~oire** [-war] *f* Futtertrog *m*.
manger [mɑ̃ʒe] **1.** (1l) essen; *Tier*: fressen; *fig* F verschlingen; *Silben*: verschlucken; **2.** *m* Essen *n*.
mange-tout [mɑ̃ʒtu] *m/pl* (*pois m/pl*) *~* Zuckererbsen *f/pl*.
mani|abilité [manjabilite] *f* Handlichkeit *f*; *auto* Wendigkeit *f*; **~able** handlich; *Fahrzeug*: wendig; *fig* fügsam.
maniaque [manjak] manisch; wunderlich, schrullig.
manie [mani] *f* Manie *f*; Schrulle *f*; *avoir ses petites ~s* e-n Tick haben F.
maniement [manimɑ̃] *m* Handhabung *f*, Umgang *m* (*de* mit).
manier [manje] (1a) handhaben; umgehen (*qc, qn* mit etw, j-m); *Gerät*: bedienen; *Fahrzeug*: lenken.
manière [manjɛr] *f* Art *f*, Weise *f*; Manier *f*; *~s pl* Manieren *f/pl*, Betragen *n*; *à la ~ de* nach Art (+ *gén*); *de cette ~* auf diese Art, so; *de toute ~* jedenfalls; *de ~ à* (+ *inf*) um ... zu (+ *inf*); *de telle ~ que* derart ..., daß ...; *st/s de ~ à ce que* (+ *subj*) so daß.
maniéré, ~e [manjere] geziert, gesucht; manieriert.
manifest|ant, ~ante [manifɛstɑ̃, -ɑ̃t] *m, f* Demonstrant(in) *m(f)*; **~ation** *f* Äußerung *f*, Bekundung *f*; *pol* Demonstration *f*, Kundgebung *f*; *allg* Veranstaltung *f*.
manifest|e [manifɛst] **1.** *adj* offenbar, offenkundig; **2.** *m* Manifest *n*; **~er** (1a) äußern, kundtun; *pol* demonstrieren; *se ~* sich offenbaren, sichtbar werden.
manigance [manigɑ̃s] *f meist ~s pl* Schliche *m/pl*.
manipul|ation [manipylasjõ] *f* Handhabung *f*; *fig* Manipulation *f*; **~er** (1a) handhaben, hantieren (*qc* mit etw); *fig* manipulieren.
manivelle [manivɛl] *f* Kurbel *f*.
mannequin [mankɛ̃] *m* Gliederpuppe *f*; Schaufensterpuppe *f*; Mannequin *n*.
manœuvr|e [manœvrə] **1.** *f* Handhabung *f*; Steuerung *f*; *Bahn*: Rangieren *n*; *mil, mar, fig* Manöver *n*; ⚠ *la ~*; **2.** *m* Hilfsarbeiter *m*; **~er** (1a) handhaben; steuern; *fig* manipulieren; *allg u mar* manövrieren.
manoir [manwar] *m* Herrensitz *m*.
manqu|e [mɑ̃k] *m* Fehlen *n*; Mangel *m* (*de* an); *par ~ de* aus Mangel an; *pl fig ~s* Unzulänglichkeiten *f/pl*; **~é, ~ée** verpfuscht, verfehlt; **~ement** [-mɑ̃] *m* Verstoß *m* (*à* gegen).
manquer [mɑ̃ke] (1m) **1.** *~ qc, qn* etw, j-n verfehlen, verpassen, versäumen; *ne pas ~ de faire qc* nicht vergessen, etw zu tun; *elle a manqué (de) se faire écraser* sie wäre fast überfahren worden; **2.** *~ à qc* gegen etw verstoßen; **3.** *~ de qc* Mangel an etw haben; **4.** fehlen; *Versuch*: scheitern.
mansarde [mɑ̃sard] *f* Mansarde *f*, Dachkammer *f*.
mansuétude [mɑ̃sɥetyd] *st/s f* Milde *f*.
manteau [mɑ̃to] *m* (⚠ *pl ~x*) Mantel *m* (*a fig*); *sous le ~* heimlich.
manucure [manykyr] *f* Handpflegerin *f*; Maniküre *f*; ⚠ *Schreibung*.
manuel, ~le [manɥɛl] **1.** *adj* Hand..., manuell; **2.** *m* Lehr-, Handbuch *n*.
manufactur|e [manyfaktyr] *f* Manufaktur *f*, Fabrik *f*; **~é, ~ée** *produits m/pl manufacturés* gewerbliche und industrielle Erzeugnisse.
manuscr|it, ~ite [manyskri, -it] **1.** *adj* handschriftlich; **2.** *m* Manuskript *n*.
manutention [manytɑ̃sjõ] *f* Verladen *n*, Transport *m*, Beförderung *f*.
mappemonde [mapmõd] *f* Welt-, Erdkarte *f*; Globus *m*.

maquereau [makro] *m* (⚠ *pl* ~*x*) **1.** *zo* Makrele *f*; **2.** P Zuhälter *m*.
maquette [makɛt] *f* Entwurf *m*; Modell *n*.
maquign|on [makiɲõ] *m* Pferdehändler *m*; *péj* Roßtäuscher *m*; **~onnage** [-ɔnaʒ] *m* Pferdehandel *m*; *fig* Schwindel *m*.
maquill|age [makijaʒ] *m* Schminke(n) *f(n)*, Make-up *n*; **~er** (1a) schminken; *fig* fälschen; *Bilanz*: frisieren.
maqu|is [maki] *m* Dickicht *n*, Unterholz *n*; *fig pol* Widerstandsbewegung *f* (*2. Weltkrieg*); **~isard** [-izar] *m im 2. Weltkrieg*: Widerstandskämpfer *m*.
maraîch|er, ~ère [marɛʃe, -ɛr] **1.** *adj* Gemüse...; **2.** *m, f* Gemüsegärtner(in) *m(f)*.
marais [marɛ] *m* Sumpf *m*, Moor *n*.
marasme [marasmə] *m écon* Flaute *f*, Stagnation *f*.
marâtre [marɑtrə] *f péj* Rabenmutter *f*.
maraud|er [marode] (1a) stehlen, klauen; *hist* plündernd umherziehen; **~eur, ~euse** *m, f* Felddieb(in) *m(f)*; *hist m* Marodeur *m*.
marbr|e [marbrə] *m* Marmor *m*; **~é ~ée** marmoriert.
marc [mar] *m* Trester *m/pl*; Tresterbranntwein *m*; ~ *de café* Kaffeesatz *m*.
marcassin [markasɛ̃] *m ch* Frischling *m*.
march|and, ~ande [marʃɑ̃, -ɑ̃d] **1.** *adj* Handels...; **2.** *m, f* Händler(in) *m(f)*; ~ *des quatre-saisons* Obst- und Gemüsehändler(in) *m(f)*.
marchand|age [marʃɑ̃daʒ] *m* Feilschen *n*; **~er** (1a) handeln, feilschen (*qc* um etw).
marchandise [marʃɑ̃diz] *f* Ware *f*.
marche [marʃ] *f* **1.** Gehen *n*; Marsch *m* (*a mus*); Lauf *m*; Gang *m*; Fahrt *f*; *fig* Verlauf *m*; *auto* ~ *arrière* Rückwärtsgang *m*; *mettre en* ~ in Gang setzen; **2.** Stufe *f*; ⚠ *la* ~.
marché [marʃe] *m* Markt(platz) *m*; Geschäft *n*; (*à*) *bon* ~ billig; (*à*) *meilleur* ~ billiger; *le meilleur* ~ am billigsten; *par-dessus le* ~ obendrein, noch dazu; ~ *noir* Schwarzmarkt *m*; *pol le* ♀ *commun* der Gemeinsame Markt.
marchepied [marʃəpie] *m* Trittbrett *n*; Trittleiter *f*.
marcher [marʃe] (1a) gehen, marschieren, wandern, laufen; funktionieren, in Gang sein; F klappen; *faire* ~ anstellen, in Gang setzen; F ~ (*dans qc*) (auf etw) hereinfallen; *faire* ~ *qn* j-n reinlegen; ⚠ *il a marché*.
mardi [mardi] *m* Dienstag *m*; ~ *gras* Fastnacht *f*.
mare [mar] *f* Tümpel *m*; ~ *de sang* Blutlache *f*.
marécag|e [marekaʒ] *m* Sumpf *m*, Moor *n*; **~eux, ~euse** [-ø, -øz] morastig, sumpfig.
maréchal [mareʃal] *m* (⚠ *pl -aux*) Marschall *m*; **~-ferrant** [-fɛrɑ̃] *m* (⚠ *pl maréchaux-ferrants*) Hufschmied *m*.
marée [mare] *f* Ebbe und Flut; ~*s pl* Gezeiten *pl*; ~ *basse* Ebbe *f*; ~ *haute* Flut *f*; ~ *noire* Ölpest *f*.
marémo|teur, ~trice [maremɔtœr, -tris] Gezeiten...; *usine f marémotrice* Gezeitenkraftwerk *n*.
marge [marʒ] *f* (Blatt-)Rand *m*; *fig* Spielraum *m*; ~ *bénéficiaire od* ~ *de profit* Gewinnspanne *f*; *notes f/pl en* ~ Randbemerkungen *f/pl*; *en* ~ *de* am Rand (+ *gén*).
marginal, ~e [marʒinal] (⚠ *m/pl -aux*) **1.** *adj* Rand...; **2.** *m* gesellschaftlicher Außenseiter *m*; Aussteiger *m*.
margoulin [margulɛ̃] *m péj* (Börsen-)Jobber *m*.
mari [mari] *m* (Ehe-)Mann *m*.
mariage [marjaʒ] *m* Heirat *f*; Ehe *f*; Trauung *f*; Hochzeit *f*.
marié, ~e [marje] **1.** *adj* verheiratet; **2.** *m, f* Bräutigam *m*, Braut *f*.
marier [marje] (1a) trauen; verheiraten (*qn avec od à qn* j-n mit j-m); *se* ~ heiraten; *se* ~ *avec qn* sich mit j-m verheiraten, j-n heiraten; ⚠ *marier qn heißt nicht* j-n heiraten.
mar|in, ~ine [marɛ̃, -in] **1.** *adj* See..., Meer...; **2.** *m* Seemann *m*, Matrose *m*; **3.** *f* Marine *f*, Flotte *f*; *Gemälde*: Seestück *n*.
mariner [marine] (1a) *cuis* marinieren, einlegen.
marionnette [marjɔnɛt] *f* Marionette *f* (*a fig*), Puppe *f*; ⚠ *Schreibung*.
maritime [maritim] See..., maritim.
marjolaine [marʒɔlɛn] *f bot* Majoran *m*.
mark [mark] *m* (deutsche) Mark *f*; ⚠ *le* ~.

M

marmaille [marmaj] *f* F Kinderschwarm *m*.
marmelade [marməlad] *f* Marmelade *f*, Mus *n*.
marmite [marmit] *f* Kochtopf *m*.
marmonner [marmɔne] (1a) murmeln.
marmot [marmo] *m* F Knirps *m*.
marmott|e [marmɔt] *f zo* Murmeltier *n*; **~er** (1a) (vor sich hin) murmeln.
marne [marn] *f géol* Mergel *m*.
Maroc [marɔk] *le* ~ Marokko *n*.
maroc|ain, ~aine [marɔkɛ̃, -ɛn] **1.** *adj* marokkanisch; **2.** ♀ *m, f* Marokkaner(in) *m(f)*.
maronner [marɔne] (1a) F knurren, murren.
maro|quin [marɔkɛ̃] *m* Saffian(leder) *m(n)*; **~quinerie** [-kinri] *f* Lederwarenindustrie *f*, -geschäft *n*.
marotte [marɔt] *f* Marotte *f*, Grille *f*.
marque [mark] *f* (Kenn-, Ab-)Zeichen *n*, Merkmal *n*; Warenzeichen *n*, Marke *f*; Spur *f*; *fig* Gepräge *n*; *Sport*: *à vos ~s! prêts! partez!* auf die Plätze – fertig – los!
marquer [marke] (1m) kenn-, bezeichnen, markieren; notieren, aufschreiben; prägen; hindeuten auf; *Ereignis*: feiern; *e-n Spieler*: decken; *~ un but* ein Tor erzielen *od* schießen.
marqueterie [markɛtri] *f* Einlegearbeit *f*, Intarsien *f/pl*.
marqueur [markœr] *m* Filzschreiber *m*.
marqu|is, ~ise [marki, -iz] *m, f* **1.** *Adelstitel*: Marquis *m*, Marquise *f*; **2.** *f* gläsernes Vor-, Schutzdach *n*.
marraine [marɛn] *f* Patin *f*.
marr|ant, ~ante [marɑ̃, -ɑ̃t] F komisch, lustig, ulkig F.
marr|e [mar] F *en avoir ~* davon genug haben, es satt haben; **~er** (1a) F *se ~* sich krummlachen.
marron [marɔ̃] **1.** *m* Eßkastanie *f*; **2.** *adj* (⚠ *unv*) braun.
marronnier [marɔnje] *m* Kastanienbaum *m*.
mars [mars] *m* März *m*.
marsouin [marswɛ̃] *m zo* Tümmler *m*.
marsupiaux [marsypjo] *m/pl zo* Beuteltiere *n/pl*.
marteau [marto] (⚠ *pl ~x*) **1.** *m* Hammer *m*; *~ piqueur* Preßlufthammer *m*; **2.** *adj* F behämmert, bekloppt.
marteler [martəle] (1d) hämmern.
martial, ~e [marsjal] (⚠ *m/pl -aux*) kriegerisch; martialisch; *cour f martiale* Standgericht *n*.
marti|en, ~enne [marsjɛ̃, -ɛn] *astr* Mars...
martinet [martinɛ] *m* **1.** *zo* Mauersegler *m*; **2.** Klopfpeitsche *f*.
martin-pêcheur [martɛ̃pɛʃœr] *m* (⚠ *pl martins-pêcheurs*) *zo* Eisvogel *m*.
martre [martrə] *f* Marder(pelz) *m*.
martyr, ~e[1] [martir] *m, f* Märtyrer(in) *m(f)*.
martyr|e[2] [martir] *m* Martyrium *n*, Märtyrertod *m*, -tum *n*; **~iser** (1a) quälen, martern.
marx|isme [marksismə] *m* Marxismus *m*; **~iste 1.** *adj* marxistisch; **2.** *m, f* Marxist(in) *m(f)*.
mas [mɑ *od* mas] *m* südfranzösisches Bauernhaus *n*.
mascarade [maskarad] *f* Maskerade *f*; *fig* Betrug *m*; ⚠ *Schreibung*.
mascotte [maskɔt] *f* Maskottchen *n*.
mascul|in, ~ine [maskylɛ̃,-in] **1.** *adj* männlich, Männer...; **2.** *m gr* Maskulinum *n*.
masqu|e [mask] *m* Maske *f* (*a fig*); ⚠ *le ~*; **~er** (1m) maskieren, verbergen, verdecken; *bal m masqué* Maskenball *m*.
massacr|e [masakrə] *m* Blutbad *n*, Massaker *n*, Gemetzel *n*; *fig* Verschandelung *f*; **~er** (1a) niedermetzeln, massakrieren; *fig* verschandeln, verpfuschen.
massage [masaʒ] *m* Massage *f*, Massieren *n*; ⚠ *le ~*.
masse [mas] *f* Masse *f*, Menge *f*; Block *m*; *en ~* scharenweise, in Massen.
mass|er [mase] (1a) **1.** versammeln, zusammenziehen; **2.** massieren; **~eur, ~euse** *m, f* Masseur *m*, Masseuse *f*.
mass|if, ~ive [masif, -iv] **1.** *adj* massiv; massig; **2.** *m* (Gebirgs-)Massiv *n*; *~ de fleurs* Blumenbeet *n*.
massue [masy] *f* Keule *f*.
mastic [mastik] *m* (Glaser-)Kitt *m*.
mastiquer [mastike] (1m) **1.** (ver)kitten; **2.** kauen.
mastodonte [mastɔdɔ̃t] *m* Gigant *m*, Koloß *m*.
mat[1]**, mate** [mat] glanzlos, matt; dumpf.
mat[2] [mat] (*unv*) *Schach*: matt.
mât [mɑ] *m* Mast *m*.

M

match [matʃ] *m Sport*: (Wett-) Kampf *m*, Spiel *n*.
matelas [matla] *m* Matratze *f*.
matel|ot [matlo] *m* Matrose *m*; **~ote** [-ɔt] *f cuis* Fischragout *n*.
matérial|iser [materjalize] (1a) verwirklichen; **~isme** *m* Materialismus *m*; **~iste 1.** *adj* materialistisch; **2.** *m, f* Materialist(in) *m(f)*.
matéri|au [materjo] *m* (⚠ *pl* ~*x*) Material *n*, Bau-, Werkstoff *m*; **~aux** *m/pl* Material(ien) *n(pl)*; **~el, ~elle 1.** *adj* materiell, körperlich; **2.** *m* Material *n*, Gerät *n*, Ausrüstung *f*; *EDV* Hardware *f*; **~ellement** [-ɛlmɑ̃] *adv* faktisch.
matern|el, ~elle [matɛrnɛl] **1.** *adj* mütterlich, Mutter...; **2.** *f* Vorschule *f*; Kindergarten *m*; **~ité** *f* Mutterschaft *f*; Entbindungsheim *n*.
mathémat|icien, ~icienne [matematisjɛ̃, -isjɛn] *m, f* Mathematiker(in) *m(f)*; **~ique 1.** *adj* mathematisch; **2.** **~s** *f/pl* Mathematik *f*.
maths [mat] F *f/pl* Mathematik *f*, F Mathe *f*.
matière [matjɛr] *f* Materie *f*, Stoff *m*; (Sach-)Gebiet *n*, Fach *n*; Gegenstand *m*, Thema *n*; *fig* Anlaß *m*; ~ *première* Rohstoff *m*; ~ *grise* graue Substanz *f*; F Grips *m*; *entrer en* ~ zur Sache kommen; *en la* ~ einschlägig; *en* ~ *de* in Sachen ...
matin [matɛ̃] *m* Morgen *m*, Vormittag *m*; *le* ~ morgens; *ce* ~ heute früh; *du* ~ *au soir* von morgens bis abends; ~ *et soir* morgens und abends.
matin|al, ~ale [matinal] (⚠ *m/pl* *-aux*) morgendlich; *être* ~ früh aufstehen.
matinée [matine] *f* Morgen(zeit) *m(f)*, Vormittag *m*; *Theater*: Nachmittagsvorstellung *f*; *faire la grasse* ~ bis in den Tag hinein schlafen.
mat|ois, ~oise [matwa, -az] schlau, gerissen.
matou [matu] *m* Kater *m*.
matraquage [matrakaʒ] *m* Niederknüppeln *n*.
matraqu|e [matrak] *f* (Gummi-) Knüppel *m*; **~er** (1m) niederknüppeln; F neppen; *fig* einhämmern.
matrice [matris] *f méd* Gebärmutter *f*; *tech* Matrize *f*; *math* Matrix *f*.
matricule [matrikyl] *f* Matrikel *f*; *mil* Stammrolle *f*.
matrimonial, ~e [matrimɔnjal] (⚠ *m/pl -aux*) ehelich, Ehe...
maturité [matyrite] *f* Reife *f* (*a fig*).
mau|dire [modir] (2a *u* 4m) verfluchen, verwünschen; **~dit, ~dite** [-di, -dit] verflucht, verwünscht, verdammt.
maugréer [mogree] (1a) (vor sich hin) schimpfen.
mauresque [mɔrɛsk] maurisch.
mausolée [mozɔle] *m* Mausoleum *n*.
maussade [mosad] verdrießlich; unfreundlich, trist.
mauv|ais, ~aise [mɔvɛ, -ɛz] **1.** *adj* schlecht, übel; böse, schlimm; falsch; **2.** *adv* schlecht; *il fait mauvais* es ist schlechtes Wetter; *sentir mauvais* schlecht riechen.
mauve [mov] *f bot* Malve *f*.
maux [mo] *pl von mal*.
maxillaire [maksilɛr] Kiefer...
maxim|al, ~ale [maksimal] (⚠ *m/pl -aux*) maximal, Höchst...
maxime [maksim] *f* Grundsatz *m*; Lebensregel *f*.
maximum [maksimɔm] **1.** *adj* (⚠ *f/sg sowie m/pl u f/pl a maxima*) maximal, Höchst...; **2.** *m* Maximum *n*, Höchstmaß *n*; *au* ~ höchstens.
Mayence [majɑ̃s] Mainz.
mayonnaise [majɔnɛz] *f cuis* Mayonnaise *f*.
mazout [mazut] *m* Heizöl *n*.
me [m(ə)] mich; mir.
mec [mɛk] *m* F Typ *m*, Kerl *m*.
mécan|icien [mekanisjɛ̃] *m* Mechaniker *m*; Auto-, Maschinenschlosser *m*; Lokomotivführer *m*; **~ique 1.** *adj* mechanisch; Maschinen...; **2.** *f* Mechanik *f*; Maschinenbau *m*; **~iser** (1a) mechanisieren; **~isme** *m* Mechanismus *m* (*a fig*), Vorrichtung *f*.
méch|anceté [meʃɑ̃ste] *f* Bosheit *f*; Boshaftigkeit *f*; **~ant, ~ante** [-ɑ̃, -ɑ̃t] **1.** *adj* böse, boshaft; unartig, ungezogen; *vorangestellt*: übel, schlimm; schäbig; ⚠ *adv méchamment* [-amɑ̃]; **2.** *m, f* Bösewicht *m*.
mèche [mɛʃ] *f* Docht *m*; Zündschnur *f*; Bohrer *m*; Haarsträhne *f*.
mécompte [mekõt] *m* Enttäuschung *f*.
méconnaissable [mekɔnɛsablə] unkenntlich.
méconnaître [mekɔnɛtrə] (4z) verkennen.
mécont|ent, ~ente [mekõtɑ̃, -ɑ̃t] unzufrieden (*de* mit).
mécontent|ement [mekõtɑ̃tmɑ̃] *m* Unzufriedenheit *f*; **~er** (1a) verdrießen, verärgern.

M

mécré|ant, ~ante [mekreɑ̃, -ɑ̃t] *litt* ungläubig.
médaill|e [medaj] *f* Gedenkmünze *f*, Medaille *f*; **~on** *m* Medaillon *n*.
médecin [mɛdsɛ̃] *m* Arzt *m*.
médecine [mɛdsin] *f* Medizin *f*, Heilkunde *f*; ⚠ *Schreibung*; ⚠ *nicht* Medikament.
média [medja] *m* (⚠ *pl média od médias*) Medium *n*.
média|teur, ~trice [medjatœr, -tris] *m, f* Vermittler(in) *m(f)*; **~tion** *f* Vermittlung *f*.
médical, ~e [medikal] (⚠ *m/pl -aux*) ärztlich, medizinisch.
médicament [medikamɑ̃] *m* Arznei *f*, Heilmittel *n*, Medikament *n*.
médicinal, ~e [medisinal] (⚠ *m/pl -aux*) Heil..., Arznei...
médiéval, ~e [medjeval] (⚠ *m/pl -aux*) mittelalterlich.
médiocr|e [medjɔkrə] mittelmäßig; mangelhaft, kümmerlich, dürftig; **~ité** *f* Mittelmäßigkeit *f*; Dürftigkeit *f*.
médi|re [medir] (4m) ~ *de qn* j-m Übles nachreden; ⚠ *vous médisez*; **~sance** [-zɑ̃s] *f* üble Nachrede *f*.
médita|tif, ~tive [meditatif, -tiv] nachdenklich; **~tion** *f* Nachdenken *n*, Grübeln *n*; Betrachtung *f*, Meditation *f*; *rel* Andacht *f*.
méditer [medite] (1a) ~ *qc* über etw nachsinnen; etw ausdenken; ~ *sur qc* über etw nachdenken; ~ *de faire qc* beabsichtigen, etw zu tun.
Méditerranée [mediterane] *la* ~ das Mittelmeer.
médius [medjys] *m* Mittelfinger *m*.
méduse [medyz] *f zo* Qualle *f*.
meeting [mitiŋ] *m pol* Versammlung *f*; *allg* Veranstaltung *f*.
méfait [mefɛ] *m* Missetat *f*; *pl* ~*s* schädliche Auswirkungen *f/pl*.
méfi|ance [mefjɑ̃s] *f* Mißtrauen *n*; **~ant, ~ante** [-ɑ̃, -ɑ̃t] mißtrauisch.
méfier [mefje] (1a) *se ~ de qn (qc)* j-m (e-r Sache) mißtrauen; sich vor j-m (etw) in acht nehmen.
méga|lomanie [megalɔmani] *f* Größenwahn *m*; **~phone** [-fɔn] *m* Sprachrohr *n*, Megaphon *n*.
mégarde [megard] *f par* ~ aus Versehen.
mégot [mego] *m* Zigarettenstummel *m*, F Kippe *f*.
meilleur, ~e [mɛjœr] besser; *le meilleur* der beste.
mélancol|ie [melɑ̃kɔli] *f* Melancholie *f*, Schwermut *f*; **~ique** melancholisch, schwermütig.
mélang|e [melɑ̃ʒ] *m* Mischung *f*, Gemisch *n*; **~er** (1l) (ver)mischen; durcheinanderbringen.
mélasse [melas] *f* Zuckersirup *m*; F *fig être dans la* ~ in der Patsche sitzen.
mêlée [mɛle] *f* Handgemenge *n*; *Rugby*: Gedränge *n*.
mêler [mɛle] (1b) (ver)mischen; verbinden; *fig ~ qn à qc* j-n in etw verwickeln; *se ~ à* sich (ver)mischen mit; sich verbinden mit; *se ~ de qc* sich um etw kümmern; sich in etw mischen.
mélèze [melɛz] *m bot* Lärche *f*.
mélod|ie [melɔdi] *f* Melodie *f*; **~ieux, ~ieuse** [-jø, -jøz] *u* **~ique** wohlklingend, melodisch.
melon [m(ə)lɔ̃] *m bot* Melone *f*; (*chapeau m*) ~ Melone *f* (*Hut*); ⚠ *le* ~.
membre [mɑ̃brə] *m* Glied *n*; *fig* Mitglied *n*; *gr ~ de phrase* Satzteil *m*.
même [mɛm] **1.** *adj u Pronomen le, la ~, les ~s* der, die, das gleiche, die gleichen; der-, die-, dasselbe, dieselben; *moi-~* ich selbst; *la bonté ~* die Güte selbst; *ce jour ~* heute noch; *cela revient au ~* das kommt auf dasselbe hinaus; **2.** *adv* selbst, sogar; *~ pas* nicht einmal; *~ si* selbst wenn; *ici ~* genau hier; *de ~* ebenso; *de ~!* gleichfalls!; *de ~ que* ebenso wie; *boire à ~ la bouteille* direkt aus der Flasche trinken; *être (mettre) à ~ de* (+ *inf*) imstande sein (in den Stand setzen) zu (+ *inf*); *tout de ~* trotzdem; *quand ~* trotzdem, immerhin.
mémoire [memwar] **1.** *f* Gedächtnis *n*; Erinnerung *f*; Andenken *n*; *EDV* Speicher *m*; *de ~* aus dem Gedächtnis; *à la ~ de* zum Gedenken an; *de ~ d'homme* seit Menschengedenken; **2.** *m* Memorandum *n*, Denkschrift *f*; Abhandlung *f*; *~s pl* Memoiren *pl*, (Lebens-)Erinnerungen *f/pl*.
mémorable [memɔrablə] denkwürdig.
mémorial [memɔrjal] *m* (⚠ *pl -aux*) Denkmal *n*.
menac|e [mənas] *f* Drohung *f*; Bedrohung *f*; **~er** (1k) drohen (*qn* j-m), bedrohen (*de* mit).
ménage [menaʒ] *m* Haushalt *m*;

Hausrat *m*; Ehepaar *n*, Ehe *f*; Familie *f*; *faire le ~* aufräumen, putzen; *femme f de ~* Putzfrau *f*; *~ à trois* Dreiecksverhältnis *n*; *faire bon ~ avec qn* sich mit j-m gut vertragen.
ménag|ement [menaʒmɑ̃] *m* Schonung *f*; Rücksicht *f*; Behutsamkeit *f*; **~er**[1] (1l) schonen; sparen; bewerkstelligen.
ménag|er[2], **~ère** [menaʒe, -ɛr] **1.** *adj* Haushalt(ung)s...; **2.** *f* Hausfrau *f*; Besteckkasten *m*.
ménagerie [menaʒri] *f* Tierschau *f*.
mendi|ant, ~ante [mɑ̃djɑ̃, -ɑ̃t] *m, f* Bettler(in) *m(f)*; **~er** (1a) betteln (*qc* um etw).
menées [məne] *f/pl* Umtriebe *m/pl*, Machenschaften *f/pl*.
men|er [məne] (1d) führen (*a fig*); bringen, geleiten; anführen (*Zug*); betreiben (*Angelegenheit*); **~eur** *m* Anführer *m*, Rädelsführer *m*; *~ de jeu* Spielleiter *m*.
méningite [menɛ̃ʒit] *f méd* (Ge-)Hirnhautentzündung *f*.
ménopause [menɔpoz] *f* Wechseljahre *n/pl*.
menotte [mənɔt] *f ~s pl* Handschellen *f/pl*.
mensonge [mɑ̃sõʒ] *m* Lüge *f*; ⚠ *le ~*.
mensu|alité [mɑ̃sɥalite] *f* monatliche Zahlung *f*; Monatsrate *f*; **~el, ~elle** monatlich.
mental, ~e [mɑ̃tal] (⚠ *m/pl -aux*) geistig, Geistes...; gedanklich; *calcul m mental* Kopfrechnen *n*; **~ement** [-mɑ̃] *adv* geistig; in Gedanken; **~ité** *f* Mentalität *f*; Einstellung *f*.
ment|eur, ~euse [mɑ̃tœr, -øz] *m, f* Lügner(in) *m(f)*.
menthe [mɑ̃t] *f bot* Minze *f*; Pfefferminztee *m*, -sirup *m*.
mention [mɑ̃sjõ] *f* Erwähnung *f*; *Prüfung*: Note *f*; *faire ~ de* erwähnen.
mentionner [mɑ̃sjɔne] (1a) erwähnen.
mentir [mɑ̃tir] (2b) lügen; *~ à qn* j-n an-, belügen.
menton [mɑ̃tõ] *m* Kinn *n*.
menu, ~e [məny] **1.** *adj* klein, dünn, fein; *par le menu* haarklein; *menue monnaie f* Kleingeld *n*; **2.** *adv couper menu* kleinschneiden; **3.** *m* Speisekarte *f*, -folge *f*, Menü *n*.
menuis|erie [mənɥizri] *f* Tischlerei *f*, Schreinerei *f*; **~ier** [-je] *m* Tischler *m*, Schreiner *m*.
méprendre [meprɑ̃drə] (4q) *se ~* sich irren (*sur* in).
mépris [mepri] *m* Verachtung *f*; *au ~ de* ohne Rücksicht auf.
méprisable [meprizablə] verächtlich.
mépris|e [mepriz] *f* Versehen *n*; **~er** (1a) verachten; mißachten.
mer [mɛr] *f* Meer *n* (*a fig*), See *f*; *en ~* auf See; *par ~* zur See; auf dem Seeweg; *prendre la ~* in See stechen; ⚠ *la ~*; ⚠ *nicht verwechseln mit la mère, le maire*.
mercanti [mɛrkɑ̃ti] *m péj* Schieber *m*, Geschäftemacher *m*.
mercenaire [mɛrsənɛr] *m* Söldner *m*.
mercerie [mɛrsəri] *f* Kurzwaren (-handel) *f/pl* (*m*).
merci [mɛrsi] **1.** danke; *~ beaucoup, ~ bien* vielen, schönen Dank; *Dieu ~!* Gott sei Dank!; *~ de od pour ...* danke für ...; **2.** *f demander ~* um Gnade flehen; *être à la ~ de qn, qc* j-m, e-r Sache ausgeliefert sein; *sans ~* erbarmungslos, ohne Gnade.
mercredi [mɛrkrədi] *m* Mittwoch *m*.
mercure [mɛrkyr] *m chim* Quecksilber *n*.
merde [mɛrd] *f* P Scheiße *f*.
mère [mɛr] *f* Mutter *f*; *~ célibataire* unverheiratete Mutter; *~ porteuse* Leihmutter *f*; *maison f ~ comm* Stammhaus *n*.
mérid|ien, ~ienne [meridjɛ̃, -jɛn] *astr* **1.** *adj* Mittags...; **2.** *m* Meridian *m*.
méridional, ~e [meridjɔnal] (⚠ *m/pl -aux*) südlich; südfranzösisch.
meringue [mərɛ̃g] *f cuis* Baiser *n*.
mérit|e [merit] *m* Verdienst *n*; **~er** (1a) verdienen, wert sein; bedürfen.
merle [mɛrl] *m zo* Amsel *f*; ⚠ *le ~*.
merveill|e [mɛrvɛj] *f* Wunder *n*; *à ~* vortrefflich; **~eux, ~euse** [-ø, -øz] wunderbar.
mes [me] *cf mon*.
mésalliance [mezaljɑ̃s] *f* nicht standesgemäße Heirat *f*.
mésange [mezɑ̃ʒ] *f zo* Meise *f*.
mésaventure [mezavɑ̃tyr] *f* Mißgeschick *n*.
mes|dames [medam] *pl von madame*; **~demoiselles** [medmwazɛl] *pl von mademoiselle*.
mésentente [mezɑ̃tɑ̃t] *f* Uneinigkeit *f*, Zerwürfnis *n*.
mésestimer [mezɛstime] *st/s* (1a) mißachten, geringschätzen.

mesqu|in, ~ine [mɛskɛ̃, -in] kleinlich; schäbig; knaus(e)rig.
mess [mɛs] *m* Offizierskasino *n*; ⚠ *le ~.*
messag|e [mɛsaʒ] *m* Botschaft *f*; Meldung *f*, Nachricht *f*, Durchsage *f*; **~er, ~ère** *m, f* Bote *m*, Botin *f*; **~eries** *f/pl* Güterschnellverkehr *m*; Vertriebsgesellschaft *f*.
messe [mɛs] *f égl* Messe *f*.
Messie [mesi] *m rel* Messias *m*.
messieurs [mesjø] *pl von monsieur.*
mesurable [məzyrablə] meßbar.
mesure [m(ə)zyr] *f* Messung *f*; Maß *n*; Maßstab *m* (*a fig*); Maßnahme *f*; *mus* Takt(maß) *m*(*n*); *à la ~ de* entsprechend; *à ~ que od dans la ~ où* in dem Maße, wie; *dans une large ~* in hohem Maße; *être en ~ de* (+ *inf*) in der Lage sein zu (+ *inf*); *outre ~* maßlos; *sur ~* nach Maß; *en ~* im Takt.
mesurer [m(ə)zyre] (1a) (ab-, aus-, ver-, er)messen; *fig* abwägen.
métal [metal] *m* (⚠ *pl -aux*) Metall *n*; ⚠ *Schreibung.*
métallique [metalik] metallisch, Metall...
métallurg|ie [metalyrʒi] *f* Hüttenwesen *n*; Metallindustrie *f*; **~iste** *m* Metallarbeiter *m*.
métaphore [metafɔr] *f* Metapher *f*, bildlicher Ausdruck *m*.
météo [meteo] *f abr cf météorologie.*
météorologie [meteɔrɔlɔʒi] *f* Wetterkunde *f*; Wetterdienst *m*.
méthod|e [metɔd] *f* Methode *f*; Lehrbuch *n*; **~ique** methodisch.
méticul|eux, ~euse [metikylø, -øz] gewissenhaft, peinlich genau.
métier [metje] *m* **1.** Beruf *m*; Gewerbe *n*; Handwerk *n*; Berufserfahrung *f*; **2.** Webstuhl *m*.
mét|is, ~isse [metis] **1.** *adj* Mischlings...; **2.** *m, f* Mischling *m*; **~issage** [-isaʒ] *m* Rassenmischung *f*.
métrage [metraʒ] *m* Länge *f* (*Film*); *court ~* Kurzfilm *m*; *long ~* abendfüllender Film.
mètre [mɛtrə] *m* Meter *n od m*; Maßstab *m*; Metermaß *n*.
métro [metro] *m* U-Bahn *f*; ⚠ *le ~.*
métropol|e [metrɔpɔl] *f* **1.** Metropole *f*, Zentrum *n*; **2.** Mutterland *n*; **~itain, ~itaine** [-itɛ̃, -itɛn] **1.** *adj* des Mutterlandes; **2.** *m* Untergrundbahn *f*.
mets [mɛ] *m* Gericht *n*, Speise *f*.
metteur [mɛtœr] *m ~ en scène* Regisseur *m*.
mettre [mɛtrə] (4p) stellen, setzen, legen; bringen; hineintun; *Kleider*: anziehen; *Krawatte*: umbinden; *Hut*: aufsetzen; *Geld*: anlegen, (ein-) setzen; *Heizung etc*: anstellen; *~ deux heures à (faire) qc* zwei Stunden brauchen zu etw; *~ au net* ins reine schreiben; *~ en bouteilles* in Flaschen füllen; *~ sous clé* einschließen; *mettons que* (+ *subj*) angenommen, daß ...; *se ~* sich setzen; *se ~ à l'aise* es sich bequem machen; *se ~ à qc* sich an etw machen; *se ~ à faire qc* anfangen, etw zu tun.
meubl|e [mœblə] **1.** *adj* beweglich (*jur*); locker (*Boden*); **2.** *m* Möbelstück *n*; **~s** *pl* Möbel *n/pl*; **~er** (1a) möblieren; ausstatten; *fig Freizeit*: ausfüllen.
meugler [møgle] (1a) muhen.
meul|e [møl] *f* Mühl-, Schleifstein *m*; Käselaib *m*; *agr* Schober *m*; **~er** (1a) schleifen.
meun|ier, ~ière [mønje, -jɛr] **1.** *m, f* Müller(in) *m*(*f*); **2.** *f cuis* (*à la*) *~* nach Müllerinart.
meurs [mœr] *présent von mourir.*
meurtr|e [mœrtrə] *m* Mord *m*; *jur* Totschlag *m*; **~ier, ~ière** [-ije, -ijɛr] **1.** *adj* mörderisch; **2.** *m, f* Mörder(in) *m*(*f*); *f* Schießscharte *f*.
meurtr|ir [mœrtrir] (2a) (zer)quetschen; *fig* verwunden; **~issure** [-isyr] *f* Striemen *m*; blauer Fleck *m*; Druckstelle *f* (*Obst*).
Meuse [møz] *la ~* die Maas.
meute [møt] *f* Meute *f* (*a fig*).
Mexique [mɛksik] *le ~* Mexiko *n* (*Staat*); ⚠ *Stadt Mexico.*
mi [mi] *m mus* e *od* E *n*.
mi-... [mi] halb; *à mi-chemin* auf halbem Wege; (*à la*) *mi-janvier* Mitte Januar.
miauler [mjole] (1a) miauen.
miche [miʃ] *f* Laib *m* (*Brot*).
micheline [miʃlin] *f* Schienenbus *m*, Triebwagen *m*.
mi-|clos, ~close [miklo, -kloz] halbgeschlossen.
micro [mikro] *m* Mikrophon *n*; *au od devant le ~* am, vor dem Mikrophon.
microbe [mikrɔb] *m* Mikrobe *f*, Bakterie *f*; ⚠ *le ~.*
micro-ordinateur [mikrɔɔrdinatœr] *m* (⚠ *pl micro-ordinateurs*) Mikrocomputer *m*.

M

microscope [mikrɔskɔp] *m* Mikroskop *n*.
microsillon [mikrɔsijõ] *m* Langspielplatte *f*; Single *f*.
midi [midi] *m* **1.** Mittag *m*, zwölf Uhr; ~ *et demi* halb eins; **2.** Süden *m*; *le* ♀ Südfrankreich *n*.
mie [mi] *f Brot*: Krume *f*, das weiche Innere.
miel [mjɛl] *m* Honig *m*.
mien, mienne [mjɛ̃, mjɛn] *le mien, la mienne* der, die, das mein(ig)e; meine(r, -s).
miette [mjɛt] *f* Krümel *m*, Krümchen *n*.
mieux [mjø] **1.** *adv* (*Komparativ von bien*) besser; mehr; *le* ~ am besten; am meisten; *le* ~ *possible* so gut wie *od* als möglich; *à qui* ~ ~ um die Wette; *de* ~ *en* ~ immer besser; *tant* ~ um so besser; *aimer* ~ lieber mögen, vorziehen; *aimer* ~ *faire qc* etw lieber tun; *valoir* ~ besser sein; *faire* ~ *de* (+ *inf*) besser daran tun, zu (+ *inf*); **2.** *m* Bessere(s) *n*, Beste(s) *n*; *Befinden*: Besserung *f*; *au* ~ *od pour le* ~ aufs beste; sehr gut.
mièvre [mjɛvrə] fade; gekünstelt, geziert.
mign|ard, ~arde [miɲar, -ard] *st/s* affektiert, geziert.
mign|on, ~onne [miɲõ, -ɔn] **1.** *adj* allerliebst, niedlich; F lieb, nett; **2.** *m, f* Liebling *m*.
migraine [migrɛn] *f* Migräne *f*, Kopfschmerzen *m/pl*.
migration [migrasjõ] *f* Wanderung *f*.
mi-jambe [miʒɑ̃b] *à* ~ bis an die Waden.
mijoter [miʒɔte] (1a) *cuis* bei schwacher Hitze kochen, schmoren; *fig Plan*: aushecken.
mil [mil] **1.** *Kurzform von mille* tausend; **2.** *m bot* Hirse *f*.
milan[1] [milɑ̃] *m zo* Milan *m*.
Milan[2] [milɑ̃] Mailand.
milice [milis] *f* Miliz *f*.
milieu [miljø] *m* (⚠ *pl* ~*x*) Mitte *f*; Umgebung *f*, Umwelt *f*, Milieu *n*; *au* ~ *de, en plein* ~ *de* mitten in; *le juste* ~ der goldene Mittelweg; *le* ~ die Unterwelt; ~*x pl diplomatiques, etc* diplomatische *etc* Kreise *m/pl*.
milit|aire [militɛr] **1.** *adj* militärisch, Militär..., Kriegs..., Wehr...; **2.** *m* Soldat *m*; **~ant, ~ante** [-ɑ̃, -ɑ̃t] kämpfend, politisch aktiv; **~ariser** [-arize] (1a) militarisieren; **~er** (1a) politisch aktiv sein; *fig* ~ *pour, contre* für, gegen ... sprechen.
mille [mil] **1.** tausend; ⚠ *niemals mit Plural -s*; **2.** *m* Meile *f*.
millénaire [milenɛr] **1.** *adj* tausendjährig; **2.** *m* Jahrtausend *n*.
mille-pattes [milpat] *m* (⚠ *pl unv*) *zo* Tausendfüßler *m*.
millésime [milezim] *m* Jahreszahl *f*; Jahrgang *m*.
millet [mijɛ] *m bot* Hirse *f*.
milliard [miljar] *m* Milliarde *f*; ⚠ *le* ~.
millième [miljɛm] **1.** tausendste(r, -s); **2.** *m* Tausendstel *n*.
millier [milje] *m* Tausend *n*.
milli|on [miljõ] *m* Million *f*; ⚠ *le* ~; **~onnaire** [-ɔnɛr] *m, f* Millionär(in) *m(f)*; ⚠ *Schreibung*.
mim|e [mim] *m* Pantomime *m*; **~er** (1a) nachahmen; **~ique** *f* Mimik *f*.
mimosa [mimoza] *m bot* Mimose *f*; ⚠ *le* ~.
minable [minablə] kümmerlich, ärmlich, schäbig.
minauder [minode] (1a) sich zieren.
mince [mɛ̃s] dünn; schmal; schlank; *fig* unbedeutend, gering; F ~ (*alors*)! Donnerwetter! (*Staunen*).
mine[1] [min] *f* Miene *f*; Aussehen *n*; *faire* ~ *de* (+ *inf*) so tun, als ob; *avoir bonne* (*mauvaise*) ~ gut (schlecht) aussehen; ⚠ *Schreibung*.
min|e[2] [min] *f* Bergwerk *n*, Zeche *f*; Mine *f* (*a Bleistift, mil*); **~er** (1a) unterminieren; untergraben, zerrütten; *mil* verminen.
minerai [minrɛ] *m* Erz *n*.
minéral, ~e [mineral] (⚠ *m/pl -aux*) **1.** *adj* mineralisch; *eau f minérale* Mineralwasser *n*; *chimie f minérale* anorganische Chemie; **2.** *m* Mineral *n*; **~ogique** [-ɔʒik] *auto plaque f* ~ Nummernschild *n*.
min|et, ~ette [minɛ, -ɛt] *m, f* F Kätzchen *n*, Mieze *f*; *fig* Schätzchen *n*, Herzchen *n*; Modenarr *m*, -puppe *f*.
mineur[1], **~e** [minœr] *adj u subst* **1.** zweitrangig, unbedeutend; **2.** *mus* Moll; **3.** *jur* minderjährig; *m, f* Minderjährige(r) *m, f*.
mineur[2] [minœr] *m* Bergmann *m*.
minibus [minibys] *m* Kleinbus *m*.
mini|er, ~ère [minje, -jɛr] Bergwerks..., Gruben...
mini-jupe [miniʒyp] *f* (⚠ *pl mini-jupes*) Minirock *m*.

minim|e [minim] sehr klein; **~iser** (1a) bagatellisieren.
minimum [minimɔm] **1.** *adj* (⚠ *f/sg sowie m/pl u f/pl a minima*) Mindest...; **2.** *m* Minimum *n*; *au ~* wenigstens.
ministère [ministɛr] *m* Ministerium *n*; Ministeramt *n*; Regierung *f*, Kabinett *n*; *rel* Priesteramt *n*.
ministre [ministrə] *m* Minister *m*; Gesandte(r) *m*.
minitel [minitɛl] *m* Btx-Gerät *n*.
minium [minjɔm] *m* Mennige *f*.
minorité [minɔrite] *f jur* Minderjährigkeit *f*; *pol* Minderheit *f*.
minoterie [minɔtri] *f* Mühlenbetrieb *m*, -industrie *f*.
minuit [minɥi] *m* Mitternacht *f*, zwölf Uhr nachts; ⚠ *minuit ist Maskulinum, aber la nuit*.
minuscule [minyskyl] **1.** *adj* klein (-geschrieben); *fig* winzig; **2.** *f* Kleinbuchstabe *m*.
minute [minyt] *f* **1.** Minute *f*; *fig* Moment *m*; *à la ~* auf die Minute; **2.** Urschrift *f*, Original *n*.
minuterie [minytri] *f* Schaltuhr *f*.
minu|tie [minysi] *f* peinliche Genauigkeit *f*; ⚠ *Aussprache*; **~tieux, ~tieuse** [-sjø, -sjøz] peinlich genau.
mioche [mjɔʃ] *m* F Knirps *m*.
miracle [miraklə] *m* Wunder *n*; *~ économique* Wirtschaftswunder *n*.
miracul|eux, ~euse [mirakylø, -øz] wunderbar; wundertätig; *fig* erstaunlich.
mir|ador [miradɔr] *m* Wachturm *m*; **~age** *m* Luftspiegelung *f*, Fata Morgana *f*; *fig* Trugbild *n*.
mire [mir] *f* Visier *n*; Meßlatte *f*; *TV* Testbild *n*; *point m de ~* Zielpunkt *m*; *fig* Zielscheibe *f*.
miroir [mirwar] *m* Spiegel *m*.
miroiter [mirwate] (1a) spiegeln, glänzen.
mis [mi] *p/s von mettre*.
mis, mise [mi, miz] (*p/p von mettre u adj*) *Tisch*: gedeckt; *bien ~* gut angezogen.
misanthrope [mizɑ̃trɔp] *m* Menschenfeind *m*.
mise [miz] *f* Kleidung *f*; *Spiel*: Einsatz *m*; *~ en marche (route, service)* Inbetriebnahme *f*; *~ en scène* Inszenierung *f*; *~ en vente* Verkauf *m*; *de ~* angebracht, passend.
miser [mize] (1a) *Spiel u fig* setzen (*sur* auf).
misérable [mizerablə] ärmlich, kümmerlich; erbärmlich; beklagenswert.
misère [mizɛr] *f* Elend *n*.
miséricorde [mizerikɔrd] *f* Barmherzigkeit *f*.
misogyne [mizɔʒin] **1.** *adj* frauenfeindlich; **2.** *m* Weiberfeind *m*.
missel [misɛl] *m rel* Meßbuch *n*.
missile [misil] *m mil* Rakete *f*, Flugkörper *m*.
miss|ion [misjõ] *f* Auftrag *m*, Aufgabe *f*; Sendung *f*; *pol* Delegation *f*; Mission *f* (*a rel*); **~ionnaire** [-jɔnɛr] *m* Missionar *m*; ⚠ *Schreibung*.
missive [misiv] *f oft iron* Brief *m*.
mistral [mistral] *m* kalter Nordwind *m* (*in der Provence*).
mite [mit] *f zo* Motte *f*; Milbe *f*.
mi-temps [mitɑ̃] *f* (⚠ *pl unv*) Halbzeit *f*; *à ~* halbtags (*arbeiten*); ⚠ *la ~, aber le temps*.
mit|eux, ~euse [mitø, -øz] armselig, schäbig.
mitigé, ~e [mitiʒe] abgeschwächt.
mitonner [mitɔne] (1a) langsam kochen; *fig* sorgfältig vorbereiten.
mitraill|e [mitraj] *f mil* Beschuß *m*; **~er** (1a) *mil* beschießen; *fig* bombardieren; von allen Seiten fotografieren; **~ette** [-ɛt] *f* Maschinenpistole *f*; **~eur** *m* Maschinengewehrschütze *m*; *fusil m ~* leichtes Maschinengewehr *n*; **~euse** *f* Maschinengewehr *n*.
mitre [mitrə] *f rel* Mitra *f*.
mi-voix [mivwa] *à ~* halblaut.
mix|age [miksaʒ] *m* (Ton-)Mischung *f*; **~er** [-ɛr] *od* **~eur** [-œr] *m cuis* Mixer *m*.
mixte [mikst] gemischt.
mixture [mikstyr] *f péj* Gebräu *n*, Gemisch *n*.
mobil|e [mɔbil] **1.** *adj* beweglich; **2.** *m* Motiv *n*; Triebfeder *f*; *Kunst*: Mobile *n*; **~ier, ~ière** [-je, -jɛr] **1.** *adj jur* beweglich; **2.** *m* Mobiliar *n*; **~isation** [-izasjõ] *f mil* Mobilmachung *f*; *fig* Mobilisierung *f*; **~iser** (1a) *mil* mobil machen; *fig* mobilisieren; **~ité** *f* Beweglichkeit *f*.
mobylette [mɔbilɛt] *f* Moped *n*.
moche [mɔʃ] F häßlich; mies.
modalité [mɔdalite] *f* Art und Weise *f*, Modalität *f*.
mode[1] [mɔd] *m* Art *f*, Weise *f*; *mus* Tonart *f*; *gr* Modus *m*; *~ d'emploi* Gebrauchsanweisung *f*, Bedienungsanleitung *f*.

M

mode[2] [mɔd] *f* Mode *f*; *à la ~* modisch.
modèle [mɔdɛl] *m* Muster *n*, Vorbild *n*; Modell *n*.
model|é [mɔdle] *m* Modellierung *f*; Relief *n*; **~er** (1d) modellieren; ⚠ *Schreibung*.
modér|ation [mɔderasjõ] *f* Mäßigung *f*; **~é, ~ée** mäßig; gemäßigt; ⚠ *adv modérément*; **~er** (1f) (*se ~* sich) mäßigen.
modern|e [mɔdɛrn] modern; **~iser** (1a) modernisieren.
modest|e [mɔdɛst] bescheiden; **~ie** [-i] *f* Bescheidenheit *f*.
modicité [mɔdisite] *f Einkommen etc*: bescheidene, geringe Höhe *f*.
modification [mɔdifikasjõ] *f* (Ab-, Ver-)Änderung *f*, Modifizierung *f*.
modifier [mɔdifje] (1a) (ab-, ver)ändern, modifizieren.
modique [mɔdik] *Einkommen etc*: bescheiden, niedrig, gering.
modiste [mɔdist] *f* Putzmacherin *f*, Modistin *f*.
modulation [mɔdylasjõ] *f* Modulation *f*; *~ de fréquence* Ultrakurzwelle *f*.
modul|e [mɔdyl] *m tech* Modul *m od n*; *Raumfahrt ~ lunaire* Mondfähre *f*; **~er** (1a) modulieren.
moell|e [mwal] *f* (Knochen-)Mark *n*; ⚠ *Aussprache*; **~eux, ~euse** [-ø, -øz] weich.
mœurs [mœr(s)] *f/pl* Sitten *f/pl*; Bräuche *m/pl*.
moi [mwa] ich; mich; mir.
moignon [mwaɲõ] *m* Stumpf *m*.
moindre [mwɛ̃drə] minder, geringer; *le, la ~* der, die, das geringste.
moine [mwan] *m* Mönch *m*.
moineau [mwano] *m* (⚠ *pl ~x*) *zo* Sperling *m*, Spatz *m*.
moins [mwɛ̃] *adv* weniger; *math* minus; *le ~* das wenigste, mindeste; *au od du ~* wenigstens, mindestens; *à ~* für weniger; *à ~ de* (+ *inf*), *à ~ que ... ne* (+ *subj*) wofern nicht, außer wenn ...; *ne ... pas ~* dennoch, trotzdem; *de ~ en ~* immer weniger.
mois [mwa] *m* Monat *m*; Monatslohn *m*; *par ~* monatlich.
Moïse [mɔiz] Moses.
mois|i, ~ie [mwazi] **1.** *adj* schimm(e)lig; **2.** *m bot* Schimmel *m*; **~ir** (2a) verschimmeln (lassen); **~issure** [-isyr] *f bot* Schimmel *m*; Verschimmeln *n*.
moisson [mwasõ] *f* (Getreide-)Ernte *f*.
moissonn|er [mwasɔne] (1a) ernten; **~eur, ~euse** *m, f* Erntearbeiter(in) *m(f)*; **~euse** *f* Mähmaschine *f*; **~euse-batteuse** [-øzbatøz] *f* (⚠ *pl moissonneuses-batteuses*) Mähdrescher *m*.
moite [mwat] feucht.
moitié [mwatje] *f* Hälfte *f*; *à ~* zur Hälfte, halb; *~ ... ~ ...* halb ... halb ...; *à ~ chemin* auf halbem Wege; *à ~ prix* zum halben Preis.
mol [mɔl] *cf mou*.
molaire [mɔlɛr] *f* Backenzahn *m*.
môle [mol] *m* Hafendamm *m*, Mole *f*; ⚠ *le ~*.
molécule [mɔlekyl] *f* Molekül *n*; ⚠ *la ~*.
molester [mɔlɛste] (1a) mißhandeln.
mollasse [mɔlas] *péj* wabbelig; schlapp.
moll|ement [mɔlmɑ̃] *adv* lässig, träge; **~esse** [-ɛs] *f* Weichheit *f*; Schlaffheit *f*, Laschheit *f*; **~et**[1]**, ~ette** [-ɛ, -ɛt] weich, zart; *œuf m mollet* weiches Ei *n*.
mollet[2] [mɔlɛ] *m* Wade *f*.
mollir [mɔlir] (2a) weich werden; abflauen; nachlassen.
môme [mom] *m, f* F Kind *n*.
moment [mɔmɑ̃] *m* Augenblick *m*, Moment *m*; *à ce ~* in diesem Augenblick; *en ce ~* zur Zeit, jetzt; *dans un ~* gleich; *du ~* momentan; *d'un ~ à l'autre* sogleich; *en un ~* im Nu; *par ~s* gelegentlich; *pour le ~* einstweilen; *du ~ que od où* da ja.
momentané, ~e [mɔmɑ̃tane] augenblicklich; ⚠ *adv momentanément*.
momie [mɔmi] *f* Mumie *f*.
mon *m*, **ma** *f*, **mes** *pl* [mõ, ma, me] mein(e) *m, n* (*f; pl*); ⚠ *mon a im sg f, wenn das folgende Wort mit Vokal od stummem h beginnt*: *mon idée*.
monarchie [mɔnarʃi] *f* Monarchie *f*.
monarque [mɔnark] *m* Monarch *m*.
monastère [mɔnastɛr] *m* Kloster *n*.
monceau [mõso] *m* (⚠ *pl ~x*) Haufen *m*.
mond|ain, ~aine [mõdɛ̃, -ɛn] Gesellschafts...; mondän; *rel* weltlich.
monde [mõd] *m* Welt *f*; Menschen *m/pl*, Leute *pl*; *tout le ~* jedermann; *dans le ~ entier* auf der ganzen Welt; *le beau ~* die vornehme Gesellschaft; *connaître son ~* F seine Pappenheimer kennen.
mondial, ~e [mõdjal] (⚠ *m/pl -aux*) Welt...; **~ement** [-mɑ̃] *adv* weltweit.

monégasque [mɔnegask] monegassisch.
monétaire [mɔnetɛr] Münz..., Währungs..., Geld...
moni|teur, ~trice [mɔnitœr, -tris] *m, f* Fahr-, Flug-, Ski-, Sportlehrer(in) *m(f)*; Betreuer(in) *m(f)*; *m tech* Monitor *m*.
monn|aie [mɔnɛ] *f* Münze *f*, Geldstück *n*; Klein-, Wechselgeld *n*; Währung *f*; **~ayer** [-ɛje] (1i) prägen; zu Geld machen.
monocle [mɔnɔklə] *m* Monokel *n*.
monolithique [mɔnɔlitik] monolithisch, in sich geschlossen.
monologue [mɔnɔlɔg] *m* Selbstgespräch *n*, Monolog *m*.
mono|place [mɔnɔplas] **1.** *adj* einsitzig; **2.** *m aviat* Einsitzer *m*; **~plan** [-plɑ̃] *m aviat* Eindecker *m*; **~pole** [-pɔl] *m* Monopol *n*; *fig* Vorrecht *n*; **~syllabe** [-silab] *adj* (*u subst m*) einsilbig(es Wort *n*).
monoton|e [mɔnɔtɔn] monoton, eintönig; **~ie** [-i] *f* Eintönigkeit *f*.
monseigneur [mõsɛɲœr] *m* Seine Exzellenz.
monsieur [məsjø] *m* (*abr M.*), (⚠ *pl messieurs* [mesjø], *abr MM.*) (mein) Herr *m*; *im Brief* sehr geehrter Herr ...
monstr|e [mõstrə] **1.** *m* Monstrum *n*, Ungeheuer *n*; Scheusal *n*; **2.** *adj* Riesen...; **~ueux, ~ueuse** [-yø, -yøz] riesig, ungeheuer; entsetzlich, scheußlich; **~uosité** [-yosite] *f* Mißbildung *f*; Entsetzlichkeit *f*, Ungeheuerlichkeit *f*.
mont [mõ] *m* Berg *m* (*fast nur noch in Eigennamen*); *par ~s et par vaux* über Berg und Tal.
montage [mõtaʒ] *m* Montieren *n*, Aufstellen *n*; Einbau *m*; Montage *f*; Schaltung *f*; ⚠ *le ~*.
montagn|ard, ~arde [mõtaɲar, -ard] **1.** *adj* Gebirgs...; **2.** *m, f* Bergbewohner(in) *m(f)*.
montagn|e [mõtaɲ] *f* Berg *m*, Gebirge *n*; *à la ~* ins, im Gebirge; *~s pl russes* Berg- und Talbahn *f*; **~eux, ~euse** [-ø, -øz] gebirgig, bergig.
mont|ant, ~ante [mõtɑ̃, -ɑ̃t] **1.** *adj* an-, aufsteigend; *Kleid*: hochgeschlossen; **2.** *m* Betrag *m*; Pfosten *m*, Säule *f*.
mont-de-piété [mõdpjete] *m* (⚠ *pl monts-de-piété*) Leihamt *n*, Pfandhaus *n*.
monte-charge [mõtʃarʒ] *m* (⚠ *pl unv*) Lastenaufzug *m*.
montée [mõte] *f* Steigen *n*; Steigung *f*; Anstieg *m* (*a fig*); Auffahrt *f*.
mont|er [mõte] (1a) **1.** (*mit avoir*) hinaufsteigen, besteigen (*e-n Berg etc*); hinaufschaffen, -bringen; reiten; *Maschine*: montieren, aufstellen; einbauen; *Theaterstück*: herausbringen; **2.** (*mit être, wenn Subjekt Person*) steigen; hinauf-, hochsteigen, -kommen, -fahren; an-, auf-, einsteigen; **3.** *se ~ à* sich belaufen auf; **~eur, ~euse 1.** *m* Monteur *m*; **2.** *m, f* Cutter(in) *m(f)*.
monticule [mõtikyl] *m* Anhöhe *f*, Hügel *m*.
montre [mõtrə] *f* **1.** (Armband-, Taschen-)Uhr *f*; **2.** *faire ~ de qc* etw beweisen, zeigen.
montre-bracelet [mõtrəbraslɛ] *f* (⚠ *pl montres-bracelets*) Armbanduhr *f*.
montrer [mõtre] (1a) zeigen; *~ qn, qc du doigt* auf j-n, etw mit dem Finger zeigen; *se ~* sich sehen lassen; sich zeigen.
monture [mõtyr] *f* Reittier *n*; Gestell *n*; Fassung *f*.
monument [mɔnymɑ̃] *m* Denkmal *n*; (bedeutendes) Bauwerk *n*.
moqu|er [mɔke] (1m) *se ~ de* sich lustig machen über; sich nicht kümmern um; **~erie** *f* Spott *m*.
moquette [mɔkɛt] *f* Teppichboden *m*.
moqu|eur, ~euse [mɔkœr, -øz] **1.** *adj* spöttisch; **2.** *m, f* Spötter(in) *m(f)*.
moraine [mɔrɛn] *f géol* Moräne *f*.
moral, ~e [mɔral] **1.** *adj* (⚠ *m/pl -aux*) sittlich, moralisch; geistig, seelisch; *jur personne f morale* juristische Person *f*; **2.** *m* innerer Halt *m*, Verfassung *f*, Moral *f*; ⚠ *le ~*.
moral|e [mɔral] *f* Sittenlehre *f*, Moral *f* (*a e-r Geschichte*), Ethik *f*; *faire la ~ à qn* j-m e-e Strafpredigt halten; **~ité** *f* Sittlichkeit *f*, Moral *f* (*a e-r Geschichte*).
moratoire [mɔratwar] *m comm* Moratorium *n*.
morbide [mɔrbid] krankhaft.
morceau [mɔrso] *m* (⚠ *pl ~x*) Stück *n* (*a mus*); *Buch*: Text *m*, Abschnitt *m*.
morc|eler [mɔrsəle] (1c) zerstückeln; **~ellement** [-ɛlmɑ̃] *m* Zerstückelung *f*.
mord|ant, ~ante [mɔrdɑ̃, -ɑ̃t] **1.** *adj*

M

scharf, schneidend, bissig; **2.** *m* Schärfe *f*, Bissigkeit *f*.
mordicus [mɔrdikys] *adv* F hartnäckig, steif und fest.
mordiller [mɔrdije] (1a) knabbern.
mordoré, ~e [mɔrdɔre] goldbraun.
mordre [mɔrdrə] (4a) beißen; *Insekt*: stechen; *Fisch*: anbeißen; *tech* ätzen; an-, eingreifen; *fig* ~ *à* Geschmack finden an.
morfond|re [mɔrfõdrə] (4a) *se* ~ sich zu Tode langweilen; **~u, ~ue** [-y] traurig, bedrückt.
morgue [mɔrg] *f* **1.** Dünkel *m*; **2.** Leichenschauhaus *n*.
morib|ond, ~onde [mɔribõ, -õd] sterbend.
moric|aud, ~aude [mɔriko, -od] F *péj* dunkelhäutig.
morille [mɔrij] *f bot* Morchel *f*.
morne [mɔrn] trüb(sinnig), düster.
moros|e [mɔroz] mürrisch, verdrossen; **~ité** *f* Mißmut *m*, Verdrießlichkeit *f*.
morphine [mɔrfin] *f* Morphium *n*.
morpion [mɔrpjõ] *m* F Filzlaus *f*; P *fig* Lausbub *m*.
mors [mɔr] *m am Zaum*: Gebiß *n*; *prendre le ~ aux dents Pferd*: durchgehen; *fig* sich ereifern.
morse [mɔrs] *m zo* Walroß *n*.
morsure [mɔrsyr] *f* Bißwunde *f*; Stich *m*.
mort[1] [mɔr] *f* Tod *m*; *fig* Ruin *m*; *à* ~ tödlich.
mort[2], **morte** [mɔr, mɔrt] **1.** *adj* tot; abgestorben; *Wasser*: stehend; *Blatt*: dürr, welk; *ivre* ~ stockbesoffen; *nature f morte* Stilleben *n*; **2.** *m*, *f* Tote(r) *m*, *f*.
mortalité [mɔrtalite] *f* Sterblichkeit *f*.
mortel, ~le [mɔrtɛl] sterblich; tödlich, Tod...
morte-saison [mɔrtəsɛzõ] *f* (⚠ *pl mortes-saisons*) stille Zeit *f*, F Sauregurkenzeit *f*.
mortier [mɔrtje] *m mil* Mörser *m*; *tech* Mörtel *m*.
mortifier [mɔrtifje] (1a) *rel* kasteien; *fig* demütigen, schwer kränken.
mort-né, ~e [mɔrne] (⚠ *pl mort-né[e]s*) totgeboren.
mortuaire [mɔrtɥɛr] Sterbe..., Toten...
morue [mɔry] *f zo* Kabeljau *m*; Dorsch *m*.
morve [mɔrv] *f* Nasenschleim *m*, F Rotz *m*.
mosaïque [mɔzaik] *f* Mosaik *n*; ⚠ *la* ~.
Moscou [mɔsku] Moskau.
mosquée [mɔske] *f* Moschee *f*.
mot [mo] *m* Wort *n*; Vokabel *f*; Ausspruch *m*; *bon* ~ geistreiche Bemerkung *f*; ~ *clé* Schlüsselwort *n*; *~s croisés pl* Kreuzworträtsel *n*; *gros* ~ Schimpfwort *n*; ~ *à* ~, ~ *pour* ~ wörtlich; *à ~s couverts* durch die Blume; *au bas* ~ mindestens; *sans* ~ *dire* wortlos; *en un* ~ mit einem Wort, kurz.
motard [mɔtar] *m* Motorradfahrer *m* (der Polizei).
motel [mɔtɛl] *m* Motel *n*.
mo|teur, ~trice [mɔtœr, -tris] **1.** *adj* Bewegungs...; Antriebs...; **2.** *m tech u fig* Motor *m*; ~ *à deux temps* Zweitaktmotor *m*.
motif [mɔtif] *m* Motiv *n* (*a mus u Malerei*), Beweggrund *m*.
motion [mosjõ] *f pol* Antrag *m*; ~ *de censure* Mißtrauensantrag *m*.
motiver [mɔtive] (1a) motivieren, begründen.
moto [mɔto] *f* (*Kurzform*) Motorrad *n*; *faire de la* ~ Motorrad fahren; **~cyclette** [-siklɛt] *f cf moto*; **~cycliste** [-siklist] *m*, *f* Motorradfahrer(in) *m*(*f*); **~planeur** [-planœr] *m* Motorsegler *m*.
motoriser [mɔtɔrize] (1a) motorisieren; F *être motorisé* motorisiert sein.
motte [mɔt] *f* Erdscholle *f*; Klumpen *m*.
mou, molle [mu, mɔl] **1.** *adj* (⚠ *m vor Vokal mol*; *m/pl mous*) weich; schwach; matt, schlaff; träge, lässig; **2.** *m cuis* Lunge *f*.
mouch|ard, ~arde [muʃar, -ard] *m*, *f* F (Polizei-)Spitzel *m*; *Schule*: Petze *f*; **~arder** [-arde] (1a) F bespitzeln, ausspionieren; petzen.
mouche [muʃ] *f* Fliege *f*; *bateau m* ~ Ausflugsdampfer *m* (auf der Seine); *faire* ~ ins Schwarze treffen (*a fig*).
moucher [muʃe] (1a) *se* ~ sich die Nase putzen.
moucheron [muʃrõ] *m zo* (kleine) Mücke *f*.
moucheter [muʃte] (1c) sprenkeln, tüpfeln.
mouchoir [muʃwar] *m* Taschentuch *n*.
moudre [mudrə] (4y) mahlen.
moue [mu] *f* schiefes Gesicht *n*; *faire la* ~ schmollen.

M

mouette [mwɛt] *f zo* Möwe *f*.
moufle [muflə] *f* Fausthandschuh *m*; *tech* Flaschenzug *m*.
mouill|é, ~ée [muje] naß, feucht; **~er** (1a) naß machen, anfeuchten; verdünnen; *mar* ~ *(l'ancre)* Anker werfen.
moulage [mulaʒ] *m* (Ab-)Formen *n*; Abguß *m*.
moul|e [mul] **1.** *m* (Gieß-)Form *f*; Back-, Kuchenform *f*; **2.** *f zo* Miesmuschel *f*; **~er** (1a) (ab)formen; gießen; *fig* ~ *sur qc* nach etw bilden.
moul|in [mulɛ̃] *m* Mühle *f*; ~ *à vent*, *à café* Wind-, Kaffeemühle *f*; **~inet** [-inɛ] *m tech* Rolle *f*.
moul|u, ~ue [muly] *p/p von moudre u adj* gemahlen; *fig* wie zerschlagen; **~ure** [-yr] *f* Profilleiste *f*.
mour|ant, ~ante [murɑ̃, -ɑ̃t] sterbend.
mourir [murir] (2k) sterben (*de* an); *litt se* ~ im Sterben liegen.
mourrai [mure] *futur von mourir*.
mourus [mury] *p/s von mourir*.
mousquetaire [muskətɛr] *m hist* Musketier *m*.
mousse [mus] **1.** *m* Schiffsjunge *m*; **2.** *f bot* Moos *n*; **3.** *f* Schaum *m*; *cuis* Cremespeise *f*.
mouss|er [muse] (1a) schäumen; **~eux, ~euse** [-ø, -øz] **1.** *adj* schäumend; **2.** *m* Schaumwein *m*.
mousson [musõ] *f* Monsun *m*; ⚠ *la* ~.
moustache [mustaʃ] *f* Schnurrbart *m*.
moustiquaire [mustikɛr] *f* Moskitonetz *n*.
moustique [mustik] *m* Stechmücke *f*.
moût [mu] *m* (Wein-, Apfel-)Most *m*.
moutard [mutar] F *m* kleiner Junge *m*, Knirps *m* F; **~s** *pl* Kinder *n/pl*, Gören *n/pl* F.
moutarde [mutard] *f bot u cuis* Senf *m*, Mostrich *m*.
mouton [mutõ] *m zo* Schaf *n*; Hammel *m*; Hammelfleisch *n*; Schafleder *n*; Schafpelz *m*; *tech* Ramme *f*; *fig* leichtgläubiger Mensch *m*; **~s** *pl* (Staub-)Flocken *f/pl*; Schaumkronen *f/pl*; Schäfchen(wolken) *n/pl* (*f/pl*); *fig revenons à nos ~s* kommen wir wieder zur Sache!
moutonné, ~e [mutɔne] kraushaarig; *Himmel*: voller Schäfchenwolken.
mouture [mutyr] *f* Mahlen *n*.
mouv|ant, ~ante [muvɑ̃, -ɑ̃t] sich dauernd bewegend; *fig* unbeständig; *sables m/pl mouvants* Treibsand *m*; *terrain m mouvant* schwankender Boden (*a fig*).
mouvement [muvmɑ̃] *m* Bewegung *f* (*a pol etc*); *fig* (reges) Leben *n*; Wandel *m*; *Seele*: Regung *f*; *Uhr*: Räderwerk *n*; *mus* Tempo *n*, Satz *m*.
mouvementé, ~e [muvmɑ̃te] bewegt, abwechslungsreich; lebhaft, stürmisch.
mouvoir [muvwar] (3d) bewegen (*a fig*).
moy|en, ~enne [mwajɛ̃, -ɛn] **1.** *adj* mittlere(r, -s); *fig* durchschnittlich; mittelmäßig; *Moyen Âge m* Mittelalter *n*; **2.** *m* Mittel *n*, Weg *m*; **~s** *pl* (Geld-)Mittel *n/pl*; *fig* Anlagen *f/pl*, Fähigkeiten *f/pl*; *au* ~ *de od par le* ~ *de* mit (Hilfe von), mittels; **3.** *f* Durchschnitt *m*; Mittelwert *m*; *en moyenne* im Durchschnitt, im Mittel.
moyenâg|eux, ~euse [mwajɛnɑʒø, -øz] mittelalterlich.
moyennant [mwajɛnɑ̃] mittels, mit, durch, für.
moyeu [mwajø] *m* (Rad-)Nabe *f*.
mû, mue [my] *p/p von mouvoir*.
mue [my] *f* Mauser(zeit) *f* (*Vögel*); Häuten *n* (*Schlangen etc*); Stimmbruch *m*.
muer [mɥe] (1a) sich mausern; sich häuten, haaren; im Stimmbruch sein.
mu|et, ~ette [mɥɛ, -ɛt] **1.** *adj* stumm; *fig* sprachlos; **2.** *m* Stummfilm *m*.
mufle [myflə] *m* Schnauze *f*, Maul *n*; F *fig* Lümmel *m*.
mug|ir [myʒir] (2a) brüllen; brausen, tosen; **~issement** [-ismɑ̃] *m* Gebrüll *n*; Brausen *n*, Tosen *n*.
muguet [mygɛ] *m bot* Maiglöckchen *n*.
mul|e [myl] *f zo* Mauleselin *f*; **~et** [-ɛ] *m* Maulesel *m*, Maultier *n*.
mulot [mylo] *m zo* Waldmaus *f*.
multicolore [myltikɔlɔr] bunt.
multipl|e [myltiplə] mehrfach; vielfältig; **~ication** [-ikasjõ] *f* Multiplikation *f*; Vermehrung *f*; *tech* Übersetzung *f*; **~icité** [-isite] *f* Vielzahl *f*; Vielfältigkeit *f*; **~ier** [-ije] (1a) vervielfachen, vermehren; multiplizieren; *se* ~ sich (ver)mehren, sich häufen.

M

multitude [myltityd] *f* Menge *f*.
municipal, ~e [mynisipal] (⚠ *m/pl -aux*) Stadt..., Gemeinde...; **~ité** *f* Magistrat *m*, Stadtbehörden *f/pl*.
munificence [mynifisɑ̃s] *litt f* große Freigebigkeit *f*.
munir [mynir] (2a) ~ *de* ausstatten, versehen mit.
munitions [mynisjõ] *f/pl* Munition *f*.
muqu|eux, ~euse [mykø, -øz] **1.** *adj* schleimig; **2.** *f* Schleimhaut *f*.
mur [myr] *m* Mauer *f*, Wand *f*; *mettre qn au pied du* ~ j-n in die Enge treiben.
mûr, ~e [myr] reif.
mur|aille [myrɑj] *f* (Befestigungs-, Stadt-)Mauer *f*; **~al, ~ale** (⚠ *m/pl -aux*) Mauer..., Wand...
mûre [myr] *f bot* Brombeere *f*; Maulbeere *f*.
murer [myre] (1a) um-, zumauern.
mûrier [myrje] *m* Maulbeerbaum *m*.
mûrir [myrir] (2a) reif werden lassen; reif werden, reifen.
murmur|e [myrmyr] *m* Gemurmel *n*; Plätschern *n*; **~er** (1a) murmeln; plätschern; murren.
musarder [myzarde] (1a) die Zeit vertrödeln.
musc [mysk] *m* Moschus *m*.
muscad|e [myskad] *f* Muskatnuß *f*; **~et** [-ɛ] *m* trockener Weißwein.
muscat [myska] *m* Muskateller (-wein) *m*.
muscl|e [myskl̥ə] *m* Muskel *m*; **~é, ~ée** muskulös; energisch.
muscul|aire [myskylɛr] Muskel...; **~eux, ~euse** [-ø, -øz] muskulös.
museau [myzo] *m* (⚠ *pl ~x*) Schnauze *f*.
musée [myze] *m* Museum *n*; ⚠ *le* ~.
museler [myzle] (1c) e-n Maulkorb anlegen (*qn* j-m; *a fig*).
muselière [myzəljɛr] *f* Maulkorb *m*.
musette [myzɛt] *f* **1.** Brotbeutel *m*; **2.** *bal m* ~ Tanz *m* mit Akkordeonmusik.
musical, ~e [myzikal] (⚠ *m/pl -aux*) musikalisch.
murici|en, ~enne [myzisjɛ̃, -ɛn] **1.** *adj* musikalisch (*nur Personen*); **2.** *m, f* Musiker(in) *m(f)*.
musique [myzik] *f* Musik *f*; Noten *f/pl*; *mil* Militärkapelle *f*.
musulm|an, ~ane [myzylmɑ̃, -an] **1.** *adj* mohammedanisch, moslemisch; **2.** *m, f* Mohammedaner(in) *m(f)*, Moslem *m*.
mut|ation [mytasjõ] *f* Veränderung *f*, Wandel *m*; *biol* Mutation *f*; *Beamte*: Versetzung *f*; **~er** (1a) *Beamte*: versetzen.
mutilation [mytilasjõ] *f* Verstümmelung *f*.
mutil|é [mytile] *m* Körperverletzte(r) *m*, Schwerbeschädigte(r) *m*; **~er** (1a) verstümmeln.
mut|in, ~ine [mytɛ̃, -in] **1.** *adj* schelmisch, verschmitzt; **2.** *m* Aufrührer *m*; **~inerie** [-inri] *f* Meuterei *f*.
mutisme [mytismə] *m* Stummheit *f*; *fig* Schweigen *n*.
mutu|alité [mytɥalite] *f* Versicherung *f* auf Gegenseitigkeit; **~el, ~elle** wechsel-, gegenseitig; (*assurance f*) *mutuelle f cf mutualité*.
myop|e [mjɔp] kurzsichtig; **~ie** [-i] *f* Kurzsichtigkeit *f*.
myosotis [mjɔzɔtis] *m bot* Vergißmeinnicht *n*.
myrtille [mirtij] *f* Blau-, Heidelbeere *f*.
mystère [mistɛr] *m* Geheimnis *n*; Rätsel *n*; Mysterium *n*.
mystéri|eux, ~euse [misterjø, -øz] geheimnisvoll.
myst|icisme [mistisismə] *m* Mystizismus *m*; Mystik *f*; **~ifier** [-ifje] (1a) verulken, zum besten haben; irreführen; **~ique** **1.** *adj* mystisch; **2.** *m, f* Mystiker(in) *m(f)*; **3.** *f* Mystik *f*.
myth|e [mit] *m* (Götter-, Helden-) Sage *f*; Mythos *m*; **~ique** sagenhaft, mythisch.
mythologie [mitɔlɔʒi] *f* Mythologie *f*; *fig* Legenden *f/pl*.

M

N

nabab [nabab] *m* Nabob *m*, Krösus *m*.
nabot [nabo] *m péj* Zwerg *m*, Knirps *m*.
nacelle [nasɛl] *f* Korb *m*; Gondel *f*.
nacre [nakrə] *f* Perlmutt *n*.
nage [naʒ] *f* Schwimmen *n*; Schwimmstil *m*; *~ sur le dos* Rückenschwimmen *n*; *~ libre* Freistilschwimmen *n*; *à la ~* schwimmend; *fig être en ~* in Schweiß gebadet sein.
nageoire [naʒwar] *f zo* Flosse *f*.
nag|er [naʒe] (1l) schwimmen (*a fig*); *~ la brasse* brustschwimmen; *fig ~ contre le courant* gegen den Strom schwimmen; *savoir ~* schwimmen können; *fig* sich zu helfen wissen; ⚠ *il a nagé*; **~eur, ~euse** *m, f* Schwimmer(in) *m(f)*.
naguère [nagɛr] kürzlich, vor kurzem; früher.
naïf, naïve [naif, naiv] naiv; töricht.
nain, naine [nɛ̃, nɛn] *m, f* Zwerg(in) *m(f)*.
naissance [nɛsɑ̃s] *f* Geburt *f*; *fig* Entstehung *f*; Anfang *m*; *date f de ~* Geburtsdatum *n*; *prendre ~* entstehen.
naître [nɛtrə] (4g) geboren werden; entstehen; *fig je ne suis pas né(e) d'hier* ich bin doch nicht von gestern; *faire ~* hervorrufen; erzeugen.
naïveté [naivte] *f* Natürlichkeit *f*, Unbefangenheit *f*; *péj* Naivität *f*; ⚠ *Schreibung*.
nana [nana] F *f* Mädchen *n*, Biene *f* F.
nanti, ~e [nɑ̃ti] wohlhabend; *~ de* versehen mit.
Naples [naplə] Neapel.
napolit|ain, ~aine [napɔlitɛ̃, -ɛn] neapolitanisch.
nappe [nap] *f* Tischtuch *n*; Fläche *f*; *~ d'eau* glatte Wasserfläche *f*; *~ de brouillard* Nebelbank *f*.
naquis [naki] *p/s von naître*.
narcotique [narkɔtik] *adj u subst m* betäubend(es Mittel *n*).
narguer [narge] (1m) verhöhnen.
narine [narin] *f* Nasenloch *n*, -flügel *m*; *Pferd*: Nüster *f*.
narqu|ois, ~oise [narkwa, -waz] schalkhaft; spöttisch, ironisch.
narra|teur, ~trice [naratœr, -tris] *m, f* Erzähler(in) *m(f)*; **~tion** *f* Erzählung *f*; Aufsatz *m*.
narrer [nare] (1a) *litt* erzählen.
nasal, ~e [nazal] (⚠ *m/pl -aux*) **1.** *adj* Nasen...; nasal; **2.** *f* Nasallaut *m*; **~iser** (1a) nasalieren.
nase [nas] *arg* verrückt.
naseau [nazo] *m* (⚠ *pl ~x*) *Pferd*: Nüster *f*.
nasill|ard, ~arde [nazijar, -ard] näselnd; **~er** (1a) näseln.
natal, ~e [natal] (⚠ *m/pl -als*) Geburts...; heimatlich; **~ité** *f* (*taux m de*) *~* Geburtenziffer *f*.
natation [natasjõ] *f* Schwimmen *n*, Schwimmsport *m*; *faire de la ~* schwimmen.
nat|if, ~ive [natif, -iv] *~ de* gebürtig aus.
nation [nasjõ] *f* Nation *f*; Volk *n*.
national, ~e [nasjɔnal] (⚠ *m/pl -aux*) national; Volks...; *sentiment m national* Nationalgefühl *n*; **~isation** [-izasjõ] *f* Verstaatlichung *f*; **~iser** (1a) verstaatlichen; **~isme** *m* Nationalismus *m*; **~iste 1.** *adj* nationalistisch; **2.** *m, f* Nationalist(in) *m(f)*; **~ité** *f* Staatsangehörigkeit *f*; Volksgruppe *f*; **~-socialisme** [-sɔsjalismə] *m* Nationalsozialismus *m*.
natte [nat] *f* (Stroh-)Matte *f*; Zopf *m*.
natural|iser [natyralize] (1a) naturalisieren, einbürgern; *Tiere*: ausstopfen; **~isme** *m* Naturalismus *m*; **~iste** *m Kunst, Literatur*: Naturalist *m*; (*Tier-*)Ausstopfer *m*.
natur|e [natyr] *f* Natur *f*; Beschaffenheit *f*; Wesen *n*; Veranlagung *f*; *Malerei*: *~ morte* Stilleben *n*; *café m ~* schwarzer Kaffee *m*; F *il est très ~* er ist sehr natürlich; **~el, ~elle 1.** *adj* natürlich; Natur...; **2.** *m* Naturell *n*, Wesen *n*; Natürlichkeit *f*; *cuis au ~* ohne Zutaten; **~isme** *m* Freikörperkultur *f*, Nudismus *m*; **~iste** *cf nudiste*.
naufrag|e [nofraʒ] *m* Schiffbruch *m*; **~é, ~ée** schiffbrüchig.
nauséab|ond, ~onde [nozeabõ, -õd] ekelhaft, ekelerregend.
nausée [noze] *f* Übelkeit *f*, Brechreiz *m*; *fig* Ekel *m*.
naut|ique [notik] nautisch; See...; *ski m ~* Wasserski *m*; **~isme** *m* Wassersport *m*.
naval, ~e [naval] (⚠ *m/pl -als*)

Schiffs..., See...; *chantier m naval* Schiffswerft *f*.
navarin [navarɛ̃] *m cuis* Hammelragout *n*.
navet [navɛ] *m* weiße Rübe *f*; F Kitschfilm *m*; Quatsch *m*.
navette [navɛt] *f* **1.** Weber-, Nähmaschinenschiffchen *n*; **2.** Pendelverkehr *m*; *faire la* ~ hin und her gehen, fahren, pendeln; ~ *spatiale* Raumfähre *f*, -transporter *m*.
navig|able [navigablə] schiffbar; **~ant** [-ɑ̃] *le personnel* ~ das zur See fahrende (*od* Flug-)Personal; **~ateur** [-atœr] *m* **1.** Navigator *m*; **2.** Seefahrer *m*; **~ation** *f* **1.** Schiffahrt *f*; ~ *aérienne* Luftfahrt *f*; ~ *spatiale* Raumfahrt *f*; **2.** Navigation *f*.
naviguer [navige] (1m) (zur See) fahren; fliegen; navigieren; F viel auf Reisen sein.
navire [navir] *m* (See-)Schiff *n*; ~ *de guerre* Kriegsschiff *n*; **~-école** [-ekɔl] *m* (⚠ *pl navires-écoles*) Schulschiff *n*.
navr|ant, ~ante [navrɑ̃, -ɑ̃t] bedauerlich; **~é, ~ée** *je suis* ~ es tut mir sehr leid.
naz|i, ~ie [nazi] *péj* **1.** *adj* Nazi..., nazistisch; **2.** *m, f* Nazi *m*; **~isme** *m* Nazismus *m*.
N.B. (*abr nota bene*) NB, Anm. (Anmerkung).
N.D. (*abr Notre-Dame*) Unsere Liebe Frau.
ne [n(ə)] ~ ... *pas* nicht; ~ ... *guère* kaum; ~ ... *jamais* nie; ~ ... *plus* nicht mehr; ~ ... *plus jamais* nie mehr; ~ ... *que* nur; erst; ~ ... *rien* nichts; ~ ... *personne* niemand.
né, ~e [ne] geboren; *cf a naître*.
néanmoins [neɑ̃mwɛ̃] dennoch, trotzdem, nichtsdestoweniger.
néant [neɑ̃] *m* Nichts *n*.
nébul|eux, ~euse [nebylø, -øz] bewölkt, neb(e)lig; *fig* unklar, verschwommen; **~osité** [-ozite] *f* Bewölkung *f*; *fig* Unklarheit *f*.
nécessaire [nesesɛr] **1.** *adj* notwendig, nötig; **2.** *m* Notwendige(s) *n*; ~ *de toilette, de voyage* Reisenecessaire *n*, Kulturbeutel *m*.
nécessit|é [nesesite] *f* Notwendigkeit *f*; **~s** *pl* Erfordernisse *n/pl*; **~er** (1a) erfordern; **~eux, ~euse** [-ø, -øz] notleidend, bedürftig.
nécrologie [nekrɔlɔʒi] *f* Nekrolog *m*, Nachruf *m*.
néerland|ais, ~aise [neɛrlɑ̃dɛ, -ɛz] niederländisch.
nef [nɛf] *f* Kirchenschiff *n*.
néfaste [nefast] unheilvoll.
néga|tif, ~tive [negatif, -tiv] verneinend; negativ; abschlägig; *dans la négative* im Falle e-r Ablehnung; **~tion** *f* Verneinung *f*.
néglig|é [negliʒe] *m* Morgenrock *m*; Negligé *n*; **~eable** [-ablə] belanglos, unerheblich; **~ence** [-ɑ̃s] *f* Nachlässigkeit *f*; Fahrlässigkeit *f*; **~ent, ~ente** [-ɑ̃, -ɑ̃t] nachlässig; ⚠ *adv négligemment* [-amɑ̃]; **~er** (1l) vernachlässigen; versäumen; ~ *de faire qc* es unterlassen, etw zu tun; *se* ~ sich vernachlässigen.
négociant [negɔsjɑ̃] *m* Großhändler *m*.
négocia|teur, ~trice [negɔsjatœr, -tris] *m, f* Unterhändler(in) *m(f)*; **~tion** *f* Verhandlung *f*.
négocier [negɔsje] (1a) verhandeln; ~ *un traité* über den Abschluß e-s Vertrags verhandeln.
nègre, négresse [nɛgrə, negrɛs] *m, f péj* Neger(in) *m(f)*; *petit nègre* Kauderwelsch *n*.
neig|e [nɛʒ] *f* Schnee *m*; *sports m/pl de* ~ Wintersport *m*; **~er** (1l) schneien; *il neige* es schneit; **~eux, ~euse** [-ø, -øz] verschneit, Schnee...
nénuphar [nenyfar] *m bot* Seerose *f*.
néo-... [neɔ] *in Zssgn* neo..., neu...
néo|-latin, ~-latine [neɔlatɛ̃, -latin] neulateinisch; **~logisme** [-lɔʒismə] *m* neues Wort *n*, Neologismus *m*.
néphrite [nefrit] *f méd* Nierenentzündung *f*.
népotisme [nepɔtismə] *m* Vetternwirtschaft *f*.
nerf [nɛr] *m* Nerv *m*; *fig* Kraft *f*; F *avoir ses* **~s** gereizt sein; *fig avoir du* ~ kräftig sein, Energie haben; *manquer de* ~ ohne Saft und Kraft sein.
nerv|eux, ~euse [nɛrvø, -øz] **1.** nervös, nervenschwach; **2.** nervig, sehnig; *fig Stil*: kraftvoll; *auto* spritzig; **~osité** [-ozite] *f* Nervosität *f*; Nervenschwäche *f*.
n'est-ce pas [nɛspa] nicht wahr?
net, nette [nɛt] **1.** *adj* sauber; klar, deutlich; eindeutig; *Foto*: scharf; *comm* Netto...; *produit m net* Nettogewinn *m*; *prix m net* Nettopreis *m*; **2.** *adv net* (*a nettement*) geradeheraus; *refuser net* rundweg ab-

lehnen; **3.** *m mettre au net* ins reine schreiben.
netteté [nɛtte] *f* Sauberkeit *f*; *fig* Klarheit *f*.
nettoiement [nɛtwamɑ̃] *m* Reinigung *f*, Säuberung *f*.
nettoy|age [nɛtwajaʒ] *m cf nettoiement*; **~er** (1h) reinigen, säubern.
neuf[1] [nœf, *in Bindung* nœv] neun.
neuf[2], **neuve** [nœf, nœv] neu; ungebraucht; *refaire à neuf* ganz neu einrichten, gestalten.
neuro|logie [nørɔlɔʒi] *f* Nervenheilkunde *f*; **~végétatif** [-veʒetatif] *système m ~* vegetatives Nervensystem *n*.
neutral|iser [nøtralize] (1a) *pol* neutralisieren; *fig* unschädlich *od* unwirksam machen; **~isme** *m* Neutralitätspolitik *f*; **~ité** *f* Neutralität *f*.
neutre [nøtrə] **1.** *adj* neutral; *gr* sächlich; *bot* geschlechtslos; **2.** *m gr* Neutrum *n*; *pol les ~s pl* die neutralen Staaten *m/pl*.
neutron [nøtrõ] *m phys* Neutron *n*.
neuvième [nœvjɛm] neunte(r, -s).
neveu [n(ə)vø] (⚠ *pl ~x*) *m* Neffe *m*.
névr|algie [nevralʒi] *f méd* Nervenschmerz *m*; **~algique** [-alʒik] *méd u fig* neuralgisch; **~ose** [-oz] *f psych* Neurose *f*; **~osé** [-oze] *m* Neurotiker *m*.
nez [ne] *m* Nase *f*; *mar* Bug *m*; *avoir du ~* e-e feine (Spür-)Nase haben; F *avoir qn dans le ~* j-n nicht riechen können; *ne pas mettre le ~ dehors* keinen Fuß vor die Tür setzen.
ni [ni] und nicht; *ni ... ni* (*mit ne beim Verb*) weder ... noch; *je n'ai ~ pommes ~ poires* ich habe weder Äpfel noch Birnen; *ni moi non plus* ich auch nicht; *sans sucre ~ lait* ohne Zucker und Milch.
niais, niaise [njɛ, njɛz] albern, dumm.
niaiserie [njɛzri] *f* Albernheit *f*; *débiter des ~s* dummes Zeug reden.
nich|e [niʃ] *f* **1.** Nische *f*; Hundehütte *f*; **2.** Schabernack *m*; **~er** (1a) nisten; F *fig* hausen.
nicotine [nikɔtin] *f* Nikotin *n*; ⚠ *la ~*.
nid [ni] *m* Nest *n*; *fig ~ de poule* Schlagloch *n*; *fig ~ d'amoureux* Liebesnest *n*.
nièce [njɛs] *f* Nichte *f*.
nier [nje] (1a) leugnen; abstreiten; *~ avoir fait qc* bestreiten, etw getan zu haben; *~ que* (+ *ind od subj*) leugnen, daß ...
nig|aud, ~aude [nigo, -od] **1.** *adj* albern; **2.** *m* Dummkopf *m*.
nimbe [nɛ̃b] *m* Heiligenschein *m*, Nimbus *m*.
n'importe [nɛ̃pɔrt] irgend; *~ où* irgendwo(hin), ganz gleich wo(hin); *~ qui* jeder (beliebige), irgendwer.
nipper [nipe] (1a) F einkleiden; *être mal nippé* F alte Klamotten anhaben.
nippes [nip] F *f/pl* abgetragene Kleider *n/pl*; Klamotten *f/pl* F; ⚠ *nicht* Nippes.
nipp|on, ~on(n)e [nipõ, -ɔn] japanisch.
nique [nik] *f faire la ~ à qn* j-n auslachen; ätsch machen F.
nitouche [nituʃ] *f* F *sainte ~* Scheinheilige *f*; *elle a un air de sainte ~* sie sieht so aus, als könnte sie kein Wässerchen trüben.
nitroglycérine [nitrɔgliserin] *f chim* Nitroglyzerin *n*; ⚠ *la ~*.
niveau [nivo] *m* (⚠ *pl ~x*) Niveau *n*; Höhe *f*, Stand *m*; *tech* Wasserwaage *f*; *~ d'eau* Wasserspiegel *m*; *auto ~ d'essence, d'huile* Benzin-, Ölstand *m*; *~ de langue* Sprachebene *f*; *~ de vie* Lebensstandard *m*; *au ~ de* auf gleicher Höhe mit; auf ...ebene; hinsichtlich, in bezug auf.
niveler [nivle] (1c) (ein)ebnen; *fig* aus-, angleichen.
nivellement [nivɛlmɑ̃] *m* (Ein-)Ebnen *n*; *fig* Ausgleichen *n*; Angleichung *f*.
n° *od* **N°** (*abr numéro*) Nr.
noble [nɔblə] ad(e)lig; edel.
noblesse [nɔblɛs] *f* Adel *m*; *prov ~ oblige* Adel verpflichtet.
noce [nɔs] *f ~s pl* Hochzeit *f*; *en premières, secondes ~s* in erster, zweiter Ehe; F *faire la ~* in Saus und Braus leben.
noc|if, ~ive [nɔsif, -iv] schädlich; **~ivité** [-ivite] *f* Schädlichkeit *f*.
noctambule [nɔktɑ̃byl] *m, f* Nachtbummler *m*, -schwärmer *m*.
nocturne [nɔktyrn] nächtlich, Nacht...
Noël [nɔɛl] *m* **1.** Weihnachten *n*; *joyeux ~!* fröhliche Weihnachten!; *arbre m de ~* Christbaum *m*; *père m ~* Weihnachtsmann *m*; *à ~* (zu *od* an) Weihnachten; **2.** ♀ Weihnachtslied *n*; **3.** F (*petit*) ♀ Weihnachtsgeschenk *n*.

N

nœud [nø] *m* Knoten *m*; *fig* Schwierigkeit *f*; *Theater*: Verwicklung *f*.
noir, ~e [nwar] **1.** schwarz; *fig* dunkel, finster; *travail m (au) noir* Schwarzarbeit *f*; *fig voir tout en noir* alles grau in grau sehen; *il fait noir* es ist stockdunkel; **2.** F blau, besoffen; **~âtre** [-ɑtrə] schwärzlich.
noirc|eur [nwarsœr] *f* Schwärze *f*; *fig* Abscheulichkeit *f*; **~ir** (2a) schwärzen; schwarz werden; *fig* in schwarzen Farben schildern.
noise [nwaz] *f chercher ~ à qn* mit j-m Streit suchen.
noisette [nwazɛt] *f* Haselnuß *f*.
noix [nwa] *f* Nuß *f*; F *fig quelle ~!* so e-e doofe Nuß!
nom [nõ] *m* **1.** Name *m*; *~ de guerre* Deckname *m*; *au ~ de* im Namen (+ *gén*); *de ~* dem Namen nach; *du ~ de* namens; F *petit ~* Vorname *m*; *Fluch*: *~ d'un chien!* zum Donnerwetter!, verdammt nochmal!; **2.** *gr* Substantiv *n*, Hauptwort *n*; Nomen *n*; *~ propre* Eigenname *m*; *~ commun* Gattungsname *m*.
nombr|e [nõbrə] *m* Zahl *f*; Anzahl *f*; *~ cardinal (ordinal)* Grundzahl (Ordnungs-)*f*; *~ pair (impair)* gerade (ungerade) Zahl *f*; *~ de* (+ *pl*) viele; *au ~ de trois* zu dritt; **~eux, ~euse** [-ø, -øz] zahlreich; *famille f nombreuse* kinderreiche Familie *f*.
nombril [nõbri(l)] *m* Nabel *m*.
nomenclature [nɔmɑ̃klatyr] *f* Verzeichnis *n*; Wortmaterial *n* (*e-s Wörterbuchs*); Nomenklatur *f*.
nomin|al, ~ale [nɔminal] (⚠ *m/pl -aux*) namentlich; (nur) dem Namen nach; **~ation** *f* Ernennung *f*.
nomm|ément [nɔmemɑ̃] namentlich; **~er** (1a) (be)nennen; ernennen; *se ~* sich nennen, heißen.
non [nõ] nein; *dire que ~* nein sagen; *j'espère que ~* ich hoffe nicht; *~ plus* auch nicht; *~ que ...* (+ *subj*) nicht etwa, daß.
nonagénaire [nɔnaʒenɛr] **1.** *adj* neunzigjährig; **2.** *m, f* Neunzigjährige(r) *m, f*.
non-agression [nɔnagrɛsjõ] *f pol pacte m de ~* Nichtangriffspakt *m*.
non-alignement [nɔnaliɲmɑ̃] *m pol* Blockfreiheit *f*.
nonante [nɔnɑ̃t] *Belgien, frz Schweiz*: neunzig.
nonce [nõs] *m égl* Nuntius *m*.
nonchal|ant, ~ante [nõʃalɑ̃, -ɑ̃t] lässig, unbekümmert; ⚠ *adv nonchalamment* [-amɑ̃].
non-conformiste [nõkõfɔrmist] **1.** *adj* nonkonformistisch; **2.** *m* (⚠ *pl non-conformistes*) Nonkonformist *m*.
non-figurat|if, ~ive [nõfigyratif, -iv] *Kunst*: ungegenständlich.
non-intervention [nɔnɛ̃tɛrvɑ̃sjõ] *f pol* Nichteinmischung *f*.
nonobstant [nɔnɔpstɑ̃] *prép* ungeachtet, trotz.
non-sens [nõsɑ̃s] *m* (⚠ *pl unv*) Unsinn *m*; unverständliche (Text-) Stelle *f*.
non-violence [nõvjɔlɑ̃s] *f pol* Gewaltlosigkeit *f*.
nord [nɔr] **1.** *m* Norden *m*; *vent m du ~* Nordwind *m*; *au ~ de* nördlich von; F *fig perdre le ~* den Kopf verlieren; **2.** *adj* nördlich; *côte f ~* Nordküste *f*.
nord-est [nɔrɛst] *m* Nordosten *m*.
nordique [nɔrdik] nordisch.
nord-ouest [nɔrwɛst] *m* Nordwesten *m*.
normal, ~e [nɔrmal] (⚠ *m/pl -aux*) normal; üblich; *école f normale etwa* Pädagogische Hochschule *f*; *École f normale supérieure* Hochschule *f* zur Ausbildung von Lehrern an höheren Schulen; **~ien, ~ienne** *m, f* ehemalige(r) Schüler(in) e-r „école normale" *od* der „École normale supérieure"; **~isation** [-izasjõ] *f* Normalisierung *f tech* Normung *f*.
norm|and, ~ande [nɔrmɑ̃, -ɑ̃d] **1.** *adj* normannisch; der Normandie; **2.** ♀ *m, f* Bewohner(in) *m(f)* der Normandie; *hist Normands m/pl* Normannen *m/pl*.
norme [nɔrm] *f* Norm *f* (*a tech*); Regel *f*.
Norvège [nɔrvɛʒ] *la ~* Norwegen *n*.
nos [no] *cf notre*.
nostalgie [nɔstalʒi] *f* Heimweh *n*.
not|abilité [nɔtabilite] *f* hervorragende, prominente Persönlichkeit *f*; **~able** **1.** *adj* beträchtlich; bemerkenswert; **2.** *m* angesehener Bürger *m*; *~s pl* Honoratioren *m/pl*, Prominente(n) *m/pl*.
notaire [nɔtɛr] *m* Notar *m*.
notamment [nɔtamɑ̃] vor allem, besonders.
notarié, ~e [nɔtarje] notariell (beglaubigt).

notation [nɔtasjõ] *f* Bezeichnung *f*; *Schule*: Benotung *f*, Zensierung *f*.
not|e [nɔt] *f* Note *f* (*a mus*); Ton *m*; Notiz *f*; Anmerkung *f*; *Schule*: Note *f*, Zensur *f*; *comm* Rechnung *f*; *prendre ~ de qc* sich etw merken; *prendre des ~s* sich Notizen machen; **~er** (1a) (an-, ver-, vor)merken, notieren; benoten, zensieren; **~ice** [-is] *f* kurze Darstellung *f*; Abriß *m*; ⚠ *nicht* Notiz.
notifier [nɔtifje] (1a) *~ qc à qn* j-m etw *offiziell* bekanntgeben.
notion [nosjõ] *f* Begriff *m*.
notoire [nɔtwar] offenkundig.
notoriété [nɔtɔrjete] *f* Offenkundigkeit *f*.
notre [nɔtrə] (*pl nos*) unser(e).
nôtre [notrə] *le, la ~* der, die, das unsrige *od* unsere; unsere(r, -s).
nou|er [nwe] (1a) (an)knüpfen (*a fig*), knoten, binden; **~eux, ~euse** [-ø, -øz] knotig, knorrig.
nouille [nuj] *f* **1.** *~s pl* Nudeln *f/pl*; **2.** F Schlappschwanz *m*, Flasche *f*.
nourr|ice [nuris] *f* Amme *f*; Pflegemutter *f*; *tech* Reservetank *m*, -kanister *m*; **~ir** (2a) (er)nähren; verpflegen, füttern; säugen, stillen; *fig* hegen.
nourr|isson [nurisõ] *m* Säugling *m*; **~iture** [-ityr] *f* Ernährung *f*; Nahrung *f*, Kost *f*, Futter *n*.
nous [nu] wir; uns.
nouv|eau, ~elle (⚠ *m vor Vokal u stummem h* **~el**; *m/pl* **~eaux**) [nuvo, -ɛl] **1.** *adj* neu; andere(r, -s); jung, frisch; *rien de nouveau* nichts Neues; *de od à nouveau* von neuem; **2.** *m voilà du nouveau* das ist etwas Neues.
nouveau-né, ~e [nuvone] **1.** *adj* neugeboren; **2.** *m* (⚠ *pl nouveau-nés*) *le ~* das Neugeborene.
nouveauté [nuvote] *f* Neuheit *f*; Neuerung *f*.
nouvell|e [nuvɛl] *f* Neuigkeit *f*, Nachricht *f*; Novelle *f*; **~ement** [-mã] *adv* vor kurzem; **~iste** *m* Novellist *m*.
nova|teur, ~trice [nɔvatœr, -tris] **1.** *adj esprit m novateur* auf Neuerungen sinnender Geist *m*, Mensch *m*; **2.** *m*, *f* Neuerer *m*.
novembre [nɔvãbrə] *m* November *m*.
novice [nɔvis] **1.** *m*, *f* Neuling *m*, Anfänger(in) *m*(*f*); *rel* Novize *m*,*f*; **2.** *adj* unerfahren.
noyade [nwajad] *f* Ertrinken *n*.
noyau [nwajo] *m* (⚠ *pl ~x*) Kern *m*; **~ter** [-te] (1a) *pol* unterwandern.
noyer[1] [nwaje] (1h) ertränken; *se ~* ertrinken.
noyer[2] [nwaje] *m* Nußbaum *m*.
nu, ~e [ny] **1.** *adj* nackt; kahl; **2.** *m Kunst*: Akt *m*.
nuag|e [nɥaʒ] *m* Wolke *f*; *pl ~s a* Bewölkung *f*; *fig être dans les ~s* zerstreut sein; **~eux, ~euse** [-ø, -øz] wolkig, bewölkt, bedeckt.
nuanc|e [nɥãs] *f* Nuance *f* (*a fig*), Schattierung *f*; **~er** (1k) nuancieren, abstufen.
nucléaire [nykleɛr] Kern..., Atom..., nuklear; *énergie f ~* Kernenergie *f*; *centrale f ~* Atomkraftwerk *n*.
nud|isme [nydismə] *m* Freikörper-, Nacktkultur *f*, FKK; **~iste** **1.** *adj* FKK-...; **2.** *m*, *f* FKK-Anhänger(in) *m*(*f*).
nudité [nydite] *f* Nacktheit *f*, Blöße *f*.
nue [ny] *f litt* Wolke *f*; *fig porter aux ~s* in den Himmel heben; *tomber des ~s* (wie) aus allen Wolken fallen.
nuée [nɥe] *f litt* große Wolke *f*; *fig* Schwarm *m*.
nuire [nɥir] (4c) *~ à qn, à qc* j-m, e-r Sache schaden.
nuis|ance [nɥizãs] *f* (Umwelt-)Belästigung *f*; Immission *f*; **~ible** schädlich.
nuit [nɥi] *f* Nacht *f*; *la ~ od de ~* nachts; *~ blanche* schlaflose Nacht *f*; *ne pas dormir de la ~* die ganze Nacht nicht schlafen; *être de ~* Nachtschicht haben; *il fait ~* es ist dunkel.
nuitamment [nɥitamã] *litt* nächtlicherweise.
nul, ~le [nyl] **1.** *adj* ungültig; wertlos, gleich Null; *Sport*: unentschieden; **2.** *Pronomen* kein; *nul* (*alleinstehend*) keiner, niemand; *nulle part* nirgends; ⚠ *mit ne vor dem Verb.*
null|ement [nylmã] keineswegs; **~ité** *f jur* Nichtigkeit *f*; *fig* Wertlosigkeit *f*; Unfähigkeit *f*; *Person*: Versager *m*.
numér|aire [nymerɛr] *m* bares Geld *n*; **~al, ~ale** (⚠ *m/pl -aux*) **1.** *adj* Zahl(en)...; **2.** *m* Zahlwort *n*; **~ation** *f* Zählen *n*; **~ique** numerisch, zahlenmäßig; *EDV* digital; *calcul m ~* Zahlenrechnen *n*.
numéro [nymero] *m* Nummer *f*; F *un drôle de ~* ein komischer Kerl; ⚠ *le ~*; ⚠ *Schreibung.*

N

numérot|age [nymerɔtaʒ] *m* Numerierung *f*; **~er** (1a) numerieren.
numismatique [nymismatik] *f* Münzkunde *f*.
nu-pieds [nypje] (⚠ *unv*) barfuß.
nuptial, ~e [nypsjal] (⚠ *m/pl -aux*) Hochzeits...
nuque [nyk] *f* Genick *n*, Nacken *m*.
nu-tête [nytɛt] (⚠ *unv*) barhäuptig.
nutri|tif, ~tive [nytritif, -iv] Nähr..., nährend; nahrhaft; **~tion** *f* Ernährung *f*.
nylon [nilõ] *m* Nylon *n*.
nymphe [nɛ̃f] *f* Nymphe *f*.
nymphéa [nɛ̃fea] *m bot* Weiße Seerose *f*.

O

oasis [ɔazis] *f* Oase *f*.
obéir [ɔbeir] (2a) gehorchen (*à qn* j-m); *je suis obéi od on m'obéit* man gehorcht mir.
obéiss|ance [ɔbeisɑ̃s] *f* Gehorsam *m*; **~ant, ~ante** [-ɑ̃, -ɑ̃t] gehorsam, folgsam, brav.
obèse [ɔbɛz] fett(leibig), feist.
obésité [ɔbezite] *f* Fettleibigkeit *f*.
object|er [ɔbʒɛkte] (1a) einwenden, entgegenhalten (*qc à qn* j-m etw); vorgeben, vorschützen; **~eur** *m ~ de conscience* Wehrdienstverweigerer *m*; **~if, ~ive** [-if, -iv] **1.** *adj* objektiv, sachlich; **2.** *m tech* Objektiv *n*; *mil u allg* Ziel *n*.
objection [ɔbʒɛksjõ] *f* Einwand *m*.
objectivité [ɔbʒɛktivite] *f* Sachlichkeit *f*, Objektivität *f*.
objet [ɔbʒɛ] *m* Gegenstand *m* (*a fig*); Sache *f*; Zweck *m*, Ziel *n*; *gr* Objekt *n*.
obliga|tion [ɔbligasjõ] *f* Verpflichtung *f*, Pflicht *f*; Notwendigkeit *f*; *comm* Obligation *f*; *être dans l'~ de faire qc* genötigt sein, etw zu tun; **~toire** [-twar] obligatorisch, verbindlich.
oblig|é, ~ée [ɔbliʒe] verpflichtet.
obligeance [ɔbliʒɑ̃s] *f* Gefälligkeit *f*; **~ant, ~ante** [-ɑ̃, -ɑ̃t] gefällig, verbindlich.
obliger [ɔbliʒe] (1l) verpflichten, zwingen (*qn à qc* j-n zu etw, *qn à faire qc* j-n dazu, etw zu tun); *être obligé de faire qc* gezwungen sein, etw zu tun; etw tun müssen.
obliqu|e [ɔblik] schief, schräg; **~er** (1m) (seitwärts) abbiegen.
oblitérer [ɔblitere] (1f) entwerten, abstempeln.
obl|ong, ~ongue [ɔblõ, -õg] länglich.
obsc|ène [ɔpsɛn] unanständig, obszön; **~énité** [-enite] *f* Unanständigkeit *f*, Obszönität *f*; Zote *f*.
obscur, ~e [ɔpskyr] dunkel, finster; obskur; unscheinbar; undeutlich; ⚠ *adv obscurément*; **~cir** [-sir] (2a) (*s'~* sich) verdunkeln; **~cissement** [-sismɑ̃] *m* Verdunkelung *f*; **~ité** *f* Dunkelheit *f*; *fig* Unklarheit *f*; Obskurität *f*.
obséd|é, ~ée [ɔpsede] *m, f* Besessene(r) *m, f*; **~er** (1f) plagen, verfolgen.
obsèques [ɔpsɛk] *f/pl* Begräbnis *n*, Trauerfeier *f*.
obséqui|eux, ~euse [ɔpsekjø, -øz] kriecherisch.
observance [ɔpsɛrvɑ̃s] *f rel* (Beobachtung *f* e-r) Ordensregel *f*; Observanz *f*.
observa|teur, ~trice [ɔpsɛrvatœr, -tris] *m, f* Beobachter(in) *m(f)*; **~tion** *f* Beobachtung *f*; Be-, Anmerkung *f*; Beachtung *f*, Einhaltung *f* (*e-r Regel*); *Schule*: Ermahnung *f*; **~toire** [-twar] *m* Sternwarte *f*, Observatorium *n*.
observer [ɔpsɛrve] (1a) beobachten; beachten, einhalten, befolgen; bemerken; *faire ~ qc à qn* j-n auf etw aufmerksam machen.
obsession [ɔpsɛsjõ] *f* fixe Idee *f*, Zwangsvorstellung *f*; Besessenheit *f*.
obstacle [ɔpstaklə] *m* Hindernis *n*; *faire ~ à qc* etw verhindern.
obstin|ation [ɔpstinasjõ] *f* Starrsinn *m*, Halsstarrigkeit *f*, Eigensinn *m*; **~é, ~ée** starrsinnig, halsstarrig, eigensinnig, stur; ⚠ *adv obstinément*; **~er** (1a) *s'~ à (faire) qc* hartnäckig auf etw bestehen.

O

obstruction [ɔpstryksjõ] *f pol* Obstruktion *f*.
obstruer [ɔpstrye] (1n) verstopfen; versperren.
obtempérer [ɔptɑ̃pere] (1f) Folge leisten.
obtenir [ɔptənir] (2h) erlangen, erreichen, bekommen.
obtention [ɔptɑ̃sjõ] *f* Erlangung *f*.
obtur|ateur [ɔptyratœr] *m Foto*: Verschluß *m*; **~ation** *f* Verschließung *f*; Zahnfüllung *f*; **~er** (1a) zustopfen; *méd* plombieren.
obt|us, ~use [ɔpty, -yz] *math u fig* stumpf.
obus [ɔby] *m mil* Granate *f*.
obvier [ɔbvje] (1a) *litt* vorbeugen, zuvorkommen (*à qc* e-r Sache).
oc [ɔk] *la langue d'~* die südfranzösischen Dialekte, das Okzitanische.
occasion [ɔkazjõ] *f* Gelegenheit *f*; Anlaß *m*; Gelegenheitskauf *m*; *d'~* gebraucht; antiquarisch; *à l'~* bei Gelegenheit, gelegentlich; *à l'~ de* aus Anlaß (+ *gén*); *être l'~ de qc* Anlaß zu etw geben; *en toute ~* unter allen Umständen.
occasionn|el, ~elle [ɔkazjɔnɛl] Gelegenheits..., gelegentlich; zufällig; **~er** (1a) bewirken, verursachen.
Occident [ɔksidɑ̃] *m l'~* das Abendland; *pol* der Westen.
occidental, ~e [ɔksidɑ̃tal] (⚠ *m/pl -aux*) abendländisch; westlich.
occiput [ɔksipyt] *m* Hinterkopf *m*.
occit|an, ~ane [ɔksitɑ̃, -an] *ling* südfranzösisch, (alt)provenzalisch.
occlusion [ɔklyzjõ] *f méd* Verschluß *m*.
occulte [ɔkylt] verborgen.
occup|ant, ~ante [ɔkypɑ̃, -ɑ̃t] **1.** *adj* Besatzungs...; **2.** *m* Bewohner *m*; *auto* Insasse *m*; **~ation** *f* Besetzung *f*, Besatzung *f*; Beschäftigung *f*; **~é, ~ée** beschäftigt; besetzt; bewohnt; **~er** (1a) besetzen; besetzt halten; bewohnen; in Anspruch nehmen; beschäftigen; *Amt*: bekleiden; *s'~ de* sich beschäftigen mit, sich befassen mit, sich kümmern um.
occurrence [ɔkyrɑ̃s] *f en l'~* im vorliegenden Fall.
océan [ɔseɑ̃] *m* Ozean *m*.
octobre [ɔktɔbrə] *m* Oktober *m*.
octogénaire [ɔktɔʒenɛr] **1.** *adj* achtzigjährig; **2.** *m, f* Achtzigjährige(r) *m, f*.
ocul|aire [ɔkylɛr] Augen...; **~iste** *m, f* Augenarzt *m*, -ärztin *f*.
odeur [odœr] *f* Geruch *m*; Duft *m*.
odi|eux, ~euse [ɔdjø, -øz] scheußlich; widerwärtig.
odor|ant, ~ante [ɔdɔrɑ̃, -ɑ̃t] wohlriechend; **~at** [-a] *m* Geruchssinn *m*.
œil [œj] *m* (⚠ *pl yeux* [jø]) **1.** Auge *n* (*a bot*); *à mes yeux* meiner Ansicht nach; *à vue d'~* zusehends; *tirer l'~* ins Auge fallen; *avoir l'~ à* aufpassen auf; *coup m d'~* Blick *m*; *avoir les yeux bleus* blaue Augen haben; *fermer les yeux sur qc* bei etw ein Auge zudrücken; **2.** *tech* Loch *n*, Auge *n*, Öse *f*; **~-de-bœuf** [-dəbœf] *m* (⚠ *pl œils-de-bœuf*) rundes (Dach-)Fenster *n*; **~-de-perdrix** [-dəpɛrdri] *m* (⚠ *pl œils-de-perdrix*) Hühnerauge *n*.
œillade [œjad] *f* verliebter Blick *m*.
œillère [œjɛr] *f meist pl ~s* Scheuklappen *f/pl* (*a fig*).
œillet [œjɛ] *m bot* Nelke *f*; *tech* Öse *f*.
œsophage [ezɔfaʒ] *m* Speiseröhre *f*.
œuf [œf] *m* (⚠ *pl ~s* [ø]) Ei *n*; *~s brouillés* Rührei *n*; *~ à la coque* weich(gekocht)es Ei *n*; *~ sur le plat* Spiegelei *n*; *fig dans l'~* im Keim.
œuvre [œvrə] **1.** *f* Werk *n*, Arbeit *f*, Lebenswerk *n*; *~s pl sociales* Sozialeinrichtungen *f/pl*; *~ d'art* Kunstwerk *n*; *se mettre à l'~* sich an die Arbeit machen; *mettre en ~* anwenden; ausführen; **2.** *m tech gros ~* Rohbau *m*; *litt*, *Künstler*: (Gesamt-)Werk *n*.
offens|e [ɔfɑ̃s] *f* Beleidigung *f*; *rel* Sünde *f*; **~er** (1a) beleidigen, kränken, verletzen; *s'~ de qc* Anstoß nehmen an etw; **~if, ~ive** [-if, -iv] **1.** *adj* Angriffs..., offensiv; **2.** *f* Offensive *f*, Angriff *m*.
offic|e [ɔfis] *m* Amt *n*, Dienststelle *f*; *rel* Gottesdienst *m*; *bons ~s pl* gute Dienste *m/pl*; *d'~* von Amts wegen; zwangsweise; *faire ~ de* tätig sein als; **~iel, ~ielle** [-jɛl] amtlich, offiziell.
officier [ɔfisje] *m* Offizier *m*; *jur* Beamte(r) *m*.
offici|eux, ~euse [ɔfisjø, -øz] *pol* halbamtlich, offiziös.
officinal, ~e [ɔfisinal] (⚠ *m/pl -aux*) Heil..., Arznei...
offrande [ɔfrɑ̃d] *f rel* Opfergabe *f*.
offr|e [ɔfrə] *f* Angebot *n*, Offerte *f*; ⚠ *une ~*; **~ir** (2f) (an-, dar)bieten; geben; schenken; *s'~ qc* sich etw leisten.

O

offusquer [ɔfyske] (1m) ärgern.
ogive [ɔʒiv] *f arch* Rippe *f* (*e-s Gewölbes*); Spitzbogen *m*; *mil* Sprengkopf *m*.
ogr|e, ~esse [ɔgrə, -ɛs] *m, f* Menschenfresser(in) *m(f)* (*im Märchen*).
oh! [o] oh!; ~ *là là!* ach je!
oie [wa] *f* Gans *f*.
oignon [ɔɲõ] *m* Zwiebel *f*; ⚠ *Aussprache*.
oiseau [wazo] *m* (⚠ *pl* ~*x*) Vogel *m*; *à vol d'*~ aus der Vogelperspektive; (in der) Luftlinie.
ois|eux, ~euse [wazø, -øz] unnütz, überflüssig; **~if, ~ive** [-if, -iv] müßig, untätig.
oisiveté [wazivte] *f* Müßiggang *m*.
oléoduc [ɔleɔdyk] *m* Ölleitung *f*, Pipeline *f*.
olfact|if, ~ive [ɔlfaktif, -iv] Geruchs...
oliv|e [ɔliv] *f* Olive *f*; **~ier** [-je] *m* Ölbaum *m*, Olive(nbaum) *f(m)*; Olivenholz *n*.
O.L.P. [ɔɛlpe] *f* (*abr Organisation de libération palestinienne*) PLO *f* (Palästinensische Befreiungsfront).
olympique [ɔlɛ̃pik] *jeux m/pl* ~*s* Olympische Spiele *n/pl*.
ombelle [õbɛl] *f bot* Dolde *f*.
ombrag|e [õbraʒ] *m* schattiges Laubwerk *n*; Schatten *m*; **~é, ~ée** schattig; **~eux, ~euse** [-ø, -øz] *Pferd*: scheu; *Person*: leicht verletzbar.
ombr|e [õbrə] *f* Schatten *m* (*a fig*); *fig* Hauch *m*, Andeutung *f*; *à l'*~ im Schatten; F *être à l'*~ im Kittchen sitzen; *dans l'*~ im Dunkeln; im ungewissen; **~elle** *f* Sonnenschirm *m*.
omelette [ɔmlɛt] *f* Omelett *n* (*nur aus Eiern*); ⚠ *une* ~.
omettre [ɔmɛtrə] (4p) aus-, unter-, weglassen; ~ *de faire qc* versäumen, etw zu tun.
omission [ɔmisjõ] *f* Aus-, Unterlassung *f*; Lücke *f*.
omnibus [ɔmnibys] *m* (*train m*) ~ Personen-, Nahverkehrszug *m*; ⚠ *nicht* Omnibus.
omnipotence [ɔmnipɔtɑ̃s] *litt f* Allmacht *f*.
on [õ] (*nach que, et, ou, qui, si meist l'on*) man; F wir.
oncle [õklə] *m* Onkel *m*.
onction [õksjõ] *f rel* Salbung *f*.
onctu|eux, ~euse [õktɥø, -øz] ölig, cremig; *fig* salbungsvoll.
onde [õd] *f* Welle *f*; *sur les* ~*s* über den Rundfunk.
ondée [õde] *f* Regenguß *m*.
on-dit [õdi] *m* (⚠ *pl unv*) Gerücht *n*, Gerede *n*.
ondoiement [õdwamɑ̃] *m* Wellenbewegung *f*; Wogen *n*.
ondoyer [õdwaje] (1h) wogen.
ondul|ation [õdylasjõ] *f* Ondulieren *n*; Wellen *f/pl*, Wellung *f*; **~é, ~ée** wellenförmig, wellig; *Haar*: gewellt; *tôle f ondulée* Wellblech *n*; **~er** (1a) wogen, sich wellen; ondulieren; **~eux, ~euse** [-ø, -øz] wellig.
onér|eux, ~euse [ɔnerø, -øz] kostspielig; *à titre onéreux* gegen Entgelt.
ongle [õglə] *m* (*Finger-, Zehen-*) Nagel *m*; *zo* Kralle *f*, Klaue *f*.
onguent [õgɑ̃] *m* Salbe *f*.
onirique [ɔnirik] traumhaft, Traum...
ont [õ] *cf avoir*.
O.N.U. [ɔny] *f pol* (*abr Organisation des Nations Unies*) UNO *f* (United Nations Organization).
onze [õz] elf; *le* ~ *mai* der elfte *od* am elften Mai; *subst le* ~ die Elf (*a Sport*).
onzième [õzjɛm] **1.** *adj* elfte(r, -s); **2.** *m* Elftel *n*.
opale [ɔpal] *f* Opal *m*; ⚠ *une* ~.
opaque [ɔpak] undurchsichtig.
opéra [ɔpera] *m* Oper(nhaus) *f(n)*; ⚠ *un* ~.
opér|able [ɔperablə] *méd* operierbar; **~ateur, ~atrice** [-atœr, -atris] *m, f* Bedienungsmann *m*, -person *f*; Kameramann *m*; *EDV* Operator *m*; **~ation** *f* Operation *f*; Vorgang *m*; Aktion *f*; *comm* Geschäft *n*.
opérationnel, ~le [ɔperasjɔnɛl] *mil, tech* operativ, einsatzfähig.
opératoire [ɔperatwar] *méd* Operations...
opérer [ɔpere] (1f) (be)wirken; durchführen; operieren; verfahren; *se faire* ~ sich operieren lassen.
ophtalmie [ɔftalmi] *f méd* Augenentzündung *f*.
opiner [ɔpine] (1a) ~ *de la tête od du bonnet* zustimmend nicken.
opiniâtre [ɔpinjɑtrə] hartnäckig, unbeugsam; **~té** [-te] *f* Hartnäckigkeit *f*.
opinion [ɔpinjõ] *f* Meinung *f*, Ansicht *f*; *à mon* ~ meiner Ansicht nach.
opium [ɔpjɔm] *m* Opium *n*.

opport|un, ~une [ɔpɔrtɛ̃ *od* ɔpɔrtœ̃, -yn] günstig, passend, angebracht; **~unisme** [-ynismə] *m* Opportunismus *m*; **~unité** [-ynite] *f* Zweckmäßigkeit *f*.
oppos|ant, ~ante [ɔpozɑ̃, -ɑ̃t] **1.** *adj* gegnerisch; **2.** *m, f* Gegner(in) *m(f)*; *les opposants pl* die Opposition.
oppos|é, ~ée [ɔpoze] **1.** *adj* gegenüberliegend; entgegengesetzt; *être ~ à qc* gegen etw sein; **2.** *m* Gegensatz *m*; Gegenteil *n*; *à l'opposé* auf der entgegengesetzten Seite; *à l'opposé de* im Gegensatz zu; **~er** (1a) gegenübersetzen, -stellen; *fig* entgegenhalten, -setzen; *s'~ à qn, à qc* sich j-m, e-r Sache widersetzen; **~ition** *f* Gegensatz *m*; Opposition *f* (*a pol*), Widerstand *m*; *jur* Einspruch *m*.
oppress|er [ɔprɛse] (1b) beklemmen, bedrücken; **~eur** *m* Unter-, Bedrücker *m*; **~if, ~ive** [-if, -iv] Unterdrückungs...; **~ion** *f* Unterdrückung *f*; Beklemmung *f*.
opprimer [ɔprime] (1a) unterdrücken.
opprobre [ɔprɔbrə] *litt m* Schande *f*.
opter [ɔpte] (1a) optieren, sich entscheiden (*pour* für).
optic|ien, ~ienne [ɔptisjɛ̃, -jɛn] *m, f* Optiker(in) *m(f)*.
optim|al, ~ale [ɔptimal] (⚠ *m/pl -aux*) optimal, bestmöglich; **~isme** *m* Optimismus *m*; **~iste** **1.** *adj* optimistisch; **2.** *m, f* Optimist(in) *m(f)*; **~um** [-ɔm] *m* Optimum *n*.
option [ɔpsjõ] *f* Wahl *f*; Option *f*.
optique [ɔptik] **1.** *adj* optisch, Seh...; **2.** *f* Optik *f*.
opul|ent, ~ente [ɔpylɑ̃, -ɑ̃t] sehr reich; üppig.
or[1] [ɔr] *m* Gold *n*; *d'~, en ~* golden.
or[2] [ɔr] *conj* nun (aber).
oracle [ɔraklə] *m* Orakel *n*.
orag|e [ɔraʒ] *m* Gewitter *n*; *fig* Sturm *m*; **~eux, ~euse** [-ø, -øz] gewitt(e)rig; *fig* stürmisch.
oraison [ɔrɛzõ] *f rel* Gebet *n*; *~ funèbre* Grabrede *f*.
oral, ~e [ɔral] (⚠ *m/pl -aux*) **1.** *adj* mündlich; **2.** *m* mündliche Prüfung *f*.
orang|e [ɔrɑ̃ʒ] **1.** *f* Apfelsine *f*, Orange *f*; **2.** *adj* (⚠ *unv*) orangefarben; **~er** *m* Apfelsinen-, Orangenbaum *m*.
ora|teur, ~trice [ɔratœr, -tris] *m, f* Redner(in) *m(f)*; **~toire** [-twar] rednerisch.
orbital, ~e [ɔrbital] (⚠ *m/pl -aux*) *Raumfahrt*: Bahn..., Orbital...
orbite [ɔrbit] *f* **1.** Augenhöhle *f*; **2.** Umlaufbahn *f*; *fig* Einflußbereich *m*.
orchestre [ɔrkɛstrə] *m* Orchester *n*, Kapelle *f*; *Theater*: vorderes Parkett *n*.
ordinaire [ɔrdinɛr] **1.** *adj* gewöhnlich, üblich; mittelmäßig; ordinär; **2.** *m* Alltagskost *f*; *auto* Normalbenzin *n*; *comme à l'~* wie gewöhnlich; *d'~* meistens.
ordinateur [ɔrdinatœr] *m* Computer *m*.
ordonn|ance [ɔrdɔnɑ̃s] *f* Ver-, Anordnung *f*; *méd* Rezept *n*; *jur* Beschluß *m*, Verfügung *f*; **~é, ~ée** ordentlich; geordnet; **~er** (1a) (an)ordnen; befehlen (*que + subj* daß); *méd* verschreiben.
ordre [ɔrdrə] *m* Ordnung *f*; Reihenfolge *f*; Art *f*, Natur *f*; Befehl *m* (*bes mil*); *comm* Auftrag *m*, Order *f*; *hist* Stand *m*; *rel* Orden *m*; *~ du jour* Tagesordnung *f*; *~ établi* herrschende Ordnung; *par ~ alphabétique* alphabetisch geordnet; *de l'~ de* in der Größenordnung von; *de premier ~* erstklassig; *en ~* (wohl)geordnet, in Ordnung; *jusqu'à nouvel ~* bis auf weiteres; ⚠ *un ~*.
ordure [ɔrdyr] *f* Abfall *m*; Unrat *m*; P *Schimpfwort*: Mistvieh *n*; *fig ~s pl* Schweinereien *f/pl*.
ordur|ier, ~ière [ɔrdyrje, -jɛr] schmutzig, unanständig.
oreill|e [ɔrɛj] *f* Ohr *n*; *dur d'~* schwerhörig; **~er** *m* Kopfkissen *n*; **~ons** *m/pl méd* Mumps *m*, Ziegenpeter *m*.
ores: *d'~ et déjà* [dɔrzedeʒa] schon jetzt.
orfèvre [ɔrfɛvrə] *m* Goldschmied *m*.
organ|e [ɔrgan] *m* Organ *n*; Werkzeug *n*; **~igramme** [-igram] *m* Organisationsschema *n*; **~ique** organisch.
organ|isation [ɔrganizasjõ] *f* Organisierung *f*; Organisation *f*; **~iser** (1a) organisieren; veranstalten; *s'~* sich seine Zeit *etc* richtig einteilen; **~isme** *m* Organismus *m*; Einrichtung *f*, Organisation *f*; **~iste** *m, f* Organist(in) *m(f)*.
orge [ɔrʒ] *f bot* Gerste *f*.
orgelet [ɔrʒəlɛ] *m méd* Gerstenkorn *n*.
orgue [ɔrg] *m* (⚠ *im pl f*) Orgel *f*; *~ de Barbarie* Leierkasten *m*, Drehorgel *f*.

orgueil [ɔrgœj] *m* Hochmut *m*, Stolz *m*.
orgueill|eux, ~euse [ɔrgœjø, -øz] hochmütig, stolz.
Orient [ɔrjɑ̃] *m l'~* der Orient, der Osten.
oriental, ~e [ɔrjɑ̃tal] (⚠ *m/pl -aux*) östlich; orientalisch.
orientation [ɔrjɑ̃tasjõ] *f* Orientierung *f*; (Aus-)Richtung *f*.
orient|é, ~ée [ɔrjɑ̃te] **1.** *être ~ à l'est* nach Osten liegen; **2.** *fig* tendenziös; **~er** (1a) orientieren; ausrichten; *Schüler*: beraten; *s'~* sich orientieren; sich zurechtfinden.
orifice [ɔrifis] *m tech* Öffnung *f*.
originaire [ɔriʒinɛr] ursprünglich; *être ~ de* stammen aus; **~ment** *adv* anfangs, ursprünglich.
original, ~e [ɔriʒinal] (⚠ *m/pl -aux*) **1.** *adj* original; originell; eigentümlich; **2.** *m* Original *n*; Sonderling *m*; **~ité** *f* Ursprünglichkeit *f*, Originalität *f*; Sonderbarkeit *f*.
origin|e [ɔriʒin] *f* Ursprung *m*; Herkunft *f*, Abstammung *f*; Anfang *m*; Entstehung *f*; *à l'~* anfangs, ursprünglich; *d'~ française* von Geburt Franzose; *avoir son ~ dans qc* seine Ursache in etw haben; **~el, ~elle** ursprünglich; *rel péché m originel* Erbsünde *f*.
oripeaux [ɔripo] *m/pl* zerschlissene Kleidung *f*, Lumpen *m/pl*.
orme [ɔrm] *m bot* Ulme *f*; ⚠ *un ~*.
ornement [ɔrnəmɑ̃] *m* Verzierung *f*, Schmuck *m*, Ornament *n*; ⚠ *Schreibung*.
ornement|al, ~ale [ɔrnəmɑ̃tal] (⚠ *m/pl -aux*) Zier..., Schmuck..., ornamental; ⚠ *Schreibung*; **~er** (1a) verzieren.
orner [ɔrne] (1a) schmücken, verzieren (*de* mit), zieren.
ornière [ɔrnjɛr] *f* (Wagen-)Spur *f*.
ornithologie [ɔrnitɔlɔʒi] *f* Vogelkunde *f*.
orphel|in, ~ine [ɔrfəlɛ̃, -in] *m, f* Waise *f*, Waisenkind *n*; **~inat** [-ina] *m* Waisenhaus *n*.
orteil [ɔrtɛj] *m* Zehe *f*.
ortho|doxe [ɔrtɔdɔks] orthodox; **~graphe** [-graf] *f* Orthographie *f*; **~pédique** [-pedik] orthopädisch.
ortie [ɔrti] *f bot* Brennessel *f*.
orvet [ɔrvɛ] *m zo* Blindschleiche *f*.
os [ɔs; *pl* o] *m* Knochen *m*; F *jusqu'à l'~* durch und durch.
O.S. *m* (*abr ouvrier spécialisé*) angelernter Arbeiter *m*.
oscill|ation [ɔsilasjõ] *f phys* Schwingung *f*; *fig* Schwankung *f*; **~er** (1a) schwingen, schwanken (*a fig*).
osé, ~e [oze] gewagt; dreist.
oseille [ozɛj] *f bot* Sauerampfer *m*; *arg* Moneten *pl*.
oser [oze] (1a) wagen; *~ faire qc* wagen *od* sich getrauen, etw zu tun.
osier [ozje] *m bot* Korbweide *f*; *en ~* Korb...
ossature [ɔsatyr] *f* Knochengerüst *n*.
oss|ements [ɔsmɑ̃] *m/pl* Gebeine *n/pl*; **~eux, ~euse** [-ø, -øz] knöchern; knochig.
ostens|ible [ɔstɑ̃siblə] offensichtlich, ostentativ; **~oir** *m égl* Monstranz *f*.
ostentation [ɔstɑ̃tasjõ] *f* Prahlerei *f*.
ostréiculture [ɔstreikyltyr] *f* Austernzucht *f*.
Ostrogot(h) [ɔstrɔgo] *m* **1.** *hist* Ostgote *m*; **2.** ♀ F Grobian *m*; komischer Kauz *m*.
otage [ɔtaʒ] *m* Geisel *f*.
O.T.A.N. [ɔtɑ̃] *f* (*abr Organisation du traité de l'Atlantique Nord*) NATO *f*.
ôter [ote] (1a) wegnehmen; *vom Platz*: entfernen; *Kleider*: ausziehen; *Hut*: abnehmen; *math* subtrahieren.
oto-rhino(-laryngologiste) [ɔtorino (larɛ̃gɔlɔʒist)] *m* Hals-Nasen-Ohrenarzt *m*.
ou [u] *conj* oder; *~ bien* oder aber; *~ ... ~ ...* entweder ... oder.
où [u] *adv* wo, wohin; worin; *d'où* woher; *par où* auf welchem Wege; *~ que* (+ *subj*) wo(hin) auch (immer).
ouais! [wɛ] F nun sieh mal einer an!
ouat|e [wat] *f* (⚠ *meist la ~*) Watte *f*; **~er** (1a) wattieren.
oubli [ubli] *m* Vergessen(heit) *n(f)*.
oublier [ublije] (1a) vergessen; versäumen; *~ de faire qc* vergessen, etw zu tun.
oubliettes [ublijɛt] *f/pl* (Burg-)Verlies *n*.
ouest [wɛst] **1.** *m* Westen *m*; *vent m d'~* Westwind *m*; *à l'~ de* westlich von; **2.** *adj* westlich.
ouf! [uf] uff!, gottlob!
oui [wi] ja; *je crois que ~* ich glaube ja; *mais ~* [mɛwi] allerdings.
ouï-dire [widir] *par ~* vom Hörensagen.

ouïe [wi] *f* Gehör(sinn) *n(m)*; *zo* ~s *pl* Kiemen *f/pl*.
ouïr [wir] *litt* hören (⚠ *nur inf u p/p ouï*).
ouragan [uragɑ̃] *m* Orkan *m*.
ourdir [urdir] (2a) anzetteln.
ourl|er [urle] (1a) (um)säumen; **~et** [-ɛ] *m* Saum *m*.
ours [urs] *m* Bär *m*.
ours|e [urs] *f* Bärin *f*; *astr la Grande* ♀ der Große Bär; **~in** *m zo* Seeigel *m*.
oust(e)! [ust] F raus!; schnell!
outil [uti] *m* Werkzeug *n*; ~s *pl* Handwerkszeug *n*.
outill|age [utijaʒ] *m* Handwerkszeug *n*, Ausrüstung *f*; technische Anlagen *f/pl*; **~é, ~ée** mit Werkzeugen ausgerüstet.
outrag|e [utraʒ] *m* Beleidigung *f*, Schmähung *f*; *jur* ~ *public à la pudeur* Erregung *f* öffentlichen Ärgernisses; **~er** (1l) beschimpfen, beleidigen; **~eusement** [-øzmɑ̃] *adv* äußerst.
outrance [utrɑ̃s] *f* Übertreibung *f*; *à* ~ bis aufs äußerste.
outre[1] [utrə] außer; *en* ~ außerdem.
outre[2] [utrə] *f* Schlauch *m* (*für Flüssigkeiten*).
outré, ~e [utre] *être* ~ *de od par qc* empört, entrüstet sein über etw.
outrecuidance [utrəkɥidɑ̃s] *litt f* Überheblichkeit *f*.
outre-mer [utrəmɛr] *d'*~ überseeisch, Übersee...
outrepasser [utrəpase] (1a) überschreiten.
outre-Rhin [utrərɛ̃] jenseits des Rheins (*von Frankreich aus*).
ouv|ert, ~erte [uvɛr, -ɛrt] offen, geöffnet; *fig* aufgeschlossen (*à für*); *à bras ouverts* mit offenen Armen; **~ertement** [-ɛrtəmɑ̃] *adv* offen, freiheraus.
ouverture [uvɛrtyr] *f* (Er-)Öffnung *f*; *mus* Ouvertüre *f*.
ouvr|able [uvrablə] *jour m* ~ Werktag *m*; **~age** *m* Arbeit *f*, Werk *n*; Befestigungsanlage *f*; *arch gros* ~ Rohbau *m*; ~ *de dames* Handarbeit *f*.
ouvragé, ~e [uvraʒe] kunstvoll gearbeitet.
ouvrant [uvrɑ̃] *auto toit m* ~ Schiebedach *n*.
ouvre-boîtes [uvrəbwat] *m* (⚠ *pl unv*) Büchsenöffner *m*.
ouvreuse *f* [uvrøz] *Kino*, *Theater*: Platzanweiserin *f*.
ouvri|er, ~ère [uvrije, -ɛr] **1.** *adj* Arbeiter...; **2.** *m, f* Arbeiter(in) *m(f)*.
ouvrir [uvrir] (2f) öffnen, aufmachen; eröffnen; *Radio etc*: anstellen, anmachen; *s'*~ sich öffnen, aufgehen.
ovaire [ɔvɛr] *m biol* Eierstock *m*.
ovale [ɔval] **1.** *adj* oval; **2.** *m* Oval *n*.
ovation [ɔvasjõ] *f* Ovation *f*.
ov|in, ~ine [ɔvɛ̃, -in] Schaf...
ovni [ɔvni] *m* (*abr objet volant non identifié*) Ufo *n* (*abr* unbekanntes Flugobjekt).
ovule [ɔvyl] *m biol* Ei(zelle) *n(f)*.
oxyder [ɔkside] (1a) (*s'*)~ oxydieren.
oxygène [ɔksiʒɛn] *m chim* Sauerstoff *m*.
ozone [ozon] *m chim* Ozon *n*.

P

p. (*abr page*[s]) S. (Seite[n]).
pacage [pakaʒ] *m agr* Weide *f*.
pachyderme [paʃidɛrm *od* paki-] *m zo* Dickhäuter *m*.
pacifica|teur, ~trice [pasifikatœr, -tris] *m, f* Frieden(s)stifter(in) *m(f)*; **~tion** *f* Befriedung *f*.
pacifier [pasifje] (1a) befrieden; *fig* beruhigen.
pacif|ique [pasifik] friedliebend; friedlich; *le* ♀ *od l'océan* ♀ der Pazifik, der Pazifische *od* Stille Ozean; **~isme** *m* Pazifismus *m*.
pacotille [pakɔtij] *f péj* Schund *m*.
pact|e [pakt] *m* Pakt *m*, Vertrag *m*; **~iser** (1a) paktieren (*avec* mit).
pagaïe *od* **pagaille** [pagaj] *f* F Durcheinander *n*.
paganisme [paganismə] *m* Heidentum *n*.
pagayer [pagɛje] (1i) paddeln.
page[1] [paʒ] *m hist* Page *m*.

page[2] [paʒ] *f* (Schrift-, Druck-)Seite *f*; *fig être à la* ~ auf dem laufenden sein.
pagne [paɲ] *m* Lendenschurz *m*.
paie [pɛ] *f* Lohn(zahlung) *m(f)*.
paiement [pɛmɑ̃] *m* (Be-)Zahlung *f*.
pa|ïen, ~ïenne [pajɛ̃, -jɛn] **1.** *adj* heidnisch; **2.** *m, f* Heide *m*, Heidin *f*.
paill|ard, ~arde [pajar, -ard] geil; schlüpfrig.
paillass|e [pajas] *f* Strohsack *m*; **~on** *m* Strohmatte *f*; Abtreter *m*.
paille [paj] *f* Stroh *n*; Strohhalm *m*; F *fig* Kleinigkeit *f*.
paillette [pajɛt] *f* Plättchen *n*; *savon m en ~s* Seifenflocken *f/pl*.
pain [pɛ̃] *m* Brot *n*; *~ de savon* Riegel *m* Seife; *~ de sucre* Zuckerhut *m*; *~ bis* Schwarzbrot *n*; *~ complet* Vollkornbrot *n*; *~ de viande cuis* falscher Hase *m*; *~ d'épice* Pfeffer-, Lebkuchen *m*; *petit ~* Brötchen *n*; *~ de mie* Toastbrot *n*.
pair, ~e [pɛr] **1.** *adj math Zahl*: gerade; **2.** *m hors (de) pair* unübertrefflich; *aller de pair* Hand in Hand gehen; *être au pair* gegen Kost und Logis arbeiten; **3.** *m hist* Pair *m*; *England*: Peer *m*.
paire [pɛr] *f* Paar *n*; *une ~ de gants* ein Paar Handschuhe; *une ~ de ciseaux* e-e Schere; *une ~ de lunettes* e-e Brille; ⚠ *la ~*.
paisible [pezibləl] friedlich; friedliebend.
paître [pɛtrə] (4z) weiden; *mener ~* auf die Weide führen; ⚠ *kein p/p u kein p/s*.
paix [pɛ] *f* Frieden *m*; Stille *f*, Ruhe *f*; *faire la ~* Frieden schließen; F *fiche-moi la ~!* laß mich in Ruhe!
Pakistan [pakistɑ̃] *le ~* Pakistan *n*.
pakistan|ais, ~aise [pakistanɛ, -ɛz] pakistanisch.
pal [pal] *m* Pfahl *m*.
palais [palɛ] *m* **1.** Palast *m*; *~ de justice* Gerichtsgebäude *n*; **2.** Gaumen *m*.
palan [palɑ̃] *m* Flaschenzug *m*.
palatal, ~e [palatal] (⚠ *m/pl -aux*) *ling* palatal, Gaumen...
Palatinat [palatina] *le ~* die Pfalz.
pale [pal] *f* Ruderblatt *n*; Propellerflügel *m*, -blatt *n*.
pâle [pɑl] blaß, bleich; *fig* farblos.
pale|frenier [palfrənje] *m* Pferde-, Reitknecht *m*; **~froi** [-frwa] *m hist* Paradepferd *n*, Zelter *m*.
Palestine [palɛstin] *la ~* Palästina *n*.
paletot [palto] *m* kurzer Mantel *m*.
palette [palɛt] *f* Palette *f*; Radschaufel *f*; Schulterblatt *n*.
pâleur [pɑlœr] *f* Blässe *f*.
palier [palje] *m* Treppenabsatz *m*; *tech* Lager *n*; *fig* Stufe *f*; *par ~s* schrittweise.
pâlir [pɑlir] (2a) blaß *od* bleich werden, erblassen; *fig* verblassen.
palissade [palisad] *f* Lattenzaun *m*; Palisade *f*; ⚠ *Schreibung*.
palli|atif [paljatif] *m* Notbehelf *m*; **~er** (1a) ~ (*à*) abhelfen, ausgleichen.
palmarès [palmarɛs] *m* Siegerliste *f*.
palm|e [palm] *f bot* Palmzweig *m*; *fig* Siegespalme *f*; *Sport*: Schwimmflosse *f*; ⚠ *nicht* Palme; **~eraie** [-ərɛ] *f* Palmenhain *m*; **~ier** [-je] *m bot* Palme *f*.
palmipèdes [palmipɛd] *m/pl zo* Schwimmvögel *m/pl*.
palombe [palɔ̃b] *f zo* Ringeltaube *f*.
pâl|ot, ~otte [pɑlo, -ɔt] bläßlich.
palp|able [palpablə] greifbar; **~er** (1a) betasten; F *Geld*: einstreichen.
palpit|ant, ~ante [palpitɑ̃, -ɑ̃t] zuckend; *fig* spannend; **~ation** *f* Zucken *n*; *meist pl ~s* Herzklopfen *n*; **~er** (1a) zucken; *Herz*: klopfen, pochen; *Busen*: wogen.
palud|éen, ~éenne [palydeɛ̃, -eɛn] Sumpf...; **~isme** *m méd* Sumpffieber *n*, Malaria *f*.
pâmer [pɑme] (1a) *se ~ de* außer sich sein vor.
pâmoison [pɑmwazɔ̃] *f iron* Ohnmacht *f*.
pamphlet [pɑ̃flɛ] *m* Pamphlet *n*, Schmähschrift *f*.
pamplemousse [pɑ̃pləmus] *m* Pampelmuse *f*, Grapefruit *f*; ⚠ *le ~*.
pan[1] [pɑ̃] *m* Rockschoß *m*; (Mauer-)Stück *n*; Seite *f*; Fachwerk *n*.
pan[2] [pɑ̃] peng!
panacée [panase] *f* Allheilmittel *n*.
panach|e [panaʃ] *m* Helm-, Federbusch *m*; *avoir du ~* ein schneidiges Auftreten haben; **~é, ~ée** gesprenkelt; gemischt.
pancarte [pɑ̃kart] *f* Anschlag(zettel) *m*, Schild *n*; Spruchband *n*.
pancréas [pɑ̃kreas] *m* Bauchspeicheldrüse *f*.
panégyrique [paneʒirik] *m* feierliche Lobrede *f*.
paner [pane] (1a) *cuis* panieren.

panier [panje] *m* Korb *m*; *fig* F ~ *à salade* grüne Minna *f*.
panification [panifikasjõ] *f* Brotbereitung *f*.
panique [panik] **1.** *adj* panisch; **2.** *f* Panik *f*.
panne [pan] *f* Panne *f*; Defekt *m*; *être od rester en* ~ e-e Panne haben; *tomber en* ~ *sèche* kein Benzin mehr haben; *en* ~ defekt, kaputt.
panneau [pano] *m* (⚠ *pl* ~*x*) (Verkehrs-)Schild *n*, Tafel *f*; *tech* Platte *f*; Türfüllung *f*.
panonceau [panõso] *m* (⚠ *pl* ~*x*) (kleines) Schild *n*.
panoplie [panɔpli] *f* Waffensammlung *f*; Ausrüstung *f*; *fig* Arsenal *n*.
panoram|a [panɔrama] *m* Panorama *n*; **~ique** Rundblick...
pansage [pɑ̃saʒ] *m* Striegeln *n*.
panse [pɑ̃s] *f* F Wanst *m*.
pansement [pɑ̃smɑ̃] *m méd* Verband *m*; Verbinden *n*; **~er** (1a) *méd* verbinden; *Pferde*: striegeln.
pantagruélique [pɑ̃tagryelik] *repas m* ~ Schlemmermahl *n*.
pantalon [pɑ̃talõ] *m* lange Hose *f*.
pantel|ant, ~ante [pɑ̃tlɑ̃, -ɑ̃t] keuchend.
panthère [pɑ̃tɛr] *f zo* Panther *m*; ⚠ *la* ~.
pantin [pɑ̃tɛ̃] *m* Hampelmann *m*.
pantois [pɑ̃twa] (⚠ *unv*) *rester* ~ verblüfft sein.
pantouflard [pɑ̃tuflar] *m* F Stubenhocker *m*.
pantoufle [pɑ̃tuflə] *f* Pantoffel *m*; Hausschuh *m*; ⚠ *la* ~.
paon [pɑ̃] *m* Pfau *m*.
papa [papa] *m* Papa *m*; *fig à la* ~ gemütlich.
pap|al, ~ale [papal] (⚠ *m/pl -aux*) päpstlich; **~auté** [-ote] *f* Papsttum *n*.
pape [pap] *m* Papst *m*.
papel|ard, ~arde [paplar, -ard] *litt* scheinheilig.
paperasse [papras] *f* alte Papiere *n/pl*; *péj* Papierkram *m*, Schreibkram *m*.
papet|erie [papɛtri] *f* Schreibwarenhandlung *f*; Papierfabrik *f*; **~ier, ~ière** [-je, -jɛr] *m, f* Schreibwarenhändler(in) *m(f)*.
papier [papje] *m* Papier *n*; ~ *hygiénique* Toilettenpapier *n*; ~ *à musique* Notenpapier *n*; ~ *peint* Tapete *f*; ~ *à lettres* Briefpapier *n*; **~-monnaie** [-mɔnɛ] *m* Papiergeld *n*.
papillon [papijõ] *m* **1.** *zo* Schmetterling *m*; *tech* Flügelmutter *f*; *nœud m* ~ Fliege *f* (*Krawatte*); **2.** Klebezettel *m*; Strafzettel *m*.
papillot|e [papijɔt] *f* Papierumwicklung *f*; **~er** (1a) blinzeln; funkeln.
papoter [papɔte] (1a) schwatzen, plappern.
paquebot [pakbo] *m* Passagierschiff *n*, Ozeandampfer *m*.
pâquerette [pɑkrɛt] *f bot* Gänseblümchen *n*.
Pâques [pɑk] *m/sg* (*ohne Artikel*) *od f/pl* Ostern *n od pl*; *à* ~ an, zu Ostern; *joyeuses* ~*!* frohe Ostern!; *faire ses* ♀ zur österlichen Kommunion gehen.
paquet [pakɛ] *m* Paket *n*; Bündel *n*; Päckchen *n*.
par [par] *prép* **1.** *Ort*: ~ *la porte*, ~ *la fenêtre* zur Tür, zum Fenster hinaus (*od* herein); *tomber* ~ *terre* zu Boden fallen; ~ *le haut* von oben (her); ~ *en bas* von unten (her), unten herum *od* entlang; *passer* ~ *Berlin* über Berlin reisen; *être assis* ~ *terre* auf dem Boden sitzen; *prendre* ~ *la main* bei der Hand fassen; **2.** *Zeit*: ~ *beau temps* bei schönem Wetter; ~ *un beau soir* an e-m schönen Abend; **3.** *Grund*: ~ *conséquent* folglich; ~ *curiosité* aus Neugierde; ~ *hasard* zufällig; ~ *malheur* unglücklicherweise; **4.** *Handlung e-r Person im Passiv*: *vaincu* ~ *César* von Cäsar besiegt; *Le Cid* ~ *Corneille* „Der Cid" von Corneille; **5.** *Mittel*: ~ *le bateau* mit dem Schiff; *partir* ~ *le train* mit dem Zug abfahren; ~ *la poste* mit der Post; **6.** *Art u Weise*: ~ *centaines* zu Hunderten; ~ *voie aérienne* auf dem Luftweg; *math diviser* ~ *quatre* durch vier teilen; ~ *trop* wirklich zu sehr; ~ *écrit* schriftlich; **7.** *distributiv*: ~ *an* jährlich; ~ *jour* täglich; ~ *tête* pro Kopf; **8.** *commencer* (*finir*) ~ *faire qc* anfangs (schließlich *od* zuletzt) etw tun; **9.** *de* ~ *le monde* überall auf der Welt; *de* ~ *sa nature* von Natur aus; *hist de* ~ *le roi* im Namen des Königs.
para [para] *m mil Kurzwort für parachutiste*.
parabole [parabɔl] *f* Gleichnis *n*; *math* Parabel *f*.
parachut|e [paraʃyt] *m* Fallschirm *m*; **~iste** *m, f* Fallschirmspringer(in) *m(f)*; *mil* Fallschirmjäger *m*.

parade [parad] *f* **1.** *de* ~ Parade..., Prunk...; **2.** Abwehr *f*; *fig* Entgegnung *f*.

parad|is [paradi] *m* Paradies *n*; *Theater*: oberste Galerie *f*; **~isiaque** [-izjak] paradiesisch.

paradoxal, ~e [paradɔksal] (⚠ *m/pl -aux*) paradox.

paradoxe [paradɔks] *m* Paradox *n*, Widersinn *m*.

paraf|e [paraf] *m* Namenszug *m*, -zeichen *n*; **~er** (1a) mit dem Namenszug versehen, abzeichnen, paraphieren.

parages [paraʒ] *m/pl* Seegebiet *n*; *allg* Gegend *f*.

paragraphe [paragraf] *m* Abschnitt *m*, Absatz *m*; ⚠ *nicht* Gesetzesparagraph.

paraître [parɛtrə] (4z) erscheinen; scheinen, aussehen; ~ (+ *inf*) scheinen zu (+ *inf*); *il paraît que* ... man sagt, daß ...; *à ce qu'il paraît* wie es scheint.

parallèle [paralɛl] **1.** *adj* parallel (*à* zu); **2.** *f math* Parallele *f*; **3.** *m géogr* Breitenkreis *m*; *fig* Gegenüberstellung *f*, Parallele *f*, Vergleich *m*; ⚠ *unterscheide le/la* ~.

paralys|er [paralize] (1a) lähmen (*a fig*); **~ie** [-i] *f* Lähmung *f*.

parangon [parɑ̃gɔ̃] *m litt* Muster *n*.

parapet [parapɛ] *m* Brüstung *f*, Geländer *n*.

paraphe(r) *cf parafe(r)*.

paraphras|e [parafrɑz] *f* Umschreibung *f*; **~er** (1a) umschreiben.

parapluie [paraplɥi] *m* Regenschirm *m*.

parasite [parazit] **1.** *adj* schmarotzend; **2.** *m* Schmarotzer *m*, Parasit *m* (*beide a fig*); *~s pl Radio*: Störgeräusche *n/pl*.

para|sol [parasɔl] *m* Garten-, Sonnenschirm *m*; **~tonnerre** [-tɔnɛr] *m* Blitzableiter *m*.

paravent [paravɑ̃] *m* Wandschirm *m*, spanische Wand *f*.

parbleu! [parblø] *litt* natürlich!, wahrhaftig!

parc [park] *m* Park *m*; *Schafe*: Pferch *m*; ~ *de stationnement* Parkplatz *m*; **~age** *m* Parken *n*; Parkplatz *m*.

parcelle [parsɛl] *f* Parzelle *f*.

parce que [parskə] weil.

parchemin [parʃəmɛ̃] *m* Pergament *n*.

par-ci [parsi] ~, *par-là* hier und da; hin und wieder.

parcimonie [parsimɔni] *f avec* ~ sehr sparsam.

parcmètre [parkmɛtrə] *m* Parkuhr *f*.

parcourir [parkurir] (2i) durchlaufen, -fahren, -ziehen; *Text*: überfliegen.

parcours [parkur] *m* (Renn-)Strecke *f*; *accident m de* ~ Mißgeschick *n*.

par-derrière [pardɛrjɛr] *adv* von hinten, hinterrücks; *fig* hintenherum.

par-dessous [pardəsu] **1.** *prép* unter; **2.** *adv* darunter.

pardessus [pardəsy] *m* Überzieher *m*.

par-dessus [pardəsy] **1.** *prép* über; **2.** *adv* darüber (hinweg) ~ *le marché* obendrein.

par-devant [pardəvɑ̃] *adv* vorn (herum).

pardi! [pardi] *litt* und ob!, natürlich!

pardon [pardɔ̃] *m* Verzeihung *f*; ~*!* Entschuldigung!; ~*?* wie bitte?; *demander* ~ *à qn* j-n um Verzeihung bitten.

pardonner [pardɔne] (1a) ~ *qc à qn* j-m etw verzeihen; *se* ~ entschuldbar sein.

pare|-brise [parbriz] *m* (⚠ *pl unv*) *auto* Windschutzscheibe *f*; **~-chocs** [-ʃɔk] *m* (⚠ *pl unv*) *auto* Stoßstange *f*.

pareil, ~le [parɛj] gleich, ähnlich (*à*); derartig, solch; *sans* ~ unvergleichlich; *habillés pareil* gleich angezogen; F *c'est du pareil au même* das ist Jacke wie Hose.

pareillement [parɛjmɑ̃] *adv* gleichfalls.

parement [parmɑ̃] *m* Ärmelaufschlag *m*; *arch* Verblendung *f*, Blendmauer *f*.

par|ent, ~ente [parɑ̃, -ɑ̃t] **1.** *adj* verwandt; **2.** *m, f* Verwandte(r) *m, f*; *parents m/pl* Eltern *pl*; **~enté** [-ɑ̃te] *f* Verwandtschaft *f*.

parenthèse [parɑ̃tɛz] *f* (runde) Klammer *f*; *gr* eingeschalteter Satz *m*; *entre ~s* in Klammern; *fig* beiläufig gesagt; *mettre entre ~s* einklammern.

parer [pare] (1a) **1.** her-, zurichten; *litt* schmücken; **2.** *Angriff*: parieren, abwehren; *mar Kap*: umfahren; ~ *à qc* e-r Sache vorbeugen.

paress|e [parɛs] *f* Faulheit *f*; **~eux, ~euse** [-ø, -øz] faul.

par|fait, ~faite [parfɛ, -fɛt] **1.** *adj* vollkommen, vollendet; völlig; **2.** *m*

P

gr Perfekt *n*; *Eis*: Parfait *n*; **~faitement** [-fɛtmɑ̃] *adv* völlig, ganz; *als Antwort*: gewiß.
parfois [parfwa] manchmal.
parfum [parfɛ̃, -œ̃] *m* Parfüm *n*; Duft *m*; *beim Eis*: Geschmack *m*.
parfum|é, ~ée [parfyme] duftend; parfümiert; **~er** (1a) parfümieren.
pari [pari] *m* Wette *f*.
parier [parje] (1a) wetten.
paris|ien, ~ienne [parizjɛ̃, -jɛn] **1.** *adj* Pariser, pariserisch; **2.** ♀ *m*, *f* Pariser(in) *m(f)*.
par|itaire [paritɛr] paritätisch; **~ité** *f* *écon* Parität *f*.
parjure [parʒyr] *litt* **1.** *m* Meineid *m*; Eidbruch *m*; **2.** *m*, *f* Meineidige(r) *m*, *f*; Eidbrüchige(r) *m*, *f*.
parking [parkiŋ] *m* Parkplatz *m*; ~ *souterrain* Tiefgarage *f*.
parl|ant, ~ante [parlɑ̃, -ɑ̃t] *Vergleich*: anschaulich; *film m parlant* Tonfilm *m*; *généralement parlant* allgemein gesprochen; **~é, ~ée** gesprochen.
Parlement [parləmɑ̃] *m* Parlament *n*; ⚠ *Schreibung*.
parlement|aire [parləmɑ̃tɛr] **1.** *adj* parlamentarisch; **2.** *m*, *f* Parlamentarier(in) *m(f)*; *m im Krieg*: Parlamentär *m*; ⚠ *Schreibung*; **~er** (1a) verhandeln (*avec qn sur qc* mit j-m über etw).
parl|er [parle] **1.** (1a) sprechen (*à qn od avec qn* j-n, mit j-m); ~ *de qc* über etw sprechen *od* reden; ~ *affaires* von Geschäften sprechen; ~ *boutique* fachsimpeln; ~ *petit nègre* kauderwelschen; *sans* ~ *de* abgesehen von; **2.** *m* Sprache *f*, Sprechweise *f*; ~ *régional* Mundart *f*; **~oir** *m* Sprechzimmer *n*.
parmi [parmi] unter; ~ *tant d'autres* unter *od* von vielen.
parod|ie [parɔdi] *f* Parodie *f*; **~ier** [-je] (1a) parodieren.
paroi [parwa] *f* Wand *f*.
paroiss|e [parwas] *f* Pfarrei *f*, (Pfarr-)Gemeinde *f*; **~ien** *m*, **~ienne** *f* *rel* Gemeindemitglied *n*.
parole [parɔl] *f* Wort *n*; Ausspruch *m*; Sprache *f*; ~ *(d'honneur)* Ehrenwort *n*; *donner la* ~ *à qn* j-m das Wort erteilen; *donner sa* ~ sein (Ehren-)Wort geben; **~s** *pl* Text *m* (*Lied*); ⚠ *nicht* Parole.
parquer [parke] (1m) einpferchen; parken.
parquet [parkɛ] *m* Parkett *n*; *jur* Staatsanwaltschaft *f*; ⚠ *nicht*: Parkett *im Theater*.
parrain [parɛ̃] *m* Pate *m*; *fig* Bürge *m*.
parricide [parisid] **1.** *m* Vater-, Mutter-, Verwandtenmord *m*; **2.** *m*, *f* Vater-, Muttermörder(in) *m(f)*.
parsemer [parsəme] (1d) übersäen, bestreuen (*de* mit).
part [par] *f* Anteil *m*, Teil *m od n*; *à* ~ *entière* vollwertig; *pour ma* ~ was mich betrifft; *avoir* ~ *à qc* an etw teilhaben; *faire* ~ *de qc à qn* j-m etw mitteilen; *faire la* ~ *de qc* etw berücksichtigen; *prendre* ~ *à qc* an etw teilnehmen; *de la* ~ *de qn* von seiten (*od* im Auftrage) j-s; *de ma* ~ von mir, meinerseits; *d'une* ~ ... *d'autre* ~ einerseits ... andererseits; *autre* ~ anderswo(hin); *nulle* ~ nirgends; *quelque* ~ irgendwo(hin); *à* ~ beiseite; für sich; *à* ~ *cela* abgesehen davon; *en bonne* ~ im guten Sinn; ⚠ *nicht verwechseln mit la partie*.
partag|e [partaʒ] *m* (Auf-)Teilung *f*; *jur* Erbteil *n*; ~ *des voix* Stimmengleichheit *f*; **~er** (1l) (auf-, ver)teilen.
partance [partɑ̃s] *f* *en* ~ abfahr-, abflugbereit (*pour* nach).
partant [partɑ̃] **1.** *m* Abreisende(r) *m*; *Sport*: Teilnehmer *m*; **2.** *conj st/s* demnach.
partenaire [partənɛr] *m*, *f* Partner (-in) *m(f)*.
parterre [partɛr] *m* Blumenbeet *n*; *Theater*: Parkett *n*; ⚠ *nicht* Parterre *n* (*Erdgeschoß*); ⚠ *nicht verwechseln mit par terre* (auf dem Boden).
parti[1] [parti] *m* Partei *f*; *prendre* ~ *pour*, *contre* Partei ergreifen für, gegen; *prendre un* ~ e-n Entschluß fassen; *tirer* ~ *de qc* etw (aus)nutzen; ~ *pris* Voreingenommenheit *f*; ⚠ *le* ~; ⚠ *nicht verwechseln mit la partie*.
parti[2], **~e** [parti] *p/p von partir u adj* weg, fort; F *un peu* ~ beschwipst.
partial, ~e [parsjal] (⚠ *m/pl -aux*) parteiisch; **~ité** *f* Parteilichkeit *f*.
particip|ation [partisipasjõ] *f* Teilnahme *f*; Beteiligung *f*; Mitsprache *f*; **~er** (1a) ~ *à* teilnehmen, sich beteiligen an; teilhaben an.
particularité [partikylarite] *f* Eigentümlichkeit *f*.
particule [partikyl] *f* Teilchen *n*, Partikel *f*.
particul|ier, ~ière [partikylje, -jɛr] **1.** *adj* besonders, eigen(tümlich); pri-

P

vat; ~ *à* typisch für; *en particulier* gesondert; insbesondere; **2.** *m* Privatperson *f*; **~ièrement** [-jɛrmɑ̃] *adv* besonders, vor allem.

partie [parti] *f* (Bestand-)Teil *m*; Ausflug *m*; *Spiel*: Partie *f*; *jur* Partei *f*; *fig* Angelegenheit *f*, Kampf *m*; *mus* Part *m*; *en* ~ teilweise; *faire* ~ *de* gehören zu; ⚠ *nicht verwechseln mit le parti*.

partiel, ~le [parsjɛl] partiell, Teil...

partir [partir] (2b) weggehen, abreisen, abfahren (*à, pour* nach); *Sport*: starten; *Schuß*: fallen; ~ *de qc* von etw ausgehen; *en partant de* ausgehend von; *à* ~ *de* ab, von ... an; ⚠ *il est parti*.

partis|an, ~ane [partizɑ̃, -an] *m, f* (*f selten*) Anhänger(in) *m(f)*; *mil m* Partisan *m*; *être* ~ *de qc* etw befürworten.

partit|if, ~ive [partitif, -iv] *gr* partitiv; *article m partitif* Teilungsartikel *m*.

partition [partisjõ] *f mus* Partitur *f*; *pol* Teilung *f*.

partout [partu] überall.

paru, ~e [pary] *p/p von paraître*.

parure [paryr] *f* Schmuck *m*.

parution [parysjõ] *f Buch*: Erscheinen *n*.

parvenir [parvənir] (2h) gelangen (*à* zu), erreichen; *faire* ~ *qc à qn* j-m etw zugehen lassen; ~ *à faire qc* es schaffen, etw zu tun.

parvenu, ~e [parvəny] *m, f* Emporkömmling *m*.

pas[1] [pɑ] *m* Schritt *m*; *faux* ~ Fehltritt *m*; ~ *à* ~ schrittweise; *à* ~ *de loup* auf leisen Sohlen; *d'un* ~ (um) e-n Schritt; *sur le* ~ *de la porte* vor dem Haus; *le* ♀ *de Calais* die Straße von Dover.

pas[2] [pɑ] *adv* nicht; *beim Verb*: *ne ...* ~ (F *ohne ne*) nicht; *ne ...* ~ *du tout* überhaupt nicht; *ne ...* ~ *de* kein; *ne ...* ~ *non plus* auch nicht.

passable [pasablə] leidlich; *Schule*: ausreichend.

passag|e [pasaʒ] *m* Durchgang *m*, -fahrt *f*; Vorbeigehen *n*; Passieren *n*; Passage *f*; Überfahrt *f*; Übergang *m* (*a fig*); *Buch*: Stelle *f*; ~ *à niveau* Bahnübergang *m*; *de* ~ auf der Durchreise; ~ *clouté* Fußgängerüberweg *m*; ~ *protégé* Vorfahrtsstraße *f*; ⚠ *le* ~; **~er, ~ère 1.** *adj* vorübergehend; *fig* flüchtig; **2.** *m, f* Passagier *m*, Fahrgast *m*.

pass|ant, ~ante [pasɑ̃, -ɑ̃t] **1.** *m, f* Passant(in) *m(f)*; **2.** *adj Straße*: belebt; **3.** *adv en passant* beiläufig.

passe [pɑs] *f Sport*: Ballabgabe *f*, Zuspiel *n*, Paß *m*; *mil mot m de* ~ Losungswort *n*; *hôtel m de* ~ Absteige *f*; ⚠ *nicht* (Reise-, Gebirgs-) Paß.

passé, ~e [pase] **1.** *adj* vergangen; **2.** *prép passé dix heures* nach 10 Uhr; **3.** *m* Vergangenheit *f*; *gr* ~ *composé* Perfekt *n*.

passe-droit [pasdrwa] *m* (⚠ *pl passe-droits*) ungerechte Bevorzugung *f*.

passement [pasmɑ̃] *m* Posament *n*.

passe|-partout [paspartu] *m* (⚠ *pl unv*) Hauptschlüssel *m*; Dietrich *m*; **~-passe** [-pas] *m tour m de* ~ Taschenspielertrick *m*; **~port** [-pɔr] *m* (Reise-)Paß *m*; ⚠ *nicht* Gebirgspaß.

passer [pase] (1a) **1.** (*mit avoir, häufiger être*) vorübergehen, -fahren; durchgehen, -reisen, -laufen; übergehen (*à* zu); *Gesetz*: durchkommen; ~ *avant* den Vorrang haben vor; ~ *chez qn* bei j-m vorsprechen; ~ *dans une classe supérieure* versetzt werden; ~ *en seconde* in den zweiten Gang schalten; ~ *pour qc* für etw gelten; ~ *sur qc* etw übergehen; *faire* ~ durchlassen; weitergeben; *laisser* ~ hingehen lassen; versäumen; ~ *maître* Meister werden; *passe (encore) de* (+ *inf*) es mag noch hingehen, daß ...; **2.** (*mit avoir*) überqueren; passieren; überschreiten; auslassen; verbringen; *Prüfung*: ablegen; *Hemd etc*: anziehen; *Soße*: passieren; *Film*: vorführen; ~ *qc à qn* j-m etw reichen; ~ *qc à, sur* etw an *e-e Stelle* bringen; ~ *qc sur qc* etw auf etw auftragen; ~ *l'aspirateur* staubsaugen; ~ *qc sous silence* etw übergehen; **3.** *se* ~ sich ereignen, passieren; *Zeit*: vergehen, verrinnen; *se* ~ *de qc* auf etw verzichten, ohne etw auskommen.

passereau [pasro] *m* (⚠ *pl* ~*x*) *zo* Sperling(svogel) *m*.

passerelle [pasrɛl] *f* Steg *m*, Fußgängerbrücke *f*; *mar, aviat* Gangway *f*; (Kommando-)Brücke *f*.

passe-temps [pastɑ̃] *m* (⚠ *pl unv*) Zeitvertreib *m*.

passible [pasiblə] *jur être* ~ *d'une peine* e-e Strafe zu gewärtigen ha-

P

ben; ~ *de la peine capitale Verbrechen*: auf das die Todesstrafe steht.
pass|if, ~ive [pasif, -iv] **1.** *adj* passiv; **2.** *m gr* Passiv *n*.
passion [pasjõ] *f* Passion *f*; Leidenschaft *f*.
passionn|ant, ~ante [pasjɔnɑ̃, -ɑ̃t] spannend, fesselnd; **~é, ~ée** leidenschaftlich, begeistert; **~er** (1a) begeistern.
passivité [pasivite] *f* Passivität *f*.
passoire [paswar] *f* Sieb *n*.
pastel [pastɛl] *m* Pastell *n*; ⚠ *Schreibung*.
pasteur [pastœr] *m rel* Pfarrer *m*, Pastor *m*; **~iser** (1a) pasteurisieren.
pastiche [pastiʃ] *m Literatur*: Nachahmung *f*.
pastille [pastij] *f* Plätzchen *n*; *phm* Pastille *f*, Tablette *f*.
pastoral, ~e [pastɔral] (⚠ *m/pl -aux*) Hirten...; seelsorgerisch.
patate [patat] F *f* Kartoffel *f*.
patauger [patoʒe] (1l) herumwaten, (herum)patschen.
pâte [pɑt] *f* Teig *m*; Masse *f*; Paste *f*; ~ *dentifrice* Zahnpasta *f*; ~ *d'amandes* Marzipan *n*; F *fig une bonne* ~ ein gutmütiger Mensch.
pâté [pɑte] *m* Pastete *f*; ~ *de maisons* Häuserblock *m*.
patelin [patlɛ̃] *m* F Kaff *n*.
patère [patɛr] *f* Kleiderhaken *m*; *Antike*: Opferschale *f*.
paternalisme [patɛrnalismə] *m pol* Politik *f* der Bevormundung.
paternel, ~le [patɛrnɛl] väterlich.
pât|eux, ~euse [pɑtø, -øz] teigig; *Stimme*: belegt.
pathétique [patetik] ergreifend; leidenschaftlich.
patience [pasjɑ̃s] *f* Geduld *f*.
pati|ent, ~ente [pasjɑ̃, -ɑ̃t] **1.** *adj* geduldig; ⚠ *adv patiemment* [-amɑ̃]; **2.** *m, f* Patient(in) *m(f)* (*nur aus der Sicht des Arztes*); **~enter** [-ɑ̃te] (1a) sich gedulden.
patin [patɛ̃] *m* ~ (*à glace*) Schlittschuh *m*; ~ *à roulettes* Rollschuh *m*; *faire du* ~ Schlittschuh laufen, eislaufen.
patin|age [patinaʒ] *m* Schlittschuhlaufen *n*; ~ *artistique* Eiskunstlauf *m*; **~er** (1a) Schlittschuh laufen; rutschen; *Räder*: durchdrehen; **~ette** [-ɛt] *f Kinderspielzeug*: Roller *m*; **~eur, ~euse** *m, f* Schlittschuhläufer(in) *m(f)*; **~oire** [-war] *f* Eisbahn *f*.
pâtir [pɑtir] (2a) *st/st* leiden (*de qc* unter etw).
pâtiss|erie [pɑtisri] *f* Konditorei *f*; feines Gebäck *n*; **~ier, ~ière** [-je, -jɛr] *m, f* Konditor(in) *m(f)*.
patois [patwa] *m* Mundart *f*.
patraque [patrak] F *être* ~ sich nicht wohl fühlen.
patriarcal, ~e [patrijarkal] (⚠ *m/pl -aux*) patriarchalisch.
patrie [patri] *f* Vaterland *n*; Geburtsort *m*; Heimat *f*.
patrimoine [patrimwan] *m elterliches* Erbteil *n od* -gut *n*; *fig* ~ *culturel* Kulturerbe *n*, -gut *n*.
patriot|e [patrijɔt] **1.** *adj* vaterlandsliebend, patriotisch (*Person*); **2.** *m, f* Patriot(in) *m(f)*; **~ique** patriotisch (*Lied, Rede etc*); **~isme** *m* Vaterlandsliebe *f*, Patriotismus *m*.
patr|on, ~onne [patrõ, -ɔn] **1.** *m, f* Chef(in) *m(f)*; Arbeitgeber(in) *m(f)*; Hausherr(in) *m(f)*; Wirt(in) *m(f)*; Meister(in) *m, f*; *rel* Schutzheilige(r) *m, f*; **2.** *m tech* Modell *n*, Muster *n*; Schnittmuster *n*; Schablone *f*.
patron|age [patrɔnaʒ] *m* Schirmherrschaft *f*; **~at** [-a] *m pol* Arbeitgeberschaft *f*.
patronner [patrɔne] (1a) protegieren, fördern.
patrouill|e [patruj] *f mil, Polizei*: Patrouille *f*; Streife(ngang) *f(m)*; **~er** (1a) patrouillieren.
patte [pat] *f* Pfote *f*, Tatze *f*, Bein *n*, Fuß *m*; F Hand *f*; *fig graisser la* ~ *à qn* j-n schmieren *od* bestechen; ~ *d'oie* Krähenfüße *m/pl* (*in den Augenwinkeln*).
pâturage [pɑtyraʒ] *m* Weide *f*.
pâture [pɑtyr] *f st/s* Futter *n*; *fig* (*geistige*) Nahrung *f*.
paume [pom] *f* flache Hand *f*, Handfläche *f*; (*jeu m de*) ~ (Schlag-)Ballspiel *n*.
paum|é, ~ée [pome] F rat-, hilflos, aufgeschmissen F; **~er** (1a) F verlieren, verlegen.
paupérisme [poperismə] *m écon* Massenverarmung *f*.
paupière [popjɛr] *f* Augenlid *n*.
paupiette [popjɛt] *f cuis* Roulade *f*.
pause [poz] *f* Pause *f* (*bei der Arbeit*); ⚠ *nicht Theater u Schule*.
pauvre [povrə] **1.** *adj* arm (*en* an); ärmlich, armselig; jämmerlich; dürftig; bedauernswert; **2.** *m, f* Arme(r)

m, f; **~té** [-te] *f* Armut *f*; Armseligkeit *f*.
pavage [pavaʒ] *m* Pflaster(n) *n*.
pavaner [pavane] (1a) *se ~* umherstolzieren.
pav|é [pave] *m* Pflaster(stein) *n(m)*; *fig tenir le haut du ~* zur Oberschicht gehören; **~er** (1a) pflastern.
pavillon [pavijõ] *m* Pavillon *m*; Einfamilienhaus *n*; *auto* Decke *f*, Himmel *m*; *mar* Flagge *f*.
pavoiser [pavwaze] (1a) (be)flaggen.
pavot [pavo] *m bot* Mohn *m*.
payable [pɛjablə] zahlbar.
pay|ant, ~ante [pɛjɑ̃, -ɑ̃t] zahlend; kostenpflichtig; *fig* lohnend.
pay|e [pɛj] *f cf paie*; **~ement** [pɛjmɑ̃] *m cf paiement*.
payer [pɛje] (1i) **1.** (be)zahlen (*a fig*); leisten; *~ qc dix francs* zehn Franc für etw bezahlen; *fig ~ qn de qc* j-n für etw belohnen; **2.** einträglich sein, sich lohnen; **3.** *se ~ qc* sich etw leisten.
pays [pei] *m* Land *n*; Vaterland *n*; Heimat *f*; *mal m du ~* Heimweh *n*.
paysage [peizaʒ] *m* Landschaft *f*.
paysagiste [peizaʒist] *m* Landschaftsmaler *m*; (*architecte m*) *~* Gartenarchitekt *m*.
pays|an, ~anne [peizɑ̃, -an] **1.** *m, f* Bauer *m*, Bäuerin *f*; **2.** *adj* bäuerlich, Bauern...; bäurisch.
Pays-Bas [peibɑ] *m/pl les ~* die Niederlande *n/pl*.
P.C. [pese] *m* (*abr Parti communiste*) KP *f* (Kommunistische Partei).
P.D.G. [pedeʒe] *m* (*abr président-directeur général*) Generaldirektor *m*.
péage [peaʒ] *m* Autobahngebühr *f*; Brückengebühr *f*; Maut *f*.
peau [po] *f* (⚠ *pl ~x*) Haut *f*; Fell *n*; Leder *n*; *~ de chamois* Fensterleder *n*; **2-Rouge** [-ruʒ] *m* (⚠ *pl Peaux-Rouges*) Rothaut *f*, Indianer *m*.
pêche[1] [pɛʃ] *f bot* Pfirsich *m*.
pêche[2] [pɛʃ] *f* Fischfang *m*.
péch|é [peʃe] *m* Sünde *f*; *~ mignon* kleine Schwäche *f*; **~er** (1f) sündigen; *~ contre qc* gegen etw verstoßen; *~ par* kranken an.
pêcher[1] [pɛʃe] (1b) fischen; *~ à la ligne* angeln.
pêcher[2] [pɛʃe] *m bot* Pfirsichbaum *m*.
péch|eur, ~eresse [peʃœr, -rɛs] *m, f* Sünder(in) *m(f)*.
pêch|eur, ~euse [pɛʃœr, -øz] *m, f* Fischer(in) *m(f)*; *~ à la ligne* Angler(in) *m(f)*.
pécule [pekyl] *m* Ersparnisse *f/pl*.
pécuniaire [pekynjɛr] Geld...
pédagog|ie [pedagɔʒi] *f* Pädagogik *f*; **~ique** pädagogisch, Erziehungs...
pédagogue [pedagɔg] *m, f* Pädagoge *m*, Pädagogin *f*.
pédal|e [pedal] *f* Pedal *n*; ⚠ *la ~*; **~er** (1a) *beim Radfahren*: treten; radeln.
pédalo [pedalo] *m* Tretboot *n*.
péd|ant, ~ante [pedɑ̃, -ɑ̃t] schulmeisterlich; **~antisme** [-ɑ̃tismə] *m* schulmeisterliches Gehabe *n*.
pédé [pede] *m* (*abr pédéraste*) F Schwule(r) *m*.
pédéraste [pederast] *m* Homosexuelle(r) *m*, Päderast *m*.
pédestre [pedɛstrə] *randonnée f ~* (Fuß-)Wanderung *f*.
pédiatre [pedjatrə] *m, f méd* Kinderarzt *m*, -ärztin *f*.
pédicure [pedikyr] *f* Fußpflegerin *f*.
pègre [pɛgrə] *f* Unterwelt *f*.
peign|e [pɛɲ] *m* Kamm *m*; **~er** (1b) kämmen; **~oir** *m* Bademantel *m*; Morgenrock *m*.
peindre [pɛ̃drə] (4b) malen; anstreichen; *fig* schildern.
peine [pɛn] *f* **1.** Strafe *f*; *~ capitale* Todesstrafe *f*; **2.** Mühe *f*, Anstrengung *f*; *ce n'est pas la ~* das ist nicht nötig; *valoir la ~* der Mühe wert sein (*de + inf* zu); *avoir (de la) ~ à faire qc* Mühe haben, etw zu tun; *prendre la ~ de* (*+ inf*) sich die Mühe machen zu ...; **3.** Kummer *m*; *faire de la ~ à qn* j-m weh tun; **4.** *adv à ~* kaum.
peiner [pɛne] (1b) **1.** *~ qn* j-n betrüben; **2.** sich abmühen, Mühe haben.
peintre [pɛ̃trə] *m* Maler(in) *m(f)*; *~ (en bâtiment)* Anstreicher *m*.
peinture [pɛ̃tyr] *f* Anstrich *m*; Farbe *f*; Anmalen *n*; Malerei *f*; Gemälde *n*; *fig* Schilderung *f*; *~ fraîche!* frisch gestrichen!
péjorat|if, ~ive [peʒɔratif, -iv] abfällig, abschätzig.
pelage [pəlaʒ] *m* Fell *n*.
pêle-mêle [pɛlmɛl] *adv* bunt durcheinander.
peler [pəle] (1d) (ab)schälen; enthaaren; *Haut*: sich schälen.
pèlerin [pɛlrɛ̃] *m* Pilger(in) *m(f)*.
pèlerinage [pɛlrinaʒ] *m* Pilgerfahrt *f*; Wallfahrtsort *m*.
pèlerine [pɛlrin] *f* Umhang *m*.
pélican [pelikɑ̃] *m zo* Pelikan *m*.

pelle [pɛl] *f* Schaufel *f*; F *fig ramasser une ~* hinfallen; *~ à gâteau* Tortenheber *m*; *tech ~ mécanique* Löffelbagger *m*; **~ter** [-te] (1c) schaufeln.
pelleterie [pɛltri] *f* Kürschnerei *f*; Pelzhandel *m*; Pelzwerk *n*.
pellicule [pelikyl] *f* Film *m*; *biol* Häutchen *n*; *pl ~s* (Kopf-)Schuppen *f/pl*.
pelot|e [p(ə)lɔt] *f* Knäuel *n od m*; *(ein)* Ballspiel *n*; **~er** (1a) P befummeln.
pelot|on [plɔtõ] *m* Knäuel *n od m*; *mil* Zug *m*; *Sport*: Gruppe *f*, Feld *n*; **~onner** [-ɔne] (1a) auf ein(en) Knäuel wickeln; *se ~* sich zusammenrollen; *se ~ contre qn* sich an j-n anschmiegen.
pelouse [p(ə)luz] *f* Rasen *m*.
peluche [plyʃ] *f* Plüsch *m*; ⚠ *la ~*.
pelure [p(ə)lyr] *f* Haut *f*, Schale *f* *(von Früchten)*.
pénal, ~e [penal] (⚠ *m/pl -aux*) *jur* Straf...; **~isation** [-izasjõ] *f* *Sport*: Strafpunkte *m/pl*; **~ité** *f* Strafe *f*.
penalty [penalti] *m* *Sport*: Elfmeter *m*, Strafstoß *m*; ⚠ *Schreibung*.
pen|aud, ~aude [pəno, -od] beschämt, betreten.
penchant [pɑ̃ʃɑ̃] *m fig* Hang *m*, Neigung *f*.
pencher [pɑ̃ʃe] (1a) neigen; sich neigen; *fig ~ pour qc* zu etw tendieren; *se ~ au dehors* sich hinauslehnen; *fig se ~ sur un problème* sich in ein Problem vertiefen.
pendaison [pɑ̃dɛzõ] *f* (Er-)Hängen *n*.
pendant[1] [pɑ̃dɑ̃] *prép* während; *conj ~ que* während *(zeitlich, a gegensätzlich)*.
pend|ant[2], **~ante** [pɑ̃dɑ̃, -ɑ̃t] **1.** *adj* hängend; *jur* schwebend; **2.** *m* Pendant *n*, Gegenstück *n*.
pend|entif [pɑ̃dɑ̃tif] *m* Anhänger *m*; Ohrgehänge *n*; **~erie** *f* Kleiderschrank *m*; **~iller** [-ije] (1a) baumeln.
pendre [pɑ̃drə] (4a) (auf)hängen; (herab)hängen; *se ~* sich erhängen.
pendule [pɑ̃dyl] **1.** *m phys* Pendel *n*; ⚠ *nicht* Uhrenpendel; **2.** *f* Pendel-, Zimmer-, Wanduhr *f*.
pêne [pɛn] *m* Riegel *m* *(am Schloß)*.
pénétr|ation [penetrasjõ] *f* Eindringen *n*; *fig* Scharfblick *m*; **~er** (1f) durchdringen (*qc* etw); ganz erfüllen; durchschauen; *~ dans qc* in etw eindringen.
pénible [peniblə] mühsam, beschwerlich; betrüblich; *Charakter*: schwierig; **~ment** *adv* mit Mühe; kaum; schmerzlich.
péniche [peniʃ] *f* Lastkahn *m*.
pénicilline [penisilin] *f phm* Penizillin *n*; ⚠ *la ~*.
péninsule [penɛ̃syl] *f* Halbinsel *f*.
pénitenc|e [penitɑ̃s] *f* Strafe *f*; *rel* Buße *f*; **~ier** [-je] *m* Strafanstalt *f*.
pénit|ent, ~ente [penitɑ̃, -ɑ̃t] *rel* **1.** *adj* bußfertig; **2.** *m, f* Büßer(in) *m(f)*.
pénombre [penõbrə] *f* Halbschatten *m*, -dunkel *n*.
pensée [pɑ̃se] *f* **1.** Denken *n*; Gedanke *m*; Meinung *f*, Ansicht *f*; **2.** *bot* Stiefmütterchen *n*.
pens|er [pɑ̃se] (1a) denken; meinen; sich denken; *~* (+ *inf*) glauben zu (+ *inf*); beabsichtigen zu (+ *inf*); **~eur** *m* Denker *m*; **~if, ~ive** [-if, -iv] nachdenklich.
pension [pɑ̃sjõ] *f* **1.** Rente *f*, Pension *f*, Ruhegehalt *n*; **2.** Fremdenheim *n*, Pension(skosten) *f(pl)*; **3.** Pensionat *n*, Internat *n*.
pensi|onnaire [pɑ̃sjɔnɛr] *m, f* Pensionsgast *m*; Internatsschüler(in) *m(f)*; **~onnat** [-ɔna] *m* Pensionat *n*; ⚠ *Schreibung*.
pensum [pɛ̃sɔm] *m* *Schule*: Strafarbeit *f*; ⚠ *nicht* Pensum.
pente [pɑ̃t] *f* Abhang *m*, Gefälle *n*, Neigung *f*; *en ~* abfallend; *fig sur la mauvaise ~* auf der schiefen Bahn.
Pentecôte [pɑ̃tkot] *la ~* Pfingsten *n*; *à la ~* an, zu Pfingsten.
pénurie [penyri] *f* Mangel *m* (*de* an).
pépée [pepe] *f enf* Puppe *f*; P *une jolie ~* ein hübscher Käfer *(Mädchen)*.
pépier [pepje] (1a) piepen.
pépin [pepɛ̃] *m* *Früchte*: Kern *m*; F Schirm *m*; F *avoir un ~* Ärger, Pech haben.
pépinière [pepinjɛr] *f* Baumschule *f*.
pépite [pepit] *f* (Gold-)Klumpen *m*.
perçage [pɛrsaʒ] *m* (Durch-)Bohren *n*.
perç|ant, ~ante [pɛrsɑ̃, -ɑ̃t] *Blick*: durchdringend; *Kälte*: schneidend; **~ée** *f* Durchbruch *m*, -stoß *m*.
perce-neige [pɛrsənɛʒ] *m* (⚠ *pl unv*) Schneeglöckchen *n*.
perce-oreille [pɛrsɔrɛj] *m* (⚠ *pl perce-oreilles*) *zo* Ohrwurm *m*.
percept|eur [pɛrsɛptœr] *m* Steuereinnehmer *m*; Finanzamt *m*; **~ible** wahrnehmbar; spürbar.
perception [pɛrsɛpsjõ] *f* **1.** Wahrneh-

P

mung *f*; **2.** *Steuern*: Erhebung *f*; Finanzamt *n*.
percer [pɛrse] (1k) **1.** durchbohren, -stechen, -dringen; *Tür*: durchbrechen; ~ *le silence* die Stille zerreißen; **2.** durchkommen; zum Vorschein kommen.
perceuse [pɛrsøz] *f* Bohrmaschine *f*.
percevoir [pɛrsəvwar] (3a) wahrnehmen; *Geld*: einnehmen; *Steuern*: erheben.
perch|e [pɛrʃ] *f* **1.** *zo* Barsch *m*; **2.** Stange *f*, Stab *m*; **~er** (1a) (*se*) ~ *Vögel*: sich setzen; F wohnen, hausen; **~iste** *m* Stabhochspringer *m*; **~oir** *m* Hühnerstange *f*.
percl|us, ~use [pɛrkly, -yz] gelähmt.
percolateur [pɛrkɔlatœr] *m* Kaffeemaschine *f* (*für Restaurants*).
perçu [pɛrsy] *p/p von percevoir*.
percu|ssion [pɛrkysjõ] *f* Schlag *m*; Stoß *m*; *mus* Schlaginstrumente *n/pl*; **~ter** [-te] (1a) stoßen, schlagen auf; *auto* ~ (*contre*) *un arbre* gegen e-n Baum prallen.
perd|ant, ~ante [pɛrdɑ̃, -ɑ̃t] **1.** *adj* verlierend; *numéro m*, *billet m perdant* Niete *f*; **2.** *m*, *f* Verlierer(in) *m*(*f*).
perdre [pɛrdrə] (4a) verlieren; einbüßen; ~ *courage*, *espoir* den Mut, die Hoffnung verlieren; ~ *une occasion* e-e Gelegenheit versäumen; ~ *au change* e-n schlechten Tausch machen; *se* ~ verlorengehen; schwinden; sich verirren.
perdreau [pɛrdro] *m* (⚠ *pl* ~*x*) *zo* junges Rebhuhn *n*.
perdrix [pɛrdri] *f zo* Rebhuhn *n*.
perdu, ~e [pɛrdy] *p/p von perdre u adj* verloren; verpaßt; verirrt; *Ort*: abgelegen; *verre m perdu* Einwegglas *n*.
père [pɛr] *m* Vater *m*; *rel* Pater *m*.
pérégrinations [peregrinasjõ] *f/pl* Umherreisen *n*.
perfecti|on [pɛrfɛksjõ] *f* Vollendung *f*; Vollkommenheit *f*; **~onner** [-ɔne] (1a) vervollkommnen; **~onniste** [-ɔnist] perfektionistisch; ⚠ *Schreibung*.
perfid|e [pɛrfid] heimtückisch; **~ie** [-i] *f* Heimtücke *f*, Hinterlist *f*; *st/s* Treulosigkeit *f*.
perfor|ateur [pɛrfɔratœr] *m* Locher *m*; **~ation** *f* Durchbohren *n*; Lochen *n*, -ung *f*; **~atrice** [-atris] *f* Schreiblocher *m*; Locherin *f*; **~er** (1a) durchbohren; lochen; *carte f perforée* Lochkarte *f*.
perform|ance [pɛrfɔrmɑ̃s] *f* Leistung *f*; **~ant, ~ante** [-ɑ̃, -ɑ̃t] leistungsfähig.
péril [peril] *m* Gefahr *f*.
périll|eux, ~euse [perijø, -øz] gefährlich.
périmé, ~e [perime] veraltet; *Ausweis*: abgelaufen.
périmètre [perimɛtrə] *m* Umfang *m*; Umkreis *m*.
périod|e [perjɔd] *f* Periode *f*, Zeitabschnitt *m*, Zeitraum *m*; *phys* Halbwertszeit *f*; *en* ~ *de* in Zeiten (+ *gén*); **~ique** **1.** *adj* periodisch; **2.** *m* Zeitschrift *f*.
péripétie [peripesi] *f meist pl* ~*s* unvorhergesehene Zwischenfälle *m/pl*, Wendungen *f/pl*; Schicksalsschläge *m/pl*.
périphér|ie [periferi] *f* Peripherie *f*; Stadtrand(gebiet) *m*(*n*); **~ique** *adj* Stadtrand...; *boulevard m* ~ *od subst* ~ *m* Ringautobahn *f* (*um Paris*).
périphrase [perifrɑz] *f* Umschreibung *f*.
périple [periplə] *m* (Rund-)Reise *f*.
périr [perir] (2a) ver-, untergehen; umkommen; ⚠ *il a péri*.
périscope [periskɔp] *m* Periskop *n*, Sehrohr *n*.
périssable [perisablə] vergänglich; *Nahrungsmittel*: leichtverderblich.
péristyle [peristil] *m arch* Säulenumgang *m*.
perl|e [pɛrl] *f* Perle *f* (*a fig*); *fig* Stilblüte *f*; **~er** (1a) perlen.
perman|ence [pɛrmanɑ̃s] *f* Fortdauer *f*, Beständigkeit *f*; Bereitschaftsdienst *m*; *en* ~ ständig, dauernd; **~ent, ~ente** [-ɑ̃, -ɑ̃t] **1.** *adj* (be)ständig; **2.** *f Frisur*: Dauerwelle *f*.
perméable [pɛrmeablə] durchlässig.
permettre [pɛrmɛtrə] (4p) erlauben, gestatten (*qc à qn* j-m etw; *que* + *subj* daß ...); *se* ~ *qc* sich etw herausnehmen; sich etw gönnen.
permis [pɛrmi] *m* Erlaubnisschein *m*; ~ *de séjour* Aufenthaltserlaubnis *f*; ~ *de conduire* Führerschein *m*; *passer son* ~ den Führerschein machen.
permission [pɛrmisjõ] *f* Erlaubnis *f*, Genehmigung *f*; *mil* Urlaub *m*.
permuter [pɛrmyte] (1a) umstellen, auswechseln; ~ *avec qn* mit j-m

P

den Posten, Dienststunden *etc* tauschen.

pernici|eux, ~euse [pɛrnisjø, -øz] schädlich.

péroraison [perɔrɛzõ] *f* Schlußwort *n*.

perpendiculaire [pɛrpɑ̃dikylɛr] senkrecht, rechtwinklig (*à* zu *od* auf).

perpétrer [pɛrpetre] (1f) *jur* begehen, verüben.

perpétu|el, ~elle [pɛrpetɥɛl] fortwährend, ständig, (an)dauernd; **~ellement** [-ɛlmɑ̃] *adv* ständig, immer wieder; **~ité** *f à ~ jur* lebenslänglich; auf Lebenszeit.

perplexe [pɛrplɛks] ratlos, verlegen.

perquisitionner [pɛrkizisjɔne] (1a) *jur* e-e Haussuchung vornehmen.

perron [pɛrõ] *m* Freitreppe *f*.

perroquet [pɛrɔkɛ] *m zo* Papagei *m*.

perruche [pɛryʃ] *f zo* (Wellen-)Sittich *m*.

perruque [pɛryk] *f* Perücke *f*; ⚠ *Schreibung*.

pers|an, ~ane [pɛrsɑ̃, -an] **1.** *adj* persisch; **2.** *m, f* Perser(in) *m(f)*.

Perse [pɛrs] *la ~* Persien *n*.

perséc|uter [pɛrsekyte] (1a) verfolgen; **~ution** [-ysjõ] *f* Verfolgung *f*.

persévér|ance [pɛrseverɑ̃s] *f* Beharrlichkeit *f*, Ausdauer *f*; **~ant, ~ante** [-ɑ̃, -ɑ̃t] beharrlich, ausdauernd; **~er** (1f) beharren (*dans qc* in, auf, bei etw).

persienne [pɛrsjɛn] *f* Fenterladen *m*.

persifler [pɛrsifle] (1a) verspotten, lächerlich machen.

persil [pɛrsi] *m bot* Petersilie *f*; ⚠ *le ~*.

persist|ance [pɛrsistɑ̃s] *f* Verharren *n*; Fortdauer *f*; **~er** (1a) (an)dauern; *~ dans qc* auf etw beharren; *~ à faire qc* etw beharrlich tun.

personn|age [pɛrsɔnaʒ] *m* Persönlichkeit *f*; Person *f*; *fig u Theater*: Gestalt *f*; Rolle *f*; **~aliser** [-alize] e-e persönliche Note geben (*qc* e-r Sache); **~alité** [-alite] *f* Persönlichkeit *f*; ⚠ *Schreibung*.

personne[1] [pɛrsɔn] *f* Person *f*; *jeune ~* junges Mädchen *n*; *~ âgée* älterer Mensch *m*; *grande ~* Erwachsene(r) *m*; *en ~* persönlich; *par ~* pro Kopf; ⚠ *Schreibung*.

personne[2] [pɛrsɔn] *Pronomen* **1.** niemand (*mit ne vor e-m dazutretenden Verb*); **2.** *in Sätzen negativen Inhalts u nach Komparativen*: (irgend) jemand.

personn|el, ~elle [pɛrsɔnɛl] **1.** *adj* persönlich; **2.** *m* Personal *n*; **~ellement** [-ɛlmɑ̃] *adv* persönlich; **~ifier** [-ifje] (1a) verkörpern, personifizieren; ⚠ *Schreibung*.

perspective [pɛrspɛktiv] *f* Perspektive *f*; Aussicht *f*; Blickwinkel *m*; *avoir qc en ~* etw in Aussicht haben.

perspicac|e [pɛrspikas] scharfsinnig; **~ité** *f* Scharfblick *m*.

persuader [pɛrsɥade] (1a) *~ qn* (*od seltener à qn*) *de faire qc* j-n überreden, etw zu tun; *~ qn de qc* j-n von etw überzeugen; *se ~ de qc* sich von etw überzeugen; *se ~ que ...* sich einreden, daß ...

persuasion [pɛrsɥazjõ] *f* Überzeugung *f* (*Handlung*); Überredungsgabe *f*.

perte [pɛrt] *f* Verlust *m*; *fig* Untergang *m*, Verderben *n*; *à ~* mit Verlust; *à ~ de vue* so weit das Auge reicht, unabsehbar.

pertin|ent, ~ente [pɛrtinɑ̃, -ɑ̃t] zutreffend, passend.

perturb|ation [pɛrtyrbasjõ] *f* Störung *f*; **~er** (1a) stören.

perv|ers, ~erse [pɛrvɛr, -ɛrs] pervers, widernatürlich; böse, gemein; **~ertir** [-ɛrtir] (2a) verderben.

pes|amment [pəzamɑ̃] *adv* schwerfällig; **~ant, ~ante** [-ɑ̃, -ɑ̃t] **1.** *adj* schwer (*a fig*); **2.** *m valoir son pesant d'or* Gold wert sein, unbezahlbar sein; **~anteur** [-ɑ̃tœr] *f* Schwerkraft *f*; Schwere *f*; *fig* Schwerfälligkeit *f*.

pèse-bébé [pɛzbebe] *m* (⚠ *pl pèse-bébé[s]*) Babywaage *f*.

pesée [pəze] *f* Wiegen *n*.

peser [pəze] (1d) (ab)wiegen; *fig* abwägen; lasten (*sur* auf); ins Gewicht fallen; *~ à qn* j-n bedrücken.

pessim|isme [pesimismə] *m* Pessimismus *m*; **~iste 1.** *adj* pessimistisch; **2.** *m, f* Pessimist(in) *m(f)*.

pest|e [pɛst] *f méd* Pest *f*; *fig* böses Weib *n*; **~er** (1a) schimpfen (*contre* auf).

pestilentiel, ~le [pɛstilɑ̃sjɛl] übelriechend.

pet [pɛ] *m* P Furz *m*.

pétale [petal] *m* Blütenblatt *n*.

pétanque [petɑ̃k] *f* Kugelspiel *n* (*in Südfrankreich*).

pétarad|e [petarad] *f* Geknalle *n*; *auto* Geknatter *n*; **~er** (1a) knattern.

P

pétard [petar] *m* Knallkörper *m*, -frosch *m*; F Krach *m*, Radau *m*.
péter [pete] (1f) F furzen; *fig* knallen; platzen.
pétiller [petije] (1a) prasseln, knistern; sprudeln, perlen; *Augen*: blitzen.
pet|it, ~ite [p(ə)ti, -it] **1.** *adj* klein; gering, unbedeutend; *en petit* im kleinen; *petit à petit* allmählich; F *petit nom m* Vorname *m*; *au petit jour* bei Tagesanbruch; **2.** *m*, *f der, die, das* Kleine; Junge(s) *n* (*von Tieren*).
petit-bourgeois, petite-bourgeoise [p(ə)tiburʒwa, p(ə)titburʒwaz] klein-, spießbürgerlich.
petite-fille [p(ə)titfij] *f* (⚠ *pl petites-filles*) Enkelin *f*.
petitesse [p(ə)titɛs] *f* Kleinheit *f*; *fig* Engstirnigkeit *f*.
petit-fils [p(ə)tifis] *m* (⚠ *pl petits-fils*) Enkel *m*.
pétition [petisjõ] *f* Gesuch *n*, Bittschrift *f*.
petits-enfants [p(ə)tizɑ̃fɑ̃] *m/pl* Enkel *m/pl*.
pétrifier [petrifje] (1a) (*se* ~ sich) versteinern; *fig* erstarren lassen.
pétr|in [petrɛ̃] *m* Backtrog *m*; F *fig* Klemme *f*; **~ir** (2a) kneten.
pétrochimie [petrɔʃimi] *f* Erdöl-, Petrochemie *f*.
pétrol|e [petrɔl] *m* Erdöl *n*; ~ *brut* Rohöl *n*; **~ier, ~ière** [-je, -jɛr] **1.** *adj* (Erd-)Öl...; **2.** *m* Tankschiff *n*, Tanker *m*.
pétulance [petylɑ̃s] *f* Unbändigkeit *f*, stürmischer Elan *m*.
peu [pø] wenig; ~ *de pain* wenig Brot; ~ *après* kurz danach; *de* ~ um weniges; ~ *à* ~ nach und nach; *à* ~ *près* ungefähr, etwa; fast, beinahe; *depuis* ~ seit kurzem; *quelque* ~ einigermaßen; *pour* ~ *que* (+ *subj*) sofern.
peuplade [pøplad, pœ-] *f* Völkerstamm *m*.
peuple [pœplə] *m* Volk *n*.
peupler [pøple, pœ-] (1a) bevölkern; bewohnen.
peuplier [pøplije, pœ-] *m bot* Pappel *f*.
peur [pœr] *f* Angst *f*, Furcht *f* (*de* vor); *de* ~ *que* ... (*ne* + *subj*) aus Angst, daß ...; *avoir* ~ Angst haben; *prendre* ~ Angst bekommen.
peur|eux, ~euse [pørø, -øz *od* pœ-] ängstlich, furchtsam.
peut-être [pøtɛtrə] vielleicht; ~ *bien* vielleicht sogar; ⚠ *nach* ~ *am Satzanfang entweder que od Inversion*.
peux [pø] *présent von pouvoir*.
p. ex. (*abr par exemple*) z. B. (zum Beispiel).
phalange [falɑ̃ʒ] *f* Finger-, Zehenglied *n*; *hist mil* Phalanx *f*.
phare [far] *m mar* Leuchtturm *m*, Leuchtfeuer *n*; *auto* Scheinwerfer *m*; *se mettre en ~s* das Fernlicht einschalten; ⚠ *le* ~.
pharmac|eutique [farmasøtik] pharmazeutisch; **~ie** [-i] *f* Apotheke *f*; Pharmazie *f*; Arzneimittel *n/pl*; **~ien, ~ienne** *m*, *f* Apotheker(in) *m(f)*.
phase [fɑz] *f* Phase *f*, Stadium *n*.
phénomène [fenɔmɛn] *m* Phänomen *n*, Erscheinung *f*.
philanthrope [filɑ̃trɔp] *m* Menschenfreund *m*.
philatéliste [filatelist] *m* Briefmarkensammler *m*.
philistin [filistɛ̃] *m* Spießbürger *m*, Philister *m*.
philosoph|e [filɔzɔf] *m* Philosoph *m*; *rester* ~ Gleichmut bewahren; **~ie** [-i] *f* Philosophie *f*; Gelassenheit *f*; **~ique** philosophisch.
phobie [fɔbi] *f psych* Phobie *f*; Abneigung *f*.
phonétique [fɔnetik] **1.** *adj* Laut..., phonetisch; **2.** *f* Phonetik *f*, Lautlehre *f*.
phoque [fɔk] *m zo* Robbe *f*, Seehund *m*.
photo [fɔto] *f* Foto *n*, (Licht-)Bild *n*; *faire de la* ~ fotografieren; *prendre qn en* ~ e-e Aufnahme von j-m machen; ⚠ *la* ~.
photo|copie [fɔtɔkɔpi] *f* Fotokopie *f*; **~génique** [-ʒenik] *Person*: fotogen.
photograph|e [fɔtɔgraf] *m*, *f* Fotograf(in) *m(f)*; **~ie** [-i] *f* Fotografie *f*; **~ier** [-je] (1a) fotografieren; **~ique** [-ik] fotografisch.
phrase [frɑz] *f gr* Satz *m*; *~s pl* Phrasen *f/pl*, leere Redensarten *f/pl*.
phtisie [ftizi] *f méd* Schwindsucht *f*.
phylloxéra [filɔksera] *m zo* Reblaus *f*.
physic|ien, ~ienne [fizisjɛ̃, -jɛn] *m*, *f* Physiker(in) *m(f)*.
physionomie [fizjɔnɔmi] *f* Physiognomie *f*, Gesichtsausdruck *m*; ⚠ *Schreibung*.
physique [fizik] **1.** *adj* physisch, körperlich; physikalisch; *plaisir m* ~

Sinnengenuß *m*; **2.** *m* Körperbeschaffenheit *f*; Äußere(s) *n*; **3.** *f* Physik *f*.
piaffer [pjafe] (1a) *Pferd*: stampfen.
piailler [pjaje] (1a) *Vogel*: piepsen; F *Kind*: schreien.
pianiste [pjanist] *m, f* Pianist(in) *m(f)*.
pian|o [pjano] *m* Klavier *n*; ~ *à queue* Flügel *m*; **~oter** [-ɔte] (1a) F *auf dem Klavier*: klimpern; *auf Tisch, Fenster*: trommeln.
piaul|e [pjol] *f* F Bude *f* (*Zimmer*); **~er** (1a) *Kinder*: plärren; *Vögel*: piepsen.
pic [pik] *m* **1.** Spitzhacke *f*; **2.** Bergspitze *f*; *à* ~ senkrecht, steil; F *fig arriver à* ~ gerade zur rechten Zeit kommen; **3.** *zo* Specht *m*.
pichet [piʃɛ] *m* Kanne *f*, Krug *m*.
pickpocket [pikpɔkɛt] *m* Taschendieb *m*.
pick-up [pikœp] *m* (⚠ *pl unv*) Plattenspieler *m*; Tonabnehmer *m*.
picoler [pikɔle] (1a) F picheln, bechern.
picorer [pikɔre] (1a) aufpicken.
picoter [pikɔte] (1a) prickeln, kribbeln.
pie [pi] **1.** *f zo* Elster *f*; **2.** *adj Pferd, Rind*: gescheckt.
pièce [pjɛs] *f* **1.** Stück *n*; Theater-, Geld-, Schriftstück *n*; *Kleidung*: *deux* ~*s* zweiteilig; *à la* ~ einzeln; *cinq francs (la)* ~ 5 Franc pro Stück; ~ *de rechange* Ersatzteil *n*; *mettre en* ~*s* zerreißen; **2.** Raum *m*, Zimmer *n*.
pied [pje] *m* Fuß *m*; *Möbel*: Bein *n*; *Pilz*: Stiel *m*; *au* ~ *de* am Fuß von; ~ *de vigne* Rebstock *m*; *à* ~ zu Fuß; ~*s nus* barfuß; *au* ~ *de la lettre* buchstabengetreu; *de* ~ *en cap* von Kopf bis Fuß.
pied-à-terre [pjetatɛr] *m* (⚠ *pl unv*) Absteigequartier *n*.
piédestal [pjedɛstal] *m* (⚠ *pl -aux*) Sockel *m*.
pied-noir [pjenwar] F *m* (⚠ *pl pieds--noirs*) Algerienfranzose *m*.
piège [pjɛʒ] *m* Falle *f*; ⚠ *le* ~.
piégé, ~e [pjeʒe] *voiture f piégée* Autobombe *f*.
pierraille [pjɛrɑj] *f* grober Kies *m*.
pierre [pjɛr] *f* Stein *m*.
pierr|eries [pjɛrri] *f/pl* Edelsteine *m/pl*, Juwelen *n/pl*; **~eux, ~euse** [-ø, -øz] steinig.
pierrot [pjɛro] *m* **1.** *zo* Sperling *m*; **2.** ♀ Hanswurst *m* (*Gestalt aus der frz Pantomime*).
piété [pjete] *f* Frömmigkeit *f*; Pietät *f*; ~ *filiale* kindliche Liebe *f*.
piétiner [pjetine] (1a) (zer)stampfen, (zer)trampeln; *fig* auf der Stelle treten; *fig* ~ *qn, qc* j-n, etw mit Füßen treten.
piét|on, ~onne [pjetõ, -ɔn] **1.** *m, f* Fußgänger(in) *m(f)*; **2.** *adj zone f piétonne* Fußgängerzone *f*; **~onnier, ~onnière** [-ɔnje, -ɔnjɛr] Fußgänger...
piètre [pjɛtrə] *st/s* erbärmlich, kümmerlich.
pieu [pjø] *m* (⚠ *pl* ~*x*) Pfahl *m*; F Bett *n*, Falle *f*.
pieux, pieuse [pjø, pjøz] fromm; ehrfurchtsvoll; *fig pieux mensonge m* Notlüge *f*.
pif [pif] F *m* Nase *f*, Zinken *m* F.
pif(f)er [pife] (1a) F *ne pas pouvoir* ~ *qn* j-n nicht riechen können.
pig|eon [piʒõ] *m* Taube *f*; **~eonnier** [-ɔnje] *m* Taubenschlag *m*.
piger [piʒe] (1l) F kapieren, begreifen.
pigne [piɲ] *f bot* Kiefernzapfen *m*.
pignon [piɲõ] *m arch* Giebel *m*; *tech* Zahnrad *n*.
pignouf [piɲuf] *m* F Flegel *m*.
pilastre [pilastrə] *m arch* Pilaster *m*, Wandpfeiler *m*.
pile[1] [pil] *f* **1.** Stapel *m*, Stoß *m*; **2.** (*elektrische*) Batterie *f*; ~ *atomique* Atomreaktor *m*; **3.** *Münze*: Rück-, Schriftseite *f*; **4.** F Tracht *f* Prügel.
pile[2] [pil] *adv s'arrêter* ~ plötzlich anhalten; *à deux heures* ~ Punkt zwei Uhr.
piler [pile] (1a) zerstampfen, zerstoßen.
pilier [pilje] *m arch* Pfeiler *m*; *fig* Stütze *f*.
pill|age [pijaʒ] *m* Plünderung *f*; **~er** (1a) (aus)plündern.
pil|on [pilõ] *m tech* Stampfer *m*; **~onner** [-ɔne] (1a) (zer)stampfen.
pilori [pilɔri] *m* Pranger *m*; *fig mettre qn au* ~ j-n an den Pranger stellen.
pilotage [pilɔtaʒ] *m* Steuerung *f*; Lotsen(dienst) *n(m)*.
pilot|e [pilɔt] **1.** *m mar* Lotse *m*; *aviat* Pilot *m*; *auto* (Renn-)Fahrer *m*; **2.** *adj ferme f* ~ Musterhof *m*; **~er** (1a) *aviat, auto* steuern, lenken; *mar* lotsen.

P

pilule [pilyl] *f* Pille *f*; ~ *(contraceptive)* Antibabypille *f*.
piment [pimɑ̃] *m* Paprika *m*, Spanischer Pfeffer *m*; *fig* Würze *f*.
pimenter [pimɑ̃te] (1a) scharf würzen.
pimp|ant, ~ante [pɛ̃pɑ̃, -ɑ̃t] adrett, schmuck, fesch.
pin [pɛ̃] *m bot* Kiefer *f*; Pinie *f*; ⚠ *le* ~.
pinard [pinar] F *m* Wein *m*.
pince [pɛ̃s] *f* Zange *f*, Klemme *f*, Klammer *f*; *Krebse*: Schere *f*; ~ *à épiler* Pinzette *f*; ~ *à linge* Wäscheklammer *f*.
pincé, ~e [pɛ̃se] verkniffen, gezwungen.
pinceau [pɛ̃so] *m* (⚠ *pl* ~*x*) Pinsel *m*.
pincée [pɛ̃se] *f cuis une* ~ *de sel* e-e Prise Salz.
pince-monseigneur [pɛ̃smõsɛɲœr] *f* (⚠ *pl pinces-monseigneur*) Brecheisen *n*.
pincer [pɛ̃se] (1k) kneifen, zwicken, klemmen; *Saiten*: zupfen.
pince-sans-rire [pɛ̃ssɑ̃rir] *m, f* (⚠ *pl unv*) Mensch *m* mit trockenem Humor.
pincette [pɛ̃sɛt] *f* Pinzette *f*; *pl* ~*s* (Feuer-)Zange *f*.
pinède [pinɛd] *f* Kiefern-, Pinienwald *m*.
pingouin [pɛ̃gwɛ̃] *m zo* Pinguin *m*.
pingre [pɛ̃grə] geizig, knickerig.
pinson [pɛ̃sõ] *m zo* Buchfink *m*.
pintade [pɛ̃tad] *f zo* Perlhuhn *n*.
pioch|e [pjɔʃ] *f* Hacke *f*; ~**er** (1a) (um-, auf)hacken; F *Schüler*: pauken, büffeln.
piolet [pjɔlɛ] *m* Eispickel *m*.
pion, pionne [pjõ, pjɔn] **1.** *m, f Schülersprache*: Aufsichtführende(r) *m, f*; **2.** *m* Bauer *m* (*Schachspiel*); Stein *m* (*Brettspiel*).
pioncer [pjõse] (1k) F pennen.
pionnier [pjɔnje] *m* Pionier *m*, Bahnbrecher *m*; ⚠ Pionier *nur übertragen*.
pip|e [pip] *f* (Tabaks-)Pfeife *f*; *fumer la* ~ Pfeife rauchen; *fig casser sa* ~ F abkratzen (*sterben*); ~**eau** [-o] *m* (⚠ *pl* ~*x*) (Hirten-)Flöte *f*; ~**er** (1a) *Würfel, Karten*: fälschen; *ne pas* ~ *(mot)* keinen Ton sagen.
piqu|ant, ~ante [pikɑ̃, -ɑ̃t] **1.** *adj* stachlig; *Bemerkung*: bissig, spitz; *cuis* pikant; **2.** *m* Dorn *m*; *fig* Reiz *m*.
piqu|e [pik] **1.** *f* Pike *f*, Spieß *m*; **2.** *m Spielkarte*: Pik *n*; ~**é, ~ée** gesteppt; fleckig; *Wein*: sauer; *Person*: *être un peu* ~ F e-n kleinen Stich haben.
pique|-assiette [pikasjɛt] *m* (⚠ *pl pique-assiette*[s]) *péj* Nassauer *m*, Schmarotzer *m*; ~**-nique** [-nik] *m* (⚠ *pl. pique-niques*) Picknick *n*; ~**-niquer** [-nike] (1m) picknicken.
piquer [pike] (1m) stechen; beißen (*auf der Zunge*); *Bart*: kratzen; *méd* e-e Spritze geben (*qn* j-m); *fig* reizen; F *fig* klauen; *aviat* im Sturzflug niedergehen; *se* ~ sich stechen; sich spritzen; *fig se* ~ *de qc* sich etwas auf etw einbilden.
piquet [pikɛ] *m* Pflock *m*; (Zelt-)Hering *m*; ~ *de grève* Streikposten *m*; *mettre au* ~ *Schüler*: in die Ecke stellen.
piqûre [pikyr] *f* Stich *m*; *méd* Spritze *f*.
pirat|e [pirat] *m* Pirat *m*, Seeräuber *m*; ~ *de l'air* Luftpirat *m*; ~**erie** *f* Seeräuberei *f*.
pire [pir] schlimmer; *le, la* ~ der, die, das schlimmste.
pis[1] [pi] *adv* schlimmer.
pis[2] [pi] *m* Euter *n*.
pis-aller [pizale] *m* (⚠ *pl unv*) Notbehelf *m*.
pisciculture [pisikyltyr] *f* Fischzucht *f*.
piscine [pisin] *f* Schwimmbad *n*; ~ *couverte* Hallenbad *n*; ~ *en plein air* Freibad *n*.
pisse [pis] *f* P Pisse *f*.
pissenlit [pisɑ̃li] *m bot* Löwenzahn *m*.
piss|er [pise] (1a) F pissen, pinkeln; ~**otière** [-ɔtjɛr] *f* F Pissoir *n*, Pinkelbude *f*.
pistache [pistaʃ] *f bot* Pistazie *f*.
piste [pist] *f* Fährte *f*; Spur *f*; Piste *f*; Rennbahn *f*; ~ *d'atterrissage* Landebahn *f*.
pistolet [pistɔlɛ] *m* Pistole *f*; ⚠ *le* ~.
piston [pistõ] *m tech* Kolben *m*; F *fig* Protektion *f*.
pistonner [pistɔne] (1a) ~ *qn* j-n protegieren.
pitance [pitɑ̃s] *f péj* Essen *n*, Fraß *m*.
pit|eux, ~euse [pitø, -øz] jämmerlich; kümmerlich.
pitié [pitje] *f* Mitleid *n*; *avoir* ~ *de qn* mit j-m Mitleid haben; F *quelle* ~*!* wie erbärmlich!
piton [pitõ] *m* Felshaken *m*; Bergspitze *f*.
pitoyable [pitwajablə] bedauernswert; *péj* erbärmlich.

pitre [pitrə] *m* Hanswurst *m*.
pittoresque [pitɔrɛsk] malerisch.
pivert [pivɛr] *m zo* Grünspecht *m*.
pivoine [pivwan] *f bot* Pfingstrose *f*.
piv|ot [pivo] *m tech* Zapfen *m*; *fig* Angelpunkt *m*; **~oter** [-ɔte] (1a) sich *um etw* drehen.
placage [plakaʒ] *m Möbel*: Furnier(ung) *n(f)*.
plac|ard [plakar] *m* **1.** Wandschrank *m*; **2.** Aushang *m*, Anschlag *m*; große Anzeige *f* (*Zeitung*); **~arder** [-arde] (1a) öffentlich anschlagen.
place [plas] *f* Platz *m*, Ort *m*, Stelle *f*; Posten *m*; ~ *forte* Festung *f*; *sur* ~ an Ort und Stelle; *à la* ~ *de* anstelle von; *par* ~*s* stellenweise; *être en* ~ bereitstehen; ~ *assise* Sitzplatz *m*; ~ *debout* Stehplatz *m*; ⚠ *la* ~.
plac|é, ~ée [plase] *être bien* ~ e-n guten Standort haben; **~ement** [-mɑ̃] *m* Unterbringung *f*; *comm* Absatz *m*, Verkauf *m*; *Geld*: Anlage *f*.
placer [plase] (1k) setzen, stellen, legen; an-, unterbringen; *fig* einordnen; *Geld*: anlegen, *Waren*: absetzen; *se* ~ Platz nehmen; sich plazieren.
placeur [plasœr] *m* Platzanweiser *m*.
placide [plasid] sanft(mütig).
plafond [plafõ] *m* (Zimmer-)Decke *f*; *aviat* Maximal(steig)höhe *f*; *auto* Höchstgeschwindigkeit *f*; *écon* Höchstsatz *m*, Obergrenze *f*.
plafonn|er [plafɔne] (1a) *arch* e-e Decke einziehen; *aviat* die Gipfelhöhe erreichen; *auto* die Spitzengeschwindigkeit erreichen; *fig* die Höchstgrenze erreichen; **~ier** [-je] *m* Deckenlampe *f*.
plage [plaʒ] *f* Strand *m*; Seebad *n*, Badeort *m*; ⚠ *la* ~.
plagiaire [plaʒjɛr] *m* Plagiator *m*.
plagiat [plaʒja] *m* Plagiat *n*.
plaid [plɛd] *m* Reisedecke *f*.
plaid|er [plɛde] (1b) ~ *pour* sich einsetzen für, plädieren für; ~ *contre* prozessieren gegen; ~ *la cause de qn* j-n vor Gericht vertreten; *fig* für j-n eintreten; **~oirie** [-wari] *f jur* Plädoyer *n*; **~oyer** [-waje] *m jur u fig* Plädoyer *n*, Verteidigungsrede *f*, -schrift *f*.
plaie [plɛ] *f* Wunde *f*; *fig* Plage *f*.
plaign|ant, ~ante [plɛɲɑ̃, -ɑ̃t] *m, f jur* Kläger(in) *m(f)*.
plaindre [plɛ̃drə] (4b) beklagen, bedauern; *se* ~ klagen, sich beklagen (*de* über); sich beschweren (*de* über); *se* ~ (*de ce*) *que* (+ *ind od subj*) sich darüber beklagen, daß ...
plaine [plɛn] *f* Ebene *f*.
plain-pied [plɛ̃pje] *de* ~ auf gleicher Ebene; *fig* direkt, ohne Umschweife.
plaint|e [plɛ̃t] *f* (Weh-)Klage *f*; Beschwerde *f*; *jur* Strafantrag *m*; *porter* ~ Anzeige erstatten (*contre* gegen); **~if, ~ive** [-if, -iv] klagend; kläglich.
plaire [plɛr] (4aa) gefallen (*à qn* j-m); *s'il vous* (*od te*) *plaît* bitte (*anbietend*); *plaît-il?* wie bitte?; *il lui plaît de* (+ *inf*) es beliebt ihm zu (+ *inf*); *se* ~ sich (selbst) gefallen; *st/s se* ~ *à* Gefallen finden an; *je me plais à Paris* es gefällt mir in Paris, ich fühle mich in Paris wohl.
plais|ance [plɛzɑ̃s] *f* ... *de* ~ Vergnügungs...; *navigation f de* ~ Schifffahrt *f* mit Motor- und Segeljachten; *port m de* ~ Jacht-, Segelhafen *m*; **~ant, ~ante** [-ɑ̃, -ɑ̃t] angenehm, gefällig, hübsch; lustig, amüsant; **~anter** [-ɑ̃te] (1a) scherzen, spaßen; ~ *qn* sich über j-n lustig machen; **~anterie** [-ɑ̃tri] *f* Scherz *m*, Spaß *m*; **~antin** [-ɑ̃tɛ̃] *m* Witzbold *m*.
plaisir [plezir] *m* Vergnügen *n*, Freude *f*; Lust *f*; *à* ~ grundlos; *avec* ~ gern; *par* ~ zum Spaß; *faire* ~ *à qn* j-m Freude machen; *prendre* ~ *à* Vergnügen finden an; *les* ~*s de la table* die Tafelfreuden *f/pl*.
plan, plane [plɑ̃, plan] **1.** *adj* eben; **2.** *m* Fläche *f*; Plan *m*; *premier* ~ Vordergrund *m*; *de premier* ~ erstrangig; *sur ce* ~ in dieser Hinsicht; *sur le* ~ *économique* auf wirtschaftlichem Gebiet; ~ *d'eau* Wasserspiegel *m*, -fläche *f*.
planche [plɑ̃ʃ] *f* Brett *n*; (Kupfer-)Stich *m*; *Buch*: (Bild-)Tafel *f*; *Garten*: Beet *n*; ~ *à voile* Surfbrett *n*.
plancher [plɑ̃ʃe] *m* Fußboden *m*.
planer [plane] (1a) schweben; *fig* ~ *au-dessus de* erhaben sein über; ⚠ *nicht* planen.
planétaire [planetɛr] planetarisch; weltweit.
planète [planɛt] *f* Planet *m*; ⚠ *la* ~.
planeur [planœr] *m* Segelflugzeug *n*.
planification [planifikasjõ] *f* Planung *f*.
planifier [planifje] (1a) planen.
planning [planiŋ] *m* ~ *familial* Familienplanung *f*.

P

planque [plɑ̃k] *f* F Unterschlupf *m*; gemütlicher Job *m*.
planquer [plɑ̃ke] (1m) F (*se* ~ sich) verstecken.
plant [plɑ̃] *m agr* Setzling *m*; Anpflanzung *f*.
plantation [plɑ̃tasjõ] *f* Anpflanzung *f*, Plantage *f*.
plante[1] [plɑ̃t] *f* Pflanze *f*, Gewächs *n*.
plante[2] [plɑ̃t] *f* ~ *du pied* Fußsohle *f*.
plant|er [plɑ̃te] (1a) (an-, ein)pflanzen, setzen; bepflanzen; *Pfahl*: einschlagen; *Fahne*: aufpflanzen; *Zelt*: aufschlagen; ~ *là qn* j-n im Stich lassen; *se* ~ *devant qn* F sich vor j-m aufpflanzen; **~eur** *m* Pflanzer *m*.
plantur|eux, ~euse [plɑ̃tyrø, -øz] reichlich; üppig (*a fig Frau*).
plaque [plak] *f* Platte *f*; Schild *n*; Plakette *f*; Deckel *m*; Tafel *f* (*Schokolade*); ~ *d'identité* Erkennungsmarke *f*; *auto* ~ *minéralogique od* ~ *d'immatriculation* Nummernschild *n*; ~ *tournante* Drehscheibe *f* (*a fig*).
plaqu|é [plake] *m tech* Plattierung *f*; Dublee *n*; **~er** (1m) *tech* plattieren; mit Silber, Gold dublieren; *Möbel*: furnieren; *fig* drücken (*contre, sur* gegen, an); *fig* F ~ *qn* j-n im Stich lassen; **~ette** [-ɛt] *f* Plakette *f*; Plättchen *n*.
plastic [plastik] *m* Plastiksprengstoff *m*; ⚠ *nicht* Plastik.
plastique [plastik] **1.** *adj* bildsam, plastisch; *arts m/pl* ~*s* bildende Kunst *f*; *matière f* ~ Kunststoff *m*; **2.** *f* Plastik *f*, Bildhauerkunst *f*; **3.** *m* Kunststoff *m*, Plastik *n*.
plat, plate [pla, plat] **1.** *adj* flach, platt, eben; *fig* fade, schal; **2.** *m* Platte *f*, Schüssel *f*; *cuis* Gericht *n*, Speise *f*, Gang *m*.
platane [platan] *m bot* Platane *f*; ⚠ *le* ~.
plateau [plato] *m* (⚠ *pl* ~*x*) Platte *f*; Tablett *n*; *Theater*: Bühne *f*, Szenenaufbau *m*; *géogr* Plateau *n*, Hochebene *f*.
plate-bande [platbɑ̃d] *f* (⚠ *pl plates-bandes*) Gartenbeet *n*.
plate-forme [platfɔrm] *f* (⚠ *pl plates-formes*) Plattform *f*; *pol* ~ *électorale* Wahlplattform *f*; ~ *de forage* Bohrinsel *f*; ⚠ *Schreibung*.
platine [platin] **1.** *m chim* Platin *n*; **2.** *f Plattenspieler*: Chassis *n*; Plattenspieler *m*.
platitude [platityd] *f fig* Plattheit *f*, Seichtheit *f*; Gemeinplatz *m*.
plâtras [plɑtra] *m* Gipsschutt *m*; Bauschutt *m*.
plâtr|e [plɑtrə] *m* Gips *m*; Gipsfigur *f*; Gipsverband *m*; **~er** (1a) (ver-, ein)gipsen.
plausible [plozibləl] einleuchtend, glaubwürdig, plausibel.
plèbe [plɛb] *f litt u péj* Pöbel *m*.
plébl|éien, ~éienne [plebejɛ̃, -ejɛn] *litt u péj* plebejisch; **~iscite** [-isit] *m* Volksabstimmung *f*, -entscheid *m*.
plein, pleine [plɛ̃, plɛn] **1.** *adj* voll; gefüllt (*de* mit); *Material*: massiv; *weibliches Tier*: *pleine* trächtig; *à plein temps* ganztags (*arbeiten*); *de plein droit* von Rechts wegen; *de plein gré* aus freiem Antrieb; *en plein air* unter freiem Himmel, im Freien; *en plein été* im Hochsommer; *en plein Paris* mitten in Paris; *en pleine rue* auf offener Straße; **2.** *adv sonner plein* voll klingen; *en plein dans* genau in; F *plein de* viel(e); F *fig en avoir plein le dos* die Nase voll haben; **3.** *m battre son plein* in vollem Gange sein (*Fest etc*); *faire le plein* (*de qc*) vollmachen; *auto* volltanken.
pleinement [plɛnmɑ̃] *adv* völlig.
plein-emploi [plɛnɑ̃plwa] *m écon* Vollbeschäftigung *f*.
plénitude [plenityd] *f fig* Fülle *f*.
pleurer [plœre] (1a) (be)weinen; ~ *sur qc* etw beklagen; ~ *de rire* Tränen lachen.
pleurésie [plœrezi, plø-] *f méd* Rippenfell-, Brustfellentzündung *f*.
pleureur [plœrœr] *bot saule m* ~ Trauerweide *f*.
pleurnicher [plœrniʃe] (1a) *bes Kinder* F flennen.
pleurs [plœr] *m/pl litt en* ~ in Tränen.
pleuvoir [pløvwar] (3e) regnen; *il pleut* es regnet; *fig les coups pleuvaient* es hagelte Schläge.
pli [pli] *m* Falte *f*, Knick *m*; Briefumschlag *m*, Brief *m*; *Kartenspiel*: Stich *m*; *fig* Gewohnheit *f*; *sous ce* ~ beiliegend; *Frisur*: *mise f en* ~*s* Wasserwelle *f*.
pli|ant, ~ante [plijɑ̃, -ɑ̃t] zusammenklappbar; *canot m pliant* Faltboot *n*; *siège m pliant* Klappstuhl *m*.
plier [plije] (1a) (zusammen)falten, zusammenklappen; knicken; biegen, beugen; sich biegen; *fig* nach-

geben; *se ~ à* sich fügen; sich anpassen.
plisser [plise] (1a) falten, fälteln; *Stirn*: runzeln.
plomb [plõ] *m* Blei *n*; Plombe *f* (*Bleisiegel*); (Blei-)Lot *n*; (*elektrische*) Sicherung *f*; *à ~* senkrecht; *Benzin*: *sans ~* bleifrei.
plomb|age [plõbaʒ] *m Zähne*: Plombieren *n*; Plombe *f*, Füllung *f*; *Waggon*: Verplomben *n*; **~er** (1a) plombieren; verplomben; **~erie** *f* Klempnerei *f*, Spenglerei *f*; **~ier** [-je] *m* Klempner *m*, Spengler *m*.
plong|eant, ~eante [plõʒɑ̃, -ɑ̃t] von oben nach unten gerichtet; **~ée** *f* Tauchen *n*; *mil* Tauchmanöver *n*; *Film*: Aufnahme *f* von oben; **~eoir** [-war] *m* Sprungbrett *n*, -turm *m*; **~eon** [-õ] *m Sport*: Kopfsprung *m*; **~er** (1l) (ein-, unter)tauchen; *~ dans la vallée Blick*: ins Tal hinabschweifen; *se ~ dans* sich versenken in; **~eur, ~euse** *m, f* Taucher(in) *m(f)*; Tellerwäscher(in) *m(f)*; *Schwimmsport*: Springer(in) *m(f)*.
ployer [plwaje] (1h) *litt* beugen; sich biegen.
plu [ply] *p/p von plaire u pleuvoir*.
pluie [plɥi] *f* Regen *m*; *fig* Hagel *m*, Flut *f*.
plumage [plymaʒ] *m* Gefieder *n*.
plum|e [plym] *f* Feder *f* (*Vogelfeder u Schreibfeder*); *homme m de ~* Schriftsteller *m*; **~eau** [-o] *m* (⚠ *pl ~x*) Staubwedel *m*; **~er** (1a) rupfen (*a fig*); *fig* ausnehmen; **~et** [-ɛ] *m* Federbusch *m*; **~ier** [-je] *m* Federkasten *m*.
plupart [plypar] *la ~ des élèves* die meisten Schüler; *la ~ d'entre nous* die meisten von uns; *pour la ~* größtenteils; *la ~ du temps* meistens; ⚠ *la ~ sont venus*.
plural|iste [plyralist] pluralistisch; **~ité** *f* Vielzahl *f*, Pluralität *f*.
pluriel [plyrjɛl] *m gr* Plural *m*.
plurilingue [plyrilɛ̃g] mehrsprachig.
plus[1] **1.** [ply; *alleinstehend* plys] *adv* mehr (*que, de* als); *math* plus; *le ~* am meisten; *de ~* mehr; ferner, außerdem; *de ~ en ~* immer mehr; *en ~* noch dazu; *rien de ~* weiter nichts; *sans ~* ohne etw hinzuzufügen; (*tout*) *au ~* höchstens; *~ ... ~ ...* je mehr ... desto mehr; *~ grand* größer (*que* als); *le ~ grand* der größte; *au ~ tard* spätestens; **2.** [ply] *adv der Verneinung*: *ne ... ~* nicht mehr; *non ~* auch nicht; *~ d'argent* kein Geld mehr.
plus[2] [ply] *p/s von plaire*.
plusieurs [plyzjœr] mehrere; ⚠ *plusieurs voitures* (*kein de*).
plus-que-parfait [plyskəparfɛ] *m gr* Plusquamperfekt *n*.
plutôt [plyto] eher, lieber; vielmehr; *~ que de* (+ *inf*) anstatt zu (+ *inf*); ⚠ *nicht verwechseln mit plus tôt*.
pluvi|eux, ~euse [plyvjø, -øz] regnerisch.
P.M.U. [peɛmy] *m* (*abr Pari mutuel urbain*) *etwa* Pferdetoto *n*; Wettannahme *f*.
pneu [pnø] *m* (⚠ *pl ~s*) **1.** *Kfz etc* Reifen *m*; **2.** Rohrpostbrief *m*; **~matique** [-matik] **1.** *adj* Luft...; *matelas m ~* Luftmatratze *f*; **2.** *m cf pneu*.
pneumonie [pnømɔni] *f méd* Lungenentzündung *f*.
poche [pɔʃ] *f* Tasche *f*; *zo* Beutel *m*; *in Kleidung*: ausgebeulte Stelle *f*; *livre m de ~* Taschenbuch *n*; *~ revolver* Gesäßtasche *f*.
pocher [pɔʃe] (1a) *cuis Eier*: pochieren; *Auge*: blau schlagen.
pochette [pɔʃɛt] *f* Täschchen *n*; Tüte *f*, Hülle *f*; Ziertaschentuch *n*.
poêle [pwal] **1.** *m* (Zimmer-)Ofen *m*; **2.** *f* Pfanne *f*; ⚠ *Aussprache*.
poêlon [pwalõ] *m* Stieltopf *m*.
poème [pɔɛm] *m* Gedicht *n*.
poésie [pɔezi] *f* Dichtkunst *f*, Dichtung *f*, Poesie *f*; Lyrik *f*; *kleines* Gedicht *n*.
poète [pɔɛt] *m* Dichter *m*, Poet *m*; *femme f ~* Dichterin *f*.
poétique [pɔetik] dichterisch, poetisch; lyrisch; *fig* romantisch.
pognon [pɔɲõ] *m* F Zaster *m*.
poids [pwa] *m* Gewicht *n* (*a fig*); Schwere *f*; Last *f*; *~ lourd* Lastwagen *m*, Lkw *m*, Laster *m*; *perdre, prendre du ~* ab-, zunehmen; *lancer m du ~* Kugelstoßen *n*; *de ~* gewichtig, einflußreich.
poign|ant, ~ante [pwaɲɑ̃, -ɑ̃t] stechend; quälend; herzergreifend; **~ard** [-ar] *m* Dolch *m*; **~arder** [-arde] (1a) erdolchen.
poign|ée [pwaɲe] *f* Handvoll *f*; Griff *m*, Heft *n*; *~ de main* Händedruck *m*; **~et** [-ɛ] *m* Handgelenk *n*.
poil [pwal] *m* Haar *n* (*Tiere, Körperhaare beim Menschen*); *à ~* nackt.
poilu, ~e [pwaly] behaart, haarig.

poinç|on [pwɛ̃sõ] *m tech* Pfriem *m*; (Präge-)Stempel *m*; **~onner** [-ɔne] (1a) *Gold, Silber*: stempeln; *Fahrkarten*: lochen.
poindre [pwɛ̃drə] (4b) *litt Tag*: anbrechen; *Blumen*: sprießen.
poing [pwɛ̃] *m* Faust *f*.
point[1] [pwɛ̃] *m* Punkt *m*, Stelle *f*; *Nähen*: Stich *m*; *deux ~s pl* Doppelpunkt *m*; *~ d'exclamation* Ausrufungszeichen *n*; *~ d'interrogation* Fragezeichen *n*; *~ de vue* Stand-, Gesichtspunkt *m*; *méd ~ de côté* Seitenstechen *n*; *~ d'arrêt* Haltestelle *f*; *Schule*: *mauvais ~* Minuspunkt *m*; *~ du jour* Tagesanbruch *m*; *être sur le ~ de* (+ *inf*) im Begriff sein zu (+ *inf*); *mettre au ~* einstellen; ausarbeiten; *tech* entwickeln; *mise f au ~* Richtigstellung *f*; Einstellung *f*; Entwicklung *f*; *cuis à ~* *Steak*: medium; *au ~ de* (+ *inf*), *au ~ que* ... in e-m solchen Maße, daß ...; *à ce ~ que* ... so sehr, daß ...; *sur ce ~* in diesem Punkt; *fig faire le ~* e-e Bestandsaufnahme machen, die Lage überprüfen.
point[2] [pwɛ̃] *adv litt ne ... ~* (gar) nicht; *~ de* ... gar kein ...
point|e [pwɛ̃t] *f* Spitze *f* (*a fig*); Stachel *m*, Stift *m*; Zipfel *m*; Pointe *f*; *en ~* spitz; ... *de ~* Spitzen..., modernste(r, -s); *une ~ de* ... e-e Spur von ...; **~er** (1a) abhaken; *Arbeiter*: kontrollieren; *an der Stechuhr*: stempeln; *~ les oreilles* die Ohren spitzen.
pointill|é [pwɛ̃tije] *m* punktierte Linie *f*; **~eux, ~euse** [-ø, -øz] kleinlich, pedantisch, penibel.
point|u, ~ue [pwɛ̃ty] spitz; *Stimme*: schrill.
pointure [pwɛ̃tyr] *f Schuh etc*: Nummer *f*, Größe *f*.
point-virgule [pwɛ̃virgyl] *m* (⚠ *pl points-virgules*) *gr* Strichpunkt *m*, Semikolon *n*.
poire [pwar] *f bot* Birne *f*; F Visage *f*; F gutmütiger Trottel *m*.
poireau [pwaro] *m* (⚠ *pl ~x*) *bot* Porree *m*, Lauch *m*.
poirier [pwarje] *m* Birnbaum *m*.
pois [pwa] *m* Erbse *f*; *petits ~ pl* grüne Erbsen; *à ~* gepunktet, getüpfelt.
poison [pwazõ] *m* Gift *n*; F *fig* (*a f*) Giftnudel *f*, unausstehliche Person *f*; ⚠ *nicht verwechseln mit le poisson.*
poisse [pwas] *f* F Pech *n* (*fig*).
poiss|on [pwasõ] *m* Fisch *m*; *~ d'avril* Aprilscherz *m*; **~onnerie** [-ɔnri] *f* Fischgeschäft *n*.
poitrine [pwatrin] *f* Brust *f*.
poivr|e [pwavrə] *m* Pfeffer *m*; *Haare*: *~ et sel* graumeliert; **~er** (1a) pfeffern; **~ier** [-ije] *m* Pfefferstreuer *m*; *bot* Pfefferstrauch *m*; **~ière** [-ijɛr] *f* Pfefferstreuer *m*.
poivron [pwavrõ] *m* Paprika(schote) *m*(*f*).
poix [pwa] *f* Pech *n*.
polaire [pɔlɛr] Polar...
polar [pɔlar] *m* F Krimi *m*.
polariser [pɔlarize] (1a) polarisieren.
pôle [pol] *m* Pol *m* (*a fig*); *~ d'attraction* Anziehungspunkt *m*.
polémiqu|e [pɔlemik] **1.** *adj* polemisch; **2.** *f* Polemik *f*; **~er** (1m) polemisieren.
poli, ~e [pɔli] **1.** höflich; **2.** glänzend; poliert.
police[1] [pɔlis] *f* Polizei *f*; *agent m de ~* Polizist *m*; *~ secours* Überfallkommando *n*.
police[2] [pɔlis] *f* (Versicherungs-)Police *f*.
polichinelle [pɔliʃinɛl] *m fig* Hampelmann *m*; *c'est le secret de* ♀ das ist ein offenes Geheimnis.
polic|ier, ~ière [pɔlisje, -jɛr] **1.** *adj* Polizei...; Kriminal...; *roman m policier* Kriminalroman *m*; **2.** *m* Polizeibeamte(r) *m*.
polir [pɔlir] (2a) schleifen, glätten, polieren; *fig Stil*: ausfeilen.
poliss|on, ~onne [pɔlisõ, -ɔn] **1.** *adj* zweideutig, schlüpfrig; **2.** *m, f* Bengel *m*, Range *f*.
politesse [pɔlitɛs] *f* Höflichkeit *f*.
politicard [pɔlitikar] *m* skrupelloser Politiker *m*.
politic|ien, ~ienne [pɔlitisjɛ̃, -jɛn] *m, f* Politiker(in) *m*(*f*).
politique [pɔlitik] **1.** *adj* politisch, Staats...; *fig* diplomatisch; *économie f ~* Volkswirtschaft *f*, Nationalökonomie *f*; **2.** *f* Politik *f*; *fig* Taktik *f*; **3.** *m* Politiker *m*.
pollu|er [pɔlɥe] (1n) *Umwelt*: verschmutzen; **~eur** *m* Umweltverschmutzer *m*.
pollution [pɔlysjõ] *f* (Umwelt-)Verschmutzung *f*.
Pologne [pɔlɔɲ] *la ~* Polen *n*.
polon|ais, ~aise [pɔlɔnɛ, -ɛz] **1.** *adj* polnisch; **2.** ♀ *m, f* Pole *m*, Polin *f*.
poltr|on, ~onne [pɔltrõ, -ɔn] *m, f*

Feigling *m*, Memme *f*; **~onnerie** [-ɔnri] *f* Feigheit *f*.
polycopier [pɔlikɔpje] (1a) vervielfältigen.
poly|gamie [pɔligami] *f* Polygamie *f*, Vielweiberei *f*; **~glotte** [-glɔt] vielsprachig.
polynés|ien, ~ienne [pɔlinezjɛ̃, -jɛn] polynesisch.
polystyrène [pɔlistirɛn] *m* Styropor *n*.
polytechnicien [pɔlitɛknisjɛ̃] *m* (ehemaliger) Schüler *m* der École polytechnique in Paris.
pommade [pɔmad] *f* Salbe *f*.
pomme [pɔm] *f* Apfel *m*; Brause *f* (*an der Gießkanne*); ~ *de pin* Tannenzapfen *m*; ~ *de terre* Kartoffel *f*; ~ *d'Adam* Adamsapfel *m*; F *tomber dans les ~s* in Ohnmacht fallen.
pommeau [pɔmo] *m* (⚠ *pl ~x*) Knauf *m*; Sattelknopf *m*.
pomm|elé [pɔmle] *cheval m ~* Apfelschimmel *m*; **~ette** [-ɛt] *f* Backenknochen *m*; **~ier** [-je] *m* Apfelbaum *m*.
pompe[1] [põp] *f* Pomp *m*, Prunk *m*; *~s funèbres* Bestattungsinstitut *n*; ⚠ *la ~*.
pomp|e[2] [põp] *f tech* Pumpe *f*; F Schuh *m*; Liegestütz *m*; ~ *à eau* Wasserpumpe *f*; F *avoir le coup de ~* wie ausgepumpt sein; **~er** (1a) (ab-) pumpen; *fig* aufsaugen; *Schülersprache*: abschreiben.
pomp|eux, ~euse [põpø, -øz] bombastisch; *Stil*: schwülstig.
pompier [põpje] *m* Feuerwehrmann *m*; *~s pl* Feuerwehr *f*.
pompiste [põpist] *m* Tankwart *m*.
pomp|on [põpõ] *m* Quaste *f*; **~onner** [-ɔne] (1a) herausstaffieren, -putzen.
ponce [põs] *pierre f ~* Bimsstein *m*.
poncif [põsif] *m* Gemeinplatz *m*, Plattheit *f*.
ponctionner [põksjɔne] (1a) *méd* punktieren.
ponctua|lité [põktɥalite] *f* Pünktlichkeit *f*; **~tion** *f gr* Interpunktion *f*, Zeichensetzung *f*.
ponctu|el, ~elle [põktɥɛl] pünktlich; punktuell; **~er** (1n) *gr* interpunktieren; *fig* hervorheben.
pondération [põderasjõ] *f* Besonnenheit *f*; Ausgewogenheit *f*.
pondéré, ~e [põdere] besonnen.
pondre [põdrə] (4a) *Eier*: legen; *fig* F verfassen, fabrizieren.
poney [pɔnɛ] *m zo* Pony *n*.
pont [põ] *m* Brücke *f*; (Schiffs-)Deck *n*; *auto ~ arrière* Hinterachse *f*; ~ *aérien* Luftbrücke *f*; *faire le ~* an e-m Werktag zwischen zwei Feiertagen nicht arbeiten.
pontif|e [põtif] *m hist* Pontifex *m*; *égl* Prälat *m*, Bischof *m*; *souverain ~* Papst *m*; **~ical, ~icale** [-ikal] (⚠ *m/pl -aux*) bischöflich; päpstlich; **~icat** [-ika] *m rel* Pontifikat *n*.
pont-levis [põləvi] *m* (⚠ *pl ponts-levis*) Zugbrücke *f*.
ponton [põtõ] *m* (Anlege-)Ponton *m*.
popote [pɔpɔt] *f* F *faire la ~* kochen.
populace [pɔpylas] *f* Pöbel *m*.
popul|aire [pɔpylɛr] Volks...; volkstümlich; populär, beliebt; **~ariser** [-arize] (1a) volkstümlich machen; popularisieren; **~arité** [-arite] *f* Beliebtheit *f*, Popularität *f*; **~ation** *f* Bevölkerung *f*; **~eux, ~euse** [-ø, -øz] dichtbevölkert.
porc [pɔr] *m* Schwein *n* (*a fig*); Schweinefleisch *n*; Schweinsleder *n*.
porcelaine [pɔrsəlɛn] *f* Porzellan *n*; ⚠ *la ~*.
porcelet [pɔrsəlɛ] *m zo* Ferkel *n*.
porc-épic [pɔrkepik] *m* (⚠ *pl porcs-épics*) *zo* Stachelschwein *n*.
porche [pɔrʃ] *m* Portalvorhalle *f*.
porcherie [pɔrʃəri] *f* Schweinestall *m*.
pore [pɔr] *m* Pore *f*; ⚠ *le ~*.
por|eux, ~euse [pɔrø, -øz] porös.
porno(graphique) [pɔrno(grafik)] pornographisch, Porno...
port[1] [pɔr] *m* Hafen *m*; Hafenstadt *f*.
port[2] [pɔr] *m* **1.** Tragen *n* (*von Waffen, Abzeichen etc*); **2.** *Post*: Porto *n*; *en ~ dû* unfrankiert.
portable [pɔrtablə] tragbar.
portail [pɔrtaj] *m* (⚠ *pl ~s*) *arch* Portal *n*; Tor *n*.
port|ant, ~ante [pɔrtã, -ãt] **1.** tragend; *à bout portant* aus nächster Nähe (*schießen*); **2.** *bien portant* gesund; *mal portant* nicht gesund.
portat|if, ~ive [pɔrtatif, -iv] tragbar; Koffer...
porte [pɔrt] *f* Tür *f*; Tor *n* (*a fig*); *~ à ~* Tür an Tür; *entre deux ~s* zwischen Tür und Angel.
porte|-à-faux [pɔrtafo] *m* (⚠ *pl unv*) *arch* Auskragung *f*; Vorspringen *n*; **~-à-porte** [-apɔrt] *m faire du ~* hau-

P

sieren; **~-avions** [-avjõ] *m* (⚠ *pl unv*) Flugzeugträger *m*; **~-bagages** [-bagaʒ] *m* (⚠ *pl unv*) *auto etc* Gepäckträger *m*, -netz *n*; **~-bonheur** [-bɔnœr] *m* (⚠ *pl unv*) Glücksbringer *m*; **~-cigarettes** [-sigarɛt] *m* (⚠ *pl unv*) Zigarettenetui *n*; **~-clefs** [pɔrtəkle] *m* (⚠ *pl unv*) Schlüsselring *m*, -etui *n*, -brett *n*; **~-documents** [-dɔkymɑ̃] *m* (⚠ *pl unv*) Kollegmappe *f*.

portée [pɔrte] *f* **1.** *zo* Wurf *m*; **2.** Reich-, Tragweite *f* (*a fig*); *à ~ de la main* griffbereit; **3.** *fig* Fassungskraft *f*; *être à la ~ de qn* für j-n verständlich sein; *à la ~ de tous* allgemeinverständlich.

porte|-fenêtre [pɔrtfənɛtrə] *f* (⚠ *pl portes-fenêtres*) Verandatür *f*; **~feuille** [-fœj] *m* Brieftasche *f*; Geschäftsbereich *m* (*e-s Ministers*); **~manteau** [-mɑ̃to] *m* (⚠ *pl ~x*) Kleiderständer *m*, -haken *m*, Garderobe *f*; **~mine** [-min] *m* Drehbleistift *m*; **~-monnaie** [-mɔnɛ] *m* (⚠ *pl unv*) Geldbörse *f*, -beutel *m*; **~-parole** [-parɔl] *m* (⚠ *pl unv*) Wortführer *m*, Sprecher *m*.

porter [pɔrte] (1a) **1.** tragen (*a zo*); bringen, hinschaffen (*z B zur Post*); *Augen*: richten (*sur* auf); *Urteil*: abgeben; *in e-e Liste*: einschreiben; *Toast*: ausbringen; *Gefühle*: entgegenbringen; *~ qn à qc* j-n zu etw veranlassen, bringen; *~ au compte de qn* auf j-s Konto verbuchen (*a fig*); *~ son effort sur qc* seine Anstrengungen auf etw konzentrieren; **2.** reichen (*Schall, Rakete*); *~ juste Schlag*: treffen; *~ sur* liegen *od* ruhen auf; zielen auf, betreffen; F *~ sur les nerfs à qn* j-m auf die Nerven fallen; *~ à la tête* zu Kopf steigen (*Wein*); *~ à faux* schief, vorspringend sein; **3.** *se ~* sich (*gut, schlecht*) befinden; *il se porte bien* (*mal*) es geht ihm gut (schlecht), sein Befinden ist gut (schlecht); *se ~ candidat* sich zur Wahl stellen, kandidieren; *se ~ garant pour qn* für j-n bürgen.

porte-savon [pɔrtsavõ] *m* (⚠ *pl porte-savon*[*s*]) Seifenschale *f*.

porteur [pɔrtœr] *m* Träger *m*; *Person*: Gepäckträger *m*; Überbringer *m*.

porte-voix [pɔrtvwa] *m* (⚠ *pl unv*) Sprachrohr *n*, Megaphon *n*.

port|ier [pɔrtje] *m* Pförtner *m*; **~ière** [-jɛr] *f* Türvorhang *m*; *auto* Tür *f*; **~illon** [-ijõ] *m* Türchen *n*; Sperre *f*.

portion [pɔrsjõ] *f* (An-)Teil *m*; Portion *f*.

portique [pɔrtik] *m* Säulenhalle *f*; Turngerüst *n*.

porto [pɔrto] *m* Portwein *m*.

portrait [pɔrtrɛ] *m* Porträt *n*, Bildnis *n*; *faire le ~ de qn* j-n porträtieren; **~-robot** [-rɔbo] *m* (⚠ *pl portraits-robots*) Phantombild *n*.

portuaire [pɔrtɥɛr] Hafen...

portug|ais, ~aise [pɔrtygɛ, -ɛz] **1.** *adj* portugiesisch; **2.** ♀ *m, f* Portugiese *m*, Portugiesin *f*.

Portugal [pɔrtygal] *le ~* Portugal *n*.

pose [poz] *f* **1.** Anbringen *n*, Installieren *f*; **2.** (Körper-)Haltung *f*, Pose *f*; *Foto*: *temps de ~* Belichtungszeit *f*.

posé, ~e [poze] gesetzt, bedächtig; **~ment** *adv* ruhig.

posemètre [pozmɛtrə] *m Foto*: Belichtungsmesser *m*.

poser [poze] (1a) **1.** (hin)setzen, (-)stellen, (-)legen; ab-, niederlegen; anbringen; verlegen; *Problem*: darstellen; *~ qn* j-m Ansehen geben; *se ~ aviat* aufsetzen, landen; *Frage*: sich stellen; *se ~ en* auftreten als; **2.** Modell stehen; *fig* posieren, schauspielern.

pos|eur, ~euse [pozœr, -øz] *m, f* **1.** Wichtigtuer(in) *m*(*f*); **2.** *m poseur de bombes* Bombenleger *m*.

posit|if, ~ive [pozitif, -iv] **1.** *adj* positiv; bejahend; sicher, tatsächlich; realistisch; **2.** *m Foto*: Positiv *n*.

position [pozisjõ] *f* Lage *f*, Stellung *f*, Haltung *f*, Position *f*; *fig* Standpunkt *m*; *prendre ~* Stellung nehmen.

possédé, ~e [pɔsede] besessen (*de* von).

posséder [pɔsede] (1f) besitzen; beherrschen (*Sprache*).

possess|eur [pɔsɛsœr] *m bes jur* Besitzer *m*; **~if, ~ive** [-if, -iv] *gr* possessiv, besitzanzeigend; **~ion** *f* Besitz *m*; *être en ~ de qc* im Besitz von etw sein.

possibilité [pɔsibilite] *f* Möglichkeit *f*.

possible [pɔsiblə] **1.** *adj* möglich; *le plus souvent ~* möglichst oft; *autant que ~, le plus ~* so viel als möglich; **2.** *m faire tout son ~* sein möglichstes tun.

postal, ~e [pɔstal] (⚠ *m/pl -aux*) Post...

postdater [pɔstdate] (1a) vor-, vorausdatieren.

P

poste[1] [pɔst] *f* (*bureau m de*) ~ Post(-amt) *f(n)*; *mettre à la ~ Brief etc*: zur Post geben, aufgeben; *~ restante* postlagernd.
poste[2] [pɔst] *m* Posten *m* (*a mil u comm*), Stelle *f*, Amt *n*; (Arbeits-)Schicht *f*; *Radio, TV* Apparat *m* (*a tel*), Gerät *n*; *~ de nuit* Nachtschicht *f*; *tel ~ supplémentaire* Nebenanschluß *m*; *~ de radio* Radioapparat *m*; (Rundfunk-)Sender *m*; *~ d'essence* Tankstelle *f*; *~ de secours* Unfallstation *f*; *aviat ~ de pilotage* Cockpit *n*.
poster [pɔste] (1a) aufstellen; zur Post geben.
postérieur, ~e [pɔsterjœr] **1.** *adj* hintere(r, -s); spätere(r, -s); **2.** *m* F Hintern *m*.
postérité [pɔsterite] *st/s f* Nachkommenschaft *f*; Nachwelt *f*.
posthume [pɔstym] nachgeboren; post(h)um, nachgelassen.
postiche [pɔstiʃ] **1.** *adj* unecht, falsch (*Haare*); **2.** *m* Haarteil *n*.
postscolaire [pɔstskɔlɛr] Fortbildungs...
post-scriptum [pɔstskriptɔm] *m* (*abr P.-S.*; ⚠ *pl unv*) Nachschrift *f*.
postul|ant, ~ante [pɔstylɑ̃, -ɑ̃t] *m, f* Bewerber(in) *m(f)*; **~er** (1a) sich bewerben (*un emploi* um e-e Stelle); *phil* postulieren.
posture [pɔstyr] *f* Haltung *f*, Stellung *f*, Positur *f*; *fig* Lage *f*.
pot [po] *m* Topf *m*; Kanne *f*; Glas *n*; *~ à eau* (⚠ [pɔtao]) Wasserkrug *m*; *~ de fleurs* Blumentopf *m*; *~ de chambre* Nachttopf *m*; *fig tourner autour du ~* wie die Katze um den heißen Brei gehen; F *prendre un ~* etw trinken gehen; *avoir du ~* F Schwein haben.
potable [pɔtablə] trinkbar; F passabel.
potache [pɔtaʃ] *m* F Pennäler *m*.
potag|e [pɔtaʒ] *m* Suppe *f*; **~er, ~ère** Gemüse...
potasse [pɔtas] *f chim* Kali *n*.
potasser [pɔtase] (1a) F ochsen, büffeln.
potassium [pɔtasjɔm] *m chim* Kalium *n*.
pot-au-feu [pɔtofø] *m* (⚠ *pl unv*) Eintopf *m*; Suppenfleisch *n*.
pot-de-vin [podvɛ̃] *m* (⚠ *pl pots-de-vin*) Schmiergeld *n*.
pote [pɔt] *m* F Kumpel *m*.
poteau [pɔto] *m* (⚠ *pl ~x*) Pfosten *m*; Pfahl *m*, Mast *m*; *~ indicateur* Wegweiser *m*.
potelé, ~e [pɔtle] rundlich, drall.
potence [pɔtɑ̃s] *f* Galgen *m*.
potentat [pɔtɑ̃ta] *m* Machthaber *m*, Potentat *m*.
potentiel, ~le [pɔtɑ̃sjɛl] **1.** *adj* potentiell; **2.** *m* Potential *n*; *~ économique* Wirtschaftskraft *f*.
poterie [pɔtri] *f* Töpferei *f*; Töpferware *f*.
potiche [pɔtiʃ] *f* chinesische *od* japanische Porzellanvase *f*.
potier [pɔtje] *m* Töpfer *m*.
potion [posjõ] *f* Arzneitrank *m*.
potiron [pɔtirõ] *m bot* Riesenkürbis *m*.
pot-pourri [popuri] *m* (⚠ *pl pots-pourris*) *mus* Potpourri *n*; ⚠ *Aussprache*.
pou [pu] *m* (⚠ *pl ~x*) *m zo* Laus *f*.
poubelle [pubɛl] *f* Mülleimer *m*, -tonne *f*.
pouce [pus] *m* Daumen *m*; *manger sur le ~* schnell e-n Bissen essen; *mettre les ~s* endlich nachgeben; *donner un coup de ~ à qn fig* j-m in den Sattel helfen.
poudre [pudrə] *f* Pulver *n*; Puder *m*; *~ à canon* Schießpulver *n*; *café m en ~* Pulverkaffee *m*; *sucre m en ~* Streuzucker *m* (⚠ *nicht* Puderzucker); ⚠ *la ~*.
poudr|er [pudre] (1a) pudern; **~eux, ~euse** [-ø, -øz] pulvrig; *litt* staubig; **~ier** [-ije] *m* Puderdose *f*; **~ière** [-ijɛr] *f* Pulverfaß *n* (*a fig*).
pouf [puf] *m* Puff *m* (*Sitz*).
pouffer [pufe] (1a) *~ de rire* laut auflachen.
pouill|eux, ~euse [pujø, -øz] verlaust; heruntergekommen.
poulailler [pulaje] *m* Hühnerstall *m*; *Theater*: Galerie *f*.
poulain [pulɛ̃] *m zo* Fohlen *n*.
poularde [pulard] *f cuis* Masthühnchen *n*, Poularde *f*.
poul|e [pul] *f* Huhn *n*, Henne *f*; F *fig* Dirne *f*; *fig chair f de ~* Gänsehaut *f*; **~et** [-ɛ] *m* Hühnchen *n*, Hähnchen *n*.
poulie [puli] *f tech* Rolle *f*.
poulpe [pulp] *m zo* Krake *m*.
pouls [pu] *m* Puls *m*; *prendre le ~* den Puls messen.
poumon [pumõ] *m* Lunge *f*.
poupe [pup] *f mar* Heck *n*.
poupée [pupe] *f* Puppe *f* (*a fig*).

poup|in, ~ine [pupɛ̃, -in] pausbäckig.
pouponnière [pupɔnjɛr] *f* Kinderkrippe *f*.
pour [pur] **I.** *prép* **1.** für; *~ moi* für mich; *être ~ qc* zu etw dienen; **2.** *räumlich*: nach; *avoir une correspondance ~* Anschluß haben nach; *partir ~* abreisen nach; **3.** wegen; *~ cette raison* aus diesem Grund; *~ autant* deswegen; **4.** in bezug auf, was ... betrifft; *~ cela, ~ ce qui est de cela* was das betrifft; *~ moi, ~ ma part* ich für mein(en) Teil; *aversion ~* Abneigung gegen; *sévère ~* streng gegen; **5.** zu, als; *avoir ~ ami* zum Freund *od* als Freund haben; *prendre qn ~ qc* j-n für etw halten; **6.** *~* (+ *inf*) um zu (+ *inf*); weil; obgleich; *être ~ faire qc* gerade dabei sein, etw zu tun; **II.** *conj ~ que* (+ *subj*) damit ...; *~ peu que* (+ *subj*) sofern (nur); **III.** *m le ~ et le contre* das Für und Wider.
pourboire [purbwar] *m* Trinkgeld *n*.
pourcentage [pursɑ̃taʒ] *m* Prozentsatz *m*.
pourchasser [purʃase] (1a) jagen, verfolgen.
pourlécher [purleʃe] (1f) *s'en ~* sich (vor Genuß) den Mund lecken.
pourparlers [purparle] *m/pl* Besprechungen *f/pl*, Verhandlungen *f/pl*.
pourpre [purprə] **1.** *m* Purpur *m*, Purpurfarbe *f*, -rot *n*; **2.** *f* Purpur *m* (*Farbstoff*); *rel* Kardinalswürde *f*; **3.** *adj* purpurrot.
pourquoi [purkwa] warum, weshalb; *c'est ~, voilà ~* deshalb; *le ~* das Warum.
pourrai [pure] *futur von pouvoir*.
pourr|i, ~ie [puri] faul, verfault; *fig* verdorben; *Sommer*: verregnet; **~ir** (2a) (*se*) *~* (ver)faulen; *fig* sich verschlimmern; verkommen; *~ qc* etw faulen lassen; *fig ~ qn* j-n verderben; **~iture** [-ityr] *f* Fäulnis *f*; *fig* Verkommenheit *f*.
pour|suite [pursɥit] *f* Verfolgung *f*; *fig* Streben *n* (*de* nach); *jur* Strafverfolgung *f*; **~suivant, ~suivante** [-sɥivɑ̃, -sɥivɑ̃t] *m, f* Verfolger(in) *m(f)*; **~suivre** [-sɥivrə] (4h) verfolgen; *fig* quälen, plagen; *Studien*: treiben; *jur* gerichtlich belangen; *Arbeit*: fortsetzen; *fig ~ qc* nach etw streben.
pourtant [purtɑ̃] dennoch, doch.
pourtour [purtur] *m* Umfang *m*.
pourvoi [purvwa] *m jur* Berufung *f*.
pourvoir [purvwar] (3b) *~ qn de qc* j-n mit etw ausstatten, versehen, versorgen; *se ~ de qc* sich mit etw versorgen; *st/s ~ à qc* für etw sorgen; *jur se ~ en cassation* Revision einlegen.
pourvu [purvy] *~ que* (+ *subj*) vorausgesetzt daß; sofern; wenn nur.
pousse [pus] *f agr* Schößling *m*, Trieb *m*; **~-café** [-kafe] *m* (⚠ *pl unv*) Gläschen *n* Likör nach dem Kaffee.
poussée [puse] *f* Stoß *m*, Stoßen *n*; Druck *m*; *phys* Schub *m*; *fig* plötzlicher Anstieg *m*; *~ démographique* Bevölkerungsexplosion *f*.
pousser [puse] (1a) **1.** stoßen, drängen, schieben, drücken, treiben; *Schrei*: ausstoßen; *fig* vorantreiben, fördern; *~ qn à qc* j-n zu etw treiben, drängen, verleiten; *se ~* sich drängeln; zur Seite rücken; **2.** *Pflanzen, Haare etc*: wachsen.
poussette [pusɛt] *f* Sportwagen *m* (*für Kinder*); Einkaufswagen *m*.
pouss|ière [pusjɛr] *f* Staub *m*; Staubkorn *n*; **~iéreux, ~iéreuse** [-jerø, -jerøz] staubig.
pouss|if, ~ive [pusif, -iv] kurzatmig.
poussin [pusɛ̃] *m* Küken *n*.
poussoir [puswar] *m tech* Drücker *m*.
poutre [putrə] *f* Balken *m*, Träger *m*.
pouvoir [puvwar] **1.** (3f) können; dürfen; *je n'en peux plus* ich halte es nicht mehr aus; *on ne peut mieux* vortrefflich; *st/s puis-je vous aider?* darf ich Ihnen helfen?; *si l'on peut dire* wenn man so sagen darf; *il peut arriver que* (+ *subj*) es kann vorkommen, daß ...; *il se peut que* (+ *subj*) es kann sein *od* es ist möglich, daß ...; **2.** *m* Macht *f*, Gewalt *f*; Befugnis *f*, Vollmacht *f*; Vermögen *n*, Fähigkeit *f*; *pleins ~s pl* unbeschränkte Vollmacht; *~ d'achat* Kaufkraft *f*.
pragmatique [pragmatik] pragmatisch.
prairie [prɛri] *f* Wiese *f*; Prärie *f*.
praline [pralin] *f* gebrannte Mandel; ⚠ *nicht* Praline.
praticable [pratikablə] ausführbar; brauchbar; *Straße*: befahrbar.
praticien [pratisjɛ̃] *m* Praktiker *m*; (praktizierender) Arzt *m*.
pratiqu|ant, ~ante [pratikɑ̃, -ɑ̃t] *rel* praktizierend.
pratiqu|e [pratik] **1.** *adj* praktisch;

zweckmäßig; **2.** *f* Praxis *f*; Erfahrung *f*; Ausübung *f*; Brauch *m*; **~s** *pl* Praktiken *f/pl*; ⚠ *Schreibung*; **~ement** [-mɑ̃] praktisch; in der Praxis; **~er** (1m) ausüben; *Methode*: praktizieren, (praktisch) anwenden; *tech* herstellen, anbringen; *se* ~ üblich sein.

pré [pre] *m* Wiese *f*.

préalable [prealablə] **1.** *adj* vorherig, vorhergehend; **2.** *m* Vorbedingung *f*; *au* ~ zuvor.

Préalpes [prealp] *f/pl* Voralpen *pl*.

préambule [preɑ̃byl] *m* Präambel *f*; Einleitung *f*; ⚠ *le* ~.

préavis [preavi] *m* Vorankündigung *f*; Kündigung *f*; *sans* ~ fristlos.

précaire [prekɛr] prekär, heikel, unsicher.

précaution [prekosjõ] *f* Vorsicht *f*, Behutsamkeit *f*; Vorsichtsmaßnahme *f*; *par* ~ vorsorglich.

précéd|ent, ~ente [presedɑ̃, -ɑ̃t] **1.** *adj* vorhergehend, vorig; **2.** *m* Präzedenzfall *m*; *sans* ~ beispiellos; **~er** (1f) ~ *qc*, *qn* e-r Sache (*zeitlich*) vorangehen, vor j-m hergehen, -fahren; vor etw stehen, kommen.

précep|te [presɛpt] *m* Vorschrift *f*; **~teur, ~trice** *m, f* Hauslehrer(in) *m(f)*, Erzieher(in) *m(f)*.

prêch|e [prɛʃ] *m* Predigt *f*; *fig* Moralpredigt *f*; ⚠ *le* ~; **~er** (1b) predigen; *fig* ~ *d'exemple* mit gutem Beispiel vorangehen.

préci|eusement [presjøzmɑ̃] *adv* sorgfältig; **~eux, ~euse** [-ø, -øz] wertvoll, kostbar; *Stil*: geziert, preziös; *pierre f précieuse* Edelstein *m*.

précipice [presipis] *m* Abgrund *m*.

précipit|amment [presipitamɑ̃] überstürzt; **~ation** *f* **1.** Hast *f*, Übereilung *f*; **2.** *Wetter*: Niederschlag *m*.

précipiter [presipite] (1a) (hinab-) stürzen; schleudern; überstürzen; beschleunigen; *se* ~ sich (hinunter-) stürzen; sich beeilen.

préc|is, ~ise [presi, -iz] **1.** *adj* präzis(e), genau; deutlich; *à dix heures précises* Punkt zehn Uhr; **2.** *m* Übersicht *f*, Abriß *m*; **~isément** [-izemɑ̃] *adv* genau; gerade; **~iser** (1a) genauer angeben, präzisieren; klarstellen; **~ision** [-izjõ] *f* Genauigkeit *f*, Präzision *f*; **~s** *pl* nähere Angaben *f/pl*.

précoc|e [prekɔs] frühreif; vorzeitig; **~ité** *f* Frühreife *f*; vorzeitiger Beginn *m*.

préconçu, ~e [prekõsy] vorgefaßt (*Meinung*).

préconiser [prekɔnize] (1a) befürworten, empfehlen.

précurseur [prekyrsœr] **1.** *m* Vorläufer *m*; **2.** *adj signe m* ~ Vor-, Anzeichen *n*.

prédécesseur [predesesœr] *m* Vorgänger *m*.

prédestiner [predɛstine] (1a) *fig u rel* vorherbestimmen (*à qc* zu etw).

prédic|ateur [predikatœr] *m* Prediger *m*; **~ation** *f* Predigen *n*; Predigt *f*.

prédiction [prediksjõ] *f* Voraussage *f*.

prédilection [predilɛksjõ] *f* Vorliebe *f* (*pour* für); ... *de* ~ Lieblings...

prédire [predir] (4m) voraus-, wahr-, weissagen; ⚠ *vous prédisez*.

prédispos|er [predispoze] (1a) empfänglich, anfällig machen (*à* für); **~ition** *f* Empfänglichkeit *f*, Anfälligkeit (*à* für); Anlage *f* (*à* zu).

prédomin|ance [predɔminɑ̃s] *f* Vorherrschen *n*; Übergewicht *n*; **~ant, ~ante** [-ɑ̃, -ɑ̃t] vorherrschend; **~er** (1a) vorherrschen, überwiegen.

préfabriqué, ~e [prefabrike] vorgefertigt; *maison f préfabriquée* Fertighaus *n*.

préface [prefas] *f* Vorwort *n*; *fig* Auftakt *m*.

préfecture [prefɛktyr] *f* Präfektur *f*.

préfér|able [preferablə] vorzuziehen (*à qc* e-r Sache); ratsamer, besser; **~é, ~ée** Lieblings...

préfér|ence [preferɑ̃s] *f* Vorzug *m*; Vorliebe *f* (*pour* für); *de* ~ lieber, vorzugsweise; *de* ~ *à* lieber als; *donner la* ~ *à qn, à qc* j-m, e-r Sache den Vorzug geben, j-n, etw bevorzugen; **~entiel, ~entielle** [-ɑ̃sjɛl] Vorzugs...

préférer [prefere] (1f) vorziehen (*à*); ~ *faire qc* lieber etw tun; ~ *que* (+ *subj*) lieber mögen, daß ...

préfet [prefɛ] *m* Präfekt *m*; ~ *de police* Polizeipräsident *m*.

préhistoire [preistwar] *f* Vor-, Urgeschichte *f*.

préjudic|e [preʒydis] *m* Nachteil *m*, Schaden *m*; *porter* ~ *à qn* j-m Nachteile bringen, j-m schaden; **~iable** [-jablə] nachteilig (*à* für).

préjugé [preʒyʒe] *m* Vorurteil *n*.

prélasser [prelase] (1a) *se* ~ sich's bequem machen.

P

prélat [prela] *m égl* Prälat *m.*
prélèvement [prelɛvmɑ̃] *m* Entnahme *f*; Abzug *m* (*vom Gehalt*); *méd* Abstrich *m*; ~ *de sang* Blutabnahme *f*, -probe *f.*
prélever [prelve] (1d) entnehmen; *Betrag*: abziehen (*sur* von).
préliminaire [preliminɛr] **1.** *adj* vorbereitend, Vor...; **2.** *m/pl* ~*s* Einleitung *f*, Präliminarien *n/pl.*
prélud|e [prelyd] *m* Vorspiel *n*; *fig* Auftakt *m*; ~**er** (1a) *mus* präludieren; ~ *à qc* etw einleiten, den Auftakt zu etw bilden.
prématuré, ~**e** [prematyre] verfrüht; vorzeitig; *enfant m* ~ Frühgeburt *f.*
prémédit|ation [premeditasjõ] *f jur* Vorsatz *m*; ~**er** (1a) vorher überlegen, planen; ~ *de faire qc* beabsichtigen, etw zu tun.
prem|ier, ~**ière** [prəmje, -jɛr] *adj u subst m, f* erste(r, -s); (*der, die, das*) erste; *fig* ursprünglich; *les premiers temps* in der ersten Zeit; *du premier coup* auf Anhieb; *premier rôle m* Hauptrolle *f*; *de premier ordre* (⚠ [prəmjɛrɔrdrə]) erstklassig, -rangig; *partir le premier* zuerst fortgehen; *le premier venu* der erste beste; *math nombre m premier* Primzahl *f*; *tech matière f première* Rohstoff *m*; *en premier* zuerst; ⚠ *Napoléon Ier* (*premier*), *aber Napoléon III* (*trois*); *le premier août*, *aber le deux août.*
première [prəmjɛr] *f Theater*: Premiere *f*, Ur-, Erstaufführung *f*; *auto* erster Gang *m*; *Schule etwa*: Unterprima *f*, elfte Klasse *f*; *Bahn*: erste Klasse *f.*
premièrement [prəmjɛrmɑ̃] *adv* erstens, zuerst.
premier-né, première-née [prəmjene, prəmjɛrne] (⚠ *pl premiers-nés, premières-nées*) erstgeboren.
prémisse [premis] *f* Prämisse *f*, Voraussetzung *f.*
pren|ant, ~**ante** [prənɑ̃, -ɑ̃t] *Buch*: fesselnd; *Beschäftigung*: zeitraubend.
prendre [prɑ̃drə] (4q) **1.** (weg-, ab-, an-, mit sich) nehmen; (er)fassen, ergreifen; gefangennehmen; erwischen; *Stadt*: einnehmen; *Fische etc*: fangen; *Nahrung*: zu sich nehmen; *Erkältung*: bekommen; *Weg*: einschlagen; *Zeit*: benötigen; ~ *mal* übelnehmen; ~ *qn* j-n abholen; ~ *de l'âge* alt werden; ~ *courage* Mut fassen; ~ *l'eau* wasserdurchlässig sein; ~ *pour* halten für; ~ *au sérieux* ernst nehmen; *à tout* ~ alles in allem; **2.** Wurzel fassen; *Feuer*: ausbrechen; *beim Publikum*: Anklang finden, sich durchsetzen; *ne pas* ~ nicht wirken; ~ *à droite* rechts abbiegen; **3.** *se* ~ sich verfangen; *s'y* ~ *bien* (*mal*) sich geschickt (dumm) dabei anstellen; *se* ~ *d'amitié pour qn* sich mit j-m anfreunden; *s'en* ~ *à qn* j-n dafür verantwortlich machen; *se* ~ *à faire qc* anfangen etw zu tun.
preneur [prənœr] *m comm, jur* Käufer *m*, Abnehmer *m.*
prénom [prenõ] *m* Vorname *m.*
préoccup|ation [preɔkypasjõ] *f* Sorge *f*, Besorgnis *f*; ~**er** (1a) stark beschäftigen; beunruhigen; *se* ~ *de* sich Gedanken machen um.
prépara|tifs [preparatif] *m/pl* Vorbereitungen *f/pl*; ~**tion** *f* Vor-, Zubereitung *f*; *phm, chim* Herstellung *f*; Präparat *n*; ~**toire** [-twar] vorbereitend; *cours m* ~ erstes Grundschuljahr.
préparer [prepare] (1a) vor-, zubereiten; herrichten; *chim* herstellen; ~ *un examen* sich auf e-e Prüfung vorbereiten; *se* ~ *à* sich vorbereiten auf; *se* ~ sich anbahnen, bevorstehen; *il se prépare qc* es ist etw im Anzug.
prépondér|ance [prepõderɑ̃s] *f* Vorherrschaft *f*, Vormacht *f*; ~**ant,** ~**ante** [-ɑ̃, -ɑ̃t] maßgeblich, entscheidend.
préposé, ~**e** [prepoze] *m, f* Briefträger(in) *m*(*f*); *niedere*(*r*) Beamte(r) *m*, Beamtin *f*; *préposée f au vestiaire* Garderobenfrau *f.*
prépos|er [prepoze] (1a) ~ *qn à qc* j-n mit etw betrauen; ~**ition** *f gr* Präposition *f.*
prérogative [prerɔgativ] *f* Vorrecht *n.*
près [prɛ] **1.** *adv* nah(e); *tout* ~ ganz in der Nähe; *à peu* (*de chose*) ~ beinahe; ungefähr; *à cela* ~ davon abgesehen; *de* ~ in *od* aus der Nähe; *fig* genau; *être rasé de* ~ glattrasiert sein; **2.** *prép* ~ *de* nahe bei, in der Nähe von; fast (+ *Zahl*); *être* ~ *de* (+ *inf*) nahe daran sein zu (+ *inf*); ~ *de deux heures* beinahe zwei Stunden; fast 2 Uhr; ⚠ *nicht verwechseln mit prêt.*
présage [prezaʒ] *m* Vorbedeutung *f*; Vorzeichen *n.*

P

presbyte [prɛzbit] *méd* weitsichtig.
presbytère [prɛzbitɛr] *m* Pfarrhaus *n*.
prescription [prɛskripsjõ] *f* Vorschrift *f*; *méd* Rezept *n*; *jur* Verjährung *f*.
prescrire [prɛskrir] (4f) vorschreiben; *méd* verschreiben.
préséance [preseɑ̃s] *f* Vorrang *m*.
présence [prezɑ̃s] *f* Anwesenheit *f*; ~ *d'esprit* Geistesgegenwart *f*; *en* ~ *de* im Beisein von; *en* ~ gegenüberstehend.
prés|ent[1], **~ente** [prezɑ̃, -ɑ̃t] **1.** *adj* gegenwärtig; anwesend; vorliegend; **2.** *m* Gegenwart *f*; *gr* Präsens *n*; *les présents pl* die Anwesenden; *à présent (que)* jetzt (wo); *jusqu'à présent* bisher; *dans le présent, gr au présent* in der Gegenwart.
présent[2] [prezɑ̃] *litt m* Geschenk *n*, Präsent *n*; *faire* ~ *de qc à qn* j-m etw schenken.
présent|able [prezɑ̃tablə] gut aussehend, präsentabel; **~ateur, ~atrice** [-atœr, -atris] *m, f comm* Vorführer *m*, Vorführdame *f*; *TV* Moderator(in) *m(f)*; **~ation** *f* Vorführung *f*; Dar-, Vorstellung *f*; Einführung *f*; Vorzeigen *n*, Vorlage *f*; Aufmachung *f*, Ausstattung *f*; Präsentation *f*; äußere Erscheinung *f*.
présentement [prezɑ̃tmɑ̃] *litt adv* zur Zeit.
présenter [prezɑ̃te] (1a) überreichen, dar-, anbieten; vorstellen, ein-, vorführen; (vor)zeigen, vorlegen; *Ideen*: darstellen, -legen; *Mängel*: aufweisen; mit sich bringen; *se* ~ sich vorstellen; kandidieren; *Schwierigkeit*: auftauchen.
préservatif [prezɛrvatif] *m* Kondom *n*, Präservativ *n*.
préserver [prezɛrve] (1a) bewahren, schützen (*de* vor).
présid|ence [prezidɑ̃s] *f* Vorsitz *m*; *pol* Präsidentschaft *f*; Präsidentenpalais *n*; **~ent, ~ente** [-ɑ̃, -ɑ̃t] *m, f* Vorsitzende(r) *m, f*, Präsident(in) *m(f)*; **~entiel, ~entielle** [-ɑ̃sjɛl] präsidial, Präsidenten...
présider [prezide] (1a) ~ *un comité* den Vorsitz in e-m Komitee führen; ~ *une assemblée* e-r Versammlung präsidieren; ~ *à qc* etw leiten.
présomption [prezõpsjõ] *f* Vermutung *f*; Überheblichkeit *f*.
présomptu|eux, ~euse [prezõptɥø, -øz] überheblich.
presque [prɛskə] beinahe, fast.
presqu'île [prɛskil] *f* Halbinsel *f*.
press|ant, ~ante [prɛsɑ̃, -ɑ̃t] dringend, eilig.
presse [prɛs] *f* Presse *f* (*tech u Zeitungen*); *comm moments m/pl de* ~ Zeiten *f/pl* des Hochbetriebs.
pressé, ~e [prɛse] **1.** eilig, in Eile; *je suis* ~ ich hab's eilig; **2.** *Frucht*: ausgepreßt.
pressent|iment [prɛsɑ̃timɑ̃] *m* Vorgefühl *n*, Ahnung *f*; **~ir** (2b) ahnen; ~ *qn* bei j-m sondieren, vorfühlen.
presse-papiers [prɛspapje] *m* (⚠ *pl unv*) Briefbeschwerer *m*.
press|er [prɛse] (1b) **1.** drücken, (aus)pressen; *fig* bedrängen; dringen (*qn* in j-n); beschleunigen; *se* ~ sich drängen; **2.** eilen, eilig *od* dringlich sein, drängen; *rien ne presse* es hat keine Eile; *se* ~ sich beeilen; **~ing** [-iŋ] *m* Dampfbügeln *n*.
press|ion [prɛsjõ] *f* Druck *m*; *fig* Zwang *m*; (*a m*) Druckknopf *m*; *bière f* ~ Bier *n* vom Faß; *être sous* ~ unter Druck stehen (*a fig*); ~ *artérielle* Blutdruck *m*; ~ *démographique* Bevölkerungsdruck *m*; **~oir** *m* Kelter(ei) *f*.
pressurer [prɛsyre] (1a) auspressen; *fig* aussaugen.
prest|ance [prɛstɑ̃s] *f* stattliches Aussehen *n*; **~ation** *f* Leistung *f*; **~s** *familiales pl* Sozialleistungen *f/pl* für die Familie.
preste [prɛst] behend, flink.
prestidigita|teur, ~trice [prɛstidiʒitatœr, -tris] *m, f* Zauberkünstler(in) *m(f)*.
prestig|e [prɛstiʒ] *m* Prestige *n*, Ansehen *n*; **~ieux, ~ieuse** [-jø, -jøz] glänzend, hervorragend, wunderbar.
présumer [prezyme] (1a) vermuten, annehmen; ~ *de qn, de qc* j-n, etw überschätzen.
prêt[1], **prête** [prɛ, prɛt] bereit (*à* zu), fertig; ⚠ *nicht verwechseln mit près (de)*.
prêt[2] [prɛ] *m* Darlehen *n*; Ausleihen *n*.
prêt-à-porter [prɛtapɔrte] *m* Konfektion(skleidung) *f*.
prétendant [pretɑ̃dɑ̃] *m* Freier *m*; Thronprätendent *m*.
prétendre [pretɑ̃drə] (4a) behaupten, vorgeben; ~ (+ *inf*) die Absicht haben zu (+ *inf*); *st/s* ~ *à* streben nach; Anspruch erheben auf.

prétendu, ~e [pretɑ̃dy] angeblich, sogenannt.
prête-nom [prɛtnõ] *m* (⚠ *pl prête--noms*) Strohmann *m*.
prétenti|eux, ~euse [pretɑ̃sjø, -øz] anmaßend, eingebildet; *Ton, Stil*: geziert, geschraubt.
prétention [pretɑ̃sjõ] *f* Anspruch *m*; Ehrgeiz *m*; Dünkel *m*, Selbstgefälligkeit *f*.
prêter [prɛte] (1b) (aus)leihen; *Hilfe*: leisten; *Absicht*: unterstellen; *Stoff*: sich dehnen; ~ *à* Anlaß geben zu; *se* ~ *à* sich eignen zu (*Sache*); sich hergeben zu (*Person*).
prétext|e [pretɛkst] *m* Vorwand *m*; *sous* ~ *de* (+ *inf*) *od que* ... unter dem Vorwand zu (+ *inf*) *od* daß ...; *sous aucun* ~ auf keinen Fall; **~er** (1a) ~ *qc* etw vorschützen; ~ *que* ... vorgeben, daß ...
prêtre [prɛtrə] *m* Priester *m*.
preuve [prœv] *f* Beweis *m*; *fig* Zeichen *n*; *math* Probe *f*; *faire* ~ *de courage* Mut beweisen; *comme* ~ *de* zum Zeichen für.
prévaloir [prevalwar] (3h) *st/s* ~ *sur od contre* die Oberhand gewinnen über, überwinden; *se* ~ *de qc* etw für sich geltend machen; auf etw pochen.
prévariquer [prevarike] (1m) pflicht-, amtswidrig handeln.
préven|ance [prevnɑ̃s] *f* Zuvorkommenheit *f*; **~ant, ~ante** [-ɑ̃, -ɑ̃t] zuvorkommend.
prévenir [prevnir] (2h) ~ *qc* e-r Sache vorbeugen, etw verhüten; ~ *qn de qc* j-n von etw in Kenntnis setzen; j-n vor etw warnen.
P
prévent|if, ~ive [prevɑ̃tif, -iv] vorbeugend, präventiv; *jur détention f préventive* Untersuchungshaft *f*.
prévention [prevɑ̃sjõ] *f* **1.** Voreingenommenheit *f*, Vorurteil *n*; **2.** *jur* Untersuchungshaft *f*; **3.** Verhütung *f*; ~ *routière* Verkehrsunfallverhütung *f*.
prévis|ible [previziblə] vorhersehbar; **~ion** *f* Vorhersehen *n*; Voraussage *f*; Aussicht *f*; *en* ~ *de* im Hinblick auf.
prévoir [prevwar] (3b) voraus-, vorhersehen; in Aussicht nehmen, planen.
prévoy|ance [prevwajɑ̃s] *f* Vor-, Fürsorge *f*; **~ant, ~ante** [-ɑ̃, -ɑ̃t] vorausschauend; fürsorglich.

prier [prije] (1a) **1.** *rel* beten; ~ *Dieu* zu Gott beten; **2.** bitten; ~ *qn de faire qc* j-n bitten, etw zu tun; ~ *qn à déjeuner* j-n zum Mittagessen einladen; *je vous en prie* bitte (sehr)!, gern geschehen!; *ärgerlich*: das bitte ich mir aus!
prière [prijɛr] *f* Gebet *n*; Bitte *f*; *faire sa* ~ beten; *à la* ~ *de* auf Bitten von; ~ *de ne pas toucher* bitte nicht berühren!
prieur, ~e [prijœr] *m, f égl* Prior(in) *m(f)*.
primaire [primɛr] Ur..., Primär...; *péj* beschränkt; *école f* ~ Volks-, Grundschule *f*.
primauté [primote] *f* Vorrang *m*, Primat *m od n* (*sur* vor).
prime[1] [prim] *adj de* ~ *abord* auf den ersten Blick.
prime[2] [prim] *f* Prämie *f*, Zulage *f*; *comm* Werbegeschenk *n*.
primer [prime] (1a) **1.** den Vorrang haben (*qc* vor etw); **2.** prämi(i)eren.
primeur [primœr] *f* **1.** *avoir la* ~ *de qc* etw als erster haben, erfahren; **2.** *~s pl* Frühgemüse *n*, Frühobst *n*.
primevère [primvɛr] *f bot* Schlüsselblume *f*, Primel *f*.
primit|if, ~ive [primitif, -iv] ursprünglich, Ur...; primitiv.
primordial, ~e [primɔrdjal] (⚠ *m/pl -aux*) wesentlich, maß-, ausschlaggebend.
princ|e, ~esse [prɛ̃s, -ɛs] *m, f* Fürst(in) *m(f)*; Prinz *m*, Prinzessin *f*; **~ier, ~ière** [-je, -jɛr] fürstlich (*a fig*).
principal, ~e [prɛ̃sipal] (⚠ *m/pl -aux*) **1.** *adj* hauptsächlich, Haupt...; **2.** *m Schule*: Direktor *m*; *le* ~ die Hauptsache *f*; **3.** *f gr* Hauptsatz *m*.
principauté [prɛ̃sipote] *f* Fürstentum *n*.
principe [prɛ̃sip] *m* Prinzip *n*, Grundsatz *m*; *phil* Ursprung *m*; *chim* Stoff *m*; *de* ~ grundsätzlich; *par* ~ aus Prinzip; *en* ~ prinzipiell, im Prinzip.
printan|ier, ~ière [prɛ̃tanje, -jɛr] Frühlings...
printemps [prɛ̃tɑ̃] *m* Frühling *m*, Frühjahr *n*; ⚠ *au* ~, *aber en hiver*, *été, automne*.
priorité [prijɔrite] *f* Priorität *f*, Vorrang *m*; *Verkehr*: Vorfahrt *f* (*sur* vor).
pris, prise [pri, priz] *p/p von prendre u adj* besetzt, ausgefüllt, beschäftigt.

prise [priz] *f* Nehmen *n*; *mil* Einnahme *f*, Eroberung *f*; *mar u cuis* Prise *f*; *ch* Fang *m*; *tech* Steckdose *f*, Anschluß *m*; *Ringen*: Griff *m*; ~ *de contact* Kontaktaufnahme *f*; ~ *de conscience* Bewußtwerden *n*; ~ *d'otage(s)* Geiselnahme *f*; ~ *de position* Stellungnahme *f*; ~ *de vue Foto*: Aufnahme *f*; *donner* ~ *à* Anlaß geben zu; *être aux* ~*s avec qn, qc* sich mit j-m, etw auseinandersetzen; *lâcher* ~ loslassen; *fig* aufgeben.
priser [prize] (1a) **1.** *litt* schätzen; **2.** *Tabak*: schnupfen.
prison [prizõ] *f* Gefängnis *n*.
prisonn|ier, ~ière [prizɔnje, -jɛr] *m, f* Gefangene(r) *m, f*.
privation [privasjõ] *f* Entbehrung *f*.
priv|é, ~ée [prive] privat, Privat...; *en privé, à titre privé* privat; *dans le privé* im Privatleben; **~er** (1a) ~ *qn de qc* j-m etw entziehen; *se* ~ *de qc* auf etw verzichten.
privil|ège [privilɛʒ] *m* Privileg *n*, Vorrecht *n*; **~égier** [-eʒje] (1a) privilegieren, begünstigen.
prix [pri] *m* Preis *m*, Wert *m* (*a fig*); ~ *de revient* Selbstkostenpreis *m*; ~ *brut* Bruttopreis *m*; *de* ~ wertvoll; *à tout* ~ um jeden Preis; *à aucun* ~ um keinen Preis; *au* ~ *fort* zum vollen Preis; *hors de* ~ unerschwinglich; *au* ~ *de* zum Preis von, gegen; ~ *Nobel* Nobelpreis(träger) *m*.
prob|abilité [prɔbabilite] *f* Wahrscheinlichkeit *f*; **~able** wahrscheinlich.
prob|ant, ~ante [prɔbɑ̃, -ɑ̃t] überzeugend; **~ité** *f* Rechtschaffenheit *f*.
problématique [prɔblematik] problematisch, fraglich.
problème [prɔblɛm] *m* Problem *n*; *math* Aufgabe *f*.
procédé [prɔsede] *m* Verfahren *n*, Methode *f*; ~*s pl* Verhalten *n*.
procéd|er [prɔsede] (1f) verfahren, vorgehen; ~ *à qc* etw vornehmen *od* durchführen; zu etw schreiten; sich daranmachen, etw zu tun; *litt* ~ *de* herrühren von; **~ure** [-yr] *f jur* Verfahren *n*; Prozeßführung *f*, -ordnung *f*.
procès [prɔsɛ] *m jur* Prozeß *m*; *fig faire le* ~ *de qn* j-n scharf kritisieren; ⚠ *nicht verwechseln mit procédé u processus*.
procession [prɔsesjõ] *f* Prozession *f*.
processus [prɔsesys] *m* Vorgang *m*, Ablauf *m*, Prozeß *m* (⚠ *nicht jur*).
procès-verbal [prɔsɛvɛrbal] *m* (⚠ *pl procès-verbaux*) Protokoll *n*; Strafmandat *n*; *dresser un* ~ ein Protokoll aufnehmen.
proch|ain, ~aine [prɔʃɛ̃, -ɛn] **1.** *adj* nächste(r, -s), kommende(r, -s); **2.** *le prochain* der Nächste; **~ainement** [-ɛnmɑ̃] *adv* demnächst.
proche [prɔʃ] **1.** *adj* nah(e); *fig* ~ *de* verwandt mit; **2.** *adv de* ~ *en* ~ nach und nach; **3.** *m/pl* ~*s* Angehörige *m/pl*, nahe Verwandte *m/pl*.
proclam|ation [prɔklamasjõ] *f* Bekanntgabe *f*; Ausrufung *f*, Proklamation *f*; **~er** (1a) verkünden; ausrufen.
procréer [prɔkree] (1a) *st/s* zeugen.
procur|ation [prɔkyrasjõ] *f* Vollmacht *f*; **~er** (1a) verschaffen, besorgen; **~eur** *m* ~ (*de la République*) Staatsanwalt *m*.
prodigalité [prɔdigalite] *f* Verschwendung(ssucht) *f*.
prodig|e [prɔdiʒ] *m* Wunder *n*; *enfant m* ~ Wunderkind *n*; ⚠ *nicht verwechseln mit enfant prodigue*; **~ieux, ~ieuse** [-jø, -jøz] außergewöhnlich, erstaunlich.
prodigu|e [prɔdig] verschwenderisch; *Bibel*: *l'Enfant m* ~ der verlorene Sohn; **~er** (1m) reichlich geben, zuteil werden lassen.
produc|teur, ~trice [prɔdyktœr, -tris] **1.** *adj* Erzeuger..., Hersteller...; **2.** *m, f* Produzent(in) *m(f)*, Erzeuger(in) *m(f)*, Hersteller(in) *m(f)*; **~tif, ~tive** [-tif, -tiv] produktiv; einträglich.
production [prɔdyksjõ] *f* Produktion *f*, Erzeugung *f*, Herstellung *f*, Gewinnung *f*; Erzeugnisse *n/pl*.
productivité [prɔdyktivite] *f* Produktivität *f*.
produire [prɔdɥir] (4c) produzieren, erzeugen, herstellen; schaffen; *fig* bewirken, hervorrufen; *Urkunde*: vorlegen; *se* ~ sich ereignen.
produit [prɔdɥi] *m* Erzeugnis *n*, Produkt *n*; Ertrag *m*; *écon* ~ *national brut* Bruttosozialprodukt *n*.
proémin|ent, ~ente [prɔeminɑ̃, -ɑ̃t] vorspringend.
prof [prɔf] *m, f* (*abr professeur*) *Schülersprache*: Lehrer(in) *m(f)*.
profan|e [prɔfan] **1.** *adj* profan, weltlich; **2.** *m, f* Laie *m* (*en* auf dem Gebiet von); **~er** (1a) entweihen.

proférer [prɔfere] (1f) *Drohungen*: ausstoßen.
profess|eur [prɔfesœr] *m* Gymnasiallehrer(in) *m(f)*; Professor(in) *m(f)*; **~ion** *f* Beruf *m*, Berufstätigkeit *f*; Berufsstand *m*; ~ *de foi* Glaubensbekenntnis *n*; **~ionnel, ~ionnelle** [-jɔnɛl] **1.** *adj* beruflich; professionell, berufsmäßig; **2.** *m* Fachmann *m*; F Profi *m*; **~orat** [-ɔra] *m* höheres Lehramt *n*; Hochschullehramt *n*.
profil [prɔfil] *m* Profil *n*; *fig* charakteristisches Erscheinungsbild *n*; ~*s pl* Konturen *f/pl*.
profit [prɔfi] *m* Profit *m*, Gewinn *m*; Nutzen *m*; *au* ~ *de* zugunsten (+ *gén*); *tirer* ~ *de qc* von etw profitieren.
profitable [prɔfitablə] nützlich; einträglich.
profiter [prɔfite] (1a) ~ *de qc* von etw profitieren, etw ausnützen, aus etw Vorteil ziehen; ~ *à qn* j-m nützlich sein, Vorteil(e) bringen; F *bien* ~ gut gedeihen.
prof|ond, ~onde [prɔfõ, -õd] tief; tiefsinnig; *Einfluß*: stark; **~ondément** [-õdemɑ̃] *adv* tief, zutiefst.
profondeur [prɔfõdœr] *f* Tiefe *f*; *fig* Stärke *f*.
profusion [prɔfyzjõ] *f* Fülle *f*; *à* ~ in reichem Maße.
progéniture [prɔʒenityr] *f litt* Nachkommenschaft *f*; *plais* Nachwuchs *m*, Sprößlinge *m/pl*.
programm|e [prɔgram] *m* Programm *n*; *Schule*: Lehrplan *m*, -stoff *m*; **~er** (1a) *TV* in das Programm aufnehmen; *EDV* programmieren; **~eur, ~euse** *m*, *f* Programmierer(in) *m(f)*.
progrès [prɔgrɛ] *m* Fortschritt *m*; Ausbreitung *f*, Zunahme *f*.
progress|er [prɔgrɛse] (1b) Fortschritte machen; um sich greifen; *mil* vorrücken; **~if, ~ive** [-if, -iv] progressiv, fortschreitend; ⚠ *nicht politisch*; **~ion** *f* Fortschreiten *n*; *fig* Zunahme *f*; **~iste** progressiv, fortschrittlich (*a pol*).
prohib|er [prɔibe] (1a) (gesetzlich) verbieten; **~ition** *f* Verbot *n*.
proie [prwa] *f* Raub *m*; Beute *f*; *fig* Opfer *n*; *en* ~ *à qc* von etw heimgesucht, e-r Sache ausgeliefert.
project|eur [prɔʒɛktœr] *m* Scheinwerfer *m*; Projektor *m*; **~ile** [-il] *m* Geschoß *n*.
projet [prɔʒɛ] *m* Projekt *n*, Plan *m*; Entwurf *m*.
projeter [prɔʒ(ə)te, prɔʃte] (1c) schleudern, auswerfen; projizieren; vorhaben, planen.
prolétaire [prɔletɛr] *m*, *f* Proletarier(in) *m(f)*.
prolifération [prɔliferasjõ] *f* (rasche, starke) Vermehrung *f*, Zunahme *f*; ~ *des armes atomiques* Verbreitung *f od* Weitergabe *f* von Atomwaffen.
prolifique [prɔlifik] fruchtbar.
prolixe [prɔliks] weitschweifig.
prologue [prɔlɔg] *m* Prolog *m*.
prolongation [prɔlõgasjõ] *f* (*zeitliche*) Verlängerung *f*.
prolong|ement [prɔlõʒmɑ̃] *m* (*räumliche*) Verlängerung *f*; **~er** (1l) *zeitlich od räumlich*: verlängern; *se* ~ sich in die Länge ziehen.
promenade [prɔmnad] *f* Spaziergang *m*, -fahrt *f*, Ausflug *m*.
promen|er [prɔmne] (1d) spazierenführen, herumführen; *fig* umherschweifen lassen; *se* ~ spazierengehen, -fahren; F herumlaufen; F *fig envoyer* ~ davonjagen, abblitzen lassen; *Sache*: hinschmeißen; **~eur, ~euse** *m*, *f* Spaziergänger(in) *m(f)*.
promesse [prɔmɛs] *f* Versprechen *n*.
promett|eur, ~euse [prɔmɛtœr, -øz] vielversprechend.
promettre [prɔmɛtrə] (4p) versprechen (*qc à qn* j-m etw, *de* + *inf* zu + *inf*); versichern; *se* ~ *de faire qc* sich vornehmen, etw zu tun.
promiscuité [prɔmiskɥite] *f* enges Zusammenleben *n*.
promontoire [prɔmõtwar] *m* Vorgebirge *n*.
promo|teur, ~trice [prɔmɔtœr, -tris] **1.** *m*, *f st/s* Initiator(in) *m(f)*; **2.** *m* Bauträger *m*, Bauherr *m*; **~tion** *f* Beförderung *f*; Aufstieg *m*; *Schule*: Jahrgang *m*; *comm* ~ *des ventes* Absatzförderung *f*.
promouvoir [prɔmuvwar] (3d) befördern, ernennen; fördern.
prompt, prompte [prõ, prõt] rasch; plötzlich.
promulguer [prɔmylge] (1m) *Gesetz*: verkünden.
prôner [prone] (1a) loben, preisen.
pronom [prɔnõ] *m gr* Pronomen *n*, Fürwort *n*.
pronominal, ~e [prɔnɔminal] (⚠ *m/pl -aux*) pronominal; *verbe m pronominal* reflexives Verb *n*.

P

prononcé, ~e [prɔnõse] stark ausgeprägt, markant.
prononc|er [prɔnõse] (1k) aussprechen; *Rede*: halten; *jur Urteil*: fällen *od* verkünden; *se ~* ausgesprochen werden; sich äußern; *se ~ pour, contre* sich aussprechen für, gegen; **~iation** [-jasjõ] *f* Aussprache *f*; *jur* Urteilsverkündung *f*.
pronost|ic [prɔnɔstik] *m* Prognose *f*, Voraussage *f*; **~iquer** [-ike] (1m) vorhersagen.
propagande [prɔpagɑ̃d] *f* Propaganda *f*.
propager [prɔpaʒe] (1l) aus-, verbreiten; propagieren; *biol* fortpflanzen; *se ~* sich verbreiten; sich fortpflanzen.
propension [prɔpɑ̃sjõ] *f* Neigung *f* (*à qc* zu etw).
proph|ète, ~étesse [prɔfɛt, -etɛs] *m, f* Prophet(in) *m(f)*; **~étie** [-esi] *f* Prophezeiung *f*; ⚠ *Aussprache*.
prophét|ique [prɔfetik] prophetisch; **~iser** (1a) prophezeien.
prophylaxie [prɔfilaksi] *f méd* Prophylaxe *f*, Vorbeugung *f*.
propice [prɔpis] günstig (*à* für); gnädig.
proportion [prɔpɔrsjõ] *f* Proportion *f*, Verhältnis *n*; **~s** *pl* Ausmaß(e) *n(pl)*; *toutes ~s gardées* im Verhältnis; *en ~* entsprechend; *en ~ de* im Vergleich zu.
proportionn|el, ~elle [prɔpɔrsjɔnɛl] proportional (*à* zu); entsprechend; anteilig; **~ellement** [-ɛlmɑ̃] im Verhältnis (*à* zu); **~er** (1a) in das richtige Verhältnis setzen (*à* zu); *bien proportionné(e)* wohlgestaltet.
propos [prɔpo] *m* **1.** *pl* Äußerungen *f/pl*, Worte *n/pl*; **2.** *st/s* Absicht *f*; *à ~* zur richtigen Zeit, gelegen; *à tout ~* bei jeder Gelegenheit; *mal à ~, hors de ~* ungelegen, zur Unzeit; *à ~!* übrigens!; *à ~ de* was ... betrifft, wegen.
proposer [prɔpoze] (1a) vorschlagen (*qc à qn* j-m etw; *à qn de + inf* j-m zu + *inf*); vorlegen; *Preis*: aussetzen; *se ~ de faire qc* sich vornehmen, etw zu tun; *se ~* sich anbieten.
proposition [prɔpozisjõ] *f* Vorschlag *m*; Angebot *n*; *gr* Satz *m*; *~ principale, subordonnée* Haupt-, Nebensatz *m*.
propre [prɔprə] **1.** *adj* **a)** eigen; eigentlich; eigentümlich; *st/s* geeignet (*à* zu); **b)** sauber; ordentlich, anständig; **2.** *m* **a)** Eigenart *f*; **b)** *mettre au ~* ins reine schreiben; **~ment** *adv* ordentlich; *à ~ parler* genau genommen; *~ dit* eigentlich.
propreté [prɔprəte] *f* Sauberkeit *f*.
proprié|taire [prɔprijetɛr] *m, f* Eigentümer(in) *m(f)*, Besitzer(in) *m(f)*; Hausbesitzer(in) *m(f)*; **~té** [-te] *f* Eigentum *n*, Besitz *m*; Eigenschaft *f*; *Wort*: Angemessenheit *f*.
propuls|er [prɔpylse] (1a) antreiben; **~ion** *f* Antrieb *m*.
prorata [prɔrata] *au ~ de* im Verhältnis zu.
prorogation [prɔrɔgasjõ] *f* Verlängerung *f*; *pol* Vertagung *f*.
proroger [prɔrɔʒe] (1l) verlängern; *pol* vertagen.
prosa|ïque [prɔzaik] prosaisch, nüchtern; **~teur** *m* Prosaschriftsteller *m*.
proscription [prɔskripsjõ] *f* Verbot *n*; *hist* Ächtung *f*.
proscrire [prɔskrir] (4f) verbieten; verpönen; *hist* ächten.
prose [proz] *f* Prosa *f*.
prosélyte [prɔzelit] *m, f* Neubekehrte(r) *m, f*; *allg* neue(r) Anhänger(in) *m(f)*.
prospect|er [prɔspɛkte] (1a) *tech* nach Lagerstätten schürfen; *allg* erkunden; **~us** [-ys] *m* (Werbe-)Prospekt *m*.
prosp|ère [prɔspɛr] blühend, florierend; **~érer** [-ere] (1f) gut gehen, blühen, florieren, gedeihen; **~érité** [-erite] *f* Wohlstand *m*.
prosterner [prɔstɛrne] (1a) *se ~* sich niederwerfen.
prostituée [prɔstitɥe] *f* Prostituierte *f*.
prostration [prɔstrasjõ] *f* Entkräftung *f*; Niedergeschlagenheit *f*.
protagoniste [prɔtagɔnist] *m* Protagonist *m*.
protec|teur, ~trice [prɔtɛktœr, -tris] **1.** *adj* schützend, Schutz...; gönnerhaft; **2.** *m, f* Beschützer(in) *m(f)*; Gönner(in) *m(f)*.
protection [prɔtɛksjõ] *f* Schutz *m*; Protektion *f*, Gönnerschaft *f*.
protectionnisme [prɔtɛksjɔnismə] *m écon* Protektionismus *m*, Schutzzollsystem *n*; ⚠ *Schreibung*.
protectorat [prɔtɛktɔra] *m* Protektorat *n*.
protég|é, ~ée [prɔteʒe] *m, f* Schütz-

P

ling *m*, Günstling *m*; **~er** (1g) (be)schützen (*contre od de* vor); begünstigen; fördern.
protest|ant, ~ante [prɔtɛstɑ̃, -ɑ̃t] *rel* **1.** *adj* protestantisch, evangelisch; **2.** *m, f* Protestant(in) *m(f)*.
protest|ation [prɔtɛstasjõ] *f* Protest *m*, Einspruch *m*; Beteuerung *f*; **~er** (1a) protestieren (*contre* gegen); *~ de qc* etw beteuern.
prothèse [prɔtɛz] *f* Prothese *f*.
protocole [prɔtɔkɔl] *m* (diplomatisches) Protokoll *n*; ⚠ *Schreibung*.
prototype [prɔtɔtip] *m* Ur-, Vorbild *n*; *tech* Prototyp *m*.
protubérance [prɔtyberɑ̃s] *f* Beule *f*, Höcker *m*.
prou [pru] *litt peu ou ~* mehr oder weniger.
proue [pru] *f mar* Bug *m*.
prouesse [pruɛs] *f* Heldentat *f*.
prouv|able [pruvablə] beweisbar; **~er** (1a) beweisen.
provenance [prɔvnɑ̃s] *f* Herkunft *f*; *en ~ de Flugzeug, Zug*: aus.
provençal, ~e [prɔvɑ̃sal] (⚠ *m/pl -aux*) provenzalisch; ⚠ *nicht verwechseln mit provincial*.
provenir [prɔvnir] (2h) herkommen, stammen, herrühren (*de* von).
proverb|e [prɔvɛrb] *m* Sprichwort *n*; **~ial, ~iale** [-jal] (⚠ *m/pl -iaux*) sprichwörtlich.
provid|ence [prɔvidɑ̃s] *f* Vorsehung *f*; **~entiel, ~entielle** [-ɑ̃sjɛl] unverhofft, unerwartet.
provinc|e [prɔvɛ̃s] *f* Provinz *f*; **~ial, ~iale** [-jal] (⚠ *m/pl -iaux*) **1.** *adj* provinziell; Provinz...; **2.** *m, f* Provinzbewohner(in) *m(f)*; Kleinstädter(in) *m(f)*; *péj* Provinzler(in) *m(f)*.
proviseur [prɔvizœr] *m* Schulleiter *m* (*Gymnasium*).
provision [prɔvizjõ] *f* **1.** Vorrat *m* (*de* an); *~s pl* (Lebensmittel-)Vorräte *m/pl*; Einkäufe *m/pl*; **2.** *Scheck*: Deckung *f*; ⚠ *nicht* Provision.
provisoire [prɔvizwar] vorläufig, provisorisch.
provoc|ant, ~ante [prɔvɔkɑ̃, -ɑ̃t], **~ateur, ~atrice** [-atœr, -atris] herausfordernd, provozierend; *agent m provocateur* Lockspitzel *m*; **~ation** *f* Provokation *f*, Herausforderung *f*.
provoquer [prɔvɔke] (1m) herausfordern, provozieren; hervorrufen.
proxénète [prɔksenɛt] *m* Kuppler *m*; Zuhälter *m*.
proximité [prɔksimite] *f* Nähe *f*; *à ~ de* nahe bei, in der Nähe von.
prude [pryd] prüde, zimperlich.
prud|ence [prydɑ̃s] *f* Vorsicht *f*; Umsicht *f*; **~ent, ~ente** [-ɑ̃, -ɑ̃t] vorsichtig; umsichtig, klug; ⚠ *adv prudemment* [-amɑ̃].
pruderie [prydri] *f* Prüderie *f*.
prud'homme [prydɔm] *m* Arbeitsrichter *m*.
prun|e [pryn] *f* Pflaume *f*; **~eau** [-o] *m* (⚠ *pl ~x*) Backpflaume *f*; **~elle** *f* Pupille *f*; *bot* Schlehe *f*; **~ier** [-je] *m* Pflaumenbaum *m*.
Prusse [prys] *la ~* Preußen *n*.
pruss|ien, ~ienne [prysjɛ̃, -jɛn] **1.** *adj* preußisch; **2.** ♀ *m, f* Preuße, -in *m, f*.
P.S. [peɛs] *m* (*abr Parti socialiste*) Sozialistische Partei *f*.
psaume [psom] *m* Psalm *m*.
pseudo... [psødɔ] *in Zssgn* pseudo..., Pseudo...
pseudonyme [psødɔnim] *m* Pseudonym *n*, Deckname *m*.
psychanal|yse [psikanaliz] *f* Psychoanalyse *f*; **~yste** [-ist] *m, f* Psychoanalytiker(in) *m(f)*.
psychiatr|e [psikjatrə] *m, f* Psychiater(in) *m(f)*; **~ie** [-i] *f* Psychiatrie *f*.
psychique [psiʃik] psychisch, seelisch.
psycho|logie [psikɔlɔʒi] *f* Psychologie *f*; Menschenkenntnis *f*; **~logique** [-lɔʒik] psychologisch; seelisch; **~logue** [-lɔg] *m, f* Psychologe *m*, -in *f*.
P.T.T. [petete] *m/pl* (*abr Postes, télégraphes et téléphones*) Post- und Fernmeldewesen *n*.
pu [py] *p/p von pouvoir*.
pu|ant, ~ante [pɥɑ̃, -ɑ̃t] stinkend; *fig* eingebildet; **~anteur** [-ɑ̃tœr] *f* Gestank *m*.
puber|taire [pybɛrtɛr] Pubertäts...; **~té** [-te] *f* Pubertät(szeit) *f*, Geschlechtsreife *f*.
publ|ic, ~ique [pyblik] **1.** *adj* öffentlich; staatlich; **2.** *m* Öffentlichkeit *f*; Publikum *n*; *en public* öffentlich.
publication [pyblikasjõ] *f* Veröffentlichung *f*; Bekanntgabe *f*.
public|itaire [pyblisitɛr] Werbe..., Reklame...; **~ité** *f* **1.** Werbung *f*, Reklame *f*; Werbeplakat *n*; **2.** Öffentlichkeit *f*, Publizität *f*.
publier [pyblije] (1a) veröffentlichen.
puce [pys] *f* Floh *m*; *EDV* Chip *m*; *marché m aux ~s* Flohmarkt *m*.

pucelle [pysɛl] *f* F *iron* Jungfrau *f*; *hist la* ♀ *d'Orléans* die Jungfrau von Orleans.
pud|eur [pydœr] *f* Scham(gefühl) *f(n)*; **~ique** schamhaft, züchtig; diskret.
puer [pɥe] (1a) stinken (*qc* nach etw).
puériculture [pɥerikyltyr] *f* Säuglingspflege *f*.
puéril, ~e [pɥeril] kindisch; **~ité** *f* kindisches Wesen *n*.
pugilat [pyʒila] *m* Rauferei *f*; *hist* Faustkampf *m*.
puis [pɥi] dann, darauf.
puiser [pɥize] (1a) schöpfen (*dans* aus); entnehmen.
puisque [pɥiskə] da ja, da doch.
puissamment [pɥisamɑ̃] *adv* stark, heftig.
puiss|ance [pɥisɑ̃s] *f* Macht *f*; Stärke *f*; Leistungsfähigkeit *f*; *math* Potenz *f*; **~ant, ~ante** [-ɑ̃, -ɑ̃t] mächtig; kräftig; stark.
puits [pɥi] *m* Brunnen *m*; Schacht *m*.
pull(-over) [pyl(ɔvɛr)] *m* (⚠ *pl pulls, pull-overs*) F Pulli *m*, Pullover *m*.
pulluler [pylyle] (1a) wimmeln.
pulmonaire [pylmɔnɛr] *méd* Lungen...
pulpe [pylp] *f* Fruchtfleisch *n*.
pulsation [pylsasjõ] *f méd* Pulsschlag *m*.
pulvéris|ateur [pylverizatœr] *m* Zerstäuber *m*, Sprühgerät *n*; **~er** (1a) pulverisieren; zerstäuben; *fig* vernichten.
punaise [pynɛz] *f* Wanze *f*; Reißnagel *m*, -zwecke *f*.
punch[1] [põʃ] *m* Punsch *m*.
punch[2] [pœnʃ] *m Boxen*: Schlag *m*; *fig* Schwung *m*.
punir [pynir] (2a) (be)strafen.
punition [pynisjõ] *f* Strafe *f*.
pupille [pypij] **1.** *m, f jur* Mündel *m od n*; Waisenkind *n*; **2.** *f Auge*: Pupille *f*.
pupitre [pypitrə] *m* Pult *n*.
pur, ~e [pyr] rein, pur; klar; sauber; bloß; *pur et simple* ganz einfach, glatt.
purée [pyre] *f* Brei *m*, Püree *n*; F *être dans la ~* in Not sein.
pureté [pyrte] *f* Reinheit *f*.
purgat|if, ~ive [pyrgatif, -iv] *phm* **1.** *adj* abführend; **2.** *m* Abführmittel *n*; **~oire** [-war] *m rel* Fegefeuer *n*.
purg|e [pyrʒ] *f méd* Abführmittel *n*; *pol* Säuberung *f*; **~er** (1l) *tech* entlüften; *pol* säubern; *jur Strafe*: verbüßen.
purifier [pyrifje] (1a) reinigen; *st/s* läutern.
purin [pyrɛ̃] *m agr* Jauche *f*.
puriste [pyrist] *m* Purist *m*, Sprachreiniger *m*.
pur-sang [pyrsɑ̃] *m* (⚠ *pl unv*) Vollblutpferd *n*.
purul|ent, ~ente [pyrylɑ̃, -ɑ̃t] eitrig.
pus[1] [py] *m* Eiter *m*.
pus[2] [py] *p/s von pouvoir*.
pusillanime [pyzilanim] *litt* kleinmütig, verzagt.
pustule [pystyl] *f méd* Pustel *f*.
putain [pytɛ̃] P *f* Hure *f*.
putré|faction [pytrefaksjõ] *f* Fäulnis *f*, Verwesung *f*; **~fier** [-fje] (1a) faulen lassen; *se ~* (ver)faulen, verwesen, vermodern.
putride [pytrid] faulig.
P.-V. [peve] *m* (*abr procès-verbal*) gebührenpflichtige Verwarnung *f*.
pygmée [pigme] *m* Pygmäe *m*.
pyjama [piʒama] *m* Schlafanzug *m*.
pylône [pilon] *m* Mast *m*; Stütze *f*, Pfeiler *m*; *arch* Pylon *m*.
pyramide [piramid] *f* Pyramide *f*.
Pyrénées [pirene] *f/pl* Pyrenäen *pl*.
pyrex [pirɛks] *m* feuerfestes Glas *n*, Pyrex *n* (*Warenzeichen*).
pyrotechnicien [pirɔtɛknisjɛ̃] *m* Feuerwerker *m*.

Q

quadragénaire [kwadraʒenɛr] **1.** *adj* vierzigjährig; **2.** *m, f* Vierzigjährige(r) *m, f.*
quadrangulaire [kwadrɑ̃gylɛr] viereckig.
quadrilatère [kwadrilatɛr, ka-] *m* Viereck *n.*
quadriller [kadrije] (1a) karieren; *fig* kontrollieren.
quadri|moteur [kwadrimɔtœr, ka-] *m aviat* viermotorige Maschine *f;* **~partite** [-partit] *adj pol* Viermächte...; **~réacteur** [-reaktœr] *m aviat* vierstrahlige Maschine *f.*
quadrupl|e [kwadryplə, ka-] vierfach; **~er** (1a) (sich) vervierfachen; **~és, ~ées** *m/pl, f/pl* Vierlinge *m/pl.*
quai [ke] *m* Kai *m;* Bahnsteig *m.*
qualifica|tif, ~tive [kalifikatif, -tiv] **1.** *adj gr adjectif m qualificatif* Eigenschaftswort *n;* **2.** *m* Bezeichnung *f;* **~tion** *f* Bezeichnung *f,* Benennung *f;* Qualifizierung *f,* Qualifikation *f,* Befähigung *f.*
qualifi|é, ~ée [kalifje] qualifiziert, befähigt, geeignet; *ouvrier m qualifié* Facharbeiter *m;* **~er** (1a) benennen, charakterisieren; qualifizieren (*a Sport*); *~ qn de ...* j-n bezeichnen als ...
qualité [kalite] *f* Qualität *f;* Eigenschaft *f;* Beschaffenheit *f; ... de ~* Qualitäts...; *en ~ de* als.
quand [kɑ̃] **1.** wann?; *depuis ~?* seit wann?, wie lange (schon)?; *jusqu'à ~?* bis wann?, wie lange noch?; **2.** *conj* als; (jedesmal) wenn; selbst wenn; **3.** *~ même* trotzdem; immerhin; doch.
quant à [kɑ̃ta] was ... betrifft.
quantité [kɑ̃tite] *f* Menge *f,* Quantität *f; math* Größe *f; ~ de* viele.
quarantaine [karɑ̃tɛn] *f* etwa vierzig; *Alter:* Vierzig *f; méd* Quarantäne *f.*
quarante [karɑ̃t] vierzig.
quart [kar] *m* Viertel *n;* Viertelliter *m,* -pfund *n; ~ d'heure* Viertelstunde *f; les trois ~s* drei Viertel; *il est le ~* es ist Viertel (nach).
quartier [kartje] *m* Viertel *n,* Stück *n;* Stadtviertel *n,* -teil *m,* Bezirk *m; mil* Quartier *n.*
quartier-maître [kartjemɛtrə] *m* (⚠ *pl quartiers-maîtres*) *mar* Gefreite(r) *m,* Maat *m.*
quasi|-... [kazi] *in Zssgn* fast; gewissermaßen; **~ment** sozusagen, quasi.
quatorze [katɔrz] vierzehn.
quatrain [katrɛ̃] *m* Vierzeiler *m.*
quatre [katrə] **1.** *adj* vier; *à ~* zu viert; *le ~ mai* der vierte *od* am vierten Mai; **2.** *m* Vier *f;* ⚠ *le ~.*
quatre-saisons [kat(rə)sɛzɔ̃] *marchand m des ~* (herumziehender) Obst- und Gemüsehändler *m.*
quatre|-vingt(s) [katrəvɛ̃] achtzig; ⚠ *ohne s bei folgender Zahl;* **~-vingt-dix** [-vɛ̃dis] neunzig.
quatrième [katrijɛm] vierte(r, -s); **~ment** *adv* viertens.
quatuor [kwatɥɔr] *m mus* Quartett *n.*
que [kə] (*vor Vokal u stummem h qu'*) **1.** *Relativpronomen* welchen *od* den, welche *od* die, welches *od* das; *imbécile ~ tu es!* du Dummkopf!; *le jour ~* der Tag, an dem; *ce ~* (das) was; *je sais ce qu'il veut* ich weiß, was er will; *~ je sache* soviel ich weiß; *je ne sais ~ dire* ich weiß nicht, was ich sagen soll; *coûte ~ coûte* koste es, was es wolle!; **2.** *Fragepronomen* was?; *qu'y a-t-il* was gibt es?; *qu'est-ce que?* was?; *qu'est-ce que c'est?* was ist das?; **3.** *adv in Ausrufen* wie; *~ c'est beau!* wie schön!; *~ de fois!* wie oft!; **4.** *conj* daß; damit; *nach Komparativ* als: *plus grand ~ moi* größer als ich; *im Vergleich* wie: *tel ~ je suis* so wie ich bin; *ne ... ~* nur; erst; *stellvertretend als Wiederholung e-r anderen conj*: *puisque vous le dites et ~ nous le croyons* da Sie es sagen und wir es glauben; *am Satzanfang mit subj*: *qu'il ait raison, j'en suis certain* daß er recht hat, weiß ich genau; *konzessiv* ob: *qu'il pleuve ou non* ob es regnet oder nicht; *Wunsch*: *qu'il entre* er soll hereinkommen.
québéc|ois, ~oise [kebekwa, -waz] aus Quebec.
quel, ~le [kɛl] welche(r, -s); was für ein(e); *quelle heure est-il?* wieviel Uhr ist es?; *~ que* (+ *subj*) welche(r, -s) auch immer; *quelles que soient vos raisons* welches auch (immer) Ihre Gründe sein mögen.
quelconque [kɛlkɔ̃k] **1.** irgendein(e), beliebig; *un travail ~* irgendeine Arbeit; **2.** mittelmäßig, gewöhnlich.
quelque [kɛlkə, *vor Vokal* kɛlk] **1.**

einige(r, -s), ein(e) gewisse(r, -s); ~s *pl* einige, ein paar; *à ~ distance* in einiger Entfernung; *~s jours* ein paar *od* einige Tage; *~ chose* etwas; **2.** *vor Zahlen* (⚠ *unv*) ungefähr, etwa; **3.** *~ ... que* (+ *subj*) wie ... auch immer; *~ grands qu'ils soient* wie groß sie auch (immer) sein mögen.

quelquefois [kɛlkəfwa] manchmal.

quelqu'un [kɛlkɛ̃ *od* kɛlkœ̃] jemand, (irgend)einer; *quelques-uns* [kɛlkəzɛ̃, -œ̃] *m/pl*, *quelques-unes f/pl* einige; *~ d'autre* jemand anders.

quémander [kemɑ̃de] (1a) aufdringlich bitten, betteln.

quenelle [kənɛl] *f* Klößchen *n*.

querell|e [kərɛl] *f* Streit *m*; **~er** (1b) *se ~* (sich) streiten, (sich) zanken; **~eur, ~euse 1.** *adj* zänkisch; **2.** *m, f* Zänker(in) *m(f)*, Streithammel *m* F.

quérir [kerir] (*nur inf*) *litt aller ~, venir ~* (ab)holen.

question [kɛstjõ] *f* Frage *f*; Problem *n*; *hist* Folter *f*; F *~ travail* was die Arbeit angeht; *en ~* fraglich, betreffend; *c'est hors de ~* das kommt nicht in Frage; *il est ~ de* es handelt sich um.

questionn|aire [kɛstjɔnɛr] *m* Fragebogen *m*; **~er** (1a) aus-, befragen.

quêt|e [kɛt] *f* Suche *f*; Geldsammlung *f*, Kollekte *f*; *en ~ de* auf der Suche nach; **~er** (1b) sammeln; *fig* erbitten; *ch* auf-, nachspüren.

queue [kø] *f* Schwanz *m*, Schweif *m*; Stiel *m* (*e-r Pfanne etc*); Billardstock *m*; Ende *n*; *fig* Schlange *f*; *faire la ~* Schlange stehen; *auto faire une ~ de poisson à qn* j-n schneiden; *à la ~, en ~* am Ende; *mus piano m à ~* Flügel *m*.

qui [ki] **1.** *Fragepronomen* wer?; wen?; *de ~* von wem?; wessen?; *à ~* wem?; *~ est-ce ~?* wer?; *~ est-ce que?* wen?; *qu'est-ce ~?* was?; **2.** *Relativpronomen* welcher *od* der, welche *od* die, welches *od* das; *pl* welche *od* die; *ce ~* (das) was; *rien ~* nichts was; *~ pis est* was noch schlimmer ist; *sauve ~ peut* rette sich, wer kann; *je ne sais ~* ein x-beliebiger; *à ~ mieux mieux* um die Wette; *aimez ~ vous aime* liebt den, der euch liebt!; *ni ~ ni quoi* überhaupt nichts; *st/s ~ ... ~ ...* der eine ..., der andere ...; die einen ..., die anderen ...; **3.** *Indefinitpronomen ~ que* (+ *subj*) wer (wen) auch (immer).

quiche [kiʃ] *f cuis ~ lorraine etwa* Speckkuchen *m*.

quiconque [kikõk] jeder, der ...; jeder (beliebige).

quiétude [kjetyd] *litt f* (Seelen-)Ruhe *f*.

quille[1] [kij] *f* Kegel *m* (*Spiel*); *arg mil* Ende *m* des Militärdienstes.

quille[2] [kij] *f* (Schiffs-)Kiel *m*.

quincaillerie [kɛ̃kɑjri] *f* Eisenwaren *f/pl* und Küchengeräte *n/pl*; Haushaltwarengeschäft *n*.

quinine [kinin] *f* Chinin *n*; ⚠ *la ~*.

quinquagénaire [kɛkaʒenɛr] **1.** *adj* fünfzigjährig; **2.** *m, f* Fünfzigjährige(r) *m, f*.

quintal [kɛ̃tal] *m* (⚠ *pl -aux*) Doppelzentner *m*.

quinte [kɛ̃t] *f ~ (de toux)* Hustenanfall *m*.

quintessence [kɛ̃tesɑ̃s] *f* Quintessenz *f*, Hauptinhalt *m*.

quintuple [kɛ̃typlə] fünffach.

quinzaine [kɛ̃zɛn] *f* vierzehn Tage *m/pl*, zwei Wochen *f/pl*; *une ~ de ...* etwa fünfzehn ...

quinze [kɛ̃z] fünfzehn; *~ jours* vierzehn Tage; *le ~ (du mois)* der Fünfzehnte (des Monats).

quittance [kitɑ̃s] *f* Quittung *f*; *donner ~ de qc* etw quittieren.

quitte [kit] quitt, nichts schuldig; frei, befreit (*de qc* von etw); *~ à* (+ *inf*) auf die Gefahr hin, daß ...

quitter [kite] (1a) verlassen; aufgeben; *Kleidung*: ablegen; *se ~* sich trennen, auseinandergehen; *tél ne quittez pas!* bitte bleiben Sie am Apparat!

qui-vive? [kiviv] **1.** *mil* wer da?; **2.** *m être od se tenir sur le ~* aufpassen, auf der Hut sein.

quoi [kwa] **1.** *alleinstehend* was?; **2.** *à ~* wozu, woran; *après ~* worauf(hin); *de ~* wovon; *sans ~* sonst, andernfalls; *à ~ bon?* wozu?; *avoir de ~ vivre* genug zum Leben haben; *il a de ~* er hat Geld; *(il n'y a) pas de ~!* keine Ursache!, bitte!; **3.** *~ que* (+ *subj*) was auch (immer); *~ qu'il en soit* wie dem auch sei.

quoique [kwakə] *conj* (+ *subj*) obgleich, obwohl; ⚠ *nicht verwechseln mit quoi que*.

quolibet [kɔlibɛ] *m* Stichelei *f*, Anzüglichkeit *f*.

quote-part [kɔtpar] *f* (⚠ *pl quotes-parts*) Anteil *m*.

quotidi|en, ~enne [kɔtidjɛ̃, -ɛn] **1.** *adj* täglich; **2.** *m* Tageszeitung *f*.

Q

R

rabâch|age [rabaʃaʒ] *m* F Wiederkäuen *n*; **~er** (1a) immer dasselbe sagen, F wiederkäuen.
rabais [rabɛ] *m* Rabatt *m*, Ermäßigung *f*.
rabaisser [rabɛse] (1b) herabsetzen, schmälern.
rabattre [rabatrə] (4a) herunterklappen, umschlagen, umlegen; *Falte*: legen; *Preis*: nachlassen; *Wild*: treiben; *en* ~ Abstriche machen, zurückstecken; *auto se* ~ plötzlich abschwenken (*sur* nach), wieder einscheren; *fig se* ~ *sur* zurückgreifen auf, vorliebnehmen mit.
râbl|e [rɑblə] *m* (Hasen-)Rücken *m*; **~é, ~ée** untersetzt, stämmig.
rabot [rabo] *m* Hobel *m*.
raboter [rabɔte] (1a) (be-, ab)hobeln.
rabot|eux, ~euse [rabɔtø, -øz] rauh, uneben; holp(e)rig (*a fig*).
rabougri, ~e [rabugri] verkümmert, verkrüppelt.
rabrouer [rabrue] (1a) ~ *qn* j-n anfahren, anherrschen.
racaille [rakaj] *f* Pack *n*, Gesindel *n*.
raccommod|age [rakɔmɔdaʒ] *m* Ausbesserung *f*, Flicken *n*; **~er** (1a) flicken, ausbessern, stopfen.
raccompagner [rakõpaɲe] (1a) zurückbegleiten, -bringen.
raccord [rakɔr] *m* Verbindung(sstück) *f*(*n*); Übergang *m*; *tech* Nippel *m*.
raccord|ement [rakɔrdəmɑ̃] *m* Verbindung *f*; Anschluß *m*; Übergang *m*; **~er** (1a) verbinden, aneinanderpassen; anschließen.
raccourc|i, ~ie [rakursi] **1.** *adj* ge-, verkürzt; *en raccourci* in Kurzform; **2.** *m* Ab-, Verkürzung *f*; **~ir** (2a) ab-, verkürzen; kürzer werden.
raccrocher [rakrɔʃe] (1a) wieder an-, aufhängen; *Telefonhörer*: auflegen; *se* ~ *à* sich (an)klammern an.
race [ras] *f* Rasse *f*; Geschlecht *n*; *péj* Sippschaft *f*.
rachat [raʃa] *m* Rück-, Loskauf *m*.
racheter [raʃte] (1e) zurückkaufen; los-, freikaufen; *fig* wiedergutmachen; *rel* erlösen.
racial, ~e [rasjal] (⚠ *m/pl -aux*) rassisch, Rassen...
racine [rasin] *f* Wurzel *f* (*a fig u math*); *prendre* ~ Wurzeln schlagen.
racisme [rasismə] *m* Rassenideologie *f*, Rassismus *m*.
racl|ée [rɑkle] F *f* Tracht *f* Prügel; **~er** (1a) schaben, abkratzen; streifen; *se* ~ *la gorge* sich räuspern; **~ette** [-ɛt] *f tech* Kratz-, Schabeisen *n*; *cuis* Raclette *f od n* (*Art Fondue*).
racoler [rakɔle] (1a) *péj* anwerben, fangen, F anhauen.
raconter [rakõte] (1a) erzählen (*qc* [von] etw), berichten.
radar [radar] *m* Radar(anlage *f*, -gerät *n*) *n*.
rade [rad] *f mar* Reede *f*.
radeau [rado] *m* (⚠ *pl* ~*x*) Floß *n*.
radial, ~e [radjal] (⚠ *m/pl -aux*) radial, strahlenförmig; *pneu m à carcasse radiale* Gürtelreifen *m*.
radia|teur [radjatœr] *m* Heizkörper *m*, Radiator *m*; *auto* Kühler *m*; **~tion** *f* Strahlung *f*; Streichung *f*.
radical, ~e [radikal] (⚠ *m/pl -aux*) **1.** *adj* Wurzel...; gründlich, radikal; **2.** *m gr* Stamm *m*; *math* Wurzelzeichen *n*; *pol* Radikalsozialist *m*.
radier [radje] (1a) (aus)streichen.
radi|eux, ~euse [radjø, -øz] strahlend (*a fig*).
radin (*f a* **radine**) [radɛ̃, radin] F knauserig.
radio [radjo] **1.** *f* Rundfunk *m*, Radio *n*, Hörfunk *m*; Funk *m*; ~ *libre* Privatsender *m*; ⚠ *la* ~; **2.** *f* Röntgenaufnahme *f*; **3.** *m* Funker *m*; Funkspruch *m*.
radio|actif, ~active [radjɔaktif, -aktiv] radioaktiv; **~activité** [-aktivite] *f* Radioaktivität *f*; **~cassette** [-kasɛt] *f* Radiorecorder *m*; **~diffuser** [-difyze] (1a) (im Rundfunk) übertragen, senden; **~diffusion** [-difyzjõ] *f* Rundfunkübertragung *f*; Rundfunk *m*; **~graphie** [-grafi] *f* Röntgenaufnahme *f*, -bild *n*; **~graphier** [-grafje] (1a) röntgen; **~logie** [-lɔʒi] *f* Röntgenkunde *f*, Radiologie *f*; **~phonique** [-fɔnik] Radio..., (Rund-)Funk...; **~reportage** [-rəpɔrtaʒ] *m* Funkreportage *f*; **~scopie** [-skɔpi] *f* Durchleuchtung *f*; **~télévisé(e)** [-televise] Funk- und Fernseh...; **~thérapie** [-terapi] *f* Röntgentherapie *f*, Strahlenbehandlung *f*.
radis [radi] *m bot* Radieschen *n*, Rettich *m*.

radoter [radɔte] (1a) faseln; schwatzen.
radoucir [radusir] (2a) mildern; *se* ~ milder werden; sich beruhigen.
rafale [rafal] *f* Windstoß *m*, Bö *f*; *mil* Feuerstoß *m*.
raffermir [rafɛrmir] (2a) (wieder) festigen, straffen; *fig* stärken.
raffinage [rafinaʒ] *m tech* Raffinieren *n*, Verfeinerung *f*.
raffin|é, ~ée [rafine] ver-, überfeinert; erlesen; gepflegt; ausgeklügelt; *tech* raffiniert; **~ement** [-mɑ̃] *m* Verfeinerung *f*; Raffinesse *f*; **~er** (1a) *tech* raffinieren; *fig* verfeinern; **~erie** *f tech* Raffinerie *f*.
raffoler [rafɔle] (1a) vernarrt sein (*de* in).
rafistoler [rafistɔle] (1a) F flicken, ausbessern.
rafle [raflə] *f* Plünderung *f*; Razzia *f*.
rafler [rafle] (1a) F an sich raffen.
rafraîch|ir [rafrɛʃir] (2a) erfrischen; kühlen; auffrischen (*a fig*); kühler werden; *se* ~ kühler werden; sich erfrischen (*durch ein Getränk*); **~issant, ~issante** [-isɑ̃, -isɑ̃t] erfrischend (*a fig*); **~issement** [-ismɑ̃] *m* Abkühlung *f*; Erfrischung *f*.
rag|e [raʒ] *f* Wut *f*, Raserei *f*; *méd* Tollwut *f*; ⚠ *la* ~; **~eur, ~euse** jähzornig; wütend.
ragot [rago] *m* F Tratsch *m*.
ragoût [ragu] *m cuis* Ragout *n*.
raid [rɛd] *m mil* Einfall *m*; Luftangriff *m*.
raid|e [rɛd] steif (*a fig*); steil; *fig* hartnäckig, starr; P stockbesoffen; ~ *mort* auf der Stelle tot; **~eur** *f* Steifheit *f* (*a fig*); Steilheit *f*; **~ir** (2a) versteifen, anspannen; *se* ~ steif werden; *fig* trotzen.
raie [rɛ] *f* **1.** Strich *m*, Streifen *m*; *Haar*: Scheitel *m*; **2.** *zo* Rochen *m*.
raifort [rɛfɔr] *m bot* Meerrettich *m*.
rail [rɑj] *m Bahn*: Schiene *f*.
raill|er [rɑjɛ] (1a) verspotten, spotten (*qn* über j-n); **~erie** *f* Spott *m*; **~eur, ~euse** spöttisch.
rainette [rɛnɛt] *f zo* Laubfrosch *m*.
rainure [renyr] *f tech* Nut *f*, Rille *f*.
raisin [rɛzɛ̃] *m* (Wein-)Traube(n) *f(pl)*; ~ *sec* Rosine *f*.
raison [rɛzɔ̃] *f* Vernunft *f*, Verstand *m*; Recht *n*; Grund *m*, Ursache *f*; Argument *n*; *avoir* ~ recht haben; *avoir* ~ *de qn* j-n überwältigen; *avoir* ~ *de qc* etw meistern; *à* ~ *de* zum Preis von; pro; *à plus forte* ~ um so mehr; *en* ~ *de* auf Grund von; ~ *d'être* Existenzberechtigung *f*; ~ *d'État* Staatsräson *f*; *pour cette* ~ aus diesem Grund, deshalb.
raisonnable [rɛzɔnablə] vernünftig; angemessen.
raisonné, ~e [rɛzɔne] durchdacht, überlegt.
raisonn|ement [rɛzɔnmɑ̃] *m* Beweisführung *f*, Überlegung *f*, Gedankengang *m*; Urteilskraft *f*; **~er** (1a) urteilen, schließen, argumentieren; nachdenken; widersprechen; ~ *qn* j-m gut zureden.
rajeunir [raʒœnir] (2a) verjüngen; neu beleben; jünger werden, aussehen.
rajouter [raʒute] (1a) hinzufügen.
rajust|ement [raʒystəmɑ̃] *m* Angleichung *f*; **~er** (1a) zurechtrücken, wieder in Ordnung bringen; angleichen.
ralent|i [ralɑ̃ti] *m auto* Leerlauf *m*; *Film*: Zeitlupe *f*; *fig au* ~ mit verminderter Kraft; **~ir** (2a) verlangsamen; langsamer werden, fahren; **~issement** [-ismɑ̃] *m* Langsamerwerden *n*; *fig* Nachlassen *n*.
râler [rɑle] (1a) röcheln; F nörgeln.
rallier [ralje] (1a) sammeln; *fig* vereinen; sich anschließen (*qn* j-m); *se* ~ *à* sich anschließen an.
rallong|e [ralɔ̃ʒ] *f* Verlängerungsstück *n*; **~er** (1l) verlängern.
rallye [rali] *m* Rallye *f*, Sternfahrt *f*; ⚠ *le* ~.
ramass|age [ramasaʒ] *m* Sammeln *n*; *car m de* ~ *scolaire* Schulbus *m*; **~er** (1a) (*von der Erde*) aufheben; (ein-) sammeln; F *Prügel*: erwischen; **~is** [-i] *m péj* Haufen *m*.
rambarde [rɑ̃bard] *f* Geländer *n*; *mar* Reling *f*.
rame [ram] *f* Ruder *n*; Stange *f*; *U-Bahn*: Zug *m*.
rameau [ramo] *m* (⚠ *pl* ~*x*) Zweig *m* (*a fig*); *rel les* ℛ*x* Palmsonntag *m*.
ramener [ramne] (1d) zurück-, wiederbringen; mitbringen; *Ordnung*: wiederherstellen; ~ *à* bringen, zurückführen auf; *se* ~ *à qc* auf etw hinauslaufen.
ram|er [rame] (1a) rudern; **~eur, ~euse** *m, f* Ruderer, -in *m, f*.
rami|fication [ramifikasjɔ̃] *f* Ab-, Verzweigung *f*; **~fier** [-fje] (1a) *se* ~ sich verzweigen (*a fig*).

ramollir [ramɔlir] (2a) weich machen, aufweichen; *se* ~ weich werden; *fig* nachlassen.

ramon|er [ramɔne] (1a) *Schornstein*: fegen; **~eur** *m* Schornsteinfeger *m*.

ramp|ant, ~ante [rɑ̃pɑ̃, -ɑ̃t] kriechend; *fig* kriecherisch.

ramp|e [rɑ̃p] *f* Treppengeländer *n*; Auffahrt *f*; Rampe *f*; ~ *de lancement* Abschußrampe *f*; **~er** (1a) kriechen (*a fig*).

rancard [rɑ̃kar] F *m* Verabredung *f*; Auskunft *f*.

rancart [rɑ̃kar] *m mettre au* ~ ausrangieren.

rance [rɑ̃s] ranzig.

rancœur [rɑ̃kœr] *f* Groll *m*, Verbitterung *f*.

rançon [rɑ̃sõ] *f* Lösegeld *n*; *fig* Preis *m*; ⚠ *la* ~.

rancun|e [rɑ̃kyn] *f* Groll *m*, Rachsucht *f*; **~ier, ~ière** [-je, -jɛr] nachtragend.

randonn|ée [rɑ̃dɔne] *f* Ausflug *m*, Tour *f*, Wanderung *f*; **~eur** *m* Wanderer *m*.

rang [rɑ̃] *m* Reihe *f*; Rang *m*, Stand *m*; *mil* Glied *n*; *fig se mettre sur les* ~*s* sich bewerben; *rentrer dans le* ~ wieder in den Hintergrund treten; *être au premier* ~ an erster Stelle stehen; ⚠ *nicht* Rang *im Theater*.

rang|é, ~ée [rɑ̃ʒe] anständig; geordnet; **~ée** *f* Reihe *f*.

ranger [rɑ̃ʒe] (1l) in Ordnung bringen, aufstellen, ordnen; *Zimmer*: aufräumen; *se* ~ sich einreihen; beiseite treten, fahren; Platz machen; *fig* solide werden; *se* ~ *à une opinion* e-r Ansicht beipflichten; ⚠ *nicht* rangieren (*Eisenbahn*).

ranimer [ranime] (1a) wieder beleben; *fig* erneuern.

rapace [rapas] **1.** *adj* raubgierig; habsüchtig; **2.** *m* Raubvogel *m*.

rapatrié, ~e [rapatrije] *m*, *f* Rückwanderer(in) *m(f)*, Umsiedler(in) *m(f)*, Heimkehrer(in) *m(f)*.

rapatriement [rapatrimɑ̃] *m* Rückführung *f*, Repatriierung *f*.

rapatrier [rapatrije] (1a) rückführen, repatriieren.

râp|e [rɑp] *f* Reibe *f*; *tech* Raspel *f*; **~er** (1a) reiben; raspeln; *manteau m râpé* abgetragener Mantel *m*.

rapetasser [raptase] (1a) F flicken.

rapetisser [raptise] (1a) verkleinern (*a fig*), verkürzen; kleiner werden; eingehen.

rapide [rapid] **1.** *adj* schnell, rasch; reißend (*Fluß*); steil (*Steigung*); lebhaft (*Stil*); ⚠ *adv* ~*ment* = *vite*; **2.** *m* Stromschnelle *f*; D-Zug *m*.

rapidité [rapidite] *f* Schnelligkeit *f*; *fig* Lebhaftigkeit *f*.

rapiécer [rapjese] (1f *u* 1k) flicken.

rapine [rapin] *litt f* Raub *m*; Diebstahl *m*.

rappel [rapɛl] *m* Zurückrufen *n*; Abberufung *f*; Mahnung *f*, Erinnerung *f* (*de* an); Wiederaufnahme *f*, Wiederholung *f*; Nachzahlung *f*; *Bergsteiger*: *descendre en* ~ sich abseilen.

rappeler [raple] (1c) zurückrufen; abberufen; noch einmal (an)rufen; *tech* zurückholen; ~ *qc à qn* j-m etw ins Gedächtnis zurückrufen, j-n an etw erinnern; *se* ~ *qn od qc* sich an j-n *od* etw erinnern; *se* ~ *avoir fait qc* sich erinnern, daß man etw getan hat; ⚠ *se* ~ *qc*, *aber se souvenir de qc*.

rapport [rapɔr] *m* **1.** Bericht *m*; *mil* Meldung *f*; Appell *m*; **2.** Zusammenhang *m*; Verhältnis *n*; Beziehung *f*; *fig* Hinsicht *f*; *pl* ~*s* Beziehungen *f/pl*, Verkehr *m*; *par* ~ *à* im Verhältnis zu, im Vergleich zu; *sous le* ~ *de* was ... betrifft; *sous tous les* ~*s* in jeder Hinsicht; *en* ~ *avec* entsprechend; *être en* ~ *avec qn* mit j-m in Verbindung stehen; **3.** *comm* Ertrag *m*.

rapport|er [rapɔrte] (1a) wieder-, zurückbringen; einbringen; berichten; (*se*) ~ *à* (sich) beziehen auf; *s'en* ~ *à qn* sich auf j-n verlassen; **~eur, ~euse** *m*, *f* Berichterstatter(in) *m(f)*; *Schule*: Petze *f* F.

rapproch|ement [raprɔʃmɑ̃] *m* Annäherung *f* (*a fig*); Gegenüberstellung *f*, Vergleich *m*; **~er** (1a) heranrücken (*de* an); *fig* näherbringen; gegenüberstellen, vergleichen (*de* mit); *se* ~ *de* sich (an)nähern, näherkommen; ⚠ *se* ~ *de*.

rapt [rapt] *m* Entführung *f*.

raquette [rakɛt] *f* Tennisschläger *m*.

rare [rɑr] selten, knapp, rar; außergewöhnlich; *Haar*: dünn; *il est* ~ *que* (+ *subj*) *od de* (+ *inf*) es ist selten, daß ...

raréfier [rarefje] (1a) *phys* verdünnen.

R

rareté [rarte] *f* Seltenheit *f*, Knappheit *f*; Rarität *f*; ⚠ *Schreibung*.
ras, rase [rɑ, rɑz] kurzgeschnitten; gestrichen voll; *à ras bord* bis an den Rand; *en rase campagne* auf dem flachen Land; *au ras de* dicht über; F *en avoir ras le bol* die Nase voll haben; *faire table rase* Tabula rasa, reinen Tisch machen.
rase-mottes [rɑzmɔt] *m aviat* Tiefflug *m*.
ras|er [rɑze] (1a) rasieren; abreißen, dem Erdboden gleichmachen; ~ *qc* an etw dicht entlangfahren; F ~ *qn* j-n anöden; **~oir** *m* Rasierapparat *m*.
rassasier [rasazje] (1a) sättigen.
rassembler [rasɑ̃ble] (1a) (ver-) sammeln, zusammentragen, -stellen.
rasseoir [raswar] (3l) wieder hinsetzen, -stellen; *se* ~ sich wieder hinsetzen.
rass|is, ~ise [rasi, -iz] altbacken; *fig* gesetzt, besonnen.
rassurer [rasyre] (1a) beruhigen.
rat [ra] *m* Ratte *f*; ⚠ *le* ~.
ratatiner [ratatine] (1a) *se* ~ zusammenschrumpfen.
rate [rat] *f méd* Milz *f*.
raté, ~e [rate] **1.** *adj* mißlungen, verfehlt; **2.** *m* Versager *m* (*a fig*); Rückschlag *m*; Fehlzündung *f*.
rât|eau [rɑto] *m* (⚠ *pl* ~*x*) *agr* Rechen *m*, Harke *f*; **~elier** [-əlje] *m* (Futter-)Raufe *f*.
rater [rate] (1a) verfehlen, verpassen; versagen; mißlingen; ~ *un examen* durchfallen.
ratiboiser [ratibwaze] (1a) F klauen.
ratière [ratjɛr] *f* Rattenfalle *f*.
ratification [ratifikasjõ] *f* Bestätigung(surkunde) *f*; *pol* Ratifizierung *f*.
ration [rasjõ] *f* Ration *f*; Anteil *m*.
rationalisme [rasjɔnalismə] *m phil* Rationalismus *m*.
rationnel, ~le [rasjɔnɛl] vernunftgemäß, rational; zweckmäßig, rationell; ⚠ *Schreibung*.
rationnement [rasjɔnmɑ̃] *m* Rationierung *f*.
ratisser [ratise] (1a) harken, rechen; durchkämmen.
R.A.T.P. *f* (*abr Régie autonome des transports parisiens*) Pariser Verkehrsbetriebe *m/pl*.
rattacher [rataʃe] (1a) wieder anbinden, verknüpfen; anschließen; *se* ~ sich anschließen (*à* an).
rattrap|age [ratrapaʒ] *m Schule*: *cours m de* ~ Nachholunterricht *m*; **~er** (1a) wieder fangen, erwischen; (wieder) ein-, aufholen, nachholen.
raturer [ratyre] (1a) aus-, durchstreichen.
rauque [rok] heiser, rauh.
ravag|e [ravaʒ] *m meist pl* ~*s* Verwüstungen *f/pl*, Verheerungen *f/pl*; **~er** (1l) verwüsten, verheeren.
ravaler [ravale] (1a) (neu) verputzen, reinigen (*Fassade*); (wieder) hinunterschlucken (*a fig*); *fig* herabwürdigen.
rave [rav] *f* Rübe *f*.
ravi, ~e [ravi] entzückt (*de* über).
ravin [ravɛ̃] *m* Schlucht *f*.
ravir [ravir] (2a) **1.** begeistern, entzücken; **2.** *litt* rauben, entführen.
raviser [ravize] (1a) *se* ~ sich anders besinnen.
raviss|ant, ~ante [ravisɑ̃, -ɑ̃t] entzückend; **~eur, ~euse** *m, f* Entführer(in) *m(f)*.
ravitaill|ement [ravitajmɑ̃] *m* Verproviantierung *f*, Lebensmittelversorgung *f*; *mil* Nachschub *m*; **~er** (1a) mit Nachschub, mit Lebensmitteln versorgen.
raviver [ravive] (1a) neu beleben.
ravoir [ravwar] (⚠ *nur inf*) wiederhaben, -bekommen; F wieder sauber kriegen.
ray|é, ~ée [rɛje] gestreift; liniert; verschrammt; **~er** (1i) zerkratzen; aus-, durchstreichen; *fig* ausschließen, -löschen.
rayon [rɛjõ] *m* Strahl *m* (*a phys*); *math* Radius *m*; *tech* (Rad-)Speiche *f*; Fachbrett *n* (*in Schränken*); Abteilung *f* (*im Warenhaus*); *fig* Bezirk *m*, Bereich *m*, Umkreis *m*; ~*s X* Röntgenstrahlen *m/pl*; ~ *de braquage auto* Wendekreis *m*.
rayonn|ant, ~ante [rɛjɔnɑ̃, -ɑ̃t] strahlend; **~ement** [-mɑ̃] *m phys* Strahlung *f*; *fig* Ausstrahlung *f*; **~er** (1a) (aus)strahlen (*a fig*); wirken; Ausflüge in die Umgebung machen.
rayure [rejyr] *f* Streifen *m*; Kratzer *m*.
raz [rɑ] *m* ~ *de marée* Flutwelle *f*; *fig* Flut *f*; *pol* Erdrutsch *m*.
R.D.A. *f* (*abr République démocratique allemande*) DDR *f*.
re... [r(ə)] *in Zssgn* wieder, noch einmal.

R

ré [re] *m mus* d *od* D *n*.
réacteur [reaktœr] *m phys* Reaktor *m*; *aviat* Düse(ntriebwerk) *f(n)*; ~ *nucléaire* Kernreaktor *m*.
réaction [reaksjõ] *f* Reaktion *f* (*a pol*); *avion m à* ~ Düsenflugzeug *n*.
réactionnaire [reaksjɔnɛr] **1.** *adj* rückschrittlich, reaktionär; **2.** *m, f* Reaktionär(in) *m(f)*.
réagir [reaʒir] (2a) reagieren.
réajuster [reaʒyste] (1a) *cf rajuster*.
réalis|able [realizablə] ausführbar; **~ateur, ~atrice** [-atœr, -atris] *m, f* Filmregisseur(in) *m(f)*, Spielleiter(in) *m(f)*; **~ation** *f* Verwirklichung *f*, Realisierung *f*; Erfüllung *f*; Errungenschaft *f*; *Film*: Regie *f*.
réaliser [realize] (1a) **1.** realisieren, verwirklichen; *Wunsch*: erfüllen; *Kauf*: tätigen; *Film*: herstellen, inszenieren; *comm* zu Geld machen; **2.** begreifen, erfassen.
réal|isme [realismə] *m* Realismus *m*; **~iste 1.** *adj* realistisch; **2.** *m* Realist *m*; **~ité** *f* Wirklichkeit *f*; Tatsache *f*; *en* ~ in Wirklichkeit, tatsächlich.
réanim|ation [reanimasjõ] *f méd* Wiederbelebung *f*; *service m de* ~ Intensivstation *f*; **~er** (1a) wiederbeleben.
réapparaître [reaparɛtrə] (4z) wieder erscheinen.
réarmement [rearməmɑ̃] *m* (Wieder-)Aufrüstung *f*.
rébarbat|if, ~ive [rebarbatif, -iv] abweisend, mürrisch; *Thema*: trocken.
rebâtir [r(ə)bɑtir] (2a) wieder aufbauen.
rebattu, ~e [r(ə)baty] abgedroschen.
rebell|e [rəbɛl] **1.** *adj* aufrührerisch, aufsässig; *être* ~ *à* sich widersetzen; **2.** *m, f* Rebell(in) *m(f)*; **~er** (1a) *se* ~ sich auflehnen (*contre* gegen).
rébellion [rebɛljõ] *f* Aufstand *m*; ⚠ *Schreibung*.
rebond|i, ~e [r(ə)bõdi] prall, rund; **~ir** (2a) hochspringen, zurück-, abprallen; *fig* wieder in Gang kommen; **~issement** [-ismɑ̃] *m fig* Wiederaufleben *n*.
rebord [r(ə)bɔr] *m* Rand *m*, Kante *f*.
rebours [r(ə)bur] *m à* ~ gegen den Strich, rückwärts; *fig* verkehrt; *à* ~ *de* im Gegensatz zu; *compte m à* ~ Countdown *m*.
rebrousser [r(ə)bruse] (1a) ~ *chemin* umkehren.
rébus [rebys] *m* Bilderrätsel *n*.
rebut [r(ə)by] *m* Ausschuß *m*, Abfall *m*; *fig* Abschaum *m*; *mettre au* ~ zum alten Eisen werfen.
rebuter [r(ə)byte] (1a) abstoßen, abschrecken.
récalcitr|ant, ~ante [rekalsitrɑ̃, -ɑ̃t] störrisch, widerspenstig.
recalé, ~e [r(ə)kale] F durchgefallen (*in e-r Prüfung*).
récapituler [rekapityle] (1a) kurz wiederholen, zusammenfassen.
recel [rəsɛl] *m jur* Hehlerei *f*.
recel|eur, ~euse [rəslœr, -øz] *m, f jur* Hehler(in) *m(f)*.
récemment [resamɑ̃] *adv* kürzlich, neulich.
recens|ement [r(ə)sɑ̃smɑ̃] *m* (Volks-)Zählung *f*; **~er** (1a) *Bevölkerung etc*: zählen.
réc|ent, ~ente [resɑ̃, -ɑ̃t] neu, frisch; kürzlich.
récépissé [resepise] *m* Empfangsschein *m*, -bestätigung *f*, Quittung *f*.
récepteur [resɛptœr] *m tech* Empfänger *m*, Empfangsgerät *n*; *tél* Hörer *m*.
réception [resɛpsjõ] *f* Aufnahme *f*, Empfang *m*; Empfangsbüro *n*.
réceptivité [resɛptivite] *f* Aufnahmefähigkeit *f*, Empfänglichkeit *f*.
recette [r(ə)sɛt] *f* **1.** Einnahme *f*, Ertrag *m*; ~ *des finances* Steueramt *n*; **2.** *cuis u fig* Rezept *n*; *fig* Mittel *n*; ⚠ *nicht* Arztrezept.
recev|eur, ~euse [rəsvœr, -øz] *m, f* Schaffner(in) *m(f)*; *nur m* Finanzbeamte(r) *m*; *Post*: Vorsteher *m*; *méd* Empfänger *m* (*e-s Organs etc*).
recevoir [rəsvwar, rsəvwar] (3a) empfangen, bekommen, erhalten; aufnehmen; *être reçu Schule*: aufgenommen werden; *Prüfung*: bestehen.
rechang|e [r(ə)ʃɑ̃ʒ] *m ... de* ~ Ersatz..., Reserve...; **~er** (1l) auswechseln.
réchapper [reʃape] (1a) ~ *à qc* etw glücklich überstehen.
recharger [r(ə)ʃarʒe] (1l) wieder auf-, beladen.
réchaud [reʃo] *m* Kocher *m*.
réchauffer [reʃofe] (1a) auf-, erwärmen.
rêche [rɛʃ] *Wolle, Haut*: rauh; *fig* widerborstig.
recherch|e [r(ə)ʃɛrʃ] *f* (Er-, Nach-)Forschung *f*; Streben *n* (*de* nach); feiner Geschmack *m*; *péj* Geziertheit *f*; **~é, ~ée** selten; begehrt; *péj* geziert,

R

affektiert; **~er** (1a) suchen; fahnden (*qn* nach j-m); erforschen; streben nach.
rechigner [r(ə)ʃiɲe] (1a) mürrisch sein.
rechute [r(ə)ʃyt] *f méd u fig* Rückfall *m.*
récidive [residiv] *f jur u fig* Rückfall *m.*
récif [resif] *m géogr* Riff *n.*
récipient [resipjɑ̃] *m* Behälter *m.*
réciprocité [resiprɔsite] *f* Gegenseitigkeit *f*, Wechselbeziehung *f.*
réciproque [resiprɔk] gegen-, wechselseitig.
récit [resi] *m* Erzählung *f*; Bericht *m*; *mus* Solopartie *f.*
récit|al [resital] *m* (⚠ *pl -als*) Konzert *n*; **~ation** *f* Hersagen *n*, Vortragen *n*; *Schule*: (auswendig zu lernendes) Gedicht *n*; **~er** (1a) hersagen, vortragen.
réclamation [reklamasjõ] *f* Reklamation *f*, Beschwerde *f.*
réclam|e [reklam] *f* Werbung *f*, Reklame *f*; **~er** (1a) dringend bitten (*qc de qn* j-n um etw); (zurück)verlangen; erfordern; Einspruch erheben; *se ~ de* sich berufen auf.
recl|us, ~use [rəkly, -yz] zurückgezogen.
réclusion [reklyzjõ] *f* Zuchthaus (-strafe) *n(f).*
recoin [rəkwɛ̃] *m* verborgener Winkel *m*, Schlupfwinkel *m.*
reçois [r(ə)swa] *présent von recevoir.*
récolt|e [rekɔlt] *f* Ernte *f* (*a fig*); ⚠ *aber moisson f* Getreideernte; **~er** (1a) ernten.
recommand|able [r(ə)kɔmɑ̃dablə] empfehlenswert; **~ation** *f* Empfehlung *f*; Ermahnung *f*; **~é, ~ée** *Post*: Einschreiben *n*; **~er** (1a) empfehlen (*qc à qn* j-m etw); *Post*: einschreiben lassen; *se ~ par* sich auszeichnen durch; *se ~ de qn* sich auf j-n berufen.
recommencer [r(ə)kɔmɑ̃se] (1k) wieder (*od* von vorn) anfangen (*qc* etw; *à + inf* zu + *inf*).
récompens|e [rekõpɑ̃s] *f* Belohnung *f*; **~er** (1a) belohnen (*de* für).
réconcili|ation [rekõsiljasjõ] *f* Ver-, Aussöhnung *f*; **~er** (1a) versöhnen; *fig* (wieder) in Einklang bringen.
reconduire [r(ə)kõdɥir] (4c) zurückbringen, -begleiten; *jur* verlängern, erneuern.
réconfort [rekõfɔr] *m* Trost *m.*
réconforter [rekõfɔrte] (1a) stärken; trösten.
reconnaissable [r(ə)kɔnɛsablə] kenntlich, wiederzuerkennen.
reconnaiss|ance [r(ə)kɔnɛsɑ̃s] *f* Anerkennung *f*; (Wieder-)Erkennung *f*; Dankbarkeit *f*; Erkundung *f*; *mil* Aufklärung *f*; **~ant, ~ante** [-ɑ̃, -ɑ̃t] dankbar (*de* für).
reconnaître [r(ə)kɔnɛtrə] (4z) (wieder)erkennen (*à* an); anerkennen; eingestehen, einsehen; erkunden; *se ~* sich zurechtfinden.
reconnu, ~e [r(ə)kɔny] *p/p von reconnaître u adj* anerkannt.
reconquérir [r(ə)kõkerir] (2l) zurück-, wiedererobern; *fig* wiedererlangen.
reconstituer [r(ə)kõstitɥe] (1a) wiederherstellen; rekonstruieren.
reconstr|uction [r(ə)kõstryksjõ] *f* Wiederaufbau *m*; **~uire** [-ɥir] (4c) wiederaufbauen.
record [r(ə)kɔr] *m* Rekord *m.*
recoupement [r(ə)kupmɑ̃] *m* Überschneidung *f*; Übereinstimmung *f.*
recourbé, ~e [r(ə)kurbe] gebogen, krumm.
recourir [r(ə)kurir] (2i) *~ à qn* sich an j-n wenden; *~ à qc* zu etw greifen.
recours [r(ə)kur] *m* Ausweg *m*, Zuflucht *f*; *jur* Berufung *f*; *~ à la violence* Gewaltanwendung *f*; *avoir ~ à qc* zu etw greifen; *en dernier ~* als letztes Mittel.
recouvrer [r(ə)kuvre] (1a) wiedererlangen; *Steuern*: eintreiben; ⚠ *nicht verwechseln mit recouvrir.*
recouvrir [r(ə)kuvrir] (2f) (wieder) bedecken, überziehen (*de* mit); *fig* verdecken; umfassen.
récréation [rekreasjõ] *f* Erholung *f*, Entspannung *f*; *Schule*: Pause *f.*
récrier [rekrije] (1a) *se ~* lauthals protestieren (*contre* gegen).
récrimination [rekriminasjõ] *f* (*meist pl ~s*) Vorwurf *m.*
recroqueviller [r(ə)krɔkvije] (1a) *se ~* zusammenschrumpfen; sich krümmen.
recrudescence [r(ə)krydesɑ̃s] *f* Wiederausbruch *m*, erneutes Ansteigen *n* (*z B der Kriminalität*).
recrue [r(ə)kry] *f mil* Rekrut *m*; ⚠ *la ~.*
recruter [r(ə)kryte] (1a) *mil* ausheben; *allg* rekrutieren, einstellen.

R

rectangle [rɛktɑ̃glə] *m* Rechteck *n*.
rectangulaire [rɛktɑ̃gylɛr] rechteckig.
recteur [rɛktœr] *m* (Hochschul-)Rektor *m*.
recti|fication [rɛktifikasjõ] *f* Begradigung *f*; *fig* Berichtigung *f*; **~fier** [-fje] (1a) begradigen; *fig* berichtigen; **~ligne** [-liɲ] geradlinig; **~tude** [-tyd] *f* Geradheit *f* (*a fig*).
recto [rɛkto] *m Blatt*: Vorderseite *f*.
rectum [rɛktɔm] *m* Mastdarm *m*.
reçu [r(ə)sy] **1.** *p/p von recevoir*; **2.** *m* Quittung *f*.
recueil [r(ə)kœj] *m* Sammlung *f*.
recueill|ement [r(ə)kœjmɑ̃] *m* Andacht *f*; **~ir** (2c) (ein)sammeln; *Wasser*: auffangen; *j-n* (bei sich) aufnehmen; *se ~* sich (innerlich) sammeln.
recul [r(ə)kyl] *m* Zurückweichen *n*; Rückgang *m*; *fig* Abstand *m*.
recul|é, ~ée [r(ə)kyle] abgelegen; lang zurückliegend; **~er** (1a) zurücksetzen, -schieben; aufschieben; zurückweichen, -gehen, -fahren; *fig* zurückschrecken (*devant* vor); **~ons** [-õ] *à ~* rückwärts.
récupérer [rekypere] (1f) wiedererlangen; wiederverwerten; sich erholen.
récurer [rekyre] (1a) scheuern.
reçus [r(ə)sy] *p/s von recevoir*.
récuser [rekyze] (1a) *jur* ablehnen; *allg* zurückweisen.
recycl|age [r(ə)siklaʒ] *m* Weiterbildung *f*; Umschulung *f*; *tech* Wiederverwertung *f*, Recycling *n*; **~er** (1a) umschulen; weiterbilden; *tech* wiederverwenden, -verwerten.
rédac|teur [redaktœr] *m* Redakteur *m*; **~tion** *f* Redaktion *f*; Abfassung *f*; *Schule*: Aufsatz *m*.
reddition [rɛdisjõ] *f mil* Übergabe *f*.
Rédempteur [redɑ̃ptœr] *m rel* Erlöser *m*.
redescendre [r(ə)desɑ̃drə] (4a) **1.** (*être*) wieder herunterkommen, -steigen, -fahren; (wieder) fallen (*Barometer*); **2.** (*avoir*) wieder herunterholen; *Berg*: wieder hinabsteigen.
redev|able [rədvablə] *être ~ de qc à qn* j-m etw schuldig sein; *fig* j-m für etw zu Dank verpflichtet sein; **~ance** *f* Abgabe *f*; Gebühr *f*.
rédiger [rediʒe] (1l) ver-, abfassen.
redire [r(ə)dir] (4m) noch einmal sagen; weitersagen; *trouver à ~ à tout* an allem etw auszusetzen haben.
redondance [r(ə)dõdɑ̃s] *f* Wortschwall *m*; Redundanz *f*.
redonner [r(ə)dɔne] (1a) (wieder) zurückgeben; *fig ~ dans* erneut verfallen in.
redoubl|ant, ~ante [r(ə)dublɑ̃, -ɑ̃t] *m, f Schule*: Sitzenbleiber(in) *m(f)*; **~er** (1a) verdoppeln; *fig* (sich) verstärken; *Schule*: *~* (*une classe*) sitzenbleiben; *~ d'efforts* seine Anstrengungen verdoppeln.
redout|able [r(ə)dutablə] furchtbar; **~er** (1a) fürchten; sich fürchten vor (*que + subj* davor, daß ...; *de + inf* davor, zu ...).
redresser [r(ə)drɛse] (1b) geraderichten; wieder aufrichten; *fig* wieder beleben; wieder in Ordnung bringen; *se ~* wieder hochkommen (*Land*).
réduction [redyksjõ] *f* Reduzierung *f*, Herabsetzung *f*; Ermäßigung *f*; *chim* Reduktion *f*.
réduire [redɥir] (4c) reduzieren, einschränken, herabsetzen; *~ qn à qc* j-n zu etw zwingen; *~ qc à qc* etw auf etw beschränken; *~ en morceaux* in Stücke schlagen; *se ~ à* sich beschränken (lassen) auf; *se ~ en* sich verwandeln in.
rédu|it, ~ite [redɥi, -it] **1.** *adj* beschränkt; ermäßigt; verkleinert; **2.** *m* kleiner Raum *m*, Verschlag *m*.
rééditer [reedite] (1a) neu herausgeben.
rééducation [reedykasjõ] *f méd* Rehabilitation *f*, Heilgymnastik *f*.
réel, ~le [reɛl] wirklich, real; ⚠ *nicht* reell (*Preis*).
réélection [reelɛksjõ] *f* Wiederwahl *f*.
réévaluer [reevalɥe] (1n) *écon* aufwerten.
réexpédier [reɛkspedje] (1a) weiterbefördern; *Post*: nachsenden.
refaire [r(ə)fɛr] (4n) noch einmal machen; umarbeiten; ausbessern; *se ~* sich erholen; *se ~ à qc* sich wieder an etw gewöhnen.
réfection [refɛksjõ] *f* Ausbesserung *f*, Renovierung *f*.
réfectoire [refɛktwar] *m* Speisesaal *m* (*Klöster*, *Schulen etc*).
référence [referɑ̃s] *f* **1.** Bezugnahme *f*; Belegstelle *f*; *ouvrage m de ~* Nachschlagewerk *n*; *par ~ à* gemäß; **2.** *~s pl* Referenzen *f/pl*, Empfehlungen *f/pl*.

référendum [referɛ̃dɔm] *m* Volksentscheid *m*, -abstimmung *f*.
référer [refere] (1f) *en ~ à qn* j-m den Fall unterbreiten; *se ~ à* sich beziehen, berufen auf.
refiler [r(ə)file] (1a) F *~ qc à qn* j-m etw andrehen.
réfléch|i, ~ie [refleʃi] überlegt; *gr* reflexiv; **~ir** (2a) **1.** reflektieren, zurückwerfen; **2.** *~ à, sur qc* etw überlegen, über etw nachdenken.
réflecteur [reflɛktœr] *m* Rückstrahler *m*, Reflektor *m*.
reflet [r(ə)flɛ] *m* Widerschein *m*, Reflex *m*; Spiegelbild *n*; *fig* Abglanz *m*.
refléter [r(ə)flete] (1f) widerspiegeln (*a fig*).
réflexe [reflɛks] *m* Reflex *m*; Reaktion(svermögen) *f(n)*.
réflexion [reflɛksjõ] *f* **1.** *phys* Spiegelung *f*, Reflexion *f*; **2.** Überlegung *f*, Nachdenken *n*; Äußerung *f*.
refluer [r(ə)flye] (1a) zurückfließen.
reflux [r(ə)fly] *m* Ebbe *f*.
réforma|teur, ~trice [refɔrmatœr, -tris] **1.** *adj* reformerisch, reformatorisch; **2.** *m, f* Reformer(in) *m(f)*; *m rel* Reformator *m*.
réform|e [refɔrm] *f* Reform *f*; *mil* Entlassung *f* (wegen Dienstunfähigkeit); *hist la* ♀ die Reformation; **~é, ~ée** *rel* reformiert; *mil* dienstunfähig; **~er** (1a) reformieren; ausmustern (*a mil*).
refoul|é, ~ée [r(ə)fule] *psych* verdrängt; verklemmt; **~ement** [-mɑ̃] *m* Zurückdrängen *n*; *psych* Verdrängung *f*; **~er** (1a) zurückdrängen; *psych* verdrängen.
réfractaire [refraktɛr] widerspenstig (*à* gegenüber); *tech* feuerfest.
refrain [r(ə)frɛ̃] *m* Kehrreim *m*, Refrain *m*; *fig* ständige Redensart *f*.
refréner [refrene, rə-] (1f) zügeln.
réfrigérateur [refriʒeratœr] *m* Kühlschrank *m*.
refroidir [r(ə)frwadir] (1a) abkühlen (*a fig*); *se ~* kälter werden, sich abkühlen; *fig* erkalten; *méd* sich erkälten.
refroidissement [r(ə)frwadismɑ̃] *m* Abkühlung *f* (*a fig*); *auto* Kühlung *f*; *méd* Erkältung *f*.
refuge [r(ə)fyʒ] *m* Zuflucht(sort) *f(m)*; Verkehrsinsel *f*; (Schutz-)Hütte *f* (*im Gebirge*).
réfugi|é, ~ée [refyʒje] *m, f* Flüchtling *m*; **~er** (1a) *se ~* (sich) flüchten.
refus [r(ə)fy] *m* Weigerung *f*; Ablehnung *f*.
refuser [r(ə)fyze] (1a) ablehnen, zurückweisen; *~ de* (+ *inf*) *u se ~ à* (+ *inf*) sich weigern zu ...
réfuter [refyte] (1a) widerlegen.
regagner [r(ə)gaɲe] (1a) wiedergewinnen; zurückkehren an *od* in.
régal [regal] *m* (⚠ *pl ~s*) Leckerbissen *m* (*a fig*); **~er** (1a) bewirten (*de* mit); *se ~ de qc* etw mit Genuß essen.
regard [r(ə)gar] *m* Blick *m*; *au ~ de* im Hinblick auf.
regarder [r(ə)garde] (1a) (an-, hin-) sehen, (-)schauen, (-)blicken, betrachten; *~ comme* betrachten als, halten für; *~ qn* j-n (etw) angehen; *~ à qc* auf etw achten; *~ par la fenêtre* aus dem Fenster sehen.
régate [regat] *f meist pl ~s* Regatta *f*; ⚠ *Schreibung*.
régence [reʒɑ̃s] *f* Regentschaft *f*.
régénérer [reʒenere] (1f) regenerieren; *fig* wiederbeleben.
régie [reʒi] *f* **1.** staatlicher Betrieb *m*; Verwaltung *f*; **2.** Regieassistenz *f*; Regieraum *m* (*TV*); ⚠ *nicht* Regie (*Film od Theater*).
regimber [r(ə)ʒɛ̃be] (1a) sich sträuben.
régime [reʒim] *m pol* Regierungsform *f*, -system *n*, *péj* Regime *n*; *jur* Rechtsvorschriften *f/pl*; *méd* Diät *f*; *tech* Drehzahl *f*.
régiment [reʒimɑ̃] *m* Regiment *n*; F Militär(dienst) *n(m)*.
région [reʒjõ] *f* Gegend *f*, Gebiet *n*, Region *f* (*a fig*).
régional, ~e [reʒjɔnal] (⚠ *m/pl -aux*) regional; **~isation** [-izasjõ] *f pol* Regionalisierung *f*, Dezentralisation *f*; **~iser** (1a) *pol* dezentralisieren; **~isme** *m* Regionalismus *m*; Heimatpflege *f*.
régir [reʒir] (2a) regeln; *gr* regieren.
régisseur [reʒisœr] *m* Verwalter *m*; *TV* Aufnahmeleiter *m*; ⚠ *nicht* Regisseur.
registre [r(ə)ʒistrə] *m* Register *n* (*a mus*).
régl|able [reglablə] regulierbar, verstellbar; **~age** *m* Regulierung *f*, Einstellung *f*.
règle [rɛglə] *f* **1.** Lineal *n*; **2.** Regel *f*, Vorschrift *f*; *de ~* üblich; *en ~* in Ordnung; *en ~ générale* in der Regel; **3.** *~s pl* Periode *f* (*der Frau*).

R

réglé, ~e [regle] geregelt; erledigt; *tech* eingestellt; *Papier*: liniert.
règlement [rɛgləmɑ̃] *m* Regelung *f*; Vorschrift *f*; *comm* Begleichung *f*; *jur* Verordnung *f*.
réglement|aire [regləmɑ̃tɛr] vorschriftsmäßig; **~ation** *f* gesetzliche Regelung *f*; **~er** (1a) gesetzlich regeln; *péj* reglementieren.
régler [regle] (1f) regeln; erledigen; *tech* regulieren, einstellen; *comm* bezahlen, begleichen; *Papier*: linieren; *se ~ sur* sich richten nach.
réglisse [reglis] *f* Lakritze *f*.
règne [rɛɲ] *m* Regierung(szeit) *f*; Herrschaft *f*; *~ animal* Tierreich *n*.
régner [reɲe] (1f) regieren; herrschen (*a fig*).
regorger [r(ə)gɔrʒe] (1l) *~ de* voll sein von.
régression [regrɛsjõ] *f* Rückgang *m*, -schritt *m*; Regression *f*.
regret [r(ə)grɛ] *m* Bedauern *n*, Reue *f* (*de* über); Schmerz *m*; Sehnsucht *f* (*de* nach); *à ~* ungern.
regrett|able [r(ə)grɛtablə] bedauerlich; **~er** (1b) bedauern, bereuen (*qc* etw; *que + subj* daß; *de + inf* zu ...); *~ qn, qc* j-m, e-r Sache nachtrauern, j-n, etw (schmerzlich) vermissen.
regrouper [r(ə)grupe] (1a) umgruppieren; zusammenfassen.
régular|iser [regylarize] (1a) regulieren; in Ordnung bringen; **~ité** *f* Regelmäßigkeit *f*; Korrektheit *f*.
régul|ier, ~ière [regylje, -jɛr] regelmäßig; vorschriftsmäßig; ordentlich, korrekt.
réhabilitation [reabilitasjõ] *f* Rehabilitierung *f*.
rehausser [rəose] (1a) höher machen, erhöhen; *fig* hervorheben.
réimprimer [reɛ̃prime] (1a) nachdrucken.
rein [rɛ̃] *m* Niere *f*; *~s pl* Kreuz *n*.
reine [rɛn] *f* Königin *f*.
réintégrer [reɛ̃tegre] (1f) wiedereingliedern; wieder zurückkehren in.
réitérer [reitere] (1f) wiederholen.
rejaillir [r(ə)ʒajir] (2a) (auf-, hoch-) spritzen; *~ sur qn* zurückfallen auf j-n.
rejet [r(ə)ʒɛ] *m* Ablehnung *f*; *méd* Abstoßung *f*; *bot* Schößling *m*; *gr* Endstellung *f*.
rejet|er [rəʒ(ə)te] (1c) zurück-, auswerfen; ablehnen, verwerfen; verstoßen; *méd* abstoßen; *bot* treiben; *~ sur qn* auf j-n abwälzen; **~on** *m bot* Schößling *m*; F Sprößling *m*.
rejoindre [r(ə)ʒwɛ̃drə] (4b) (wieder) einholen, treffen; wieder gelangen zu; *se ~* sich (wieder) treffen; (wieder) zusammenlaufen.
réjou|ir [reʒwir] (2a) erfreuen, erheitern; *se ~* sich freuen (*de* über; *que + subj* daß); **~issance** [-isɑ̃s] *f* Freude *f*, Fröhlichkeit *f*; *pl ~s publiques* Volksfest *n*.
relâch|e [r(ə)lɑʃ] *f* **1.** *Theater*: keine Vorstellung; **2.** *sans ~* unablässig; **~ement** [-mɑ̃] *m* Erschlaffung *f*; Lockerung *f* (*a fig*); Freilassung *f*; **~er** (1a) entspannen, lockern; freilassen; *se ~* sich lockern (*a fig*), erschlaffen; nachlassen.
relais [r(ə)lɛ] *m Sport*: Staffel(lauf) *f(m)*; *tech* Relais *n*; *~ routier* Raststätte *f*; *hist ~ de poste* Postrelais *n*.
relancer [r(ə)lɑ̃se] (1k) zurückwerfen; *fig* wiederankurbeln, wiederbeleben.
relater [r(ə)late] (1a) (genau) erzählen.
relat|if, ~ive [r(ə)latif, -iv] relativ (*a gr*), verhältnismäßig; *~ à qc* auf etw bezüglich.
relation [r(ə)lasjõ] *f* Beziehung *f*, Verhältnis *n*; Bekannte(r) *m, f*.
relativement [r(ə)lativmɑ̃] *adv* verhältnismäßig, vergleichsweise; *~ à* im Verhältnis zu.
relax *od* **relaxe** [r(ə)laks] (⚠ *relax unv*) F ungezwungen.
relaxer [r(ə)lakse] (1a) *Gefangene*: freilassen; *se ~* sich entspannen.
relayer [r(ə)lɛje] (1i) *~ qn* j-n ablösen; *TV*, *Radio*: übertragen.
reléguer [r(ə)lege] (1f) verbannen, abschieben; *~ qn au second plan* j-n in den Hintergrund drängen.
relent [r(ə)lɑ̃] *m* übler Geruch *m*.
relève [r(ə)lɛv] *f* Ablösung *f*; *prendre la ~* (j-n) ablösen, die Nachfolge antreten.
relevé, ~e [rəlve] **1.** *adj* hochgezogen; überhöht; *Stil*: gehoben, gewählt; *cuis* pikant; **2.** *m* Verzeichnis *n*, Aufstellung *f*; *~ de compte* Kontoauszug *m*.
relèvement [r(ə)lɛvmɑ̃] *m* Wiederaufrichtung *f*; Erhöhung *f*; *fig* Wiederaufschwung *m*; *~ des salaires* Gehaltsaufbesserung *f*.
relever [rəlve] (1d) **1.** wieder aufheben *od* -richten; erhöhen; hoch-

R

stellen, -stecken, -streifen, -klappen, -kurbeln; *se* ~ wieder aufstehen; sich wieder erholen; **2.** feststellen, aufdecken, notieren, ablesen; **3.** ablösen (*j-n*); **4.** ~ *de* abhängig sein von; in die Zuständigkeit von ... fallen.

relief [rəljɛf] *m* Profil *n*; Relief *n*; *en* ~ plastisch; *fig avoir du* ~ anschaulich sein; *mettre en* ~ hervorheben.

relier [rəlje] (1a) wieder (zusammen)binden; *allg* verbinden, verknüpfen (*à* mit); *Buch*: binden.

reli|eur, ~euse [rəljœr, -øz] *m, f* Buchbinder(in) *m(f)*.

religi|eux, ~euse [r(ə)liʒjø, -jøz] **1.** *adj* religiös; *fig* andächtig; gewissenhaft; **2.** *m, f* Mönch *m*, Nonne *f*.

religion [r(ə)liʒjõ] *f* Religion *f*.

reliquaire [r(ə)likɛr] *m* Reliquienschrein *m*.

relique [r(ə)lik] *f* Reliquie *f*.

relire [r(ə)lir] (4x) wieder, noch einmal lesen.

reliure [rəljyr] *f* (Buch-)Einband *m*; Binden *n*.

reluire [rəlɥir] (4c) glänzen, schimmern.

remaniement [r(ə)manimã] *m* Neubearbeitung *f*; Umarbeitung *f*; *pol* Umbildung *f* (*der Regierung*).

remanier [r(ə)manje] (1a) neu bearbeiten; umarbeiten; *pol* umbilden (*Regierung*).

remarier [r(ə)marje] (1a) *se* ~ sich wieder verheiraten.

remarquable [r(ə)markablə] bemerkenswert; bedeutend.

remarqu|e [r(ə)mark] *f* An-, Bemerkung *f*; **~é, ~ée** auffällig; **~er** (1m) bemerken (*a mit Worten*), beachten; *faire* ~ *qc à qn* j-n auf etw hinweisen; *se* ~ auffallen (*Dinge*).

remballer [rãbale] (1a) wieder einpacken.

rembarquer [rãbarke] (1m) *mar* wieder einschiffen; (*se*) ~ sich wieder einschiffen.

remblayer [rãblɛje] (1i) aufschütten.

rembourrer [rãbure] (1a) polstern.

rembours|able [rãbursablə] (zu-)rückzahlbar; **~ement** [-əmã] *m* Rückzahlung *f*; *Post*: Nachnahme *f*; **~er** (1a) zurückzahlen.

remède [r(ə)mɛd] *m* Heilmittel *n*; *fig* Mittel *n*.

remédier [r(ə)medje] (1a) ~ *à qc* *e-m Übel*: abhelfen, etw abstellen.

remémorer [r(ə)memɔre] (1a) *se* ~ *qc* sich etw ins Gedächtnis zurückrufen.

remerciement [r(ə)mɛrsimã] *m* Dank *m*.

remercier [r(ə)mɛrsje] (1a) ~ *qn de od pour qc* j-m für etw danken; ~ *qn* j-n entlassen.

remettre [r(ə)mɛtrə] (4p) wieder hinstellen, -setzen, -bringen; *Kleidungsstücke*: wieder anziehen; *Hut*: wieder aufsetzen; *Strafe*: erlassen; *Vorhaben*: verschieben; *gesundheitlich* wiederherstellen; ~ *à neuf* instandsetzen; ~ *qc à qn* j-m etw aushändigen, übergeben; *se* ~ (*au beau*) *Wetter*: wieder besser *od* schöner werden; *se* ~ *à qc* sich wieder mit etw beschäftigen; *se* ~ *à faire qc* wieder etw tun; *se* ~ *de qc* sich von etw erholen; *s'en* ~ *à qn* sich auf j-n verlassen.

réminiscence [reminisãs] *f* Reminiszenz *f*, Erinnerung *f*.

remise [r(ə)miz] *f* **1.** (Geräte-)Schuppen *m*; **2.** Aushändigung *f*, Überbringung *f*, Übergabe *f*; Erlaß *m* (*Strafe*); *comm* Rabatt *m*; *jur* Vertagung *f*; ~ *à neuf* Wiederherrichtung *f*; ~ *en question* Infragestellung *f*.

rémission [remisjõ] *f sans* ~ unerbittlich; unweigerlich.

remmener [rãmne] (1d) zurückbringen, -begleiten.

remontant [r(ə)mõtã] *m* Stärkungsmittel *n*.

remonte-pente [r(ə)mõtpãt] *m* (⚠ *pl remonte-pentes*) *Ski*: Schlepplift *m*.

remonter [r(ə)mõte] (1a) **1.** (*être*) wieder hinaufgehen, -steigen, -fahren; wieder (an)steigen; ~ *à zeitlich*: stammen aus, zurückreichen bis; zurückgehen, -greifen auf; **2.** (*avoir*) wieder herauftragen; *Straße*: hinaufgehen, -fahren; *Treppe*: noch einmal hinaufgehen; *fig* ~ *qn* j-n stärken; *Uhr*: aufziehen; *tech* wieder zusammensetzen, montieren; *Theater*: neu inszenieren.

remontrance [r(ə)mõtrãs] *f* Verweis *m*, Zurechtweisung *f*.

remontrer [r(ə)mõtre] (1a) wieder zeigen; *en* ~ *à qn* j-m seine Überlegenheit beweisen.

remords [r(ə)mɔr] *m* (*meist pl*) Gewissensbiß *m*.

remorqu|e [r(ə)mɔrk] *f mar* Schleppen *n*; Anhänger *m*; **~er** (1m) (ab-)schleppen.
rémoulade [remulad] *f cuis* Remoulade(nsoße) *f*.
rémouleur [remulœr] *m* Scherenschleifer *m*.
remous [r(ə)mu] *m* Strudel *m*; *mar* Kielwasser *n*; *fig pl* Wirbel *m*, Aufruhr *m*.
rempart [rɑ̃par] *m* Wall *m*, Bollwerk *n*.
remplaç|ant, ~ante [rɑ̃plasɑ̃, -ɑ̃t] *m*, *f* (Stell-)Vertreter(in) *m(f)*.
remplac|ement [rɑ̃plasmɑ̃] *m* Stellvertretung *f*; Ersatz *m*; **~er** (1k) ersetzen; vertreten.
remplir [rɑ̃plir] (2a) füllen (*de* mit); *Formular*: ausfüllen; *fig* erfüllen; *Tätigkeit*: ausüben.
remplissage [rɑ̃plisaʒ] *m* (Auf-)Füllen *n*; *péj* Füllwerk *n*.
remporter [rɑ̃pɔrte] (1a) wieder mitnehmen; *Sieg*, *Preis etc*: erringen, gewinnen; *Sieg a*: davontragen.
remue-ménage [r(ə)mymenaʒ] *m* (⚠ *pl unv*) Hinundherschieben *n* (*Möbel etc*); Krach *m*, Radau *m*.
remuer [rəmɥe] (1a) (sich) bewegen; umrühren; (weg)rücken; *Erde*: umgraben; *fig* rühren, aufrütteln; *Zahn*: wackeln; *fig* unruhig werden; *se* ~ sich bewegen; *fig* sich einsetzen, sich Mühe geben.
rémunéra|teur, ~trice [remyneratœr, -tris] lohnend; **~tion** *f* Vergütung *f*, Lohn *m*.
rémunérer [remynere] (1f) entlohnen, vergüten.
renaissance [r(ə)nɛsɑ̃s] *f* Wiedergeburt *f*; Wiederaufleben *n*; ♀ Renaissance *f*.
renaître [r(ə)nɛtrə] (4g) *rel* wiedergeboren werden; *fig* wiederaufleben, -blühen.
renard [r(ə)nar] *m zo* Fuchs *m* (*a fig*).
renchér|ir [rɑ̃ʃerir] (2a) teurer werden; ~ *sur qn*, *qc* j-n, etw überbieten, übertreffen; **~issement** [-ismɑ̃] *m* Verteuerung *f*.
rencontre [rɑ̃kõtrə] *f* Begegnung *f*, Zusammentreffen *n*; ... *de* ~ zufällig; *faire la ~ de qn* j-s Bekanntschaft machen; *aller à la ~ de qn* j-m entgegengehen.
rencontrer [rɑ̃kõtre] (1a) ~ *qn* j-n treffen, j-m begegnen; ~ *qc* auf etw stoßen; *se* ~ zusammentreffen, sich begegnen.
rendement [rɑ̃dmɑ̃] *m* Ertrag *m*; Leistung *f*.
rendez-vous [rɑ̃devu] *m* (⚠ *pl unv*) Verabredung *f*; Rendezvous *n*; Treffpunkt *m*; *beim Arzt*: Termin *m*; *prendre* ~ sich anmelden; *donner ~ à qn* sich mit j-m verabreden; *avoir ~ avec qn* mit j-m verabredet sein.
rendormir [rɑ̃dɔrmir] (2b) *se* ~ wieder einschlafen.
rendre [rɑ̃drə] (4a) **1.** zurückgeben, wiedergeben; vergelten; von sich geben, erbrechen; *mil* übergeben; ~ *un jugement* ein Urteil fällen; ~ *compte de qc* von etw berichten; ~ *visite à qn* j-n besuchen; **2.** einbringen, abwerfen; **3.** *mit adj* machen; **4.** *se* ~ sich begeben (*chez qn* zu j-m); **5.** *se* ~ *mil* sich ergeben; *se ~ à l'avis de qn* sich j-s Ansicht anschließen.
rêne [rɛn] *f* Zügel *m*.
renferm|é, ~ée [rɑ̃fɛrme] **1.** *adj* verschlossen (*Person*); **2.** *m sentir le* ~ muffig riechen; **~er** (1a) enthalten (*a fig*); *se ~ dans le silence* sich in Schweigen hüllen.
renflé, ~e [rɑ̃fle] bauchig.
renfoncement [rɑ̃fõsmɑ̃] *m* Vertiefung *f*.
renforc|ement [rɑ̃fɔrsəmɑ̃] *m* Verstärkung *f*; **~er** (1k) ver-, bestärken.
renfort [rɑ̃fɔr] *m* Verstärkung *f*; *à grand ~ de* ... mit Hilfe von viel ...
renfrogné, ~e [rɑ̃frɔɲe] mürrisch, griesgrämig.
rengaine [rɑ̃gɛn] *f* Schlager *m*; *fig la même* ~ die alte Leier.
rengorger [rɑ̃gɔrʒe] (1l) *se* ~ sich aufplustern (*a fig*).
renier [rənje] (1a) verleugnen.
renifler [r(ə)nifle] (1a) schnüffeln.
renne [rɛn] *m zo* Ren(tier) *n*.
renom [r(ə)nõ] *m* (guter) Ruf *m*, Ansehen *n*.
renommé, ~e [r(ə)nɔme] berühmt (*pour* wegen).
renommée [r(ə)nɔme] *f* (guter) Ruf *m*, Renommee *n*; ⚠ *la* ~.
renonc|ement [r(ə)nõsmɑ̃] *m* Verzicht *m* (*à* auf); **~er** (1k) ~ *à* (*faire*) *qc* auf etw verzichten (darauf verzichten, etw zu tun).
renouer [rənwe] (1a) *fig* wieder anknüpfen, erneuern; ~ *avec qn* die Beziehungen zu j-m wiederaufnehmen.

R

renouveler [r(ə)nuvle] (1c) erneuern; *Ausweis*: verlängern; *se* ~ sich wiederholen.
renouvellement [r(ə)nuvɛlmɑ̃] *m* Erneuerung *f*, Verlängerung *f*; Wiederholung *f*.
rénov|ation [renɔvasjõ] *f* Renovierung *f*; *fig* Erneuerung *f*; **~er** (1a) renovieren; *fig* erneuern.
renseign|ement [rɑ̃sɛɲmɑ̃] *m* **1.** Auskunft *f*, Information *f*; *donner des* ~*s sur* Auskunft erteilen über; *prendre des* ~*s* Erkundigungen einziehen; **2.** *mil* (geheime) Nachricht *f*; *service m de* ~*s* Nachrichtendienst *m*; **~er** (1a) ~ *qn sur qc* j-m über etw Auskunft geben, j-n über etw informieren *od* unterrichten; *se* ~ sich erkundigen (*auprès de qn sur qn, qc* bei j-m über j-n, etw).
rente [rɑ̃t] *f* (Kapital-)Rente *f*; Staatsanleihe *f*; ⚠ *nicht* (Sozial-) Rente.
rent|ier, ~ière [rɑ̃tje, -jɛr] *m, f* Rentier *m*, Privatier *m*; ⚠ *nicht* Rentner.
rentrée [rɑ̃tre] *f* **1.** Rückkehr *f*; **2.** *nach den Ferien*: Wiederbeginn *m*; ~ *des classes* Schulbeginn *m*; **3.** *comm* Eingang *m*; ~*s pl* Einnahmen *f/pl*; **4.** *agr* Einbringen *n* (*der Ernte*).
rentrer [rɑ̃tre] (1a) **1.** (*être*) zurückkehren; nach Hause gehen; hineingehen; hineinpassen; *Gelder*: eingehen; ~ *dans* gehören zu; ~ *dans qc* etw wiedererlangen; **2.** (*avoir*) hineinbringen; (hin)einfahren; *Bauch*: einziehen.
renvers|e [rɑ̃vɛrs] *f tomber à la* ~ auf den Rücken fallen; **~é, ~ée** umgekehrt; umgefallen; *fig* fassungslos; **~ement** [-əmɑ̃] *m* Umkehrung *f*; *fig* Sturz *m*; **~er** (1a) umkehren; umstoßen, umwerfen, umfahren; verschütten; *fig* stürzen, zu Fall bringen; *se* ~ umfallen, umkippen, umstürzen.
renvoi [rɑ̃vwa] *m* Entlassung *f*; Rücksendung *f*; *im Text*: Verweis *m* (*à* auf).
renvoyer [rɑ̃vwaje] (1p) zurückschicken; zurückwerfen; entlassen, fortschicken; *von der Schule*: verweisen; *zeitlich*: verschieben; ~ *à qn, à qc* an j-n, auf etw verweisen.
réorientation [reɔrjɑ̃tasjõ] *f* Neuorientierung *f*.
réouverture [reuvɛrtyr] *f* Wiedereröffnung *f*.
repaire [r(ə)pɛr] *m* Höhle *f*; *fig* Schlupfwinkel *m*.
repaître [r(ə)pɛtrə] (4z) *st/s*, *fig* weiden.
répandre [repɑ̃drə] (4a) vergießen, verschütten; *fig* verbreiten; *se* ~ sich verbreiten; *fig se* ~ *en* sich ergehen in.
répandu, ~e [repɑ̃dy] verbreitet, üblich.
reparaître [r(ə)parɛtrə] (4z) wieder erscheinen.
répar|ation [reparasjõ] *f* Reparatur *f*, Instandsetzung *f*; Wiedergutmachung *f*; *pol* ~*s pl* Reparationen *f/pl*; *Fußball*: *surface f de* ~ Strafraum *m*; **~er** (1a) reparieren, instand setzen; *fig* wiedergutmachen, ersetzen.
repartie [reparti] *f* lebhafte Erwiderung *f*; *avoir la* ~ *facile* schlagfertig sein; ⚠ *Aussprache*.
repartir [r(ə)partir] (2b) wieder abfahren, zurückfahren; ~ *à zéro* wieder von vorn anfangen; ⚠ *il est reparti*.
répart|ir [repartir] (2a) ver-, auf-, einteilen; ⚠ *nicht verwechseln mit repartir*; **~ition** *f* Ver-, Auf-, Zu-, Einteilung *f*.
repas [r(ə)pɑ] *m* Mahlzeit *f*, Essen *n*.
repasser [r(ə)pase] (1a) **1.** (*être*) wieder vorbeigehen, -kommen; **2.** (*avoir*) wieder überqueren; wieder hinreichen; F überlassen, -geben; *Lehrstoff*: noch einmal durchgehen; *Messer*: schleifen; *Wäsche*: bügeln.
repêch|age [r(ə)pɛʃaʒ] *m* Wiederholungsprüfung *f*; **~er** (1b) aus dem Wasser ziehen; F *fig* heraushelfen (*qn* j-m).
repenser [r(ə)pɑ̃se] (1a) (noch einmal) überdenken; ~ *à qc* wieder an etw denken.
repentir [r(ə)pɑ̃tir] **1.** (2b) *se* ~ *de qc* etw bereuen; **2.** *m* Reue *f*.
repérage [r(ə)peraʒ] *m* Ermittlung *f*, Ausfindigmachen *n*, Ortung *f*; Markieren *n*.
répercu|ssion [reperkysjõ] *f* Auswirkung *f*; **~ter** [-te] (1a) *se* ~ widerhallen; *fig* sich auswirken (*sur* auf).
repère [r(ə)pɛr] *m* Zeichen *n*, Markierung *f*; *point m de* ~ Anhaltspunkt *m*.
repérer [r(ə)pere] (1f) ausfindig machen, ausmachen, auffinden, orten; markieren.

R

répertoire [repɛrtwar] *m* Sachregister *n*; *Theater*: Repertoire *n*.
répéter [repete] (1f) wiederholen; *Rolle*: proben, einstudieren.
répétition [repetisjõ] *f* Wiederholung *f*; *Theater*: Probe *f*.
répit [repi] *m* Atempause *f*, Ruhe *f*; *sans* ~ unaufhörlich.
replacer [r(ə)plase] (1k) wieder (an seinen Platz) hinstellen, -setzen.
replanter [r(ə)plɑ̃te] (1a) umpflanzen; neu bepflanzen.
repli [r(ə)pli] *m* Falte *f*, Umschlag *m*; Windung *f*; *mil* Rückzug *m*; *fig* geheimer Winkel *m* (*der Seele*).
replier [r(ə)plije] (1a) wieder zusammenfalten; *Beine*: anziehen; *se* ~ sich schlängeln; *mil* sich zurückziehen; *se* ~ *sur soi-même* sich abkapseln.
répliqu|e [replik] *f* Erwiderung *f*; *Kunst*: Replik *f*; **~er** (1m) erwidern.
répondre [repõdrə] (4a) antworten (*qc à qn* j-m etw; *à qc* auf etw); entsprechen (*à qc* e-r Sache); *Mechanismus*: ansprechen; ~ *de* bürgen, haften für.
réponse [repõs] *f* Antwort *f*.
reportage [r(ə)pɔrtaʒ] *m* Berichterstattung *f*, Reportage *f*, Bild-, Hörbericht; ⚠ *le* ~.
reporter[1] [r(ə)pɔrte] (1a) zurückbringen; aufschieben; übertragen.
reporter[2] [r(ə)pɔrtɛr] *m* Reporter *m*.
repos [r(ə)po] *m* Ruhe *f*.
reposer [r(ə)poze] (1a) **1.** zurückstellen, -setzen, -legen; wieder hinstellen; *Frage*: wieder stellen; **2.** ausruhen; ruhen; ~ *sur* ruhen *od* stehen auf; *fig* beruhen auf; *se* ~ (sich) ausruhen, sich erholen; *fig se* ~ *sur* sich verlassen auf.
repouss|ant, ~ante [r(ə)pusɑ̃, -ɑ̃t] abstoßend; **~er** (1a) zurückstoßen, -schieben; abweisen; ablehnen; abstoßen; *Zeitpunkt*: hinausschieben; *biol* wieder wachsen.
reprendre [r(ə)prɑ̃drə] (4q) wieder (auf-, weg)nehmen; zurückerobern; zurücknehmen (*a comm*); fortführen; wiederholen; überarbeiten; *Schüler*: tadeln; *Arbeit etc*: wieder anfangen; *Pflanze*: wieder Wurzeln schlagen; *méd* sich wieder erholen; *se* ~ sich verbessern; sich fassen.
représailles [r(ə)prezaj] *f/pl* Vergeltungsmaßnahmen *f/pl*, Repressalien *f/pl*; ⚠ *Schreibung*.
représent|ant, ~ante [r(ə)prezɑ̃tɑ̃, -ɑ̃t] *m, f* Vertreter(in) *m(f)* (*a comm*); Stellvertreter(in) *m(f)*; **~atif, ~ative** [-atif, -ativ] repräsentativ, stellvertretend; *fig* typisch, charakteristisch (*de* für).
représent|ation [r(ə)prezɑ̃tasjõ] *f* Darstellung *f*; Abbildung *f*; *pol, jur, comm* Vertretung *f*; *Theater*: Vorstellung *f*, Aufführung *f*; **~er** (1a) darstellen; vertreten; bedeuten; repräsentieren; *Theater*: aufführen; *se* ~ *qc* sich etw vorstellen; *pol se* ~ sich zur Wiederwahl stellen.
répression [reprɛsjõ] *f* Unterdrückung *f*; *jur* Ahndung *f*.
réprimand|e [reprimɑ̃d] *f* Tadel *m*; **~er** (1a) tadeln.
réprimer [reprime] (1a) unterdrücken.
reprise [r(ə)priz] *f* Wiedereinnahme *f*; Zurücknahme *f*; Wiederaufnahme *f*, Wiederbeginn *m*; Ausbessern *n*, Stopfen *n*; *Motor*: Anzugsvermögen *n*; *à plusieurs* ~*s* wiederholt; ~ *économique* Wiederbelebung *f* der Wirtschaft.
repriser [r(ə)prize] (1a) stopfen.
réprobation [reprɔbasjõ] *f* Mißbilligung *f*.
reproch|e [r(ə)prɔʃ] *m* Vorwurf *m*, Tadel *m*; ⚠ *le* ~; **~er** (1a) vorwerfen (*qc à qn* j-m etw).
reproduction [r(ə)prɔdyksjõ] *f* Wiedergabe *f*, Nachbildung *f*, Reproduktion *f*; Abdruck *m*, Vervielfältigung *f*; *biol* Fortpflanzung *f*.
reproduire [r(ə)prɔdɥir] (4c) wiedergeben, nachbilden, reproduzieren; abdrucken, vervielfältigen; *se* ~ wieder vorkommen, sich wiederholen; *biol* sich fortpflanzen.
réprouver [repruve] (1a) mißbilligen, verurteilen; *rel* verdammen.
reptile [rɛptil] *m zo* Reptil *n*.
républic|ain, ~aine [repyblikɛ̃, -ɛn] **1.** *adj* republikanisch; **2.** *m, f* Republikaner(in) *m(f)*.
république [repyblik] *f* Republik *f*.
répudier [repydje] (1a) verstoßen; von sich weisen.
répugn|ance [repyɲɑ̃s] *f* Widerwille *m* (*pour* gegen); **~ant, ~ante** [-ɑ̃, -ɑ̃t] widerlich, ekelhaft; **~er** (1a) ~ *à* (*faire*) *qc* sich ekeln vor etw, widerwillig etw tun.
répulsion [repylsjõ] *f* Widerwille *m* (*pour* gegen).

réput|ation [repytasjõ] *f* (guter) Ruf *m*; **~é, ~ée** berühmt (*pour* wegen, für); *être* ~ ... gelten als ...
requérir [rəkerir] (2l) (er-, an)fordern.
requête [rəkɛt] *f* Gesuch *n*; Ersuchen *n*.
requin [r(ə)kɛ̃] *m zo* Hai(fisch) *m*.
requ|is, ~ise [rəki, -iz] erforderlich.
réquisi|tion [rekizisjõ] *f* Beschlagnahme *f*; *jur* Antrag *m*; **~tionner** [-sjɔne] (1a) requirieren, beschlagnahmen.
rescapé, ~e [rɛskape] überlebend.
réseau [rezo] *m* (⚠ *pl* ~*x*) Netz *n*; Geflecht *n*.
réservation [rezɛrvasjõ] *f* Reservierung *f*; Buchung *f*.
réserv|e [rezɛrv] *f* Vorrat *m*; Reserve *f* (*a mil*); Reservat *n*, Naturschutzgebiet *n*; Zurückhaltung *f*; Vorbehalt *m*; *en* ~ vorrätig; *sous* ~ *de* vorbehaltlich; **~é, ~ée** reserviert (*a fig*); **~er** (1a) zurückbehalten; aufsparen; reservieren, vorbestellen, buchen; ~ *qc à qn* j-m etw vorbehalten; *Überraschung*: j-m bereiten.
réservoir [rezɛrvwar] *m* Behälter *m*, Tank *m*; Reservoir *n* (*a fig*).
résid|ence [rezidɑ̃s] *f* Wohnsitz *m*; Wohnanlage *f*; Residenz *f*; **~entiel, ~entielle** [-ɑ̃sjɛl] *quartier résidentiel* (vornehmes) Wohnviertel *n*; **~er** (1a) wohnhaft sein; ~ *dans qc* in etw bestehen; auf etw beruhen.
résidu [rezidy] *m* Rest *m*; *tech* Rückstand *m*.
résign|ation [reziɲasjõ] *f* Resignation *f*; **~er** (1a) *Amt*: niederlegen; *se* ~ resignieren; sich abfinden (*à* mit).
résilier [rezilje] (1a) *Vertrag*: kündigen, auflösen.
résine [rezin] *f* Harz *n*.
résist|ance [rezistɑ̃s] *f* Widerstand *m*; Widerstandskraft *f*; *hist la* ☊ die *frz* Widerstandsbewegung (*1940 bis 1944*); **~ant, ~ante** [-ɑ̃, -ɑ̃t] **1.** *adj* widerstandsfähig; haltbar; **2.** *m*, *f hist frz* Widerstandskämpfer(in) *m(f)*; **~er** (1a) widerstehen, Widerstand leisten; ~ *à qc* etw aushalten; e-r Sache standhalten.
résolu, ~e [rezɔly] entschlossen (*à* zu); ⚠ *adv résolument*.
résolution [rezɔlysjõ] *f* Be-, Entschluß *m*; Entschließung *f*, Resolution *f*; Entschlossenheit *f*; *math* Lösung *f*.
résonance [rezɔnɑ̃s] *f* Resonanz *f*.
résonner [rezɔne] (1a) widerhallen.
résorber [rezɔrbe] (1a) aufsaugen; *fig* beseitigen.
résoudre [rezudrə] (4bb) (auf)lösen; ~ *de* (+ *inf*) beschließen zu (+ *inf*); *se* ~ *à faire qc* sich entschließen, etw zu tun.
respect [rɛspɛ] *m* Respekt *m*, Ehrerbietung *f*, Achtung *f*; *tenir qn en* ~ j-n in Schach halten; *par* ~ *pour* aus Achtung vor; *sauf votre* ~ mit Verlaub zu sagen.
respect|able [rɛspɛktablə] achtbar; beachtlich; **~er** (1a) achten, respektieren; *Vorfahrt*: beachten; *se* ~ Selbstachtung haben; *se faire* ~ sich Respekt verschaffen; **~if, ~ive** [-if, -iv] jeweilig; **~ivement** [-ivmɑ̃] *adv* beziehungsweise.
respectu|eux, ~euse [rɛspɛktɥø, -øz] respektvoll, ehrerbietig.
respiration [rɛspirasjõ] *f* Atmen *n*, Atmung *f*.
respirer [rɛspire] (1a) (ein)atmen; *fig* aufatmen; ~ *la joie* Freude ausstrahlen.
resplendir [rɛsplɑ̃dir] (2a) funkeln, glänzen.
respons|abilité [rɛspõsabilite] *f* Verantwortlichkeit *f*, Verantwortung *f* (*de* für); *jur* Haftung *f*; **~able** verantwortlich (*de* für).
ressac [rəsak] *m* Brandung *f*.
ressaisir [r(ə)sezir] (2a) wieder ergreifen; *se* ~ sich wieder fassen.
ressembl|ance [r(ə)sɑ̃blɑ̃s] *f* Ähnlichkeit *f*; **~er** (1a) ähnlich sein *od* sehen, gleichen (*à*); *ne* ~ *à rien péj* nichts taugen.
ressemeler [r(ə)səmle] (1c) *Schuhe*: neu (be)sohlen.
ressentiment [r(ə)sɑ̃timɑ̃] *m* Ressentiment *n*, Verbitterung *f*.
ressentir [r(ə)sɑ̃tir] (2b) (ver)spüren, empfinden, fühlen; *se* ~ *de qc* die Nachwirkungen von etw verspüren.
resserrer [r(ə)sɛre] (1b) *Knoten*: fester ziehen; *Schraube*: fester anziehen; *Gürtel*: enger schnallen; *fig* festigen.
resservir [r(ə)sɛrvir] (2b) noch einmal servieren; wieder benutzt werden.
ressort [r(ə)sɔr] *m* **1.** *tech* Feder *f*; *fig* Triebfeder *f*; Spannkraft *f*; **2.** Zuständigkeitsbereich *m*, Ressort *n*; *jur* Instanz *f*; *ce n'est pas de mon* ~

dafür bin ich nicht zuständig; *en dernier* ~ in letzter Instanz; *fig* schließlich.
ressort|ir [r(ə)sɔrtir] (2b) **1.** (*être*) wieder (hin)ausgehen; hervortreten; *faire* ~ hervorheben, zur Geltung bringen; *il ressort de cela que* ... es geht daraus hervor, daß ...; **2.** (*avoir*) *jur* ~ *à* zur Zuständigkeit (+ *gén*) gehören; **~issant, ~issante** [-isɑ̃, -isɑ̃t] Staatsangehörige(r) *m*, *f*.
ressource [r(ə)surs] *f* Hilfsmittel *n*; *~s pl* Mittel *n/pl*, Reserven *f/pl*, Ressourcen *f/pl*; Geldmittel *n/pl*; *~s minières* Bodenschätze *m/pl*.
ressusciter [resysite] (1a) **1.** (*avoir*) *Tote*: auferwecken; *fig* wiederbeleben; **2.** (*être*) (wieder) auferstehen.
rest|ant, ~ante [rɛstɑ̃, -ɑ̃t] restlich, übrig(geblieben).
restaur|ant [rɛstɔrɑ̃] *m* Restaurant *n*; **~ateur, ~atrice** [-atœr, -atris] *m, f* **1.** Gastwirt(in) *m(f)*; **2.** Restaurator(in) *m(f)*; **~ation** *f* **1.** Gaststättengewerbe *n*; **2.** Wiederherstellung *f*; Restaurierung *f*; *pol* Restauration *f*.
restaurer [rɛstɔre] (1a) wiederherstellen; restaurieren.
reste [rɛst] *m* Rest *m*, Überbleibsel *n*; *du ~ od au ~* übrigens; *être en ~ avec qn* j-m etw schuldig bleiben.
rester [rɛste] (1a) (übrig-, zurück-) bleiben; sich aufhalten; *en ~ à qc* bei etw stehenbleiben; ~ *à* (+ *inf*) müssen (+ *inf*); (*il*) *reste que* ... immerhin ...
restituer [rɛstitɥe] (1n) zurückgeben, wiedererstatten; wiederherstellen.
restitution [rɛstitysjõ] *f* Rückgabe *f*; Wiederherstellung *f*.
restoroute [rɛstɔrut] *m* Raststätte *f* (*Autobahn*).
restreindre [rɛstrɛ̃drə] (4b) be-, einschränken.
restriction [rɛstriksjõ] *f* Be-, Einschränkung *f*; Vorbehalt *m*.
résult|at [rezylta] *m* Ergebnis *n*, Resultat *n*; **~er** (1a) sich ergeben, folgen (*de* aus).
résum|é [rezyme] *m* Zusammenfassung *f*, Überblick *m*; **~er** (1a) zusammenfassen, kurz wiedergeben.
résurrection [rezyrɛksjõ] *f rel* Auferstehung *f*; *fig* plötzliche Genesung *f*; Wiederaufleben *n*.
rétabl|ir [retablir] (2a) wiederherstellen; *se* ~ wieder gesund werden; **~issement** [-ismɑ̃] *m* Wiederherstellung *f*; Genesung *f*.
retaper [r(ə)tape] (1a) noch einmal abtippen; F *altes Haus*: herrichten.
retard [r(ə)tar] *m* Verspätung *f*; Rückstand *m*; Verzögerung *f*; *être en* ~ zu spät kommen, sich verspäten; Verspätung haben (*Zug*); nachgehen (*Uhr*); *fig* zurückgeblieben sein; *avec* ~ verspätet; *sans* ~ sofort.
retardataire [r(ə)tardatɛr] **1.** *adj* verspätet; rückständig; **2.** *m*, *f* Nachzügler(in) *m(f)*.
retard|é, ~ée [r(ə)tarde] verspätet; *Kind*: zurückgeblieben; **~er** (1a) aufhalten, verzögern; *Uhr*: zurückstellen; nachgehen (*de* um); *fig* ~ *sur son temps* hinter seiner Zeit zurücksein.
retenir [rətnir] (2h) zurück-, aufhalten; (im Gedächtnis) behalten; in Betracht ziehen, berücksichtigen; *Zimmer etc*: vorbestellen, reservieren; *se* ~ sich zurückhalten, sich beherrschen.
retent|ir [r(ə)tɑ̃tir] (2a) ertönen, widerhallen; ~ *sur* sich auswirken auf; **~issant, ~issante** [-isɑ̃, -isɑ̃t] geräuschvoll, dröhnend; *fig* aufsehenerregend; **~issement** [-ismɑ̃] *m* (Aus-, Nach-)Wirkung *f*.
retenu, ~e [rətny] vorbestellt; *Stimme*: verhalten.
retenue [rətny] *f* Abzug *m* (*vom Gehalt*); *Schule*: Arrest *m*; *fig* Mäßigung *f*.
réticence [retisɑ̃s] *f* Verschweigen *n*; Zögern *n*.
rét|if, ~ive [retif, -iv] störrisch.
rétine [retin] *f* Netzhaut *f*.
retirer [r(ə)tire] (1a) zurück-, herausziehen; wegnehmen; entziehen; *Geld*: abheben; *Kleider*: ausziehen; *Mütze*: abnehmen; *Vorteile*: herausholen; *se* ~ sich zurückziehen; sich zur Ruhe setzen; *Stoff*: einlaufen.
retombées [r(ə)tõbe] *f/pl fig* Auswirkungen *f/pl*; *phys* ~ *radioactives* radioaktiver Niederschlag *m*.
retomber [r(ə)tõbe] (1a) wieder (hinunter)fallen; *Haare*: herabhängen; *fig* ~ *sur qc* auf etw zurückkommen; ~ *sur qn Verantwortung*: auf j-n zurückfallen; ~ *dans qc* wieder in etw verfallen.
rétorquer [retɔrke] (1m) erwidern.
ret|ors, ~orse [rətɔr, -ɔrs] *fig* gerissen.
rétorsion [retɔrsjõ] *f pol* Vergeltung *f*.

R

retouch|e [r(ə)tuʃ] *f* Überarbeitung *f*; Retusche *f*; **~er** (1a) überarbeiten; retuschieren, nachbessern.
retour [r(ə)tur] *m* Rück-, Heimkehr *f*; Rückfahrt *f*, -reise *f*; Rücksendung *f*; Wiederkehr *f*; Wechsel *m*; Gegenleistung *f*; *Sport*: *match m ~* Rückspiel *n*; *bon ~!* gute Heimreise!; *être de ~* zurück(gekehrt) sein; *en ~* dafür; *par ~ du courrier* postwendend.
retourner [r(ə)turne] (1a) **1.** (*être*) zurückkehren, -gehen, -fahren; wieder fahren; **2.** (*avoir*) umdrehen, wenden; zurücksenden; *fig ~ qn* j-n aufwühlen; *fig tourner et ~ Idee*: hin und her überlegen; **3.** *se ~* sich umwenden; *auto* sich überschlagen; *se ~ contre qn* sich gegen j-n wenden.
retracer [r(ə)trase] (1k) nochmals zeichnen; *fig* vor Augen führen.
rétracter [retrakte] (1a) zurück-, einziehen; *fig* widerrufen.
retrait [r(ə)trɛ] *m* Entzug *m*; *Geld*: Abheben *n*; *Truppen*: Abzug *m*; *tech* Schwund *m*; *en ~* zurückgesetzt.
retraite [r(ə)trɛt] *f* Pensionierung *f*, Ruhestand *m*; Rente *f*; Zurückgezogenheit *f*; *mil* Rückzug *m*; *prendre sa ~* in den Ruhestand gehen.
retraité, ~e [r(ə)trɛte] *m*, *f* Rentner(in) *m(f)*.
retraitement [r(ə)trɛtmɑ̃] *m phys* Wiederaufbereitung *f*.
retrancher [r(ə)trɑ̃ʃe] (1a) wegstreichen; ausschließen; *se ~* sich verschanzen (*a fig*).
retransmission [r(ə)trɑ̃smisjõ] *f TV* Übertragung *f*.
rétrécir [retresir] (2a) enger machen; *fig* einengen; *Stoff*: einlaufen; *se ~* enger werden.
rétrib|uer [retribɥe] (1n) entlohnen, bezahlen; **~ution** [-ysjõ] *f* Entlohnung *f*, Bezahlung *f*.
rétro|actif, ~active [retrɔaktif, -aktiv] rückwirkend; **~grade** [-grad] rückständig; **~grader** [-grade] (1a) zurückweichen, -fallen; *auto* zurückschalten; **~spectif, ~spective** [-spɛktif, -spɛktiv] **1.** *adj* rückblickend; **2.** *f* Rückblick *m*, -schau *f*.
retrousser [r(ə)truse] (1a) aufkrempeln, hochstreifen.
retrouvailles [r(ə)truvaj] F *f/pl* Wiedersehen *n*.
retrouver [r(ə)truve] (1a) wiederfinden; wieder treffen; *se ~* sich wieder treffen; *Gelegenheit*: sich wieder ergeben; *s'y ~* sich zurechtfinden.
rétroviseur [retrɔvizœr] *m auto* Rückspiegel *m*.
réuni|fication [reynifikasjõ] *f* Wiedervereinigung *f*; **~fier** [-fje] (1a) wiedervereinigen.
réun|ion [reynjõ] *f* Zusammenkunft *f*, Versammlung *f*; Zusammenschluß *m*; Zusammenstellung *f*; *pol* Anschluß *m*; **~ir** (2a) vereinigen; verbinden; zusammenstellen; versammeln; *se ~* zusammenkommen, -treffen.
réuss|i, ~ie [reysi] gelungen.
réuss|ir [reysir] (2a) Erfolg haben; gelingen, glücken (*à qn* j-m); *je réussis à* (+ *inf*) es gelingt mir zu (+ *inf*); *~ qc* etw zustande bringen; **~ite** [-it] *f* Gelingen *n*, Erfolg *m*.
revaloriser [r(ə)valɔrize] (1a) aufwerten (*a fig*).
revanch|ard, ~arde [r(ə)vɑ̃ʃar, -ard] **1.** *adj* revanchistisch; **2.** *m* Revanchist *m*.
revanche [r(ə)vɑ̃ʃ] *f* Vergeltung *f*, Revanche *f*; *en ~* dafür, dagegen; *prendre sa ~* die Niederlage wettmachen.
rêvasser [rɛvase] (1a) (vor sich hin) dösen.
rêve [rɛv] *m* Traum *m*; ⚠ *le ~*.
revêche [rəvɛʃ] barsch, unwirsch.
réveil [revɛj] *m* Erwachen *n*; Wecker *m*.
réveiller [revɛje] (1b) (auf)wecken; *se ~* aufwachen.
réveill|on [revɛjõ] *m* Weihnachts-, Silvesterfestessen *n*; **~onner** [-ɔne] (1a) Heiligabend *od* Silvester feiern.
révél|ateur, ~atrice [revelatœr, -atris] aufschlußreich (*de* für); **~ation** *f* Enthüllung *f*, Aufdeckung *f*; *rel* Offenbarung *f*; **~er** (1f) enthüllen, aufdecken; *rel* offenbaren; *se ~* sich erweisen, sich herausstellen (*qc* als etw).
revenant [rəvnɑ̃] *m* Gespenst *n*.
revend|eur, ~euse [r(ə)vɑ̃dœr, -øz] *m*, *f* Wiederverkäufer(in) *m(f)*.
revendi|cation [r(ə)vɑ̃dikasjõ] *f* Forderung *f*; **~quer** [-ke] (1m) fordern, beanspruchen; *Verantwortung*: übernehmen; *Attentat*: sich bekennen zu.
revendre [r(ə)vɑ̃drə] (4a) weiterverkaufen; wieder verkaufen.

revenir [rəvnir] (2h) wiederkommen; zurückkehren; *Wort*: wieder einfallen; ~ *à od* ~ *sur* zurückkommen auf; ~ *sur qc* etw zurücknehmen, rückgängig machen; ~ *à qn* j-m zustehen; ~ *de qc* sich von etw erholen; sich von etw befreien; ~ *cher* teuer sein, teuer zu stehen kommen; *cela revient au même* das kommt auf das gleiche heraus; *cuis faire* ~ anbraten, in Fett dünsten.
revente [r(ə)vɑ̃t] *f* Wiederverkauf *m.*
revenu [rəvny] *m* Einkommen *n.*
rêver [rɛve] (1a) träumen (*de* von); ~ *à qc* über etw nachsinnen.
réverbère [revɛrbɛr] *m* Straßenlaterne *f.*
révér|ence [reverɑ̃s] *f* Ehrfurcht *f*; Knicks *m*, Verbeugung *f*; **~er** (1f) verehren.
rêverie [rɛvri] *f* Träumerei *f.*
revers [r(ə)vɛr] *m* Rückseite *f*; Auf-, Umschlag *m* (*an Kleidern*); *fig* Schicksalsschlag *m*; ~ *de la médaille* Kehrseite *f* der Medaille.
revêtement [r(ə)vɛtmɑ̃] *m tech* Verkleidung *f*, Überzug *m*; Straßendecke *f.*
revêtir [r(ə)vetir] (2g) *Kleider*: anziehen, anlegen; ~ *qn de qc* j-m etw verleihen; *tech* ~ *qc de qc* etw mit etw verkleiden, versehen; *fig* ~ *une importance particulière* e-e besondere Bedeutung haben.
rêv|eur, ~euse [rɛvœr, -øz] **1.** *adj* verträumt; nachdenklich; **2.** *m, f* Träumer(in) *m(f).*
revient [rəvjɛ̃] *m comm prix m de* ~ Selbstkostenpreis *m.*
revigorer [r(ə)vigɔre] (1a) wieder kräftigen; neu beleben.
revirement [r(ə)virmɑ̃] *m* ~ *d'opinion* Meinungsumschwung *m.*
révis|er [revize] (1a) überprüfen, revidieren; *Lehrstoff*: durchsehen, wiederholen; *tech* überholen; **~ion** *f* Überprüfung *f*, Revision *f*; *Lehrstoff*: Durchsicht *f*, Wiederholung *f*; *tech* Überholung *f*; *auto* Inspektion *f*; *jur* Wiederaufnahme *f*; *mil conseil m de* ~ Musterungsausschuß *m.*
revivre [r(ə)vivrə] (4e) wiederaufleben; weiterleben; wieder erleben.
révocation [revɔkasjõ] *f* Absetzung *f*; Aufhebung *f*, Widerrufung *f.*
revoir [r(ə)vwar] **1.** (3b) wiedersehen, noch einmal sehen; überprüfen; **2.** *m au* ~*!* auf Wiedersehen!

révolt|e [revɔlt] *f* Aufstand *m*, Empörung *f*; **~er** (1a) empören; *se* ~ sich empören (*contre* über); sich auflehnen (*contre* gegen).
révolu, ~e [revɔly] vergangen.
révoluti|on [revɔlysjõ] *f* Umsturz *m*, Revolution *f*; Umdrehung *f*; *astr* Umlauf *m*; **~onnaire** [-ɔnɛr] **1.** *adj* revolutionär; **2.** *m, f* Revolutionär(in) *m(f)*; ⚠ *Schreibung*; **~onner** [-ɔne] (1a) revolutionieren.
revolver [revɔlvɛr] *m* Revolver *m*; ⚠ *Schreibung.*
révoquer [revɔke] (1m) absetzen; widerrufen.
revue [r(ə)vy] *f* Revue *f*; Zeitschrift *f*; Übersicht *f*; *mil* Appell *m*; Parade *f*; *passer en* ~ die Parade abnehmen, die Front abschreiten; *fig* durchgehen.
rez-de-chaussée [redʃose] *m* (⚠ *pl unv*) Erdgeschoß *n.*
R.F. (*abr République française*) Französische Republik.
R.F.A. *f* (*abr République fédérale d'Allemagne*) Bundesrepublik *f* Deutschland.
rhabiller [rabije] (1a) (*se* ~ sich) wieder anziehen.
rhén|an, ~ane [renɑ̃, -an] rheinländisch.
rhétorique [retɔrik] **1.** *adj* rhetorisch; **2.** *f* Redekunst *f*, Rhetorik *f.*
Rhin [rɛ̃] *m* Rhein *m.*
Rhône [ron] *m* Rhone *f*; ⚠ *le* ~.
rhubarbe [rybarb] *f* Rhabarber *m*; ⚠ *la* ~.
rhum [rɔm] *m* Rum *m*; ⚠ *Schreibung.*
rhumat|isant, ~isante [rymatizɑ̃, -izɑ̃t] an Rheuma leidend; **~isme** *m* Rheumatismus *m.*
rhume [rym] *m* Schnupfen *m*; Erkältung *f*; ~ *des foins* Heuschnupfen *m.*
ri [ri] *p/p von rire.*
ri|ant, ~ante [rijɑ̃, -ɑ̃t] lachend; heiter, lieblich.
ricaner [rikane] (1a) (höhnisch) grinsen; kichern.
rich|ard, ~arde [riʃar, -ard] *m, f* F *péj* reicher Kerl *m*, reiche Frau *f.*
rich|e [riʃ] reich (*en* an); fruchtbar; kostbar; **~esse** [-ɛs] *f* Reichtum *m*; Fruchtbarkeit *f*; Kostbarkeit *f.*
ricin [risɛ̃] *m bot* Rizinus *m.*
ricocher [rikɔʃe] (1a) abprallen.
rictus [riktys] *m* verzerrter Mund *m*; Grinsen *n.*

R

rid|e [rid] *f* Falte *f*, Runzel *f*; **~é, ~ée** faltig, runzlig.
rideau [rido] *m* (⚠ *pl* ~*x*) Vorhang *m*, Gardine *f*; *pol* ~ *de fer* Eiserner Vorhang.
rider [ride] (1a) zerfurchen; kräuseln; *se* ~ faltig werden.
ridicul|e [ridikyl] **1.** *adj* lächerlich; *il est* ~ *de* (+ *inf*), *que* (+ *subj*) es ist lächerlich, zu (+ *inf*), daß ...; **2.** *m* Lächerlichkeit *f*; *tourner qc en* ~ etw ins Lächerliche ziehen; **~iser** (1a) lächerlich machen; blamieren.
rien[1] [rjɛ̃] *m* Kleinigkeit *f*, Lappalie *f*.
rien[2] [rjɛ̃] **1.** nichts (*mit ne vor e-m dazutretenden Verb*); ~ *de* ~ überhaupt nichts; *il ne sait* ~ er weiß nichts; *que sait-il? – rien* was weiß er? – nichts; ~ *du tout* gar nichts; *il n'en est* ~ dem ist nicht so; **2.** *nach negativen Ausdrücken*: (irgend) etwas; *sans* ~ *dire* ohne etwas zu sagen; **3.** *de* ~ unbedeutend; *als Antwort*: keine Ursache; *en* ~ in keiner Weise; *pour* ~ umsonst; ~ *que* ... nur ...
ri|eur, ~euse [rijœr, -øz] **1.** *adj* lustig; **2.** *m* Lacher *m*.
rigid|e [riʒid] starr (*a fig*), steif; streng; **~ité** *f* Starrheit *f*, Steifheit *f*; Strenge *f*.
rigolade [rigɔlad] F *f* Spaß *m*, Scherz *m*.
rigole [rigɔl] *f* Rinne *f*; Graben *m*.
rigoler [rigɔle] (1a) F Spaß machen; lachen.
rigol|o, ~ote [rigɔlo, -ɔt] F lustig, drollig; komisch.
rigorisme [rigɔrismə] *m* Unerbittlichkeit *f*, Strenge *f*.
rigour|eux, ~euse [rigurø, -øz] unerbittlich, streng; peinlich genau.
rigueur [rigœr] *f* Strenge *f*, Härte *f*; Genauigkeit *f*; *à la* ~ notfalls, zur Not; *de* ~ unerläßlich.
rim|e [rim] *f* Reim *m*; ~*s alternées* Kreuzreim *m*; ⚠ *la* ~; **~er** (1a) in Verse bringen; sich reimen; *fig ne* ~ *à rien* keinen Sinn haben.
rincer [rɛ̃se] (1k) (aus-, ab)spülen.
ripaille [ripaj] F *f* Schlemmerei *f*.
ripost|e [ripɔst] *f* schlagfertige Antwort *f*; *prompt à la* ~ schlagfertig; **~er** (1a) schnell, schlagfertig antworten; *mil u fig* e-n Gegenschlag führen.
rire [rir] **1.** (4r) lachen (*de* über); spaßen; ~ *aux éclats* schallend lachen; *pour* ~ zum Spaß; ~ *de qn* j-n auslachen, verspotten; *st/s se* ~ *de* spielend überwinden; **2.** *m* Lachen *n*, Gelächter *n*.
ris [ri] *m cuis* ~ *de veau* Kalbsbries *n*.
risée [rize] *f* Gespött *n*.
risible [riziblə] lächerlich.
risqu|e [risk] *m* Gefahr *f*, Risiko *n*; *à mes* (*tes, ses, etc*) ~*s et périls* auf eigene Gefahr; *au* ~ *de* (+ *inf*) auf die Gefahr hin zu (+ *inf*); *courir le* ~ *de* (+ *inf*) Gefahr laufen zu (+ *inf*); **~é, ~ée** gewagt, riskant; **~er** (1m) wagen, riskieren; ~ *que* (+ *subj*), *de* (+ *inf*) Gefahr laufen, daß ..., zu (+ *inf*); *se* ~ *dans* sich einlassen auf.
rissoler [risɔle] (1a) *cuis* goldbraun braten.
rit|e [rit] *m rel* Ritus *m*; *fig* Brauch *m*; **~uel, ~uelle** [-ɥɛl] **1.** *adj* rituell; **2.** *m* Ritual *n*.
rivage [rivaʒ] *m* Küstenstrich *m*, Ufer *n*.
rival, ~e [rival] (⚠ *m/pl -aux*) **1.** *adj* rivalisierend; **2.** *m, f* Nebenbuhler(in) *m(f)*; Rivale, -in *m, f*; **~iser** (1a) rivalisieren, wetteifern (*avec qn de qc* mit j-m in etw); **~ité** *f* Rivalität *f*.
rive [riv] *f* Ufer *n*.
river [rive] (1a) vernieten.
river|ain, ~aine [rivrɛ̃, -ɛn] *m, f* Anlieger(in) *m(f)*, Anwohner(in) *m(f)*.
rivet [rivɛ] *m tech* Niete *f*.
rivière [rivjɛr] *f* (*nicht in das Meer mündender*) Fluß *m*.
rixe [riks] *f* Schlägerei *f*.
riz [ri] *m* Reis *m*.
robe [rɔb] *f* (Damen-)Kleid *n*; Robe *f*; *Tier*: Fell *n*.
robinet [rɔbinɛ] *m tech* Hahn *m*.
robot [rɔbo] *m* Roboter *m*.
robuste [rɔbyst] kräftig, stämmig; robust, widerstandsfähig.
roc [rɔk] *m* Fels *m*.
rocaill|e [rɔkaj] *f* steiniger Boden *m*; Grotten-, Muschelwerk *n*; *style m* ~ Rokokostil *m*; **~eux, ~euse** [-ø, -øz] steinig; holprig.
roch|e [rɔʃ] *f* Felsen *m*; *géol* Gestein *n*; **~er** *m* Felsen *m*, Felsblock *m*; **~eux, ~euse** [-ø, -øz] felsig.
rococo [rɔkɔko] *m* Rokoko *n*.
rod|age [rɔdaʒ] *m auto* Einfahren *n*; *allg* Anlaufzeit *f*; **~er** (1a) *tech* einfahren; *fig se* ~ sich einarbeiten.
rôder [rode] (1a) umherstreifen.

R

rodomontade [rɔdɔmõtad] *f* Großsprecherei *f*, Prahlerei *f*.
rogne [rɔɲ] *f* F *être en* ~ gereizt sein.
rogner [rɔɲe] (1a) beschneiden, stutzen; ~ *sur qc* an etw sparen.
rognon [rɔɲõ] *m cuis* Niere *f*.
rogue [rɔg] hochmütig.
roi [rwa] *m* König *m*.
roitelet [rwatlɛ] *m zo* Zaunkönig *m*.
rôle [rol] *m* Rolle *f* (*Theater u fig*); Liste *f*, Register *n*; *à tour de* ~ der Reihe nach; ⚠ *le* ~.
rom|ain, ~aine [rɔmɛ̃, -ɛn] **1.** *adj* römisch; *rel* römisch-katholisch; **2.** ♀ *m, f* Römer(in) *m(f)*.
rom|an, ~ane [rɔmɑ̃, -an] **1.** *adj* romanisch; **2.** *m* Roman *m*; Romanik *f*; ~ *à clefs* Schlüsselroman *m*.
romanc|e [rɔmɑ̃s] *f* sentimentales Lied *n*; **~er** (1k) zu e-m Roman gestalten; **~ier, ~ière** [-je, -jɛr] *m, f* Romanschriftsteller(in) *m(f)*.
rom|and, ~ande [rɔmɑ̃, -ɑ̃d] *la Suisse romande* die französische Schweiz.
romanesque [rɔmanɛsk] romanhaft; romantisch.
roman-feuilleton [rɔmɑ̃fœjtõ] (⚠ *pl romans-feuilletons*) *m* Fortsetzungsroman *m*.
romanichel, ~le [rɔmaniʃɛl] *m, f* Zigeuner(in) *m(f)*.
romaniste [rɔmanist] *m* Romanist *m*.
romant|ique [rɔmɑ̃tik] **1.** *adj* romantisch; **2.** *m, f* Romantiker(in) *m(f)*; **~isme** *m* Romantik *f*.
romarin [rɔmarɛ̃] *m bot* Rosmarin *m*.
rompre [rõprə] (4a) (ab-, durch-) brechen (*a fig*); ~ *avec qn* mit j-m brechen, F mit j-m Schluß machen; *se* ~ brechen, reißen.
rompu, ~e [rõpy] völlig erschöpft; ~ *à* bewandert in.
ronce [rõs] *f bot* Brombeerstrauch *m*.
rond, ronde [rõ, rõd] **1.** *adj* rund; dick; F besoffen; **2.** *adv tourner rond Motor u fig* gut laufen; **3.** *m* Kreis *m*, Ring *m*; **4.** *f* Runde *f*, Rundgang *m*; Rundtanz *m*, Reigen *m*; *à la ronde* im Umkreis.
rondel|et, ~ette [rõdlɛ, -ɛt] rundlich.
rond|elle [rõdɛl] *f* Scheibe *f*; *tech* Unterlegscheibe *f*; ⚠ *nicht* Rondell; **~ement** [-mɑ̃] *adv* prompt; geradeheraus; **~eur** *f* Rundung *f*; *fig* Offenheit *f*; **~in** *m* Rundholz *n*; *cabane f en ~s* Blockhütte *f*.
rond-point [rõpwɛ̃] *m* (⚠ *pl ronds-points*) runder Platz *m* mit Kreisverkehr.
ronéo [rɔneo] *f* Vervielfältigungsapparat *m*; **~typer** [-tipe] (1a) vervielfältigen.
ronfler [rõfle] (1a) schnarchen; brummen.
rong|er [rõʒe] (1l) nagen; zerfressen; *fig* quälen; *se* ~ *les ongles* an den Nägeln kauen; **~eur** *m zo* Nagetier *n*.
ronronner [rõrɔne] (1a) *Katze, Motor*: schnurren.
roquet [rɔkɛ] *m* Kläffer *m*.
rosace [rozas] *f arch* Rosette *f*.
rosaire [rozɛr] *m rel* Rosenkranz *m*.
rosbif [rɔzbif] *m cuis* Roastbeef *n*.
rose [roz] **1.** *f* Rose *f*; **2.** *m* Rosa *n* (*Farbe*); **3.** *adj* rosa; *fig* rosig.
rosé, ~e [roze] zartrosa.
roseau [rozo] *m* (⚠ *pl* **~x**) *bot* Schilf (-rohr) *n*.
rosée [roze] *f* Tau *m* (*Nässe*).
roseraie [rozrɛ] *f* Rosengarten *m*.
rosette [rozɛt] *f* Rosette *f*; Ordensschleife *f*.
rosier [rozje] *m* Rosenstock *m*.
ross|e [rɔs] **1.** *f* Schindmähre *f*; F Leuteschinder *m*; **2.** *adj* gemein, hart; **~er** (1a) durchprügeln.
rossignol [rɔsiɲɔl] *m zo* Nachtigall *f*.
rot [ro] *m* F Rülpser *m*.
rotation [rɔtasjõ] *f* (Um-)Drehung *f*, Rotation *f*; *comm* Umschlag *m*.
roter [rɔte] (1a) F rülpsen.
rôti [rɔti, ro-] *m* Braten *m*.
rôtie [rɔti, ro-] *f* geröstete Brotschnitte *f*.
rotin [rɔtɛ̃] *m* Rattan *n*; *fauteuil m en* ~ Korbsessel *m*.
rôtir [rɔtir, ro-] (2a) braten.
rôtiss|erie [rɔtisri, ro-] *f* Grillrestaurant *n*; **~eur** *m* Grillkoch *m*; **~oire** [-war] *f* Grill *m*.
rotond|e [rɔtõd] *f arch* Rundbau *m*; **~ité** *f* Rundheit *f*.
rotule [rɔtyl] *f* Kniescheibe *f*.
rotur|ier, ~ière [rɔtyrje, -jɛr] *hist* nicht adelig; bürgerlich.
rouage [rwaʒ] *m* Rädchen *n*; **~s** *pl* Getriebe *n*, Räderwerk *n* (*a fig*).
roubl|ard, ~arde [rublar, -ard] gerissen, durchtrieben.
roucouler [rukule] (1a) *Tauben*: gurren; *fig* turteln.
roue [ru] *f* Rad *n*; ~ *libre* Freilauf *m*; *auto* ~ *de rechange* Reserve-, Ersatzrad *n*; *deux* **~s** *m* Zweirad *n*.
rou|é, ~ée [rwe] gerissen, durchtrie-

ben; **~er** (1a) ~ *qn de coups* F j-n windelweich schlagen; **~et** [-ɛ] *m* Spinnrad *n.*
rouge [ruʒ] **1.** *adj* rot (*a pol*); **2.** *adv fig voir* ~ rot sehen; **3.** *m* Rot *n*; Rotwein *m*; ~ *à lèvres* Lippenstift *m*; *mettre du* ~ Rouge auflegen.
rougeâtre [ruʒɑtrə] rötlich.
rouge-gorge [ruʒgɔrʒ] *m* (⚠ *pl rouges-gorges*) *zo* Rotkehlchen *n.*
rougeole [ruʒɔl] *f méd* Masern *pl.*
rouge-queue [ruʒkø] *m* (⚠ *pl rouges-queues*) *zo* Rotschwänzchen *n.*
rouget [ruʒɛ] *m zo* Seebarbe *f.*
roug|eur [ruʒœr] *f* Rötung *f*; *fig* Erröten *n*; **~ir** (2a) rot färben; rot werden; erröten (*de colère* vor Zorn).
rouill|e [ruj] *f* Rost *m*; **~é, ~ée** verrostet; *fig* eingerostet; **~er** (1a) rosten lassen; (*se*) ~ (ver)rosten; *fig se* ~ einrosten.
roul|ant, ~ante [rulɑ̃, -ɑ̃t] fahrbar; rollend, Roll...; *escalier m roulant* Rolltreppe *f*; *personnel m roulant* Fahrpersonal *n*; *tapis m roulant* Förderband *n.*
roul|eau [rulo] *m* (⚠ *pl* **~x**) Rolle *f*; *tech* Walze *f*; **~ement** [-mɑ̃] *m* Rollen *n*; *tech* Wälzlager *n*; ~ *à billes* Kugellager *n*; *comm fonds m/pl de* ~ Betriebskapital *n*; *par* ~ im Turnus.
rouler [rule] (1a) rollen, fahren; *Schiff*: schlingern; F ~ *qn* j-n reinlegen; P *ça roule* es klappt; ~ *sur qc Gespräch*: sich um etw drehen; *se* ~ sich wälzen; sich zusammenrollen.
roul|ette [rulɛt] *f* Rolle *f*; Rädchen *n*; Roulett *n*; *passer la* ~ *Zahnarzt*: bohren; **~is** [-i] *m mar* Schlingern *n*; **~otte** [-ɔt] *f* Wohnwagen *m.*
roum|ain, ~aine [rumɛ̃, -ɛn] **1.** *adj* rumänisch; **2.** ♀ *m, f* Rumäne *m*, Rumänin *f.*
Roumanie [rumani] *la* ~ Rumänien *n.*
roupiller [rupije] (1a) F pennen.
rouqu|in, ~ine [rukɛ̃, -in] F rothaarig.
rouspéter [ruspete] (1f) F schimpfen.
rousseur [rusœr] *f taches f/pl de* ~ Sommersprossen *f/pl.*
rouss|i [rusi] *m* Brandgeruch *m*; *sentir le* ~ angesengt riechen; *fig* brenzlig werden; **~ir** (2a) versengen; rot werden; *cuis faire* ~ bräunen.
route [rut] *f* (Land-)Straße *f*; Weg *m*; Strecke *f*; Fahrt *f*; Kurs *m*; *en* ~ unterwegs; *mettre en* ~ in Gang setzen (*a fig*); *se mettre en* ~ sich auf den Weg machen; *faire fausse* ~ vom Weg abkommen; *fig* sich irren; *faire* ~ *vers* auf dem Weg sein nach.
rout|ier, ~ière [rutje, -tjɛr] **1.** *adj* Straßen...; *réseau m routier* Straßennetz *n*; *carte f routière* Straßenkarte *f*; **2.** *m* Fernfahrer *m*; *fig vieux routier* alter Routinier.
routin|e [rutin] *f* Routine *f*, Gewohnheit *f*; *de* ~ üblich; **~ier, ~ière** [-je, -jɛr] gewohnheitsmäßig.
rouvrir [ruvrir] (2f) wieder (er)öffnen; wieder offen sein.
roux, rousse [ru, rus] **1.** *adj* rotgelb, fuchsrot; rothaarig; *Haare*: rot; **2.** *m cuis* Einbrenne *f.*
royal, ~e [rwajal] (⚠ *m/pl -aux*) königlich; *fig* fürstlich; F völlig; **~iste** **1.** *adj* königstreu; **2.** *m, f* Royalist(in) *m(f).*
royau|me [rwajom] *m* Königreich *n*; **~té** [-te] *f* Königtum *n.*
ruban [rybɑ̃] *m* Band *n*; Ordensband *n.*
rubéole [rybeɔl] *f méd* Röteln *pl.*
rubis [rybi] *m* Rubin *m.*
rubrique [rybrik] *f* Rubrik *f*, Spalte *f*, Teil *m* (*Zeitung*).
ruche [ryʃ] *f* Bienenkorb *m*, -stock *m.*
rude [ryd] rauh, roh, grob, derb, hart; F *un* ~ *gaillard* ein toller Bursche; **~ment** *adv* rücksichtslos; F mächtig.
rudesse [rydɛs] *f* Rauheit *f*, Roheit *f*, Derbheit *f.*
rudi|mentaire [rydimɑ̃tɛr] notdürftig; rudimentär; **~ments** *m/pl* Anfangsgründe *m/pl.*
rudoyer [rydwaje] (1h) ~ *qn* j-n grob anfahren.
rue [ry] *f* Straße *f*; *dans la* ~ auf der Straße; *en pleine* ~ auf offener Straße; ~ *à sens unique* Einbahnstraße *f*; ~ *piétonne* Fußgängerstraße *f.*
ruée [rɥe] *f* Ansturm *m*; ~ *vers l'or* Goldrausch *m.*
ruelle [rɥɛl] *f* Gäßchen *n*, (enge) Gasse *f.*
ruer [rɥe] (1n) *Pferd*: ausschlagen; *fig* ~ *dans les brancards* sich sträuben; *se* ~ *sur* herfallen über, sich stürzen auf.
rug|ir [ryʒir] (2a) brüllen; heulen (*Wind*); **~issement** [-ismɑ̃] *m* Gebrüll *n.*
rugu|eux, ~euse [rygø, -øz] uneben; rauh; runz(e)lig.

ruine [rɥin] *f* Zusammenbruch *m*, Verfall *m*, Untergang *m*, Ruin *m*; *fig Person*: Wrack *n*, Ruine *f*; **~s** *pl* Ruine(n) *f(pl)*, Trümmer *m/pl*.
ruin|er [rɥine] (1a) ruinieren, zugrunde richten, vernichten; **~eux, ~euse** [-ø, -øz] ruinös; kostspielig.
ruisseau [rɥiso] *m* (⚠ *pl* **~x**) Bach *m*; Gosse *f* (*a fig*); *fig* Strom *m* (*Blut*).
ruisseler [rɥisle] (1c) rinnen, rieseln; triefen (*de* von).
rumeur [rymœr] *f* **1.** allgemeine Unruhe *f*; (dumpfer) Lärm *m*; **2.** Gerücht *n*.
ruminer [rymine] (1a) wiederkäuen; *fig* nachgrübeln (*qc* über etw).
rupture [ryptyr] *f* Bruch *m* (*a fig*); Riß *m*; *fig* Abbruch *m*.
rural, ~e [ryral] (⚠ *m/pl -aux*) ländlich.
ruse [ryz] *f* List *f*; Schlauheit *f*, Schläue *f*.
rusé, ~e [ryze] listig, schlau.
russe [rys] **1.** *adj* russisch; **2.** **♀** *m, f* Russe *m*, Russin *f*.
Russie [rysi] *la* ~ Rußland *n*.
rust|aud, ~aude [rysto, -od] ungehobelt, bäuerisch.
rustique [rystik] Bauern..., rustikal; *litt* ländlich.
rustre [rystrə] **1.** *adj* grob, ungehobelt; **2.** *m péj* Bauernlümmel *m*, Flegel *m*.
rut [ryt] *m zo* Brunst *f*.
rutil|ant, ~ante [rytilɑ̃, -ɑ̃t] leuchtendrot; glänzend.
rythm|e [ritmə] *m* Rhythmus *m*; *allg* Tempo *n*; **~ique 1.** *adj* rhythmisch; **2.** *f* Rhythmik *f*; ⚠ *Schreibung*.

S

S. (*abr saint*) hl. (heiliger) *od* St. (Sankt).
sa [sa] *cf son*[1].
S.A. [ɛsɑ] *f* (*abr société anonyme*) AG *f* (Aktiengesellschaft).
sabir [sabir] *m* Kauderwelsch *n*.
sable [sablə] *m* Sand *m*.
sabl|é [sable] *m cuis* Sandplätzchen *n*; **~er** (1a) mit Sand bestreuen; ~ *le champagne* Champagner trinken.
sabl|ier [sablije] *m* Sanduhr *f*; **~ière** [-ijɛr] *f* Sandgrube *f*.
sablonn|eux, ~euse [sablɔnø, -øz] sandig.
sabot [sabo] *m* Holzschuh *m*; *zo* Huf *m*; *tech* Hemmschuh *m*.
sabot|age [sabɔtaʒ] *m* Sabotage *f*; ⚠ *le* ~; **~er** (1a) sabotieren; *fig* hinpfuschen.
sabr|e [sabrə] *m* Säbel *m*; **~er** (1a) niedersäbeln; F *Manuskript*: zusammenstreichen.
sac [sak] *m* **1.** Sack *m*; Tasche *f*, Handtasche *f*; Tüte *f*; ~ *à dos* Rucksack *m*; ~ *à main* Handtasche *f*; ~ *à provisions* Einkaufstasche *f*; ~ *de couchage* Schlafsack *m*; **2.** *mise f à* ~ Plünderung *f*.
saccad|e [sakad] *f* Ruck *m*, Stoß *m*; *par* **~s** ruck-, stoßweise; **~é, ~ée** ruckartig; abgehackt.
saccager [sakaʒe] (1l) plündern; verwüsten.
sacerdoce [sasɛrdɔs] *m* Priesteramt *n*, -tum *n*.
sache [saʃ] *subj von savoir*.
sachet [saʃɛ] *m* Beutel(chen) *m(n)*, Tütchen *n*; Säckchen *n*.
sacoche [sakɔʃ] *f* (Leder-)Tasche *f* (*mit Schulterriemen*); Packtasche *f*; Schulmappe *f*.
sacre [sakrə] *m Herrscher*: Salbung *f*, Krönung *f*.
sacré, ~e [sakre] heilig; (*vorangestellt*) F verdammt, verflucht.
sacrebleu! [sakrəblø] zum Teufel!
sacr|ement [sakrəmɑ̃] *m rel* Sakrament *n*; ⚠ *Schreibung*; **~er** (1a) salben, weihen.
sacri|fice [sakrifis] *m* Opfer *n* (*a fig*); Opferung *f*; **~fier** [-fje] (1a) opfern (*a fig*); *fig* ~ *à la mode* der Mode huldigen; *se* ~ sich (auf)opfern.
sacrilège [sakrilɛʒ] **1.** *adj* gottlos, frevelhaft; **2.** *m* Freveltat *f*, Frevel *m*, Sakrileg *n*.
sacrist|ain [sakristɛ̃] *m égl* Küster *m*; **~ie** [-i] *f* Sakristei *f*.

S

sacro-|saint, ~sainte [sakrɔsɛ̃, -sɛ̃t] *iron* hochheilig, sakrosankt.
sad|ique [sadik] **1.** *adj* sadistisch; **2.** *m, f* Sadist(in) *m(f)*; **~isme** *m* Sadismus *m.*
safran [safrɑ̃] *m bot* Krokus *m*; *cuis* Safran *m.*
sagac|e [sagas] scharfsinnig; **~ité** *f* Scharfsinn *m.*
sage [saʒ] **1.** *adj* weise, vernünftig; artig (*Kinder*); **2.** *m* Weise(r) *m*; **~-femme** [-fam] *f* (⚠ *pl sages-femmes*) Hebamme *f.*
sagesse [saʒɛs] *f* Weisheit *f*, Klugheit *f*; Artigkeit *f.*
Sagittaire [saʒitɛr] *m astr* Schütze *m.*
saign|ant, ~ante [sɛɲɑ̃, -ɑ̃t] blutend; *cuis* nicht durchgebraten, englisch.
saignée [sɛɲe] *f* Aderlaß *m.*
saigner [sɛɲe] (1b) bluten; *~ qn* j-n zur Ader lassen; *fig* j-n schröpfen.
saill|ant, ~ante [sajɑ̃, -ɑ̃t] vorspringend; *fig* hervorstechend.
saillie [saji] *f arch* Vorsprung *m*; *fig* Geistesblitz *m.*
saillir [sajir] **1.** (2a) *zo* bespringen, decken; **2.** (2c) *arch* hervorragen, vorspringen.
sain, saine [sɛ̃, sɛn] gesund (*a fig*); kräftig; *sain et sauf* unversehrt, wohlbehalten, heil.
saindoux [sɛ̃du] *m* Schweineschmalz *n.*
saint, sainte [sɛ̃, sɛ̃t] **1.** *adj* heilig; fromm; *vendredi m saint* Karfreitag *m*; **2.** *m, f* Heilige(r) *m, f.*
saint-bernard [sɛ̃bɛrnar] *m* (⚠ *pl unv*) *zo* Bernhardiner *m.*
sainteté [sɛ̃tte] *f* Heiligkeit *f.*
Saint-Sylvestre [sɛ̃silvɛstrə] *la ~* Silvester *m od n.*
sais [sɛ] *présent von savoir.*
saisie [sezi] *f jur* Beschlagnahme *f*; Pfändung *f*; *EDV* (Daten-)Erfassung *f.*
saisir [sezir] (2a) ergreifen (*a fig*), fassen, packen; befallen (*Krankheit*); *jur* pfänden; beschlagnahmen; *fig* begreifen, verstehen; *jur ~ un tribunal d'une affaire* ein Gericht mit e-r Sache befassen; *se ~ de qn, de qc* sich j-s, e-r Sache bemächtigen.
saisiss|ant, ~ante [sezisɑ̃, -ɑ̃t] ergreifend; durchdringend (*Kälte*).
saison [sɛzõ] *f* Jahreszeit *f*; Saison *f.*
saisonn|ier , ~ière [sɛzɔnje, -jɛr] **1.** *adj* jahreszeitlich; *comm* saisonbedingt; **2.** *m* Saisonarbeiter *m.*
salade [salad] *f* Salat *m*; ⚠ *la ~.*
saladier [saladje] *m* (Salat-)Schüssel *f.*
salaire [salɛr] *m* (Arbeits-)Lohn *m*, Gehalt *n.*
salaison [salɛzõ] *f* Pökelfleisch *n.*
salamandre [salamɑ̃drə] *f* Salamander *m*; ⚠ *la ~.*
salami [salami] *m* Salami *f*; ⚠ *le ~.*
salari|al, ~ale [salarjal] (⚠ *m/pl -aux*) Lohn..., gehaltlich; **~é, ~ée** *m, f* Arbeitnehmer *m*, Lohnempfänger *m.*
salaud [salo] *m* P Dreckskerl *m.*
sale [sal] **1.** (*nachgestellt*) schmutzig, dreckig, unsauber; unanständig; **2.** (*vorangestellt*) übel; gemein.
salé, ~e [sale] **1.** *adj* salzig; gesalzen (*a fig*); *fig* gewagt; **2.** *m* Pökelfleisch *n*; *petit salé* frisch eingesalzenes Schweinefleisch *n.*
saler [sale] (1a) (ein)salzen.
saleté [salte] *f* Schmutz *m*, Dreck *m*; Unsauberkeit *f*; *fig* Unanständigkeit *f*; Gemeinheit *f*; F Schund *m*, Plunder *m.*
salière [saljɛr] *f* Salzstreuer *m.*
saline [salin] *f* Saline *f.*
sal|ir [salir] (2a) beschmutzen (*a fig*), verschmutzen, schmutzig machen; **~issant, ~issante** [-isɑ̃, -isɑ̃t] schmutzig; leicht schmutzend.
salive [saliv] *f* Speichel *m.*
salle [sal] *f* Saal *m*, Zimmer *n*, Raum *m*; *~ d'attente* Wartezimmer *n*; *~ de classe* Klassenraum *m*; *~ de séjour* Wohnzimmer *n*; *~ d'eau* Waschraum *m*; ⚠ *la ~.*
salon [salõ] *m* Salon *m* (*a comm*); Empfangszimmer *n*; Ausstellung *f*, Messe *f*; *~ de thé* Café *n.*
salopard [salɔpar] P *m cf salaud.*
salop|e [salɔp] *f* P Miststück *n* (*Frau*); F Schlampe *f*; **~erie** P *f* Dreck *m*, Schund *m*, Gelump(e) *n* F; Schweinerei *f*, Sauerei *f* P; Gemeinheit *f*; **~ette** [-ɛt] *f* Latzhose *f.*
salpêtre [salpɛtrə] *m chim* Salpeter *m.*
salsifis [salsifi] *m cuis* Schwarzwurzel *f.*
saltimbanque [saltɛ̃bɑ̃k] *m, f* Gaukler(in) *m(f).*
salubr|e [salybrə] gesund, heilsam; **~ité** *f* heilsame Wirkung *f.*
saluer [salɥe] (1n) (be)grüßen.
salut [saly] *m* **1.** Gruß *m*, Begrüßung *f*; **2.** F grüß dich!, Servus!; tschüs!;

3. Wohl *n*, Wohlfahrt *f*; Heil *n*, Rettung *f*.
salut|aire [salytɛr] heilsam; **~ation** *f* Begrüßung *f*; *Briefschlußformel*: *recevez mes ~s distinguées* mit besten Grüßen.
samedi [samdi] *m* Sonnabend *m*, Samstag *m*.
sanctifier [sɑ̃ktifje] (1a) *rel* heiligen.
sanction [sɑ̃ksjõ] *f* Sanktion *f*; Billigung *f*; *jur* Bestrafung *f*.
sanctionner [sɑ̃ksjɔne] (1a) sanktionieren, billigen; bestrafen; *jur* Gesetzeskraft erteilen.
sanctuaire [sɑ̃ktɥɛr] *m* Heiligtum *n*.
sandale [sɑ̃dal] *f* Sandale *f*.
sandwich [sɑ̃dwitʃ] *m* (⚠ *pl* ~[e]s) belegtes Brot *n od* Brötchen *n*.
sang [sɑ̃] *m* Blut *n* (*a fig*); *bon ~!* F verflixt!; F *se faire du mauvais ~* sich Sorgen machen; **~-froid** [-frwa] *m* Kaltblütigkeit *f*; Gelassenheit *f*.
sangl|ant, ~ante [sɑ̃glɑ̃, -ɑ̃t] blutig; *fig* beleidigend.
sangle [sɑ̃glə] *f* Gurt *m*.
sanglier [sɑ̃glije] *m zo* Wildschwein *n*.
sangl|ot [sɑ̃glo] *m* Schluchzen *n*; **~oter** [-ɔte] (1a) schluchzen.
sangsue [sɑ̃sy] *f zo* Blutegel *m*.
sangu|in, ~ine [sɑ̃gɛ̃, -in] Blut...; sanguinisch; **~inaire** [-inɛr] blutdürstig, -rünstig.
sanguine [sɑ̃gin] *f* **1.** Rötel *m*; Rötelzeichnung *f*; **2.** Blutapfelsine *f*, -orange *f*.
sanitaire [sanitɛr] sanitär; Gesundheits...
sans [sɑ̃] ohne; ...los; *~ doute* wahrscheinlich; *~ aucun doute* zweifellos; *~ quoi* sonst; *~* (+ *inf*) ohne zu (+ *inf*); *~ que* (+ *subj*) ohne daß ...
sans-abri [sɑ̃zabri] *m*, *f* (⚠ *pl unv*) Obdachlose(r) *m*, *f*.
sans|-façon [sɑ̃fasõ] *m* Ungezwungenheit *f*; **~-gêne** [-ʒɛn] **1.** *m*, *f* (⚠ *pl unv*) freche Person *f*; **2.** *m* Unverfrorenheit *f*, Ungeniertheit *f*; **~-souci** [-susi] (⚠ *unv*) sorglos; **~-travail** [-travaj] *m*, *f* (⚠ *pl unv*) Arbeitslose(r) *m*, *f*.
santé [sɑ̃te] *f* Gesundheit *f*; *être en bonne ~* gesund sein; *à votre ~!* auf Ihr Wohl!
santon [sɑ̃tõ] *m* (*provenzalische*) Krippenfigur *f*.
saoul [su] *cf soûl*.
saper [sape] (1a) untergraben (*a fig*).
sapeur [sapœr] *m mil* Pionier *m*; **~-pompier** [-põpje] *m* (⚠ *pl sapeurs-pompiers*) Feuerwehrmann *m*.
sapin [sapɛ̃] *m bot* Tanne *f*.
sapinière [sapinjɛr] *f* Tannenwald *m*.
sapristi! [sapristi] hol's der Teufel!
sarcas|me [sarkasmə] *m* beißender Spott *m*, Sarkasmus *m*; **~tique** [-tik] sarkastisch, höhnisch.
sarcler [sarkle] (1a) (aus)jäten.
sarcophage [sarkɔfaʒ] *m* Sarkophag *m*.
Sardaigne [sardɛɲ] *la ~* Sardinien *n*.
sarde [sard] sardisch.
sardine [sardin] *f* Sardine *f*.
sardonique [sardɔnik] hämisch.
S.A.R.L. [ɛsaɛrɛl] *f* (*abr société à responsabilité limitée*) *comm* GmbH *f*.
sarment [sarmɑ̃] *m* (Wein-)Rebe *f*.
sarrasin [sarazɛ̃] *m* Buchweizen *m*.
Sarre [sar] *f* Saar *f*; Saarland *n*.
sarriette [sarjɛt] *f bot* Bohnen-, Pfefferkraut *n*.
sas [sɑs] *m tech* Schleuse *f*.
satanique [satanik] teuflisch.
satellite [satelit] *m* Satellit *m* (*a fig*); *ville f ~* Trabantenstadt *f*.
satiété [sasjete] *f* Übersättigung *f*; *à ~* bis zum Überdruß.
satin [satɛ̃] *m* Satin *m*, Atlas *m*.
satir|e [satir] *f* Satire *f*; **~ique** satirisch.
satis|faction [satisfaksjõ] *f* Befriedigung *f*, Zufriedenheit *f*, Genugtuung *f*; **~faire** [-fɛr] (4n) *~ à qc* e-r Sache genügen, gerecht werden, Genüge tun, etw erfüllen; *~ qn* j-n befriedigen, zufriedenstellen; **~faisant, ~faisante** [-fəzɑ̃, -fəzɑ̃t] befriedigend; **~fait, ~faite** [-fɛ, -fɛt] zufrieden (*de* mit).
satur|ation [satyrasjõ] *f* Sättigung *f*; **~er** (1a) (über)sättigen.
satyre [satir] *m* Satyr *m*; *fig* Lüstling *m*; Sittenstrolch *m*; ⚠ *nicht verwechseln mit satire*.
sauce [sos] *f* Soße *f*; *~ tomate* Tomatensoße *f*; *fig allonger la ~* e-e Erzählung in die Länge ziehen.
saucière [sosjɛr] *f* Soßenschüssel *f*.
saucisse [sosis] *f* Bratwurst *f*; Würstchen *n*.
saucisson [sosisõ] *m* Wurst *f*; *~ sec* Hartwurst *f*.
sauf[1] [sof] *prép* außer, abgesehen von, bis auf; *~ que* außer daß; *~ si*

außer wenn; ~ *avis contraire* bis auf Widerruf.
sauf², **sauve** [sof, sov] *adj* unversehrt; *cf a sain*.
sauf-conduit [sofkõdɥi] *m* (⚠ *pl sauf-conduits*) Passierschein *m*.
sauge [soʒ] *f bot* Salbei *f od m*.
saugrenu, ~e [sogrəny] ausgefallen, ungereimt, unsinnig.
saule [sol] *m bot* Weide *f*; ~ *pleureur* Trauerweide *f*.
saumon [somõ] *m zo* Lachs *m*, Salm *m*.
saumure [somyr] *f* (Salz-)Lake *f*.
sauna [sona] *m* Sauna *f*; ⚠ *le* ~.
saupoudrer [sopudre] (1a) bestreuen (*de* mit).
saur [sɔr] *hareng m* ~ Bückling *m*.
saurai [sɔre] *futur von savoir*.
saut [so] *m* Sprung *m*, Satz *m*; ~ *en hauteur, en longueur* Hoch-, Weitsprung *m*; ~ *à la perche* Stabhochspringen *n*; ~ *périlleux* Salto *m*; *fig faire un* ~ *chez qn* auf e-n Sprung bei j-m vorbeikommen; *au* ~ *du lit* beim Aufstehen.
saute [sot] *f* plötzlicher Wechsel *m*; ~ *de vent* Umschlagen *n* des Windes.
sauté, ~e [sote] *cuis* gebraten.
saute-mouton [sotmutõ] *m* Bockspringen *n*.
sauter [sote] (1a) **1.** springen, hüpfen; in die Luft fliegen, explodieren; *Sicherung*: durchbrennen; *Knopf*: abspringen; F *et que ça saute!* ein bißchen dalli!; ~ *sur* sich stürzen auf; *faire* ~ sprengen; *cuis* braten; ⚠ *il a sauté*; **2.** überspringen (*a fig*); auslassen; *zo* bespringen.
sauterelle [sotrɛl] *f zo* Heuschrecke *f*.
sautiller [sotije] (1a) hüpfen, tänzeln.
sautoir [sotwar] *m* (lange) Halskette *f*.
sauvag|e [sovaʒ] **1.** *adj* wild; *fig* scheu; ungesellig; **2.** *m, f* Einzelgänger *m*; Wilde(r) *m, f*; **~ement** [-mɑ̃] *adv* auf grausame Weise; **~erie** *f* Menschenscheu *f*; Grausamkeit *f*.
sauvegard|e [sovgard] *f* Schutz *m*; **~er** (1a) schützen.
sauve-qui-peut [sovkipø] *m* (⚠ *pl unv*) allgemeine Verwirrung *f*; wilde Flucht *f*.
sauver [sove] (1a) retten; (be)wahren; *rel* erlösen; *se* ~ sich retten; weglaufen; F sich davonmachen, sich verziehen.
sauve|tage [sovtaʒ] *m* Rettung *f*, Bergung *f*; **~teur** *m* Retter *m* (*z B von Ertrinkenden*).
sauveur [sovœr] *m* (Er-)Retter *m*; *rel le* ♀ der Erlöser *od* Heiland.
savamment [savamɑ̃] *adv* mit Sachkenntnis; geschickt.
sav|ant, ~ante [savɑ̃, -ɑ̃t] **1.** *adj* gelehrt, bewandert; wissenschaftlich; geschickt, kunstvoll; *Tier*: dressiert; **2.** *m* Gelehrte(r) *m*, Wissenschaftler *m*.
savate [savat] *f* abgetragener Schuh *m od* Pantoffel *m*; F Tolpatsch *m*.
saveur [savœr] *f* Geschmack *m*; *fig* Reiz *m*.
savoir [savwar] **1.** (3g) wissen; können; erfahren; ~ *nager* schwimmen können; *quand il a su que* ... als er erfuhr, daß ...; *je ne saurais vous le dire* ich kann es Ihnen leider nicht sagen; *il s'agit de* ~ *si* ... es handelt sich darum, ob ...; *reste à* ~ es ist noch die Frage (*si* ob); *à* ~ und zwar; *faire* ~ *qc à qn* j-m etw mitteilen; *à ce que je sais od* (*autant*) *que je sache* soviel ich weiß; **2.** *m* Wissen *n*, Gelehrsamkeit *f*.
savoir|-faire [savwarfɛr] *m* Können *n*, Know-how *n*; **~-vivre** [-vivrə] *m* Lebensart *f*.
savon [savõ] *m* Seife *f*; F *passer un* ~ *à qn* j-m e-n Rüffel verpassen.
savonn|er [savɔne] (1a) mit Seife waschen; einseifen; **~ette** [-ɛt] *f* Toilettenseife *f*; **~eux, ~euse** [-ø, -øz] seifig.
savour|er [savure] (1a) genießen, auskosten; **~eux, ~euse** [-ø, -øz] schmackhaft; köstlich.
sax|on, ~onne [saksõ, -ɔn] sächsisch.
saxophone [saksɔfɔn] *m* Saxophon *n*.
sbire [zbir] *m péj* Handlanger *m*, Scherge *m*.
scabr|eux, ~euse [skabrø, -øz] heikel; bedenklich; *Witz*: anstößig.
scalp [skalp] *m* Skalp *m*.
scandal|e [skɑ̃dal] *m* Skandal *m*, Ärgernis *n*; Entrüstung *f*; Krach *m*; **~eux, ~euse** [-ø, -øz] skandalös, schändlich; **~iser** (1a) ~ *qn* Anstoß erregen bei j-m; *se* ~ *de* sich entrüsten über.
scaphandr|e [skafɑ̃drə] *m* Taucher-, Raumanzug *m*; **~ier** [-ije] *m* Taucher *m*.
scarabée [skarabe] *m* Skarabäus *m*; *zo a* Pillendreher *m*.

S

scarlatine [skarlatin] *f méd* Scharlach *m.*
sceau [so] *m* (⚠ *pl* ~x) Siegel *n*; *fig* Zeichen *n.*
scélér|at, ~ate [selera, -at] *litt* **1.** *adj* ruchlos; **2.** *m* Schurke *m*, Bösewicht *m.*
scell|é [sele] *m* gerichtliches Siegel *n*; **~er** (1b) (ver)siegeln; *fig* besiegeln; *tech* einzementieren.
scénario [senarjo] *m* Drehbuch *n*; *allg* Handlungsablauf *m.*
scène [sɛn] *f* Szene *f*; Bühne *f* (*a fig*); Bühnenbild *n*; Schauplatz *m*; Auftritt *m*; *faire une ~ à qn* j-m e-e Szene machen; *mettre en ~* inszenieren, auf die Bühne bringen; *mise f en ~* Inszenierung *f.*
scénique [senik] Bühnen...
sceptique [sɛptik] **1.** *adj* skeptisch; **2.** *m* Skeptiker *m.*
sceptre [sɛptrə] *m* Zepter *n.*
schéma [ʃema] *m* Schema *n*, Plan *m*; **~tique** [-tik] schematisch.
schisme [ʃismə] *m rel* Schisma *n*; *fig* Spaltung *f.*
schiste [ʃist] *m* Schiefer *m.*
schizophrène [skizɔfrɛn] schizophren.
schnock [ʃnɔk] *m* F *vieux ~* alter Knacker *m.*
sciatique [sjatik] *f méd* Ischias *m od n.*
scie [si] *f* Säge *f*; *zo* Sägefisch *m*; F *fig* Nervensäge *f*; *fig* abgedroschener Schlager *m.*
sciemment [sjamɑ̃] *adv* wissentlich.
science [sjɑ̃s] *f* Wissenschaft *f*; Wissen *n*, Erkenntnis *f*; *les ~s pl* die Naturwissenschaften *f/pl*; **~-fiction** [-fiksjõ] *f* Science-fiction *f.*
scientifique [sjɑ̃tifik] **1.** *adj* wissenschaftlich; **2.** *m, f* Wissenschaftler(in) *m(f).*
scientisme [sjɑ̃tismə] *m* Wissenschaftsgläubigkeit *f.*
scier [sje] (1a) (ab-, zer)sägen; F *fig* (glatt) umhauen.
scierie [siri] *f* Sägewerk *n.*
scinder [sɛ̃de] (1a) *fig* aufspalten, zerlegen; *se ~* sich spalten.
scintiller [sɛ̃tije] (1a) funkeln, glitzern.
scission [sisjõ] *f* Spaltung *f.*
sciure [sjyr] *f* Sägemehl *n.*
sclérose [skleroz] *f méd* Sklerose *f*; *fig* Verknöcherung *f.*
scol|aire [skɔlɛr] Schul...; *année f ~* Schuljahr *n*; **~ariser** [-arize] (1a) ein-, beschulen; **~arité** [-arite] *f* Schulzeit *f*, -besuch *m.*
scooter [skutœr, -tɛr] *m* Motorroller *m.*
score [skɔr] *m Sport*: Spielstand *m*; Punktzahl *f.*
scorie [skɔri] *f tech u géol* Schlacke *f.*
scorpion [skɔrpjõ] *m* Skorpion *m.*
scout [skut] *m* Pfadfinder *m*; **~isme** *m* Pfadfinderbewegung *f.*
scribe [skrib] *m hist* Schreiber *m*; *péj* Schreiberling *m.*
script [skript] *m* Blockschrift *f*; Drehbuch *n.*
scrupul|e [skrypyl] *m* Skrupel *m*; *~s pl a* Bedenken *n/pl*; ⚠ *le ~*; **~eux, ~euse** [-ø, -øz] gewissenhaft; peinlich genau.
scruta|teur, ~trice [skrytatœr, -tris] forschend.
scruter [skryte] (1a) aus-, erforschen, (gründlich) untersuchen.
scrutin [skrytɛ̃] *m* Abstimmung *f*, Wahl *f*; *~ de ballottage* Stichwahl *f*; *~ majoritaire* Mehrheitswahl *f*; *~ proportionnel* Verhältniswahl *f.*
sculpt|er [skylte] (1a) in Stein hauen, meißeln; behauen; *~ sur bois* schnitzen; **~eur** *m* Bildhauer *m*; **~ure** [-yr] *f* Bildhauerei *f*; Skulptur *f*; Plastik *f*; *~ sur bois* Holzschnitzerei *f.*
se [s(ə)] sich; ⚠ *nicht verwechseln mit ce.*
séance [seɑ̃s] *f* Sitzung *f*; Vorstellung *f*, Darbietung *f*; *fig ~ tenante* sofort.
séant [seɑ̃] *m se mettre sur son ~* sich (*im Bett*) aufrecht setzen.
seau [so] *m* (⚠ *pl ~x*) Eimer *m.*
sec, sèche [sɛk, sɛʃ] **1.** *adj* trocken; dürr, hager; herb (*Wein*); schroff; kurz (und heftig) (*Geräusch*); F *fig être à sec* auf dem trocknen sitzen, blank sein; *au sec* im Trock(e)nen; **2.** *adv sec* heftig; *frapper sec* kräftig zuschlagen.
sécateur [sekatœr] *m* Gartenschere *f.*
sécession [sesesjõ] *f pol* Spaltung *f*, Abfall *m.*
sèche [sɛʃ] *f* F Glimmstengel *m.*
sèche-cheveux [sɛʃʃəvø] *m* (⚠ *pl unv*) Fön *m*, Haartrockner *m.*
sécher [seʃe] (1f) (aus)trocknen; verdorren; dörren; *Schülersprache*: die Antwort nicht wissen, nichts wissen; *~ un cours* e-e Stunde schwänzen.
sécheresse [seʃrɛs] *f* Trockenheit *f*, Dürre *f*; *fig* Schroffheit *f.*

S

séchoir [seʃwar] *m* Wäschetrockner *m*; Trockenraum *m*; Fön *m*.
sec|ond, ~onde [s(ə)gõ, -õd] **1.** *adj* zweite(r, -s); **2.** *m* zweiter Stock *m*; Stellvertreter *m*; **3.** *f* Sekunde *f*; *Schule*: zehnte Klasse *f*, Sekunda *f*; *Bahn*: zweite Klasse *f*.
secondaire [s(ə)gõdɛr] sekundär, nebensächlich; *enseignement m ~* höheres Schulwesen *n*.
seconder [s(ə)gõde] (1a) unterstützen, helfen (*qn* j-m).
secouer [s(ə)kwe] (1a) (ab)schütteln, rütteln.
secourir [s(ə)kurir] (2i) zu Hilfe kommen (*qn* j-m), unterstützen.
secour|isme [s(ə)kurismə] *m* Erste Hilfe *f*; **~iste** *m, f* Rotkreuzhelfer(in) *m(f)*.
secours [s(ə)kur] *m* Hilfe *f*, Beistand *m*, Unterstützung *f*; *au ~!* Hilfe!; *appeler au ~* um Hilfe rufen; *poste m de ~* Rettungsstelle *f*; *sortie f de ~* Notausgang *m*.
secousse [s(ə)kus] *f* Stoß *m*; *fig* Schlag *m*.
secr|et, ~ète [səkrɛ, -ɛt] **1.** *adj* geheim, verborgen; **2.** *m* Geheimnis *n*; *en secret* heimlich.
secrétaire [s(ə)kretɛr] **1.** *m, f* Sekretär(in) *m(f)*; **2.** *m* Schreibschrank *m*.
secrétariat [s(ə)kretarja] *m* Sekretariat *n*, Geschäftsstelle *f*; Beruf *m* e-r Sekretärin.
sécré|ter [sekrete] (1f) *méd* absondern; **~tion** *f méd* Sekretion *f*, Absonderung *f*; Sekret *n*.
sectaire [sɛktɛr] **1.** *m* Sektierer *m*, engstirniger Fanatiker *m*; **2.** *adj* sektiererisch, fanatisch.
secte [sɛkt] *f rel* Sekte *f*.
secteur [sɛktœr] *m* Sektor *m*; Bezirk *m*; *fig* Bereich *m*; *mil* Abschnitt *m*; *tech* (Strom-)Netz *n*; *écon ~ tertiaire* Dienstleistungssektor *m*.
section [sɛksjõ] *f* Schnitt *m*; Abschnitt *m*; Teilstrecke *f*; Abteilung *f*, Sektion *f*; *Schule*: Zug *m*.
sectionner [sɛksjɔne] (1a) durchtrennen; *fig* unterteilen.
séculaire [sekylɛr] hundertjährig; jahrhundertealt.
séculariser [sekylarize] (1a) säkularisieren.
sécul|ier, ~ière [sekylje, -jɛr] *rel* weltlich.
sécurité [sekyrite] *f* Sicherheit *f*; Sicherung *f*; *~ routière* Verkehrssicherheit *f*; *℮ sociale* Sozialversicherung *f*; Krankenkasse *f*.
sédatif [sedatif] *m phm* Beruhigungsmittel *n*, schmerzstillendes Mittel *n*.
sédentaire [sedɑ̃tɛr] viel sitzend; häuslich; seßhaft.
sédiment [sedimɑ̃] *m* Bodensatz *m*, Niederschlag *m*; *géol* Sediment *n*.
sédit|ieux, ~ieuse [sedisjø, -jøz] aufrührerisch; **~ion** *f* Aufruhr *m*, Aufstand *m*.
séduc|teur, ~trice [sedyktœr, -tris] **1.** *adj* verführerisch; **2.** *m, f* Verführer(in) *m(f)*; **~tion** *f* Verführung; *fig* Verlockung *f*, Reiz *m*.
séduire [sedɥir] (4c) verführen, verlocken, verleiten; bezaubern.
séduis|ant, ~ante [sedɥizɑ̃, -ɑ̃t] verführerisch; verlockend.
segment [sɛgmɑ̃] *m* Abschnitt *m*, Segment *n*; *auto ~ de piston* Kolbenring *m*.
ségrégation [segregasjõ] *f ~ raciale* Rassentrennung *f*.
seiche [sɛʃ] *f zo* Tintenfisch *m*.
seigle [sɛglə] *m agr* Roggen *m*.
seigneur [sɛɲœr] *m* Herr *m*; *hist* (Lehns-, Grund-)Herr *m*; *rel le ℮* der Herr; **~ial, ~iale** [-jal] (⚠ *m/pl -aux*) herrschaftlich.
sein [sɛ̃] *m* Busen *m*, Brust *f*; *fig* Schoß *m*; *st/s au ~ de* innerhalb, mitten in.
séisme [seismə] *m* Erdbeben *n*.
seize [sɛz] sechzehn.
séjour [seʒur] *m* Aufenthalt *m*; (*salle f de*) *~* Wohnzimmer *n*; **~ner** [-ne] (1a) sich aufhalten, verweilen.
sel [sɛl] *m* Salz *n*; *fig* Witz *m*.
sélect, ~e [selɛkt] auserlesen, vornehm.
sélect|ion [selɛksjõ] *f* Auswahl *f*; *biol* Auslese *f*, Zuchtwahl *f*; **~ionner** [-jɔne] (1a) auswählen.
self-service [sɛlfsɛrvis] *m* (⚠ *pl self-services*) Selbstbedienungsladen *m*, -restaurant *n*.
selle [sɛl] *f* Sattel *m*; *cuis* Rücken *m*; *méd ~s pl* Stuhlgang *m*; *aller à la ~* Stuhlgang haben; *fig être bien en ~* fest im Sattel sitzen.
seller [sɛle] (1b) satteln.
sellerie [sɛlri] *f* Sattlerei *f*; ⚠ *nicht* Sellerie.
sellette [sɛlɛt] *f être sur la ~* im Blickpunkt stehen.
sellier [sɛlje] *m* Sattler *m*.
selon [s(ə)lõ] *prép* gemäß, nach; *conj ~*

que ... je nachdem ...; ~ *moi* meiner Meinung nach; *c'est* ~ das kommt darauf an.

semailles [s(ə)mɑj] *f/pl agr* Saat *f.*

semaine [s(ə)mɛn] *f* Woche *f*; *à la* ~ wöchentlich; *en* ~ unter der Woche; ~ *sainte* Karwoche *f*; *être de* ~ Dienst haben.

sémantique [semɑ̃tik] *ling* **1.** *adj* semantisch; **2.** *f* Semantik *f*, Bedeutungslehre *f.*

sémaphore [semafɔr] *m* Signalmast *m.*

semblable [sɑ̃blablə] **1.** *adj* ähnlich (*à*); derartig, solch; **2.** *m mon* ~ meinesgleichen; *nos* ~*s* unsere Mitmenschen *m/pl.*

semblant [sɑ̃blɑ̃] *m* (An-)Schein *m*; *faire* ~ *de* (+ *inf*) so tun, als ob ...; *il fait* ~ er tut nur so; F *ne faire* ~ *de rien* sich nichts anmerken lassen.

sembler [sɑ̃ble] (1a) scheinen; ~ (+ *inf*) scheinen zu (+ *inf*); *il* (*me*) *semble que* (+ *ind od subj*) mirscheint, (daß) ...; *il me semble inutile de* (+ *inf*) es scheint mir unnötig zu (+ *inf*).

semelle [s(ə)mɛl] *f* (Schuh-)Sohle *f.*

semence [s(ə)mɑ̃s] *f* Samen *m.*

semer [s(ə)me] (1d) (aus-, an)säen; *fig* ausstreuen; *Schrecken*: verbreiten; F ~ *qn* j-n abhängen.

semestr|e [s(ə)mɛstrə] *m* Semester *n*, Halbjahr *n*; **~iel, ~ielle** [-ijɛl] halbjährlich.

semi-... [səmi...] halb...

semi|-circulaire [səmisirkylɛr] halbkreisförmig, halbrund; **~-conducteur** [-kõdyktœr] *m* (⚠ *pl semi-conducteurs*) *tech* Halbleiter *m.*

séminaire [seminɛr] *m* Seminar *n.*

semi-remorque [səmirmɔrk] *m* (⚠ *pl semi-remorques*) Sattelschlepper *m.*

semis [s(ə)mi] *m agr* Säen *n*, Aussaat *f.*

semi-voyelle [səmivwajɛl] *f* (⚠ *pl semi-voyelles*) *ling* Halbvokal *m.*

semonce [səmõs] *f* Verweis *m*, Tadel *m.*

S

semoule [s(ə)mul] *f* Grieß *m.*

sempiternel, ~le [sɑ̃pitɛrnɛl] fortwährend, dauernd.

Sénat [sena] *m pol* Senat *m.*

sénat|eur [senatœr] *m* Senator *m*; **~orial, ~oriale** [-ɔrjal] (⚠ *m/pl -aux*) Senats...

sénil|e [senil] greisenhaft, altersschwach, senil; **~ité** *f* Senilität *f*; Altersschwäche *f.*

sens [sɑ̃s] *m* Sinn *m*; Richtung *f*; ~ *artistique* Kunstsinn *m*; *le bon* ~ *od le* ~ *commun* der gesunde Menschenverstand; ~ *giratoire* Kreisverkehr *m*; (*rue f à*) ~ *unique* Einbahnstraße *f*; ~ *interdit* Einfahrt verboten!; ~ *dessus dessous* [sɑ̃dsydsu] durcheinander; *dans tous les* ~ kreuz und quer; *en un* ~ in gewissem Sinn; *à mon* ~ meines Erachtens.

sensation [sɑ̃sasjõ] *f* **1.** Empfindung *f*, Gefühl *n*; **2.** Sensation *f*; *faire* ~ Aufsehen erregen; ... *à* ~ Sensations...

sensationnel, ~le [sɑ̃sasjɔnɛl] sensationell, aufsehenerregend; F toll.

sensé, ~e [sɑ̃se] vernünftig.

sensibil|iser [sɑ̃sibilize] (1a) sensibilisieren, empfänglich machen (*à qc* für etw); **~ité** *f* Empfindungsvermögen *n*; Empfindlichkeit *f*; Empfindsamkeit *f.*

sensible [sɑ̃siblə] wahrnehmbar; empfindlich; empfindsam; empfänglich (*à qc* für etw).

sensibl|ement [sɑ̃sibləmɑ̃] *adv* spürbar, deutlich; ungefähr; **~erie** [-əri] *f* Rührseligkeit *f*, Gefühlsduselei *f.*

sensit|if, ~ive [sɑ̃sitif, -iv] **1.** *adj* Empfindungs...; **2.** *f bot* Mimose *f* (*a fig*).

sensualité [sɑ̃sɥalite] *f* Sinnlichkeit *f.*

sensuel, ~le [sɑ̃sɥɛl] sinnlich.

sentenc|e [sɑ̃tɑ̃s] *f* Sentenz *f*, Sinnspruch *m*; *jur* Urteil *n*; **~ieux, ~ieuse** [-jø, -jøz] belehrend.

senteur [sɑ̃tœr] *litt f* Duft *m.*

sentier [sɑ̃tje] *m* Pfad *m*, Fußweg *m.*

sentiment [sɑ̃timɑ̃] *m* Gefühl *n*, Empfindung *f*; *st/s* Meinung *f.*

sentimental, ~e [sɑ̃timɑ̃tal] (⚠ *m/pl -aux*) Gefühls...; Liebes...; *péj* sentimental; **~ité** *f* Sentimentalität *f*, Gefühlsbetontheit *f.*

sentinelle [sɑ̃tinɛl] *f mil* Posten *m*, Schildwache *f.*

sentir [sɑ̃tir] (2b) **1.** fühlen; empfinden; wahrnehmen, merken; *se* ~ *bien* sich wohl fühlen; **2.** riechen; ~ *qc* nach etw riechen, schmecken; *fig* auf etw schließen lassen; ~ *bon* (*mauvais*, *fort*) gut (schlecht, stark) riechen.

seoir [swar] (3k) *litt* kleiden (*à qn* j-n); sich ziemen (*à qn* für j-n).

sépara|ble [separablə] trennbar; **~teur, ~trice** trennend; **~tion** *f*

Trennung *f*, Teilung *f*; Trennwand *f*; **~tiste** [-tist] *m, f pol* Separatist(in) *m(f)*.

séparé, ~e [separe] getrennt; **~ment** *adv* getrennt, einzeln.

séparer [separe] (1a) (ab)trennen, (unter)scheiden; *se ~* sich trennen, auseinandergehen.

sept [sɛt] sieben.

septante [sɛptɑ̃t] *Belgien, frz Schweiz*: siebzig.

septembre [sɛptɑ̃brə] *m* September *m*.

septennal, ~e [sɛptɛnal] (⚠ *m/pl -aux*) siebenjährig.

septennat [sɛptɛna] *m* siebenjährige Amtszeit *f (des frz Präsidenten)*.

septentrional, ~e [sɛptɑ̃trijɔnal] (⚠ *m/pl -aux*) nördlich, Nord...

septicémie [sɛptisemi] *f méd* Blutvergiftung *f*.

septième [sɛtjɛm] **1.** sieb(en)te(r, -s); **2.** *m* Sieb(en)tel *n*.

septuagénaire [sɛptɥaʒenɛr] **1.** *adj* siebzigjährig; **2.** *m, f* Siebzigjährige(r) *m, f*.

septuple [sɛptyplə] siebenfach.

sépul|cral, ~crale [sepylkral] (⚠ *m/pl -aux*) *voix f sépulcrale* Grabesstimme *f*; **~ture** [-tyr] *litt f* Bestattung *f*; Grabstätte *f*.

séquelle [sekɛl] *f meist pl ~s* Folgen *f/pl*.

séquence [sekɑ̃s] *f* Sequenz *f*, (Bild-)Folge *f*.

séquestr|e [sekɛstrə] *m jur* Beschlagnahme *f*; Zwangsverwaltung *f*; **~er** (1a) einsperren, der Freiheit berauben; *jur* unter Zwangsverwaltung stellen.

serai [s(ə)re] *futur von être*.

ser|ein, ~eine [sərɛ̃, -ɛn] ruhig, gelassen; heiter.

sérénade [serenad] *f* Serenade *f*.

sérénité [serenite] *f* Ruhe *f*, Ausgeglichenheit *f*.

serf, serve [sɛrf, sɛrv] *m, f hist* Leibeigene(r) *m, f*.

sergent [sɛrʒɑ̃] *m mil* Unteroffizier *m*; **~-major** [-maʒɔr] *m* (⚠ *pl sergents-majors*) *mil* Ober- *od* Hauptfeldwebel *m*.

série [seri] *f* Serie *f*, Reihe *f*; *hors ~* außergewöhnlich; *en ~* serienmäßig.

sérieusement [serjøzmɑ̃] *adv* ernstlich; im Ernst.

séri|eux, ~euse [serjø, -øz] **1.** *adj* ernst(haft); *Person*: zuverlässig, besonnen, solid(e); *(vorangestellt)* bedeutend; **2.** *m* Ernst *m*; *prendre au sérieux* ernst nehmen.

serin [s(ə)rɛ̃] *m zo* Girlitz *m*; *bes* Kanarienvogel *m*.

seriner [s(ə)rine] (1a) F eintrichtern.

seringue [s(ə)rɛ̃g] *f méd* Spritze *f*.

serment [sɛrmɑ̃] *m* Schwur *m*, Eid *m*; *prêter ~* e-n Eid leisten.

sermon [sɛrmõ] *m* Predigt *f (a fig)*.

serpe [sɛrp] *f* Gartenmesser *n*.

serpent [sɛrpɑ̃] *m* Schlange *f*.

serpent|er [sɛrpɑ̃te] (1a) sich schlängeln, sich winden; **~in** *m* Papierschlange *f*.

serpillière [sɛrpijɛr] *f* Scheuerlappen *m*.

serre [sɛr] *f* Gewächs-, Treibhaus *n*; *~s pl* Klauen *f/pl*.

serré, ~e [sɛre] eng, dicht; gedrängt, straff; *avoir le cœur serré* bedrückt sein.

serre-livres [sɛrlivrə] *m* (⚠ *pl unv*) Bücherstütze *f*.

serrer [sɛre] (1b) (zusammen)drükken, (-)pressen; straff(er) anziehen, spannen; bedrängen; *~ un problème* ein Problem genau erfassen; *~ les dents* die Zähne zusammenbeißen; *~ la main à qn* j-m die Hand schütteln; *~ les rangs fig* zusammenhalten; *~ à droite* sich rechts halten; *se ~ contre qn* sich an j-n anschmiegen; *~ la terre mar* dicht am Land fahren.

serrur|e [seryr] *f (Tür- etc)* Schloß *n*; **~erie** *f* Schlosserei *f*; **~ier** [-je] *m* Schlosser *m*.

servage [sɛrvaʒ] *m hist* Leibeigenschaft *f*.

servante [sɛrvɑ̃t] *f* Dienstmädchen *n*.

serv|eur, ~euse [sɛrvœr, -øz] *m, f* Kellner(in) *m(f)*.

servi|abilité [sɛrvjabilite] *f* Hilfsbereitschaft *f*, Gefälligkeit *f*; **~able** hilfsbereit, gefällig.

service [sɛrvis] *m* Dienst(leistung *f*, -stelle *f*) *m*; Gefälligkeit *f*; Wehrdienst *m*; Gottesdienst *m*; Verkehrsverbindung *f*; Bedienung(sgeld) *f(n)*; Abteilung *f*; *Krankenhaus*: Station *f*; *Tennis*: Aufschlag *m*; *Tischgeschirr*: Service *n*; *être de ~* Dienst haben; *~ compris* einschließlich Bedienung; *mettre en ~* in Betrieb nehmen; *à votre ~!* bitte sehr!; *hors ~* außer Betrieb; *rendre ~ à qn* j-m e-n Gefallen tun.

serviette [sɛrvjɛt] *f* Serviette *f*;

S

Handtuch *n*; Aktentasche *f*, Mappe *f*.
servil|e [sɛrvil] sklavisch, unterwürfig, servil; **~ité** *f* Unterwürfigkeit *f*.
servir [sɛrvir] (2b) **1.** ~ *qc*, *qn* e-r Sache, j-m dienen, j-n bedienen; **2.** servieren, auftragen (*qc à qn* j-m etw); **3.** ~ *à qn* j-m nützen; ~ *à qc* zu etw dienen; ~ *de qc* als etw dienen; ~ *d'interprète* dolmetschen; *se* ~ sich bedienen; *se* ~ *de qc* etw benutzen.
servi|teur [sɛrvitœr] *m litt u fig* Diener *m*; **~tude** [-tyd] *f* Knechtschaft *f*; Zwang *m*.
servo|direction [sɛrvɔdirɛksjõ] *f* Servolenkung *f*, Lenkhilfe *f*; **~frein** [-frɛ̃] *m* Servobremse *f*, Bremskraftverstärker *m*.
ses [se] *cf son*[1].
session [sɛsjõ] *f* Sitzungsperiode *f*; Tagung *f*.
set [sɛt] *m Tennis*: Satz *m*.
seuil [sœj] *m* (Tür-)Schwelle *f*.
seul, ~e [sœl] allein(stehend), einsam; einzig, bloß; nur; *un seul*, *une seule* ein einziger, e-e einzige, ein einziges; *parler tout seul* Selbstgespräche führen; *d'un seul coup* mit einem Schlag; **~ement** [-mɑ̃] *adv* nur, bloß; erst; *am Satzanfang*: aber; *ne ... pas* ~ nicht einmal; *non* ~ *... mais encore* (*od mais aussi*) nicht nur ... sondern auch; ~ *hier* erst gestern.
sève [sɛv] *f bot* Saft *m*.
sévère [sevɛr] streng, hart; *Verluste*: schwer; **~ment** *adv* streng; schwer.
sévérité [severite] *f* Strenge *f*.
sévices [sevis] *m/pl* Mißhandlungen *f/pl*.
sévir [sevir] (2a) *Epidemie etc*: wüten; ~ *contre qn* streng gegen j-n vorgehen.
sevrer [səvre] (1d) *Kind*: entwöhnen.
sexagénaire [sɛksaʒenɛr] **1.** *adj* sechzigjährig; **2.** *m*, *f* Sechzigjährige(r) *m*, *f*.
sexe [sɛks] *m* Geschlecht *n*; Geschlechtsteile *n/pl*; Sex *m*.
sextuple [sɛkstyplə] sechsfach.
sexu|alité [sɛksɥalite] *f* Sexualität *f*; **~el, ~elle** sexuell, geschlechtlich, Geschlechts...
sey|ant, ~ante [sɛjɑ̃, -ɑ̃t] passend, gutsitzend.
shampooing [ʃɑ̃pwɛ̃] *m* Haarwäsche *f*; Shampoo *n*.
short [ʃɔrt] *m* Shorts *pl*.
si[1] [si] **1.** *conj* (⚠ *s'il u s'ils*) wenn, falls; ob; ~ *...!* (+ *imparfait*) wenn doch!; ~ *ce n'est que* außer daß; *comme* ~ als ob; *même* ~ selbst wenn; **2.** *adv* so; doch (*nach Negation*); *st/s* ~ *riche qu'il soit* so reich er auch sein mag; *conj* ~ *bien que* (+ *ind*) so daß ...
si[2] [si] *m mus* h *od* H *n*.
Sicile [sisil] *la* ~ Sizilien *n*.
sida [sida] *m méd* Aids *n*.
side-car [sid-, sajdkar] *m* (⚠ *pl side-cars*) Seiten-, Beiwagen *m*; Motorrad *n* mit Seitenwagen.
sidér|al, ~ale [sideral] (⚠ *m/pl -aux*) Stern...; **~é, ~ée** F sprachlos, verblüfft.
sidérurgie [sideryrʒi] *f* Eisen- und Stahlindustrie *f*.
siècle [sjɛklə] *m* Jahrhundert *n*; *fig* Zeitalter *n*; *rel* Welt *f*.
sied [sje] *cf seoir*.
siège [sjɛʒ] *m* Sitz *m* (*a fig*); Sitzgelegenheit *f*; *mil* Belagerung *f*; *égl* ~ *apostolique* Apostolischer Stuhl *m*; *état m de* ~ Belagerungszustand *m*.
siéger [sjeʒe] (1g) seinen (ihren) Sitz haben; tagen.
sien, sienne [sjɛ̃, sjɛn] *le sien*, *la sienne* der, die, das sein(ig)e, ihr(ig)e; seine(r, -s); ihre(r, -s); *y mettre du sien* seinen Teil dazu beitragen.
sieste [sjɛst] *f* Mittagsschlaf *m*, -schläfchen *n*.
siffl|ement [sifləmɑ̃] *m* Pfeifen *n*; Zischen *n*; **~er** (1a) pfeifen; zischen; auspfeifen; **~et** [-ɛ] *m* Pfeife *f*; **~s** *pl* Pfiffe *m/pl*, Pfeifkonzert *n*; *coup m de* ~ Pfiff *m*.
siffloter [siflɔte] (1a) vor sich hin pfeifen.
sigle [siglə] *m* Abkürzung *f*.
signal [siɲal] *m* (⚠ *pl -aux*) Signal *n*, Zeichen *n*; ~ *d'alarme* Alarmsignal *n*; Notbremse *f*; **~ement** [-mɑ̃] *m* Personenbeschreibung *f*; **~er** (1a) signalisieren, kennzeichnen; melden, anzeigen; ~ *qc à qn* j-n auf etw hinweisen; *se* ~ sich auszeichnen.
signalis|ation [siɲalizasjõ] *f* Signalisierung *f*; Signalsystem *n*; Beschilderung *f*; *feux m/pl de* ~ Verkehrsampel *f*; **~er** (1a) beschildern.
signat|aire [siɲatɛr] *m* Unterzeichner *m*; **~ure** [-yr] *f* Unterschrift *f*.
sign|e [siɲ] *m* Zeichen *n*; *fig* Merkmal *n*; Wink *m*; *en* ~ *de reconnaissance*

als Zeichen der Dankbarkeit; *faire ~ à qn* j-m winken; *sous le ~ de* im Zeichen (+ *gén*); *c'est ~ que* ... das ist ein Zeichen dafür, daß ...; **~er** (1a) unterschreiben, -zeichnen; signieren; *rel se ~* sich bekreuzigen; **~et** [-ɛ] *m* Lese-, Buchzeichen *n*.

significa|tif, ~tive [siɲifikatif, -tiv] bedeutsam; bezeichnend (*de qc* für etw); **~tion** *f* Bedeutung *f*, Sinn *m*.

signifier [siɲifje] (1a) bedeuten; ausdrücklich zu verstehen geben.

silenc|e [silɑ̃s] *m* Schweigen *n*; Stille *f*, Ruhe *f*; *en ~* schweigend; **~ieux, ~ieuse** [-jø, -jøz] **1.** *adj* schweigsam; still; **2.** *m* Schalldämpfer *m*.

Silésie [silezi] *la ~* Schlesien *n*.

silex [silɛks] *m géol* Feuerstein *m*.

silhouette [silwɛt] *f* Silhouette *f*, Schattenbild *n*, Umrisse *m/pl*; Gestalt *f*.

sillage [sijaʒ] *m* Kielwasser *n* (*a fig*).

sill|on [sijõ] *m* Furche *f*; Rille *f*; *fig* Strahl *m*; **~onner** [-ɔne] (1a) durchfurchen, -ziehen.

silo [silo] *m* Silo *m od n*, Speicher *m*.

simagrée [simagre] *f meist pl* **~s** Gehabe *n*, Getue *n*, Mätzchen *n/pl* F; *faire des ~s* sich zieren, sich anstellen.

simil|aire [similɛr] gleichartig; **~arité** [-arite] *f* Gleichartigkeit *f*.

simili [simili] F *m* Imitation *f*; *en ~* unecht; **~cuir** [-kɥir] *m* Kunstleder *n*; **~tude** [-tyd] *f* Ähnlichkeit *f*.

simpl|e [sɛ̃plə] **1.** *adj* einfach, schlicht; einfältig; (*vorangestellt*) einfach, bloß; **2.** *m Tennis*: Einzel *n*; **~ement** [-əmɑ̃] *adv* einfach; **~et, ~ette** [-ɛ, -ɛt] etwas einfältig, simpel, naiv.

simplicité [sɛ̃plisite] *f* Einfachheit *f*; Natürlichkeit *f*; Einfalt *f*.

simplif|ication [sɛ̃plifikasjõ] *f* Vereinfachung *f*; **~ier** [-je] (1a) vereinfachen.

simpliste [sɛ̃plist] zu einfach, einseitig.

simulacre [simylakrə] *m* Scheinhandlung *f*; ... *de ~* Schein...

simula|teur, ~trice [simylatœr, -tris] **1.** *m, f* Simulant(in) *m(f)*; **2.** *m tech* Simulator *m*; **~tion** *f* Verstellung *f*; Simulieren *n* (*a tech*).

simuler [simyle] (1a) simulieren; vortäuschen.

simultané, ~e [simyltane] gleichzeitig.

simultané|ité [simyltaneite] *f* Gleichzeitigkeit *f*; **~ment** *adv* gleichzeitig.

sincère [sɛ̃sɛr] aufrichtig, ehrlich.

sincérité [sɛ̃serite] *f* Aufrichtigkeit *f*, Ehrlichkeit *f*.

sinécure [sinekyr] *f* Pfründe *f*, F gemütlicher Job *m*.

sine qua non [sinekwanɔn] *condition f ~* unerläßliche Bedingung *f*.

sing|e [sɛ̃ʒ] *m zo* Affe *m*; P Chef *m*, der Alte; **~er** (1l) nachäffen; **~erie** *f* Grimasse *f*; **~s** *pl* F Faxen *f/pl*.

singular|iser [sɛ̃gylarize] (1a) auffällig machen, (aus der Masse) herausheben; **~ité** *f* Sonderbarkeit *f*; Eigenheit *f*.

singul|ier, ~ière [sɛ̃gylje, -jɛr] **1.** *adj* sonderbar, eigentümlich; **2.** *m gr* Singular *m*.

sinistre [sinistrə] **1.** *adj* unheilverkündend; unheimlich; **2.** *m* Katastrophe *f*; *jur* Schadensfall *m*.

sinistré, ~e [sinistre] *m* **1.** *adj* von e-r Katastrophe betroffen; geschädigt; **2.** *m* Opfer *n* (*e-r Katastrophe*).

sinon [sinõ] wenn nicht; sonst; außer.

sinu|eux, ~euse [sinɥø, -øz] kurvenreich; gewunden (*a fig*); **~osité** [-ozite] *f* Krümmung *f*, Windung *f*; Gewundenheit *f* (*a fig*).

sionisme [sjɔnismə] *m* Zionismus *m*.

siphon [sifõ] *m* (Saug-)Heber *m*; Siphon *m*.

siphonné, ~e [sifɔne] F bescheuert, plemplem.

Sire [sir] *m Anrede*: Majestät.

sirène [sirɛn] *f* Sirene *f*.

sirop [siro] *m* Sirup *m*.

siroter [sirɔte] (1a) langsam und mit Genuß schlürfen.

sis, sise [si, siz] *jur* befindlich, gelegen.

sismique [sismik] Erdbeben...

site [sit] *m* Lage *f*; Landschaft *f*, Stätte *f*; ⚠ *le ~*.

sitôt [sito] **1.** *adv* sogleich; *~ dit, ~ fait* gesagt, getan; **2.** *conj ~ que* sobald (als).

situation [sitɥasjõ] *f* Lage *f*; (*berufliche*) Stellung *f*.

situ|é, ~ée [sitɥe] gelegen; *être ~* liegen; **~er** (1n) einordnen; *se ~* sich befinden, seinen Platz haben.

six [sis; *vor Konsonant* si; *Bindung* siz] sechs.

sixième [sizjɛm] **1.** sechste(r, -s); **2.** *m* Sechstel *n*; **~ment** *adv* sechstens.

ski [ski] *m* Ski *m*; Skilaufen *n*, -sport *m*; *faire du* ~ Ski fahren; ~ *nautique* Wasserski *m*; ~ *de fond* Langlauf *m*.
ski|er [skje] (1a) Ski *od* Schi laufen; **~eur, ~euse** *m, f* Skiläufer(in) *m(f)*.
slave [slav] **1.** *adj* slawisch; **2.** ♀ *m, f* Slawe *m*, Slawin *f*.
slip [slip] *m* kurze Unterhose *f*, Slip *m*; ~ *de bain* Badehose *f*.
slogan [slɔgɑ̃] *m* Schlagwort *n*, Parole *f*, Slogan *m*.
slovaque [slɔvak] slowakisch.
slovène [slɔvɛn] slowenisch.
S.M.I.C. [smik] *m* (*abr salaire minimum interprofessionnel de croissance*) garantierter Mindestlohn *m*.
S.N.C.F. [ɛsɛnseɛf] *f* (*abr Societé nationale des chemins de fer français*) frz Staatsbahn *f*.
snob [snɔb] **1.** *adj* snobistisch; **2.** *m, f* Snob *m*; **~isme** *m* Snobismus *m*.
sobre [sɔbrə] mäßig; nüchtern; zurückhaltend.
sobriété [sɔbrijete] *f* Mäßigkeit *f*; Nüchternheit *f*.
sobriquet [sɔbrikɛ] *m* Spitzname *m*.
soc [sɔk] *m* Pflugschar *f*.
soci|abilité [sɔsjabilite] *f* Geselligkeit *f*; **~able** gesellig; gemeinschaftsfähig.
social, ~e [sɔsjal] (⚠ *m/pl -aux*) gesellschaftlich; sozial; Gesellschafts...; *comm* Firmen...; **~-démocrate** [-demɔkrat] *m* (⚠ *pl sociaux-démocrates*) Sozialdemokrat *m*.
social|isation [sɔsjalizasjõ) *f* Sozialisierung *f*; **~iser** (1a) sozialisieren; **~isme** *m* Sozialismus *m*; **~iste 1.** *adj* sozialistisch; **2.** *m, f* Sozialist(in) *m(f)*.
sociétaire [sɔsjetɛr] *m* Mitglied *n*, Genosse *m*.
société [sɔsjete] *f* Gesellschaft *f*; Verein *m*; Firma *f*; ~ *par actions od* ~ *anonyme* (*abr S.A.*) Aktiengesellschaft *f*.
socio|logie [sɔsjɔlɔʒi] *f* Soziologie *f*; **~logue** [-lɔg] *m, f* Soziologe *m*, Soziologin *f*.
socle [sɔklə] *m* Sockel *m*.
socquette [sɔkɛt] *f* Söckchen *n*, Socke *f*.
soda [sɔda] *m* Sodawasser *n* (mit Fruchtsirup).
sodium [sɔdjɔm] *m chim* Natrium *n*.
sœur [sœr] *f* Schwester *f* (*a rel*).
sofa [sɔfa] *m* Sofa *n*.
soi [swa] sich; ⚠ *auf unbestimmtes Subjekt bezogen*.
soi-disant [swadizɑ̃] (⚠ *unv*) sogenannt, angeblich.
soie [swa] *f* Seide *f*.
soif [swaf] *f* Durst *m* (*a fig de* nach); *avoir* ~ Durst haben, durstig sein; ⚠ *la* ~.
soign|é, ~ée [swaɲe] gepflegt, sorgfältig; F *iron* anständig; **~er** (1a) pflegen; behandeln; *se* ~ sich pflegen.
soign|eux, ~euse [swaɲø, -øz] sorgfältig; pfleglich; ~ *de* besorgt um.
soi-même [swamɛm] (sich) selbst.
soin [swɛ̃] *m* Sorge *f*; Sorgfalt *f*; **~s** *pl* Pflege *f*; Behandlung *f*; *avoir, prendre* ~ *de* Sorge tragen für, achten auf, sich kümmern um; *être sans* ~ unordentlich sein; *donner des* ~*s à qn* j-n pflegen, ärztlich behandeln; ~*s à domicile* Hauspflege *f*; ~*s dentaires* zahnärztliche Behandlung *f*.
soir [swar] *m* Abend *m*; *ce* ~ heute abend; *un* ~ e-s Abends; *le* ~ abends; *sur le* ~ gegen Abend; **~ée** *f* Abend (-stunden) *m(f/pl)*; Abendgesellschaft *f*; ~ *dansante* Tanzabend *m*.
sois [swa] *subj von être*.
soit[1] [swat] meinetwegen!
soit[2] [swa] **1.** *conj* ~ ..., ~ ... entweder ... oder ...; ~ *que* ... (+ *subj*), ~ *que* ... (+ *subj*) sei es daß ... oder daß ...; **2.** angenommen, gesetzt; das heißt.
soixantaine [swasɑ̃tɛn] *f* etwa sechzig; *Alter*: Sechzig *f*.
soixante [swasɑ̃t] sechzig; ~ *et onze* einundsiebzig; **~-dix** [-dis] siebzig.
soja [sɔʒa] *m bot* Sojabohne *f*.
sol[1] [sɔl] *m* Boden *m*, Erde *f*.
sol[2] [sɔl] *m mus* g *od* G *n*.
solaire [sɔlɛr] Sonnen..., Solar...
soldat [sɔlda] *m* Soldat *m*.
solde[1] [sɔld] *f mil* Sold *m*; ⚠ *la* ~.
solde[2] [sɔld] *m comm* Saldo *m*; Restbetrag *m*; ~*s pl* Restposten *m/pl*; Ausverkauf *m*.
solder [sɔlde] (1a) *comm* saldieren; *Ware*: herabsetzen; *se* ~ *par* abschließen mit.
sole [sɔl] *f zo* Seezunge *f*.
solécisme [sɔlesismə] *m* syntaktischer *od* sprachlicher Fehler *m*.
soleil [sɔlɛj] *m* Sonne *f*; *il fait du* ~ die Sonne scheint; *en plein* ~ in der prallen Sonne; *coup m de* ~ Sonnenbrand *m*.
solenn|el, ~elle [sɔlanɛl] feierlich; ⚠ *Aussprache*; **~ité** *f* Feierlichkeit *f*.

solfège [sɔlfɛʒ] *m* (allgemeine) Musiklehre *f*.
solid|aire [sɔlidɛr] solidarisch (*de qn* mit j-m); **~ariser** [-arize] (1a) *se ~* sich solidarisch erklären (*avec* mit); **~arité** [-arite] *f* Solidarität *f*.
solide [sɔlid] **1.** *adj* fest, solide, haltbar, dauerhaft; gediegen; *Kenntnisse*: gründlich; *Person*: kräftig, robust; **2.** *m phys* fester Körper *m*.
solidité [sɔlidite] *f* Festigkeit *f*, Haltbarkeit *f*; Gründlichkeit *f*; Solidität *f*; Stichhaltigkeit *f*.
soliloque [sɔlilɔk] *m* Selbstgespräch *n*.
soliste [sɔlist] *m, f* Solist(in) *m(f)*.
solitaire [sɔlitɛr] **1.** *adj* einsam; abgelegen; *ver m ~* Bandwurm *m*; **2.** *m* Einsiedler *m*, Einzelgänger *m*.
solitude [sɔlityd] *f* Einsamkeit *f*.
solive [sɔliv] *f* (Decken-)Balken *m*.
sollicit|ation [sɔlisitasjõ] *f* Ersuchen *n*, dringende Bitte *f*; **~er** (1a) *Aufmerksamkeit*: erregen; *~ qc* um etw ersuchen; *~ qn de faire qc* j-n ersuchen, etw zu tun; **~ude** [-yd] *f* Fürsorge *f*.
solo [sɔlo] *m mus* Solo *n*.
solstice [sɔlstis] *m astr* Sonnenwende *f*.
solu|ble [sɔlyblə] lösbar; löslich; **~tion** *f* (Auf-)Lösung *f*.
solv|abilité [sɔlvabilite] *f comm* Zahlungsfähigkeit *f*; **~able** zahlungsfähig, solvent, kreditwürdig; **~ant** [-ɑ̃] *m chim* Lösungsmittel *n*.
sombr|e [sõbrə] dunkel, düster; trübe; finster (*a fig*); **~er** (1a) (ver)sinken; *fig ~ dans la folie* dem Wahnsinn verfallen.
somm|aire [sɔmɛr] **1.** *adj* kurzgefaßt, summarisch; **2.** *m* Inhaltsangabe *f*; Übersicht *f*; **~ation** *f jur* Aufforderung *f*.
somme[1] [sɔm] *f* **1.** Summe *f*; Menge *f*; *en ~*, *~ toute* im ganzen genommen; **2.** *bête f de ~* Lasttier *n*; *fig* Arbeitstier *n*.
somme[2] [sɔm] *m* Schläfchen *n*; *faire un ~* ein Nickerchen machen.
sommeil [sɔmɛj] *m* Schlaf *m*; Schläfrigkeit *f*; *avoir ~* schläfrig sein.
sommeiller [sɔmɛje] (1b) schlummern.
sommelier [sɔməlje] *m* Kellermeister *m*; Weinkellner *m*.
sommer [sɔme] (1a) auffordern (*qn de faire qc* j-n, etw zu tun).
sommes [sɔm] *cf être*.
sommet [sɔmɛ] *m* Gipfel *m*; Wipfel *m*; Spitze *f*; First *m*; *fig* Höhepunkt *m*; *pol* Gipfelkonferenz *f*.
sommier [sɔmje] *m* Matratze *f*, Bettrost *m*.
sommité [sɔmite] *f* hervorragende Persönlichkeit *f*, Kapazität *f*.
somnambule [sɔmnɑ̃byl] **1.** *adj* nachtwandelnd, mondsüchtig; **2.** *m, f* Schlafwandler(in) *m(f)*.
somnifère [sɔmnifɛr] *m* Schlafmittel *n*.
somnol|ence [sɔmnɔlɑ̃s] *f* Schläfrigkeit *f*; **~er** (1a) dösen.
somptu|eux, ~euse [sõptɥø, -øz] prächtig, pracht-, prunkvoll; **~osité** [-ozite] *f* Pracht *f*.
son[1] *m*, **sa** *f*, **ses** *pl* [sõ, sa, se] sein(e), ihr(e); ⚠ *nicht verwechseln*: *ses u ces*; ⚠ *im sg f*: *vor Vokal u stummem h son*.
son[2] [sõ] *m* Laut *m*, Klang *m*; Schall *m*; Ton *m*; *~ et lumière Beleuchtung historischer Bauten verbunden mit e-r Erklärung ihrer Geschichte u mit musikalischer Untermalung*.
son[3] [sõ] *m* Kleie *f*.
sondage [sõdaʒ] *m mar* Lotung *f*; *tech* Bohrung *f*; *allg* Sondierung *f*; *~ d'opinion* Meinungsumfrage *f*.
sond|e [sõd] *f* Lot *n*, Senkblei *n*; Sonde *f*; **~er** (1a) loten; sondieren; untersuchen; *j-n* ausforschen.
songe [sõʒ] *litt m* Traum *m*.
song|er [sõʒe] (1l) *~ à* denken an, nachsinnen über; *~ à faire qc* daran denken, etw zu tun; **~eur, ~euse** nachdenklich.
sonné, ~e [sɔne] **1.** *il est midi sonné* es hat gerade zwölf Uhr geschlagen; **2.** *fig* F bescheuert, bekloppt.
sonner [sɔne] (1a) läuten, klingeln; klingen, tönen; schlagen (*Uhr*); *dix heures sonnent* es schlägt 10 Uhr; *midi a sonné* es hat 12 Uhr geschlagen; *~ du cor* (auf dem) Horn blasen; *~ creux*, *faux* hohl, falsch klingen; *mil ~ l'alarme* Alarm blasen.
sonnerie [sɔnri] *f* Geläut *n*; Läutwerk *n*; Klingel *f*.
sonnet [sɔnɛ] *m* Sonett *n*; ⚠ *Schreibung*.
sonnette [sɔnɛt] *f* Klingel *f*; *serpent m à ~s* Klapperschlange *f*.
sonor|e [sɔnɔr] tönend; klangvoll; Lärm..., Schall..., Ton...; *ling* stimmhaft; *film m ~* Tonfilm *m*;

~isation [-izasjõ] *f* Beschallung *f*; Lautsprecheranlage *f*; Vertonung *f*; **~iser** (1a) beschallen; vertonen; **~ité** *f* Klang(fülle) *m(f)*; Akustik *f*.
sont [sõ] *cf être*.
sophisme [sɔfismə] *m* Trugschluß *m*; Spitzfindigkeit *f*.
sophistication [sɔfistikasjõ] *f* Geziertheit *f*; *tech* Perfektion *f*.
sophistiqué, ~e [sɔfistike] gekünstelt; erlesen; *Technik*: hochentwickelt; ausgeklügelt.
soporifique [sɔpɔrifik] einschläfernd (*a fig*).
sorbet [sɔrbɛ] *m* Halbgefrorene(s) *n*, Fruchteis *n*.
sorbier [sɔrbje] *m bot* Eberesche *f*.
sorcellerie [sɔrsɛlri] *f* Hexerei *f*.
sorc|ier, ~ière [sɔrsje, -jɛr] *m, f* Zauberer *m*, Hexe *f*.
sordide [sɔrdid] schmutzig; *fig* gemein.
sornettes [sɔrnɛt] *f/pl* albernes Gerede *n*.
sort [sɔr] *m* Schicksal *n*; Los *n*, Geschick *n*; *tirer au ~* aus-, verlosen; *fig jeter un ~ à qn* j-n behexen; *fig le ~ en est jeté* die Würfel sind gefallen.
sort|ant, ~ante [sɔrtɑ̃, -ɑ̃t] ausscheidend, bisherig; *Lotterie*: *numéros sortants* Gewinnzahlen *f/pl*.
sorte [sɔrt] *f* Art *f*, Weise *f*; Sorte *f*; *toutes ~s de* allerlei, allerhand; *de la ~* auf die(se) Weise *od* so; *en quelque ~* gewissermaßen; *conj en ~ od de (telle) ~ que* so ... daß.
sortie [sɔrti] *f* Ausgang *m*, Ausfahrt *f*; Hinausgehen *n*; Ausreise *f*; Abgang *m* (*von der Bühne*); Spaziergang *m*, Ausflug *m*; *mil* Einsatz *m*; *examen m de ~* Abgangsprüfung *f*; *~ de secours* Notausgang *m*.
sortilège [sɔrtilɛʒ] *m* Zauber *m*.
sortir [sɔrtir] **1.** (2b) **a)** (*mit être*) hinausgehen, -treten; herauskommen, -fahren; ausgehen; herausragen; stammen (*de* von); abweichen (*de* von); *s'en ~* damit fertig werden; **b)** (*mit avoir*) herausnehmen, -ziehen, -holen; spazierenführen, *j-n* ausführen; *comm* auf den Markt bringen; F *dumme Bemerkungen*: von sich geben; F *~ qn* j-n rausschmeißen; **2.** *m litt au ~ de l'hiver* gegen Ende des Winters.
sosie [sɔzi] *m* Doppelgänger *m*.
sot, sotte [so, sɔt] **1.** *adj* töricht, dumm; **2.** *m, f* Dummkopf *m*, Närrin *f*.
sottise [sɔtiz] *f* Dummheit *f*.
sou [su] *m fig* Pfennig *m*; *être sans le ~* nicht e-n Pfennig besitzen; *être près de ses ~s* auf den Pfennig achten.
soubresaut [subrəso] *m* heftiges Zusammenzucken *n*; Ruck *m*, Satz *m*.
soubrette [subrɛt] *f Theater*: Kammerzofe *f*.
souche [suʃ] *f* **1.** (Baum-)Stumpf *m*; **2.** *fig* Ursprung *m*; *de vieille ~* aus e-r alten Familie; **3.** Abschnitt *m*; *carnet m à ~s* Scheckheft *n* mit Kontrollabschnitten.
souci [susi] *m* **1.** Sorge *f*; Bemühen *n* (*de* um); **2.** *bot* Ringelblume *f*.
soucier [susje] (1a) *se ~ de* sich kümmern um.
souci|eux, ~euse [susjø, -øz] besorgt; bedacht (*de* auf).
soucoupe [sukup] *f* Untertasse *f*.
soud|ain, ~aine [sudɛ̃, -ɛn] **1.** *adj* plötzlich, jäh; **2.** *adv soudain* = **~ainement** [-ɛnmɑ̃] plötzlich.
soude [sud] *f chim* Soda *f od n*; *phm* Natron *n*.
souder [sude] (1a) *tech* löten, schweißen; *fig* fest verbinden.
soudoyer [sudwaje] (1h) *j-n* dingen.
soudure [sudyr] *f tech* Löten *n*, Schweißen *n*; Schweiß-, Lötstelle *f*, -naht *f*; *écon faire la ~* überbrücken.
souffle [suflə] *m* Hauch *m*; Atemzug *m*, Atem *m*; Wehen *n*; *fig poét* Funke *m*; *fig second ~* neuer Aufschwung *m*; *être à bout de ~* außer Atem sein.
soufflé, ~e [sufle] **1.** *adj* aufgedunsen; *fig être ~* F baff sein; **2.** *m cuis* Auflauf *m*.
souffler [sufle] (1a) blasen; aus-, wegblasen; wehen; hauchen; schnaufen, atmen; verschnaufen; *Schule*: vorsagen; *Theater*: soufflieren; *fig* einflüstern; *ne pas ~ mot* kein Wort sagen; F *~ qc à qn* j-m etw wegschnappen.
soufflet [suflɛ] *m* Blasebalg *m*; Faltenbalg *m*; *st/s* Ohrfeige *f*.
souffl|eur, ~euse [suflœr, -øz] *m, f* Glasbläser(in) *m(f)*; *Theater*: Souffleur *m*, Souffleuse *f*.
souffr|ance [sufrɑ̃s] *f* Leiden *n*; *en ~* unerledigt; **~ant, ~ante** [-ɑ̃, -ɑ̃t] erkrankt; leidend.
souffre-douleur [sufrədulœr] *m* (⚠ *pl unv*) Prügelknabe *m*.

S

souffret|eux, ~euse [sufrətø, -øz] leidend, kränklich.
souffrir [sufrir] (2f) leiden (*de* an); erdulden; aushalten; *st/s* ~ *que* (+ *subj*) dulden, daß ...; *ne pas pouvoir* ~ *qn* j-n nicht leiden können.
soufre [sufrə] *m* Schwefel *m*.
souhait [swɛ] *m* Wunsch *m*; *à* ~ nach Wunsch.
souhait|able [swɛtablə] wünschenswert; **~er** (1b) wünschen (*qc à qn* j-m etw); ~ *que* (+ *subj*) wünschen, daß ...
souiller [suje] (1a) besudeln, beschmutzen.
soûl, soûle [su, sul] betrunken; *manger tout son soûl* sich ordentlich satt essen.
soulag|ement [sulaʒmɑ̃] *m* Erleichterung *f*, Linderung *f*; **~er** (1l) erleichtern, lindern; entlasten.
soûler [sule] (1a) F betrunken machen; *fig* benommen machen, berauschen; *se* ~ sich betrinken, F sich besaufen.
soulèvement [sulɛvmɑ̃] *m* Aufstand *m*.
soulever [sulve] (1d) hochheben; *fig* hervorrufen, auslösen; *Problem*: aufwerfen; *Schwierigkeiten*: verursachen; *se* ~ sich aufrichten; sich empören.
soulier [sulje] *m* Schuh *m*; F *fig être dans ses petits* ~*s* verlegen sein.
souligner [suliɲe] (1a) unterstreichen (*a fig*).
soumettre [sumɛtrə] (4p) unterwerfen; unterziehen; unterbreiten; *se* ~ *à* sich fügen; sich unterziehen.
soum|is, ~ise [sumi, -iz] gefügig; unterworfen.
soumission [sumisjõ] *f* Unterwerfung *f*; Gefügigkeit *f*, Gehorsam *m*; *jur* Angebot *n*.
soupape [supap] *f tech* Ventil *n*.
soupçon [supsõ] *m* Argwohn *m*, Verdacht *m*; *un* ~ *de* e-e Spur von.
soupçonn|er [supsɔne] (1a) verdächtigen; vermuten; **~eux, ~euse** [-ø, -øz] argwöhnisch, mißtrauisch.
soupe [sup] *f* Suppe *f*.
soupente [supɑ̃t] *f* Hängeboden *m*.
souper [supe] **1.** (1a) *nach e-m Theaterbesuch*: zu Abend essen; **2.** *m* Nacht-, Abendessen *n*.
soupeser [supəze] (1d) mit der Hand abwiegen; *fig* abwägen.
soupière [supjɛr] *f* Suppenschüssel *f*.
soupir [supir] *m* Seufzer *m*.
soupirail [supiraj] *m* (⚠ *pl -aux*) Kellerfenster *n*.
soupirant [supirɑ̃] *m plais* Verehrer *m*.
soupirer [supire] (1a) seufzen; *litt* schmachten.
soupl|e [suplə] biegsam, geschmeidig; *fig* anpassungsfähig; F entgegenkommend; **~esse** [-ɛs] *f* Biegsamkeit *f*, Geschmeidigkeit *f*; *fig* Flexibilität *f*.
source [surs] *f* Quelle *f*; *fig* Ursprung *m*; *prendre sa* ~ *dans* F entspringen in.
sourc|il [sursi] *m* Augenbraue *f*; **~iller** [-ije] (1a) *sans* ~ ohne mit der Wimper zu zucken.
sourcill|eux, ~euse [sursijø, -øz] kleinlich.
sourd, sourde [sur, surd] schwerhörig, taub; dumpf; versteckt; *ling* stimmlos.
sourdine [surdin] *f mus* Dämpfer *m*; *en* ~ leise; *fig mettre une* ~ *à* dämpfen.
sourd-muet, sourde-muette [surmɥɛ, surdmɥɛt] taubstumm.
souri|ant, ~ante [surjɑ̃, -ɑ̃t] freundlich, heiter.
souricière [surisjɛr] *f* Mausefalle *f*; *fig* Falle *f*.
sourire [surir] **1.** (4r) lächeln; **2.** *m* Lächeln *n*.
souris [suri] *f* Maus *f*.
sourn|ois, ~oise [surnwa, -waz] **1.** *adj* hinterhältig, heimtückisch; **2.** *m*, *f* Duckmäuser(in) *m(f)*; **~oiserie** [-wazri] *f* Hinterhältigkeit *f*.
sous [su] unter, unterhalb; ~ *la main* bei der Hand; ~ *terre* unter der Erde; ~ *peine d'amende* bei Geldstrafe; ~ *peu* binnen kurzem; ~ *prétexte de* (+ *inf*) unter dem Vorwand zu (+ *inf*); ~ *forme de* in Gestalt von; ~ *ce rapport* in dieser Hinsicht; ~ *mes yeux* vor meinen Augen; *mettre* ~ *enveloppe* in e-n Umschlag stecken.
sous... [su...] *in Zssgn* unter..., Unter...
sous-alimenté, ~e [suzalimɑ̃te] unterernährt.
sous-bois [subwa] *m* Unterholz *n*.
souscription [suskripsjõ] *f* Subskription *f*; *comm* Zeichnung *f*.
souscrire [suskrir] (4f) unterschrei-

ben; ~ *à* subskribieren; zeichnen; Geld spenden für; *fig* gutheißen.

sous-développ|é, ~ée [sudevlɔpe] unterentwickelt; **~ement** [-mɑ̃] *m* Unterentwicklung *f*.

sous-emploi [suzɑ̃plwa] *m* Unterbeschäftigung *f*.

sous-enten|dre [suzɑ̃tɑ̃drə] (4a) mit darunter verstehen; stillschweigend annehmen; **~du, ~due** [-dy] **1.** *adj* unausgesprochen; **2.** *m* Andeutung *f*.

sous-estimer [suzɛstime] (1a) unterschätzen.

sous-jac|ent, ~ente [suʒasɑ̃, -ɑ̃t] *Problem*: tieferliegend.

sous-loca|taire [sulɔkatɛr] *m, f* Untermieter(in) *m(f)*; **~tion** *f* Untermiete *f*.

sous|-louer [sulwe] (1a) untervermieten; **~-main** [-mɛ̃] *m* (⚠ *pl unv*) Schreibunterlage *f*; *en* ~ unterderhand, heimlich; **~-marin, ~-marine** [-marɛ̃, -marin] **1.** *adj* unterseeisch, Unterwasser...; **2.** *m* U-Boot *n*, Unterseeboot *n*.

sous-officier [suzɔfisje] *m* Unteroffizier *m*.

sous|-préfecture [suprefɛktyr] *f* Unterpräfektur *f*; **~-produit** [-prɔdɥi] *m* Nebenprodukt *n*; **~-secrétaire** [-skretɛr] *m* ~ *d'État* Unterstaatssekretär *m*.

soussigné, ~e [susiɲe] *m, f* Unterzeichnete(r) *m, f*.

sous|-sol [susɔl] *m* Untergrund *m*; Untergeschoß *n*; **~-titre** [-titrə] *m* Untertitel *m*.

sous|traction [sustraksjõ] *f jur* Unterschlagung *f*; *math* Subtraktion *f*; **~traire** [-trɛr] (4s) unterschlagen; *fig* entziehen; bewahren (*à* vor); *math* subtrahieren, abziehen (*de* von).

sous-vêtement [suvɛtmɑ̃] *m meist* **~s** *pl* Unterwäsche *f*.

soutane [sutan] *f égl* S(o)utane *f*.

soute [sut] *f mar, aviat* Laderaum *m*.

souten|able [sutnablə] haltbar, vertretbar; **~ance** *f Universität etwa*: Rigorosum *n*; **~eur** *m* Zuhälter *m*.

soutenir [sutnir] (2h) (ab)stützen; *fig* unterstützen; ~ *qn* j-n stärken; j-m beistehen; ~ *qc* etw aushalten, aufrechterhalten, behaupten; *se* ~ einander beistehen.

soutenu, ~e [sutny] anhaltend, beständig; intensiv; *Stil*: gehoben.

souterr|ain, ~aine [sutɛrɛ̃, -ɛn] **1.** *adj* unterirdisch; **2.** *m* unterirdischer Gang *m*, Stollen *m*.

soutien [sutjɛ̃] *m* Stütze *f* (*a fig*); Beistand *m*; ~ *de famille* Ernährer *m*; **~-gorge** [-gɔrʒ] *m* (⚠ *pl soutiens-gorge*) Büstenhalter *m*.

soutirer [sutire] (1a) *Wein*: abziehen; ~ *qc à qn* etw von j-m erschwindeln.

souvenir [suvnir] **1.** (2h) *se* ~ sich erinnern (*de* an, *que* daß); denken an; *litt il me souvient de od que* ... ich entsinne mich ...; **2.** *m* Erinnerung *f*; Andenken *n*; Gruß *m*.

souvent [suvɑ̃] oft(mals); *assez* ~ öfters; *moins* ~ seltener; *le plus* ~ meistens.

souver|ain, ~aine [suvrɛ̃, -ɛn] **1.** *adj* höchste(r, -s); völlig; *pol* souverän; **2.** *m, f* Herrscher(in) *m(f)*, Souverän *m*; **~ainement** [-ɛnmɑ̃] *adv* äußerst; **~aineté** [-ɛnte] *f* Souveränität *f*; Herrschaft(sgewalt) *f*.

soviétique [sɔvjetik] sowjetisch.

soy|eux, ~euse [swajø, -øz] seidig.

soyez, soyons [swaje, swajõ] *subj von être*.

spaci|eux, ~euse [spasjø, -øz] geräumig.

sparadrap [sparadra] *m* Heftpflaster *n*.

spasm|e [spasmə] *m méd* Krampf *m*; **~odique** [-ɔdik] krampfartig, spastisch.

spatial, ~e [spasjal] (⚠ *m/pl -iaux*) (Welt-)Raum...

spatule [spatyl] *f* Spachtel *m*; *cuis* Teigschaber *m*; ⚠ *la* ~.

speaker, speakerine [spikœr, spikrin] *m, f Radio, TV* Ansager(in) *m(f)*; Sprecher(in) *m(f)*.

spécial, ~e [spesjal] (⚠ *m/pl -aux*) besondere(r, -s), speziell; Fach...; Sonder...; **~ement** [-mɑ̃] *adv* besonders, eigens; **~iser** (1a) *se* ~ sich spezialisieren; **~iste** *m, f* Spezialist(in) *m(f)*, Fachmann *m*; Facharzt *m*, -ärztin *f*; **~ité** *f* Spezialität *f*; Fachgebiet *n*; Besonderheit *f*.

spéci|eux, ~euse [spesjø, -øz] trügerisch, Schein...

spécif|ier [spesifje] (1a) spezifizieren, genau angeben; **~ique** spezifisch, arteigen.

spécimen [spesimɛn] *m* (Probe-)Exemplar *n*; Muster *n*; ⚠ *Aussprache*.

spectacle [spɛktaklə] *m* Anblick *m*, Schauspiel *n*; Vorstellung *f*.

spectaculaire [spɛktakylɛr] aufsehenerregend, spektakulär.
specta|teur, ~trice [spɛktatœr, -tris] *m, f* Zuschauer(in) *m(f)*.
spectre [spɛktrə] *m* Gespenst *n*; *phys* Spektrum *n*.
spécula|teur, ~trice [spekylatœr, -tris] *m, f* Spekulant(in) *m(f)*; **~tif, ~tive** [-tif, -tiv] spekulativ; **~tion** *f* Spekulation *f*.
spéculer [spekyle] (1a) spekulieren (*sur* auf).
speech [spitʃ] F *m* kurze Rede *f*.
spéléologie [speleɔlɔʒi] *f* Höhlenforschung *f*.
sperme [spɛrm] *m biol* Sperma *n*.
sphère [sfɛr] *f math* Kugel *f*; *fig* Bereich *m*, Sphäre *f*.
sphérique [sferik] sphärisch, kugelförmig.
sphincter [sfɛ̃ktɛr] *m* Schließmuskel *m*.
sphinx [sfɛ̃ks] *m* Sphinx *f*; ⚠ *le* ~.
spirale [spiral] *f* Spirale *f*.
spire [spir] *f* (Spiral-, Schrauben-) Windung *f*.
spiritualité [spiritɥalite] *f* Geistigkeit *f*; *rel* Verinnerlichung *f*.
spirituel, ~le [spiritɥɛl] geistig; geistlich; geistreich.
spiritueux [spiritɥø] *m/pl* Spirituosen *pl*.
spleen [splin] *litt m* Schwermut *f*.
splend|eur [splɑ̃dœr] *f* Glanz *m*, Pracht *f*; **~ide** [-id] glänzend, prächtig.
spoliation [spɔljasjõ] *f* Raub *m*.
spolier [spɔlje] (1a) berauben.
spongi|eux, ~euse [spõʒjø, -øz] schwammig.
spontané, ~e [spõtane] spontan, freiwillig; unbefangen; ⚠ *adv spontanément*; **~ité** *f* Spontaneität *f*; Ursprünglichkeit *f*, Unbefangenheit *f*.
sporadique [spɔradik] vereinzelt auftretend, sporadisch.
sport [spɔr] **1.** *m* Sport *m*; *faire du* ~ Sport treiben; **2.** *adj* sportlich; *Person*: fair.
sport|if, ~ive [spɔrtif, -iv] **1.** *adj* sportlich; Sport...; **2.** *m, f* Sportler(in) *m(f)*.
sprint [sprint] *m Sport*: (End-)Spurt *m*; Sprint *m*.
spum|eux, ~euse [spymø, -øz] schaumig.
square [skwar] *m* kleine Grünanlage *f*.
squelette [skəlɛt] *m* Skelett *n*; ⚠ *le* ~.
S^t (*abr saint*) hl. (heiliger) *od* St. (Sankt).
stabilisa|teur, ~trice [stabilizatœr, -tris] **1.** *adj* stabilisierend; **2.** *m* Stabilisator *m*; **~tion** *f* Stabilisierung *f*, (Be-)Festigung *f*.
stabil|iser [stabilize] (1a) stabilisieren, (be)festigen; **~ité** *f* Festigkeit *f*, Stabilität *f*; Beständigkeit *f* (*a fig*).
stable [stablə] fest, stabil, standfest.
stade [stad] *m* **1.** *Sport*: Stadion *n*, Sportplatz *m*; **2.** Stadium *n*, Phase *f*, Abschnitt *m*.
stage [staʒ] *m* Praktikum *n*; Referendarzeit *f*; Lehrgang *m*.
stagiaire [staʒjɛr] **1.** *m, f* Praktikant(in) *m(f)*; Referendar(in) *m(f)*; **2.** *adj* als Praktikant(in) tätig.
stagn|ant, ~ante [stagnɑ̃, -ɑ̃t] *Gewässer*: stehend; *fig* stagnierend; **~ation** *f* Stagnieren *n*; Stockung *f*.
stalle [stal] *f égl* Chorstuhl *m*; (Pferde-)Box *f*; ⚠ *la* ~; ⚠ *nicht* der Stall.
stand [stɑ̃d] *m* Ausstellungs-, Messe-, Schießstand *m*.
standard [stɑ̃dar] *m* **1.** Standard *m*; *modèle m* ~ Standardmodell *n*; **2.** Telefonzentrale *f*.
standard|isation [stɑ̃dardizasjõ] *f* Standardisierung *f*, Vereinheitlichung *f*; **~iser** (1a) standardisieren, vereinheitlichen, normen; **~iste** *m, f* Telefonist(in) *m(f)*.
standing [stɑ̃diŋ] *m* (*soziale u wirtschaftliche*) Stellung *f*; Status *m*; ... *de grand* ~ Luxus...
star [star] *f* Filmstar *m*; ⚠ *la* ~.
starter [startɛr] *m auto* Starterklappe *f*, Choke *m*.
station [stasjõ] *f* Station *f* (*a allg u tech*); Haltestelle *f*; Kur-, Ferienort *m*; (Aufent-)Halt *m*; ~ *debout* Stehen *n*; ~ *de sports d'hiver* Wintersportort *m*.
stationn|aire [stasjɔnɛr] stationär, gleichbleibend, stillstehend; **~ement** [-mɑ̃] *m auto* Parken *n*; *mil* Stationierung *f*; **~er** (1a) parken.
station-service [stasjõsɛrvis] *f* (⚠ *pl stations-service*) Tankstelle *f*.
statique [statik] statisch; unbewegt.
statistique [statistik] **1.** *adj* statistisch; **2.** *f* Statistik *f*.
statuaire [statɥɛr] *f* Bildhauerkunst *f*.
statue [staty] *f* Statue *f*, Standbild *n*.

statuer [statɥe] (1n) *meist jur* ~ *sur qc* über etw entscheiden.
stature [statyr] *f* Statur *f*, Wuchs *m*; *fig* Format *n*.
statut [staty] *m* Statut *n*; Status *m*; ~*s pl* Satzung *f*; ~ *social* sozialer Status *m*.
Ste (*abr sainte*) hl. (heilige) *od* St. (Sankt).
stencil [stɛnsil] *m* Matrize *f*.
sténodactylo [stenɔdaktilo] *f* Stenotypistin *f*.
sténograph|e [stenɔgraf] *m, f* Stenograph(in) *m(f)*; ~**ie** [-i] *f* Stenographie *f*, Kurzschrift *f*; ~**ier** [-je] (1a) (mit)stenographieren.
steppe [stɛp] *f* Steppe *f*.
stéréo(phonie) [stereo(fɔni)] *f* Stereo *n*; *en stéréo* in Stereo.
stéréo(phonique) [stereo(fɔnik)] *adj* Stereo...
stéréotypé, ~e [stereɔtipe] stereotyp.
stéril|e [steril] steril, unfruchtbar (*a fig*); ~**iser** (1a) sterilisieren, unfruchtbar machen; keimfrei machen; ~**ité** *f* Sterilität *f*, Unfruchtbarkeit *f* (*a fig*).
sternum [stɛrnɔm] *m* Brustbein *n*.
stéthoscope [stetɔskɔp] *m méd* Hörrohr *n*, Stethoskop *n*.
stigmat|e [stigmat] *m rel u fig* Stigma *n*; ~**iser** (1a) brandmarken.
stimul|ant, ~ante [stimylɑ̃, -ɑ̃t] **1.** *adj* stimulierend, anregend; **2.** *m* Anreiz *m*, Ansporn *m*; Anregungsmittel *n*; ~**ateur** [-atœr] *m méd* ~ *cardiaque* Herzschrittmacher *m*; ~**er** (1a) (an)treiben, anspornen; anregen; ~**us** [-ys] *m* (⚠ *pl meist stimuli*) *psych* Reiz *m*.
stipul|ation [stipylasjõ] *f jur* Vereinbarung *f*, Bestimmung *f*, Klausel *f*; ~**er** (1a) *jur* vereinbaren, festlegen.
stock [stɔk] *m comm* Lagerbestand *m*; *allg* Vorrat *m*; ~**age** *m* Lagerung *f*; ~**er** (1a) lagern, aufstapeln.
stoïcisme [stɔisismə] *m phil* Stoizismus *m*; *fig* Gleichmut *m*.
stoïque [stɔik] standhaft, unerschütterlich.
stomacal, ~e [stɔmakal] (⚠ *m/pl -aux*) *méd* Magen...
stomachique [stɔmaʃik] *m méd* Magenmittel *n*.
stop [stɔp] **1.** stopp!, halt!; **2.** *m* Stoppschild *n*; *auto* (*feu m*) ~ Bremslicht *n*; F *faire du* ~ per Anhalter fahren.
stopper [stɔpe] (1a) **1.** kunststopfen; **2.** anhalten, (ab)stoppen.
store [stɔr] *m* Rollo *n*; Markise *f*; Store *m*.
strabisme [strabismə] *m méd* Schielen *n*.
strapontin [strapõtɛ̃] *m* Klappsitz *m*.
stratagème [strataʒɛm] *m* (Kriegs-)List *f*.
stratég|ie [strateʒi] *f* Strategie *f* (*a fig*); ~**ique** strategisch (wichtig).
stratifié, ~e [stratifje] *géol, tech* geschichtet.
stratus [stratys] *m* Schichtwolke *f*.
strict, ~e [strikt] streng, strikt, genau; *au sens strict* im engeren Sinn; *le strict nécessaire* das (Aller-)Nötigste.
strid|ent, ~ente [stridɑ̃, -ɑ̃t] schrill, gellend, kreischend.
striduler [stridyle] (1a) *zo* zirpen.
strie [stri] *f* Streifen *m*, Rille *f*.
strié, ~e [strije] gerillt, geriffelt.
strophe [strɔf] *f* Strophe *f*.
structuration [stryktyrasjõ] *f* Strukturierung *f*.
structure [stryktyr] *f* Struktur *f*, Aufbau *m*.
stuc [styk] *m* Stuck *m*.
studi|eux, ~euse [stydjø, -øz] fleißig, eifrig.
studio [stydjo] *m* **1.** Studio *n*; (Künstler-)Atelier *n*; **2.** Einzimmerwohnung *f*, Appartement *n*.
stupé|faction [stypefaksjõ] *f* höchstes Erstaunen *n*, Verblüffung *f*; ~**fait, ~faite** [-fɛ, -fɛt] verblüfft; ~**fiant, ~fiante** [-fjɑ̃, -fjɑ̃t] **1.** *adj* verblüffend; **2.** *m* Rauschgift *n*; ~**fier** [-fje] (1a) verblüffen.
stupeur [stypœr] *f* Betroffenheit *f*, Bestürzung *f*.
stupid|e [stypid] dumm; sinnlos; ~**ité** *f* Dummheit *f*.
style [stil] *m* Stil *m*; Schreibart *f*.
styl|isé, ~isée [stilize] stilisiert; ~**iste** *m* guter Stilist *m*; Designer *m*; ~**istique** [-istik] **1.** *adj* stilistisch; **2.** *f* Stilistik *f*.
stylo [stilo] *m* Füller *m*, Füllfederhalter *m*; ~ *à bille od* ~*-bille* (⚠ *pl stylos à bille od stylos-billes*) Kugelschreiber *m*; ~**-feutre** [-føtrə] *m* (⚠ *pl stylos-feutres*) Filzschreiber *m*.
su, ~e [sy] *p/p von savoir*; *au su de tous* mit aller Wissen.
suaire [sɥɛr] *m* Leichentuch *n*.

suave [sɥav] lieblich, einschmeichelnd.
subalterne [sybaltɛrn] **1.** *adj* subaltern, untergeordnet; **2.** *m, f* Untergebene(r) *m, f.*
subconscient [sybkõsjɑ̃] *m* Unterbewußtsein *n.*
subdivision [sybdivizjõ] *f* Unter(ab)teilung *f.*
subir [sybir] (2a) erleiden, ertragen; ~ *un examen médical* (*une opération*) sich e-r ärztlichen Untersuchung (e-r Operation) unterziehen.
sub|it, ~ite [sybi, -it] plötzlich, jäh; **~itement** [-itmɑ̃] *adv* plötzlich.
subject|if, ~ive [sybʒɛktif, -iv] subjektiv.
subjonctif [sybʒõktif] *m gr* Konjunktiv *m.*
subjuguer [sybʒyge] (1m) *fig* erobern, in seinen Bann schlagen.
sublime [syblim] erhaben.
submerger [sybmɛrʒe] (1l) unter Wasser setzen; *fig* überwältigen.
subordination [sybɔrdinasjõ] *f* Unterordnung *f* (*a gr*).
subordonn|é, ~ée [sybɔrdɔne] **1.** *adj* untergeordnet; **2.** *m, f* Untergebene(r) *m, f*; **3.** *f gr* Nebensatz *m*; **~er** (1a) unterordnen, unterstellen.
suborner [sybɔrne] (1a) *jur* bestechen.
subrepticement [sybrɛptismɑ̃] *adv* heimlich.
subsid|e [sybzid, sypsid] *m* Zuschuß *m*; *meist* **~s** *pl* Subsidien *n/pl*, Hilfsgelder *n/pl*; **~iaire** [-jɛr] zusätzlich, Hilfs...
subsist|ance [sybzistɑ̃s] *f* (Lebens-) Unterhalt *m*; **~er** (1a) fortbestehen; *Person*: existieren.
substance [sypstɑ̃s] *f* Substanz *f*; Stoff *m*; *fig* Gehalt *m*; *en* ~ im wesentlichen.
substantiel, ~le [sypstɑ̃sjɛl] *Nahrung*: kräftig, nahrhaft; *fig* wesentlich, substantiell.
substantif [sypstɑ̃tif] *m gr* Substantiv *n*, Hauptwort *n.*
substit|uer [sypstitɥe] (1n) an die Stelle setzen (*à* von), ersetzen; **~ution** [-ysjõ] *f* Ersatz *m*, Ersetzung *f.*
subterfuge [syptɛrfyʒ] *m* List *f*; Ausflucht *f.*
subtil, ~e [syptil] fein, subtil; scharfsinnig; *péj* spitzfindig; **~iser** (1a) F stibitzen (*qc à qn* j-m etw); **~ité** *f* Scharfsinn *m*; *péj* Spitzfindigkeit *f*; **~s** *pl* Feinheiten *f/pl.*
suburb|ain, ~aine [sybyrbɛ̃, -ɛn] vorstädtisch, Vorstadt..., Vorort...
subvenir [sybvənir] (2h) ~ *à qc* für etw aufkommen, sorgen.
subventi|on [sybvɑ̃sjõ] *f* Subvention *f*, Zuschuß *m*; **~onner** [-ɔne] (1a) subventionieren; ⚠ *Schreibung.*
subvers|if, ~ive [sybvɛrsif, -iv] zersetzend, umstürzlerisch; **~ion** *f* Zersetzung *f*, Umsturz *m.*
suc [syk] *m* Saft *m*; *litt* Kern *m.*
succédané [syksedane] *m* Ersatz (-mittel) *m*(*n*).
succéder [syksede] (1f) ~ *à* auf *j-n od etw* folgen; nachfolgen; *se* ~ aufeinanderfolgen.
succès [syksɛ] *m* Erfolg *m*; *avec* ~ erfolgreich; *sans* ~ erfolglos.
success|eur [syksesœr] *m* Nachfolger *m*; **~if, ~ive** [-if, -iv] aufeinanderfolgend; wiederholt; **~ion** *f* (Aufeinander-)Folge *f*; *jur* Erbfolge *f*; Erbschaft *f*; **~ivement** [-ivmɑ̃] *adv* nacheinander.
succ|inct, ~incte [syksɛ̃, -ɛ̃t] knapp, kurzgefaßt.
succion [sy(k)sjõ] *f* Saugen *n.*
succomber [sykõbe] (1a) sterben; *fig* ~ *à qc* e-r Sache erliegen.
succul|ent, ~ente [sykylɑ̃, -ɑ̃t] köstlich, schmackhaft.
succursale [sykyrsal] *f comm* Filiale *f.*
sucer [syse] (1k) saugen; lutschen.
sucette [sysɛt] *f* (Dauer-)Lutscher *m*; Schnuller *m.*
sucr|e [sykrə] *m* Zucker *m*; ~ *en poudre* Streuzucker *m*; ⚠ *nicht* Puderzucker; **~é, ~ée** süß; gezuckert; *péj* süßlich; **~er** (1a) zuckern; süßen; F *se* ~ Zucker nehmen; **~eries** [-əri] *f/pl* Süßigkeiten *f/pl*; **~ier** [-ije] *m* Zuckerdose *f.*
sud [syd] **1.** *m* Süden *m*; *au* ~ *de* südlich von; **2.** *adj* südlich; *côte f* ~ Südküste *f.*
sud-est [sydɛst] *m* Südosten *m.*
sud-ouest [sydwɛst] *m* Südwesten *m.*
Suède [sɥɛd] *la* ~ Schweden *n.*
suéd|ois, ~oise [sɥedwa, -waz] **1.** *adj* schwedisch; **2.** ♀ *m, f* Schwede *m*, Schwedin *f.*
suée [sɥe] *f* F Schweißausbruch *m.*
suer [sɥe] (1n) (aus)schwitzen; *fig* ~ *sang et eau* sich ins Zeug legen; F *en* ~ *une* 'ne kesse Sohle hinlegen; F *faire* ~ *qn* j-m auf die Nerven fallen.

sueur [sɥœr] *f* Schweiß *m*.
suffire [syfir] (4o) genügen, ausreichen (*à qn* j-m, *pour qc* für etw); *il suffit de* (+ *inf*) *od que* (+ *subj*) es genügt zu (+ *inf*) *od* daß ...
suffis|amment [syfizamɑ̃] *adv* genügend, genug (*de* ...); **~ance** *f* Selbstgefälligkeit *f*, Dünkel *m*; **~ant, ~ante** [-ɑ̃, -ɑ̃t] genügend, ausreichend; selbstgefällig.
suffixe [syfiks] *m ling* Suffix *n*, Nachsilbe *f*.
suffo|cant, ~cante [syfɔkɑ̃, -kɑ̃t] stickig, erdrückend; *fig* verblüffend; **~cation** [-kasjõ] *f* Atemnot *f*; Ersticken *n*; **~quer** [-ke] (1m) fast ersticken; *fig* den Atem verschlagen (*qn* j-m).
suffrage [syfraʒ] *m* (Wahl-)Stimme *f*; Wahl *f*; *fig* **~s** *pl* Beifall *m*; **~** *universel* allgemeines Wahlrecht *n*.
suggérer [sygʒere] (1f) **~** *qc à qn* j-m etw nahelegen, einsuggerieren; **~** *qc* etw anregen.
suggestion [sygʒɛstjõ] *f* Anregung *f*; Suggestion *f*.
suicid|e [sɥisid] *m* Selbstmord *m*; **~é, ~ée** *m, f* Selbstmörder(in) *m(f)*; **~er** (1a) *se* **~** Selbstmord begehen, sich das Leben nehmen.
suie [sɥi] *f* Ruß *m*.
suif [sɥif] *m* Talg *m*.
suinter [sɥɛ̃te] (1a) (durch)sickern; *Wand*: schwitzen.
suis [sɥi] *cf être u suivre*.
suiss|e [sɥis] **1.** *adj* schweizerisch; **2.** ≗ *m, f* Schweizer(in) *m(f)*; **3.** *la* ≗ die Schweiz; **4.** *m* Kirchendiener *m*; **≗esse** [-ɛs] *f* Schweizerin *f*.
suite [sɥit] *f* Folge *f*; Reihe *f*; Fortsetzung *f*; *faire* **~** *à qc* auf etw folgen; *prendre la* **~** *de qn* j-s Nachfolge antreten; *donner* **~** *à* stattgeben; *de* **~** gleich; hintereinander; *et ainsi de* **~** und so fort; *par* **~** *de* infolge (+ *gén*); *tout de* **~** sogleich; *par la* **~** später; *à la* **~** *de* nach.
suiv|ant, ~ante [sɥivɑ̃, -ɑ̃t] **1.** *adj* folgende(r, -s); *au suivant!* der nächste, bitte!; **2.** *prép suivant* (je) nach, gemäß; **3.** *conj suivant que* ... je nachdem, ob ...
suivi, ~e [sɥivi] fortgesetzt; regelmäßig; folgerichtig.
suivre [sɥivrə] (4h) folgen (*qn* j-m); be-, verfolgen; fortsetzen; begleiten; *geistig*: mitkommen; *Kurs*: besuchen; *faire* **~**! bitte nachsenden!; *à* **~** Fortsetzung folgt; **~** *un traitement* sich e-r Behandlung unterziehen; ⚠ **~** *qn*; ⚠ *il a suivi*.
suj|et, ~ette [syʒɛ, -ɛt] **1.** *adj* **~** *à qc* anfällig gegen etw, zu etw neigend; **2.** *m* Subjekt *n* (*a gr*); Untertan *m*; Thema *n*, Gegenstand *m*, Stoff *m*; Grund *m*; *à ce sujet* darüber; *au sujet de* hinsichtlich; *avoir sujet de* (+ *inf*) Anlaß haben zu (+ *inf*).
sujétion [syʒesjõ] *f st/s* Unterwerfung *f*; *fig* Last *f*.
sulfur|eux, ~euse [sylfyrø, -øz] Schwefel...; **~ique** *chim acide m* **~** Schwefelsäure *f*.
summum [sɔmɔm] *m* Höhepunkt *m*, Gipfel *m*.
super [sypɛr] **1.** *adj* F super, Spitze; **2.** *m Kraftstoff*: Super *n*.
super... [sypɛr] *in Zssgn* super..., Super...
superbe [sypɛrb] prächtig, wundervoll, herrlich.
supercherie [sypɛrʃəri] *f* Betrug *m*, Täuschung *f*.
superfic|ie [sypɛrfisi] *f* Oberfläche *f*; Flächeninhalt *m*; **~iel, ~ielle** [-jɛl] oberflächlich.
superflu, ~e [sypɛrfly] **1.** *adj* überflüssig; **2.** *m* Überflüssige(s) *n*.
supérieur, ~e [syperjœr] **1.** *adj* höher (gelegen), obere(r, -s), Ober...; *fig* überlegen (*à qn, à qc* j-m, e-r Sache), höher (als); **2.** *m, f* Vorgesetzte(r) *m, f*.
supériorité [syperjɔrite] *f* Überlegenheit *f*.
superlatif [sypɛrlatif] *m gr u fig* Superlativ *m*.
supermarché [sypɛrmarʃe] *m* Supermarkt *m*.
super|poser [sypɛrpoze] (1a) übereinanderlegen; *se* **~** sich überlagern; **~sonique** [-sɔnik] Überschall...
superstit|ieux, ~ieuse [sypɛrstisjø, -jøz] abergläubisch; **~ion** *f* Aberglaube *m*.
superstructure [sypɛrstryktyr] *f* Überbau *m* (*a fig*).
superviser [sypɛrvize] (1a) beaufsichtigen, überwachen.
supplanter [syplɑ̃te] (1a) verdrängen.
supplé|ant, ~ante [sypleɑ̃, -ɑ̃t] **1.** *adj* stellvertretend; **2.** *m, f* Stellvertreter(in) *m(f)*; **~er** (1a) **~** *à qc* etw ersetzen, e-r Sache abhelfen; **~ment** *m* Zusatz *m*, Ergänzung *f*; Nachtrag

m; Beilage *f*; Zulage *f*; Zuschlag *m*, Aufpreis *m*; **~mentaire** [-mɑ̃tɛr] zusätzlich, ergänzend; *heure f* ~ Überstunde *f*.

suppli|ant, ~ante [syplijɑ̃, -ɑ̃t] flehend.

supplication [syplikasjõ] *f* inständige Bitte *f*, Flehen *n*.

supplic|e [syplis] *m* Folter *f*; *fig* Marter *f*, Qual *f*; **~ier** [-je] (1a) martern, foltern.

supplier [syplije] (1a) ~ *qn de* (+ *inf*) j-n anflehen zu (+ *inf*).

supplique [syplik] *litt f* Bittgesuch *n*.

support [sypɔr] *m* Stütze *f*, Ständer *m*, Halterung *f*; *fig* Träger *m*.

support|able [sypɔrtablə] erträglich; **~er**[1] (1a) tragen, stützen; er-, vertragen, aushalten.

supporter[2] [sypɔrtɛr] *m Sport*: Anhänger *m*, Schlachtenbummler *m*.

suppos|é, ~ée [sypoze] mutmaßlich; **~er** (1a) annehmen, vermuten; voraussetzen; *à* ~ *que, en supposant que* (+ *subj*) angenommen ..., gesetzt den Fall ...; **~ition** *f* Annahme *f*, Vermutung *f*.

suppositoire [sypozitwar] *m phm* Zäpfchen *n*.

suppression [syprɛsjõ] *f* Beseitigung *f*, Aufhebung *f*.

supprimer [syprime] (1a) beseitigen, beheben; aufheben, abschaffen; ~ *qn* j-n umbringen.

suppurer [sypyre] (1a) eitern.

supputer [sypyte] (1a) *st/s* berechnen, abschätzen.

supranational, ~e [sypranasjɔnal] (⚠ *m/pl -aux*) übernational.

suprématie [sypremasi] *f* Ober-, Vorherrschaft *f*; ⚠ *Aussprache*.

suprême [syprɛm] höchste(r, -s), oberste(r, -s); äußerste(r, -s).

sur[1] [syr] *prép* auf, über; *une fenêtre* ~ *la rue* ein Fenster zur Straße hin; *tirer* ~ *qn* auf j-n schießen; ~ *une rivière* an e-m Fluß (gelegen); *la clé est* ~ *la porte* der Schlüssel steckt; *avoir de l'argent* ~ *soi* Geld bei sich haben; ~ *le soir* gegen Abend; ~ *ce* und nun; *être* ~ *le point de* (+ *inf*) gerade dabei sein zu (+ *inf*); *coup* ~ *coup* Schlag auf Schlag; ~ *mesure* nach Maß; *croire qn* ~ *parole* j-m aufs Wort glauben; *si vous le prenez* ~ *ce ton* wenn Sie in diesem Ton reden; ~ *mon honneur!* bei meiner Ehre!; *impôt* ~ ... Steuer auf ...; *un* ~ *dix* einer unter zehn; ⚠ ~ *la place*, *aber dans la rue*; ⚠ *nicht verwechseln mit sûr*.

sur[2], **~e** [syr] *adj* sauer.

sûr, ~e [syr] sicher, gewiß; zuverlässig; ~ *de soi* selbstsicher; *être* ~ *de son fait* seiner Sache sicher sein; *bien sûr!* natürlich!; *à coup sûr* ganz gewiß.

sur... [syr] *in Zssgn* über..., Über...

surabond|ance [syrabõdɑ̃s] *f* Überfülle *f*, Überfluß *m* (*de* an); **~er** (1a) im Überfluß vorhanden sein.

suranné, ~e [syrane] überlebt, veraltet.

surboum [syrbum] *f* F Party *f*.

surcharg|e [syrʃarʒ] *f* Über(be)lastung *f*; Übergewicht *n*; **~er** (1l) überladen; über(be)lasten; überdrucken.

surchauffer [syrʃofe] (1a) überhitzen, -heizen.

surclasser [syrklase] (1a) deklassieren, weit übertreffen.

surcroît [syrkrwa] *m* Zuwachs *m*; *un* ~ *de travail* zusätzliche Arbeit *f*; *de, par* ~ überdies.

surdité [syrdite] *f* Taubheit *f*, Schwerhörigkeit *f*.

surdoué, ~e [syrdwe] hochbegabt.

sureau [syro] *m* (⚠ *pl* **~x**) *bot* Holunder *m*.

surélever [syrelve] (1d) *tech* erhöhen.

sûrement [syrmɑ̃] *adv* sicher(lich).

surench|ère [syrɑ̃ʃɛr] *f* Mehrgebot *n* (*bei Versteigerungen*); gegenseitige Überbietung *f*; **~érir** [-erir] (2a) überbieten, höher bieten; *fig* noch e-n Schritt weitergehen.

surestimer [syrɛstime] (1a) überschätzen.

sûreté [syrte] *f* Sicherheit *f*; *mil* Sicherung *f*; ⚲ Sicherheitspolizei *f*.

surexciter [syrɛksite] (1a) überreizen.

surexposer [syrɛkspoze] (1a) *Foto*: überbelichten.

surf [sœrf] *m Sport*: Surfen *n*.

surface [syrfas] *f* (Ober-)Fläche *f*; *comm grande* ~ Verbrauchermarkt *m*; *remonter à la* ~ wieder auftauchen (*a fig*).

sur|fait, ~faite [syrfɛ, -fɛt] überschätzt.

surgelé, ~e [syrʒəle] tiefgekühlt, -gefroren.

surgir [syrʒir] (2a) plötzlich auftauchen; *Problem*: entstehen.

S

surhomme [syrɔm] *m* Übermensch *m.*
surhum|ain, ~aine [syrymɛ̃, -ɛn] übermenschlich.
sur-le-champ [syrləʃɑ̃] auf der Stelle, sofort.
surlendemain [syrlɑ̃dmɛ̃] *m* übernächster Tag *m.*
surmen|age [syrmənaʒ] *m* Überarbeitung *f*, -anstrengung *f*; **~er** (1d) überanstrengen; *se* ~ sich überarbeiten.
surmont|able [syrmõtablə] überwindbar; **~er** (1a) überragen; *fig* überwinden, bezwingen.
surnager [syrnaʒe] (1l) obenauf schwimmen; *fig* bestehen bleiben.
surnaturel, ~le [syrnatyrɛl] übernatürlich.
surnom [syrnõ] *m* Beiname *m*, Spitzname *m.*
surnombre [syrnõbrə] *m en* ~ überzählig.
surnommer [syrnɔme] (1a) ~ *qn* j-m e-n Beinamen geben.
surpasser [syrpase] (1a) ~ *qn* j-n übertreffen.
surpeupl|é, ~ée [syrpœple] über(be)völkert; **~ement** [-əmɑ̃] *m* Übervölkerung *f.*
surplomb [syrplõ] *en* ~ vorspringend, überhängend.
surplomber [syrplõbe] (1a) überhängen; ~ *qc* in etw hineinragen, etw überragen.
surplus [syrply] *m* Überschuß *m*; *au* ~ im übrigen.
surpren|ant, ~ante [syrprənɑ̃, -ɑ̃t] überraschend, erstaunlich.
surprendre [syrprɑ̃drə] (4q) überraschen; überrumpeln; erwischen; *se* ~ *à* (+ *inf*) sich dabei ertappen, daß ...
sur|pris, ~prise [syrpri, -priz] *p/p von surprendre u adj* überrascht; *être* ~ *que* (+ *subj*) sich wundern, daß ...
surprise [syrpriz] *f* Überraschung *f*; Verwunderung *f*; **~-partie** [-parti] *f* (⚠ *pl surprises-parties*) Party *f.*
surréalisme [syrealismə] *m* Surrealismus *m.*
sursaut [syrso] *m* Auffahren *n*, Zusammenzucken *n*; *Zorn*: Ausbruch *m.*
sursauter [syrsote] (1a) zusammenfahren, -zucken.
surseoir [syrswar] (3l) ~ *à jur* aufschieben.
sursis [syrsi] *m jur* Aufschub *m* (*a fig*), Aussetzung *f*; *mil* Zurückstellung *f*; *jur avec* ~ mit Bewährung.
sursitaire [syrsitɛr] *m mil* Zurückgestellte(r) *m.*
surtaxe [syrtaks] *f* Strafporto *n*; Zuschlagsgebühr *f.*
surtout [syrtu] *adv* besonders, vor allem; ~ *pas* ja nicht; *conj* F ~ *que* zumal.
surveill|ance [syrvɛjɑ̃s] *f* Aufsicht *f*; Überwachung *f*; **~ant, ~ante** [-ɑ̃, -ɑ̃t] *m*, *f* Aufseher(in) *m(f)*; *Schule*: Verantwortliche(r) *m*, *f* für Ordnung und Disziplin; **~er** (1b) überwachen; beaufsichtigen; *se* ~ auf sich achtgeben.
survenir [syrvənir] (2h) (unerwartet) erscheinen; sich plötzlich ereignen.
survêtement [syrvɛtmɑ̃] *m* Trainingsanzug *m.*
survie [syrvi] *f* Überleben *n*; *rel* Fortleben *n* nach dem Tode.
surviv|ant, ~ante [syrvivɑ̃, -ɑ̃t] **1.** *adj* überlebend; **2.** *m*, *f* Überlebende(r) *m*, *f*; Hinterbliebene(r) *m*, *f.*
survivre [syrvivrə] (4e) ~ *à qn*, *à qc* j-n, etw überleben.
survol [syrvɔl] *m* Überfliegen *n*; **~er** (1a) überfliegen (*a fig*).
sus[1] [sy] *p/s von savoir.*
sus[2] [sy(s)] *en* ~ *de* außer; *litt en* ~ obendrein; *litt courir* ~ *à l'ennemi* auf den Feind losgehen.
suscept|ibilité [sysɛptibilite] *f* Empfindlichkeit *f*; **~ible** empfindlich; *être* ~ *de* (+ *inf*) fähig *od* geeignet sein zu (+ *inf*).
susciter [sysite] (1a) hervorrufen, erregen.
susd|it, ~ite [sysdi, -it] obengenannt.
susnommé, ~e [sysnɔme] obengenannt.
susp|ect, ~ecte [syspɛ(kt), -ɛkt] verdächtig (*de qc* e-r Sache); **~ecter** [-ɛkte] (1a) verdächtigen.
suspendre [syspɑ̃drə] (4a) aufhängen; unterbrechen, aussetzen; suspendieren, vorläufig verbieten.
suspendu, ~e [syspɑ̃dy] aufgehängt, hängend; *Fahrzeug*: gefedert.
suspens [syspɑ̃] *en* ~ in der Schwebe; unentschieden.
suspense [syspɛns] *m im Film etc*: Spannung *f*; ⚠ *le* ~; *Aussprache.*
suspension [syspɑ̃sjõ] *f* Unterbrechung *f*; Suspendierung *f*; *tech* Aufhängung *f*; *auto* Federung *f*;

S

points m/pl de ~ Auslassungspunkte *m/pl*.
suspicion [syspisjõ] *st/s f* Argwohn *m*.
sustenter [systɑ̃te] (1a) *plais se* ~ sich nähren.
susurrer [sysyre] (1a) flüstern, säuseln.
sut [sy] *p/s von savoir*.
suture [sytyr] *f méd* Naht *f*.
suzer|ain, ~aine [syzrɛ̃, -ɛn] *m, f hist* Lehnsherr(in) *m(f)*.
svelte [svɛlt] schlank.
S.V.P. (*abr s'il vous plaît*) bitte.
sweater [switœr] *m* Pullover *m*; dicke Strickjacke *f*.
sybarite [sibarit] *litt m* Genießer *m*.
syllabe [silab] *f* Silbe *f*.
sylvestre [silvɛstrə] Wald...
sylviculture [silvikyltyr] *f* Forstwirtschaft *f*.
symbiose [sɛ̃bjoz] *f biol* Symbiose *f*.
symbol|e [sɛ̃bɔl] *m* Symbol *n*, Sinnbild *n*; **~ique** symbolisch, sinnbildlich; **~iser** (1a) symbolisieren, sinnbildlich darstellen; **~isme** *m* Symbolismus *m*; **~iste** *Literatur*: symbolistisch.
symétr|ie [simetri] *f* Symmetrie *f*; **~ique** symmetrisch; ⚠ *Schreibung*.
sympa [sɛ̃pa] F *abr cf sympathique*.
sympath|ie [sɛ̃pati] *f* Sympathie *f*; Anteilnahme *f*; **~ique** sympathisch; **~iser** (1a) sympathisieren (*avec qn* mit j-m).
symphon|ie [sɛ̃fɔni] *f mus u fig* Symphonie *f*, Sinfonie *f*; **~ique** sinfonisch.
symptôme [sɛ̃ptom] *m* Symptom *n*; *fig* Anzeichen *n*.
synagogue [sinagɔg] *f* Synagoge *f*; ⚠ *Schreibung*.
synchronis|ation [sɛ̃krɔnizasjõ] *f* Synchronisierung *f*; **~er** (1a) synchronisieren.
syncope [sɛ̃kɔp] *f mus* Synkope *f*; *méd* Ohnmacht *f*.
syndic [sɛ̃dik] *m* Verwalter *m*; **~al, ~ale** (⚠ *m/pl -aux*) gewerkschaftlich, Gewerkschafts...; **~aliser** [-alize] (1a) gewerkschaftlich organisieren; **~aliste** [-alist] **1.** *adj* Gewerkschafts...; **2.** *m, f* Gewerkschaftler(in) *m(f)*.
syndicat [sɛ̃dika] *m* Gewerkschaft *f*; Verband *m*; ~ *d'initiative* Fremdenverkehrsamt *n*.
syndiqué, ~e [sɛ̃dike] gewerkschaftlich organisiert.
syndrome [sɛ̃drom] *m méd* Syndrom *n*.
synode [sinɔd] *m* Synode *f*; ⚠ *le* ~.
synonyme [sinɔnim] **1.** *adj* sinnverwandt, synonym; *fig* gleichbedeutend (*de* mit); **2.** *m* Synonym *n*.
syntaxe [sɛ̃taks] *f gr* Syntax *f*, Satzlehre *f*.
synthèse [sɛ̃tɛz] *f* Synthese *f*.
synthétique [sɛ̃tetik] synthetisch.
Syrie [siri] *la* ~ Syrien *n*.
syri|en, ~enne [sirjɛ̃, -ɛn] syrisch.
systémat|ique [sistematik] systematisch; **~iser** (1a) systematisieren.
système [sistɛm] *m* System *n*; F *je connais le* ~ ich weiß Bescheid; F *le* ~ *D* (= *débrouillard*) die nötigen Tricks (um sich aus der Affäre zu ziehen).

T

ta [ta] *cf ton*².
tabac [taba] *m* Tabak *m*; *bureau m od débit m de* ~ Tabakladen *m*; F *passage m à* ~ Prügel *pl* (*durch die Polizei*).
tabatière [tabatjɛr] *f* Tabaksdose *f*.
table [tablə] *f* Tisch *m*; Tafel *f*, Platte *f*; (Speise-)Tisch *m*; Tafelrunde *f*; Essen *n*; Tabelle *f*; ~ *pliante* Klapptisch *m*; ~ *des matières* Inhaltsverzeichnis *n*; *à* ~*!* zu Tisch!; ~ *ronde* Gesprächsrunde *f*; *se mettre à* ~ sich zu Tisch setzen; F auspacken.
tableau [tablo] *m* (⚠ *pl* ~*x*) (Wand-)Tafel *f*; Brett *n*; Gemälde *n* (*a fig*); Bild *n*; *fig* Schilderung *f*; Liste *f*; Tabelle *f*; ~ *d'affichage* Anschlag-, Anzeigetafel *f*; ~ *de bord* Armaturenbrett *n*; ~ *noir* Schultafel *f*.
tablette [tablɛt] *f* (Wand-, Fach-)

Brett *n*, Ablageplatte *f*; ~ *de chocolat* Tafel *f* Schokolade; ⚠ *nicht* die Tablette; *nicht* das Tablett.
tablier [tablije] *m* Schürze *f*; *tech* Brückendecke *f*; *fig rendre son* ~ seine Stelle aufgeben.
tabou [tabu] **1.** *m* Tabu *n*; **2.** *adj* (⚠ *unv od f* ~*e*, *pl* ~[*e*]*s*) tabu.
tabouret [taburɛ] *m* Schemel *m*; Hocker *m*.
tac [tak] *m répondre du* ~ *au* ~ schlagfertig sein.
tache [taʃ] *f* Fleck *m*; Fehler *m*, Makel *m*; ~*s pl de rousseur* Sommersprossen *f/pl*.
tâche [tɑʃ] *f* Aufgabe *f*; *à la* ~ im Akkord *od* Stücklohn.
tacher [taʃe] (1a) beflecken, fleckig machen.
tâcher [tɑʃe] (1a) ~ *de* (+ *inf*) versuchen, sich bemühen zu (+ *inf*); ~ *que* (+ *subj*) zusehen, daß ...
tacheté, ~e [taʃte] gefleckt, gesprenkelt.
tachymètre [takimɛtrə] *m tech* Tachometer *m*.
tacite [tasit] stillschweigend.
taciturne [tasityrn] schweigsam.
tacot [tako] *m auto* F alter Klapperkasten *m*.
tact [takt] *m* Tastsinn *m*; *fig* Takt *m*; ⚠ *nicht in der Musik*.
tact|icien [taktisjɛ̃] *m mil* Taktiker *m*; **~ile** [-il] Tast...; **~ique 1.** *adj* taktisch; **2.** *f* Taktik *f*.
taffetas [tafta] *m* Taft *m*.
taie [tɛ] *f* ~ (*d'oreiller*) Kopfkissenbezug *m*.
taillant [tajɑ̃] *m* Schneide *f* (*e-s Werkzeugs*).
taille [taj] *f* **1.** Beschneiden *n*, Schnitt *m*; Schneide *f*; Behauen *n*; **2.** (Körper-)Größe *f*, Wuchs *m*, Figur *f*, Statur *f*; Taille *f*; *fig* Größe *f*, Bedeutung *f*; *être de* ~ *à* (+ *inf*) fähig sein zu (+ *inf*); F *de* ~ gewaltig.
taille-crayon(s) [tajkrɛjõ] *m* (⚠ *pl unv*) Bleistiftspitzer *m*.
taill|er [taje] (1a) (be-, zu)schneiden; *Bleistift*: spitzen; *Edelstein*: schleifen; *Stein*: behauen; **~eur** *m* Schneider *m*; Kostüm *n*; ~ *de pierres* Steinmetz *m*; ~ *de diamants* Diamantschleifer *m*.
taillis [taji] *m* Unterholz *n*; Niederwald *m*.
taire [tɛr] (4aa) verschweigen; *se* ~ schweigen (*sur qc* über etw); verstummen; *taisez-vous!* halten Sie den Mund!; *faire* ~ *qn* j-n zum Schweigen bringen; j-m Ruhe gebieten.
talc [talk] *m* Körperpuder *m*; Talkum *n*.
talent [talɑ̃] *m* Talent *n*, Anlage *f*, Begabung *f*.
talentu|eux, ~euse [talɑ̃tɥø, -øz] talentiert, begabt.
talion [taljõ] *m la loi du* ~ das Gesetz der Wiedervergeltung.
taloche [talɔʃ] F *f* Ohrfeige *f*.
talon [talõ] *m* Ferse *f*; *Schuh*: Absatz *m*; *Scheckbuch*: Stammabschnitt *m*.
talonner [talɔne] (1a) hart verfolgen, bedrängen.
talus [taly] *m* Abhang *m*, Böschung *f*.
tambour [tɑ̃bur] *m* **1.** *mus*, *tech* Trommel *f*; **2.** Trommler *m*; **~iner** [-ine] (1a) trommeln.
tamis [tami] *m* Sieb *n*.
Tamise [tamiz] *la* ~ die Themse.
tamiser [tamize] (1a) sieben; *Licht*: dämpfen.
tampon [tɑ̃põ] *m* Wattebausch *m*; Puffer *m*; Stempel *m*; *méd* Tampon *m*; ~ *encreur* Stempelkissen *n*; ~ *buvard* Löscher *m*.
tamponn|ement [tɑ̃pɔnmɑ̃] *m* Zusammenstoß *m*; **~er** (1a) zustopfen; abtupfen (*Wunde*); abstempeln; *auto* prallen auf; **~euse** *auto f* ~ (Auto-) Skooter *m*.
tancer [tɑ̃se] (1k) *litt* schelten.
tandem [tɑ̃dɛm] *m* Tandem *n*; *fig* Gespann *n*.
tandis que [tɑ̃di(s)kə] während (*zeitlich u gegensätzlich*).
tangage [tɑ̃gaʒ] *m mar* Stampfen *n*.
tang|ent, ~ente [tɑ̃ʒɑ̃, -ɑ̃t] **1.** *adj math* berührend; F knapp; **2.** *f math* Tangente *f*; F *prendre la tangente* verduften.
tangible [tɑ̃ʒiblə] fühlbar; greifbar.
tanguer [tɑ̃ge] (1m) *mar* stampfen.
tanière [tanjɛr] *f* Höhle *f* (*der wilden Tiere*); *fig* Schlupfwinkel *m*.
tank [tɑ̃k] *m* Tank *m*; *mil* Panzer *m*; **~er** [-ɛr] *m mar* Tanker *m*.
tann|é, ~ée [tane] gegerbt (*a fig*); **~er** (1a) gerben; *fig* F belästigen, nerven; **~erie** *f* Gerberei *f*; **~eur** *m* Gerber *m*.
tant [tɑ̃] **1.** *adv* so viel, so sehr; soundso viel; ~ *il est vrai que* das bestätigt, daß; ~ *bien que mal* so einigermaßen; mittelmäßig; ~ *mieux* um so besser; ~ *pis* schade; da

kann man nichts machen; *le* ~ am Soundsovielten; **2.** *conj* ~ *que* solange; ~ *qu'à faire!* wenn schon, denn schon!; ~ *et si bien que* so weit, daß; *si* ~ *est que* (+ *subj*) sofern; *en* ~ *que Français* als Franzose; ~ ... *que* sowohl ... als auch.
tante [tɑ̃t] *f* Tante *f*.
tantième [tɑ̃tjɛm] *m comm* Gewinnanteil *m*; ⚠ *le* ~.
tantôt [tɑ̃to] **1.** *à* ~ bis heute nachmittag; **2.** ~ ... ~ ... bald ..., bald ...
taon [tɑ̃] *m zo* Bremse *f*.
tapag|e [tapaʒ] *m* Lärm *m*; *fig* Wirbel *m*; *jur* ~ *nocturne* nächtliche Ruhestörung *f*; **~eur, ~euse** auffallend; lärmend.
tape [tap] *f* Klaps *m*.
tape-à-l'œil [tapalœj] (⚠ *unv*) protzig.
tapecul [tapky] *m* Wippe *f*; *auto* F Rumpelkasten *m*.
tapée [tape] *f* F Menge *f*, Haufen *m*.
taper [tape] (1a) schlagen; klopfen; F anpumpen; F ~ *(à la machine)* tippen; F ~ *sur les nerfs à qn* j-m auf die Nerven gehen; *Sonne*: ~ *(dur)* heiß brennen; F *se* ~ *qc* sich etw gönnen.
tapette [tapɛt] *f* Teppichklopfer *m*; Fliegenklatsche *f*; F gutes Mundwerk.
tap|i, ~ie [tapi] versteckt; zusammengekauert; **~ir** (2a) *se* ~ sich ducken.
tapis [tapi] *m* Teppich *m*; Decke *f*, Matte *f*; ~ *roulant* Förderband *n*; Fahrsteig *m*; *fig mettre sur le* ~ zur Sprache bringen.
tapiss|er [tapise] (1a) tapezieren; schmücken; **~erie** *f* Wandteppich *m*; **~ier, ~ière** [-je, -jɛr] *m*, *f* **1.** Teppichweber(in) *m(f)*; **2.** *nur m* Polsterer *m*; Tapezierer *m*.
tapoter [tapɔte] (1a) leicht klopfen; tätscheln; *mus* klimpern.
taquet [takɛ] *m* Pflock *m*; Keil *m*.
taqu|in, ~ine [takɛ̃, -in] schalkhaft, schelmisch; **~iner** [-ine] (1a) hänseln, necken; **~inerie** [-inri] *f* Neckerei *f*, Hänselei *f*.
tarabiscoté, ~e [tarabiskɔte] überladen; schwülstig (*Stil*).
tarabuster [tarabyste] (1a) ~ *qn* j-n drängen, beunruhigen.
tard [tar] *adv* spät; *au plus* ~ spätestens; *pas plus* ~ *que* erst; *sur le* ~ in vorgerücktem Alter; ~ *dans la nuit* spät in der Nacht; *il se fait* ~ es wird spät.
tard|er [tarde] (1a) zögern; auf sich warten lassen; spät kommen; *ne pas* ~ *à faire qc* bald etw tun; *il me tarde de* (+ *inf*) ich sehne mich danach, zu (+ *inf*); *il me tarde que* (+ *subj*) ich warte ungeduldig darauf, daß ...; **~if, ~ive** [-if, -iv] spät (eintretend, reifend).
tare [tar] *f* **1.** *comm* Verpackungsgewicht *n*; **2.** Fehler *m*, Mangel *m*; *fig* Makel *m*; ~ *héréditaire* erbliche Belastung *f*.
targuer [targe] (1m) *st/s se* ~ *de qc* sich mit etw brüsten.
tarif [tarif] *m* Tarif *m*, Gebühr *f*.
tarin [tarɛ̃] *m zo* Zeisig *m*; *arg* Nase *f*, Zinken *m* F.
tarir [tarir] (2a) austrocknen; versiegen; *fig* erschöpfen; stocken; *se* ~ versiegen; sich erschöpfen.
tarte [tart] **1.** *f* Torte *f*; Obstkuchen *m*; **2.** *adj* F häßlich; blöd.
tartelette [tartəlɛt] *f* Törtchen *n*.
tartin|e [tartin] *f* bestrichene Brotschnitte *f*; ~ *de beurre* Butterbrot *n*; **~er** (1a) *Brotschnitte*: bestreichen; *fromage m à* ~ Streichkäse *m*.
tartre [tartrə] *m* Weinstein *m*; Zahnstein *m*; Kesselstein *m*.
tartuf(f)|e [tartyf] *m* Scheinheilige(r) *m*; **~erie** *f* Heuchelei *f*.
tas [tɑ] *m* Haufen *m*; Menge *f*; *sur le* ~ bei der Arbeit.
tasse [tɑs] *f* Tasse *f*; ⚠ *unterscheide une* ~ *de café* e-e Tasse Kaffee; *une* ~ *à café* e-e Kaffeetasse.
tassement [tɑsmɑ̃] *m* Sichsenken *n*.
tasser [tɑse] (1a) feststampfen; zusammenpferchen; *se* ~ sich senken; F *fig* sich geben, wieder in Ordnung kommen.
tâter [tɑte] (1a) befühlen, betasten; *fig* sondieren; F ~ *de qc* etw probieren.
tatill|on, ~onne [tatijɔ̃, -ɔn] pedantisch; ⚠ *ohne accent circonflexe*; ⚠ *f a tatillon*.
tâtonner [tɑtɔne] (1a) (herum)tappen; *fig* tastende Versuche machen.
tâtons [tɑtɔ̃] *adv à* ~ tastend, tappend.
tatou|age [tatwaʒ] *m* Tätowieren *n*, -ung *f*; **~er** (1a) tätowieren.
taudis [todi] *m* Elendswohnung *f*, Loch *n*.
taule [tol] *f arg* Kittchen *n*, Knast *m*.
taupe [top] *f zo* Maulwurf *m*.

taureau [tɔro] *m* (⚠ *pl* ~*x*) *zo* Stier *m*, Bulle *m*.
tauromachie [tɔrɔmaʃi] *f* Stierkampf *m*.
taux [to] *m* Kurs *m*, Quote *f*, Rate *f*, Satz *m*; ~ (*de l'intérêt*) Zinsfuß *m*, -satz *m*; ~ *de mortalité* Sterblichkeitsziffer *f*.
tavelé, ~e [tavle] fleckig.
taverne [tavɛrn] *f* Taverne *f*, Schenke *f*.
tax|e [taks] *f* Gebühr *f*; festgesetzter Preis *m*; Steuer *f*, Abgabe *f*; ~ *sur od à la valeur ajoutée* (*abr T.V.A.*) Mehrwertsteuer *f*; ~ *de séjour* Kurtaxe *f*; **~er** (1a) besteuern; *Preis*: festsetzen; *fig* ~ *qn de qc* j-n e-r Sache beschuldigen; ~ *qn de* j-n bezeichnen als.
taxi [taksi] *m* Taxi *n*; **~mètre** [-mɛtrə] *m* Taxameter *m*; **~phone** [-fɔn] *m* Münzfernsprecher *m*.
tchécoslova|que [tʃekɔslɔvak] tschechoslowakisch; **2quie** [-ki] *la* ~ die Tschechoslowakei.
tchèque [tʃɛk] **1.** *adj* tschechisch; **2. 2** *m, f* Tscheche *m*, Tschechin *f*.
te [t(ə)] dich; dir.
technic|ien, ~ienne [tɛknisjɛ̃, -jɛn] *m, f* Techniker(in) *m(f)*.
technique [tɛknik] **1.** *adj* technisch; Fach...; *terme m* ~ Fachausdruck *m*; **2.** *f* Technik *f*.
techno|crate [tɛknɔkrat] *m* Technokrat *m*; **~cratie** [-krasi] *f* Technokratie *f*; **~logie** [-lɔʒi] *f* Technologie *f*, Technik *f*; **~logique** [-lɔʒik] technologisch.
teck [tɛk] *m* Teakbaum *m*, -holz *n*.
teckel [tekɛl] *m zo* Dackel *m*.
tégument [tegymɑ̃] *m zo, bot* Haut *f*, Hülle *f*.
teigne [tɛɲ] *f zo* Motte *f*; *méd* Grind *m*; *fig* Giftnudel *f* F.
teindre [tɛ̃drə] (4b) färben.
teint, teinte [tɛ̃, tɛ̃t] **1.** *adj* gefärbt; *bon od grand teint* (⚠ *unv*) farbecht; **2.** *m* Teint *m*, Gesichtsfarbe *f*; **3.** *f* Farbton *m*; Färbung *f* (*a fig.*).
teinter [tɛ̃te] (1a) tönen; *Holz*: beizen.
teintur|e [tɛ̃tyr] *f* Farbe *f*; Färbung *f*; Tinktur *f*; **~erie** *f* Färberei *f*; chemische Reinigung *f*; **~ier, ~ière** [-je, -jɛr] *m, f* Färber(in) *m(f)*; *donner un vêtement chez le teinturier* ein Kleidungsstück zur chemischen Reinigung geben.
tel, telle [tɛl] **1.** *adj* solche(r, -s), solch ein(e), so ein(e), derartig; *tel(s) od telle(s) que* wie zum Beispiel (*vor e-r Aufzählung*); *tel quel* unverändert, im alten Zustand; *prendre la chose telle quelle* die Sache nehmen, wie sie ist; *rien de tel que* es gibt nichts Besseres als; *à tel point que* so sehr, daß; *tel jour* an dem und dem Tag; **2.** *Monsieur Un tel* Herr Soundso; *Madame Une telle* Frau Sowieso.
télé [tele] *f* F *abr cf télévision*.
télé... [tele] *in Zssgn* fern..., Fern...; Fernseh...
télé|benne [telebɛn] *f* Kabinenseilbahn *f*; **~commande** [-kɔmɑ̃d] *f* Fernsteuerung *f*; **~commander** [-kɔmɑ̃de] (1a) fernsteuern; **~communication** [-kɔmynikasjõ] *f meist pl* ~*s* Fernmeldetechnik *f*, -wesen *n*; **~férique** [-ferik] *cf téléphérique*; **~génique** [-ʒenik] telegen.
télé|gramme [-gram] *m* Telegramm *n*; *par* ~ telegraphisch; **~graphe** [-graf] *m* Telegraf *m*; **~graphie** [-grafi] *f* Telegrafie *f*; ~ *sans fil* (*abr T.S.F.*) drahtlose Telegrafie: **~graphier** [-grafje] (1a) telegrafieren; **~graphique** [-grafik] telegrafisch.
télé|guidage [telegidaʒ] *m* Fernlenkung *f*; **~guider** [-gide] (1a) fernlenken; **~imprimeur** [-ɛ̃primœr] *m* Fernschreiber *m*; **~informatique** [-ɛ̃fɔrmatik] *f* Datenfernverarbeitung *f*; **~objectif** [-ɔbʒɛktif] *m* Teleobjektiv *n*; **~phérique** [-ferik] *m* (Draht-)Seilbahn *f*.
téléphon|e [telefɔn] *m* Telefon *n*; *abonné m au* ~ Fernsprechteilnehmer *m*; *coup m de* ~ Anruf *m*; *par* ~ telefonisch; *avoir le* ~ Telefon haben; **~er** (1a) ~ *à qn* mit j-m telefonieren, j-n anrufen; ~ *qc* etw telefonisch durchsagen; **~ique** telefonisch, Fernsprech..., fernmündlich; *cabine f* ~ Fernsprechzelle *f*; *appel m* ~ Anruf *m*; **~iste** *m, f* Telefonist(in) *m(f)*.
télescopage [teleskɔpaʒ] *m* Zusammenstoß *m*, Auffahren *n*.
télescop|e [teleskɔp] *m* Teleskop *n*, Fernrohr *n*; ⚠ *Schreibung*; **~er** (1a) zusammenstoßen mit, auffahren auf; *se* ~ zusammenstoßen; **~ique** ausziehbar.
téléscripteur [teleskriptœr] *m* Fernschreiber *m*.
télé|siège [telesjɛʒ] *m* Sessellift *m*; **~ski** *m* Schlepplift *m*.

T
U

téléspecta|teur, ~trice [telespɛktatœr, -tris] *m, f* Fernsehzuschauer(in) *m(f)*.
télévis|é, ~ée [televize] im Fernsehen übertragen, Fernseh...; **~eur** *m* Fernsehgerät *n*, Fernseher *m*; **~ion** *f* Fernsehen *n*; Fernsehgerät *n*, Fernseher *m*.
télex [telɛks] *m* Fernschreiben *n*; Telex *n*.
tellement [tɛlmɑ̃] *adv* so, derartig, so sehr, so viel.
témér|aire [temerɛr] waghalsig, verwegen, (toll)kühn; **~ité** *f* (Toll-) Kühnheit *f*.
témoign|age [temwaɲaʒ] *m* Zeugenaussage *f*; Zeugnis *n*; Beweis *m*, Zeichen *n*; **~er** (1a) bekunden; als Zeuge aussagen; *~ de qc* etw bezeugen, von etw zeugen, etw beweisen.
témoin [temwɛ̃] *m* Zeuge *m*, Zeugin *f*; Beweis *m*; *appartement m ~* Musterwohnung *f*.
tempe [tɑ̃p] *f* Schläfe *f*.
tempérament [tɑ̃peramɑ̃] *m* Temperament *n*, Veranlagung *f*, Gemütsart *f*; Konstitution *f*; *à ~* auf Abzahlung, in Raten; *avoir du ~* sinnlich *od* heißblütig sein; ⚠ *nicht* Temperament haben.
tempérance [tɑ̃perɑ̃s] *f* Mäßigkeit *f*, Enthaltsamkeit *f*.
tempér|ature [tɑ̃peratyr] *f* Temperatur *f*; *avoir de la ~* Fieber haben; **~é, ~ée** gemäßigt; **~er** (1f) mildern, mäßigen.
tempête [tɑ̃pɛt] *f* Sturm *m* (*a fig*).
temple [tɑ̃plə] *m* Tempel *m*; *protestantische* Kirche *f*.
tempor|aire [tɑ̃pɔrɛr] zeitweilig, vorübergehend; **~el, ~elle** *rel* zeitlich, irdisch; weltlich; *gr* Temporal...
temporiser [tɑ̃pɔrize] (1a) abwarten.
temps [tɑ̃] *m* **1.** Zeit *f*; *mus* Taktzeit *f*; *tech* Takt *m*; *mesure f à trois ~* Dreivierteltakt *m*; *moteur m à deux ~* Zweitaktmotor *m*; *à ~* rechtzeitig, beizeiten; *de ~ à autre, de ~ en ~* von Zeit zu Zeit; *(ne pas) avoir le ~* (keine) Zeit haben; *tout le ~* ständig; *dans le ~* ehemals; *de mon ~* zu meiner Zeit; *en tout ~* zu jeder Zeit; *du ~ que* als; *il est ~ de* (+ *inf*) es ist Zeit zu (+ *inf*); *il est ~ que* (+ *subj*) es ist Zeit, daß ...; *il est grand ~* es ist höchste Zeit; *de tout ~* von jeher; *en même ~* gleichzeitig, zugleich; *au bon vieux ~* in der guten, alten Zeit; **2.** Wetter *n*; *par beau ~* bei schönem Wetter; *quel ~ fait-il?* wie ist das Wetter?
tenace [tənas] zäh, hartnäckig, ausdauernd.
ténacité [tenasite] *f* Zähigkeit *f* (*a fig*), Hartnäckigkeit *f*; ⚠ *Schreibung*.
tenaille [t(ə)naj] *f meist pl ~s* (Kneif-) Zange *f*.
tenanc|ier, ~ière [tənɑ̃sje, -jɛr] *m, f* Inhaber(in) *m(f)*.
ten|ant, ~ante [tənɑ̃, -ɑ̃t] *séance tenante* sofort.
tendanc|e [tɑ̃dɑ̃s] *f* Tendenz *f*, Streben *n*, Richtung *f*, Trend *m*, Neigung *f*, Hang *m*; **~ieux, ~ieuse** [-jø, -jøz] tendenziös; ⚠ *Schreibung*.
tendon [tɑ̃dõ] *m* Sehne *f*.
tendre[1] [tɑ̃drə] (4a) spannen; *Kräfte, Geist*: anspannen, anstrengen; *Falle*: stellen; *Arm*: ausstrecken; *~ la main* die Hand reichen (*a fig*); *~ à qc* nach etw streben; auf etw abzielen.
tendre[2] [tɑ̃drə] *adj* zart; weich; zärtlich, liebevoll; lieblich; *fig âge m ~* Kindheit *f*.
tendresse [tɑ̃drɛs] *f* Zärtlichkeit *f*.
tendron [tɑ̃drõ] *m bot* Sproß *m*; *litt* F junges Ding *n*.
tendu, ~e [tɑ̃dy] (an)gespannt (*a fig*), straff.
ténèbres [tenɛbrə] *f/pl* Finsternis *f*.
ténébr|eux, ~euse [tenebrø, -øz] finster, dunkel; düster, undurchsichtig.
teneur [tənœr] *f* Wortlaut *m*; Inhalt *m*; Gehalt *m* (*en* an); *~ en alcool* Alkoholgehalt *m*.
ténia [tenja] *m zo* Bandwurm *m*.
tenir [t(ə)nir] (2h) halten; festhalten; haben, besitzen; führen; *Platz*: einnehmen, haben; *~ pour* halten für; *~ compte de qc* etw berücksichtigen; *auto ~ (bien) la route* gut auf der Straße liegen; *~ qc de qn* etw von j-m haben; *~ parole* sein Wort halten; *tiens! od tenez!* da, nimm! *od* nehmt!; da schau her!; sehen Sie!; *~ à qc, qn* an etw, j-m hängen; Wert auf etw, j-n legen; *~ à* liegen an, kommen von; *~ de qn* j-m ähnlich sein, j-m nachschlagen; *~ bon* standhalten; *se ~* stattfinden; sich (fest-) halten (*à* an); *se ~ pour* sich halten für; *se ~ mal* sich schlecht benehmen; *s'en ~ à qc* sich an etw halten; es bei etw bewenden lassen.

tennis [tenis] *m* Tennis *n*.
ténor [tenɔr] *m mus* Tenor *m*.
tension [tɑ̃sjõ] *f* Spannung *f*; Anspannung *f*; *méd* Blutdruck *m*.
tentacule [tɑ̃takyl] *m zo* Fangarm *m*.
tent|ant, ~ante [tɑ̃tɑ̃, -ɑ̃t] verlockend, reizvoll.
tentation [tɑ̃tasjõ] *f* Versuchung *f*, Verlockung *f*.
tentative [tɑ̃tativ] *f* Versuch *m*.
tente [tɑ̃t] *f* Zelt *n*; *dresser, monter, planter (démonter) une ~* ein Zelt aufschlagen (abbrechen); *vivre sous la ~* im Zelt leben.
tenter [tɑ̃te] (1a) versuchen, verlocken, reizen; wagen; *être tenté(e) de (+ inf)* in Versuchung kommen *od* versucht sein zu (+ *inf*); *~ de (+ inf)* versuchen zu (+ *inf*).
tenture [tɑ̃tyr] *f* Wandbehang *m*, (Stoff-)Tapete *f*.
tenu, ~e [t(ə)ny] *p/p von tenir u adj ~ à qc* zu etw verpflichtet; *être ~ de faire qc* gehalten sein, etw zu tun; *bien ~* gepflegt; *mal ~* verwahrlost.
ténu, ~e [teny] dünn, fein.
tenue [t(ə)ny] *f* Haltung *f*, Führung *f*; Betragen *n*, Benehmen *n*; Anzug *m*, Kleidung *f*, *mil* Uniform *f*; *en grande ~* in Paradeuniform; *auto ~ de route* Straßenlage *f*.
ter [tɛr] *bei Hausnummern*: b.
térébenthine [terebɑ̃tin] *f* Terpentin *n*; ⚠ *la ~*.
tergiverser [tɛrʒivɛrse] (1a) Ausflüchte, Winkelzüge machen.
terme [tɛrm] *m* **1.** Ende *n*, Termin *m*; Frist *f*; Zeit(punkt) *f(m)*; *à long ~* langfristig; **2.** Ausdruck *m*, Wort *n*; *~ technique* Fachausdruck *m*; *être en bons ~s avec qn* mit j-m auf gutem Fuß stehen.
termin|aison [tɛrminɛzõ] *f gr* Endung *f*; **~al, ~ale** (⚠ *m/pl -aux*) **1.** *adj* End..., Schluß...; **2.** *m* Terminal *m od n* (*a EDV*); **3.** *f* Abiturklasse *f*; **~er** (1a) abschließen, beenden; *se ~* enden (*par* mit), zu Ende gehen; *se ~ en pointe* spitz auslaufen.
terminologie [tɛrminɔlɔʒi] *f* Fachsprache *f*, Terminologie *f*.
terminus [tɛrminys] *m* Endstation *f*.
tern|e [tɛrn] matt, trüb, glanzlos; *fig* eintönig; **~ir** (2a) matt, glanzlos machen; *fig* trüben; *se ~* trüb werden.
terrain [tɛrɛ̃] *m* Gelände *n*, Terrain *n* (*a fig*); Grundstück *n*; Boden *m*; *géol* Formation *f*; *~ à bâtir* Bauplatz *m*; *~ de jeu* Spielplatz *m*; *~ de camping* Camping-, Zeltplatz *m*; *~ d'aviation* Flugplatz *m*; *véhicule m tout ~* Geländefahrzeug *n*.
terrass|e [tɛras] *f* Terrasse *f*; **~ement** [-mɑ̃] *m* (*travaux m/pl de*) *~* Erdarbeiten *f/pl*; **~er** (1a) niederwerfen, -strecken, -schlagen (*a fig*); **~ier** [-je] *m* Erdarbeiter *m*.
terre [tɛr] *f* Erde *f*, Erdboden *m*; Land *n*; Grundbesitz *m*; Welt *f*; *~ cuite* Terrakotta *f*; *~ ferme* Festland *n*; *~ à ~* prosaisch, nüchtern; *à od par ~* auf dem (den) Boden; *pomme f de ~* Kartoffel *f*; *sur (la) ~* auf der Erde *od* Welt; *la* ♀ *sainte* das Heilige Land; *la* ♀ *promise* das Gelobte Land; *de, en ~* tönern, aus Ton.
terreau [tɛro] *m* (⚠ *pl ~x*) Gartenerde *f*, Humus *m*.
Terre-Neuve [tɛrnœv] **1.** *f* (⚠ *wird artikellos gebraucht*) Neufundland *n*; **2.** ♀ *m* (⚠ *pl unv*) *zo* Neufundländer *m*.
terre-plein [tɛrplɛ̃] *m* (⚠ *pl terre-pleins*) Erdaufschüttung *f*; *~ central* Mittelstreifen *m* (*Autobahn*).
terrer [tɛre] (1a) *agr* häufeln; *se ~* sich verkriechen, sich verbergen.
terrestre [tɛrɛstrə] Land..., Erd...; irdisch, weltlich.
terreur [tɛrœr] *f* Schrecken *m*; Terror *m*; ⚠ *la ~*.
terrible [tɛriblə] schrecklich, furchtbar; F gewaltig, außerordentlich; **~ment** *adv* furchtbar.
terr|ien, ~ienne [tɛrjɛ̃, -jɛn] **1.** *adj* grundbesitzend; *propriétaire m ~* Grundbesitzer; **2.** *m, f* Erdbewohner(in) *m(f)*.
terrier [tɛrje] *m* Bau *m* (*e-s Tiers*); *zo* Terrier *m*.
terrifier [tɛrifje] (1a) in Schrecken versetzen.
terril [tɛril] *m* Abraumhalde *f*.
terrine [tɛrin] *f* tiefe Tonschüssel *f*; Pastete *f*.
territoire [tɛritwar] *m* Territorium *n*, (Hoheits-)Gebiet *n*.
territorial, ~e [tɛritɔrjal] (⚠ *m/pl -aux*) territorial, Gebiets...; *eaux f/pl territoriales* Hoheitsgewässer *n/pl*.
terroir [tɛrwar] *m* Boden *m*; Gegend *f*, Region *f*; *sentir son ~* seine Herkunft erkennen lassen.
terror|iser [tɛrɔrize] (1a) terrorisieren; **~isme** *m* Terrorismus *m*; **~iste**

1. *adj* terroristisch; **2.** *m, f* Terrorist(in) *m(f)*.
tertiaire [tɛrsjɛr] tertiär; *écon secteur m* ~ Dienstleistungssektor *m*.
tertre [tɛrtrə] *m* Anhöhe *f*.
tes [te] *cf ton*[2].
tessiture [tesityr] *f mus* Stimmlage *f*.
tesson [tɛsõ] *m* Scherbe *f*.
test [tɛst] *m* Test *m*; Probe *f*; ~ *d'intelligence* Intelligenztest *m*; *passer des* ~*s* getestet werden.
testament [tɛstamɑ̃] *m* Testament *n*.
tester [tɛste] (1a) testen.
testicule [tɛstikyl] *m* Hoden *m*.
tétanos [tetanos] *m méd* Wundstarrkrampf *m*, Tetanus *m*.
têtard [tɛtar] *m zo* Kaulquappe *f*.
tête [tɛt] *f* Kopf *m*; *fig* Verstand *m*; Aussehen *n*; oberer *od* vorderer Teil *m*; *coup m de* ~ unüberlegte Handlung *f*; ~ *baissée* blindlings; *la* ~ *basse* kleinlaut; *la* ~ *haute* erhobenen Hauptes; *de* ~ im Kopf; *avoir la* ~ *dure* ein Dickkopf sein; *fig se casser la* ~ sich den Kopf zerbrechen; *n'en faire qu'à sa* ~ seinen eigenen Kopf haben; *tenir* ~ die Stirn bieten; *piquer une* ~ e-n Kopfsprung *ins Wasser* machen; *par* ~ pro Kopf; *faire une sale* ~ ein saures Gesicht machen; *faire la* ~ schmollen; *fig il se paie ta* ~ er hält dich zum Narren; ~ *nucléaire* Atomsprengkopf *m*; *en* ~ an der Spitze, vorne; *à la* ~ *de* an der Spitze von.
tête-à-tête [tɛtatɛt] *m* (⚠ *pl unv*) Gespräch *n* unter vier Augen.
téter [tete] (1f) saugen.
tétine [tetin] *f* Sauger *m*, Schnuller *m*.
téton [tetõ] F *m* Brust *f*.
têtu, ~e [tety] starrköpfig, eigensinnig.
texte [tɛkst] *m* Text *m*; *lire un auteur dans le* ~ e-n Autor im Original lesen.
textile [tɛkstil] **1.** *adj* Faser..., Textil...; **2.** *m* Faserstoff *m*; Textilerzeugnis *n*; Textilindustrie *f*; ~*s pl* Textilien *f/pl*.
textuel, ~le [tɛkstɥɛl] wörtlich.
texture [tɛkstyr] *f* Struktur *f*.
T.G.V. [teʒeve] *m* (*abr train à grande vitesse*) Hochgeschwindigkeitszug *m*.
thé [te] *m* Tee *m*; ~ *au lait* Tee mit Milch; ~ *dansant* Tanztee *m*.
théâtral, ~e [teɑtral] (⚠ *m/pl -aux*) Theater..., Bühnen...; pathetisch, theatralisch.
théâtre [teɑtrə] *m* Theater *n*; Bühne *f*; Drama *n*; *fig* Schauplatz *m*; *pièce f de* ~ Theaterstück *n*; *coup m de* ~ Knalleffekt *m*; ~ *en plein air* Freilichtbühne *f*.
théière [tejɛr] *f* Teekanne *f*.
thème [tɛm] *m* Thema *n*; Gegenstand *m*; *Schule*: Übersetzung *f* in die Fremdsprache, Hinübersetzung *f*.
théocratie [teɔkrasi] *f* Priesterherrschaft *f*.
théolog|ie [teɔlɔʒi] *f* Theologie *f*; **~ien** *m* Theologe *m*.
théorème [teɔrɛm] *m* Lehrsatz *m*.
théoric|ien, ~ienne [teɔrisjɛ̃, -jɛn] *m, f* Theoretiker(in) *m(f)*.
théorie [teɔri] *f* Theorie *f*, Lehre *f*.
théorique [teɔrik] theoretisch.
thérapeutique [terapøtik] **1.** *f* Therapeutik *f*; Therapie *f*; **2.** *adj* therapeutisch.
thermal, ~e [tɛrmal] (⚠ *m/pl -aux*) Thermal...; *station f thermale* Kurort *m*.
therm|es [tɛrm] *m/pl* Thermen *f/pl*; Kuranstalt *f*; **~ique** *phys* thermisch, Wärme...
thermo|mètre [tɛrmɔmɛtrə] *m* Thermometer *n*; **~plongeur** [-plõʒœr] *m* Tauchsieder *m*.
thermos [tɛrmos] *f od m* Thermosflasche *f*.
thermostat [tɛrmɔsta] *m* Thermostat *m*.
thésauriser [tezɔrize] (1a) horten.
thèse [tɛz] *f* These *f*, Behauptung *f*; *Universität*: Dissertation *f*, Doktorarbeit *f*; *Theater*: *pièce f à* ~ Tendenzstück *n*.
thon [tõ] *m zo* Thunfisch *m*.
thorax [tɔraks] *m* Brustkorb *m*.
thym [tɛ̃] *m bot* Thymian *m*.
thyroïde [tirɔid] *f méd* Schilddrüse *f*.
tiare [tjar] *f* Tiara *f* (*des Papstes*).
tibia [tibja] *m* Schienbein *n*.
tic [tik] *m* Zucken *n*; Tick *m* (*a fig*).
ticket [tikɛ] *m* Eintrittskarte *f*; Fahrschein *m*, -karte *f*; (Essens-)Marke *f*.
tiède [tjɛd] lauwarm; lau (*a fig*).
tiéd|eur [tjedœr] *f* laue Wärme *f*; Lauheit *f* (*a fig*); **~ir** (2a) lau(warm) werden.
tien, tienne [tjɛ̃, tjɛn] *le tien, la tienne* der, die, das dein(ig)e; deine(r, -s); F *à la tienne!* prost!
tiens [tjɛ̃] *cf tenir*.
tierce [tjɛrs] *f mus* Terz *f*.

tiercé [tjɛrse] *m Pferdewette*: Dreierwette *f*.
tiers, tierce [tjɛr, tjɛrs] **1.** *adj* dritte(r, -s); *pol le tiers monde* die dritte Welt; *hist le Tiers État* der dritte Stand; **2.** *m math* Drittel *n*; *jur un* ~ ein Dritter.
tige [tiʒ] *f* Stengel *m*, Stiel *m*, Halm *m*; Schaft *m*, Stange *f*; ~*s pl de forage* Bohrgestänge *n*.
tignasse [tiɲas] *f* Haarschopf *m*, Mähne *f*.
tigr|e, ~esse [tigrə, -ɛs] *m, f* Tiger(in) *m(f)*; **~é, ~ée** getigert, gefleckt.
tilleul [tijœl] *m* Linde *f*; Lindenblütentee *m*.
timbale [tɛ̃bal] *f* (Trink-)Becher *m*; *mus* (Kessel-)Pauke *f*; *cuis* (*Art*) Auflauf *m*.
timbre [tɛ̃brə] *m* **1.** Klingel *f*; Hammerglocke *f*; **2.** Klangfarbe *f*; **3.** Briefmarke *f*; Stempel *m*; Gebührenmarke *f*.
timbré, ~e [tɛ̃bre] **1.** gestempelt; frankiert; **2.** F übergeschnappt.
timbre-poste [tɛ̃brəpɔst] *m* (⚠ *pl timbres-poste*) Briefmarke *f*.
timid|e [timid] schüchtern; **~ité** *f* Schüchternheit *f*.
timon [timõ] *m* Deichsel *f*.
timoré, ~e [timɔre] ängstlich.
tins [tɛ̃] *p/s von tenir*.
tintamarre [tɛ̃tamar] *m* Spektakel *m*, Getöse *n*.
tint|ement [tɛ̃tmɑ̃] *m* Klingen *n*; Gebimmel *n*; **~er** (1a) klingen, klirren; läuten, bimmeln.
tique [tik] *f zo* Zecke *f*.
tir [tir] *m* Schießen *n*, Beschuß *m*; Schuß *m*.
tirade [tirad] *f* Tirade *f*, Wortschwall *m*.
tirage [tiraʒ] *m* **1.** Ziehen *n*, Ziehung *f*; Zug *m* (*e-s Kamins*); Abziehen *n*, Kopieren *n*; **2.** Druck *m*, Abdruck *m*; Ausgabe *f*, Auflage *f*; **3.** F Schwierigkeiten *f/pl*, Reibereien *f/pl*.
tirailler [tiraje] (1a) hin- und herziehen; F herumknallen.
tirant [tirɑ̃] *m mar* ~ *d'eau* Tiefgang *m*.
tire [tir] *f arg auto* Schlitten *m*; *vol m à la* ~ Taschendiebstahl *m*.
tiré, ~e [tire] **1.** *adj* abgespannt (*Gesichtszüge*); **2.** *m tiré à part* Sonderdruck *m*.
tire|-au-flanc [tirofl ɑ̃] *m* (⚠ *pl unv*) F Drückeberger *m*; **~-bouchon** [-buʃõ] *m* (⚠ *pl tire-bouchons*) Korkenzieher *m*; **~-fesses** [-fɛs] F *m* (⚠ *pl unv*) *cf téléski*.
tirelire [tirlir] *f* Sparbüchse *f*; F *fig* Kopf *m*, Birne *f* F.
tirer [tire] (1a) **1.** ziehen; heraus-, hervorziehen; abziehen; drucken; *fig* herleiten (*de* von); *Gewinn*: herausholen; *Plan*: zeichnen; *Scheck*: ausstellen; ~ *les cartes* die Karten legen; ~ *à sa fin* zu Ende gehen; ~ *au sort* (aus)losen; ~ *sur le bleu* ins Blaue (hinüber)spielen; *se* ~ *d'affaire* sich aus der Affäre ziehen; F *se* ~ abhauen; **2.** schießen, abfeuern.
tir|et [tirɛ] *m* Gedankenstrich *m*; **~eur** *m* Schütze *m*; *Scheck*: Aussteller *m*; ~ *d'élite* Scharfschütze *m*; **~euse** *f* ~ *de cartes* Kartenlegerin *f*.
tiroir [tirwar] *m* Schublade *f*; *roman m à* ~*s* Roman *m* mit zahlreichen Einschüben; **~-caisse** [-kɛs] *m* (⚠ *pl tiroirs-caisses*) Registrierkasse *f*.
tisane [tizan] *f* Kräutertee *m*.
tis|on [tizõ] *m* glimmendes Holzstück *n*; **~onnier** [-ɔnje] *m* Schürhaken *m*.
tiss|age [tisaʒ] *m* Weben *n*; Weberei *f*; **~er** (1a) weben; *fig* anzetteln.
tisserand [tisrɑ̃] *m* Weber *m*.
tissu [tisy] *m* Stoff *m*; Gewebe *n* (*a fig u biol*); **~-éponge** [-epõʒ] *m* (*pl tissus-éponges*) Frottee(stoff *m*) *m od n*.
titi [titi] *m* F ~ *parisien* Pariser Straßenjunge *m*.
titiller [titije] (1a) *litt* kitzeln.
titre [titrə] *m* **1.** (Buch-, Ehren-)Titel *m*; Überschrift *f*; Amtsbezeichnung *f*; **2.** Rechtstitel *m*, -anspruch *m*; Urkunde *f*; *comm* Wertpapier *n*; *à ce* ~ aus diesem Grund; als solche(r); *à juste* ~ mit vollem Recht; *à* ~ *de* (in der Eigenschaft) als; *à* ~ *d'essai* versuchsweise; *à* ~ *officiel* von Amts wegen; *au même* ~ mit dem gleichen Recht; *en* ~ beamtet; *au* ~ *de* gemäß.
titrer [titre] (1a) *Zeitung*: als Überschrift *od* Schlagzeile bringen.
tituber [titybe] (1a) taumeln, schwanken.
titulaire [titylɛr] **1.** *adj* verbeamtet, festangestellt; **2.** *m, f* Inhaber(in) *m(f)* (*e-s Amtes, e-s Rechts*).
titulariser [titylarize] (1a) fest anstellen, verbeamten.
toast [tost] *m* Toast *m* (*a Brot*); Trinkspruch *m*.
toboggan [tɔbɔgɑ̃] *m* Rutschbahn *f*;

(Straßen-)Überführung *f*; *aviat* Notrutsche *f*.
toc [tɔk] **1.** tapp (*Klopfgeräusch*); **2.** *adj* F *il est* ~ er ist bekloppt; **3.** *m du* ~ Kitsch *m*; Imitation *f*.
tocsin [tɔksɛ̃] *m* Sturm-, Alarmglocke *f*.
toge [tɔʒ] *f* Robe *f*; *hist* Toga *f*.
tohu-bohu [tɔybɔy] *m* Tumult *m*, lärmendes Durcheinander *n*.
toi [twa] du; dich; dir.
toile [twal] *f* Leinen *n*, Leinwand *f*, (Lein-)Tuch *n*; (Öl-)Gemälde *n*; *de od en* ~ aus Leinen, Leinen..., leinen; ~ *d'araignée* Spinnwebe *f*.
toilette [twalɛt] *f* Waschen *n*; Kleidung *f*; Toilette *f*; ~*s pl* WC *n*; *faire sa* ~ sich waschen.
toi-même [twamɛm] du, dich selbst.
tois|e [twaz] *f* Meßstab *m*; *hist* Klafter *m od n*; **~er** (1a) (j-s Körpergröße) messen; *fig* mustern.
toison [twazõ] *f* Wolle *f*; Vlies *n* (*a hist*); *fig* dichtes Haar *n*.
toit [twa] *m* Dach *n*; *fig* Haus *n*; *auto* ~ *ouvrant* Schiebedach *n*.
toiture [twatyr] *f* Bedachung *f*.
tôle [tol] *f* Blech *n*.
tolér|able [tɔlerablə] erträglich; **~ance** *f* Toleranz *f*; Duldung *f*; Duldsamkeit *f*; *tech* Spielraum *m*; **~ant, ~ante** [-ɑ̃, -ɑ̃t] tolerant; **~er** (1f) dulden, (v)ertragen.
tollé [tɔle] *m* Protestgeschrei *n*.
tomate [tɔmat] *f* Tomate *f*.
tomb|e [tõb] *f* Grab(stätte) *n*(*f*); **~eau** [-o] *m* (⚠ *pl* ~*x*) Grabstätte *f*, Grabmal *n*; Grab *n* (*a fig*).
tombée [tõbe] *f à la* ~ *de la nuit* bei Einbruch der Nacht.
tomber [tõbe] (1a) **1.** (*mit être*) fallen; (ab)stürzen; hinab-, herunterfallen; ausfallen, -gehen (*Haar*); herabhängen; umfallen; *in e-n Zustand*: geraten, kommen; werden; *faire* ~ umwerfen; *laisser* ~ fallenlassen, aufgeben; ~ *sur qn* sich auf j-n stürzen; j-n zufällig treffen; ~ *juste* es erraten; *je suis bien tombé* ich hab's gut getroffen; ~ *malade* krank werden; ~ *d'accord* sich einig werden, sich verständigen; *ça tombe mal* das trifft sich schlecht; **2.** (*mit avoir*) F *Jacke*: ausziehen; *Frau*: verführen.
tome [tɔm] *m* Band *m*, Buch *n*.
ton[1] [tõ] *m* Ton *m* (*a fig*); *mus* Tonart *f*, Tonschritt *m*; *fig* Farbton *m*; *fig* Umgangston *m*, Redeweise *f*; *il est de bon* ~ *de* (+ *inf*) es gehört sich zu (+ *inf*).
ton[2] *m*, **ta** *f*, **tes** *pl* [tõ, ta, te] dein(e) *m*, *n* (*f*; *pl*); ⚠ *im sg f*: *vor Vokal u stummem h ton*.
tonalité [tɔnalite] *f* Tonart *f*; Klang *m*; *tél* Wählton *m*.
tondeuse [tõdøz] *f* Rasenmäher *m*.
tondre [tõdrə] (4a) (ab)scheren; *Hecken*: beschneiden; *Rasen*: mähen.
tonifier [tɔnifje] (1a) stärken; beleben.
tonique [tɔnik] **1.** *m* Stärkungsmittel *n*, Tonikum *n*; **2.** *f mus* Grundton *m*, Tonika *f*; **3.** *adj* kräftigend; belebend; *gr* betont.
tonitru|ant, ~ante [tɔnitryɑ̃, -ɑ̃t] dröhnend.
tonnage [tɔnaʒ] *m* Tonnage *f*; ⚠ *le* ~.
tonn|e [tɔn] *f* Tonne *f* (*Gewicht*); **~eau** [-o] *m* (⚠ *pl* ~*x*) Faß *n*; *mar* Registertonne *f*; ⚠ *nicht verwechseln mit la tonne*; **~elet** [-lɛ] *m* Fäßchen *n*, Tönnchen *n*; **~elier** [-əlje] *m* Böttcher *m*, Küfer *m*; **~elle** *f* Gartenlaube *f*.
tonner [tɔne] (1a) donnern (*a fig*).
tonnerre [tɔnɛr] *m* Donner *m*; F ... *du* ~ phantastisch, großartig; ⚠ *le* ~.
tonsure [tõsyr] *f rel* Tonsur *f*.
tonte [tõt] *f* (Schaf-)Schur *f*, Scheren *n*; Schurwolle *f*; *Rasen*: Mähen *n*.
tonton [tõtõ] *enf m* Onkel *m*.
tonus [tɔnys] *m* (Muskel-) Tonus *m*; Energie *f*.
top [tɔp] *m* Zeitzeichen *n*, (Signal-)Ton *m*.
topaze [tɔpaz] *f* Topas *m*; ⚠ *la* ~.
tope! [tɔp] topp!, es gilt!
topo [tɔpo] F *m* Rede *f*, Ausführung *f*.
topographie [tɔpɔgrafi] *f* Ortsbeschreibung *f*, -kunde *f*, Topographie *f*.
toquade [tɔkad] F *f* Marotte *f*; Vernarrtheit *f*.
toqu|e [tɔk] *f* Mütze *f*; **~é, ~ée** F verdreht, bekloppt; ~ *de* verknallt in; **~er** (1m) F *se* ~ *de* sich verknallen in.
torche [tɔrʃ] *f* Fackel *f*; Stablampe *f*.
torchon [tɔrʃõ] *m* Geschirrtuch *n*; *fig le* ~ *brûle* der Haussegen hängt schief.
tordre [tɔrdrə] (4a) drehen, winden; verdrehen, verzerren; *Wäsche*: auswringen; *se* ~ sich krümmen, sich

winden; *se* ~ (*de rire*) sich schieflachen; *se* ~ *le pied* mit dem Fuß umknicken.

tordu, **~e** [tɔrdy] verbogen, -dreht, -zerrt.

torgnole [tɔrɲɔl] F *f* kräftige Ohrfeige *f*.

tornade [tɔrnad] *f* Wirbelsturm *m*, Tornado *m*; ⚠ *la* ~.

toron [tɔrõ] *m tech* Litze *f*.

torpeur [tɔrpœr] *f* Erstarrung *f*, Betäubung *f*.

torpill|e [tɔrpij] *f mil* Torpedo *m*; **~er** (1a) torpedieren (*a fig*); **~eur** *m mil* Torpedoboot *n*.

torré|facteur [tɔrefaktœr] *m* Kaffeeröstmaschine *f*; **~faction** [-faksjõ] *f* Rösten *n*; **~fier** [-fje] (1a) rösten.

torr|ent [tɔrɑ̃] *m* Wild-, Sturzbach *m*; *fig* Flut *f*, Strom *m*; **~entiel, ~entielle** [-ɑ̃sjɛl] Wildwasser...; *pluie f torrentielle* Wolkenbruch *m*.

torride [tɔrid] *Klima*: glühend heiß.

torse [tɔrs] *m* Oberkörper *m*; *Skulptur*: Torso *m*.

torsion [tɔrsjõ] *f* (Ver-)Drehung *f*; (Ver-)Zerrung *f*.

tort [tɔr] *m* **1.** Unrecht *n*; *à* ~ zu Unrecht; *à* ~ *et à travers* unbesonnen, ohne Überlegung; *dans son od en* ~ im Unrecht; *avoir* ~ unrecht haben; *il a le* ~ *de* (+ *inf*) sein Fehler ist, daß ...; *donner* ~ *à qn* j-m unrecht geben; **2.** Schaden *m*; *faire du* ~ *à qn* j-m schaden.

torticolis [tɔrtikɔli] *m méd* steifer Hals *m*.

tortill|ard [tɔrtijar] *m* Bummelzug *m*; **~er** (1a) zusammendrehen, zwirbeln; *se* ~ sich winden, sich ringeln.

tortionnaire [tɔrsjɔnɛr] *m* Folterknecht *m*.

tortue [tɔrty] *f zo* Schildkröte *f*.

tortu|eux, ~euse [tɔrtɥø, -øz] gewunden (*a fig*); krumm; *fig* verborgen (*Machenschaften*).

tortur|e [tɔrtyr] *f* Folter *f*; *fig* Qual *f*; **~er** (1a) foltern; *fig* quälen, martern.

torve [tɔrv] finster (*Blick*).

tôt [to] *adv* früh, zeitig; *plus* ~ früher; *le plus* ~ *possible* so bald wie möglich; *au plus* ~ so bald wie möglich; frühestens; *pas de si* ~ nicht so bald; ~ *ou tard* früher oder später; ⚠ *nicht verwechseln*: *plus* ~ *u plutôt*.

total, **~e** [tɔtal] (⚠ *m/pl -aux*) **1.** *adj* völlig, total; Gesamt...; **2.** *m* Gesamtbetrag *m*, Summe *f*; *au total* insgesamt; *faire le total* zusammenrechnen; **~ement** [-mɑ̃] *adv* völlig, vollständig, total; **~iser** (1a) (insgesamt) erreichen; **~ité** *f* Gesamtheit *f*.

toubib [tubib] F *m* Arzt *m*.

touch|ant, ~ante [tuʃɑ̃, -ɑ̃t] **1.** *adj* rührend; **2.** *prép litt touchant* bezüglich.

touche [tuʃ] *f* Taste *f*; Treffer *m*; Pinselstrich *m*; *Angeln*: Anbeißen *n*; F *fig Person*: Aufmachung *f*; *Fußball*: *ligne f de* ~ Seitenlinie *f*; F *fig mettre qn sur la* ~ j-n kaltstellen; *faire une* ~ e-e Eroberung machen; **~-à-tout** [tuʃatu] *m* (⚠ *pl unv*) j, der tausend Dinge tut (und alle nur halb).

toucher [tuʃe] **1.** (1a) berühren, anrühren, befühlen; treffen, erreichen; *fig* bewegen, ergreifen; betreffen, angehen; *Geld*: einnehmen, bekommen, kassieren; *Problem*: anschneiden; ~ *à qc* etw anfassen; an etw stoßen *od* grenzen; *Vorrat*: angreifen, rühren an; ~ *au but* kurz vor dem Ziel sein; *se* ~ sich berühren; aneinandergrenzen; **2.** *m* Tastsinn *m*; *mus* Anschlag *m*.

touff|e [tuf] *f* Büschel *n*; **~u, ~ue** [-y] buschig; dicht; *fig* überladen (*Buch*).

touiller [tuje] (1a) F umrühren.

toujours [tuʒur] immer, stets; immer noch; wenigstens, immerhin; *pour* ~ auf immer; ~ *est-il que* ... fest steht (jedoch), daß ...; immerhin ...

toupet [tupɛ] *m* **1.** (Haar-)Büschel *n*, Schopf *m*; **2.** F Frechheit *f*; *avoir le* ~ *de* (+ *inf*) die Frechheit besitzen zu (+ *inf*).

toupie [tupi] *f* Kreisel *m*.

tour[1] [tur] *f* Turm *m* (*a im Schach*); ⚠ *la* ~; ⚠ *nicht* die Tour.

tour[2] [tur] *m* Umdrehung *f*; Umfang *m*; (Rund-, Spazier-)Gang *m*, Ausflug *m*, Reise *f*, Tour *f*; Wendung *f* (*a fig*); Streich *m*; Kunststück *n*; Reihe *f*; *tech* Drehbank *f*; Töpferscheibe *f*; *à mon* ~ meinerseits; *c'est mon* ~ ich bin dran *od* an der Reihe; *à* ~ *de rôle* der Reihe nach; *en un* ~ *de main* im Handumdrehen; ~ *de main* Geschicklichkeit *f*; *faire le* ~ *de qc* um etw herumgehen, -fahren; *fermer à double* ~ den Schlüssel zweimal herumdrehen; *jouer un* ~ *à qn* j-m e-n Streich spielen; ~ *d'horizon* Überblick *m*, Bestandsaufnahme *f*; ~ *de scrutin* Wahlgang *m*; ⚠ *unterschei-*

de: *le ~ u la ~*; ⚠ *le* ♀ *de France* die Tour de France.
tourb|e [turb] *f* **1.** *péj litt* Pöbel *m*; **2.** Torf *m*; **~ière** [-jɛr] *f* Torfmoor *n*.
tourbill|on [turbijõ] *m* Wirbel(wind) *m*; Strudel *m*; *~ de neige* Schneegestöber *n*; **~onner** [-ɔne] (1a) wirbeln, strudeln.
tourelle [turɛl] *f* Türmchen *n*; *mil* Geschütz-, Panzerturm *m*.
tour|isme [turismə] *m* Tourismus *m*, Fremdenverkehr *m*; **~iste** *m, f* Tourist(in) *m(f)*, Urlaubsreisende(r) *m, f*; **~istique** [-istik] Reise..., Touristen..., Fremdenverkehrs...
tourment [turmã] *m litt* Qual *f*, Pein *f*.
tourment|e [turmãt] *litt f* Sturm *m*; *fig* Wirren *pl*; **~er** (1a) peinigen, quälen, plagen; *~ qn* j-m Sorgen machen; *se ~* sich Sorgen machen.
tourn|age [turnaʒ] *m Film*: Dreharbeiten *f/pl*; **~ant, ~ante** [-ã, -ãt] **1.** *adj* drehbar, Dreh...; *escalier m tournant* Wendeltreppe *f*; *plaque f tournante* Drehscheibe (*a fig*); **2.** *m* Kurve *f*, Krümmung *f*; *fig* Wendepunkt *m*.
tourne-disque [turnədisk] *m* (⚠ *pl tourne-disques*) Plattenspieler *m*.
tournée [turne] *f* Rund-, Dienst-, Geschäftsreise *f*; Tournee *f*, Gastspielreise *f*; F Runde *f*, Lage *f* (*Wein, Bier*).
tourner [turne] (1a) **1.** drehen; umwenden; richten, wenden; herumgehen (*qc* um etw), umgehen; drechseln; *Verse*: verfassen; *bien tourné(e)* gut formuliert; *~ un film* e-n Film drehen; *~ la tête* sich umsehen; *~ en ridicule* ins Lächerliche ziehen; **2.** sich drehen; rotieren, kreisen; abbiegen; ablaufen, ausgehen; *Milch*: zusammenlaufen, gerinnen; *~ à droite* rechts abbiegen; *le temps tourne au beau* das Wetter wird schön; F *fig ~ de l'œil* in Ohnmacht fallen; *~ en rond* sich im Kreis drehen (*a fig*); *fig faire ~* in Gang halten; *fig ~ autour de* sich drehen um; **3.** *se ~* sich umwenden, sich umdrehen; sich abwenden.
tourne|sol [turnəsɔl] *m bot* Sonnenblume *f*; **~vis** [-vis] *m* Schraubenzieher *m*.
tourniquet [turnikɛ] *m* Drehkreuz *n*; Drehtür *f*; Drehständer *m*.
tournoi [turnwa] *m* Turnier *n*.
tournoyer [turnwaje] (1h) kreisen; wirbeln.
tournure [turnyr] *f* (Rede-)Wendung *f*; *fig* Wendung *f*; Aussehen *n*, Gestalt *f*; *~ d'esprit* Geisteshaltung *f*.
tourte [turt] *f* Pastete *f*; F *péj grosse ~* Trampel *m od n*.
tourterelle [turtərɛl] *f zo* Turteltaube *f*.
tous [tus *od* tu] *cf tout*.
Toussaint [tusɛ̃] *la ~* Allerheiligen *n*.
touss|er [tuse] (1a) husten; **~oter** [-ɔte] (1a) hüsteln.
tout [tu; *vor Vokal u stummem h* tut] *m*, **toute** [tut] *f*; **tous** [tu; *alleinstehend* tus] *m/pl*, **toutes** [tut] *f/pl* **1.** *adj* ganze(r, -s); all(e, -es); jede(r, -s); *toute la ville* die ganze Stadt; *toutes les villes* alle Städte; *tout Français* jeder Franzose; *tous les deux jours* jeden zweiten Tag; *tous les ans* jedes Jahr; *somme toute* alles in allem; *tout Paris* ganz Paris; *tout le monde* jedermann, alle; *de tous côtés* von allen Seiten, von überall; *toutes sortes de* allerlei; *faire tout son possible* sein möglichstes tun; **2.** *Pronomen*: *sg tout* alles; *pl tous, toutes* alle; *après tout, à tout prendre* im Grunde; schließlich; *avant tout* vor allem; F *comme tout* überaus; *voilà tout* das ist alles; *nous tous* wir alle; **3.** *adv tout* (⚠ *vor f adj, das mit Konsonant od h aspiré beginnt, toute bzw. toutes*) ganz, völlig; *tout à coup* plötzlich; *tout d'un coup* auf einmal; *tout à fait* ganz und gar; *tout autant* ebensoviel; *tout de suite* sofort; *tout de même* trotzdem; *tout d'abord* zuerst, anfangs; *tout à l'heure* sogleich, soeben; *tout au plus* höchstens; *c'est tout un* das ist genau dasselbe; *mit gérondif*: *tout en riant* obgleich *od* wobei ich (du, er, wir *etc*) lach(t)e(n); *tout ... que ...* (+ *ind od st/s subj*) so sehr auch, obgleich; *tout pauvres qu'ils sont* (*od soient*) so arm sie auch sind; **4.** *m tout* Ganze(s) *n*, Gesamtheit *f*; Hauptsache *f*; *pas du ~* keineswegs; *plus du ~* überhaupt nicht mehr; *du ~ au ~* völlig; *en ~* ganz.
tout-à-l'égout [tutalegu] *m* (Abwasser-)Kanalisation *f*.
toutefois [tutfwa] jedoch, indessen.
toute-puissance [tutpɥisãs] *f* Allmacht *f*.

toux [tu] *f* Husten *m*; ⚠ *la* ~.
toxicomane [tɔksikɔman] *m*, *f* (Rauschgift-)Süchtige(r) *m*, *f*.
toxique [tɔksik] **1.** *adj* giftig, Gift...; **2.** *m* Gift *n*, Giftstoff *m*.
trac [trak] *m* Lampenfieber *n*.
tracas [traka] *m meist pl* Ärger *m*, Sorgen *f/pl*.
tracass|er [trakase] (1a) beunruhigen; schikanieren; **~erie** *f meist pl* **~s** Schikanen *f/pl*.
trace [tras] *f* Spur *f*; *fig* Hinweis *m*.
trac|é [trase] *m* Verlauf *m*; Umrisse *m/pl*; *Tiefbau*: Trasse *f*, Trassierung *f*; ⚠ *le* ~; **~er** (1k) aufzeichnen, entwerfen; *Linie*: ziehen; abstecken (*a fig*).
trachée [traʃe] *f* Luftröhre *f*.
tract [trakt] *m* Flugblatt *n*.
tractation [traktasjõ] *f péj meist pl* **~s** Machenschaften *f/pl*.
tracteur [traktœr] *m* Schlepper *m*, Traktor *m*; ~ *à chenilles* Raupenschlepper *m*.
traction [traksjõ] *f tech* Ziehen *n*, Zug *m*; Antrieb *m*; *Sport*: Klimmzug *m*; Liegestütz *m*; *Bahn*: ~ *électrique* elektrischer Betrieb *m*; *auto* ~ *avant* (Wagen *m* mit) Vorderradantrieb *m*.
tradition [tradisjõ] *f* Tradition *f*, Überlieferung *f*, Brauch *m*.
tradition|aliste [tradisjɔnalist] **1.** *adj* traditionsbewußt; **2.** *m*, *f* Traditionalist(in) *m(f)*; **~nel, ~nelle** [-nɛl] traditionell, herkömmlich; ⚠ *Schreibung*.
traduc|teur, ~trice [tradyktœr, -tris] *m*, *f* Übersetzer(in) *m(f)*; **~tion** *f* Übersetzung *f*.
tradui|re [tradɥir] (4c) übersetzen; *fig* ausdrücken; *jur* ~ *qn en justice* j-n vor Gericht stellen; *se* ~ *par* sich äußern in; **~sible** [-ziblə] übersetzbar.
trafic [trafik] *m* **1.** (illegaler) Handel *m*, Schmuggel *m*; **2.** Verkehr *m*.
trafiqu|ant [trafikɑ̃] *m* Schieber *m*, Schwarzhändler *m*; ~ *de drogue(s)* Rauschgifthändler *m*; **~er** (1m) Schwarzhandel treiben (*qc* mit etw), schieben; (ver)fälschen, panschen; F tun; ~ *de qc* Gewinn aus etw schlagen.
tragédie [traʒedi] *f* Tragödie *f* (*a fig*).
tragique [traʒik] **1.** *adj* tragisch; **2.** *m* Tragik *f*; ⚠ *le* ~.
trahir [trair] (2a) verraten.
trahison [traizõ] *f* Verrat *m*.
train [trɛ̃] *m* Zug *m*, Eisenbahn *f*; Gang *m*, Tempo *n*; *fig* Reihe *f*; *mil* Nachschubtruppe *f*; ~ *de vie* Lebensstil *m*; *auto* ~ *avant* Vorderachse *f*; ~ *de mesures* Reihe *f* von Maßnahmen; *être en* ~ *de faire qc* gerade etw tun; *mettre en* ~ in Schwung bringen; aufheitern; *le* ~ *de Paris* der Zug von *od* nach Paris; *aller son petit* ~ seinen alten Gang gehen.
traînard [trɛnar] *m* Nachzügler *m*; Bummelant *m*.
traîn|e [trɛn] *f* Schleppe *f*; *être à la* ~ zurückbleiben; herumliegen; **~eau** [-o] *m* (⚠ *pl* **~x**) Schlitten *m*; Schleppnetz *n*.
traînée [trɛne] *f* Streifen *m*, Spur *f*; P Nutte *f*.
traîner [trɛne] (1b) (nach-, mit sich herum)schleppen; auf der Erde nachschleifen; herumliegen; sich in die Länge ziehen; trödeln, bummeln; *se* ~ sich fort-, hinschleppen; *laisser* ~ *ses affaires* seine Sachen herumliegen lassen.
train-train [trɛ̃trɛ̃] *m* F Trott *m*; *le* ~ *quotidien* das tägliche Einerlei *n*.
traire [trɛr] (4s) melken.
trait [trɛ] *m* Strich *m*; Merkmal *n*; (Gesichts-, Charakter-)Zug *m*; *beim Trinken*: Zug *m*; *hist* Pfeil *m*; ~ *d'union* Bindestrich *m*; *avoir* ~ *à* sich beziehen auf; *boire d'un seul* ~ in einem Zuge trinken; ~ *d'esprit* geistreiche Bemerkung *f*.
traite [trɛt] *f* Melken *n*; *comm* Rate *f*; *hist* ~ *des noirs* Sklavenhandel *m*; *d'une seule* ~ in einem Zuge, ohne Unterbrechung.
traité [trɛte] *m* Abhandlung *f*; Vertrag *m*.
traitement [trɛtmɑ̃] *m* Behandlung *f* (*a méd u tech*); Gehalt *n*, Besoldung *f*; *tech* Aufbereitung *f*, Ver-, Bearbeitung *f*; *st/s* Bewirtung *f*; ~ *de texte* Textverarbeitung *f*.
traiter [trɛte] (1b) behandeln; verhandeln über; *st/s* bewirten; *tech* verarbeiten, aufbereiten; ~ *qn de menteur* j-n e-n Lügner nennen; ~ *de qc* von etw handeln; etw behandeln (*Autor*).
traiteur [trɛtœr] *m* Hersteller *m* und Lieferant *m* von Fertigmenüs.
traîtr|e, ~esse [trɛtrə, -ɛs] **1.** *m*, *f* Verräter(in) *m(f)*; **2.** *adj* verräterisch; heimtückisch; **~ise** [-iz] *f* Hinterhältigkeit *f*; Verrat *m*.

trajectoire [traʒɛktwar] *f Geschoß*: Flugbahn *f*.
trajet [traʒɛ] *m* Strecke *f*, Weg *m*, Fahrt *f*.
tram [tram] *m abr cf tramway*.
tram|e [tram] *f Weberei*: (Ein-)Schuß *m*; *TV* Raster *n od m*; *fig* Hintergrund *m*; **~er** (1a) *fig* anzetteln.
tramway [tramwɛ] *m* Straßenbahn *f*.
tranch|ant, ~ante [trɑ̃ʃɑ̃, -ɑ̃t] **1.** *adj* scharf, schneidend; *fig* entschieden; **2.** *m* Schneide *f*; Schärfe *f*.
tranche [trɑ̃ʃ] *f* Schnitte *f*, Scheibe *f*; Abschnitt *m*, Stück *n*, Teil *m*; (Brett-)Kante *f*; (Münz-)Rand *m*; (Buch-)Schnitt *m*.
tranché, ~e [trɑ̃ʃe] scharf unterschieden; *fig* fest, bestimmt.
tranchée [trɑ̃ʃe] *f* Graben *m*; *mil* Schützengraben *m*.
trancher [trɑ̃ʃe] (1a) (durch-, zer-) schneiden; *fig* (sich) entscheiden; **~** *sur* sich abheben von.
tranquill|e [trɑ̃kil] ruhig, still; friedlich; **~ement** [-mɑ̃] *adv* ruhig, ungestört; **~isant** [-izɑ̃] *m phm* Beruhigungsmittel *n*; **~iser** (1a) beruhigen; **~ité** *f* Ruhe *f*, Stille *f*.
transaction [trɑ̃zaksjõ] *f jur* Vergleich *m*; *comm* Geschäft *n*, Abschluß *m*.
transatlantique [trɑ̃zatlɑ̃tik] **1.** *adj* Übersee...; **2.** *m* Ozeandampfer *m*; Liegestuhl *m*.
transborder [trɑ̃zbɔrde] (1a) umladen.
trans|cription [trɑ̃skripsjõ] *f* Abschrift *f*; Ein-, Übertragung *f*; *ling* Transkription *f*, Umschrift *f*; *mus* Bearbeitung *f*; **~crire** [-krir] (4f) ein-, übertragen; umschreiben; transkribieren.
transept [trɑ̃sɛpt] *m arch* Querschiff *n*.
transes [trɑ̃s] *f/pl* Todesängste *f/pl*.
trans|férer [trɑ̃sfere] (1f) überführen, -tragen, -weisen; transferieren; umbuchen; **~fert** [-fɛr] *m* Überführung *f*; Übertragung *f* (*à* auf); Überweisung *f*; Transfer *m*; Umbuchung *f*; ⚠ *Schreibung*.
transfigurer [trɑ̃sfigyre] (1a) *rel u fig* verklären.
transforma|teur [trɑ̃sfɔrmatœr] *m tech* Transformator *m*; **~tion** *f* Umformung *f*; Wandel *m*, Umwandlung *f*; Transformation *f*.
transform|er [trɑ̃sfɔrme] (1a) umbilden, umgestalten; ver-, umwandeln (*en* in); ändern; transformieren; **~isme** *m biol* Abstammungslehre *f*.
transfuge [trɑ̃sfyʒ] *m* Überläufer *m*.
transfusion [trɑ̃sfyzjõ] *f* **~** (*sanguine*) Blutübertragung *f*.
transgresser [trɑ̃zgrɛse] (1b) *Gesetz*: übertreten.
transi, ~e [trɑ̃zi] starr, steif (*de* vor).
transiger [trɑ̃ziʒe] (1l) e-n Kompromiß schließen (*avec* mit).
transistor [trɑ̃zistɔr] *m* Transistor *m*; Transistor-, Kofferradio *n*.
transit [trɑ̃zit] *m* Transit(verkehr) *m*.
transit|if, ~ive [trɑ̃zitif, -iv] *gr* transitiv.
transition [trɑ̃zisjõ] *f* Übergang *m*; Überleitung *f*.
transitoire [trɑ̃zitwar] Übergangs..., vorläufig.
translucide [trɑ̃slysid] durchscheinend.
transmettre [trɑ̃smɛtrə] (4p) weitergeben, -leiten; übertragen; überliefern; vererben; **~** *qc à qn* j-m etw übermitteln.
transmiss|ible [trɑ̃smisiblə] übertragbar; *biol* vererblich; **~ion** *f* Übertragung *f*; Übermittlung *f*, Weitergabe *f*; *biol* Vererbung *f*; *tech* Transmission *f*.
transmuer [trɑ̃smɥe] (1n) *litt od* **transmuter** [trɑ̃smyte] (1a) umwandeln (*en* in).
transpar|aître [trɑ̃sparɛtrə] (4z) durchscheinen; **~ence** [-ɑ̃s] *f* Durchsichtigkeit *f*, Transparenz *f*; **~ent, ~ente** [-ɑ̃, -ɑ̃t] durchsichtig, transparent; *fig* leicht zu durchschauen.
transpercer [trɑ̃pɛrse] (1k) durchbohren, -stechen, -dringen.
transpir|ation [trɑ̃spirasjõ] *f* Schwitzen *n*; Schweiß *m*; **~er** (1a) schwitzen; *fig* durchsickern, ruchbar werden.
transplant|ation [trɑ̃splɑ̃tasjõ] *f* Verpflanzung *f*; *méd* Transplantation *f*; **~er** (1a) verpflanzen.
transport [trɑ̃spɔr] *m* Transport *m*, Beförderung *f*; *st/s* **~s** *pl* Anfall *m*, Ausbruch *m*; *pl* **~s** *publics* öffentliche Verkehrsmittel *n/pl*.
transport|able [trɑ̃spɔrtablə] transportfähig; **~é, ~ée ~** *de joie* außer sich vor Freude; **~er** (1a) transportieren, befördern; *an e-n anderen Ort*: verlegen; *fig* hinreißen;

se ~ sich begeben; **~eur** *m* Spediteur *m*.
transpos|er [trɑ̃spoze] (1a) umstellen, umsetzen; *mus* transponieren; **~ition** *f* Umstellung *f*, -setzung *f*; *mus* Transposition *f*.
transvaser [trɑ̃svɑze] (1a) umfüllen.
transversal, ~e [trɑ̃svɛrsal] (⚠ *m/pl -aux*) querliegend, Quer..., Seiten...
trapèze [trapɛz] *m* Trapez *n*.
trapp|e [trap] *f* Falltür *f*; Klappe *f*; *ch* Fallgrube *f*; **~eur** *m* Trapper *m*.
trapu, ~e [trapy] untersetzt, stämmig.
traquenard [traknar] *m* Falle *f*.
traquer [trake] (1m) hetzen, jagen, verfolgen.
traumat|iser [tromatize] (1a) *psych* schocken; **~isme** *m méd u psych* Trauma *n*; ~ *crânien* Schädelverletzung *f*.
travail [travaj] *m* (⚠ *pl travaux*) Arbeit *f*; Werk *n*; Mühe *f*; Leistung *f*; ~ *à la tâche* Akkordarbeit *f*; ~ *à la chaîne* Fließbandarbeit *f*; *travaux forcés* Zwangsarbeit *f*; *sans* ~ arbeitslos; *travaux pratiques* praktische Übungen *f/pl*; *travaux* Bauarbeiten *f/pl*.
travailler [travaje] (1a) (be-, ver-, durch-, aus)arbeiten; *Holz*: sich werfen; *Musikstück*: (ein)üben; *Sport*: trainieren; ~ *à qc* an etw arbeiten; auf etw hinarbeiten; ~ *qn* j-n bearbeiten; j-n plagen *od* quälen; *Schüler*: ~ *bien* gut lernen.
travaill|eur, ~euse [travajœr, -øz] **1.** *adj* arbeitsam, fleißig; **2.** *m, f* Arbeiter(in) *m(f)*; **~iste** *m, f* Mitglied *n* der Labour Party (*in England*).
travée [trave] *f* Bankreihe *f*; *arch* Joch *n*.
travers [travɛr] **1.** *adv de* ~ schief, schräg; verkehrt; *en* ~ quer; *fig prendre qc de* ~ etw krummnehmen; **2.** *prép à* ~ *qc od au* ~ *de qc* durch etw (hindurch); *à* ~ *champs* querfeldein; **3.** *m* kleiner Fehler *m*, Schwäche *f*.
traverse [travɛrs] *f tech* Querbalken *m*; (Schienen-)Schwelle *f*; *chemin m de* ~ Abkürzung *f*.
traversée [travɛrse] *f* Überfahrt *f* (*de* über); Reise *f* (*de* durch); Durchquerung *f*.
traverser [travɛrse] (1a) durch-, überqueren; durchdringen; *Krise*: durchmachen.
traversin [travɛrsɛ̃] *m* Nackenrolle *f*.
travesti, ~e [travɛsti] **1.** *adj* verkleidet; **2.** *m* Kostümierung *f*; Transvestit *m*.
travestir [travɛstir] (2a) verkleiden (*en femme* als Frau); *fig* entstellen.
trébucher [trebyʃe] (1a) stolpern, straucheln.
trèfle [trɛflə] *m bot* Klee *m*.
treillage [trɛjaʒ] *m* Gitterwerk *n*; ~ *métallique* Drahtzaun *m*.
treille [trɛj] *f* Weinlaube *f*.
treillis [trɛji] *m* Gitter *n*; Drahtnetz *n*; *Textil*: Drillich *m*.
treiz|e [trɛz] dreizehn; **~ième** [-jɛm] dreizehnte(r, -s).
trembl|ant, ~ante [trɑ̃blɑ̃, -ɑ̃t] zitternd.
tremble [trɑ̃blə] *m bot* Espe *f*.
tremblement [trɑ̃bləmɑ̃] *m* Zittern *n*; ~ *de terre* Erdbeben *n*.
trembler [trɑ̃ble] (1a) zittern, beben (*de* vor); *fig* ~ *que ... ne* (+ *subj*) bangen, daß ...
trémousser [tremuse] (1a) *se* ~ zappeln, unruhig sein.
tremp|e [trɑ̃p] *f Stahl*: Härten *n*; *fig* Art *f*, Schlag *m*; **~é, ~ée** durchnäßt; *Boden*: aufgeweicht; *Stahl*: gehärtet; **~er** (1a) durchnässen; eintauchen, -weichen, -tunken; *Stahl*: härten; *fig* ~ *dans un crime* in ein Verbrechen verwickelt sein.
tremplin [trɑ̃plɛ̃] *m* Sprungbrett *n* (*a fig*); Sprungschanze *f*.
trentaine [trɑ̃tɛn] *une* ~ etwa dreißig.
trent|e [trɑ̃t] dreißig; **~ième** [-jɛm] **1.** dreißigste(r, -s); **2.** *m* Dreißigstel *n*.
trépan [trepɑ̃] *m tech* Bohrmeißel *m*; *méd* Schädelbohrer *m*.
trépasser [trepase] (1a) *st/s* sterben, verscheiden.
trépid|ant, ~ante [trepidɑ̃, -ɑ̃t] lebhaft; *fig* fieberhaft, hektisch; **~ation** *f* Erschütterung *f*; Vibrieren *n*.
trépied [trepje] *m* Dreifuß *m*; Stativ *n*.
trépigner [trepiɲe] (1a) stampfen, trampeln.
très [trɛ; *vor Vokal u stummem h* trɛz] sehr (*vor adj u adv*); *avoir* ~ *envie* große Lust haben.
trésor [trezɔr] *m* Schatz *m*; *fig* Reichtum *m*; ♀ Staatskasse *f*, Fiskus *m*; ⚠ *nicht* Tresor; **~erie** *f* Finanzverwaltung *f*, -behörde *f*; **~ier, ~ière** [-je, -jɛr] *m, f* Schatzmeister *m*, Kassenwart *m*, Kassierer(in) *m(f)*.

tressaill|ement [tresajmɑ̃] *m* Zusammenfahren *n*, Schauder *m*; **~ir** (2c, *futur* 2a) zusammenzucken, (er)zittern, erschauern.
tressauter [tresote] (1a) zusammenzucken, auffahren; hin- und hergeschüttelt werden.
tress|e [trɛs] *f* Zopf *m*; Litze *f*; **~er** (1b) flechten.
tréteau [treto] *m* (⚠ *pl* ~*x*) *tech* Bock *m*; Arbeitsbühne *f*.
treuil [trœj] *m tech* (Seil-)Winde *f*.
trêve [trɛv] *f* Waffenruhe *f*, -stillstand *m*; *fig* Rast *f*; ~ *de* ... Schluß mit ...; *sans* ~ ununterbrochen.
Trèves [trɛv] Trier.
tri [tri] *m* Sortieren *n*; *faire un* ~ auswählen, sieben.
triage [trijaʒ] *m* Auslesen *n*; Sortieren *n*; *gare f de* ~ Rangierbahnhof *m*.
triang|le [trijɑ̃glə] *m* Dreieck *n*; *mus* Triangel *m*; **~ulaire** [-ylɛr] dreieckig.
tribal, ~e [tribal] (⚠ *m/pl -aux*) Stammes...
tribord [tribɔr] *m mar* Steuerbord *n*.
tribu [triby] *f* (Volks-)Stamm *m*; *péj, iron* Sippschaft *f*.
tribulation [tribylasjõ] *f meist pl* ~*s* Drangsal *f*, Leiden *n/pl*.
tribun [tribɛ̃, -œ̃] *m hist u fig* Volkstribun *m*.
tribunal [tribynal] *m* (⚠ *pl -aux*) Gericht *n*, Gerichtshof *m*, -gebäude *n*; ~ *d'instance etwa* Amtsgericht *n*; ~ *de grande instance etwa* Landgericht *n*.
tribune [tribyn] *f* Tribüne *f*; *fig* Podiumsgespräch *n*.
tribut [triby] *m* Tribut *m* (*a fig*), Abgabe *f*.
tributaire [tribytɛr] tributpflichtig; ~ *de* angewiesen auf; *cours m d'eau* ~ Nebenfluß *m*.
trich|er [triʃe] (1a) betrügen, F mogeln; **~erie** *f* Betrug *m*, F Schummelei *f*; **~eur, ~euse** *m, f* Betrüger(in) *m(f)*.
tricolore [trikɔlɔr] dreifarbig; blauweißrot; *drapeau m* ~ Trikolore *f*.
tricot [triko] *m* Stricken *n*; Strickjacke *f*; Strickzeug *n*, -arbeit *f*; *de od en* ~ Strick...; ⚠ *nicht* Trikot.
tricot|age [trikɔtaʒ] *m* Stricken *n*; **~er** (1a) stricken; F ~ (*des jambes*) flitzen; türmen.
tricycle [trisiklə] *m* Dreirad *n*.
trident [tridɑ̃] *m* Dreizack *m*.
triennal, ~e [trijɛnal] (⚠ *m/pl -aux*) dreijährlich, -jährig.
trier [trije] (1a) auslesen; sortieren.
trifouiller [trifuje] (1a) F kramen; stöbern.
trilingue [trilɛ̃g] dreisprachig.
trille [trij] *m mus* Triller *m*.
trillion [triljõ] *m* Trillion *f*; ⚠ *le* ~.
trimbal(l)er [trɛ̃bale] (1a) F mitschleppen, mit sich herumschleppen.
trimer [trime] (1a) F schuften, sich abrackern.
trimestr|e [trimɛstrə] *m* Vierteljahr *n*, Quartal *n*; **~iel, ~ielle** [-ijɛl] vierteljährlich, dreimonatlich.
tringle [trɛ̃glə] *f* Stange *f*.
Trinité [trinite] *f rel* Dreifaltigkeit *f*.
trinquer [trɛ̃ke] (1m) *beim Trinken*: anstoßen (*avec qn* mit j-m; *à qc* auf etw); F *fig* es ausbaden müssen.
triomph|e [trijõf] *m* Triumph *m*; Sieg *m*; **~er** (1a) triumphieren, siegen (*de* über).
tripartite [tripartit] dreiteilig; *pol* Dreimächte..., Dreiparteien..., Dreier...
tripatouiller [tripatuje] (1a) F ~ qc an etw herumfummeln, -pfuschen.
tripes [trip] *f/pl* Eingeweide *n/pl*; *cuis* Kutteln *f/pl*, Kaldaunen *f/pl*.
tripl|e [triplə] dreifach; **~er** (1a) (sich) verdreifachen; **~és, ~ées** *m/pl, f/pl* Drillinge *m/pl*.
tripot [tripo] *m péj* Spielhölle *f*.
tripoter [tripɔte] (1a) F herumspielen (*qc* mit etw), herumfummeln (*qc* an etw), befummeln; herumkramen, -wühlen (*dans* in); unsaubere Geschäfte machen.
trique [trik] *f* Knüppel *m*.
trist|e [trist] traurig; trist, trübselig; (*vorangestellt*) *péj* erbärmlich; **~esse** [-ɛs] *f* Traurigkeit *f*; Trübsinn *m*; Trostlosigkeit *f*.
triturer [trityre] (1a) zerreiben.
trivial, ~e [trivjal] (⚠ *m/pl -aux*) vulgär, ordinär; *litt* gewöhnlich; ⚠ *im allg nicht* trivial; **~ité** Vulgarität *f*; Zote *f*.
troc [trɔk] *m* Tausch(handel) *m*.
troglodyte [trɔglɔdit] *m* Höhlenbewohner *m*.
trognon [trɔɲõ] *m Obst*: Kerngehäuse *n*, Butzen *m*.
trois [trwa] **1.** *adj* drei; *à* ~ zu dritt; *le* ~ *mai* der dritte *od* am dritten Mai; **2.** *m* Drei *f*; ⚠ *le* ~.

TU

troisième [trwazjɛm] dritte(r, -s).
trois|-mâts [trwamɑ] *m* (⚠ *pl unv*) *mar* Dreimaster *m*; **~-quatre** [-katrə] *m* (⚠ *pl unv*) *mus* Dreivierteltakt *m*.
trolleybus [trɔlɛbys] *m* Obus *m*.
trombe [trõb] *f* Windhose *f*; *fig en* ~ wie der Blitz.
trombone [trõbɔn] *m* **1.** *mus* Posaune *f*; Posaunist *m*; **2.** Büroklammer *f*.
trompe [trõp] *f mus* Horn *n*; *zo* Rüssel *m*.
trompe-l'œil [trõplœj] *m* (⚠ *pl unv*) perspektivische Illusionsmalerei *f*; *fig* trügerischer Schein *m*.
tromper [trõpe] (1a) täuschen; betrügen; irreführen; *se* ~ sich irren, sich täuschen (*de* in).
tromperie [trõpri] *f* Betrug *m*, Täuschung *f*.
trompette [trõpɛt] **1.** *f* Trompete *f*; **2.** *m* Trompeter *m*.
tromp|eur, ~euse [trõpœr, -øz] trügerisch.
tronc [trõ] *m* (Baum-)Stamm *m*; Rumpf *m*; Opferstock *m*; *fig* ~ *commun* gemeinsame Grundlage *f*.
tronçon [trõsõ] *m* Abschnitt *m*, Teilstück *n*; *arch* (Säulen-)Trommel *f*.
tronçonner [trõsɔne] (1a) zerschneiden, zersägen.
trôn|e [tron] *m* Thron *m*; ⚠ *Schreibung*; **~er** (1a) thronen.
tronquer [trõke] (1m) stutzen; *fig* verstümmeln.
trop [tro, *in der Bindung* trop *od* trɔp] zuviel, zu (sehr); ~ *de* (+ *subst*) zuviel, zu viele; *je ne sais pas* ~ ich weiß nicht recht; *c'en est* ~ das geht zu weit; *être de* ~ überflüssig sein; *litt par* ~ gar zu.
trophée [trɔfe] *m* Trophäe *f*; ⚠ *le* ~.
tropical, ~e [trɔpikal] (⚠ *m/pl -aux*) tropisch, Tropen...
tropique [trɔpik] *m géogr* **1.** *pl* ~*s* Tropen *pl*; **2.** Wendekreis *m*.
trop-plein [troplɛ̃] *m* (⚠ *pl trop-pleins*) Überfluß *m*; *tech* Überlauf *m*.
troquer [trɔke] (1m) (ein)tauschen (*contre* gegen).
trot [tro] *m* Trab *m*; *aller au* ~ Trab reiten.
trott|er [trɔte] (1a) traben; herumlaufen; ⚠ *il a trotté*; **~euse** *f* Sekundenzeiger *m*; **~iner** [-ine] (1a) trippeln; **~inette** [-inɛt] *f* Roller *m* (*für Kinder*) **~oir** *m* Bürgersteig *m*, Gehweg *m*.
trou [tru] *m* (⚠ *pl* ~*s*) Loch *n*.
troubadour [trubadur] *m* provenzalischer Minnesänger *m*, Troubadour *m*.
trouble [trublə] **1.** *adj* trüb(e); *fig* unklar, dunkel; **2.** *m* Verwirrung *f*; Aufregung *f*; *méd* Störung *f*; ~*s pl* Unruhen *f/pl*.
trouble-fête [trubləfɛt] *m* (⚠ *pl unv*) Störenfried *m*, Spielverderber *m*.
troubler [truble] (1a) trüben; stören; verwirren, beunruhigen; bestürzen; betören; *se* ~ trüb werden; in Verwirrung geraten.
troué, ~e [true] durchlöchert.
trouée [true] *f* Schneise *f*; Lücke *f*; *mil* Durchbruch *m*; *la* ~ *de Belfort* die Burgundische Pforte.
trouer [true] (1a) durchlöchern.
trouille [truj] *f* F *avoir la* ~ Angst *od* P Schiß haben.
troupe [trup] *f* Trupp *m*, Schar *f*; Truppe *f* (*a mil*); ⚠ *la* ~, *aber le groupe*.
troupeau [trupo] *m* (⚠ *pl* ~*x*) Herde *f* (*a fig*).
trousse [trus] *f* Etui *n*; Täschchen *n*; ~ *de toilette* (Reise-)Necessaire *n*, Kulturbeutel *m*; *fig être aux* ~*s de qn* j-m auf den Fersen sein.
trousseau [truso] *m* (⚠ *pl* ~*x*) **1.** ~ *de clés* Schlüsselbund *m od n*; **2.** Aussteuer *f*.
trouvaille [truvaj] *f* glücklicher Fund *m*; Geistesblitz *m*.
trouver [truve] (1a) (auf-, vor-, heraus)finden; ausdenken; antreffen; bekommen; *aller* ~ *qn* j-n auf-, besuchen; ~ *que* ... finden *od* der Ansicht sein, daß ...; ~ (+ *adj*) halten für, finden (+ *adj*); *se* ~ sich befinden; vorkommen; sich ergeben; *il se trouve que* ... es erweist sich, daß ...
trouvère [truvɛr] *m* (*nordfrz*) Minnesänger *m*.
truand [tryɑ̃] *m* Gauner *m*, Ganove *m*.
truc [tryk] *m* F Ding(sda) *n*; Trick *m*, Kniff *m*.
trucage *cf truquage*.
truchement [tryʃmɑ̃] *m par le* ~ *de* durch (Vermittlung von).
trucul|ent, ~ente [trykylɑ̃, -ɑ̃t] urwüchsig, derb.
truelle [tryɛl] *f* (Maurer-)Kelle *f*.
truff|e [tryf] *f bot* Trüffel *f*; *Hund*:

Nase *f*; **~é, ~ée** getrüffelt; *fig* gespickt (*de* mit).
truie [trɥi] *f* Sau *f*, Mutterschwein *n*.
truisme [tryismə] *m* Binsenwahrheit *f*.
truite [trɥit] *f zo* Forelle *f*.
trumeau [trymo] *m* (⚠ *pl* ~x) Fensterpfosten *m*; Mittelpfosten *m* (*Portal*).
truqu|age [trykaʒ] *m* Fälschung *f*, Schwindel *m*; *Film*: Trickaufnahme *f*; **~er** (1m) fälschen, F frisieren.
tsar [dzar, tsar] *m* Zar *m*; **~ine** *f* Zarin *f*.
T.S.F. [teɛsɛf] *f* (*abr* *télégraphie sans fil*) drahtlose Telegraphie *f*.
tsigane [tsigan] *m*, *f* Zigeuner(in) *m*(*f*).
tu[1] [ty] du.
tu[2], **~e** [ty] *p/p von taire*.
tu|ant, ~ante [tɥɑ̃, -ɑ̃t] F ermüdend, anstrengend.
tube [tyb] *m* Rohr *n*; Röhre *f* (*a phys*); Röhrchen *n*; Tube *f*; ~ *digestif* Verdauungskanal *m*, -trakt *m*; ⚠ *le* ~.
tubercul|eux, ~euse [tybɛrkylø, -øz] *méd* tuberkulös; *bot* Knollen...; **~ose** [-oz] *f méd* Tuberkulose *f*.
tubulaire [tybylɛr] röhrenförmig.
tue-mouche [tymuʃ] **1.** *adj papier m* ~(s) Fliegenfänger *m*; **2.** *m* (⚠ *pl unv*) *bot* Fliegenpilz *m*.
tuer [tɥe] (1n) töten; umbringen; *Tier*: schlachten; *fig* zerstören; ruinieren; *se* ~ umkommen.
tuerie [tyri] *f* Gemetzel *n*, Blutbad *n*.
tue-tête [tytɛt] *à* ~ aus vollem Halse; aus Leibeskräften.
tueur [tɥœr] *m* Mörder *m*; ~ *à gages* Killer *m*.
tuil|e [tɥil] *f* (Dach-)Ziegel *m*; F *fig* Pech *n*, Schlag *m* ins Kontor; **~erie** *f* Ziegelei *f*.
tulipe [tylip] *f bot* Tulpe *f*.
tulle [tyl] *m* Tüll *m*.
tuméfié, ~e [tymefje] ver-, geschwollen.
tumeur [tymœr] *f* Geschwulst *f*, Tumor *m*; ⚠ *la* ~.
tumult|e [tymylt] *m* Tumult *m*; Aufruhr *m*; *fig* Hektik *f*; **~ueux, ~ueuse** [-ɥø, -ɥøz] lärmend, tobend; stürmisch.
tumulus [tymylys] *m* Hügel-, Hünengrab *n*.
tungstène [tɛ̃kstɛn, tœ̃-] *m chim* Wolfram *n*.
tunique [tynik] *f* Tunika *f*; Kasack (-bluse) *m*(*f*); *mil* Waffenrock *m*.
Tunisie [tynizi] *la* ~ Tunesien *n*.
tunis|ien, ~ienne [tynizjɛ̃, -jɛn] **1.** *adj* tunesisch; **2.** ♀ *m*, *f* Tunesier(in) *m*(*f*).
tunnel [tynɛl] *m* Tunnel *m*.
turbin|e [tyrbin] *f* Turbine *f*; **~er** (1a) *arg* schuften.
turbo|-propulseur [tyrbɔprɔpylsœr] *m aviat* Turboproptriebwerk *n*; **~-réacteur** [-reaktœr] *m aviat* Turboluftstrahltriebwerk *n*.
turbot [tyrbo] *m zo* Steinbutt *m*.
turbul|ence [tyrbylɑ̃s] *f* Wildheit *f*; *phys* Turbulenz *f*; **~ent, ~ente** [-ɑ̃, -ɑ̃t] wild, ausgelassen.
turc, turque [tyrk] **1.** *adj* türkisch; **2.** ♀ *m*, *f* Türke *m*, Türkin *f*.
turf [tœrf, tyrf] *m* Pferderennsport *m*; (Pferde-)Rennbahn *f*.
turlupiner [tyrlypine] (1a) F keine Ruhe lassen, verfolgen.
turpitude [tyrpityd] *litt f* Schändlichkeit *f*.
Turquie [tyrki] *la* ~ die Türkei.
turquoise [tyrkwaz] *f* Türkis *m*; ⚠ *la* ~.
tus [ty] *p/s von taire*.
tutélaire [tytelɛr] *litt* Schutz...; *jur* vormundschaftlich.
tutelle [tytɛl] *f jur* Vormundschaft *f*; Treuhandschaft *f*; *fig* Bevormundung *f*; *st/s* Schutz *m*.
tu|teur, ~trice [tytœr, -tris] **1.** *m*, *f jur* Vormund *m*; **2.** *m* (Baum-)Stütze *f*.
tutoyer [tytwaje] (1h) duzen.
tutu [tyty] *m* Ballettröckchen *n*; *enf* Popo *m*.
tuyau [tɥijo] *m* (⚠ *pl* ~x) **1.** Rohr *n*, Röhre *f*; Schlauch *m*; ~ *d'arrosage* Gartenschlauch *m*; **2.** F Tip *m*; **~ter** [-te] (1a) F Tips geben (*qn* j-m).
tuyère [tɥijɛr] *f tech* Düse *f*.
T.V.A. [teveɑ] *f* (*abr taxe sur od à la valeur ajoutée*) Mehrwertsteuer *f*.
tympan [tɛ̃pɑ̃] *m* Trommelfell *n*; *arch* Giebel-, Bogenfeld *n*, Tympanon *n*.
type [tip] *m* Typ(us) *m*; Urbild *n*; Modell *n*; F Kerl *m*, Typ *m*; *un chic* ~ ein prima Kerl; *contrat m* ~ Mustervertrag *m*.
typhoïde [tifɔid] *f méd* (*fièvre f*) ~ Typhus *m*.
typhon [tifõ] *m* Taifun *m*.
typhus [tifys] *m méd* Fleckfieber *n*.

typique [tipik] typisch (*de* für).
typograph|e [tipɔgraf] *m*, *f* Schriftsetzer(in) *m(f)*; **~ie** [-i] *f* Buchdruckerkunst *f*, Druck *m*.
tyran [tirɑ̃] *m* Tyrann *m* (*a fig*); ⚠ *Schreibung*.
tyrann|ie [tirani] *f* Tyrannei *f* (*a fig*), Gewaltherrschaft *f*; **~ique** tyrannisch; **~iser** (1a) tyrannisieren.
tyroli|en, ~enne [tirɔljɛ̃, -ɛn] **1.** *adj* aus Tirol; **2.** *m*, *f* ♀ Tiroler(in) *m(f)*; *f mus* Jodler *m*.
tzar *cf tsar*.
tzigane *cf tsigane*.

U

ulcère [ylsɛr] *m* Geschwür *n*; ~ *de l'estomac od à l'estomac* Magengeschwür *n*.
ulcérer [ylsere] (1f) ein Geschwür hervorrufen; *fig* tief kränken.
ultérieur, ~e [ylterjœr] spätere(r, -s), künftige(r, -s); **~ement** [-mɑ̃] *adv* später.
ultimatum [yltimatɔm] *m* Ultimatum *n*.
ultime [yltim] (aller)letzte(r, -s).
ultra... [yltra] *in Zssgn* sehr, extrem, hoch..., ultra...
ultra-conserva|teur, ~trice [yltrakõsɛrvatœr, -tris] erzkonservativ.
ultrason [yltrasõ] *m phys* Ultraschall *m*.
ululer [ylyle] (1a) *Eule*: schreien.
un, une [ɛ̃ *od* œ̃, yn] ein(er), eine, ein(es); *alleinstehend*: *un* eins; *le un* die Eins; *un à un* einer nach dem andern; *un sur trois* einer von dreien; *Zeitung*: *à la une* auf der ersten Seite; *c'est tout un* das ist ein und dasselbe; *l'un, l'une* der (die, das) eine; *les uns, les unes* die einen; *l'un(e) l'autre od les uns (unes) les autres* einander, sich gegenseitig.
unanim|e [ynanim] einstimmig, einmütig; **~ité** *f* Einstimmigkeit *f*, Einmütigkeit *f*; *à l'~* einstimmig.
uni, ~e [yni] **1.** vereint; **2.** glatt; eben; einfarbig; *litt* schmucklos, schlicht.
uni|colore [ynikɔlɔr] einfarbig; **~fication** [-fikasjõ] *f* Einigung *f*; Vereinheitlichung *f*; **~fier** [-fje] (1a) einigen; vereinheitlichen.
uniform|e [ynifɔrm] **1.** *adj* gleichförmig, -mäßig, -artig; einförmig; ⚠ *adv uniformément*; **2.** *m* Uniform *f*; ⚠ *un* ~; **~iser** (1a) vereinheitlichen; **~ité** *f* Gleich-, Einförmigkeit *f*.
unijambiste [yniʒɑ̃bist] *m*, *f* Beinamputierte(r) *m*, *f*.
unilatéral, ~e [ynilateral] (⚠ *m/pl -aux*) einseitig.
union [ynjõ] *f* Verbindung *f*, Vereinigung *f*; Bund *m*; Union *f*; Einigkeit *f*.
unique [ynik] einzig; einzigartig, einmalig; **~ment** *adv* einzig und allein; bloß.
unir [ynir] (2a) verein(ig)en, verbinden; *Paar*: trauen.
unisson [ynisõ] *m mus* Gleichklang *m*; *à l'~* einstimmig.
unitaire [ynitɛr] einheitlich.
unité [ynite] *f* Einheit *f* (*a mil*); Einheitlichkeit *f*; *math* Einer *m*; *comm* Stück *n*.
univers [ynivɛr] *m* Universum *n*, Weltall *n*; *fig* Welt *f*.
universal|iser [ynivɛrsalize] (1a) allgemein verbreiten; verallgemeinern; **~ité** *f* Vielseitigkeit *f*; Allgemeingültigkeit *f*.
universel, ~le [ynivɛrsɛl] allgemein, universal; weltweit.
univers|itaire [ynivɛrsitɛr] **1.** *adj* Universitäts..., akademisch; **2.** *m*, *f* Hochschullehrer(in) *m(f)*; **~ité** *f* Universität *f*, Hochschule *f*.
Untel [ɛ̃tɛl, œ̃-] *monsieur* ~ Herr Soundso.
uranium [yranjɔm] *m* Uran *n*.
urb|ain, ~aine [yrbɛ̃, -ɛn] städtisch; Stadt...
urban|iser [yrbanize] (1a) e-n städtischen Charakter geben; **~isme** *m* Städteplanung *f*, Städtebau *m*; **~ité** *litt f* Höflichkeit *f*.
urgence [yrʒɑ̃s] *f* Dringlichkeit *f*;

d'~ dringend; *état m d'~* Notstand *m.*
urg|ent, ~ente [yrʒɑ̃, -ɑ̃t] dringend.
urin|e [yrin] *f* Urin *m;* ⚠ *une ~;* **~er** (1a) urinieren.
urne [yrn] *f* Urne *f.*
U.R.S.S. [yɛrɛsɛs *od* yrs] *f* (*abr Union des républiques socialistes soviétiques*) UdSSR *f,* Sowjetunion *f.*
urticaire [yrtikɛr] *f méd* Nesselsucht *f.*
us [ys] *m/pl ~ et coutumes f/pl* Sitten *f/pl* und Gebräuche *m/pl.*
usage [yzaʒ] *m* Benutzung *f,* Gebrauch *m;* Brauch *m,* Sitte *f,* Gewohnheit *f;* Sprachgebrauch *m; hors d'~* außer Gebrauch; *à l'~* bei der Anwendung; *à l'~ de qn* für j-n; *faire ~ de* verwenden, gebrauchen; *d'~* üblich.
usag|é, ~ée [yzaʒe] *Kleider*: getragen, gebraucht; **~er** *m* Benutzer *m;* Teilnehmer *m.*
usé, ~e [yze] ge-, verbraucht (*a fig*), abgenutzt; abgetragen; abgedroschen.
user [yze] (1a) **1.** *~ qc* etw abnutzen; etw verbrauchen; *~ qn* j-n aufreiben; *s'~* sich abnutzen; sich verbrauchen; **2.** *~ de qc* etw gebrauchen, anwenden; *litt en ~ avec qn* mit j-m verfahren.
usine [yzin] *f* Fabrik *f; ~ d'automobiles* Autofabrik *f,* -werk *n; ~ de retraitement* Wiederaufbereitungsanlage *f; ~ sidérurgique* Hüttenwerk *n.*
usité, ~e [yzite] *Wort*: gebräuchlich.
ustensile [ystɑ̃sil] *m* Gerät *n;* **~s** *pl* Utensilien *pl;* ⚠ *Schreibung.*
usuel, ~le [yzɥɛl] gebräuchlich, üblich.
usufruit [yzyfrɥi] *m jur* Nießbrauch *m.*
usur|e [yzyr] *f* **1.** Wucher *m;* **2.** Abnutzung *f,* Verschleiß *m;* **~ier** *m* Wucherer *m.*
usurpa|teur [yzyrpatœr] *m pol* Usurpator *m;* **~tion** *f* Usurpation *f; jur* Anmaßung *f.*
usurper [yzyrpe] (1a) usurpieren; sich widerrechtlich aneignen.
ut [yt] *m mus* c *od* C *n.*
utile [ytil] nützlich; *tech* Nutz...; *en temps ~* zu gegebener Zeit.
utilisa|ble [ytilizablə] (be)nutzbar, verwendbar; **~teur, ~trice** *m, f* Benutzer(in) *m(f);* **~tion** *f* Ver-, Anwendung *f,* Gebrauch *m,* Nutzung *f.*
utiliser [ytilize] (1a) ver-, anwenden, (be)nutzen.
utilit|aire [ytilitɛr] Nutz..., Gebrauchs...; Nützlichkeits...; **~arisme** [-arismə] *m* Utilitarismus *m;* Zweckdenken *n.*
utilité [ytilite] *f* Nützlichkeit *f,* Nutzen *m; ~ publique* Gemeinnützigkeit *f;* **~s** *pl Theater*: Nebenrollen *f/pl.*
utop|ie [ytɔpi] *f* Utopie *f;* **~ique** utopisch; **~iste** *m, f* Utopist(in) *m(f).*

V

v. (*abr voir*) s. (siehe).
va [va] *cf* aller.
vacance [vakɑ̃s] *f* **1.** **~s** *pl* Ferien *pl;* **2.** freie Stelle *f.*
vacanc|ier, ~ière [vakɑ̃sje, -jɛr] *m, f* Urlauber(in) *m(f);* Feriengast *m.*
vac|ant, ~ante [vakɑ̃, -ɑ̃t] *Wohnung*: leerstehend; *Stelle*: offen, unbesetzt.
vacarme [vakarm] *m* (Heiden-) Lärm *m,* Krach *m,* Spektakel *m.*
vaccin [vaksɛ̃] *m méd* Impfstoff *m.*
vaccin|ation [vaksinasjõ] *f méd* Impfung *f;* **~er** (1a) impfen.
vache [vaʃ] **1.** *f* Kuh *f;* Rinds-, Kuhleder *n; fig ~ à lait* Melkkuh *f;* F *la ~!* Donnerwetter!, Mensch!; **2.** *adj* F gemein; *vorangestellt* F toll; **~ment** *adv* F kolossal, wahnsinnig.
vach|er, ~ère [vaʃe, -ɛr] *m, f* Kuhhirt(in) *m(f);* **~erie** *f* Kuhstall *m;* F Gemeinheit *f.*
vaciller [vasije] (1a) (sch)wanken; flackern.
vacuité [vakɥite] *st/s f* Leere *f.*
vade-mecum [vademekɔm] *m* (⚠ *pl unv*) *litt* Vademecum *n.*
vadrouiller [vadruje] (1a) F herumbummeln.

va-et-vient [vaevjɛ̃] *m* (⚠ *pl unv*) Hin- und Herbewegung *f*; Kommen und Gehen *n*.
vagab|ond, ~onde [vagabõ, -õd] **1.** *adj* umherstreifend, unstet; **2.** *m*, *f* Vagabund *m*, Landstreicher(in) *m(f)*.
vagabond|age [vagabõdaʒ] *m* Umherziehen *n*; Landstreicherei *f*; **~er** (1a) umherziehen, herumstrolchen, -streichen; *fig* umherschweifen.
vagin [vaʒɛ̃] *m* Scheide *f*, Vagina *f*.
vagir [vaʒir] (2a) wimmern.
vague[1] [vag] *f* Welle *f*, Woge *f*.
vague[2] [vag] **1.** *adj* vage, verschwommen, unbestimmt, undeutlich; *terrain m ~* unbebautes Gelände *n*; **2.** *m* Undeutlichkeit *f*; *avoir du ~ à l'âme* an Weltschmerz leiden; **~ment** *adv* vage, verschwommen.
vaguer [vage] (1m) *litt* schweifen.
vaill|ant, ~ante [vajɑ̃, -ɑ̃t] tapfer; tüchtig.
vaille [vaj] *subj von valoir*; *~ que ~* komme, was da wolle.
vain, vaine [vɛ̃, vɛn] vergeblich; *litt* eitel; *en vain* vergeblich, umsonst.
vaincre [vɛ̃krə] (4i) (be)siegen; überwinden.
vaincu, ~e [vɛ̃ky] **1.** *p/p von vaincre* besiegt; **2.** *m* Besiegte(r) *m*, Verlierer *m*.
vainement [vɛnmɑ̃] *adv* umsonst, vergeblich.
vainqueur [vɛ̃kœr] *m* Sieger(in) *m(f)*.
vais [vɛ] *cf aller*.
vaisseau [vɛso] *m* (⚠ *pl ~x*) **1.** Gefäß *n*; *~ sanguin* Blutgefäß *n*; **2.** *litt* Schiff *n*; *~ spatial* Raumschiff *n*.
vaisselle [vɛsɛl] *f* Geschirr *n*; *laver od faire la ~* (das) Geschirr spülen, abwaschen.
val [val] *m* (⚠ *pl vaux* [vo] *od vals*) *litt* Tal *n*; *par monts et par vaux* über Berg und Tal.
valable [valablə] gültig; annehmbar, brauchbar; tüchtig.
Valais [valɛ] *le ~* das Wallis.
valériane [valerjan] *f bot* Baldrian *m*.
valet [valɛ] *m* Diener *m*; *Kartenspiel*: Bube *m*.
valeur [valœr] *f* Wert *m*; Bedeutung *f*; *comm ~s pl* Wertpapiere *n/pl*; *sans ~* wertlos; *la ~ de* etwa; *mettre en ~* zur Geltung bringen, hervorheben.
valeur|eux, ~euse [valørø, -øz] *st/s* tapfer.
validation [validasjõ] *f* Gültigkeitserklärung *f*; Anerkennung *f*; *Fahrschein*: Entwertung *f*.
valid|e [valid] **1.** gesund, kräftig; **2.** gültig; **~er** (1a) für gültig erklären; anerkennen; *Fahrschein*: entwerten; **~ité** *f* (Rechts-)Gültigkeit *f*.
valise [valiz] *f* Koffer *m*; *faire sa ~* seinen Koffer packen.
vallée [vale] *f* Tal *n*.
vallon [valõ] *m* kleines Tal *n*.
vallonné, ~e [valɔne] hügelig.
valoir [valwar] (3h) **1.** wert sein; gelten (*pour* für); kosten; *~ mieux* besser sein (*que* als); *il vaut mieux* (+ *inf*) (*que de* + *inf*) es ist besser zu (+ *inf*) (als zu + *inf*); *il vaut mieux que* (+ *subj*) es ist besser, daß ...; F *ça vaut le coup* das lohnt sich; *faire ~* nutzbar machen; geltend machen; herausstreichen; **2.** *~ qc à qn* j-m etw eintragen.
valoris|ation [valɔrizasjõ] *f* Aufwertung *f*; **~er** (1a) aufwerten.
vals|e [vals] *f* Walzer *m*; ⚠ *la ~*; **~er** (1a) Walzer tanzen; F *faire ~ l'argent* mit Geld um sich schmeißen.
valve [valv] *f tech* Ventil *n*.
vampire [vɑ̃pir] *m* Vampir *m*; *fig* Blutsauger *m*.
van [vɑ̃] *m* Transportwagen *m* (*für Rennpferde*).
vandalisme [vɑ̃dalismə] *m* Vandalismus *m*, Zerstörungswut *f*.
vanille [vanij] *f* Vanille *f*.
vanit|é [vanite] *f* Eitelkeit *f*; *litt* Nichtigkeit *f*; **~eux, ~euse** [-ø, -øz] eitel, eingebildet.
vanne [van] *f* Schleusentor *n*; F Stichelei *f*.
vanneau [vano] *m* (⚠ *pl ~x*) *zo* Kiebitz *m*.
vannerie [vanri] *f* Korbflechterei *f*; Korbwaren *f/pl*.
vantail [vɑ̃taj] *m* (⚠ *pl vantaux*) (Tür-, Fenster-)Flügel *m*.
vant|ard, ~arde [vɑ̃tar, -ard] **1.** *adj* großsprecherisch; **2.** *m*, *f* Prahlhans *m*, Angeber(in) *m(f)*; **~ardise** [-ardiz] *f* Prahlerei *f*.
vanter [vɑ̃te] (1a) rühmen, (an)preisen; *se ~* prahlen, angeben, sich brüsten (*de qc* mit etw).
va-nu-pieds [vanypje] *m*, *f* (⚠ *pl unv*) Bettler(in) *m(f)*.
vapeur [vapœr] **1.** *f* Dampf *m*; Dunst *m*; **2.** *m* Dampfer *m*.
vapor|eux, ~euse [vapɔrø, -øz] duftig, leicht.

vaporis|ateur [vapɔrizatœr] *m* Zerstäuber *m*, Spray *m od n*; **~er** (1a) verdampfen; zerstäuben.
vaquer [vake] (1m) ~ *à ses occupations* seiner Beschäftigung nachgehen.
varech [varɛk] *m bot* Tang *m*.
vareuse [varøz] *f* Matrosenbluse *f*; (Uniform-)Jacke *f*.
vari|abilité [varjabilite] *f* Veränderlichkeit *f*; **~able** veränderlich.
variante [varjɑ̃t] *f* Variante *f*, Abwandlung *f*.
variation [varjasjõ] *f* Veränderung *f*, Wechsel *m*; Schwankung *f*.
varice [varis] *f* Krampfader *f*.
varicelle [varisɛl] *f méd* Windpocken *pl*.
varié, ~e [varje] verschiedenartig, mannigfaltig, abwechslungsreich.
varier [varje] (1a) Abwechslung bringen in, variieren; sich ändern, wechseln; schwanken.
variété [varjete] *f* Vielfalt *f*; Abwechslung *f*; *biol* Ab-, Spielart *f*.
variole [varjɔl] *f méd* Pocken *pl*.
Varsovie [varsɔvi] Warschau.
vas [va] *cf aller*.
vase[1] [vɑz] *m* Gefäß *n*, Vase *f*; ~ *de nuit* Nachtgeschirr *n*; *fig vivre en ~ clos* sich abkapseln; ⚠ *le ~*.
vase[2] [vɑz] *f* Schlamm *m*.
vas|eux, ~euse [vɑzø, -øz] schlammig; F unwohl; F verschwommen.
vasistas [vazistas] *m* Guckfenster *n*, Oberlicht *n*.
vasouiller [vazuje] (1a) F schwimmen, unsicher sein.
vassal [vasal] *m* (⚠ *pl -aux*) Vasall *m*; *hist* Lehnsmann *m*; ⚠ *Schreibung*.
vaste [vast] weit, ausgedehnt; geräumig; umfangreich.
vaticiner [vatisine] (1a) *litt* weissagen.
va-tout [vatu] *m jouer son ~* alles auf e-e Karte setzen.
Vaud [vo] *canton m de ~* Kanton *m* Waadt.
vaudeville [vodvil] *m* Schwank *m*.
vaudrai [vodre] *futur von valoir*.
vau-l'eau [volo] *(s'en) aller à ~* zunichte werden.
vauri|en, ~enne [vorjɛ̃, -ɛn] *m, f* Taugenichts *m*; Göre *f*.
vaut [vo] *cf valoir*.
vautour [votur] *m zo* Geier *m*; *fig* Wucherer *m*.
vautrer [votre] (1a) *se ~* sich wälzen; sich hinlümmeln.
vaux [vo] *cf valoir u val*.
veau [vo] *m* (⚠ *pl ~x*) Kalb *n*; Kalbfleisch *n*; Kalbsleder *n*.
vecteur [vɛktœr] *m math* Vektor *m*; *mil* Trägersystem *n*.
vécu, ~e [veky] *p/p von vivre*.
vedette [vədɛt] *f* **1.** *Theater, Film etc*: Star *m*, Hauptdarsteller(in) *m(f)*; *en ~* vorn, im Vordergrund; *mettre en ~* herausstellen, -streichen; *match m ~* Spitzen-, Schlagerspiel *n*; **2.** *mil* Schnellboot *n*.
végétal, ~e [veʒetal] (⚠ *m/pl -aux*) **1.** *adj* pflanzlich, Pflanzen...; **2.** *m* Pflanze *f*, Gewächs *n*.
végétari|en, ~enne [veʒetarjɛ̃, -ɛn] **1.** *adj* vegetarisch; **2.** *m, f* Vegetarier(in) *m(f)*.
végét|ation [veʒetasjõ] *f* Vegetation *f*; Pflanzenwelt *f*; **~er** (1f) (dahin)vegetieren.
véhém|ence [veemɑ̃s] *f* Heftigkeit *f*; **~ent, ~ente** [-ɑ̃, -ɑ̃t] heftig, leidenschaftlich.
véhicule [veikyl] *m* Fahrzeug *n*; *fig* Träger *m*.
veille [vɛj] *f* **1.** Vorabend *m*, Tag *m* vorher; *la ~ de Noël* der Heilige Abend; *à la ~ de ...* kurz vor ...; **2.** Wachen *n*; *mil* (Nacht-)Wache *f*; ⚠ *nicht verwechseln mit vieille (von vieux)*.
veillée [vɛje] *f* Kranken-, Nacht-, Totenwache *f*; abendliches Beisammensein *n*.
veiller [vɛje] (1b) **1.** wachen; aufbleiben; **2.** *~ à qc* für etw sorgen, auf etw bedacht sein; *~ à ce que (+ subj)* dafür sorgen *od* darauf achten, daß ...; *~ à (+ inf)* darauf achten zu (+ *inf*); *~ sur qn* auf j-n achtgeben.
veill|eur [vɛjœr] *m* Wächter *m*; **~euse** *f* Nachtlicht *n*; Sparflamme *f*; *auto* Standlicht *n*; *mettre en ~ Flamme*: kleinstellen; *fig Angelegenheit*: ruhen lassen.
vein|ard, ~arde [vɛnar, -ard] *m, f* F Glückspilz *m*, -kind *n*.
veine [vɛn] *f* **1.** Ader (*a in Stein etc*); Vene *f*; *fig* Anlage *f*; **2.** F Glück *n*; *avoir de la ~* Schwein haben.
vêler [vɛle] (1b) kalben.
véliplanchiste [veliplɑ̃ʃist] *m, f* (Wind-)Surfer(in) *m(f)*.
velléité [vɛleite] *f* Anwandlung *f*.

V

vélo [velo] *m* Fahrrad *n*; *faire du* ~ radfahren.
vélo|cité [velɔsite] *f* Schnelligkeit *f*; **~drome** [-drom] *m* Radrennbahn *f*; **~moteur** [-mɔtœr] *m* Moped *n*.
velours [v(ə)lur] *m* Samt *m*.
velouté, ~e [vəlute] samtig, samtweich; *Suppe*: legiert, sämig.
velu, ~e [vəly] haarig, behaart.
vélum [velɔm] *m* Zeltdach *n*; Sonnensegel *n*.
venaison [vənɛzõ] *f* Wildbret *n*.
vénal, ~e [venal] (⚠ *m/pl -aux*) *péj* käuflich, bestechlich.
venant [v(ə)nɑ̃] *à tout* ~ dem ersten besten.
vendable [vɑ̃dablə] verkäuflich.
vendang|e [vɑ̃dɑ̃ʒ] *f* Weinlese *f*; **~er** (1l) Weinlese halten.
vend|eur, ~euse [vɑ̃dœr, -øz] *m, f* Verkäufer(in) *m(f)*.
vendre [vɑ̃drə] (4a) verkaufen; *fig* verraten; *se* ~ sich verkaufen (lassen).
vendredi [vɑ̃drədi] *m* Freitag *m*; ♀ *saint* Karfreitag *m*.
vendu, ~e [vɑ̃dy] *p/p von vendre u adj* verkauft; *péj* gekauft.
vénén|eux, ~euse [venenø, -øz] *Pflanzen*: giftig.
vénér|able [venerablə] ehrwürdig; **~ation** *f* Verehrung *f*; Ehrfurcht *f*; **~er** (1f) verehren.
vénér|ien, ~ienne [venerjɛ̃, -jɛn] *méd maladie f vénérienne* Geschlechtskrankheit *f*.
vengeance [vɑ̃ʒɑ̃s] *f* Rache *f*.
venger [vɑ̃ʒe] (1l) rächen (*qn de qc* j-n für etw); *se* ~ *de qn* sich an j-m rächen; *se* ~ *de qc sur qn* sich für etw an j-m rächen.
veng|eur, ~eresse [vɑ̃ʒœr, -rɛs] **1.** *adj* rächend; **2.** *m, f* Rächer(in) *m(f)*.
venim|eux, ~euse [vənimø, -øz] *Tiere*: giftig; *fig* boshaft; ⚠ *nicht verwechseln mit vénéneux*.
venin [v(ə)nɛ̃] *m* Gift *n* (*von Tieren*); *fig* Bosheit *f*.
venir [v(ə)nir] (2h) kommen; herkommen; stammen (*de* von, aus); reichen (*jusqu'à* bis); ~ *bien* gut gedeihen (*Pflanze*); *à* ~ (zu)künftig; *y* ~ darauf zu sprechen kommen; *en* ~ *à qc* zu etw kommen; *en* ~ *à croire que* ... zu der Überzeugung kommen, daß ...; *en* ~ *aux mains* handgemein werden; *en* ~ *là* so weit kommen; *où veut-il en* ~? worauf will er hinaus?; ~ *de faire qc* soeben etw getan haben; ~ *à dire* zufällig sagen; ~ *dire* kommen, (um) zu sagen; ~ *voir qn* j-n besuchen; ~ *chercher*, ~ *prendre* (ab)holen.
Venise [vəniz] Venedig.
vénit|ien, ~ienne [venisjɛ̃, -jɛn] venezianisch.
vent [vɑ̃] *m* Wind *m*; *fig* Tendenz *f*; *mus instrument m à* ~ Blasinstrument *n*; *fig être dans le* ~ auf dem laufenden, modern sein; *fig c'est du* ~ das ist leeres Gerede; *coup m de* ~ Windstoß *m*; *en plein* ~ *Haus*: völlig freistehend; *il fait du* ~ es ist windig; *fig avoir* ~ *de qc* von etw hören, Wind bekommen.
vente [vɑ̃t] *f* Verkauf *m*; Absatz *m*, Vertrieb *m*; ~ *publique* (öffentliche) Versteigerung *f*.
vent|eux, ~euse [vɑ̃tø, -øz] windig.
ventilateur [vɑ̃tilatœr] *m* Ventilator *m*, Gebläse *n*.
ventiler [vɑ̃tile] (1a) belüften; *jur* aufteilen.
ventouse [vɑ̃tuz] *f* Saugnapf *m*.
ventre [vɑ̃trə] *m* Bauch *m*, (Unter-)Leib *m*; Ausbauchung *f*; *à plat* ~ auf den *od* dem Bauch; *aller* ~ *à terre* in gestrecktem Galopp reiten.
ventriloque [vɑ̃trilɔk] *m* Bauchredner *m*.
ventru, ~e [vɑ̃try] dickbäuchig.
venu, ~e [v(ə)ny] **1.** *adj bien* ~ gelungen; **2.** *m, f le premier venu, la première venue* der, die erste beste; *nouveau venu, nouvelle venue* Neuankömmling *m*.
venue [v(ə)ny] *f* Ankunft *f*.
vêpres [vɛprə] *f/pl rel* Vesper *f*.
ver [vɛr] *m* Wurm *m*; Made *f*; ~ *de terre* Regenwurm *m*; ~ *à soie* Seidenraupe *f*; ⚠ *nicht verwechseln mit le vers u le verre*.
véracité [verasite] *f* Wahrheitsgehalt *m*.
véranda [verɑ̃da] *f* Veranda *f*.
verbal, ~e [vɛrbal] (⚠ *m/pl -aux*) mündlich; verbal, Verb...
verbal|iser [vɛrbalize] (1a) **1.** *jur* ein Protokoll aufnehmen; *Polizei*: gebührenpflichtig verwarnen (*contre qn* j-n); **2.** sprachlich ausdrücken; **~isme** *m péj* Wortgeklingel *n*.
verbe [vɛrb] *m ling* Verbum *n*, Zeit-, Tätigkeitswort *n*; *litt* Wort *n*; Sprache *f*.
verbiage [vɛrbjaʒ] *m* Geschwätz *n*.

verbosité [vɛrbozite] *f* Geschwätzigkeit *f*; Weitschweifigkeit *f*.
verdâtre [vɛrdɑtrə] grünlich.
verdeur [vɛrdœr] *f* Unreife *f*; *Wein*: Herbheit *f*; *Rede*: Deftigkeit *f*; *Alter*: Rüstigkeit *f*.
verdict [vɛrdikt] *m* (Urteils-)Spruch *m*; Urteil *n*, Verdikt *n*.
verdir [vɛrdir] (2a) grün färben; grünen.
verdoy|ant, ~ante [vɛrdwajɑ̃, -ɑ̃t] sattgrün; **~er** (1h) grünen.
verdure [vɛrdyr] *f* Grün *n*; grünes Laub *n*; *Salat*: Grünzeug *n* F.
vér|eux, ~euse [verø, -øz] wurmstichig, wurmig; *fig* anrüchig.
verge [vɛrʒ] *f* Penis *m*; Rute *f*.
verger [vɛrʒe] *m* Obstgarten *m*.
verglacé, ~e [vɛrglase] vereist.
verglas [vɛrgla] *m* Glatteis *n*.
vergogne [vɛrgɔɲ] *f sans ~* schamlos.
vergue [vɛrg] *f mar* Rahe *f*.
véri|dique [veridik] wahrheitsgetreu; **~fiable** [-fjablə] nachprüfbar.
vérification [verifikasjõ] *f* (Nach-, Über-)Prüfung *f*, Untersuchung *f*; Feststellung *f*.
vérifier [verifje] (1a) (nach-, über-) prüfen, nachsehen, verifizieren; bestätigen; *se ~* sich bestätigen.
vérin [verɛ̃] *m tech* Winde *f*.
véritable [veritablə] wahr, echt, wirklich; **~ment** *adv* wirklich, tatsächlich.
vérité [verite] *f* Wahrheit *f*, Richtigkeit *f*; *Porträt*: Ähnlichkeit *f*; *à la ~* allerdings; *en ~* in der Tat, wahrlich.
vermeil, ~le [vɛrmɛj] (hoch)rot.
vermicelle(s) [vɛrmisɛl] *m(pl)* Suppen-, Fadennudeln *f/pl*; ⚠ *le ~*.
vermillon [vɛrmijõ] *m* Zinnober(rot) *m(n)*.
vermine [vɛrmin] *f* Ungeziefer *n*; *st/s* Gesindel *n*.
vermoulu, ~e [vɛrmuly] wurmstichig.
vermout(h) [vɛrmut] *m* Wermut (-wein) *m*.
vernaculaire [vɛrnakylɛr] *ling langue f ~* Regional-, Eingeborenensprache *f*.
verni, ~e [vɛrni] **1.** *adj* lackiert; glasiert; **2.** *m* F Glückspilz *m*.
vernir [vɛrnir] (2a) firnissen, lackieren.
vernis [vɛrni] *m* Lack *m*; Firnis *m* (*a fig*); Glasur *f*.
vernissage [vɛrnisaʒ] *m* **1.** Lackieren *n*; Glasieren *n*; **2.** *Ausstellung*: Eröffnung *f*, Vernissage *f*.
vérole [verɔl] *f méd* F Syphilis *f*; *petite ~* Pocken *pl*.
verrai [vɛre] *futur von voir*.
verrat [vɛra] *m zo* Eber *m*.
verr|e [vɛr] *m* Glas *n*; *~s de contact* Kontaktlinsen *f/pl*, Haftschalen *f/pl*; *~ à eau* Wasserglas *n*; ⚠ *unterscheide ~ à vin* Weinglas *u un ~ de vin* ein Glas Wein; **~erie** *f* Glasfabrik *f*; Glaswaren *f/pl*; **~ière** [-jɛr] *f* Kirchenfenster *n*; Glasdach *n*; **~oterie** [-ɔtri] *f* Glasperlen *f/pl*.
verrou [vɛru] *m* (⚠ *pl ~s*) Riegel *m*.
verrouiller [vɛruje] (1a) ver-, zuriegeln.
verrue [vɛry] *f* Warze *f*.
vers[1] [vɛr] *m* Vers *m*.
vers[2] [vɛr] *prép* gegen; *~ l'est* gegen, nach Osten (hin); *~ la fin* gegen Ende; *~ midi* gegen, um Mittag.
versant [vɛrsɑ̃] *m* (Berg-)Abhang *m*.
versatil|e [vɛrsatil] wankelmütig, unbeständig; **~ité** *f* Wankelmut *m*.
verse [vɛrs] *il pleut à ~* es gießt in Strömen.
versé, ~e [vɛrse] *~ dans* bewandert in.
Verseau [vɛrso] *m astr* Wassermann *m*.
versement [vɛrsəmɑ̃] *m* (Ein-, Aus-) Zahlung *f*.
verser [vɛrse] *v/t* (ein-, ver)gießen; verschütten; *~ (à boire)* einschenken; *Geld*: einzahlen, (aus)zahlen; *Wagen*: umstürzen; *fig ~ dans qc* in etw verfallen.
verset [vɛrsɛ] *m* (Bibel-)Vers *m*.
versi|fication [vɛrsifikasjõ] *f* Versbau *m*; **~fier** [-fje] (1a) in Verse bringen; Verse machen.
version [vɛrsjõ] *f* Version *f*, Fassung *f*, Darstellung *f*; *Modell*: Ausführung *f*; *Schule*: Herübersetzung *f*, Übersetzung *f* aus der Fremdsprache.
verso [vɛrso] *m Blatt*: Rückseite *f*; *au ~* umseitig, auf der Rückseite.
vert, verte [vɛr, vɛrt] **1.** *adj* grün; *Obst*: unreif; *Wein*: herb; *fig* frisch; rüstig; *Ausdrucksweise*: deftig, derb; *langue f verte* Gaunersprache *f*; **2.** *m* Grün *n*; *pol les verts m/pl* die Grünen *m/pl*.
vert-de-gris [vɛrdəgri] *m* Grünspan *m*.
vertébral, ~e [vɛrtebral] (⚠ *m/pl*

-aux) Wirbel...; *colonne f vertébrale* Wirbelsäule *f*.
vertèbre [vɛrtɛbrə] *f* (Rücken-)Wirbel *m*; ⚠ *la* ~.
vertébrés [vɛrtebre] *m/pl zo* Wirbeltiere *n/pl*.
vertement [vɛrtəmɑ̃] *adv* scharf, heftig.
vertical, ~e [vɛrtikal] (⚠ *m/pl -aux*) **1.** *adj* senkrecht, vertikal; **2.** *f* Senkrechte *f*.
vertige [vɛrtiʒ] *m* Schwindel(gefühl) *m(n)*; *fig* Taumel *m*; *j'ai le* ~ mir ist schwindlig.
vertigin|eux, ~euse [vɛrtiʒinø, -øz] schwindelnd, schwindelerregend.
vertu [vɛrty] *f* Tugend *f*; Kraft *f*; *en* ~ *de* kraft, auf Grund von.
vertu|eux, ~euse [vɛrtɥø, -øz] tugendhaft, sittsam.
verve [vɛrv] *f* Schwung *m*; *plein de* ~ schwungvoll, mitreißend.
verveine [vɛrvɛn] *f bot* Eisenkraut *n*.
vésicule [vezikyl] *f* (Gallen-)Blase *f*.
vespasienne [vɛspazjɛn] *f* Pissoir *n*.
vespéral, ~e [vɛsperal] (⚠ *m/pl -aux*) *poét* abendlich.
vessie [vesi] *f* (Harn-)Blase *f*.
veste [vɛst] *f* (Herren-)Jacke *f*, Jackett *n*; F *ramasser une* ~ e-n Reinfall erleben; F *retourner sa* ~ umschwenken, seine Meinung ändern; ⚠ *nicht* Weste.
vestiaire [vɛstjɛr] *m* Garderobe *f*; Umkleideraum *m*.
vestibule [vɛstibyl] *m* Diele *f*, Flur *m*.
vestige [vɛstiʒ] *m meist ~s pl* Überreste *m/pl*, Spuren *f/pl*.
veston [vɛstõ] *m* (Herren-)Jackett *n*, Jacke *f*.
vêtement [vɛtmɑ̃] *m* Kleidungsstück *n*; *~s pl* (Be-)Kleidung *f*.
vétéran [veterɑ̃] *m* Veteran *m*.
vétérinaire [veterinɛr] **1.** *adj* tierärztlich; **2.** *m*, *f* Tierarzt, -ärztin *m*, *f*, Veterinär *m*.
vétille [vetij] *f* (*oft pl ~s*) Lappalie *f*, Belanglosigkeit *f*.
vêtir [vetir] (2g) *litt* bekleiden.
veto [veto] *m* Veto *n*, Einspruch *m*; *opposer son* ~ *à* sein Veto einlegen gegen; ⚠ *Schreibung*.
vêtu, ~e [vety] angezogen, bekleidet.
vétuste [vetyst] veraltet; baufällig.
veuf, veuve [vœf, vœv] **1.** *adj* verwitwet; **2.** *m*, *f* Witwe(r) *f(m)*.
veuille [vœj] *subj von vouloir*.
veule [vøl] schlapp, energielos, weichlich.
veulent [vœl] *cf vouloir*.
veut, veux [vø] *cf vouloir*.
vex|ant, ~ante [vɛksɑ̃, -ɑ̃t] kränkend; ärgerlich.
vexation [vɛksasjõ] *f* Kränkung *f*; *litt* Schikane *f*.
vexer [vɛkse] (1a) kränken, beleidigen.
via [vja] über, via.
viabil|iser [vjabilize] (1a) *Grundstück*: erschließen; **~ité** *f* Erschließung *f*; Lebensfähigkeit *f*; *Straße*: Befahrbarkeit *f*.
viable [vjablə] lebensfähig; *Vorhaben*: durchführbar; *Straße*: befahrbar.
viaduc [vjadyk] *m* Viadukt *m od n*.
viag|er, ~ère [vjaʒe, -ɛr] **1.** *adj* auf Lebenszeit, lebenslänglich; **2.** *m* Leibrente *f*.
viande [vjɑ̃d] *f* Fleisch *n* (*als Nahrung*); ~ *froide* kalter Braten *m*; F *sac m à* ~ Schlafsack *m*.
viatique [vjatik] *m litt* Wegzehrung *f*.
vibr|ant, ~ante [vibrɑ̃, -ɑ̃t] vibrierend; *fig* mitreißend; **~ation** *f* Schwingung *f*, Vibration *f*; **~er** (1a) schwingen, zittern, vibrieren; *fig faire* ~ mitreißen, packen.
vicaire [vikɛr] *m* Vikar *m*.
vice [vis] *m* Fehler *m*, Mangel *m*; Laster *n*; ⚠ *le* ~.
vice-... [vis] *in Zssgn* Vize...
vice versa [vis(e)vɛrsa] umgekehrt.
vici|é, ~ée [visje] *air m vicié* schlechte *od* verbrauchte Luft *f*; **~eux, ~euse** [-ø, -øz] fehlerhaft; lasterhaft, lüstern; *cercle m vicieux* Teufelskreis *m*.
vicinal, ~e [visinal] (⚠ *m/pl -aux*) *chemin m vicinal* Gemeindeweg *m*.
vicissitudes [visisityd] *f/pl* Wechselfälle *m/pl*, Auf und Ab *n*.
victime [viktim] *f* Opfer *n* (*das man wird od ist*); ~ *de guerre* Kriegsopfer *n*.
victoire [viktwar] *f* Sieg *m*; *remporter la* ~ den Sieg erringen.
victori|eux, ~euse [viktɔrjø, -øz] siegreich.
victuailles [viktɥaj] *f/pl* Lebensmittel *n/pl*.
vidage [vidaʒ] *m* Entleerung *f*.
vidang|e [vidɑ̃ʒ] *f* (Gruben-)Entleerung *f*; *auto* Ölwechsel *m*; *faire une* ~ das Öl wechseln; ⚠ *la* ~; **~er** (1l) (ent)leeren; *auto Öl*: wechseln.

vide [vid] **1.** *adj* leer; *fig* inhalts-, sinnlos; ~ *de* ohne; **2.** *m* Leere *f*; Vakuum *n*; Tiefe *f*; *à* ~ leer; *tech marche f à* ~ Leerlauf *m*.
vidéo [video] **1.** *f* Video *n*; ⚠ *la* ~; **2.** *adj* (⚠ *unv*) Video...; *bande f* ~ Videoband *n*; *caméra f* ~ Videokamera *f*; **~cassette** [-kasɛt] *f* Videokassette *f*; **~disque** [-disk] *m* Bildplatte *f*; **~-phone** [-fɔn] *m* Bildtelefon *n*.
vide-ordures [vidɔrdyr] *m* (⚠ *pl unv*) Müllschlucker *m*.
vidéothèque [videotɛk] *f* Videothek *f*.
vid|er [vide] (1a) (aus)leeren; *cuis* ausnehmen; *Saal*: räumen; *Streit*: erledigen, beilegen; F ~ *qn* j-n rausschmeißen; j-n erschöpfen, fertigmachen; **~eur** *m* F Rausschmeißer *m*.
vie [vi] *f* Leben *n*; Lebensgeschichte *f*, -kraft *f*, -unterhalt *m*, -weise *f*, -zeit *f*; Lebendigkeit *f*; *à* ~ lebenslänglich; *de ma* ~ zeit meines Lebens; *sans* ~ leblos; *être en* ~ am Leben sein.
vieil [vjɛj] *cf vieux*.
vieillard [vjɛjar] *m* Greis *m*, alter Mann *m*; *les* ~*s* die alten Leute.
vieille [vjɛj] *cf vieux*.
vieill|erie [vjɛjri] *f meist pl* ~*s* alter Kram *m*; **~esse** [-ɛs] *f* (hohes *od* Greisen-)Alter *n*; **~ir** (2a) altern; veralten; alt machen; ⚠ *il a vieilli*.
vieillissement [vjɛjismɑ̃] *m* Altern *n*; Veralten *n*.
vieill|ot, ~otte [vjɛjo, -ɔt] ältlich; altmodisch.
vielle [vjɛl] *f mus* (Dreh-)Leier *f*.
Vienne [vjɛn] Wien.
vierge [vjɛrʒ] **1.** *f* Jungfrau *f*; *rel la* ♀ (die Jungfrau) Maria; **2.** *adj* jungfräulich, rein; leer; unbenutzt; *forêt f* ~ Urwald *m*; *laine f* ~ Schurwolle *f*.
Viêt-nam [vjɛtnam] *le* ~ Vietnam *n*.
vietnam|ien, ~ienne [vjɛtnamjɛ̃, -jɛn] **1.** *adj* vietnamesich; **2.** ♀ *m*, *f* Vietnamese *m*, -in *f*.
vieux, vieil (*m vor Vokal u h muet*), **vieille** [vjø, vjɛj] **1.** *adj* alt; langjährig; früher; *vieux jeu* altmodisch; **2.** *m*, *f der*, *die*, *das* Alte.
vif, vive [vif, viv] **1.** *adj* lebendig; lebhaft; heftig; stark; *de vive voix* mündlich; **2.** *m à vif* offen (*Wunde*); *touché au vif* zutiefst getroffen; *entrer dans le vif du sujet* zum Kern der Sache kommen; *prendre sur le vif* aus dem Leben greifen.
vigie [viʒi] *f mar* Ausguck *m*.
vigilance [viʒilɑ̃s] *f* Wachsamkeit *f*.
vigil|ant, ~ante [viʒilɑ̃, -ɑ̃t] wachsam, umsichtig.
vigile [viʒil] *m* Wachmann *m*.
vigne [viɲ] *f* Weinrebe *f*; Weinberg *m*.
vigner|on, ~onne [viɲrɔ̃, -ɔn] *m*, *f* Winzer(in) *m*(*f*).
vignette [viɲɛt] *f* Zierbildchen *n*, Randverzierung *f* (*in Büchern*); Aufkleber *m*; Gebührenmarke *f*; *auto* Steuerplakette *f*.
vignoble [viɲɔblə] *m* Weinberg *m*; Weinbaugebiet *n*.
vigour|eux, ~euse [vigurø, -øz] kräftig, stark.
vigueur [vigœr] *f* Lebenskraft *f*, Stärke *f*; Heftigkeit *f*, Schärfe *f*; *plein de* ~ kraftstrotzend; *en* ~ *jur* in Kraft, gültig; *fig* üblich; *entrer en* ~ in Kraft treten.
vil, ~e [vil] *st/s* niedrig, gemein; *à vil prix* spottbillig.
vil|ain, ~aine [vilɛ̃, -ɛn] unartig, böse; schlimm; häßlich, F scheußlich.
vilebrequin [vilbrəkɛ̃] *m tech* Handbohrer *m*; *auto* Kurbelwelle *f*.
villa [vila] *f* Villa *f*.
village [vilaʒ] *m* Dorf *n*.
village|ois, ~oise [vilaʒwa, -waz] **1.** *adj* dörflich, ländlich, Dorf...; **2.** *m*, *f* Dorfbewohner(in) *m*(*f*).
ville [vil] *f* Stadt *f*; ~ *d'eau* Kurort *m*; *à od dans la* ~ in der Stadt; *aller en* ~ in die Stadt gehen; *hôtel m de* ~ Rathaus *n*.
villégiature [vileʒjatyr] *f* Sommerfrische *f*.
vin [vɛ̃] *m* Wein *m*; *fig cuver son* ~ seinen Rausch ausschlafen.
vinaigre [vinɛgrə] *m* Essig *m*.
vinasse [vinas] F *f* schlechter Wein *m*.
vindicat|if, ~ive [vɛ̃dikatif, -iv] rachsüchtig.
vin|eux, ~euse [vinø, -øz] weinrot; nach Wein riechend.
vingt [vɛ̃] zwanzig.
vingtaine [vɛ̃tɛn] *une* ~ etwa zwanzig.
vingtième [vɛ̃tjɛm] **1.** zwanzigste(r, -s); **2.** *m* Zwanzigstel *n*.
vinicole [vinikɔl] Wein(bau)...
vinification [vinifikasjɔ̃] *f* Weinbereitung *f*.

vins [vɛ̃] *p/s von venir.*
viol [vjɔl] *m* Vergewaltigung *f.*
violacé, ~e [vjɔlase] blaurot.
violation [vjɔlasjõ] *f* Verletzung *f*; Schändung *f*; *jur* ~ *de domicile* Hausfriedensbruch *m.*
viole [vjɔl] *f mus* Viola *f.*
viol|ence [vjɔlɑ̃s] *f* Gewalt *f*, Gewaltanwendung *f*, -tätigkeit *f*; Heftigkeit *f*; **~ent, ~ente** [-ɑ̃, -ɑ̃t] heftig; gewaltsam; ⚠ *adv violemment* [-amɑ̃].
violer [vjɔle] (1a) verletzen; brechen (*Eid*); vergewaltigen; schänden.
viol|et, ~ette [vjɔlɛ, -ɛt] violett.
violette [vjɔlɛt] *f bot* Veilchen *n.*
violon [vjɔlõ] *m* **1.** Geige *f*, Violine *f*; Geiger(in) *m(f)*; *fig* ~ *d'Ingres* Steckenpferd *n*; **2.** F Kittchen *n.*
violoncell|e [vjɔlõsɛl] *m* Cello *n*; **~iste** *m, f* Cellist(in) *m(f).*
violoniste [vjɔlɔnist] *m, f* Geiger(in) *m(f).*
vipère [vipɛr] *f zo* Viper *f*, Otter *f.*
virage [viraʒ] *m* Kurve *f*; Drehen *n*, Wenden *n*; *fig* Wende *f*; *Foto*: Tonung *f*; *prendre le* ~ die Kurve nehmen.
virago [virago] *f* Mannweib *n.*
virée [vire] *f* F Spritztour *f.*
virement [virmɑ̃] *m comm* Überweisung *f.*
virer [vire] (1a) sich drehen; e-e Kurve fahren *od* fliegen; umschlagen (*à* in); *Geld*: überweisen; *Foto*: tonen; ~ *de bord mar* wenden; *fig* umschwenken; F ~ *qn* j-n hinauswerfen.
virevolte [virvɔlt] *f* Wendung *f*, Drehung *f.*
virginal, ~e [virʒinal] (⚠ *m/pl -aux*) jungfräulich; rein.
virginité [virʒinite] *f* Jungfräulichkeit *f*; Reinheit *f.*
virgule [virgyl] *f* Komma *n.*
viril, ~e [viril] männlich, mannhaft; **~ité** *f* Männlichkeit *f*; Mannesalter *n*; Manneskraft *f.*
virtuel, ~le [virtɥɛl] virtuell, potentiell.
virtuos|e [virtɥoz] *m, f* Virtuose *m*, Virtuosin *f*; **~ité** *f* Virtuosität *f*, Kunstfertigkeit *f.*
virul|ent, ~ente [virylɑ̃, -ɑ̃t] heftig, scharf; *méd* virulent.
virus [virys] *m* Virus *n od m* (*a fig*).
vis[1] [vis] *f* Schraube *f*; *escalier m à* ~ Wendeltreppe *f*; *fig serrer la* ~ *à qn* j-n kurzhalten; ⚠ *la* ~.
vis[2] [vi] *cf vivre u voir.*
visa [viza] *m* Visum *n*, Sichtvermerk *m.*
visage [vizaʒ] *m* Gesicht *n.*
visagiste [vizaʒist] *m, f* Visagist(in) *m(f)*, Kosmetiker(in) *m(f).*
vis-à-vis [vizavi] **1.** *adv* (einander) gegenüber; **2.** *prép* ~ *de* gegenüber; **3.** *m* Gegenüber *n.*
viscéral, ~e [viseral] (⚠ *m/pl -aux*) Eingeweide...; *fig* tiefgehend, abgründig.
viscères [visɛr] *m/pl* Eingeweide *n/pl.*
visée [vize] *f* Zielen *n*; *fig* **~s** *pl* Absichten *f/pl.*
viser [vize] (1a) zielen (*qc, qn* auf etw, auf j-n); anstreben, anvisieren; abzielen auf, betreffen; F ansehen, angucken; *fig* ~ *haut* hoch hinauswollen; ~ *à* trachten nach, hinzielen auf.
viseur [vizœr] *m Waffe*: Visier *n*; *Foto*: Sucher *m.*
vis|ibilité [vizibilite] *f* Sicht(barkeit) *f*; **~ible** sichtbar; (offen)sichtlich.
visière [vizjɛr] *f* (Helm-)Visier *n*; (Mützen-)Schirm *m.*
vision [vizjõ] *f* Sehen *n*; Vorstellung *f*; Vision *f*, Erscheinung *f.*
visionnaire [vizjɔnɛr] **1.** *adj* seherisch; **2.** *m, f* Phantast(in) *m(f).*
visionneuse [vizjɔnøz] *f Foto*: Bildbetrachter *m.*
visit|e [vizit] *f* Besuch *m*; Besichtigung *f*; Visite *f*; ~ *guidée* Führung *f*; ~ *médicale* ärztliche Untersuchung *f*; **~er** (1a) besichtigen, be-, aufsuchen; durchsuchen; **~eur, ~euse** *m, f* Besucher(in) *m(f).*
vison [vizõ] *m* Nerz *m.*
visqu|eux, ~euse [viskø, -øz] zäh (-flüssig); *péj* schmierig.
visser [vise] (1a) (an-, fest-, zu)schrauben.
Vistule [vistyl] *la* ~ die Weichsel.
visuel, ~le [vizɥɛl] Gesichts..., Seh..., visuell.
vital, ~e [vital] (⚠ *m/pl -aux*) Lebens...; lebenswichtig, vital; **~ité** *f* Vitalität *f*, Lebenskraft *f.*
vitamine [vitamin] *f* Vitamin *n*; ⚠ *la* ~.
vite [vit] *adv* schnell.
vitesse [vitɛs] *f* Geschwindigkeit *f*, Schnelligkeit *f*; *auto* Gang *m*; *changer de* ~ schalten; *à toute* ~ möglichst schnell; F *en* ~ schnellstens.
viticole [vitikɔl] Wein(bau)...
viticult|eur [vitikyltœr] *m* Weinbauer *m*; **~ure** [-yr] *f* Weinbau *m.*

vitrage [vitraʒ] *m* Glaswand *f*; Verglasung *f*; Verglasen *n*.
vitrail [vitraj] *m* (⚠ *pl -aux*) Kirchenfenster *n*.
vitr|e [vitrə] *f* Glasscheibe *f*, Fenster(scheibe) *n(f)*; **~er** (1a) verglasen.
vitrerie [vitrəri] *f* Glaserei *f*; Glaserwaren *f/pl*.
vitrier [vitrije] *m* Glaser *m*.
vitrine [vitrin] *f* Auslage *f*, Schaufenster *n*; Vitrine *f*.
vitupérer [vitypere] (1f) *litt* heftig ausschelten; *st/s* ~ *contre* wettern gegen.
vivac|e [vivas] lebenskräftig; zäh; hartnäckig; **~ité** *f* Lebhaftigkeit *f*; Heftigkeit *f*.
viv|ant, ~ante [vivɑ̃, -ɑ̃t] **1.** *adj* lebend, lebendig; *fig* lebhaft, belebt; **2.** *m* Lebende(r) *m*; *bon vivant* Genießer *m*; *de son vivant* zu seinen Lebzeiten.
vivats [viva] *m/pl* Hochrufe *m/pl*.
vive [viv] *cf vif u vivre*.
vivement [vivmɑ̃] *adv* lebhaft; schnell; heftig; ~ *...!* wäre es nur schon ...!
viveur [vivœr] *m* Lebemann *m*.
vivier [vivje] *m* Fischteich *m*, -behälter *m*.
vivifier [vivifje] (1a) stärken, beleben.
vivoter [vivɔte] (1a) kümmerlich leben.
vivre [vivrə] **1.** (4e) leben; erleben; *vive ...!* es lebe ...!; *mil qui vive?* wer da?; **2.** *m/pl* **~s** Lebensmittel *n/pl*, Verpflegung *f*.
vlan! [vlɑ̃] peng!
vocabulaire [vɔkabylɛr] *m* Wortschatz *m*; Wörterverzeichnis *n*.
vocal, ~e [vɔkal] (⚠ *m/pl -aux*) Stimm..., Vokal...; ⚠ *nicht* der Vokal.
vocalique [vɔkalik] *ling* vokalisch.
vocation [vɔkasjõ] *f* Berufung *f*; Aufgabe *f*, Bestimmung *f*.
vociférer [vɔsifere] (1f) wütend schreien, toben.
vœu [vø] *m* (⚠ *pl ~x*) Gelübde *n*; Gelöbnis *n*; Wunsch *m*; *faire ~ de* (+ *inf*) geloben zu (+ *inf*); *tous mes ~x!* meine besten Wünsche!
vogue [vɔg] *f* Beliebtheit *f*; *être en ~* modern, in Mode sein.
voici [vwasi] hier ist *od* sind, da ist *od* sind; *me ~!* hier bin ich; *le livre que ~* dieses Buch da.
voie [vwa] *f* Weg *m* (*a fig*); Straße *f*; Gleis *n*; Fahrbahn *f*, -spur *f*; Wagenspur *f*; *auto* Spurweite *f*; *~ express* Schnellstraße *f*; *être en ~ de formation* im Entstehen sein; *en ~ de développement* in der Entwicklung; *par (la) ~ de* über, durch; *par ~ aérienne* auf dem Luftweg.
voilà [vwala] da ist *od* sind; *(et) ~!* das wär's!; *en ~ assez!* jetzt reicht's aber!; *~ tout* das ist alles; *~ pourquoi* darum, deshalb; *me ~* da bin ich.
voile [vwal] **1.** *m* Schleier *m*; *fig* Hülle *f*; *~ du palais* Gaumensegel *n*; **2.** *f* *mar* Segel *n*; Segeln *n*, Segelsport *m*; *vol m à ~* Segelfliegen *n*, -flug *m*; F *mettre les ~s* abhauen.
voiler [vwale] (1a) verschleiern (*a fig*); verhüllen, bemänteln; *se ~* sich verbiegen; *Rad*: e-n Achter bekommen.
voilier [vwalje] *m* Segelschiff *n*.
voir [vwar] (3b) sehen; erblicken, bemerken; erleben, durchmachen; einsehen, verstehen; ansehen, besuchen; nach-, durchsehen; *faire ~* zeigen; *être bien vu* gut angeschrieben sein; *aller od venir ~* besuchen; *cela n'a rien à ~ (avec)* das hat nichts zu tun (da)mit; *~ à qc* auf etw achtgeben; *se ~* sich sehen; zusammenkommen; *se ~ décerner un prix* e-n Preis verliehen bekommen; *cela se voit* das sieht man; *voyons!* also!; aber, aber!
voire [vwar] *adv* (ja) sogar.
voirie [vwari] *f* Straßen- und Wegenetz *n*; Straßenbauamt *n*; (städtische) Müllabfuhr *f*.
vois|in, ine [vwazɛ̃, -zin] **1.** *adj* benachbart; **2.** *m, f* Nachbar(in) *m(f)*; **~inage** [-inaʒ] *m* Nachbarschaft *f*; **~iner** [-ine] (1a) *~ avec* stehen, liegen bei, neben.
voiture [vwatyr] *f* Wagen *m*; Auto *n*; (Eisenbahn-)Wagen *m* (*für Personen*); Kutsche *f*; *~ de tourisme* Personenwagen *m*; *en ~* mit dem Auto; *lettre f de ~* Frachtbrief *m*.
voiturer [vwatyre] (1a) befördern.
voix [vwa] *f* Stimme *f*; *gr ~ active (passive)* Aktiv *n* (Passiv *n*); *fig avoir ~ au chapitre* etw zu sagen haben; *à haute ~ (à ~ basse)* mit lauter (leiser) Stimme; ⚠ *nicht verwechseln mit la voie*.
vol [vɔl] *m* **1.** Diebstahl *m*; **2.** Flug *m*, Fliegen *n*; *Vögel*: Schwarm *m*; *à ~*

d'oiseau (in der) Luftlinie *f*; aus der Vogelschau *f*; *au ~* im Fluge; *saisir au ~* beim Schopf packen (*Gelegenheit*).
vol. (*abr volume*) Bd. (Band).
volage [vɔlaʒ] flatterhaft, unbeständig.
volaille [vɔlaj] *f* Geflügel *n*.
vol|ant, ~ante [vɔlɑ̃, -ɑ̃t] **1.** *adj* fliegend, Flug...; beweglich; **2.** *m auto* Steuer *n*, Lenkrad *n*; *Sport*: Federball(spiel) *m(n)*; *Frauenkleid*: Volant *m*, Besatz *m*; *tech* Schwungrad *n*.
volatil, ~e [vɔlatil] *chim* flüchtig.
vol-au-vent [vɔlovɑ̃] *m* (⚠ *pl unv*) Blätterteigpastete *f*.
volc|an [vɔlkɑ̃] *m* Vulkan *m*; **~anique** [-anik] vulkanisch.
volée [vɔle] *f Vögel*: Fliegen *n*, Flug *m*; Schwarm *m*; *Geschosse*: Hagel *m*; *~ (de coups)* Tracht *f* Prügel; *à la ~* im Flug.
voler [vɔle] (1a) **1.** fliegen; *fig* eilen; ⚠ *il a volé*; **2.** stehlen (*qc à qn* j-m etw); *~ qn* j-n bestehlen, betrügen.
volet [vɔlɛ] *m* Fensterladen *m*; *tech* Klappe *f*; *Altar*: Flügel *m*; *fig* Teil *m*; *fig trier sur le ~* sorgfältig auswählen.
voleter [vɔlte] (1c) flattern.
vol|eur, ~euse [vɔlœr, -øz] **1.** *adj* diebisch; **2.** *m, f* Dieb(in) *m(f)*.
volière [vɔljɛr] *f* Vogelhaus *n*.
volontaire [vɔlɔ̃tɛr] **1.** *adj* freiwillig; absichtlich; eigensinnig; **2.** *m, f* Freiwillige(r) *m, f*.
volonté [vɔlɔ̃te] *f* Wille *m*; Wunsch *m*; Willenskraft *f*; *à ~* nach Belieben; *faire acte de bonne ~* seinen guten Willen zeigen.
volontiers [vɔlɔ̃tje] *adv* gern, bereitwillig; *fig* leicht, häufig.
volt [vɔlt] *m phys* Volt *n*; **~age** *m* Spannung *f*.
volte-face [vɔltəfas] *f* (⚠ *pl unv*) Kehrtwendung *f* (*a fig*).
voltig|e [vɔltiʒ] *f* Akrobatik *f* auf dem Trapez *od* auf dem Seil; Kunstreiten *n*; Kunstfliegen *n*; **~er** (1l) (herum-) flattern; **~eur** *m* Trapezkünstler *m*; Kunstreiter *m*.
voltmètre [vɔltmɛtrə] *m tech* Voltmeter *n*.
volubilité [vɔlybilite] *f* Redegewandtheit *f*.
volume [vɔlym] *m* Band *m* (*Buch*); Volumen *n*; *fig* Umfang *m*.
volumin|eux, ~euse [vɔlyminø, -øz] umfangreich.
volupté [vɔlypte] *f* Wollust *f*; Hochgenuß *m*, Wonne(gefühl) *f(n)*.
voluptu|eux, ~euse [vɔlyptɥø, -øz] sinnlich, wollüstig.
vom|ir [vɔmir] (2a) (sich er)brechen, sich übergeben; erbrechen; *fig* ausspeien; **~issement** [-ismɑ̃] *m* (Er-) Brechen *n*.
vont [võ] *cf aller*.
vorace [vɔras] *adj* gefräßig; gierig.
vos [vo] *pl von votre*.
Vosges [voʒ] *f/pl* Vogesen *pl*.
vot|ant, ~ante [vɔtɑ̃, -ɑ̃t] *m, f* Wähler(in) *m(f)*, Stimmberechtigte(r) *m, f*.
vot|e [vɔt] *m* Wahl *f*, Abstimmung *f*; Stimme *f*; **~er** (1a) abstimmen, wählen; *Gesetz*: verabschieden.
votre [vɔtrə] (*pl vos*) euer, eu(e)re; Ihr(e).
vôtre [votrə] *le, la ~* der, die, das eur(ig)e, Ihr(ig)e; eure(r, -s); Ihre(r, -s).
voudrai [vudre] *futur von vouloir*.
vouer [vwe] (1a) widmen, weihen (*à*); geloben; *fig ~ à qc* zu etw bestimmen; *fig se ~ à qc* sich e-r Sache widmen.
vouloir [vulwar] **1.** (3i) wollen, mögen, wünschen (*que + subj* daß); *je voudrais* ich möchte; *je veux bien* ich habe nichts dagegen; *veuillez* (+ *inf*) wollen Sie bitte (+ *inf*); *~ dire* bedeuten; *en ~ à qn* auf j-n böse sein; *on ne veut pas de moi* man will nichts von mir wissen; **2.** *m litt* Wollen *n*, Wille *m*.
voulu, ~e [vuly] *p/p von vouloir u adj* gewünscht; vorgeschrieben; beabsichtigt.
vous [vu] **1.** ihr; euch; **2.** Sie; Ihnen; **3.** einem; einen.
voût|e [vut] *f* Gewölbe *n*; **~é, ~ée** gebeugt; gewölbt; **~er** (1a) (über-) wölben; *se ~* krumm werden.
vouvoyer [vuvwaje] (1h) siezen.
voyage [vwajaʒ] *m* Reise *f*; Fahrt *f*; *~ organisé* Gesellschaftsreise *f*; *~ d'affaires* Geschäftsreise *f*; *en ~* auf Reisen.
voyag|er [vwajaʒe] (1l) reisen; **~eur, ~euse** *m, f* Reisende(r) *m, f*, Fahrgast *m*; *voyageur de commerce* Handelsvertreter *m*; *pigeon m voyageur* Brieftaube *f*.
voy|ant, ~ante [vwajɑ̃, -ɑ̃t] **1.** *adj*

auffällig; grell; **2.** *m* Kontrollampe *f*; *m*, *f* Hellseher(in) *m*(*f*).
voyelle [vwajɛl] *f* Vokal *m*, Selbstlaut *m*; ⚠ *la* ~.
voyou [vwaju] *m* (⚠ *pl* ~*s*) jugendlicher Rowdy *m*, Strolch *m*; Ganove *m*.
vrac [vrak] *m en* ~ lose, offen, unverpackt; *fig* durcheinander.
vrai, ~e [vrɛ] **1.** *adj* (*nachgestellt*) wahr, wahrheitsgemäß; (*vorangestellt*) echt, wirklich; typisch; *il est* ~ *que* zwar, allerdings; **2.** *m das* Wahre; Wahrheit *f*; *à vrai dire, à dire vrai* offen gestanden.
vraiment [vrɛmɑ̃] *adv* wirklich, wahrhaftig; *iron* was Sie nicht sagen!
vraisembl|able [vrɛsɑ̃blablə] wahrscheinlich; **~ance** *f* Wahrscheinlichkeit *f*.
vrille [vrij] *f bot* Ranke *f*; *tech* Vorbohrer *m*; *aviat descendre en* ~ abtrudeln.
vriller [vrije] (1a) durchbohren; *aviat* trudeln.
vrombir [vrõbir] (2a) surren; dröhnen.
vu[1] [vy] *prép* angesichts, in Anbetracht (+ *gén*); ~ *que* in Anbetracht dessen *od* mit Rücksicht darauf, daß; *au* ~ *et au su de tout le monde* vor aller Augen.
vu[2], **~e** [vy] *p/p von voir* gesehen; *bien, mal* ~ beliebt, unbeliebt (*de qn* bei j-m).
vue [vy] *f* Sehen *n*; Sehvermögen *n*; Blick *m*; Sicht *f*; Anblick *m*; Aussicht *f*, -blick *m*; Ansicht *f*; *Foto* Aufnahme *f*; *fig* Ansicht *f*, Meinung *f*; *à* ~ *d'œil* zusehends; *à première* ~ auf den ersten Blick; *à perte de* ~ so weit das Auge reicht; *avoir la* ~ *basse* kurzsichtig sein; *point m de* ~ Standpunkt *m*; *garde f à* ~ Polizeigewahrsam *m*; *en* ~ in Sicht, sichtbar; *en* ~ *de* im Hinblick auf, angesichts (+ *gén*); *en* ~ *de* (+ *inf*) um zu (+ *inf*).
vulcaniser [vylkanize] (1a) *tech* vulkanisieren.
vulgaire [vylgɛr] **1.** *adj* einfach, gewöhnlich; vulgär, ordinär; *litt* niedrig; *langue f* ~ Volkssprache *f*; **2.** *le* ~ *litt* das gemeine Volk; das Vulgäre.
vulgar|iser [vylgarize] (1a) allgemeinverständlich darstellen; **~ité** *f péj* Gewöhnlichkeit *f*, Vulgarität *f*.
vulnér|abilité [vylnerabilite] *f* Verwundbarkeit *f*; **~able** verwundbar; verletzbar.
vulve [vylv] *f* Scham *f*, Vulva *f*.

W

wagon [vagõ] *m* Eisenbahnwagen *m*, Waggon *m*; **~-citerne** [-sitɛrn] *m* (⚠ *pl wagons-citernes*) Tank-, Kesselwagen *m*; **~-lit** [-li] *m* (⚠ *pl wagons-lits*) Schlafwagen *m*.

wagonnet [vagɔnɛ] *m* Kipplore *f*.

wagon-restaurant [vagõrɛstɔrɑ̃] *m* (⚠ *pl wagons-restaurants*) Speisewagen *m*.

wall|on, ~onne [walõ, -ɔn] **1.** *adj* wallonisch; **2.** ♀ *m*, *f* Wallone *m*, -in *f*.

waters [watɛr] *m/pl* Klo *n*, Abort *m*.

W.-C. [vese] *m/pl* WC *n*.

week-end [wikɛnd] *m* (⚠ *pl week-ends*) Wochenende *n*.

western [wɛstɛrn] *m* Wildwestfilm *m*, Western *m*.

Wisigoths [vizigo] *m/pl* Westgoten *m/pl*.

X

xéno|phile [gzenɔfil, ks-] fremdenfreundlich; **~phobe** [-fɔb] fremdenfeindlich.

xérès [kserɛs, gze-] *m* Sherry *m*.

xylophone [gzilɔfɔn, ks-] *m mus* Xylophon *n*.

Y

y [i] da, (da)hin, dort(hin); *ersetzt eine Ergänzung mit à*: daran; darauf; dazu; dabei; darin; *je ne m'y fie pas* ich habe kein Vertrauen dazu (*manchmal auf Personen bezogen*: zu ihm, zu ihr, zu ihnen); *on y va!* gehen wir!; *ça ~ est!* es ist soweit!; *j'~ suis* jetzt habe ich's, ich bin im Bilde; *je n'~ suis pour rien* ich kann nichts dafür; *s'~ connaître* sich darauf verstehen; *~ compris* inbegriffen.

yacht [jɔt] *m* Jacht *f*; ⚠ *le ~*; **~ing** [-iŋ] *m* Jacht-, Segelsport *m*.

yaourt [jaurt] *m* Joghurt *n od m*.

yeux [jø] *pl von œil*.

yougoslave [jugɔslav] **1.** *adj* jugoslawisch; **2.** ♀ *m*, *f* Jugoslawe *m*, -slawin *f*.

Yougoslavie [jugɔslavi] *la ~* Jugoslawien *n*.

Z

zèbre [zɛbrə] *m zo* Zebra *n*.
zèle [zɛl] *m* Eifer *m*, Fleiß *m*; Beflissenheit *f*; *faire du* ~ zuviel Eifer zeigen.
zélé, ~e [zele] eifrig.
zénith [zenit] *m astr* Scheitelpunkt *m*, Zenit *m*; *fig* Gipfel *m*, Höhepunkt *m*; ⚠ *Schreibung*.
zéro [zero] **1.** *m* Null *f* (*a fig*); *Schule*: Sechs *f*; **2.** *adj* null; ~ *faute* null Fehler.
zeste [zɛst] *m* (Stück *n*) Zitronen-, Orangenschale *f*.
zézayer [zezɛje] (1i) lispeln.
zibeline [ziblin] *f zo* Zobel *m*.
zig(ue) [zig] *m* F Kerl *m*, Type *f*; bon ~ feiner Kerl; *un drôle de* ~ ein komischer Kauz.
zigzag [zigzag] *m* Zickzack *m*.
zigzaguer [zigzage] (1m) im Zickzack gehen *od* fahren; hin und her taumeln.
zinc [zɛ̃g] *m* Zink *n*; F Theke *f*; ⚠ *Aussprache*.
zinguer [zɛ̃ge] (1m) verzinken.
zizanie [zizani] *f* Zwietracht *f*.
zodiaque [zɔdjak] *m astr* Tierkreis *m*.
zone [zon] *f* Zone *f*, Bezirk *m*, Bereich *m*, Gebiet *n*; *péj* arme Außenviertel *n/pl*, Slums *m/pl*; ~ *bleue* Kurzparkzone *f*; ~ *de libre-échange* Freihandelszone *f*.
zoo [zo] *m* Zoo *m*.
zoologie [zɔɔlɔʒi] *f* Zoologie *f*.
zouave [zwav] *m* F *faire le* ~ den Hanswurst spielen.
zut! [zyt] F verdammt!, verflixt!; *je lui dis* ~ ich pfeif' ihm was.

Deutsch-Französisches Wörterverzeichnis

A

A[1] *von A bis Z* de A jusqu'à Z, d'un bout à l'autre.

A[2] *mus n* la *m*; *A-Dur* la majeur; *a-Moll* la mineur.

Aachen Aix-la-Chapelle.

Aal *zo m* anguille *f*; **2en** *sich in der Sonne ~* faire le lézard; **2glatt** glissant comme une anguille.

Aas *n* charogne *f* (*a fig*); F *ein kleines ~ sein* être une petite crapule.

ab *München ~ 13.55* Munich départ 13 heures 55; *~ morgen* à partir de demain; *ein Film ~ 18* un film interdit aux moins de 18 ans; *~ und zu* de temps à autre; *ein Knopf ist ~* il manque un bouton.

abändern modifier, changer.

abarbeiten *sich ~* s'épuiser à force de travail, s'exténuer.

Abart *f* variété *f*; **2ig** anormal.

Abbau *m Bergbau* exploitation *f*; *Verminderung* réduction *f*; *Zerlegung* démontage *m*; **2en** *Bergbau* exploiter; *Personal, Preise* diminuer, réduire; *zerlegen* démonter; *chim* décomposer.

ab|beißen arracher avec les dents; **~beizen** décaper; **~bekommen** *erhalten* avoir sa part de, recevoir.

abberuf|en rappeler, révoquer; **2ung** *f* rappel *m*, révocation *f*.

abbestell|en décommander; **2ung** *f* résiliation *f* d'une commande.

abbiegen tourner.

Abbild *n* image *f*, portrait *m*; **2en** représenter; **~ung** *f* illustration *f*.

ab|binden *méd* ligaturer; **~blasen** F *Veranstaltung* décommander, annuler; **~blättern** *Farbe* s'écailler.

abblend|en *auto* se mettre en code; **2licht** *n* phares *m/pl* code, feux *m/pl* de croisement.

abbrechen casser; *Haus* démolir; *Beziehungen* rompre; *Unterhaltung* couper court à; *Zelt* démonter.

ab|bremsen freiner, ralentir; **~brennen** brûler; *Feuerwerk* tirer; **~bringen** *j-n von etw ~* dissuader *od* détourner qn de qc; *das bringt uns vom Thema ab* cela nous éloigne du sujet; **~bröckeln** s'effriter, s'émietter.

Abbruch *m* démolition *f*; *Beziehungen* rupture *f*; **2reif** bon pour la démolition.

ab|buchen *e-e Summe von e-m Konto ~* débiter un compte d'une somme; **~bürsten** brosser.

Abc *m* abc *m*, alphabet *m*; **~-Schütze** *m* commençant *m*, -e *f* à l'école.

ABC-Waffen *mil f/pl* armes *f/pl* atomiques, biologiques et chimiques.

abdank|en abdiquer; **2ung** *f* abdication *f*.

ab|decken découvrir; *Tisch* desservir; *zudecken* recouvrir; **~dichten** boucher, colmater, calfeutrer; **~drängen** repousser, refouler, écarter; **~drehen** *Gas, Wasser, Licht* fermer; *aviat, mar* changer de route *od* de cap.

Abdruck *m* reproduction *f*; *Finger2* empreinte *f*.

Abend *m* soir *m*; *Abendstunden* soirée *f*; *am ~* le soir; *heute 2* ce soir; *morgen 2* demain soir; *im Laufe des ~s* dans la soirée; *zu ~ essen* dîner; **~brot** *n* repas *m* du soir; **~dämmerung** *f* crépuscule *m*; **~essen** *n* dîner *m*; souper *m*; **~kasse** *f die Karten an der ~ kaufen* prendre les billets juste avant la représentation; **~kleid** *n* robe *f* de soirée; **~kurs** *m* cours *m* du soir; **~land** *n* Occident *m*; **2ländisch** occidental; **~mahl** *n* communion *f*; *Kunst* Cène *f*; **~rot** *n* rougeoiement *m* du soleil couchant.

abends le soir.

Abendschule *f* cours *m/pl* du soir.

Abenteuer *n* aventure *f*; ⚠ *une aventure*; **2lich** aventureux.

Abenteurer(in *f*) *m* aventurier *m*, -ière *f*.

aber mais; *nun ~* or; *Tausende und ~ Tausende* des milliers; *nun ist ~ Schluß!* ça suffit!

Aber|glaube *m* superstition *f*; **2gläubisch** superstitieux.

aberkennen *j-m etw ~* contester *od* refuser qc à qn; *j-m ein Recht ~* déclarer qn déchu d'un droit.

aber|malig nouveau; *wiederholt* répété, réitéré; **~mals** de nouveau.

abfahren partir (*nach* pour *od* à); *Schutt* enlever; *Strecke* parcourir; *Reifen* user.
Abfahrt *f* départ *m*; *Schi* descente *f*.
abfahrts|bereit prêt à partir, en partance; **2lauf** *m Schi* descente *f*; **2zeit** *f* heure *f* de départ.
Abfall *m* ~ *od pl Abfälle* déchets *m/pl*; *Müll* ordures *f/pl*; *Küchenabfälle* épluchures *f/pl*; *Parteiwechsel* défection *f*; **~eimer** *m* poubelle *f*.
abfallen *Blätter etc* tomber; *sich neigen* aller en pente; *von Verbündeten* faire défection; *vom Glauben* ~ renier sa foi; ~ *gegen* contraster défavorablement avec.
abfällig défavorable; *~e Bemerkung* remarque *f* désobligeante.
Abfallprodukt *n* produit *m* résiduaire.
abfälschen *Ball* détourner.
abfang|en attraper; *Brief* intercepter; *Flugzeug* redresser; **2jäger** *aviat m* chasseur *m* d'interception.
abfärben (se) déteindre (*auf* sur).
abfass|en rédiger; **2ung** *f* rédaction *f*.
abfertig|en *Ware* expédier; *Gepäck* enregistrer; *zollamtlich* dédouaner; *am Schalter j-n* ~ servir qn; *j-n kurz* ~ se débarrasser rapidement de qn; **2ung** *f* expédition *f*; enregistrement *m*; dédouanement *m*.
abfeuern tirer.
abfind|en *j-n* ~ indemniser, dédommager qn; *sich* ~ *mit* se résigner à, prendre son parti de; **2ung(ssumme)** *f* indemnité *f*.
ab|flauen *Wind* faiblir, mollir; **~fliegen** *aviat* partir (*nach* pour *od* à), décoller, s'envoler; **~fließen** s'écouler; **2flug** *aviat m* départ *m*, décollage *m*, envol *m*.
Abfluß *m* écoulement *m*; **~rohr** *n* tuyau *m* d'écoulement.
abfragen questionner, interroger.
Abfuhr *f Müll etc* enlèvement *m*; *fig* rebuffade *f*; *j-m e-e* ~ *erteilen* éconduire qn.
abführ|en *j-n* emmener; *Gelder* verser; *méd* purger; **2mittel** *méd n* laxatif *m*, purgatif *m*.
abfüllen *in Flaschen* mettre en bouteilles; *in Tüten* ensacher.
Abgabe *f Aushändigung* remise *f*; *Verkauf* vente *f*; *Steuer* droit *m*, taxe *f*; *Ball2* passe *f*; **2nfrei** non imposable; **2npflichtig** imposable.
Abgang *m* départ *m*; *Theater* sortie *f* de scène; *Post* expédition *f*.
Abgangs|prüfung *f* examen *m* de fin d'études; **~zeugnis** *n* certificat *m* de fin d'études.
Abgas|e *n/pl* gaz *m/pl* d'échappement; **~entgiftung** *f* traitement *m od* désintoxication *f* des gaz brûlés.
abgearbeitet épuisé *od* usé par le travail.
abgeben *aushändigen* remettre, donner, déposer; *verkaufen* vendre; *Ball* passer; faire une passe; *Schuß* tirer; *Erklärung* faire; *Wärme* dégager; *sich* ~ *mit* s'occuper de.
ab|gebrannt F *fig ohne Geld* à sec F, fauché F; **~gedroschen** rebattu; **~gegriffen** *Buch* usé; **~gehackt** ~ *sprechen* parler par saccades *od* par à-coups; **~gehangen** *gut ~es Fleisch* viande reposée; **~gehärtet** endurci (*gegen* contre).
abgehen *Zug, Post, Knopf, sich entfernen* s'en aller; *von der Schule* ~ quitter l'école, sortir de l'école; *von seiner Meinung* ~ changer d'opinion; *diese Eigenschaft geht ihm ab* cette qualité lui fait défaut; *gut* ~ bien se terminer.
ab|gehetzt, ~gekämpft harassé, exténué; **~gekartet** *e-e ~e Sache* un coup monté.
abgeklärt mûr, sage; **2heit** *f* sagesse *f*.
ab|gelegen isolé; **~gemacht!** c'est entendu *od* convenu; **~gemagert** émacié, décharné; **~geneigt** *e-r Sache* ~ défavorable *od* hostile à qc; **~genutzt** usé, râpé.
Abgeordnete|(r) *m, f* député *m*, femme *f* député; **~nhaus** *n* chambre *f* des députés.
Abgesandte(r) *m, f* envoyé *m*, -e *f*.
abgeschieden isolé, retiré, solitaire; **2heit** *f* isolement *m*, solitude *f*.
abgesehen ~ *von* à part ..., abstraction faite de; ~ *davon* à part cela.
ab|gespannt surmené; **~gestanden** éventé; **~gestorben** *Glieder* engourdi; **~gestumpft** insensible, indifférent (*gegen* à); **~getragen** usé.
abgewöhnen *j-m etw* ~ désaccoutumer *od* déshabituer qn de qc; *sich das Rauchen* ~ s'arrêter de fumer.
Abglanz *m fig* reflet *m*.
abgleiten glisser.
Abgott *m* idole *f*.
abgöttisch *j-n* ~ *lieben* idolâtrer qn.

ab|grasen *fig Gebiet* ratisser; **~grenzen** délimiter.

Abgrund *m* abîme *m*, gouffre *m*.

Abguß *m* moulage *m*.

ab|haben F *etw ~ wollen* vouloir en avoir un petit peu; **~hacken** couper; **~haken** cocher; **~halten** *hindern* empêcher; *Sitzung* tenir; *Gottesdienst* célébrer; *j-n von der Arbeit ~* empêcher qn de travailler.

abhand|eln *erörtern* traiter; *Ware* marchander; **~en** *~ kommen* s'égarer, se perdre; **2lung** *f* traité *m*, dissertation *f*.

Abhang *m* pente *f*, versant *m*.

abhäng|en *Bild*, *Wagen* décrocher; *fig ~ von* dépendre de; **~ig** dépendant (*von* de); *~ sein von* dépendre de; **2igkeit** *f* dépendance *f*; *gegenseitige ~* interdépendance *f*.

abhärten (*sich ~* s')endurcir (*gegen* à), (s')aguerrir.

ab|hauen F ficher *od* foutre le camp, déguerpir, filer; **~heben** *tél* décrocher; *Geld* retirer; *Karten* couper; *aviat* décoller; *sich ~ von* se détacher sur; **~heften** ranger dans un classeur; **~heilen** guérir; **~helfen** *e-r Sache ~* remédier à qc; **~hetzen** *sich ~* s'éreinter.

Abhilfe *f* remède *m*; *~ schaffen* y porter remède.

Abhol|dienst *m* service *m* de ramassage; **2en** aller *od* venir chercher, (aller *od* venir) prendre; *~ lassen* envoyer chercher.

ab|holzen déboiser; **~horchen** *méd* ausculter.

Abhör|anlage *f* table *f* d'écoute; **2en** écouter; *tél* intercepter; *Schüler* faire réciter.

Abitur *n* baccalauréat *m*; bachot *m* F, bac *m* F; **~ient(in** *f*) *m* bachelier *m*, -ière *f*.

ab|jagen *j-m etw ~* faire lâcher prise de qc à qn; **~kanzeln** *j-n ~* réprimander, sermonner qn; **~kapseln** *sich ~* se renfermer sur soi-même; **~kaufen** *j-m etw ~* acheter qc à qn; **~kehren** *sich ~ von* se détourner de.

Abklatsch *m* copie *f*, imitation *f*.

ab|klingen *Schmerz* s'atténuer, diminuer, décroître; **~klopfen** *méd* percuter; **~knabbern** grignoter; **~knallen** F *j-n ~* descendre qn; **~knicken** casser; **~kochen** *Milch* faire bouillir; **~kommandieren** *mil* détacher (*zu* à).

abkommen *vom Kurs ~ aviat*, *mar* s'écarter de sa route; *von e-m Thema ~* s'écarter d'un sujet; *vom Wege ~* perdre son chemin.

Abkommen *n* accord *m*; *ein ~ schließen* conclure un accord.

abkömm|lich disponible; **2ling** *m* descendant *m*, -e *f*.

abkratzen gratter; F *fig sterben* crever, claquer.

abkühl|en (*sich ~* se) rafraîchir; **2ung** *f* rafraîchissement *m*.

Abkunft *f* descendance *f*.

abkürz|en *Weg* raccourcir; *Wort* abréger; **2ung** *f Wort* abréviation *f*; sigle *m*; *Weg* raccourci *m*.

abladen décharger.

Ablage *f Akten* classement *m*; *Bord* rayon *m*; *Kleider* vestiaire *m*.

ablager|n *sich ~* se déposer; **2ung** *f* dépôt *m*; *géol* sédiment *m*.

Ablaß *m rel* indulgence *f*.

ablassen *Flüssigkeit* faire écouler; *die Luft aus dem Reifen ~* dégonfler le pneu; *etw vom Preis ~* rabattre qc du prix; *von etw nicht ~ können* ne pas pouvoir renoncer à qc.

Ablauf *m Abfluß* écoulement *m*; *von Ereignissen* déroulement *m*; *e-r Frist* expiration *f*; **2en** *abfließen* s'écouler; *verlaufen* se dérouler; *Frist* expirer; *Schuhe* user; *gut* (*schlecht*) *~* se terminer bien (mal).

ablecken lécher.

ableg|en déposer; *Kleider* ôter; *Akten* classer; *Gewohnheit* se défaire de; *Prüfung* passer; *Eid* prêter; *Schiff* appareiller; *Rechenschaft* (*Zeugnis*) *~ für* rendre compte (témoignage) de; **2er** *agr m* marcotte *f*.

ablehn|en refuser; *Vorschlag* rejeter; *Verantwortung* décliner; **~end** négatif, de refus; **2ung** *f* refus *m*.

ableit|en dériver (*a math*); **2ung** *f gr* dérivation *f*; *math* dérivée *f*.

ablenk|en détourner; *zerstreuen* distraire; *sich zu leicht ~ lassen* se laisser trop facilement distraire; **2ung** *f* distraction *f*; **2ungsmanöver** *n* manœuvre *f* de diversion.

ab|lesen lire; *Meßwert* relever; **~leugnen** (dé)nier, désavouer.

abliefer|n livrer; *abgeben* remettre; **2ung** *f* livraison *f*; remise *f*.

ablös|en *entfernen* détacher, décoller (*von* de); *j-n bei der Arbeit* relayer, prendre la relève de; *Wache* relever; *sich ~* se détacher, se décoller (*von*

de); *Personen* se relayer; ≈**ung** *f* relève *f*.
abmach|en détacher, défaire, enlever; *vereinbaren* convenir (*etw* de qc); *abgemacht!* entendu!; ≈**ung** *f* arrangement *m*, convention *f*.
abmager|n maigrir; ≈**ung** *f* amaigrissement *m*; ≈**ungskur** *f* cure *f* d'amaigrissement.
ab|mähen faucher; *Rasen* tondre; ~**malen** copier.
Abmarsch *m* départ *m*.
abmeld|en faire rayer; *sich von der Schule* ~ déclarer son départ de l'école; ≈**ung** *f* déclaration *f* de départ *od* de changement d'adresse.
abmess|en mesurer; ≈**ung** *f* mesurage *m*; ~*en pl* dimensions *f/pl*.
ab|montieren démonter; ~**mühen** *sich* ~ se donner du mal *od* de la peine; ~**nagen** *Knochen* ronger.
Abnahme *f Rückgang* diminution *f*; *Verlust* perte *f*; *Kauf* achat *m*.
abnehm|bar amovible, démontable; ~**en** *wegnehmen* enlever; *Hut* ôter; *tél* décrocher; *kaufen* acheter; *amputieren* amputer; *Führerschein* retirer; F *glauben* croire (*j-m etw* qc à qn); *an Gewicht* maigrir; *Mond* décroître; *Tage, Kräfte* diminuer; *j-m e-e Arbeit* ~ faire un travail pour qn; ≈**er** *écon m* acheteur *m*, client *m*, preneur *m*.
Abneigung *f* aversion *f*, antipathie *f*, répulsion *f* (*gegen* pour).
abnorm anormal; ≈**ität** *f* anomalie *f*.
abnutz|en user; ≈**ung** *f* usure *f*.
Abonn|ement *n* abonnement *m*; ~**ent(in** *f*) *m* abonné *m*, -e *f*; ≈**ieren** *etw* ~ s'abonner à qc.
abordn|en déléguer; ≈**ung** *f* délégation *f*.
Abort *m* cabinets *m/pl*.
ab|passen *Gelegenheit* guetter; ~**pfeifen** *Sport* siffler l'arrêt *od* la fin du match; ~**pflücken** cueillir; ~**plagen** *sich* ~ se fatiguer, s'éreinter; ~**prallen** rebondir; *Geschoß* ricocher; ~**putzen** nettoyer; ~**quetschen** *Finger* écraser; ~**raten** *j-m von etw* ~ déconseiller qc à qn; ~**räumen** *Tisch* débarrasser; *nach dem Essen* desservir (la table); *Schutt* déblayer; ~**reagieren** *Ärger etc* décharger (*an* sur); *sich* ~ se défouler (*an* sur).
abrechn|en faire les comptes; *abziehen* déduire; *fig mit j-m* ~ régler ses comptes avec qn; ≈**ung** *f* règlement *m* de comptes (*a fig*).
abreiben frotter.
Abreise *f* départ *m*; ≈**n** partir (*nach* pour *od* à).
abreiß|en arracher; *Haus* démolir; *abgehen* se déchirer; *aufhören* cesser, s'arrêter; ≈**kalender** *m* bloc *m* calendrier.
abrichten *Tiere* dresser.
abriegel|n *Tür* verrouiller; *Straße* bloquer; *durch Polizei* barrer; ≈**ung** *f* barrage *m*.
Abriß *m Buch* précis *m*, abrégé *m*; *kurzer Überblick* esquisse *f*; *e-s Hauses* démolition *f*.
ab|rücken s'écarter, s'éloigner (*von* de); *mil* partir; *fig* prendre ses distances (*von etw* de qc); ~**rufen** *Waren* faire livrer; *Computer Daten* ~ visualiser des données; ~**runden** arrondir.
abrupt brusque(ment).
abrüst|en *mil* désarmer; ≈**ung** *f* désarmement *m*.
abrutschen glisser; *in der Kurve* déraper.
Absage *f* refus *m*, réponse *f* négative; annulation *f*; ≈**n** se décommander; *Einladung* s'excuser; *j-m* ~ décommander qn; *etw* ~ annuler qc.
absägen scier; *fig j-n* débarquer F, limoger F.
Absatz *m Schuh* talon *m*; *Text* alinéa *m*; *comm* vente *f*; ~**markt** *m* débouché *m*.
abschaben gratter.
abschaff|en abolir, supprimer; ≈**ung** *f* abolition *f*, suppression *f*.
abschalten *Strom* couper; *Maschine* arrêter; *Radio, TV* éteindre; *fig* se relaxer; ne plus écouter.
abschätz|en estimer, évaluer; ~**ig** méprisant, péjoratif; ≈**ung** *f* estimation *f*, évaluation *f*.
Abschaum *péj m* rebut *m*.
Abscheu *m* horreur *f* (*vor* de), répulsion *f* (*gegen* pour), exécration *f*; ≈**erregend** révoltant, repoussant; ≈**lich** horrible, exécrable, abominable, détestable; ~**lichkeit** *f* horreur *f*; *Untat* atrocité *f*.
ab|schicken expédier, envoyer; ~**schieben** *Schuld* rejeter (*auf* sur); *Ausländer* expulser, refouler.
Abschied *m* adieux *m/pl*; ~ *nehmen* prendre congé (*von* de), faire ses adieux (à qn); ~**sfeier** *f* fête *f*

d'adieux; **~skuß** *m* baiser *m* d'adieux.

abschießen *Flugzeug, Wild* abattre; *Gewehr* décharger; *Rakete* lancer.

abschirm|en protéger (*gegen* contre); **2ung** *f* protection *f*.

abschlachten massacrer.

Abschlag *m comm* réduction *f*, rabais *m*; *Fußball* dégagement *m* du gardien de but; **2en** abattre; *Bitte* repousser, refuser; *Kopf* couper.

abschlägig négatif.

Abschlagszahlung *f* acompte *m*.

Abschlepp|dienst *m* service *m* de dépannage; **2en** *auto* remorquer; *polizeilich* mettre en fourrière; **~seil** *n* câble *m* de remorquage.

abschließen fermer à clé; *beenden* terminer, conclure, achever; *e-n Handel* ~ conclure un marché; **~d** final; *adv* en conclusion; ~ *sagte er* il conclut par ces mots.

Abschluß *m* conclusion *f*; clôture *f*; **~prüfung** *f* examen *m* de fin d'études; **~zeugnis** *n* diplôme *m od* certificat *m* de fin d'études.

abschmecken *cuis* assaisonner.

ab|schmieren *auto* graisser; faire un graissage; **~schminken** (*sich* se) démaquiller; **~schneiden** couper; *j-m das Wort* ~ couper la parole à qn; *gut* (*schlecht*) ~ s'en tirer bien (mal), bien (mal) réussir.

Abschnitt *m Teilstück* section *f*, tronçon *m*; *Text*2 passage *m*, paragraphe *m*; *Kontroll*2 talon *m*, souche *f*; *Zeit*2 période *f*; *Kreis*2 segment *m*; *Front*2 secteur *m*; **2weise** ~ *lesen* lire paragraphe par paragraphe.

abschrauben dévisser.

abschreck|en décourager; *pol* dissuader; *cuis* passer à l'eau froide; **~end** repoussant; intimidant; *~es Beispiel* exemple *m* à ne pas suivre; **2ung** *pol f* dissuasion *f*; **2ungsstreitmacht** *mil f* force *f* de dissuasion, force *f* de frappe.

abschreib|en copier (*von* sur); *comm* amortir; **2ung** *f comm* amortissement *m*.

Abschrift *f* copie *f*, duplicata *m*.

abschürf|en *Haut* érafler; **2ung** *f* éraflure *f*.

Abschuß *m Rakete* lancement *m*.

abschüssig escarpé; ~ *sein* aller en pente.

Abschuß|liste *f fig auf der* ~ *stehen* être menacé; **~rampe** *f* rampe *f* de lancement.

ab|schütteln secouer (*a fig*); **~schwächen** atténuer, affaiblir.

abschweif|en s'écarter, digresser (*von* de); **2ung** *f* digression *f*.

ab|schwellen *méd* désenfler; *Sturm* se calmer; *Lärm* s'affaiblir, décroître; **~schwören** *e-r Sache* ~ abjurer qc.

Abschwung *m Turnen* sortie *f* (avec élan).

abseh|bar prévisible; *in ~er Zeit* dans un proche avenir; **~en** *Folgen* prévoir; *das Ende von etw* ~ voir la fin de qc; *fig von etw ~ verzichten* renoncer à qc; *nicht beachten* faire abstraction de qc; *es ab(ge)sehen (haben) auf* viser à; *davon abgesehen* à part cela.

ab|seifen savonner; **~seilen** *sich* ~ descendre en rappel.

abseits à l'écart, à part; *Sport* hors-jeu.

absend|en envoyer, expédier; **2er(in** *f*) *m* expéditeur *m*, -trice *f*; **2ung** *f* envoi *m*, expédition *f*.

absetz|en *Last, Fahrgast* déposer; *Glas* poser; *Hut, Brille* ôter; *entlassen* destituer, révoquer; *verkaufen* vendre, écouler, placer; *Film* retirer de l'écran; *von der Steuer* déduire (des impôts); *sich* ~ filer; *géol* se déposer; *ohne abzusetzen* sans faire de pause; **2ung** *f Entlassung* destitution *f*, révocation *f*; *vom Spielplan* retrait *m*; *von der Steuer* déduction *f*.

Absicht *f* intention *f*; **2lich** intentionnel; *adv* à dessein, exprès, de propos délibéré.

absitzen descendre de cheval; *Strafe* purger.

absolut absolu; **2ismus** *hist m* absolutisme *m*.

Absolv|ent(in *f*) *m* (ancien) élève *m*, (ancienne) élève *f*; **2ieren** *sein Studium* ~ faire ses études.

absonderlich bizarre; **2keit** *f* bizarrerie *f*.

absonder|n isoler, séparer; *méd* sécréter; **2ung** *f* isolement *m*; *méd* sécrétion *f*.

ab|sorbieren absorber; **~sparen** *sich etw* ~ économiser qc; **~speisen** *fig j-n mit leeren Worten* ~ payer qn de belles paroles; **~spenstig** *j-m die Freundin* ~ *machen* prendre l'amie à qn.

absperr|en fermer, barrer; **≈ung** *f* barrage *m*.
ab|spielen *Platte, Band* passer; *Sport* faire une passe; *sich* ~ se passer, se dérouler; **≈sprache** *f* accord *m*; *in* ~ *mit* en accord avec; **~sprechen** *etw* ~ convenir de qc; *sich* ~ s'arranger, se mettre d'accord; *j-m die Fähigkeit* ~ *zu* ... dénier à qn la faculté de ...; **~springen** sauter; *mit dem Fallschirm* ~ sauter en parachute; **≈sprung** *m* saut *m*; **~spülen** rincer.
abstamm|en descendre (*von* de); **≈ung** *f* origine *f*, descendance *f*, souche *f*; **≈ungslehre** *biol f* théorie *f* de l'évolution.
Abstand *m* distance *f*, intervalle *m* (*a zeitlich*); *auto* ~ *halten* garder ses distances; *in regelmäßigen Abständen* à intervalles réguliers; *fig mit* ~ de loin.
ab|statten *j-m e-n Besuch* ~ rendre visite à qn; **~stauben** épousseter; F *fig* chiper, chaparder.
abstech|en contraster (*gegen*, *von* avec); **≈er** *m* crochet *m* (*nach* jusqu'à).
abstecken jalonner, tracer.
abstehend *~e Ohren* oreilles *f/pl* décollées.
absteig|en descendre; *in e-m Hotel* ~ descendre dans un hôtel; **≈er** *m Sport* club *m* descendant d'une division.
abstell|en *auto* garer; *Gepäck* déposer; *Maschinen* arrêter; *Gas, Wasser, Strom* couper; *Heizung, Radio* fermer; *Mißstände* supprimer; **≈gleis** *n* voie *f* de garage (*a fig*); **≈platz** *m* aire *f* de stationnement; **≈raum** *m* débarras *m*.
abstempeln *Briefmarke* oblitérer; *fig j-n* étiqueter (*zu* comme).
absterben dépérir; *Baum* se dessécher; *Bein* s'engourdir; *Motor* caler.
Abstieg *m* descente *f*; *fig* déclin *m*.
abstimm|en accorder, harmoniser; *wählen* voter (*über etw* qc); **≈ung** *f* vote *m*, scrutin *m*.
Abstinenz *f* abstinence *f*.
abstoppen arrêter, stopper; *bremsen* freiner.
Abstoß *m Fußball* coup *m* de pied de but; **≈en** pousser; *anwidern* dégoûter, repousser; *verkaufen* vendre; **≈end** répugnant, repoussant, dégoûtant.
abstrakt abstrait.
ab|streifen *Schuhe etc* enlever; *fig Sorgen* se débarrasser de; **~streiten** contester, nier.
Abstrich *m Abzug* réduction *f*; *méd* prélèvement *m*, frottis *m*; *~e machen* en rabattre.
abstuf|en graduer, nuancer; **≈ung** *f* gradation *f*.
abstumpfen *Gefühle* s'émousser; *Mensch* s'abrutir.
Absturz *m* chute *f* (*a aviat*).
ab|stürzen faire une chute, tomber à pic; *aviat* s'abattre; **~suchen** *etw* ~ fouiller qc.
absurd absurde.
Abszeß *méd m* abcès *m*.
Abt *m* abbé *m*.
ab|tasten tâter; *méd* palper; **~tauen** *Kühlschrank* dégivrer.
Abtei *f* abbaye *f*.
Abteil *n Bahn* compartiment *m*; **≈en** diviser; *abtrennen* séparer; **~ung** *f* division *f*, section *f*; *Firma* service *m*, département *m*; *Kaufhaus* rayon *m*; *mil* détachement *m*; **~ungsleiter** *m Kaufhaus* chef *m* de rayon; *Büro* chef *m* de service.
Äbtissin *f* abbesse *f*.
abtöten *Bakterien* tuer; *Gefühl* étouffer.
abtragen *Erde* déblayer; *Kleider* user; *Schuld* payer, rembourser.
Abtransport *m* transport *m*; *Verletzte* évacuation *f*.
abtreib|en *Frau* se faire avorter; *aviat, mar* dériver; **≈ung** *f* avortement *m*; *e-e* ~ *vornehmen* provoquer un avortement.
abtrennen détacher, séparer.
abtret|en *vom Amt* se retirer; *überlassen* céder (*j-m etw* qc à qn); *die Füße* ~ décrotter ses chaussures; **≈er** *m* paillasson *m*; **≈ung** *f* cession *f*.
abtrocknen essuyer.
abtrünnig infidèle; **≈e(r)** *m, f* renégat *m*, -e *f*.
ab|tun *Vorschlag etc* passer sur; **~tupfen** tamponner; **~urteilen** juger; **~wägen** peser, considérer; **~wählen** *j-n* ~ destituer qn par un vote; *ein Fach* ~ renoncer à une matière; **~wälzen** *Schuld* rejeter (*auf* sur); **~wandeln** changer, modifier; **~wandern** émigrer (*nach* vers), partir (pour).
Abwärme *tech f* chaleur *f* perdue.
Abwart *m Schweiz* concierge *m*.
abwarten attendre; *warten wir ab!*

attendons!; *wart nur ab!* attends voir!; **~d** *sich ~ verhalten* rester dans l'expectative.
abwärts vers le bas, en bas; *~ führen* aller en descendant, descendre.
Abwasch *m* vaisselle *f*; **2bar** lavable; **2en** laver; *Geschirr* faire la vaisselle.
Abwasser *n* eaux *f/pl* usées; **~aufbereitung** *f* traitement *m* des eaux usées.
abwechs|eln alterner (*mit* avec); *Personen sich ~* se relayer; **~elnd** alternativement, à tour de rôle; **2lung** *f* changement *m*, diversion *f*, variété *f*; *zur ~* pour changer; **~lungsreich** varié; *Leben* mouvementé.
Abweg *m fig auf ~e geraten* s'écarter du bon *od* droit chemin *od* de la bonne voie; **2ig** *~e Ansicht* opinion *f* erronée.
Abwehr *f* défense *f*; **2en** *Angriff* repousser; *Stoß* parer; **~fehler** *m* erreur *f* de défense; **~kräfte** *méd f/pl* pouvoir *m* défensif (de l'organisme); **~spieler** *m Sport* joueur *m* de la défense, arrière *m*; **~stoffe** *méd m/pl* anticorps *m/pl*.
abweich|en *vom Thema, Kurs* s'écarter, dévier (*von* de); *sich unterscheiden* différer (*von* de); *Meinungen voneinander ~* diverger; *von der Wahrheit ~* s'écarter de la vérité; **~end** différent, divergent; **2ung** *f* écart *m*; divergence *f*; déviation *f*.
abweis|en repousser, refuser; *Besucher* renvoyer; **~end** *Miene* de refus; *sich ~ verhalten* adopter une attitude de refus; **2ung** *f* refus *m*.
ab|wenden détourner; *sich ~ von* se détourner de; *Unheil ~* conjurer le malheur; **~werfen** *Flugblätter, Bomben* lancer, jeter; *Laub etc* perdre, se dépouiller de; *Reiter* désarçonner; *Gewinn* rapporter.
abwert|en *Währung* dévaluer; *geringschätzen* déprécier; **2ung** *f* dévaluation *f*.
abwesen|d absent; **2de(r)** *m, f* absent *m*, -e *f*; **2heit** *f* absence *f*; *durch ~ glänzen* briller par son absence.
ab|wickeln dérouler; *durchführen* exécuter; *Geschäft* liquider; **~wiegen** peser; **~wischen** essuyer.
Abwurf *m* lancement *m*; *Fußball* dégagement *m* du gardien de but.
abwürgen F *Motor* caler; *fig Diskussion* étouffer.
abzahlen payer à tempérament *od* par versements échelonnés.
abzählen compter.
Abzahlung *f auf ~ kaufen* acheter à tempérament.
Abzeichen *n* insigne *m*.
abzeichnen dessiner, copier; *Schriftstück* parapher; *sich ~* se dessiner, se profiler, s'annoncer.
abziehen *entfernen* retirer; *math* soustraire; *Betrag* déduire; *kopieren* tirer; *Rauch* sortir, s'échapper; *Gewitter* s'éloigner; *Truppen* se retirer; F *Person* s'en aller, partir; *das Bett ~* retirer les draps.
Abzug *m Truppen* retrait *m*; *comm* déduction *f*, décompte *m*; *Foto* épreuve *f*; *Gewehr* détente *f*, gâchette *f*.
abzüglich déduction faite de, moins.
abzweig|en *Weg* bifurquer; *Geld* prélever (*von* sur); **2ung** *f* bifurcation *f*, embranchement *m*.
ach! ah!; *klagend* hélas!; *~ so!* ah bon!; *~ was! überrascht* vraiment?; *gleichgültig* bof!; *mit 2 und Krach* tant bien que mal; à grand-peine.
Achat *m* agate *f*.
Achse *f auto* essieu *m*; *math* axe *m*; *immer auf ~ sein* F être toujours en vadrouille; ⚠ *un* axe.
Achsel *f* aisselle *f*; *die ~n zucken* hausser les épaules.
acht 1. *Zahl* huit; *in ~ Tagen* dans une semaine; **2.** *Aufmerksamkeit außer ~ lassen* négliger; *sich in ~ nehmen* prendre garde, faire attention (*vor* à).
achte huitième.
Achtel *n* huitième *m*.
achten estimer, respecter; *~ auf* faire attention à; *darauf ~, daß ...* faire attention à ce que (+ *subj*).
ächten proscrire.
achtenswert estimable.
Achter *m Sport* canot *m* à huit rameurs; **~bahn** *f* grand huit *m*; montagnes *f/pl* russes.
acht|geben faire attention (*auf* à); **~los** négligent, inattentif; **2losigkeit** *f* négligence *f*, inattention *f*.
Achtung *f Hoch2* estime *f*, respect *m*; *Vorsicht* attention *f*; *~! Fertig! Los!* à vos marques! prêts! partez!; *~ Stufe!* attention à la marche!
acht|zehn dix-huit; **~zehnte** dix-huitième; **~zig** quatre-vingts; **2ziger(in** *f*) *m* octogénaire *m, f*; **~zigste** quatre-vingtième.

ächzen gémir.
Acker *m* champ *m*; **~bau** *m* agriculture *f*; ~ *und Viehzucht* agriculture et élevage; **~land** *n* terres *f/pl* cultivées; **≈n** labourer; *fig* F travailler d'arrache-pied.
ADAC *m* Automobile-Club *m* d'Allemagne fédérale.
addieren additionner.
ade! F salut!, au revoir!
Adel *m* noblesse *f*.
ad(e)lig noble; **≈e(r)** *m*, *f* noble *m*, *f*.
adeln anoblir; *fig* ennoblir.
Ader *f* veine *f*; *Schlag≈* artère *f*; *Kabel* fil *m*.
Adjektiv *n* adjectif *m*.
Adjutant *mil m* aide *m* de camp, officier *m* d'ordonnance; ⚠ *nicht adjudant.*
Adler *zo m* aigle *m*.
Admiral *mar m* amiral *m*.
adoptieren adopter.
Adoptiv|eltern *pl* parents *m/pl* adoptifs; **~kind** *n* enfant *m* adoptif.
Adressat *m* destinataire *m*.
Adreßbuch *n* bottin *m*.
Adresse *f* adresse *f*.
adressieren *Brief* mettre l'adresse sur; *richten an* adresser (à).
Adria *die* ~ l'Adriatique *f*.
Advent *rel m* Avent *m*.
Adverb *n* adverbe *m*.
Advokat *m* avocat *m*.
Affäre *f* affaire *f*.
Affe *zo m* singe *m*.
Affekt *m* émotion *f*, passion *f*; **~handlung** *f* acte *m* passionnel; **≈iert** affecté, maniéré.
affig maniéré; ridicule.
Afrika *n* l'Afrique *f*; **~ner(in** *f*) *m* Africain *m*, -e *f*; **≈nisch** africain.
After *m* anus *m*.
AG *comm f* société *f* anonyme.
Agent *m* agent *m*; **~ur** *f* agence *f*.
Aggress|ion *f* agression *f*; **≈iv** agressif; **~ivität** *f* agressivité *f*; ⚠ *Schreibung.*
Agitator *pol m* agitateur *m*.
Agraffe *f* agrafe *f*.
Agrarstaat *m* pays *m* agricole.
Ägypt|en *n* l'Égypte *f*; **~er(in** *f*) *m* Égyptien *m*, -ne *f*; **≈isch** égyptien.
ah ah!
aha ah!
ahnden punir.
ähneln *j-m* (*e-r Sache*) ~ ressembler à qn (à qc).
ahnen se douter de, pressentir.
Ahnen *pl* aïeux *m/pl*, ancêtres *m/pl*.
ähnlich ressemblant; semblable, pareil; *j-m* ~ *sehen od sein* ressembler à qn; *fig das sieht ihm* ~ ça lui ressemble tout à fait; **≈keit** *f* ressemblance *f*.
Ahnung *f Vorgefühl* pressentiment *m*; *Vorstellung* idée *f*; *keine* ~! aucune idée!; *er hat nicht die geringste* ~ il n'en a pas la moindre idée; **≈slos** sans se douter de rien; **~slosigkeit** *f* ignorance *f*.
Ahorn *bot m* érable *m*.
Ähre *bot f* épi *m*; *~n lesen* glaner.
Aids *méd n* sida *m*.
Akademie *f* académie *f*; **~mitglied** *n* académicien *m*, -ne *f*.
Akadem|iker(in *f*) *m* personne *f* ayant un grade universitaire, personne qui a fait ses études universitaires; ⚠ *nicht académicien*; **≈isch** universitaire; *lebensfern* académique.
Akazie *bot f* acacia *m*; ⚠ *un* acacia.
akklimatisier|en *sich* ~ s'acclimater; **≈ung** *f* acclimatation *f*.
Akkord *m mus* accord *m*; *im* ~ *arbeiten* travailler à la tâche, aux pièces; **~arbeit** *f* travail *m* à la tâche, aux pièces; **~arbeiter(in** *f*) *m* ouvrier *m*, -ière *f* aux pièces.
Akkordeon *n* accordéon *m*.
Akku(mulator) *m* accu(mulateur) *m*.
Akkusativ *gr m* accusatif *m*.
Akne *méd f* acné *f*.
Akrobat *m* acrobate *m*.
Akt *m* acte *m*; *Kunst* nu *m*.
Akte *f* dossier *m*, pièce *f*, document *m*; *fig zu den ~n legen* classer; considérer comme réglé.
Akten|deckel *m* chemise *f*; **~koffer** *m* attaché-case *m*; **~ordner** *m* classeur *m*; **~tasche** *f* serviette *f*, porte-documents *m*; **~zeichen** *n* référence *f od* numéro *m* du dossier.
Aktie *écon f* action *f*; **~ngesellschaft** *f* société *f* anonyme *od* par actions.
Aktion *f pol* action *f*; *Werbe≈*, *Spenden≈* campagne *f*; *mil*, *Rettungs≈* opération *f*.
Aktionär(in *f*) *m* actionnaire *m*, *f*.
aktiv actif; *Handelsbilanz* excédentaire; *Offizier* d'active; **~ieren** activer; **≈ität** *f* activité *f*.
Aktu|alität *f* actualité *f*; **≈ell** actuel, d'actualité.

Akust|ik *f* acoustique *f*; **˜isch** acoustique; *Gedächtnis* auditif.
akut *méd* aigu; *Problem* urgent; *Gefahr* imminent.
Akzent *m* accent *m*; **˜uieren** accentuer.
akzept|abel acceptable; **~ieren** accepter.
Alarm *m* alerte *f*, alarme *f*; *blinder* ~ fausse alerte; ~ *schlagen* donner l'alarme *od* l'alerte; ⚠ *une* alarme; **~anlage** *f* dispositif *m* d'alarme.
alarmieren alerter; *beunruhigen* alarmer; **~d** alarmant.
Albanien *n* l'Albanie *f*.
albern niais, sot, inepte; **˜heit** *f* niaiserie *f*, sottise *f*, ineptie *f*.
Album *n* album *m*.
Alge *bot f* algue *f*.
Algebra *math f* algèbre *f*; **˜isch** algébrique.
Algeri|en *n* l'Algérie *f*; **~er(in** *f*) *m* Algérien *m*, -ne *f*; **˜sch** algérien.
Algier Alger.
Alibi *jur n* alibi *m*.
Alimente *jur n/pl* pension *f* alimentaire.
alkalisch *chim* alcalin.
Alkohol *m* alcool *m*; **˜frei** sans alcool; *Getränk a* non alcoolisé; **~iker(in** *f*) *m* alcoolique *m*, *f*; **˜isch** alcoolique; **~ismus** *m* alcoolisme *m*; **~test** *m* alcootest *m*.
All *n* univers *m*; *Weltraum* espace *m*.
alle *alleinstehend* tous [tus], toutes; tout le monde; *mit subst* tous les, toutes les; *wir* ~ nous tous; ~ *beide* tous les deux; ~ *zwei Jahre* tous les deux ans; *auf* ~ *Fälle* en tous cas; F ... *ist* ~ il n'y a plus de ...; *cf a alles*.
Allee *f* allée *f*; *Straße* avenue *f*.
allein seul; *er hat es ganz* ~ *gemacht* il l'a fait tout seul; ~ *der Gedanke* la seule pensée; *von* ~ tout seul; **˜berechtigung** *f* droit *m* exclusif; **˜gang** *Sport im* ~ en solitaire; *fig e-n* ~ *machen* faire cavalier seul; **~ig** exclusif; **˜sein** *n* solitude *f*; **~stehend** *Person* seul; *Haus* isolé.
allemal *ein für* ~ une fois pour toutes.
allenfalls à la rigueur, tout au plus.
aller... *in Zssgn* le plus ... de tous; **~best** le meilleur de tous; **~dings** à vrai dire, à la vérité; bien sûr.
Allerg|ie *f* allergie *f* (*gegen* à); **˜isch** allergique (*gegen* à).
aller|hand F pas mal de, toutes sortes de; *das ist ja* ~*!* c'est un peu fort!; *bewundernd* il faut le faire!; **˜heiligen** *n* la Toussaint; **~lei** toutes sortes de; **~letzt** le tout dernier; *zu* ~ en tout dernier lieu; **~liebst** ravissant; *am* ~*en mögen* préférer par-dessus tout; **~nächst** *in* ~*er Zeit* dans un avenir très proche; **˜nötigste** *das* ~ le strict minimum; **˜seelen** *n* jour *m* des Morts; **~seits** *guten Morgen* ~*!* bonjour à tous!; **~wenigst** *am* ~*en* moins que tout autre.
alles tout; ~ *Gute!* meilleurs vœux!, bonne chance!; ~ *in allem* tout bien considéré; *vor allem* avant tout, surtout.
alle|samt tous ensemble; **~zeit** toujours, en tout temps.
allgemein général; *im* ~*en* en général; **˜bildung** *f* culture *f* générale; **~gültig** universellement valable; **˜heit** *f* public *m*, tout le monde; **~verständlich** à la portée de tous; **˜wissen** *n* connaissances *f/pl* générales.
Allheilmittel *n* remède *m* universel, panacée *f*.
Allianz *f* alliance *f*.
Alligator *zo m* alligator *m*.
Alliierte|(r) *m* allié *m*; *die* ~*n pl* les alliés *m/pl*.
all|jährlich annuel(lement); **˜macht** *f* toute-puissance *f*; **~mächtig** tout-puissant; **~mählich** graduel; *adv* peu à peu; **˜radantrieb** *auto m* traction *f* toutes roues motrices; **˜tag** *m* vie *f* quotidienne ; **~täglich** quotidien; *fig a* ordinaire, banal; **~wissend** omniscient; **˜wissenheit** *f* omniscience *f*; **~zu, ~zusehr, ~zuviel** trop.
Alm *f* alpage *m*.
Almosen *n* aumône *f*.
Aloe *bot f* aloès *m*.
Alpdruck *m* cauchemar *m* (*a fig*).
Alpen *pl* Alpes *f/pl*.
Alphabet *n* alphabet *m*; **˜isch** (par ordre) alphabétique.
alpin alpin.
Alptraum *m* cauchemar *m*.
als *zeitlich* quand, lorsque; *nach Komparativ* que (*vor Zahlen* de); *in der Eigenschaft* ~ comme, en tant que; ~ *ob* comme si; ~ *ich einmal* ... un jour que je ...; *mehr* ~ *zwei Jahre* plus de deux ans; ~ *Freund* en ami.
also *folgernd* donc, par conséquent; *einleitend* alors.
alt vieux (vieille); *Mensch a* âgé; *ehe-*

malig ancien; *wie ~ bist du?* quel âge as-tu?; *ich bin 15 Jahre ~* j'ai quinze ans; *~ werden* vieillir.
Alt *mus m* contralto *m*.
Altar *m* autel *m*.
alt|backen rassis; **~bekannt** connu depuis longtemps; **2eisen** *n* ferraille *f*.
Alte|(r) *m, f* vieux *m*, vieille *f*; *die ~n* les vieux *m/pl*; **~nheim** *n* maison *f* de retraite.
Alter *n* âge *m*; *hohes* vieillesse *f*; *im ~ von* à l'âge de.
älter plus âgé; *mein ~er Bruder* mon frère aîné; *ein ~er Herr* un monsieur d'un certain âge.
altern vieillir.
alternativ alternatif; **2bewegung** *f* mouvement *m* alternatif; **2e** *f* alternative *f*.
Alters|erscheinung *f* signe *m* de vieillesse; **~grenze** *f* limite *f* d'âge; **~heim** *n* maison *f* de retraite; **~rente** *f* retraite *f*; **2schwach** *Person* sénile; *Gegenstand* vieux, délabré.
Alter|tum *n* Antiquité *f*; **2tümlich** antique, archaïque.
alt|hergebracht traditionnel; **~klug** précoce; **2metall** *n* ferraille *f*; **~modisch** démodé, passé de mode; **2öl** *n* huile *f* de vidange; **2papier** *n* papier *m* à recycler; **~sprachlich** *~es Gymnasium* lycée *m* classique; **2stadt** *f* cité *f*, vieille ville *f*; **2warenhändler** *m* brocanteur *m*; **2weibersommer** *m* été *m* indien.
Aluminium *n* aluminium *m*; **~folie** *f* papier *m* alu.
am *cf an*; *~ Knie* au genou; *~ Abend* (*Morgen*) le soir (matin); *~ 1. Mai* le premier mai; *~ Himmel* dans le ciel; *~ Leben* en vie; *~ schnellsten* le plus vite.
Amateur *m* amateur *m*; **~funker** *m* radio-amateur *m*, cibiste *m*.
Amazonas *m* Amazone *f*.
Amboß *m* enclume *f*.
ambulan|t *méd ~e Behandlung* traitement *m* qui ne nécessite pas d'hospitalisation; **2z** *f* dispensaire *m*; *auto* ambulance *f*.
Ameise *zo f* fourmi *f*; **~nhaufen** *m* fourmilière *f*.
Amerika *n* l'Amérique *f*; **~ner(in** *f*) *m* Américain *m*, -e *f*; **2nisch** américain.
Amnestie *f* amnistie *f*.
Amok *m ~ laufen* devenir fou furieux.
Ampel *f* feux *m/pl* (de signalisation).
Ampulle *f* ampoule *f*.
Amput|ation *f* amputation *f*; **2ieren** amputer.
Amsel *zo f* merle *m*.
Amt *n Dienststelle* office *m*, service *m*, bureau *m*; *Tätigkeit* fonction *f*, charge *f*; *Auswärtiges ~* ministère *m* des Affaires étrangères; **2ieren** être en fonction(s); **2lich** officiel.
Amts|arzt *méd m* médecin *m* assermenté; **~einführung** *f* installation *f* dans ses fonctions; **~geheimnis** *n* secret *m* professionnel; **~gericht** *n* tribunal *m* d'instance; **~mißbrauch** *m* abus *m* de pouvoir; **~person** *f* officiel *m*; **~schimmel** *péj m* bureaucratie *f*, lenteurs *f/pl* de l'administration; **~vorsteher** *m* chef *m* de bureau; **~zeichen** *tél m* tonalité *f* (avant de composer le numéro).
Amulett *n* amulette *f*.
amüs|ant amusant; **~ieren** amuser; *sich ~* s'amuser (*über* de).
an à; *géogr* sur; *von ... ~* à partir de, dès; *Paris ~ 9.10* Paris arrivée 9 heures 10; *~ der Wand* au mur; *~ Weihnachten* à Noël; *~ e-m Sonntagmorgen* un dimanche matin; *~ seiner Stelle* à sa place; *sterben ~* mourir de; *Mangel ~* manque de; *das Licht ist ~* la lumière est allumée; *cf a am*.
Analogie *f* analogie *f*.
Analphabet *m* illettré *m*, analphabète *m*; **~entum** *n* analphabétisme *m*.
Analys|e *f* analyse *f*; **2ieren** analyser.
Ananas *bot f* ananas *m*; ⚠ *un* ananas.
Anarchie *f* anarchie *f*.
Anatom|ie *f* anatomie *f*; **2isch** anatomique.
anbahnen *sich ~* se préparer, s'esquisser.
Anbau *m agr* culture *f*; *arch* annexe *f*; **2en** *agr* cultiver; *arch* ajouter (*an* à); **~möbel** *n/pl* meubles *m/pl* à éléments.
an|behalten garder; **~bei** *comm* ci-joint, ci-inclus; **~beißen** mordre; **~belangen** concerner; *was mich anbelangt* en ce qui me concerne; **~bellen** *j-n ~* aboyer après qn; **~beten** adorer.
Anbetracht *m in ~* en considération de, vu, étant donné.
anbetteln *j-n um etw ~* mendier qc auprès de qn.

Anbetung *f* adoration *f*.

an|biedern *sich* ~ vouloir se faire bien voir (*bei* par); **~bieten** offrir; *sich* ~ se proposer (*als* comme); **~binden** attacher (*an* à).

Anblick *m* aspect *m*, vue *f*; *Bild* spectacle *m*; *beim* ~ *von* à la vue de; **&en** regarder.

an|bohren percer; **~brechen** *Flasche etc* entamer; *Knochen* fêler; *beginnen* commencer; *Tag* se lever; *Nacht* tomber; **~brennen** *Essen* brûler; *Milch* attacher; **~bringen** *herbeibringen* apporter; *festmachen* poser; *a Bitte* placer.

Anbruch *m* ~ *des Tages* lever *m* du jour; ~ *der Nacht* tombée *f* de la nuit.

anbrüllen F *j-n* ~ engueuler qn, crier *od* pester contre qn.

Andacht *f* recueillement *m*; *Gottesdienst* prières *f/pl*.

andächtig recueilli, attentif.

andauern durer, continuer, persister; **~d** continuel, persistant; *adv* continuellement, sans cesse.

Anden *pl* Andes *f/pl*.

Andenken *n* mémoire *f*, souvenir *m*; *zum* ~ *an* en mémoire *od* en souvenir de.

andere autre; *noch* ~ *Fragen?* y a-t-il encore d'autres questions?; *mit* ~*n Worten* en d'autres termes; *am* ~*n Morgen* le lendemain matin; *etwas* ~*s* autre chose; *nichts* ~*s als* rien d'autre que; *unter* ~*m* entre autres; **~rseits** d'autre part.

ändern changer, modifier; *ich kann es nicht* ~*!* je ne peux rien y faire!; *sich* ~ changer.

andernfalls autrement, sinon.

anders autrement; *jemand* (*niemand*) ~ quelqu'un (personne) d'autre; ~ *werden* changer; ~ *sein* être différent (*als* de); **~artig** différent; **~denkend** qui pense autrement; dissident; **~herum** dans l'autre sens; **~wo, ~wohin** ailleurs, autre part.

anderthalb un et demi.

Änderung *f* changement *m*, modification *f*.

andeut|en indiquer; laisser entendre; *j-m* ~ *daß* ... faire comprendre à qn que ...; **&ung** *f* indication *f*; allusion *f*.

Andrang *m* affluence *f*; foule *f*.

an|drehen *Radio*, *Gas* ouvrir; *Radio a* allumer; F *fig j-m etw* ~ refiler qc à qn; **~drohen** *j-m etw* ~ menacer qn de qc; **~eignen** *sich etw* ~ s'approprier qc; *Kenntnisse* assimiler qc.

aneinander l'un à (*od* près de) l'autre; ~ *denken* penser mutuellement l'un à l'autre; **~fügen** joindre; **~geraten** se disputer.

anekeln dégoûter, écœurer.

anerkenn|en reconnaître (*als* pour); *lobend* apprécier; *jur* légitimer; **~end** élogieux; **&ung** *f* reconnaissance *f*.

anfahren *auto* démarrer; *Baum etc* accrocher, tamponner, entrer en collision avec; *fig j-n* ~ apostropher qn, rabrouer qn.

Anfall *m méd* attaque *f*, crise *f*, *a fig* accès *m*; **&en** attaquer, assaillir.

anfällig *méd* de santé délicate; *Gerät* sensible; sujet à des défaillances techniques; **&keit** *f* fragilité *f*, faiblesse *f*.

Anfang *m* commencement *m*, début *m*; *am* ~ au commencement, au début; ~ *Mai* début mai; ~ *der achtziger Jahre* au début des années quatre-vingt; *von* ~ *an* dès le début; **&en** commencer (*zu* à; *mit* par); ~ *zu a* se mettre à.

Anfänger(**in** *f*) *m* débutant *m*, -e *f*, commençant *m*, -e *f*.

anfangs au début, d'abord; **&buchstabe** *m* lettre *f* initiale; **&stadium** *n* stade *m* initial.

anfassen toucher; *sich* ~ se tenir par la main; *mit* ~ donner un coup de main.

anfecht|bar contestable; **~en** contester.

an|fertigen faire, fabriquer, confectionner (*a Kleider*); **~feuchten** humecter; **~feuern** *Sport* encourager, stimuler; **~flehen** implorer, supplier; **~fliegen** *aviat* desservir, faire escale à; s'approcher de.

Anflug *m aviat* vol *m* d'approche; *fig Spur* soupçon *m*; *mit e-m* ~ *von Ironie* avec une pointe d'ironie.

anforder|n demander, exiger, réclamer; **&ung** *f* demande *f*; ~*en pl* exigences *f/pl*.

Anfrage *f* demande *f*; *pol* interpellation *f*; **&n** demander (*bei* à).

an|freunden *sich* ~ se lier d'amitié (*mit j-m* avec qn); *sich mit etw* ~ s'habituer à qc; **~fühlen** *es fühlt sich weich an* c'est mou au toucher.

anführ|en *Gruppe* mener, conduire; *nennen* citer, mettre en avant, allé-

guer; *betrügen* duper, tromper; **≈er**(**in** *f*) *m* chef *m*, meneur *m*; **≈ungszeichen** *n/pl* guillemets *m/pl*.
Angabe *f* indication *f*; *tech* donnée *f*; F *Aufschneiderei* vantardise *f*, crânerie *f* F; *nähere ~n* précisions *f/pl*.
angeb|en indiquer, donner, déclarer; F *aufschneiden* se vanter, crâner F; *genau(er) ~* préciser; **≈er**(**in** *f*) *m* vantard *m*, -e *f*, crâneur *m*, -euse *f*; **≈erei** *f* vantardise *f*, crânerie *f*; **~lich** prétendu; *adv* à ce qu'on dit, soi-disant.
angeboren inné; *méd* congénital.
Angebot *n* offre *f*; *~ und Nachfrage* l'offre et la demande.
an|gebracht convenable, approprié, opportun; **~gebunden** *kurz ~* brusque, pas très aimable; **~gegossen** *wie ~ sitzen Kleidung* aller comme un gant; **~gegriffen** fatigué, souffrant; *~e Gesundheit* santé *f* compromise; **~geheitert** éméché; *~ sein a* être gris.
angehen *Licht* s'allumer; *betreffen* regarder, concerner; *das geht dich nichts an!* ça ne te regarde pas!
angehör|en faire partie de; **≈ige(r)** *m, f Familie* proche parent *m*, -e *f*; *Mitglied* membre *m*; *seine ~n* sa famille; *die nächsten ~n* les proches parents.
Angeklagte(r) *m, f* accusé *m*, -e *f*.
Angel *Tür≈* gond *m*; *Fisch≈* ligne *f*; canne *f* à pêche.
Angelegenheit *f* affaire *f*.
angelernt *~er Arbeiter* ouvrier spécialisé.
Angelhaken *m* hameçon *m*.
angeln 1. pêcher à la ligne; *fig* F pêcher; **2.** ≈ *n* pêche *f* à la ligne.
Angel|punkt *m fig* pivot *m*; **~rute** *f* canne *f* à pêche.
Angel|sachsen *m/pl* Anglo-Saxons *m/pl*; **≈sächsisch** anglo-saxon.
Angelschein *m* permis *m* de pêche.
an|gemessen convenable, approprié; **~genehm** agréable; *das ≈e mit dem Nützlichen verbinden* joindre l'utile à l'agréable; **~genommen** *~, (daß) ...* à supposer que (+ *subj*); **~geregt** animé; **~gesehen** considéré, estimé.
angesichts face à, en présence de, étant donné.
Angestellte(r) *m, f* employé *m*, -e *f*; *leitender ~* cadre *m* (supérieur).
an|getan *~ sein von* être enchanté de; **~getrunken** (légèrement) ivre; *in ~em Zustand* en état d'ivresse; **~gewiesen** *~ sein auf* dépendre de; **~gewöhnen** *j-m etw ~* accoutumer qn à qc; *sich etw ~* prendre l'habitude de faire qc.
Angewohnheit *f* habitude *f*.
Angina *méd f* angine *f*.
angleichen assimiler.
Angler(**in** *f*) *m* pêcheur *m*, -euse *f* à la ligne.
angreif|bar attaquable; **~en** attaquer (*a fig*); **≈er** *m* agresseur *m*; *Sport* attaquant *m*.
angrenzend avoisinant, limitrophe.
Angriff *m* attaque *f* (*auf* contre); agression *f*; *zum ~ übergehen* passer à l'attaque; *fig in ~ nehmen* attaquer; **≈slustig** agressif.
Angst *f* peur *f* (*vor* de); *aus ~ vor* de *od* par peur de; *ich habe ~ od mir ist ≈* j'ai peur; *j-m ~ einjagen* faire peur à qn; **~hase** *m* F poule *f* mouillée, froussard *m*.
ängst|igen (*sich ~* s')inquiéter; **~lich** craintif, peureux, anxieux, inquiet; **≈lichkeit** *f* anxiété *f*; timidité *f*.
an|gucken regarder; *guck dir das mal an!* regarde-moi ça!; **~gurten** *sich ~* attacher sa ceinture; **~haben** *Kleider* porter, être vêtu de; *fig j-m nichts ~ können* ne pouvoir rien faire contre qn.
anhalten *j-n, etw* arrêter; *Atem* retenir; *stehenbleiben* s'arrêter; *andauern* durer; **~d** persistant, continu.
Anhalter(**in** *f*) *m* (auto-)stoppeur *m*, -euse *f*; *per Anhalter fahren* faire de l'auto-stop, faire du stop.
Anhaltspunkt *m* point *m* de repère.
anhand *~ von* à l'aide de.
Anhang *m Buch* appendice *m*; *Verwandte* famille *f*; progéniture *f*; *Anhänger* partisans *m/pl*.
anhäng|en accrocher, atteler; *hinzufügen* rajouter; *fig j-m etw ~* attribuer qc à qn; **≈er** *m Wagen* remorque *f*; *Schmuck* pendentif *m*; **≈er**(**in** *f*) *m* partisan *m*, adhérent *m*, -e *f*, adepte *m, f*; *begeisterter* fana(tique) *m, f*, fan *m*; *Sport a* supporter *m*; **~lich** dévoué, fidèle; **≈lichkeit** *f* dévouement *m* (*an* pour), fidélité *f*.
anhäuf|en amasser, accumuler; **≈ung** *f* accumulation *f*.
an|heben *Last* soulever; *Preis* augmenter, relever; **~heften** attacher (*an* à).

anheimstellen *j-m etw* ~ s'en remettre à qn de qc.
anheuern *j-n* ~ engager qn.
Anhieb *auf* ~ du premier coup, d'emblée.
Anhöhe *f* colline *f*, hauteur *f*.
anhör|en écouter; *sich* ~ *klingen* sonner (*wie* comme); *sich etw* ~ écouter qc; *etw mit* ~ entendre qc; **Ձung** *f* consultation *f*.
animieren encourager, inciter, entraîner.
ankämpfen lutter (*gegen* contre).
Ankauf *m* achat *m*; **Ձen** acheter.
Anker *mar m* ancre *f*; *vor* ~ *gehen* jeter l'ancre; ⚠ *une* ancre; **Ձn** mouiller.
anketten enchaîner.
Anklage *f* accusation *f*, inculpation *f*; **~bank** *f* banc *m* des accusés; **Ձn** *j-n wegen etw* ~ accuser qn de qc.
Ankläger(in *f*) *m* accusateur *m*, -trice *f*.
anklammern *sich* ~ se cramponner (*an* à).
Anklang *m* ~ *finden* être bien accueilli (*bei* par), avoir du succès (auprès de).
ankleben coller; *Plakat* afficher.
Ankleide|kabine *f Kaufhaus* cabine *f* d'essayage; *Schwimmbad* cabine *f* de bains; **Ձn** habiller, vêtir; *sich* ~ s'habiller.
an|klopfen frapper (à la porte); **~knipsen** *Licht* allumer, ouvrir.
anknüpf|en nouer; *Gespräch* engager, entamer; *Beziehungen* ~ entrer en relations (*zu* avec); *an etw* ~ partir de qc; **Ձungspunkt** *m fig* trait *m* d'union, point *m* de départ.
ankommen arriver; *Anklang finden* avoir du succès (*bei* auprès de); *es kommt darauf an, zu* ... il importe de ...; *das kommt* (*ganz*) *darauf an* cela dépend; *es kommt auf euch an* cela dépend de vous; *es darauf* ~ *lassen* courir le risque.
ankreuzen marquer d'une croix.
ankündig|en annoncer; **Ձung** *f* annonce *f*.
Ankunft *f* arrivée *f*.
ankurbel|n *Wirtschaft etc* relancer, redresser, encourager; **Ձung** *écon f* relance *f*, redressement *m*.
anlächeln *j-n* ~ sourire à qn.
Anlage *f Kapital* placement *m*, investissement *m*; *Bau* construction *f*; *tech* installation *f*; *Veranlagung* talent *m*, disposition *f*; *Anordnung* arrangement *m*; *zu e-m Brief* pièce *f* jointe; *öffentliche* **~n** jardins *m/pl* publics; *sanitäre* **~n** installations *f/pl* sanitaires.
Anlaß *m Gelegenheit* occasion *f*; *Grund* cause *f*, raison *f*, motif *m*; ~ *geben zu* ... donner lieu à.
anlass|en *Motor* faire démarrer; *Licht, TV, Radio* laisser allumé; *Kleidung* garder (sur soi); *sich gut* ~ s'annoncer *od* se présenter bien, promettre; **Ձer** *m auto* démarreur *m*.
anläßlich à l'occasion de.
Anlauf *m Sport* élan *m*; **Ձen** *mar Hafen* faire escale à, toucher; *beginnen* démarrer; *Scheibe* se couvrir de buée; *Spiegel* se ternir.
anlege|n poser, mettre (*an* contre); *Kleidung* mettre; *Verband* appliquer; *Garten, Straße* aménager; *Liste* dresser; *Sammlung* constituer; *Geld* placer, investir; *Gewehr* mettre en joue; *Schiff* accoster (*an etw* qc), aborder (à, dans); *sich mit j-m* ~ chercher la dispute avec qn; **Ձplatz** *m*, **Ձstelle** *f mar* débarcadère *m*, embarcadère *m*.
anlehnen *Tür* laisser entrouvert; (*sich*) *an etw* ~ (s')appuyer contre qc; *fig sich* ~ *an* s'inspirer de.
Anleihe *écon f* emprunt *m*.
anleit|en diriger, instruire; **Ձung** *f* instructions *f/pl*, directives *f/pl*.
anlernen instruire, former.
anlieg|en *Arbeit* rester à faire; *Kleidung eng* ~ être ajusté, mouler le corps; **Ձen** *n* désir *m*, demande *f*; **~end** *beigefügt* ci-joint; **Ձer** *m* riverain *m*.
an|locken attirer; **~lügen** *j-n* ~ mentir à qn; **~machen** *befestigen* attacher; *Licht etc* allumer, ouvrir; *Salat* assaisonner; *Mädchen* F brancher; **~malen** peindre.
anmaß|en *sich etw* ~ s'arroger qc; *sich ein Urteil* ~ se permettre un jugement (*über* sur); **~end** arrogant, prétentieux; **Ձung** *f* arrogance *f*.
Anmeldeformular *n* formulaire *m* de demande d'inscription.
anmeld|en *Besuch* annoncer; *Schüler* faire inscrire; *auto* déclarer; *sich* ~ *zur Teilnahme* se faire inscrire, s'inscrire; *beim Arzt* prendre rendez-vous; **Ձung** *f* inscription *f*; *behördliche* déclaration *f*.
anmerk|en *man merkt ihm an, daß*

... on remarque *od* voit que ...; *sich nichts ~ lassen* ne rien laisser paraître; **²ung** *f* remarque *f*; *Fußnote* annotation *f*.
Anmut *f* grâce *f*, charme *m*; **²ig** gracieux, charmant.
an|nageln clouer; **~nähen** (re)coudre (*an* à).
annäher|nd approximatif; **²ung** *f* approche *f*; *fig* rapprochement *m*; **²ungsversuche** *m/pl* avances *f/pl*.
Annahme *f e-s Vorschlags etc* acceptation *f*; *e-s Kindes* adoption *f*; *Vermutung* supposition *f*, hypothèse *f*; **~stelle** *f* réception *f*.
annehm|bar acceptable; passable; **~en** accepter; *adoptieren* adopter; *vermuten* supposer; *sich j-s* (*e-r Sache*) *~* se charger de qn (de qc); **²lichkeiten** *f/pl* commodités *f/pl*, agréments *m/pl*.
annektier|en annexer; **²ung** *f* annexion *f*.
Annonc|e *f* annonce *f*; **²ieren** passer *od* mettre une annonce (dans le journal).
annullieren annuler.
anöden F embêter, empoisonner; *er ödet die Leute an a* il barbe les gens.
anonym anonyme; **²ität** *f* anonymat *m*.
Anorak *m* anorak *m*.
anordn|en arranger, disposer; *befehlen* ordonner; **²ung** *f* arrangement *m*, disposition *f*; *Befehl* ordre *m*.
anorganisch inorganique.
anpacken *Problem* aborder, s'attaquer à; *j-n hart ~* traiter qn durement; *mit ~* donner un coup de main.
anpass|en adapter; *sich j-m* (*e-r Sache*) *~* s'adapter à qn (à qc); **²ung** *f* adaptation *f*; **~ungsfähig** souple.
Anpfiff *m Sport* coup *m* d'envoi; F *fig* engueulade *f*.
anpflanz|en planter; **²ung** *f* plantation *f*.
an|pöbeln F *j-n ~* interpeller grossièrement qn; **~prangern** mettre au pilori, dénoncer; **~preisen** vanter, faire l'éloge de; **~probieren** essayer; **~pumpen** F *j-n ~* taper qn.
Anrainer *m* riverain *m*.
an|raten *j-m etw ~* conseiller qc à qn; **~rechnen** compter; *als Fehler ~* compter comme faute; *j-m etw hoch ~* savoir gré de qc à qn.
Anrecht *m* droit *m*; *ein ~ haben auf* avoir droit à.
Anrede *f* formule *f* de politesse; titre *m*; **²n** *j-n ~* adresser la parole à qn, aborder qn; appeler qn (*mit Vornamen* par son prénom).
anreg|en exciter; *méd* stimuler; *Appetit* ouvrir, aiguiser; *vorschlagen* suggérer; **~end** excitant; *méd* stimulant; **²ung** *f* excitation *f*; *Vorschlag* suggestion *f*; **²ungsmittel** *méd n* stimulant *m*.
Anreise *f* voyage *f*; *Hinreise* aller *m*; *Ankunft* arrivée *f*.
Anreiz *m* stimulant *m*, attrait *m*, encouragement *m*.
anrichten *Speisen* préparer, dresser; *Schaden* provoquer, causer.
anrüchig louche, mal famé.
Anruf *tél m* appel *m*, coup *m* de téléphone, F coup *m* de fil; **~beantworter** *tél m* répondeur *m* automatique; **²en** *tél* appeler (*j-n* qn); *j-s Hilfe ~* réclamer le secours de qn.
anrühren toucher (à); *Farbe etc* délayer.
Ansage *f* annonce *f*; **²n** annoncer; **~r(in** *f*) *m Radio, TV* speaker *m*, speakerine *f*; *Veranstaltung* présentateur *m*, -trice *n*.
ansamm|eln (*sich ~* s')amasser, (s')accumuler; **²lung** *f Menschen²* rassemblement *m*.
ansässig domicilié; *seit langem* établi.
Ansatz *m Beginn* début *m*; *Versuch* essai *m*; **~punkt** *m* point *m* de départ *od* d'attaque.
anschaff|en acquérir, acheter; **²ung** *f* acquisition *f*.
anschau|en regarder; **~lich** expressif, palpable, concret; **²ung** *f* conception *f*, point *m* de vue, opinion *f*, manière *f* de voir.
Anschein *m* apparence *f*; *allem ~ nach* selon toute apparence; **²end** *adv* apparemment.
anschieben *auto* pousser (pour la faire démarrer).
Anschlag *m Zettel* affiche *f*; *pol* attentat *m*; *Schreibmaschine* frappe *f*; *mus* toucher *m*; *durch ~ bekanntgeben* annoncer par voie d'affiches; **~brett** *n* tableau *m* d'affichage; **²en** afficher; *Saite* toucher; *Kopf* cogner; *Geschirr* ébrécher; *Hund* aboyer; **~säule** *f* colonne *f* d'affichage, colonne *f* Morris.
anschließen *Kabel, Gerät* brancher (*an* sur); *Schlauch* raccorder (à); *fig* rattacher (à); *sich ~ folgen* suivre (*an*

etw qc); *sich j-m* ~ se joindre à qn; *j-s Meinung* se ranger à l'avis de qn; **~d** suivant; *Zimmer* voisin, contigu; *adv* ensuite, après.
Anschluß *m Verkehr* correspondance *f*; *tech* branchement *m*, raccordement *m*; *tél* abonnement *m*; *tél Verbindung* communication *f*; *pol* rattachement *m* (*an* à); *im* ~ *an* à la suite de; *den* ~ *bekommen Zug etc* avoir la correspondance; *fig* ~ *finden* se faire des relations.
anschmieg|en *sich an j-n* ~ se blottir contre qn; **~sam** affectueux, caressant.
an|schnallen *sich* ~ attacher sa ceinture (de sécurité); **~schnauzen** F engueuler, enguirlander, rabrouer; **~schneiden** entamer (*a fig*); **~schrauben** visser; **~schreiben** *Schule* écrire au tableau; **~schreien** *j-n* ~ crier contre *od* après qn.
Anschrift *f* adresse *f*.
anschuldig|en *j-n* ~ accuser *od* inculper qn (*wegen etw* de qc); **2ung** *f* accusation *f*, inculpation *f*.
an|schwärzen *fig* dénigrer; **~schwellen** *méd* enfler; *Stimme etc* s'enfler.
anseh|en regarder; *j-n schief* ~ regarder qn de travers; *sich e-n Film* ~ voir un film; *man sieht ihm an, daß* ... on voit *od* ça se voit que ...; *j-n* (*etw*) ~ *als* considérer *od* regarder qn (qc) comme; **2en** *n* réputation *f*, prestige *m*, estime *f*; **~nlich** de belle apparence; *beträchtlich* considérable.
an|seilen *sich* ~ s'encorder; **~setzen** poser (*an* à); *Termin* fixer; *anfügen* rajouter (*an* à); *beginnen* commencer, s'apprêter (*zu etw* à faire qc); *Fett* ~ engraisser; *aviat zur Landung* ~ amorcer l'atterrissage.
Ansicht *f Bild* vue *f*; *Meinung* opinion *f*, avis *m*; *meiner* ~ *nach* à mon avis; *ich bin der* ~, *daß* ... je suis d'avis que ...; *comm zur* ~ pour examen.
Ansichts|karte *f* carte *f* postale; **~sache** *f* affaire *f* d'opinion *od* de goût.
ansied|eln établir; **2ler** *m* colon *m*.
anspann|en *Seil etc* tendre; *Zugtier* atteler; *alle seine Kräfte* ~, *um zu* ... faire tous ses efforts pour ...; **2ung** *f fig* tension *f*.
anspiel|en *Sport* se mettre à jouer; *auf etw* ~ faire allusion à qc; **2ung** *f* allusion *f*.
Ansporn *m* stimulant *m*; **2en** stimuler, aiguillonner.
Ansprache *f* allocution *f*; *e-e* ~ *halten* faire *od* prononcer une allocution.
ansprechen *j-n* ~ adresser la parole à qn, aborder qn; *j-m gefallen* plaire à qn; **~d** agréable, plaisant, séduisant.
an|springen *Motor* démarrer; **~spritzen** asperger, éclabousser.
Anspruch *m Recht* droit *m* (*auf* à); *Forderung* prétention *f*, exigence *f*; ~ *haben auf* avoir droit à; *Ansprüche erheben auf* avoir des prétentions sur; *in* ~ *nehmen Versicherung etc* avoir recours à; *j-n* occuper; *Zeit* prendre; **2slos** peu exigeant; **2svoll** exigeant, prétentieux.
Anstalt *f* établissement *m*, institution *f*.
Anstand *m* bienséance *f*, savoir-vivre *m*, décence *f*.
anständig décent, honnête; **2keit** *f* honnêteté *f*.
anstandslos sans difficulté; sans hésitation.
anstarren regarder fixement.
anstatt au lieu de.
anstechen *Faß* mettre en perce.
ansteck|en attacher; *Ring* mettre; *Zigarette* allumer; *méd* infecter, contaminer; **~end** contagieux (*a fig*); **2ung** *f* contagion *f* (*a fig*), infection *f*, contamination *f*.
anstehen *Schlange stehen* faire la queue; *Problem* être en suspens.
ansteigen monter; **~d** montant; *fig* croissant.
anstelle à la place de.
anstell|en *Arbeitskräfte* employer, engager, embaucher; *Gerät* faire marcher; *Radio, TV* allumer, ouvrir; *was hast du wieder angestellt?* qu'est-ce que tu as encore fait?; *sich* ~ faire la queue; *sich geschickt* (*dumm*) ~ s'y prendre bien (mal); *stell dich nicht so an!* ne fais pas tant de manières!; **2ung** *f Stelle* emploi *m*; *e-e* ~ *finden* trouver un emploi.
Anstieg *m* montée *f*.
anstift|en inciter (*zu* à); **2ung** *f* incitation *f*; ~ *zum Mord* incitation au meurtre.
anstimmen entonner.
Anstoß *m Impuls* impulsion *f*; *Fußball* coup *m* d'envoi; ~ *erregen* scandaliser *od* choquer (*bei j-m* qn); ~

nehmen an être choqué par; **2en** heurter *od* cogner (*an, mit etw* qc); *mit den Gläsern* trinquer; *auf j-n od etw ~* boire à la santé de qn; F arroser qc.
anstößig choquant, indécent.
anstrahlen *Gebäude* illuminer; *j-n ~* regarder qn d'un air rayonnant.
anstreich|en peindre; *Fehler* marquer; **2er** *m* peintre *m* (en bâtiment).
anstreng|en fatiguer; *sich ~* s'efforcer (*zu* de), faire un effort; *jur e-n Prozeß ~* intenter un procès (*gegen* contre); **~end** dur, pénible, fatigant; **2ung** *f* effort *m*, fatigue *f*.
Anstrich *m* couche *f* de peinture.
Ansturm *m mil* assaut *m*; *fig* ruée *f* (*auf* vers).
Antarkt|is *géogr f* Antarctique *m*; **2isch** antarctique.
antasten toucher, porter atteinte à.
Anteil *m* part *f*, quote-part *f*; *prozentualer ~* pourcentage *m*; *an etw ~ nehmen* prendre part à qc; **~nahme** *f Mitgefühl* sympathie *f*, compassion *f*; *Interesse* intérêt *m*.
Antenne *f* antenne *f*.
Anti..., 2... *in Zssgn* anti...; **~alkoholiker** *m* antialcoolique *m*; **~babypille** *f* pilule *f* contraceptive; **~biotikum** *méd n* antibiotique *m*; **~faschist(in** *f*) *m* antifasciste *m, f*.
antik antique; *Möbel etc* ancien; **2e** *f* Antiquité *f*.
Antillen *pl die ~* les Antilles *f/pl*.
Antilope *zo f* antilope *f*.
Antipathie *f* antipathie *f*.
antippen taper doucement.
Antiquar *m* libraire *m* d'occasion, bouquiniste *m* F; **~iat** *n* librairie *f* d'occasion; **2isch** d'occasion.
Antiquität *f* antiquité *f*; **~enhändler** *m* antiquaire *m*.
Antisemit *m* antisémite *m*; **~ismus** *m* antisémitisme *m*.
Antrag *m* demande *f* (*stellen* faire); *Formular* formulaire *m*; *Parlament* motion *f*; **~steller** *m* celui *m* qui fait une demande, requérant *m*.
an|treffen rencontrer; **~treiben** faire avancer; pousser, inciter (*zu* à); *tech* actionner, entraîner, propulser; **~treten** *mil* se mettre en rang; *Erbe* recueillir; *e-e Stellung ~* entrer en fonctions; *e-e Reise ~* partir en voyage.
Antrieb *m Impuls* impulsion *f*; *tech* commande *f*, entraînement *m*; *aviat, mar* propulsion *f*; *aus eigenem ~* de sa propre initiative; **~srad** *n* roue *f* motrice.
Antritt *m e-s Amtes* entrée *f* en fonctions; *~ der Reise* départ *m*.
antun *j-m Gewalt ~* faire violence à qn; *sich etw ~* attenter à ses jours.
Antwerpen Anvers.
Antwort *f* réponse *f* (*auf* à), réplique *f*; **2en** répondre (*j-m* à qn; *auf etw* à qc).
an|vertrauen *j-m etw ~* confier qc à qn; *sich j-m ~* se confier à qn; **~wachsen** *Wurzel schlagen* prendre racine; *festwachsen* s'attacher (*an* à); *zunehmen* s'accroître.
Anwalt *m* avocat *m*.
Anwärter(in *f*) *m* candidat *m*, -e *f* (*auf* à), postulant *m*, -e *f*, aspirant *m*, -e *f*.
anweis|en *anleiten* instruire; *befehlen* ordonner (*j-n zu* à qn de); *zuweisen* assigner; *Geld* virer; *per Post* mandater; **2ung** *f Anleitung* instruction *f*, directives *f/pl*; *Befehl* ordre *m*; *Post*2 mandat *m*.
anwend|bar applicable (*auf* à); **~en** appliquer (*auf* à); *verwenden* employer, utiliser; **2ung** *f* application *f*, emploi *m*, utilisation *f*.
anwerben engager, recruter.
Anwesen *n* propriété *f*.
anwesen|d présent; *die 2en* les personnes présentes, l'assistance *f*; **2heit** *f* présence *f*.
anwidern *j-n ~* répugner (à) qn, dégoûter qn.
Anwohner *m* riverain *m*.
Anzahl *f* nombre *m*.
anzahl|en verser un acompte (*100 Mark* de 100 marks); **2ung** *f* acompte *m*.
anzapfen *Faß* mettre en perce; *Leitung* se brancher sur.
Anzeichen *n* signe *m*, indice *m*.
Anzeige *f Zeitung* annonce *f*; *Familien*2 faire-part *m*; *jur* dénonciation *f*; *EDV-Gerät* affichage *m*; *gegen j-n ~ erstatten* déposer (une) plainte *od* porter plainte contre qn; **2n** marquer, indiquer; *bei der Polizei* dénoncer (à la police).
anzieh|en *Kleidung* mettre; *Person* habiller; *fig fesseln* attirer, intéresser; *Bremse, Schraube* serrer; *Preise* monter, augmenter; *sich ~* s'habiller; **~end** attrayant, attirant; **2ungskraft** *f* attraction *f* (*a phys*).

Anzug *m* costume *m*, complet *m*; *fig im ~ sein* s'annoncer, se préparer.
anzüglich piquant, de mauvais goût, scabreux.
anzünden *Kerze etc* allumer; *Haus* mettre le feu à.
anzweifeln *etw ~* mettre qc en doute.
apart qui a du cachet *od* du chic.
Apath|ie *f* apathie *f*; **≈isch** apathique.
Apennin(**en** *pl*) *m* les (monts) Apennins *m/pl*.
Apfel *m* pomme *f*; **~baum** *bot m* pommier *m*; **~kuchen** *m* tarte *f* aux pommes; **~mus** *n* compote *f* de pommes; **~saft** *m* jus *m* de pommes; **~sine** *f* orange *f*; **~tasche** *f* chausson *m* aux pommes; **~wein** *m* cidre *m*.
Apostel *m* apôtre *m*.
Apostroph *m* apostrophe *f*; ⚠ *une* apostrophe.
Apotheke *f* pharmacie *f*; **~r**(**in** *f*) *m* pharmacien *m*, -ne *f*.
Apparat *m* appareil *m*; *tél*, *TV*, *Radio a* poste *m*; *bitte bleiben Sie am ~!* ne quittez pas!
Appell *m Aufruf* appel *m* (*an* à); *mil* rassemblement *m* pour le rapport; **≈ieren** faire appel (*an* à).
Appetit *m* appétit *m*; *~ haben auf* avoir envie de; **≈lich** appétissant; **~losigkeit** *f* manque *m* d'appétit.
applaudieren applaudir.
Applaus *m* applaudissements *m/pl*.
Aprikose *bot f* abricot *m*.
April *m* avril *m*; **~scherz** *m* poisson *m* d'avril.
Aquarell *n* aquarelle *f*.
Aquarium *n* aquarium *m*.
Äquator *m* équateur *m*.
Äquivalent *n* équivalent *m*.
Ar *n Flächenmaß* are *m*.
Ära *f* ère *f*.
Arab|er(**in** *f*) *m* Arabe *m*, *f*; **~ien** *n* l'Arabie *f*; **≈isch** arabe.
Arbeit *f* travail *m*; F boulot *m*; *zu schaffende* besogne *f*; *Klassen≈* composition *f*; *häusliche, schriftliche ~en pl* devoirs *m/pl*; *sich an die ~ machen* se mettre au travail; *die ~ niederlegen* cesser le travail; **≈en** travailler.
Arbeiter|(**in** *f*) *m* travailleur *m*, -euse *f*; *Industrie≈* ouvrier *m*, -ière *f*; *geistiger ~* travailleur *m* intellectuel; *ungelernter ~* manœuvre *m*; **~bewegung** *f* mouvement *m* ouvrier; **~klasse** *f* classe *f* ouvrière; **~schaft** *f* ouvriers *m/pl*.
Arbeit|geber *m* patron *m*, employeur *m*; **~geberschaft** *f* patronat *m*; **~nehmer** *m* salarié *m*.
arbeitsam travailleur, laborieux, assidu (au travail).
Arbeits|amt *n* office *m* du travail; Agence *f* nationale pour l'emploi (A.N.P.E.); **~bescheinigung** *f* certificat *m* de travail, attestation *f* d'emploi; **~essen** *n* déjeuner-débat *m*, déjeuner *m* de travail; dîner *m* d'affaires; **≈fähig** apte au travail; **~gemeinschaft** *f* groupe *m* d'études *od* de travail; *Schule* club *m*; **~gericht** *n* conseil *m* de prud'hommes; **~kleidung** *f* vêtements *m/pl* de travail; **~kraft** *f Leistung* capacité *f od* potentiel *m* de travail; *Person* aide *m*, *f*; collaborateur *m*; *ausländische Arbeitskräfte* main-d'œuvre *f* étrangère; **~lager** *n* camp *m* de travail; **~leistung** *f* rendement *m*; **~lohn** *m* salaire *m*; **≈los** sans travail, en *od* au chômage; **~lose(r)** *m*, *f* chômeur *m*, -euse *f*; **~losengeld** *n* allocation *f* (de) chômage (*erhalten* toucher); **~losenversicherung** *f* assurance *f* chômage; **~losigkeit** *f* chômage *m*; **~markt** *m* marché *m* de l'emploi *od* du travail; **~minister** *m* ministre *m* du Travail; **~niederlegung** *f* débrayage *m*, grève *f*, arrêt *m* de travail; **~norm** *f* norme *f* de travail; **~pause** *f* pause *f*, temps *m* de repos; **~platz** *m Stelle* emploi *m*; *Ort* lieu *m* de travail; **≈scheu** paresseux, fainéant; **~suche** *f er ist auf ~* il est à la recherche d'un emploi; **~tag** *m* journée *f* de travail; *Werktag* jour *m* ouvrable; **~teilung** *f* division *f od* répartition *f* du travail; **~unfähigkeit** *f* inaptitude *f* au travail; *dauernde* invalidité *f*; **~unterbrechung** *f* suspension *f od* interruption *f* du travail; **~vermittlung** *f* bureau *m* de placement; **~vertrag** *m* contrat *m* de travail; **~weise** *f* méthode *f* de travail, façon *f* de travailler; **~zeit** *f* heures *f/pl* de travail; **~zimmer** *n* cabinet *m* de travail *od* d'étude, bureau *m*.
Archäologie *f* archéologie *f*.
Arche *die ~ Noah* l'arche *f* de Noé.
Architekt *m* architecte *m*; **~ur** *f* architecture *f*.
Archiv *n* archives *f/pl*.
ARD *f* Première chaîne *f* de la télévision allemande.

Arena *f* arène *f*; *Manege* piste *f*.
arg grave, gros; *sehr* très, fort.
Argentini|en *n* l'Argentine *f*; **~er(in** *f*) *m* Argentin *m*, -e *f*; **ℒsch** argentin.
Ärger *m Unannehmlichkeit* ennui(s) *m(pl)*, contrariété *f*; *Unmut* dépit *m*, colère *f*; **ℒlich** *unangenehm* ennuyeux, fâcheux, embêtant F; *verärgert* fâché, en colère, contrarié; *~ werden* se fâcher; **ℒn** fâcher, contrarier, embêter F; *sich ~* se mettre en colère (*über* contre), se fâcher; **~nis** *n* scandale *m*.
arglos candide, ingénu, sans malice.
Argument *n* argument *m*; **ℒieren** raisonner, argumenter.
Arg|wohn *m* soupçon(s) *m(pl)*; **ℒwöhnen** soupçonner; **ℒwöhnisch** soupçonneux.
Arie *mus f* air *m*.
Aristokrat|(in *f*) *m* aristocrate *m*, *f*; **~ie** *f* aristocratie *f*; **ℒisch** aristocratique.
Arkt|is *géogr f* Arctique *m*; **ℒisch** arctique.
Arm *m* bras *m* (*a Flußℒ*); *e-s Leuchters* branche *f*; *~ in ~* bras dessus bras dessous; *fig j-n auf den ~ nehmen* monter un bateau à qn.
arm pauvre (*an* en); *die ℒen* les pauvres *m/pl*; *der ℒe!* le pauvre!
Armaturenbrett *auto n* tableau *m* de bord.
Arm|band *n* bracelet *m*; **~banduhr** *f* montre-bracelet *f*; **~binde** *f* brassard *m*; *méd* écharpe *f*; **~brust** *f* arbalète *f*.
Armee *f* armée *f*.
Ärmel *m* manche *f*; **~kanal** *géogr der ~* la Manche.
ärmlich pauvre, misérable.
armselig misérable, pitoyable, minable.
Armut *f* pauvreté *f*.
Aroma *n* arôme *m*; **ℒtisch** aromatique.
arrangieren arranger; *sich ~* s'arranger (*mit* avec).
Arrest *m* détention *f*, arrêts *m/pl*; *Schule* retenue *f*, colle *f* F.
arrogan|t arrogant; **ℒz** *f* arrogance *f*.
Arsch *m* P cul *m*; **~loch** *n* P trou *m* du cul; *Schimpfwort* con *m*.
Art *f Weise* manière *f*, façon *f*; *Gattung* espèce *f* (*a biol*), sorte *f*, genre *m*; *Beschaffenheit* nature *f*; *auf diese ~* de cette façon *od* manière; *e-e ~ ...* une espèce de ...; *aller ~* de toutes sortes.
Arterie *f* artère *f*; **~nverkalkung** *méd f* artériosclérose *f*.
artig *Kind* sage, gentil.
Artikel *m* article *m*.
artikulieren articuler.
Artillerie *mil f* artillerie *f*.
Artischocke *bot f* artichaut *m*.
Artist(in *f*) *m* artiste *m*, *f* de cirque *od* de music-hall, acrobate *m*, *f*.
Arznei *f* médicament *m*, remède *m*; **~mittel** *n* médicament *m*.
Arzt *m* médecin *m*, docteur *m*.
Ärzt|in *f* (femme *f*) médecin *m*, doctoresse *f*; **ℒlich** médical; *~e Behandlung* soins *m/pl* médicaux.
As *n* as *m* (*a fig*).
Asbest *m* amiante *f*.
Asche *f* cendre *f*.
Aschen|bahn *Sport f* cendrée *f*; **~becher** *m* cendrier *m*; **~puttel** *n* Cendrillon *f*.
Aschermittwoch *m* mercredi *m* des Cendres.
Asiat|(in *f*) *m* Asiatique *m*, *f*; **ℒisch** asiatique.
Asien *n* l'Asie *f*.
Asket *m* ascète *m*; **ℒisch** ascétique.
asozial asocial, inadapté à la société.
Aspekt *m* aspect *m*.
Asphalt *m* asphalte *m*; **ℒieren** asphalter, bitumer.
Aspirin *n* aspirine *f*; ⚠ *une* aspirine.
Assistent(in *f*) *m* assistant *m*, -e *f*.
Assoziation *f* association *f*.
Ast *m* branche *f*.
Aster *bot f* aster *m*, reine-marguerite *f*; ⚠ *un* aster.
Ästheti|k *f* esthétique *f*; **ℒsch** esthétique.
Asthma *méd n* asthme *m*; **ℒtisch** *méd* asthmatique.
Astro|loge *m*, **~login** *f* astrologue *m*, *f*; **~logie** *f* astrologie *f*; **~naut(in** *f*) *m* astronaute *m*, *f*; **~nom** *m* astronome *m*; **~nomie** *f* astronomie *f*.
Asyl *n* asile *m*; **~ant** *m* réfugié *m* qui demande asile.
Atelier *n* studio *m*, atelier *m*.
Atem *m* haleine *f*, souffle *m*, respiration *f*; *außer ~ kommen* s'essouffler; *~ holen od schöpfen* prendre haleine, respirer; *fig j-n in ~ halten* tenir qn en haleine; **ℒberaubend** qui coupe le souffle, époustouflant; **~gerät** *n* respirateur *m*, appareil *m* respiratoire; **ℒlos** hors d'haleine; **~pause** *f* temps *m* d'arrêt, répit *m*; **~zug** *m* souffle *m*.

Atheis|mus *m* athéisme *m*; **~t** *m* athée *m*; **≈tisch** athée.
Athen Athènes.
Äther *m* éther *m*.
Äthiopien *n* l'Éthiopie *f*.
Athlet *m* athlète *m*; **≈isch** athlétique.
Atlantik *m* Atlantique *m*.
atlantisch atlantique; *der ≈e Ozean* l'océan *m* Atlantique.
Atlas *m* atlas *m*.
atmen respirer.
Atmosphär|e *f* atmosphère *f*; *fig a* ambiance *f*; **≈isch** atmosphérique.
Atmung *f* respiration *f*.
Atom *n* atome *m*.
atomar atomique.
Atom|bombe *f* bombe *f* atomique; **~energie** *f* énergie *f* nucléaire; **~kern** *m* noyau *m* atomique; **~kraftwerk** *n* centrale *f* nucléaire; **~krieg** *m* guerre *f* atomique; **~müll** *m* déchets *m/pl* radioactifs; **~sperrvertrag** *m* traité *m* de non-prolifération des armes nucléaires; **~sprengkopf** *mil m* ogive *f od* tête *f* atomique; **~waffen** *f/pl* armes *f/pl* atomiques, engins *m/pl* nucléaires; **~wissenschaftler** *m* atomiste *m*; **~zertrümmerung** *f* désintégration *f* de l'atome.
Attent|at *n* attentat *m*; **~äter** *m* auteur *m* d'un attentat, criminel *m*.
Attest *n* certificat *m*, attestation *f*.
Attrak|tion *f* attraction *f*; **≈tiv** attrayant, séduisant.
Attrappe *comm f* article *m* factice; ⚠ *nicht attrape*.
Attribut *n gr* complément *m* déterminatif; *Merkmal* attribut *m*; **≈iv** *gr ~es Adjektiv* adjectif *m* épithète.
ätzend corrosif, caustique; *fig* mordant.
au! aïe!
auch aussi; *sogar* même; *~ nicht* non plus; *ich ~* moi aussi; *ich ~ nicht* moi non plus; *oder ~* ou bien; *wenn ~* même si; *nicht nur ..., sondern ~* non seulement ..., mais encore *od* aussi; *wer (wo) ~ immer* qui (où) que ce soit; *~ das noch!* il ne manquait plus que cela!
Audienz *f* audience *f*.
audiovisuell audio-visuel.
Auerhahn *zo m* coq *m* de bruyère.
auf 1. *prép* sur; à; en; *~ Seite 20* page 20; *~ der Straße* dans la rue; sur la route; *~ der Welt* dans le monde; *~ Korsika* en Corse; *~ See* en mer; *~ dem Land* à la campagne; *~ der Schule* à l'école; *~ Urlaub* en vacances; *~ deutsch* en allemand; **2.** *adv ~!* allez!; *~ geht's!* allons-y!; *~ sein Geschäft, Tür* être ouvert; *Person* être debout *od* levé; *~ und ab* de haut en bas; *hin und her* de long en large; *~ und ab gehen Person* aller et venir; *Weg etc* monter et descendre; **3.** *conj ~ daß* afin que ..., pour que (*beide + subj*).
aufatmen respirer.
Aufbau *m Bauen* construction *f*; *Struktur* structure *f*; organisation *f*; *e-r Rede, e-s Werks* disposition *f*; *der ~ e-s Dramas (e-s Romans)* la texture d'un drame (d'un roman); **≈en** construire, bâtir; *aufstellen* monter.
auf|bäumen *sich ~* se cabrer (*a fig*); **~bauschen** *fig* exagérer; **~begehren** protester, se révolter (*gegen* contre); **~bekommen** *Tür etc* arriver à ouvrir; **~bereiten** préparer, traiter; **~bessern** *Gehalt* augmenter, améliorer.
aufbewahr|en conserver, garder; **≈ung** *f* conservation *f*; *für Gepäck* consigne *f*.
auf|bieten *Kräfte* déployer, mettre en œuvre; *Polizei* mobiliser; **~blasen** gonfler; **~bleiben** rester debout *od* levé; *Tür* rester ouvert; **~blenden** *auto* mettre les feux de route *od* les phares; *Film* ouvrir (une scène) en fondu; **~blicken** lever les yeux (*zu* vers); **~blühen** s'épanouir; **~brauchen** consommer, finir.
aufbrausen *fig* s'emporter; **~d** emporté, colérique.
auf|brechen *Tür etc* forcer, fracturer; *sich öffnen* s'ouvrir; *fortgehen* se mettre en route, partir; **~bringen** *Mode* mettre en vogue, introduire, lancer; *Verständnis etc* faire preuve de; *Geld* trouver, réunir; *j-n ~ erzürnen* mettre qn en colère; *aufwiegeln* monter qn (*gegen* contre).
Aufbruch *m* départ *m*.
auf|brühen *Kaffee* faire; *Tee* infuser; **~bürden** *j-m etw ~* imposer qc à qn; **~decken** découvrir (*a fig*); **~drängen** *j-m etw ~* imposer qc à qn; *sich j-m ~* s'imposer à qn; *Idee* ne pas sortir de la tête de qn; **~drehen** *Hahn* ouvrir.
aufdringlich importun, casse-pieds F, envahissant.
aufeinander l'un sur l'autre; *nach-*

einander l'un après l'autre; **2folge** *f* succession *f*; **~folgen** se succéder; **~folgend** consécutif; **~prallen, ~stoßen** se heurter.
Aufenthalt *m* séjour *m*; *während der Fahrt* arrêt *m*; **~sgenehmigung** *f* permis *m* de séjour; **~sraum** *m* salle *f* d'attente, salle *f* de réunion.
auferlegen *j-m etw* ~ imposer qc à qn.
aufersteh|en *rel* ressusciter; **2ung** *f* résurrection *f*.
aufessen manger (tout), finir.
auffahr|en *aufschrecken* sursauter; *auto* heurter, tamponner, télescoper (*auf etw* qc); **2t** *f* rampe *f* (d'accès); **2unfall** *m* télescopage *m*.
auffallen se faire remarquer; *j-m* ~ frapper *od* surprendre qn, attirer l'attention de qn; *nicht* ~ *a* passer inaperçu; **~d, auffällig** frappant, surprenant, étrange; *Kleidung, Farbe* voyant.
auffangen *Ball* (r)attraper; *Signal* capter; *Wasser* recueillir.
auffass|en saisir, comprendre; **2ung** *f* conception *f*, opinion *f*; *Deutung* interprétation *f*; **2ungsgabe** *f* compréhension *f*; *schnelle* ~ intelligence *f* rapide.
auffinden trouver, découvrir.
aufforder|n inviter (*zu* à); **2ung** *f* invitation *f*.
auffrischen rafraîchir; *Erinnerung* raviver; *Wind* fraîchir.
aufführ|en *Theaterstück* représenter, jouer; *Konzert* exécuter; *Gründe, Beispiele* énumérer; *sich* ~ se conduire, se comporter; **2ung** *f Theater* représentation *f*.
Aufgabe *f Arbeit* tâche *f*; *Pflicht* devoir *m*; *math* problème *m*; *Haus2* devoir *m*; *mündliche* leçon *f*; *von Postsendungen* expédition *f*; *von Gepäck* enregistrement *m*; *Verzicht* abandon *m*.
Aufgang *m* montée *f*, escalier *m*; *astr* lever *m*.
aufgeben *Postsendung* expédier; *Gepäck* faire enregistrer; *Hausaufgaben* donner; *Rätsel* poser; *Bestellung, Annonce* passer; *verzichten* renoncer (à); *das Rauchen* ~ arrêter de fumer.
Aufgebot *n zur Ehe* publication *f* des bans; *Einsatz* mise *f* en action.
aufgehen *Gestirn* se lever; *Saat* lever; *sich öffnen* s'ouvrir; *Naht* se découdre; *math* tomber juste; *in Flammen* ~ être la proie des flammes.
auf|gehoben *gut* ~ *sein* être entre de bonnes mains; **~geklärt** éclairé; *sexuell* averti; au courant des questions sexuelles; **~gelegt** disposé (*zu* à); *gut* (*schlecht*) ~ *sein* être de bonne (mauvaise) humeur; **~geregt** excité, énervé, affolé; **~geschlossen** ouvert (*für* à); compréhensif; **2geschlossenheit** *f* ouverture *f* d'esprit; **~geweckt** éveillé, intelligent, vif; **~greifen** saisir, (re)prendre.
aufgrund en raison de.
Aufguß *m* infusion *f*.
auf|haben *Hausaufgaben* avoir à faire; *Geschäft* être ouvert; *Hut* avoir sur la tête; **~halten** *Tür* tenir ouvert; *hemmen* arrêter, retenir, retarder; *sich* ~ séjourner, rester; *sich mit etw* ~ s'attarder à *od* sur qc; *sich* ~ *über* s'indigner de.
aufhäng|en suspendre, accrocher; *tél* raccrocher; *Verbrecher* pendre; **2er** *m* attache *f*.
aufheb|en *vom Boden* ramasser; *Last* soulever; *aufbewahren* conserver, garder; *abschaffen* supprimer, annuler; *Sitzung, Blockade* lever; *Urteil* casser; *sich gegenseitig* ~ se neutraliser; **2en** *n viel* ~*s machen* faire beaucoup de bruit (*von* de); **2ung** *f* suppression *f*, annulation *f*; levée *f*; cassation *f*.
auf|heitern *j-n* égayer, dérider; *sich* ~ *Wetter* s'éclaircir; **~helfen** *j-m* ~ aider qn à se relever; **~hellen** (*sich* ~ s')éclaircir; **~hetzen** exciter (*zu* à); *j-n gegen j-n* ~ monter (la tête à) qn contre qn; **~holen** *Rückstand* rattraper; *Sport* regagner du terrain; **~hören** cesser, finir, s'arrêter (*zu* de); *mit etw* ~ cesser, finir, arrêter qc; **~kaufen** acheter; *péj* rafler.
aufklär|en *Angelegenheit* tirer au clair, éclaircir, élucider; *j-n* ~ éclairer qn; *psych* faire l'éducation sexuelle de qn; *j-n über etw* ~ informer qn de qc; *sich* ~ *Himmel* s'éclaircir; **2ung** *f* éclaircissement *m*; *mil* reconnaissance *f*; *sexuelle* ~ éducation *f* sexuelle; (*Zeitalter n der*) ~ siècle *m* philosophique *od* des lumières.
aufkleb|en coller (*auf* sur); **2er** *m* autocollant *m*.
auf|knöpfen déboutonner; **~kommen** *Wind* se lever; *Zweifel, Ver-*

dacht naître; *Mode* se répandre; *für die Kosten* ~ subvenir aux frais; **~laden** charger (*auf* sur); *Batterie* recharger.
Auflage *f Buch* édition *f*; *Zeitung* tirage *m*; *Verpflichtung* obligation *f*.
auf|lassen F *Tür* laisser ouvert; *Hut* garder; **~lauern** *j-m* ~ guetter qn.
Auflauf *m Menschen*≈ attroupement *m*, rassemblement *m*; *cuis* soufflé *m*.
auflegen poser, mettre (*auf* sur); *tél* raccrocher; *Buch* éditer.
auflehn|en *sich* ~ se révolter, se rebeller (*gegen* contre); **≈ung** *f* révolte *f*, rébellion *f*.
auf|lesen ramasser; **~leuchten** s'allumer; *Augen* s'illuminer; **~lockern** *Erde* rendre meuble; *Stil* aérer.
auflös|en *in Flüssigkeit* dissoudre, (*a fig Verein etc*), diluer; *Rätsel*, *Gleichung* résoudre; *Geschäft* liquider; *sich* ~ se dissoudre; *Nebel* se dissiper; **≈ung** *f* dissolution *f*.
aufmach|en ouvrir; *Paket*, *Knoten a* défaire; **≈ung** *f Ware* conditionnement *m*, présentation *f*.
aufmerksam attentif; *zuvorkommend* prévenant; *j-n auf etw* ~ *machen* attirer l'attention de qn sur qc; ~ *werden auf* remarquer; **≈keit** *f* attention *f*.
aufmunter|n encourager; **≈ung** *f* encouragement *m*.
Aufnahme *f Empfang* accueil *m*, réception *f*; *in Organisation* admission *f* (*in* à); *Film* prise *f* de vues; *Foto* photo *f*; *Ton*≈ enregistrement *m*; **≈fähig** réceptif (*für* à); **~gebühr** *f* droits *m/pl* d'inscription; **~prüfung** *f* examen *m* d'admission *od* d'entrée.
aufnehmen *vom Boden* ramasser; *empfangen* accueillir (*a durch Publikum*), recevoir; *zulassen* admettre (*in* à, dans); *Foto* prendre (en photo); *auf Band* enregistrer; *Unfall* faire le constat de; *Arbeit* commencer; *Kampf*, *Verhandlungen* engager; *Geld* emprunter; *mit j-m Kontakt* ~ entrer en contact avec qn; *es mit j-m* ~ *können* pouvoir se mesurer à qn.
aufpassen faire attention (*auf* à); *aufgepaßt!* attention!
Aufprall *m* choc *m*; **≈en** heurter (*auf etw* qc).
aufpumpen gonfler.
aufputsch|en exciter; **≈mittel** *n* excitant *m*, stimulant *m*.
auf|raffen *sich* ~ se décider enfin (*zu etw* à faire qc); se ressaisir; **~räumen** *Zimmer*, *Gegenstände* ranger; *Unfallstelle* déblayer.
aufrecht droit (*a fig*); *stehend* debout; **~erhalten** maintenir.
aufreg|en exciter, énerver; *sich* ~ s'irriter (*über* de), s'énerver, s'émouvoir, s'affoler; **~end** excitant; **≈ung** *f* excitation *f*, énervement *m*, émotion *f*, affolement *m*.
aufreiben *Haut* écorcher; *fig* exténuer; *sich* ~ s'exténuer; **~d** harassant, exténuant.
aufreißen ouvrir brusquement, déchirer.
aufreiz|en exciter; **~end** excitant, provocant; *Musik* agaçant; **≈ung** *f* excitation *f*.
aufrichten (re)dresser; *fig* consoler; *sich* ~ se dresser.
aufrichtig sincère, franc; **≈keit** *f* sincérité *f*, franchise *f*.
aufrücken avoir de l'avancement; *mil* monter en grade.
Aufruf *m* appel (*an* à); **≈en** appeler.
Aufruhr *m* révolte *f*, émeute *f*.
aufrühr|en remuer; **≈er(in** *f*) *m* rebelle *m*, *f*; **~erisch** rebelle, séditieux.
aufrunden *Summe* arrondir (*auf* à).
Aufrüstung *mil f* (ré)armement *m*.
auf|rütteln *fig* secouer, réveiller; **~sagen** réciter.
aufsässig rebelle, récalcitrant.
Aufsatz *m Schule* rédaction *f*, dissertation *f*; *Artikel* article *m*, étude *f*.
auf|saugen absorber; **~schauen** lever les yeux (*zu* vers); **~scheuchen** effaroucher; **~schieben** remettre (*auf* à), différer, ajourner.
Aufschlag *m Aufprall* choc *m*; *Kleidung* revers *m*; *Preis* augmentation *f*; supplément *m*; *Tennis* service *m*; **≈en** *Ärmel* retrousser; *Buch* ouvrir; *Zelt* monter; *aufprallen* heurter (*auf etw* qc); *Ware*, *Preis* augmenter, renchérir.
aufschließen ouvrir.
Aufschluß *m* éclaircissement *m*; *j-m* ~ *geben* donner *od* fournir à qn des éclaircissements (*über* sur); *sich* ~ *über etw verschaffen* s'informer de qc; **≈reich** instructif, significatif, révélateur.
aufschneid|en couper; *Fleisch* découper; *méd* inciser; *fig* faire le fanfaron; **≈er(in** *f*) *m* fanfaron *m*, -onne *f*.
Aufschnitt *cuis m* charcuterie *f*.
auf|schnüren défaire; **~schrauben**

dévisser; **~schrecken** (*j-n* faire) sursauter; **~schreiben** noter; **~schreien** pousser un cri.

Aufschrift *f* inscription *f*.

Aufschub *m* délai *m*, remise *f*, ajournement *m*.

Aufschwung *m bes écon* essor *m*, redressement *m*.

aufseh|en lever les yeux (*zu* vers); **2en** *n* ~ *erregen* faire sensation, faire grand bruit; **~enerregend** sensationnel, spectaculaire, retentissant; **2er(in** *f*) *m* surveillant *m*, -e *f*, gardien *m*, -ne *f*.

aufsetzen *Brille*, *Hut* mettre; *Wasser* faire chauffer; *Miene* prendre; *Brief* rédiger; *aviat* se poser; *sich* ~ se dresser sur son séant.

Aufsicht *f* surveillance *f*; *Person* surveillant *m*, -e *f*; *unter* ~ *stellen* placer sous surveillance; (*die*) ~ *führen* surveiller (*über j-n* qn).

auf|sitzen monter (à cheval); **~spannen** tendre; *Schirm* ouvrir; **~sparen** garder, réserver; **~sperren** ouvrir (largement); **~spielen** jouer; *fig sich* ~ faire l'important; **~spießen** piquer, embrocher; **~springen** se lever d'un bond; sauter (*auf* sur); *Tür* s'ouvrir (brusquement); *Haut* (se) gercer; **~spüren** dépister; **~stampfen** piétiner.

Aufstand *m* soulèvement *m*, révolte *f*.

aufständisch rebelle; **2e(r)** *m* rebelle *m*, insurgé *m*.

auf|stapeln empiler; **~stechen** percer; **~stecken** *Haar* relever; F *aufgeben* abandonner; **~stehen** se lever; *Tür* être ouvert; **~steigen** monter (*auf* sur); *Rauch* s'élever; *aviat* décoller, s'envoler; *im Beruf* avoir de l'avancement.

aufstell|en *hinstellen* mettre, poser, placer; *aufrichten* dresser; *aufbauen* monter; *Mannschaft* composer, former; *Wache* poster; *Programm*, *Rekord* établir; *sich* ~ se poster; *sich als Kandidat* ~ *lassen* se porter candidat; **2ung** *f* placement *m*; *e-s Programms etc* établissement *m*; *Mannschafts2* composition *f*; *Liste* relevé *m*.

Aufstieg *m* montée *f*, ascension *f*; *im Beruf* avancement *m*.

auf|stoßen *Tür* ouvrir en poussant; *rülpsen* roter F, éructer; **~stützen** (*sich* ~ s')appuyer (*auf* sur); **~suchen** *j-n* ~ aller trouver *od* voir qn.

Auftakt *m fig* prélude *m* (*zu* à).

auf|tanken *auto* faire le plein (d'essence); *Flugzeug a* ravitailler; **~tauchen** remonter à la surface, émerger; *fig* surgir; **~tauen** (faire) dégeler; *Speisen* décongeler; *fig Person* se dégeler; **~teilen** partager, répartir (*unter* entre).

Auftrag *m* ordre *m*, mission *f*; *comm* commande *f*; *im* ~ *von* par ordre de *od* sur l'ordre de; **2en** *Speisen* servir; *Farbe* mettre, passer; *j-m etw* ~ charger qn de (faire) qc.

auf|treffen *auf etw* ~ frapper *od* rencontrer qc, tomber sur qc; **~treiben** trouver, F dégot(t)er, dénicher; **~trennen** découdre.

auftreten 1. *mit dem Fuß* poser le pied, marcher; *Theater* entrer en scène; jouer (*als* le rôle de); *vorkommen* apparaître, se présenter; *sicher* (*energisch*) ~ se montrer sûr de soi (énergique); *als Käufer* ~ se porter acheteur; **2.** 2 *n* manières *f/pl*, attitude *f*; *Vorkommen* présence *f*, apparition *f*.

Auftrieb *m phys* poussée *f* verticale; *aviat* portance *f*; *fig* élan *m*, essor *m*.

Auftritt *m* scène *f* (*a fig*); *Schauspieler* entrée *f* en scène.

auf|tun (*sich* ~ s')ouvrir; **~wachen** se réveiller; **~wachsen** grandir.

Aufwand *m* dépense *f* (*an* de); *Luxus* luxe *m*.

aufwärmen réchauffer.

aufwärts vers le haut, en haut; ~ *führen* monter; **~gehen** *fig mit etw geht es aufwärts* qc va de mieux en mieux.

auf|waschen laver; **~wecken** réveiller; **~weichen** ramollir; **~weisen** présenter.

aufwend|en *Fleiß etc* employer; *Geld* dépenser; **~ig** coûteux; **2ungen** *f/pl* dépenses *f/pl*.

aufwerfen *Damm* élever; *Frage* soulever; *fig sich zu etw* ~ s'ériger *od* se poser en qc.

aufwert|en *höher bewerten* valoriser; *Währung* réévaluer; **2ung** *f* valorisation *f*; *Währung* réévaluation *f*.

auf|wickeln enrouler; **~wiegeln** inciter à la révolte; **~wiegen** compenser.

Aufwiegler *m* agitateur *m*, émeutier *m*.

Aufwind *m* courant *m od* vent *m* ascendant.

auf|wirbeln soulever (en tourbillons); **~wischen** essuyer.
aufzähl|en énumérer, dénombrer; **2ung** *f* énumération *f*.
aufzeichn|en *zeichnen* dessiner; *schreiben* noter; *auf Band* enregistrer; **2ung** *f auf Band* enregistrement *m*; *TV* émission *f* en différé; **2ungen** *f/pl* notes *f/pl*.
auf|zeigen mettre en évidence, montrer; **~ziehen** *Fahne* hisser; *Vorhang* ouvrir; *Uhr* remonter; *Kind, Tier* élever; *verspotten* railler, taquiner; *Veranstaltung* organiser; *Sturm* s'approcher.
Aufzucht *f* élevage *m*.
Aufzug *m Lift* ascenseur *m*; *Theater* acte *m*; *Kleidung péj* accoutrement *m*.
aufzwingen *j-m etw ~* imposer qc à qn.
Augapfel *m* globe *m* de l'œil.
Auge *n* œil *m* (*pl* yeux); *in meinen ~n* à mes yeux; *mit bloßem ~* à l'œil nu; *unter vier ~n* en tête à tête, entre quatre yeux (F entre quat'-z-yeux); *mit anderen ~n ansehen* voir sous un autre aspect; *etw ins ~ fassen* envisager qc; *ins ~ fallen* sauter aux yeux; *aus den ~n verlieren* perdre de vue; *fig ein ~ zudrücken* fermer les yeux (sur qc); *kein ~ zumachen* ne pas fermer l'œil.
Augen|arzt *m*, **~ärztin** *f* oculiste *m,f*, ophtalmologiste *m, f*; **~blick** *m* moment *m*, instant *m*; *in diesem ~* à ce moment; **2blicklich** *gegenwärtig* actuel; *sofortig* instantané; *vorübergehend* momentané; *adv* en ce moment; *sofort* à l'instant; **~braue** *f* sourcil *m*; **~entzündung** *f* inflammation *f* de l'œil; ophtalmie *f*; **~licht** *n* vue *f*; **~lid** *n* paupière *f*; **~maß** *n ein gutes ~ haben* avoir le compas dans l'œil; **~merk** *n sein ~ richten auf* fixer son attention sur; **~schein** *m* apparence *f*; *in ~ nehmen* examiner; **~weide** *f* régal *m* pour les yeux; **~wimper** *f* cil *m*; **~zeuge** *m* témoin *m* oculaire.
August *m* août *m*.
Auktion *f* vente *f* aux enchères; **~ator** *m* commissaire-priseur *m*.
Aula *f* salle *f* des fêtes.
aus *räumlich, Herkunft* de; *Material* en; *Grund* par; *von ... ~* de, depuis; *~ dem Fenster* par la fenêtre; *vom Fenster ~* depuis la fenêtre; *von hier ~* d'ici; *~ München* de Munich; *~ Holz* en bois; *~ Spaß* pour rire; *~ Versehen* par erreur; *~ Mitleid* par pitié; *~ sein Veranstaltung* être fini *od* terminé; *Licht, Heizung etc* être éteint; *auf etw ~ sein* chercher (à faire) qc.
ausarbeit|en élaborer; **2ung** *f* élaboration *f*.
aus|arten dégénérer (*in* en); **~atmen** expirer.
Ausbau *m Vergrößerung* agrandissement *m*; *Umbau* aménagement *m*; **2en** *vergrößern* agrandir; *umbauen* aménager; *Motor* démonter; *Beziehungen* développer, approfondir.
ausbesser|n raccommoder, réparer; **2ung** *f* raccommodage *m*, réparation *f*.
Ausbeut|e *f* rendement *m*; profit *m*; **2en** exploiter; **~er** *péj m* exploiteur *m*; **~ung** *f* exploitation *f*.
ausbild|en former, instruire; **2er** *m* instructeur *m*; **2ung** *f* formation *f*, instruction *f*; **2ungsstätte** *f* centre *m* de formation.
ausbitten *sich etw ~* demander qc (*von j-m* à qn).
ausbleiben 1. ne pas venir; *Ereignis* ne pas se produire; *es konnte nicht ~, daß* ... il était inévitable que ...; **2. 2** *n* absence *f*.
Ausblick *m* vue *f*.
ausbrech|en *Gefangener* s'évader; *Krieg* éclater; *Feuer, Krankheit* se déclarer; *in Tränen ~* éclater en sanglots; *in Lachen ~* éclater de rire; **2er** *m* évadé *m*.
ausbreit|en étendre, étaler, répandre; *sich ~* s'étendre, se répandre, se propager; **2ung** *f* extension *f*, propagation *f*.
ausbrennen brûler entièrement.
Ausbruch *m Vulkan* éruption *f*; *aus der Haft* évasion *f*; *Krankheit* apparition *f*; *Krieg* début *m*, commencement *m*; *Gefühl* effusion *f*, éclat *m*; *zum ~ kommen* éclater, se déclarer.
aus|brüten couver (*a fig*); **~bürgern** expatrier; **~bürsten** brosser.
Ausdauer *f* endurance *f*, persévérance *f*; **2nd** endurant, persévérant.
ausdehn|en (*sich ~* s')étendre; *zeitlich* (s')allonger, (se) prolonger; *phys* (se) dilater; **2ung** *f* extension *f*, expansion *f*; *Größe* étendue *f*; *phys* dilatation *f*.
aus|denken (*sich*) *etw ~* imaginer qc;

~drehen *Licht etc* éteindre, fermer.
Ausdruck *m* expression *f*; *Wort a* terme *m*; *zum ~ bringen* exprimer.
ausdrück|en exprimer; *Zigarette* écraser; *Zitrone* presser; *sich ~* s'exprimer; **~lich** exprès; *adv* expressément.
ausdrucks|los sans expression, inexpressif; **~voll** expressif; **≈weise** *f* façon *f* de s'exprimer; style *m*.
auseinander séparés l'un de l'autre; **~bringen** séparer, désolidariser; **~fallen** se démonter, se disloquer; **~gehen** se séparer; *Menschenmenge* se disperser; *Gegenstand* se disjoindre; *Meinungen* diverger; **~halten** *fig* distinguer; **~nehmen** démonter; **~setzen** exposer, expliquer; *sich mit etw ~* traiter qc; *sich mit j-m ~* s'expliquer avec qn; **≈setzung** *f Streit* explication *f*, dispute *f*, querelle *f*; *kriegerische ~* conflit *m* armé.
auser|lesen exquis, choisi, de choix; **~wählt** élu.
ausfahr|en sortir *od* se promener en voiture; *j-n* sortir *od* promener (en voiture); **≈t** *f Autobahn, Garage* sortie *f*; *Spazierfahrt* sortie *f od* promenade *f* en voiture.
Ausfall *m Haare* chute *f*; *e-r Veranstaltung* annulation *f*; *Verlust* perte *f*; *tech* panne *f*; *e-r Person* absence *f*; **≈en** *Haare, Zähne* tomber; *Schulstunde, Veranstaltung* être annulé, ne pas avoir lieu; *Maschine* tomber en panne; *Person* manquer; *~ lassen* supprimer; *gut (schlecht) ~* être bon (mauvais); **≈end, ausfällig** grossier, insultant; **~straße** *f* route *f od* axe *m* de sortie (d'une ville).
ausfertig|en *Dokument* délivrer, dresser; **≈ung** *f in dreifacher ~* en triple exemplaire.
aus|findig *~ machen* découvrir, F dénicher; **~fließen** (s'é)couler; **~flippen** échapper à *od* fuir la réalité; *durchdrehen* F craquer.
Ausflucht *f* subterfuge *m*; *Vorwand* prétexte *m*; *Ausflüchte machen* répondre par des pirouettes.
Ausflug *m* excursion *f*, randonnée *f*.
Ausflügler(in *f*) *m* excursionniste *m*, *f*.
ausfragen questionner, interroger (*über* sur).
Ausfuhr *comm f* exportation *f*.
ausführ|bar exécutable, praticable; *comm* exportable; **~en** *Hund, Person* sortir; *comm* exporter; *durchführen* exécuter, effectuer, réaliser; *darlegen* expliquer, déclarer.
ausführlich détaillé; *adv* en détail; **≈keit** *f* abondance *f* de détails.
Ausführung *f Durchführung* exécution *f*, réalisation *f*; *Modell* version *f*; *~en pl e-s Redners* déclarations *f/pl*, paroles *f/pl*.
Ausfuhrverbot *n* interdiction *f* de sortie, embargo *m* sur les exportations.
ausfüllen remplir.
Ausgabe *f Geld* dépense *f*; *Verteilung* distribution *f*; *Buch* édition *f*; *Zeitung* numéro *m*.
Ausgang *m* sortie *f*; issue *f* (*a fig*); *Ende* fin *f*; **~spunkt** *m* point *m* de départ; **~ssperre** *f* couvre-feu *m*.
ausgeben *Geld* dépenser; *verteilen* distribuer; *Fahrkarten* délivrer; *sich ~ für od als* se faire passer pour.
ausge|bildet formé; **~bucht** complet; *alle Plätze sind ~* toutes les places sont retenues; **~dehnt** vaste, étendu; *zeitlich* prolongé; **~dient** usé, hors de service; **~fallen** singulier, peu commun, extravagant, saugrenu; **~glichen** équilibré.
ausgehen sortir; *Licht etc* s'éteindre; *Haare* tomber; *Geld etc* venir à manquer, s'épuiser; *enden* finir, se terminer; *fig von etw ~* partir de qc; *davon ~, daß* ... partir du fait que ..., supposer que ...; *leer ~* partir les mains vides; *ihm ging das Geld aus* il avait dépensé tout son argent.
ausge|lassen turbulent, d'une folle gaieté *f*; **~nommen** *prép* excepté; **~prägt** prononcé, marqué; **~rechnet** justement, précisément; **~schlossen** impossible; *es ist nicht ~, daß* ... il n'est pas exclu que ...; **~sprochen** prononcé, marqué; *adv* vraiment, réellement; **~sucht** exquis, de choix, choisi; **~zeichnet** excellent.
ausgiebig abondant; *Essen* copieux; *~en Gebrauch machen von* user largement de.
ausgießen vider.
Ausgleich *m* compensation *f*; *Sport* égalisation *f*; *zum ~* en compensation; **≈en** compenser; *Sport* égaliser; *e-e schlechte Note ~* compenser une mauvaise note; **~ssport** *m* sport *m* de

compensation; **~streffer** *m* point *m* d'égalisation.
ausgleiten glisser.
ausgrab|en déterrer; **2ungen** *f/pl* fouilles *f/pl*.
Ausguß *m* évier *m*.
aus|halten endurer, supporter; *Vergleich*, *Blick* soutenir; *es ist nicht auszuhalten!* c'est insupportable!; **~händigen** remettre (*j-m etw* qc à qn).
Aushang *m* affiche *f*.
aushänge|n *Tür* décrocher; *zur Kenntnisnahme* afficher; *ausgehängt sein* être affiché; **2schild** *n* enseigne *f*.
aus|harren persévérer; **~heben** *Graben* creuser; *Tür* décrocher; **~helfen** *j-m* ~ aider *od* dépanner qn.
Aushilf|e *f Person* aide *m, f*, auxiliaire *m, f*; **~spersonal** *n* personnel *m* intérimaire.
aus|höhlen creuser; **~holen** *zum Schlag* lever le bras; *fig weit* ~ remonter aux sources; **~horchen** *j-n* ~ sonder qn; **~hungern** affamer; **~kehren** balayer; **~kennen** *sich* ~ s'y connaître (*in* en); **~klammern** *Thema* laisser de côté; **~klingen** *Musik* s'achever (*mit* par); *Ferien* se terminer; **~klopfen** battre, épousseter; *Pfeife* vider en tapant; **~kochen** faire bouillir.
auskommen 1. *mit etw* ~ s'en tirer *od* se débrouiller avec qc; *mit j-m gut* (*schlecht*) ~ s'entendre bien (mal) avec qn, être en bons (mauvais) termes avec qn; *ohne j-n* (*etw*) ~ se passer de qn (de qc); **2.** 2 *n sein* ~ *haben* avoir de quoi vivre.
aus|kosten savourer; **~kundschaften** épier; *Gegend* reconnaître.
Auskunft *f* renseignement *m*, information *f*; *Stelle* renseignements *m/pl* (*a tél*); ~ *erteilen* renseigner (*j-m über etw* qn sur qc), donner des renseignements (à qn sur qc); **~sbüro** *n* bureau *m* de renseignement.
aus|kuppeln *auto* débrayer; **~kurieren** guérir complètement; **~lachen** *j-n* ~ rire *od* se moquer de qn; **~laden** décharger; *Gast* décommander.
Auslage *f Waren* étalage *m*; **~n** *pl* dépenses *f/pl*, débours *m/pl*, frais *m/pl*.
Ausland *n* étranger *m*; *im od ins* ~ à l'étranger.
Ausländ|er(in *f*) *m* étranger *m*, -ère *f*; **2isch** étranger.
Auslands|aufenthalt *m* séjour *m* à l'étranger; **~gespräch** *tél n* communication *f* internationale; **~korrespondent(in** *f*) *m* correspondant *m*, -e *f* (*in e-r Firma* correspondancier *m*, -ière *f*) pour l'étranger; **~reise** *f* voyage *m* à l'étranger.
auslass|en omettre, sauter; *Wut* ~ *an* passer sur; *sich* ~ *über* se prononcer sur; **2ung** *f* omission *f*; **2ungszeichen** *gr n* apostrophe *f*.
Auslauf *m Tiere* enclos *m*, parc *m*; **2en** *Flüssigkeit* (s'é)couler, fuir; *Schiff* partir, sortir; *enden* finir, se terminer; **~modell** *n* fin *f* de série.
ausleeren vider.
ausleg|en *Fußboden* recouvrir (*mit* de); *Geld* avancer; *Waren* étaler; *deuten* interpréter; **2ung** *f* interprétation *f*, exégèse *f*.
aus|leihen prêter (*j-m* à qn); *sich etw* ~ emprunter qc (*von j-m* à qn); **~lernen** finir son apprentissage; *man lernt nie aus* on n'a jamais fini d'apprendre.
Auslese *f* sélection *f*; *Wein* vin *m* de grand cru; *fig* élite *f*; **2n** *Buch* finir (de lire); *aussondern* trier.
ausliefer|n livrer (*an* à); *pol* extrader; **2ung** *f* livraison *f*; *pol* extradition *f*.
aus|liegen être exposé; **~löschen** *Licht* éteindre; *fig* effacer; **~losen** tirer au sort.
auslös|en déclencher (*a tech*), provoquer; *Pfand* dégager, retirer; **2er** *Foto m* déclencheur *m*.
ausmachen *Licht*, *Radio etc* éteindre, fermer; *verabreden* convenir de; *darstellen* constituer; *als Summe* faire; *erkennen* repérer; *das macht mir nichts aus* cela ne me dérange pas; ça ne me fait rien.
ausmalen peindre, enluminer; *schildern* dépeindre; *sich etw* ~ se figurer qc.
Ausmaß *n* dimensions *f/pl*, envergure *f*, ampleur *f*.
ausmerzen supprimer, éliminer; **~messen** mesurer.
Ausnahme *f* exception *f*; *mit* ~ *von* à l'exception de; **~fall** *m* cas *m* exceptionnel; **~zustand** *m* état *m* d'urgence.
ausnahmsweise exceptionnellement.
ausnehmen *Schlachttier* vider; *Nest*

dénicher; *ausschließen* excepter; *fig* F *j-n* ~ plumer qn; ~**d** exceptionnellement, extraordinairement.
aus|nutzen *etw* ~ profiter de qc, tirer profit de qc; *j-n* ~ exploiter qn; ~**packen** dépaqueter, déballer; *Koffer* défaire; *fig* F vider son sac; ~**pfeifen** siffler, huer; ~**plaudern** ébruiter, divulguer; ~**plündern** dévaliser, piller; ~**probieren** essayer.
Auspuff *auto m* (pot *m*, tuyau *m* d')échappement *m*; ~**gase** *n/pl* gaz *m/pl* d'échappement; ~**rohr** *n* tuyau *m* d'échappement; ~**topf** *m* pot *m* d'échappement.
aus|pumpen pomper; *den Magen* ~ faire un lavage d'estomac; ~**quartieren** déloger; ~**radieren** gommer, effacer, gratter; ~**rangieren** mettre au rancart; *Maschine* mettre hors service; ~**rauben** dévaliser; ~**räumen** vider, démeubler; ~**rechnen** calculer; *fig sich etw* ~ *können* pouvoir s'imaginer qc.
Ausrede *f* excuse *f*; ≗**n** *j-m etw* ~ dissuader qn de qc; *j-n* ~ *lassen* laisser qn s'exprimer; *lassen Sie mich* ~*!* ne m'interrompez pas!
ausreichen suffire; ~**d** suffisant; *Schulnote* passable; *adv* suffisamment.
Ausreise *f* sortie *f*, départ *m*.
aus|reißen arracher; F *weglaufen* se sauver; *Jugendlicher* faire une fugue; ~**renken** *sich etw* ~ se démettre *od* se déboîter qc; ~**richten** aligner, orienter; *Gruß etc* transmettre; *Veranstaltung* organiser; *erreichen* obtenir; *j-m etw* ~ *a* faire savoir qc à qn.
ausrott|en exterminer; ≗**ung** *f* extermination *f*.
ausrücken *mil* se mettre en marche; *Feuerwehr* sortir; F *weglaufen* décamper, déguerpir.
Ausruf *m* exclamation *f*, cri *m*; ≗**en** s'écrier, s'exclamer, crier; *Stationen* annoncer; *verkünden* proclamer; ~**ezeichen** *n* point *m* d'exclamation; ~**ung** *pol f* proclamation *f*.
ausruhen (*sich*) ~ se reposer.
ausrüst|en équiper (*mit* de); ≗**ung** *f* équipement *m*.
ausrutschen glisser.
Aussage *f* déclaration *f*; *jur* déposition *f*; ≗**n** dire, exprimer, déclarer; *jur* déposer; ~**satz** *m* proposition *f* affirmative.
Aus|satz *méd m* lèpre *f*; ≗**sätzig** lépreux.
ausschalten *Licht*, *Radio*, *TV* éteindre, fermer; *Strom* couper; *Maschine* arrêter; *Gegner* éliminer, écarter.
Ausschank *m* débit *m* de boissons, buvette *f*.
Ausschau *f nach j-m* ~ *halten* chercher qn des yeux.
ausscheid|en *aussondern* éliminer; *biol* excréter; *aus e-m Amt* quitter (*aus etw* qc), se retirer (de); *Sport* être éliminé; *Möglichkeit* ne pas entrer en ligne de compte; ≗**ung** *f* élimination *f*; ≗**ungskampf** *m Sport* éliminatoire *f*; ≗**ungsspiel** *n* match *m* de sélection, match *m* éliminatoire.
aus|scheren *auto* se déporter, quitter la file; ~**schiffen** *sich* ~ débarquer; ~**schimpfen** gronder, réprimander; ~**schlafen** (*sich*) ~ dormir son saoul.
Ausschlag *m méd* éruption *f*; *Zeiger* déviation *f*; *fig den* ~ *geben* être déterminant; ≗**en** *Auge* crever; *Zahn* casser; *fig Angebot etc* refuser; *Zeiger* dévier; *Pferd* ruer; *bot* pousser, bourgeonner; ≗**gebend** décisif, déterminant.
ausschließ|en exclure (*aus*, *von* de); ≗**lich** exclusif; *adv* exclusivement.
Ausschluß *m* exclusion *f* (*aus* de); *unter* ~ *der Öffentlichkeit* à huis clos.
aus|schmücken orner, décorer (*mit* de); *fig* enjoliver, embellir; ~**schneiden** découper (*aus* dans).
Ausschnitt *m Zeitung* coupure *f*; *Film*, *Buch* extrait *m*; *Kleid* décolleté *m*; *Kreis*≗ secteur *m*; *Teil* tranche *f*, morceau *m*.
ausschreiben *Wort* écrire en toutes lettres; *Scheck* remplir; *Rechnung* dresser; *Stelle* offrir publiquement, mettre au concours.
ausschreit|en marcher à grands pas; ≗**ungen** *f/pl* excès *m/pl*; *es kam zu* ~ il y eut des actes de violence.
Ausschuß *m* comité *m*, commission *f*; *Abfall* rebut *m*; ~**ware** *f* marchandise *f* de rebut, camelote *f*.
aus|schütteln secouer; ~**schütten** verser, vider; *Herz* épancher; *Dividende* répartir.
ausschweif|end dissolu, débauché; ≗**ung** *f* débauche *f*.
aussehen 1. avoir l'air (*wie* de), paraître; *gut* ~ *Person* être bien; *gesundheitlich* avoir bonne mine; *Sache* fai-

re bien; **2.** ꝸ *n* apparence *f*, air *m*, mine *f*; *von Sachen a* aspect *m*.
außen à l'extérieur, dehors; *von* ~ de l'extérieur, du dehors; *nach* ~ vers l'extérieur, en dehors; *fig nach* ~ *hin* vu de l'extérieur; ꝸ**bordmotor** *mar m* moteur *m* hors-bord; *Boot n mit* ~ hors-bord *m*; ꝸ**handel** *m* commerce *m* extérieur; ꝸ**minister** *m* ministre *m* des Affaires étrangères; ꝸ**politik** *f* politique *f* extérieure; ꝸ**seite** *f* extérieur *m*; ꝸ**seiter** *m* outsider *m*; non-conformiste *m*; ꝸ**spiegel** *auto m* rétroviseur *m* extérieur; ꝸ**stände** *comm m/pl* créances *f/pl*; ꝸ**stürmer** *Sport m* ailier *m*.
außer 1. *prép*: *außerhalb* hors de; *neben* en dehors de, outre; *ausgenommen* sauf, à part, excepté; ~ *sich sein* être hors de soi; ~ *Betrieb* hors de service; ~ *Gefahr* hors de danger; **2.** *conj* ~ *daß* sinon *od* excepté *od* sauf que; ~ *wenn* à moins que ... ne (+ *subj*), sauf *od* excepté si; ~**dem** en outre, de *od* en plus, ~**dienstlich** en dehors du service.
äußere 1. extérieur; **2.** ꝸ *n* extérieur *m*.
außer|ehelich extra-conjugal; *Kind* illégitime, naturel; ~**gewöhnlich** extraordinaire, exceptionnel; ~**halb** en dehors de, à l'extérieur de, hors de; ~ *Frankreichs* hors de France.
äußerlich extérieur, externe (*a méd*); *fig* superficiel; ꝸ**keiten** *f/pl* formalités *f/pl*, apparences *f/pl*.
äußern dire, exprimer; *sich* ~ donner son avis (*über* sur); *sich zeigen* se manifester.
außerordentlich extraordinaire; prodigieux.
äußerst extrême; dernier; *adv* extrêmement; *im* ~*en Fall* à la rigueur.
außerstande ~ *sein* être hors d'état (*zu* de).
Äußerung *f Worte* propos *m/pl*; *von Gefühlen* manifestation *f*.
aussetzen *Tier, Kind* abandonner; *Belohnung* offrir; *e-r Gefahr etc* exposer (à); *aufhören* s'arrêter; *etw auszusetzen haben* trouver à redire (*an* à); *sich* ~ s'exposer (*e-r Sache* à qc).
Aussicht *f* vue *f*; *fig* perspective *f*, chance *f* (*auf* de); *in* ~ *haben* avoir en perspective *od* en vue.
aussichts|los voué à l'échec, vain, sans espoir; ~**reich** prometteur; ꝸ**turm** *m* belvédère *m*.
Aussiedler *m* rapatrié *m*.
aussöhn|en (*sich* ~ se) réconcilier (*mit* avec); ꝸ**ung** *f* réconciliation *f*.
aus|sondern retirer; ~**spannen** *Pferd* dételer; *fig* F *Freundin* souffler, chiper (*j-m* à qn); *sich erholen* se détendre, se reposer.
aussperr|en *j-n* ~ fermer la porte à qn; *Arbeiter* lock-outer; ꝸ**ung** *f* lock-out *m*.
aus|spielen *Karte* jouer; *j-n gegen j-n* ~ se servir de qn contre qn; ~**spionieren** espionner.
Aussprache *f* prononciation *f*; *Gespräch* mise *f* au point, explication *f*.
aussprechen prononcer; *ausdrücken* exprimer; *sich* ~ *für* (*gegen*) se prononcer *od* se déclarer pour (contre); *sich mit j-m* ~ s'expliquer avec qn.
Ausspruch *m* parole *f*, sentence *f*.
aus|spucken cracher; ~**spülen** rincer.
Ausstand *m* grève *f*; *in den* ~ *treten* se mettre en grève.
ausstatt|en équiper, pourvoir, doter (*mit* de); *Wohnung* installer, meubler; ꝸ**ung** *f* équipement *m*; *Wohnung* installation *f*, ameublement *m*; *comm Ware* présentation *f*; *Theater* décors *m/pl*; ꝸ**ungsfilm** *m* film *m* à grand spectacle.
aus|stechen découper (à l'emporte-pièce); *Augen* crever; *fig j-n* ~ supplanter *od* éclipser qn; ~**stehen** supporter; *ich kann ihn nicht* ~ je ne peux pas le supporter *od* souffrir.
aussteig|en descendre (*aus* de); *fig* se retirer (*aus* de); *sozial* se marginaliser; ꝸ**er** *m* marginal *m*.
ausstell|en exposer; *Waren a* étaler; *Paß etc* délivrer; *Scheck* faire (*auf j-n* sur qn); *Rechnung* établir; ꝸ**er** *m* exposant *m*; *Scheck* tireur *m*.
Ausstellung *f* exposition *f*; *Paß etc* délivrance *f*; ~**sraum** *m* salle *f* d'exposition; ~**sstand** *m* stand *m*.
aussterben s'éteindre, disparaître; *vom* ꝸ *bedroht sein* être menacé de disparition.
Aussteuer *f* trousseau *m*; ꝸ**n** *Tonband etc* régler.
Ausstieg *m* sortie *f*; ~ *aus der Kernenergie* abandon *m* de l'énergie atomique.
ausstopfen rembourrer; *Tiere* empailler.
Ausstoß *m tech* éjection *f*; *Produktion* rendement *m*, débit *m*; ꝸ**en** *j-n* ex-

pulser (*aus* de); *Schrei* pousser; *Drohung* proférer; *tech* éjecter; *comm* produire, débiter; **~ung** *f* expulsion *f*.
ausstrahl|en rayonner; *Wärme* répandre; *Radio* diffuser; **2ung** *f Radio* diffusion *f*; *e-s Menschen* rayonnement *m*.
aus|strecken *Hand* tendre; *Arme, Beine* étendre, allonger; **~streichen** rayer, biffer, barrer; **~strömen** s'écouler; *Gas, Geruch* se dégager, s'échapper; **~suchen** choisir.
Austausch *m* échange *m*; **2bar** interchangeable; **2en** échanger; **~schüler(in** *f*) *m* élève *m, f* d'échange; correspondant *m*, -e *f*.
austeil|en distribuer; **2ung** *f* distribution *f*.
Auster *zo f* huître *f*; **~nschale** *f* écaille *f* d'huître.
austragen *Post* distribuer; *Wettkampf* disputer.
Austral|ien *n* l'Australie *f*; **~ier(in** *f*) *m* Australien *m*, -ne *f*; **2isch** australien.
aus|treiben expulser; *Teufel* exorciser; *fig j-m etw* ~ faire passer qc à qn; **~treten** *aus Partei etc* quitter (qc), partir (de); *WC* aller aux toilettes; *Radioaktivität etc* s'échapper; **~trinken** vider, finir de boire.
Austritt *m* départ *m*, démission *f*; *Radioaktivität* fuite *f*.
austrocknen dessécher.
ausüb|en exercer; *Sport* pratiquer; **2ung** *f* exercice *m*, pratique *f*.
Ausverkauf *m* soldes *f/pl*; **2t** *Ware* épuisé; *Theater vor ~em Haus spielen* jouer devant une salle comble.
Auswahl *f* choix *m*; sélection (*a Sport*).
auswählen choisir.
Auswander|er *m* émigrant *m*; **2n** émigrer; **~ung** *f* émigration *f*.
auswärtig étranger; extérieur; *das 2e Amt* le ministère des Affaires étrangères.
auswärts en dehors, à l'extérieur; ~ *essen* manger au restaurant; **2sieg** *m Sport* victoire *f* à l'extérieur; **2spiel** *n Sport* match *m* en déplacement.
auswechsel|n remplacer (*gegen* par), changer (contre); **2spieler(in** *f*) *m Sport* remplaçant *m*, -e *f*; **2ung** *f* remplacement *m*.
Ausweg *m* issue *f*; **2los** sans issue.
ausweichen *j-m* (*e-r Sache*) ~ éviter qn (qc); *e-r Frage* éluder (qc); **~d** *Antwort* évasif.
Ausweis *m* carte *f*; *Personal2* carte *f* d'identité; **2en** expulser; *sich* ~ justifier de son identité, montrer ses papiers; **~papiere** *n/pl* pièces *f/pl* d'identité; **~ung** *f* expulsion *f*.
ausweiten élargir; *fig* agrandir, développer; *sich* ~ s'agrandir, se développer.
auswendig par cœur; ~ *lernen* (*können*) apprendre (savoir) par cœur.
aus|werfen jeter (*a Anker*), lancer, rejeter; **~werten** exploiter; *Umfrage* dépouiller, analyser; **~wirken** *sich* ~ se répercuter (*auf* sur), avoir des conséquences; **~wischen** effacer.
Auswuchs *m* excroissance *f*; *fig* excès *m*, abus *m*.
auswuchten *tech* équilibrer.
auszahlen payer, verser; *fig sich* ~ être payant.
auszählen compter; *die Stimmen* ~ dépouiller le scrutin.
Auszahlung *f* paiement *m*, versement *m*.
auszeichn|en *j-n* distinguer; *mit Orden* décorer (*mit* de); *Waren* étiqueter; *sich* ~ se distinguer (*durch* par); **2ung** *f* distinction *f*; *Orden* décoration *f*.
ausziehen *Kleidung* enlever, retirer, ôter; *Tisch* rallonger; *Antenne* sortir; *aus e-r Wohnung* déménager; *sich* ~ se déshabiller.
Auszubildende(r) *m, f* apprenti *m*, -e *f*.
Auszug *m Buch* extrait *m*; *Konto* relevé *m*; *Wohnung* déménagement *m*.
Autarkie *pol f* autarcie *f*.
authentisch authentique.
Auto *n* voiture *f*, auto *f*; ~ *fahren* faire de la voiture; *am Steuer* conduire; *mit dem* ~ *fahren* aller en voiture; ⚠ *une* auto; **~ausstellung** *f* Salon *m* de l'automobile; **~bahn** *f* autoroute *f*; **~bahngebühr** *f* péage *m*.
Autobiographie *f* autobiographie *f*.
Autobus *m* autobus *m*; *Reisebus* autocar *m*.
Autodidakt *m* autodidacte *m*.
Auto|fahrer(in *f*) *m* automobiliste *m, f*; **~friedhof** *m* cimetière *m* de voitures.
Autogramm *n* autographe *m*; **~jäger** *m* chasseur *m* d'autographes.
Auto|karte *f* carte *f* routière; **~kino**

n cinéma *m* pour automobilistes, drive-in *m*; **~kolonne** *f* file *f* de voitures.

Automat *m* distributeur *m* (automatique); **~ik** *f tech* dispositif *m* automatique; *auto* boîte *f* automatique; **~ion** *f* automation *f*; **2isch** automatique.

Automechaniker *m* mécanicien *m* automobile.

Automobil *n* automobile *f*; **~industrie** *f* industrie *f* automobile.

autonom autonome; **2ie** *f* autonomie *f*.

Autonummer *f* numéro *m* d'immatriculation.

Autopsie *f* autopsie *f*.

Autor(in *f*) *m* auteur *m*.

Auto|radio *n* autoradio *m od f*; **~reifen** *m* pneu *m* de voiture; **~reisezug** *m* train *m* auto-couchettes; **~rennen** *n* course *f* automobile; **~reparaturwerkstatt** *f* garage *m*.

autori|tär autoritaire; **2tät** *f* autorité *f*.

Auto|unfall *m* accident *m* de voiture; **~vermietung** *f* location *f* de voitures; **~wrack** *n* carcasse *f* d'auto, épave *f*.

avancieren monter en grade.

Axt *f* hache *f*, cognée *f*.

Azubi *m*, *f cf Auszubildende(r)*.

B

B *mus n* si *m* bémol.

Baby *n* bébé *m*.

Bach *m* ruisseau *m*.

Backbord *mar n* bâbord *m*.

Backe *f* joue *f*.

backen (faire) cuire; *in der Pfanne* (faire) frire.

Backen|bart *m* favoris *m/pl*; **~zahn** *m* molaire *f*.

Bäcker|(in *f*) *m* boulanger *m*, -ère *f*; **~ei** *f* boulangerie *f*.

Back|form *f* moule *m* à gâteaux; **~hendl** *östr n* poulet *m* rôti; **~obst** *n* fruits *m/pl* séchés; **~ofen** *m* four *m*; **~pflaume** *f* pruneau *m*; **~pulver** *n* levure *f* chimique; **~stein** *m* brique *f*; **~waren** *f/pl* produits *m/pl* de boulangerie; *feine ~* pâtisseries *f/pl*.

Bad *n* bain *m*; *Badezimmer* salle *f* de bains; *Schwimm2* piscine *f*; *Kurort* station *f* balnéaire *od* thermale; *ein ~ nehmen* prendre un bain.

Bade|anstalt *f* établissement *m* de bains; **~anzug** *m* maillot *m* de bain; **~hose** *f* slip *m* de bain; **~kappe** *f* bonnet *m* de bain; **~mantel** *m* peignoir *m* de bain; **~meister** *m* maître--nageur *m*.

baden baigner; (*sich*) *~* se baigner; *in der Badewanne* prendre un bain.

Baden-Württemberg *n* le Bade-Wurtemberg.

Bade|ort *m* station *f* balnéaire, ville *f* d'eaux; **~saison** *f* saison *f* balnéaire; **~strand** *m* plage *f*; **~tuch** *n* serviette *f od* drap *m* de bain; **~wanne** *f* baignoire *f*; **~zimmer** *n* salle *f* de bains.

baff F *~ sein* en rester baba.

Bafög *n* bourse *f* d'études.

bagatellisieren minimiser.

Bagger *m* pelle *f* mécanique; *Schwimm2* drague *f*.

Bahn *f Eisen2* chemin *m* de fer; *Weg* voie *f*; *Renn2*, *Start2* piste *f*; *Flug2* trajectoire *f*; *Tapete* lé *m*, laisse *f*; *mit der ~ fahren* aller en train; **2brechend** qui fait époque *od* date, révolutionnaire; **~damm** *m* remblai *m*.

bahnen *Weg* frayer; *fig e-r Sache den Weg ~* ouvrir la voie à qc.

Bahn|fahrt *f* voyage *m* en train; **~hof** *m* gare *f*; *auf dem ~* à la gare; **~linie** *f* ligne *f* de chemin de fer; **~steig** *m* quai *m*; **~übergang** *m* passage *m* à niveau; **~verkehr** *m* trafic *m* ferroviaire.

Bahre *f* civière *f*, brancard *m*.

Bajonett *n* baïonnette *f*.

Bakterie *f* bactérie *f*, microbe *m*.

balancieren (se) tenir en équilibre; ⚠ *nicht balancer*.

bald bientôt; *fast* presque; *~ ... ~ ...* tantôt ... tantôt ...; *~ darauf* peu après; *so ~ wie möglich* aussi tôt que possible, dès que possible.

baldig prompt, prochain; *auf ein ~es Wiedersehen!* au plaisir de vous revoir bientôt!
Baldrian *bot m* valériane *f*.
Balg[1] *m* Tierfell peau *f*.
Balg[2] *n od m* F *Kind* moutard *m* P, marmot F *m*.
balg|en *sich ~* se bagarrer; **2erei** *f* bagarre *f*.
Balkan *der ~* les Balkans *m/pl*; **2isch** balkanique.
Balken *m* poutre *f*.
Balkon *m* balcon *m*.
Ball *m* balle *f*; *größerer*, *Fuß2* ballon *m*; *Billard2* bille *f*; *Tanzfest* bal *m*.
Ballade *f* ballade *f*.
Ballast *m* lest *m*; *fig* poids *m* mort.
Ballen *m comm* ballot *m*; *am Fuß* éminence *m* du gros orteil.
Ballett *n* ballet *m*.
Ballon *m* ballon *m*.
Ball|saal *m* salle *f* de bal; **~spiel** *n* jeu *m* de balle.
Ballungs|gebiet *n*, **~raum** *m*, **~zentrum** *n* agglomération *f*, conurbation *f*.
Balsam *m* baume *m*.
Bambus *bot m*, **~rohr** *n* bambou *m*.
banal banal; **2ität** *f* banalité *f*.
Banane *bot f* banane *f*.
Banause *m* esprit *m* borné, philistin *m*.
Band[1] *n* ruban *m*, bande *f*; *Gelenk2* ligament *m*; *fig* lien *m*; *auf ~ aufnehmen* enregistrer (sur bande); *am laufenden ~* sans arrêt.
Band[2] *m Buch* volume *m*; *e-s Werkes* tome *m*.
Band[3] *f mus* groupe *m*.
Bandag|e *f* bandage *m*; **2ieren** bander, panser.
Bande *f* bande *f*; *Verbrecher* gang *m*.
Bänderriß *méd m* rupture *f* des ligaments.
bändigen dompter, maîtriser.
Bandit *m* bandit *m*.
Band|maß *n* mètre *m* à ruban; **~scheibe** *f* disque *m* intervertébral; **~scheibenschaden** *méd m* hernie *f* discale; **~wurm** *m* ver *m* solitaire.
bang(e) anxieux; *mir ist ~* j'ai peur (*vor* de); *j-m ~ machen* faire peur à qn.
Bank *f* **1.** banc *m*; *Zug*, *Auto* banquette *f*; *fig durch die ~* sans exception; *etw auf die lange ~ schieben* faire traîner qc en longueur; **2.** *comm* banque *f*; *sein Geld auf die ~ bringen* déposer son argent à la banque; **~angestellte(r)** *m*, *f* employé *m*, -e *f* de banque; **~einlage** *f* dépôt *m* bancaire.
Bankett *n* banquet *m*; *Straße* accotement *m*.
Bankier *m* banquier *m*.
Bank|konto *n* compte *m* en banque; **~note** *f* billet *m* de banque.
Bankrott 1. *m* faillite *f*, banqueroute *f*; *~ machen* faire faillite; **2.** **2** *adj* en faillite.
Bann *m hist* ban *m*, bannissement *m*; *Kirchen2* anathème *m*; *fig* charme *m*, envoûtement *m*; **2en** *Gefahr* conjurer; *fig wie gebannt* fasciné.
Banner *n* bannière *f*.
bar *nackt* nu; *ohne* dépourvu de; *comm* comptant; *gegen od in ~* au comptant; *~ zahlen* payer (au) comptant *od* en espèces.
Bar *f Theke* bar *m*; *Nacht2* cabaret *m*, boîte *f* de nuit; ⚠ *le* bar.
Bär *zo m* ours *m*.
Baracke *f* baraque *f*.
Barbar *m* barbare *m*; **2isch** barbare; *Mord* atroce; **~ei** *f* barbarie *f*.
Bardame *f* barmaid *f*.
Barde *m* barde *m*.
barfuß pieds nus, nu-pieds.
Bargeld *n* argent *m* liquide; **2los** par virement *od* chèque.
Bariton *mus m* baryton *m*.
Barkasse *mar f* barcasse *f*.
Barkeeper *m* barman *m*.
barmherzig charitable, miséricordieux; **2keit** *f* charité *f*, pitié *f*, miséricorde *f*.
barock 1. baroque; **2.** **2** *m od n* (art *m*) baroque *m*.
Barometer *n* baromètre *m*.
Baron(in *f*) *m* baron *m*, -ne *f*.
Barren *m Metall* barre *f*; *Gold* lingot *m*; *Turngerät* barres *f/pl* parallèles.
Barriere *f* barrière *f*.
Barrikade *f* barricade *f*.
barsch brusque.
Barsch *zo m* perche *f*.
Bart *m* barbe *f*; *an der Oberlippe* moustache *f*; *Schlüssel* panneton *m*; ⚠ *la* barbe.
bärtig barbu.
bartlos imberbe.
Barzahlung *f* paiement *m* au comptant *od* en espèces.
Base *f* **1.** *Kusine* cousine *f*; **2.** *chim* base *f*.
Basel Bâle.

basieren ~ *auf* se baser sur.
Basilika *f* basilique *f*.
Basis *f* base *f*.
Baskenmütze *f* béret *m* (basque).
Basketball *Sport m* basket(-ball) *m*.
Baß *mus m* basse *f*; **~schlüssel** *mus m* clé *f* de fa.
Bassin *n* bassin *m*; *Schwimm*≈ piscine *f*.
Bast *m* raphia *m*.
Bastard *m Mensch* bâtard *m*; *bot, zo* hybride *m*.
bast|eln bricoler; ≈**ler** *m* bricoleur *m*.
Bataillon *mil n* bataillon *m*.
Batik *m od f* batik *m*.
Batist *m* batiste *f*; ⚠ *la* batiste.
Batterie *f mil, auto* batterie *f*; *Taschenlampe etc* pile *f*.
Bau *m* construction *f*; *Bauwerk, Bauwesen* bâtiment *m*; *größerer* édifice *m*; *Tier*≈ terrier *m*; *im ~ sein* être en construction; **~arbeiten** *f/pl* travaux *m/pl*; **~arbeiter** *m* ouvrier *m* du bâtiment; **~art** *f* style *m* d'architecture; type *m od* mode *m* de construction.
Bauch *m* ventre *m*, abdomen *m*; **~fell** *n* péritoine *m*; **~höhle** *f* cavité *f* abdominale; ≈**ig** ventru; **~landung** *aviat f* crash *m*; **~muskeln** *m/pl* muscles *m/pl* abdominaux; **~redner** *m* ventriloque *m*; **~schmerzen** *m/pl*, **~weh** *n* mal *m* au ventre.
Baudenkmal *n* monument *m*.
bauen bâtir, construire; *nur tech* fabriquer, produire, faire; *fig auf j-n (etw) ~* compter sur qn (qc); F *gut gebaut sein* être bien bâti.
Bauer[1] *m* paysan *m*, fermier *m*; *Schach* pion *m*.
Bauer[2] *n od m Vogelkäfig* cage *f*.
Bäuer|in *f* paysanne *f*, fermière *f*; ≈**lich** paysan, rustique.
Bauern|fängerei *f* attrape-nigaud *m*; **~haus** *n*, **~hof** *m* ferme *f*; **~möbel** *n/pl* meubles *m/pl* rustiques.
bau|fällig délabré; ≈**firma** *f* entreprise *f* de construction; ≈**flucht** *f* alignement *m*; ≈**genehmigung** *f* permis *m* de construire; ≈**gerüst** *n* échafaudage *m*; ≈**gewerbe** *n* industrie *f* du bâtiment; ≈**herr** *m* propriétaire *m*; maître *m* d'œuvre; ≈**holz** *n* bois *m* de construction; ≈**ingenieur** *m* ingénieur *m* du bâtiment et des travaux publics; ≈**jahr** *n* année *f* de construction; ≈**kasten** *m* jeu *m* de construction; ≈**kunst** *f* architecture *f*; ≈**land** *n* terrain *m* à bâtir; **~lich** architectural, architectonique.
Baum *m* arbre *m*.
Bau|material *n* matériaux *m/pl* de construction; **~meister** *m* architecte *m*.
baumeln pendiller; *mit den Beinen ~* balancer les jambes.
Baum|schule *f* pépinière *f*; **~stamm** *m* tronc *m* d'arbre; **~stumpf** *m* souche *f*; **~wolle** *f* coton *m*; ≈**wollen** de *od* en coton.
Bau|plan *m* plan *m* de la construction; **~platz** *m* terrain *m* à bâtir.
Bausch *m* tampon *m*; *in ~ und Bogen* en bloc; ≈**ig** bouffant.
bauspar|en souscrire à l'épargne-logement; ≈**er** *m* souscripteur *m* à l'épargne-logement; ≈**kasse** *f* caisse *f* d'épargne-logement; ≈**vertrag** *m* contrat *m* d'épargne-logement.
Bau|stein *m* pierre *f* à bâtir; **~stelle** *f* chantier *m*; **~stil** *m* style *m* architectural; **~unternehmer** *m* entrepreneur *m* de bâtiment; **~vorschriften** *f/pl* réglement *m* sur les constructions; **~werk** *n* édifice *m*, bâtiment *m*.
Bauxit *m* bauxite *f*; ⚠ *la* bauxite.
Bauzaun *m* clôture *f* de chantier.
Bayer|(in *f*) *m* Bavarois *m*, -e *f*; **~n** *n* la Bavière.
Bazillus *m* bacille *m*.
beabsichtigen avoir l'intention *od* se proposer (*etw zu tun* de faire qc); *das war beabsichtigt* c'était intentionnel *od* voulu.
beacht|en faire attention à; *Vorschriften* observer; *Vorfahrt* respecter; **~lich** considérable, respectable, appréciable; ≈**ung** *f* prise *f* en considération; observation *f*; respect *m*; *starke ~ finden* susciter le plus vif intérêt.
Beamt|e(r) *m*, **~in** *f* fonctionnaire *m*, *f*.
beängstigend alarmant, inquiétant.
beanspruch|en *Recht* revendiquer; *Platz, Zeit* prendre; *j-n* occuper; *Nerven* fatiguer; *tech* soumettre à des efforts; ≈**ung** *f tech* soumission *f* à des efforts, usure *f*; *nervlich* stress *m*.
beanstand|en réclamer contre, faire des objections à, trouver à redire à; ≈**ung** *f* réclamation *f*.
beantragen demander (officiellement).

B

beantwort|en *Frage* répondre à; **2ung** *f* réponse *f* (à).
bearbeit|en travailler; *tech a* façonner, usiner; *Thema* traiter; *Akten* étudier; *für TV etc* adapter; *mus* arranger; **2ung** *f* travail *m*; *tech a* façonnage *m*; *für Theater, TV* adaptation *f*; arrangement *m*.
beaufsichtig|en surveiller; **2ung** *f* surveillance *f*.
beauftrag|en charger (*mit* de); **2te(r)** *m* délégué *m*.
bebauen *Gelände* bâtir; *agr* cultiver.
beben 1. trembler, frémir; **2.** 2 *n Erd2* tremblement *m* de terre.
Becher *m* gobelet *m*.
Becken *n* bassin *m* (*a des Körpers*); *mus* cymbale *f*.
bedacht ~ *auf* soucieux de; ~ *sein auf a* veiller à.
bedächtig *ruhig* posé; *besonnen* circonspect, réfléchi.
bedanken *sich bei j-m für etw* ~ remercier qn de *od* pour qc.
Bedarf *m* besoin(s) *m(pl)* (*an* de); *bei* ~ en cas de besoin; *nach* ~ suivant les besoins; **~shaltestelle** *f* arrêt *m* facultatif.
bedauer|lich regrettable; **~n** *j-n* ~ plaindre qn; *etw* ~ regretter *od* déplorer qc; **2n** *n* regret *m* (*über* de); **~nswert** déplorable; *Person* à plaindre.
bedeck|en couvrir (*mit* de); **~t** *Himmel* couvert.
bedenk|en considérer, penser à; **2en** *pl* doutes *m/pl*, scrupules *m/pl*; **~enlos** sans scrupules; **~lich** douteux, critique, dangereux.
bedeut|en signifier, vouloir dire; **~end** important, considérable; **~sam** significatif.
Bedeutung *f Sinn* signification *f*, sens *m*; *Wichtigkeit* importance *f*; **2slos** insignifiant, sans importance; **~sunterschied** *ling m* différence *f* de sens; **2svoll** d'une grande importance; (très) significatif; **~swandel** *ling m* changement *m* de sens.
bedienen (*sich* ~ se) servir; *Maschine* manier, commander.
Bedienung *f* service *m*; *Kellnerin* serveuse *f*; **~sanleitung** *f* mode *m* d'emploi.
beding|en *voraussetzen* impliquer, conditionner, nécessiter; *verursachen* causer, provoquer; **~t** conditionnel; *beschränkt* limité; *verursacht* causé (*durch* par); **2theit** *f* relativité *f*, caractère *m* limité.
Bedingung *f* condition *f*; *unter der* ~, *daß* ... à (la) condition que (+ *subj*); **2slos** sans condition(s), inconditionnel; **~ssatz** *gr m* proposition *f* conditionnelle.
bedrängen presser *od* harceler (*mit* de), talonner.
bedroh|en menacer (*mit* de); **~lich** menaçant; **2ung** *f* menace *f*.
bedrück|en oppresser, accabler; **~end** déprimant; **~t** déprimé.
Beduine *m* Bédouin *m*.
Bedürfnis *n* besoin *m* (*nach* de); **2anstalt** *f* W.-C. *m/pl* publics.
bedürftig nécessiteux, indigent; **2keit** *f* indigence *f*.
Beefsteak *n* bifteck *m*.
beeilen *sich* ~ se dépêcher, se hâter.
beein|drucken impressionner; **~flussen** influencer; **~trächtigen** faire du tort à, porter préjudice *od* atteinte à.
beend(ig)en finir, terminer.
beengt *sich* ~ *fühlen* se sentir mal à l'aise; ~ *wohnen* habiter à l'étroit.
beerben *j-n* ~ hériter de qn.
beerdig|en enterrer; **2ung** *f* enterrement *m*.
Beere *bot f* baie *f*; *Wein2* grain *m*.
Beet *n* planche *f*, carré *m*; *schmales* plate-bande *f*.
befähig|en qualifier (*für, zu* pour); **~t** qualifié; **2ung** *f* qualification *f*.
befahr|bar praticable; **~en** passer sur, emprunter; *Buslinie* exploiter; *adj stark* ~ très fréquenté.
befallen *Fieber* saisir; *Krankheit* frapper; *Ungeziefer* attaquer.
befangen *verlegen* gêné, embarrassé; *voreingenommen* partial; **2heit** *f* embarras *m*; manque *m* d'objectivité.
befassen *sich* ~ *mit* s'occuper de.
Befehl *m* ordre *m*; *Befehlsgewalt* commandement *m*; **2en** ordonner, commander (*j-m etw* qc à qn); **~shaber** *m* commandant *m*; **~sverweigerung** *f* refus *m* d'obéissance.
befestig|en fixer, attacher (*an* à); *Mauer etc* consolider; *mil* fortifier; **2ung** *f* fixation *f*, attache *f*; *mil* fortification *f*.
befeuchten humecter, mouiller.
befinden 1. *sich* ~ se trouver; **2.** 2 *n* état *m* de santé.
beflaggen pavoiser.

befolgen suivre; *Befehl* exécuter.
beförder|n transporter, expédier; *im Rang* promouvoir (*j-n zum Direktor* qn directeur); **ᛟung** *f* transport *m*; avancement *m*, promotion *f*.
befragen interroger, questionner; *um Rat fragen* consulter.
befrei|en libérer, délivrer (*aus, von* de); *freistellen* exempter, dispenser (*von* de); *sich* ~ se libérer; *sich retten* se dégager (*aus* de); **ᛟer(in** *f*) *m* libérateur *m*, -trice *f*; **ᛟung** *f* libération *f*, délivrance *f*; exemption *f*, dispense *f* (*von* de).
befreunden *sich mit etw* ~ se familiariser avec qc; *mit j-m befreundet sein* être ami avec qn, être lié avec qn.
befried|en pacifier; **~igen** contenter, satisfaire; *sich selbst* ~ se masturber; **~igend** satisfaisant; *Note* assez bien; **~igt** satisfait, content (*über* de); **ᛟigung** *f* satisfaction *f*, contentement *m*; **ᛟung** *f* pacification *f*.
befristet à durée limitée.
befrucht|en féconder; **ᛟung** *f* fécondation *f*; *künstliche* ~ insémination *f* artificielle.
Befug|nis *f* autorisation *f*, droit *m*, compétence *f*; **ᛟt** autorisé (*zu etw* à faire qc).
befühlen toucher, tâter.
Befund *m* constatation *f*; *méd* diagnostic *m*; *ohne* ~ résultat *m* négatif.
befürcht|en craindre, redouter (*daß* ... que ... ne + *subj*); **ᛟung** *f* crainte *f*, appréhension *f*.
befürwort|en préconiser, appuyer; **ᛟer(in** *f*) *m* partisan *m*, -e *f*.
begab|t doué (*für* pour); **ᛟung** *f* don *m*, talent(s *pl*) *m*.
begeben *sich* ~ se rendre; *sich zur Ruhe* ~ aller se coucher; *sich in Gefahr* ~ s'exposer au danger; **ᛟheit** *f* événement *m*.
begeg|nen *j-m* ~ rencontrer qn; **ᛟnung** *f* rencontre *f*.
begehen *Verbrechen, Irrtum* commettre; *Fehler* faire; *Fest* fêter, célébrer.
begehr|en désirer, convoiter; **~enswert** désirable; **~lich** avide (*nach* de); **ᛟlichkeit** *f* convoitise *f*; **~t** convoité, désiré, populaire.
begeister|n enthousiasmer; *sich* ~ s'enthousiasmer *od* se passionner (*für* pour); **~t** enthousiaste, passionné; enthousiasmé (*von* par); **ᛟung** *f* enthousiasme *m*.
Begier|de *f* avidité *f*, désir *m*; **ᛟig** avide (*auf, nach* de).
begießen arroser (*a fig*).
Beginn *m* commencement *m*, début *m*; *zu* ~ au début, au commencement; **ᛟen** commencer (*zu* à; *mit* par), débuter.
beglaubigen authentifier; *Abschrift* certifier conforme; *Unterschrift* légaliser.
begleichen *Rechnung* régler.
begleit|en accompagner (*a mus*); **ᛟer(in** *f*) *m* compagnon *m*, compagne *f*; *e-r Gruppe* accompagnateur *m*, -trice *f*; **ᛟung** *f* accompagnement *m* (*a mus*); *in* ~ *von* en compagnie de.
beglückwünschen féliciter (*zu* de *od* pour).
begnadig|en gracier; **ᛟung** *f* grâce *f*.
begnügen *sich mit etw* ~ se contenter de qc.
begraben enterrer.
Begräbnis *n* enterrement *m*.
begreif|en comprendre, saisir, concevoir; **~lich** compréhensible; *j-m etw* ~ *machen* faire comprendre qc à qn.
begrenz|en limiter, borner (*auf* à); **~t** limité; **ᛟung** *f* limitation *f*.
Begriff *m* notion *f*, concept *m*; *im* ~ *sein, etw zu tun* être sur le point de faire qc; **~sbestimmung** *f* définition *f*.
begründ|en *gründen* fonder; *Gründe angeben* justifier, motiver (*mit* par); **~et** fondé; **ᛟung** *f* justification *f*.
begrüß|en saluer, accueillir, souhaiter la bienvenue à; **ᛟung** *f* accueil *m*; salut *m*.
begünstigen favoriser, avantager, protéger.
begutachten donner son avis sur, expertiser; ~ *lassen* faire expertiser.
begütert fortuné.
behaart poilu; *Pflanze, Tier* velu.
behäbig qui aime ses aises, pépère F, peinard F.
behag|en *j-m* ~ plaire à qn, être au goût de qn; **ᛟen** *n* plaisir *m*, bien-être *m*; **~lich** douillet, confortable; *sich* ~ *fühlen* se sentir à son aise.
behalten garder, conserver; *im Gedächtnis* retenir.
Behälter *m* récipient *m*, réservoir *m*.
behand|eln traiter; *méd a* soigner; *schlecht* ~ maltraiter; **ᛟlung** *f* traitement *m*; *méd a* soins *m/pl*.
beharr|en persévérer, persister (*auf*

dans); **~lich** persévérant; *adv* avec persistance; **2lichkeit** *f* persévérance *f*.

behaupt|en affirmer, soutenir, prétendre; *sich ~* se maintenir; **2ung** *f* affirmation *f*, assertion *f*.

beheben *Schaden* réparer.

beheizen chauffer.

behelf|en *sich ~* se débrouiller (*mit* avec); **~smäßig** provisoire.

behelligen importuner.

behende agile, leste.

beherbergen loger, héberger.

beherrsch|en régner sur, gouverner; *fig* maîtriser, dominer; *sich ~* se maîtriser, se dominer; *e-e Sprache ~* posséder une langue; **~t** contrôlé; **2ung** *f* domination *f*; *die ~ verlieren* ne plus pouvoir se contrôler.

beherz|igen prendre à cœur; **~t** courageux.

behilflich *j-m ~ sein* aider qn (*bei etw* à faire qc).

behinder|n gêner; **2te(r)** *m, f* handicapé *m*, -e *f*.

Behörd|e *f* autorité *f*, administration *f*; **2lich** officiel.

behüten garder; *j-n vor etw ~* préserver qn de qc.

behutsam précautionneux, prudent.

bei *Nähe* près de; *bei e-r Person* auprès de, chez; *~ mir* chez moi; *~ sich haben* avoir sur soi; *beim Arzt* chez le médecin; *~ Racine* chez *od* dans Racine; *~ Tisch* à table; *~ Tag* le *od* de jour; *~ Nacht* la *od* de nuit; *~ der Ankunft* à l'arrivée; *~ Regen* en cas de pluie; *~ 100 Grad* à 100 degrés; *beim Reden* en parlant; *beim Schlafengehen* en allant se coucher; *j-n bei seinem Namen rufen* appeler qn par son nom.

bei|behalten conserver, maintenir; **~bringen** *Beweise etc* fournir, administrer; *Niederlage* infliger; *j-m etw ~ lehren* apprendre *od* enseigner qc à qn.

Beicht|e *f* confession *f*; **2en** se confesser; *seine Sünden* confesser; **~stuhl** *m* confessional *m*; **~vater** *m* confesseur *m*.

beide les deux; *alle ~* tous (les) deux; *einer von uns ~n* un de nous deux; *keiner von ~n* ni l'un ni l'autre.

beider|lei *~ Geschlechts* des deux sexes; **~seitig** des deux côtés; *gegenseitig* réciproque, mutuel.

beieinander ensemble.

Beifahrer *m Pkw* passager *m*; *Lkw* aide-conducteur *m*; **~sitz** *m* place *f* à côté du conducteur.

Beifall *m* applaudissements *m/pl*; *Zustimmung* approbation *f*; *~ klatschen od spenden* applaudir (*j-m* qn).

beifällig approbateur.

beifügen joindre.

beige beige.

Bei|geschmack *m* goût *m* particulier, arrière-goût *m*; **~hilfe** *f Sozial2* allocation *f*; *jur* complicité *f* (*zum Mord* de meurtre).

Beil *n* hache *f*, hachette *f*.

Beilage *f Zeitung* supplément *m*; *Essen* garniture *f*.

beiläufig en passant, incidemment.

beileg|en *e-m Brief* joindre (à); *Streit* régler; **2ung** *f* règlement *m*.

Beileid *n* condoléances *f/pl*; *j-m sein ~ aussprechen* présenter ses condoléances à qn.

beiliegend ci-joint, ci-inclus.

beim *cf bei*.

bei|messen *Bedeutung etc* attribuer, attacher (*e-r Sache* à qc); **~mischen** *e-r Sache etw ~* incorporer qc à qc.

Bein *n* jambe *f*; *Tier* patte *f*; *Tisch, Stuhl* pied *m*; *Knochen* os *m*.

beinah(e) presque, à peu près; *ich wäre ~ gefallen* j'ai failli *od* j'ai manqué tomber.

Beinbruch *m* fracture *f* de la jambe; *Sport Hals- und ~!* bonne chance!

beipflichten approuver (*j-m* qn).

beisammen ensemble; **2sein** *n gemütliches ~* réunion *f* amicale.

Beisein *n im ~ von* en présence de.

beiseite à part; *Spaß ~!* blague à part!; *~ lassen* laisser de côté; *~ legen* mettre de côté (*a Geld*).

beisetz|en enterrer; **2ung** *f* enterrement *m*, funérailles *f/pl*.

Beispiel *n* exemple *m*; *zum ~* (*abr z.B.*) par exemple (*abr* p. ex.); *sich ein ~ nehmen an* prendre exemple sur; **2haft** exemplaire; **2los** sans précédent; **2sweise** par exemple.

beiß|en mordre; *Rauch* piquer; *Farben sich ~* jurer; **~end** âcre; *fig Spott* mordant; **2zange** *f* pince *f*.

Bei|stand *m* assistance *f*, aide *f*; **2stehen** *j-m ~* assister *od* aider qn.

beisteuern contribuer (*zu* à).

Beitrag *m* contribution *f*; *Mitglieds2* cotisation *f*; **2en** contribuer (*zu* à).

bei|treten *e-r Partei etc ~* adhérer à *od*

entrer dans un parti *etc*; **˷tritt** *m* adhésion *f* (*zu* à).
Beiwagen *m Motorrad* side-car *m*.
beiwohnen assister (à).
Beize *f Holzfarbe* teinture *f*; *Farbentferner* décapant *m*; *Küche* marinade *f*.
beizeiten à temps.
bejahen répondre par l'affirmative (à); *gutheißen* approuver; **˷d** affirmatif.
bejahrt agé.
bekämpf|en combattre; lutter contre; **˷ung** *f* lutte *f*; *die ˷ des Terrorismus* la lutte contre le terrorisme.
bekannt connu (*für* pour); *mit j-m ˷ sein* connaître qn; *j-n mit j-m ˷ machen* présenter qn à qn; *sich mit etw ˷ machen* se familiariser avec qc; *es kommt mir ˷ vor* ça me rappelle qc; *mir ist ˷, daß* ... je sais que ...; *˷ werden Autor etc* se faire connaître.
Bekannte(r) *m*, *f* (quelqu'un de ma) connaissance *f*.
bekannt|geben annoncer, faire connaître, publier; **˷lich** comme on sait; **˷machen** publier, rendre public; **˷machung** *f* publication *f*; avis *m*; **˷schaft** *f* connaissance *f*.
bekehr|en convertir (*zu* à); **˷ung** *f* conversion *f*.
bekenn|en confesser, avouer; *sich zu etw ˷* professer qc; *sich zu j-m ˷* prendre parti pour qn; *sich schuldig ˷* se reconnaître coupable; **˷tnis** *n* confession *f* (*a rel*).
beklagen déplorer; *sich ˷* se plaindre (*über* de); **˷swert** à plaindre; déplorable.
bekleckern F tacher; *sich ˷* se salir.
bekleid|en (re)vêtir (*mit* de); *ein Amt ˷* occuper une fonction; **˷ung** *f* vêtements *m*/*pl*.
Beklemmung *f* oppression *f*, serrement *m* de cœur.
beklommen angoissé; **˷heit** *f* angoisse *f*.
bekloppt F cinglé, timbré, toqué.
bekommen recevoir; *oft* avoir; *erlangen* obtenir; *Krankheit* attraper; *Ärger* avoir; *sie bekommt ein Kind* elle va avoir un bébé; *Hunger ˷* commencer à avoir faim; *Sie ˷ noch 5 Franc* je vous dois encore cinq francs; *j-m (gut) ˷* réussir à qn; *Essen das bekommt mir nicht* je ne supporte pas.
bekömmlich digeste, sain.
bekräftig|en confirmer; **˷ung** *f* confirmation *f*.
bekümmert attristé, affligé.
be|kunden manifester; **˷lächeln** sourire de; **˷laden** charger (*mit* de).
Belag *m* enduit *m* (*a méd*), couche *f*, revêtement *m*; *Zahn* tartre *m*; *Brot, Kupplung* garniture *f*.
Belager|er *mil m* assiégeant *m*; **˷n** assiéger; **˷ung** *f* siège *m*; **˷ungszustand** *m* état *m* de siège.
Belang *m von ˷* d'importance; *˷e pl* intérêts *m*/*pl*; **˷en** *jur* (*gerichtlich*) *˷* poursuivre (en justice); **˷los** sans importance, futile, insignifiant.
belast|bar solide; *Mensch* endurant; **˷barkeit** *f* résistance *f*; **˷en** charger (*mit* de; *a jur*); *Konto* débiter; *Körper* surmener; *seelisch j-n ˷* peser sur qn, accabler qn.
belästigen incommoder, importuner.
Belastung *f* charge *f*; *fig* poids *m*; *seelische* stress *m*; *Konto* débit *m*; *erbliche ˷* tare *f* héréditaire; **˷szeuge** *m* témoin *m* à charge.
belaufen *sich ˷ auf* se monter *od* s'élever *od* se chiffrer à.
belauschen épier.
beleb|en (*sich ˷* s')animer; **˷t** *Straße* animé; *Szene* mouvementé.
Beleg *m* pièce *f* justificative, document *m*; **˷en** *Platz* marquer; *reservieren* retenir; *Kurs* s'inscrire à; *beweisen* prouver, justifier de; *Brot* garnir; *den ersten Platz ˷* occuper la première place; **˷schaft** *f* personnel *m*.
belegt *Zunge* chargé; *Stimme* voilé; *Hotel* complet; *Zimmer*, *tél* occupé; *˷es Brot* sandwich *m*.
belehr|en instruire (*über* sur); *j-n e-s Besseren ˷* ouvrir les yeux à qn, détromper qn; **˷ung** *f* instruction *f*.
beleibt corpulent.
beleidig|en *kränken* vexer, offenser; *beschimpfen* insulter, injurier; **˷end** vexant, blessant, outrageant; **˷t** *˷ sein* être vexé; **˷ung** *f* offense *f*; injure *f* (*a jur*), insulte *f*.
belesen *˷ sein* avoir des lettres, être instruit.
beleucht|en éclairer; *festlich* illuminer; **˷ung** *f* éclairage *m*; illumination *f*.
Belgi|en *n* la Belgique; **˷er(in** *f*) *m* Belge *m*, *f*; **˷sch** belge.

B

belicht|en *Foto* exposer; **2ung** *f* pose *m*, exposition *m*; **2ungsmesser** *m* posemètre *m*.
Belieben *n nach* ~ à volonté, à votre gré, comme il (vous) plaira.
beliebig quelconque, n'importe (le)quel; *jeder* ~*e* n'importe qui; *in* ~*er Reihenfolge* dans n'importe quel ordre.
beliebt aimé (*bei* par), populaire; *sich bei j-m* ~ *machen* se faire bien voir par qn; **2heit** *f* popularité *f*.
beliefer|n fournir *od* approvisionner (*mit* en); **2ung** *f* approvisionnement *m*.
bellen aboyer.
belohn|en récompenser (*für* de *od* pour); **2ung** *f* récompense *f*.
belügen *j-n* ~ mentir à qn; *ich habe ihn (sie) belogen* je lui ai menti.
belustig|en (*sich* ~ s')amuser, (se) divertir; **2ung** *f* amusement *m*, divertissement *m*.
be|mächtigen *sich j-s (e-r Sache)* ~ s'emparer de qn (de qc); **~malen** peindre; **~mängeln** critiquer.
bemannt *Raumfahrzeug* habité.
bemerk|bar *sich* ~ *machen* se faire remarquer; *Sache* se faire sentir; **~en** remarquer (*a äußern*), apercevoir, s'apercevoir de; **~enswert** remarquable; **2ung** *f* remarque *f*, observation *f*, réflexion *f*.
bemitleiden *j-n* ~ avoir pitié de qn, plaindre qn; **~swert** pitoyable, digne de pitié.
bemüh|en *sich* ~ s'efforcer (*zu* de), se donner du mal *od* de la peine; *sich um j-n* ~ prendre soin de qn; *sich um etw* ~ faire des efforts pour obtenir qc; ~ *Sie sich nicht!* ne vous dérangez pas!; **2ung** *f* effort *m*, peine *f*; *ärztliche* ~*en* soins *m/pl* médicaux.
benachbart voisin.
benachrichtig|en *j-n von etw* ~ informer *od* avertir qn de qc; **2ung** *f* information *f*, avertissement *m*.
benachteilig|en *j-n* ~ désavantager *od* défavoriser *od* léser qn, porter préjudice à qn; **~t** *sich* ~ *fühlen* se sentir lésé *od* frustré; **2ung** *f* préjudice *m*; *soziale* ~ discrimination *f* sociale.
benehmen 1. *sich* ~ se conduire, se comporter; **2.** 2 *n* conduite *f*, comportement *m*.
beneiden *j-n um etw* ~ envier qc à qn; **~swert** enviable.
Bengel *m* gamin *m*, gosse F *m*; *péj* garnement *m*.
benommen engourdi, hébété, abasourdi.
benoten *Schule* noter.
benötigen *etw* ~ avoir besoin de qc, nécessiter qc.
benutz|en, benütz|en utiliser, employer, se servir de; *Weg* emprunter; *Verkehrsmittel* prendre; *die Gelegenheit* ~ profiter de l'occasion; **2er** *m* utilisateur *m*; *Verkehrsmittel* usager *m*; *Wörterbuch* lecteur *m*; **2ung** *f* utilisation *f*, emploi *m*, usage *m*.
Benzin *n* essence *f*; *Auto kein* ~ *mehr haben* tomber en panne sèche; **~kanister** *m* bidon *m* d'essence, jerrycan *m*; **~motor** *m* moteur *m* à essence; **~uhr** *f* jauge *f* d'essence; **~verbrauch** *m* consommation *f* d'essence.
beobacht|en observer; **2er(in** *f*) *m* observateur *m*, -trice *f*; **2ung** *f* observation *f*; *méd* surveillance *f*.
bepflanzen *etw* ~ planter qc (*mit etw* en qc).
bequem commode, confortable; *Weg* facile; *Person* qui aime ses aises; *es sich* ~ *machen* se mettre à son aise; **~en** *sich zu etw* ~ daigner faire qc; **2lichkeit** *f* commodité *f*, confort *m*; *Trägheit* paresse *f*; *alle* ~*en* tout le confort.
berat|en *j-n* ~ conseiller qn; (*sich über*) *etw* ~ délibérer sur qc; *gut (schlecht)* ~ *sein* être bien (mal) avisé; **2er** *m* conseiller *m*; **2ung** *f* délibération *f*; *durch j-n* consultation *f*.
berauschend enivrant; F *nicht gerade* ~ pas formidable.
berech|enbar calculable, prévisible; **~nen** calculer; *j-m etw* ~ compter qc à qn; **~nend** *péj* calculateur; **2nung** *f* calcul *m* (*a fig*).
berechtig|en autoriser (*zu* à), donner le droit (*j-n zu* à qn de); **~t** autorisé (*zu* à); *begründet* justifié; **2ung** *f* autorisation *f*, droit *m*; bien-fondé *m*.
Bered|samkeit *f* éloquence *f*; **2t** éloquent.
Bereich *m* domaine *m*, sphère *f*.
bereicher|n (*sich* ~ s')enrichir; **2ung** *f* enrichissement *m*.
Bereifung *f* pneus *m/pl*.
bereinigen *Sache* régler.
bereisen *Land* parcourir; *als Vertreter* sillonner.

bereit prêt (*zu* à); *sich ~ erklären* se déclarer prêt; **~en** *Sorge etc* causer; *Überraschung* ménager; *Essen* préparer; **~halten** tenir prêt.

bereits déjà.

Bereitschaft *f* disposition *f* (*zu* à); **~sdienst** *m* permanence *f*; *méd* service *m* de garde.

bereitstellen préparer; mettre à la disposition (*für j-n* de qn).

bereitwillig empressé; *adv* volontiers; **2keit** *f* empressement *m*, bon vouloir *m*.

Berg *m* montagne *f*; *fig die Haare stehen einem zu ~e* cela (vous) fait dresser les cheveux sur la tête; **2ab** en descendant; *fig es geht mit ihm ~* sa santé décline; **~arbeiter** *m* mineur *m*; **2auf** en montant; *es geht wieder ~ comm* les affaires reprennent; *méd* ça va mieux; **~bahn** *f* chemin de fer *m* de montagne; **~bau** *m* industrie *f* minière; **~besteigung** *f* ascension *f*; **~bewohner(in** *f*) *m* montagnard *m*, -e *f*.

bergen sauver; *aus dem Wasser* repêcher; *Tote* dégager; *Sachen* récupérer.

Berg|führer *m* guide *m* de (haute) montagne; **~gipfel** *m* sommet *m*; **~hütte** *f* refuge *m*.

bergig montagneux.

Berg|kette *f* chaîne *f* de montagnes; **~mann** *m* mineur *m*; **~predigt** *rel f* Sermon *m* sur la montagne; **~spitze** *f* sommet *m*, pic *m*; **~sport** *m* alpinisme *m*; **~steiger(in** *f*) *m* alpiniste *m,f*; **~-und-Tal-Bahn** *f* montagnes *f/pl* russes.

Bergung *f von Menschen* sauvetage *m*; *von Sachen* récupération *f*; *von Toten* dégagement *m*.

Bericht *m* rapport *m*, compte rendu *m*; *erzählend* récit *m*; *Presse* reportage *m*; **2en** *j-m etw od über etw ~* rapporter qc à qn; *von od über etw ~* relater qc, faire le récit de qc; **~erstatter** *m* reporter *m*, correspondant *m*.

berichtig|en rectifier, corriger; **2ung** *f* rectification *f*, correction *f*.

Berliner *m* Berlinois *m*; *cuis* beignet *m*.

Bernstein *m* ambre *m* (jaune).

bersten crever, éclater (*fig vor* de).

berüchtigt *Ort* mal famé; *Verbrecher* notoire.

berücksichtig|en prendre en considération, tenir compte de; **2ung** *f* prise *f* en considération.

Beruf *m* profession *f*, métier *m*; *von ~* de son métier.

berufen *j-n zu etw ~* appeler *od* nommer qn au poste de ...; *sich ~ auf* se réclamer de; *adj sich zu etw ~ fühlen* se sentir appelé à qc.

beruflich professionnel; *adv* par sa profession.

Berufs|ausbildung *f* formation *f* professionnelle; **~beratung** *f* orientation *f* professionnelle; **2bildend** *~e Schule* école *f* professionnelle; **~kleidung** *f* vêtements *m/pl* professionnels; **~krankheit** *f* maladie *f* professionnelle; **~möglichkeiten** *f/pl* débouchés *m/pl*; **~schule** *f* école *f* professionnelle; **~soldat** *m* militaire *m* de carrière; **~sportler** *m* professionnel *m*; **2tätig** qui exerce une activité professionnelle; *die 2en* les travailleurs *m/pl*; **~verkehr** *m* heures *f/pl* de pointe *od* d'affluence.

Berufung *f Ernennung* nomination *f*; *innere* vocation *f*; *jur* appel *m*; *~ einlegen* faire appel; **~sgericht** *n* cour *f* d'appel.

beruhen *~ auf* reposer sur, être basé sur; *die Sache auf sich ~ lassen* laisser l'affaire où elle en est.

beruhig|en (*sich ~* se) calmer, (s')apaiser, (se) rassurer, (se) tranquilliser; **~end** rassurant; **~t** *~ sein* être rassuré *od* tranquille; **2ung** *f* apaisement *m*; **2ungsmittel** *n* calmant *m*, tranquillisant *m*, sédatif *m*.

berühmt célèbre, renommé, fameux; **2heit** *f* célébrité *f* (*a Person*).

berühr|en toucher (*a fig*); *erwähnen* mentionner; **2ung** *f* contact *m*; *in ~ kommen* entrer en contact (*mit* avec).

besagen vouloir dire, signifier.

besänftigen apaiser, calmer; **~d** apaisant.

Besatzung *f aviat, mar* équipage *m*; **~smacht** *f* puissance *f* occupante; **~struppen** *f/pl* troupes *f/pl* d'occupation; **~szone** *f* zone *f* d'occupation.

beschädig|en endommager, abîmer; **2ung** *f* endommagement *m*, dégradation *f*, détérioration *f*.

beschaffen procurer, fournir; **2heit** *f* qualité *f*, nature *f*, état *m*.

beschäftig|en occuper; *Arbeitskräfte* employer; *Gedanke j-n ~* préoccuper qn; *sich ~ mit* s'occuper de; **~t** occupé (*mit etw* à faire qc); **&ung** *f* occupation *f*; *berufliche* emploi *m*.

beschäm|end *schändlich* honteux; *demütigend* humiliant; **~t** honteux, confus; **&ung** *f* honte *f*.

beschatten *Personen* surveiller, F filer; *Sport* marquer.

beschaulich contemplatif, paisible.

Bescheid *m* réponse *f*; *j-m ~ geben od sagen* informer *od* aviser qn; *~ wissen* être au courant (*über* de); *abschlägiger ~* refus *m*.

bescheiden modeste; **&heit** *f* modestie *f*.

bescheinig|en certifier, attester; *hiermit wird bescheinigt, daß* ... par la présente, il est certifié que ...; **&ung** *f* certificat *m*, attestation *f*.

bescheißen P *j-n ~* F rouler qn; *beschissen werden* se faire rouler.

beschenken *j-n ~* faire un cadeau à qn; *j-n mit etw ~* faire cadeau *od* présent de qc à qn.

Bescherung *f* distribution *f* des cadeaux *m/pl*; *fig* F *da haben wir die ~!* nous voilà dans de beaux draps!

beschießen bombarder, tirer sur.

beschimpf|en insulter, injurier; **&ung** *f* insulte *f*, injure *f*.

beschirmen protéger.

Beschiß F tromperie *f*; *das ist ~!* c'est du vol!

beschissen P emmerdant.

Beschlag *m* ferrure *f*; *in ~ nehmen* accaparer; **&en** *Pferd* ferrer; *Glas* (*sich*) *~* se couvrir de buée; *in etw ~ sein* être fort en qc, être versé dans qc, être ferré sur qc; **~nahme** *f* saisie *f*, confiscation *f*, réquisition *f*; **&nahmen** saisir, confisquer, réquisitionner.

beschleunig|en accélérer; **&ung** *f* accélération *f*.

beschließen décider, résoudre (*zu* de); *beenden* terminer.

Beschluß *m* résolution *f*, décision *f*; *e-n ~ fassen* prendre une résolution; **&fähig** qui atteint le quorum.

be|schmieren barbouiller (*mit* de); **~schmutzen** (*sich ~* se) salir *od* souiller.

beschneid|en rogner (*a fig*); *rel* circoncire; **&ung** *rel f* circoncision *f*.

beschönig|en embellir, enjoliver; **&ung** *f* embellissement *m*; euphémisme *m*.

beschränken limiter (*auf* à), borner, restreindre; *sich ~ auf* se borner *od* se limiter à.

beschrankt *Bahnübergang* gardé.

beschränk|t limité; *geistig* borné, étroit; **&theit** *f* étroitesse *f* (d'esprit); **&ung** *f* limitation *f*, restriction *f*.

beschreib|en décrire; *Papier* écrire sur; **&ung** *f* description *f*.

beschuldig|en accuser, *jur* inculper (*j-n e-r Sache* qn de qc); **&ung** *f* accusation *f*.

beschütz|en protéger (*vor* de *od* contre); **&er(in** *f*) *m* protecteur *m*, -trice *f*.

Beschwerde *f* réclamation *f*, plainte *f*; *~n pl méd* douleur *f*, troubles *m/pl*.

beschwer|en charger; *sich ~* se plaindre (*über* de; *bei j-m* à qn); **~lich** fatigant, pénible.

be|schwichtigen apaiser, calmer; **~schwindeln** tromper, duper.

beschwipst F gris, éméché.

beschwören affirmer par serment, jurer; *anflehen* conjurer; *Geister* évoquer; *bannen* conjurer.

beseitig|en supprimer, faire disparaître, enlever, écarter, éloigner; *umbringen* liquider, éliminer; **&ung** *f* suppression *f*, enlèvement *m*, élimination *f*.

Besen *m* balai *m*; **~stiel** *m* manche *m* à balai.

besessen obsédé (*von* par), maniaque; *vom Teufel* possédé; *wie ~* comme fou.

besetz|en occuper; *Kleid* garnir (*mit* de); **~t** occupé (*a tél*); *Bus, Zug* complet; *~es Gebiet* territoire occupé; **&ung** *f mil* occupation *f*; *Theater, Film* distribution *f*.

besichtig|en visiter, aller voir; **&ung** *f* visite *f*.

besiedel|n coloniser; *bevölkern* peupler; **~t** *dicht* (*dünn*) *~ sein* avoir une population dense (clairsemée).

besiegen vaincre.

besinn|en *sich ~* réfléchir; *sich auf etw ~* se rappeler qc; *sich anders ~* se raviser; **&ung** *f* connaissance *f*; *die ~ verlieren* perdre connaissance; *fig zur ~ kommen* revenir à la raison; **~ungslos** sans connaissance, évanoui.

Besitz *m* possession *f*; *Eigentum* propriété *f*; *~ ergreifen von, in ~ nehmen* prendre possession de; **&en** posséder, avoir; **~er(in** *f*) *m* possesseur *m*; *Inhaber* détenteur *m*, -trice *f*;

Eigentümer propriétaire *m, f*; *den ~ wechseln* changer de propriétaire.
Besoldung *f* traitement *m*, appointements *m/pl*.
besonder|e spécial, particulier, exceptionnel; **2heit** *f* particularité *f*; **~s** spécialement, particulièrement, en particulier, surtout.
besonnen réfléchi, pondéré, circonspect; **2heit** *f* réflexion *f*, circonspection *f*.
besorg|en *beschaffen* procurer; *sich kümmern* s'occuper de; **2nis** *f* crainte *f*, inquiétude *f*; **~niserregend** inquiétant; **~t** inquiet; **2ung** *f ~en machen* faire des courses *od* des commissions *od* des emplettes.
bespielen *Tonband etc* enregistrer.
besprech|en *etw ~* discuter qc; *sich mit j-m ~* conférer avec qn (*über etw* de qc); *ein Buch ~* faire la critique d'un livre; **2ung** *f* discussion *f*, conférence *f*; *Zeitungskritik* compte rendu *m*, critique *f*.
besser meilleur; *adv* mieux; *es geht ihm ~* il va mieux; *~ gesagt* ou mieux; *~ werden* s'améliorer; *es ist ~* il vaut mieux *od* mieux vaut (*zu schweigen als* ... se taire que de ...); *immer ~* de mieux en mieux; *um so ~* tant mieux.
besser|n *sich ~* s'améliorer; *Wetter a* se remettre au beau; *Person* s'amender; **2ung** *f* amélioration *f*; *méd* rétablissement *m*.
Bestand *m* (*Fort*)*Bestehen* existence *f*, durée *f*, continuité *f*; *Tier2* population *f*; *Personal* effectif *m*; *Vorrat* stock *m*; *Kasse* encaisse *f*; *~ haben* durer, persister.
beständig constant; durable, persistant; continuel, perpétuel; stable (*a Wetter*); **2keit** *f* constance *f*; durée *f*; stabilité *f*.
Bestand|saufnahme *f* inventaire *m*; **~teil** *m* partie *f* intégrante, composante *f*, élément *m*.
bestärken *j-n in etw ~* renforcer qn dans qc.
bestätig|en confirmer; *Brief* accuser réception de; *sich ~* se confirmer, se vérifier; **2ung** *f* confirmation *f*.
bestatt|en inhumer; **2ung** *f* inhumation *f*; **2ungsinstitut** *n* pompes *f/pl* funèbres.
beste meilleur; *am ~n* le mieux; *sein ~r Freund* son meilleur ami; *der erste ~* le premier venu; *er ist der 2 in seiner Klasse* il est le meilleur *od* à la tête de sa classe; *das 2* le meilleur; *sein 2s tun* faire de son mieux; *es ist das ~ od am ~n, zu* ... le mieux est de ...; *j-n zum ~n haben* se moquer de qn; *aufs ~* pour le mieux, au mieux.
bestech|en corrompre, acheter; *fig* séduire; **~lich** corruptible; **2ung** *f* corruption *f*; **2ungsgelder** *n/pl* pot-de-vin *m*.
Besteck *n* couvert *m*.
bestehen 1. *Prüfung* réussir; *Kampf* soutenir (avec succès); *existieren* exister; *auf etw ~* insister sur qc; *darauf ~ zu* ... insister pour ...; *~ aus* se composer de; *darin ~ zu* ... consister à ...; **2.** *2 n* existence *f*.
bestehlen voler (*j-n* qn).
besteig|en monter sur; *Berg a* faire l'ascension de, escalader; *Fahrrad a* enfourcher; **2ung** *f* ascension *f*.
bestell|en *Waren* commander; *Zimmer* retenir, faire réserver; *Grüße* transmettre; *Feld* cultiver; *j-n ~* faire venir qn; **2ung** *f* commande *f*; *comm* ordre *m*.
besten|falls (en mettant les choses) au mieux; **~s** pour le mieux.
Bestie *f* bête *f* féroce.
bestimmen *festlegen* déterminer, fixer; *anordnen* arrêter, décider; *~ über* décider *od* disposer de; *für od zu etw ~* destiner à qc; *j-n ~* désigner qn (*für od zu* pour); *j-n ~, etw zu tun* décider qn à faire qc; *zu ~ haben* commander, décider.
bestimmt *feststehend* déterminé; *entschieden* décidé, résolu, ferme; *adv sicher* certainement, sûrement; *in ~en Fällen* dans certains cas; *gr ~er Artikel* article défini; **2heit** *f Entschlossenheit* détermination *f*, fermeté *f*; *Gewißheit* certitude *f*.
Bestimmung *f Vorschrift* disposition *f*, règlement *m*; *Festlegung* détermination *f*, définition *f*; *Zweck2* destination *f*; *Schicksal* destinée *f*; **~sort** *m* destination *f*.
Best|leistung *f* record *m*; **2möglich** *der ~e* ... le meilleur ... possible.
bestraf|en punir; **2ung** *f* punition *f*.
bestrahl|en irradier (*a méd*); **2ung** *f* irradiation *f*; *méd a* séance *f* de rayons.
Bestreb|en *n*, **~ung** *f* effort *m*; *Trend* tendance *f*; *es wird mein ~ sein zu* ... je m'efforcerai de ...

bestreichen enduire (*mit* de); *Brot* tartiner; *mit Butter* ~ beurrer.
be|streiten contester; *Kosten* subvenir à; **~streuen** *mit etw* ~ répandre qc sur; *cuis* saupoudrer de qc; **~stürmen** *j-n mit Fragen* ~ assaillir, presser qn de questions.
bestürz|t consterné (*über* de), interdit; **2ung** *f* consternation *f*.
Besuch *m* visite *f*; *Schule* fréquentation *f*; ~ *haben* avoir de la visite; *bei j-m zu* ~ *sein* être en visite chez qn; **2en** *hingehen* aller voir; *herkommen* venir voir; *förmlich* rendre visite à; *Schule* fréquenter; *Kurs* suivre; *Museum, Stadt* visiter; **~er(in** *f*) *m* visiteur *m*, -euse *f*; **~szeit** *f* heures *f*/*pl* de visite.
besucht *gut* ~ couru, fréquenté; *schlecht* ~ peu fréquenté.
betagt âgé, d'un grand âge.
betätig|en *Hebel* actionner; *sich* ~ s'occuper; *sich bei etw* ~ prendre part à qc; *sich politisch* ~ avoir une activité politique; **2ung** *f* activité *f*; *tech* actionnement *m*.
betäub|en étourdir; *durch Lärm* abasourdir, assourdir; *méd* anesthésier; **2ung** *f* étourdissement *m*; *méd* anesthésie *f*; **2ungsmittel** *méd n* anesthésique *m*, narcotique *m*.
Bete *bot f rote* ~ betterave *f* rouge.
beteilig|en *j-n* ~ faire participer qn (*an* à); *sich* ~ *an od bei* participer *od* prendre part à; **~t** concerné, intéressé; ~ *sein an Unfall, Verbrechen* être concerné par; *Unternehmen* être intéressé dans; **2ung** *f* participation *f*.
beten prier; *zu Gott* ~ prier Dieu.
beteuer|n *Unschuld etc* protester de; **2ung** *f* protestation *f*.
Beton *m* béton *m*.
beton|en accentuer (*a fig*); **2ung** *f* accentuation *f*.
betonieren bétonner.
betören envoûter, ensorceler.
Betracht *m in* ~ *ziehen* prendre en considération *f*; (*nicht*) *in* ~ *kommen* (ne pas) entrer en ligne de compte; **2en** regarder, contempler; ~ *als* considérer comme; **~ung** *f* contemplation *f*; *Erwägung* considération *f*; *bei näherer* ~ en y regardant de plus près.
beträchtlich considérable.
Betrag *m* montant *m*, somme *f*.
betragen 1. *Summe* s'élever à, se monter à; *Geschwindigkeit* être de l'ordre de; *sich* ~ se conduire, se comporter; **2.** **2** *n* conduite *f*, comportement *m*.
betreffen concerner; *was ... betrifft* en ce qui concerne ...; *was mich betrifft* quant à moi; *Briefkopf betrifft* (*abr betr.*) objet; **~d** concerné, en question.
betreiben *Gewerbe* exercer; *Studien* faire, poursuivre; *Sport* pratiquer.
betreten 1. mettre le pied sur *od* dans; *Raum* entrer dans; *Rasen* marcher sur; **2.** *adj* embarrassé, confus.
betreu|en s'occuper de, prendre *od* avoir soin de; **2er** *m Sport* soigneur *m*; *Reisegruppe* accompagnateur *m*; *Ferienlager* moniteur *m*.
Betrieb *m Unternehmen* entreprise *f*; *agr* exploitation *f*; *e-r Maschine* marche *f*, fonctionnement *m*; *Treiben* animation *f*, activité *f*; *in* ~ *sein* être en marche *od* en service; *in* ~ *setzen* mettre en marche; *außer* ~ hors service; *im Geschäft war viel* ~ il régnait une grande activité dans le magasin; **2sam** actif.
Betriebs|anleitung *f* mode *m* d'emploi; **~ferien** *pl* congés *m*/*pl* annuels; **~fest** *n* fête *f* d'entreprise; **~klima** *n* ambiance *f* de l'entreprise; **~kosten** *pl* frais *m*/*pl* d'exploitation; **~leiter** *m* chef *m* d'entreprise; **~leitung** *f* direction *f*, management *m*; **~rat** *m* comité *m* d'entreprise; **~ratsmitglied** *n* délégué *m* du personnel; **~störung** *f* panne *f od* incident *m* technique; **~wirtschaft** *f* gestion *f* des entreprises.
betrinken *sich* ~ s'enivrer, se soûler.
betroffen bouleversé, consterné; *sich* ~ *fühlen* se sentir concerné.
betrübt triste, affligé.
Betrug *m* escroquerie *f*, fraude *f*.
betrüg|en tromper, duper (*j-n* qn), tricher, frauder; **2er(in** *f*) *m* escroc *m*, fraudeur *m*, -euse *f*; **~erisch** frauduleux; *Person* malhonnête.
betrunken ivre, soûl.
Bett *n* lit *m*; *das* ~ *hüten* garder le lit; *zu* ~ *gehen* (aller) se coucher; **~decke** *f* couverture *f* de lit; *Tagesdecke* dessus *m* de lit.
betteln mendier (*um etw* qc).
bett|lägerig alité; **2laken** *n* drap *m* (de lit).
Bettler(in *f*) *m* mendiant *m*, -e *f*.
Bett|ruhe *f* ~ *verordnen* prescrire un repos complet; **~vorleger** *m* descen-

te *f* de lit; **~wäsche** *f*, **~zeug** *n* draps *m/pl*, literie *f*.
betucht F riche.
beug|en plier, fléchir, courber; *gr* décliner; *Verb* conjuguer; *das Recht ~* faire une entorse au droit; *sich ~* se pencher; *fig* se soumettre (à).
Beule *f* bosse *f*.
beunruhig|en (*sich ~* s')inquiéter; **2ung** *f* inquiétude *f*.
beurlauben donner un congé à; *Beamten* suspendre de ses fonctions, mettre en disponibilité.
beurteil|en juger de, apprécier; **2ung** *f* jugement *m*, appréciation *f*.
Beute *f* butin *m*; *e-s Tieres* proie *f*.
Beutel *m* sac *m*; *Geld2* bourse *f*; *Känguruh* poche *f*; **~chen** *n* sachet *m*.
bevölker|n (*sich ~* se) peupler (*mit* de); **~t** *dicht* (*schwach*) *~* à population dense (faible); **2ung** *f* population *f*; **2ungsexplosion** *f* poussée *f* démographique.
bevollmächtig|en autoriser, donner mandat *od* procuration à; **2te(r)** *m* mandataire *m*.
bevor avant que (+ *subj*); avant de (+ *inf*); **~munden** tenir en tutelle; **~stehen** être proche; *unmittelbar ~* être imminent.
bevorzug|en préférer, favoriser; **~t** préféré, favori; *j-n ~ behandeln* accorder un traitement de faveur à qn; **2ung** *f* préférence *f* (pour).
bewach|en garder, surveiller; **2ung** *f* garde *f*, surveillance *f*.
bewaffn|en (*sich ~* s')armer (*mit* de); **2ung** *f* armement *m*.
bewahren garder; *j-n ~ vor* préserver qn de.
bewähren *sich ~* faire ses preuves.
bewahrheiten *sich ~* se confirmer, se vérifier.
bewähr|t éprouvé; **2ung** *f jur mit ~* avec sursis.
bewaldet boisé.
bewältigen *Arbeit* venir à bout de; *Enttäuschung* surmonter; *Strecke* parcourir; *Vergangenheit* assumer.
bewandert *~ sein in* être fort *od* F calé en *od* versé dans.
bewässer|n irriguer; **2ung** *f* irrigation *f*.
beweg|en remuer, bouger; *j-n ~ rühren* émouvoir, toucher qn; *j-n zu etw ~* engager *od* déterminer qn à qc; *sich ~* bouger, remuer; **2grund** *m* mobile *m*, motif *m*; **~lich** mobile; *geistig* vif; **2lichkeit** *f* mobilité *f*.
beweg|t *Leben* mouvementé, agité (*a Meer*); *gerührt* ému; **2ung** *f* mouvement *m*; *körperliche* exercice *m*; *Rührung* émotion *f*; *in ~ setzen* mettre en mouvement *od* en marche; **~ungslos** immobile.
Beweis *m* preuve *f*; *wissenschaftlicher* démonstration *f*; **2en** prouver; *Lehrsatz* démontrer; *Eifer etc* faire preuve de; **~führung** *f* argumentation *f*, démonstration *f*; **~stück** *jur n* pièce *f* à conviction.
bewenden *es bei etw ~ lassen* s'en tenir à qc.
bewerb|en *sich ~ um* poser sa candidature à; *sich um e-e Stelle ~ a* solliciter, postuler un emploi; **2er(in** *f*) *m* candidat *m*, -e *f* (*um* à); postulant *m*, -e *f*; **2ung** *f* candidature *f*; **2ungsschreiben** *n* lettre *f* de candidature.
bewert|en évaluer; *e-e Klassenarbeit ~* noter une composition; **2ung** *f* évaluation *f*; *Schule*, *Sport* note *f*, points *m/pl*.
bewilligen accorder, octroyer; *Rechte* concéder.
bewirken produire, provoquer, amener.
bewirt|en régaler; **~schaften** exploiter, administrer; **2ung** *f* hospitalité *f*, accueil *m*, service *m*.
bewohn|bar habitable; **~en** habiter; **2er(in** *f*) *m* habitant *m*, -e *f*; *Haus*, *Wohnung* occupant *m*, -e *f*.
bewölk|t nuageux; **2ung** *f* nuages *m/pl*.
Bewunder|er *m*, **~in** *f* admirateur *m*, -trice *f*; **2n** admirer; **2nswert** admirable; **~ung** *f* admiration *f*.
bewußt conscient; *absichtlich* voulu, intentionnel; *fraglich* en question; *sich e-r Sache ~ sein* être conscient *od* avoir conscience de qc; *sich e-r Sache ~ werden* prendre conscience de qc, se rendre compte de qc; **~los** sans connaissance; *~ werden* perdre connaissance; **2losigkeit** *f* évanouissement *m*; **~machen** *j-m etw ~* faire comprendre qc à qn; *sich etw ~* se rendre compte de qc; **2sein** *n* conscience *f*; *Besinnung* connaissance *f*; *das ~ verlieren* (*wiedererlangen*) perdre (reprendre) connaissance.
bezahl|en payer; **~t** *sich ~ machen*

B

rapporter, être payant; **2ung** *f* paiement *m*.

bezaubernd charmant, ravissant.

bezeichn|en *Weg etc* marquer; *benennen* désigner; *~ als* qualifier de; **~end** significatif, caractéristique (*für* de); **2ung** *f* désignation *f*, qualification *f*; *genaue* spécification *f*.

bezeugen témoigner (*etw* de qc), attester.

bezieh|en *Haus, Wohnung* aller occuper, s'installer dans; *Waren* acheter, faire venir; *Zeitung* être abonné à; *Gehalt, Rente* toucher; *~ auf* rapporter à; *sich ~ auf* se rapporter à, se référer à, avoir trait à; *Himmel sich ~* se couvrir; *die Betten ~* mettre des draps; **2er** *m Zeitung* abonné *m*; **2ung** *f* rapport *m*, relation *f*; **~en** *haben* avoir du piston F; *in ~ zu etw stehen* être en rapport avec qc; **~en** *zu j-m aufnehmen* entrer en relations avec qn; *in dieser ~* à cet égard; *in gewisser ~* à certains égards; **~ungsweise** respectivement; ou plutôt.

Bezirk *m* district *m*; *Stadt2* quartier *m*.

Bezug *m Überzug* enveloppe *f*; *Bett* draps *m/pl*; *Waren* achat *m*; *Zeitung* abonnement *m*; *Beziehung* rapport *m* (*zu* avec); *Bezüge pl Gehalt* appointements *m/pl*; *in 2 auf* par rapport à, relativement à, concernant; *~ nehmen auf* se référer à.

Bezugnahme *f* référence *f*; *unter ~ auf* (en) nous référant à.

Bezugs|person *psych f* personne *f* de référence; **~punkt** *m* point *m* de référence; **~quelle** *écon f* source *f* d'approvisionnement *m*.

be|zwecken avoir pour but; **~zweifeln** douter de; **~zwingen** vaincre, maîtriser.

BH *m* soutien-gorge *m*.

Bibel *f* Bible *f*; *als Buch* bible *f* (*a fig*).

Biber *zo m* castor *m*.

Bibliothek *f* bibliothèque *f*; **~ar**(**in** *f*) *m* bibliothécaire *m, f*.

biblisch biblique; *2e Geschichte* histoire sainte.

bieder brave, honnête; **2keit** *f* honnêteté *f*, bonhomie *f*.

bieg|en plier, courber; *um die Ecke ~* tourner le coin de la rue; **~sam** pliable, flexible, souple; **2samkeit** *f* flexibilité *f*; **2ung** *f* courbure *f*, coude *m*; *Straße* tournant *m*.

Biene *f* abeille *f*.

Bienen|königin *f* reine *f*; **~korb** *m*, **~stock** *m* ruche *f*; **~zucht** *f* apiculture *f*.

Bier *n* bière *f*; *helles* (*dunkles*) *~* bière blonde (brune); ⚠ *la* bière; **~brauer** *m* brasseur *m*; **~deckel** *m* dessous *m* de bock; **~krug** *m* chope *f*.

Biest *n fig* F peau *f* de vache; *kleines ~* petite peste *f*.

bieten offrir; *sich ~* se présenter; *sich etw nicht ~ lassen* ne pas se laisser marcher sur les pieds.

Bigami|e *f* bigamie *f*; **~st** *m* bigame *m*.

Bikini *m* bikini *m*.

Bilanz *f* bilan *m*; *Handels2* balance *f*; *fig die ~ ziehen aus* faire le bilan de.

Bild *n* image *f*; *Gemälde* tableau *m*; *Foto* photo *f*; *sich ein ~ machen von* se faire une idée de; *im ~e sein* être au courant (*über* de); **~berichterstatter** *m* reporter-photographe *m*, photo-reporter *m*.

bilden former; *ausmachen* constituer; *sich ~* se former; *geistig a* se cultiver, s'instruire; **~d** éducatif, instructif; *~e Kunst* arts *m/pl* plastiques.

Bilder|buch *n* livre *m* d'images; **~galerie** *f* galerie *f* de tableaux; **~rahmen** *m* cadre *m*; **~rätsel** *n* rébus *m*; **~stürmer** *m* iconoclaste *m*.

Bild|fläche *f fig auf der ~ erscheinen* faire son apparition; *von der ~ verschwinden* s'éclipser, disparaître de la circulation; **~hauer** *m* sculpteur *m*; **2lich** *figurativ* figuratif; *übertragen* figuré, métaphorique; **~nis** *n* portrait *m*; **~platte** *f* vidéodisque *m*; **~röhre** *TV f* tube *m* cathodique; **~schirm** *m* écran *m* (de télévision); **2schön** ravissant, magnifique; **~störung** *TV f* coupure *f*; **~telefon** *n* vidéophone *m*.

Bildung *f* formation *f*; *geistige a* culture *f*; *Schul2* éducation *f*, instruction *f*; *humanistische ~* formation *f* classique; **~slücke** *f* lacune *f*; **~sreform** *f* réforme *f* de l'enseignement.

Bildunterschrift *f* légende *f*.

Billard *n* billard *m*; **~kugel** *f* bille *f*; **~stock** *m* queue *f*.

billig bon marché; *~er* meilleur marché; *recht und ~* juste et équitable; **~en** approuver; **2ung** *f* approbation *f*.

Billion *f* billion *m*.

Bimmelbahn *f* F tortillard *m*.
Bimsstein *m* pierre *f* ponce.
Binde *f* bande *f*; *Verband* bandage *m*; *Arm*≈ écharpe *f*; *Monats*≈ serviette *f* hygiénique; **~gewebe** *n* tissu *m* conjonctif; **~glied** *n* lien *m*; **~haut** *f* conjonctive *f*; **~hautentzündung** *méd f* conjonctivite *f*.
binden attacher (*an* à); *Krawatte* nouer; *Buch* relier; *verpflichten* engager, lier; *sich* ~ s'engager, se lier **~d** obligatoire, qui engage.
Binde|strich *m* trait *m* d'union; **~wort** *gr n* conjonction *f*.
Bindfaden *m* ficelle *f*.
Bindung *f innere* lien *m*; *vertragliche* engagement *m*; *chim*, *phys*, *Phonetik* liaison *f*; *Schi* fixation *f*.
binnen dans (un délai de); ~ *kurzem* sous peu.
Binnen|hafen *m* port *m* fluvial; **~handel** *m* commerce *m* intérieur; **~schiffahrt** *f* navigation *f* fluviale; **~verkehr** *m* circulation *f* intérieure.
Binse *bot f* jonc *m*; *fig in die ~n gehen* F être foutu *od* fichu; **~nwahrheit** *f* vérité *f* de la Palice.
Bio|chemie *f* biochimie *f*; **≈dynamisch** *agr* biodynamique; **~graphie** *f* biographie *f*; **≈graphisch** biographique; **~laden** *m* magasin *m* de produits écologiques; **~loge** *m*, **~login** *f* biologiste *m*, *f*; **~logie** *f* biologie *f*; *Schulfach* sciences *f/pl* naturelles; **≈logisch** biologique; ~ *abbaubar* biodégradable; **~top** *biol m od n* biotope *m*.
Birke *bot f* bouleau *m*.
Birnbaum *bot m* poirier *m*.
Birne *f bot* poire *f*; *Glüh*≈ ampoule *f*.
bis 1. *prép* ~ (*an, in, nach, zu*) jusqu'à (*vor anderer prép als „à"* jusque); *von ... ~* de ... à; ~ *auf außer* sauf, à ... près; ~ *auf weiteres* jusqu'à nouvel ordre; ~ *Ende Januar* jusqu'à fin janvier; ~ *heute* jusqu'aujourd'hui *od* jusqu'à aujourd'hui; ~ *vor wenigen Jahren* jusqu'à il y a quelques années; ~ *jetzt* jusqu'à présent; ~ *wann?* jusqu'à quand?; ~ *1715* jusqu'en 1715; ~ *hierher* jusqu'ici; ~ *dahin* jusque-là; *zeitlich a* d'ici là; ~ *nach Hause* jusque chez lui; ~ *an den Rand* jusqu'au bord; ~ *zum Bahnhof* jusqu'à la gare; ~ *gleich!* à tout à l'heure!; ~ *morgen!* à demain!; *zwei ~ drei Tage* deux ou trois jours; *von 1939 ~ 1945* de 1939 à 1945; **2.** *conj* jusqu'à ce que (+ *subj*); *bleib, ~ ich zurückkomme* reste jusqu'à ce que je revienne; *warten ~ ...* attendre que ... (+ *subj*).
Bischof *m* évêque *m*.
bischöflich épiscopal.
bisher jusqu'à présent; **~ig** qui a été jusqu'à présent, précédent.
Biskaya *f* golfe *m* de Gascogne.
Biskuit *n* biscuit *m* de Savoie.
Biß *m* morsure *f*.
bißchen *ein ~* un peu (de ...); *ein kleines ~* un tout petit peu; *ein ~ schneller* un peu plus vite.
Bissen *m* bouchée *f*.
bissig *fig* hargneux, mordant; *~er Hund!* chien méchant!
Bistum *n* évêché *m*.
bisweilen parfois, quelquefois, de temps en temps.
Bitte *f* prière *f*, demande *f* (*um* de); *ich habe e-e ~ an dich* il faut que je te demande qc.
bitte s'il vous plaît *od* s'il te plaît; *auf Dank* (il n'y a) pas de quoi, je vous en prie; *auf Entschuldigung* il n'y a pas de mal, ce n'est rien; (*wie*) *~?* comment?, pardon?
bitten *j-n um etw ~* demander qc à qn; *j-n ~, etw zu tun* prier qn de faire qc, demander à qn de faire qc; *darf ich ~? Tanz* est-ce que vous voulez m'accorder cette danse?
bitter amer (*a fig*); *Kälte* rigoureux; *Armut* extrême; **≈keit** *f* amertume *f* (*a fig*).
Bitt|gesuch *n*, **~schrift** *f* pétition *f*, requête *f*.
Bizeps *m* biceps *m*.
Blähung *méd f* vent *m*, ballonnement *m*.
Blamage *f* honte *f*; *es ist e-e ~ für ihn* il s'est rendu ridicule en faisant cela.
blamieren *j-n ~* ridiculiser qn; *sich ~* se rendre ridicule, se couvrir de honte; ⚠ *nicht blâmer*.
blank luisant; *sauber* propre; *Draht* nu; *Gefühl* pur; *ohne Geld* F fauché.
Blankoscheck *m* chèque *m* en blanc.
Bläschen *n méd* vésicule *f*; *Luft*≈ petite bulle *f*.
Blase *f Luft*≈ bulle *f*; *Haut*≈ cloque *f*, ampoule *f*; *Harn*≈ vessie *f*; **~balg** *m* soufflet *m*.
blasen souffler; *Blasinstrument* jouer de; **≈entzündung** *méd f* cystite *f*.
blasiert blasé, hautain, snob.
Blas|instrument *n* instrument *m* à

vent; **~kapelle** *f* fanfare *f*, harmonie *f*; **~rohr** *n* sarbacane *f*.
blaß pâle, blême; ~ *werden* pâlir.
Blässe *f* pâleur *f*.
Blatt *n* feuille *f* (*bot u Papier*); *Zeitung* journal *m*; *Säge* lame *f*.
blättern feuilleter (*in etw* qc).
Blätterteig *m* pâte *f* feuilletée.
blau bleu; *fig Auge* au beurre noir; F *betrunken* ivre, soûl, noir F, rond F; *~er Fleck* bleu *m*; **~äugig** aux yeux bleus; *fig* naïf; **ᴥbeere** *bot f* myrtille *f*; **~grau** gris bleuâtre.
bläulich bleuâtre.
Blau|licht *n* gyrophare *m*; **~säure** *chim f* acide *m* cyanhydrique *od* prussique; **~strumpf** *m fig* bas *m* bleu.
Blech *n* tôle *f*; *Weißᴥ* fer-blanc *m*; **~büchse** *f*, **~dose** *f* boîte *f* en fer-blanc.
blech|en *zahlen* F cracher, casquer; **~ern** en tôle *od* en fer-blanc; *Klang* de casserole; **ᴥschaden** *auto m* tôles *f/pl* froissées.
Blei *n* plomb *m*.
bleiben rester, demeurer; ~ *bei beharren* persister dans; *es bleibt dabei* c'est entendu; *bitte ~ Sie am Apparat!* ne quittez pas!; **~d** durable; **~lassen** ne pas faire.
bleich blême, pâle; ~ *werden* pâlir; **~en** blanchir; *Haare* décolorer; **ᴥgesicht** *n fig* visage *m* pâle.
blei|ern de plomb (*a fig*); **~frei** *Benzin* sans plomb.
Bleistift *m* crayon *m*; **~spitzer** *m* taille-crayon *m*.
Blende *f Foto* diaphragme *m*; **ᴥn** éblouir (*a fig*), aveugler; **ᴥnd** *fig* fantastique; ~ *aussehen* respirer la santé.
Blick *m* regard *m*; *flüchtiger* coup *m* d'œil; *Aussicht* vue *f* (*auf* sur); *auf den ersten ~* du premier coup d'œil; *Liebe auf den ersten ~* coup *m* de foudre; **ᴥen** regarder (*auf etw* qc); *sich ~ lassen* se montrer; **~fang** *m das ist ein ~* cela accroche les regards; **~punkt** *m Gesichtspunkt* point *m* de vue; *im ~ stehen* être au centre de l'intérêt.
blind aveugle (*a fig*); ~ *werden* devenir aveugle, perdre la vue; *auf einem Auge ~* borgne; *~er Alarm* fausse alerte *f*; *~er Passagier* passager *m* clandestin.
Blinddarm *m* appendice *m*; **~entzündung** *f* appendicite *f*.
Blinde|(r) *m, f* aveugle *m, f*; **~nheim** *n* centre *m* pour non-voyants; **~nschrift** *f* écriture *f* braille; *in ~* en braille.
Blind|flug *m* vol *m* sans visibilité; **~heit** *f* cécité *f*; *fig* aveuglement *m*; **ᴥlings** aveuglément; **~schleiche** *zo f* orvet *m*.
blink|en *auto etc* clignoter; *funkeln* étinceler; **ᴥer** *m*, **ᴥlicht** *n* clignotant *m*.
blinzeln cligner des yeux.
Blitz *m* éclair *m*; *~schlag* foudre *f*; *Foto* flash *m*; **~ableiter** *m* paratonnerre *m*; **ᴥen** *es blitzt* il y a *od* il fait un éclair (des éclairs); **~gerät** *n* flash *m*; **~krieg** *m* guerre *f* éclair; **~licht** *n* flash *m*; **~schlag** *m* foudre *f*; **ᴥschnell** rapide comme l'éclair.
Block *m* bloc *m*; *Notizᴥ* bloc-notes *m*; *Häuserᴥ* pâté *m* de maisons, îlot *m*; **~ade** *f* blocus *m*; **~flöte** *mus f* flûte *f* à bec; **~freiheit** *pol f* non-alignement *m*; **~haus** *n* cabane *f* en rondins; **ᴥieren** bloquer; **~schrift** *f* caractères *m/pl* d'imprimerie.
blöd|e stupide, bête, idiot; **ᴥheit** *f* stupidité *f*, bêtise *f*; **ᴥsinn** *m* idiotie(s) *f(pl)*, bêtise(s) *f(pl)*; **~sinnig** idiot.
blöken *Schaf* bêler.
blond blond; **ᴥine** *f* blonde *f*.
bloß **1.** *adj alleinig* seul, simple; *unbedeckt* nu; **2.** *adv* seulement, uniquement, simplement, ne ... que.
Blöße *f Nacktheit* nudité *f*; *fig sich e-e ~ geben* donner prise sur soi, prêter le flanc.
bloß|legen dénuder; **~stellen** compromettre.
blühen être en fleur(s); *a fig* fleurir; *fig* être florissant, prospérer; *ihm blüht etw* il va lui arriver qc; **~d** en fleur(s), fleuri; *fig* florissant.
Blume *f* fleur *f*; *Wein* bouquet *m*; *Bier* mousse *f*; *fig durch die ~* à mots couverts, à demi-mot.
Blumen|geschäft *n* fleuriste *m*; **~händler(in** *f*) *m* fleuriste *m, f*; **~kohl** *m* chou-fleur *m*; **~strauß** *m* bouquet *m* de fleurs; **~topf** *m* pot *m* de fleurs.
Bluse *f* corsage *m*; *langärmelig* chemisier *m*; ⚠ *nicht blouse*.
Blut *n* sang *m*; *nur ruhig ~!* du calme!
Blut|ader *f* veine *f*; **~armut** *méd f* anémie *f*; **~bad** *n* massacre *m*, carnage *m*; **~bank** *f* banque *f* du sang;

2beschmiert couvert *od* taché de sang; **~druck** *m* tension *f* artérielle.
Blüte *f* fleur *f*; *Blütezeit* floraison *f*; *fig* apogée *m*.
Blutegel *zo m* sangsue *f*.
bluten saigner.
Blüten|blatt *n* pétale *m*; **~staub** *m* pollen *m*.
Blutentnahme *méd f* prélèvement *m* sanguin, prise *f* de sang.
Bluter *méd m* hémophile *m*.
Bluterguß *méd m* hématome *m*.
Blütezeit *f* floraison *f* (*a fig*); *fig* apogée *m*.
Blut|gefäß *n* vaisseau *m* sanguin; **~gruppe** *f* groupe *m* sanguin; **2ig** sanglant, ensanglanté; **~körperchen** *n* globule *m* du sang; **~kreislauf** *m* circulation *f* du sang; **~probe** *f* prise *f* de sang; **~rache** *f* vendetta *f*; **2rot** rouge sanguin; **2rünstig** sanguinaire; **~schande** *f* inceste *m*; **~spender(in** *f*) *m* donneur *m*, -euse *f* de sang; **2stillend** *~es Mittel* hémostatique *m*; **~sverwandtschaft** *f* consanguinité *f*; **~übertragung** *f* transfusion *f* sanguine; **~ung** *f* saignement *m*; *stärker* hémorragie *f*; **~vergießen** *n* effusion *f* de sang; **~vergiftung** *f* septicémie *f*; **~wurst** *f* boudin *m*.
Bö *f* rafale *f*.
Bob *Sport m* bob(sleigh) *m*.
Bock *m* mâle *m*; *Ziegen2* bouc *m*; *Schaf2* bélier *m*; *Reh2* chevreuil *m* mâle; *Kutscher2* siège *m*; *Gestell* chevalet *m*, tréteau *m*; *Sport* cheval *m* de bois; *fig e-n ~ schießen* commettre une gaffe; *null ~!* F ralbol!
bock|en *Motor* cafouiller; *Pferd* se cabrer; *schmollen* bouder; **~ig** obstiné, têtu; **2springen** *n Spiel* saute-mouton *m*; **2sprung** *m* cabriole *f*; **2wurst** *f* saucisse *f* de Francfort.
Boden *m* sol *m*, terre *f*; *Faß, Flasche etc* fond *m*; *Fuß2* plancher *m*; *Dach2* grenier *m*; **2los** *fig* inouï, énorme; **~personal** *aviat n* personnel *m* au sol; **~reform** *f* réforme *f* agraire; **~satz** *m* dépôt *m*, fond *m*; **~schätze** *m/pl* ressources *f/pl od* richesses *f/pl* naturelles *od* du sous-sol; **~see** *m* lac *m* de Constance; **~station** *f Raumfahrt* station *f* terrestre; **~turnen** *n Sport* exercices *m/pl* au sol.
Bogen *m Krümmung* courb(ur)e *f*; *Waffe, arch, math* arc *m*; *Brücken2* arche *f*; *Wölbung* cintre *m*; *Geigen2* archet *m*; *Papier2* feuille *f*; **~lampe** *f* lampe *f* à arc; **~schütze** *m* archer *m*.
Bohle *f* planche *f* épaisse, madrier *m*.
Bohne *bot f* haricot *m*; *Kaffee2* grain *m*; *grüne ~n* haricots verts; *weiße ~n* haricots secs; **~nstange** *f* échalas *m* (*a fig*).
bohner|n cirer; **2wachs** *n* encaustique *f*.
bohr|en percer, creuser; *tech* forer; *Zahnarzt* passer la roulette; **2er** *m* foret *m*, mèche *f*; *Nagel2* vrille *f*; *Zahnarzt* fraise *f*; **2insel** *f* plate-forme *f* de forage; **2loch** *n Öl* puits *m*; **2maschine** *f* perceuse *f* (électrique); **2turm** *m Öl* derrick *m*; **2ung** *f* forage *m*; *Motor* alésage *m*.
Boiler *m* chauffe-eau *m*.
Boje *mar f* bouée *f*, balise *f*.
Bolivien *n* la Bolivie.
Bolzen *tech m* boulon *m*.
bombardieren bombarder; *mit Fragen ~* assaillir de questions.
Bombe *f* bombe *f*.
Bomben|angriff *m* bombardement *m*; **~anschlag** *m* attentat *m* à la bombe (*auf* contre); **~erfolg** *m* F succès *m* fou; **2sicher** à l'épreuve des bombes; *fig* sûr et certain.
Bomber *aviat m* bombardier *m*.
Bon *m* bon *m*; *Kassenzettel* ticket *m* de caisse.
Bonbon *m, n* bonbon *m*.
Boot *n* bateau *m*, canot *m*; *Kahn* barque *f*.
Bord[1] *mar, aviat an ~* à bord; *an ~ gehen* aller à bord, s'embarquer; *von ~ gehen* débarquer; *über ~* par-dessus bord.
Bord[2] *n Wandbrett* étagère *f*.
Bordell *n* maison *f* de prostitution, maison *f* close; *péj* bordel *m*.
Bord|funker *m* radio *m* de bord; **~stein** *m* pierre *f* de bordure.
borgen *j-m etw ~* prêter qc à qn; (*sich*) *etw bei od von j-m ~* emprunter qc à qn.
Borke *f Rinde* écorce *f*.
borniert borné; **2heit** *f* étroitesse *f* d'esprit *od* de vues.
Börse *f écon* Bourse *f*; *Geld2* porte-monnaie *m*, bourse *f*.
Börsen|bericht *m* bulletin *m* de la Bourse; **~kurs** *m* cours *m* de la Bourse; **~makler** *m* agent *m* de change; **~notierung** *f* cotation *f* en Bourse; **~papiere** *n/pl* valeurs *f/pl*

B

boursières; **~spekulant** *m* spéculateur *m* en Bourse.
Borste *f* poil *m*; *Schwein* soie *f*.
Borte *f* bordure *f*, galon *m*.
bösartig méchant; *méd* malin (*f* maligne).
Böschung *f* talus *m*; *Ufer*☐ berge *f*.
böse 1. mauvais; *boshaft* méchant; *verärgert* fâché; *j-m od auf j-n ~ sein* en vouloir à qn; **2.** ☐**(s)** *n* mal *m*; ☐**wicht** *m* méchant *m*.
bos|haft méchant; ☐**heit** *f* méchanceté *f*, malignité *f*.
Bosporus *m* Bosphore *m*.
böswillig malveillant.
Botani|k *f* botanique *f*; **~ker**(**in** *f*) *m* botaniste *m*, *f*; ☐**sch** botanique.
Bot|e *m* messager *m*; *Laufbursche* garçon *m* de course; **~engang** *m* course *f*; **~schaft** *f* message *m*; *pol* ambassade *f*; **~schafter**(**in** *f*) *m* ambassadeur *m*, -drice *f*.
Bottich *m* cuve *f*.
Bouillon *f* consommé *m*, bouillon *m*; ⚠ *le* bouillon.
Bowle *f* punch *m* froid.
box|en boxer; ☐**en** *n* boxe *f*; ⚠ *la* boxe; ☐**er** *m* boxeur *m*; ☐**handschuh** *m* gant *m* de boxe; ☐**kampf** *m* match *m od* combat *m* de boxe; ☐**sport** *m* boxe *f*.
Boykott *m* boycottage *m*; ☐**ieren** boycotter.
brachliegen *agr* être en friche (*a fig*).
Branche *f* branche *f*; **~nverzeichnis** *tél n* annuaire *m* des professions; F pages *f*/*pl* jaunes.
Brand *m* incendie *m*; ⚠ *un* incendie; *méd* gangrène *f*; *in ~ stecken* mettre le feu à, incendier; *in ~ geraten* prendre feu; **~blase** *f* cloque *f*; **~bombe** *f* bombe *f* incendiaire; ☐**en** *Meer* se briser (*gegen* contre); déferler (*a fig*); **~fleck** *m* brûlure *f*; ☐**marken** *fig* stigmatiser; **~schaden** *m* dégâts *m*/*pl* causés par l'incendie; **~stifter**(**in** *f*) *m* incendiaire *m*, *f*; **~stiftung** *f* incendie *m* criminel; **~teig** *cuis m* pâte *f* à choux; **~ung** *f* déferlement *m*, ressac *m*; **~wunde** *f* brûlure *f*.
Branntwein *m* eau-de-vie *f*.
Brasilian|er(**in** *f*) *m* Brésilien *m*, -ne *f*; ☐**isch** brésilien.
Brasilien *n* le Brésil.
braten 1. (faire) rôtir, (faire) cuire; *in schwimmendem Fett* (faire) frire; *auf dem Rost* (faire) griller; **2.** ☐ *m* rôti *m*; ☐**soße** *f* sauce *f* de rôti.
Brat|fisch *m* poisson *m* frit; **~huhn** *n* poulet *m* rôti; **~kartoffeln** *f*/*pl* pommes *f*/*pl* de terre sautées; **~pfanne** *f* poêle *f* (à frire); **~rost** *m* gril *m*.
Bratsche *mus f* alto *m*.
Bratwurst *f* saucisse *f* grillée.
Brauch *m* usage *m*; ☐**bar** utile, utilisable.
brauchen *nötig haben* avoir besoin de; *gebrauchen* se servir de; *Zeit meist* mettre; *ich brauche etw a* il me faut qc; *wie lange wird er ~?* combien de temps lui faudra-t-il?; *du brauchst es nur zu sagen* tu n'as qu'à le dire, il suffit de le dire; *er hätte nicht zu kommen ~* il n'aurait pas eu besoin de venir.
Braue *f* sourcil *m*.
brau|en *Bier* brasser; ☐**er** *m* brasseur *m*; ☐**erei** *f* brasserie *f*.
braun brun, marron; *von der Sonne* bronzé; *~ werden von der Sonne* bronzer.
Bräune *f Haut* bronzage *m*, hâle *m*; ☐**n** brunir; *Sonne* bronzer.
Braunkohle *f* lignite *m*.
bräunlich brunâtre.
Brause *f Dusche* douche *f*; *Gießkanne* pomme *f* d'arrosoir; **~limonade** *f* limonade *f* gazeuse.
brausen *Wind*, *Wasser* mugir; *Fahrzeug* passer en trombe; (*sich*) *~ duschen* se doucher.
Braut *f* fiancée *f*; *am Hochzeitstag* mariée *f*.
Bräutigam *m* fiancé *m*; *am Hochzeitstag* marié *m*.
Braut|jungfer *f* demoiselle *f* d'honneur; **~kleid** *n* robe *f* de mariée; **~paar** *n* fiancés *m*/*pl*; *am Hochzeitstag* mariés *m*/*pl*.
brav brave, honnête; *Kind* sage, gentil.
BRD *f* R.F.A. *f* (= République fédérale d'Allemagne).
brechen *etw* casser (*von selber* se casser); rompre (*a Vertrag*, *Schweigen*); briser (*a Widerstand*); *Rekord* battre; *sich erbrechen* vomir; *fig mit j-m ~* rompre avec qn; *sich den Arm ~* se casser *od* se fracturer le bras; *sich ~ Wellen* se briser; *Strahlen* être réfracté.
Brech|mittel *méd n* vomitif *m*; **~reiz** *m* nausée *f*, envie *f* de vomir; **~stange** *f* pince *f* monseigneur; **~ung** *f Optik* réfraction *f*.

Brei *m* purée *f*, bouillie *f*.
breit large; *2 Meter* ~ large de 2 mètres; *weit und* ~ à perte de vue.
Breit|e *f* largeur *f*; *géogr* latitude *f*; **~engrad** *m* degré *m* de latitude, parallèle *m*; **2machen** *sich* ~ occuper beaucoup de place; **2schlagen** F *j-n* ~ finir par persuader qn; **~seite** *mar f* bordée *f*; **2treten** F rabâcher; **~wand** *f* grand écran *m*.
Bremen Brême.
Bremsbelag *auto m* garniture *f* de frein.
Bremse *f* **1.** *tech* frein *m*; **2.** *zo* taon *m*.
bremsen freiner (*a fig*).
Brems|kraftverstärker *m* servo-frein *m*; **~leuchte** *f* feu *m* de stop; **~pedal** *n* pédale *f* de frein; **~spur** *f* trace *f* de freinage; **~weg** *m* distance *f* de freinage.
brennbar combustible, inflammable.
brenn|en brûler; *Lampe* être allumé; *Branntwein* distiller; *Wunde*, *Ziegel etc* cuire; *mir* ~ *die Augen* j'ai les yeux qui piquent; *fig darauf* ~, *etw zu tun* brûler de faire qc; **2er** *tech m* brûleur *m*.
Brenn|essel *bot f* ortie *f*; **~holz** *n* bois *m* de chauffage; **~punkt** *m phys* foyer *m*; *fig* centre *m*; **~spiritus** *m* alcool *m* à brûler; **~stoff** *m* combustible *m*.
brenzlig *fig* critique, dangereux; ~ *werden a* sentir le roussi.
Brett *n* planche *f*; *Spiel2* damier *m*; *Schach2* échiquier *m*; *Schwarzes* ~ tableau *m* d'affichage; **~erzaun** *m* clôture *f* en planches, palissade *f*.
Brief *m* lettre *f*; **~beschwerer** *m* presse-papiers *m*; **~bogen** *m* feuille *f* de papier à lettres; **~freund(in** *f*) *m* correspondant *m*, -e *f*; **~kasten** *m* boîte *f* aux lettres; **2lich** par lettre(s); **~marke** *f* timbre(-poste) *m*; *~n sammeln* collectionner des timbres; **~markensammler(in** *f*) *m* philatéliste *m,f*; **~öffner** *m* coupe-papier *m*; **~papier** *n* papier *m* à lettres; **~tasche** *f* portefeuille *m*; **~taube** *f* pigeon *m* voyageur; **~träger(in** *f*) *m* facteur *m*, factrice *f*; *amtlich* préposé *m*, -e *f*; **~umschlag** *m* enveloppe *f*; **~waage** *f* pèse-lettre *m*; **~wechsel** *m* correspondance *f*.
Brikett *n* briquette *f*.
Brillant **1.** *m* brillant *m*, diamant *m*; **2.** 2 *adj* brillant, excellent; **~ring** *m* bague *f* de diamant.
Brille *f* lunettes *f/pl*; *e-e* ~ une paire de lunettes; **~netui** *n* étui *m* à lunettes; **~nträger(in** *f*) *m* ~ *sein* porter des lunettes.
bringen *hin~* porter; *her~* apporter, amener; *begleiten* emmener, accompagner, conduire (*zum Bahnhof* à la gare); *veröffentlichen* publier; *Kino*, *TV* passer; *Gewinn* rapporter; *Glück* ~ porter bonheur; *auf die Seite* ~ mettre de côté; *in Erfahrung* ~ apprendre; *etw mit sich* ~ entraîner qc; *j-n um etw* ~ faire perdre qc à qn, frustrer qn de qc; *ums Leben* ~ tuer; *j-n dazu* ~, *etw zu tun* amener qn à faire qc; *zum Lachen* ~ faire rire; *es zu etw* ~ réussir dans la vie; *j-n auf e-e Idee* ~ donner une idée à qn.
Brise *mar f* brise *f*.
Brit|e *m*, **~in** *f* Britannique *m,f*; **2isch** britannique.
bröckel|ig friable; **~n** s'effriter.
Brocken *m* morceau *m*; *fig ein paar* ~ (*Englisch*) quelques bribes *f/pl* (d'anglais); F *ein harter* ~ un sacré morceau.
brodeln bouillonner.
Brombeere *bot f* mûre *f*.
Bronch|ien *f/pl* bronches *f/pl*; **~itis** *méd f* bronchite *f*.
Bronze *f* bronze *m*; ⚠ *le* bronze.
Brosch|e *f* broche *f*; **2ieren** brocher; **~üre** *f* brochure *f*.
Brot *n* pain *m*; *schwarzes* ~ pain *m* bis; *sein* ~ *verdienen* gagner son pain *od* sa vie.
Brötchen *n* petit pain *m*; *belegtes* ~ sandwich *m*.
Brot|erwerb *m* gagne-pain *m*; **2los** ~ *werden* perdre son gagne-pain; *~e Kunst* métier *m* peu lucratif; **~rinde** *f* croûte *f* de pain; **~schneidemaschine** *cuis f* machine *f* à trancher; **~schnitte** *f* tranche *f* de pain; *bestrichene* tartine *f*.
Bruch *m* rupture *f* (*a fig*); *~stelle* cassure *f*; *Knochen2* fracture *f*; *Eingeweide2* hernie *f*; *math* fraction *f*.
brüchig fragile, cassant.
Bruch|rechnung *f* calcul *m* des fractions; **~strich** *m* barre *f* de fraction; **~stück** *n* fragment *m*; **~teil** *m* fraction *f*; *im* ~ *e-r Sekunde* en une fraction de seconde; **~zahl** *f* nombre *m* fractionnaire.
Brücke *f* pont *m*; *Teppich* carpette *f*; *mar* passerelle *f*; **~nbogen** *m* arche *f*.

B

Bruder *m* frère *m*; *Kerl* F type *m*; **~krieg** *m* guerre *f* fratricide.
brüder|lich fraternel; **2lichkeit** *f* fraternité *f*; **2schaft** *f* fraternité *f* (*a rel*), camaraderie *f*.
Brühe *f cuis* bouillon *m*; F *péj* lavasse *f*, eau *f* de vaisselle.
brüllen *Rind* mugir; *Löwe* rugir; *Mensch* hurler.
brumm|en gronder, grogner; *Motor* vrombir; *Insekt* bourdonner; *undeutlich sagen* grommeler; *mürrisch äußern* ronchonner; **~ig** grognon, ronchon(neur).
brünett brun, châtain.
Brunft *ch f* rut *m*.
Brunnen *m* puits *m*; *Spring2* fontaine *f*.
Brunst *zo f* rut *m*, chaleur *f*.
brünstig *zo* en rut, en chaleur.
brüsk brusque, rude.
Brüssel Bruxelles.
Brust *f* poitrine *f*; *weibliche a* sein *m*; **~bein** *n* sternum *m*; *Geflügel* bréchet *m*; **~beutel** *m* bourse *f* portée autour du cou.
brüsten *sich* ~ se rengorger, se vanter (*mit* de).
Brust|korb *m* thorax *m*; **~schwimmen** *n* brasse *f*; **~umfang** *m* tour *m* de poitrine.
Brüstung *f* parapet *m*; *Geländer* balustrade *f*.
Brustwarze *f* mamelon *m*.
Brut *f* couvée *f*; *fig* sale graine *f*.
brutal brutal; **2ität** *f* brutalité *f*.
Brutapparat *agr m* incubateur *m*.
brüt|en couver; **2er** *tech m schneller* ~ surrégénérateur *m* à neutrons.
Brutkasten *méd m* couveuse *f*.
brutto brut; ~ *wiegen* peser brut; **2gewicht** *n* poids *m* brut; **2sozialprodukt** *écon n* produit *m* national brut; **2verdienst** *m* salaire *m* brut.
Bub *m* garçon *m*, gamin *m*; **~e** *Kartenspiel* valet *m*.
Buch *n* livre *m*; **~ausstellung** *f* exposition *f* de livres; **~binder** *m* relieur *m*; **~drucker** *m* imprimeur *m*; **~druckerei** *f* imprimerie *f*.
Buche *bot f* hêtre *m*.
buchen *comm* comptabiliser; *Flug etc* réserver, retenir.
Bücher|bord *n*, **~brett** *n* étagère *f*; **~ei** *f* bibliothèque *f*; **~regal** *n* étagère *f* (à livres); **~schrank** *m* bibliothèque *f*.
Buchfink *zo m* pinson *m*.
Buch|führung *f*, **~haltung** *f* comptabilité *f*; **~halter(in** *f*) *m* comptable *m*, *f*; **~händler(in** *f*) *m* libraire *m*, *f*; **~handlung** *f* librairie *f*.
Büchse *f* boîte *f*; *Gewehr* carabine *f*, fusil *m*.
Büchsen|fleisch *n* viande *f* en conserve; **~öffner** *m* ouvre-boîtes *m*.
Buchstabe *m* lettre *f*; *großer* ~ majuscule *f*; *kleiner* ~ minuscule *f*.
buch|stabieren épeler; **~stäblich** *adv* littéralement; **2stütze** *f* serre-livres *m*.
Bucht *f* baie *f*; *kleine* crique *f*.
Buchung *f comm* écriture *f*; *e-s Flugs etc* réservation *f*.
Buchweizen *bot m* sarrasin *m*, blé *m* noir.
Buckel *m* bosse *f*; F *Rücken* dos *m*; **2ig** bossu.
bücken *sich* ~ se baisser.
Bückling *m* hareng *m* fumé *od* saur; *Verbeugung* courbette *f*.
Buddhis|mus *rel m* bouddhisme *m*; **~t(in** *f*) *m* bouddhiste *m*, *f*; **2tisch** bouddhiste, bouddhique.
Bude *f* baraque *f*; *Zimmer* F piaule *f*.
Budget *n* budget *m*.
Büfett *n* buffet *m*.
Büffel *zo m* buffle *m*.
büffeln F piocher, potasser, bûcher, bachoter.
Bug *m mar* proue *f*; *aviat* nez *m*.
Bügel *m Kleider2* cintre *m*; *Brillen2* branche *f*; **~brett** *n* planche *f* à repasser; **~eisen** *n* fer *m* à repasser; **~falte** *f* pli *m*; **2frei** qui ne nécessite aucun repassage.
bügeln repasser.
Bühne *f Theater* scène *f*; *fig a* théâtre *m*.
Bühnen|arbeiter *m* machiniste *m*; **~bild** *n* décors *m/pl*; **~bildner** *m* scénographe *m*, décorateur *m* de théâtre.
Bulgar|e *m*, **~in** *f* Bulgare *m*, *f*; **~ien** *n* la Bulgarie; **2isch** bulgare.
Bull|auge *mar n* hublot *m*; **~dogge** *zo f* bouledogue *m*.
Bulle *m zo* taureau *m*; *péj Polizist* flic *m*, poulet *m*.
Bummel *m* F balade *f*; **~ant** *m* F traînard *m*, lambin *m*; **~ei** F *f* lenteur *f*; fainéantise *f*.
bummel|n *umherschlendern* flâner, se balader; *trödeln* traîner; **2streik** *m* grève *f* du zèle; **2zug** *m* F tortillard *m*.
bums! boum!, patatras!

bumsen *Geräusch* faire boum; *stoßen* rentrer (*gegen* dans); *vulgär* baiser.
Bund[1] *m* alliance *f*, union *f*; *pol a* (con)fédération *f*; *Verband* association *f*; *an Hose, Rock* ceinture *f*; F *cf Bundeswehr*.
Bund[2] *n* botte *f*; *ein ~ Radieschen* une botte de radis.
Bündel *n* paquet *m*; *Akten* liasse *f*; *Strahlen* faisceau *m*; **2n** faire un paquet de.
Bundes|bahn *f* chemins *m/pl* de fer fédéraux; **~genosse** *m* allié *m*; **~kanzler** *m* chancelier *m* fédéral; **~land** *n* land *m*; **~liga** *f Fußball* première division *f*; **~präsident** *m* président *m* de la République fédérale (*Schweiz* de la Confédération); **~rat** *m* Conseil *m* fédéral, Bundesrat *m*; **~republik** *f ~ Deutschland* République *f* fédérale d'Allemagne (*abr* R.F.A.); *in der ~* en République fédérale; **~staat** *m* État *m* fédéral; **~tag** *m* Parlement *m* fédéral, Bundestag *m*; **~wehr** *mil f* armée *f* de la République fédérale.
bündig *Antwort etc* concis; *kurz und ~* sans détours.
Bündnis *n* alliance *f*, pacte *m*.
Bunker *m mil* blockhaus *m*; *Luftschutz* abri *m* antiaérien.
bunt de couleurs variées, multicolore; *abwechslungsreich* varié; *~ durcheinander* pêle-mêle; *fig jetzt wird's mir zu ~!* F j'en ai marre!; **~gemustert** *Stoff* fantaisie; **2stift** *m* crayon *m* de couleur.
Bürde *f fig* charge *f*, fardeau *m*.
Burg *f* château *m* fort.
Bürg|e *m*, **~in** *f* garant *m*, -e *f*; **2en** *~ für* se porter garant de.
Bürger|(in *f*) *m* bourgeois *m*, -e *f*; *Staats2* citoyen *m*, -ne *f*; **~initiative** *f* comité *m* de défense; **~krieg** *m* guerre *f* civile; **2lich** *Klasse, Milieu* bourgeois; *staats~* civil, civique; *2es Gesetzbuch* code *m* civil; **~meister** *m* maire *m*; *Belgien, Schweiz* bourgmestre *m*; **~sinn** *m* civisme *m*; **~steig** *m* trottoir *m*; **~tum** *n* bourgeoisie *f*.
Bürgschaft *jur f* caution *f*, garantie *f*.
Burgund *n* la Bourgogne; **~er(in** *f*) *m* Bourguignon *m*, -ne *f*; **~erwein** *m* vin *m* de Bourgogne; bourgogne *m*.
Büro *n* bureau *m*; **~angestellte(r)** *m*, *f* employé *m*, -e *f* de bureau; **~arbeit** *f* travail *m* de bureau; **~klammer** *f* trombone *m*; **~krat** *m* bureaucrate *m*; **~kratie** *f* bureaucratie *f*; **~vorsteher** *m* chef *m* de bureau.
Bursch|(e) *m* garçon *m*, gars *m* F, type *m* F; **2ikos** sans gêne, décontracté.
Bürste *f* brosse *f*; **2n** brosser; **~nschnitt** *m* coupe *f* en brosse.
Bus *m* bus *m*; *Reise2* car *m*.
Busch *m bot* buisson *m*; *in Afrika* brousse *f*; *fig auf den ~ klopfen* tâter le terrain.
Büschel *n* touffe *f*.
busch|ig *Haare* touffu; **2messer** *n* machette *f*.
Busen *m* seins *m/pl*, poitrine *f*, gorge *f*; **~freund(in** *f*) *m* ami(e *f*) *m* intime.
Bus|fahrer *m* conducteur *m od* chauffeur *m* de bus; **~haltestelle** *f* arrêt *m* d'autobus; **~linie** *f* ligne *f* d'autobus.
Bussard *zo m* buse *f*.
Buße *f rel* pénitence *f*; *jur* amende *f*.
büßen expier; *das sollst du mir ~!* tu me le paieras!
Bußgeld *n* amende *f*.
Büste *f* buste *m*; ⚠ *le* buste; **~nhalter** *m* soutien-gorge *m*.
Butter *f* beurre *m*; *mit ~ bestreichen* beurrer; **~brot** *n* tartine *f* beurrée; F *für ein ~* pour une bouchée de pain; **~brotpapier** *n* papier *m* sulfurisé; **~dose** *f* beurrier *m*; **~milch** *f* petit-lait *m*, babeurre *m*.

C

C *mus n* do *m*, ut *m*.
Café *n* salon *m* de thé.
camp|en camper; **²er(in** *f*) *m* campeur *m*, -euse *f*; **²ing** *n* camping *m*; **²ingplatz** *m* (terrain *m* de) camping *m*.
Cape *n* cape *f*.
Cassette *f* cassette *f*; **~nrecorder** *m* magnétophone *m od* lecteur *m* à cassettes.
Catcher *m* catcheur *m*.
Cellist(in *f*) *m* violoncelliste *m*, *f*.
Cello *mus n* violoncelle *m*.
Celsius 5 *Grad* ~ 5 degrés centigrade.
Cembalo *mus n* clavecin *m*.
Champagner *m* champagne *m*.
Champignon *bot m* champignon *m* de Paris.
Chance *f* chance *f*; **~ngleichheit** *f* égalité *f* des chances.
Chao|s *n* chaos *m*; **²tisch** chaotique.
Charakter *m* caractère *m*; **~fehler** *m* défaut *m* de caractère; **²isieren** caractériser; **~istik** *f* caractéristique *f*; **²istisch** caractéristique (*für* de); **²lich** de caractère; **²los** sans caractère; ~ *sein* manquer de caractère; **~zug** *m* trait *m* de caractère; ⚠ *Schreibung caractère etc.*
charmant charmant.
Charme *m* charme *m*.
Charter|flugzeug *n* charter *m*; **²n** affréter.
Chassis *tech n* châssis *m*.
Chauffeur *m* conducteur *m*, chauffeur *m*.
Chaussee *f* grand-route *f*; ⚠ *nicht chaussée.*
Chauvinist|(in *f*) *m* chauvin *m*, -e *f*; **²isch** chauvin.
Chef|(in *f*) *m* chef *m*, *f*, patron *m*, -ne *f*; **~arzt** *m* médecin-chef *m*; **~redakteur** *m* rédacteur *m* en chef; **~sekretärin** *f* secrétaire *f* de direction.
Chemie *f* chimie *f*; **~faser** *f* fibre *f* synthétique.
Chemikalien *f/pl* produits *m/pl* chimiques.
Chemi|ker(in *f*) *m* chimiste *m*, *f*; **²sch** chimique; *~e Reinigung* nettoyage *m* à sec.
Chicorée *m od f* endive *f*; ⚠ *nicht chicorée.*
Chiffr|e *f* chiffre *m*; *Annonce* référence *f*; ⚠ *le* chiffre; **²ieren** chiffrer; *codieren* coder.
Chile *n* le Chili.
Chilen|e *m*, **~in** *f* Chilien *m*, -ne *f*; **²isch** chilien.
China *n* la Chine.
Chines|e *m*, **~in** *f* Chinois *m*, -e *f*; **²isch** chinois.
Chinin *méd n* quinine *f*.
Chip *EDV m* puce *f*.
Chirurg *m* chirurgien *m*; **~ie** *f* chirurgie *f*; **²isch** chirurgical.
Chlor *chim n* chlore *m*; **²en** *Wasser* javelliser.
Cholera *méd f* choléra *m*; ⚠ *le* choléra.
cholerisch coléreux.
Chor *m* chœur *m* (*a arch*); *Gesangverein* chorale *f*; *im* ~ en chœur.
Chor|eographie *f* chorégraphie *f*; **~gestühl** *n* stalles *f/pl*.
Christ|(in *f*) *m* chrétien *m*, -ne *f*; **~baum** *m* arbre *m* de Noël; **~enheit** *f* chrétienté *f*; **~entum** *n* christianisme *m*; **~kind** *n* enfant *m* Jésus; **²lich** chrétien; **~us** *m* Jésus-Christ, le Christ.
Chrom *chim n* chrome *m*.
Chromosom *biol n* chromosome *m*.
Chron|ik *f* chronique *f*; **²isch** chronique; **²ologisch** chronologique.
circa environ.
City *f* centre *m* ville.
clever intelligent, malin, débrouillard F.
Clique *f péj* clique *f*; **~nwirtschaft** *f* régime *m* de cliques.
Clou *m* F clou *m*.
Comics *pl* bande *f* dessinée (*abr* B.D.).
Compact-disc *f* disque *m* compact.
Computer *m* ordinateur *m*.
Conférencier *m* présentateur *m*, animateur *m*.
Container *m* conteneur *m*.
Contergankind *n* enfant *m* victime de la thalidomide.
Corner *östr m Sport* corner *m*.
Couch *f* canapé-lit *m*.
Countdown *m* compte *m* à rebours.
Coupé *m auto* coupé *m*; *Zugabteil* compartiment *m*.
Cousin *m* cousin *m*; **~e** *f* cousine *f*.
Creme *f* crème *f*.
Curry *cuis m od n* cari *m*.

D

D *mus n* ré *m*.

da 1. *adv örtlich* là; *zeitlich* alors, à ce moment; ~ *ist*, ~ *sind* voilà *od* voici; ~ *bin ich* me voici; ~ *kommt er* le voilà qui vient; ~! tiens!; *der Mann* ~ cet homme-là; ~ *drüben* là-bas; ~ *drin od* ~ *hinein* là-dedans; *von* ~ *an od ab* dès lors; **2.** *conj* parce que, comme; ~ (*doch*) puisque.

dabei *örtliche Nähe* (tout) près; *bei dieser Gelegenheit* à cette occasion; *außerdem* avec cela, en outre, de plus; *gleichzeitig* à la fois; *obwohl doch* pourtant; *mit enthalten* compris; *ich bin gerade* ~, *etw zu tun* je suis en train de faire qc; *etw* ~ *haben* avoir qc sur soi; *es ist nichts* ~ *leicht* ce n'est pas difficile; *harmlos* ça ne fait rien, ce n'est pas grave; **~sein** être présent, être de la partie.

dableiben rester là.

Dach *n* toit *m*; **~boden** *m* grenier *m*; **~decker** *m* couvreur *m*; **~fenster** *n* lucarne *f*; **~gepäckträger** *auto m* galerie *f* de toit; **~kammer** *f* mansarde *f*; **~pappe** *f* carton *m* bitumé; **~rinne** *f* gouttière *f*.

Dachs *zo m* blaireau *m*.

Dachziegel *m* tuile *f*.

Dackel *zo m* teckel *m*.

dadurch par là; *auf solche Weise* de cette manière; *deshalb* c'est pourquoi; ~, *daß* ... du fait que ...

dafür pour cela; *zum Ausgleich* en revanche; *als Ersatz* en échange; ~ *sein* être pour; ~ *sein, daß* ... être d'avis que ... (+ *subj*;) *ich kann nichts* ~ ce n'est pas ma faute, je n'y peux rien; ~, *daß* ... parce que ...

dagegen contre cela; *im Gegensatz dazu* par contre; *im Vergleich dazu* en comparaison; ~ *sein* être contre; *etw* ~ *haben* avoir qc contre.

daheim chez moi, toi, *etc*; à la maison.

daher *Ort* de là, de ce côté-là; *Ursache* c'est *od* voilà pourquoi, pour cette raison, à cause de cela; *folglich* par conséquent; *das kommt* ~, *daß* ... cela vient de ce que ...

dahin là, y; *verloren* perdu; *vergangen* passé; *bis* ~ jusque-là (*a zeitlich*); **~eilen** passer rapidement; **~gehen** *vergehen* passer; **~gestellt** ~ *sein lassen* laisser indécis; *es bleibt* ~, *ob* ... laissons la question en suspens de savoir si ...

dahinten là-bas.

dahinter (là) derrière; *fig* là-dessous; *es steckt nichts* ~ c'est creux; **~kommen** découvrir.

dalassen laisser (ici *od* là)

Dalmatien *n* la Dalmatie.

damalig d'alors, de cette époque.

damals alors, à l'époque; *schon* ~ déjà à cette époque.

Damast *m* damas *m*.

Dame *f* dame *f* (*a Spiel*); *Schach* reine *f*.

Damen|binde *f* serviette *f* hygiénique; **~friseur** *m* coiffeur *m* pour dames.

damit 1. *adv* avec (cela); *was will er* ~ *sagen?* que veut-il dire par là?; *genug* ~! ça suffit!; *Schluß* ~! un point, c'est tout!; **2.** *conj* afin que, pour que (+ *subj*); afin de, pour (+ *inf*).

dämlich F bête, nigaud.

Damm *m* digue *f*; *Stau*≈ barrage *m*; *fig* barrière *f*.

dämmer|ig crépusculaire, sombre; **≈ung** *f Abend*≈ crépuscule *m*; *Morgen*≈ aube *f*, point *m* du jour.

Dämon *m* démon *m*; **≈isch** démoniaque.

Dampf *m* vapeur *f*; *von Speisen* fumée *f*; **≈en** dégager des vapeurs; *Speisen* fumer.

dämpfen *cuis* cuire à la vapeur *od* à l'étouffée; *Licht*, *Begeisterung* atténuer; *Stoß* amortir; *Schall* étouffer, assourdir; *mit gedämpfter Stimme* à mi-voix.

Dampf|er *m* (bateau *m* à) vapeur *m*; *Ozean*≈ paquebot *m*; **~kochtopf** *cuis m* cocotte-minute *f*, autocuiseur *m*; **~maschine** *f* machine *f* à vapeur; **~walze** *f* rouleau *m* compresseur.

danach *zeitlich* après, après cela, après quoi, puis, ensuite; *dementsprechend* d'après cela; *sich* ~ *richten* en tenir compte; *mir ist nicht* ~ je n'en ai pas envie; *er sieht* ~ *aus* il en a tout l'air.

Dän|e *m*, **~in** Danois *m*, -e *f*.

daneben à côté; *außerdem* outre cela; *gleichzeitig* en même temps; **~gehen** F rater, échouer; *Torschuß* rater le but.

Dän|emark *n* le Danemark; **♀isch** danois.
Dank *m* remerciement *m*; *vielen ~!* merci beaucoup *od* bien!
dank *prép* grâce à.
dankbar reconnaissant (*für* de); *Sache* payant, facile; *ich bin Ihnen ~ dafür* je vous en suis reconnaissant; **♀keit** *f* reconnaissance *f*, gratitude *f*.
danke merci; *~ schön* merci beaucoup *od* bien.
danken *j-m für etw ~* remercier qn de qc; *ich danke! iron* non merci!
dann alors, puis; *~ und wann* de temps à autre.
daran à cela, y; F *oft* après; *~ denken* y penser; *~ sterben* en mourir; *mir liegt viel ~* j'y tiens beaucoup; *es liegt ~, daß ...* cela provient du fait que ...; *ich bin nahe ~ zu ...* je suis sur le point de ...
darauf *räumlich* (là-)dessus, sur cela; *zeitlich* après (cela), ensuite; *am Tag ~* le lendemain; *ich komme nicht ~* cela ne me revient pas; *es kommt ~ an* cela dépend; **~hin** sur ce; *Folge* à la suite de quoi.
daraus de là, de cela, en; *was ist ~ geworden?* qu'en est-il advenu?; *ich mache mir nichts ~* je n'y tiens pas; F très peu pour moi; *mach dir nichts ~!* ne t'en fais pas!
darbiet|en offrir, présenter; **♀ung** *f* spectacle *m*, représentation *f*.
darin (là-)dedans, dans *od* en cela, y.
darleg|en expliquer, exposer; **♀ung** *f* explication *f*.
Darlehen *n* prêt *m*.
Darm *m* intestin *m*; *Tier* boyau *m*; **~grippe** *f* grippe *f* intestinale.
darstell|en représenter, décrire; *Sachverhalt* présenter; *Theater* représenter; *Rolle* interpréter; **♀er(in *f*)** *m* acteur *m*, actrice *f*, interprète *m*, *f*; **♀ung** *f* représentation *f*, description *f*; *e-r Rolle* interprétation *f*.
darüber au-dessus, (là-)dessus; *~ hinweg* par-dessus; *zu diesem Thema* à ce sujet; *~ hinaus* au-delà; *außerdem* en plus; *ich freue mich ~* je m'en réjouis; *~ werden Jahre vergehen* et avec cela les années passeront.
darum *~ (herum)* autour; *kausal* pour cela, voila *od* c'est pourquoi; *ich bitte dich ~* je t'en prie.
darunter au-dessous, (là-)dessous; *inmitten* dans ce nombre; parmi eux *od* elles; *was verstehst du ~!* qu'est-ce que tu entends par là?
dasein 1. être là *od* présent; *ist noch Milch da?* est-ce qu'il y a encore du lait?; **2. ♀** *n* existence *f*.
daß que; *damit* afin *od* pour que (+ *subj*); *so ~* de sorte que (+ *subj*); *nicht ~ ich wüßte* pas que je sache.
dastehen être là.
Daten *n/pl* données *f/pl*; **~bank** *f* banque *f* de données; **~erfassung** *f* saisie *f* des données; **~schutz** *m* protection *f* de la vie privée; informatique *f* et libertés *f/pl*; **~verarbeitung** *f* informatique *f*.
datieren dater; *~ von* dater de.
Dativ *gr m* datif *m*.
Dattel *bot f* datte *f*; **~palme** *f* dattier *m*.
Datum *n* date *f*; *ohne ~* non daté; *welches ~ haben wir heute?* le combien sommes-nous aujourd'hui?, quel jour est-ce aujourd'hui?; ⚠ *la* date.
Dauer *f* durée *f*; *auf die ~* à la longue; **~auftrag** *m Bank* ordre *m* permanent; **~geschwindigkeit** *f* vitesse *f* de croisière; **♀haft** durable, solide; *~er Friede* paix stable; **~haftigkeit** *f* durabilité *f*; **~karte** *f* abonnement *m*; **~lauf** *m* course *f* d'endurance; *Laufschritt* pas *m* de gymnastique; **~lutscher** *m* sucette *f*.
dauer|n durer; *wie lange dauert es noch?* combien de temps faut-il encore?; *es dauert nicht lange* cela ne dure pas longtemps; **~nd** permanent, continu; **♀test** *m* test *m* d'endurance; **♀welle** *f* permanente *f*, indéfrisable *f*.
Daumen *m* pouce *m*; *fig j-m den ~ halten* croiser les pouces, penser à qn (pour qu'il réussisse); *am ~ lutschen* sucer son pouce.
Daunen *f/pl* duvet *m*; **~decke** *f* édredon *m*.
davon en, de cela; *das kommt ~!* c'est bien fait; *auf und ~ sein* F avoir filé *od* décampé; **~kommen** s'en sortir (*mit* avec); *mit dem Leben* en réchapper; *mit dem Schrecken ~* en être quitte pour la peur; **~laufen** partir en courant, se sauver; **~tragen** *Sieg* remporter (*über* sur).
davor devant; *zeitlich* avant; *ich habe Angst ~* j'en ai peur.
dazu *Zweck* à cela, pour cela, dans ce but; *ferner* avec cela, en outre, de

plus; *ich bin nicht ~ gekommen (zu ...)* je n'ai pas trouvé le temps (de ...); *wie kommst du denn ~?* quelle drôle d'idée!; **~gehören** en faire partie; **~gehörig** y appartenant, qui en fait partie; **~kommen** survenir; *noch ~* s'y ajouter.

dazwischen entre les deux, au milieu; *zeitlich* entre-temps; **~kommen** *Ereignis* intervenir, survenir; **~reden** *red nicht immer dazwischen!* ne m'interromps pas sans cesse!

DDR *f* R.D.A. *f* (République démocratique allemande).

Debatt|e *f* débat *m*; ⚠ *le* débat; **≳ieren** débattre (*über etw* qc).

dechiffrieren déchiffrer, décoder.

Deck *mar n* pont *m*.

Decke *f* couverture *f*; *Zimmer≳* plafond *m*.

Deckel *m* couvercle *m*.

deck|en *Dach, mil, Kosten* couvrir; *Bedarf* satisfaire à; *Sport* marquer; *den Tisch ~* mettre la table; *sich ~* coïncider; **≳ung** *f* couverture *f* (*a comm u mil*); *Sport* marquage *m*; *~ des Bedarfs* satisfaction *f* des besoins.

defekt 1. défectueux; *beschädigt* endommagé, avarié, en panne; **2.** ≳ *m* défaut *m*, manque *m*.

Defensive *f* défensive *f*.

defin|ieren définir; **≳ition** *f* définition *f*.

Defizit *comm n* déficit *m*.

Degen *m* épée *f*.

degenerieren dégénérer.

degradieren dégrader.

dehn|bar extensible; *fig* élastique; **≳barkeit** *f* extensibilité *f*; *fig* élasticité *f*; **~en** (*sich ~* s')étendre, (s')allonger, (s')étirer; *phys* (se) dilater; **≳ung** *f* extension *f*; *phys* dilatation *f*.

Deich *m* digue *f*; **~bruch** *m* rupture *f* de digue.

Deichsel *f* timon *m*.

dein ton, ta, *pl* tes; *~er, ~e, ~es, der, die, das ~e od ~ige* le tien, la tienne; **~erseits** de ton côté, de ta part; **~etwegen** à cause de toi, pour toi.

dekaden|t décadent; **≳z** *f* décadence *f*.

Dekan *m* doyen *m*.

deklamieren déclamer.

Deklin|ation *gr f* déclinaison *f*; **≳ieren** décliner.

Dekor|ateur *m* décorateur *m*; *Schaufenster≳* étalagiste *m*; **~ation** *f* décoration *f*; *Theater* décors *m/pl*; **≳ieren** décorer (*mit* de).

delegier|en déléguer; **≳te(r)** *m, f* délégué *m*, -e *f*.

delikat *heikel* délicat; *köstlich* délicieux.

Delikatesse *f Leckerbissen* mets *m* fin, régal *m*; *süß* friandise *f*; ⚠ *nicht délicatesse.*

Delikateßgeschäft *n* épicerie *f* fine.

Delikt *n* délit *m*.

Delphin *zo m* dauphin *m*.

Demagog|e *m* démagogue *m*; **≳isch** démagogique.

dementieren démentir.

dem|entsprechend, ~gemäß conformément à cela, en conséquence; **~nach** donc; *cf a ~gemäß*; **~nächst** sous *od* d'ici peu.

Demokrat|(in *f*) *m* démocrate *m, f*; **~ie** *f* démocratie *f*; **≳isch** démocratique; *Personen* démocrate.

demolieren démolir.

Demonstrant *m* manifestant *m*.

Demonstration *f* manifestation *f*; *Vorführung* démonstration *f*; **~szug** *m* cortège *m* (de manifestants).

demonstrativ ostensible; *gr* démonstratif.

demonstrieren *öffentlich* manifester; *vorführen* démontrer.

demontieren démonter.

Demoskopie *f* sondage *m* d'opinion.

Demut *f* humilité *f*.

demütig humble; **~en** (*sich ~* s')humilier; **≳ung** *f* humiliation *f*.

demzufolge en conséquence, par conséquent.

denkbar imaginable.

denken 1. penser (*an* à); *nach~* réfléchir, raisonner; *das kann ich mir ~* je m'en doute; *~ Sie mal!* figurez-vous!, imaginez-vous!; **2.** ≳ *n* pensée *f*, réflexion *f*.

denk|faul paresseux d'esprit; **≳fehler** *m* faute *f* de raisonnement; **≳mal** *n* monument *m*; **≳schrift** *f* mémoire *m*; **~würdig** mémorable; **≳zettel** *m fig* leçon *f*.

denn car; *wo ist er ~?* où est-il donc?; *mehr ~ je* plus que jamais; *es sei ~, daß ...* à moins que ... ne (+ *subj*).

dennoch cependant, pourtant.

Denunz|iant(in *f*) *m* dénonciateur *m*, -trice *f*; **≳ieren** dénoncer.

Deodorant *n* déodorant *m*.

Deponie *f* décharge *f* publique; **ⱺren** déposer.
Depot *n* dépot *m*.
Depress|ion *psych f* dépression *f*; **ⱺiv** dépressif.
deprimieren déprimer.
der, die, das 1. *Artikel* le, la, *pl* les; **2.** *Demonstrativ* ce, cette, *pl* ces; *substantivisch* celui-ci, celle-ci, cela *od* ça; *pl* ceux-ci, celles-ci; **3.** *Relativ* qui (*Akkusativ* que).
derart de telle manière, tellement; ~, *daß* ... à tel point que ...; **~ig** tel, pareil.
derb grossier.
dergleichen *nichts* ~ rien de tel.
derjenige, diejenige, dasjenige celui, celle (*welcher* qui).
derselbe, dieselbe, dasselbe le *od* la même; *dasselbe substantivisch* la même chose.
Desert|eur *m* déserteur *m*; **ⱺieren** déserter.
des|gleichen de même, pareillement; **~halb** à cause de cela, pour cette raison, c'est *od* voilà pourquoi.
Desinfektion *f* désinfection *f*; **~smittel** *n* désinfectant *m*.
desinfizieren désinfecter.
Desinteress|e *n* manque *m* d'intérêt; **ⱺiert** indifférent.
Despot *m* despote *m*, tyran *m*; **ⱺisch** despotique.
dessenungeachtet malgré cela, néanmoins.
Destill|ation *f* distillation *f*; **ⱺieren** distiller.
desto d'autant; ~ *besser* d'autant mieux, tant mieux!
deswegen *cf deshalb*.
Detail *n* détail *m*.
Detektiv *m* détective *m*.
deut|en *erklären* interpréter; *auf etw* ~ indiquer qc; **~lich** distinct, clair, net; **ⱺlichkeit** *f* clarté *f*, netteté *f*.
deutsch allemand; *in Zssgn* germano-: *~-polnisch* germano-polonais; *~-französisch* franco-allemand; *auf ~ od im ⱺen* en allemand; *fig mit j-m ~ reden* parler carrément à qn; **ⱺe(r)** *m, f* Allemand *m*, -e *f*; **ⱺland** *n* l'Allemagne *f*.
Deutung *f* interprétation *f*.
Devise *f* devise *f*; **~n** *écon f/pl* devises *f/pl*.
Dezember *m* décembre *m*.
dezent discret.
Dezernat *n* département *m*, ressort *m*, service *m*.
dezimal décimal; **ⱺbruch** *m* fraction *f* décimale; **ⱺstelle** *f* décimale *f*; **ⱺsystem** *n* numération *f* décimale.
dezimieren décimer.
d. h. (*abr das heißt*) c'est-à-dire.
Dia *n* diapo *f*.
Diabetes *méd m* diabète *m*.
Diadem *n* diadème *m*.
Diagnose *f* diagnostic *m*; ⚠ *le* diagnostic.
diagonal diagonal; **ⱺe** *f* diagonale *f*.
Dialekt *m* dialecte *m*.
Dialog *m* dialogue *m*.
Diamant *m* diamant *m*.
Diaprojektor *m* projecteur *m* de diapositives.
Diät *méd f* régime *m*; ~ *halten* suivre un régime; **~en** *f/pl* indemnités *f/pl* parlementaires.
dich te (*vor Vokal* t'); toi.
dicht épais; *Verkehr, Menschenmenge* dense; *Stoff* serré; *wasser~, luft~* étanche; ~ *an od bei* tout près de; **ⱺe** *f* épaisseur *f*; densité *f*.
dicht|en composer *od* faire des vers; **ⱺer(in** *f*) *m* poète *m*, femme *f* poète, poétesse *f* (*oft péj*); **~erisch** poétique; **ⱺkunst** *f* art *m* poétique, poésie *f*; **ⱺung** *f* poésie *f*; *Gedicht a* poème *m*; *Literatur* littérature *f*; *tech* joint *m*.
dick épais; *Mensch* gros; *es macht ~* cela fait grossir; *durch ~ und dünn* quoi qu'il arrive; **ⱺe** *f* épaisseur *f*, grosseur *f*; **~flüssig** épais, visqueux; **ⱺicht** *n* fourré *m*; **ⱺkopf** *m* tête *f* de mule *od* de cochon, cabochard *m*; **~köpfig** têtu, entêté; **ⱺköpfigkeit** *f* entêtement *m*; **~leibig** obèse; **ⱺmilch** *f* lait *m* caillé.
Dieb|(in *f*) *m* voleur *m*, -euse *f*; **~esgut** *n* butin *m*; **~stahl** *m* vol *m*.
Diele *f Flur* vestibule *m*, entrée *f*; *Brett* planche *f*.
dien|en servir (*j-m* qn); *~ zu* servir à (*j-m* à qn); *~ als* servir de; **ⱺer(in** *f*) *m* domestique *m, f*, valet *m*, serviteur *m*, servante *f*; **~lich** utile.
Dienst *m* service *m*; *~ haben* être de service; *j-m e-n ~ erweisen* rendre (un) service à qn; *außer ~* (*abr a. D.*) en retraite; *der öffentliche ~* la fonction publique.
Dienstag *m* mardi *m*.
Dienst|alter *n* ancienneté *f*; **ⱺbereit** prêt à servir, disponible; **~bote** *m*

domestique *m*; **⁓eifrig** empressé, zélé; **⁓frei** ⁓ *haben* avoir congé; **⁓geheimnis** *n* secret *m* professionnel; **⁓grad** *m* grade *m*; **⁓leistung** *f* (prestation *f* de) service *m*; **⁓lich** en service officiel, pour affaires; **⁓mädchen** *n* bonne *f*; **⁓reise** *f* voyage *m* en service commandé; **⁓stelle** *f* service *m*, office *m*, bureau *m*; **⁓stunden** *f/pl* heures *f/pl* de service; **⁓vorschrift** *f* instruction *f* de service; **⁓weg** *m* voie *f* hiérarchique; *auf dem* ⁓ par la voie hiérarchique.

diesbezüglich à cet effet, à ce sujet.

Diesel *m Motor, Fahrzeug* diesel *m*; **⁓motor** *m* moteur *m* diesel; **⁓öl** *n* gasoil *od* gazole *m*.

dieser, diese, die(se)s 1. *adjektivisch* ce (*vor Vokal* cet) *m*, cette *f*, ces *pl*; **2.** *substantivisch* celui-ci *m*, celle-ci *f*, *pl* ceux-ci *m*, celles-ci *f*; *die(se)s n* ceci, cela, ça F.

diesig brumeux.

dies|jährig de cette année; **⁓mal** cette fois(-ci); **⁓seits** de ce côté.

Dietrich *m* crochet *m* (de serrurier), rossignol *m*.

Diffamierung *f* diffamation *f*.

Differential *n tech* différentiel *m*; *math* différentielle *f*.

Differenz *f* différence *f*; *Unstimmigkeit* différend *m*; **⁓ieren** différencier.

Digital|anzeige *f* affichage *m* numérique *od* digital; **⁓rechner** *m* calculateur *m* numérique; **⁓uhr** *f* montre *f* digitale.

Diktat *n* dictée *f*; *pol* diktat *m*; *nach* ⁓ *schreiben* écrire sous dictée; ⚠ *la* dictée; **⁓or** *m* dictateur *m*; **⁓orisch** dictatorial; **⁓ur** *f* dictature *f*.

diktier|en dicter; **⁓gerät** *n* machine *f* à dicter, dictaphone *m*.

Dilettant|(in *f*) *m* dilettante *m*, *f*; **⁓isch** en dilettante.

Dimension *f* dimension *f*.

Ding *n* chose *f*; machin *m* F, truc *m* F; *vor allen* ⁓*en* avant tout; *guter* ⁓*e sein* être de bonne humeur; *prov aller guten* ⁓*e sind drei* jamais deux sans trois.

Dingsbums *n* F truc *m*, machin-chouette *m*.

Dingsda F *Herr* ⁓ monsieur Chose *od* Machin.

Diox|id *chim n* dioxide *m*; **⁓in** *chim n* dioxine *f*.

Diözese *rel f* diocèse *m*; ⚠ *le* diocèse.

Diphtherie *méd f* diphtérie *f*.

Diphthong *ling m* diphtongue *f*.

Diplom *n* diplôme *m*.

Diplomat *m* diplomate *m*; **⁓enkoffer** *m* attaché-case *m*; **⁓ie** *f* diplomatie *f*; **⁓isch** diplomatique; *fig Person* diplomate.

Diplomingenieur *m* ingénieur *m* diplômé d'État.

dir te (*vor Vokal* t'); toi, à toi.

direkt direct; (tout) droit; *TV* en direct; ⁓ *gegenüber* juste en face; **⁓ion** *f* direction *f*; **⁓or(in** *f*) *m* directeur *m*, directrice *f*; *Gymnasium* proviseur *m*; *Collège* principal *m*; *Grundschule* directeur *m*, directrice *f*; **⁓übertragung** *Radio, TV f* émission *f* en direct.

Dirig|ent *mus m* chef *m* d'orchestre; **⁓ieren** diriger *od* conduire un orchestre.

Dirne *f* prostituée *f*.

Disharmon|ie *f* dissonance *f*, désaccord *m*; **⁓isch** discordant.

Diskont *écon m* escompte *m*; **⁓satz** *m* taux *m* d'escompte.

Diskothek *f* discothèque *f*.

diskreditieren discréditer.

Diskrepanz *f* divergence *f*.

diskret discret; **⁓ion** *f* discrétion *f*.

Diskriminierung *f* discrimination *f*.

Diskus *Sport m* disque *m*.

Diskussion *f* discussion *f*; *das steht nicht zur* ⁓ le problème n'est pas là; **⁓sleiter** *m* animateur *m* du débat.

Diskus|werfen *n* lancement *m* du disque; **⁓werfer** *m* lanceur *m* de disque.

diskutieren discuter (*etw* qc, *über* de *od* sur).

Disqualifi|kation *f* disqualification *f*; **⁓zieren** disqualifier.

Dissertation *f* thèse *f* de doctorat; ⚠ *nicht dissertation*.

Distanz *f* distance *f*; **⁓ieren** distancer; *sich* ⁓ se distancer (*von* de), prendre ses distances (par rapport à).

Distel *bot f* chardon *m*.

Distrikt *m* district *m*.

Disziplin *f* discipline *f*; **⁓arisch** disciplinaire; **⁓iert** discipliné.

Divi|dende *écon f* dividende *m*; ⚠ *le* dividende; **⁓dieren** diviser; **⁓sion** *f* *math, mil* division *f*.

doch *jedoch* cependant, pourtant; *bejahend auf verneinte Frage* si!; *komm* ⁓! viens donc!; *du weißt* ⁓, *daß* ... tu

sais bien que ...; *wenn er ~ käme!* si seulement il venait!
Docht *m* mèche *f*.
Dock *mar n* dock *m*, bassin *m*.
Dogge *zo f* dogue *m*; ⚠ *le* dogue.
Dogma *n* dogme *m*.
Dohle *zo f* choucas *m*.
Doktor *m* docteur *m* (*a Arzt*); **~arbeit** *f* thèse *f* de doctorat.
Doktrin *f* doctrine *f*.
Dokument *n* document *m*; **~arfilm** *m* documentaire *m*.
Dolch *m* poignard *m*; **~stoß** *m* coup *m* de poignard.
dolmetsch|en traduire; servir d'interprète; **≈er(in** *f*) *m* interprète *m, f*.
Dom *m* cathédrale *f*; ⚠ *nicht* dôme.
Domäne *f* domaine *m*; ⚠ *le* domaine.
Domherr *égl m* chanoine *m*.
dominieren dominer; **~d** dominant.
Dompfaff *zo m* bouvreuil *m*.
Dompt|eur *m*, **~euse** *f* dompteur *m*, -euse *f*.
Donau *die ~* le Danube.
Donner *m* tonnerre *m*; **≈n** tonner (*es donnert* il tonne); *Geschütze* tonner, gronder; *Zug* passer avec un bruit de tonnerre; **~stag** *m* jeudi *m*; **~wetter!** sapristi!, nom de nom!; *erstaunt* bigre!, fichtre!, par exemple!
doof F bête, idiot, stupide; *langweilig* rasant, assommant.
Doppel *n* double *m* (*a Tennis*); **~bett** *n* lits *m/pl* jumeaux; **~decker** *aviat m* biplan *m*; **~fenster** *n* doubles fenêtres *f/pl*; **~gänger** *m* double *m*, sosie *m*; **~haus** *n* maisons *f/pl* jumelles; **~punkt** *m* deux-points *m*.
doppelt double; *~ so viel* deux fois plus; *~ sehen* voir double; *in ~er Ausfertigung* en deux exemplaires; *das ≈e* le double.
Doppel|verdienst *m* cumul *m* de deux salaires; **~zentner** *m* quintal *m*; **~zimmer** *n* chambre *f* pour deux personnes, chambre *f* double.
Dorf *n* village *m*; **~bewohner(in** *f*) *m* villageois *m*, -e *f*.
Dorn *m* épine *f*; **≈ig** épineux.
dörr|en (des)sécher; **≈obst** *n* fruits *m/pl* séchés.
Dorsch *zo m* morue *f*.
dort là, y, par là; *~ drüben* là-bas; **~her** de là, de là-bas; **~hin** (de ce côté-)là, là-bas; **~ig** de là-bas, de cet endroit.
Dose *f* boîte *f*.
dösen somnoler.
Dosenöffner *m* ouvre-boîtes *m*.
Dosis *f* dose *f*.
Dotter *m od n* jaune *m* d'œuf.
Double *n Film* doublure *f*.
Dover Douvres.
Dozent(in *f*) *m* maître *m* de conférences, chargé *m*, -e *f* de cours.
Drache *m Fabeltier* dragon *m*; **~n** *m Spielzeug* cerf-volant *m*; *Fluggerät* deltaplane *m*; *e-n ~ steigen lassen* lancer un cerf-volant; **~nflieger** *m* deltaplaniste *m*.
Draht *m* fil *m* (métallique); *fig auf ~ sein* être sur le qui-vive, F être branché; **≈ig** sportif, nerveux; **≈los** *durch Funk* sans fil; **~seilbahn** *f* téléphérique *od* téléférique *m*; *auf Schienen* funiculaire *m*; **~zieher** *m fig der ~ sein* tirer les ficelles.
drall *Mädchen* dodue, potelée, bien en chair.
Drama *n* drame *m*; **~tiker** *m* auteur *m* dramatique; **≈tisch** dramatique.
dran F *wer ist ~?* à qui le tour?; *ich bin ~* c'est mon tour; *cf a daran*.
Drang *m* impulsion *f*, envie *f*.
drängeln pousser; se bousculer.
drängen presser, pousser; *j-n ~, etw zu tun* presser qn de faire qc; *sich ~* se presser, se pousser, se bousculer; *sich durch die Menge ~* se frayer un chemin à travers la foule; *die Zeit drängt* le temps presse.
drankommen F *ich komme dran* c'est mon tour.
drastisch *Ausdruck* cru, vert; *~e Maßnahmen* mesures radicales *od* draconiennes.
drauf F *~ und dran sein, etw zu tun* être sur le point de faire qc; *cf a darauf*; **≈gänger** *m* risque-tout *m*, casse-cou *m*, tête *f* brûlée.
draus F *cf daraus*.
draußen dehors.
drechseln tourner.
Dreck *m* saleté *f*, crasse F *f*; *Straßen≈* boue *f*; *fig Schund* saleté *f*, saloperie F *f*; **≈ig** sale; boueux; *fig Witz* obscène; *es geht ihm ~* F il est dans la mouise.
Dreh F *m* truc *m*; *er ist auf den ~ gekommen* il a trouvé la combine; **~bank** *tech f* tour *m*; **≈bar** tournant; **~bleistift** *m* porte-mine *m*; **~buch** *n Film* scénario *m*; **~bühne** *f* scène *f* tournante.
drehen tourner (*a Film*); *sich ~* tour-

ner; *worum dreht es sich?* de quoi s'agit-il?

Dreh|er *m Beruf* tourneur *m*; **~kreuz** *n* tourniquet *m*; **~orgel** *f* orgue *m* de Barbarie; **~scheibe** *f* plaque *f* tournante (*a fig*); **~strom** *m* courant *m* triphasé; **~stuhl** *m* chaise *f* pivotante; **~tür** *f* porte *f* à tambour; **~ung** *f* tour *m*, rotation *f*; **~zahl** *f* nombre *m* de tours; *auto* régime *m*; **~zahlmesser** *m* compte-tours *m*.

drei 1. trois; **2.** ♀ *f* trois *m*; *Note* assez bien; **~dimensional** tridimensionnel; **♀eck** *n* triangle m; **~eckig** triangulaire; **♀einigkeit** *rel f* Trinité *f*; **~erlei** de trois sortes; **~fach** triple; **~farbig** tricolore; **~hundert** trois cents; **♀kampf** *Sport m* triathlon *m*; **♀klang** *mus m* accord *m* à trois voix; **♀königstag** *m* jour *m* des Rois; **~mal** trois fois; **♀rad** *n* tricycle *m*; *für Lasten* triporteur *m*; **♀satz** *math m* règle *f* de trois; **♀sprung** *Sport m* triple saut *m*; **~spurig** à trois voies.

dreißig trente; *etwa ~* une trentaine; **~ste** trentième.

dreist effronté, impertinent.

drei|tägig de trois jours; **♀viertelstunde** *f* trois quarts *m/pl* d'heure; **~zehn** treize; **~zehnte** treizième.

dresch|en battre; *fig Phrasen ~* F faire du bla-bla; **♀maschine** *f* batteuse *f*.

dress|ieren dresser; **♀ur** *f* dressage *m*; **♀urpferd** *n* cheval *m* de dressage.

dribbeln *Fußball* dribbler.

drillen *mil u fig* dresser.

Drillinge *m/pl* triplé(e)s *m(f)pl*.

drin F *cf darin*.

dring|en *durch etw ~* pénétrer à travers qc, traverser qc; *aus etw ~* sortir *od* s'échapper de qc; *darauf ~, daß ...* insister pour que (+ *subj*); *an die Öffentlichkeit ~* transpirer dans le public; **~end** urgent, pressant; *Verdacht* sérieux; *adv* d'urgence; **~lich** urgent, pressant; **♀lichkeit** *f* urgence *f*.

drinnen dedans.

dritte troisième; *zu dritt sein* être trois; **♀l** *n* tiers *m*; **~ns** troisièmement, tertio.

Drog|e *f* drogue *f*; **♀enabhängig, ♀ensüchtig** drogué; **~erie** *f* droguerie *f*, herboristerie *f*; **~ist(in** *f*) *m* droguiste *m*, *f*; marchand *m* de couleurs.

drohen menacer (*j-m* qn, *mit* de).

dröhnen retentir; *Motor* vrombir.

Drohung *f* menace *f*.

drollig amusant, drôle.

Dromedar *zo n* dromadaire *m*.

Drossel *zo f* grive *f*.

drosseln freiner, limiter.

drüben de l'autre côté; *DDR* en Allemagne de l'Est.

drüber F *cf darüber*.

Druck *m* pression *f*; *Buch*♀ impression *f*; **~buchstabe** *m* lettre *f* d'imprimerie.

Drückeberger *m* tire-au-flanc *m*.

drucken imprimer.

drücken presser, serrer; *stoßen* pousser; *auf etw ~* appuyer sur qc; *j-m die Hand ~* donner une poignée de main à qn; *fig die Preise ~* faire baisser les prix; *sich ~* F tirer au flanc, se défiler; **~d** *Hitze* étouffant; *Schweigen* oppressant.

Drucker *m* imprimeur *m*; *EDV-Gerät* imprimante *f*.

Drücker *m Tür* poignée *f*; F *am ~ sitzen* être à un poste clé; F être dans les huiles.

Drucker|ei *f* imprimerie *f*; **~schwärze** *f* encre *f* d'imprimerie.

Druck|fehler *m* faute *f* d'impression; **~knopf** *m* bouton-pression *m*; *Schalter* bouton-poussoir *m*; **~luft** *f* air *m* comprimé; **~posten** *m* F planque *f*; **~sache** *f* imprimé *m*; **~schrift** *f in ~* en caractères *m/pl* d'imprimerie.

drum F *cf darum*.

drunter *alles geht ~ und drüber* tout est sens dessus dessous; *cf a darunter*.

Drüse *f* glande *f*.

Dschungel *m* jungle *f*; ⚠ *la* jungle.

Dschunke *mar f* jonque *f*.

du tu (+ *Verb*); toi; *~ bist's!* c'est toi!

Dübel *tech m* cheville *f*.

ducken *sich ~* baisser la tête (*a fig*); *niederkauern* se blottir.

Dudelsack *mus m* cornemuse *f*, biniou *m*.

Duell *n* duel *m*; **♀ieren** *sich mit j-m ~* se battre en duel avec qn.

Duett *mus n* duo *m*.

Duft *m* parfum *m*, bonne odeur *f*; **♀en** sentir bon; **♀end** odorant; **♀ig** *Stoff* vaporeux.

duld|en souffrir, tolérer; **~sam** tolérant.

dumm bête, sot, stupide; *fig das ist mir zu ~* F j'en ai marre; *der ♀e sein*

être le dindon de la farce; **2heit** *f* bêtise *f*, sottise *f*, stupidité *f*; **2kopf** *m* imbécile *m*.
dumpf *Geräusch*, *Schmerz* sourd; *fig unklar* vague; *~er Geruch* odeur *f* de renfermé.
D
Düne *f* dune *f*.
Dung *m natürlicher* fumier *m*.
düng|en engraisser; *mit Mist* fumer; **2er** *m* engrais *m*.
dunkel sombre; obscur (*a fig*); *Farbe* foncé; *es wird ~* il commence à faire nuit.
Dünkel *m* suffisance *f*, présomption *f*, morgue *f*.
dunkel|blau bleu foncé; **2heit** *f* obscurité *f*, ténèbres *f/pl*; **2kammer** *f Foto* chambre *f* noire.
dünn mince; *Kleid*, *Kaffee* léger; *Luft* rare.
Dunst *m* vapeur *f*, fumée *f*; *in der Luft* brume *f*.
dünsten *cuis* cuire à l'étuvée.
dunstig *Wetter* brumeux.
Duplikat *n* duplicata *m*, copie *f*.
Dur *mus* majeur; *A-Dur* la majeur.
durch par; *quer ~* à travers; *math* divisé par; *das ganze Jahr ~* toute l'année; *~ und ~* complètement, d'un bout à l'autre.
durcharbeiten *Stoff* étudier à fond *od* d'un bout à l'autre; *ohne Pause* travailler sans interruption.
durchaus tout à fait, absolument; *~ nicht* pas du tout.
durchblättern feuilleter.
Durchblick *m* échappée *f* (*auf* sur); *fig er hat den ~* il voit clair; **2en** *fig* (*nicht mehr*) *~* (ne plus) voir clair; *~ lassen* laisser entendre.
durchblut|en *méd* irriguer; **2ung** *f* irrigation *f*.
durch|bohren (trans)percer; *fig mit Blicken ~* transpercer du regard; **~brechen** percer; *Schallmauer* franchir; **~brennen** *Sicherung* sauter; *Glühbirne* griller; F *weglaufen* filer, se sauver; **~bringen** *Gesetz*, *Kandidaten* faire passer; *Kranken* sauver; *Vermögen* gaspiller, dilapider.
Durchbruch *m* percée *f* (*a mil u fig*).
durch|denken examiner à fond; **~diskutieren** discuter à fond; **~drehen** s'affoler, craquer.
durchdringen pénétrer; **~d** pénétrant; *Blick*, *Schrei* perçant.
durcheilen parcourir au pas de course.
durcheinander 1. pêle-mêle, en désordre; *fig ~ sein* être troublé, ne plus s'y retrouver; **2.** **2** *n* confusion *f*, désordre *m*, F pagaille *f*; **~bringen** mettre en désordre; *verwirren* troubler; *verwechseln* mélanger, confondre; **~reden** parler tous à la fois.
durchfahr|en passer par, traverser; *nicht halten* ne pas s'arrêter; *bei Rot ~* griller un feu rouge; **2t** *f* passage *m*; *~ verboten!* passage interdit!
Durchfall *m méd* diarrhée *f*; *fig* échec *m*; **2en** *Examen* échouer, être recalé.
durch|finden *sich ~* trouver son chemin; **~fragen** *sich ~* demander son chemin.
durchführ|bar exécutable, réalisable; **~en** exécuter, mettre à exécution, réaliser.
Durchgang *m* passage *m*; *Sport* manche *f*; *Wahl* tour *m* de scrutin; **~sverkehr** *m* trafic *m* de transit.
durchge|braten bien cuit; **~froren** transi.
durchgehen passer (*durch* par); *Vorschlag* être adopté; *Pferd*, *Motor*, *Phantasie* s'emballer; *fliehen* s'enfuir; *fig* examiner; *durchlesen* parcourir; *e-e Lektion noch einmal ~* repasser une leçon; *j-m etw ~ lassen* laisser passer qc à qn, fermer les yeux sur qc; **~d** *Zug* direct; *~ geöffnet* ouvert en permanence *od* sans interruption.
durch|greifen prendre des mesures énergiques; **~halten** tenir bon; **~hauen** couper en deux; **~kommen** passer (*durch* par); *fig* se tirer d'affaire; réchapper d'une maladie; *im Examen* réussir, être reçu; **~können** pouvoir passer (*durch* par); **~kreuzen** *Pläne* contrarier, contrecarrer.
durch|lassen laisser passer; **~lässig** perméable.
durchlauf|en *Sohlen* percer (à force de marcher); *Strecke* parcourir; *Schule* passer par, faire; **2erhitzer** *m* chauffe-eau *m* instantané.
durch|lesen lire (entièrement); *flüchtig* parcourir; **~leuchten** *méd* radiographier; *durchleuchtet werden* passer une radio; **~löchern** trouer; **~machen** *Klasse* faire; *e-e Klasse nochmal ~* redoubler une classe; *viel ~* passer par de rudes épreuves.
Durchmesser *m* diamètre *m*.

durch|müssen devoir passer (*durch* par); **~nässen** tremper; **~nehmen** *Thema* traiter, étudier; **~pausen** décalquer; **~probieren** essayer l'un après l'autre; **~queren** traverser; **~rechnen** calculer.

Durchreise *f* passage *m*; *auf der ~ sein* être de passage; *auf der ~ durch* en passant par; **2n** passer; *Gegend* traverser; **~visum** *n* visa *m* de transit.

durch|reißen déchirer; **~ringen** *sich zu etw ~* se résoudre à qc.

Durchsage *f* annonce *f*, message *m*.

durchschauen *j-n ~* pénétrer les intentions de qn.

durchscheinen transparaître; **~d** transparent, translucide.

Durchschlag *m Kopie* double *m*, copie *f*; **2en** *Geschoß* percer; *zerschlagen* casser en deux; *Farbe etc* passer à travers; *sich ~* se débrouiller; *sich mühsam ~* gagner péniblement sa vie; **2end** efficace, décisif; *Erfolg* retentissant; **~skraft** *f* force *f* percutante (*a fig*).

durch|schlängeln *sich ~* se faufiler; **~schneiden** couper (en deux), trancher; *j-m die Kehle ~* couper la gorge à qn.

Durchschnitt *m* moyenne *f*; *im ~* en moyenne; **2lich** moyen; *adv* en moyenne.

Durchschnitts|alter *n* âge *m* moyen; **~einkommen** *n* revenu *m* moyen; **~geschwindigkeit** *f* vitesse *f* moyenne; **~mensch** *m* homme *m* moyen *od* de la rue; *péj* homme *f* médiocre; **~wert** *m* valeur *f* moyenne.

Durchschrift *f* copie *f*, double *m*.

durch|sehen regarder à travers; *Text* parcourir; *prüfend* examiner; *noch einmal* réviser; **~setzen** imposer, faire adopter; *seinen Willen ~* imposer sa volonté; *sich ~* s'imposer; **~setzt** *~ mit* entremêlé de.

Durchsicht *f* examen *m*, révision *f*; **2ig** transparent (*a fig*).

durch|sickern suinter, s'infiltrer; *fig* transpirer; **~sieben** passer au crible; *mit Kugeln ~* cribler de balles; **~sprechen** discuter; **~stechen** percer; **~stecken** faire passer (à travers); **~stoßen** percer (*a mil*); **~streichen** barrer, biffer, rayer.

durchsuch|en fouiller; **2ung** *f* fouille *f*; *Wohnung* perquisition *f*.

durchtreten *Gaspedal* appuyer à fond sur.

durchtrieben rusé, roué, madré, malin, roublard.

durchwandern parcourir à pied.

durchweg sans exception, tous (toutes).

durch|wühlen fouiller (*etw* dans qc); **~zählen** compter un à un; **~ziehen** passer; *Gebiet* parcourir.

Durchzug *m* courant *m* d'air.

dürfen avoir le droit *od* la permission (de), être autorisé (à); pouvoir; devoir; *darf ich Ihnen helfen?* est-ce que je peux vous aider?; *das hättest du nicht tun ~* tu n'aurais pas dû faire cela; *das dürfte genügen* cela devrait suffire.

dürftig insuffisant, maigre, médiocre.

dürr sec (*a Mensch*); *Boden* aride; *Ast, Blatt a* mort; **2e** *f* sécheresse *f*.

Durst *m* soif *f* (*fig nach* de); *~ haben* avoir soif.

dürsten *st/s ~ nach* avoir soif de, être assoiffé de.

durst|ig *~ sein* avoir soif; **~stillend** désaltérant.

Dusche *f* douche *f*; **2n** *j-n* doucher; (*sich*) *~* se doucher, prendre une douche.

Düse *tech f* tuyère *f*; **~nantrieb** *m* propulsion *f* par réaction; **~nflugzeug** *n* avion *m* à réaction; **~ntriebwerk** *n* (turbo)réacteur *m*.

düster sombre (*a fig*).

Dutzend *n* douzaine *f*; **2weise** par douzaines.

duzen (*sich ~* se) tutoyer.

Dynam|ik *f* dynamique *f*; *fig a* dynamisme *m*; **2isch** dynamique.

Dynamit *n* dynamite *f*; ⚠ *la* dynamite.

Dynamo *m* dynamo *f*; ⚠ *la* dynamo.

D-Zug *m* express *m*.

E

E *mus n* mi *m.*
Ebbe *f* marée *f* basse; ~ *und Flut* marée *f.*
eben 1. *adj* plat, plan; *zu ~er Erde* au rez-de-chaussée; **2.** *adv* justement; ~ *angekommen sein* venir d'arriver; *ich wollte ~ sagen* j'allais dire; **2bild** *n* portrait *m*; image *f*; **~bürtig** *j-m ~ sein* valoir qn.
Ebene *f* plaine *f*; *pol auf höchster ~* au plus haut échelon.
ebenerdig au niveau du sol.
ebenfalls de même, pareillement.
Ebenholz *n* bois *m* d'ébène.
Eben|maß *n* proportions *f/pl* harmonieuses, symétrie *f*; **2mäßig** bien proportionné.
ebenso de même; **~sehr, ~viel** autant (de); **~wenig** tout aussi peu.
Eber *zo m* verrat *m*; **~esche** *bot f* sorbier *m.*
ebnen aplanir (*a fig*).
Echo *n* écho *m.*
echt véritable, naturel; authentique; **2heit** *f* vérité *f*; authenticité *f.*
Eckball *m Sport* corner *m.*
Eck|e *f* coin *m*; **2ig** angulaire, anguleux; *fig* gauche; **~zahn** *m* canine *f.*
edel noble; généreux; *Metall* précieux; **~herzig** généreux; **2mann** *m* gentilhomme *m*; **2metall** *n* métal *m* précieux; **2mut** *m* générosité *f*; **~mütig** généreux; **2stahl** *m* acier *m* inoxydable; **2stein** *m* pierre *f* précieuse; **2tanne** *bot f* sapin *m* argenté.
Edikt *n* édit *m.*
EDV *f* informatique *f.*
Efeu *bot m* lierre *m.*
Effekt *m* effet *m.*
Effekten *pl Habe* effets *m/pl*; *Wertpapiere* titres *m/pl*, effets *m/pl* publics, valeurs *f/pl.*
Effekt|hascherei *f* tape-à-l'œil *m*; **2iv** *tatsächlich* effectif; *wirksam* efficace; **~ivität** *f* efficacité *f*; **2voll** qui fait de l'effet; théâtral.
EG *f* C.E.E. *f* (= Communauté économique européenne).
egal égal; ~ *ob* peu importe que ... (+ *subj*); *das ist ~* ça revient au même; *das ist mir ~* ça m'est égal.
Egge *f* herse *f*; **2n** herser.
Egois|mus *m* égoïsme *m*; **~t(in** *f***)** *m* égoïste *m, f*; **2tisch** égoïste.
ehe ~ (*daß*) avant que ... (+ *subj*), avant de (+ *inf*); *nicht ~* pas jusqu'à ce que (+ *subj*).
Ehe *f* mariage *m*; *wilde ~* union *f* libre, concubinage *m*; **~brecher(in** *f***)** *m* adultère *m*, femme *f* adultère; **2brecherisch** adultère; **~bruch** *m* adultère *m*; **~frau** *f* femme *f*, épouse *f*; **~leute** *pl* époux *m/pl*; **2lich** conjugal; *Kind* légitime; **~losigkeit** *f* célibat *m*; **2malig** ancien, d'autrefois; **~malige** *m/pl* anciens élèves *m/pl*; **~mann** *m* mari *m*; **~paar** *n* couple *m* (de mariés).
eher *früher* plus tôt; *lieber* plutôt; *je ~ desto lieber* le plus tôt sera le mieux; *nicht ~ als* pas avant que ... (+ *subj*).
Ehe|ring *m* alliance *f*; **~scheidung** *f* divorce *m*; **~schließung** *f* mariage *m*; **~vermittlungsinstitut** *n* agence *f* matrimoniale.
ehrbar honorable, honnête.
Ehre *f* honneur *m*; *zu ~n von* en l'honneur de; **2n** honorer; respecter.
Ehren|amt *n* charge *f* honorifique; **2amtlich** *~e Helfer pl* des bénévoles; **~bürger(in** *f***)** *m* citoyen *m*, -ne *f* d'honneur; **~doktor** *m* docteur *m* honoris causa; **~gast** *m* invité *m* d'honneur; **2haft** honorable; **~haftigkeit** *f* honorabilité *f*; **~mann** *m* homme *m* d'honneur; **~mitglied** *n* membre *m* honoraire; **~platz** *m* place *f* d'honneur; **~rechte** *n/pl bürgerliche ~* droits *m/pl* civiques; **~rettung** *f* réhabilitation *f*; **2rührig** injurieux; **2voll** honorable; **~wort** *n* parole *f* d'honneur.
Ehr|furcht *f* respect *m*; **2furchtgebietend** qui inspire le respect; **2fürchtig, 2furchtsvoll** respectueux; **~gefühl** *n* sens *m od* sentiment *m* de l'honneur; **~geiz** *m* ambition *f*; **2geizig** ambitieux.
ehrlich honnête; ~ *gesagt* pour dire vrai; **2keit** *f* honnêteté *f.*
ehr|los infâme; **2losigkeit** *f* infamie *f*; **2ung** *f* hommage *m*; **2verlust** *m* perte *f* des droits civiques; **~würdig** vénérable.
Ei *n* œuf *m.*
ei! eh!, tiens!
Eiche *bot f* chêne *m.*
Eichel *f* gland *m.*
eichen 1. *adj* de *od* en chêne; **2.** *Verb*:

Hohlmaße jauger; *Gewichte*, *Maße* étalonner.
Eich|hörnchen *zo n* écureuil *m*; **~maß** *n* étalon *m*; *Hohl- u Längenmaß* jauge *f*.
Eid *m* serment *m*; *an ~es Statt erklären* certifier sur l'honneur; *unter ~ stehen* être assermenté; **2brüchig** parjure.
Eidechse *zo f* lézard *m*.
eid|esstattlich *jur ~e Erklärung* déclaration *f* sur l'honneur; **2genosse** *m* confédéré *m*, Suisse *m*.
Eidotter *m* jaune *m* d'œuf.
Eier|becher *m* coquetier *m*; **~kuchen** *m* omelette *f*; **~schale** *f* coquille *f* d'œuf; **~stock** *méd m* ovaire *m*; **~uhr** *f* sablier *m*.
Eifer *m* zèle *m*; empressement *m*; **~sucht** *f* jalousie *f*; **2süchtig** jaloux (*auf* de).
eifrig zélé; empressé.
Eigelb *n* jaune *m* d'œuf.
eigen propre; spécifique; particulier; **2art** *f* particularité *f*; **~artig** particulier, singulier; *seltsam* curieux, étrange; **2bedarf** *m* consommation *f* personnelle; **~händig** de mes (*od* ses, *etc*) propres mains; **2heim** *n* maison *f* individuelle; **2heit** *f* particularité *f*; trait *m* caractéristique; **2liebe** *f* égoïsme *m*; infatuation *f*; **2lob** *n* éloge *m* de soi-même; **~mächtig** arbitraire; **2name** *m* nom *m* propre; **~nützig** égoïste.
eigens exprès.
Eigen|schaft *f* qualité *f*; *phys*, *chim* propriété *f*; *in seiner ~ als* en sa qualité de; **~sinn** *m* entêtement *m*, opiniâtreté *f*; **2sinnig** entêté, opiniâtre.
eigentlich proprement dit, véritable; *Sinn* propre; *adv* en réalité; à vrai dire.
Eigen|tor *n Sport* but *m* contre son propre camp; **~tum** *n* propriété *f*; **~tumswohnung** *f* appartement *m* en copropriété; **~tümer(in** *f*) *m* propriétaire *m*, *f*; **2tümlich** singulier, étrange; **~tümlichkeit** *f* particularité *f*; **2willig** entêté; volontaire; *Stil* individuel; original.
eignen *sich ~* se prêter (*zu* à); convenir (*für* pour); *sie eignet sich nicht zu dieser Arbeit* elle n'est pas faite pour ce travail.
Eignung *f* aptitude *f* (*für* à); **~stest** *m* test *m* d'aptitude.
Eil|bote *m* courrier *m*; *durch ~n* par exprès; **~brief** *m* lettre *f* (par) exprès.
Eile *f* hâte *f*; **2n** se hâter, se dépêcher; *Sache* être urgent.
eilig *Person* pressé; *Sache* pressant; *es ~ haben* être pressé; **~st** à la hâte, vite.
Eilzug *m* train *m* direct.
Eimer *m* seau *m*.
ein *Zahlwort*, *Artikel* un, une; *~ für allemal* une fois pour toutes; *sein ~ und alles* tout ce qu'il a de plus cher; *~er von uns beiden* l'un de nous deux; *bei j-m ~ und aus gehen* fréquenter qn.
einander l'un l'autre, les uns les autres; l'un à l'autre, les uns aux autres.
einarbeiten *sich ~* se mettre au courant d'un travail, s'initier à un travail.
einarmig à un bras.
einäscher|n incinérer; **2ung** *f* incinération *f*.
einatmen inspirer, inhaler.
einäugig borgne.
Einbahnstraße *f* sens *m* unique.
Einband *m* reliure *f*.
einbändig en un seul volume.
Einbau *m* montage *m*; mise *f* en place; **2en** *Möbel* encastrer; *Geräte* installer, monter; **~möbel** *pl* meubles *m/pl* encastrables.
einberuf|en *mil* appeler sous les drapeaux; *Parlament* convoquer; **2ung** *f* appel *m*; convocation *f*.
einbeziehen inclure, comprendre (*in* dans).
einbiegen *in e-e Straße ~* s'engager dans une rue.
einbild|en *sich ~* s'imaginer; **2ung** *f* imagination *f*; *irrige Vorstellung* illusion *f*; *Anmaßung* suffisance *f*; **2ungskraft** *f* imagination *f*.
Einblick *m* vue *f*; *fig* connaissance *f*; *flüchtiger ~* aperçu *m*.
einbrech|en *in ein Haus ~* cambrioler une maison; **2er** *m* cambrioleur *m*.
einbringen *Antrag* déposer; *Getreide* engranger; *Gewinn* rapporter.
Einbruch *m in ein Haus* effraction *f*, cambriolage *m*; *bei ~ der Nacht* à la tombée de la nuit; **~(s)diebstahl** *m* cambriolage *m*.
ein|bürgern naturaliser; *fig sich ~ Sitten* s'introduire, passer dans les mœurs; **2bürgerung** *f* naturalisation *f*; **2buße** *f* perte *f*; **~büßen**

E

perdre; **~dämmen** endiguer; **~decken** *sich* ~ se pourvoir (*mit* de), s'approvisionner (en).
eindeutig sans équivoque, clair; *fig* catégorique, net.
eindring|en pénétrer (*in* dans); *mil* envahir (*in ein Land* un pays); **~lich** insistant; *adv* avec insistance; **&lichkeit** *f* insistance *f*; **&ling** *m* intrus *m*; *mil* envahisseur *m*.
Ein|druck *m* impression *f*; **&drücken** enfoncer; **&drucksvoll** impressionnant.
eineinhalb un et demi.
einengen resserrer, restreindre.
Einer *m math* unité *f*; *Ruderboot* canot *m* à un rameur.
einerlei 1. *das ist ~!* c'est indifférent!; **2.** **&** *n* monotonie *f*; *das tägliche ~* le traintrain quotidien.
einerseits d'une part, d'un côté.
einfach simple; modeste; *Mahl* frugal; *Fahrkarte* simple; **&heit** *f* simplicité *f*; frugalité *f*.
einfädeln *Nadel* enfiler; *fig* engager.
einfahren (r)entrer (*in* dans); *Bergwerk* descendre; *Auto* roder.
Einfahrt *f* entrée *f*; *Torweg* porte *f* cochère.
Einfall *m mil* invasion *f*; *plötzlicher Gedanke* idée *f*; *er ist auf den ~ gekommen zu* ... il lui a pris la fantaisie de ...; **&en** s'écrouler; *mil* envahir (*in ein Land* un pays); *sich ~ lassen, etw zu tun* s'aviser de faire qc.
Ein|falt *f* simplicité *f*; naïveté *f*; niaiserie *f*; **&fältig** simple; naïf; niais; **~familienhaus** *n* maison *f* individuelle; **&fangen** saisir; *Stimmung* rendre; **&farbig** d'une seule couleur; *Stoff* uni.
einfass|en border (*mit* de); garnir; **&ung** *f* bordure *f*; garniture *f*.
einfetten graisser; *tech* lubrifier.
ein|finden *sich* ~ se présenter; **~flechten** *fig* insérer; **~fliegen** faire venir par avion; **~fließen** couler; *fig etw ~ lassen* glisser qc (*in* dans); **~flößen** *Arznei* faire prendre; *Angst* inspirer.
Einfluß *m* influence *f*; **&reich** influent, puissant.
einförmig uniforme; *fig* monotone; **&keit** *f* uniformité *f*; monotonie *f*.
ein|frieren geler; être pris dans les glaces; *Lebensmittel* congeler; **~fügen** (*sich* s')insérer; **~fühlen** *sich ~ in j-n* se mettre au diapason *od* dans la peau de qn; **~fühlsam** compréhensif, compatissant; **&fühlungsvermögen** *psych n* faculté *f* de s'identifier à qn; pouvoir *m* d'intuition.
Ein|fuhr *f* importation *f*; **&führen** (*sich* ~ s')introduire; *Waren* importer; *in ein Amt* installer; **~fuhrstopp** *écon m* arrêt *m* des importations; **~führung** *f* introduction *f*.
Eingabe *f* pétition *f*; *Daten* entrée *f*.
Eingang *m* entrée *f*; *verbotener ~* entrée interdite.
ein|geben *Arznei* administrer, faire prendre; *Daten* entrer; *fig* suggérer; **~gebildet** imaginaire; *dünkelhaft* vaniteux, présomptueux.
Eingeborene(r) *m, f* indigène *m, f*.
Eingebung *f* inspiration *f*.
ein|gefallen *Wange* creux; *Auge* enfoncé; **~gefleischt** invétéré; *~er Junggeselle* célibataire *m* endurci.
eingehen *Post* arriver; *Pflanze, Tier* mourir, crever F; *Stoff* rétrécir; *auf etw ~* consentir à qc, accepter qc; *ein Risiko ~* courir un risque; **~d** détaillé, minutieux.
Eingemachte(s) *n* confitures *f/pl*; conserves *f/pl*.
ein|gemeinden rattacher à une commune; **~genommen** prévenu (*für* en faveur de; *gegen* contre); *von sich ~* suffisant, infatué; **~geschlossen** enfermé; **~geschnappt** vexé, froissé, piqué; **~geschränkt** restreint; **~geschrieben** *Brief* recommandé; **~gespielt** *gut aufeinander ~ sein* bien travailler ensemble; **~gestellt** ~ *auf* préparé à; **~getragen** enregistré; *~es Warenzeichen* marque *f* déposée; **&geweide** *pl* intestins *m/pl*; entrailles *f/pl*; **~gewöhnen** (*sich* ~ s')acclimater; **~gießen** verser (*in* dans); **~gleisig** à voie unique; **~gliedern** intégrer, incorporer; **&gliederung** *f* intégration *f*, incorporation *f*; **~graben** enterrer; **~greifen** intervenir (*in* dans); **&griff** *m* intervention *f* (*a méd*); *~ in das Privatleben* atteinte *f* à la vie privée.
Einhalt *m ~ gebieten* arrêter; **&en** *Versprechen* tenir; *Termin* respecter; *Richtung* garder.
einhändig à une seule main.
einhängen *Hörer* raccrocher; *sich bei j-m ~* prendre le bras de qn.
einheimisch indigène, autochtone.

Einheit *f* unité *f*; **2lich** uniforme, homogène; *nach Einheit strebend* unitaire; **~lichkeit** *f* uniformité *f*, homogénéité *f*.
Einheits|partei *f* parti *m* unifié; **~preis** *m* prix *m* unique.
einhellig unanime.
einholen *j-n, versäumte Zeit* rattraper; *j-s Rat* ~ prendre conseil de qn.
einhüllen (*sich* ~ s')envelopper.
einig uni; (*sich*) ~ *sein, werden* être, se mettre d'accord (*über* sur); **~e** quelques; quelques-uns(-unes); **~emal** quelquefois; **~en** unifier; *sich* ~ *über etw* tomber d'accord sur qc; **~ermaßen** en quelque sorte; *leidlich* passablement; **~es** quelque chose; différentes choses *f/pl*; **2keit** *f* accord *m*; concorde *f*; **2ung** *f* unification *f*; accord *m*.
einjagen *j-m Angst od e-n Schreck* ~ faire peur à qn; F flanquer la frousse à qn.
einjährig d'un an.
einkalkulieren tenir compte de, mettre en ligne de compte.
Einkauf *m* achat *m*, emplette *f*; **2en** acheter; faire des achats.
Einkäufer(in *f***)** *m* acheteur *m*, -euse *f*.
Einkaufs|bummel *m* lèche-vitrines *m*; **~preis** *m* prix *m* d'achat; **~wagen** *m* chariot *m*, caddie *m*.
ein|kehren entrer dans une auberge; **~kerkern** incarcérer; **~kesseln** *mil* encercler; **~klammern** mettre entre parenthèses.
Einklang *m* accord *m*; *in* ~ *mit* en harmonie avec.
ein|kleiden *sich neu* ~ s'habiller de neuf; **~klemmen** coincer; **~kochen** faire des conserves; mettre en conserve.
Einkommen *n* revenu *m*; **~steuer** *f* impôt *m* sur le revenu; **~steuererklärung** *f* déclaration *f* d'impôts.
einkreisen encercler.
Einkünfte *f/pl* revenus *m/pl*.
einlad|en inviter; *Gepäck* charger; **~end** engageant; **2ung** *f* invitation *f*.
Ein|lage *f Brief* annexe *f*; *Kapital2* mise *f* de fonds; *Sparkasse* dépôt *m*; *Schuh* semelle *f* orthopédique; *Theater* intermède *m*; **~laß** *m* admission *f*; **2lassen** laisser entrer; *sich auf etw* ~ s'embarquer dans qc; *sich mit j-m* ~ entrer en relations avec qn.
Einlauf *m* arrivée *f*; *méd* lavement *m*; **2en** arriver; *Schiff* entrer au port; *Stoff* (se) rétrécir.
einleben *sich* ~ s'acclimater.
einlege|n mettre (*in* dans); *Lied* insérer; *Früchte, Gurken* mettre en conserve; *jur Berufung* ~ faire appel; **2sohle** *f* semelle *f* orthopédique; fausse semelle *f*.
einleit|en introduire; entamer; **2ung** *f* introduction *f*.
einlenken se montrer conciliant, céder.
einleuchten paraître évident; **~d** évident.
einliefern *j-n ins Gefängnis* ~ incarcérer qn; *j-n ins Krankenhaus* ~ hospitaliser qn.
einlösen *Scheck* encaisser; *Pfand* dégager, retirer; *Versprechen* tenir.
einmachen faire des conserves; mettre en conserve.
einmal une fois; *auf* ~ tout à coup; *ein für allemal* une fois pour toutes; *nicht* ~ pas même; ne ... même pas; *noch* ~ encore une fois; *es war* ~ il était une fois; **2eins** *n* table *f* de multiplication; **~ig** unique.
Einmarsch *m* entrée *f*; *mil* invasion *f*; **2ieren** entrer, faire son entrée; *mil* envahir (*in ein Land* un pays).
einmisch|en *sich* ~ se mêler (*in* de), intervenir (dans); **2ung** *f* intervention *f*; *pol* ingérence *f*.
einmünden *Straße* déboucher sur.
einmütig unanime; **2keit** *f* unanimité *f*.
Einnahme *f mil* prise *f*; *Geld* recette *f*.
einnehmen *mil* prendre; *Geld* toucher; *Steuern* percevoir; *Stellung* occuper; *Medikament* prendre; **~d** engageant, charmant, séduisant.
Einöde *f* désert *m*.
einordn|en ranger; classer; *fig* situer; *sich* ~ s'intégrer (*in* dans); *auto* prendre une file; **2ung** *f* classification *f*; rangement *m*.
ein|packen empaqueter, emballer; envelopper; **~parken** *auto* se garer; *rückwärts* ~ faire un créneau; **~pferchen** parquer; **~pflanzen** planter (dans).
einpräg|en empreindre; *sich etw* ~ se graver qc en mémoire, enregistrer qc; **~sam** qui se grave facilement en mémoire; *e-e* ~*e Melodie* une mélodie facile à retenir.

E

ein|quartieren (*sich* ~ se) loger; *mil* cantonner; **~rahmen** encadrer; **~räumen** *Gegenstände* ranger; *zugestehen* concéder, accorder; **~reden** *auf j-n* ~ tâcher d'influencer *od* de persuader qn; *j-m etw* ~ persuader qn de qc.
einreib|en (*sich* ~ se) frictionner; **≈ung** *f* friction *f*.
einreichen présenter; *Klage* ~ déposer une plainte (*gegen* contre).
einreih|en ranger; *sich* ~ se mettre dans une file; **~ig** à un rang; *~er Anzug* costume *m* à veston droit.
Einreise *f* entrée *f*; **~erlaubnis** *f* permis *m* d'entrée; **≈n** entrer; **~verbot** *n* interdiction *f* d'entrer; **~visum** *n* visa *m* d'entrée.
ein|reißen *Haus* démolir; *Papier* déchirer; *fig Gewohnheit* se répandre; se propager; **~renken** *méd* remboîter; remettre en place.
einricht|en arranger; installer; aménager; *etw so* ~, *daß* faire en sorte que; **≈ung** *f* arrangement *m*; installation *f*; aménagement *m*; *öffentliche* organisme *m*, institution *f*.
ein|rosten s'enrouiller; *fig* s'encroûter; **~rücken** *Anzeige* insérer; *Zeile* rentrer, renfoncer; *Rekrut* être appelé (sous les drapeaux); *Truppen* entrer.
eins un; *es ist alles* ~ c'est du pareil au même.
Eins *f die* ~ le un; *Schule e-e* ~ *bekommen* avoir 20 sur 20.
einsam solitaire, isolé; **≈keit** *f* solitude *f*.
einsammeln *Hefte*, *Geld* ramasser; *Geld a* recueillir.
Einsatz *m Spiel* enjeu *m*; *mus* rentrée *f*; *persönlicher* ~ engagement *m* personnel; *unter* ~ *des Lebens* en risquant sa vie; *im* ~ en service; **≈bereit** disponible; prêt à intervenir; **≈freudig** dynamique.
einschalt|en intercaler; *Elektrogerät* mettre en circuit; *Licht*, *Radio*, *TV* allumer; *Auto den ersten Gang* ~ passer la première; *den zweiten Gang* ~ passer en seconde; **≈quote** *f* *TV* pourcentage *m* d'écoute.
ein|schärfen recommander expressément; **~schätzen** estimer; **~schenken** verser; **~schicken** envoyer; **~schieben** insérer, intercaler; **~schlafen** s'endormir; *Arm*, *Bein* s'engourdir; **~schläfern** assoupir, endormir; *töten* piquer; **~schläfernd** endormant; soporifique.
Einschlag *m Blitz* chute *f*; *Bombe* (point *m* d')impact *m*; **≈en** *Nägel* enfoncer; *einwickeln* envelopper (*in* dans); *Weg* prendre; *Lenkung* braquer; *es hat eingeschlagen* la foudre est tombée sur ...
einschlägig *~e Literatur* ouvrages *m/pl* se rapportant au sujet *od* spécialisés.
ein|schleichen *sich* ~ se glisser (*in* dans); **~schleppen** *Krankheit* introduire, importer; **~schleusen** faire entrer clandestinement.
einschließ|en (*sich* ~ s')enfermer; *umringen* entourer; *Festung* cerner; *fig* renfermer; **~lich** y compris.
ein|schmeicheln *sich bei j-m* ~ s'insinuer auprès de qn; **~schnappen** se fermer brusquement; *fig* F *er ist eingeschnappt* il est vexé; il l'a mal pris.
einschneidend incisif, radical.
Einschnitt *m* incision *f*; *fig* coupure *f*.
einschränk|en limiter, réduire; *sich* ~ réduire ses dépenses; **≈ung** *f* restriction *f*, réduction *f*.
Einschreib(e)brief *m* lettre *f* recommandée.
einschreiben (*sich* ~ s')inscrire; *Brief* ~ *lassen* recommander; ≈ *Aufschrift* recommandé.
einschreiten intervenir.
einschüchter|n intimider; **≈ung** *f* intimidation *f*.
einschul|en mettre à l'école, scolariser; **≈ung** *f* scolarisation *f*.
ein|sehen comprendre, voir; examiner; *das sehe ich nicht ein* je ne vois pas pourquoi; **~seifen** savonner; *fig* F rouler.
einseitig unilatéral; *parteiisch* partial.
einsend|en envoyer; **≈eschluß** *m* date *f* limite d'envoi; **≈ung** *f* envoi *m*.
einsetz|en mettre, insérer (*in* dans); *Mittel* employer; *Leben* risquer; *Ausschuß* constituer; *in ein Amt* installer; *beginnen* commencer; *sich* ~ *für* s'engager pour; intervenir en faveur de; soutenir; **≈ung** *f* insertion *f*; *jur* constitution *f*; installation *f*.
Einsicht *f in Akten* consultation *f* (*in* de); *Erkenntnis* intelligence *f*, compréhension *f*; *zu der* ~ *kommen, daß* ... en arriver à la conclusion que ...; **≈ig** intelligent, compréhensif.
Einsiedler *m* ermite *m*.

einsilbig monosyllab(iqu)e; *Person* laconique, taciturne.
einsinken s'enfoncer.
Einsitzer *aviat*, *auto m* monoplace *m* (*aviat*), *f* (*auto*).
einspannen *Pferd* atteler; *tech* serrer; tendre; *fig j-n* ~ mettre qn à contribution.
einspar|en économiser; **2ung** *f* économie *f*.
ein|sperren enfermer; emprisonner; **~spielen** *Geld* rapporter; *sie sind gut aufeinander eingespielt* ils forment une bonne équipe; **~springen** *für j-n* ~ remplacer qn.
einspritz|en injecter; **2ung** *f* injection *f*.
Einspruch *m* protestation *f*; réclamation *f*; *pol* veto *m*.
einspurig à une seule voie.
einst autrefois, jadis; *künftig* un jour.
Einstand *m Tennis* égalité *f*; *Dienstantritt seinen ~ geben* arroser son entrée en fonction.
ein|stecken empocher; *Brief* mettre à la boîte; *fig hinnehmen* encaisser; *er kann viel ~* il a bon dos; **~stehen** répondre (*für* de); **~steigen** monter (en voiture); *~!* en voiture!
einstell|en mettre (*in* dans); *tech* ajuster; *Foto* mettre au point; *Radio* régler; *unterbrechen* suspendre; *Arbeiter* embaucher, recruter; *Rekord* égaler; *die Arbeit* (*mil das Feuer*) *~* cesser le travail (le feu); **2ung** *f* réglage *m*; *Unterbrechung* arrêt *m*, suspension *f*; *von Arbeitskräften* embauche *f*, recrutement *m*; *innere* attitude *f*.
einstig ancien; d'autrefois.
einstimm|en *mus* joindre sa voix à celle des autres; **~ig** unanime; à l'unanimité; *mus* à une voix; **2igkeit** *f* unanimité *f*.
ein|stöckig à un (seul) étage; **~studieren** apprendre (par cœur); **~stufen** classifier; **~stufig** *Rakete* à un seul étage; **~stürmen** fondre (*auf j-n* sur qn); **2sturz** *m* écroulement *m*; **~stürzen** s'écrouler.
einstweil|en en attendant; **~ig** provisoire; *jur ~e Verfügung* référé *m*.
eintägig d'une journée.
ein|tauchen plonger; **~tauschen** échanger (*gegen*, *für* contre).
einteil|en diviser; partager; répartir; *phys* graduer; **~ig** *Badeanzug* d'une seule pièce; **2ung** *f* division *f*; graduation *f*.
eintönig monotone; **2keit** *f* monotonie *f*.
Eintopf *m* plat *m* unique, pot-au-feu *m*.
Ein|tracht *f* concorde *f*, harmonie *f*; **2trächtig** en bonne intelligence.
Eintrag *m* inscription *f*, enregistrement *m*; **2en** inscrire, enregistrer; *Lob*, *Tadel* valoir (*j-m* à qn).
einträglich profitable, lucratif.
eintreffen 1. arriver; **2. 2** *n* arrivée *f*.
eintreiben *Geld* faire rentrer.
eintreten entrer (*in* dans); *Tür* enfoncer; *geschehen* survenir; *für j-n, etw* ~ appuyer qn, qc.
Eintritt *m* entrée *f*; *~ frei* entrée gratuite; *~ verboten* entrée interdite.
Eintritts|geld *n* (prix *m* d')entrée *f*; **~karte** *f* billet *m*.
ein|trocknen sécher; **~üben** exercer, étudier, répéter.
Einver|nehmen *n* accord *m*, entente *f*, intelligence *f*; *im ~ mit* en accord avec; **2standen** d'accord (*mit* avec); **~ständnis** *n* accord *m*.
Einwand *m* objection *f* (*gegen* à).
Einwander|er *m*, **~in** *f* immigrant *m*, -e *f*; *Eingewanderte(r)* immigré *m*, -e *f*; **2n** immigrer; **~ung** *f* immigration *f*.
ein|wandfrei impeccable, irréprochable, parfait; **~wärts** en dedans; vers l'intérieur.
Einwegflasche *f* bouteille *f* perdue *od* non reprise *od* non consignée.
einweih|en inaugurer; *rel* consacrer; *~ in* initier à; **2ung** *f* inauguration *f*; initiation *f*.
einweis|en *in e-e Arbeit* initier (à); *in ein Heim* envoyer (dans); *in ein Amt* installer (dans); *j-n ins Krankenhaus* ~ hospitaliser qn; **2ung** *f* initiation *f*; installation *f*; *~ ins Krankenhaus* hospitalisation *f*.
einwend|en objecter; **2ung** *f* objection *f* (*gegen* à).
einwerfen *Brief* mettre à la boîte; poster; *Sport* remettre en jeu; *Fenster* casser; *fig* objecter.
einwickel|n (*sich* ~ s')envelopper; **2papier** *n* papier *m* d'emballage.
einwillig|en consentir (*in* à); **2ung** *f* consentement *m*.
einwirk|en agir, *fig* influer (*auf* sur); **2ung** *f* influence *f*; effet *m*.
Einwohner|(in *f*) *m* habitant *m*, -e *f*;

~meldeamt *n* bureau *m* de déclaration de domicile.
Einwurf *m Sport* remise *f* en jeu; *für Briefe* fente *f*; *Einwand* objection *f*.
Einzahl *gr f* singulier *m*; **2en** verser, payer; **2ung** *f* versement *m*, paiement *m*.
einzäun|en entourer d'une clôture; **2ung** *f* clôture *f*.
Einzel *n Tennis* simple *m*; **~fall** *m* cas *m* isolé; **~gänger** *m Kind* solitaire *m*; *Politiker*, *Künstler* non-conformiste *m*; **~handel** *m* commerce *m* de détail; **~heit** *f* détail *m*.
einzeln seul; *besonder* particulier; *abgesondert* isolé; séparé; *der ~e* l'individu *m*; *ins ~e gehen* entrer dans les détails; *im ~en* en détail.
Einzel|teile *tech m/pl* pièces *f/pl* détachées; **~verkauf** *m* (vente *f* au) détail *m*; **~wesen** *n* individu *m*; **~zimmer** *n* chambre *f* individuelle *od* à un lit.
einziehen *Krallen* rétracter; *Kopf* baisser; *Bauch*, *Fahrgestell* rentrer; *Wand* construire; *Steuern* percevoir; *in e-e Wohnung* emménager; *Ruhe* revenir; *Wasser* pénétrer; *Soldaten* appeler sous les armes; *Güter* confisquer.
einzig unique; *kein ~er* pas un seul; *das ~e* la seule chose (+ *subj*); *der ~e* le seul (+ *subj*); **~artig** unique en son genre, sans pareil, exceptionnel.
Einzug *m* entrée *f*; *in e-e Wohnung* emménagement *m*.
einzwängen faire entrer en forçant; *eingezwängt sein* être coincé.
Eis *n* glace *f*; *~ am Stiel* bâton *m* glacé; esquimau *m*; **~bahn** *f* patinoire *f*; **~bär** *m* ours *m* blanc; **~berg** *m* iceberg *m*; **~brecher** *m* brise-glace *m*; **~diele** *f* glacier *m*; *in der ~* chez le glacier.
Eisen *n* fer *m*.
Eisenbahn *f* chemin *m* de fer; **~abteil** *n* compartiment *m*; **~er** *m* cheminot *m*; **~fahrplan** *m* indicateur *m* des chemins de fer; **~schaffner** *m* contrôleur *m*; **~schiene** *f* rail *m*; **~wagen** *m* wagon *m*; *für Personen a* voiture *f*; **~zug** *m* train *m*.
Eisen|beton *m* béton *m* armé; **~erz** *n* minerai *m* de fer; **2haltig** ferrugineux; **~hütte** *f* usine *f* sidérurgique; **~waren** *f/pl* quincaillerie *f*.
eisern de fer; *fig* tenace; *pol der 2e Vorhang* le rideau de fer.
eis|frei débarrassé des glaces; **~gekühlt** glacé; *Wein* frappé; **2hockey** *n* hockey *m* sur glace; **~ig** glacial (*a fig*); **~kalt** glacial, glacé; **2kunstlauf** *m* patinage *m* artistique; **2lauf(en** *n*) *m* patinage *m*; **~laufen** faire du patin; **2meer** *n Nördliches* (*Südliches*) *~* océan *m* Glacial arctique (antarctique); **2pickel** *m* piolet *m*; **2schnellauf** *m* patinage *m* de vitesse; **2scholle** *f* plaque *f* de glace; **2verkäufer** *m* marchand *m* de glaces, glacier *m*; **2würfel** *m* cube *m* de glace, glaçon *m*; **2zapfen** *m* glaçon *m*; **2zeit** *f* période *f* glaciaire.
eitel vaniteux, coquet; **2keit** *f* vanité *f*.
Eiter *m* pus *m*; **2n** suppurer.
eitrig purulent.
Ei|weiß *n* blanc *m* d'œuf; *biol* protides *m/pl*; *méd im Harn* albumine *f*; **~zelle** *biol f* ovule *m*.
Ekel *m* nausée *f*; dégoût *m*; **2erregend, 2haft, 2ig** dégoûtant; **2n** dégoûter, écœurer; *es ekelt mich* cela me dégoûte.
EKG *méd n* électrocardiogramme *m*.
Ekstase *f* extase *f*; *in ~ geraten* s'extasier.
Ekzem *méd n* eczéma *m*.
Elan *m* élan *m*, énergie *f*.
elasti|sch élastique; **2zität** *f* élasticité *f*.
Elch *zo m* élan *m*.
Elefant *zo m* éléphant *m*.
elegan|t élégant; **2z** *f* élégance *f*.
Elektri|ker *m* électricien *m*; **2sch** électrique.
Elektrizität *f* électricité *f*; **~swerk** *n* centrale *f* électrique.
Elektro|gerät *n* appareil *m* électrique; **~herd** *m* cuisinière *f* électrique; **~magnet** *m* électro-aimant *m*.
Elektron *n* électron *m*; **~enrechner** *m* ordinateur *m*; **~ik** *f* électronique *f*; **~iker** *m* électronicien *m*; **2isch** électronique.
Elektrotechnik *f* électrotechnique *f*; **~er** *m* (technicien *m*) électricien *m*.
Element *n* élément *m*; **2ar** élémentaire.
Elend 1. *n* misère *f*, détresse *f*; calamité *f*; **2.** **2** misérable, pitoyable; **~sviertel** *n* bidonville *m*.
elf 1. onze; **2.** **2** *f die ~* le onze (*a Fußball*).
Elfenbein *n* ivoire *m*.
Elfmeter *m* penalty *m*.

elfte (le, la) onzième.
Elite *f* élite *f*.
Ell(en)bogen *m* coude *m*.
Ellipse *f* ellipse *f*.
Elsaß *das* ~ l'Alsace *f*.
Elsäss|er(in *f*) *m* Alsacien *m*, -ne *f*; **2isch** alsacien.
Elster *zo f* pie *f*.
elterlich des parents, parental.
Eltern *pl* parents *m/pl*; **~abend** *m* réunion *f* de parents d'élèves; **2los** orphelin, sans parents; **~teil** *m* un *m* des parents; **~vertretung** *f* représentation *f* des parents d'élèves.
Email *n* émail *m*; **2lieren** émailler.
Emanzip|ation *f* émancipation *f*; **2ieren** émanciper.
Embargo *n* embargo *m*.
Embryo *m* embryon *m*.
Emigr|ant(in *f*) *m* émigré *m*, -e *f*; **~ation** *f* émigration *f*; *in der* ~ en exil; **2ieren** émigrer.
Emotion *f* émotion *f*.
Empfang *m* réception *f* (*a Radio*); accueil *m*; *comm den* ~ *bestätigen* accuser réception; **2en** recevoir; *Personen a* accueillir.
Empfäng|er *m* destinataire *m*; *Radio, TV* récepteur *m*; **2lich** sensible (*für* à), réceptif (à); **~lichkeit** *f* réceptivité *f* (*für* à); *für Krankheit* prédisposition *f* (à); **~nis** *biol f* conception *f*; **~nisverhütung** *f* contraception *f*.
Empfangs|bescheinigung *f* reçu *m*, récépissé *m*; **~dame** *f* hôtesse *f* d'accueil.
empfehl|en recommander; *sich* ~ *zurückziehen* se retirer; **~enswert** recommandable; **2ung** *f* recommandation *f*.
empfind|en sentir, éprouver; *innerlich* ressentir; **~lich** sensible (*für* à; *a fig*); *leicht verletzt* susceptible; **2lichkeit** *f* sensibilité *f*; susceptibilité *f*; **~sam** sensible; **2samkeit** *f* sensibilité *f*; **2ung** *f* sensation *f*; *Gefühl* sentiment *m*; **~ungslos** insensible; **2ungsvermögen** *n* sensibilité *f*.
empor en haut.
Empore *f* galerie *f*, tribune *f*.
empören (*sich* s')indigner (*über* de), (se) révolter (contre); **~d** révoltant, choquant, scandaleux.
empor|heben lever; **~kommen** *fig* parvenir; **2kömmling** *m* arriviste *m*, parvenu *m*; **~ragen** s'élever (*über* au-dessus de).
empör|t indigné (*über* de), révolté; **2ung** *f* indignation *f*.
emsig diligent, assidu; **2keit** *f* diligence *f*, assiduité *f*.
Ende *n* fin *f*; *räumlich a* bout *m*; *äußerstes* ~ extrémité *f*; *am* ~ à la fin (de); au bout (de); *schließlich* en fin de compte; *zu* ~ terminé; *zu* ~ *gehen* tirer à sa fin.
enden finir, se terminer (*mit* par); *aufhören* cesser; ~ *als* finir comme.
End|ergebnis *n* resultat *m* final; **2gültig** définitif.
Endivie *f* chicorée *f*; ⚠ *nicht endive*.
end|lich enfin; **~los** sans fin, interminable, infini; **2punkt** *m* extrémité *f*; **2spiel** *Sport n* finale *f*; **2spurt** *m* sprint *m*, finish *m*; **2station** *f* terminus *m*; **2ung** *gr f* terminaison *f*.
Energie *f* énergie *f*; **~bedarf** *m* besoins *m/pl* énergétiques; **~krise** *f* crise *f* de l'énergie.
energielos sans énergie.
Energie|verbrauch *m* consommation *f* d'énergie; **~versorgung** *f* approvisionnement *m* en énergie.
energisch énergique.
eng étroit; *fig* restreint.
engagier|en (*sich* s')engager; **~t** engagé.
Enge *f* étroitesse *f*; passage *m* étroit; *fig j-n in die* ~ *treiben* mettre qn au pied du mur.
Engel *m* ange *m*.
Eng|land *n* l'Angleterre *f*; **~länder(in** *f*) *m* Anglais *m*, -e *f*; **2lisch** anglais.
Engpaß *m* défilé *m*; goulot *m* d'étranglement (*a fig*, *bes écon*).
engstirnig borné, obtus, mesquin.
Enkel(in *f*) *m* petit-fils *m*, petite-fille *f*; *Enkel pl* petits-enfants *m/pl*.
enorm énorme; *Preis* faramineux.
Ensemble *n Theater* compagnie *f*, troupe *f*.
entart|en dégénérer; **2ung** *f* dégénérescence *f*.
entbehr|en être privé *od* dépourvu de; **~lich** superflu; **2ung** *f* privation *f*.
entbind|en dégager (*von* de); *Frau* accoucher; **2ung** *f* dégagement *m*; *méd* accouchement *m*; **2ungsheim** *n* clinique *f* d'accouchement, maternité *f*.
entblößen *sich* ~ se mettre à nu.
entdeck|en découvrir; **2er** *m* découvreur *m*; **2ung** *f* découverte *f*.

Ente *zo f* canard *m*; *Zeitungs*≗ fausse nouvelle *f*; bobard *m* F.
entehren déshonorer.
enteign|en exproprier; ≗**ung** *f* expropriation *f*.
enterben déshériter.
entern *mar* prendre à l'abordage.
entfachen *Feuer* allumer, attiser; *fig Streit* enflammer, déclencher.
entfallen *wegfallen* être supprimé; *j-m* ~ échapper à qn; *auf j-n* ~ revenir à qn; *es ist mir* ~ cela m'échappe.
entfalt|en déplier; *entwickeln* (*sich* se) développer; *sich* ~ s'épanouir; ≗**ung** *f* déploiement *m*; développement *m*; épanouissement *m*.
entfern|en (*sich* ~ s')éloigner; *Fleck* enlever; ~**t** éloigné; *3 km voneinander* ~ distants de 3 km; ≗**ung** *f Beseitigung* éloignement *m*, enlèvement *m*; *Abstand* distance *f*; ≗**ungsmesser** *m* télémètre *m*.
ent|flammen (*sich* ~ s')enflammer; ~**fliehen** s'enfuir; ~**fremden** aliéner.
entführ|en enlever; *Kind* kidnapper; *Flugzeug* détourner; ≗**er** *m* ravisseur *m*; *Flugzeug* pirate *m* de l'air; ≗**ung** *f* enlèvement *m*, rapt *m*, kidnapping *m*; *Flugzeug* détournement *m*.
entgegen au-devant de, vers; contre; contrairement à; ~**arbeiten** *j-m* (*e-r Sache*) ~ s'opposer à qn (à qc); ~**gehen** aller à la rencontre (*j-m* de qn); ~**gesetzt** opposé; ~**kommen** *fig j-m* ~ faire des avances *od* des concessions à qn; ~**kommend** prévenant; *auto* qui roule en sens inverse; ~**nehmen** accepter, recevoir; ~**sehen** attendre (*e-r Sache* qc); ~**setzen** opposer (à); ~**stehen** être opposé (à); *dem steht nichts entgegen* rien ne s'y oppose; ~**treten** s'opposer (à).
entgegn|en répliquer, répondre, riposter; ≗**ung** *f* réponse *f*, réplique *f*.
entgehen échapper (*e-r Gefahr* à un danger); *sich nichts* ~ *lassen* ne rien perdre *od* F rater (de qc).
entgift|en désintoxiquer; ≗**ung** *f* désintoxication *f*.
entgleis|en dérailler; ≗**ung** *f* déraillement *m*; *fig* faux pas *m*, incartade *f*; écart *m* de langage.
entgleiten échapper (*j-m* à qn).
enthalt|en contenir; *sich* ~ s'abstenir (de); ~**sam** abstinent; ≗**samkeit** *f* abstinence *f*; *Sex* continence *f*; ≗**ung** *f* abstention *f* (*a Stimm*≗).
enthärten *Wasser* adoucir.
enthaupt|en décapiter; ≗**ung** *f* décapitation *f*.
enthüll|en dévoiler (*a Statue*), révéler; ≗**ung** *f* dévoilement *m*, révélation *f*.
Enthusias|mus *m* enthousiasme *m*; ≗**tisch** enthousiaste.
entjungfer|n déflorer, dépuceler P; ≗**ung** *f* défloration *f*.
ent|kleiden (*sich* ~ se) déshabiller; ~**kommen** s'échapper.
entkräft|en affaiblir; ≗**ung** *f* affaiblissement *m*.
entlad|en décharger; *sich* ~ *Batterie* se vider; *Zorn, Gewitter* éclater; ≗**ung** *f* décharge *f*.
entlang le long de; *den Fluß* ~ le long de la rivière; ~**gehen** longer (qc).
entlarven démasquer.
entlass|en renvoyer, congédier; *Arbeiter* licencier; ~ *werden Kranke* quitter l'hôpital; *Häftling* quitter la prison; ≗**ung** *f* renvoi *m*, licenciement *m*.
entlast|en décharger; ≗**ung** *f* décharge *f*; ≗**ungszeuge** *m* témoin *m* à décharge.
ent|laufen s'enfuir; ~**ledigen** *sich j-s, e-r Sache* ~ se défaire de; ~**legen** éloigné; ~**lehnen** emprunter (*von* à); ~**locken** *Geheimnis* arracher; ~**lohnen** rémunérer; ~**machten** priver de son pouvoir.
entmilitarisier|en démilitariser; ≗**ung** *f* démilitarisation *f*.
entmündig|en mettre sous tutelle; ≗**ung** *f* mise *f* sous tutelle.
entmutig|en décourager; ≗**ung** *f* découragement *m*.
ent|nehmen prendre (*aus* dans); *fig* conclure (*aus* de); ~**nervt** énervé; ~**rätseln** déchiffrer; ~**reißen** arracher; ~**richten** payer, régler; ~**rinnen** échapper (à); ~**rollen** dérouler.
entrüst|en *sich* ~ s'indigner (*über* de); ~**et** indigné; ≗**ung** *f* indignation *f*.
entsag|en renoncer (à); ≗**ung** *f* renonciation *f*.
entsalzen dessaler.
entschädig|en (*sich* ~ se) dédommager (*für* de); ≗**ung** *f* dédommagement *m*; *Summe* indemnité *f*.
entschärfen *Bombe* désamorcer; *Lage* calmer, apaiser.

entscheid|en décider (*über* de); *sich* ~ se décider (*für* pour); *er kann sich nicht* ~ il n'arrive pas à se décider; **~end** décisif; **2ung** *f* décision *f*.
entschieden décidé; **2heit** *f* décision *f*.
entschließen *sich* ~ se résoudre, se décider (*zu* à).
entschlossen résolu; **2heit** *f* résolution *f*, détermination *f*.
Entschluß *m* résolution *f*, décision *f*.
entschuldig|en excuser; *sich* ~ *wegen etw* s'excuser de qc; ~ *Sie!* excusez-moi!; **2ung** *f* excuse(s *pl*) *f*; ~*!* pardon!; **2ungsbrief** *m*, **2ungszettel** *m Schule* billet *m* d'excuse.
entsetz|en (*sich* ~ s')effrayer; **2en** *n* effroi *m*; **~lich** effroyable, horrible.
ent|sinnen *sich* ~ se souvenir (*an* de); **~sorgen** *Kernkraftwerk* enlever *od* traiter les déchets radioactifs (de).
entspann|en détendre; *sich* ~ se détendre; **2ung** *f* détente *f*; **2ungspolitik** *f* politique *f* de détente.
entsprech|en correspondre à; *den Erwartungen* répondre à; **~end** correspondant; **2ung** *f* correspondance *f*; équivalent *m*.
ent|springen *Fluß* prendre sa source; *fig* naître (de); **~stammen** provenir (de).
entsteh|en naître (*aus* de); résulter (de); **2ung** *f* naissance *f*, origine *f*.
entstellen défigurer.
enttäusch|en décevoir, désillusionner, désabuser; **2ung** *f* déception *f*.
entthronen détrôner.
entwaff|nen désarmer; **2ung** *f* désarmement *m*.
Entwarnung *f* fin *f* de l'alerte.
entwässern drainer, assécher.
entweder ~ ... *oder* ou ... ou.
ent|weichen s'échapper; **~wenden** dérober; **~werfen** tracer, esquisser, concevoir; *Plan* dresser.
entwert|en déprécier; *Geld* dévaluer; *Fahrkarte* composter; **2ung** *f* dépréciation *f*; *Geld* dévaluation *f*; *Fahrkarte* compostage *m*.
entwick|eln développer (*a Foto*); *sich* ~ se développer, évoluer; **2ler** *m Foto* révélateur *m*.
Entwicklung *f* développement *m*, évolution *f*; **~shelfer** *m* coopérant *m*; **~shilfe** *f* aide *f* au développement; **~sland** *n* pays *m* en voie de développement.
ent|wirren débrouiller; **~wischen** se sauver, s'échapper.
entwöhn|en *Baby* sevrer; *Drogensüchtige* désintoxiquer; **2ung** *f* sevrage *m*; désintoxication *f*.
entwürdigend avilissant, dégradant.
Entwurf *m* projet *m*, esquisse *f*.
entwurzeln déraciner.
entzieh|en (*sich* ~ se) soustraire; se dérober; **2ung** *f* privation *f*; *Droge* désintoxication *f*; **2ungskur** *f* cure *f* de désintoxication.
entziffern déchiffrer.
entzücken 1. ravir; **2.** **2** *n* ravissement *m*; **~d** ravissant.
Entzug *m* privation *f*; *Führerschein* retrait *m*; **~serscheinung** *f Droge* état *m* de manque.
entzünd|bar inflammable; **~en** (*sich* ~ s')enflammer (*a méd*); **2ung** *méd f* inflammation *f*.
entzwei cassé; **~brechen** (se) briser, (se) casser; **~en** brouiller, désunir; **~gehen** se briser, se casser; **2ung** *f* brouille *f*, désunion *f*.
Enzian *bot m* gentiane *f*.
Enzyklopädie *f* encyclopédie *f*.
Enzym *biol n* enzyme *m*.
Epidemie *f* épidémie *f*.
Epilepsie *méd f* épilepsie *f*.
Epilog *m* épilogue *m*.
Episode *f* épisode *m*; ⚠ *un* épisode.
Epoche *f* époque *f*.
Epos *n* épopée *f*, poème *m* épique.
er il; *mit Bezug auf ein weibliches frz subst* elle; *betont* lui; ~ *allein* lui seul; ~ *selbst* lui-même; ~ *auch* lui aussi.
erachten croire; *meines* **2s** à mon avis.
erbarmen 1. *sich j-s* ~ avoir pitié de qn; **2.** **2** *n* pitié *f*.
erbärmlich déplorable, pitoyable, minable.
erbarmungslos impitoyable.
erbau|en bâtir; *fig* édifier; **2er** *m* bâtisseur *m*; **~lich** édifiant; **2ung** *f* construction *f*; *fig* édification *f*.
Erb|e 1. *m*, **~in** *f* héritier *m*, -ière *f*; **2.** **~e** *n* héritage *m*, succession *f*.
erben hériter (*etw von j-m* qc de qn).
erbeuten capturer.
Erb|faktor *m* facteur *m* héréditaire; **~fehler** *m* vice *m* héréditaire; **~folge** *f* ordre *m* de succession.
erbitten demander (*etw von j-m* qc à qn).
erbittert exaspéré; *Kampf* acharné.
Erbkrankheit *méd f* maladie *f* héréditaire.
erblassen, erbleichen pâlir.

erblich héréditaire.
erblicken apercevoir.
erblind|en devenir aveugle; **2ung** *f* perte *f* de la vue; cécité *f*.
Erbmasse *f jur* masse *f* successorale; *biol* hérédité *f*.
erbrechen 1. (*sich*) ~ vomir; **2.** 2 *méd n* vomissement *m*.
Erb|recht *jur n* droit *m* de succession; **~schaft** *f* héritage *m*.
Erbse *bot f* pois *m*; *grüne* ~*n* petits pois *m/pl*.
Erb|stück *n* objet *m od* meuble *m* de famille; **~sünde** *rel f* péché *m* originel; **~teil** *n* part *f* d'héritage.
Erd|apfel *östr m* pomme de terre *f*; **~arbeiter** *m* terrassier *m*; **~bahn** *f* orbite *f* terrestre; **~ball** *m* globe *m* (terrestre); **~beben** *n* tremblement *m* de terre, séisme *m*; **~beere** *f Frucht* fraise *f*; *Pflanze* fraisier *m*; **~boden** *m* terre *f*, sol *m*; *fig dem ~ gleichmachen* raser.
Erde *f* terre *f* (*als Planet* Terre); **2n** *Radio* mettre à la terre.
erdenklich imaginable.
Erd|gas *n* gaz *m* naturel; **~geschoß** *n* rez-de-chaussée *m*.
erdicht|en imaginer; **~et** inventé, imaginé.
erdig terreux.
Erd|karte *f* mappemonde *f*; **~kugel** *f* globe *m* terrestre; **~kunde** *f* géographie *f*; **~nuß** *f* cacah(o)uète *f*; **~öl** *n* pétrole *m*; **~öllagerstätte** *f* gisement *m* de pétrole, gisement *m* pétrolier; **~reich** *n* terre *f*, sol *m*.
erdreisten *sich ~ zu* avoir l'audace de.
erdrosseln étrangler.
erdrücken écraser.
Erd|rutsch *m* glissement *m* de terrain; *pol* raz-de-marée *m*; **~scholle** *f* glèbe *f*; **~teil** *m* continent *m*.
erdulden endurer.
Erd|umlaufbahn *f* orbite *f* terrestre; **~wärme** *f* géothermie *f*.
ereifern *sich* ~ s'échauffer.
ereig|nen *sich* ~ se produire, avoir lieu; **2nis** *n* événement *m*.
Erektion *f* érection *f*.
erfahr|en 1. *Verb* éprouver; apprendre, savoir; **2.** *adj* expérimenté; **2ung** *f* expérience *f*; **2ungsaustausch** *m* échange *m* d'expériences.
erfassen saisir (*a fig*).
erfind|en inventer; **2er(in** *f*) *m* inventeur *m*, -trice *f*; **~erisch** inventif, ingénieux; **2ung** *f* invention *f*.
Erfolg *m* succès *m*; *Ergebnis* résultat *m*; *viel ~!* bonne chance!; **2en** s'effectuer, avoir lieu; **2los** sans succès; **2reich** couronné de succès; **~serlebnis** *n* sentiment *m* de satisfaction; **2versprechend** prometteur.
erforder|lich nécessaire; **~n** demander, exiger, réclamer; **2nis** *n* exigence *f*.
erforsch|en explorer, étudier; **2ung** *f* exploration *f*, examen *m*, étude *f*.
erfreu|en réjouir; *sich e-r Sache* ~ jouir de qc; **~lich** réjouissant; satisfaisant.
erfrieren mourir (*od* périr) de froid; *Pflanze* geler.
erfrisch|en (*sich* ~ se) rafraîchir; **2ung** *f* rafraîchissement *m*; **2ungsraum** *m* cafétéria *f*.
erfüll|en remplir (*mit* de); *Bitte* accorder; *Pflicht* accomplir; *sich* ~ s'accomplir; **2ung** *f* accomplissement *m*; réalisation *f*; *in ~ gehen* se réaliser.
ergänz|en compléter; **~end** complémentaire; **2ung** *f* complément *m*.
ergeb|en 1. *hervorbringen* donner; *sich* ~ se rendre; *aus etw folgen* s'ensuivre (*aus* de); **2.** *adj* dévoué; *gefaßt* résigné; **2enheit** *f* dévouement *m*; résignation *f*; **2nis** *n* résultat *m*; *Folge* conséquence *f*; *Wirkung* effet *m*; **~nislos** sans résultat.
ergehen *wie ist es dir ergangen?* qu'est-ce que tu es devenu?; *so erging es mir auch* c'est ce qui m'est arrivé à moi aussi; *über sich ~ lassen* subir.
ergiebig fertile, productif, fructueux.
ergießen *sich ~ über* se répandre sur; *Fluß sich ~ in* se jeter dans.
ergrauen grisonner, blanchir.
ergreif|en saisir; *rühren* émouvoir; **2ung** *f* arrestation *f*, capture *f*.
Ergriffenheit *f* émotion *f*.
ergründen sonder, approfondir.
erhaben élevé; *fig* sublime; *~ sein über* être au-dessus de.
erhalten 1. *Verb* (*sich* ~ se) conserver; entretenir; *Brief* recevoir; **2.** *adj gut* ~ en bon état.
erhältlich disponible; en vente.
erhängen (*sich* ~ se) pendre.
erhärten confirmer.
erheb|en (*sich* ~ se) lever; *erhöhen* élever; *Steuern* percevoir; *Einwand*

élever; *sich ~ empören* s'insurger; *jur Klage ~* intenter une action; **~lich** considérable; **⁲ung** *f* élévation *f*; *Aufstand* insurrection *f*.

erheitern égayer.

erhellen éclairer.

erhitzen chauffer; *sich ~* s'échauffer.

erhoffen espérer, escompter.

erhöh|en *Preise* augmenter, majorer; **⁲ung** *f Anhöhe* hauteur *f*; *Preis* augmentation *f*.

erhol|en *sich ~* se reposer, reprendre des forces; **~sam** reposant; **⁲ung** *f* rétablissement *m*; repos *m*.

Erika *bot f* bruyère *f*.

erinner|n *j-n an etw ~* rappeler qc à qn; *sich an etw ~* se rappeler qc, se souvenir de qc; **⁲ung** *f* souvenir *m*, mémoire *f*; *zur ~ an* en souvenir de.

erkält|en *sich ~* s'enrhumer, attraper un rhume, se refroidir; **⁲ung** *f* refroidissement *m*, rhume *m*.

erkennen reconnaître (*an* à); *wahrnehmen* (a)percevoir, distinguer.

erkennt|lich *sich ~ zeigen* se montrer reconnaissant (*für* de); **⁲nis** *f* connaissance *f*.

Erkennungs|marke *mil f* plaque *f* d'identité; **~melodie** *f TV*, *Radio* indicatif *m*; **~zeichen** *n* signe *m od* marque *f* de reconnaissance.

Erker *m* encorbellement *m*; **~fenster** *n* fenêtre *f* en saillie.

erklär|en expliquer; *förmlich* déclarer; **~lich** explicable; **⁲ung** *f* explication *f*; déclaration *f*; *e-e ~ abgeben* faire une déclaration.

erklingen résonner, retentir.

erkrank|en tomber malade; **⁲ung** *f* maladie *f*, affection *f*.

erkunden explorer.

erkundig|en *sich ~* s'informer (*bei j-m* auprès de qn; *nach* de), se renseigner (sur); **⁲ung** *f* information *f*; prise *f* de renseignements.

Erkundung *f* exploration *f*; *mil* reconnaissance *f*.

erlahmen diminuer, décroître.

erlangen obtenir.

Erlaß *m Gebühren* dispense *f*; *Strafe* remise *f*; *Anordnung* arrêté *m*, décret *m*.

erlassen *Verordnung* émettre, publier; *j-m etw ~* dispenser qn de qc.

erlaub|en permettre; **⁲nis** *f* permission *f*.

erläuter|n expliquer; **⁲ung** *f* explication *f*.

Erle *bot f* au(l)ne *m*.

erleb|en voir, éprouver; assister à; **⁲nis** *n* événement *m*, aventure *f*, expérience *f*; **~nisreich** mouvementé.

erledig|en finir, exécuter, régler; *zügig* expédier; F *Gegner* liquider; **~t** *fertig*, *a fig* fini; *erschöpft* F claqué, crevé; **⁲ung** *f* règlement *m*, exécution *f*.

erleichter|n *Aufgabe* faciliter; *seelisch* soulager; **~t** soulagé; **⁲ung** *f* soulagement *m*.

erleiden subir.

erlernen apprendre.

erleucht|en éclairer; *fig* illuminer; **⁲ung** *f fig* illumination *f*, inspiration *f*.

erliegen succomber à; *zum ⁲ kommen Verkehr* être paralysé.

erlogen faux, inventé.

Erlös *m* produit *m* (d'une vente).

erloschen *Vulkan* éteint.

erlöschen s'éteindre; *jur* cesser d'exister, expirer.

erlös|en délivrer (*von* de); *rel* sauver; **⁲er** *rel m* Rédempteur *m*, Sauveur *m*; **⁲ung** *f* délivrance; *rel* rédemption *f*.

ermächtig|en autoriser (*zu* à); **⁲ung** *f* autorisation *f*.

ermahn|en exhorter (*zu* à); **⁲ung** *f* exhortation *f*.

ermäßig|en réduire; **⁲ung** *f* réduction *f*.

Ermessen *n* jugement *m*; *nach eigenem ~* à mon (ton, son, ...) gré.

ermitt|eln trouver; *jur Täter* retrouver; *bestimmen* établir, déterminer; **⁲lungen** *jur f/pl* enquête *f*.

ermöglichen rendre possible, permettre.

ermord|en assassiner; **⁲ung** *f* assassinat *m*.

ermüd|en se fatiguer; *j-n* fatiguer; **⁲ung** *f* fatigue *f*.

ermunter|n encourager (*zu* à); **⁲ung** *f* encouragement *m*.

ermutig|en encourager; **⁲ung** *f* encouragement *m*.

ernähr|en (*sich ~* se) nourrir; **⁲er(in** *f*) *m* soutien *m* de famille; **⁲ung** *f* alimentation *f*, nutrition *f*; *Nahrung* nourriture *f*.

ernenn|en *j-n ~* nommer qn (*zum Direktor* directeur); **⁲ung** *f* nomination *f*.

erneuer|n (*sich ~* se) renouveler; **⁲ung** *f* renouvellement *m*.

erneut à nouveau.
erniedrig|en humilier; (*sich* ~ s')abaisser; **2ung** *f* abaissement *m*, humiliation *f*.
Ernst *m* gravité *f*, sérieux *m*; *im* ~ sérieusement; *das ist mein* ~ je ne plaisante pas.
ernst sérieux, grave; ~ *bleiben* garder son sérieux; *etw* ~ *nehmen* prendre qc au sérieux; **~haft, ~lich** sérieux.
Ernte *f* récolte *f*; *Getreide*2 moisson *f*; **2n** récolter; *Korn* moissonner.
ernüchter|n dégriser (*a fig*); **2ung** *f* dégrisement *m*, désenchantement *m*.
Erober|er *m* conquérant *m*; **2n** conquérir; **~ung** *f* conquête *f*.
eröffn|en ouvrir; *feierlich* inaugurer; *j-m etw* ~ faire savoir qc à qn; **2ung** *f* ouverture *f*; inauguration *f*.
erogen érogène.
erörter|n discuter; **2ung** *f* discussion *f*.
Erot|ik *f* érotisme *m*; **2isch** érotique.
erpicht ~ *sein auf* être avide de, avoir grande envie de.
erpress|en *j-n* ~ faire chanter qn; **2er** *m* maître-chanteur *m*; **2ung** *f* chantage *m*.
erproben éprouver; tester.
erraten deviner.
erreg|bar excitable; *leicht* ~ irritable; **~en** exciter; **~end** excitant; **2er** *méd m* agent *m* pathogène; **~t** excité; irrité; **2ung** *f* excitation *f*; irritation *f*; **2ungszustand** *psych m* état *m* d'excitation.
erreich|bar accessible; **~en** atteindre; *Zug, Bus* attraper; *j-n telefonisch* ~ joindre qn par téléphone; *nichts* ~ ne rien obtenir (*bei j-m* de qn).
errichtl|en élever, ériger; **2ung** *f* érection *f*, mise *f* sur pied.
erringen *Sieg* remporter.
erröten rougir (*über, vor* de).
Errungenschaft *f* conquête *f*; *Anschaffung* acquisition *f*.
Ersatz *m* remplacement *m* (*für* de), compensation *f*, ersatz *m*, succédané *m*; **~befriedigung** *f* compensation *f*; **~dienst** *m cf Zivildienst*; **~mann** *m* remplaçant *m*; **~mine** *f* mine *f* de rechange; **~rad** *n* roue *f* de rechange; **~teil** *n* pièce *f* de rechange.
erschaff|en créer; **2ung** *f* création *f*.
erschallen résonner.
erschein|en 1. paraître; apparaître; sembler; *vor Gericht* comparaître; *Buch soeben erschienen* vient de paraître; **2.** 2 *n* apparition *f*; *e-s Werkes* publication *f*, parution *f*; **2ung** *f Geister*2 apparition *f*; *Traumbild* vision *f*; *Natur*2 phénomène *m*; *Aussehen* aspect *m*; *äußere* ~ physique *m*.
erschieß|en tuer d'un coup de feu; *hinrichten* fusiller; **2ung** *f* exécution *f* par les armes.
erschlagen assommer.
erschließen *Gelände* ouvrir à l'exploitation; *Bauland* viabiliser.
erschöpf|en épuiser; **2ung** *f* épuisement *m*.
erschrecken s'effrayer (*über* de); *j-n* effrayer; **~d** effrayant.
erschütter|n ébranler; *seelisch* émouvoir; bouleverser; **2ung** *f* ébranlement *m*; *fig* bouleversement *m*.
erschweren rendre (plus) difficile.
erschwinglich *Preis* abordable; *Ware leicht* (*od für alle*) ~ à la portée de toutes les bourses.
ersehen voir (*aus* par); *daraus ist zu* ~, *daß* on peut en conclure que.
ersehnen souhaiter vivement; appeler de ses vœux.
ersetz|bar remplaçable; **~en** remplacer; *Unkosten* rembourser; *Schaden* indemniser (*j-m etw* qn de qc).
ersichtlich évident; *ohne ~en Grund* sans raison apparente.
erspar|en économiser, épargner (*a fig*); **2nis** *f* épargne *f*, économie *f* (*an* de); **~se** *pl* économies *f/pl*.
erst *zuerst* d'abord; *nur* seulement, ne ... que.
erstarr|en (se) raidir; **2ung** *f* raideur *f*.
erstatt|en *Kosten* rembourser; *zurückgeben* restituer; *Anzeige* ~ porter plainte (*gegen* contre); *Bericht* ~ faire un rapport; **2ung** *f Kosten* remboursement *m*; *jur* restitution *f*.
Erstaufführung *f* première *f*.
erstaun|en 1. étonner; **2.** 2 *n* étonnement *m*; **~lich** étonnant; **~t** étonné (*über* de).
erste *der, die, das* ~ le premier, la première; *der* ~ *beste Mensch* le premier venu; *Sache* la première chose que vous trouvez; *zum ~n Mal* pour la première fois.
erstechen poignarder.
erstellen *herstellen* produire; *Haus* construire; *Rechnung* établir, faire.
erstens premièrement.

erstick|en étouffer; **&ung** *f* étouffement *m*.
erstklassig de première qualité.
erstreben aspirer (*etw* à qc); **~swert** souhaitable, désirable.
erstrecken *sich ~* s'étendre (*auf* à), porter (sur).
erstürmen prendre d'assaut.
ersuchen demander (*j-n um etw* qc à qn; *j-n, etw zu tun* à qn de faire qc).
ertappen attraper; *auf frischer Tat ~* prendre sur le fait *od* en flagrant délit.
ertönen sonner.
Ertrag *m* rendement *m*; **&en** supporter.
erträglich supportable, tolérable.
ertragreich productif.
ertränken noyer.
erträumen *sich etw ~* rêver de qc.
ertrinken 1. se noyer; **2. &** *n* noyade *f*.
erübrigen avoir de reste *od* en trop; *es erübrigt sich zu ...* il n'est pas nécessaire de ...; il est superflu de ...
erwachen s'éveiller; *aufwachen* se réveiller.
erwachsen adulte; **&enbildung** *f* formation *f* des adultes; **&e(r)** *m, f* adulte *m, f*.
erwäg|en considérer, examiner; **&ung** *f* considération *f*; *in ~ ziehen* envisager.
erwähn|en mentionner; **&ung** *f* mention *f*.
erwärmen chauffer; *fig sich ~ für* s'enthousiasmer pour.
erwart|en *warten auf* attendre; *rechnen mit* s'attendre à; *wie zu ~ war* comme il fallait s'y attendre; **&ung** *f* attente *f*; **~ungsvoll** plein d'espoir.
erwecken *Verdacht* éveiller; *den Anschein ~* donner l'impression.
erwehren *sich e-r Sache ~* se défendre de, s'empêcher de faire.
erweichen *fig* fléchir.
erweisen *beweisen* prouver; *Achtung* témoigner; *Dienst* rendre; *sich ~ als* se révéler être.
erweiter|n (*sich ~* s')élargir; **&ung** *f* élargissement *m*.
Erwerb *m* acquisition *f*; *Brot&* gagne-pain *m*; **&en** acquérir, acheter.
erwerbs|los chômeur, sans travail; **&losigkeit** *f* chômage *m*; **&quelle** *f* source *f* de revenu; **~tätig** actif; **~unfähig** invalide; **&zweig** *m* branche *f* professionnelle.
erwider|n répliquer, répondre; *Gruß, Besuch* rendre; **&ung** *f* réplique *f*, réponse *f*.
erwischen attraper; F pincer, choper.
erwünscht désiré, souhaité.
erwürgen étrangler.
Erz *n* minerai *m*.
erzähl|en raconter; **~end** narratif; **&er** *m* narrateur *m*; **&ung** *f* récit *m*; *Märchen* conte *m*.
Erz|bischof *rel m* archevêque *m*; **&bischöflich** archiépiscopal; **~bistum** *n* archevêché *m*; **~engel** *m* archange *m*.
erzeug|en produire; *verursachen* engendrer; **&er** *m Hersteller* producteur *m*; **&nis** *n* produit *m*; **&ung** *f* production *f*.
Erz|feind *m* ennemi *m* juré; **~herzog(in** *f*) *m* archiduc *m*, archiduchesse *f*.
erzieh|en élever, éduquer; **&er(in** *f*) *m* éducateur *m*, -trice *f*; pédagogue *m, f*.
Erziehung *f* éducation *f*; **~sberechtigte(r)** *m, f* responsable *m, f* légal(e); **~swesen** *n* instruction *f* publique.
erzielen atteindre, obtenir.
erzogen *gut* (*schlecht*) *~* bien (mal) élevé.
erzürnt en colère.
erzwingen obtenir de force.
es 1. *als Objekt* le, la; en, y; **2.** *als Subjekt* il, ce; *~ gibt* il y a; *~ klopft* on frappe à la porte.
Esche *bot f* frêne *m*.
Esel|(in *f*) *m* âne *m*, ânesse *f*; **~sbrücke** *f* guide-âne *m*; **~sohr** *n im Buch* corne *f*.
Eskalation *f* escalade *f*.
Eskimo *m* Esquimau *m*.
Eskorte *mil f* escorte *f*.
Espe *bot f* tremble *m*.
Essay *m od n* essai *m*.
eßbar mangeable, comestible.
essen manger; *zu Mittag ~* déjeuner; *zu Abend ~* dîner.
Essen *n Nahrung* nourriture *f*; *Mahlzeit* repas *m*; **~smarke** *f* ticket *m* de repas; **~szeit** *f* heure *f* des repas.
Essenz *f* essence *f*.
Essig *m* vinaigre *m*.
Eß|löffel *m* cuiller *f* à soupe; **~tisch** *m* table *f* (de salle à manger); **~waren** *f|pl* denrées *f|pl* alimentaires; **~zimmer** *n* salle *f* à manger.
Establishment *n* ordre *m* établi.
Estrich *m* chape *f* de ciment.

etablieren *sich* ~ s'établir, s'installer.
Etage *f* étage *m*; *auf der ersten* ~ au premier étage; ⚠ *un* étage; **~nbett** *n* lits *m/pl* superposés.
Etappe *f* étape *f*.
Etat *m* budget *m*.
Ethik *f* éthique *f*, morale *f*.
Etikett *n* étiquette *f*; **~e** *f* étiquette *f*; **≗ieren** étiqueter.
etliche quelque(s); pas mal de.
Etsch *f* Adige *m*.
Etui *n* étui *m*; *Schmuck* écrin *m*.
etwa environ, à peu près; **~ig** éventuel.
etwas quelque chose; *in verneinenden Sätzen* rien; *ein wenig* quelque (peu de).
euch vous.
euer votre, *pl* vos.
Eule *zo f* hibou *m*; *~n nach Athen tragen* porter de l'eau à la rivière.
eure *der, die, das* ~ le, la vôtre.
euresgleichen vos pareils.
euretwegen à cause de vous.
Europa *n* l'Europe *f*.
Europäer(in *f*) *m* Européen *m*, -ne *f*.
europäisch européen; *≗e Gemeinschaft* (EG) Communauté *f* économique européenne (C.E.E.); *≗es Parlament* Parlement *m* européen.
Europarat *m* Conseil *m* de l'Europe.
Euroscheck *m* eurochèque *m*.
Euter *n* pis *m*.
Eva *f* Ève *f*.
evakuieren évacuer.
evangel|isch protestant; **≗ium** *n* Évangile *m*.
eventuell éventuel; *adv* éventuellement.
ewig éternel; **≗keit** *f* éternité *f*.
exakt exact, précis; **≗heit** *f* exactitude *f*.
Examen *n* examen *m*; *schriftliches* ~ épreuve *f* écrite.
Exekutive *f* (pouvoir *m*) exécutif *m*.
Exempel *n* exemple *m*; *ein ~ an j-m statuieren* faire un exemple de qn.
Exemplar *n* exemplaire *m*; **≗isch** exemplaire.
exerzieren *mil* faire l'exercice.
Exil *n* exil *m*.
Existenz *f* existence *f*; *péj Mensch* individu *m*; **~minimum** *n* minimum *m* vital.
existieren exister; vivre.
exklusiv exclusif; *Gesellschaft* fermé, sélect.
exotisch exotique.
Expansion *f* expansion *f*.
Expedition *f* expédition *f*.
Experiment *n* expérience *f*; **≗ieren** faire des expériences (*mit* sur).
Expert|e *m*, **~in** *f* expert *m* (*a für e-e Frau*).
explo|dieren exploser, faire explosion; *bersten* éclater; **≗sion** *f* explosion *f*; **~siv** explosif.
Exponent *m math* exposant *m*; *Person* représentant *m*.
Export *m* exportation *f*; **≗ieren** exporter.
extra *absichtlich* exprès; *gesondert* à part; **≗blatt** *n* édition *f* spéciale *f*.
Extrakt *m* extrait *m*.
extravagant extravagant.
extrem extrême; **≗ist(in** *f*) *m* extrémiste *m, f*; **~istisch** extrémiste.
exzentrisch excentrique.
Exzeß *m* excès *m*.

F

F *mus n* fa *m*.
Fabel *f* fable *f*; **~dichter** *m* fabuliste *m*; **≗haft** formidable, épatant F.
Fabrik *f* usine *f*; **~ant** *m* fabricant *m*; **~arbeiter** *m* ouvrier *m* d'usine; **~at** *n* produit *m* (manufacturé); **~ation** *f* fabrication *f*, production *f*; **~ationsfehler** *m* défaut *m* de fabrication; **~stadt** *f* ville *f* industrielle; **~ware** *f* produit *m* manufacturé.
fabrizieren fabriquer.
Fach *n* compartiment *m*, rayon *m*; *fig* branche *f*; *Schul≗* matière *f*.
Fach|arbeiter *m* ouvrier *m* qualifié; **~arzt** *m*, **~ärztin** *f* spécialiste *m, f* (*für* de); **~ausbildung** *f* formation *f* spécialisée; **~ausdruck** *m* terme *m*

technique; **~buch** *n* livre *m* spécialisé.
Fächer *m* éventail *m*.
Fach|gebiet *n* domaine *m*, matière *f*, spécialité *f*; **~geschäft** *n* magasin *m* spécialisé; **~hochschule** *f* école *f* supérieure; **~kenntnisse** *pl* connaissances *f/pl* spéciales; **2kundig** compétent, expert; **~literatur** *f* littérature *f* spécialisée; **~mann** *m* spécialiste *m*, expert *m*, homme *m* du métier; **2männisch** expert; **~oberschule** *f* L.E.P. *m*; **~schule** *f* école *f* professionnelle; **2simpeln** parler métier; **~werk** *arch n* colombage *m*; **~werkhaus** *n* maison *f* à colombages; **~zeitschrift** *f* revue *f* spécialisée.
Fackel *f* flambeau *m*; **~zug** *m* retraite *f* aux flambeaux.
fad(e) fade; insipide.
Faden *m* fil *m* (*a fig*); **~nudeln** *f/pl* vermicelle *m*; **2scheinig** *Stoff* usé jusqu'à la corde; *fig Argument* cousu de fil blanc.
fähig capable (*zu* de); *geschickt* apte (*zu* à); **2keit** *f* capacité *f*; aptitude *f*.
fahl blafard, blême, livide.
fahnd|en *nach j-m ~* rechercher qn; **2ung** *f* recherches *f/pl*.
Fahne *f* drapeau *m*; *fig e-e ~ haben* empester *od* F puer l'alcool.
Fahnen|flucht *f* désertion *f*; **~stange** *f* hampe *f*.
Fahr|bahn *f*, **~damm** *m* chaussée *f*.
Fähre *f* bac *m*; *Fährschiff* ferry-boat *m*.
fahren aller (*mit dem Auto* en voiture); rouler; *ab~* partir (*nach* pour, à); *ein Auto ~* conduire une voiture; *j-n ~* conduire qn; *~ durch* traverser; passer par; *Ski ~* faire du ski; *mit der Hand über das Gesicht ~* se passer la main sur le visage; *was ist bloß in dich gefahren?* qu'est-ce qui t'a pris?
Fahrer|(in *f*) *m* conducteur *m*, -trice *f*, chauffeur *m*, -euse *f*; **~flucht** *f* délit *m* de fuite.
Fahr|gast *m* passager *m*, voyageur *m*; **~geld** *m* prix *m* du voyage; **~gestell** *n auto* châssis *m*; *aviat* train *m* d'atterrissage; **~karte** *f* billet *m*; **~kartenschalter** *m* guichet *m*; **2lässig** négligent; *jur ~e Tötung* homicide *m* involontaire; **~lässigkeit** *f* négligence *f*; **~lehrer** *m* moniteur *m od* professeur *m* d'auto-école; **~plan** *m* horaire *m*; *als Broschüre* indicateur *m*; **2planmäßig** régulier; **~preis** *m* prix *m* du transport; **~prüfung** *f* examen *m* du permis de conduire; *seine ~ machen* passer son permis de conduire; **~rad** *n* bicyclette *f*, vélo *m*; **~schein** *m* billet *m*, ticket *m*; **~schule** *f* auto-école *f*; **~spur** *f* voie *f*, file *f*; **~stuhl** *m* ascenseur *m*; *für Kranke* fauteuil *m* roulant; **~stuhlführer** *m* liftier *m*, garçon *m* d'ascenseur; **~stunde** *f* leçon *f* d'auto-école.
Fahrt *f* voyage *m*, trajet *m*, parcours *m*; *Ausflug* excursion *f*; *~ ins Blaue* excursion *f* surprise; *in voller ~* à toute allure.
Fährte *f* piste *f*.
Fahr|unterricht *m* cours *m/pl* de conduite automobile; **~werk** *aviat n* train *m* d'atterrissage; **~zeit** *f* temps *m* du parcours; **~zeug** *n* véhicule *m*.
fair sport, loyal, fair-play.
Faktor *m* élément *m*, facteur *m*.
Fakultät *f* faculté *f*.
Falke *zo m* faucon *m*.
Fall *m Sturz* chute *f*; *Sachverhalt* cas *m*; *auf jeden* (*keinen*) *~* en tout (aucun) cas; *für den ~, daß* ... au cas où ...; *gesetzt den ~, daß* ... à supposer que ...
Falle *f* piège *m*.
fallen tomber (*a fig*); *sinken* baisser; *Tor* être marqué; *die Entscheidung fällt heute* la décision est prise aujourd'hui.
fällen *Baum* abattre; *jur Urteil* rendre, prononcer; *fig ein Urteil ~* porter un jugement (*über* sur).
fallenlassen *Plan*, *j-n* laisser tomber; *Bemerkung* faire.
fällig *Flugzeug etc* attendu; *Zinsen*, *Zahlung* exigible.
falls au cas où.
Fallschirm *m* parachute *m*; **~absprung** *m* descente *f* en parachute; **~jäger** *m* parachutiste *m*, para *m* F; **~springer(in** *f*) *m* parachutiste *m*, *f*.
falsch faux (*a Person*, *Zähne*); *Adresse* mauvais; *~ gehen Uhr* mal marcher; *etw ~ aussprechen* mal prononcer qc.
fälsch|en fausser, falsifier; **2er(in** *f*) *m* falsificateur *m*, -trice *f*.
Falsch|geld *n* faux billet *m* de banque; **~heit** *f* fausseté *f*.
fälschlich faux, erroné.
Falschmünzer *m* faux-monnayeur *m*.
Fälschung *f* falsification *f*, faux *m*.

F

Faltboot *n* canot *m* pliant *od* démontable.
Falte *f* pli *m*; *Runzel* ride *f*; **2n** plier; **~nrock** *m* jupe *f* plissée.
Falter *m* papillon *m*.
faltig plissé; *Haut* ridé.
familiär *vertraut* familier; *die Familie betreffend* familial.
Familie *f* famille *f*.
Familien|angelegenheit *f* affaire *f* de famille; **~anschluß** *m* accueil *m* dans une famille; **~leben** *n* vie *f* familiale *od* de famille; **~name** *m* nom *m* de famille; **~packung** *f* conditionnement *m* familial; **~planung** *f* planning *m* familial; **~stand** *m* situation *f* de famille; **~vater** *m* père *m* de famille.
Fan *m* F fan *m*, *f*, fana *m*, *f*.
Fanati|ker(in *f*) *m* fanatique *m*, *f*; **2sch** fanatique.
Fanfare *f* fanfare *f*.
Fang *m* prise *f*, capture *f*; **2en** attraper, prendre; *ergreifen* saisir; **~frage** *f* colle *f* F; *~n stellen* poser des colles.
Farb|aufnahme *f* photo *f* en couleurs; **~band** *n* ruban *m* encré.
Farb|e *f* couleur *f*; *zum Malen* peinture *f*; *Gesicht* teint *m*; **2echt** grand teint.
färben colorer, teindre; *sich rot ~* se colorer en rouge.
farben|blind daltonien; **~froh** haut en couleur(s).
Farb|fernsehen *n* télévision *f* en couleurs; **~fernseher** *m* téléviseur *m* couleurs; **~film** *m* film *m* en couleurs; **2ig** coloré; **~ige** *m*, *f*, *pl* homme *m*, femme *f*, gens *m/pl* de couleur; **2los** incolore (*a fig*); **~photographie** *f* photographie *f* en couleurs; **~stift** *m* crayon *m* de couleur; **~stoff** *m* matière *f* colorante; **~ton** *m* ton *m*.
Färbung *f* coloration *f*, teinte *f*.
Farm *f* ferme *f*; **~er** *m* fermier *m*.
Farn *bot m*, **~kraut** *n* fougère *f*.
Fasan *zo m* faisan *m*.
Fasching *m* carnaval *m*.
Faschis|mus *m* fascisme *m*; **~t(in** *f*) *m* fasciste *m*, *f*; **2tisch** fasciste.
faseln radoter.
Faser *f* fibre *f*; **2ig** fibreux; **2n** s'effilocher.
Faß *n* tonneau *m*; *Wein2* fût *m*; *Bier vom ~* bière *f* pression.
Fassade *f* façade *f*.
fassen prendre, saisir; *Plan* concevoir; *enthalten* contenir; *begreifen* comprendre; *Mut ~* reprendre courage; *e-n Entschluß ~* prendre une décision; *sich kurz ~* être bref.
Fassung *f seelische* contenance *f*; *Text* version *f*; *Glühbirne* douille *f*; *die ~ verlieren* perdre contenance; *j-n aus der ~ bringen* faire perdre contenance à qn.
fassungs|los décontenancé; **2vermögen** *n räumlich* capacité *f*; *fig* compréhension *f*, entendement *m*.
fast presque, à peu près; *~ nur* ne ... guère que.
fasten 1. jeûner; **2.** 2 *n* jeûne *m*; **2zeit** *f* carême *m*.
Fastnacht *f*, **~sdienstag** *m* mardi *m* gras.
fatal *unangenehm* fâcheux; *unheilvoll* fatal.
fauchen *Katze* cracher.
faul *verfault* pourri; *träge* paresseux; *~e Ausrede* faux-fuyant *m*, mauvaise excuse *f*.
faul|en pourrir; **~enzen** fainéanter; **2enzer(in** *f*) *m* fainéant *m*, -e *f*; **2heit** *f* paresse *f*.
Fäulnis *f* pourriture *f*; *Verwesung* putréfaction *f*.
Faulpelz *m* fainéant *m*; *Schule* cancre *m* F, flemmard *m* F, cossard *m* P.
Faust *f* poing *m*; *auf eigene ~* de sa propre initiative; **~handschuh** *m* moufle *f*; **~hieb** *m* coup *m* de poing; **~regel** *f* règle *f* générale; **~schlag** *m* coup *m* de poing.
Favorit(in *f*) *m* favori *m*, -te *f*.
Fazit *n* résultat *m*, bilan *m*.
Feber *östr*, **Februar** *m* février *m*.
fecht|en faire de l'escrime; **2en** *n* escrime *f*; **2er(in** *f*) *m* escrimeur *m*, -euse *f*.
Feder *f* plume *f*; *tech* ressort *m*; **~ball** *m Spiel* badminton *m*; *Ball* volant *m*; **~bett** *n* édredon *m*; **~gewicht** *n Sport* poids *m* plume; **~halter** *m* porte-plume *m*; **2leicht** léger comme une plume; **2n** faire ressort; **2nd** élastique; **~strich** *m* trait *m* de plume; **~ung** *tech f* suspension *f*; **~zeichnung** *f* dessin *m* à la plume.
Fee *f* fée *f*.
Fegefeuer *rel n* purgatoire *m*.
fegen balayer; *Schornstein* ramoner.
fehl *~ am Platz* déplacé.
Fehlbetrag *m* déficit *m*.
fehlen 1. manquer, être absent, faire défaut; *wer fehlt heute?* qui manque *od* est absent aujourd'hui?; *es fehlt*

uns an nous manquons de; *mir fehlen zwei Mark* il me manque deux marks; *fig was fehlt dir?* qu'est-ce que tu as?; **2.** ♀ *n* manque *m*; *Abwesenheit* absence *f*.

Fehler *m Verstoß* faute *f*; *Charakter*♀, *tech* défaut *m*; ♀**frei** sans défaut; *Schule* sans faute; ♀**haft** défectueux; *unrichtig* plein de fautes, incorrect.

Fehl|geburt *f* fausse couche *f*; **~planung** *f* erreur *f* de planification; **~schlag** *m fig* échec *m*; ♀**schlagen** échouer; **~start** *m Sport* faux départ *m*, départ *m* manqué; **~tritt** *m* faux pas *m* (*a fig*); **~zündung** *f Motor* raté *m*.

Feier *f* cérémonie *f*, fête *f*; *e-s Festes* célébration *f*; **~abend** *m* fin *f* de la journée; *machen wir ~!* arrêtons-nous de travailler!; ♀**lich** solennel; **~lichkeit** *f* solennité *f*; ♀**n** célébrer, fêter; *nicht arbeiten* chômer; **~tag** *m* jour *m* férié.

feig(e) lâche.

Feige *bot f* figue *f*.

Feig|heit *f* lâcheté *f*, poltronnerie *f*; **~ling** *m* lâche *m*, poltron *m*.

Feile *f* lime *f*; ♀**n** limer.

feilschen marchander (*um etw* qc).

fein fin; *vornehm* distingué; *prima* F chic.

Feind|(in *f*) *m* ennemi *m*, -e *f*; ♀**lich** ennemi, hostile; **~schaft** *f* inimitié *f*; ♀**selig** hostile; **~seligkeiten** *mil f/pl* hostilités *f/pl*.

fein|fühlig sensible; ♀**gefühl** *n* délicatesse *f*, tact *m*; ♀**heit** *f* finesse *f*; *~en pl Einzelheiten* détails *m/pl*; ♀**kostgeschäft** *n* traiteur *m*; ♀**mechanik** *f* mécanique *f* de précision; ♀**schmecker** *m* gourmet *m*.

feist gras.

Feld *n* champ *m* (*a fig*); *Brettspiel* case *f*; *Radsport* peloton *m*; *Spiel*♀ terrain *m*; *fig Bereich* domaine *m*; **~arbeit** *f* travail *m* des champs; **~bett** *n* lit *m* de camp; **~flasche** *f* gourde *f*; **~herr** *m* général *m*; **~lazarett** *mil n* hôpital *m* de campagne; **~stecher** *m* jumelles *f/pl* de campagne; **~webel** *m* adjudant *m*; **~weg** *m* chemin *m* de terre; **~zug** *m* campagne *f*.

Felge *f* jante *f*.

Fell *n* peau *f*; *Haarkleid* poil *m*, pelage *m*.

Fels|(en) *m* rocher *m*; *Felsmasse* roc *m*; ♀**ig** rocheux.

femin|in féminin; ♀**istin** *f* féministe *f*; **~istisch** féministe.

Fenchel *bot m* fenouil *m*.

Fenster *n* fenêtre *f*; *Wagen*♀ glace *f*; *aus dem ~ sehen* regarder par la fenêtre; ⚠ *la* fenêtre; **~brett** *n* appui *m*, rebord *m* (d'une fenêtre); **~laden** *m* volet *m*; **~rahmen** *m* châssis *m* de fenêtre; **~scheibe** vitre *f*, carreau *m*.

Ferien *pl* vacances *f/pl*; *in ~ sein* (*fahren*) être (partir) en vacances; **~kurs** *m* cours *m* de vacances; **~lager** *n* colonie *f* de vacances.

Ferkel *n* porcelet *m*, goret *m*; *fig* petit cochon *m*.

fern loin (*von* de); éloigné; *entlegen* lointain; *der* ♀*e Osten* l'Extrême-Orient *m*.

Fern|amt *tél n* interurbain *m*, inter *m*; **~bedienung** *f* commande *f* à distance, télécommande *f*; ♀**bleiben** rester à l'écart (*von* de).

Fern|e *f* lointain *m*; *in der od die ~* au loin; *aus der ~* de loin; ♀**er** de plus, en outre, encore; **~fahrer** *m* routier *m*; **~gespräch** *tél n* communication *f* interurbaine; ♀**gesteuert** télécommandé, téléguidé; **~glas** *n* jumelles *f/pl*, longue-vue *f*; ♀**halten** (*sich* se) tenir à l'écart (*von* de); **~heizung** *f* chauffage *m* à distance; **~kurs** *m* cours *m* par correspondance; **~laster** F *m* poids *m* lourd; **~licht** *n auto* feux *m/pl* de route; ♀**liegen** *das liegt mir fern* c'est loin de ma pensée; **~meldewesen** *n* télécommunications *f/pl*; **~rohr** *n* télescope *m*; **~schreiben** *n* télex *m*; **~schreiber** *m* téléscripteur *m*; **~sehen** *n* télévision *f*; ♀**sehen** regarder la télévision; **~seher** *m Gerät* téléviseur *m*; *Person* téléspectateur *m*; **~sehschirm** *m* écran *m* de télévision; **~sehsendung** *f* émission *f* de télévision; **~sehzuschauer(in** *f*) *m* téléspectateur *m*, -trice *f*; **~sprechamt** *n* bureau *m* téléphonique; *weitere Zssgn cf Telefon...*; **~steuerung** *f* commande *f* à distance; **~verkehr** *m Bahn* service *m* des grandes lignes; *Straße* trafic *m* à grande distance.

Ferse *f* talon *m*.

fertig *bereit* prêt; *beendet* fini, achevé; *erschöpft* F à plat; *mit etw ~ sein* avoir fini qc; *~ werden mit* venir à bout de; **~bringen** arriver (à faire qc); ♀**gericht** *n* plat *m* cuisiné; ♀**haus** *n* maison *f* préfabriquée; ♀**keit** *f* dextérité *f*; ~**machen** *sich* ~ se préparer; F *fig j-n* ~ *körperlich* F vanner qn; *moralisch* F moucher qn, secouer les puces à qn; *erledigen* achever qn; ≈**stellung** *f* achèvement *m*, finition *f*; *Bau* réalisation *f*; ≈**waren** *pl* produits *m/pl* finis.

fesch chic, pimpant.

Fessel *f* lien *m*; *Hemmnis* entrave *f*; ≈**n** enchaîner, ligoter; *fig* captiver; ≈**nd** captivant.

fest ferme; solide (*a Nahrung*); *Zeitpunkt*, *Preis*, *Wohnsitz* fixe; *Stoff* serré; *Schlaf* profond.

F

Fest *n* fête *f*; ⚠ *la* fête.

fest|binden attacher (*an* à); ≈**essen** *n* banquet *m*; ~**fahren** *sich* ~ ne plus pouvoir avancer, s'enliser; ≈**halle** *f* salle *f* des fêtes; ~**halten** *an etw* ~ tenir ferme à qc; *sich* ~ *an* s'attraper à; ~**igen** raffermir; *sich* ~ se consolider; ≈**igkeit** *f* fermeté *f*; ~**klammern** *sich* ~ s'accrocher (*an* à); ≈**land** *n* terre *f* ferme, continent *m*; ~**legen** fixer; *sich auf etw* ~ s'engager à qc; ~**lich** solennel; ≈**lichkeit** *f* solennité *f*; *Festakt* cérémonie *f*; ~**machen** fixer; *mar* (s')amarrer; *vereinbaren* convenir de; ≈**nahme** *f* arrestation *f*; ~**nehmen** arrêter; ≈**rede** *f* discours *m* solennel; ≈**saal** *m* salle *f* des fêtes; ~**schrauben** visser, fixer; ~**setzen** fixer, établir; ≈**setzung** *f* fixation *f*; ≈**spiele** *n/pl* festival *m*; ~**stehen** être certain; ~**stehend** fixé; *Tatsache* établi; *Redensart* figé; ~**stellen** constater; ≈**stellung** *f* constatation *f*; ≈**tag** *m* jour *m* de fête.

Festung *f* forteresse *f*.

Festzug *m* cortège *m*.

fett gras.

Fett *n* graisse *f*; ~**fleck** *m* tache *f* de graisse; ≈**gedruckt** imprimé en caractères gras; ≈**ig** graisseux; ~**kloß** *m*, ~**wanst** *m* F gros lard *m*.

Fetzen *m* lambeau *m*; *ein* ~ *Papier* un lambeau de papier.

feucht humide; ≈**igkeit** *f* humidité *f*.

feudal féodal; *fig* luxueux, fastueux; ≈**ismus** *m* féodalisme *m*.

Feuer *n* feu *m*; ~*sbrunst* incendie *m*; *fig* ardeur *f*; ~ *fangen* prendre feu; *fig* s'enflammer (*für* pour); *fig* ~ *und Flamme sein* être tout feu tout flamme (*für* pour); ~**alarm** *m* alerte *f* au feu; ~**bestattung** *f* incinération *f*, crémation *f*; ~**eifer** *m* zèle *m* ardent; ≈**fest** incombustible; *tech* réfractaire, ignifuge; ~**gefahr** *f* danger *m* d'incendie; ≈**gefährlich** inflammable; ~**leiter** *f* échelle *f* de secours; ~**löscher** *m* extincteur *m*; ~**melder** *m* avertisseur *m* d'incendie.

feuer|n chauffer; *mil* tirer (*auf* sur); *fig j-n* ~ renvoyer qn; ~**rot** rouge vif; *Gesicht* écarlate.

Feuer|schiff *n* bateau-phare *m*; ~**stein** *m* silex *m*; pierre *f* à feu; ~**stoß** *mil m* rafale *f*; ~**versicherung** *f* assurance *f* contre l'incendie; ~**wache** *f* poste *m* d'incendie; ~**waffe** *f* arme *f* à feu; ~**wehr** *f* (corps *m* des sapeurs-)pompiers *m/pl*; ~**wehrmann** *m* pompier *m*; ~**werk** *n* feu *m* d'artifice; ~**zeug** *n* briquet *m*.

feurig ardent, enflammé.

Fiasko *n* fiasco *m*.

Fibel *f* abécédaire *m*.

Fichte *bot f* épicéa *m*.

ficken *vulgär* baiser.

fidel gai, joyeux, de bonne humeur; ⚠ *nicht fidèle*.

Fieber *n* fièvre *f*; ~ *haben* avoir de la fièvre; ~**anfall** *m* accès *m* de fièvre; ≈**haft** fiévreux, fébrile; ≈**senkend** *méd* fébrifuge; ~**thermometer** *n* thermomètre *m* médical.

fies F méchant, dégoûtant.

Figur *f* silhouette *f*, stature *f*; *Schach* pièce *f*; *Roman* personnage *m*; *Eislauf* figure *f*; *sie hat e-e gute* ~ elle est bien faite, F bien roulée; *auf seine* ~ *achten* faire attention à sa ligne.

Filet *n* filet *m*.

Filiale *f* succursale *f*.

Film *m* film *m*; *Photo* pellicule *f*; *Filmbranche* cinéma *m*; *e-n* ~ *drehen* tourner un film; *beim* ~ *sein* faire du cinéma; ≈**en** filmer, tourner; ~**gesellschaft** *f* société *f* cinématographique; ~**kamera** *f* caméra *f* de cinéma; ~**kassette** *f* châssis *m*; ~**regisseur** *m* réalisateur *m*; metteur *m* en scène; ~**schauspieler(in** *f*) *m* acteur *m*, -trice *f* de cinéma; ~**star** *m* star *f*, vedette *f*; ~**streifen** *m* bande *f* de film, pellicule *f*; ~**studio** *n* studio *m* de cinéma; ~**verleih** *m* société *f* de distribution; ~**vorstellung** *f* séance *f* de cinéma.

Filter *m od n* filtre *m*; ~**kaffee** *m* café *m* filtre *od nur* filtre *m*; ≈**n** filtrer; ~**papier** *n* papier *m* filtre; ~**zigarette** *f* cigarette *f* à bout filtre.

Filz *m* feutre *m*; *pol* F magouille *f*; ≈**en**

F fouiller; **~schreiber** *m*, **~stift** *m* crayon *m* feutre; marqueur *m*.

Finanz|amt *n* perception *f*, percepteur *m*; **~en** *pl* finances *f/pl*; **2iell** financier; **2ieren** financer; **~lage** *f* situation *f* financière; **~minister** *m* ministre *m* des Finances; **~ministerium** *n* ministère *m* des Finances; **~wesen** *n* finances *f/pl*.

Findelkind *n* enfant *m* trouvé.

find|en trouver; *der Ansicht sein* trouver, penser; *ich finde ihn nett* je le trouve gentil; *wie ~ Sie ...?* comment trouvez-vous ...?; *das wird sich ~* nous verrons bien.

Finder|(in *f*) *m* celui *m* (celle *f*) qui trouve; **~lohn** *m* récompense *f* à celui qui rapporte un objet perdu.

Finger *m* doigt *m*; **~abdruck** *m* empreinte *f* digitale; **~fertigkeit** *f* dextérité *f*; **~hut** *m* dé *m* (à coudre); *bot* digitale *f*; **~nagel** *m* ongle *m*; **~spitze** *f* bout *m* du doigt; **~spitzengefühl** *n* doigté *m*.

fingieren feindre, simuler.

Fink *zo m* pinson *m*.

Finn|e *m*, **~in** *f* Finlandais *m*, -e *f*; **2isch** finlandais; **~land** *n* la Finlande.

finster sombre, obscur, ténébreux; **2nis** *f* obscurité *f*, ténèbres *f/pl*.

Firma *f* maison *f*, entreprise *f*, firme *f*.

Firmung *rel f* confirmation *f*.

Firn *m* névé *m*.

Firnis *m* vernis *m*.

First *m* faîte *m*.

Fisch *m* poisson *m*; *astr ~e pl* Poissons *m/pl*; *~e fangen* attraper *od* prendre des poissons; **~dampfer** *m* chalutier *m*.

fischen pêcher.

Fischer|(in *f*) *m* pêcheur *m*, -euse *f*; **~boot** *n* bateau *m* de pêche; **~dorf** *n* village *m* de pêcheurs; **~ei** *f* pêche *f*.

Fisch|fang *m* pêche *f*; **~gräte** *f* arête *f*; **~händler(in** *f*) *m* poissonnier *m*, -ière *f*; **~kutter** *m* cotre *m* de pêche; **~laich** *m* frai *m* de poisson; **~markt** *m* marché *m* aux poissons; **~stäbchen** *cuis n* poisson *m* pané; **~vergiftung** *méd f* intoxication *f* due au poisson; **~zucht** *f* pisciculture *f*; **~zug** *m fig* coup *m* de filet.

Fisole *östr f* haricot *m* vert.

Fistel *méd f* fistule *f*; **~stimme** *f* voix *f* de fausset.

fit en forme, bien entraîné.

fix prompt, rapide; vite; *Idee* fixe; *~ und fertig* fin prêt; *erschöpft* F claqué.

fix|en F se piquer; **2er** *m Rauschgift* drogué *m*.

fixieren fixer; *j-n ~* fixer qn, regarder qn fixement.

FKK nudisme *m*; *in Zssgn* nudiste.

flach plat (*a fig*).

Fläche *f* surface *f*, superficie *f*; **~ninhalt** *m* superficie *f*.

Flachs *bot m* lin *m*.

flackern vaciller.

Fladen *m* galette *f*; *Kuh2* bouse *f* de vache.

Flagge *f* pavillon *m*; **2n** pavoiser.

Flak *mil f* D.C.A. *f*.

Flame *m*, **Flämin** *f* Flamand *m*, -e *f*.

flämisch flamand.

Flamme *f* flamme *f*; *in ~n stehen* être en flammes.

Flandern *n* la Flandre.

Flanell *m* flanelle *f*.

flanieren flâner.

Flank|e *f* flanc *m*; *Fußball* centre *m*; **2ieren** flanquer.

Flasche *f* bouteille *f*; *Säuglings2* biberon *m*; *fig Person* F nouille *f*, cloche *f*; **~nbier** *n* bière *f* en bouteilles; **~nhals** *m* goulot *m* (de bouteille); **~nöffner** *m* ouvre-bouteilles *m*, décapsuleur *m*; **~npfand** *n* consigne *f*; **~nzug** *tech m* palan *m*.

flatterhaft volage, instable.

flattern voleter; *Fahne, Haare* flotter.

flau faible (*a Brise*); languissant; *Markt* peu actif, stagnant.

Flaum *m* duvet *m*.

Flaute *f mar* calme *m* (plat); *écon* marasme *m*.

Flechte *f Haar2* tresse *f*; *méd* dartre *f*; *bot* lichen *m*; **2n** tresser.

Fleck *m* tache *f*; *Stelle* endroit *m*; *blauer ~* bleu *m*; **~entferner** *m* détachant *m*; **2enlos** sans tache, immaculé (*a fig*); **2ig** taché.

Fledermaus *zo f* chauve-souris *f*.

Flegel *m fig* impertinent *m*, malappris *m*, rustre *m*, pignouf F *m*, **~ei** *f* impertinence *f*; **2haft** mal éduqué, impertinent, grossier, malotru; **~jahre** *n/pl* âge *m* ingrat.

flehen implorer (*zu j-m* qn, *um etw* qc), supplier (*zu j-m* qn).

Fleisch *n* chair *f*; *Nahrung* viande *f*; **~brühe** *f* consommé *m*; bouillon *m* gras; **~er** *m* boucher *m*; *für zuberei-*

tete Fleischwaren charcutier *m*; **~erei** *f* boucherie *f*; charcuterie *f*; **⁀fressend** carnassier, carnivore; **~hauer** *östr m* boucher *m*; **⁀ig** charnu; **~kloß** *m* boulette *f* de viande; **⁀lich** charnel; **⁀los** sans viande, maigre; **~wolf** *m* hachoir *m*; **~wunde** *f* blessure *f* profonde.

Fleiß *m* application *f*, assiduité *f*; **⁀ig** appliqué, assidu.

flennen F pleurnicher, chialer F.

fletschen *die Zähne* ~ montrer les dents.

F

flexib|el flexible; **⁀ilität** *f* flexibilité *f*.

flick|en raccommoder, rapiécer; *Fahrradschlauch* réparer; **⁀en** *m* pièce *f*; *Fahrrad* rustine *f*; **⁀zeug** *n* nécessaire *m* pour réparer les pneus.

Flieder *bot m* lilas *m*.

Fliege *f* mouche *f*; *Binder* nœud *m* papillon.

fliegen voler; *mit dem Flugzeug* ~ aller en avion; *ein Flugzeug* ~ piloter un avion; F *fig von der Schule* ~ être renvoyé de l'école; *fig in die Luft* ~ sauter, exploser.

Fliegen|fänger *m* attrape-mouches *m*; **~gewicht** *Sport n* poids *m* mouche; **~klatsche** *f* tapette *f* tue-mouches; **~pilz** *bot m* fausse oronge *f*, amanite *f* tue-mouches.

Flieger|(in *f*) *m* aviateur *m*, -trice *f*; **~alarm** *m* alerte *f* aérienne; **~angriff** *m* raid *m* aérien.

flieh|en fuir (*vor j-m, vor etw* qn, qc), s'enfuir (devant qn, qc); **⁀kraft** *phys f* force *f* centrifuge.

Fliese *f* carreau *m*, dalle *f*; **~nleger** *m* carreleur *m*.

Fließband *n* tapis *m* roulant; *Fabrik* chaîne *f* (de montage); **~arbeit** *f* travail *m* à la chaîne.

fließen couler; **~d** courant; ~ *Französisch sprechen* parler couramment le français.

flimmern scintiller; *Bild* trembloter.

flink agile.

Flinte *f* fusil *m*.

Flipper *m* flipper *m*.

Flirt *m* flirt *m*; **⁀en** flirter.

Flittchen *n péj* coureuse *f* de garçons.

Flitter *m* paillettes *f*/*pl*; **~kram** *m* colifichets *m*/*pl*; **~wochen** *f*/*pl* lune *f* de miel.

flitz|en F filer comme une flèche; **⁀er** *m* F *auto* bolide *m*.

Flock|e *f* flocon *m*; **⁀ig** floconneux.

Floh *m* puce *f*; *fig j-m e-n ~ ins Ohr setzen* mettre à qn une idée en tête; **~markt** *m* marché *m* aux puces.

Flora *f* flore *f*.

Florenz Florence.

Florett *n* fleuret *m*.

florieren prospérer.

Floskel *f* formule *f* toute faite.

Floß *n* radeau *m*.

Flosse *f* nageoire *f*.

Flöte *f* flûte *f*; **⁀n** jouer de la flûte.

Flötist(in *f*) *m* flûtiste *m*, *f*.

flott *Tempo* rapide; *leicht, keß* léger, dégagé, déluré; *schick* chic.

Flotte *mar f* flotte *f*; **~nstützpunkt** *mil m* base *f* navale.

Fluch *m Kraftwort* juron *m*; *Verwünschung* malédiction *f*; **⁀en** jurer.

Flucht *f* fuite *f*; **⁀artig** précipitamment.

flüchten s'enfuir; *sich* ~ se réfugier (*zu j-m* chez qn, *in etw* dans qc).

flüchtig fugitif; *vergänglich* passager; *ein ~er Blick* un coup d'œil; *ein ~er Eindruck* un aperçu; **⁀keitsfehler** *m* négligence *f*, faute *f* d'inattention.

Flüchtling *m* fugitif *m*; *pol* réfugié *m*; **~slager** *n* camp *m* de réfugiés.

Flug *m* vol *m*; **~abwehrrakete** *mil f* missile *m* antiaérien; **~bahn** *f* trajectoire *f*; **~ball** *m Tennis* volée *f*; **~blatt** *n* tract *m*; **~boot** *n* hydravion *m*.

Flügel *m* aile *f*; *Klavier* piano *m* à queue; *Tür-, Fenster⁀* battant *m*; **~mutter** *tech f* papillon *m*; **~schraube** *tech f* vis *f* à ailettes; **~stürmer** *Sport m* ailier *m*; **~tür** *f* porte *f* à deux battants.

Fluggast *m* passager *m*.

flügge ~ *sein* voler de ses propres ailes; *fig* ~ *werden* prendre sa volée.

Flug|gesellschaft *f* compagnie *f* aérienne; **~hafen** *m* aéroport *m*; **~körper** *m* engin *m od* objet *m* volant; **~linie** *f* ligne *f* aérienne; **~lotse** *m* aiguilleur *m* du ciel; **~personal** *n* personnel *m* navigant, navigants *m*/*pl*; **~platz** *m* aérodrome *m*; **~schreiber** *m* boîte *f* noire; **~schrift** *f* brochure *f* de propagande, tract *m*; **~sicherung** *f* contrôle *m* du trafic aérien; **~verkehr** *m* trafic *m* aérien; **~wesen** *n* aviation *f*.

Flugzeug *n* avion *m*; **~absturz** *m* catastrophe *f* aérienne; **~entführung** *f* détournement *m* d'avion; **~führer** *m* pilote *m*; **~halle** *f* hangar

m (d'avions); **~träger** *m* porte-avions *m*.
Flunder *zo f* flet *m*.
flunkern raconter des histoires.
Flur *m* entrée *f*, vestibule *m*.
Fluß *m* rivière *f*; *großer* fleuve *m*; **2abwärts** en aval; **2aufwärts** en amont; **~bett** *n* lit *m* d'un fleuve; **~dampfer** *m* vapeur *m* de rivière; **~fischerei** *f* pêche *f* fluviale.
flüssig liquide (*a Geld*); *Verkehr*, *Stil* fluide; **2keit** *f* *Stoff* liquide *m*; *Zustand* liquidité *f*.
Fluß|lauf *m* cours *m* d'une rivière *od* d'un fleuve; **~pferd** *zo n* hippopotame *m*; **~schiffahrt** *f* navigation *f* fluviale; **~ufer** *n* rive *f*, berge *f*.
flüstern chuchoter.
Flut *f* *Gezeiten* marée *f* haute; *Wassermassen* flots *m/pl*; *fig von Worten etc* flot *m*; **~licht** *n* *bei ~* sous la lumière des projecteurs; **~welle** *f* raz *m* de marée.
Föderalismus *m* fédéralisme *m*.
Fohlen *n* poulain *m*.
Föhre *bot f* pin *m* sylvestre.
Folge *f* suite *f*, conséquence *f*; *Reihen2* série *f*; *Fortsetzung* continuation *f*; *Ergebnis* résultat *m*, effet *m*; *zur ~ haben* avoir pour conséquence.
folgen suivre (*j-m* qn); *nachfolgen* succéder (*j-m od auf j-n* à qn); *gehorchen* obéir (à); *aus etw ~* résulter de qc; *daraus folgt, daß* ... il s'ensuit que ...; *wie folgt* comme suit; **~d** suivant; *im ~en weiter unten* ci-dessous; **~dermaßen** de la manière suivante; **~schwer** lourd de conséquences.
folgerichtig conséquent, logique; **2keit** *f* conséquence *f*, logique *f*.
folger|n conclure (*aus* de); **2ung** *f* conclusion *f*.
folg|lich par conséquent; *also* donc; **~sam** obéissant.
Folie *f* feuille *f*; *Schule* transparent *m*.
Folter *f* torture *f*; *fig j-n auf die ~ spannen* torturer qn; **2n** torturer.
Fön *m* sèche-cheveux *m*.
Fontäne *f* jet *m* d'eau; ⚠ *nicht fontaine*.
foppen taquiner, faire monter à l'échelle.
Förder|band *n* tapis *m* roulant; **~er** *m*, **~in** *f* protecteur *m*, -trice *f*; mécène *m*, *f*, bienfaiteur *m*, -trice *f*; **2lich** profitable.
fordern exiger (*etw von j-m* qc de qn); *geltend machen* revendiquer.
fördern faire avancer, encourager, promouvoir; *begünstigen* favoriser, faire réussir; *Bergbau* extraire.
Forderung *f* exigence *f*; *Geltendmachung* revendication *f*; *Schuld2* créance *f*.
Förderung *f* encouragement *m*; *Bergbau* extraction *f*.
Forelle *zo f* truite *f*.
Form *f* forme *f*; *Back2* moule *m*; *in ~ von* sous forme de; *in ~ sein* être en forme.
formal formel; **2ität** *f* formalité *f*.
Format *n* format *m*; *fig* envergure *f*, classe *f*.
Formel *f* formule *f*.
formell formel.
form|en former; *Gießerei* mouler; **2fehler** *jur m* vice *m* de forme; **~ieren** (*sich ~* se) former.
förmlich formel; *in aller Form* dans les formes; *feierlich* cérémonieux; **2keit** *f* formalité *f*.
form|los sans formalités; *fig* sans façons; **2sache** *f* formalité *f*; *das ist reine ~* c'est de pure forme.
Formul|ar *n* formulaire *m*, formule *f*; **2ieren** formuler; **~ierung** *f* rédaction *f*, formulation *f*, mise *f* au point; *als Resultat* formule *f*.
forsch énergique, qui n'a pas froid aux yeux.
forsch|en faire des recherches; *nach etw ~* rechercher qc; **2er(in** *f*) *m* chercheur *m*, -euse *f*; **2ung** *f* recherche *f*.
Forst *m* forêt *f*; ⚠ *la* forêt.
Förster *m* forestier *m*.
Forstwirtschaft *f* sylviculture *f*.
Fort *mil n* fort *m*.
fort parti, absent, pas ici *od* là; *und so ~* et ainsi de suite; *in einem ~* sans arrêt.
fort|bestehen continuer d'exister; **~bewegen** *sich ~* se déplacer; **2bewegung** *f* locomotion *f*; **~bilden** *sich ~* se perfectionner; **2bildung** *f* perfectionnement *m*, formation *f* continue *od* permanente; **2dauer** *f* persistance *f*, continuation *f*; **~fahren** partir; *weitermachen* continuer (*zu* à, de); **~führen** continuer; **~gehen** s'en aller; *weitergehen* continuer son chemin; **~geschritten** avancé; **~kommen** *im Leben* faire son chemin; **~laufend** ininterrom-

pu, suivi; **~pflanzen** *sich ~ biol* se reproduire; *Licht, Schall* se propager; **2pflanzung** *biol f* reproduction *f*; **~reißen** entraîner; **~schaffen** enlever; **~schreiten** faire des progrès; **~schreitend** progressif; **2schritt** *m* progrès *m*; **~schrittlich** progressiste; **~setzen** (*sich ~* se) continuer; **2setzung** *f* continuation *f*; *Text* suite *f*; *~ folgt* à suivre; **2setzungsroman** *m* feuilleton *m*; **~während** continuel.

F

Foto *n* photo *f*; ⚠ *la* photo; **~apparat** *m* appareil *m* photo; **2gen** photogénique; **~graf(in** *f*) *m* photographe *m*, *f*; **~grafie** *f* photographie *f*; **2grafieren** photographier; prendre des photos; **~kopie** *f* photocopie *f*; **2kopieren** photocopier.

Fotze *f vulgär* chatte *f*.

Fracht *f* charge *f*; *mar* cargaison *f*; *Frachtgebühr* prix *m* de transport; **~brief** *m* lettre *f* de voiture; *mar* connaissement *m*; **~er** *m* cargo *m*.

Frack *m* habit *m* noir, frac *m*.

Frage *f* question *f*; *gr* interrogation *f*; *e-e ~ stellen* poser une question; *in ~ stellen* remettre en question; *in ~ kommen* entrer en ligne de compte; *nicht in ~ kommen* être hors de question; *das kommt nicht in ~* il n'en est pas question; **~bogen** *m* questionnaire *m*.

frage|n demander (*j-n ~* demander à qn; *j-n etw od nach etw od um etw ~* demander qc à qn); *aus~* questionner; *prüfend* interroger; *nach j-m ~* demander des nouvelles de qn; *sich ~* se demander; **2satz** *gr m* proposition *f* interrogative; **2wort** *n* interrogatif *m*; **2zeichen** *n* point *m* d'interrogation.

frag|lich *unsicher* incertain, douteux; *betreffend* en question; **~los** incontestablement, sans aucun doute.

Fragment *n* fragment *m*.

fragwürdig douteux.

Fraktion *pol f* groupe *m* parlementaire; ⚠ *nicht fraction*; **~sführer** *m* chef *m* d'un groupe parlementaire.

frankieren affranchir.

Frankreich *n* la France.

Franse *f* frange *f*.

Franz *m* François *m*.

Franz|ose *m*, **~ösin** *f* Français *m*, -e *f*; **2ösisch** français.

Fraß P *m* F bouffe *f*, mangeaille *f*.

Fratze *f* grimace *f*.

Frau *f* femme *f*; *als Anrede* madame (*abr* Mme).

Frauen|arzt *m*, **~ärztin** *f* gynécologue *m*, *f*; **~bewegung** *f* mouvement *m* féministe; **~emanzipation** *f* émancipation *f* de la femme; **~klinik** *f* clinique *f* gynécologique; **~rechtlerin** *f* féministe *f*.

Fräulein *n* demoiselle *f*; *als Anrede* mademoiselle (*abr* Mlle).

fraulich féminin.

frech insolent, effronté, culotté F; **2heit** *f* insolence *f*, effronterie *f*, culot *m* F.

frei libre (*von* de); *Beruf* libéral; *Journalist etc* indépendant; *Stelle* vacant; *Sicht* dégagé; *kostenlos* gratuit; *~mütig* franc, sincère; *ein ~er Tag* un jour de congé; *morgen haben wir ~* demain nous avons congé; *im 2en* en plein air.

Frei|bad *n* piscine *f* en plein air; **2bekommen** obtenir *un jour etc* de congé; **2beruflich** *~ tätig sein* exercer une profession libérale; **~exemplar** *n* exemplaire *m* gratuit; **~gabe** *f* libération *f*; **2geben** *Schule* donner congé; **2gebig** généreux; **2haben** avoir congé; **~hafen** *m* port *m* franc; **~handel** *m* libre-échange *m*; **~heit** *f* liberté *f*; **2heitlich** libéral; **~heitsstrafe** *f* peine *f* de prison; **~herr** *m* baron *m*; **~karte** *f* billet *m* de faveur *od* gratuit; **~körperkultur** *f* nudisme *m*; **2lassen** libérer, relâcher; *jur gegen Kaution ~* remettre en liberté sous caution; **~lassung** *f* remise *f* en liberté; **~lauf** *m Fahrrad* roue *f* libre.

freilich bien sûr.

Frei|lichtbühne *f* théâtre *m* de plein air; **2machen** *Brief* affranchir; *sich ~* se libérer *od* s'affranchir (*von* de); *sich entkleiden* se déshabiller; **~maurer** *m* franc-maçon *m*; **2mütig** franc, sincère; **2sprechen** *jur* acquitter; **~spruch** *jur m* acquittement *m*; **2stehen** *Sport* être seul; *es steht dir frei zu ...* tu es libre de ...; **2stellen** *j-m ~ zu ...* laisser à qn le choix de ...; *j-n ~* exempter *od* dispenser qn (*von* de); **~stoß** *m Fußball* coup *m* franc; **~stunde** *f Schule* heure *f* libre.

Freitag *m* vendredi *m*.

Frei|tod *m* suicide *m*; **~treppe** *f* perron *m*; **~übungen** *f/pl* gymnastique *f*; **2willig** volontaire; *sich ~ melden* être volontaire (*zu* pour); **~willige(r)** *m, f* volontaire *m, f*; **~zeit** *f* loisirs *m/pl*; *seine ~ verbringen* occuper ses loisirs; **~zeitgestaltung** *f* organisation *f od* emploi *m* des loisirs.

fremd étranger; *seltsam* étrange; *ich bin ~ hier* je ne suis pas d'ici; *sich ~ vorkommen* se sentir dépaysé; **~artig** étrange; **2e** *f* pays *m* étranger; *in der ~* à l'étranger.

Fremden|führer(in *f*) *m* guide *m, f*; **~legion** *mil f* Légion *f* étrangère; **~verkehr** *m* tourisme *m*; **~verkehrsbüro** *n* syndicat *m* d'initiative, office *m* de tourisme; **~zimmer** *n* chambre *f* à louer.

Fremde(r) *m, f* étranger *m*, -ère *f*.

fremd|gehen F être infidèle; **2körper** *méd m* corps *m* étranger; **2sprache** *f* langue *f* étrangère; **~sprachig** de langue étrangère; **~sprachlich** concernant l'enseignement des langues étrangères; **2wort** *n* mot *m* étranger.

Frequenz *phys f* fréquence *f*.

Fresse *f* P gueule *f*.

fressen 1. *Tiere* manger; *verschlingen* dévorer; P *essen* bouffer F; **2. 2** *n Tiere* pâture *f*, nourriture *f*; P *Essen* bouffe F *f*.

Freude *f* joie *f*; *Vergnügen* plaisir *m*; *~ haben an* prendre plaisir à; *j-m e-e ~ machen* faire plaisir à qn.

Freuden|botschaft *f* joyeuse nouvelle *f*; **~geschrei** *n* cris *m/pl* de joie; **~tag** *m* jour *m* de joie; **~taumel** *m* transport *m* de joie.

freud|estrahlend rayonnant de joie; **~ig** joyeux; *Ereignis, Nachricht* heureux; **~los** sans joie.

freuen *sich ~* être content *od* heureux (*über, zu* de); *sich ~ auf* se réjouir d'avance de; *es freut mich, daß ...* je suis heureux que (+ *subj*); *das freut mich* cela me fait plaisir.

Freund|(in *f*) *m* ami *m*, -e *f*; F copain *m*, copine *f*; **2lich** aimable, gentil (*zu j-m* avec qn); *Zimmer, Farbe* gai; *Wetter* beau; *das ist sehr ~ von Ihnen* c'est très aimable à vous; **~lichkeit** *f* amabilité *f*, affabilité *f*; **~schaft** *f* amitié *f*; **2schaftlich** amical; **~schaftsvertrag** *pol m* traité *m* d'amitié.

Frevel *m* crime *m*; *rel* sacrilège *m*; **2haft** criminel.

Frieden *m* paix *f*; *im ~* en temps de paix; *laß mich in ~!* F fiche-moi la paix!

Friedens|bewegung *f* mouvement *m* pacifiste; **~forschung** *f* polémologie *f*; **~verhandlungen** *f/pl* négociations *f/pl* de paix; **~vertrag** *m* traité *m* de paix.

fried|fertig pacifique; **2hof** *m* cimetière *m*; **~lich** pacifique; *ruhig* paisible; **~liebend** pacifique.

Friedrich *m* Frédéric *m*.

frieren geler; *ich friere od mich friert* j'ai froid; *stärker* F je gèle; *es friert* il gèle.

frisch frais; *Wäsche* propre; *~ gestrichen!* attention à la peinture!, peinture fraîche!; **2e** *f* fraîcheur *f*; *Jugend*2 vigueur *f*.

Fris|eur *m* coiffeur *m*; **~eursalon** *m* salon *m* de coiffure; **~euse** *f* coiffeuse *f*.

frisieren (*sich ~* se) coiffer; F *Motor* trafiquer.

Frist *f* délai *m*; **2en** *sein Leben ~* gagner péniblement sa vie; **2gemäß** dans les délais; **2los** *~e Entlassung* renvoi *m* sans préavis.

Frisur *f* coiffure *f*.

frivol *leichtfertig* frivole; *schlüpfrig* leste.

froh content (*über* de); *fröhlich* joyeux, gai; *~e Weihnachten!* joyeux Noël!; *ich bin ~, daß ...* je suis content que ... (+ *subj*).

fröhlich gai, joyeux; **2keit** *f* gaieté *f*.

fromm pieux, religieux; *Pferd* doux; *~er Wunsch* vœu *m* pieux.

Frömmigkeit *f* piété *f*.

frönen *e-r Sache ~* se livrer *od* s'adonner à qc.

Fronleichnam(sfest *n*) *m* Fête-Dieu *f*.

Front *f* front *m* (*a mil, Wetter*); *arch* façade *f*; ⚠ *le* front; **~antrieb** *m auto* traction *f* avant.

Frosch *m* grenouille *f*; **~mann** *m* homme-grenouille *m*; **~perspektive** *f aus der ~* vu d'en bas.

Frost *m* gelée *f*; *Kälte* froid *m*; **~beule** *f* engelure *f*.

frösteln frissonner.

frostig froid; *fig ~er Empfang* accueil *m* glacial.

Frottee *n od m* tissu *m* éponge.

frottieren frotter, frictionner.

Frucht *f* fruit *m* (*a fig*); ⚠ *le* fruit; **2bar** fécond, fertile; *fig* fructueux; **~barkeit** *f* fécondité *f*, fertilité *f*;

Ձ**los** infructueux; ~**saft** *m* jus *m* de fruits.

früh de bonne heure, tôt; *heute* ~ ce matin; *gestern* ~ hier matin; *zu* ~ *kommen* arriver trop tôt; Ձ**aufsteher** *m* lève-tôt *m* F; Ձ**e** *f in aller* ~ de grand matin; ~**er** plus tôt; *ehemals* autrefois; ~ *oder später* tôt ou tard; ~**ere**(**r**) ancien; ~**estens** au plus tôt; Ձ**geburt** *f Kind* prématuré *m*; Ձ**jahr** *n*, Ձ**ling** *m* printemps *m*; ~**morgens** de bon (*od* de grand) matin; ~**reif** précoce; Ձ**stück** *n* petit déjeuner *m*; ~**stücken** prendre le petit déjeuner.

Frust F *m* frustration *f*; Ձ**riert** frustré.

Fuchs *m*, **Füchsin** *f* renard *m*, -e *f*; *Pferd* alezan *m*; *fig alter Fuchs* vieux routier.

Fuchs|schwanz *tech m* scie *f* égoïne; Ձ**teufelswild** F ~ *werden* devenir fou furieux.

fuchteln *mit etw* ~ agiter qc.

Fuge *f* joint *m*, jointure *f*; *mus* fugue *f*; *aus den* ~*n gehen* se disloquer.

füg|en *sich* ~ se soumettre (*in etw* à qc); ~**sam** docile.

fühl|bar sensible; *tastbar* palpable; ~**en** sentir; *empfinden* ressentir; *Schmerz*, *Freude* éprouver; *Puls* tâter; *sich wohl* ~ se sentir bien; Ձ**er** *m zo* antenne *f*; *fig seine* ~ *ausstrecken* tâter le terrain.

führen conduire, mener; *Gruppe* guider; *Amt* remplir; *Namen*, *Titel* porter; *Betrieb* diriger; *Haushalt*, *Konto* tenir; *Waren* avoir à vendre; *mil* commander; *Sport* être en tête, mener; *zu etw* ~ mener à qc; *mit sich* ~ avoir sur soi; ~**d** dirigeant; prépondérant.

Führer|(**in** *f*) *m Fahrzeug* conducteur *m*, -trice *f*; *Reise*Ձ guide *m* (*a Buch*); *pol* leader *m*; ~**schein** *m* permis *m* de conduire; *den* ~ *machen* F passer son permis.

Führung *f* conduite *f*; *mil* commandement *m*; *Unternehmen* gestion *f*, direction *f*; *Museum* visite *f* guidée; *Sport in* ~ *liegen* être en tête.

Fuhr|unternehmen *n* entreprise *f* de transport; ~**werk** *n* véhicule *m* hippomobile.

Fülle *f* abondance *f*, profusion *f*.

füllen (*sich* ~ se) remplir (*mit* de).

Füllen *zo n* poulain *m*.

Füll|federhalter *m* stylo *m*; Ձ**ig** plantureux, dodu; ~**ung** *f* remplissage *m*; *Kissen* rembourrage *m*; *cuis* farce *f*; *Zahn* plombage *m*.

fummeln F tripoter (*an etw* qc).

Fund *m* trouvaille *f*.

Fundament *n* fondations *f*/*pl*; *fig* base *f*, fondement *m*.

Fund|amt *n*, ~**büro** *n* bureau *m* des objets trouvés; ~**gegenstand** *m* objet *m* trouvé; ~**grube** *f fig* mine *f*.

fünf cinq; *Schule e-e* Ձ *schreiben* avoir une note en dessous de la moyenne; Ձ**eck** *n*, ~**eckig** pentagone *m u adj*; ~**fach** quintuple; ~**hundert** cinq cents; Ձ**jahresplan** *m* plan *m* quinquennal; Ձ**kampf** *m Sport* pentathlon *m*; Ձ**linge** *pl* quintuplé(e)s *m*(*f*)*pl*; ~**te** cinquième; Ձ**tel** *n* cinquième *m*; ~**tens** cinquièmement; ~**zehn** quinze; ~**zehnte** quinzième; ~**zig** cinquante; *etwa* ~ une cinquantaine; ~**zigste** cinquantième.

Funk *m* radio *f*; T.S.F. *f*; *über* ~ par radio; ~**amateur** *m* radio-amateur *m*.

Funk|e(**n**) *m* étincelle *f*; Ձ**eln** étinceler; Ձ**en** transmettre par radio; ~**er** *m* radio *m*; ~**gerät** *n* poste *m* émetteur-récepteur; ~**haus** *n* maison *f* de la radio; ~**signal** *n* signal *m* par radio; ~**spruch** *m* message *m* radio; ~**streife** *f* policiers *m*/*pl* en voiture radio.

Funktion *f* fonction *f*; ~**är** *m* responsable *m*; Ձ**ieren** fonctionner.

Funkturm *m* tour *f* émettrice de radio.

für 1. *prép* pour; *als Austausch für* en échange de; *anstatt* au lieu de; *zum Gebrauch für* à l'usage de; *zugunsten von* en faveur de; *was* ~ *ein*(*e*) quel(le); ~ *immer* pour toujours; *Tag* ~ *Tag* jour après jour; *Wort* ~ *Wort* mot à mot; *jeder* ~ *sich* chacun pour soi; **2.** Ձ *n das* ~ *und Wider* le pour et le contre.

Furche *f* sillon *m*; *Runzel* ride *f*.

Furcht *f* crainte *f*, peur *f* (*vor* de); Ձ**bar** terrible, effroyable, affreux.

fürchten craindre (*j-n*, *etw* qn, qc; *daß* ... que ... ne + *subj*); *sich* ~ avoir peur (*vor* de).

fürchterlich *cf furchtbar*.

furcht|erregend redoutable, effrayant; ~**los** intrépide; ~**sam** craintif.

füreinander l'un pour l'autre.

Fürsorge *f* sollicitude *f*; *öffentliche* ~ aide *f* sociale; ~**empfänger**(**in** *f*) *m* bénéficiaire *m*, *f* d'une aide sociale; ~**rin** *f* assistante *f* sociale.

fürsorglich attentionné.
Fürsprache *f* intercession *f*, intervention *f*; ~ *für j-n einlegen* intercéder *od* intervenir en faveur de qn.
Fürst|(in *f*) *m* prince *m*, princesse *f*; **~entum** *n* principauté *f*; **2lich** princier, de prince.
Furt *f* gué *m*.
Furunkel *méd m* furoncle *m*.
Fürwort *gr n* pronom *m*.
Furz P *m* pet *m* F; **2en** P péter F.
Fuß *m* pied *m*; *von Tieren a* patte *f*; *zu ~* à pied; *zu ~ gehen* marcher; aller à pied; *gut zu ~ sein* être bon marcheur; *~ fassen* prendre pied, s'établir; *jur auf freiem ~* en liberté.
Fuß|abstreifer *m* décrottoir *m*; **~angel** *f* chausse-trappe *f*.
Fußball *m* ballon *m* de football; *Sportart* football *m*; *~ spielen* jouer au football; **~feld** *n* terrain *m* de football; **~spiel** *n* match *m* de football; **~spieler** *m* footballeur *m*; **~toto** *n* loto *m* sportif.
Fuß|boden *m* plancher *m*; **~bremse** *f* frein *m* à pied; **~gänger(in** *f*) *m* piéton *m*, -ne *f*; **~gängerzone** *f* zone *f* piétonne *od* piétonnière; **~geher** *östr m* piéton *m*; **~gelenk** *n* articulation *f* du pied; **~note** *f* note *f* (explicative); **~pflege** *f* soins *m/pl* des pieds; **~sohle** *f* plante *f* du pied; **~spur** *f* trace *f* de pas; *Fährte* piste *f*; **~stapfen** *pl fig in j-s ~ treten* marcher sur les traces de qn; **~tritt** *m* coup *m* de pied; **~weg** *m* chemin *m*, sentier *m*.
Futter *n* nourriture *f*; *Kleider2* doublure *f*.
Futteral *n* étui *m*; *für Schirm* fourreau *m*.
futtern F bouffer.
fütter|n donner à manger à; *Kleider* doubler; *mit Pelz ~* fourrer; **2ung** *f* *Vieh* alimentation *f*; *der Raubtiere* repas *m* des fauves.
Futur *gr n* futur *m*.

G

G *mus n* sol *m*.
Gabe *f* don *m*.
Gabel *f* fourche *f*; *Eß2* fourchette *f*; **2n** *sich ~ Weg* bifurquer; **~stapler** *tech m* chariot *m* élévateur; **~ung** *f* bifurcation *f*.
gackern caqueter.
gaffen faire le badaud, regarder bouche bée.
Gag *m* F gag *m*.
Gage *f* cachet *m*.
gähnen bâiller.
galant galant, courtois; **2erie** *f* galanterie *f*.
Galavorstellung *f* gala *m*.
Galeere *mar f* galère *f*.
Galerie *f* galerie *f*.
Galgen *m* potence *f*, gibet *m*; **~frist** *f* quart *m* d'heure de grâce; **~humor** *m* plaisanterie *f* macabre.
Galle *f* bile *f*; *von Tieren* fiel *m*; **~nblase** *f* vésicule *f* biliaire; **~nstein** *m* calcul *m* biliaire.
Gallie|n *n* la Gaule; **~r(in** *f*) *m* Gaulois *m*, -e *f*.
Galopp *m* galop *m*; **2ieren** galoper.
gamm|eln F glander, traînasser; **2ler(in** *f*) *m* clochard *m*, -e *f*.
Gang *m Gehen, Ablauf* marche *f*; *Art des Gehens* démarche *f*, allure *f*; *Ablauf a* cours *m*; *Besorgung* course *f*; *beim Essen* plat *m*; *Korridor* couloir *m*; *auto* vitesse *f*; *in ~ bringen* mettre en marche, faire démarrer; *in ~ kommen* se mettre en marche, s'amorcer, démarrer; *im ~(e) sein* être en cours; *in vollem ~(e) sein* battre son plein.
gang *~ und gäbe* courant, habituel, monnaie courante.
gängeln mener à la baguette *od* par le bout du nez.
gängig courant.
Gangschaltung *f auto* changement *m* de vitesses; *Fahrrad* dérailleur *m*.
Gangway *f* passerelle *f*.
Ganove *m* bandit *m*, malfaiteur *m*, voyou *m*, truand *m*.
Gans *zo f* oie *f*.

Gänse|blümchen *bot n* pâquerette *f*; **~braten** *m* oie *f* rôtie; **~füßchen** *n/pl* guillemets *m/pl*; *in ~* entre guillemets; **~haut** *f fig* chair de poule; *dabei kriege ich e-e ~* ça me donne la chair de poule; **~marsch** *m im ~* à la file indienne; **~rich** *m* jars *m*.

ganz 1. *adj* entier; tout; *die ~e Stadt* toute la ville *od* la ville entière; *ein ~es Jahr* toute une année; *sein ~es Geld* tout son argent; *in der ~en Welt* dans le monde entier; **2.** *adv*: *vor adj u adv* tout; *~ (und gar)* entièrement, tout à fait; *~ und gar nicht* pas du tout; *im (großen und) ~en* dans l'ensemble, au total; *~ wie du willst* comme tu veux.

Ganze *n* tout *m*; *aufs ~ gehen* risquer le tout pour le tout.

gänzlich entier, total; *adv* tout à fait, entièrement.

Ganztagsbeschäftigung *f* travail *m* à plein temps.

gar 1. *adj Speise* assez cuit, à point; **2.** *adv ~ nicht* pas du tout; *~ nichts* rien du tout; *vielleicht ~* peut-être même.

Garage *f* garage *m*; ⚠ *le* garage.

Garantie *f* garantie *f*; **≈ren** garantir (*für etw* qc); **~schein** bon *m od* certificat *m* de garantie.

Garbe *f* gerbe *f*.

Garde *f* garde *f*.

Garderobe *f Kleidungsstücke* vêtements *m/pl*, garde-robe *f*; *Kleiderablage* vestiaire *m*; *Flur≈* portemanteau *m*; **~nfrau** *f* préposée *f* au vestiaire; **~nmarke** *f* ticket *m* de vestiaire; **~nständer** *m* portemanteau *m*.

Gardine *f* rideau *m*; **~nstange** *f* tringle *f* à rideaux.

gären fermenter.

Garn *n* fil *m*; *fig j-m ins ~ gehen* donner dans le panneau.

garnieren garnir (*mit* de).

Garnison *mil f* garnison *f*.

Garnitur *f Besatz* garniture *f*, parement *m*; *Satz zusammengehörender Dinge* assortiment *m*, ensemble *m*; *Polster≈* salon *m*.

garstig vilain.

Gärstoff *m* ferment *m*.

Garten *m* jardin *m*; **~arbeit** *f* jardinage *m*; **~bau** *m* horticulture *f*; **~erde** *f* terreau *m*; **~fest** *n* garden-party *f*; **~geräte** *n/pl* outils *m/pl od* outillage *m* de jardin; **~haus** *n* cabane *f od* abri *m* de jardin; **~laube** *f* tonnelle *f*; **~lokal** *n* restaurant *m od* café *m* avec jardin; **~schere** *f* sécateur *m*; **~stadt** *f* cité-jardin *f*; **~zaun** *m* clôture *f*; **~zwerg** *m* nain *m* dans un jardin; *fig* F gnome *m*.

Gärtner|(in *f*) *m* jardinier *m*, -ière *f*; **~ei** *f* exploitation *f* horticole.

Gärung *f* fermentation *f*.

Gas *n* gaz *m*; *~ geben* accélérer; **~brenner** *m* brûleur *m* à gaz; **≈förmig** gazeux; **~hahn** *m* robinet *m* du gaz; **~heizung** *f* chauffage *m* au gaz; **~herd** *m* cuisinière *f* à gaz; **~kammer** *f* chambre *f* à gaz; **~laterne** *f* bec *m* de gaz; **~leitung** *f* conduite *f* de gaz; **~maske** *f* masque *m* à gaz; **~ofen** *m* radiateur *m* à gaz; **~pedal** *n* accélérateur *m*.

Gasse *f* ruelle *f*.

Gast *m* invité *m*, -e *f*; hôte *m*; *Besucher* visiteur *m*; *im Lokal* consommateur *m*; **~arbeiter** *m* travailleur *m* étranger *od* immigré; **~bett** *n* lit *m* pour les invités; **≈freundlich** hospitalier; **~geber(in** *f*) *m* hôte *m*, -esse *f*; **~haus** *n*, **~hof** *m* hôtel *m*; *kleineres* auberge *f*.

gastieren *Zirkus etc* donner une représentation.

Gast|land *n* pays *m* d'accueil; **~lich** hospitalier, accueillant; **~lichkeit** *f* hospitalité *f*; **~mahl** *n* festin *m*, banquet *m*; **~rolle** *f* rôle *m* d'un acteur étranger à la troupe; **~spiel** *n* représentation *f* d'acteurs en tournée; **~stätte** *f* restaurant *m*; **~stube** *f* salle *f* (d'hôtel); **~wirt(in** *f*) *m* hôtelier *m*, -ière *f*, restaurateur *m*, -trice *f*; *Schankwirt* aubergiste *m, f*; **~wirtschaft** *f* auberge *f*; restaurant *m*; **~zimmer** *n* chambre *f* d'amis.

Gasuhr *f* compteur *m* à gaz.

Gatte *st/s m* époux *m*.

Gatter *n* grille *f*.

Gattin *st/s f* épouse *f*.

Gattung *f* genre *m* (*a biol*); *Art* espèce *f*.

Gaul F *m* cheval *m*; *péj* canasson *m*.

Gaumen *m* palais *m*.

Gauner *m* escroc *m*, filou *m*; **~ei** *f* escroquerie *f*.

Gaze *f* gaze *f*.

Gazelle *zo f* gazelle *f*.

Geächtete(r) *m* proscrit *m*, hors-la-loi *m*.

Gebäck *n* pâtisserie *f*; *Plätzchen* petits gâteaux *m/pl*, biscuits *m/pl*.

Gebälk *n* charpente *f*.

Gebärde *f* geste *m*; **2n** *sich* ~ se conduire, se comporter.
gebär|en donner naissance à; **2-mutter** *f* matrice *f*, utérus *m*.
Gebäude *n* bâtiment *m*, immeuble *m*.
geben donner (*j-m etw* qc à qn); *Zucker in Tee etc* mettre; *Antwort a* faire; *sich* ~ *sich verhalten* se montrer; *nachlassen* se calmer; *etw von sich* ~ dire qc; *es gibt* il y a; *was gibt es?* qu'y a-t-il?; *zum Essen* qu'est-ce qu'il y a à manger?; *TV* qu'est-ce qu'il y a à la télé?; *das gibt es nicht!* c'est impossible!, ça ne va pas!
Gebet *n* prière *f*.
Gebiet *n* territoire *m*; *fig* domaine *m*; *auf diesem* ~ dans *od* en ce domaine.
gebieterisch impérieux.
gebietsweise local; ~ *Regen* averses *f/pl* par endroits.
Gebilde *n* objet *m*, chose *f*, création *f*.
gebildet cultivé, instruit.
Gebirg|e *n* (chaîne *f* de) montagnes *f/pl*; *im* ~ à la montagne; *ins* ~ *gehen od fahren* aller à la montagne; **2ig** montagneux; **~sbewohner(in** *f*) *m* montagnard *m*, -e *f*; **~szug** *m* chaîne *f* de montagnes.
Gebiß *n* dentition *f*, dents *f/pl*; *künstliches* dentier *m*.
Gebläse *n* soufflerie *f*, ventilateur *m*.
geblümt fleuri, à fleurs.
gebogen tordu, courbé.
geboren né; *ein* ~*er Deutscher* un Allemand de naissance; *ein* ~*er Redner* un orateur-né; ~*e Müller* née Müller; *ich bin am ...* ~ je suis né(e) le ...
geborgen à l'abri; **2heit** *f* sécurité *f*, protection *f*.
Gebot *n rel* commandement *m*; *Erfordernis* mot *m* d'ordre; *Auktion* enchère *f*.
Gebrauch *m* usage *m*; *Verwendung* emploi *m*; *Sitte* coutume *f*; **2en** faire usage *od* se servir de; employer, utiliser; *gut zu* ~ *sein* être utile.
gebräuchlich usuel.
Gebrauchs|anweisung *f* mode *m* d'emploi; **2fertig** prêt à l'emploi; **~gegenstand** *m* objet *m* d'usage courant.
gebraucht utilisé; *Waren* d'occasion; **2wagen** *m* voiture *f* d'occasion.
Gebrech|en *n* infirmité *f*; **2lich** infirme, décrépit.
Gebrüder *pl* frères *m/pl*.
Gebrüll *n* cris *m/pl*; *Rind* mugissement *m*, beuglement *m*, meuglement *m*.
Gebühr *f* taxe *f*, droit *m*.
gebühren *j-m* ~ être dû à qn; **~d** dû; *angemessen* convenable; **~frei** gratuit, sans taxes; **~pflichtig** soumis à une taxe; *Parken* payant; ~*e Straße* route *f* à péage; ~*e Verwarnung* contravention *f*.
gebunden *Buch* relié; *fig* lié, engagé.
Geburt *f* naissance *f*; *vor Christi* ~ avant Jésus-Christ; **~enkontrolle** *f*, **~enregelung** *f* contrôle *m* des naissances, planning *m* familial; **~enziffer** *f* taux *m* de natalité.
gebürtig natif, originaire (*aus* de); ~*er Franzose* Français de naissance *od* d'origine; d'origine française.
Geburts|anzeige *f* faire-part *m* de naissance; **~datum** *n* date *f* de naissance; **~fehler** *m* malformation *f* de naissance; **~helfer** *m* accoucheur *m*; **~ort** *m* lieu *m* de naissance; **~tag** *m* anniversaire *m*; **~tagsfeier** *f* fête *f* d'anniversaire; **~urkunde** *f* acte *m* de naissance.
Gebüsch *n* buissons *m/pl*.
Gedächtnis *n* mémoire *f*; *zum* ~ *an* à la mémoire de; *im* ~ *behalten* garder en mémoire; **~lücke** *f* trou *m* de mémoire; **~schwund** *m* perte *f* de la mémoire, amnésie *f*; **~stütze** *f* moyen *m* mnémotechnique.
Gedanke *m* pensée *f*, idée *f*; *in* ~*n sein* être préoccupé; *sich* ~*n machen über* se préoccuper de; *j-s* ~*n lesen* lire dans la pensée de qn.
Gedanken|austausch *m* échange *m* d'idées *od* de vues; **~gang** *m* suite *f od* cours *m* des idées; **2los** irréfléchi, étourdi; **~strich** *m* tiret *m*; **~übertragung** *f* transmission *f* de pensée; **2voll** pensif.
Gedärm(e) *n(pl)* intestins *m/pl*, boyaux *m/pl*.
Gedeck *n für e-e Person* couvert *m*; *Mahlzeit* menu *m*.
gedeihen prospérer, croître.
gedenken se souvenir de; *ehrend* commémorer (qc); ~ *zu vorhaben* se proposer de.
Gedenk|feier *f* commémoration *f*; **~minute** *f* minute *f* de silence; **~stätte** *f*, **~stein** *m* mémorial *m*; **~tafel** *f* plaque *f* commémorative; **~tag** *m* jour *m* anniversaire.
Gedicht *n* poème *m*, poésie *f*; *fig das ist ein* ~! c'est formidable!

gediegen solide; *fig* F *du bist aber ~!* tu es drôle!
Gedräng|e *n* bousculade *f*, foule *f*, cohue *f*; **2t** serré, entassé; *Stil* concis.
gedrückt déprimé, triste.
gedrungen *Figur* trapu.
Geduld *f* patience *f*; **2en** *sich ~* patienter; **2ig** patient.
geehrt honoré; *in Briefen Sehr ~er Herr N!* Monsieur, ...
geeignet approprié; *befähigt* qualifié; apte (*für* à).
Gefahr *f* danger *m*, péril *m*; *~ laufen zu* courir le risque de; *auf die ~ hin, daß ...* quitte à (+ *inf*); *auf eigene ~* à ses risques et périls; *außer ~ sein* être hors de danger.
gefähr|den mettre en danger; **~lich** dangereux, risqué.
gefahrlos sans danger, sûr.
Gefährt|e *m*, **~in** *f* compagnon *m*, compagne *f*.
Gefälle *n* pente *f*; *fig das soziale ~* les différences sociales.
Gefallen 1. *m* service *m*; *j-n um e-n ~ bitten* demander un service à qn; *~ finden an* prendre plaisir à; **2. 2** plaire, convenir (*j-m* à qn); *es gefällt mir* ça me plaît; *sich etw ~ lassen* accepter qc; *das lasse ich mir nicht ~!* je ne suis pas disposé à me laisser faire!
gefällig complaisant, obligeant, serviable; *Sache* plaisant, agréable; *j-m ~ sein* faire plaisir à qn; **2keit** *f* complaisance *f*; *Dienst* service *m*; **~st** s'il vous plaît; *sei ~ still!* tu es (instamment) prié de te taire!
gefangen prisonnier; **2e(r)** *m*, *f* prisonnier *m*, -ière *f*; **2nahme** *f* capture *f*; **~nehmen** faire prisonnier, capturer; **2schaft** *f* captivité *f*.
Gefängnis *n* prison *f*; *ins ~ kommen* aller en prison; ⚠ *la* prison; **~direktor** *m* directeur *m* de prison; **~strafe** *f* peine *f* de prison; **~wärter** *m* gardien *m* de prison.
Gefäß *n* vase *m*, récipient *m*; *Blut*2 vaisseau *m*.
gefaßt calme, résigné; *~ sein auf* s'attendre à.
Gefecht *mil n* combat *m*.
gefedert *auto gut ~ sein* avoir une bonne suspension.
Gefieder *n* plumage *m*.
Geflecht *n* treillis *m*; cannage *m*.
Geflügel *n* volaille *f*.
Geflüster *n* chuchotement *m*.
Gefolg|e *n* suite *f*; **~schaft** *f* partisans *m/pl*.
gefragt demandé.
gefräßig vorace; **2keit** *f* voracité *f*.
Gefreite(r) *mil m* caporal *m*.
gefrier|en (con)geler; **2fach** *n* compartiment *m* congélateur; **2fleisch** *n* viande *f* congelée; **2punkt** *m* point *m* de congélation; **2schrank** *m*, **2truhe** *f* congélateur *m*.
Gefrorene(s) *östr n* glace *f*.
Gefüg|e *n* structure *f*; **2ig** souple, docile.
Gefühl *n* sentiment *m*; *Gespür* intuition *f*; *physisch* sensation *f*; *Gemütsbewegung* émotion *f*; **2los** insensible (*gegen* à); **2sbetont** émotif, sensible; **~ssinn** *m* (sens *m* du) toucher *m*; **2voll** avec âme; *rührselig* sentimental.
gegebenenfalls le cas échéant.
gegen *Richtung od zeitlich* vers; *feindlich* contre; *Tausch* en échange de; *freundlich ~* amical envers.
Gegen|angriff *m* contre-attaque *f*; **~besuch** *m* visite *f* faite en retour; **~beweis** *m* preuve *f* (du) contraire.
Gegend *f* contrée *f*, région *f*; *Nähe* voisinage *m*.
gegeneinander l'un contre l'autre.
Gegen|fahrbahn *auto f* voie *f* d'en face; **~gewicht** *n* contrepoids *m*; *ein ~ bilden zu etw* contrebalancer qc; **~gift** *n* antidote *m*; **~kandidat** *m* rival *m*, concurrent *m*; **~leistung** *f* équivalent *m* d'un service rendu; *als ~* en contrepartie; **~maßnahme** *f* contre-mesure *f*; représaille *f*; **~mittel** *n* antidote *m*; **~partei** *f* parti *m* opposé; **~probe** *f* contre-épreuve *f*; **~richtung** *f* direction *f* opposée; **~satz** *m* contraste *m*; *im ~ zu* contrairement à, par opposition à, en contraste avec; **2sätzlich** opposé (à); **~seite** *f* côté *m* opposé; **2seitig** mutuel, réciproque; **~seitigkeit** *f* réciprocité *f*; **~spieler** *m* adversaire *m*, opposant *m*, rival *m*; **~stand** *m* objet *m*; *behandelter* sujet *m*; **2ständlich** concret; *Kunst* figuratif; **~stimme** *f* voix *f* contre; **~stück** *n* pendant *m*; **~teil** *n* contraire *m*; *im ~* au contraire; **2teilig** contraire, opposé.
gegenüber 1. *adv* en face; *einander ~* vis-à-vis; **2.** *prép räumlich* en face de, vis-à-vis de; *j-m ~* envers, à l'égard de; *im Vergleich zu* par rapport à; **3. 2** *n* vis-à-vis *m*; **~liegen** se trouver en

face; **⁓liegend** d'en face; **⁓stehen** être situé *od* se trouver en face; **⁓stellen** opposer; confronter (*a jur*); **ℒstellung** *f* confrontation *f*.

Gegen|verkehr *m* circulation *f* venant d'en face; **⁓wart** *f* temps *m* présent; *Anwesenheit* présence *f*; *gr* présent *m*; **ℒwärtig** présent; *jetzig* actuel; *adv* à présent; **⁓wehr** *f* résistance *f*, défense *f*; **⁓wert** *m* contre--valeur *f*; **⁓wind** *m* vent *m* contraire; **⁓wirkung** *f* réaction; **ℒzeichnen** contresigner; **⁓zug** *m* riposte *f*; *Bahn* train *m* qui en croise un autre.

Gegner|(in *f*) *m* adversaire *m*, *f*; rival *m*, -e *f*; **⁓schaft** *f* antagonisme *m*.

Gehackte(s) *n* viande *f* hachée.

Gehalt 1. *m* teneur *f* (*an* en); *fig* fond *m*, idées *f/pl*; *Inhalt* contenu *m*; **2.** *n* salaire *m*; *Beamter* traitement *m*; **⁓sempfänger** *m* salarié *m*; **⁓serhöhung** *f* augmentation *f* de salaire; **ℒvoll** substantiel; *nahrhaft* nutritif.

gehässig haineux; **ℒkeit** *f* hargne *f*, méchanceté *f*, haine *f*.

Gehäuse *n* boîtier *m*; *tech* carter *m*; *Schnecke* coquille *f*; *Kern*ℒ trognon *m*.

geheim secret; **ℒdienst** *m* services *m/pl* secrets; **⁓halten** tenir secret.

Geheimnis *n* secret *m*; *tiefes* mystère *m*; **⁓krämer** *m* cachottier *m*; **ℒvoll** mystérieux.

Geheim|polizei *f* police *f* secrète; **⁓schrift** *f* écriture *f* chiffrée *od* codée.

gehemmt complexé, bloqué; F coincé.

gehen aller (à pied); marcher (*a funktionieren*); *fort⁓* s'en aller, partir, sortir; *Teig* lever; *Ware* se vendre; *einkaufen* (*schwimmen*) ⁓ aller faire les courses (à la piscine); ⁓ *wir!* allons-nous-en!, partons!; *wie geht es dir?* comment vas-tu?; *es geht mir gut* (*schlecht*) je vais bien (mal); *es geht nichts über ...* il n'y a rien de tel que ..., rien ne vaut ...; *worum geht es?* de quoi s'agit-il?; *was geht hier vor sich?* qu'est-ce qui se passe ici?; *Zimmer nach Westen* ⁓ donner à l'ouest.

Gehen *n* marche *f*; *das Kommen und* ⁓ le va-et-vient.

gehenlassen *sich* ⁓ se laisser aller.

Geheul *n* hurlement(s *pl*) *m*.

Gehilf|e *m*, **⁓in** *f* aide *m*, *f*, assistant *m*, -e *f*.

Gehirn *n* cerveau *m*; **⁓erschütterung** *méd f* commotion *f* cérébrale; **⁓schlag** *méd m* attaque *f* d'apoplexie; **⁓wäsche** *pol f* lavage *m* de cerveau.

gehoben *Stil* élevé, soutenu.

Gehör *n Sinn* ouïe *f*; *nach dem* ⁓ d'oreille; *j-m* ⁓ *schenken* prêter l'oreille à qn; *sich* ⁓ *verschaffen* se faire entendre.

gehorchen *j-m* ⁓ obéir à qn; *nicht* ⁓ désobéir.

gehör|en *j-m* ⁓ appartenir *od* être à qn; ⁓ *zu* faire partie de, compter parmi; *gehört dir das?* est-ce que ça t'appartient?, est-ce que c'est à toi?; *es gehört sich* c'est convenable; *es gehört sich nicht* ça ne se fait pas; *das gehört nicht hierher* cela n'a rien à faire ici; **⁓ig** *passend* convenable, adéquat.

gehörlos sourd; *die* ℒ*en* les sourds, les malentendants *m/pl*.

gehorsam 1. obéissant; **2.** ℒ *m* obéissance *f*.

Geh|steig *m*, **⁓weg** *m* trottoir *m*.

Geier *zo m* vautour *m*.

Geige *f* violon *m*; ⁓ *spielen* jouer du violon; *etw auf der* ⁓ *spielen* jouer qc au violon; **ℒn** jouer du violon; **⁓nbogen** *m* archet *m*; **⁓nkasten** *m* étui *m* à violon; **⁓r**(**in** *f*) *m* violoniste *m*, *f*.

geil lascif, lubrique; *fig* F *das ist* ⁓*!* c'est super!

Geisel *f* otage *m*; **⁓nahme** *f* prise *f* d'otage(s); **⁓nehmer** *m* preneur *m* d'otage(s).

Geiß *f* chèvre *f*; **⁓bock** *m* bouc *m*.

Geißel *f* fouet *m*; *fig* fléau *m*.

Geist *m* esprit *m*; génie *m*; *Gespenst* spectre *m*; *den* ⁓ *aufgeben* rendre l'âme; *der Heilige* ⁓ le Saint-Esprit.

Geister|bahn *f* train *m* fantôme; **⁓erscheinung** *f* apparition *f*; **⁓fahrer** *auto m* automobiliste *m* roulant à contresens sur l'autoroute.

geistes|abwesend absent; **ℒarbeiter** *m* (travailleur *m*) intellectuel *m*; **ℒblitz** *m* idée *f* géniale *od* lumineuse; **ℒgabe** *f* talent *m*; **ℒgegenwart** *f* présence *f* d'esprit; **⁓gegenwärtig** qui a de l'à-propos; **⁓gestört** atteint de troubles mentaux; **⁓krank** aliéné; *ein* ℒ*er* un malade mental; **ℒkrankheit** *f* maladie *f* mentale; **ℒwissenschaften** *f/pl* lettres *f/pl* (et sciences *f/pl* humaines); **ℒzustand** *m* état *m* mental.

geist|ig spirituel, intellectuel, mental; *~e Getränke* spiritueux *m/pl*; *~ Behinderter* handicapé *m* mental; **~lich** spirituel; *zum Klerus gehörig* clérical; *kirchlich* ecclésiastique; *~er Stand* clergé *m*; **2liche(r)** *m* ecclésiastique *m*; *katholischer* curé *m*; *protestantischer* pasteur *m*; **2lichkeit** *f* clergé *m*; **~los** dénué d'esprit, sans esprit; **~reich** spirituel.
Geiz *m* avarice *f*; **2en** *~ mit* être avare de; **~hals** *m* avare *m*, grigou F *m*; **2ig** avare.
Gejammer *n* lamentations *f/pl*.
Gekläff *n* jappement *m*.
Geklapper *n* claquement *m*, cliquetis *m*.
Geklimper *n auf dem Klavier* pianotage *m*.
gekonnt adroit.
gekränkt vexé, offensé.
Gekritzel *n* griffonnage *m*, gribouillage *m*.
gekünstelt affecté, artificiel, maniéré.
Gelächter *n* rire *m od* rires *m/pl*; *lautes ~* éclats *m/pl* de rire.
gelähmt paralysé.
Gelände *n* terrain *m*; *umzäuntes* enceinte *f*.
Geländer *n Treppen2* rampe *f*; *Balkon2* balustrade *f*; *Brücken2* parapet *m*.
Geländewagen *m* voiture *f* tout terrain, jeep *f*.
gelangen parvenir (*zu, an* à); atteindre (*zu etw* qc).
gelassen calme; *adv* de sang-froid; **2heit** *f* calme *m*; sang-froid *m*.
geläufig courant; familier (*j-m* à qn); *~ sprechen* parler couramment.
gelaunt disposé; *gut* (*schlecht*) *~ sein* être de bonne (mauvaise) humeur.
gelb jaune; *Ampel* orange; **~lich** jaunâtre; **2sucht** *méd f* jaunisse *f*.
Geld *n* argent *m*; *zu ~ machen* vendre pour avoir de l'argent liquide; **~angelegenheit** *f* question *f* d'argent; **~anlage** *f* placement *m*; **~ausgabe** *f* dépense *f*; **~beutel** *m*, **~börse** *f* porte-monnaie *m*, bourse *f*; **~buße** *f* amende *f*; **~entwertung** *f* dépréciation *f* monétaire; **~geber** *m* bailleur *m* de fonds; **~geschäfte** *n/pl* transactions *f/pl* monétaires; **~gier** *f* cupidité *f*; soif *f* de l'argent; **2gierig** cupide; **~knappheit** *f*, **~mangel** *m* manque *m* d'argent; **~mittel** *n/pl* ressources *f/pl* financières, disponibilités *f/pl*, fonds *m/pl*; **~schein** *m* billet *m* de banque; **~schrank** *m* coffre-fort *m*; **~strafe** *f* amende *f*; **~stück** *n* pièce *f*; **~verlegenheit** *f* embarras *m/pl* pécuniaires; **~verschwendung** *f* gaspillage *m* d'argent; **~wechsel** *m* change *m*; **~wechsler** *m* distributeur *m* de monnaie.
Gelee *n* gelée *f*; *cuis in ~* en gelée; ⚠ *la* gelée.
gelegen *örtlich* situé; *fig das kommt mir sehr ~* cela m'arrive fort à propos.
Gelegenheit *f* occasion *f*; *bei dieser ~* à cette occasion.
Gelegenheits|arbeit *f* travail *m* occasionnel; **~arbeiter** *m* travailleur *m* occasionnel; **~kauf** *m* occasion *f*.
gelegentlich occasionnel; *adv* à l'occasion, occasionnellement.
gelehr|ig docile; qui apprend bien; **2igkeit** *f* docilité *f*; **2samkeit** *f* érudition *f*; **~t** savant, érudit; **2te(r)** *m* savant *m*, érudit *m*.
Geleit *n* accompagnement *m*, conduite *f*; *mil* escorte *f*; *j-m das letzte ~ geben* accompagner qn à sa dernière demeure; **2en** accompagner, reconduire; *mil* escorter.
Gelenk *n* articulation *f*, jointure *f*; *tech* joint *m*; **2ig** souple.
gelernt *ausgebildet* qualifié.
geliebt aimé, chéri; **2e(r)** *m, f* amant *m*, maîtresse *f*.
gelinde doux, léger; *~ gesagt* pour ne pas dire autre chose.
gelingen 1. réussir; *es gelingt mir, etw zu tun* je réussis *od* j'arrive *od* je parviens à faire qc; **2.** **2** *n* succès *m*; *gutes ~!* bonne chance!
geloben promettre solennellement (*zu* de).
gelt|en *wert sein* valoir; *gültig sein* être valable; *Sport* compter; *Gesetz* être en vigueur; *~ lassen* admettre; *~ für od als* être considéré comme, passer pour; *j-m ~* s'adresser à qn; *es gilt zu ...* il s'agit de; **~end** valable; en vigueur; *~ machen Anspruch* faire valoir; *seinen Einfluß ~ machen* faire prévaloir son influence; **2ung** *f* *Bedeutung* importance *f*; *Ansehen* autorité *f*; *~ haben* être valable; *zur ~ bringen* mettre en valeur; *zur ~ kommen* être mis en valeur; **2ungs-**

bedürfnis *n* besoin *m* de se faire valoir.
Gelübde *n* vœu *m*.
gelungen réussi.
gemächlich *ganz* ~ tout doucement.
Gemahl(in *f*) *m* *st/s* époux *m*, -se *f*.
Gemälde *n* peinture *f*; **~galerie** *f* galerie *f* de peinture.
gemäß *adj* conforme (à); *prép* conformément à, selon; **~igt** modéré; *~es Klima* climat *m* tempéré.
gemein *niederträchtig* méchant, infâme, vache F, rosse F; *allgemein* commun; *~er Soldat* simple soldat; *etw ~ haben mit* avoir qc en commun avec.
Gemeinde *f* commune *f*, municipalité *f*; *égl* paroisse *f*; *beim Gottesdienst* fidèles *m/pl*; **~beamte(r)** *m* fonctionnaire *m* municipal; **~rat** *m* conseil *m* municipal; **~steuer** *f* impôt *m* local; **~vorsteher** *m* maire *m*.
gemein|gefährlich qui constitue un danger public; **2gut** *n* bien *m* *od* patrimoine *m* commun; **2heit** *f* méchanceté *f*, bassesse *f*, infamie *f*, vacherie *f* F; **~nützig** d'utilité publique; **2platz** *m* lieu *m* commun; **~sam** commun; *adv* en commun; *der 2e Markt* le Marché Commun.
Gemeinschaft *f* communauté *f*; **2lich** (en) commun; **~sarbeit** *f* travail *m* d'équipe; **~skunde** *f* instruction *f* *od* éducation *f* civique; **~sproduktion** *f* coproduction *f*; **~sraum** *m* salle *f* commune.
Gemein|sinn *m* sens *m* civique; **2verständlich** à la portée de tous, populaire; **~wohl** *n* bien *m* public, intérêt *m* commun.
Gemenge *n* mélange *m*.
gemessen mesuré; **2heit** *f* mesure *f*; gravité *f*.
Gemetzel *n* massacre *m*, carnage *m*, boucherie *f*.
Gemisch *n* mélange *m*.
Gemse *zo f* chamois *m*.
Gemurmel *n* murmure *m*.
Gemüse *n* légume *m* (*meist pl*); **~garten** *m* potager *m*; **~händler(in** *f*) *m* marchand(e) *m(f)* des quatre-saisons, marchand(e) *m(f)* de légumes.
Gemüt *n* âme *f*, cœur *m*; **2lich** *Ort* où l'on se sent à l'aise; intime, confortable; *Person* tranquille, débonnaire; *Stimmung* chaleureux; **~lichkeit** *f* intimité *f*, confort *m*.
Gemüts|art *f* caractère *m*, naturel *m*, tempérament *m*; **~bewegung** *f* émotion *f*, agitation *f*; **2krank** mélancolique, neurasthénique; **~verfassung** *f*, **~zustand** *m* état *m* d'âme.
Gen *biol n* gène *m*.
genau 1. *adj* exact, précis; minutieux; *streng* strict; *2eres* des précisions *f/pl*, de plus amples détails *m/pl*; **2.** *adv* exactement, précisément; *~ um 10 Uhr* à dix heures précises; *~ der* celui-là même; *~ zuhören* écouter attentivement; *es ~ nehmen* regarder de près; *~ kennen* connaître à fond; **2igkeit** *f* exactitude *f*, précision *f*; **~so** *cf ebenso*.
genehmig|en autoriser; *zustimmen* consentir à; *gutheißen* approuver; **2ung** *f* autorisation *f*; consentement *m*; approbation *f*.
geneigt incliné, penché; *~ sein zu* être enclin à.
General *mil m* général *m*; **~direktor** *m* P.-D.G. *m* (= président-directeur général); **~konsul** *m* consul *m* général; **~konsulat** *n* consulat *m* général; **~nenner** *m* dénominateur *m* commun; **~probe** *f* répétition *f* générale; **~sekretär** *m* secrétaire *m* général; **~stab** *mil m* état-major *m* général; **~streik** *m* grève *f* générale; **~versammlung** *f* assemblée *f* générale; **~vertreter** *m* agent *m* général.
Generation *f* génération *f*; **~enkonflikt** *m* conflit *m* de générations.
Generator *tech m* générateur *m*.
generell général.
genes|en guérir (*von* de); **2ung** *f* guérison *f*.
Genet|ik *biol f* génétique *f*; **2isch** génétique.
Genf Genève; *der ~er See* le lac Léman.
genial génial, de génie; **2ität** *f* génie *m*.
Genick *n* nuque *f*.
Genie *n* génie *m*.
genieren (*sich ~* se) gêner.
genieß|bar consommable; *eßbar* mangeable; *trinkbar* buvable; **~en** *essen* manger; *trinken* boire; *mit Behagen* savourer, goûter; *fig* jouir de (*a Ansehen etc*); **2er** *m* gourmet *m*, bon vivant *m*.
Genitiv *gr m* génitif *m*.
genormt normalisé, standard.
Genoss|e *m*, **~in** *f* compagnon *m*,

compagne *f*; *pol* camarade *m, f*; **~enschaft** *écon f* coopérative *f*.
Gentechnologie *f* génie *m* génétique.
Genua Gênes.
genug assez, suffisamment.
Genüg|e *f zur* ~ suffisamment; **≈en** suffire; *Anforderungen* satisfaire à; *das genügt* ça suffit; **≈end** suffisant; **≈sam** sobre, frugal; **~samkeit** *f* sobriété *f*.
Genugtuung *f* satisfaction *f*.
Genus *gr n* genre *m*.
Genuß *m* jouissance *f*; *von Nahrung* consommation *f*; *ein* ~ un plaisir; *Essen* un délice; *in den* ~ *von etw kommen* bénéficier de qc; **~mittel** *n* denrée *f* de luxe; **~sucht** *f* avidité *f* de plaisirs; **≈süchtig** avide de jouissances.
Geograph *m* géographe *m*; **~ie** *f* géographie *f*; **≈isch** géographique.
Geolog|e *m* géologue *m*; **~ie** *f* géologie *f*; **≈isch** géologique.
Geometr|ie *f* géométrie *f*; **≈isch** géométrique.
Gepäck *n* bagages *m/pl*; **~abfertigung** *f* enregistrement *m* des bagages; **~aufbewahrung** *f* consigne *f*; **~kontrolle** *f* contrôle *m* des bagages; **~schalter** *m* guichet *m* des bagages; **~schein** *m* bulletin *m* de bagages; **~träger** *m am Bahnhof* porteur *m*; *am Fahrrad* porte-bagages *m*; **~wagen** *m* fourgon *m* à bagages.
Gepard *zo m* guépard *m*.
gepflegt soigné, raffiné.
Gepflogenheit *f* habitude *f*, coutume *f*.
Geplapper *n* babillage *m*.
Geplauder *n* causerie *f*.
Gepolter *n* tapage *m*.
Gequassel *n*, **Gequatsche** *n* bla-bla *m*, bavardages *m/pl*.
gerade 1. *adj* droit; *ohne Umweg* direct; *Zahlen* pair; *Charakter* franc; **2.** *adv* juste(ment); précisément; exactement; ~ *etw getan haben* venir de faire qc; ~ *ein Jahr* juste un an; ~ *in dem Augenblick, als ...* précisément au moment où ...; *nicht* ~ pas exactement; *das ist es ja* ~*!* c'est justement ça!; ~ *deshalb* c'est précisément pour cela; ~ *rechtzeitig* juste à temps; *warum* ~ *ich?* pourquoi c'est tombé sur moi?; *da wir* ~ *davon sprechen* comme nous sommes juste en train d'en parler.
Gerade *f math* droite *f*; *Rennbahn* ligne *f* droite; *Boxen linke (rechte)* ~ direct *m* du gauche (droit).
gerade|aus tout droit; **~heraus** franchement, carrément, sans détours; **~stehen** *fig* ~ *für* répondre de; **~wegs** directement; **~zu** vraiment; purement et simplement.
Gerät *n Elektro≈, Haushalts≈* appareil *m*; *Radio≈, Fernseh≈* poste *m*; *~schaften Sport, Labor* équipement *m*; *Handwerks≈, Garten≈* outil *m*; *Küchen≈* ustensile *m*; *Meß≈* instrument *m*; *Turn≈e* agrès *m/pl*.
geraten *in (zwischen) etw* ~ arriver (par hasard) à qc, tomber dans (*od* entre) qc; *an j-n* ~ tomber sur qn; *in Schwierigkeiten* ~ avoir des difficultés; *außer sich* ~ être hors de soi; *gut (schlecht)* ~ bien réussir (ne pas réussir).
Geräteturnen *n* gymnastique *f* aux agrès.
Geratewohl *n aufs* ~ au hasard, au petit bonheur.
geräumig spacieux.
Geräusch *n* bruit *m*; **≈los** sans bruit; **≈voll** bruyant.
gerb|en tanner; **≈er** *m* tanneur *m*.
gerecht juste, équitable; *j-m* ~ *werden* rendre justice à qn; **≈igkeit** *f* justice *f*.
Gerede *n* bavardage *m*.
gereizt irrité; **≈heit** *f* irritation *f*.
Gericht *n* **1.** *Speise* mets *m*, plat *m*; **2.** *jur* tribunal *m*, cour *f*; *Gebäude* palais *m* de justice; *j-n vor* ~ *stellen* traduire qn devant le tribunal; *vor* ~ *gehen* recourir à la justice; *das Letzte* ~ le Jugement dernier; **≈lich** judiciaire.
Gerichts|barkeit *f* juridiction *f*; **~gebäude** *n* palais *m* de justice; **~hof** *m* cour *f* (de justice); **~saal** *m* salle *f* d'audience; **~verfahren** *n* procédure *f*; **~verhandlung** *f* débats *m/pl* judiciaires; **~vollzieher** *m* huissier *m* (de justice).
gering petit, peu considérable, minime; *~er, ~st* moindre; *nicht im ~sten* (ne ...) pas le moins du monde; **~fügig** peu important; insignifiant; **~schätzig** dédaigneux; **≈schätzung** *f* dédain *m*.
gerinnen *Blut* se coaguler; *Milch* cailler.
Gerippe *n* squelette *m*; *Tier* carcasse *f*.
gerissen *fig* rusé, roué.

German|en *m/pl* Germains *m/pl*; **⁀isch** germanique.
gern(e) volontiers; *etw ~ tun* aimer faire qc; *~ haben* aimer; *ich möchte ~* j'aimerais bien; *~ geschehen!* il n'y a pas de quoi!
Geröll *n* éboulis *m*.
Gerste *bot f* orge *f*.
Gerte *f* verge *f*.
Geruch *m* odeur *f*; **⁀los** inodore, sans odeur; **~sinn** *m* odorat *m*.
Gerücht *n* bruit *m*, rumeur *f*; *es geht das ~, daß* ... le bruit court que ...
geruhen daigner (*etw zu tun* faire qc).
gerührt touché, ému.
Gerümpel *n* vieilleries *f/pl*, bric-à-brac *m*, fatras *m*.
Gerüst *n Bau⁀* échafaudage *m*; *fig* charpente *f*, structure *f*.
gesamt tout entier; total; *das ⁀e* le tout; **⁀ausgabe** *f* édition *f* complète; **⁀betrag** *m* (montant *m*) total *m*; **~deutsch** *pol* concernant les deux Allemagnes; **⁀heit** *f* totalité *f*; **⁀schule** *f etwa* C.E.S. *m* (= collège *m* d'enseignement secondaire).
Gesandt|e(r) *pol m* envoyé *m*; ministre *m* plénipotentiaire; **~schaft** *f* légation *f*.
Gesang *m* chant *m*; **~buch** *n* livre *m* de cantiques; **~slehrer(in** *f*) *m* professeur *m* de chant; **~verein** *m* chorale *f*.
Gesäß *n* derrière *m*.
Geschäft *n* affaire *f*; *Handel* commerce *m*; *Laden* magasin *m*; **⁀ig** affairé; **~igkeit** *f* affairement *m*; **⁀lich** commercial, d'affaires; *adv* pour affaires.
Geschäfts|aufgabe *f* cessation *f* de commerce; **~bericht** *m* rapport *m* de gestion; **~brief** *m* lettre *f* d'affaires; **~frau** *f* femme *f* d'affaires; **~führer** *m* gérant *m*; **~führung** *f* gestion *f* des affaires; **~jahr** *n* exercice *m*; **~lage** *f* situation *f* des affaires, conjoncture *f*; **~leitung** *f* direction *f* (de l'entreprise); **~mann** *m* homme *m* d'affaires; **~partner** *m* associé *m*; **~reise** *f* voyage *m* d'affaires; **~reisende(r)** *m* commis *m* voyageur; **~schluß** *m* heure *f* de fermeture du magasin; *nach ~* après la fermeture; **~stelle** *f* bureau *m*, agence *f*; **~straße** *f* rue *f* commerçante; **~träger** *pol m* chargé *m* d'affaires; **⁀tüchtig** commerçant, efficace; **~zeit** *f* heures *f/pl* d'ouverture des magasins *od* des bureaux; **~zweig** *m* branche *f* commerciale.
geschehen 1. avoir lieu, arriver, se passer, se produire; *das geschieht ihm recht* c'est bien fait pour lui; **2. ⁀** *n* événements *m/pl*.
gescheit intelligent, judicieux; F pas idiot.
Geschenk *n* cadeau *m*, présent *m*; **~packung** *f* emballage *m* cadeau.
Geschicht|e *f* histoire *f*; **⁀lich** historique; **~sschreiber** *m*, **~swissenschaftler** *m* historien *m*.
Geschick *n Verhängnis* destin *m*; *Gewandtheit* = **~lichkeit** *f* adresse *f*, habileté *f*; **⁀t** adroit, habile.
geschieden divorcé.
Geschirr *n Tisch⁀* vaisselle *f*; *Pferde⁀* harnais *m*; *irdenes ~* poterie *f*; *~ spülen* faire la vaisselle; **~spüler** *m*, **~spülmaschine** *f* lave-vaisselle *m*; **~tuch** *n* torchon *m*.
Geschlecht *n natürliches* sexe *m*; *Familie* famille *f*; *Generation* génération *f*; *gr* genre *m*; **⁀lich** sexuel.
Geschlechts|krankheit *f* maladie *f* vénérienne; **~teile** *m/pl* organes *m/pl* génitaux; **~verkehr** *m* rapports *m/pl* sexuels; **~wort** *gr n* article *m*.
geschliffen *Edelstein* taillé; *Stil* poli.
geschlossen fermé; *in sich ~* compact, serré; *~e Vorstellung* représentation *f* privée.
Geschmack *m* goût *m*; *an etw ~ finden* prendre goût à qc; **⁀los** de mauvais goût; **~losigkeit** *f* manque *m* de goût; **~(s)sache** *f* affaire *f* de goût; **⁀voll** plein de goût, de bon goût.
geschmeidig souple; **⁀keit** *f* souplesse *f*.
Geschöpf *n* créature *f*.
Geschoß *n mil* projectile *m*; *Stockwerk* étage *m*.
Geschrei *n* cris *m/pl*.
Geschütz *mil n* pièce *f* d'artillerie, canon *m*.
Geschwader *mil n* escadre *f*.
Geschwätz *n* bavardage *m*; **⁀ig** bavard.
geschweige *~ denn* et encore moins.
geschwind rapide, prompt; *adv* vite; **⁀igkeit** *f* vitesse *f*; *mit e-r ~ von* ... à une vitesse de ...; **⁀igkeitsbegrenzung** *f* limitation *f* de vitesse; **⁀igkeitsüberschreitung** *f* excès *m* de vitesse.

G H

Geschwister *pl* frère(s *pl*) *m* et sœur(s *pl*) *f*.
geschwollen *méd* enflé; *Stil* pompeux, prétentieux.
Geschworene(r) *m* juré *m*; *die* ~*n* le jury.
Geschwulst *méd f* tumeur *f*.
Geschwür *méd n* ulcère *m*.
Geselchte(s) *östr n* viande *f* fumée.
Gesell|e *m* compagnon *m*; **2en** *sich zu j-m* ~ se joindre à qn; **2ig** sociable; ~*es Beisammensein* réunion *f* entre amis.
Gesellschaft *f* société *f*; compagnie *f*; *Fest2* réunion *f*; *in* ~ *von* en compagnie de; *j-m* ~ *leisten* tenir compagnie à qn; **2lich** social; mondain.
Gesellschafts|anzug *m* tenue *f* de soirée; **~lehre** *f* sociologie *f*; **~reise** *f* voyage *m* collectif *od* organisé; **~schicht** *f* couche *f* sociale; **~spiel** *n* jeu *m* de société.
Gesetz *n* loi *f*; **~buch** *n* code *m*; *Bürgerliches* ~ Code civil; **~esvorlage** *f* projet *m* de loi; **2gebend** législatif; **~geber** *m* législateur *m*; **~gebung** *f* législation *f*; **2lich** légal; ~ *geschützt* breveté; **2los** sans lois, anarchique; **2mäßig** *regelmäßig* régulier; *jur* légal, légitime.
gesetzt posé, pondéré; ~ (*den Fall*), *daß* à supposer que (+ *subj*).
gesetzwidrig illégal.
Gesicht *n* figure *f*, *seltener* visage *m*; *ein dummes* ~ *machen* faire une drôle de figure *od* bobine P; *zu* ~ *bekommen* voir; *aus dem* ~ *verlieren* perdre de vue; *ein* ~ *ziehen* faire la moue.
Gesichts|ausdruck *m* physionomie *f*; **~farbe** *f* teint *m*; **~kreis** *m* horizon *m*; **~punkt** *m* point *m* de vue; **~züge** *m*/*pl* traits *m*/*pl* du visage.
Gesinde *n* domestiques *m*/*pl*.
Gesindel *n* canaille *f*, racaille *f*.
gesinnt (*gut*, *übel*) ~ (bien, mal) disposé, intentionné.
Gesinnung *f* sentiments *m*/*pl*; *Meinung*, *bes pol* opinion *f*, conviction *f*; **2slos** sans caractère; **2streu** loyal; **~swechsel** *m* changement *m* d'opinion.
gesittet civilisé.
Gespann *n* attelage *m*; *fig* tandem *m*.
gespannt *straff* tendu (*a fig*); *Aufmerksamkeit* soutenu; ~ *sein auf etw* être pressé (*od* impatient) de savoir qc; *ich bin* ~, *ob* ... je suis curieux de savoir si ...
Gespenst *n* fantôme *m*, spectre *m*; **2isch** fantomatique.
Gespött *n* dérision *f*, moquerie *f*; *j-n zum* ~ *machen* tourner qn en dérision.
Gespräch *n* conversation *f*, entretien *m*; *tél* communication *f*; **2ig** loquace, causeur F; **~igkeit** *f* loquacité *f*; **~spartner(in** *f*) *m* interlocuteur *m*, -trice *f*; **~sstoff** *m* sujet *m* de conversation.
Gespür *n* flair *m*; *ein* ~ *haben für* avoir le sens de.
Gestalt *f* forme *f*; *Person* figure *f*, personnage *m*; *Wuchs* taille *f*, physique *m*, stature *f*; *in* ~ *von* sous forme de; **2en** organiser; *formen* former, façonner; **~ung** *f* organisation *f*; formation *f*; façonnement *m*; *Raum2* décoration *f*.
geständ|ig ~ *sein* avouer; **2nis** *n* aveu *m*.
Gestank *m* puanteur *f*, mauvaise odeur *f*.
gestatten permettre.
Geste *f* geste *m*; ⚠ *le* geste.
gestehen avouer, confesser.
Gestein *n* roche *f*.
Gestell *n* *Bock* chevalet *m*; *Regal* rayonnage *m*; *Grundkonstruktion* bâti *m*.
gestern hier; ~ *abend* hier soir.
Gestirn *n* astre *m*.
gestreift rayé, à rayures.
gestrig d'hier.
Gestrüpp *n* broussailles *f*/*pl*.
Gestüt *n* haras *m*.
Gesuch *n* demande *f*, requête *f*; *Bittschrift* pétition *f*.
gesucht recherché.
gesund bien portant; sain; salubre; ~ *sein* être en bonne santé; *der* ~*e Menschenverstand* le bon sens; **~en** guérir; **2heit** *f* santé *f*; ~*! beim Niesen* à tes (*od* vos) souhaits!; *auf j-s* ~ *trinken* boire à la santé de qn; **~heitlich** ~ *geht es ihm gut* il est en bonne santé.
Gesundheits|amt *n* service *m* d'hygiène; dispensaire *m*; **2schädlich** malsain, insalubre; **~zustand** *m* état *m* de santé.
Getöse *n* fracas *m*.
Getränk *n* boisson *f*; **~eautomat** *m* distributeur *m* automatique de boissons.

getrauen *sich* ~ oser (*etw zu tun* faire qc).
Getreide *n* céréales *f/pl*; blé *m*; **~ernte** *f* moisson *f*; **~speicher** *m* silo *m*.
getreu fidèle.
Getriebe *n* mécanisme *m*, engrenage *m*; *auto* boîte *f* de vitesses.
getrost avec confiance, en toute tranquillité.
Getue *n* affectation *f*, chichis *m/pl* F.
Getümmel *n* tumulte *m*, mêlée *f*, cohue *f*.
Gewächs *n* plante *f*; *Weinsorte* cru *m*; *méd* tumeur *f*.
gewachsen *j-m, e-r Sache* ~ *sein* être à la hauteur de qn, qc.
Gewächshaus *n* serre *f*.
gewagt osé, risqué.
gewählt *Stil* choisi.
gewahr ~ *werden* remarquer, se rendre compte de.
Gewähr *f* garantie *f*; ~ *übernehmen für* répondre de; **2en** accorder; ~ *lassen* laisser faire; **2leisten** garantir.
Gewahrsam *m* garde *f*; *Haft* détention *f*; *in* ~ *nehmen* prendre sous sa garde, détenir.
Gewalt *f* force *f*; **~***tätigkeit* violence *f*; *Macht* pouvoir *m*, puissance *f*; *moralische* autorité *f*; *mit* ~ à toute force; *höhere* ~ force majeure; ~ *anwenden* recourir à la force; *in seine* ~ *bringen* s'emparer de; *die* ~ *verlieren über* perdre le contrôle de; **~herrschaft** *f* despotisme *m*, tyrannie *f*; **~herrscher** *m* despote *m*, tyran *m*; **2ig** énorme, colossal; F formidable, terrible; **2los** non-violent; **~losigkeit** *f* non-violence *f*; **2sam** violent; ~ *öffnen* ouvrir de force; **~tat** *f* acte *m* de violence; **2tätig** violent.
Gewand *n* vêtement *m*.
gewandt adroit, habile; *körperlich* agile; **2heit** *f* adresse *f*, habileté *f*; agilité *f*; *im Benehmen* aisance *f*.
Gewässer *n* eaux *f/pl*.
Gewebe *n* tissu *m* (*a fig*).
Gewehr *n* fusil *m*; **~kolben** *m* crosse *f*; **~lauf** *m* canon *m* (de fusil).
Geweih *n* bois *m/pl*; *Hirsch a* ramure *f*.
Gewerbe *n* industrie *f*; *Beruf* métier *m*; profession *f*; **~schule** *f* école *f* professionnelle *od* technique.
gewerb|lich industriel; **~smäßig** professionnel.
Gewerkschaft *f* syndicat *m*; **~ler(in** *f*) *m* syndicaliste *m*, *f*; **2lich** syndical; **~sbewegung** *f* syndicalisme *m*; **~sbund** *m* fédération *f* syndicale; **~smitglied** *n* syndiqué *m*, -e *f*.
Gewicht *n* poids *m*; *fig a* importance *f*; ~ *legen auf* attacher de l'importance à; **2ig** *wichtig* de poids, important.
gewillt ~ *sein, etw zu tun* être disposé à faire qc.
Gewimmel *n* fourmillement *m*; *Menge* foule *f*, cohue *f*.
Gewinde *n* *Schrauben2* pas *m* de vis, filetage *m*.
Gewinn *m* gain *m*; profit *m*; bénéfice *m*; **~beteiligung** *f* participation *f* aux bénéfices; **2bringend** lucratif, rémunérateur; **2en** gagner; *Erze* extraire; **2end** *Wesen, Lächeln* avenant, engageant; **~er** *m* vainqueur *m*, gagnant *m*; **~sucht** *f* âpreté *f* au gain; **~zahl** *f* numéro *m* gagnant.
Gewirr *n* confusion *f*; *Straßen2* dédale *m*.
gewiß sûr, certain; *ein gewisser Herr N* un certain monsieur N; *adv* certainement; **~!** mais oui!
Gewissen *n* conscience *f*; **2haft** consciencieux; **2los** sans scrupules.
Gewissens|biß *m* remords *m*; **~frage** *f* cas *m* de conscience; **~freiheit** *f* liberté *f* de conscience; **~gründe** *m/pl aus* **~n** pour des raisons morales; **~konflikt** *m* conflit *m* moral.
gewissermaßen pour ainsi dire.
Gewißheit *f* certitude *f*.
Gewitter *n* orage *m*; **~regen** *m* pluie *f* d'orage.
gewitzt, gewitzigt malin.
gewöhnen (*sich* ~ s')accoutumer, habituer (*an* à).
Gewohnheit *f* habitude *f*, coutume *f*; **2smäßig** habituel; routinier; *adv* par habitude.
gewöhnlich ordinaire; *zur Gewohnheit geworden* habituel; *herkömmlich* usuel; *péj* commun, vulgaire; *wie* ~ comme d'habitude.
gewohnt habituel; *etw* ~ *sein* être habitué à qc.
Gewöhnung *f* accoutumance *f* (*an* à).
Gewölbe *n* voûte *f*.
Gewühl *n* cohue *f*.
gewunden *Weg* tortueux, sinueux.
Gewürz *n* épice *f*.
gezahnt *bot* denté; *Briefmarke* dentelé.
Gezeiten *pl* marée *f*.

Gezeter *n* cris *m/pl.*
gezielt concentré, bien orienté, systématique.
geziert affecté.
Gezwitscher *n* gazouillement *m*, ramage *m*.
gezwungen contraint, forcé.
Gicht *méd f* goutte *f*.
Giebel *m* pignon *m*.
Gier *f* avidité *f*; **⁀ig** avide (*nach, auf* de).
gieß|en verser; *Blumen* arroser; *tech* couler, fondre; *es gießt* il pleut à verse; **⁀erei** *f* fonderie *f*; **⁀kanne** *f* arrosoir *m*.
Gift *n* poison *m*; *zo* venin *m*; **⁀ig** toxique; *Pilz* vénéneux; *Schlange* venimeux (*a fig*); **~müll** *m* déchets *m/pl* toxiques; **~stoff** *m* toxique *m*; *méd* toxine *f*.
Gigant *m* géant *m*; **⁀isch** gigantesque.
Gipfel *m* sommet *m*; *fig a* apogée *m*, comble *m*; **~konferenz** *pol f* conférence *f* au sommet.
Gips *m* plâtre *m*; **~abdruck** *m*, **~abguß** *m* plâtre *m*, moulage *m* en plâtre; **⁀en** plâtrer; **~er** *m* plâtrier *m*; **~verband** *m* plâtre *m*.
Giraffe *zo f* girafe *f*.
Girlande *f* guirlande *f*.
Giro *n* virement *m*; **~konto** *n* compte *m* courant.
Gischt *m od f* embruns *m/pl*.
Gitarr|e *f* guitare *f*; **~enspieler(in** *f*) *m*, **~ist(in** *f*) *m* guitariste *m, f*.
Gitter *n* grille *f*; grillage *m*; *fig* F *hinter ~n sitzen* être sous les verrous; **~fenster** *n* fenêtre *f* grillagée.
Glanz *m* éclat *m*; *Pracht* splendeur *f*.
glänzen briller (*a fig*); **~d** brillant.
Glanz|leistung *f* performance *f* brillante; **~zeit** *f* époque *f* de gloire.
Glas *n* verre *m*; **~er** *m* vitrier *m*.
gläsern de verre.
Glas|faser *f* fibre *f* de verre; *tél* fibre *f* optique; **~hütte** *f* verrerie *f*; **⁀ieren** *Keramik* vernisser; *cuis* glacer; **⁀ig** vitreux; **⁀klar** transparent; *fig* limpide; **~scheibe** *f* carreau *m*, vitre *f*; **~ur** *f* vernis *m*; *cuis* glaçage *m*, nappage *m*; **~wolle** *f* laine *f* de verre.
glatt lisse; poli; *Straße* glissant; *fig Sieg etc* net; *~ ablehnen* refuser carrément.
Glätte *f Fahrbahn* état *m* glissant.
Glatteis *n* verglas *m*.
glätten lisser, polir; *Schweiz bügeln* repasser.
glatt|gehen F se dérouler sans incident; **~rasiert** rasé de près.
Glatze *f* tête *f* chauve, calvitie *f*; *e-e ~ haben* être chauve.
Glaube(n) *m* croyance *f* (*an* à); *rel* foi *f* (*an* en).
glauben croire (*etw* qc); *j-m ~* croire qn; *~ an* croire à; *an Gott ~* croire en Dieu.
Glaubens|bekenntnis *n* profession *f* de foi, credo *m*; **~satz** *m* dogme *m*; **~spaltung** *f* schisme *m*.
glaubhaft crédible, plausible.
gläubig croyant; *die ⁀en* les fidèles *m/pl*.
Gläubiger *écon m* créancier *m*.
glaubwürdig digne de foi.
gleich 1. *adj* égal; *identisch* le même; *ähnlich* pareil; *das ~e* la même chose; *auf die ~e Art* de la même façon; *zur ~en Zeit* en même temps; *das ist mir ~* ça m'est égal; je m'en moque; *ganz ~ wann* n'importe quand; **2.** *adv ebenso* également; *sofort* à l'instant, tout de suite; *~ groß* de même taille, aussi grand; *~ nach* juste après; *~ gegenüber* juste en face; *es ist ~ 5* il va être 5 heures; *~ aussehen* se ressembler; *bis ~!* à tout à l'heure!
gleich|altrig du même âge; **~artig** de même nature, semblable; **~bedeutend** synonyme (*mit* à *od* avec); **~berechtigt** ayant les mêmes droits, émancipé; **⁀berechtigung** *f* émancipation *f*; **~bleibend** constant; **~en** ressembler (à); *sich ~* se ressembler; **~ermaßen** également; **~falls** de même, pareillement; *danke ~!* merci à vous aussi!; **~förmig** uniforme; **~gesinnt** qui a les mêmes idées; **⁀gewicht** *n* équilibre *m*; **~gültig** indifférent; **⁀gültigkeit** *f* indifférence *f*; **⁀heit** *f* égalité *f*; **⁀klang** *m* consonance *f*; *fig* harmonie *f*; **~kommen** *e-r Sache ~* équivaloir à qc; *j-m ~* être l'égal de qn; **~lautend** identique; *ling* homonyme; **~machen** égaliser; **~mäßig** régulier; **⁀mut** *m* calme *m*, impassibilité *f*; **~mütig** calme, impassible; **⁀nis** *n* parabole *f*; **~sam** pour ainsi dire; **~seitig** *math* équilatéral; **~setzen, ~stellen** mettre sur le même plan; assimiler (à); **⁀strom** *tech m* courant *m* continu; **⁀ung** *math f* équation *f*;

~wertig équivalent; **~zeitig** simultané; *adv* en même temps.

Gleis *n* voie *f* (ferrée), rails *m/pl*; *Bahnsteig* quai *m*.

gleit|en glisser; *~de Arbeitszeit* horaire *m* à la carte; **2flug** *m im ~* en vol plané; **2schirm** *m* parapente *m*.

Gletscher *m* glacier *m*; **~spalte** *f* crevasse *f*.

Glied *n* membre *m*; *männliches* pénis *m*; *e-r Kette* chaînon *m*; **2ern** diviser; organiser; structurer; **~erung** *f* division *f*; organisation *f*; structure *f*; *e-s Aufsatzes* plan *m*, disposition *f*; **~maßen** *pl* membres *m/pl*.

glimm|en brûler sans flamme; luire; *unter der Asche* couver; **2stengel** *m* F clope *f*, sèche *f*.

glimpflich indulgent; *~ davonkommen* s'en tirer à bon compte.

glitschig glissant.

glitzern étinceler, scintiller.

global *umfassend* global; *weltweit* planétaire.

Globus *m* mappemonde *f*, globe *m* terrestre.

Glocke *f* cloche *f*.

Glocken|blume *bot f* campanule *f*; **~spiel** *n* carillon *m*; **~turm** *m* clocher *m*.

Glöckner *m* sonneur *m*.

glorreich glorieux.

Glotze *f* F télé *f*, petit écran *m*; **2n** F ouvrir de grands yeux.

Glück *n Zustand* bonheur *m*; *durch Zufall* chance *f*; *auf gut ~* au petit bonheur; *viel ~!* bonne chance!; *zum ~* heureusement, par bonheur; *~ haben* avoir de la chance; **2bringend** porte-bonheur.

glück|en réussir; *alles glückt ihm* tout lui réussit; **~lich** heureux; *~er Zufall* heureux hasard; **~licherweise** heureusement; **~selig** bienheureux.

Glücks|fall *m* coup *m* de chance; **~kind** *n ein ~ sein* être né coiffé; **~pilz** *m* chanceux *m*, veinard *m*; **~spiel** *n* jeu *m* de hasard; **~tag** *m* jour *m* de chance.

glückstrahlend rayonnant de bonheur, radieux.

Glückwunsch *m* félicitations *f/pl*; *herzlichen ~!* toutes mes (*od* nos) félicitations!; *zum Geburtstag* joyeux anniversaire!; *j-m seine Glückwünsche aussprechen* féliciter qn (*zu etw* de qc); **~karte** *f* carte *f* de félicitations.

Glüh|birne *f* ampoule *f*; **2en** être rouge; *fig* brûler (*vor* de); **2end** ardent, brûlant (*beide a fig*); *Hitze* torride; **~wein** *m* vin *m* chaud; **~wurm** *m* ver *m* luisant.

Glut *f Feuer* braise *f*; *Sonne*, *fig* ardeur *f*.

Glykol *chim n* glycol *m*.

GmbH *comm f* S.A.R.L. *f* (= société à responsabilité limitée).

Gnade *f* grâce *f*.

Gnaden|frist *f* délai *m* de grâce; **~gesuch** *jur n* recours *m* en grâce; **2los** sans pitié; **~stoß** *m* coup *m* de grâce.

gnädig clément; *~e Frau* Madame.

Gnom *m* gnome *m*, nain *m*.

Goal *östr n Sport* but *m*.

Gold *n* or *m*; **~barren** *m* lingot *m* d'or; **2en** d'or; *goldfarbig* doré; **~fisch** *m* poisson *m* rouge; **2gelb** jaune doré; **~gräber** *m* chercheur *m* d'or; **~grube** *f fig* mine *f* d'or; **2haltig** aurifère; **2ig** mignon, gentil, adorable; **~mine** *f* mine *f* d'or; **~münze** *f* pièce *f* d'or; **~schmied** *m* orfèvre *m*.

Golf[1] *géogr m* golfe *m*.

Golf[2] *Sport n* golf *m*; **~platz** terrain *m* de golf; **~schläger** *m* crosse *f* de golf; **~spieler** *m* joueur *m* de golf.

Gondel *f Boot* gondole *f*; *Seilbahn2* cabine *f*; *Ballon2* nacelle *f*.

Gong(schlag) *m* gong *m*.

gönn|en *sich etw ~* se payer, s'offrir, s'accorder qc; *j-m etw ~* être content pour qn; **2er(in** *f*) *m* protecteur *m*, -trice *f*; bienfaiteur *m*, -trice *f*; mécène *m*; **2erhaft** protecteur; condescendant.

Gorilla *zo m* gorille *m*.

Gosse *f* caniveau *m*; *fig* ruisseau *m*.

Got|ik *f* style *m od* époque *f* gothique; **2isch** gothique.

Gott *m* dieu *m*; *christlicher* Dieu; *~ der Herr* le Seigneur; *~ sei Dank!* Dieu merci!, grâce à Dieu!; *leider ~es!* hélas!

gottergeben soumis à la volonté divine.

Gottes|dienst *m* service *m* religieux; messe *f*; office *m*; **~furcht** *f* crainte *f* de Dieu; **~lästerung** *f* blasphème *m*.

Gottheit *f* divinité *f*.

Gött|in *f* déesse *f*; **2lich** divin.

gott|lob! Dieu soit loué!; **~los** impie, athée; **~verlassen** *Ort* perdu; **2vertrauen** *n* confiance *f* en Dieu.

Götze *m*, **~nbild** *n* idole *f*.
Grab *n* tombe *f*, tombeau *m*; *ausgehobenes* fosse *f*.
Graben *m* fossé *m*; *mil* tranchée *f*.
graben creuser.
Grab|mal *n* tombeau *m*, monument *m* funéraire; **~stätte** *f* sépulture *f*, tombeau *m*; **~stein** *m* pierre *f* tombale.
Grad *m Maß* degré *m*; *fig* grade *m*; *15 ~ Kälte* 15 degrés en dessous de zéro; **~einteilung** *f* graduation *f*.
Graf *m* comte *m*.
Gräfin *f* comtesse *f*.
Grafschaft *f* comté *m*.
Gram *m* chagrin *m*.
Gramm *n* gramme *m*.
Grammati|k *f* grammaire *f*; **2sch** grammatical.
Granat *m Stein* grenat *m*.
Granat|e *mil f* obus *m*; *Hand2* grenade *f*; **~splitter** *m* éclat *m* d'obus; **~trichter** *m* trou *m* d'obus *m*; **~werfer** *m* mortier *m*, lance-grenades *m*.
grandios grandiose, magnifique.
Granit *m* granit(e) *m*.
Graphi|k *f* art *m* graphique; *Druck* gravure *f*, estampe *f*; *Diagramm* graphique *m*; **~ker** *m* dessinateur-graveur *m*; **2sch** graphique.
Graphologie *f* graphologie *f*.
Gras *n* herbe *f*; **2en** *Vieh* brouter l'herbe; **~halm** *m* brin *m* d'herbe.
grassieren sévir.
gräßlich affreux, horrible, hideux.
Grat *m* arête *f*, crête *f*.
Gräte *f Fisch* arête *f*.
Gratifikation *f* gratification *f*.
gratis gratis, gratuitement.
Grätsche *f Turnen* saut *m* jambes écartées.
Gratul|ant *m* personne *f* qui félicite qn; **~ation** *f* félicitations *f/pl*; **2ieren** *j-m (zu etw) ~* féliciter qn (de qc); *j-m zum Geburtstag ~* souhaiter bon anniversaire à qn.
grau gris; **2brot** *n* pain *m* de seigle.
grauen 1. *der Tag graut* le jour commence à poindre; **2.** *mir graut vor* j'ai horreur de; **3. 2** *n* horreur *f*, épouvante *f*; **~haft, ~voll** horrible, épouvantable, atroce, affreux.
gräulich grisâtre.
Graupeln *f/pl* grésil *m*.
grausam cruel; **2keit** *f* cruauté *f*.
gravieren graver; **~d** sérieux, grave.
Graz|ie *f* grâce *f*; **2iös** gracieux.
greif|bar palpable, tangible; *verfügbar* disponible; **~en** saisir (*nach etw* qc), prendre; *zu etw ~* recourir à qc; *um sich ~* se propager.
Greis *m* vieillard *m*; **2enhaft** sénile; **~in** *f* vieille femme *f*.
grell *Ton* perçant; *Licht* cru; *Farbe* criard.
Grenz|e *f Landes2* frontière *f*; *fig* limite *f*, borne *f*; **2en** toucher (*an* à); **2enlos** sans bornes, illimité; *unendlich* infini; **~fall** *m* cas *m* limite; **~land** *m* pays *m* frontalier; **~linie** *pol f* ligne *f* de démarcation; **~pfahl** *m* poteau *m* frontière; **~polizei** *f* police *f* des frontières; **~stein** *m* borne *f*; **~übergang** *m* poste *m* frontière.
Greuel *m*, **~tat** *f* atrocité *f*.
Griech|e *m*, **~in** *f* Grec *m*, Grecque *f*; **~enland** *n* la Grèce; **2isch** grec.
Grieß *cuis m* semoule *f*.
Griff *m Tür* poignée *f*; *Messer* manche *m*; *Sport* prise *f*; *im ~ haben* dominer, contrôler; **2bereit** à portée de la main.
Grill *m* gril *m*, barbecue *m*.
Grille *f zo* grillon *m*; *fig* caprice *m*.
Grimasse *f* grimace *f*; *~n schneiden* faire des grimaces.
grimmig furieux.
grinsen ricaner.
Grippe *méd f* grippe *f*.
Grips *m* F jugeote *f*, matière *f* grise.
grob grossier; brutal; **2heit** *f* grossièreté *f* (*a fig*); **2ian** *m* rustre *m*, brute *f*.
grölen brailler.
Groll *m* rancune *f*, ressentiment *m*; **2en** *Donner* gronder; *j-m ~* en vouloir à qn.
Groschen *m* pièce *f* de dix pfennigs; *fig* F *der ~ ist (bei ihm) gefallen* il a fini par comprendre.
groß grand; *voluminös* gros; *wie ~ ist er?* quelle taille a-t-il?; *~e Ferien* grandes vacances *f/pl*; *~ und klein* petits et grands; *im ~en und ganzen* dans l'ensemble, en gros; **~artig** grandiose, magnifique; F formidable; **2aufnahme** *f Film* gros plan *m*; **2brand** *m* grand incendie *m*.
Großbritannien *n* la Grande-Bretagne.
Größe *f* grandeur *f* (*a fig*); *Ausmaße* dimensions *f/pl*, taille *f*; *Dicke* grosseur *f*; *Körper2*, *Kleider2* taille *f*; *Schuh2* pointure *f*; *Person* célébrité *f*.
Großeltern *pl* grands-parents *m/pl*.

Größenwahn *m* folie *f* des grandeurs, mégalomanie *f*.

Groß|grundbesitz *m* grande propriété *f*; **~handel** *m* commerce *m* de *od* en gros; **~händler** *m* grossiste *m*; **~herzog(in** *f*) *m* grand-duc *m*, grande-duchesse *f*; **~herzogtum** *n* grand-duché *m*; **~industrie** *f* grande industrie *f*; **~macht** *f* grande puissance *f*; **~mama** *f* grand-maman *f*; **~maul** *n* F grande gueule *f*; **~mut** *f* générosité *f*; **~mutter** *f* grand-mère *f*; **~papa** *m* grand-papa *m*; **~raum** *écon m* conurbation *f*; *der ~ München* le grand Munich; **~raumflugzeug** *n* avion *m* gros porteur; **~schreibung** *f* emploi *m* des lettres majuscules; **2sprecherisch** hâbleur, fanfaron; **2spurig** crâneur; *~ auftreten* se donner des grands airs; **~stadt** *f* grande ville *f*; **2städtisch** de la grande ville.

größtenteils pour la plupart, en majeure partie.

groß|tun *mit etw ~* se vanter de qc; **2vater** *m* grand-père *m*; **2verdiener** *m* qn qui gagne beaucoup; **2wild** *n* gros gibier *m*; **~ziehen** élever; **~zügig** généreux; permissif; *Haus* spacieux; **2zügigkeit** *f* générosité *f*.

grotesk grotesque.

Grotte *f* grotte *f*.

Grübchen *n* fossette *f*.

Grube *f* fosse *f*; *Bergwerk* mine *f*.

grübeln se creuser la tête; broyer du noir.

Gruft *f* caveau *m*.

grün vert; *pol die 2en* les Verts *m/pl*, F les écolos *m/pl*; *im 2en* dans la nature.

Grund *m Boden* fond *m*; *Erdboden* sol *m*; *Vernunft2* raison *f*; *Beweg2* motif *m*, mobile *m*; *Ursache* cause *f*; *im ~e* au fond; *von ~ auf ändern* modifier de fond en comble; *aus diesem ~e* pour cette raison; *~ und Boden* propriété *f*; **~bedingung** *f* condition *f* principale; **~begriffe** *m/pl* fondements *m/pl*; **~besitz** *m* propriété *f* foncière; **~besitzer** *m* propriétaire *m* foncier.

gründ|en fonder; **2er(in** *f*) *m* fondateur *m*, -trice *f*.

grund|falsch absolument faux; **2fläche** *f math* base *f*; *e-r Wohnung* surface *f*; **2gebühr** taxe *f* fixe; **2gedanke** *m* idée *f* de base; **2gesetz** *n BRD* constitution *f*; **2lage** *f* base *f*; **~legend** fondamental.

gründlich solide, approfondi; *Person a* consciencieux, minutieux; *adv* à fond; *~e Kenntnisse in* de solides connaissances sur; **2keit** *f* solidité *f*; conscience *f* professionnelle; soin *m*; minutie *f*.

grundlos sans fond; *fig* dénué de fondement, gratuit, sans motif.

Gründonnerstag *m* jeudi *m* saint.

Grund|riß *m* plan *m*; **~satz** *m* principe *m*; **2sätzlich** de principe; *adv* par principe; *ich bin ~ dagegen* je suis foncièrement contre; **~schule** *f* école *f* primaire; **~stein** *m* première pierre *f*; **~steuer** *f* impôt *m* foncier; **~stück** *n* (parcelle *f* de) terrain *m*; **~stücksmakler** *m* agent *m* immobilier.

Gründung *f* fondation *f*.

grund|verschieden essentiellement différent; **2wasser** *n* nappe *f* phréatique; **2zahl** *math f* nombre *m* cardinal; **2zug** *m* trait *m* principal.

Grün|fläche *f* espace *m* vert; **2lich** verdâtre; **~span** *m* vert-de-gris *m*; **~streifen** *m Autobahn* bande *f* médiane.

grunzen grogner.

Grupp|e *f* groupe *m*; ⚠ *le* groupe; **2ieren** (*sich ~* se) grouper.

Grusel|film *m* film *m* d'épouvante; **2ig** qui donne le frisson, qui fait dresser les cheveux sur la tête; **2n** *mir gruselt* j'ai le frisson.

Gruß *m Wort, Geste* salut *m*; *Briefschluß* salutations *f/pl*; *an j-n* compliments *m/pl*, F bonjour *m*; *mit freundlichem ~* veuillez agréer, Monsieur *etc*, mes salutations distinguées; *herzliche Grüße!* amitiés!

grüßen saluer; *j-n ~ lassen* donner le bonjour à qn.

Grütze *f* gruau *m*; *fig* F cervelle *f*, jugeote *f*; *er hat nicht viel ~ im Kopf* il n'a pas beaucoup de jugeote.

gucken *nach etw ~* regarder qc; **2loch** *n* judas *m*.

Gulasch *cuis m* goulasch *m*.

Gulden *m* florin *m*.

gültig valable; *jur* valide; *Geld* qui a cours; **2keit** *f* validité *f*.

Gummi *n*, *a m Material* caoutchouc *m*; *Radier2* gomme *f*; *~band* élastique *m*; **~ball** *m* balle *f* en caoutchouc; **~band** *n* élastique *m*; **~baum** *m* caoutchouc *m*; *Kautschukbaum* hévéa *m*; **~boot** *n* canot *m* en caoutchouc.

gummieren gommer, caoutchouter.

G H

Gummi|knüppel *m* matraque *f*; **~reifen** *m auto* pneu *m*; **~schlauch** *m* tuyau *m* de caoutchouc; **~stiefel** *m/pl* bottes *f/pl* en caoutchouc; **~zug** *m* élastique *m*.

Gunst *f* faveur *f*; *zu seinen ~en* en sa faveur.

günst|ig favorable; *Preis* avantageux; *~e Gelegenheit* bonne occasion *f*; *im ~sten Fall* dans le meilleur des cas; **2ling** *m* favori *m*.

Gurgel *f* gorge *f*; **2n** se gargariser; *Wasser* gargouiller.

Gurke *f* concombre *m*; *kleine* cornichon *m*.

gurren roucouler.

Gurt *m Sicherheits2* ceinture *f* (de sécurité); *Tragriemen* sangle *f*.

Gürtel *m* ceinture *f*.

Guß *m Regen2* averse *f*; *Gießerei* fonte *f*; *Zucker2* glaçage *m*; *fig aus e-m ~* d'un seul jet; **~eisen** *n* fonte *f*.

gut *adj* bon; *adv* bien; *Wetter* beau; *ganz ~* pas mal; *schon ~!* ça suffit!; *(wieder) ~ werden* s'arranger; *~e Reise!* bon voyage!; *sei bitte so ~ und ...* sois gentil de (+ *inf*); *in etw ~ sein* être bon en qc; *er ist ein sehr ~er Schüler* c'est un très bon élève; *es riecht ~* ça sent bon; *du hast es ~* tu as de la chance, F du pot; *es ist ~ möglich* ça se peut bien; *es gefällt mir ~* ça me plaît beaucoup; *~ gemacht!* bien!; *mach's ~!* bonne chance!; *Schulnote* (*sehr*) *~* (très) bien.

Gut *n* bien *m*; *Land2* propriété *f*; *Ware* marchandise *f*; **~achten** *n* expertise *f*; **~achter** *m* expert *m*; **2artig** *méd* bénin; **~dünken** *nach ~* à mon (ton *etc*) gré; comme bon me (te *etc*) semble.

Gute *n* bien *m*; *~s tun* faire le bien; *alles ~!* bonne chance!

Güte *f* bonté *f*; *comm* bonne qualité *f*.

Güter|bahnhof *m* gare *f* des marchandises; **~gemeinschaft** *jur f* communauté *f* des biens; **~trennung** *jur f* séparation *f* des biens; **~verkehr** *m* trafic *m* des marchandises; **~wagen** *m* wagon *m* de marchandises; **~zug** *m* train *m* de marchandises.

gut|gebaut bien bâti, bien proportionné; *Frau* F bien roulée; **~gehen** bien aller; *wenn alles gutgeht* si tout se passe bien; *mir geht es gut* je vais bien; **~gelaunt** de bonne humeur; **~gläubig** crédule; *jur* de bonne foi; **2haben** *comm n* avoir *m*; **~heißen** approuver; **~herzig** généreux, qui a bon cœur.

gütig bon; aimable.

gütlich *Einigung* à l'amiable; *sich an etw ~ tun* se régaler de qc.

gut|machen réparer; rattraper; **~mütig** (d'un naturel) bon; **2mütigkeit** *f* gentillesse *f*.

Guts|besitzer(in *f*) *m* propriétaire *m*, *f* foncier (-ière).

Gut|schein *m* bon *m*; **2schreiben** *j-m etw ~* créditer qn de qc.

Gutshof *m* ferme *f*.

gut|tun faire du bien (*j-m* à qn); **~willig** de bonne volonté.

Gymnasium *n* lycée *m*; ⚠ *nicht gymnase*.

Gymnastik *f* gymnastique *f*.

H

H *mus n* si *m*.

Haag *Den ~* la Haye.

Haar *n* cheveu *m*; *als Gesamtheit* cheveux *m/pl*, chevelure *f*; *Körper2*, *Bart2*, *Tier2* poil *m*; *sich die ~e schneiden lassen* se faire couper les cheveux; *sich aufs ~ gleichen* se ressembler comme deux gouttes d'eau; *um ein ~* il s'en est fallu d'un cheveu (pour que + *subj*); **~ausfall** *m* chute *f* des cheveux; **~bürste** *f* brosse *f* à cheveux; **2en** (*sich*) *~ Tier* perdre ses poils; **~esbreite** *f um ~* de justesse; **~festiger** *m* fixateur *m* pour les cheveux; **2genau** précisément; **2ig** poilu, velu; **~nadelkurve** *f* virage *f* en épingle à cheveux; **~netz** *n* filet *m*; **2scharf** très net; F *~ daneben!* manqué de justesse!; **~schnitt** *m* coupe *f* de cheveux; **~-**

spalterei *f* ~ *betreiben* couper les cheveux en quatre; **~spange** *f* barrette *f*; **~spray** *n* laque *f*; **2sträubend** inouï, monstrueux; **~teil** *n* postiche *m*; **~tracht** *f* coiffure *f*; **~trockner** *m* sèche-cheveux *m*; **~wäsche** *f* shampooing *m*; **~waschmittel** *n* shampooing *m*; **~wasser** *n* lotion *f* capillaire; **~wuchs** *m* chevelure *f*.

Habe *f* avoir *m*, bien *m*.

haben avoir; *was hast du denn?* qu'est-ce que tu as?; *heute ~ wir Montag* aujourd'hui nous sommes lundi; *du hast zu gehorchen* tu dois obéir; F *da ~ wir's!* ça y est!; F *sich ~ sich zieren* faire des simagrées.

Haben *comm n* avoir *m*, crédit *m*.

Habgier *f* avidité *f*, cupidité *f*; **2ig** avide, cupide.

Habicht *zo m* autour *m*.

Habseligkeiten *f/pl* affaires *f/pl*.

Hack|e *f* **1.** pioche *f*, houe *f*; **2.** *Ferse* talon *m*; **2en** *Fleisch* hacher; *Holz* casser; *Vogel* donner des coups de bec; **~fleisch** *n* viande *f* hachée.

Hafen *m* port *m* (*a fig*); **~arbeiter** *m* docker *m*; **~stadt** *f* ville *f* portuaire.

Hafer *m* avoine *f*; **~flocken** *f/pl* flocons *m/pl* d'avoine.

Haft *f* détention *f*, emprisonnement *m*; **2bar** responsable (*für* de); **~befehl** *m* mandat *m* d'arrêt; **2en** adhérer (*an* à); *bürgen* répondre (*für* de).

Häftling *m* détenu *m*.

Haft|pflicht *f* responsabilité *f* civile; **~pflichtversicherung** *f* assurance *f* (de) responsabilité civile; **~ung** *f* responsabilité *f* (*für* de).

Hagel *m* grêle *f* (*a fig*); **~korn** *n* grêlon *m*; **2n** grêler; **~schauer** *m* giboulée *f*.

hager maigre, décharné.

Hahn *m* **1.** *zo* coq *m*; **2.** *Wasser2* robinet *m*.

Hähnchen *cuis n* poulet *m*.

Hai *zo m*, **~fisch** *m* requin *m*.

Haiti Haïti; *auf ~* à Haïti.

häkeln faire du crochet.

Haken *m* crochet *m* (*a Boxen*); *Angel2* hameçon *m*; *Kleider2* portemanteau *m*; **~kreuz** *n* croix *f* gammée.

halb 1. *adj* demi; *e-e ~e Stunde* une demi-heure; *ein ~es Jahr* six mois; *die ~e Klasse* la moitié de la classe; **2.** *adv* à demi, (à) moitié; *~ vier* trois heures et demie.

halb... *in Zssgn* demi-..., semi-..., à moitié; **~amtlich** officieux; **2bruder** *m* demi-frère *m*; **2dunkel** *n* pénombre *f*.

halber à cause de, pour.

Halb|fabrikat *n* produit *m* semi-fini; **2gar** à moitié cuit; **~gott** *m* demi-dieu *m*; **2herzig** du bout des lèvres, à contre-cœur; **2ieren** partager en deux; **~insel** *f* presqu'île *f*, péninsule *f*; **~jahr** *n* semestre *m*, six mois *m/pl*; **2jährig** de six mois; **2jährlich** tous les six mois; **~kreis** *m* demi-cercle *m*; **~kugel** *f* hémisphère *m*; **2laut** à mi-voix; **~leiter** *tech m* semi-conducteur *m*; **2mast** ~ *flaggen* mettre les drapeaux en berne; **~messer** *m* rayon *m*; **~mond** *m* croissant *m*; **~pension** *f* demi-pension *f*; **~schlaf** *m* demi-sommeil *m*; **~schuh** *m* soulier *m* bas; **~schwester** *f* demi-sœur *f*; **~stiefel** *m* bottine *f*; **2stündlich** toutes les demi-heures; **~tagsbeschäftigung** *f* emploi *m* à mi-temps; **2voll** à moitié plein; **2wegs** passablement, tant bien que mal; **~welt** *f péj* demi-monde *m*; **2wüchsig** adolescent, mineur; **~zeit** *f Sport* mi-temps *f*.

Halde *f Bergbau* terril *m*.

Hälfte *f* moitié *f*; *zur ~* à moitié.

Halfter *m od n* licou *m*.

Hall|e *f* grande salle *f*; hall *m*; *Turn2* gymnase *m*; **2en** résonner; **~enbad** *n* piscine *f* couverte.

hallo! *tél* allô!; *Ruf* hé!, hep!; *aus der Ferne* ohé!

Halm *m* tige *f*, brin *m*.

Hals *m* cou *m*; *Kehle* gorge *f*; *Pferd* encolure *f*; *Flasche* goulot *m*; *es im ~ haben* avoir mal à la gorge; *~ über Kopf* précipitamment, en toute hâte; *sich vom ~ schaffen* se débarrasser de; *es hängt mir zum ~ (he)raus* j'en ai par-dessus la tête!; F j'en ai marre!; **~band** *n* collier *m* (*a des Hundes*); **~entzündung** *f* inflammation *f* de la gorge, laryngite *f*; **~kette** *f* collier *m*; **~-Nasen-Ohren-Arzt** *m* oto-rhino-laryngologiste *m*, F oto-rhino *m*; **~schmerzen** *m/pl* mal *m* de gorge; *~ haben* avoir mal à la gorge; **2starrig** opiniâtre, entêté; **~tuch** *n* écharpe *f*; *seidenes* foulard *m*; **~weh** *n cf ~schmerzen*; **~weite** *f* encolure *f*.

Halt *m Anhalten* arrêt *m*, halte *f*; *Stütze* appui *m*, stabilité *f*; *innerer* soutien *m*; ⚠ *la* halte.

G H

halt! stop!, halte(-là)!
haltbar *fest* solide; *Lebensmittel* qui se conserve bien; *Meinung* soutenable; **⁲keit** *f* solidité *f*; conservation *f*.
halten tenir; *zurückhalten* retenir; *Rede* faire, prononcer; *Zeitung* être abonné à; *stehenbleiben* s'arrêter; *Lebensmittel* (*sich*) ~ se conserver; ~ *für* croire, tenir pour, prendre pour; *gehalten werden für* passer pour; *den Mund* ~ se taire; *sich* ~ *an* s'en tenir à; *zu j-m* ~ soutenir qn; *viel* (*wenig*) ~ *von* estimer beaucoup (peu); *was* ~ *Sie davon?* qu'en pensez-vous?
Halter *m Person* détenteur *m*; *tech* support *m*.
Halte|stelle *f* arrêt *m*; **~verbot** *n* arrêt *m* interdit.
halt|los *psych* inconstant, instable; *unbegründet* sans fondement; **~machen** s'arrêter, faire une halte; **⁲ung** *f Körper⁲* tenue *f*, allure *f*; *fig* attitude *f*.
Hamburg Hambourg.
hämisch méchant; *Grinsen* sardonique.
Hammel *m* mouton *m*; **~keule** *f* gigot *m* de mouton.
Hammer *m* marteau *m*.
hämmern marteler.
Hämorrhoiden *pl* hémorroïdes *f/pl*.
Hampelmann *m* pantin *m*.
Hamster *zo m* hamster *m*; **~er** *m* accapareur *m*; **⁲n** accaparer; faire des stocks.
Hand *f* main *f*; *Hände weg!* bas les mains!, n'y touchez pas!; *an* ~ *von* à l'aide de; *mit der* ~ à la main; *das liegt auf der* ~ c'est évident; *von der* ~ *in den Mund leben* vivre au jour le jour; *in die Hände klatschen* battre des mains; *er ist seine rechte* ~ il est son bras droit; *in den Händen haben* (*bleiben*) avoir (rester) entre les mains.
Hand|arbeit *f* travail *m* manuel; *Nadelarbeit* ouvrage *m* à l'aiguille; *es ist* ~ c'est fait main; **~ball** *Sport m* hand-ball *m*; **~bewegung** *f* geste *m*; **⁲breit** large comme la main; **~bremse** *f* frein *m* à main; **~buch** *n* manuel *m*.
Hände|druck *m* poignée *f* de main; **~klatschen** *n* applaudissements *m/pl*.
Handel *m* commerce *m*; ~ *treiben* faire du commerce (*mit* avec).
handeln agir; *feilschen* marchander; *mit etw* ~ faire le commerce de qc; *von etw* ~ traiter de qc; *es handelt sich um* il s'agit de.
Handels|abkommen *n* accord *m* commercial; **~bilanz** *f* balance *f* commerciale; **⁲einig** ~ *sein* (*werden*) être (tomber) d'accord; **~gesellschaft** *f* société *f* commerciale; *Offene* ~ société *f* en nom collectif; **~hochschule** *f* école *f* supérieure de commerce; **~kammer** *f* chambre *f* de commerce; **~marine** *f* marine *f* marchande; **~politik** *f* politique *f* commerciale; **~schiff** *n* navire *m* marchand; **~schule** *f* école *f* de commerce; **⁲üblich** courant; **~vertrag** *m* traité *m* de commerce; **~vertreter** *m* représentant *m* de commerce; **~ware** *f* article *m* de commerce.
Hand|feger *m* balayette *f*; **~fertigkeit** *f* dextérité *f*; **⁲fest** solide (*a Beweis*); **~fläche** *f* paume *f*; **⁲gearbeitet** fait (à la) main; **~gelenk** *n* poignet *m*; **~gemenge** *n* bagarre *f*, mêlée *f*, rixe *f*; **~gepäck** *n* bagages *m/pl* à main; **~granate** *mil f* grenade *f* (à main); **⁲greiflich** ~ *werden* en venir aux mains; **⁲haben** manier, manipuler; **~habung** *f* maniement *m*, manipulation *f*; **~karren** *m* charrette *f* à bras; **~koffer** *m* valise *f*; **~kuß** *m* baisemain *m*; **~langer** *m* manœuvre *m*; *péj* complice *m*.
Händler(**in** *f*) *m* marchand *m*, -e *f*; commerçant *m*, -e *f*.
handlich maniable.
Handlung *f* action *f*; *Tat* acte *m*; *Laden* boutique *f*, *größer* magasin *m*; **⁲sfähig** capable d'agir; **~sreisende**(**r**) *m* commis *m* voyageur; **~sweise** *f* façon *f* de faire, procédés *m/pl*.
Hand|rücken *m* dos *m* de la main; **~schellen** *f/pl* menottes *f/pl*; **~schrift** *f* écriture *f*; *Schriftwerk* manuscrit *m*; **⁲schriftlich** écrit à la main; **~schuh** *m* gant *m*; **~streich** *m* coup *m* de main; **~tasche** *f* sac *m* à main; **~tuch** *n* essuie-main *m*, serviette *f* de toilette; **~umdrehen** *n im* ~ en un tournemain; **~voll** *f* poignée *f*; **~werk** *n* métier *m*; **~werker** *m* artisan *m*; **~werkszeug** *n* outils *m/pl*; **~zeichen** *n* signe *m* de la main.
Hanf *bot m* chanvre *m*.
Hang *m Abhang* pente *f*; *fig Neigung* penchant *m* (*zu* pour).

Hänge|brücke *f* pont *m* suspendu; **~lampe** *f* (lampe *f* à) suspension *f*; **~matte** *f* hamac *m*.
hängen *befestigen* suspendre, accrocher (*an* à); *Verbrecher* pendre; *befestigt sein* pendre, être accroché, être suspendu (*an* à); *fig an j-m, etw ~* tenir *od* s'attacher à qn, à qc; **~bleiben** rester accroché (*an* à); *fig* rester (gravé en mémoire); **~lassen** *j-n ~* laisser qn dans le pétrin.
Hans *m* Jean *m*.
hänseln taquiner.
Hansestadt *f* ville *f* hanséatique.
Hanswurst *m* pitre *m*.
Hantel *f Sport* haltère *m*.
hantieren s'affairer; *mit etw ~* manipuler qc.
hapern F *es hapert mit etw* il y a qc qui cloche.
Happen *m* bouchée *f*; *fig* morceau *m*.
Hardware *EDV f* matériel *m*.
Harem *m* harem *m*.
Harfe *f* harpe *f*.
Harke *f* râteau *m*; **2n** ratisser.
Harlekin *m* arlequin *m*.
harmlos inoffensif.
Harmon|ie *f* harmonie *f*; **2ieren** s'harmoniser (*mit* avec); *Personen* s'accorder; **~ika** *f* harmonica *m*; *Zieh2* accordéon *m*; **2isch** harmonieux; **2isieren** harmoniser.
Harn *m* urine *f*; **~blase** *f* vessie *f*.
Harnisch *m* armure *f*; *fig in ~ geraten* se mettre en colère.
Harnröhre *f* urètre *m*.
Harpun|e *f* harpon *m*; **2ieren** harponner.
hart dur; *rauh* rude; *streng* rigoureux; *Währung* fort.
Härte *f* dureté *f*; *fig a* rigueur *f*; *im Sport* rudesse *f*; *unsoziale* injustice *f*; **~fall** *m* cas *m* social; **2n** durcir.
Hart|faserplatte *f* panneau *m* dur; **2gekocht** *Ei* dur; **~geld** *n* pièces *f/pl* de monnaie; **2gesotten** *fig* endurci; **~gummi** *n od m* ébonite *f*; **2herzig** qui a le cœur dur *od* sec; **~herzigkeit** *f* dureté *f od* sécheresse *f* de cœur; **2näckig** opiniâtre, obstiné, tenace; **~näckigkeit** *f* opiniâtreté *f*, obstination *f*, ténacité *f*.
Harz *n* résine *f*; **2ig** résineux.
Haschisch *n* haschisch *m*.
haschen fumer du haschisch; *nach etw ~* chercher à attraper qc.
Hase *zo m* lièvre *m*.
Haselnuß *bot f* noisette *f*.
Hasen|braten *m* lièvre *m* rôti; **~fuß** *m fig* poltron *m*; **~scharte** *méd f* bec-de-lièvre *m*.
Haß *m* haine *f* (*gegen, auf* pour *od* de).
hassen haïr; **~swert** haïssable.
häßlich laid; *fig a* vilain; **2keit** *f* laideur *f*.
Hast *f* hâte *f*; **2en** se hâter; **2ig** précipité; *adv* en toute hâte.
hätscheln caresser; *ver~* dorloter.
hatschi! *beim Niesen* atchoum!
Haube *f* bonnet *m*, coiffe *f*; *auto* capot *m*.
Hauch *m* souffle *m*; *fig ein ~ von* un soupçon de; **2en** souffler.
hauen (*sich ~* se) battre.
Haufen *m* tas *m*; *Menschen* foule *f*.
häufen amasser; *sich ~* s'amasser, s'accumuler; *Fälle* se multiplier.
häufig fréquent; *adv* fréquemment, souvent; **2keit** *f* fréquence *f*.
Haupt *n* tête *f*; *fig* chef *m*; **~bahnhof** *m* gare *f* centrale; **~beschäftigung** *f* occupation *f* principale; **~bestandteil** *m* constituant *m* principal; **~darsteller(in** *f*) *m* acteur *m* principal, actrice *f* principale; **~eingang** *m* entrée *f* principale.
Häuptelsalat *östr m* laitue *f*.
Haupt|fach *n Studium* matière *f* principale; **~figur** *f* personnage *m* principal; **~film** *m* grand film *m*, film *m* principal; **~gericht** *cuis n* plat *m* principal, plat *m* de résistance; **~geschäftszeit** *f* heures *f/pl* d'affluence; **~gewinn** *m* gros lot *m*; **~grund** *m* raison *f* principale.
Häuptling *m* chef *m* de tribu.
Haupt|mann *m* capitaine *m*; **~person** *f* personnage *m* principal; **~quartier** *mil n* quartier *m* général; **~rolle** *f* rôle *m* principal; **~sache** *f* principal *m*, essentiel *m*; **2sächlich** principal, essentiel; *adv* principalement, avant tout; **~satz** *gr m* proposition *f* principale; **~schule** *f* école *f* primaire; **~stadt** *f* capitale *f*; **~straße** *f* rue *f* principale, grand-rue *f*; **~verkehrsstraße** *f* artère *f*; **~verkehrszeit** *f* heures *f/pl* de pointe; **~wort** *gr n* nom *m*, substantif *m*.
Haus *n* maison *f*; *Parlament* Assemblée *f*; *Schnecke* coquille *f*; *Theater volles ~* salle *f* comble; *zu ~e* à la maison, chez soi; *nach ~e kommen* rentrer à la maison *od* chez soi; **~angestellte(r)** *m, f* employé *m*, -e *f*

de maison; **~apotheke** *f* pharmacie *f* familiale; **~arbeit** *f* travaux *m/pl* domestiques *od* du ménage; *Schule* devoir *m*; **~arzt** *m* médecin *m* de famille; **~aufgabe** *f Schule* devoir *m*; **~besetzer** *m* squatter *m*; **~besetzung** *f* squattérisation *f*; **~besitzer(in** *f*) *m* propriétaire *m*, *f* (d'une maison).

hausen *wohnen* être logé (à l'étroit); F nicher; *sein Unwesen treiben* faire des ravages.

Haus|flur *m* entrée *f*, vestibule *m*; **~frau** *f* ménagère *f*; *Berufsangabe* femme *f* au foyer; *Hausherrin* maîtresse *f* de maison; **~friedensbruch** *jur m* violation *f* de domicile; **2gemacht** fait maison; **~halt** *m* ménage *m*; *écon*, *pol* budget *m*; *j-m den ~ führen* tenir l'intérieur de qn; **2halten** économiser (*mit etw* qc); **~hälterin** *f* gouvernante *f*; **~haltsgeld** *n* argent *m* pour les dépenses du ménage; **~haltsgerät** *n* appareil *m* ménager; **~haltsplan** *m* budget *m*; **~haltswaren** *f/pl* articles *m/pl* ménagers; **~herr(in** *f*) *m* maître *m*, maîtresse *f* de maison; **2hoch** de la hauteur d'une maison; *fig haushohe Niederlage* défaite *f* immense; *j-n ~ schlagen* battre qn à plate couture.

hausier|en *mit etw ~* colporter qc; **2er(in** *f*) *m* colporteur *m*, -euse *f*.

Haus|kleid *n* vêtement *m* d'intérieur; **~lehrer(in** *f*) *m* précepteur *m*, gouvernante *f*.

häuslich domestique; *Person* qui aime son intérieur, casanier.

Haus|mädchen *n* bonne *f*; **~mann** *m* homme *m* au foyer; **~mannskost** *f* cuisine *f* maison; **~meister** *m* concierge *m*; **~mittel** *n* remède *m* de bonne femme; **~ordnung** *f* règlement *m* intérieur (d'une maison); **~rat** *m* ustensiles *m/pl* de ménage; **~schuhe** *m/pl* chaussons *m/pl*, pantoufles *f/pl*; **~suchung** *jur f* perquisition *f*; **~tier** *n* animal *m* domestique; **~tür** *f* porte *f* d'entrée; **~verwalter** *m* gérant *m* (d'immeubles); **~wart** *m* concierge *m*; **~wirt(in** *f*) *m* propriétaire *m*, *f*; **~wirtschaft** *f* économie *f* domestique.

Haut *f* peau *f*; *bis auf die ~ durchnäßt* trempé jusqu'aux os; **~abschürfung** *f* égratignure *f*; **~arzt** *m* dermatologue *m*; **~ausschlag** *méd m* eczéma *m*.

Häut|chen *n* pellicule *f*, membrane *f*; **2en** *sich ~ zo* muer; *fig* faire peau neuve.

haut|eng collant, moulant; **2farbe** *f* couleur *f* de (la) peau; **2krankheit** *méd f* dermatose *f*; **2pflege** *f* soins *m/pl* dermatologiques.

H-Bombe *mil f* bombe *f* H.

Hebamme *f* sage-femme *f*.

Hebebühne *auto f* pont *m* élévateur.

Hebel *m* levier *m*.

heben *Last* soulever; *Arm* lever; *fig Niveau* relever; *Stimmung* faire monter; *sich ~* se lever, monter.

Hebrä|er *m* Hébreu *m*; **2isch** hébreu, hébraïque.

Hecht *zo m* brochet *m*; **~sprung** *m Sport* saut *m* de carpe.

Heck *n* arrière *m*; *mar a* poupe *f*.

Hecke *f* haie *f*; **~nrose** *bot f* églantine *f*; *Strauch* églantier *m*; **~nschütze** *m* franc-tireur *m*.

Heck|motor *m* moteur *m* arrière; **~scheibe** *f* lunette *f* arrière; **~tür** *f* hayon *m*.

Heer *n* armée *f*.

Hefe *f* levure *f* de boulanger.

Heft *n Schreib2* cahier *m*; *Zeitschrift* numéro *m*; *Griff* manche *m*; **~apparat** *m* agrafeuse *f*; **2en** attacher, agrafer (*an* à); *vornähen* bâtir; *Buch* brocher; **~er** *m* classeur *m*.

heftig violent, véhément; **2keit** *f* violence *f*, véhémence *f*.

Heft|klammer *f* agrafe *f*; *Büroklammer* trombone *m*; **~pflaster** *n* pansement *m* adhésif; sparadrap *m*.

hegen soigner; *Hoffnung* caresser.

Hehl *n kein ~ aus etw machen* ne pas dissimuler qc; **~er(in** *f*) *m* receleur *m*, -euse *f*; **~erei** *jur f* recel *m*.

Heid|e[1] *m*, **~in** *f* païen *m*, -ne *f*.

Heide[2] *f* lande *f*, bruyère *f*; **~kraut** *bot n* bruyère *f*.

Heidelbeere *bot f* myrtille *f*.

Heiden|angst *f* F *e-e ~ haben* avoir une peur bleue; **~geld** *n* F *ein ~* une fortune; **~lärm** *m* F boucan *m* du diable; **~spaß** *m* F *e-n ~ haben* avoir un plaisir fou.

Heid|entum *n* paganisme *m*; **2nisch** païen.

heikel délicat, scabreux; *Person* difficile.

heil *Person* indemne, sain et sauf; *Sache* intact, entier.

Heil *n* salut *m*; *sein ~ versuchen* tenter sa chance.

Heiland *rel m* Sauveur *m.*
Heil|bad *n* ville *f* d'eaux, station *f* thermale; **≈bar** curable; **≈en** guérir; **~gymnastik** *méd f* kinésithérapie *f.*
heilig saint; *geheiligt* sacré; **≈abend** *m* veille *f* de Noël; **≈e(r)** *m, f* saint *m,* -e *f;* **~en** sanctifier; **≈enschein** *m* auréole *f;* **≈keit** *f* sainteté *f;* **~sprechen** canoniser; **≈sprechung** *f* canonisation *f;* **≈tum** sanctuaire *m.*
Heil|kraft *f* vertu *f* curative; **~kraut** *n* plante *f* médicinale; **≈los** *Durcheinander* terrible; **~mittel** *n* remède *m;* **~praktiker** *m* guérisseur *m;* **~quelle** *f* source *f* minérale *od* médicinale; **≈sam** salutaire; **~sarmee** *f* Armée *f* du Salut; *Mitglied n der ~* salutiste *m, f;* **~ung** *f* guérison *f;* **~wirkung** *f* effet *m* curatif.
heim à la maison, chez soi.
Heim *n* foyer *m,* chez-soi *m* (*od* chez-moi *etc*); *Alters≈* maison *f* de retraite; *Kinder≈* home *m* d'enfants; **~arbeit** *f* travail *m* à domicile.
Heimat *f* pays *m* natal, pays *m,* patrie *f;* **~land** *n cf Heimat;* **≈los** apatride; **~ort** *m* lieu *m* de naissance; **~vertriebene(r)** *m* expulsé *m,* réfugié *m.*
heim|begleiten raccompagner chez lui; **≈chen** *zo n* grillon *m;* **~fahren, ~gehen** rentrer (chez soi); **~isch** (qui est) du pays, indigène; *sich ~ fühlen* se sentir chez soi; **≈kehr** *f* retour *m,* rentrée *f;* **~kehren** rentrer, retourner chez soi; **≈kehrer** *m* rapatrié *m;* **~kommen** *cf ~kehren;* **~lich** secret, clandestin; **≈lichkeit** *f* secret *m,* clandestinité *f;* **≈reise** *f* retour *m;* **~schicken** renvoyer (à la maison); **~suchen** *Unglück* affliger, frapper; **≈tücke** *f* perfidie *f,* sournoiserie *f;* **~tückisch** perfide, sournois; *Krankheit* insidieux; **~wärts** vers la maison *od* son pays; **≈weg** *m* chemin *m* du retour; **≈weh** *n* mal *m* du pays, nostalgie *f;* **≈werker** *m* bricoleur *m;* **~zahlen** *j-m etw ~* rendre la pareille à qn.
Heirat *f* mariage *m;* **≈en** se marier (*j-n* avec qn), épouser (qn).
Heirats|antrag *m* demande *f* en mariage; **~schwindler** *m* escroc *m* au mariage; **~vermittlung** *f* agence *f* matrimoniale.
heiser enroué; *~ werden* s'enrouer; **≈keit** *f* enrouement *m.*
heiß chaud; *fig Wunsch* ardent; *es ist ~* il fait chaud; *mir ist ~* j'ai chaud; *fig ~e Musik* rythmes *m/pl* endiablés.
heißen s'appeler, se nommer; *das heißt* c'est-à-dire; *es heißt* on dit; *was heißt ... auf französisch?* comment dit-on ... en français?
heiter *lustig* gai; *Wetter* beau; *abgeklärt* serein; *fig aus ~em Himmel* sans prévenir, comme un coup de tonnerre; F *das kann ~ werden!* ça commence bien!, ça promet!; **≈keit** *f* gaieté *f,* hilarité *f; innere* sérénité *f.*
heiz|en chauffer; **≈er** *m* chauffeur *m;* **≈kessel** *m* chaudière *f;* **≈kissen** *n* coussin *m* électrique; **≈körper** *m* radiateur *m;* **≈material** *n* combustible *m;* **≈ung** *f* chauffage *m.*
hektisch fébrile, fiévreux.
Held(in *f*) *m* héros *m,* héroïne *f.*
helden|haft héroïque; **≈mut** *m* héroïsme *m;* **~mütig** héroïque; **≈tat** *f* action *f* héroïque, exploit *m;* **≈tod** *m* mort *f* héroïque; **≈tum** *n* héroïsme *m.*
helfen *j-m ~* aider qn, secourir qn, assister qn; *er weiß sich zu ~* il sait se débrouiller; *es hilft nichts* il n'y a rien à faire.
Helfer|(in *f*) *m* aide *m, f,* assistant *m,* -e *f;* **~shelfer(in** *f*) *m* complice *m, f.*
hell clair; *am ~en Tage* en plein jour; *es wird schon ~* le jour commence à poindre.
hell|blau bleu clair; **~blond** blond très clair.
Helle *f* clarté *f.*
hell|hörig qui a l'oreille *od* l'ouïe fine; *Wohnung* sonore; *~ werden fig* commencer à avoir des soupçons; **≈seher(in** *f*) *m* voyant *m,* -e *f.*
Helm *m* casque *m.*
Hemd *n* chemise *f;* **~bluse** *f* chemisier *m;* **~kragen** *m* col *m* de chemise.
Hemisphäre *f* hémisphère *m;* ⚠ *un* hémisphère.
hemm|en freiner, enrayer, entraver; **≈nis** *n* entrave *f;* **≈schuh** *m fig* obstacle *m;* **≈ung** *psych f* inhibition *f,* complexe *m;* **~ungslos** sans retenue.
Hengst *zo m* étalon *m.*
Henkel *m* anse *f.*
Henker *m* bourreau *m.*
Henne *f* poule *f.*
her *hier ~* par ici; F *~ damit!* donne!; *von ... ~* du côté de; *neben ... ~* à côté de; *das ist lange ~* il y a longtemps de cela.
herab en bas; *von oben ~* d'en haut (*a*

G H

fig); **~lassen** *Vorhänge* baisser; *fig sich ~ zu* condescendre à; **~lassend** condescendant; **≈lassung** *f* condescendance *f*; **~setzen** *Preis* baisser, réduire, diminuer; *fig* déprécier; **≈setzung** *f Preis* réduction *f*, diminution *f*; **~steigen** descendre.

heran|bringen apporter; **~kommen** s'approcher (*an* de); *fig* atteindre, égaler (qc); *etw an sich ~ lassen* s'attendre de sang-froid à qc; **~treten** *an j-n ~* s'adresser à qn; **~wachsen** grandir, croître; **≈wachsende(r)** *m, f* adolescent *m*, -e *f*.

herauf en haut; **~beschwören** *Gefahr* provoquer; *Erinnerung* évoquer; **~holen** monter; **~kommen** monter.

heraus (en) dehors; *zum Fenster ~* par la fenêtre; *~ mit der Sprache!* parle!, dis-le!; **~bekommen** (parvenir à) faire sortir; *entdecken* découvrir; *ich bekomme noch 10 Mark heraus* vous me devez encore dix marks; **~bringen** sortir (*a Buch*); *erraten* deviner; **~finden** découvrir, trouver la solution; *aus etw* trouver son chemin; **≈forderer** *m Sport* challenge(u)r *m*; **~fordern** provoquer, défier; **~fordernd** provocant, agaçant; **≈forderung** provocation *f*, défi *m*; **≈gabe** *f* remise *f*, restitution *f*; **~geben** *ausliefern* remettre; *zurückerstatten* restituer; *Geld* rendre la monnaie; *Buch* éditer, publier; **≈geber** *m* éditeur *m* responsable; **~holen** retirer, sortir (*aus* de); **~kommen** sortir; *Buch* être publié, paraître; **~lassen** laisser sortir; **~nehmen** retirer; *fig sich etw ~* se permettre qc; **~platzen** *mit etw ~* laisser échapper qc; **~putzen** *sich ~* s'habiller coquettement; **~reden** *sich ~* chercher des excuses; **~rücken** *Geld* lâcher; **~stellen** placer dehors, sortir; *betonen* mettre en évidence; *sich ~ als* apparaître comme; **~strecken** *Zunge* tirer; *Kopf* sortir; **~suchen** *j-m etw ~* choisir qc pour qn.

herb *Geschmack* âpre; *Wein* sec; *fig* amer.

herbei|eilen accourir; **~führen** *fig* causer; **~holen** aller chercher; **~rufen** appeler; **~schaffen** apporter, fournir.

Herberge *f* auberge *f*.

herbringen apporter; amener (*a j-n*).

Herbst *m* automne *m*; **≈lich** automnal.

Herd *m* cuisinière *f*; *fig* foyer *m*.

Herde *f* troupeau *m* (*a fig*).

herein (en) dedans, à l'intérieur; *~!* entrez!; **~bitten** *j-n ~* prier qn d'entrer; **~brechen** *Nacht* tomber; *Unheil* s'abattre (*über* sur); **~bringen** rentrer; **~fallen** *fig* se laisser prendre; F se faire avoir *od* rouler; **~holen** faire entrer; **~kommen** entrer; **~lassen** laisser entrer; **~legen** *fig j-n ~* tromper *od* F rouler qn; **~strömen** entrer à flots, *fig* en foule.

her|fallen *~ über* tomber *od* se ruer sur; **~finden** trouver le chemin; **~führen** amener; **≈gang** *m* déroulement *m*; *den ganzen ~ erzählen* raconter comment une chose s'est passée; **~geben** donner, rendre; *sich zu etw ~* se prêter à qc; **~gebracht** traditionnel; **~gehen** *vor j-m ~* précéder qn; *hinter j-m ~* suivre qn; **~holen** aller chercher.

Hering *m* hareng *m*; *Zelt* piquet *m*.

her|kommen (s')approcher; *abstammen* provenir (*von* de); *wo kommst du her?* d'où viens-tu?; **≈kommen** *n* tradition *f*, usage *m*; **~kömmlich** traditionnel; **≈kunft** *f* provenance *f*, origine *f*; **~laufen** *hinter j-m ~* courir après qn; **~machen** *sich ~ über* se jeter sur.

hermetisch hermétique.

heroi|sch héroïque; **≈smus** *m* héroïsme *m*.

Herr *m* monsieur *m*; *als Anrede* Monsieur (*abr* M.); *Meister*, *vom Hund* maître *m*; *rel der ~* le Seigneur.

Herren|anzug *m* complet *m*, costume *m*; **~friseur** *m* coiffeur *m* pour hommes; **~rad** *n* bicyclette *f* d'homme.

Herrgott *m* Dieu *m*, Seigneur *m*.

herrichten préparer; *Haus* aménager.

Herr|in *f* maîtresse *f*; **≈isch** autoritaire, impérieux.

herrlich magnifique, splendide; **≈keit** *f* splendeur *f*, magnificence *f*, gloire *f*.

Herrschaft *f* domination *f*; *Regierungszeit* règne *m*; *höchste Gewalt* souveraineté *f*; *meine ~en!* Messieurs Dames!; *die ~ verlieren über* perdre le contrôle de; **≈lich** seigneurial.

herrsch|en dominer; *Monarch* régner (*über* sur); *es herrschte Freude* la joie régnait; **2er(in** *f*) *m* souverain *m*, -e *f*; **2erhaus** *n* dynastie *f*; **2sucht** *f* despotisme *m*; **~süchtig** despotique.

her|rühren provenir (*von* de); **~sagen** réciter; **~stellen** produire, fabriquer, confectionner, manufacturer; *Verbindung* établir; **2steller** *m* fabricant *m*, producteur *m*; **2stellung** *f* fabrication *f*, production *f*.

herüber de ce côte-ci.

herum *um* ... ~ autour de; *rings* ~ tout autour; *anders* ~ à l'envers, de l'autre côté; *hier* ~ par ici.

herum|drehen (*sich* ~ se) retourner; *Kopf* tourner; **~führen** guider, faire faire le tour (de qc à qn); **~kommen** *um die Ecke* ~ tourner le coin; *er ist weit herumgekommen* il a beaucoup voyagé, il a vu beaucoup de pays; *fig um etw* ~ passer au travers de qc; **~kriegen** *j-n* ~ faire changer qn d'avis; **~lungern** traîner les rues; **~reichen** faire circuler; **~reisen** *in e-m Land* ~ parcourir un pays; **~sprechen** *sich* ~ s'ébruiter; **~treiben** *sich in Kneipen* ~ courir les bistrots.

herunter en bas; **~bringen** descendre; **~gekommen** *Mensch* tombé bien bas; *Haus* à l'abandon; **~hauen** F *j-m e-e* ~ donner une gifle à qn; **~lassen** faire descendre; baisser; **~leiern** débiter *od* réciter machinalement; **~machen** F *j-n* ~ dénigrer qn; **~schlucken** avaler; **~spielen** *etw* ~ dédramatiser qc; **~werfen** jeter en bas.

hervor|bringen produire, faire naître; **~gehen** sortir, résulter (*aus* de); *als Sieger* ~ sortir vainqueur; **~heben** *fig* faire ressortir, rehausser, mettre en relief, souligner; **~kommen** sortir; **~ragen** saillir; *fig* se distinguer; **~ragend** *fig* excellent; *Person* éminent; **~rufen** *fig* faire naître, provoquer, causer, susciter; **~stechend** *fig* saillant, (pré)dominant; **~treten** s'avancer; *herausragen* faire saillie; *fig* ressortir; **~tretend** *Nase* proéminent; **~tun** *sich* ~ se distinguer, se faire remarquer.

Herz *n* cœur *m* (*a fig*); *von ganzem ~en* de tout mon (ton *etc*) cœur; *sich etw zu ~en nehmen* prendre qc à cœur; *etw auf dem ~en haben* avoir qc sur le cœur.

Herz|anfall *m* crise *f* cardiaque; **~beschwerden** *pl* troubles *m/pl* cardiaques.

Herzens|lust *f nach* ~ à cœur joie; **~wunsch** *m* désir *m* ardent.

herz|ergreifend saisissant, émouvant; **2fehler** *m* vice *m od* lésion *f* cardiaque; **~haft** courageux; *Speise* savoureux.

herzig mignon.

Herz|infarkt *méd m* infarctus *m* du myocarde; **~klopfen** *n* battements *m/pl* de cœur; **2krank** cardiaque; **2lich** cordial, affectueux; *~e Grüße Brief* sincères amitiés; ~ *gern* avec le plus grand plaisir; **~lichkeit** *f* cordialité *f*; **2los** sans cœur, insensible; **~losigkeit** *f* insensibilité *f*.

Herzog|(in *f*) *m* duc *m*, duchesse *f*; **~tum** *n* duché *m*.

Herz|schlag *m* battement *m* de cœur; *Todesursache* crise *f* cardiaque, arrêt *m* du cœur; **~schrittmacher** *m* stimulateur *m* cardiaque; **~spezialist** *méd m* cardiologue *m*; **~verpflanzung** *méd f* greffe *f* du cœur.

Hessen *n* la Hesse.

Hetz|e *f Eile* précipitation *f*; *fig* polémique *f*, agitation *f*, propos *m/pl* incendiaires; **2en** *Hund* lâcher (*auf* sur); *verfolgen* traquer; *eilen* se dépêcher, se presser; *pol* tenir des propos incendiaires (*gegen* contre); **2erisch** agitateur, provocateur, incendiaire; **~jagd** *f* chasse *f* à courre; *Eile* course *f* effrénée; **~kampagne** *f* campagne *f* de haine.

Heu *n* foin *m*.

Heuchel|ei *f* hypocrisie *f*; **2n** feindre; faire l'hypocrite.

Heuchler|(in *f*) *m* hypocrite *m*, *f*; **2isch** hypocrite.

Heuer *mar f* paie *f* de marin.

heuer *südd u östr* cette année.

heulen hurler; *weinen* pleurnicher F.

Heu|schnupfen *méd m* rhume *m* des foins; **~schrecke** *zo f* sauterelle *f*.

heute aujourd'hui; ~ *morgen* (*abend*) ce matin (soir); ~ *in acht* (*vierzehn*) *Tagen* (d')aujourd'hui en huit (en quinze), d'ici à huit (à quinze) jours; ~ *vor acht Tagen* il y a huit jours; *noch* ~ ce jour même.

heut|ig d'aujourd'hui; *jetzig* actuel; **~zutage** de nos jours.

Hexe *f* sorcière *f*.

hexen user de sortilèges; **²jagd** *pol f* chasse *f* aux sorcières; **²meister** *m* sorcier *m*; **²schuß** *méd m* lumbago *m*.
Hexerei *f* sorcellerie *f*.
Hieb *m* coup *m*.
hier ici; *bei Namensaufruf* ~! présent!; *d(ies)er Mann* ~ cet homme--ci; ~ *bin ich* me voilà; *fig* F *es steht mir bis* ~ j'en ai jusque-là; **~auf** *Ort* là-dessus; *Zeit* après cela, après quoi; **~aus** d'ici; *fig* de ceci, de là; **~bei** *bei dieser Gelegenheit* à cette occasion; *gleichzeitig* en même temps; **~durch** par ici; *fig* par ce moyen, par là; **~her, ~hin** par ici, de ce côté-ci; *bis hierher* jusqu'ici, jusque-là; *hierhin und dorthin* çà et là, de-ci de-là, par-ci par-là; **~in** là--dedans; *fig* en cela; **~mit** avec cela; *Brief* par la présente; **~nach** après cela; *demzufolge* en conséquence; **~über** là-dessus, à ce sujet; *Richtung* de ce côté-ci, par ici; **~unter** là--dessous; *verstehen* par là; **~von** de cela; en; **~zu** à cela; à cet effet; à ce sujet; **~zulande** ici, dans ce pays.
hiesig d'ici, de ce lieu.
Hilfe *f* aide *f*, secours *m*, assistance *f*, appui *m*; (*zu*) ~! au secours!; *mit der* ~ *j-s* avec l'aide de qn; *mit* ~ *von etw* à l'aide de qc; *j-m Erste* ~ *leisten* donner les premiers soins à qn; **~ruf** *m* appel *m* au secours.
hilf|los privé de secours; sans défense, désarmé; impuissant; **~reich** secourable.
Hilfs|aktion *f* secours *m/pl*; *e-e* ~ *einleiten* organiser les secours; **~arbeiter** *m* manœuvre *m*; **²bedürftig** nécessiteux; **²bereit** serviable; **~bereitschaft** *f* esprit *m* d'entraide; serviabilité *f*; **~kraft** *f* aide *m*, *f*; **~mittel** *n* ressource *f*; instrument *m* de travail; **~organisation** *f* organisation *f* de secours; **~verb** *gr n* (verbe *m*) auxiliaire *m*.
Himbeere *bot f* framboise *f*.
Himmel *m* ciel *m*; *unter freiem* ~ en plein air; *um* ~*s willen!* mon Dieu!; *fig aus heiterem* ~ sans prévenir; **~bett** *n* lit *m* à baldaquin; **²blau** bleu ciel; **~fahrt** *f* (*Christi*) ~ Ascension *f*; *Mariä* ~ Assomption *f*; **~fahrtskommando** *fig* F *n* mission *f* suicide; **~reich** *n* royaume *m* des cieux; **²schreiend** révoltant.
Himmels|körper *m* corps *m* céleste; **~richtung** *f* point *m* cardinal.
himmlisch céleste; *fig* divin.
hin 1. *adv* (vers ce lieu-)là; y; *nach Norden* ~ vers le nord; *über Jahre* ~ pendant des années; *auf seine Bitte* ~ sur *od* à sa demande; *es ist noch lange* ~ il y a encore longtemps d'ici là; ~ *und zurück* aller et retour; ~ *und her* dans un sens et dans l'autre; ~ *und her gehen* aller et venir; ~ *und her schwanken* chanceler; ~ *und wieder* de temps à autre; **2.** *adj* F foutu, fichu; *unsere Ruhe ist* ~ c'en est fini de notre repos.
hinab en bas; en descendant; *den Fluß* ~ en aval; **~fahren, ~gehen** descendre.
hinarbeiten *auf etw* ~ viser à qc.
hinauf vers le haut; en montant; en haut; *den Fluß* ~ en amont; **~fahren, ~gehen, ~steigen** monter.
hinaus dehors; ~ *mit dir!* sors d'ici!, dehors!; *zum Fenster* ~ par la fenêtre; **~gehen** sortir; *über etw* ~ dépasser qc; *Fenster* ~ *auf* donner sur; **~laufen** ~ *auf* aboutir à, revenir à; **~lehnen** *sich* ~ se pencher au dehors; **~schieben** *zeitlich* ajourner, remettre à une date ultérieure; **~werfen** jeter (dehors); *j-n* mettre *od* F flanquer à la porte; **~wollen** vouloir sortir; *fig* ~ *auf* viser à; *darauf wollte ich hinaus* voilà où je voulais en venir.
Hinblick *m im* ~ *auf* en vue de, en considération de, eu égard à.
hinder|lich gênant; *j-m* ~ *sein* entraver qn; **~n** empêcher (*j-n an etw* qn de faire qc); gêner; **²nis** *n* obstacle *m*; **²nisrennen** *n* course *f* d'obstacles.
hindurch *durch etw* ~ à travers qc; *quer* au travers de qc; par; *zeitlich* pendant, durant; *das ganze Jahr* ~ durant toute l'année.
hinein dedans; *hier* ~ par ici; *bis tief in die Nacht* ~ jusque tard dans la nuit; **~denken** *sich in j-s Lage* ~ se mettre à la place de qn; **~fahren** entrer (*in* dans); **~finden** *sich in etw* ~ se familiariser avec qc; **~gehen** entrer (*in* dans); **~geraten** *in etw* ~ tomber dans qc.
hin|fahren y aller (en voiture, *etc*); *j-n* y conduire; **²fahrt** *f* aller *m*; **~fallen** tomber (par terre); **~fällig** *gebrechlich* infirme; *ungültig* nul, caduc; ~ *werden* se périmer, s'annuler; *das ist* ~ ce n'est plus valable; **² gabe**

f dévouement *m*; **~geben** donner, sacrifier; *sich* ~ s'adonner, se consacrer (à qc); se donner (à qn).

hingegen par contre, au contraire.

hin|gehen y aller; **~halten** tendre, présenter; *j-n* ~ faire attendre qn.

hinken boiter (*a fig*); être boiteux; **~d** boiteux.

hin|kommen venir (à, chez), y aller; *wo ist meine Brille hingekommen?* où sont passées mes lunettes?; *wo kämen wir denn hin, wenn* ... que deviendrions-nous si ...; **~kriegen** F *die Sache* ~ y arriver; **~länglich** suffisant; *adv* suffisamment; **~legen** poser, coucher; *sich* ~ se coucher, se mettre au lit; s'allonger, s'étendre; **~nehmen** accepter, tolérer; **~reichen** tendre; *genug sein* suffire; **&reise** *f* aller *m*; **~reißen** *entzücken* ravir; **~reißend** ravissant; **~richten** *Verbrecher* exécuter; **&richtung** *f* exécution *f*; **~schicken** y envoyer; **~setzen** mettre, poser, placer; *sich* ~ s'asseoir; **&sicht** *in dieser* ~ à cet égard, sous ce rapport; **~sichtlich** en ce qui concerne, par rapport à, quant à; **&spiel** *n Sport* match *m* aller; **~stellen** (*sich* ~ se) placer; ~ *als* faire passer pour.

hinten derrière, à l'arrière; *im Hintergrund* au fond; *von* ~ par derrière; *nach* ~ en arrière; **~herum** par derrière (*a fig*).

hinter derrière; *Folge* après; ~ *sich bringen* en finir avec; **&bein** *n Tier* patte *f* de derrière; **&bliebenen** *pl die* ~ la famille du défunt.

hintere(r, -s) de derrière, arrière.

hinter|einander l'un après l'autre; *dreimal* ~ trois fois de suite; **&gedanke** *m* arrière-pensée *f*; **~gehen** abuser, tromper; **&grund** *m* fond *m*; *Bild* arrière-plan *m*; *fig Hintergründe* dessous *m/pl*; **&halt** *m* embuscade *f*; **~hältig** sournois; **&hältigkeit** *f* sournoiserie *f*; **~her** après (coup); **&hof** *m* arrière-cour *f*; **&kopf** *m* arrière *m* de la tête, occiput *m*; **&land** *n* arrière-pays *m*, hinterland *m*; **~lassen** laisser; *letztwillig* léguer; **&lassenschaft** *f* héritage *m*; **~legen** déposer; **&list** *f* sournoiserie *f*; **~listig** sournois; **&mann** *m* celui *m* qui est derrière; *fig* instigateur *m*.

Hintern *m* derrière *m*, postérieur *m*.

Hinter|rad *n* roue *f* arrière; **&rücks** par derrière; **~seite** *f* derrière *m*; **~teil** *n* derrière *m*; **&treiben** contrecarrer, faire échouer; **~treppe** *f* escalier *m* de service; **~tür** *f* porte *f* de derrière; *fig* porte *f* de sortie; **&ziehen** *Steuern* ~ frauder le fisc.

hinüber de l'autre côté; *über hinweg* par-dessus; ~ *sein* F *Kleid* être foutu; *Fleisch* être avarié; **~gehen** traverser (*über etw* qc).

Hin und Her *n* va-et-vient *m*.

Hin- und Rückfahrt *f* aller et retour *m*.

hinunter en bas; en descendant; **~gehen** descendre; **~schlucken** avaler; **~steigen** descendre.

Hinweg *m* aller *m*; *auf dem* ~ en y allant, à l'aller.

hinweg ~ *mit euch!* ôtez-vous de là!; *über etw* ~ par-dessus qc; **~helfen** *j-m über etw* ~ aider qn à surmonter qc; **~kommen** ~ *über* surmonter (qc); **~sehen** ~ *über* fermer les yeux sur, passer sur; **~setzen** *sich* ~ *über* passer outre à.

Hinweis *m* indication *f*; *Anzeichen* indice *m*; *Verweis* renvoi *m* (*auf* à); **&en** *auf etw* ~ indiquer *od* signaler qc; *j-n auf etw* ~ attirer l'attention de qn sur qc; **~schild** *n*, **~tafel** *f* panneau *m* indicateur; plaque *f* indicatrice.

hin|werfen jeter; *Arbeit* abandonner; *Zeichnung* ébaucher; **~ziehen** *sich* ~ traîner en longueur.

hinzu de plus, en outre; **~fügen** ajouter (*zu* à); **~kommen** s'y ajouter; *zu etw* ~ s'ajouter à qc; *hinzu kommt noch, daß* ... ajoutez à cela que ...; **~rechnen, ~zählen** ajouter; **~ziehen** *Arzt* consulter.

Hirn *n* cervelle *f*; *Organ* cerveau *m*; **~gespinst** *n* chimère *f*; **&rissig, &verbrannt** complètement fou, absurde.

Hirsch *m* cerf *m*; **~kuh** *f* biche *f*.

Hirse *bot f* millet *m*, mil *m*.

Hirt(in *f*) *m* pâtre *m*; berger *m*, -ère *f*.

hissen hisser.

Histor|iker *m* historien *m*; **&isch** historique.

Hit *m* hit *m*.

Hitz|e *f* chaleur *f*; ardeur *f*; **&ebeständig** résistant à la chaleur; **~ewelle** *f* vague *f* de chaleur; **&ig** *fig* fougueux, passionné, ardent; **~kopf** *m fig* tête *f* brûlée; **~schlag** *m* coup *m* de chaleur.

Hobby *n* passe-temps *m* favori, hobby *m*, violon *m* d'Ingres.
Hobel *m* rabot *m*; **~bank** *f* établi *m*; **≈n** raboter.
hoch 1. haut; *Preis, Gehalt* élevé; *Alter, Geschwindigkeit* grand; *Fieber* fort; *2 Meter ~ sein* être haut de deux mètres, avoir deux mètres de haut; *~ hinauswollen* avoir de hautes visées; *Hände ~!* haut les mains!; *in hohem Maße* dans une large mesure; *fig das ist mir zu ~!* ça me dépasse!; **2. ≈** *n Wetter* anticyclone *m*.
hoch|achten estimer beaucoup; **≈achtung** *f* haute considération *f*; **~achtungsvoll** *Briefschluß* veuillez agréer, Monsieur *etc*, l'assurance de ma considération distinguée; **≈amt** *égl n* grand-messe *f*; **~arbeiten** *sich ~* arriver à force de travail; **≈bau** *m Hoch- und Tiefbau* bâtiment *m* et travaux *m/pl* publics; **~begabt** surdoué; **≈betrieb** *m* activité *f* intense; **≈burg** *f e-r Partei* fief *m*; **~deutsch** haut allemand; **≈druck** *m* haute pression *f*; **≈ebene** *f* plateau *m*; **~erfreut** ravi; **≈form** *f* excellente condition *f* physique; **≈frequenz** *tech f* haute fréquence *f*; **≈gebirge** *n* hautes montagnes *f/pl*; **≈genuß** *m* délice *m*; **~gezüchtet** *Tier* sélectionné; *Motor* poussé; **~giftig** très toxique; **≈haus** *n* building *m*, tour *f*; **~heben** soulever; **~herzig** magnanime; **≈herzigkeit** *f* magnanimité *f*; **~kommen** *wieder ~* se relever, se remettre, se rétablir, se retaper F, retrouver son second souffle; *Land* se redresser; **≈konjunktur** *f* haute conjoncture *f*; boom *m od* prospérité *f* économique; **≈land** *n* région *f* montagneuse; **≈leistungs...** *in Zssgn Sport etc* de haut rendement, de haut niveau; **≈mut** *m* orgueil *m*; **~mütig** orgueilleux; **~näsig** arrogant; **~nehmen** *j-n ~* faire marcher qn, mener qn en bateau; **≈ofen** *m* haut fourneau *m*; **~prozentig** très concentré; *Schnaps* à haute teneur en alcool; **≈rechnung** *f* estimation *f*; **≈rufe** *m/pl* vivats *m/pl*; **≈saison** *f* pleine saison *f*; **~schätzen** estimer beaucoup; **≈schule** *f* établissement *m* d'enseignement supérieur; **≈seefischerei** *f* pêche *f* en haute mer; **≈sommer** *m* plein été *m*; *im ~* en plein été, au plus fort *od* au cœur de l'été; **≈spannung** *f* haute tension *f*; **~spielen** *fig etw ~* exagérer qc; **≈sprung** *m* saut *m* en hauteur.
höchst le plus haut; maximum; *fig* extrême, suprême; *adv* extrêmement.
Hochstapler *m* escroc *m*, imposteur *m*.
höchstens tout au plus, au maximum.
Höchst|geschwindigkeit *f* vitesse *f* maximum; **~leistung** *f* rendement *m* maximum; *Sport* record *m*; **~maß** *m* maximum *m* (*an* de); **~preis** *m* prix *m* maximum; **≈wahrscheinlich** très probablement.
hoch|trabend pompeux, emphatique; **≈verrat** *m* haute trahison *f*; **≈wald** *m* (haute) futaie *f*; **≈wasser** *n* crue *f*; *Überschwemmung* inondation *f*; *Meer* marée *f* haute; **~wertig** de qualité supérieure; *Erz* riche.
Hochzeit *f Fest* noces *f/pl*; *Trauung* mariage *m*; **~sreise** *f* voyage *m* de noces.
hock|en être accroupi; **≈er** *m* escabeau *m*, tabouret *m*.
Höcker *m* bosse *f*.
Hockey *n* hockey *m*.
Hockstellung *f* position *f* accroupie.
Hoden *m* testicule *m*.
Hof *m* cour *f*; *agr* ferme *f*; *Mond* halo *m*; **~dame** *f* dame *f* d'honneur.
hoffen espérer (*auf etw* qc; *etw zu tun* faire qc); *ich hoffe es* je l'espère; *ich hoffe nicht!* j'espère que non; **~tlich** *~ kommst du* espérons *od* j'espère que tu viendras.
Hoffnung *f* espérance *f*, espoir *m*.
hoffnungslos désespéré; **≈igkeit** *f* désespoir *m*.
höfisch courtois.
höflich poli; **≈keit** *f* politesse *f*; **≈keitsbesuch** *m* visite *f* de courtoisie.
Höhe *f* hauteur *f*; altitude *f*; *e-r Summe* montant *m*; *Stand* niveau *m*; *fig ich bin nicht ganz auf der ~* je ne me sens pas tout à fait bien; *das ist die ~!* c'est le comble!
Hoheit *f pol* souveraineté *f*; *Titel* Altesse *f*; **~sgebiet** *n* territoire *m* national; **~sgewässer** *n/pl* eaux *f/pl* territoriales; **~szeichen** *n* emblème *m* national.
Höhen|messer *m* altimètre *m*; **~sonne** *méd f* lampe *f* à rayons ultraviolets; **~unterschied** *m* différence *f* de niveau; **~zug** *m* chaîne *f* de montagnes.

Höhepunkt *m* point *m* culminant, apogée *m*, sommet *m*.
hohl creux (*a fig*).
Höhle *f* caverne *f*; grotte *f*; *der wilden Tiere* antre *m*, tanière *f*.
Hohl|maß *n* mesure *f* de capacité; **~raum** *m* espace *m* vide, cavité *f*; **~spiegel** *m* miroir *m* concave; **~weg** *m* chemin *m* creux.
Hohn *m Verachtung* dédain *m*, mépris *m*; *Spott* raillerie *f*, dérison *f*; **~gelächter** *m* rire *m* sarcastique, ricanement *m*.
höhnisch méprisant; moqueur, railleur; ~ *grinsen* ricaner.
holen aller *od* venir chercher; ~ *lassen* envoyer chercher; *sich* ~ *Krankheit* attraper.
Holland *n* la Hollande.
Holländ|er(in *f*) *m* Hollandais *m*, -e *f*; **2isch** hollandais.
Hölle *f* enfer *m*; *in die* ~ *kommen* aller en enfer; **~nlärm** *m* tapage *m* infernal, F boucan *m* de tous les diables.
höllisch infernal; *adv* F diablement.
holp|(e)rig *Weg* cahoteux; *a fig* raboteux; ~ *lesen* lire en hésitant; **~er** *Stil* style heurté; **~ern** cahoter.
Holunder *bot m* sureau *m*.
Holz *n* bois *m*; *aus* ~ en bois; ~ *hacken* casser du bois; **~bearbeitung** *f* travail *m* du bois; **~blasinstrument** *n* instrument *m* à vent en bois; **~e** *pl* bois *m/pl*.
hölzern de *od* en bois; *fig* raide, gauche.
Holz|fäller *m* bûcheron *m*; **~hammer** *m* maillet *m*; **2ig** ligneux; *Gemüse* filandreux; **~kohle** *f* charbon *m* de bois; **~scheit** *n* bûche *f*; **~schnitt** *m* gravure *f* sur bois; **~schnitzer** *m* sculpteur *m* sur bois; **~schnitzerei** *f* sculpture *f* sur bois; **~schuh** *m* sabot *m*, galoche *f*; **~weg** *m fig auf dem* ~ *sein* faire fausse route; **~wolle** *f* fibre *f od* laine *f* de bois.
Homöopath *m* homéopathe *m*; **2isch** homéopathique.
homosexuell homosexuel; **2e(r)** *m, f* homosexuel *m*, -le *f*; *Frau meist* lesbienne *f*.
Honig *m* miel *m*; **~kuchen** *m* pain *m* d'épice; **~wabe** *f* rayon *m* de miel.
Honor|ar *n* honoraires *m/pl*; **2ieren** *bezahlen* rétribuer; *belohnen* récompenser (*mit* par).
Hopfen *bot m* houblon *m*.
hopsen F sauter, sautiller.

hörbar audible, perceptible.
horchen écouter.
Horde *f* horde *f*, bande *f*.
hören entendre; *zu*~, *an*~ écouter; *auf j-n* ~ écouter qn; *von j-m* ~ avoir des nouvelles de qn; *er hört schwer* il entend mal.
Hör|er(in *f*) *m* auditeur *m*, -trice *f*; *tél* écouteur *m*, récepteur *m*; **~fehler** *méd m* défaut *m* de l'ouïe; **~gerät** *n* appareil *m* de correction auditive; **2ig** *j-m* ~ *sein* être esclave de qn.
Horizont *m* horizon *m*; *fig seinen* ~ *erweitern* élargir son horizon; *das geht über meinen* ~ ça me dépasse; **2al** horizontal.
Hormon *biol n* hormone *f*; ⚠ *une* hormone.
Horn *n* corne *f*; *mus* cor *m*; *mil* clairon *m*.
Hörnchen *n Gebäck* croissant *m*.
Hornhaut *f* callosité *f*; *Auge* cornée *f*.
Hornisse *zo f* frelon *m*.
Hornist *m* corniste *m*.
Horoskop *n* horoscope *m*.
Hör|saal *m* salle *f* de cours, amphithéâtre *m*; **~spiel** *Radio n* pièce *f* radiophonique.
horten thésauriser, amasser, accumuler.
Hörweite *f in* ~ à portée de la voix; *außer* ~ hors de portée de la voix.
Höschen *n* petite culotte *f*, slip *m*.
Hose *f lange* pantalon *m*; *kurze* culotte *f*.
Hosen|anzug *m* ensemble *m* pantalon-veste; **~rock** *m* jupe-culotte *f*; **~schlitz** *m* braguette *f*; **~tasche** *f* poche *f* (de pantalon); **~träger** *m/pl* bretelles *f/pl*.
Hospital *n* hôpital *m*.
hospitieren assister à un cours.
Hostie *rel f* hostie *f*.
Hotel *n* hôtel *m*; **~besitzer(in** *f*) *m* hôtelier *m*, -ière *f*; **~direktor** *m* directeur *m* d'hôtel; **~gewerbe** *n* industrie *f* hôtelière; **~zimmer** *n* chambre *f* d'hôtel.
hüben ~ *und drüben* de ce côté-ci et de l'autre.
Hubraum *auto m* cylindrée *f*.
hübsch joli.
Hubschrauber *aviat m* hélicoptère *m*.
Huf *m* sabot *m*; **~eisen** *n* fer *m* à cheval.
Hüft|e *f* hanche *f*; **~gelenk** *n* articulation *f* de la hanche; **~gürtel** *m*, **~halter** *m* gaine *f*.

Hügel *m* colline *f*; **℘ig** vallonné.
Hugenott|e *m*, **~in** *f* huguenot *m*, -e *f*.
Huhn *n zo, cuis* poule *f*.
Hühnchen *cuis n* poulet *m*; *fig mit j-m ein ~ zu rupfen haben* avoir un compte à régler avec qn.
Hühner|auge *méd n* cor *m* (au pied), œil-de-perdrix *m*; **~brühe** *cuis f* bouillon *m* de poule; **~ei** *n* œuf *m* de poule; **~farm** *f* élevage *m* de poules; **~hof** *m* basse-cour *f*; **~stall** *m* poulailler *m*.
huldigen rendre hommage (*j-m* à qn); *e-r Ansicht* adhérer à; *e-m Sport* s'adonner à.
Hülle *f* enveloppe *f*; *Buch℘* jaquette *f*; *Platten℘* pochette *f*; *sterbliche ~* dépouille *f* mortelle; *in ~ und Fülle* à profusion, en abondance.
hüllen envelopper (*in* dans); *fig sich in Schweigen ~* se renfermer dans le silence.
Hülse *f Schote* gousse *f*, cosse *f*; *Patronen℘* douille *f*; **~nfrüchte** *f/pl cuis* légumes *m/pl* secs; *bot* légumineuses *f/pl*.
human humain; **~istisch** humaniste; *Gymnasium* classique; *~ gebildet* qui a fait ses humanités; **~itär** humanitaire; **℘ität** *f* humanité *f*.
Hummel *zo f* bourdon *m*.
Hummer *zo m* homard *m*.
Humor *m* humour *m*; *~ haben* avoir (le sens) de l'humour; **~ist** *m* humoriste *m*; **℘istisch, ℘voll** humoristique, plein d'humour.
humpeln boiter.
Hund *m* chien *m*.
Hunde|hütte *f* niche *f*; **~kuchen** *m* biscuit *m* de chien; **~leine** *f* laisse *f*; **℘müde** F éreinté, claqué F, harassé; **~rasse** *f* race *f* canine.
hundert cent; **℘e** *von* des centaines de; *zu* **℘en** par centaines; **℘er** *m math* centaine *f*; *Geldschein* billet *m* de cent marks; **~fach, ~fältig** centuple; **℘jahrfeier** *f* centenaire *m*; **~jährig** centenaire; **~prozentig** *fig* à cent pour cent; **~ste** centième.
Hündin *f* chienne *f*.
hündisch *fig* servile.
hunds|miserabel F très mauvais; *ich fühle mich ~* je suis malade comme un chien; **℘tage** *m/pl* jours *m/pl* caniculaires, canicule *f*.
Hüne *m* géant *m*.
Hunger *m* faim *f*; *~ haben* avoir faim; *~ bekommen* commencer à avoir faim; *vor ~ sterben* mourir de faim; **~lohn** *m* salaire *m* de famine *od* de misère; **℘n** souffrir de la faim; *fasten* jeûner; *j-n ~ lassen* ne donner rien à manger à qn; **~snot** *f* famine *f*; **~streik** *m* grève *f* de la faim; **~tod** *m* mort *f* par inanition.
hungrig affamé, qui a faim (*nach, auf* de); *ich bin ~* j'ai faim.
Hupe *auto f* avertisseur *m*, klaxon *m*; **℘n** klaxonner.
hüpfen sauter, sautiller.
Hürde *f Sport* haie *f*; *fig* obstacle *m*; **~nlauf** *m* course *f* de haies.
Hure *f* prostituée *f*, F grue *f*, P putain *f*.
Husar *mil m* hussard *m*.
huschen passer rapidement.
hüsteln toussoter.
husten 1. tousser; **2.** **℘** *m* toux *f*; **℘anfall** *m* quinte *f* de toux; **℘bonbon** *m od n* bonbon *m od* pastille *f* contre la toux; **℘saft** *m* sirop *m* contre la toux.
Hut 1. *m* chapeau *m*; **2.** *f auf der ~ sein* prendre garde (*vor* à), se tenir sur ses gardes.
hüten garder; *das Bett ~* garder le lit; *sich ~ vor* prendre garde à, se garder de.
Hüter(in *f*) *m* gardien *m*, -ne *f*.
Hütte *f* cabane *f*; *mit Strohdach* chaumière *f*; *Berg℘* refuge *m*; *tech* forges *f/pl*; **~nwerk** *n* usine *f* métallurgique.
Hyäne *zo f* hyène *f* (*a fig*).
Hyazinthe *bot f* jacinthe *f*.
Hydrant *m* bouche *f* d'eau *od* d'incendie.
hydraulisch hydraulique.
Hygien|e *f* hygiène *f*; **℘isch** hygiénique.
Hymne *f* hymne *m*; ⚠ *un* hymne.
hypermodern ultramoderne.
Hypno|se *f* hypnose *f*; **~tiseur** *m* hypnotiseur *m*; **℘tisieren** hypnotiser.
Hypotenuse *math f* hypoténuse *f*.
Hypothek *f* hypothèque *f*; *e-e ~ aufnehmen* prendre une hypothèque.
Hypothe|se *f* hypothèse *f*; **℘tisch** hypothétique.
Hyster|ie *f* hystérie *f*; **℘isch** hystérique.

I

ich je (+ *Verb*), *vor Vokal* j'; moi; *hier bin* ~ me voilà; ~ *bin es* c'est moi.
Ich *n psych* moi *m*; *mein anderes* ~ mon autre personnalité.
Ideal 1. *n* idéal *m*; *Vorbild* modèle *m*; **2.** *adj* idéal; **&isieren** idéaliser; **~ismus** *m* idéalisme *m*; **~ist** *m* idéaliste *m*.
Idee *f* idée *f*.
identi|fizieren (*sich* ~ s')identifier (*mit* à *od* avec); **~sch** identique (*mit* à); **&tät** *f* identité *f*; **&tätskarte** *östr f* carte d'identité *f*.
Ideolog|e *m* idéologue *m*; **~ie** *f* idéologie *f*; **&isch** idéologique.
idiomatisch *ling* idiomatique; *~er Ausdruck* expression *f* idiomatique, idiome *m*.
Idiot *m* idiot *m*; **~ie** *f* idiotie *f*; **&isch** idiot.
Idol *n* idole *f*; ⚠ *une* idole.
Idyll *n* tableau *m* idyllique; **&isch** idyllique.
Igel *zo m* hérisson *m*.
ignorieren ignorer, ne pas tenir compte de.
ihm lui, à lui.
ihn le, *vor Vokal* l'; *nach prép* lui.
ihnen leur; *nach prép* eux *m*, elles *f*; *betont* à eux, à elles; & vous, à vous.
ihr 1. *Personalpronomen*: *Dativ von sie* lui; à elle; *pl von du* vous; **2.** *Possessivpronomen*: *von e-r Besitzerin* son *m* (*vor Vokal a f*), sa *f* (*vor Konsonant*), *pl* ses; *von mehreren Besitzern* leur; & votre; **3.** *~er*, *~e*, *~es*, *der, die, das ~e od ~ige* le sien, la sienne; le (la) leur; &er, &e, &es le (la) vôtre; **~erseits** de sa (leur) part; & de votre part; **~esgleichen** son (leur) pareil; & vos pareils; **~etwegen** à cause d'elle (d'eux, d'elles); & à cause de vous.
illeg|al illégal; **~itim** illégitime.
Illus|ion *f* illusion *f*; **&orisch** illusoire.
Illustr|ation *f* illustration *f*; **&ieren** illustrer; **~ierte** *f* revue *f*, magazine *m*; *Kinder*& illustré *m*.
im *cf in*; ~ *Bett* au lit; ~ *Schrank* dans l'armoire; ~ *Mai* en mai; ~ *Jahre 1985* en 1985; ~ *Stehen* debout.
Image *n* image *f* (de marque).
imaginär imaginaire.
Imbiß *m* casse-croûte *m*, petit repas *m*, collation *f*; **~stube** *f* snack *m*.
imitieren imiter, copier.
Imker *m* apiculteur *m*.
Immatrikul|ation *f* inscription *f* en Faculté; **&ieren** *sich* ~ s'inscrire en Faculté.
immer toujours; ~ *noch* encore, toujours; *wer auch* ~ qui que ce soit; *für* ~ pour toujours, à jamais; ~ *wieder* sans arrêt; ~ *schneller* de plus en plus vite; ~ *mehr* de plus en plus; **&grün** *bot n* pervenche *f*; **~hin** en tout cas; **~zu** constamment.
Immobilien *pl* (biens *m/pl*) immeubles *m/pl*.
immun immunisé (*gegen* contre); **&ität** *f* immunité *f*.
Imperativ *gr m* impératif *m*.
Imperfekt *gr n* imparfait *m*.
Imperialis|mus *m* impérialisme *m*; **~t** *m* impérialiste *m*; **&tisch** impérialiste.
impf|en vacciner (*gegen* contre); **&schein** *m* certificat *m* de vaccination; **&stoff** *m* vaccin *m*; **&ung** *f* vaccination *f*.
imponieren *j-m* ~ en imposer à qn.
Import *m* importation *f*; **~eur** *m* importateur *m*; **&ieren** importer.
imposant imposant.
impotent impuissant; ⚠ *nicht impotent*.
imprägnier|en imperméabiliser; **~t** imperméable.
improvisieren improviser.
Impuls *m* impulsion *f*; **&iv** impulsif.
imstande ~ *sein zu* être capable *od* en état *od* à même de ...
in 1. *räumlich* dans, à, en; ~ *Frankreich* en France; ~ *Portugal* au Portugal; ~ *Paris* à Paris; *in den USA* aux U.S.A.; ~ *der od die Stadt* en ville; ~ *der od die Schule* à l'école; *~s Kino* au cinéma; *~s Bett* au lit; ~ *der Küche* dans la cuisine; **2.** *zeitlich* dans, en, pendant; ~ *dieser* (*der nächsten*) *Woche* cette semaine (la semaine prochaine); ~ *diesem Alter* (*Augenblick*) à cet âge (instant); ~ *3 Tagen von jetzt an* dans trois jours; *Dauer* en trois jours; ~ *der Nacht* pendant la nuit; **3.** *Art und Weise* en; *gut sein* ~ être bon en; ~ *Behandlung* (*Reparatur*) en traitement (répara-

tion); *~s Deutsche* en allemand; *cf a im*; **4.** *~ sein* F être branché.
Inbegriff *m* incarnation *f*; **≈en** compris.
indem pendant que; *~ er das tut* en faisant ceci.
Inder(**in** *f*) *m* Indien *m*, -ne *f*.
Indianer(**in** *f*) *m* Indien *m*, -ne *f*.
Indien *n* l'Inde *f*.
Indikativ *gr m* indicatif *m*.
indirekt indirect.
indisch indien.
indiskret indiscret; **≈ion** *f* indiscrétion *f*.
indiskutabel inadmissible, hors de question; ⚠ *nicht indiscutable*.
individuell individuel.
Individuum *n* individu *m*.
industrialisier|en industrialiser; **≈ung** *f* industrialisation *f*.
Industrie *f* industrie *f*; **~abfälle** *m/pl* déchets *m/pl* industriels; **~gebiet** *n* région *f* industrielle.
industriell industriel; **≈e(r)** *m* industriel *m*.
Industriestaat *m* pays *m* (nation *f*) industrialisé(e).
ineinander l'un dans l'autre; *~ verliebt* amoureux l'un de l'autre; **~greifen** s'enchaîner, s'imbriquer.
infam infâme.
Infanter|ie *mil f* infanterie *f*; **~ist** *m* fantassin *m*.
Infarkt *méd m* infarctus *m*.
Infektion *méd f* infection *f*; **~skrankheit** *f* maladie *f* infectieuse.
Infinitiv *gr m* infinitif *m*.
infizieren infecter, contaminer.
Inflation *f* inflation *f*.
infolge par suite de; **~dessen** par conséquent.
Inform|atik *f* informatique *f*; **~atiker** *m* informaticien *m*; **~ation** *f* information *f*; **≈ieren** (*sich ~* s')informer (*über* de); *falsch ~* mal informer.
infra|rot infrarouge; **≈struktur** *f* infrastructure *f*.
Infusion *méd f* perfusion *f*; ⚠ *nicht infusion*.
Ingenieur *m* ingénieur *m*.
Ingwer *m* gingembre *m*.
Inhaber(**in** *f*) *m* possesseur *nur m*, propriétaire *m*, *f*; *e-s Amtes*, *Kontos* titulaire *m*, *f*; *e-s Rekords* détenteur *m*, -trice *f*.
Inhalt *m* contenu *m*; *Raum≈* capacité *f*, volume *m*; *fig* sens *m*, fond *m*.
Inhalts|angabe *f* résumé *m*, sommaire *m*; **~verzeichnis** *n* table *f* des matières.
Initiative *f* initiative *f*.
inklusive (y) compris.
inkonsequent inconséquent.
Inkrafttreten *n* entrée *f* en vigueur.
Inland *n* pays *m*; *Landesinnere* intérieur *m* du pays.
inländisch national, du pays.
inmitten au milieu de.
innen dedans, à l'intérieur.
Innen|architekt(**in** *f*) *m* architecte-décorateur *m*; **~architektur** *f* décoration *f*; **~minister** *m* ministre *m* de l'Intérieur; **~ministerium** *n* ministère *m* de l'Intérieur; **~politik** *f* politique *f* intérieure; **~stadt** *f* centre *m* ville.
inner|e(r, -s) intérieur; *pol*, *méd* interne; *das Innere* l'intérieur *m*; **≈eien** *pl* abats *m/pl*; **~halb** dans (*a zeitlich*); à l'intérieur de; **~lich** interne (*a méd*), intérieur.
innig intime, cordial.
Innung *f* guilde *f*, corporation *f*, corps *m* de métier.
inoffiziell non officiel.
ins *cf in*.
Insasse *m Fahrzeug* passager *m*; *Anstalt* pensionnaire *m*.
insbesondere en particulier.
Inschrift *f* inscription *f*.
Insekt *n* insecte *m*; **~enstich** *m* piqûre *f* d'insecte.
Insel *f* île *f*; *kleine ~* îlot *m*; **~bewohner**(**in** *f*) *m* insulaire *m*, *f*; **~gruppe** *f* archipel *m*.
Inser|at *n* annonce *f*; **≈ieren** mettre une annonce.
ins|geheim en secret; **~gesamt** en tout, au total.
insofern **1.** *conj ~ als* ... dans la mesure où ...; **2.** *adv* sur ce point.
Inspektion *f* inspection *f*; *auto* révision *f*.
inspirieren inspirer.
inspizieren inspecter.
Installateur *m* installateur *m*, plombier *m*.
instand *~ halten* maintenir en bon état, entretenir; *~ setzen* réparer; **≈haltung** *f* entretien *m*, maintenance *f*.
inständig *j-n ~ bitten* prier qn instamment (*zu* de).
Instanz *f* instance *f*.
Instinkt *m* instinct *m*; **≈iv** instinctif; **≈los** *fig* sans tact.

Institut *n* institut *m*.
Instrument *n* instrument *m*.
inszenier|en mettre en scène; **≈ung** *f* mise *f* en scène.
Integrität *f* intégrité *f*.
intellektuell intellectuel; **≈e(r)** *m*, *f* intellectuel *m*, -le *f*.
intelligent intelligent.
Intelligenz intelligence *f*; **~quotient** *m* quotient *m* intellectuel (*abr* Q.I.).
Intendant *m TV* président *m* (d'une chaîne de télévision); *Theater* directeur *m*.
intensiv intense, intensif; **≈kurs** *m* cours *m* intensif; **≈station** *f* service *m* de réanimation.
interessant intéressant.
Interess|e *n* intérêt *m* (*an, für* à, pour); **≈elos** indifférent; **~elosigkeit** *f* indifférence *f*, désintérêt *m*; **~engemeinschaft** *f* communauté *f* d'intérêts; **~ent** *m* amateur *m*, acheteur *m* potentiel; **≈ieren** *j-n* ~ intéresser qn (*für* à); *sich ~ für* s'intéresser à, être intéressé par.
intern interne; **≈at** *n* internat *m*.
international international.
Internist *méd m* spécialiste *m* des maladies internes.
Inter|pretation *f* interprétation *f*; *Text≈* explication *f* de texte; **≈pretieren** interpréter; *Text* expliquer; **~punktion** *f* ponctuation *f*; **~vall** *n* intervalle *m*; **≈venieren** intervenir; **~view** *n* interview *f*; ⚠ *une* interview; **≈viewen** interviewer.
intim intime (*mit* avec); **≈ität** *f* intimité *f*; **≈sphäre** *f* vie *f* privée.
intoler|ant intolérant (*gegenüber* envers); **≈anz** *f* intolérance *f*.
intransitiv *gr* intransitif.
Intrig|e *f* intrigue *f*; **≈ieren** intriguer (*gegen* contre).
Invalid|e *m* invalide *m*, *f*; **~enrente** *f* pension *f* d'invalidité; **~ität** *f* invalidité *f*.
Inventar *n* installation *f*, équipement *m*; *Verzeichnis* inventaire *m*.
Inventur *comm f* inventaire *m*; ~ *machen* faire l'inventaire.
invest|ieren *écon* investir; **≈ition** *f* investissement *m*.
inwie|fern, ~weit dans quelle mesure.
inzwischen en attendant, entre-temps.
Irak *der* ~ l'Irak *m*; **≈isch** irakien.
Iran *der* ~ l'Iran *m*; **≈isch** iranien.
irdisch terrestre.
Ir|e *m*, **~in** *f* Irlandais *m*, -e *f*.
irgend *wenn ~ möglich* si faire se peut; *wenn du ~ kannst* si cela t'est possible; *~ jemand* quelqu'un; *egal wer* n'importe qui; *~ etwas* quelque chose; *egal was* n'importe quoi; F *~ so ein* ... une espèce de ..., un de ces ...; **~ein** un ... quelconque; **~einer, ~wer** quelqu'un, une personne quelconque; *egal wer* n'importe qui; **~wann** un jour; *egal wann* n'importe quand; **~wie** d'une façon ou d'une autre; *egal wie* n'importe comment; **~wo** quelque part; *egal wo* n'importe où.
irisch irlandais, d'Irlande.
Irland *n* l'Irlande *f*.
Iron|ie *f* ironie *f*; **≈isch** ironique.
irre *geistesgestört* aliéné, fou; *verwirrt* dérangé; F *sagenhaft* formidable, extra, super, génial.
Irre(r) *m*, *f* aliéné *m*, -e *f*; fou *m*, folle *f*; *wie ein Irrer* comme un fou.
irre|führen tromper, induire en erreur; **~führend** trompeur; *Werbung* mensonger; **~machen** déconcerter.
irren *sich ~* se tromper (*in etw* de qc; *in j-m* sur qn); *sich in der Straße ~* se tromper de rue; *durch die Stadt ~* errer dans la ville.
Irrenanstalt *méd f* asile *m* d'aliénés, asile *m* psychiatrique.
irrig erroné.
irritieren *ärgern, reizen* irriter; *verwirren* déconcerter.
Irr|licht *n* feu *m* follet; **~sinn** *m* démence *f*, folie *f* (*a fig*); **≈sinnig** fou (*a fig*); **~tum** *m* erreur *f*; *im ~ sein* être dans l'erreur; **≈tümlich** erroné; **≈tümlicherweise** par erreur; **~weg** *m* mauvaise voie *f*.
Ischias *méd n od m* sciatique *f*.
Islam *rel m* islam *m*.
Island *n* l'Islande *f*.
Isländ|er(in *f*) *m* Islandais *m*, -e *f*; **≈isch** islandais.
Isolier|band *n* ruban *m* isolant, chatterton *m*; **≈en** (*sich ~* s')isoler; **~ung** *f* isolement *m*; *tech* isolation *f*.
Israel *n* Israël *m*.
Israeli *m*, *f* Israélien *m*, -ne *f*; **≈sch** israélien; **~t(in** *f*) *m hist* Israélite *m*, *f*; **≈tisch** *hist* israélite.
Italien *n* l'Italie *f*.
Italien|er(in *f*) *m* Italien *m*, -ne *f*; **≈isch** italien.

I

J

ja oui; *da ist er ~!* tiens, le voilà!; *ich sagte es Ihnen ~* c'est ce que je vous disais justement; *tut es ~ nicht!* ne faites surtout pas cela!; *sei ~ vorsichtig!* sois bien prudent!; *du kommst doch, ~?* tu viens, n'est-ce pas?
Jacht *mar f* yacht *m*; ⚠ *le* yacht.
Jacke *f* veste *f*; *Damen- u Kinder*♀ jaquette *f*.
Jackett *n* veston *m*.
Jagd *f* chasse *f* (*auf* à); *auf die ~ gehen* aller à la chasse; *~ machen auf* faire la chasse à; **~aufseher** *m* garde--chasse *m*; **~bomber** *mil m* chasseur *m* bombardier; **~flieger** *mil m* pilote *m* de chasse; **~flugzeug** *mil n* avion *m* de chasse; **~hund** *m* chien *m* de chasse; **~hütte** *f* pavillon *m* de chasse; **~revier** *n* chasse *f*; **~schein** *m* permis *m* de chasse *od* de chasser.
jagen chasser; *Verbrecher* pourchasser; *fig eilen* foncer; *nach etw ~* courir après qc.
Jäger(in *f*) *m* chasseur *f*, -euse *f*.
Jaguar *zo m* jaguar *m*.
jäh soudain; *steil* escarpé.
Jahr *n* an *m*, année *f*; *das ganze ~* toute l'année; *jedes ~* tous les ans, chaque année; *einmal im ~* une fois par an; *im ~ 1986* en 1986; *ein 20 ~e altes Auto* une voiture vieille de 20 ans; *mit 18 ~en* à 18 ans; *heute vor e-m ~* il y a un an aujourd'hui; *die 80er ~e* les années 80; **♀aus** *~, jahrein* bon an, mal an; **~buch** *n* annuaire *m*.
jahrelang *adj* qui dure des années; *adv* pendant des années.
Jahres|anfang *m* début *m od* commencement *m* de l'année; **~bericht** *m* rapport *m* annuel; **~ende** *n* fin *f* de l'année; **~tag** *m* anniversaire *m*; **~wechsel** *m* nouvel an *m*; **~zahl** *f* millésime *m*; **~zeit** *f* saison *f*.
Jahr|gang *m* année *f*; *mil* classe *f*; *Wein* millésime *m*; *Schule* promotion *f*; **~hundert** *n* siècle *m*.
jährlich annuel; *adv* par an.
Jahr|markt *m* foire *f*; **~tausend** *n* millénaire *m*; **~zehnt** *n* dizaine *f* d'années, décennie *f*.
Jähzorn *n* irascibilité *f*; **♀ig** irascible, coléreux.
Jakob *m* Jacques *m*.

Jalousie *f* store *m*.
Jammer *m* misère *f*; *es ist ein ~!* quelle pitié!
jämmerlich lamentable, déplorable, misérable; *~ versagen* échouer lamentablement.
jammer|n se lamenter, gémir; **~schade** *es ist ~* quel dommage!
Jänner *östr*, **Januar** *m* janvier *m*.
Japan *n* le Japon; **~er(in** *f*) *m* Japonais *m*, -e *f*; **♀isch** japonais.
Jargon *m* jargon *m*, argot *m*.
Jastimme *f* oui *m*.
jäten sarcler.
Jauche *f* purin *m*.
jauchzen pousser des cris de joie, jubiler.
Jause *östr f* casse-croûte *m* F.
jawohl oui; *ganz recht* bien sûr.
je *pro* par; *jeweils* chacun; *jemals* jamais; *der beste Film, den ich ~ gesehen habe* le meilleur film que j'aie jamais vu; *~ zwei* deux de chaque *od* chacun deux; *3 Mark ~ Kilo* 3 marks le kilo; *~ nach Größe* suivant la taille; *~ nachdem (, wie)* cela dépend (de); *~ ... desto* ... plus ... plus ...
jedenfalls en tout cas.
jeder *m*, **jede** *f*, **jedes** *n* chaque; *verallgemeinernd* tout; *substantivisch* chacun *m*, chacune *f*; *jeden zweiten Tag* tous les deux jours; *jeden Augenblick* à tout instant; *ohne jeden Kommentar* sans aucun commentaire; *jeder von uns* chacun de nous; *jeder beliebige* n'importe qui; *das weiß jeder* tout le monde le sait.
jedermann chacun, tout le monde.
jederzeit à tout moment.
jedesmal chaque fois; *~ wenn* toutes les fois que.
jedoch cependant.
jeher *von ~* depuis toujours.
jemals jamais.
jemand quelqu'un; *in negativer Umgebung* personne; *~ anders* quelqu'un d'autre; *ohne ~ zu grüßen* sans saluer personne.
jener *m*, **jene** *f*, **jenes** *n* ce (*vor Vokal* cet) *m*, cette *f*, ces *pl* ... là; *substantivisch* celui-là *m* (*pl* ceux-là), celle-là *f* (*pl* celles-là); *dieses und jenes* ceci et cela.

jenseitig qui est au-delà, de l'autre côté.
jenseits 1. *prép* au-delà de; **2.** *das* ♀ l'au-delà *m*, l'autre monde *m*.
jetzig actuel.
jetzt maintenant, à présent; *in Vergangenheitsschilderungen* alors; *bis* ~ jusqu'à présent, jusqu'à maintenant; *von* ~ *an* désormais; *eben* ~ juste en ce moment; ~ *gleich* tout de suite; *schon* ~ d'ores et déjà.
jeweil|ig respectif; **~s** chaque fois.
Job *m* F job *m*, petit boulot *m*.
Joch *n* joug *m* (*a fig*).
Jockei *m* jockey *m*.
Jod *chim n* iode *m*.
jodeln jodler.
Joghurt *m od n* yaourt *m*.
Johann *m* Jean *m*; **~a** *f* Jeanne *f*.
Johannisbeere *f rote* groseille *f*; *schwarze* ~ cassis *m*.
johlen hurler, crier.
Jolle *mar f* yole *f*.
Jongl|eur *m* jongleur *m*; **♀ieren** jongler (*mit* avec).
Journal|ismus *m* journalisme *m*; **~ist(in** *f*) *m* journaliste *m*, *f*.
Jubel *m* allégresse *f*; **♀n** pousser des cris d'allégresse *od* de joie.
Jubiläum *n* anniversaire *m*; *fünfzigjähriges* ~ cinquantenaire *m*, jubilé *m*; *hundertjähriges* ~ centenaire *m*.
juck|en démanger; **♀reiz** *m* démangeaison *f*.
Jude *m*, **Jüdin** *f* Juif *m*, Juive *f*.
jüdisch juif; *rel* judaïque.
Jugend *f* jeunesse *f*; **~arbeitslosigkeit** *f* chômage *m* des jeunes; **♀frei** *Film* autorisé aux mineurs; *nicht* ~*er Film* film interdit aux moins de dix-huit ans; **~gericht** *n* tribunal *m* pour mineurs *od* pour enfants; **~herberge** *f* auberge *f* de jeunesse; **~kriminalität** *f* délinquance *f* juvénile; **♀lich** jeune; *der Jugend eigen* juvénile; **~liche(r)** *m*, *f* jeune *m*, *f*, adolescent *m*, -e *f*; **~stil** *m* Art Nouveau *m*, style *m* 1900; **~strafanstalt** *f* prison *f* pour enfants; **~verbot** *n* interdiction *f* aux moins de dix-huit ans.
Jugoslaw|e *m*, **~in** *f* Yougoslave *m*, *f*; **~ien** *n* la Yougoslavie; **♀isch** yougoslave.
Juli *m* juillet *m*.
jung jeune; ~*e Leute pl* des jeunes gens *m*/*pl*.
Junge *m* garçon *m*; gamin *m*.
Junge(s) *zo n* petit *m*; *Junge werfen* mettre bas, avoir des petits.
jungen|haft puéril, de gamin; **♀streich** *m* farce *f od* blague F *f* de gamins.
jünger plus jeune; *Bruder*, *Schwester* cadet; *er ist drei Jahre* ~ *als ich* il est de trois ans mon cadet.
Jünger *rel m* disciple *m* (*a fig*).
Jungfer *f alte* ~ vieille fille *f*; **~nfahrt** *f* voyage *m* inaugural, premier voyage *m*.
Jung|frau *f* vierge *f*; *astr* Vierge *f*; *rel die Heilige* ~ la (Sainte) Vierge; **~geselle** *m* célibataire *m*, vieux garçon *m*.
Jüngling *iron m* adolescent *m*, jouvenceau *m*.
jüngst 1. *adj* le *od* la plus jeune; *Bruder* (le) cadet; *Ereignis*, *Nachrichten* dernier; *in* ~*er Zeit* récemment; *rel das* ♀*e Gericht* le Jugement dernier; **2.** *adv* récemment.
Juni *m* juin *m*.
junior 1. *adj* (le) jeune; junior; **2.** ♀ *m Sport* junior *m*.
Jura *n*/*pl* droit *m*; ~ *studieren* faire son droit, étudier le droit.
Jurist *m* juriste *m*; **♀isch** juridique.
Jury *f* jury *m*; ⚠ *le* jury.
Justiz *f* justice *f*; **~irrtum** *m* erreur *f* judiciaire; **~minister** *m* ministre *m* de la Justice.
Juwel *n od m* bijou *m*, joyau *m* (*beide a fig*); **~ier** *m* bijoutier *m*, joaillier *m*.
Jux *m* F blague *f*, plaisanterie *f*.

J K

K

Kabarett *n* cabaret *m od* théâtre *m* de chansonniers.
Kabel *n* câble *m*; **~fernsehen** *n* télévision *f* par câble, télédistribution *f*.
Kabeljau *zo m* morue *f* fraîche, cabillaud *m*.
Kabine *f* cabine *f*; *aviat a* carlingue *f*.
Kabinett *n* cabinet *m*.
Kabis *m Schweiz* chou *m* vert.
Kabriolett *auto n* cabriolet *m*, voiture *f* décapotable.
Kachel *f* carreau *m* (de faïence); **2n** carreler; **~ofen** *m* poêle *m* de faïence.
Kadaver *m* cadavre *m* (d'animal).
Kadett *mil m* cadet *m*.
Käfer *m zo* coléoptère *m*; *auto* coccinelle *f*.
Kaff *n péj* bled *m*, patelin *m*.
Kaffee *m* café *m*; **~bohne** *f* grain *m* de café; **~kanne** *f* cafetière *f*; **~maschine** *f* machine *f* à faire le café; *große* percolateur *m*; **~mühle** *f* moulin *m* à café; **~tasse** *f* tasse *f* à café.
Käfig *m* cage *f*.
kahl *Kopf* chauve; *Wand* nu; *Landschaft* dénudé; **~geschoren** tondu, rasé; **2heit** *f des Kopfes* calvitie *f*; *fig* nudité *f*; **2kopf** *m* tête *f* chauve; **~köpfig** chauve.
Kahn *m* barque *f*, canot *m*.
Kai quai *m*.
Kairo le Caire.
Kaiser|(in *f*) *m* empereur *m*, impératrice *f*; **2lich** impérial; **~reich** *n* empire *m*; **~schnitt** *méd m* césarienne *f*.
Kajüte *mar f* cabine *f*.
Kakao *m* cacao *m*; *fig j-n durch den ~ ziehen* se payer la tête de qn.
Kakt|ee *f*, **~us** *m* cactus *m*.
Kalauer *m* calembour *m*.
Kalb *n* veau *m*; **2en** vêler; **~fleisch** *n* veau *m*.
Kalbs|braten *m* rôti *m* de veau; **~schnitzel** *n* escalope *f* de veau.
Kalender *m* calendrier *m*; *Taschen2* agenda *m*; **~jahr** *n* année *f* civile.
Kali *chim n* potasse *f*.
Kaliber *n* calibre *m* (*a fig*).
Kalium *chim n* potassium *m*.
Kalk *m* chaux *f*; *méd* calcium *m*; **2en** enduire de chaux; *agr* chauler; **~stein** *m* calcaire *m*.
Kalkul|ation *f* calcul(s) *m(pl)*; **2ieren** calculer.
kalt froid (*a fig*); *es ist ~* il fait froid; *mir ist ~* j'ai froid; **~bleiben** rester impassible *od* de marbre; **~blütig** de *od* avec sang-froid.
Kälte *f* froid *m*; *fig* froideur *f*; *vor ~ zittern* trembler de froid; *fünf Grad ~* cinq degrés en dessous de zéro; **~grad** *m* degré *m* en dessous de zéro; **~periode** *f* vague *f* de froid.
kalt|machen *fig* F liquider; **~schnäuzig** froid(ement); **~stellen** *fig* limoger, F dégommer.
Kalzium *chim n* calcium *m*.
Kamel *n* chameau *m*.
Kamera *f* appareil *m* photo; *Film2* caméra *f*.
Kamerad|(in *f*) *m* camarade *m, f*; ⚠ *Schreibung* camarade; **~schaft** *f* camaraderie *f*.
Kameramann *m* cameraman *m*.
Kamille *bot f* camomille *f*.
Kamin *m* cheminée *f*; **~feger** *m* ramoneur *m*.
Kamm *m* peigne *m*; *Gebirgs2* crête *f*.
kämmen (*sich ~* se) peigner.
Kammer *f* chambre *f*; **~musik** *f* musique *f* de chambre; **~ton** *mus m* diapason *m*.
Kampf *m* combat *m*; lutte *f*; *Wett2* match *m*; **2bereit** prêt au combat.
kämpfen combattre (*gegen j-n* qn *od* contre qn); se battre (*mit j-m* avec qn); lutter (*gegen* contre; *um od für* pour).
Kampfer *chim m* camphre *m*.
Kämpfer *m* combattant *m*; *fig* champion *m* (*für* de).
Kampf|flugzeug *mil n* avion *m* de combat; **~kraft** *f* force *f* combative; **~richter** *m Sport* arbitre *m*; **2unfähig** hors de combat.
kampieren camper.
Kanada *n* le Canada.
Kanad|ier(in *f*) *m* Canadien *m*, -ne *f*; **2isch** canadien.
Kanal *m* canal *m*; *Abwasser2* égout *m*; *géogr* la Manche.
Kanalis|ation *f* égouts *m/pl*, tout-à-l'égout *m*; **2ieren** canaliser.
Kanarienvogel *m* canari *m*, serin *m*.
Kandid|at(in *f*) *m* candidat *m*, -e *f*; **~atur** *f* candidature *f*; **2ieren** poser sa candidature, se porter candidat.
Känguruh *zo n* kangourou *m*.
Kaninchen *zo n* lapin *m*.
Kanister *m* bidon *m*, jerrycan *m*.

Kanne *f* pot *m*; *Kaffee*≈ cafetière *f*; *Tee*≈ théière *f*; *Gieß*≈ arrosoir *m*.
Kannibale *m* cannibale *m*.
Kanon *m* canon *m*.
Kanone *f* canon *m*; *fig Person* as *m*, crack *m*.
Kanonen|kugel *f* boulet *m* de canon; **~schuß** *m* coup *m* de canon.
Kant|e *f* arête *f*; *Rand* bord *m*; *fig auf die hohe ~ legen* mettre de côté; **≈ig** à arêtes vives; *Gesicht* anguleux.
Kantine *f* cantine *f*.
Kanton *m* canton *m*.
Kanu *n* canoë *m*.
Kanüle *f* canule *f*.
Kanzel *f* chaire *f*.
Kanzlei *f pol* chancellerie *f*; *Anwalts*≈ étude *f*, bureau *m*.
Kanzler *m* chancelier *m*.
Kap *géogr n* cap *m*, promontoire *m*.
Kapazität *f* capacité *f*; *Könner* autorité *f*, sommité *f*.
Kapell|e *f égl* chapelle *f*; *mus* orchestre *m*; **~meister** *mus m* chef *m* d'orchestre.
kapern capturer.
kapieren F piger.
Kapital *n* capital *m*, capitaux *m/pl*, fonds *m/pl*; **~anlage** *f* placement *m* de capitaux; **~ismus** *m* capitalisme *m*; **~ist** *m* capitaliste *m*; **≈istisch** capitaliste *m*.
Kapitän *m* capitaine *m* (*a Sport*).
Kapitel *n* chapitre *m*.
Kapitell *arch n* chapiteau *m*.
Kapitul|ation *f* capitulation *f*; **≈ieren** capituler.
Kaplan *m* vicaire *m*, aumonier *m*, abbé *m*.
Kappe *f* bonnet *m*; *mit Schirm* casquette *f*; *fig etw auf seine ~ nehmen* prendre qc sur soi.
Kapsel *f* capsule *f*.
kaputt F cassé, abîmé, P foutu; *erschöpft* éreinté, F claqué, crevé, vidé; **~gehen** se casser, s'abîmer; *tech* tomber en panne; **~machen** casser, abîmer.
Kapuze *f* capuchon *m*.
Karabiner *mil m* carabine *f*.
Karaffe *f* carafe *f*.
Karambolage *f* carambolage *m*; ⚠ *le* carambolage.
Karat *n* carat *m*.
Karate *n* karaté *m*.
Karawane *f* caravane *f*.
Kardinal *m* cardinal *m*; **~zahl** *f* nombre *m* cardinal.
Karfiol *östr m* chou-fleur *m*.
Karfreitag *m* vendredi *m* saint.
karg *Mahlzeit* frugal; *Boden* pauvre; *Lohn* maigre.
kärglich pauvre.
kariert à carreaux.
Karies *méd f* carie *f*.
Karik|atur *f* caricature *f*; **~aturist** *m* caricaturiste *m*; **≈ieren** caricaturer.
Karl *m* Charles *m*; *~ der Große* Charlemagne *m*.
Karneval *m* carnaval *m*; ⚠ *Schreibung* carnaval.
Karo *n* carreau *m*.
Karosserie *auto f* carrosserie *f*.
Karotte *bot f* carotte *f*.
Karpfen *zo m* carpe *f*; ⚠ *la* carpe.
Karre *f* charrette *f*; F *Auto* bagnole *f*; *alte ~* vieux clou *m*.
Karriere *f* carrière *f*; *~ machen* faire carrière; **~macher** *m* arriviste *m*, carriériste *m*.
Karte *f* carte *f*; *Fahr*≈, *Eintritts*≈ billet *m*, ticket *m*; *Fußball gelbe, rote ~* carton *m* jaune, rouge; *fig alles auf e-e ~ setzen* jouer le tout pour le tout.
Kartei *f* fichier *m*; **~karte** *f* fiche *f*; **~kasten** *m* boîte *f* à fiches.
Karten|legerin *f* tireuse *f* de cartes; **~spiel** *n* jeu *m* de cartes.
Kartoffel *f* pomme *f* de terre; **~brei** *m* purée *f* de pommes de terre; **~chips** *pl* chips *m/pl*; **~knödel** *m* boulette *f* de pommes de terre; **~puffer** *m* crêpe *f* de pommes de terre; **~schalen** *f/pl* pelures *f/pl* de pommes de terre.
Karton *m* carton *m*; **≈ieren** cartonner.
Karussell *n* manège *m* (de chevaux de bois); *~ fahren* faire un tour de manège.
Karwoche *f* semaine *f* sainte.
Käse *m* fromage *m*; *Schweizer ~* gruyère *m*; **~kuchen** *m* gâteau *m* au fromage blanc.
Kaserne *f* caserne *f*.
käsig F *bleich* pâle, cireux.
Kasino *n Spiel*≈ casino *m*; *Offiziers*≈ mess *m*.
Kasper *m*, **~letheater** *n* guignol *m*.
Kasse *f* caisse *f*.
Kassen|arzt *m* médecin *m* conventionné par la Sécurité sociale; **~bestand** *m* encaisse *f*; **~erfolg** *m* pièce *f od* film *m* à succès; **~patient** *m* patient *m* affilié à une caisse de

maladie; **~wart** *m Verein* trésorier *m*; **~zettel** *m* ticket *m* de caisse.
Kassette *f* cassette *f*; *Bücher* coffret *m*; **~nrecorder** *m* magnétophone *m od* lecteur *m* à cassettes.
kassier|en encaisser; **2er(in** *f*) *m* caissier *m*, -ière *f*.
Kastanie *f Baum* châtaignier *m*; *Roß2* marronnier *m*; *Frucht* châtaigne *f*; marron *m* (*a cuis*).
Kästchen *n* coffret *m*; *auf Formularen etc* case *f*.
Kaste *f* caste *f*.
Kasten *m* boîte *f*, caisse *f*.
kastrieren castrer.
Kasus *gr m* cas *m*.
Katalog *m* catalogue *m*.
Katalysator *m chim* catalyseur *m*; *auto* pot *m* catalytique.
Katapult *m od n* catapulte *f*.
katastrophal catastrophique.
Katastrophe *f* catastrophe *f*; **2ngebiet** *n* région *f* sinistrée; **2nschutz** *m* protection *f* contre les catastrophes.
Katechismus *rel m* catéchisme *m*.
Kategor|ie *f* catégorie *f*; **2isch** catégorique.
Kater *m* matou *m*, chat *m* mâle; *fig* F mal *m* aux cheveux.
Kathedrale *f* cathédrale *f*.
Kathol|ik(in *f*) *m* catholique *m*, *f*; **2isch** catholique.
Kätzchen *n* chaton *m* (*a bot*).
Katze *f* chat *m*; *weibliche* chatte *f*.
Kauderwelsch *n* charabia *m*; **2en** baragouiner, parler petit nègre.
kauen mâcher.
kauern (*sich*) ~ s'accroupir.
Kauf *m* achat *m*, acquisition *f*; *etw in ~ nehmen* s'accommoder de qc; **2en** acheter; *sich etw ~* s'acheter qc.
Käufer(in *f*) *m* acheteur *m*, -euse *f*; *Kunde* client *m*, -e *f*.
Kauf|haus *n* grand magasin *m*; **~kraft** *écon f* pouvoir *m* d'achat.
käuflich à vendre, achetable; *bestechlich* corruptible, vénal.
Kauf|mann *m* marchand *m*; *Großhändler* commerçant *m*; **2männisch** commercial; **~vertrag** *m* contrat *m* de vente.
Kaugummi *m* chewing-gum *m*, gomme *f* à mâcher.
kaum à peine; ne ... guère; *~ zu glauben!* on a peine à le croire!; *~ hatte er das gesagt, als* ... à peine eut-il dit cela que ...
Kautabak *m* tabac *m* à chiquer.
Kaution *f* caution *f*, cautionnement *m*.
Kautschuk *m* caoutchouc *m*.
Kauz *m zo* hibou *m*; *fig ein komischer ~* un drôle de type *od* de zèbre.
Kavalier *m* gentleman *m*; **~sdelikt** *n* peccadille *f*.
Kavaller|ie *mil f* cavalerie *f*; **~ist** *m* cavalier *m*.
Kaviar *m* caviar *m*.
keck hardi; *frech* effronté; **2heit** *f* hardiesse *f*, effronterie *f*.
Kegel *m Spiel* quille *f*; *math* cône *m*; **~bahn** *f* bowling *m*; **2förmig** conique; **2n** jouer aux quilles.
Kehl|e *f* gorge *f*; **~kopf** *m* larynx *m*.
kehr|en *fegen* balayer; *wenden* tourner; *j-m den Rücken ~* tourner le dos à qn; **2reim** *m* refrain *m*; **2seite** *f* revers *m*; *die ~ der Medaille* le revers de la médaille.
kehrtmachen revenir sur ses pas; faire demi-tour.
keifen criailler.
Keil *m* coin *m*; *Unterleg2* cale *f*.
Keile F *Prügel* correction *f*, frottée *f* F, raclée *f* F, rossée *f* F, volée *f*; **~rei** F *f* bagarre *f*, rixe *f*.
Keil|riemen *auto m* courroie *f*; **~schrift** *f* écriture *f* cunéiforme.
Keim *m* germe *m* (*a fig*); *fig etw im ~ ersticken* étouffer qc dans l'œuf; **2en** germer (*a fig*); **2frei** stérilisé; **2tötend** antiseptique; **~zelle** *f biol* gamète *m*; *fig* foyer *m*, source *f*.
kein (ne ...) pas de ...; *betont* aucun (ne ...); *~ ... mehr* ne plus de ...; (*ich habe*) *~ Geld* (je n'ai) pas d'argent; *das ist ~ Grund* ce n'est pas une raison; *in ~em Fall* en aucun cas; **~er, ~e, ~es** pas un, -e, aucun, -e, nul, -le, personne (*mit Verb* ne ...); **~erlei** aucun, nul; **~esfalls, ~eswegs** en aucun cas, nullement, en aucune façon (*mit Verb* ne ...); pas *od* point du tout; **~mal** pas une (seule) fois; *einmal ist ~* une fois n'est pas coutume.
Keks *m od n* biscuit *m*.
Kelch *m Glas* coupe *f*; *rel*, *bot* calice *m*.
Kelle *f Maurer2* truelle *f*; *Schöpf2* louche *f*.
Keller *m* cave *f*; **~assel** *zo f* cloporte *m*; **~ei** *f* caves *f/pl*; **~geschoß** *n* sous-sol *m*; **~loch** *n* soupirail *m*; **~meister** *m* sommelier *m*; **~wohnung** *f* appartement *m* en sous-sol.

Kellner *m* garçon *m* (de café, de restaurant); serveur *m*; **~in** *f* serveuse *f*.
Kelter *f* pressoir *m*; **2n** pressurer, passer au pressoir, presser.
kennen connaître; **~lernen** *j-n* ~ faire la connaissance de qn.
Kenner(in *f*) *m* connaisseur *m*, expert *m* (*beide a Frau*).
kenntlich reconnaissable (*an* à); *etw ~ machen* marquer qc.
Kenntnis *f* connaissance *f*; *gute ~se in etw haben* avoir de bonnes connaissances de *od* sur qc; *~ haben von* avoir connaissance de; *~ nehmen von* prendre connaissance de; *etw zur ~ nehmen* prendre note de qc; *j-n von etw in ~ setzen* porter qc à la connaissance de qn.
Kenn|wort *n* mot *m* de passe; **~zeichen** *n* marque *f* (distinctive), caractéristique *f*; *auto* numéro *m* minéralogique; **2zeichnen** caractériser.
kentern *mar* chavirer, sombrer.
Keramik *f* céramique *f*.
Kerbe *f* entaille *f*.
Kerbel *bot m* cerfeuil *m*.
Kerker *m* cachot *m*.
Kerl *m* type *m*, gaillard *m*.
Kern *m* noyau *m* (*a phys*); *Kernobst* pépin *m*; *Problem* fond *m*; *Reaktor* cœur *m*.
Kern|energie *f* énergie *f* nucléaire; **~fach** *n* matière *f* principale; **~forschung** *f* recherche *f* nucléaire; **~gehäuse** *n Obst* trognon *m*; **2gesund** plein de santé; **~kraft** *f* énergie *f* nucléaire; **~kraftbefürworter** *m* partisan *m* de l'énergie nucléaire; **~kraftgegner** *m* adversaire *m* de l'énergie nucléaire, antinucléaire *m*; **~kraftwerk** *n* centrale *f* nucléaire; **2los** *Obst* sans pépins; **~obst** *n* fruits *m/pl* à pépins; **~physik** *f* physique *f* nucléaire; **~physiker** *m* atomiste *m*; **~punkt** *m* point *m* central; **~seife** *f* savon *m* de Marseille; **~spaltung** *phys f* fission *f* nucléaire; **~waffen** *mil f/pl* armes *f/pl* nucléaires.
Kerze *f* bougie *f*; *Kirchen2* cierge *m*; **2ngerade** droit comme un i.
keß désinvolte; *ein kesses Mädchen* une fille qui a de l'allure.
Kessel *m* chaudron *m*; *großer* chaudière *f*; *Tee2* bouilloire *f*; *géogr* cuvette *f*.
Kettchen *n* chaînette *f*.
Kette *f* chaîne *f*; *Halsband* collier *m*; **2n** attacher (*an* à).
Ketten|fahrzeug *n* véhicule *m* à chenilles; **~raucher** *m* fumeur *m* invétéré; **~reaktion** *f* réaction *f* en chaîne.
Ketzer *m* hérétique *m*; **~ei** *f* hérésie *f*; **2isch** hérétique.
keuch|en haleter; **2husten** *méd m* coqueluche *f*.
Keule *f* massue *f*; *Geflügel2* cuisse *f*; *Hammel2* gigot *m*.
keusch chaste; **2heit** *f* chasteté *f*.
kichern ricaner, pouffer de rire.
Kiebitz *zo m* vanneau *m*.
Kiefer[1] *m* mâchoire *f*.
Kiefer[2] *bot f* pin *m*.
Kiel *mar m* quille *f*; **~wasser** *n* sillage *m*.
Kiemen *biol f/pl* branchies *f/pl*.
Kies *m* gravier; F *fig Geld* galette *f*, fric *m*.
Kiesel *m* caillou *m*.
Kilo *n*, **~gramm** *n* kilo(gramme) *m*; **~hertz** *n* kilohertz *m*; **~meter** *m* kilomètre *m*; **~meterzähler** *m* compteur *m* kilométrique; **~watt** *n* kilowatt *m*.
Kind *n* enfant *m*, *f*.
Kinder|arzt *m*, **~ärztin** *f* pédiatre *m*, *f*; **~betreuung** *f* garde *f* d'enfants; **~ei** *f* enfantillage *m*, gaminerie *f*; **~garten** *m* jardin *m* d'enfants; école *f* maternelle; **~gärtnerin** *f* jardinière *f* d'enfants; institutrice *f* d'école maternelle; **~geld** *n* allocations *f/pl* familiales; **~krankheiten** *f/pl* maladies *f/pl* infantiles; **~lähmung** *méd f* poliomyélite *f*; **2leicht** enfantin; **2los** sans enfants; **~mädchen** *n* bonne *f* d'enfants; **2reich** *e-e ~e Familie* une famille nombreuse; **~spiel** *n fig* jeu *m* d'enfant, bagatelle *f*; **~stube** *f fig e-e gute ~ haben* être bien élevé; **~wagen** *m* voiture *f* d'enfant; landau *m*; poussette *f*; **~zimmer** *n* chambre *f* d'enfant(s).
Kindes|alter *n* enfance *f*, bas âge *m*; **~beine** *n/pl von ~n an* dès la plus tendre enfance; **~entführung** *f* enlèvement *m* d'enfant; **~mißhandlung** *f* mauvais traitement *m* infligé à un enfant.
Kind|heit *f* enfance *f*; **2isch** puéril; *~ werden* retomber en enfance; **2lich** enfantin; naïf; *Liebe* filial.
Kinn *n* menton *m*; **~bart** *m* barbiche *f*; **~haken** *Sport m* crochet *m* à la

mâchoire, uppercut *m*; **~lade** *f* mâchoire *f*.
Kino *n* cinéma *m*, ciné *m* F; **~besucher(in** *f*) *m* spectateur *m*, -trice *f*; **~vorstellung** *f* séance *f* de cinéma.
Kiosk *m* kiosque *m*.
Kippe *f* F *Zigarettenstummel* mégot *m*; *fig auf der ~ stehen* être incertain, être dans une situation critique.
kippen basculer.
Kirche *f* église *f*.
Kirchen|buch *n* registre *m* paroissial; **~diener** *m* sacristain *m*; **~fenster** *n* vitrail *m* (*pl* vitraux); **~gemeinde** *f* paroisse *f*; **~lied** *n* cantique *m*; **~musik** *f* musique *f* sacrée; **~schiff** *arch n* nef *f*; **~steuer** *f* impôt *m* destiné à l'Église; *in Frankreich etwa* denier *m* du culte; **~tag** *m* congrès *m* ecclésiastique.
kirch|lich ecclésiastique; *Trauung, Feiertag* religieux; **2turm** *m* clocher *m*; **2weih** *f* kermesse *f*.
Kirmes *f* kermesse *f*, fête *f* foraine, foire *f*.
Kirschbaum *m* cerisier *m*.
Kirsche *f* cerise *f*.
Kissen *n* coussin *m*; *Kopf*2 oreiller *m*; **~bezug** *m* taie *f* d'oreiller.
Kiste *f* caisse *f*.
Kitsch *m* toc *m*, kitsch *m*; *Film* navet *m*; *Schund* pacotille *f*; **2ig** de mauvais goût, kitsch, tocard F.
Kitt *m* mastic *m*; *fig* ciment *m*.
Kittchen *n* F violon *m*, tôle *f*; *j-n ins ~ stecken* coller qn au violon.
Kittel *m* blouse *f*.
kitten mastiquer; *fig* cimenter.
Kitz *zo n* chevreau *m*.
Kitzel *m* chatouillement *m*; *Sinnen*2 volupté *f*.
kitz|eln chatouiller; **~(e)lig** chatouilleux; *fig* délicat.
kläffen japper, glapir.
klaffend béant.
Klage *f* plainte *f*; *jur* action *f* (en justice); **~geschrei** *n* lamentations *f/pl*.
klagen se plaindre (*über* de); *jammern* se lamenter; *jur* intenter une action en justice.
Kläger(in *f*) *m jur* demandeur *m*, -deresse *f*, plaignant *m*, -e *f*.
kläglich *Stimme* plaintif; *péj* lamentable, déplorable, minable.
klamm *erstarrt* engourdi.
Klamm *géogr f* gorge *f*.
Klammer *f tech* crampon *m*; *Büro*2 trombone *m*; *Heft*2 attache *f*; *Wäsche*2, *Haar*2 pince *f*; *~n pl im Text* parenthèses *f/pl*; *eckige* crochets *m/pl*; *in ~n* entre parenthèses.
klammern *sich ~* se cramponner (*an* à).
Klang *m* son *m*; *mit Sang und ~* tambour battant; **~farbe** *f* timbre *m*; **2voll** sonore.
Klappbett *n* lit *m* pliant.
Klappe *f tech* clapet *m*; *Herz*2 valvule *f*; *Blasinstrument* clé *f*; *Filmaufnahme* claquette *f*; *Mund* F gueule *f*.
klappen F *gelingen* marcher; *nach oben ~* relever; *nach unten ~* rabattre; F *das klappt* ça va bien, ça gaze F.
Klapper *f* crécelle *f*; *Kinder*2 hochet *m*; **2n** claquer, cliqueter; *mit den Zähnen ~* claquer des dents; **~schlange** *f* serpent *m* à sonnettes; **~storch** F *m* cigogne *f*.
Klapp|fahrrad *n* bicyclette *f* pliante; **~fenster** *n* fenêtre *f* rabattante; **~messer** *n* couteau *m* pliant; **2rig** *Mensch* usé, affaibli; *Tisch* branlant; *~es Auto, Fahrrad* F vieux clou *m*, tacot *m*; **~sitz** *m* strapontin *m*; **~stuhl** *m* pliant *m*; **~tisch** *m* table *f* pliante.
Klaps *m* tape *f*, claque *f*.
klar clair; *Flüssigkeit a* limpide; (*na*) *~!* bien sûr!; *alles ~!* tout va bien!; *das ist ~* c'est évident; *das ist mir nicht ~* je ne comprends pas bien; *sich über etw im ~en sein* se rendre compte de qc.
Kläranlage *f* station *f* d'épuration.
klären *Angelegenheit* (*sich ~* s')éclaircir; *Frage* clarifier; *Wasser* traiter, épurer.
Klarheit *f* clarté *f*.
Klarinette *mus f* clarinette *f*.
klar|kommen s'en sortir; *ich komme da nicht klar* je m'y perds; **~machen** *j-m etw ~* expliquer, faire comprendre qc à qn; **~sehen** voir clair.
Klärung *f Wasser* traitement *m*; épuration *f*; *fig Frage* clarification *f*.
Klasse *f* classe *f*; *Sport* catégorie *f*; *~!* super!, formidable!
Klassen|arbeit *f* composition *f*; **~bewußtsein** *n* conscience *f* d'appartenir à une classe; **~kamerad** *m* camarade *m* de classe; **~kampf** *m* lutte *f* des classes; **~lehrer** *m* professeur *m* principal, coordinateur *m*; **2los** *~e Gesellschaft* société *f* sans classes; **~sprecher(in** *f*) *m* délégué

m, -e f de classe; **~zimmer** n salle f de classe.
klassifizier|en classer, classifier; **2ung** f classement m, classification f.
Klassi|k f classicisme m; **~ker** m classique m; **2sch** classique.
Klatsch m commérage m, cancans m/pl; **~base** f commère f, concierge f.
klatschen *Beifall* applaudir; F *schwätzen* cancaner, caqueter; *in die Hände* ~ battre des mains.
klatsch|haft cancanier, bavard; **2mohn** *bot* m coquelicot m; **~naß** trempé jusqu'aux os.
klauben *östr* trier.
Klaue f griffe f; *Raubvögel* serre f; *fig schlechte Schrift* écriture f illisible.
klauen F piquer, chiper.
Klausel *jur* f clause f.
Klausur f *Schule* épreuve f écrite; *rel* clôture f; *fig* isolement m; **~tagung** f réunion f à huis clos.
Klavier n piano m; ~ *spielen* jouer du piano; **~konzert** n concerto m pour piano; **~spieler(in** f) m pianiste m, f.
Klebeband n ruban m adhésif.
kleb|en coller; *fig* F *j-m eine* ~ coller une gifle à qn; **~rig** gluant, collant; **2stoff** m colle f, adhésif m.
kleckern faire des taches.
Klecks m tache f; **2en** faire des taches.
Klee *bot* m trèfle m.
Kleid n robe f; **2en** (*sich* ~ s')habiller.
Kleider *pl* habits m/pl, vêtements m/pl; **~ablage** f vestiaire m; **~bügel** m cintre m; **~bürste** f brosse f à habits; **~haken** m patère f; **~schrank** m garde-robe f; **~ständer** m portemanteau m; **~stoff** m tissu m pour vêtements.
kleidsam seyant.
Kleidung f habillement m, habits m/pl, vêtements m/pl; **~sstück** n vêtement m.
Kleie f son m.
klein petit; *Buchstabe* minuscule; *von ~ auf* depuis son plus jeune âge; *der ~e Mann* l'homme de la rue; *ein ~ wenig* un petit peu; **2asien** n l'Asie Mineure f; **2geld** n (petite) monnaie f; **2händler** m détaillant m; **2holz** n petit bois m.
Kleinigkeit f bagatelle f; *e-e ~ zum Essen* un petit quelque chose à manger.
Klein|kind n petit enfant m; **~kram** m babioles f/pl; **~krieg** m guérilla f, petite guerre f; **2laut** penaud, décontenancé; **2lich** *knickerig* mesquin; *genau* pointilleux, minutieux.
Kleinod n bijou m, joyau m.
klein|schneiden couper menu, couper en petits morceaux; **2stadt** f petite ville f; **~städtisch** provincial; **2wagen** m petite voiture f, mini f F.
Kleister m colle f (d'amidon); **2n** coller.
Klemme f pince f; *tech* serre-fils m; F *fig* embarras m; *in der ~ sein* être dans l'embarras.
klemmen coincer, serrer; *Tür* être coincé; *sich ~* se pincer; *fig sich hinter etw ~* s'atteler à qc.
Klempner m plombier m.
Klerus m clergé m.
Klette f *bot* bardane f; F *Person* pot m de colle.
kletter|n grimper (*auf* sur); **2pflanze** f plante f grimpante.
Klient(in f) m client m, -e f.
Klima n climat m; **~anlage** f climatisation f, climatiseur m; **2tisch** climatique.
klimpern faire sonner (*mit etw* qc); *auf dem Klavier* pianoter; *auf der Gitarre ~* gratter de la guitare.
Klinge f lame f.
Klingel f sonnette f; sonnerie f; **~knopf** m bouton m de sonnette; **2n** sonner (*j-m* qn); *es klingelt* on sonne.
klingen sonner; *Glas* tinter; *das klingt seltsam* cela paraît étrange.
Klini|k f clinique f, hôpital m; **2sch** clinique.
Klinke f *Tür* poignée f, bouton m.
klipp ~ *und klar* clair et net.
Klippe f écueil m (*a fig*); *Steilküste* falaise f.
klirren *Ketten* cliqueter; *Gläser* tinter; **~d** *~e Kälte* froid de canard F.
Klischee n cliché m.
klitschnaß F trempé jusqu'aux os.
Klo n toilettes f/pl, W.-C. m/pl.
Kloake f égout m, cloaque m.
klobig massif, mastoc F.
klopfen frapper; battre (*a Herz*); *es klopft* on frappe; *j-m auf die Schulter ~* taper sur l'épaule de qn.
Klöppel m *Glocke* battant m.
Klops *cuis* m boulette f de viande.
Klosett n W.-C. m/pl, cabinets m/pl; **~papier** n papier m hygiénique.
Kloß *cuis* m boulette f.
Kloster n couvent m, monastère m.

J K

Klotz *m* bloc *m* de bois; *fig Mensch* lourdaud *m*.
Klub *m* club *m*; **~sessel** *m* fauteuil *m* club.
Kluft *f Spalt* fente *f*; *tief u breit* gouffre *m*; *fig* fossé *m* (*zwischen* entre); F *Kleidung* frusques *f/pl* P; *Uniform* uniforme *m*.
klug intelligent; *vernünftig* sensé; *daraus werde ich nicht ~* je n'y comprends rien; **2heit** *f* intelligence *f*; *Vorsicht* prudence *f*.
Klumpen *m* masse *f*, *rund* boule *f*; *Gold* pépite *f*; *cuis* grumeau *m*.
knabber|n grignoter (*an etw* qc); **2zeug** *n* gâteaux *m/pl* d'apéritif.
Knabe *m* garçon *m*.
knacken craquer; *Nuß* casser; *Tresor* forcer; *fig j hat an etw zu ~* qc donne du fil à retordre à qn.
Knacks *m Sprung* fêlure *f*.
Knall *m* détonation *f*; *Überschall2* bang *m*; *fig e-n ~ haben* F être cinglé *od* toqué *od* marteau; **~bonbon** *m* bonbon *m* à pétard; **~effekt** *m* coup *m* de théâtre; **2en** éclater, détoner; *Tür*, *Peitsche* claquer; *Korken* sauter; *fig* F *j-m e-e ~* donner une gifle *od* une baffe à qn; **2ig** *Farben* criard; **~körper** *m* pétard *m*; **2rot** d'un rouge éclatant; *Gesicht* rouge de honte.
knapp *Kleidung* serré, juste; *Geld*, *Vorräte* rare; *Mahlzeit* maigre; *Mehrheit* faible; *Stil* concis; *e-e ~e Stunde* une petite heure; *~ gewinnen* gagner de justesse; **~halten** *j-n ~* ne pas donner beaucoup d'argent à qn; **2heit** *f* pénurie *f*, manque *m*; *Stil* concision *f*.
Knarre *f Gewehr* F flingue *m*.
knarren grincer.
Knast *m* P tôle *od* taule *f*; **~bruder** *m* P taulard *m*.
knattern crépiter; *Motorrad* pétarader.
Knäuel *n od m* pelote *f*; *Personen* grappe *f*.
Knauf *m Tür* bouton *m*; *Degen* pommeau *m*.
knauser|ig radin; **~n** *mit etw ~* lésiner sur qc.
knautsch|en friper, froisser; **2zone** *f auto* zone *f* rétractable.
Knebel *m* bâillon *m*; **2n** bâillonner (*a fig*).
Knecht *m* valet *m*; **~schaft** *f* servitude *f*.
kneifen pincer; *fig* F se dégonfler.
Kneipe *f* bistro(t) *m*.
knet|en pétrir; **2masse** *f* pâte *f* à modeler.
Knick *m in Papier* pli *m*; *Biegung* coude *m*; **2en** *Papier* plier; *Zweig* (se) casser, (se) briser; *fig geknickt sein* être déprimé.
Knicks *m* révérence *f*.
Knie *n* genou *m*; *tech* coude *m*; *fig etw übers ~ brechen* expédier qc; **~beuge** *f* flexion *f* des genoux; *rel* génuflexion *f*; **~kehle** *f* jarret *m*; **2n** être à genoux; *sich ~* se mettre à genoux; **~scheibe** *f* rotule *f*; **~strumpf** *m* bas *m* de sport, chaussette *f* montante.
Kniff *m Falte* pli *m*; *fig* truc *m*; **2lig** difficile, délicat.
knipsen *Foto* photographier, prendre en photo; prendre des photos; *Fahrkarte* poinçonner.
Knirps *m Kind* petit bonhomme *m*; gosse *m*, mioche *m*; *kleiner Mensch* nabot *m*.
knirschen crisser, craquer; *mit den Zähnen ~* grincer des dents.
knistern *Feuer* crépiter; *Papier* faire un bruit de froissement; *fig ~de Spannung* atmosphère *f* électrique.
knittern se froisser.
Knoblauch *bot m* ail *m*.
Knöchel *m Fuß2* cheville *f*; *Finger2* phalange *f*.
Knochen *m* os *m*; **~bruch** *m* fracture *f*.
knochig osseux.
Knödel *cuis m* boulette *f*.
Knolle *bot f* tubercule *m*; *Zwiebel* bulbe *m*.
Knopf *m* bouton *m*.
knöpfen boutonner.
Knopfloch *n* boutonnière *f*.
Knorpel *biol m* cartilage *m*.
knorrig noueux.
Knospe *f* bourgeon *m*, bouton *m*; **2n** bourgeonner, boutonner.
Knoten 1. *m* nœud *m* (*a mar*); *Haar2* chignon *m*; *Nerven2* ganglion *m*; **2. 2** nouer; **~punkt** *m Verkehr* nœud *m* routier *od* ferroviaire.
Knüller F *m* succès *m* fou, scoop *m*; *comm* article *m* choc.
knüpfen nouer; *fig e-e Bedingung an etw ~* mettre une condition à qc.
Knüppel *m* bâton *m*, gourdin *m*; *Polizei2* matraque *f*; *aviat Steuer2* manche *m* à balai.

knurren gronder, grogner; *Magen* gargouiller.
knusp(e)rig croquant, croustillant.
knutschen F (s')embrasser avec fougue, (se) bécoter.
k. o. K.-O.; *fig* ~ *sein* F être complètement crevé.
Kobold *m* lutin *m*.
Koch *m*, **Köchin** *f* cuisinier *m*, -ière *f*.
Kochbuch *n* livre *m* de cuisine.
kochen faire la cuisine; (faire) cuire; *Wasser*, *Milch* (faire) bouillir; *fig vor Wut* ~ bouillir de rage; **~dheiß** bouillant.
Koch|er *m* réchaud *m*; **~löffel** *m* cuiller *f* de bois; **~kessel** *m* chaudron *m*; **~kunst** *f* art *m* culinaire; **~nische** *f* coin *m* cuisine; **~platte** *f* réchaud *m*; **~salz** *n* sel *m* de cuisine; **~topf** *m* cocotte *f*, marmite *f*, casserole *f*.
Köder *m* appât *m*; **²n** appâter (*a fig*).
Koffein *n* caféine *f*; ⚠ *la* caféine; **²frei** décaféiné.
Koffer *m* valise *f*; *großer Reise*² malle *f*; **~radio** *n* transistor *m*; **~raum** *auto m* coffre *m*.
Kohl *bot m* chou *m*.
Kohle *f* charbon *m*; *Stein*² houille *f*; F *Geld* fric *m*; **~hydrate** *n/pl* hydrates *m/pl* de carbone, glucides *m/pl*.
Kohlen|bergwerk *n* mine *f* de charbon; **~dioxyd** *n* gaz *m* carbonique; **~monoxyd** *n* oxyde *m* de carbone; **~säure** *f* acide *m* carbonique; **²säurehaltig** *Getränk* gazeux; **~stoff** *m* carbone *m*; **~wasserstoffe** *m/pl* hydrocarbures *m/pl*.
Kohle|papier *n* papier *m* carbone; **~zeichnung** *f* (dessin *m* au) fusain *m*.
Kohl|kopf *bot m* chou *m*; **~rabi** *bot m* chou-rave *m*; **~rübe** *bot f* chou-navet *m*.
Koje *mar f* couchette *f*.
Kokain *n* cocaïne *f*; ⚠ *la* cocaïne.
kokett coquet.
Kokosnuß *bot f* noix *f* de coco.
Koks *m* coke *m*.
Kolben *m Motor* piston *m*; *chim* ballon *m*; *Mais* épi *m*; *Gewehr* crosse *f*.
Kolchose *f* kolkhoze *m*.
Kolibri *zo m* colibri *m*, oiseau-mouche *m*.
Kolik *méd f* colique *f*.
Kollaps *méd m* collapsus *m*.
Kolleg *n* cours *m*.
Kolleg|e *m*, **~in** *f Arbeits*² collègue *m*, *f*; *Fach*² confrère *m*; *Amts*² homologue *m*.
Kollegium *n Lehrer*² collège *m* des professeurs.
Kollekt|e *f* quête *f*; **~ion** *f* collection *f*; **²iv** collectif; **~iv** *n* collectivité *f*.
kolli|dieren entrer en collision; *zeitlich* coïncider; **²sion** *f* collision *f*; *fig* conflit *m*.
Köln Cologne; **~isch Wasser** eau *f* de Cologne.
Kolon|ie *f* colonie *f*; **²isieren** coloniser; **~ist** *m* colon *m*.
Kolonne *f* colonne *f*; *Fahrzeug*² convoi *m*; *Autoschlange* file *f*; *Arbeits*² équipe *f*.
Koloß *m* colosse *m*.
kolossal colossal (*a fig*).
Kombi *auto m* voiture *f* commerciale, fourgonnette *f*, break *m*.
Kombin|ation *f* combinaison *f*; *Kleidung* ensemble *m*; *gedankliche* déduction *f*; *Ski alpine*, *nordische* ~ combiné *m* alpin, nordique; **²ieren** combiner; *gedanklich* déduire.
Komet *m* comète *f*; ⚠ *la* comète.
Komfort *m* confort *m*; **²abel** confortable.
Komi|k *f* comique *m*; ⚠ *le* comique; **~ker** *m* comique *m*; **²sch** comique; *sonderbar* drôle (de).
Komitee *n* comité *m*.
Komma *n* virgule *f*.
Kommand|ant *m* commandant *m*; **~eur** *m* commandant *m*; **²ieren** commander.
Kommando *n Befehl* commandement *m*; *Sondergruppe* commando *m*; *auf* ~ sur commandement; **~brücke** *mar f* passerelle *f* de commandement.
kommen venir; *an*~, *geschehen* arriver; ~ *lassen* faire venir, envoyer chercher; *durch e-n Ort* ~ passer par ...; *nach Hause* ~ rentrer; *teuer zu stehen* ~ revenir cher; *ins Gefängnis* ~ aller en prison; *hinter etw* ~ découvrir qc; *um etw* ~ perdre qc; *wieder zu sich* ~ reprendre connaissance; *es kommt daher*, *daß* ... cela vient du fait que ...; *wie kommt es*, *daß* ... comment se fait-il que ...; **~d** *~e Woche* la semaine prochaine; *die ~en Generationen* les générations futures.
Komment|ar *m* commentaire *m*; *kein ~!* sans commentaire!; **~ator** *m* commentateur *m*; **²ieren** commenter.
kommerziell commercial.

J K

Kommilitone *m* camarade *m* d'études.
Kommissar *m* commissaire *m*.
Kommission *f* commission *f*.
Kommode *f* commode *f*.
Kommune *f Gemeinde* commune *f*; *Wohngemeinschaft* communauté *f*.
Kommunikation *f* communication *f*.
Kommunion *rel f* communion *f*.
Kommunis|mus *m* communisme *m*; **~t(in** *f*) *m* communiste *m*, *f*; **≗tisch** communiste.
Komödie *f* comédie *f*.
Kompanie *f* compagnie *f*.
Komparativ *gr m* comparatif *m*.
Kompaß *m* boussole *f*.
kompensieren compenser.
Kompetenz *f* compétence *f*.
komplett complet.
Komplex *m* complexe *m* (*a psych*); *Gebäude≗*, *Fragen≗* ensemble *m*.
Kompliment *n* compliment *m*; *j-m ein ~ machen* faire un compliment à qn.
Komplize *m* complice *m*.
komplizier|en compliquer; **~t** compliqué.
Komplott *n* complot *m*.
kompon|ieren composer; **≗ist** *m* compositeur *m*.
Kompost *m* compost *m*.
Kompott *n* compote *f*; ⚠ *la* compote.
komprimieren comprimer.
Kompro|miß *m* compromis *m*; **≗mißlos** intransigeant; **≗mittieren** (*sich ~* se) compromettre.
Kondens|ator *m* condensateur *m*; **≗ieren** condenser; **~milch** *f* lait *m* condensé; **~wasser** *n* eau *f* de condensation.
Kondition *f* condition *f*; *gute ~* bonne condition physique; **~straining** *n* entraînement *m* pour se mettre en forme.
Konditor *m* pâtissier *m*; **~ei** *f* pâtisserie *f*.
kondolieren présenter ses condoléances (*j-m* à qn).
Kondom *n* préservatif *m*.
Konfekt *n* confiserie *f*, chocolats *m/pl*.
Konfektions|anzug *m* costume *m* prêt-à-porter; **~geschäft** *n* magasin *m* de confection; **~kleidung** *f* prêt-à-porter *m*.
Konferenz *f* conférence *f*.
Konfession *rel f* confession *f*, religion *f*; **≗ell** confessionnel; **≗slos** sans confession; **~sschule** *f* école *f* confessionnelle *od* libre.
Konfirm|and(in *f*) *m* confirmand *m*, -e *f*, catéchumène *m*, *f*; **~ation** *f* confirmation *f*; **≗ieren** confirmer.
konfiszieren confisquer.
Konfitüre *f* confiture *f*.
Konflikt *m* conflit *m*.
konfrontieren confronter (*mit* à).
konfus confus; *Person* dérouté.
Kongreß *m* congrès *m*; **~teilnehmer** *m* congressiste *m*.
König *m* roi *m*; **~in** *f* reine *f*; **≗lich** royal; **~reich** *n* royaume *m*; **~tum** *n* royauté *f*.
Konjug|ation *gr f* conjugaison *f*; **≗ieren** *gr* conjuguer.
Konjunkt|ion *gr f* conjonction *f*; **~iv** *gr m* subjonctif *m*; **~ur** *écon f* conjoncture *f*.
konkret concret.
Konkurr|ent *m* concurrent *m*; **~enz** *f* concurrence *f*; *j-m ~ machen* faire concurrence à qn; **≗enzfähig** compétitif; **~enzkampf** *m* concurrence *f*, compétition *f*; **≗enzlos** défiant toute concurrence; **≗ieren** *mit j-m ~* concurrencer qn; *um e-n Preis ~* concourir pour un prix.
Konkurs *m* faillite *f*; *in ~ gehen*, *~ machen* faire faillite; ⚠ *nicht concours*; **~masse** *f* actif *m* de la faillite.
könn|en pouvoir; *gelernt haben* savoir; *e-e Sprache ~* savoir une langue; *schwimmen ~* savoir nager; *du kannst gehen* tu peux partir; *ich kann nicht mehr* je n'en peux plus; *es kann sein* c'est possible; **≗en** *n* savoir(-faire) *m*; capacités *f/pl*; **≗er** *m* spécialiste *m*; *Sport* as *m*.
konsequen|t logique; conséquent; *~ handeln* agir avec logique; **≗z** *f* conséquence *f*; esprit *m* de suite.
konservativ conservateur; **≗e(r)** *m*, *f* conservateur *m*, -trice *f*.
Konserv|e *f* conserve *f*; **~endose** *f* boîte *f* de conserve; **~enfabrik** *f* conserverie *f*; **≗ieren** conserver; **~ierung** *f* conservation *f*; **~ierungsstoff** *m* conservateur *m*.
Konsonant *m* consonne *f*.
konstant constant; *adv* constamment.
konstruieren construire.
Konstruk|teur *m* constructeur *m*; **~tion** *f* construction *f*.

Konsul *m* consul *m*; **~at** *n* consulat *m*.
konsultieren consulter.
Konsum *m* consommation *f*; **~artikel** *m* article *m* de consommation courante; **~ent** *m* consommateur *m*; **~gesellschaft** *f* société *f* de consommation; **≈ieren** consommer.
Kontakt *m* contact *m*; *in ~ stehen* être en contact (*mit* avec); **≈freudig** ouvert, sociable; **~linsen** *f/pl* lentilles *f/pl od* verres *m/pl* de contact.
Kontinent *m* continent *m*.
kontinuierlich continu.
Konto *n* compte *m*; **~auszug** *m* relevé *m* de compte.
Kontrast *m* contraste *m*.
Kontroll|e *f* contrôle *m*; ⚠ *le* contrôle; **~eur** *m* contrôleur *m*; **≈ieren** contrôler; **~punkt** *m*, **~stelle** *f* poste *m* de contrôle.
Konversation *f* conversation *f*; **~slexikon** *n* encyclopédie *f*.
Konzentration *f* concentration *f*; **~slager** *n* camp *m* de concentration.
konzentrieren (*sich ~* se) concentrer (*auf* sur).
Konzept *n Entwurf* brouillon *m*; *Plan* plan *m*, conception *f*; *fig j-n aus dem ~ bringen* embrouiller qn.
Konzert *n* concert *m*; *Solo≈* récital *m*.
Konzession *f* concession *f*; *comm a* licence *f*.
Konzil *égl n* concile *m*.
konzipieren concevoir.
koordinier|en coordonner; **≈ung** *f* coordination *f*.
Kopf *m* tête *f* (*a fig*); *~ hoch!* du courage!; *pro ~* par personne; *im ~ rechnen* calculer de tête; *fig j-m über den ~ wachsen* dépasser qn; *sich den ~ zerbrechen* se casser la tête; *~ an ~* coude à coude; **~arbeit** *f* travail *m* intellectuel; **~ball** *m* tête *f*; **~bedeckung** *f* coiffure *f*, F couvre-chef *m*.
köpfen décapiter; *Ball* envoyer de la tête.
Kopf|ende *n Bett* chevet *m*; **~hörer** *m* casque *m*; **~jäger** *m* chasseur *m* de têtes; **~kissen** *n* oreiller *m*; **≈los** *fig aufgeregt* affolé; *gedankenlos* étourdi; **~rechnen** *n* calcul *m* mental; **~salat** *m* laitue *f*; **~schmerzen** *m/pl* mal *m* de tête; **~schütteln** *n* hochement *m* de tête; **~sprung** *m* plongeon *m*; **~stand** *m* poirier *m*; **~tuch** *n* foulard *m*; **≈über** la tête (la) première; **~zerbrechen** *n j-m ~ machen* poser des problèmes à qn.
Kopie *f* copie *f*; **≈ren** copier; **~rgerät** *n* duplicateur *m*; photocopieuse *f*.
Koppel[1] *n Gürtel* ceinturon *m*.
Koppel[2] *f Weide* enclos *m*.
koppeln *tech* coupler; *fig* combiner.
Koralle *f* corail *m*.
Korb *m* panier *m*, corbeille *f*; *fig e-n ~ bekommen* essuyer un refus; **~möbel** *n* meuble *m* en osier *od* en rotin.
Kord *m* velours *m* côtelé; **~hose** *f* pantalon *m* en velours.
Korea *n* la Corée.
Korinthe *f* raisin *m* sec *od* de Corinthe.
Kork *m* liège *m*; **~en** *m* bouchon *m*; **~enzieher** *m* tire-bouchon *m*.
Korn *n* grain *m*, céréales *f/pl*, blé *m*; *Visier≈* guidon *m*; **~blume** *bot f* bleuet *m*; **~feld** *n* champ *m* de blé.
körnig granuleux.
Körper *m* corps *m*; **~bau** *m* constitution *f*, stature *f*; **~behinderte(r)** *m* handicapé *m* physique; **~geruch** *m* odeur *f* corporelle; **~größe** *f* taille *f*; **~haltung** *f* tenue *f*; **~kraft** *f* force *f* physique; **≈lich** physique, corporel; **~pflege** *f* hygiène *f* corporelle; **~schaft** *f* corps *m*, corporation *f*; **~teil** *m* partie *f* du corps; **~verletzung** *jur f* coups *m/pl* et blessures.
Korps *n* corps *m*.
korpulen|t corpulent; **≈z** *f* embonpoint *m*, corpulence *f*.
korrekt correct.
Korrektur *f* correction *f*.
Korrespond|ent(in *f*) *m* correspondant *m*, -e *f*; *e-r Firma* correspondancier *m*, -ière *f*; **~enz** *f* correspondance *f*; **≈ieren** *mit j-m ~* correspondre avec qn.
Korridor *m* couloir *m*, corridor *m*.
korrigieren corriger.
korrupt corrompu; **≈ion** *f* corruption *f*.
kose|n caresser; **≈name** *m* petit nom; **≈wort** *n* mot *m* tendre.
Kosmeti|k *f* cosmétique *f*, soins *m/pl* de beauté; **~kerin** *f* esthéticienne *f*; **≈sch** cosmétique; *~e Chirurgie* chirurgie plastique.
kosm|isch cosmique; **≈onaut** *m* cosmonaute *m*; **≈os** *m* cosmos *m*.
Kost *f* nourriture *f*; *gute ~* bonne chère *f*; **≈bar** précieux; **~barkeit** *f Gegenstand* objet *m* précieux *od* de valeur.

J K

kosten[1] coûter; *was od wieviel kostet ...?* combien coûte ...?; *viel ~* coûter cher.
kosten[2] *Speisen* goûter, déguster.
Kosten *pl* frais *m/pl*, coût *m*, dépenses *f/pl*; *auf ~ von* aux frais de; *fig* aux dépens de; **~erstattung** *f* restitution *f* des frais; **2los** gratuit(ement); **~voranschlag** *m* devis *m*.
köstlich délicieux, savoureux; *fig* amusant; *sich ~ amüsieren* s'amuser drôlement bien.
Kost|probe *f* échantillon *m*; **2spielig** coûteux.
Kostüm *n* costume *m*; *Damen2* tailleur *m*; **~ball** *m*, **~fest** *n* bal costumé.
Kot *m* excréments *m/pl*.
Kotelett *n* côtelette *f*; **~en** *pl Bart* pattes *f/pl*.
Köter *m* F cabot *m*, clebs *m*.
Kotflügel *m* aile *f*, garde-boue *m*.
kotzen P dégobiller, dégueuler.
Krabbe *f Garnele* crevette *f*; *Krebs* crabe *m*.
krabbeln *Kind* marcher à quatre pattes; *Insekten* courir, grouiller.
Krach *m* fracas *m*; *Lärm* vacarme *m*, F tapage *m*, boucan *m*; *Zerwürfnis* différend *m*, brouille *f*; *~ machen* faire du tapage *od* du vacarme; *mit j-m ~ haben* être brouillé avec qn; **2en** craquer; *gegen etw ~* heurter qc avec fracas.
krächzen croasser; *Mensch* parler avec une voix éraillée.
Kraft *f* force *f*; *Rüstigkeit* vigueur *f*; *Person* aide *m*, *f*, collaborateur *m*, -trice *f*; *in ~ treten (sein)* entrer (être) en vigueur.
kraft *prép* en vertu de.
Kraft|anstrengung *f* effort *m*; **~brühe** *f* consommé *m*; **~fahrer(in** *f*) *m* automobiliste *m*, *f*; **~fahrzeug** *n* véhicule *m* automobile; **~fahrzeugschein** *m* carte *f* grise; **~fahrzeugsteuer** *f* vignette *f* automobile.
kräftig fort, vigoureux; *nahrhaft* substantiel; **~en** fortifier, tonifier.
kraft|los faible, sans force; **2probe** *f* épreuve *f* de force; **2stoff** *m* carburant *m*; **~voll** vigoureux; **2wagen** *m* automobile *f*; **2werk** *n* centrale *f* électrique.
Kragen *m* col *m*; **~weite** *f* encolure *f*.
Krähe *zo f* corneille *f*; **2n** *Hahn* chanter.
Kralle *f* griffe *f*.
Kram *m* affaires *f/pl*, F fourbi *m*; *Plunder* fatras *m*; **2en** fouiller (*in* dans); **~laden** *m* bazar *m*.
Krampf *méd m* crampe *f*, spasme *m*; **~ader** *f* varice *f*; **2haft** convulsif, spasmodique.
Kran *m* grue *f*.
Kranich *zo m* grue *f*.
krank malade; *~ werden* tomber malade; **2e(r)** *m*, *f* malade *m*, *f*.
kränkeln être maladif, être de santé fragile.
kranken *~ an* pécher par.
kränken offenser, blesser, vexer.
Kranken|bett *n* lit *m* de malade; **~geld** *n* indemnité *f* journalière; **~gymnast(in** *f*) *m* kinésithérapeute *m*, *f* (*abr* kinési); **~gymnastik** *f* gymnastique *f* médicale, kinésithérapie *f*; **~haus** *n* hôpital *m*; **~kasse** *f* caisse *f* (de) maladie; **~pfleger** *m* infirmier *m*; **~schein** *m* *etwa* feuille *f* de maladie; **~schwester** *f* infirmière *f*; **~trage** *f* brancard *m*; **~versicherung** *f* assurance *f* maladie; **~wagen** *m* ambulance *f*; **~zimmer** *n* chambre *f* de malade *od* d'hôpital.
krankhaft maladif.
Krankheit *f* maladie *f*; **~serreger** *m* agent *m* pathogène.
kränklich maladif, souffreteux.
Kränkung *f* offense *f*, vexation *f*.
Kranz *m* couronne *f*.
Krapfen *cuis m* beignet *m*.
kraß extrême, frappant; *sich ~ ausdrücken* s'exprimer crûment.
Krater *m* cratère *m*.
kratz|en (*sich ~* se) gratter; *fig* F *das kratzt mich nicht* ça ne me touche pas; **2er** *m* égratignure *f*, éraflure *f*; *die Platte hat e-n ~* le disque est rayé.
kraulen *Sport* nager le crawl; *liebkosen* gratter doucement, caresser.
kraus *Haar* crépu, frisé.
kräuseln *Haar* friser; *Stoff* crêper, froncer; *sich ~ Haar* friser; *Wasser* se rider.
Kraut *n* herbe *f*; *Blätter* fanes *f/pl*; *Kohl* chou *m*.
Krawall *m* échauffourée *f*, tumulte *m*, bagarre *f*; *Lärm* tapage *m*.
Krawatte *f* cravate *f*.
Krebs *m zo* écrevisse *f*; *méd* cancer *m*; *astr* Cancer *m*; **2artig** *méd* cancéreux; **2erregend** cancérigène; **~geschwulst** *f* tumeur *f* cancéreuse; **2krank** malade du cancer, cancéreux.

Kredit *écon m* crédit *m.*
Kreide *f* craie *f.*
Kreis *m* cercle *m*; *Verwaltungs*♀ district *m*, canton *m*, arrondissement *m*; *im ~ gehen* tourner en rond; *in diplomatischen ~en* dans les milieux diplomatiques.
kreischen criailler, piailler.
Kreisel *m Spielzeug* toupie *f*; *phys* gyrostat *m.*
kreisen tourner (*um* autour de); *Blut* circuler.
kreis|förmig circulaire; ♀**lauf** *m* circuit *m*, cycle *m*, circulation *f*; ♀**laufstörungen** *méd f/pl* troubles *m/pl* circulatoires; **~rund** rond, en forme de cercle; ♀**säge** *f* scie *f* circulaire.
Kreißsaal *m* salle *f* d'accouchement.
Kreisverkehr *m* sens *m* giratoire.
Krempe *f Hut* bord *m.*
Krempel *m* F fatras *m*, fourbi *m*, bataclan *m.*
Kren *östr m* raifort *m.*
krepieren *Granate* éclater, exploser; *Tier*, P *Mensch* crever.
Krepp *m* crêpe *m*; **~(p)apier** *n* papier *m* crêpon.
Kresse *bot f* cresson *m.*
Kreuz *n* croix *f*; *Körperteil* reins *m/pl*; *Kartenspiel* trèfle *m*; *mus* dièse *m*; *über ~* en croix; ⚠ *la* croix; ♀**en** (*sich ~* se) croiser; **~er** *m mar* croiseur *m*; **~fahrt** *f* croisière *f*; **~feuer** *n fig ins ~ geraten* être attaqué de tous côtés; **~gang** *arch m* cloître *m*; ♀**igen** crucifier; **~igung** *f* crucifixion *f*; **~otter** *f* vipère *f*; **~schmerzen** *m/pl* mal *m* de reins; **~ung** *f* croisement *m*; *Straßen*♀ carrefour *m*; **~worträtsel** *n* mots *m/pl* croisés; **~zug** *hist m* croisade *f.*
kriech|en ramper; *péj* faire de la lèche (*vor j-m* à qn); ♀**spur** *auto f* file *f* destinée aux véhicules lents; ♀**tier** *n* reptile *m.*
Krieg *m* guerre *f*; *mit j-m ~ führen* faire la guerre à qn; *in den ~ ziehen* partir en guerre (*gegen* contre).
kriegen F avoir, recevoir; *Krankheit* attraper.
Krieger *m* guerrier *m*; **~denkmal** *n* monument *m* aux morts; ♀**isch** belliqueux, guerrier.
kriegführend belligérant.
Kriegs|beil *n fig das ~ ausgraben* (*begraben*) déterrer (enterrer) la hache de guerre; **~beschädigte(r)** *m* mutilé *m* de guerre; **~dienst** *m* service *m* militaire; **~dienstverweigerer** *m* objecteur *m* de conscience; **~erklärung** *f* déclaration *f* de guerre; **~gefangene(r)** *m* prisonnier *m* de guerre; **~gefangenschaft** *f* captivité *f*; **~gericht** *n* cour *f* martiale; **~schäden** *m/pl* dommages *m/pl* de guerre; **~schauplatz** *m* théâtre *m* des opérations; **~schiff** *n* vaisseau *m od* bâtiment *m od* navire *m* de guerre; **~teilnehmer** *m* combattant *m*; **~verbrecher** *m* criminel *m* de guerre; **~versehrte(r)** *m* mutilé *m* de guerre; **~zustand** *m* état *m* de guerre.
Krimi *m Roman* (roman *m*) policier *m*, F polar *m*; *Film* film *m* policier.
Kriminal|beamte(r) *m* agent *m* de la police judiciaire; **~ität** *f* criminalité *f*, délinquance *f*; **~polizei** *f* police *f* judiciaire, brigade *f* criminelle; **~roman** *m* roman *m* policier.
kriminell criminel; ♀**e(r)** *m* criminel *m.*
Krimskrams *m* F pacotille *f*, camelote *f.*
Kripo *f* P. J. *f* (= police *f* judiciaire).
Krippe *f* crèche *f*; *Futter*♀ mangeoire *f.*
Krise *f* crise *f*; ♀**ln** *es kriselt* une crise menace.
Kristall *m u n* cristal *m.*
Kriterium *n* critère *m.*
Kriti|k *f* critique *f*; **~ker** *m* critique *m*; ♀**sch** critique; ♀**sieren** critiquer.
kritzeln griffonner, gribouiller.
Krokodil *zo n* crocodile *m.*
Krone *f* couronne *f.*
krönen couronner (*j-n zum König* qn roi).
Kron|leuchter *m* lustre *m*; **~prinz** *m* prince m héritier.
Krönung *f* couronnement *m.*
Kropf *m méd* goitre *m*; *zo* jabot *m.*
Kröte *zo f* crapaud *m.*
Krücke *f* béquille *f.*
Krug *m* cruche *f*, pichet *m*; *Bier*♀ chope *f.*
Krümel *m* miette *f.*
krumm courbe; *gebogen* courbé; *verbogen* tordu; *fig* louche.
krümm|en courber; *biegen* plier; *sich ~* se tordre; ♀**ung** *f* courbe *f*, courbure *f.*
Krüppel *m* estropié *m*, infirme *m.*
Kruste *f* croûte *f.*
Krypta *arch f* crypte *f.*
Kübel *m* baquet *m*; *Eimer* seau *m.*

J K

Kubik|meter *m* mètre *m* cube; **~wurzel** *math f* racine *f* cubique; **~zahl** *math f* cube *m*.

Küche *f* cuisine *f*.

Kuchen *m* gâteau *m*; *Obst*♀ tarte *f*; **~form** *f* moule *m* à gâteaux.

Küchen|geräte *n/pl* ustensiles *m/pl* de cuisine; **~geschirr** *n* vaisselle *f* ordinaire; **~herd** *m* fourneau *m* de cuisine, cuisinière *f*; **~maschine** *f* mixer *m*, robot *m* ménager; **~schrank** *m* buffet *m* de cuisine.

Kuckuck *zo m* coucou *m*.

Kufe *f Schlitten* patin *m*.

Kugel *f* boule *f*; *math* sphère *f*; *Billard*♀ bille *f*; *Gewehr*♀ balle *f*; *Kanonen*♀ boulet *m*; *Sport* poids *m*; **♀förmig** sphérique; **~lager** *tech n* roulement *m* à billes; **♀rund** rond comme une boule; F *Person* rondelet; **~schreiber** *m* stylo *m* (à) bille; **♀sicher** pare-balles; **~stoßen** *Sport n* lancer *m* du poids.

Kuh *f* vache *f*; **~handel** *m péj* marchandage *m*.

kühl frais; *fig* froid; **♀anlage** *f* installation *f* frigorifique; **♀box** *f* glacière *f*.

Kühle *f* fraîcheur *f*; *fig* froideur *f*.

kühl|en rafraîchir; *Lebensmittel* réfrigérer; *Motor* refroidir; **♀er** *m auto* radiateur *m*; **♀erhaube** *f* capot *m*; **♀raum** *m* chambre *f* froide; **♀schrank** *m* réfrigérateur *m*, frigo F *m*; **♀truhe** *f* congélateur *m*.

kühn hardi; **♀heit** *f* hardiesse *f*.

Kuhstall *m* étable *f*.

Küken *n* poussin *m*.

kulant arrangeant, coulant en affaires.

Kuli *m* coolie *m*; F stylo *m*.

Kulisse *f Bühnenbild* décor *m*; *fig Rahmen* cadre *m*; *hinter den ~n* dans les coulisses.

kullern F rouler, dégringoler.

Kult *m* culte *m*.

kultivieren cultiver.

Kultur *f Bildung*, *agr* culture *f*; *e-s Volkes* civilisation *f*; **~abkommen** *n* accord *m* culturel; **~beutel** *m* trousse *f* de toilette; **♀ell** culturel; **~film** *m* documentaire *m*; **~geschichte** *f* histoire *f* de la civilisation; **~volk** *n* peuple *m* civilisé; **~zentrum** *n* centre *m* culturel.

Kultusminister *m* ministre *m* de l'Éducation.

Kümmel *bot m* cumin *m*.

Kummer *m* chagrin *m*, affliction *f*, peine *f*, soucis *m/pl*.

kümmer|lich misérable; **~n** *sich ~ um* s'occuper de; *was kümmert mich das* je ne m'en soucie guère.

Kumpel *m Bergmann* mineur *m*; F *Freund* copain *m*, copine *f*.

Kund|e *m*, **~in** *f* client *m*, -e *f*; **~endienst** *m* service *m* après-vente; *auto* service *m* entretien.

Kundgebung *f* manifestation *f*.

kündig|en donner congé à, donner son préavis à, congédier; *Vertrag* résilier, dénoncer; **♀ung** *f* congé *m*, préavis *m*; **♀ungsfrist** *f* (délai *m* de) préavis *m*.

Kundschaft *f* clientèle *f*.

künftig à venir, futur; *adv* à l'avenir.

Kunst *f* art *m*; *das ist keine ~* ce n'est pas difficile; **~akademie** *f* École *f* des beaux-arts; **~ausstellung** *f* exposition *f* d'œuvres d'art; **~dünger** *m* engrais *m* chimique; **~faser** *f* fibre *f* synthétique; **~fehler** *m* faute *f* professionnelle; **♀fertig** adroit; **~fertigkeit** *f* adresse *f*; **~fliegen** *n* acrobatie *f* aérienne; **♀gerecht** conforme aux règles de l'art; **~geschichte** *f* histoire *f* de l'art; **~gewerbe** *n* arts *m/pl* décoratifs; **~griff** *m* artifice *m*; **~handel** *m* commerce *m* d'objets d'art; **~leder** *n* similicuir *m*.

Künstler|(in *f*) *m* artiste *m*, *f*; **♀isch** artistique; **~name** *m* pseudonyme *m*, nom *m* de guerre.

künstlich artificiel, factice.

Kunst|liebhaber(in *f*) *m* amateur *m* d'art; **~sammlung** *f* collection *f* d'objets d'art; **~seide** *f* rayonne *f*; **~stoff** *m* matière *f* plastique; **~stück** *n* tour *m* d'adresse; *das ist kein ~* ce n'est pas sorcier; **~turnen** *n* gymnastique *f* artistique, **♀voll** (fait) avec art; *sinnreich* ingénieux; **~werk** *n* œuvre *f* d'art.

kunterbunt *Farben* bariolé; *durcheinander* pêle-mêle.

Kupfer *n* cuivre *m*; **~stich** *m* estampe *f*, gravure *f* (en taille-douce).

Kuppe *f Berg* sommet *m*; *Finger* bout *m*.

Kuppel *f innen* coupole *f*; *äußere* dôme *m*.

Kuppelei *jur f* proxénétisme *m*.

kupp|eln *auto* embrayer; **♀lung** *f auto* embrayage *m*; *Zug*, *Anhänger* attelage *m*.

Kur *f* cure *f*.

Kür *f Sport* exercices *m/pl* libres; *Eislauf* figures *f/pl* libres.
Kurbel *f* manivelle *f*; **2n** tourner la manivelle; **~welle** *f* vilebrequin *m*.
Kürbis *bot m* courge *f*, potiron *m*, citrouille *f*.
Kur|gast *m* curiste *m*; **~haus** *n* casino *m*; **2ieren** guérir.
kurios curieux, bizarre, singulier, drôle.
Kur|ort *m* station *f* thermale; **~pfuscher** *m* charlatan *m*.
Kurs *m Geld, Lehrgang* cours *m*; *mar, aviat* route *f*, cap *m*; *pol* orientation *f*; *hoch im ~ stehen* être à la mode; **~buch** *n* indicateur *m* (des chemins de fer).
Kürschner *m* pelletier *m*, fourreur *m*.
kursieren *Geld* circuler; *Gerücht* courir.
Kurswagen *m Zug* voiture *f* directe.
Kurtaxe *f* taxe *f* de séjour.
Kurve *f* courbe *f*; *auto* virage *m*; **2nreich** sinueux.
kurz court; *Zeit* bref; *~ und gut* bref, en un mot; *vor ~em* récemment; *~ vorher* peu avant; *sich ~ fassen* être bref; *zu ~ kommen* ne pas avoir son compte; *~ angebunden* sec, peu loquace; **2arbeit** *f* chômage *m* partiel; **2arbeiter** *m* chômeur *m* partiel; **~ärmelig** à manches courtes.
Kürze *f* brièveté *f*; *in ~* sous peu; **2n** raccourcir, abréger.
kurz|erhand sans hésiter; **~fristig** à bref délai; *comm* à court terme; **~gefaßt** bref, succinct; **2geschichte** *f* nouvelle *f*; **~halten** *j-n ~* serrer la vis à qn; **~lebig** éphémère.
kürzlich récemment, dernièrement.
Kurz|schluß *tech m* court-circuit *m*; **~schlußhandlung** *psych f* coup *m* de tête; **~schrift** *f* sténographie *f*; **2sichtig** myope; **~streckenläufer** *Sport m* sprinter *m*; **2um** bref.
Kürzung *f* raccourcissement *m*, réduction *f*, diminution *f*; *math* simplification *f*.
Kurz|waren(geschäft *n*) *f/pl* mercerie *f*; **2weilig** divertissant; **~welle** *Radio f* ondes *f/pl* courtes.
Kusine *f* cousine *f*.
Kuß *m* baiser *m*; **2echt** *Lippenstift* indélébile.
küssen (*sich ~* s')embrasser; *Hand* baiser.
Küste *f* côte *f*; rivage *m*; littoral *m*; **~ngewässer** *n/pl* eaux *f/pl* territoriales; **~nschiffahrt** *f* cabotage *m*, navigation *f* côtière.
Küster *égl m* sacristain *m*.
Kutsche *f* carrosse *m*, diligence *f*, calèche *f*; **~r** *m* cocher *m*.
Kutteln *pl* tripes *f/pl*.
Kutter *mar m* cotre *m*; *Fisch2* chalutier *m*.
Kuvert *n Brief2* enveloppe *f*.
Kybernetik *f* cybernétique *f*.
KZ *n* camp *m* de concentration.

L

labil instable.
Labor *n* laboratoire *m*, F labo *m*; **~ant(in** *f*) *m* laborantin *m*, -ine *f*.
Labyrinth *n* labyrinthe *m*.
Lache *f Wasser* flaque *f*; *Blut* mare *f*.
lächeln 1. sourire (*über* de, *zu* à); **2.** 2 *n* sourire *m*.
lachen 1. rire (*über* de); *laut ~* rire aux éclats; *gezwungen ~* rire du bout des lèvres; **2.** 2 *n* rire *m*; *j-n zum ~ bringen* faire rire qn.
lächerlich ridicule; *j-n ~ machen* ridiculiser qn; *sich ~ machen* se rendre ridicule.
Lachs *zo m* saumon *m*.
Lack *m* laque *f*, vernis *m*; *auto* peinture *f*; **2ieren** laquer, vernir.
Lade|fläche *f* surface *f* de chargement; **~gerät** *n für Batterie* chargeur *m* de batterie; **~hemmung** *mil f* enrayage *m*.
laden charger (*a Batterie u mil*); *jur* citer en justice.
Laden *m* boutique *f*, *großer* magasin *m*; *Fenster2* volet *m*; **~dieb** *m* voleur *m* à l'étalage; **~diebstahl** *m* vol *m* à l'étalage; **~inhaber** *m* propriétaire *m* *od* patron *m* d'un magasin; **~preis** *m*

prix *m* de vente; **~schluß** *m* heure *f* de fermeture; **~tisch** *m* comptoir *m*.

Lade|rampe *f* rampe *f* de chargement; **~raum** *m Schiff* cale *f*.

Ladung *f Fracht* chargement *m*, cargaison *f*; *Spreng*≈, *elektrische* charge *f*; *jur* citation *f*.

Lage *f* situation *f*; position *f*; *Sach*≈ état *m* de choses; *Schicht* couche *f*; *in schöner ~ Haus* bien situé; *in der ~ sein, etw zu tun* être en mesure *od* à même *od* en état de faire qc.

Lager *n* camp *m* (*a pol*); *comm* entrepôt *m*, dépôt *m*; *Bett* lit *m*; *tech* palier *m*; *auf ~ haben* avoir en réserve; **~bestand** *m* stock *m*; **~feuer** *n* feu *m* de camp; **~haus** *n* entrepôt *m*.

lager|n *hinlegen* coucher; *comm* stocker, emmagasiner; être stocké; *ruhen* être couché; *kampieren* camper; *kühl ~* conserver au frais; **≈raum** *m* entrepôt *m*; **≈ung** *f comm* stockage *m*.

Lagune *f* lagune *f*.

lahm paralysé; *hinkend* boiteux; *fig* faible, apathique.

lähmen paralyser.

lahmlegen paralyser.

Lähmung *méd f* paralysie *f*.

Laib *m ~ Brot* miche *f* de pain; *~ Käse* meule *f* de fromage.

Laich *m* frai *m*; **≈en** frayer.

Laie *m* profane *m*, amateur *m*; *rel* laïque *od* laïc *m*; **≈nhaft** en amateur; **~nspiel** *n* théâtre *m* amateur.

Laken *n* drap *m*.

lakonisch laconique.

Lakritze *f* réglisse *f od m*.

lallen bafouiller, balbutier.

Lamelle *f* lamelle *f*, lame *f*.

Lamm *n* agneau *m*.

Lampe *f* lampe *f*; **~nfieber** *n* trac *m*; *~ haben* avoir le trac; **~nschirm** *m* abat-jour *m*.

Lampion *m* lampion *m*.

Land *n Fest*≈ terre *f*; *Erdboden* sol *m*; *géogr u pol* pays *m*; *Gegensatz zu Stadt* campagne *f*; *auf dem ~* à la campagne; **~arbeiter** *m* ouvrier *m* agricole; **~besitz** *m* propriété *f* foncière; **~bevölkerung** *f* population *f* rurale; **~bewohner** *m* campagnard *m*; **~ebahn** *f* piste *f* d'atterrissage; **≈einwärts** vers l'intérieur des terres.

landen *mar* accoster; *mil* débarquer; *aviat* atterrir, se poser.

Land|enge *f* isthme *m*; **~eplatz** *aviat m* terrain *m* d'atterrissage.

Länderspiel *Sport n* match *m* international.

Landes|farben *f/pl* couleurs *f/pl* nationales; **~grenze** *f* frontière *f*; **~innere** *n* intérieur *m*; **~sprache** *f* langue *f* nationale; **≈üblich** usité dans le pays; **~verräter** *m* traître *m* à son pays; **~verteidigung** *f* défense *f* nationale; **~währung** *f* monnaie *f* nationale.

Land|flucht *f* exode *m* rural; **~gemeinde** *f* commune *f* rurale; **~gericht** *n* tribunal *m* de grande instance; **~gewinnung** *f* conquête *f* de terrains sur la mer; **~haus** *n* maison *f* de campagne; *kleines* cottage *m*; **~karte** *f* carte *f* (géographique); **~kreis** *m* arrondissement *m*; **≈läufig** courant; **~leben** *n* vie *f* champêtre.

ländlich champêtre, rural; *einfach* rustique.

Landschaft *f* paysage *m*, région *f*, contrée *f*; **≈lich** du paysage; *~ sehr schön* très pittoresque.

Lands|mann *m*, **~männin** *f* compatriote *m*, *f*.

Land|straße *f* route *f*; **~streicher(in** *f*) *m* vagabond *m*, -e *f*; **~streitkräfte** *mil f/pl* forces *f/pl* terrestres; **~tag** *m* landtag *m*, Parlement *m* d'un land; **~tagsabgeordnete(r)** *m*, *f* député *m*, femme *f* député au landtag.

Landung *f mil* débarquement *m*; *aviat* atterrissage *m*; *weiche ~* atterrissage en douceur; **~sbrücke** *f*, **~ssteg** *m* débarcadère *m*.

Land|vermessung *f* arpentage *m*; **~weg** *m auf dem ~* par voie de terre; **~wirt** *m* agriculteur, cultivateur *m*; **~wirtschaft** *f* agriculture *f*; **≈wirtschaftlich** agricole; *~e Maschinen* machines *f/pl* agricoles; **~zunge** *f* langue *f* de terre, presqu'île *f*.

lang long; *drei Meter ~ sein* avoir trois mètres de longueur, être long de trois mètres; *drei Jahre ~* pendant trois années; *den ganzen Tag ~* pendant toute la journée; *seit ~em* depuis longtemps; *vor ~er Zeit* il y a longtemps de cela; *über kurz oder ~* tôt ou tard; **~atmig** verbeux; interminable; *Buch* ennuyeux.

lange longtemps, longuement; *wie ~?* combien de temps?; *es ist schon ~ her* il y a bien longtemps de cela.

Länge *f* longueur *f*; *géogr* longitude *f*; *in die ~ ziehen* (faire) traîner en longueur.

langen *ausreichen* suffire; *mir langt es!* F j'en ai marre!
Längen|grad *m* degré *m* de longitude; **~maß** *n* mesure *f* de longueur.
lang|ersehnt désiré depuis longtemps; **~erwartet** attendu depuis longtemps.
Lang|eweile *f* ennui *m*; ~ *haben* s'ennuyer; *aus* ~ par ennui, pour passer le temps; **&fristig** à long terme; **~lauf** *Schi m* course *f* de fond; **~läufer** *Schi m* skieur *m* de fond; **~lebigkeit** *f* longévité *f*.
länglich oblong, allongé.
längs *prép* le long de; *adv* dans le sens de la longueur.
langsam lent; *~er werden* ralentir; **&keit** *f* lenteur *f*.
Lang|schläfer *m* grand dormeur *m*; **~spielplatte** *f* disque *m* microsillon, 33 tours *m*.
längst depuis longtemps; *ich weiß es* ~ il y a longtemps que je le sais; **~ens** au plus tard.
Langstrecken|lauf *m* course *f* de fond; **~läufer** *m* coureur *m* de fond.
lang|weilen (*sich* ~ s')ennuyer; **~weilig** ennuyeux; **&welle** *Radio f* grandes ondes *f/pl*, ondes *f/pl* longues; **~wierig** long, laborieux, de longue haleine.
Lanze *f* lance *f*.
Lappalie *f* bagatelle *f*.
Lapp|e *m*, **~in** *f* Lapon *m*, -e *f*.
Lappen *m* chiffon *m*.
läppisch niais, puéril, ridicule.
Lappland *n* la Laponie.
Lapsus *m* lapsus *m*.
Lärche *bot f* mélèze *m*.
Lärm *m* bruit *m*, vacarme *m*, tapage *m*; **&en** faire du bruit; **&end** bruyant, tumultueux.
Larve *f* masque *m*; *zo* larve *f*.
lasch mou (molle); *Geschmack* fade.
Laserstrahl *m* rayon *m* laser.
lassen *zulassen* laisser; *veranlassen* faire; *etw machen* ~ faire faire qc; *j-n grüßen* ~ donner le bonjour à qn; *er kann das Rauchen nicht* ~ il ne peut pas s'arrêter de fumer; *laß das!* arrête-toi!
lässig nonchalant, désinvolte, F relax(e); **&keit** *f* nonchalance *f*, désinvolture *f*, P je-m'en-foutisme *m*.
Last *f* charge *f*, fardeau *m*; *j-m zur* ~ *fallen* être à charge à qn, importuner qn; *j-m etw zur* ~ *legen* imputer qc à qn; *comm zu ~en von* ... au débit de ...; **~auto** *n* camion *m*; **&en** ~ *auf* peser sur; **~enaufzug** *m* monte--charges *m*.
Laster[1] *n* vice *m*.
Laster[2] *m Lkw* camion *m*.
Läster|er *m*, **~in** *f* diffamateur *m*, -trice *f*.
lasterhaft vicieux, dépravé.
lästern *über j-n* ~ médire de qn, diffamer qn.
lästig importun, désagréable; *j-m* ~ *werden od fallen* importuner qn.
Last|kahn *m* péniche *f*, chaland *m*; **~kraftwagen** *m* poids *m* lourd, camion *m*; **~schrift** *comm f* poste *m* débiteur, débit *m*; **~tier** *n* bête *f* de somme; **~wagen** *m* camion *m*; **~wagenfahrer** *m* conducteur *m* de camion.
Latein *n* latin *m*; **&isch** latin; *~e Buchstaben* caractères *m/pl* romains.
latent latent.
Laterne *f* lanterne *f*; *Straßen&* réverbère *m*; **~npfahl** *m* lampadaire *m*.
latschen F traîner la patte, se traîner.
Latte *f* latte *f*; *Sport* barre *f*.
Lätzchen *n* bavette *f*.
Latzhose *f* salopette *f*.
lau tiède; *Luft*, *Wetter* doux; *fig* indifférent.
Laub *n* feuillage *m*, feuilles *f/pl*.
Laube *f* tonnelle *f*; **~nkolonie** *f* jardins *m/pl* ouvriers.
Laub|frosch *m* grenouille *f* verte; **~säge** *f* scie *f* à chantourner.
Lauch *bot m* poireau *m*.
Lauer *f auf der* ~ *liegen* se tenir aux aguets; **&n** guetter (*auf j-n, etw* qn, qc).
Lauf *m* course *f*; *Ver&*, *Fluß&* cours *m*; *Gewehr&* canon *m*; *im ~e der Zeit* à la longue; **~bahn** *f* carrière *f*; **~bursche** *m* garçon *m* de course.
laufen courir; *zu Fuß gehen* marcher; *fließen* couler; *Maschinen* marcher, fonctionner; **~d** *auf dem ~en sein* être au courant *od* à jour *od* à la page F; *am ~en Band* sans arrêt.
Läufer *m Sport* coureur *m*; *Treppen&* tapis *m* d'escalier; *Schach* fou *m*; **~in** *f* coureuse *f*.
Lauf|feuer *n wie ein* ~ comme une traînée de poudre; **~gitter** *n für Kinder* parc *m*; **~masche** *f* maille *f* qui file *od* filée; **~paß** *m j-m den* ~ *geben* envoyer promener qn; **~-**

schritt *m* pas *m* de gymnastique; **~stall** *m für Kinder* parc *m*; **~steg** *m* passerelle *f*.
Lauge *f* lessive *f*, eau *f* savonneuse.
Laun|e *Stimmung* humeur *f*; *Einfall* caprice *m*; **2enhaft, 2isch** capricieux.
Laus *zo f* pou *m*; **~bub** *m* petit voyou *m*, petit vaurien *m*.
lausch|en écouter (attentivement); **~ig** retiré, discret, intime.
lausig minable; *e-e ~e Kälte* un froid de canard.
laut 1. haut; fort; bruyant; *~ sprechen* parler à haute voix; *~er bitte!* parlez plus fort, s'il vous plaît!; **2.** *prép* suivant, d'après; **3. 2** *m* son *m*.
Laute *mus f* luth *m*.
läuten sonner; *es läutet* on sonne.
lauter pur; *fig* sincère; *~ Unsinn erzählen* ne raconter que des bêtises.
läutern (*sich ~* se) purifier.
laut|hals à haute voix; *lachen* à gorge déployée; **~los** silencieux; *gehen* à pas feutrés; **2malerei** *f* onomatopée *f*; **2schrift** *f* écriture *f* phonétique; **2sprecher** *m* haut-parleur *m*; **2stärke** *f* volume *m*; intensité *f* du son.
lauwarm tiède.
Lava *géol f* lave *f*.
Lavendel *bot m* lavande *f*.
lavieren *mar* louvoyer (*a fig*).
Lawine *f* avalanche *f*.
lax relâché; *~e Moral a* morale facile.
Lazarett *n* hôpital *m* militaire.
Lebemann *m* viveur *m*.
Leben *n* vie *f*; *am ~ sein* être en vie; *sich das ~ nehmen* se suicider; *das tägliche ~* la vie de tous les jours; *mein ~ lang* toute ma vie.
leben vivre; *gut ~* faire bonne chère; *von etw ~* vivre de qc; **~d** vivant; **~dig** vivant; *lebhaft* vif; **2digkeit** *f* vivacité *f*.
Lebens|abend *m* vieillesse *f*, déclin *m* de la vie; **~alter** *n* âge *m*; **~art** *f* manière *f* de vivre; *gute* savoir-vivre *m*; **~auffassung** *f* conception *f* de la vie; **~bedingungen** *f/pl* conditions *f/pl* de vie; **~dauer** *f* durée *f* de vie, longévité *f*; **~erfahrung** *f* expérience *f* de la vie; **~erwartung** *f* espérance *f* de vie; **2fähig** viable; **~frage** *f* question *f* vitale; **~gefahr** *f* danger *m* de mort; *unter ~* au péril de ma (sa *etc*) vie; **2gefährlich** très dangereux, mortel; **~gefährte** *m*, **~gefährtin** *f* compagnon *m*, compagne *f*; **2groß** (de) grandeur naturel; **~haltungskosten** *pl* coût *m* de la vie; **~kampf** *m* lutte *f* pour la vie; **~kraft** *f* force *f* vitale, vigueur *f*; **~lage** *f* situation *f*; **2länglich** *Strafe* à perpétuité; **~lauf** *m* curriculum *m* vitae; **2lustig** heureux de vivre; **~mittel** *n/pl* vivres *m/pl*, denrées *f/pl* alimentaires; **~mittelgeschäft** *n* épicerie *f*, magasin *m* d'alimentation; **~mittelhändler** *m* épicier *m*; **2müde** las de vivre, dégoûté de la vie; **~notwendigkeit** *f* nécessité *f* vitale; **~qualität** *f* qualité *f* de la vie; **~retter** *m* sauveteur *m*; **~standard** *m* niveau *m* de vie; **~unterhalt** *m* subsistance *f*; *seinen ~ verdienen* gagner sa vie; **~versicherung** *f* assurance *f* vie; **~weise** *f* manière *f* de vivre; **2wichtig** vital; **~zeichen** *n* signe *m* de vie; **~zeit** *f* durée *f* de la vie; *auf ~* à vie.
Leber *f* foie *m*; **~fleck** *m* grain *m* de beauté; **~tran** *m* huile *f* de foie de morue.
Lebe|wesen *n* être *m* vivant; **~wohl** *n* adieu *m*.
lebhaft vif; *Verkehr* intense; **2igkeit** *f* vivacité *f*.
Leb|kuchen *m* pain *m* d'épice; **2los** inanimé; **~zeiten** *pl zu seinen ~* de son vivant; *zu ~ seines Vaters* du vivant de son père.
lechzen *nach etw ~* être avide de qc.
leck *~ sein* avoir une fuite, fuir.
Leck *n* fuite *f*; *mar* voie *f* d'eau.
lecken 1. *leck sein* avoir une fuite, fuir; **2.** *mit der Zunge* (*sich ~* se) lécher.
lecker délicieux, appétissant; **2bissen** *m* friandise *f*.
Leder *n* cuir *m*; *weiches* peau *f*; **~hose** *f* culotte *f* de cuir *od* de peau; **2n** de *od* en cuir; **~sessel** *m* fauteuil *m* de cuir; **~waren** *pl* articles *m/pl* de cuir.
ledig célibataire; **~lich** uniquement, seulement.
Lee *mar f* côté *m* sous le vent.
leer vide.
Leere *f* vide *m*.
leer|en (*sich ~* se) vider; *räumen* évacuer; *den Briefkasten ~* faire la levée du courrier; **2gut** *n* emballage *m*; **2lauf** *m tech* marche *f* à vide; *auto* point *m* mort; **~stehend** *Wohnung* vide, vacant; **2ung** *f Post* levée *f*.

legal légal; **~isieren** légaliser; **²isierung** *f* légalisation *f*; **²ität** *f* légalité *f*.
Legasthen|ie *f* dyslexie *f*; **~iker** *m* dyslexique *m*.
legen mettre; *bedächtig* poser; *flach* coucher; (*Eier*) ~ pondre (des œufs); *sich schlafen* ~ se coucher; *sich* ~ *Person* s'allonger; *Gewitter* s'arrêter; *Schmerzen* se calmer.
Legende *f* légende *f*.
leger décontracté, F relax(e); ⚠ *nicht léger*.
Legierung *f* alliage *m*.
Legislative *f* (pouvoir *m*) législatif *m*.
legitim légitime; **²ität** *f* légitimité *f*.
Lehm *m* glaise *f*; **²ig** glaiseux.
Lehn|e *f* *Rücken²* dos *m*; dossier *m*; **²en** appuyer (*an* contre), adosser (à); *sich* ~ *an* s'appuyer contre, s'adosser à; *sich aus dem Fenster* ~ se pencher par la fenêtre; **~sessel** *m* fauteuil *m*.
Lehrbuch *n* manuel *m*, méthode *f*, cours *m*.
Lehre *f* *Belehrung* leçon *f*; *System* doctrine *f*; *Lehrzeit* apprentissage *m*; *Meßinstrument* calibre *m*, jauge *f*.
lehren *j-n etw* ~ enseigner *od* apprendre qc à qn.
Lehrer|(in *f*) *m* professeur *m* (*a von Frauen*), maître *m*, -sse *f*; *Grundschul²* instituteur *m*, -trice *f*; **~mangel** *m* manque *m* de professeurs, pénurie *f* de maîtres; **~zimmer** *n* salle *f* des professeurs.
Lehr|fach *n* matière *f* d'enseignement; **~gang** *m* cours *m*; stage *m*; **~herr(in** *f*) *m* patron *m*, -ne *f*; **~körper** *m* personnel *m* enseignant; **~kraft** *f* enseignant *m*; **~ling** *m* apprenti *m*, -e *f*; **~mittel** *n/pl* matériel *m* d'enseignement; **~plan** *m* programme *m* scolaire; **²reich** instructif; **~satz** *m* thèse *f*; *math* théorème *m*; **~stelle** *f* place *f* d'apprentissage; **~stuhl** *m* chaire *f*; **~tochter** *f* *Schweiz* apprentie *f*; **~vertrag** *m* contrat *m* d'apprentissage; **~zeit** *f* apprentissage *m*.
Leib *m* corps *m*; *Bauch* ventre *m*; *bei lebendigem* ~ tout vivant; *mit* ~ *und Seele* corps et âme.
Leibes|erziehung *f* éducation *f* physique; **~kräfte** *f/pl aus* ~*n schreien* crier à tue-tête; **~übungen** *f/pl* exercices *m/pl* physiques.
Leib|gericht *n* plat *m* préféré; **²haftig** en personne, en chair et en os, incarné; **²lich** corporel, physique; **~rente** *f* rente *f* viagère; **~wächter** *m* garde *m* du corps; **~wäsche** *f* linge *m* de corps.
Leiche *f* mort *m*, corps *m* mort, cadavre *m*.
leichen|blaß blanc comme un linge, blême, livide; **²feier** *f* obsèques *f/pl*; **²halle** *f* dépôt *m* mortuaire; **²rede** *f* oraison *f* funèbre; **²schauhaus** *n* morgue *f*; **²verbrennung** *f* crémation *f*; **²wagen** *m* corbillard *m*; **²zug** *m* cortège *m* *od* convoi *m* funèbre.
Leichnam *m* corps *m*, cadavre *m*.
leicht *Gewicht* léger; *zu tun* facile; **²athletik** *f* athlétisme *m*; **~fallen** *es fällt mir leicht zu ...* je n'ai pas de peine à ...; **~fertig** léger, étourdi; **²gewicht** *n* *Sport* poids *m* léger; **~gläubig** crédule; **²igkeit** *f* légèreté *f*; *Mühelosigkeit* facilité *f*; **²metall** *n* métal *m* léger; **~nehmen** prendre à la légère; *nimm's leicht!* ne t'en fais pas!; **²sinn** *m* étourderie *f*, légèreté *f*; **~sinnig** étourdi, F tête en l'air, insouciant; **~verständlich** facile à comprendre.
leid *es tut mir* ~, *daß od zu* je regrette que (+ *subj*) *od* de (+ *inf*); *das tut mir* ~ j'en suis désolé; *du tust mir* ~ tu me fais pitié.
Leid *n* chagrin *m*, douleur *f*, malheur *m*.
leiden 1. souffrir (*an, unter* de); *ich kann ihn nicht* ~ je ne peux pas le souffrir; **2.** **²** *n* souffrance *f*, douleur *f*; *méd* affection *f*; **~d** souffrant; **²schaft** *f* passion *f*; **~schaftlich** passionné.
leider malheureusement; ~! *a* hélas!
leidlich passable.
Leid|tragende(r) *m, f fig er ist der Leidtragende dabei* c'est lui qui en fait les frais; **~wesen** *n zu meinem* ~ à mon grand regret.
Leierkasten *m* orgue *m* de Barbarie.
Leih|bücherei *f* bibliothèque *f* de prêt; **²en** *j-m etw* ~ prêter qc à qn; *etw von j-m* ~ emprunter qc à qn; **~gebühr** *f* frais *m/pl* de location; **~haus** *n* mont-de-piété *m*; **~mutter** *f* mère *f* porteuse; **~wagen** *m* voiture *f* de location; **²weise** à titre de prêt.
Leim *m* colle *f*; **²en** coller.
Leine *f* corde *f*; *Hunde²* laisse *f*.
Lein|en *n* toile *f*, lin *m*; *in* ~ *gebunden* relié en toile; **²en** de *od* en toile; **~samen** *bot m* graine *f* de lin; **~wand** *f* toile *f*; *Film* écran *m*.

leise bas; *schwach* faible, léger; *mit ~r Stimme* à voix basse; *~r stellen* baisser.
Leiste *f Holz*≈ liteau *m*; *Zier*≈ baguette *f*; *Körpergegend* aine *f*.
leisten faire; *vollbringen* accomplir; *Dienst* rendre; *Hilfe* prêter; *sich etw ~* se payer, s'offrir, s'accorder qc; *Schule er könnte mehr ~* il pourrait faire davantage.
Leistung *f große* performance *f*, exploit *m*; *Arbeits*≈ travail *m* (accompli); *écon* rendement *m*; *tech* puissance *f*; *in Geld* prestation *f*; *Schule ~en pl* résultats *m/pl* obtenus; **~sdruck** *m* contrainte *f* d'obtenir de bons résultats; **≈sfähig** performant, efficace, efficient, productif; **~sfähigkeit** *f* efficacité *f*, productivité *f*, rendement *m*; **~skurs** *m Schule* matière *f* principale (dans le second cycle); **~sprämie** *f* prime *f* de rendement; **~ssport** *m* sport *m* de compétition.
Leit|artikel *m* éditorial *m*, article *m* de fond; **~bild** *n* modèle *m*.
leiten diriger; *verwalten* gérer; *tech* conduire; *fig* guider; **~d** *Stellung* dirigeant; *~er Angestellter m* cadre *m* (supérieur).
Leiter[1] *f* échelle *f*.
Leiter[2] *m*, **~in** *f* directeur *m*, -trice *f*, chef *m*, gérant *m*; *nur m phys* conducteur *m*.
Leit|faden *m* guide *m*, manuel *m*; **~gedanke** *m* idée *f* directrice, idée *f* maîtresse; **~motiv** *mus n* motif *m* dominant; leitmotiv *m* (*a fig*); **~planke** *f* glissière *f* de sécurité; **~spruch** *m* devise *f*.
Leitung *f Führung* direction *f*; *Wasser*≈, *Gas*≈ conduite *f*; *Strom*≈, *tél* ligne *f*; **~swasser** eau *f* du robinet.
Lektion *f* leçon *f*.
Lektor(in *f*) *m* lecteur *m*, -trice *f*.
Lektüre *f* lecture *f*.
Lende *f Rind* longe *f*, filet *m*; *~n pl Körpergegend* lombes *m/pl*, reins *m/pl*; **~nschurz** *m* pagne *m*.
lenk|en diriger, guider; *auto* conduire, piloter; **≈er(in** *f*) *m* conducteur *m*, -trice *f*; *nur m Lenkstange* guidon *m*; *Lenkrad* volant *m*; **≈rad** *n* volant *m*; **≈stange** *f Fahrrad* guidon *m*; **≈ung** *f auto* direction *f*.
Leopard *zo m* léopard *m*.
Lerche *zo f* alouette *f*.
lernen apprendre; *er lernt leicht* il a des facilités pour apprendre; *schwimmen ~* apprendre à nager.
Lernmittelfreiheit *f* gratuité *f* des fournitures et livres scolaires.
lesbar lisible.
Lesb|ierin *f* lesbienne *f*; **≈isch** lesbien.
Lese|buch *n* livre *m* de lecture; **~lampe** *f* lampe *f* de lecture.
lesen lire; *Ähren ~* glaner; **~swert** qui vaut la peine *od* digne d'être lu.
Leser(in *f*) *m* lecteur *m*, -trice *f*.
Lese|ratte *f* F rat *m* de bibliothèque; **~rbriefe** *m/pl* courrier *m* des lecteurs; **≈rlich** lisible; **~stoff** *m* lecture *f*; **~zeichen** *n* signet *m*.
Lesung *f* lecture *f*; *pol in erster ~* en première lecture.
letzt dernier; *zum ~en Mal(e)* pour la dernière fois; *in ~er Zeit* récemment; F *das ist das ≈e!* c'est impossible!; *zu guter ≈* à la fin; **~ens, ~hin** dernièrement, récemment, l'autre jour; **~lich** en fin de compte.
Leucht|e *f* lampe *f*; *fig er ist keine ~* ce n'est pas une lumière; **≈en** luire, briller; éclairer (*j-m* qn); **≈end** lumineux (*a fig*); **~er** *m* chandelier *m*, bougeoir *m*, *mehrarmiger* flambeau *m*; **~farbe** *f* couleur *f* fluorescente; **~feuer** *n aviat* balise *f*; *mar* fanal *m*; **~reklame** *f* réclame *f* lumineuse; **~röhre** *f* tube *m* néon; **~turm** *m* phare *m*; **~zifferblatt** *n* cadran *m* lumineux.
leugnen nier.
Leukämie *méd f* leucémie *f*.
Leukoplast *n* sparadrap *m*.
Leumund *m* réputation *f*.
Leute *pl* gens *m/pl* (*vorangehendes adj f/pl*), monde *m*; *junge ~* des jeunes gens.
Leutnant *m* sous-lieutenant *m*.
Lexikon *n* dictionnaire *m*.
Libanon *der ~* le Liban.
Libelle *zo f* libellule *f*.
liberal libéral; **≈ismus** *m* libéralisme *m*.
Licht 1. *n* lumière *f*; *Tages*≈ jour *m*; *~ machen* allumer la lumière; *fig j-n hinters ~ führen* mystifier qn; *grünes ~ geben* donner le feu vert; **2.** ≈ *adj* lumineux, clair.
Licht|bild *n* photo(graphie) *f*; *Dia* diapo(sitive) *f*; **~bildervortrag** *m* conférence *f* avec projections; **~blick** *m fig* lueur *f* d'espoir, éclaircie *f*; **≈empfindlich** sensible à la lumière.

lichten *Anker* lever; *Wald* éclaircir; *sich* ~ *Haare etc* s'éclaircir.

licht|erloh ~ *brennen* être tout en flammes (*a fig*); **&geschwindigkeit** *phys f* vitesse *f* de la lumière; **&hupe** *f* *die* ~ *betätigen* faire un appel de phares; **&jahr** *astr n* année-lumière *f*; **&maschine** *f auto* dynamo *f*; **&reklame** *f* réclame *f* lumineuse; **&schalter** *m* interrupteur *m*; **&schein** *m* lueur *f*; **~scheu** qui craint la lumière du jour; **&strahl** *m* rayon *m* de lumière.

Lichtung *f im Wald* clairière *f*.

Lid *n* paupière *f*; **~schatten** *n* ombre *f* à paupières.

lieb cher; *geliebt* chéri; *nett, artig* gentil; *der ~e Gott* le bon Dieu; *sei bitte so ~ und ...* sois gentil et ... (*od* de + *inf*); *Brief ~er Paul* cher Paul.

Liebe *f* amour *m* (*pl oft f*; *zu* de); ~ *auf den ersten Blick* coup *m* de foudre.

lieben (*sich* ~ s')aimer; *sexuell* faire l'amour (avec qn).

liebenswürdig aimable; **&keit** *f* amabilité *f*.

lieber plutôt; ~ *haben od mögen* aimer mieux (*als* que), préférer (*als* à); *etw ~ tun* aimer mieux *od* préférer faire qc; *du solltest ~ ...* tu ferais mieux de (+ *inf*).

Liebes|brief *m* lettre *f* d'amour; **~erklärung** *f* déclaration *f* (d'amour); **~kummer** *m* ~ *haben* avoir un chagrin d'amour; **~paar** *n* couple *m* d'amoureux; **~verhältnis** *n* liaison *f*.

lieb|evoll affectueux; **~gewinnen** prendre en affection; **~haben** aimer; **&haber** *m e-r Frau* amoureux *m*, amant *m*; *e-r Kunst* amateur *m*; **&haberei** *f* violon *m* d'Ingres, F dada *m*; **~kosen** caresser; **&kosung** *f* caresse *f*; **~lich** gracieux, agréable; *Gegend* charmant; **&ling** *m* favori *m*, -te *f*; préféré *m*, -e *f*; chouchou *m*, -te *f* F; *Anrede* chéri *m*, -e *f*; **&lingsbeschäftigung** *f* passe-temps *m* favori, violon *m* d'Ingres; **&lingsgericht** *cuis n* plat *m* préféré; **~los** sans cœur, sans amour; **&reiz** *m* charmes *m/pl*; **~reizend** charmant; **&schaft** *f* liaison *f*; **&ste(r)** *m, f* bien-aimé *m*, -e *f*.

Lied *n* chanson *f*; chant *m*; *Kirchen&* cantique *m*.

Liederabend *m* récital *m* de chant.

liederlich *unmoralisch* dissolu, débauché; *Arbeit* bâclé.

Liedermacher *m* compositeur *m* de chansons.

Liefer|ant *m* fournisseur *m*; **&bar** disponible; **~frist** *f* délai *m* de livraison.

liefer|n livrer; fournir (*a Beweis*); **&ung** *f* livraison *f*; **&wagen** *m* camionnette *f*, fourgonnette *f*.

Liege *f* divan *m*.

liegen *Lebewesen* être couché; *Ort* être situé; *Sache* se trouver; *es liegt Schnee* il y a de la neige; *mir liegt viel daran* j'y tiens beaucoup; **~bleiben** *Person* rester couché; *Ware* ne pas se vendre; *Arbeit* rester en souffrance; **~lassen** laisser; *vergessen* oublier; *fig j-n links ~* ignorer qn.

Liege|stuhl *m* chaise *f* longue, transatlantique *m*; **~stütz** *m Sport* traction *f*; *~e pl* F pompes *f/pl*; **~wagen** *m* voiture-couchettes *f*.

Lift *m* ascenseur *m*.

Liga *f* ligue *f*; *Sport* division *f*.

Likör *m* liqueur *f*; ⚠ *la* liqueur.

lila lilas, mauve.

Lilie *bot f* lis *m*, *a* lys *m*.

Limonade *f* limonade *f*.

Limousine *auto f* berline *f*.

Linde *bot f* tilleul *m*.

linder|n soulager, apaiser, adoucir; **&ung** *f* soulagement *m*, apaisement *m*, adoucissement *m*.

Lineal *n* règle *f*.

Linie *f* ligne *f*; *auf seine ~ achten* faire attention à sa ligne; **~nflug** *aviat m* vol *m* régulier; **~nrichter** *Sport m* juge *m* de touche; **&ntreu** *pol* fidèle à la ligne du parti.

lin(i)ieren régler.

Linke *die ~* la (main) gauche; *pol* la gauche.

link|e(r, -s) gauche; **&e(r)** *pol m* partisan *m* de la gauche; **~isch** maladroit, gauche, F empoté.

links à gauche; ~ *von* à gauche de; *von ~ nach rechts* de gauche à droite; *pol ~ stehen* être à gauche; **&außen** *m Fußball* ailier *m* gauche; **&händer(in** *f*) *m* gaucher *m*, -ère *f*.

Linse *f bot, Optik* lentille *f*.

Lippe *f* lèvre *f*; **~nbekenntnis** *n* aveu *m* du bout des lèvres; **~nstift** *m* bâton *m* de rouge, rouge *m* à lèvres.

liquidieren liquider.

lispeln zézayer, zozoter F.

List *f* ruse *f*, astuce *f*.

L

Liste *f* liste *f*.
listig rusé, astucieux, finaud.
Liter *n od m* litre *m*.
litera|risch littéraire; **℞tur** *f* littérature *f*; **℞turpreis** *m* prix *m* littéraire; ⚠ *Schreibung* littéraire, littérature.
Litfaßsäule *f* colonne *f* d'affiches, colonne *f* Morris.
live *TV* en direct.
Lizenz *f* licence *f*.
Lkw *m* camion *m*, poids *m* lourd.
Lob *n* louange *f*, éloge *m*; **℞en** faire l'éloge de, louer; **℞enswert** digne de louanges, louable.
löblich louable.
Loch *n* trou *m*; *fig Elendswohnung* taudis *m*; **℞en** poinçonner, perforer; **~er** *m* perforatrice *f*; **~karte** *f* fiche *f* perforée.
Locke *f* boucle *f*.
locken 1. *Haar* (*sich* ~ se) boucler; **2.** *an sich ziehen* attirer; **℞kopf** *m* tête *f* bouclée *od* frisée; **℞wickler** *m* bigoudi *m*.
lock|er lâche; relâché (*a fig Moral*); *entspannt* relax(e) F; **~ern** (*sich* ~ se) relâcher; *Sport* (s')assouplir; *Schraube, Knoten* (se) desserrer; **℞erungsübungen** *Sport f/pl* exercices *m/pl* d'assouplissement; **~ig** bouclé; **℞mittel** *n* appât *m*, leurre *m*; **℞spitzel** *m* agent *m* provocateur.
lodern flamber.
Löffel *m* cuiller *f od* cuillère *f*; **℞n** manger à la cuiller; **~voll** *m* cuillerée *f*.
Logbuch *mar n* journal *m od* livre *m* de bord.
Loge *f* loge *f*.
Logi|k *f* logique *f*; **℞sch** logique; **℞scherweise** logiquement.
Lohn *m* salaire *m*, paye *od* paie *f*; *Belohnung* récompense *f*; **~empfänger** *m* salarié *m*; **℞en** être payant *od* rentable; valoir la peine *od* F le coup; *das lohnt sich* cela vaut la peine; *der Film lohnt sich* le film vaut la peine d'être vu; **℞end** payant, rentable, rémunérateur, profitable; **~erhöhung** *f* augmentation *f* (de salaire); **~steuer** *f* impôt *m* sur le revenu; **~stopp** *m* blocage *m* des salaires; **~tüte** *f* enveloppe *f* de paye, paye *f*.
Loipe *f* piste *f* de ski de fond, loipe *f*.
Lokal 1. *n Gaststätte* restaurant *m*, café *m*; **2.** ℞ *adj* local.
Lokomotiv|e *f* locomotive *f*; **~führer** *m* mécanicien *m*.
London Londres.
Lorbeer *bot m* laurier *m*.
Lore *f* wagonnet *m*.
Los *n Schicksal* sort *m*, destin *m*, destinée *f*; *Lotterie℞* billet *m* de loterie; *das große ~ ziehen* gagner le gros lot (*a fig*).
los *abgetrennt* détaché; *~!* allez!; allons(-y)!; *was ist ~?* qu'est-ce qu'il y a?; *etw, j-n ~ sein* être débarrassé de qc, qn; *was ist mit dir ~?* qu'est-ce qui t'arrive?; *hier ist nicht viel ~* il ne se passe pas grand-chose ici.
losbinden délier, détacher.
Lösch|apparat *m* extincteur *m*; **℞en** éteindre; *Tonband* effacer; *Durst* étancher, apaiser; *den Durst ~ a* se désaltérer; **~papier** *n* buvard *m*.
lose lâche; *beweglich* mobile; *leichtfertig* frivole.
Lösegeld *n* rançon *f*.
losen tirer au sort (*um etw* qc).
lösen (*sich* ~ se) détacher (*von* de); *lockern* (*sich* ~ se) desserrer; *schmelzen* (*sich* ~ se) dissoudre; *Vertrag* annuler; *Aufgabe* résoudre; *Rätsel* deviner; *Fahrkarte* prendre, acheter.
los|fahren démarrer, partir; **~gehen** *aufbrechen* s'en aller, partir; *anfangen* commencer; *Feuerwaffe* partir; *auf j-n ~* aller droit *od* foncer sur qn; **~kaufen** racheter; **~ketten** déchaîner; **~kommen** arriver à se détacher (*von* de); **~lassen** lâcher; **~legen** F démarrer.
löslich soluble.
los|lösen détacher; **~machen** défaire, détacher; **~reißen** arracher; **~sagen** *sich ~ von* se détacher de, rompre avec; **~schnallen** *sich ~* défaire sa ceinture (de sécurité); **~schrauben** dévisser; **~stürzen** partir en vitesse; *auf j-n ~* se précipiter sur qn; **~trennen** détacher.
Losung *f Wahlspruch* mot *m* d'ordre; *Kennwort* mot *m* de passe.
Lösung *f* solution *f* (*a chim*); **~smittel** *n* solvant *m*.
los|werden se débarrasser de; **~ziehen** *weggehen* s'en aller, partir; *mit Worten* se déchaîner (*über, gegen* contre).
Lot *n Bleigewicht* (fil *m* à) plomb *m*; *math* perpendiculaire *f*.
löten souder.
Lothring|en *n* la Lorraine; **~er(in** *f*) *m* Lorrain *m*, -e *f*; **℞isch** lorrain.
Lötkolben *m* fer *m* à souder.

L

Lotse *m* pilote *m*; *Flug*≈ aiguilleur *m* du ciel.
Lotterie *f* loterie *f*; **~gewinn** *m* gain *m* à la loterie; **~los** *n* billet *m* de loterie.
Lotto *n* loto *m*; *im ~ spielen* jouer au loto; **~schein** *m* billet *m* de loto.
Löw|e *zo m*, **~in** *f* lion *m* (*astr* Lion *m*), -ne *f*; **~enzahn** *bot m* pissenlit *m*.
Luchs *zo m* lynx *m*.
Lücke *f* lacune *f*; *fig a* vide *m*; *Zahn*≈ brèche *f*; **~nbüßer** *m* bouche-trou *m*; **≈nhaft** plein de lacunes, incomplet; *Gedächtnis* défaillant; **≈nlos** sans lacunes, complet.
Ludwig *m* Louis *m*.
Luft *f* air *m*; *an der frischen ~* au grand air, en plein air; *die ~ anhalten* retenir sa respiration; *frische ~ schöpfen* prendre l'air; *in die ~ sprengen* faire sauter; *j-n wie ~ behandeln* ignorer qn; *j-n an die ~ setzen* flanquer qn à la porte; **~angriff** *m* raid *m* aérien, attaque *f* aérienne; **~ballon** *m* ballon *m*; **~bild** *n* photo *f* aérienne; **~blase** *f* bulle *f* d'air; **~brücke** *f* pont *m* aérien; **≈dicht** hermétique; **~druck** *m* pression *f* atmosphérique.
lüften aérer; *fig Geheimnis* dévoiler.
Luft|fahrt *f* aviation *f*, aéronautique *f*; **~feuchtigkeit** *f* humidité *f* de l'air; **~gewehr** *n* carabine *f* à air comprimé; **≈ig** bien aéré; *Kleidung* léger; **~kissenfahrzeug** *n* aéroglisseur *m*; **≈krank** *~ sein* avoir le mal de l'air; **~kurort** *m* station *f* climatique; **≈leer** vide (d'air); *~er Raum* vide *m*; **~linie** *f 50 km ~* 50 km à vol d'oiseau; **~loch** *n* trou *m* d'air; **~matratze** *f* matelas *m* pneumatique; **~pirat** *m* pirate *m* de l'air; **~post** *f* poste *f* aérienne; *mit ~* par avion; **~pumpe** *f* pompe *f* (à pneus); **~röhre** *f* trachée(-artère) *f*; **~schlauch** *m* chambre *f* à air; **~schlösser** *n/pl ~ bauen* faire des châteaux en Espagne; **~spiegelung** *f* mirage *m*.
Lüftung *f* ventilation *f*, aération *f*.
Luft|veränderung *f* changement *m* d'air; **~verkehr** *m* trafic *m* aérien; **~verschmutzung** *f* pollution *f* de l'air; **~waffe** *mil f* armée *f* de l'air; **~weg** *m auf dem ~* par air; **~zug** *m* courant *m* d'air.
Lüge *f* mensonge *m*.
lügen mentir; *das ist gelogen* c'est un mensonge.
Lügner(in *f*) *m* menteur *m*, -euse *f*.
Luke *f Fenster* lucarne *f*; *mar* écoutille *f*.
Lümmel *péj m* mufle *m*, rustre *m*, malotru *m*; **≈n** *sich ~* se vautrer.
Lump *m* gredin *m*, vaurien *m*.
Lump|en *m* chiffon *m*; *pl zerlumpte Kleider* guenilles *f/pl*, haillons *m/pl*; **~enpack** *n* canaille *f*, racaille *f*; **≈ig** *fig* misérable.
Lunge *f* poumon *m*; **~nentzündung** *f* pneumonie *f*.
lungern traîner.
Lupe *f* loupe *f*; *fig unter die ~ nehmen* examiner sur toutes les coutures.
Lust *f Freude* plaisir *m*; *Verlangen* envie *f*; *sinnliche* désir *m*; *~ auf od zu etw haben* avoir envie de qc; *~ haben, etw zu tun* avoir envie de faire qc; *zu nichts ~ haben* n'avoir goût à rien.
lüstern lascif, lubrique; **≈heit** *f* lascivité *f*.
lustig gai, joyeux, amusant, drôle; *sich ~ machen über* se moquer de.
Lüstling *m* satyre *m*.
lust|los sans entrain; **≈mord** *m* assassinat *m* avec viol; **≈spiel** *n* comédie *f*.
Luther|aner(in *f*) *m* luthérien *m*, -ne *f*; **≈isch** luthérien.
lutsch|en sucer; *am Daumen ~* sucer son pouce; **≈er** *m* sucette *f*.
Lüttich Liège.
Luv *mar f* côté *m* du vent.
Luxemburg *n* le Luxembourg; **~er(in** *f*) *m* Luxembourgeois *m*, -e *f*; **≈isch** luxembourgeois.
luxuriös luxueux; ⚠ *nicht luxurieux*.
Luxus *m* luxe *m*; **~artikel** *m* article *m* de luxe.
lynchen lyncher.
Lyrik *f* poésie *f* lyrique; *Ausdrucksart* lyrisme *m*; **~er(in** *f*) *m* poète *m* lyrique.
lyrisch lyrique.

L

M

Maas *f* Meuse *f*.
Mach|art *f* façon *f*; **²bar** faisable; *Plan* réalisable.
machen faire; *Prüfung* passer; *mit adj* rendre; *j-n glücklich* ~ rendre qn heureux; *was od wieviel macht das?* ça fait combien?; *das macht nichts* cela ne fait rien; *nach Entschuldigung* il n'y a pas de mal; *mach dir nichts daraus!* ne t'en fais pas!; *da kann man nichts* ~ on ne peut rien y faire; tant pis!; *mach mal od schon!* vas-y!; *mach's gut!* bonne chance!, bon courage!
Macht *f* pouvoir *m*; *Staat* puissance *f*; *an der* ~ *sein* être au pouvoir; **~haber** *m* détenteur *m* du pouvoir, dirigeant *m*.
mächtig puissant; *fig* énorme, massif.
Macht|kampf *m* lutte *f* pour le pouvoir; **²los** impuissant; **~probe** *f* épreuve *f* de force; **~übernahme** *pol f* prise *f* du pouvoir; **~wechsel** *pol m* changement *m* de gouvernement; **~wort** *n ein* ~ *sprechen* faire acte d'autorité.
Mädchen *n* jeune fille *f*; *Gegensatz zu Junge* fille *f*; *kleines* ~ petite fille *f*, fillette *f*; *Dienst²* bonne *f*; **²haft** de jeune fille; **~name** *m* nom *m* de jeune fille.
Made *zo f* ver *m*, asticot *m*.
madig *Früchte* véreux; *fig* ~ *machen* dénigrer.
Madonna *f* Vierge *f*.
Magazin *n* magasin *m*, dépôt *m*; *Zeitschrift* magazine *m*.
Magd *f* servante *f*, bonne *f*.
Magen *m* estomac *m*; **~beschwerden** *pl* indigestion *f*, embarras *m* gastrique; **~-Darm-Infektion** *méd f* gastro-entérite *f*; **~geschwür** *méd n* ulcère *m* d'estomac; **~krebs** *méd m* cancer *m* de l'estomac; **~schmerzen** *m/pl* maux *m/pl* d'estomac; F mal *m* au ventre.
mager maigre; **²keit** *f* maigreur *f*; **²milch** *f* lait *m* écrémé.
Mag|ie *f* magie *f*; **~ier** *m* magicien *m*; **²isch** magique.
Magister *m Universitätsgrad* maîtrise *f*; *östr cf Apotheker*.
Magistrat *m* conseil *m* municipal.
Magnet *m* aimant *m* (*a fig*); **²isch** magnétique; **²isieren** aimanter; **~ismus** *m* magnétisme *m*; **~nadel** *f* aiguille *f* aimantée.
Mahagoni *n* acajou *m*.
mäh|en *Gras* faucher; *Rasen* tondre; *Getreide* moissonner; **²drescher** *m* moissonneuse-batteuse *f*.
Mahl *n* repas *m*.
mahlen moudre.
Mahlzeit *f* repas *m*; *~!* bon appétit!
Mähne *f* crinière *f*; *von Menschen* tignasse *f*.
mahn|en *j-n an etw* ~ rappeler qc à qn; *zu etw* ~ exhorter à qc; **²mal** *n* mémorial *m*; **²ung** *f* avertissement *m*; exhortation *f*; *comm* sommation *f*.
Mähren *n* la Moravie.
Mai *m* mai *m*; *der Erste* ~ le Premier mai; **~glöckchen** *bot n* muguet *m*; **~käfer** *zo m* hanneton *m*.
Mailand Milan.
Mainz Mayence.
Mais *bot m* maïs *m*; **~kolben** *m* épi *m* de maïs.
Majestät *f* majesté *f*; *Anrede* Sire!; **²isch** majestueux.
Major *mil m* commandant *m*.
Majoran *bot m* marjolaine *f*.
makaber macabre.
Makel *m* tache *f*, défaut *m*.
mäkelig qui critique tout, difficile.
makellos sans défaut, parfait, irréprochable.
mäkeln *an etw* ~ critiquer qc mesquinement, trouver à redire à qc.
Makkaroni *cuis pl* macaronis *m/pl*.
Makler *comm m* courtier *m*; *Börse* agent *m* de change; *Immobilien* agent *m* immobilier.
Makrele *zo f* maquereau *m*.
Makrone *cuis f* macaron *m*.
Mal[1] **1.** *n* fois *f*; *zum ersten* (*letzten*) ~ pour la première (dernière) fois; *das nächste* ~ la prochaine fois; *mit e-m* ~ tout d'un coup; **2.** ² *math* fois; *zwei* ~ *fünf ist zehn* deux fois cinq font dix.
Mal[2] *n Zeichen* marque *f*.
mal F *cf einmal*; *wird meist nicht übersetzt*.
malen peindre.
Maler|(in *f*) *m* peintre *m* (femme *f* peintre); **~ei** *f* peinture *f*; **²isch** pittoresque.
Malkasten *m* boîte *f* de couleurs.

malnehmen multiplier (*mit* par).
Malz *n* malt *m*; **~kaffee** *m* (café *m* de) malt *m*.
Mama *f*, **Mami** *f enf* maman *f*.
man on.
Manager *m* manager *m*.
manch plus d'un, maint; *~e pl* certains, *nur adj* quelques; bien des ...; **~erlei** divers, toutes sortes de; **~mal** quelquefois.
Mandant *jur m* client *m*, mandant *m*.
Mandarine *bot f* mandarine *f*.
Mandat *jur, pol n* mandat *m*; **~ar** *östr m* député *m*.
Mandel *f bot* amande *f*; *Organ* amygdale *f*.
Manege *f Zirkus* piste *f*.
Mangel *m Fehler* défaut *m*; *Fehlen* absence *f* (*an* de); *Knappheit* manque *m* (*an* de), pénurie *f* (*an* de); *aus ~ an* faute de; **~erscheinung** *f* symptôme *m* de carence; **Ƨhaft** défectueux; *Schulnote* médiocre.
mangeln *es mangelt mir an etw* je manque de qc; qc me manque.
mangels à défaut de, faute de.
Mangelware *f* marchandise *f* rare.
Manie *f* manie *f*.
Manier *f* manière *f*; *gute ~en* bonnes manières, savoir-vivre *m*; *schlechte ~en* mauvaises manières; **Ƨlich** bien élevé, poli; *sich ~ betragen* bien se tenir.
Manifest *n* manifeste *m*.
manipulieren manipuler.
Manko *n comm* déficit *m*; *fig* manque *m*.
Mann *m* homme *m*; *Ehe*Ƨ mari *m*; *alter ~* vieillard *m*.
Männchen *n* petit homme *m*, bonhomme *m*; *Tier* mâle *m*.
Mannequin *n* mannequin *m*.
Mannes|alter *n* âge *m* viril; **~kraft** *f* force *f* virile, virilité *f*.
mannhaft viril.
mannig|fach, ~faltig varié, divers; **Ƨfaltigkeit** variété *f*, diversité *f*.
männlich mâle; *gr* masculin.
Mannschaft *f Sport, fig* équipe *f*; *mar, aviat* équipage *m*; **~sgeist** *Sport m* esprit *m* d'équipe.
Manöv|er *n* manœuvre *f*; ⚠ *la* manœuvre; **Ƨrieren** manœuvrer.
Mansarde *f* mansarde *f*; **~nfenster** *n* lucarne *f*.
Manschette *f* manchette *f*; *tech* joint *m*; **~nknopf** *m* bouton *m* de manchette.
Mantel *m* manteau *m*; *Überzieher* pardessus *m*; *Fahrrad* enveloppe *f*, bandage *m*.
Manuskript *n* manuscrit *m*.
Mäppchen *n Feder*Ƨ trousse *f*.
Mappe *f Aktentasche* serviette *f*; *Schul*Ƨ cartable *m*; *Ablege*Ƨ classeur *m*, chemise *f*.
Märchen *n* conte *m* (de fée); *fig ~ erzählen* raconter des histoires; **Ƨhaft** fabuleux, féerique, F fantastique.
Marder *zo m* martre *f*.
Margarine *f* margarine *f*.
Margerite *bot f* marguerite *f*.
Marienkäfer *zo m* coccinelle *f*.
Marille *östr f* abricot *m*.
Marine *f* marine *f*.
Marionette *f* marionnette *f*; **~ntheater** *n* théâtre *m* de marionnettes.
Mark[1] *f Geld* mark *m*; ⚠ *le* mark.
Mark[2] *n Knochen*Ƨ moelle *f*; *Frucht*Ƨ pulpe *f*.
Marke *f comm* marque *f*; *Spiel*Ƨ, *Kontroll*Ƨ jeton *m*; *Essens*Ƨ ticket *m*; *Brief*Ƨ timbre *m*; **~nartikel** *comm m* article *m* de marque.
markier|en marquer, repérer; *vortäuschen* jouer, simuler; **Ƨung** *f* marquage *m*, repérage *m*.
Markise *f* store *m*.
Markt *m* marché *m*; *auf den ~ bringen* mettre sur le marché, lancer; **~forschung** *écon f* étude *f* de marché; **~lage** *f* situation *f* du marché, conjoncture *f*; **~platz** *m* place *f* du marché; **~wirtschaft** *f* économie *f* de marché; *freie ~* économie libre.
Marmelade *f* confiture *f*, marmelade *f*.
Marmor *m* marbre *m*; **Ƨieren** marbrer.
Marokkan|er(in *f*) *m* Marocain *m*, -e *f*; **Ƨisch** marocain.
Marokko *n* le Maroc.
Marone *f* marron *m*.
Marsch[1] *m* marche *f* (*a mus*); ⚠ *la* marche.
Marsch[2] *f* polder *m*.
Marschall *m* maréchal *m*.
Marsch|befehl *m* ordre *m* de marche; **~flugkörper** *mil m* missile *m* de croisière; **Ƨieren** marcher.
Marsmensch *m* Martien *m*.
Marter *f* tourment *m*, torture *f*; **Ƨn** tourmenter, torturer; **~pfahl** *m* poteau *m* de torture.

M

Märtyrer(**in** *f*) *m* martyr *m*, -e *f*.
Marxis|mus *m* marxisme *m*; **~t**(**in** *f*) *m* marxiste *m*, *f*; **ᴥtisch** marxiste.
März *m* mars *m*.
Marzipan *n* pâte *f* d'amandes.
Masche *f* maille *f*; F *die neueste ~* le nouveau dada; **~ndraht** *m* grillage *m*.
Maschine *f* machine *f* (*auch Lok, Motorrad*); *Motor* moteur *m*; *Flugzeug* appareil *m*; *mit der ~ schreiben* taper à la machine, dactylographier.
Maschinen|bau *m* construction *f* de machines, construction *f* mécanique; **~bauer** *m* ingénieur *m* mécanicien; **~gewehr** *n* mitrailleuse *f*; **~öl** *n* huile *f* à machine; **~pistole** *f* mitraillette *f*; **~schaden** *m* avarie *f* de machine; **~schlosser** *m* mécanicien *m*; **~schreiben** *n* dactylographie *f*.
Maschinist *m* mécanicien *m*, conducteur *m*.
Masern *méd pl* rougeole *f*.
Maserung *f* madrure *f*.
Mask|e *f* masque *m*; ⚠ *le* masque; **~enball** *m* bal *m* masqué; **~enbildner**(**in** *f*) *m* maquilleur *m*, -euse *f*; **ᴥieren** masquer; *sich ~* se déguiser (*als* en).
Maß[1] *n* mesure *f*; *Mäßigung* modération *f*; *~e und Gewichte* poids et mesures; *nach ~* sur mesure; *in dem ~e wie* dans la mesure où; *in hohem ~e* dans une large mesure; *in zunehmendem ~e* de plus en plus.
Maß[2] *f* litre *m* de bière.
Massage *f* massage *m*; ⚠ *le* massage.
Massaker *n* massacre *m*.
Masse *f* masse *f*; *Menschen*ᴥ foule *f*; *die breite ~* le grand public.
Maßeinheit *f* unité *f* de mesure.
Massen|andrang *m* grande affluence *f*; **ᴥhaft** en masse; **~karambolage** *f* carambolage *m* en série; **~medien** *n*/*pl* mass media *m*/*pl*; **~mord** *m* massacre *m*.
Masseu|r *m*, **~se** *f* masseur *m*, -euse *f*.
maß|gebend, ~geblich qui fait autorité, déterminant, décisif; **~halten** garder la mesure, se modérer.
massieren masser.
massig volumineux, massif.
mäßig modéré; *im Essen* frugal, sobre; *Geldsumme* modique; *dürftig* médiocre; **~en** (*sich ~* se) modérer; *mildern* tempérer; *Tempo* ralentir; **ᴥung** *f* modération *f*.
massiv **1.** massif, solide; *fig* énergique, grossier; **2.** ᴥ *n Gebirge* massif *m*.
Maß|krug *m* chope *f*; **ᴥlos** démesuré, sans mesure; **~nahme** *f* mesure *f*; *~n ergreifen* prendre des mesures; **~stab** *m Karte* échelle *f*; *fig* norme *f*, critère *m*; **ᴥvoll** modéré, mesuré.
Mast[1] *m* mât *m* (*a mar*); *Strom*ᴥ pylône *m*.
Mast[2] *f agr* engraissement *m*.
Mastdarm *m* rectum *m*.
mästen engraisser.
Masturb|ation *f* masturbation *f*; **ᴥieren** masturber.
Match *n* match *m*; **~ball** *m Tennis* balle *f* de match.
Material *n Werkstoff* matériau *m*; *für geistige Arbeit* matériaux *m*/*pl*; *Stoff* matière *f*; *Ausrüstung* matériel *m*; **~ismus** *m* matérialisme *m*; **~ist** *m* matérialiste *m*; **ᴥistisch** matérialiste.
Materie *f* matière *f*.
materiell matériel.
Mathemati|k *f* mathématiques *f*/*pl*, maths *f*/*pl* F; **~ker** *m* mathématicien *m*; **ᴥsch** mathématique.
Matinee *f* séance *f* ayant lieu dans la matinée; ⚠ *nicht matinée*.
Matratze *f* matelas *m*.
Matrose *m* matelot *m*, marin *m*.
Matsch *m* boue *f*, gadoue *f*; **ᴥig** boueux, bourbeux; *Frucht* blet.
matt épuisé, abattu, faible; *Farbe*, *Foto* mat; *Glas* dépoli; *Schach* mat.
Matte *f* natte *f*; *Fuß*ᴥ paillasson *m*; *Sport* tapis *m*.
Mattigkeit *f* épuisement *m*, abattement *m*.
Mattscheibe *f Foto* verre *m* dépoli; F *Fernsehschirm* écran *m*.
Matura *östr*, *Schweiz f* baccalauréat *m*.
Mauer *f* mur *m*; **ᴥn** maçonner; **~werk** *n* maçonnerie *f*.
Maul *n* gueule *f*; *Pferd* bouche *f*; P *halt's ~!* ferme ta gueule!
maulen F ronchonner, rouspéter.
Maul|esel(**in** *f*) *m* mulet *m*, mule *f*; **~korb** *m* muselière *f*; **~tier** *n* mulet *m*, mule *f*.
Maulwurf *m* taupe *f*; **~shaufen** *m*, **~shügel** *m* taupinière *f*.
Maurer *m* maçon *m*; **~kelle** *f* truelle *f*.
Maus *zo f* souris *f*; **~efalle** *f* souricière *f*.
Mauser *f* mue *f*; *in der ~ sein* être en mue; **ᴥn** *sich ~* muer; *fig* faire peau neuve.

Mausoleum *n* mausolée *m*.
Maut *östr f* péage *m*; **~straße** *f* route *f* à péage.
maxim|al maximum, maximal; *adv* au maximum; **2um** *n* maximum *m*.
Mayonnaise *cuis f* mayonnaise *f*.
Mäzen *m* mécène *m*.
Mechan|ik *f* mécanique *f*; **~iker** *m* mécanicien *m*; **2isch** mécanique; *gedankenlos* machinal; **2isieren** mécaniser; **~isierung** *f* mécanisation *f*; **~ismus** *m* mécanisme *m*.
meckern *Ziege* chevroter; *fig* F rouspéter, râler.
Medaill|e *f* médaille *f*; **~on** *n* médaillon *m*.
Medikament *n* médicament *m*.
meditieren méditer (*über* sur).
Medium *n zur Information* média *m*; *phys* milieu *m*.
Medizin *f* médecine *f*; *Arznei* remède *m*; **~ball** *m* medicine-ball *m*; **~er** *m* médecin *m*; **2isch** médical; *~-technische Assistentin f* assistante *f* médicale; **~mann** *m* sorcier *m*, guérisseur *m*.
Meer *n* mer *f*; ⚠ *la* mer; **~busen** *m* golfe *m*; **~enge** *f* détroit *m*.
Meeres|früchte *cuis f/pl* fruits *m/pl* de mer; **~spiegel** *m* niveau *m* de la mer.
Meer|rettich *bot m* raifort *m*; **~schweinchen** *zo n* cobaye *m*.
Mehl *n* farine *f*; **2ig** farineux; **~speise** *östr f* entremets *m*.
mehr plus, davantage; *noch ~* encore plus; *immer ~* de plus en plus; *~ oder weniger* plus ou moins; *nicht ~* ne ... plus; *~ als* plus que; *vor Zahl* plus de; **2arbeit** *f* travail *m* supplémentaire; **2aufwand** *m* surcroît *m* de dépenses; **~deutig** ambigu, équivoque; **~en** *sich ~* se multiplier; **~ere** plusieurs; **~fach** multiple; *wiederholt* réitéré; *adv* à différentes reprises; **~farbig** polychrome; **2heit** *f* majorité *f*; **2heitswahl** *f* scrutin *m* majoritaire; **2kosten** *pl* frais *m/pl* supplémentaires; **~mals** plusieurs fois; **~stimmig** *Chor* à plusieurs voix; **2wert** *m* plus-value *f*; **2wertsteuer** *f* taxe *f* à la valeur ajoutée (*abr* T.V.A.); **2zahl** *gr f* pluriel *m*; *die ~ der Leute* la plupart des gens (+ *Verb im pl*); **2zweck...** *in Zssgn* à usages multiples; **2zweckhalle** *f* salle *f* polyvalente.
meiden éviter.
Meile *f* mille *m*; *hist* lieue *f*.
mein mon, ma, *pl* mes; *~er, ~e, ~es, der, die, das ~e od ~ige* le mien, la mienne.
Meineid *jur m* parjure *m*, faux serment *m*.
meinen être d'avis; *glauben* croire; *denken* penser; *sagen wollen* vouloir dire; *wie ~ Sie das?* qu'est-ce que vous entendez par là?; *ich habe es nicht so gemeint* ce n'est pas là ma pensée.
mein|erseits de ma part, de mon côté; **~etwegen** à cause de moi; pour moi; quant à moi; *~!* soit!, je le veux bien.
Meinung *f* opinion *f*, avis *m*; *meiner ~ nach* à mon avis; *der ~ sein, daß ...* être d'avis que ...; *seine ~ ändern* changer d'avis; *ich bin ganz Ihrer ~* je suis entièrement de votre avis; *j-m seine ~ sagen* dire sa façon de penser à qn.
Meinungs|austausch *m* échange *m* de vues; **~forschung** *f* sondage *m* d'opinion; **~freiheit** *f* liberté *f* d'opinion; **~umfrage** *f* sondage *m* d'opinion; **~verschiedenheit** *f* divergence *f* de vues, désaccord *m*.
Meise *zo f* mésange *f*.
Meißel *m* ciseau *m*; **2n** ciseler.
meist la plupart de; le plus de; (*die*) *~(e Zeit)* la plupart du temps; *die ~e Arbeit* le plus grand travail; *die ~en* (*Arbeiter*) la plupart (des ouvriers); *am ~en* le plus; **~ens** le plus souvent, la plupart du temps, généralement.
Meister|(in *f*) *m* maître *m*, -sse *f*; *Sport* champion *m*, -ne *f*; **2haft** (de main) de maître, magistral, achevé; **2n** maîtriser; **~schaft** *f* maîtrise *f*; *Sport* championnat *m*; **~stück** *n*, **~werk** *n* chef-d'œuvre *m*.
Melanchol|ie *f* mélancolie *f*; **2isch** mélancolique.
melden annoncer, rapporter, déclarer, signaler; *sich ~* se présenter (*bei* chez); *brieflich* donner signe de vie; *tél* répondre; *Schule* lever le doigt; *zur Prüfung* se faire inscrire; *sich zu Wort ~* demander la parole; *sich krank ~* se faire porter malade.
Meldeschluß *m* clôture *f* des inscriptions.
Meldung *f* annonce *f*, rapport *m*, déclaration *f*; *Nachricht* information *f*; *An2* inscription *f*.

M

meliert *~es Haar* cheveux poivre et sel.
melken traire.
Melod|ie *f* mélodie *f*; **2isch** mélodieux.
Melone *f bot* melon *m*; *Hut* chapeau *m* melon.
Membran *f* membrane *f*.
Memoiren *pl* mémoires *m/pl*.
Menge *f* quantité *f*; *große* multitude *f*; *Menschen*2 foule *f*; *math* ensemble *m*; F *e-e Menge* ... beaucoup de, F pas mal de, un tas de; **2n** mêler, mélanger; **~nlehre** *math f* théorie *f* des ensembles.
Mensa *f* restaurant *m* universitaire.
Mensch *m* homme, être *m* humain; *~en pl a* gens *m/pl*; *kein ~* personne (+ ne).
Menschen|alter *n* génération *f*; **~feind** *m* misanthrope *m*; **~fresser** *m* cannibale *m*; **~freund** *m* philanthrope *m*; **~geschlecht** *n* genre *m* humain; **~handel** *m* traite *f* des esclaves; **~haß** *m* misanthropie *f*; **~kenntnis** *f ~ haben* être bon psychologue; **~leben** *n* vie *f* humaine; **2leer** désert; **~liebe** *f* philanthropie *f*; **~menge** *f* foule *f*; **~raub** *m* kidnapping *m*, rapt *m*; **~rechte** *n/pl* droits *m/pl* de l'homme; **2scheu** farouche; **~seele** *f es war keine ~ da* il n'y avait pas âme qui vive; **2unwürdig** indigne d'un être humain, dégradant; **~verstand** *m gesunder ~* bon sens *m*, sens *m* commun; **~würde** *f* dignité *f* humaine.
Mensch|heit *f* humanité *f*, genre *m* humain; **2lich** humain; **~lichkeit** *f* humanité f.
Menstruation *f* règles *f/pl*.
Mentalität *f* mentalité *f*.
Menü *n* menu *m*.
Meridian *m* méridien *m*.
Merkblatt *n* notice *f*.
merk|en remarquer, s'apercevoir de; *sich etw ~* retenir qc; **~lich** sensible; *sichtlich* visible; **2mal** *n* marque *f*, signe *m*; *Anzeichen* indice *m*; *Eigenart* caractéristique *f*; **~würdig** étrange, curieux, bizarre; **~würdigerweise** curieusement.
meß|bar mesurable; **2becher** *m* mesure *f* graduée.
Messe *f rel* messe *f*; *Ausstellung* foire *f*, exposition *f*, salon *m*.
messen mesurer; *sich mit j-m ~* se mesurer avec *od* à qn.
Messer *n* couteau *m*; *Kampf bis aufs ~* au couteau, à mort; *auf des ~s Schneide stehen* ne tenir qu'à un fil; **~spitze** *f* pointe *f* de couteau; *cuis e-e ~* ... une pincée de; **~stecherei** *f* rixe *f* au couteau; **~stich** *m* coup *m* de couteau.
Messestand *m* stand *m*.
Meßgerät *n* appareil *m* de mesure.
Messing *n* laiton *m*, cuivre *m* jaune.
Meßinstrument *n* instrument *m* de mesure.
Messung *f* mesurage *m*.
Met *m* hydromel *m*.
Metall *n* métal *m*; **~arbeiter** *m* ouvrier *m* métallurgiste, métallo *m* F; **~bearbeitung** *f* travail *m* du métal; **~industrie** *f* industrie *f* métallurgique; **2isch** métallique; **~waren** *f/pl* objets *m/pl* en métal.
Metapher *f* métaphore *f*.
Meteor *m* météore *m*, météorite *f*; **~ologe** *m* météorologiste *m*; **~ologie** *f* météorologie *f*.
Meter *n od m* mètre *m*; **~maß** *n* mètre *m*.
Method|e *f* méthode *f*; **2isch** méthodique.
metrisch métrique; *~es Maßsystem* système *m* métrique.
Metropole *f* métropole *f*.
Metzger *m* boucher *m*; **~ei** *f* boucherie *f*.
Meute *f* meute *f*.
Meuter|ei *f* mutinerie *f*; **~er** *m* mutiné *m*, mutin *m*; **2n** se mutiner (*gegen* contre).
Mexikan|er(in *f*) *m* Mexicain *m*, -e *f*; **2isch** mexicain.
Mexiko *n* le Mexique; *Stadt* Mexico.
miau miaou; **~en** miauler.
mich me (*vor Vokal* m'); moi.
Miene *f* air *m*, mine *f*; *gute ~ zum bösen Spiel machen* faire contre mauvaise fortune bon cœur.
mies mauvais; F moche; **2macher** *m* défaitiste *m*, pessimiste *m*.
Miete *f* location *f*; *Preis* loyer *m*, (prix *m* de) location *f*; *zur ~ wohnen* être locataire.
miet|en louer; **2er(in** *f*) *m* locataire *m*, *f*.
Miet|preis *m* loyer *m*; **~shaus** *n* maison *f* de rapport; **~vertrag** *m* contrat *m* de location; **~wohnung** *f* appartement *m* loué.
Migräne *méd f* migraine *f*.
Mikrobe *f* microbe *m*; ⚠ *le* microbe.

M

Mikro|computer *m* micro-ordinateur *m*; **~elektronik** *f* micro-électronique *f*; **~film** *m* microfilm *m*; **~phon** *n* microphone *m*, F micro *m*; **~skop** *n* microscope *m*; **&skopisch** microscopique; **~wellenherd** *m* four *m* à micro-ondes.

Milch *f* lait *m*; **~brötchen** *n* petit pain *m* au lait; **~flasche** *f* bouteille *f* à lait; *Baby&* biberon *m*; **~glas** *n* verre *m* à lait; *tech* verre *m* dépoli; **&ig** laiteux; **~kaffee** *m* café *m* au lait; **~kännchen** *n* petit pot *m* à lait; **~mann** *m* laitier *m*; **~mixgetränk** *n* milk-shake *m*; **~produkte** *n/pl* produits *m/pl* laitiers; **~pulver** *n* lait *m* en poudre; **~reis** *cuis m* riz *m* au lait; **~straße** *astr f* Voie *f* lactée, galaxie *f*; **~tüte** *f* berlingot *m* de lait; **~zahn** *m* dent *f* de lait.

mild doux; *nachsichtig* indulgent; *Strafe* léger; *~e ausgedrückt* dit à mots couverts.

Mild|e *f* douceur *f*, indulgence *f*; **&ern** adoucir; **&ernd** *jur ~e Umstände* circonstances atténuantes; **~erung** *f* adoucissement *m*; **&tätig** charitable; **~tätigkeit** *f* charité *f*.

Milieu *n* milieu *m* (social).

Militär *n* troupes *f/pl*, armée *f*; **~dienst** *m* service *m* militaire; **~diktatur** *f* dictature *f* militaire; **&isch** militaire; **~regierung** *f* gouvernement *m* militaire.

Militaris|mus *m* militarisme *m*; **~t** *m* militariste *m*; **&tisch** militariste.

Milliarde *f* milliard *m*; ⚠ *le* milliard.

Millimeter *n od m* millimètre *m*; **~papier** *n* papier *m* millimétré.

Million *f* million *m*; ⚠ *le* million; **~är(in** *f*) *m* millionnaire *m*, *f*.

Milz *f* rate *f*.

Mimik *f* mimique *f*.

minder moindre; *weniger wert* inférieur; *adv* moins; **&heit** *f* minorité *f*; **~jährig** mineur; **&jährige(r)** *m*, *f* mineur *m*, -e *f*; **&jährigkeit** *f* minorité *f*.

minder|n diminuer, amoindrir; **&ung** *f* diminution *f*; **~wertig** d'une valeur *od* qualité inférieure; **&wertigkeit** *f* infériorité *f*; **&wertigkeitskomplex** *psych m* complexe *m* d'infériorité.

mindest le *od* la moindre; *nicht das ~e* pas la moindre chose; *nicht im ~en* pas le moins du monde; **&alter** *n* âge *m* minimum; **&betrag** *m* minimum *m*; **~ens** au moins; **&lohn** *m* salaire *m* minimum; **&maß** *n* minimum *m* (*an* de).

Mine *f* mine *f*.

Mineral *n* minéral *m*; **&isch** minéral; **~öl** *n* huile *f* minérale; **~stoffe** *m/pl* substances *f/pl* minérales; **~wasser** *n* eau *f* minérale.

Miniatur(bild *n*) *f* miniature *f*.

minim|al minime; **&um** *n* minimum *m*.

Minirock *m* mini-jupe *f*.

Minister *m* ministre *m*.

Ministerium *n* ministère *m*.

Minister|präsident *m* président *m* du Conseil (des ministres), Premier ministre *m*; **~rat** *m* Conseil *m* des ministres.

minus 1. moins; **2.** & *n Fehlbetrag* déficit *m*; *Nachteil* désavantage *m*; **&pol** *m* pôle *m* négatif; **&zeichen** *n* signe *m* moins.

Minute *f* minute *f*; **~nzeiger** *m* aiguille *f* des minutes, grande aiguille *f*.

mir me (*vor Vokal m'*); moi, à moi.

Mirabelle *bot f* mirabelle *f*.

Misch|batterie *f* robinets *m/pl* mitigeurs; **~brot** *n* pain *m* bis; **~ehe** *f* mariage *m* mixte; **&en** (*sich ~* se) mêler, mélanger; *sich unters Volk ~* se mêler à la foule; **~ling** *m* métis *m*, -se *f*; **~masch** *m* F méli-mélo *m*; **~pult** *n* pupitre *m* de mixage; **~ung** *f* mélange *m*; **~wald** *m* forêt *f* d'essences diverses.

miserabel F minable; *ich fühle mich ~* je me sens mal en point.

miß|achten *Vorfahrt etc* ne pas respecter; *verachten* dédaigner; **&achtung** *f Nichtbeachtung* non-respect *m*; *Verachtung* dédain *m*; **&behagen** *n* malaise *m*; **&bildung** *f* malformation *f*; **~billigen** désapprouver; **&billigung** *f* désapprobation *f*; **&brauch** *m* abus *m*; **~brauchen** abuser de; **~bräuchlich** abusif; **~deuten** interpréter mal.

missen *nicht ~ können* ne pas pouvoir se passer de.

Miß|erfolg *m* échec *m*; **~ernte** *f* mauvaise récolte *f*.

Misse|tat *f* méfait *m*; **~täter** *m* malfaiteur *m*.

miß|fallen *j-m ~* déplaire à qn; **&fallen** *n* déplaisir *m*; **&geburt** *f* monstre *m*; **&geschick** *n* infortune *f*, malchance *f*, adversité *f*; **~ge-**

M

stimmt mal disposé; **~glücken** ne pas réussir, échouer; **~gönnen** *j-m etw ~* envier qc à qn; **2griff** *m* erreur *f*, méprise *f*; **2gunst** *f* jalousie *f*; **~günstig** jaloux; **~handeln** maltraiter; **2handlungen** *f/pl* mauvais traitements *m/pl*, sévices *m/pl*; **2heirat** *f* mésalliance *f*.

Mission *f Auftrag* mission *f*; *rel* missions *f/pl*; **~ar** *m* missionnaire *m*.

Miß|klang *m* dissonance *f* (*a fig*); **~kredit** *m* discrédit *m*; *in ~ bringen* discréditer; **2lich** fâcheux; **2lingen** ne pas réussir, échouer, rater; **~lingen** *n* échec *m*; **~mut** *m* mauvaise humeur *f*; **2raten** ne pas réussir; *adj Kind* mal élevé; **~stand** *m* abus *m*; **2trauen** se méfier de; **~trauen** *n* méfiance *f* (*gegenüber* à l'égard de); **2trauisch** méfiant; **~verhältnis** *n* disproportion *f*; **~verständnis** *n* malentendu *m*; **2verstehen** mal entendre *od* comprendre; **~wahl** *f* élection *f* d'une miss.

Mist *m* fumier *m*; F *fig Quatsch* bêtises *f/pl*; *Schund* F saloperie *f*.

Mistel *bot f* gui *m*.

mit 1. *prép* avec; *~ Gewalt* par la force; *~ Absicht* intentionnellement; *~ dem Auto* en voiture; *~ 20 Jahren* à 20 ans; *~ 100 Stundenkilometern* à 100 à l'heure; *~ einem Mal* tout à coup; *~ lauter Stimme* à haute voix; **2.** *adv ~ der Grund dafür, daß ...* une des raisons pour laquelle ...; *~ der Beste* parmi les meilleurs; *~ dabeisein* y assister; *~ anfassen* prêter la main.

Mit|arbeit *f* coopération *f*, collaboration *f*; **2arbeiten** coopérer, collaborer (*an* à); **~arbeiter(in** *f*) *m* collaborateur *m*, -trice *f*; **~arbeiterstab** *m* équipe *f* de collaborateurs; **~bestimmung** *f* cogestion *f*, participation *f*; **2bringen** amener; *Sache* apporter; **~bringsel** F *n* petit cadeau *m*; souvenir *m* de voyage; **~bürger(in** *f*) *m* concitoyen *m*, -ne *f*; **2einander** ensemble; **2erleben** assister à; *Krieg etc* vivre; **~esser** *méd m* comédon *m*, point *m* noir; **2geben** donner (à emporter); **~gefühl** *n* compassion *f*; **2gehen** *mit j-m ~* aller avec qn, accompagner qn; **~gift** *f* dot *f*.

Mitglied *n* membre *m*; **~sbeitrag** *m* cotisation *f*; **~schaft** *f* affiliation *f*.

mit|haben *ich habe kein Geld mit* je n'ai pas d'argent sur moi; **2hilfe** *f* assistance *f*, aide *f*; *péj* complicité *f*; **~hören** écouter; *zufällig* surprendre une conversation; **2kämpfer** *m* compagnon *m* de lutte; **~kommen** venir (*mit j-m* avec qn); *geistig*, *Schule* suivre; **~kriegen** F *verstehen* saisir, comprendre, F piger; **2läufer** *pol m* sympathisant *m*; **2laut** *gr m* consonne *f*.

Mitleid *n* pitié *f*; **~enschaft** *f in ~ gezogen werden* être affecté également par; avoir à subir les suites fâcheuses de; **2ig** plein de pitié, compatissant; **2slos** sans pitié.

mit|machen prendre part à, suivre; *erleben* vivre, voir; **2mensch** *m* prochain *m*; **~nehmen** emmener; *Sache* emporter; **~reden** prendre part à la conversation; *mitzureden haben* avoir son mot à dire, avoir voix au chapitre; **~reißen** emporter; *fig* enthousiasmer; **~schneiden** *Radio, TV* enregistrer; **~schreiben** prendre note de; **2schuld** *f* complicité *f*; **~schuldig** complice (*an* de); **2schüler(in** *f*) *m* camarade *m*, *f* de classe; **~spielen** prendre part au jeu; *fig* F *ich spiele nicht mehr mit!* j'en ai marre!; **2spieler(in** *f*) *m* partenaire *m*, *f*, coéquipier *m*, -ière *f*; **2spracherecht** *n* droit *m* d'intervention.

Mittag *m* midi *m*; *heute 2* ce midi; *morgen 2* demain (à) midi; (*zu*) *~ essen* déjeuner; **~essen** *n* déjeuner *m*, repas *m* de midi.

mittags à midi; **2schlaf** *m* sieste *f*.

Mitte *f* milieu *m*; centre *m*; *~ März* à la mi-mars; *~ Dreißig* au milieu de la trentaine.

mitteil|en communiquer, faire savoir; **~sam** communicatif; **2ung** *f* communication *f*, message *m*, information *f*.

Mittel *n* moyen *m*; *Heil2* remède *m*; *Reinigungs2 etc* produit *m*; *math* moyenne *f*; *pl Geld2* moyens *m/pl*, ressources *f/pl*; **~alter** *n* Moyen Âge *m*; **2alterlich** médiéval, moyenâgeux; **~amerika** *n* l'Amérique *f* centrale; **~ding** *n* chose *f* intermédiaire (*zwischen* entre); **~feld** *n Fußball* centre *m* du terrain; **~finger** *m* majeur *m*; **2fristig** à moyen terme; **~gewicht** *n Sport* poids *m* moyen; **2groß** de taille moyenne; **~klasse** *f auto etc* catégorie *f* moyenne; **2los** sans ressources; **2mäßig** moyen,

médiocre; **~mäßigkeit** *f* médiocrité *f*; **~meer** *n* Méditerranée *f*; **~punkt** *m* centre *m*.
mittels moyennant.
Mittel|schule *f* *cf Realschule*; **~smann** *m* intermédiaire *m*, *f*; **~stand** *m* classe *f* moyenne; **~strecke** *f Sport* demi-fond *m*; **~streckenrakete** *mil f* missile *m* à moyenne portée; **~streifen** *m Straße* ligne *f* médiane; *Autobahn* bande *f* médiane; **~stufe** *f Schule* premier cycle *m*; **~stürmer** *m Fußball* avant-centre *m*; **~weg** *m der goldene ~* le juste milieu; **~welle** *f Radio* ondes *f/pl* moyennes, petites ondes *f/pl*; **~wort** *gr n* participe *m*.
mitten *~ in*, *~ auf*, *~ unter* au milieu de; *~ im Sommer* (*Winter*) en plein été (hiver); *~ im Dezember* en plein décembre; *~ in Paris* en plein Paris; **~drin** F en plein milieu, au beau milieu; **~durch** F tout au travers.
Mitternacht *f* minuit *m*.
Mittler(in *f*) *m* médiateur *m*, -trice *f*.
mittler|e du milieu; *durchschnittlich* moyen; *~ Reife etwa* brevet *m* des collèges; **~weile** en attendant.
Mittwoch *m* mercredi *m*.
mit|unter de temps en temps; **~verantwortlich** coresponsable; **Ꞩverantwortung** *f* coresponsabilité *f*; **~wirken** coopérer (*bei* à), prendre part (*bei* à); **Ꞩwirkende** *pl Theater* acteurs *m/pl*; *mus* exécutants *m/pl*; **Ꞩwirkung** *f* coopération *f*, participation *f*; **Ꞩwisser(in** *f*) *m* complice *m*, *f*; confident *m*, -e *f*.
Mix|becher *m* shaker *m*; **Ꞩen** mélanger; **~er** *m Gerät* mixe(u)r *m*; **~getränk** *n* cocktail *m*.
Möbel *n* meuble *m*; **~händler** *m* marchand *m* de meubles; **~spedition** *f* entreprise *f* de déménagement; **~stück** *n* meuble *m*; **~wagen** *m* camion *m* de déménagement.
mobil *beweglich* mobile; *rüstig* alerte.
Mobiliar *n* mobilier *m*.
mobil|isieren mobiliser; **Ꞩmachung** *mil f* mobilisation *f*.
möblieren meubler; *möbliertes Zimmer* chambre *f* meublée.
Mode *f* mode *f*; *die neueste ~* la dernière mode, le dernier cri; *mit der ~ gehen* suivre la mode; *in ~ kommen* venir en vogue; **~artikel** *m* article *m* de mode.
Modell *n* modèle *m*; *verkleinertes* maquette *f*; *~ stehen od sitzen* poser comme modèle; **~bau** *m* construction *f* de modèles réduits; **~baukasten** *m* boîte *f* de construction; **~eisenbahn** *f* modèle *m* réduit de chemin de fer; **Ꞩieren** modeler.
Modenschau *f* présentation *f* des collections, défilé *m* de mode.
Moderator(in *f*) *m TV* présentateur *m*, -trice *f*.
Modergeruch *m* odeur *f* de pourri *od* de moisi.
moderieren *TV* présenter.
modern moderne, à la mode; **~isieren** moderniser, mettre au goût du jour.
Mode|schmuck *m* bijoux *m/pl* fantaisie; **~schöpfer** *m* couturier *m*; **~waren** *f/pl* modes *f/pl*; **~wort** *n* mot *m* à la mode; **~zeichner** *m* dessinateur *m* de mode; **~zeitschrift** *f* revue *f* de mode.
modisch à la mode.
Modistin *f* modiste *f*.
Modul *tech m* module *m*; **~bauweise** *f* construction *f* modulaire.
Modus *m* mode *m*.
Mofa *n* cyclomoteur *m*.
mogeln tricher.
mögen aimer; *es mag sein* c'est possible, cela se peut; *ich möchte* je voudrais (*etw* qc, *etw tun* faire qc, *daß* ... que + *subj*); *ich möchte gern* j'aimerais bien.
möglich possible; *alle ~en* toutes sortes de; *sein ~stes tun* faire tout son possible; *nicht ~!* pas possible!; *so bald wie ~* aussi tôt que possible, le plus tôt possible; **~erweise** peut-être; **Ꞩkeit** *f* possibilité *f*; *nach ~* si possible; **~st** *~ schnell* le plus vite possible.
Mohammed *m* Mahomet *m*; **~aner(in** *f*) *m* musulman *m*, -e *f*; **Ꞩanisch** musulman.
Mohn *bot m* pavot *m*.
Möhre *bot f* carotte *f*.
Mole *f* môle *m*.
Molekül *n* molécule *f*; ⚠ *la* molécule.
Molkerei *f* laiterie *f*.
Moll *mus* mineur; *a-Moll* la mineur.
mollig *warm* agréable, chaud; *dicklich* potelé, grassouillet.
Molotowcocktail *m* cocktail *m* Molotov.
Moment *m* moment *m*, instant *m*; *im ~* actuellement; *~ bitte!* un instant, s'il vous plaît; **Ꞩan** momentané; *adv*

M

pour le moment; **~aufnahme** *f* instantané *m*.
Monarch|(in *f*) *m* monarque *m*, souverain *m*, -e *f*; **~ie** *f* monarchie *f*; **²isch** monarchique; **~ist** *m* monarchiste *m*.
Monat *m* mois *m*; **²lich** mensuel; *adv* tous les mois; **~sbinde** *f* serviette *f* hygiénique; **~skarte** *f* carte *f* mensuelle; **~srate** *f* mensualité *f*.
Mönch *m* moine *m*.
Mond *m* lune *f*; **~finsternis** *f* éclipse *f* de lune; **~landefähre** *f* module *m* lunaire; **~landung** *f* débarquement *m od* atterrissage *m* sur la lune; **~oberfläche** *f* surface *f* de la lune; **~schein** *m* clair *m* de lune; **~sichel** *f* croissant *m*; **²süchtig** somnambule.
Monitor *m TV*, *Computer* moniteur *m*.
Monolog *m* monologue *m*.
Monopol *n* monopole *m*.
monoton monotone; **²ie** *f* monotonie *f*.
Monster *n* monstre *m*.
Montag *m* lundi *m*.
Montage *f* montage *m*, assemblage *m*; ⚠ *le* montage; **~band** *n* chaîne *f* de montage; **~halle** *f* hall *m* de montage.
Monteur *m* monteur *m*.
montieren monter.
Moor *n* marais *m*; **~bad** *n* bain *m* de boue; **²ig** marécageux.
Moos *bot n* mousse *f*.
Moped *n* mobylette *f*.
Mops *zo m* carlin *m*.
Moral *f* morale *f*; *a e-r Fabel* moralité *f*; *seelische Verfassung* moral *m*; **²isch** moral.
Morast *m* bourbe *f*; **²ig** bourbeux.
Mord *m* meurtre *m*, assassinat *m*.
Mörder(in *f*) *m* meurtrier *m*, -ière *f*, assassin *m*.
mord|gierig sanguinaire; **²kommission** *f* police *f* judiciaire; **²prozeß** *jur m* procès *m* pour meurtre.
Mords|angst *f* F *e-e ~ haben* avoir une peur bleue; **~glück** F *n* chance *f* inouïe; **~kerl** *m* F fameux gaillard *m*, as *m*; **~wut** F *f e-e ~ haben* avoir une rage folle.
Mord|verdacht *m unter ~ stehen* être soupçonné de meurtre; **~versuch** *m* tentative *f* de meurtre.
morgen demain; *~ abend* demain soir; *~ früh* demain matin; *~ um diese Zeit* demain même heure.
Morgen *m* matin *m*; *~zeit* matinée *f*; *guten ~!* bonjour!; *am nächsten ~* le lendemain matin; *heute ²* ce matin; *gestern ²* hier matin; **~essen** *n Schweiz* petit déjeuner *m*; **~grauen** *n* aube *f*; **~gymnastik** *f seine ~ machen* faire sa gymnastique matinale; **~land** *n* l'Orient *m*, le Levant; **~rock** *m* peignoir *m*; **~röte** *f* aurore *f*.
morgens le matin; *um fünf Uhr ~* à cinq heures du matin; *von ~ bis abends* du matin au soir.
morgig de demain.
Morphium *n* morphine *f*.
morsch pourri, vermoulu.
Morse|alphabet *n* alphabet *m* morse; **²n** télégraphier en morse; **~zeichen** *n* signal *m od* caractère *m* morse.
Mörser *m* mortier *m* (*a mil*).
Mörtel *m* mortier *m*.
Mosaik *n* mosaïque *f*; ⚠ *la* mosaïque; **~stein** *m* pièce *f* de mosaïque.
Moschee *f* mosquée *f*.
Moskau Moscou; **~er(in** *f*) *m* Moscovite *m*, *f*.
Moskito *m* moustique *m*; **~netz** *n* moustiquaire *f*.
Moslem *m* musulman *m*.
Most *m* moût *m*; *Apfelwein* cidre *m*.
Mostrich *m* moutarde *f*.
Motel *n* motel *m*.
Motiv *n* motif *m*; *Beweggrund* mobile *m*; **~ation** *f* motivation *f*; **²ieren** motiver.
Motor *m* moteur *m*; **~boot** *n* bateau *m od* canot *m* à moteur; **~haube** *f* capot *m*; **²isieren** motoriser; **~leistung** *f* puissance *f* du moteur; **~rad** *n* moto *f*; **~radfahrer** *m* motocycliste *m*; **~roller** *m* scooter *m*; **~säge** *f* scie *f* à moteur; **~schaden** *m* avarie *f* de moteur.
Motte *zo f* mite *f*; **~nschutzmittel** *n* antimite *m*; **²nzerfressen** mangé *od* F bouffé par les mites.
Motto *n* devise *f*.
motzen F râler.
Möwe *zo f* mouette *f*.
Mücke *zo f* moucheron *m*; *Stech²* moustique *m*; *fig aus e-r ~ e-n Elefanten machen* faire une montagne de qc; **~nstich** *m* piqûre *f* de moustique.
müd|e fatigué; **²igkeit** *f* fatigue *f*.
Muff *m* manchon *m*.
Muffel *m* F grognon *m*, rouspéteur *m*; qui boude qc.

muffig ~ *riechen* sentir le renfermé.
Mühe *f* peine *f*, effort *m*; *sich* ~ *geben* se donner de la peine *od* du mal (*pour zu*); *der* ~ *wert sein* valoir la peine; *mit* ~ *und Not* à grand-peine; **2los** sans peine, sans effort; **2voll** pénible, laborieux.
Mühle *f* moulin *m*.
Müh|sal *f* fatigues *f/pl*; **2sam, 2selig** pénible.
Mulatt|e *m*, **~in** *f* mulâtre *m*, mulâtresse *f*.
Mulde *géogr f* cuvette *f*.
Mull *méd m* gaze *f*.
Müll *m* ordures *f/pl* (ménagères); **~abfuhr** *f* enlèvement *m* des ordures; *Leute* éboueurs *m/pl*.
Mullbinde *f* bande *f* de gaze.
Müll|deponie *f* décharge *f*; **~eimer** *m* seau *m* à ordures, poubelle *f*.
Müller(in *f*) *m* meunier *m*, -ière *f*.
Müll|fahrer *m* éboueur *m*, F boueux *m*; **~haufen** *m* tas *m* d'ordures; **~schlucker** *m* vide-ordures *m*; **~tonne** *f* poubelle *f*.
Multipli|kation *math f* multiplication *f*; **2zieren** multiplier.
Mumie *f* momie *f*.
Mumps *méd m* oreillons *m/pl*.
München Munich.
Mund *m* bouche *f*; *den* ~ *halten* se taire; *halt den* ~! tais-toi!, (ferme) ta bouche!, F ferme ton bec!; **~art** *f* dialecte *m*.
munden *j-m* ~ être au goût de qn, plaire à qn.
münden ~ *in Fluß* se jeter dans; *Straße* déboucher dans.
Mund|geruch *m* mauvaise haleine *f*; **~harmonika** *f* harmonica *m*; **~höhle** *f* cavité *f* buccale.
mündig *jur* majeur; *fig* émancipé; **2keit** *f* majorité *f*.
mündlich verbal, oral; **~e** *Prüfung* oral *m*.
Mundstück *n Zigarette* bout *m*; *mus* embouchure *f*.
Mündung *f* embouchure *f*.
Mund|wasser *n* eau *f* dentifrice; **~werk** *n* F gueule *f*; *ein loses* ~ *haben* être mal embouché; **~-zu-Mund-Beatmung** *méd f* bouche-à-bouche *m*.
Munition *f* munitions *f/pl*.
munkeln chuchoter.
Münster *n* cathédrale *f*.
munter vif, éveillé; **2keit** *f* vivacité *f*.
Münz|e *f* (pièce *f* de) monnaie *f*; *Denk*2 médaille *f*; **2en** *fig das ist auf mich gemünzt* c'est à moi que cela s'adresse; **~ensammler** *m* numismate *m*; **~fernsprecher** *m* taxiphone *m*; **~sammlung** *f* médaillier *m*, collection *f* de pièces de monnaie.
mürbe tendre; friable; **2teig** *m* pâte *f* brisée.
Murmel *f* bille *f*.
murmel|n murmurer; **2tier** *zo n* marmotte *f*.
murren murmurer, gronder.
mürrisch de mauvaise humeur, morose, maussade, grincheux.
Mus *n* marmelade *f*; *Apfel*2 compote *f*; *Kartoffel*2 purée *f*.
Muschel *f Mies*2 moule *f*; *~schale* coquillage *m*, coquille *f*.
Museum *n* musée *m*.
Musik *f* musique *f*; **2alisch** musical; ~ *sein* être musicien *od* doué pour la musique; **~automat** *m*, **~box** *f* juke-box *m*.
Musik|er(in *f*) *m* musicien *m*, -ne *f*; **~instrument** *n* instrument *m* de musique; **~kapelle** *f* orchestre *m*, fanfare *f*; *mil* musique *f*; **~kassette** *f* musicassette *f*; **~lehrer** *m* professeur *m* de musique; **~stunde** *f* leçon *f* de musique.
musisch sensible *od* ouvert aux arts; ~ *begabt* doué pour la musique et les arts.
musizieren faire de la musique.
Muskel *m* muscle *m*; **~kater** F *m* courbatures *f/pl*; **~kraft** *f* force *f* musculaire; **~riß** *méd m* déchirure *f* musculaire; **~zerrung** *méd f* claquage *m*; *sich e-e* ~ *zuziehen* se claquer un muscle.
muskulös musclé.
Muß *n* nécessité *f* absolue; F must *m*.
Muße *f* loisir *m*.
müssen devoir; *du mußt den Film sehen* il faut que tu voies le film; *ich muß arbeiten* je dois travailler, il faut que je travaille; *sie muß krank sein* elle doit être malade; *sie müßte zu Hause sein* elle devrait être chez elle; *du hättest ihm helfen* ~ tu aurais dû l'aider.
müßig *untätig* oisif; *nutzlos* oiseux, inutile; **2gang** *m* oisiveté *f*.
Muster *n* modèle *m*; *Warenprobe* échantillon *m*; *Tapeten*2 dessin *m*; **2gültig** exemplaire, modèle, parfait; **~haus** *n* maison-témoin *f*.
muster|n examiner, toiser; *mil* ge-

mustert werden passer au conseil de révision; **⁀schüler** *m* élève *m* modèle; **⁀ung** *mil f* conseil *m* de révision.
Mut *m* courage *m*; *j-m ~ machen* encourager qn; *den ~ verlieren* perdre courage.
mut|ig courageux; **~los** découragé; **⁀losigkeit** *f* découragement *m*.
mutmaß|en présumer; spéculer; **~lich** présumé; **⁀ung** *f* présomption *f*, conjecture *f*.
Mutter *f* mère *f*; *Schrauben⁀* écrou *m*; **~boden** *m*, **~erde** *f* terreau *m*.
mütterlich maternel; **~erseits** du côté maternel.
Mutter|liebe *f* amour *m* maternel; **~mal** *n* envie *f*; **~milch** *f* lait *m* maternel; **~schaft** *f* maternité *f*; **~schaftsurlaub** *m* congé *m* de maternité; **~schutz** *jur m* protection *f* légale de la mère; **~söhnchen** *n* enfant *m* gâté; **~sprache** *f* langue *f* maternelle; **~tag** *m* fête *f* des mères.
Mutti *f enf* maman *f*.
mutwillig volontairement, de propos délibéré.
Mütze *f mit Schirm* casquette *f*; *ohne* bonnet *m*; *Basken⁀* béret *m*.
myster|iös mystérieux; **⁀ium** *n* mystère *m*.
Myst|ik *f* mystique *f*; **⁀isch** mystique.
myth|isch mythique; **⁀ologie** *f* mythologie *f*; **⁀os** *m* mythe *m*.

N

na! eh bien!; allons!; *~ und?* et puis après?; *~ gut!* d'accord!; *~ ja!* allons!; *~ so (et)was!* ça alors!; *~, dann nicht!* alors n'y pensons plus!; *~ also!* tu vois!; *~, warte!* attends un peu!
Nabe *tech f* moyeu *m*.
Nabel *m* nombril *m*.
nach 1. *prép Richtung* à, vers; *zeitlich, Reihenfolge* après; *gemäß* d'après, selon, suivant; *er fährt ~ Paris (~ Frankreich)* il va à Paris (en France); *~ Hause* à la maison, chez soi; *~ rechts (Süden)* vers la droite (le sud); *~ oben* en haut; *~ unten* en bas; *~ vorn* en avant; *~ hinten* en arrière; *(immer) der Reihe ~* chacun son tour; *seine Uhr ~ dem Radio stellen* régler sa montre sur la radio; *~ meiner Uhr* à ma montre; *~ Gewicht* au poids; **2.** *adv mir ~!* suivez-moi!; *~ und ~* peu à peu, petit à petit; *~ wie vor* toujours.
nachäffen singer.
nachahm|en imiter, copier; *parodieren* parodier; *fälschen* contrefaire; **⁀ung** *f* imitation *f*; *Fälschung* contrefaçon *f*.
Nachbar|(in *f*) *m* voisin *m*, -e *f*; **~schaft** *f* voisinage *m*.
Nach|bildung *f* imitation *f*, copie *f*; *genaue* réplique *f*; **⁀blicken** *j-m ~* suivre qn des yeux.
nachdem après que ... (+ *ind*); *bei gleichem Subjekt im Haupt- und Nebensatz* après ... (+ *inf passé*); *je ~* c'est selon, cela dépend.
nachdenk|en réfléchir (*über* à *od* sur); **⁀en** *n* réflexion *f*; *Zeit zum ~* temps *m* de réflexion; **~lich** pensif; *es macht e-n ~* cela vous fait réfléchir.
Nachdruck *m* énergie *f*, fermeté *f*; *Buch* reproduction *f*; **⁀en** reproduire.
nachdrücklich énergique; *j-m ~ raten* conseiller vivement à qn.
nacheifern *j-m ~* chercher à égaler qn.
nacheinander l'un après l'autre; successivement; *2 Jahre ~* deux années de suite.
nacherzähl|en répéter (*mündlich* oralement; *schriftlich* par écrit); **⁀ung** *f* compte *m* rendu.
Nachfolge *f* succession *f*; **⁀n** suivre (*j-m* qn); *im Amt* succéder (à qn); **~r(in** *f*) *m* successeur *m*.
nachforsch|en faire des enquêtes; **⁀ung** *f* enquête *f*, recherches *f/pl*.
Nachfrage *f* demande *f* (*a écon*); **⁀n** demander des nouvelles (de), demander des précisions (sur).
nach|fühlen *j-m etw ~ können* com-

prendre qn, avoir de la compassion pour qn; **~füllen** remplir à nouveau, recharger; **~geben** céder; **≈gebühr** *f Post* surtaxe *f*; **~gehen** suivre (*j-m* qn); *Uhr* être en retard; *e-r Sache ~* faire des recherches sur une affaire; *seiner Arbeit ~* vaquer à ses occupations, faire son travail; **≈geschmack** *m* arrière-goût *m* (*a fig*).
nachgiebig souple, flexible, conciliant; **≈keit** *f* flexibilité *f*, souplesse *f*.
nachhaltig durable.
nachher plus tard, ensuite, après; *bis ~!* à tout à l'heure!
Nachhilfe *f* aide *f*; **~stunden** *f/pl*, **~unterricht** *m* cours *m/pl* particuliers.
nachholen rattraper, récupérer.
Nachkomme *m* descendant *m*; **≈n** venir plus tard; *e-m Wunsch ~* répondre à un désir.
Nachkriegs... *in Zssgn* d'après-guerre; **~zeit** *f* après-guerre *m*.
Nachlaß *m comm* remise *f*, réduction *f*; *Erbe* succession *f*.
nachlassen diminuer; *Sturm* s'apaiser; *Schmerz* se calmer; *Wirkung* faiblir; *Schüler* relâcher ses efforts; *leistungsmäßig* être en baisse.
nachlässig négligent; **≈keit** *f* négligence *f*.
nach|laufen *j-m ~* courir après qn; **~lesen** relire, consulter (*in etw* qc); **~machen** imiter; *fälschen* falsifier; *Foto ~ lassen* faire refaire.
Nachmittag *m* après-midi *m od f*; *heute ≈* cet après-midi; **≈s** l'après-midi.
Nach|nahme *f* remboursement *m*; *per ~ schicken* envoyer contre remboursement; **~name** *m* nom *m* de famille; **~porto** *n* surtaxe *f*; **≈prüfen** contrôler, vérifier; **≈rechnen** vérifier; **~rede** *f üble ~* diffamation *f*, médisance *f*.
Nachricht *f* nouvelle *f*; *Botschaft* message *m*; *Mitteilung* information *f*; *e-e gute* (*schlechte*) *~* une bonne (mauvaise) nouvelle; **~en** *pl Radio* bulletin *m* d'informations; *TV* journal *m* télévisé; **~endienst** *m* service *m* d'informations; *mil, pol* renseignements *m/pl* généraux (*abr* R.G.); **~ensatellit** *m* satellite *m* de télécommunications; **~ensprecher(in** *f*) *m* présentateur *m*, -trice *f* du journal; **~entechnik** *f* télécommunications *f/pl*.
Nach|ruf *m* nécrologie *f*; **≈sagen** *j-m Schlechtes ~* dire du mal de qn; *man sagt ihm nach, daß er* ... on prétend de lui qu'il ...; **~saison** *f* arrière-saison *f*; **≈schicken** *Brief* faire suivre.
nachschlage|n *Wort* chercher, vérifier; *in e-m Buch ~* consulter un livre; **≈werk** *n* ouvrage *m* de référence.
Nach|schub *mil m* ravitaillement *m*; **≈sehen** *prüfen* (aller) voir (*ob* si), vérifier; *j-m ~* suivre qn des yeux; *j-m etw ~* passer qc à qn; **≈senden** faire suivre; **~sicht** *f* indulgence *f*; *~ haben* user d'indulgence; **~silbe** *f* suffixe *m*; **≈sitzen** *Schule* être en retenue; **~spiel** *m fig* conséquences *f/pl*, suites *f/pl*; **≈spionieren** *j-m ~* espionner qn; **≈sprechen** répéter.
nächst *räumlich* le *od* la plus proche; *folgend* prochain, suivant; *in den ~en Tagen* dans les prochains jours; *in ~er Zeit* prochainement; *der ~e bitte!* au suivant, s'il vous plaît!
Nächste(r) *m* prochain *m*.
nach|stehen *j-m ~* être inférieur à qn; *j-m in nichts ~* ne le céder en rien à qn; **~stellen** *tech* rajuster; *Uhr* retarder; *j-m ~* poursuivre qn.
Nächstenliebe *f* amour *m* du prochain, altruisme *m*.
Nacht *f* nuit *f*; *in der od bei ~* la *od* de nuit; *Tag und ~* jour et nuit; *die ganze ~* toute la nuit; *heute ≈ letzte* la nuit passée *od* dernière; *kommende* cette nuit; **~dienst** *m* garde *f od* service *m* de nuit.
Nachteil *m* inconvénient *m*, désavantage *m*; *im ~ sein* être désavantagé; **≈ig** désavantageux.
Nacht|essen *n* souper *m*; **~hemd** *n* chemise *f* de nuit.
Nachtigall *zo f* rossignol *m*.
Nachtisch *m* dessert *m*.
nächtlich nocturne.
Nachtlokal *n* boîte *f* de nuit, night-club *m*.
Nachtrag *m* supplément *m*; **≈en** ajouter; *fig j-m etw ~* garder rancune à qn de qc; **≈end** rancunier.
nachträglich ultérieur.
nachts la *od* de nuit.
Nacht|schicht *f* équipe *f* de nuit; *~ haben* être de nuit; **~tisch** *m* table *f* de chevet; **~tischlampe** *f* lampe *f* de chevet; **~topf** *m* vase *m* de nuit, pot *m* de chambre; **~wächter** *m* veilleur *m*

N

de nuit; **~wandler(in** *f*) *m* somnambule *m, f*.

Nach|untersuchung *méd f* contrôle *m* médical; **2wachsen** repousser.

Nachweis *m* preuve *f*; **2bar** démontrable; *chim* décelable; **2en** *beweisen* prouver, démontrer; *Spuren* déceler; **2lich** *adv* comme on peut le prouver.

Nach|welt *f* postérité *f*; **~wirkung** *f* répercussion *f*; *~en a* séquelles *f/pl*; **~wort** *n* épilogue *m*; **~wuchs** *m Familie* progéniture *f*; *Beruf* relève *f*, nouvelle génération *f*; **~wuchsförderung** *f* encouragement *m* des jeunes talents; **2zahlen** payer un supplément; **2zählen** recompter; **~zahlung** *f* rappel *m*; **~zügler(in** *f*) *m* retardataire *m, f*.

Nacken *m* nuque *f*; ⚠ *la* nuque; **~stütze** *f* appui-tête *m*.

nackt nu; *mit ~en Füßen* (les) pieds nus *od* nu-pieds; *sich ~ ausziehen* se déshabiller complètement; *~ baden* se baigner nu; *j-n ~ malen* peindre qn en nu; **2heit** *f* nudité *f*.

Nadel *f* aiguille *f*; *Steck2* épingle *f*; **~baum** *m* conifère *m*; **~öhr** *n* trou *m* d'aiguille, chas *m*; **~stich** *m fig* coup *m* d'épingle; **~wald** *m* forêt *f* de conifères.

Nagel *m* clou *m*; *Finger2* ongle *m*; *an den Nägeln kauen* se ronger les ongles; **~feile** *f* lime *f* à ongles; **~lack** *m* vernis *m* à ongles; **2n** clouer; **2neu** flambant neuf.

nage|n ronger (*an e-m Knochen* un os); **2tier** *zo n* rongeur *m*.

nah(**e**) **1.** *adj* proche; *ganz ~ sein* être tout près; **2.** *prép ~* (*an, bei*) près de.

Nahaufnahme *f* gros plan *m*.

Nähe *f* proximité *f*; voisinage *m*; *in der ~ des Bahnhofs* près de la gare, à proximité de la gare; *ganz in der ~* tout près; *aus der ~* de près; *in deiner ~* près de toi.

nahe|gehen *j-m ~* affecter qn profondément; **~legen** *j-m etw ~* recommander *od* suggérer qc à qn; **~liegend** évident.

nahen (s')approcher (de).

nähen coudre.

näher plus proche, plus près; **2es** *n ~ bei* ... pour plus ample informé, pour plus de détails voir ...; **~kommen** *fig sich ~* se rapprocher.

nähern *sich ~* (s')approcher (de).

nahestehen *fig j-m ~* être intime avec qn.

nahezu presque.

Nähgarn *n* fil *m* à coudre.

Nahkampf *mil m* corps à corps *m*.

Näh|maschine *f* machine *f* à coudre; **~nadel** *f* aiguille *f* (à coudre).

nähren (*sich ~* se) nourrir (*von* de).

nahrhaft nourrissant, nutritif, substantiel.

Nahrung *f* nourriture *f*; **~smittel** *n/pl* produits *m/pl od* denrées *f/pl* alimentaires, vivres *m/pl*, aliments *m/pl*.

Nährwert *m* valeur *f* nutritive.

Naht *f* couture *f*; *méd* suture *f*.

Nahverkehr *m* trafic *m* à courte distance; **~szug** *m* train *m* de banlieue.

Nähzeug *n* trousse *f od* nécessaire *m* de couture.

naiv naïf; **2ität** *f* naïveté *f*.

Name *m* nom *m*; *im ~n von* au nom de; (*nur*) *dem ~n nach* (uniquement) de nom.

Namens|tag *m* fête *f*; **~vetter** *m* homonyme *m*; **~zug** *m* signature *f*.

namentlich *Aufruf* nominal; *adv mit Namen* nommément; *besonders* notamment.

namhaft renommé.

nämlich *und zwar* à savoir, c'est-à-dire; *denn* car; *er ist ~ krank* c'est qu'il est malade.

Napf *m* jatte *f*, écuelle *f*.

Narbe *f* cicatrice *f*.

Narkose *méd f* anesthésie *f* (générale).

Narr *m* fou *m*; *j-n zum ~en halten* se moquer de qn, duper *od* berner qn; **2ensicher** très sûr; **~heit** *f* folie *f*.

närrisch fou (*vor* de); extravagant; F dingue.

Narzisse *bot f* narcisse *m*; *gelbe* jonquille *f*; ⚠ *le* narcisse.

Nasal *ling m* nasale *f*; ⚠ *la* nasale.

nasch|en manger par gourmandise; *gern ~* aimer les sucreries; **~haft** gourmand; **2haftigkeit** *f* gourmandise *f*.

Nase *f* nez *m*; *der Bus ist mir vor der ~ weggefahren* le bus m'est passé sous le nez; *sich die ~ putzen* se moucher; *fig die ~ voll haben* en avoir plein le dos, en avoir par-dessus la tête.

Nasen|bluten *n* saignement *m* de nez; *er hat ~* il saigne du nez; **~loch** *n* narine *f*, trou *m* de nez; **~spitze** *f* bout *m* du nez.

Nashorn *zo n* rhinocéros *m*.

naß mouillé; *triefend* ~ dégoulinant.

Nässe *f* humidité *f*; **≈n** *Wunde* suinter.

naßkalt froid et humide.

Nation *f* nation *f*.

national national; **≈hymne** *f* hymne *m* national; **≈ismus** *m* nationalisme *m*; **~istisch** nationaliste; **≈ität** *f* nationalité *f*; **≈mannschaft** *f* équipe *f* nationale; **≈sozialismus** *m* national-socialisme *m*.

NATO *f* O.T.A.N. *f*.

Natrium *chim n* sodium *m*.

Natter *zo f* couleuvre *f*.

Natur *f* nature *f*; *von ~ aus* ... d'un naturel ...; **~alismus** *m* naturalisme *m*.

Natur|ereignis *n*, **~erscheinung** *f* phénomène *m* naturel; **~forscher** *m* naturaliste *m*; **~geschichte** *f* histoire *f* naturelle; **~gesetz** *n* loi *f* de la nature; **≈getreu** naturel, pris sur le vif; **~katastrophe** *f* catastrophe *f* naturelle.

natürlich naturel; *adv* naturellement.

Natur|recht *n* droit *m* naturel; **~schutz** *m* protection *f* de la nature; *unter ~* classé site protégé; **~schutzgebiet** *n* site *m* protégé, réserve *f* naturelle, parc *m* national; **~volk** *n* peuple *m* primitif; **~wissenschaft(en)** *f(pl)* sciences *f/pl* (naturelles); **~wissenschaftler(in** *f*) *m* scientifique *m*, *f*; **~zustand** *m* état *m* naturel.

Nazi *m* nazi *m*; **≈stisch** nazi.

Neapel Naples.

Nebel *m* brouillard *m*; *Dunst* brume *f*; **~scheinwerfer** *m* phare *m* antibrouillard.

neben à côté de; *~ anderem* entre autres; *setz dich ~ mich* assieds-toi près de moi; **~an** à côté; **≈bedeutung** *f* signification *f* secondaire, sens *m* second; **~bei** *beiläufig* en passant; *außerdem* en outre; **≈beruf** *m* occupation *f* accessoire; **~beruflich** à côté *od* en dehors de son travail; **≈buhler(in** *f*) *m* rival *m*, -e *f*; **~einander** l'un à côté de l'autre; *~ bestehen* coexister; **≈einkünfte** *pl*, **≈einnahmen** *pl* revenus *m/pl* accessoires; **≈fach** *n* matière *f* secondaire; **≈fluß** *m* affluent *m*; **≈gebäude** *n* annexe *f*; **≈geräusch** *n* bruit *m* parasite; **~her** à côté; **≈kosten** *pl* faux frais *m/pl*; *Miete* charges *f/pl*; **≈mann** *m* voisin *m*; **≈produkt** *n* sous-produit *m*; **≈rolle** *f* rôle *m* secondaire; **≈sache** *f* accessoire *m*, chose *f* de moindre importance; *das ist ~* c'est sans importance; **~sächlich** secondaire, accessoire; **≈satz** *gr m* subordonnée *f*; **≈straße** *f* rue *f* latérale; *Landstraße* route *f* secondaire; **≈strecke** *f* ligne *f* secondaire; **≈tisch** *m* table *f* voisine; **≈wirkung** *f* effet *m* secondaire; **≈zimmer** *n* pièce *f* voisine *od* attenante.

neblig brumeux; *~es Wetter* temps *m* de brouillard.

neck|en (*sich ~* se) taquiner; **≈erei** *f* taquinerie *f*; **~isch** taquin; *ulkig* drôle, amusant.

Neffe *m* neveu *m*.

negativ 1. négatif; **2.** ≈ *n Foto* négatif *m*.

Neger(in *f*) *m* Noir *m*, -e *f*; *péj* nègre *m*, négresse *f*.

nehmen prendre; *mit sich ~* emmener, *Sache* emporter; *sich einen Tag frei ~* prendre un jour de congé; *an die Hand ~* prendre par la main; *in die Hand ~* prendre en main.

Neid *m* envie *f*, jalousie *f*; **≈isch** jaloux (*auf* de), envieux (de).

Neige *f zur ~ gehen* s'épuiser, toucher à sa fin.

neig|en pencher, incliner; *zu etw ~* pencher à qc, incliner à qc, être enclin à qc; **≈ung** *f schiefe Ebene* inclinaison *f*; *Vorliebe* penchant *m* (*zu* à *od* pour), inclination *f* (pour).

nein non.

Nektar *m* nectar *m*.

Nelke *bot f* œillet *m*; *Gewürz*≈ clou *m* de girofle.

nennen appeler, nommer; *sich ~* s'appeler; *man nennt ihn ...* on l'appelle ...; *das nenne ich ...!* c'est ce que j'appelle ...!; **~swert** appréciable.

Nenn|er *math m* dénominateur *m*; **~wert** *écon m* valeur *f* nominale.

Neo..., neo... *in Zssgn* néo-...

Neon *n* néon *m*; **~beleuchtung** *f* éclairage *m* au néon; **~röhre** *f* tube *m* au néon.

Nepp *m* F poudre *f* aux yeux, camelote *f*.

Nerv *m* nerf *m*; *j-m auf die ~en fallen* agacer *od* énerver qn; *die ~en behal-*

N

ten (*verlieren*) conserver (perdre) son calme; **2en** *j-n* ~ énerver qn, F casser les pieds à qn.

Nerven|arzt *m* neurologue *m*; **2aufreibend** énervant; **~belastung** *f* stress *m*; **~heilanstalt** *f* maison *f* de santé, hôpital *m* psychiatrique; **~kitzel** *m* sensation *f*, frissons *m*/*pl*; **2krank** malade des nerfs; **~krieg** *m* guerre *f* des nerfs; **~säge** *f* F casse-pieds *m*; **~system** *n* système *m* nerveux; **~zusammenbruch** *m* dépression *f* nerveuse.

nerv|ös nerveux; *erregt* énervé; **2osität** *f* nervosité *f*.

Nerz *zo m* vison *m* (*a Mantel*).

Nessel *bot f* ortie *f*.

Nest *n* nid *m*; *Ort* F trou *m*, patelin *m*.

nett *hübsch* joli; *freundlich* gentil; *angenehm* agréable; *das ist ~ von Ihnen* c'est gentil à vous; *so ~ sein und etw tun* avoir la gentillesse de faire qc.

netto *écon* net.

Netz *n* filet *m*; *fig* réseau *m*; *Strom2* secteur *m*; **~haut** *f Auge* rétine *f*; **~karte** *f* carte *f* valable sur un réseau.

neu nouveau (*vor subst = ein anderer, nach subst = kürzlich entstanden*); neuf (*stets nach subst = fabrikneu, noch nicht benutzt*); *~zeitlich* moderne; *~ere Sprachen* langues *f*/*pl* vivantes; *~este Nachrichten f*/*pl* dernières nouvelles *f*/*pl*; *von ~em* de nouveau; *seit ~estem* depuis peu; *was gibt es 2es?* quoi de neuf?, quelles nouvelles?

neu|artig d'un genre nouveau; **2bau** *m* immeuble *m* récemment construit; **2baugebiet** *n* nouveau quartier *m*; **~erdings** *seit kurzem* depuis peu; *erneut* de nouveau; **2erer** *m* innovateur *m*; **2erung** *f* innovation *f*; **2gestaltung** *f* réorganisation *f*, refonte *f*.

Neugier|(de) *f* curiosité *f*; **2ig** curieux (*auf etw* de savoir qc); *ich bin ~, ob ...* je suis curieux de savoir si ...; **~ige** *pl* curieux *m*/*pl*, badauds *m*/*pl*.

Neu|heit *f* nouveauté *f*; **~igkeit** *f* nouvelle *f*; **~jahr** *n* jour *m* de l'an, nouvel an *m*; **2lich** l'autre jour; **~ling** *m* novice *m*, *f*, débutant *m*, -e *f*; **2modisch** à la dernière mode, dernier cri F; **~mond** *m* nouvelle lune *f*.

neun neuf; **~te** neuvième; **2tel** *n* neuvième *m*; **~zehn** dix-neuf; **~zehnte** dix-neuvième; **~zig** quatre-vingt-dix; **~zigjährig** nonagénaire; **~zigste** quatre-vingt-dixième.

Neuro|se *méd f* névrose *f*; **~tiker** *m* névrosé *f*.

neusprachlich des langues vivantes.

neutr|al neutre; **2alität** *f* neutralité *f*; **2on** *phys n* neutron *m*; **2um** *gr n* neutre *m*.

Neu|verfilmung *f* nouvelle version *f* (d'un film), remake *m*; **2wertig** à l'état neuf, comme neuf; **~zeit** *f* temps *m*/*pl* modernes.

nicht pas; *beim Verb* ne ... pas; *ich ~!* moi pas!; *ich auch ~* moi non plus; *durchaus ~, gar ~, überhaupt ~* pas du tout; *noch ~* pas encore; *~ mehr* ne ... plus; *~ (wahr)?* n'est-ce pas?; *bitte ~!* je vous en prie, ne faites pas ça!

Nicht|... *in Zssgn oft* non-...; **~beachtung** *f* non-respect *m*.

Nichte *f* nièce *f*.

Nichteinmischung *pol f* non-intervention *f*.

nichtig vain, futile; *jur* nul; **2keit** *f* futilité *f*; *jur* nullité *f*.

Nichtraucher *m Abteil* non fumeurs; *ich bin ~* je ne fume pas.

nichts 1. rien (*mit* ne *beim Verb*); *gar ~* rien du tout; *~ mehr* (ne ...) plus rien; *~ (anderes) als* rien (d'autre) que; *weiter ~?* rien de plus?; **2.** **2** *n* néant *m*.

nichts|destoweniger néanmoins; **2könner** *m* bon *m* à rien, F zéro *m*; **2nutz** *m* vaurien *m*; **~sagend** vide de sens; *unbedeutend* insignifiant; **2tuer(in** *f*) *m* fainéant *m*, -e *f*.

Nickel *n* nickel *m*.

nicken faire un signe de tête.

nie ne ... jamais; *ohne Verb* jamais; *~ mehr* (ne ...) plus jamais; *fast ~* presque jamais; *~ und nimmer!* jamais de la vie!

nieder 1. *adj* bas; inférieur; **2.** *adv ~ mit ...!* à bas ...!

Nieder|gang *m* déclin *m*; **2geschlagen** abattu, déprimé; **2knien** s'agenouiller; **~lage** *f mil* défaite *f*; **~lande** *die ~ pl* les Pays-Bas *m*/*pl*; **~länder(in** *f*) *m* Néerlandais *m*, -e *f*; **2ländisch** néerlandais; **2lassen** *sich ~ sich setzen* s'asseoir; *Wohnsitz, comm* s'établir; **~lassung** *f comm* établissement *m*, succursale *f*; **2legen** poser à terre; *sein Amt ~* se démettre de ses fonctions; *die Arbeit ~* cesser le travail, faire grève; *zum*

Schlafen sich ~ se coucher; **≈metzeln** massacrer; **≈reißen** *Gebäude* démolir; **~sachsen** *n* la Basse-Saxe; **~schlag** *m Wetter* précipitations *f/pl*; *chim* précipité *m*; *radioaktiver* ~ retombées *f/pl* radioactives; **≈schlagen** *Gegner* terrasser, abattre; *Augen* baisser; *Aufstand* écraser; *jur Verfahren* arrêter; **≈trächtig** infâme; **~ung** *f* terrain *m* bas.

niedlich gentil, mignon, charmant.

niedrig bas; *Strafe* faible; ~ *stehen* être bas; ~ *fliegen* voler à basse altitude.

niemals (*mit Verb* ne ...) jamais.

niemand personne ne ...; ne ... personne; *ohne Verb* personne, aucun; ~ *mehr* plus personne; ~ *sonst* personne d'autre, nul autre; **≈sland** *n* no man's land *m*, zone *f* neutre.

Niere *f* rein *m*; *cuis* rognon *m*.

nieseln *es nieselt* il bruine *od* brouillasse.

niesen éternuer.

Niete *f tech* rivet *m*; *Lotterie* billet *m* non gagnant; *fig Versager* zéro *m*, nullité *f*.

Nikolaustag *der* ~ la Saint-Nicolas.

Nikotin *n* nicotine *f*; ⚠ *la* nicotine.

Nil *der* ~ le Nil; **~pferd** *zo n* hippopotame *m*.

nippen *an etw* ~ goûter du bout des lèvres à qc.

nirgend|s, ~wo nulle part.

Nische *f* niche *f*.

nisten nicher.

Niveau *n* niveau *m*.

Nixe *f* ondine *f*.

Nizza Nice.

Nobelpreis *m* prix *m* Nobel (*für* de).

noch 1. *adv* encore; ~ *nicht* pas encore; ~ *immer* toujours; ~ *heute* aujourd'hui même; (*sei er*) ~ *so klein* quelque petit qu'il soit; *er hat nur* ~ *10 Mark* il ne lui reste plus que 10 marks; *sonst* ~ *etwas?* vous désirez autre chose?; **2.** *conj weder* ... ~ ... ni ... ni ... (*mit* ne *beim Verb*); **~malig** réitéré; **~mals** encore une fois.

Nomade *m* nomade *m*.

Nomin|ativ *gr m* nominatif *m*; **≈ieren** nommer.

Nonne *f* religieuse *f*; **~nkloster** *n* couvent *m* de religieuses.

Nord|(en) *m* nord *m*; **≈isch** nordique; *Ski* ~*e Kombination f* combiné *m* nordique.

nördlich septentrional, du nord; ~ *von* au nord de.

Nord|licht *n* aurore *f* boréale; **~ost(en)** *m* nord-est *m*; **~pol** *m* pôle *m* Nord; **~rhein-Westfalen** *n* la Rhénanie-du-Nord-Westphalie; **~see** *f* mer *f* du Nord; **~west(en)** *m* nord-ouest *m*.

nörg|eln trouver à redire, ergoter, chicaner; **≈ler(in** *f*) *m* ergoteur *m*, -euse *f*, grincheux *m*, -euse *f*.

Norm *f* norme *f*, standard *m*.

normal normal; *nicht ganz* ~ F pas très normal, un peu dérangé; **≈benzin** *n* essence *f* ordinaire; **~erweise** normalement; **~isieren** *sich* ~ se normaliser.

Norweg|en *n* la Norvège; **~er(in** *f*) *m* Norvégien *m*, -ne *f*; **≈isch** norvégien.

Not *f Notwendigkeit* nécessité *f*; *Notlage*, *Gefahr* détresse *f*; *Armut* pauvreté *f*; *Elend* misère *f*; *in* ~ *sein* être dans le besoin; *die* ~ *der Armen lindern* soulager le malheur des pauvres; *zur* ~ à la rigueur; *ohne* ~ sans nécessité.

Notar *m* notaire *m*.

Not|ausgang *m* sortie *f* de secours; **~behelf** *m* expédient *m*; **~bremse** *f Zug* signal *m* d'alarme; **~durft** *f seine* ~ *verrichten* faire ses besoins; **≈dürftig** à peine suffisant; *behelfsmäßig* de fortune, provisoire, temporaire.

Note *f* note *f* (*a Schule, mus*); *Bank≈* billet *m*; ~*n lesen* faire du solfège.

Noten|durchschnitt *m* moyenne *f* des notes; **~ständer** *m* pupitre *m*.

Not|fall *m* urgence *f*; *im* ~ au besoin; **≈gedrungen** forcément, par nécessité; *etw* ~ *tun* être obligé *od* contraint de faire qc.

notieren noter, marquer.

nötig nécessaire; *etw* ~ *haben* avoir besoin de qc; *das ≈ste* le strict nécessaire; **~en** *j-n* ~ forcer qn, contraindre qn (*etw zu tun* à faire qc); **~enfalls** si nécessaire, si besoin est.

Notiz *f* note *f*; ~ *nehmen von* prêter attention à; *keine* ~ *nehmen von a* ignorer; *sich* ~*en machen* prendre des notes; **~block** *m* bloc-notes *m*; **~buch** *n* carnet *m*, agenda *m*.

Not|lage *f* détresse *f*, situation *f* difficile, embarras *m*; **≈landen** *aviat* faire un atterrissage forcé; **~landung** *f* atterrissage *m* forcé; **≈leidend** nécessiteux; **~lösung** *f* expédient *m*,

N

solution *f* de fortune; **~lüge** *f* pieux mensonge *m*.

notorisch notoire.

Not|ruf *tél m* appel *m* d'urgence; **~rufsäule** *f* poste *m* d'appel d'urgence; **~signal** *n* signal *m* de détresse; **~stand** *pol m* état *m* d'urgence; **~standsgebiet** *n* région *f* sinistrée; **~unterkunft** *f* logement *m* provisoire; **~verband** *m* pansement *m* provisoire; **~wehr** *jur f* légitime défense *f*; **2wendig** nécessaire; **~wendigkeit** *f* nécessité *f*.

Novelle *f Literatur* nouvelle *f*; *jur* amendement *m*.

November *m* novembre *m*.

Nu *m im ~* en un clin d'œil, F en cinq sec.

Nuance *f* nuance *f*; *e-e ~ Kleinigkeit* un tout petit peu.

nüchtern à jeun; *fig Mensch* positif; *Stil* sobre; *péj* prosaïque; *auf ~en Magen* à jeun; *nicht mehr ~* déjà ivre; **2heit** *f* sobriété *f*.

Nudeln *f/pl* nouilles *f/pl*; *Faden2* vermicelle *m*; ⚠ *le* vermicelle.

null 1. zéro; *~ und nichtig* nul et non avenu; *~ Grad* (*Fehler*) zéro degré (faute); **2.** 2 *f* zéro *m*; *fig Person* nullité *f*, zéro *m*; **2punkt** *m* zéro *m*; **2tarif** *m zum ~* gratuitement.

numerieren numéroter.

Numerus clausus *m* numerus clausus *m*.

Nummer *f* numéro *m*; **~nschild** *auto n* plaque *f* minéralogique, plaque *f* d'immatriculation.

nun à présent, maintenant; *dann* alors; *~!* eh bien!, F eh ben!; *von ~ an* dorénavant; *seitdem* dès lors; *~ aber* or; *~, wo* ... maintentant que ...; **~mehr** à présent; *von jetzt ab* désormais.

Nuntius *m* nonce *m*.

nur seulement; ne ... que; *~ noch* ne ... plus que; *wenn ~* pourvu que (+ *subj*); *nicht ~ ..., sondern auch* non seulement ..., mais aussi *od* mais encore.

Nürnberg Nuremberg.

Nuß *f* noix *f*; **~baum** *m* noyer *m*; **~knacker** *m* casse-noisettes *m*; **~schale** *f* coquille *f* de noix.

Nüstern *f/pl Pferd* naseaux *m/pl*.

Nutte *f péj* grue *f*.

nutz|bar utilisable, exploitable; *~ machen* utiliser, exploiter; **~bringend** productif, profitable.

nütze *zu nichts ~* bon à rien.

Nutzen *m* utilité *f*; *Gewinn* profit *m*; *Vorteil* avantage *m*; *von ~ sein* être utile.

nützen servir, être utile (*j-m* à qn); *etw ~ verwerten* utiliser qc; *nichts ~* ne servir à rien.

Nutzlast *f* charge *f* utile.

nützlich utile (*für j-n* à qn); *sich ~ machen* se rendre utile; **2keit** *f* utilité *f*.

nutz|los inutile; **2losigkeit** *f* inutilité *f*; **2nießer** *m* bénéficiaire *m*; **2pflanze** *f* plante *f* utile; **2ung** *f* utilisation *f*, mise *f* à profit.

Nylon *n* nylon *m*; **~hemd** *n* chemise *f* de nylon; **~strumpf** *m* bas *m* de nylon.

Nymphe *f* nymphe *f*.

O

o! *o ja!* ah oui!; *o weh!* aïe!, mon Dieu!

Oase *f* oasis *f od m*.

ob si; *als ~* comme si; *so tun als ~* faire semblant de (+ *inf*); *und ~!* et comment!, tu penses!

OB *m* maire *m* (d'une grande ville).

Obdach *n* abri *m*; **2los** sans abri; **~lose(r)** *m, f* sans-abri *m, f*; **~losenasyl** *n* foyer *m* d'hébergement.

Obdu|ktion *méd f* autopsie *f*; **2zieren** autopsier.

oben en haut; *nach ~* en haut, vers le haut; *von ~ bis unten* du haut jusqu'en bas; *links ~* en haut à gauche; *siehe ~* voir plus haut; *von ~ herab* d'en haut (*a fig*); F *~ ohne* seins nus; **~auf** *fig ~ sein* être en pleine forme; **~drein** par-dessus le marché; **~erwähnt**

(mentionné) ci-dessus; **~hin** superficiellement.
Ober *m Kellner* garçon *m*; **~arm** *m* haut *m* du bras; **~befehl** *mil m* commandement *m* en chef; **~begriff** *m* terme *m* générique; **~bürgermeister** *m* maire *m* (d'une grande ville), premier bourgmestre *m*.
ober|e de dessus, d'en haut, supérieur; **2fläche** *f* surface *f*; **~flächlich** superficiel; **~halb** au-dessus de; **2hand** *f fig die ~ gewinnen* prendre le dessus; **2haupt** *n* chef *m*; **2hemd** *n* chemise *f*; **2herrschaft** *f* suprématie *f*.
Oberin *rel f* mère *f* supérieure.
ober|irdisch au-dessus du sol, aérien; **2kellner** *m* maître *m* d'hôtel; **2kiefer** *m* mâchoire *f* supérieure; **2körper** *m* torse *m*; *den ~ freimachen* se mettre torse nu; **2leitung** *f* direction *f* générale; *tech* caténaire *f*; **2lippe** *f* lèvre *f* supérieure.
Obers *östr n* crème *f*.
Ober|schenkel *m* cuisse *f*; **~schule** *f* école *f* secondaire.
Oberst *mil m* colonel *m*.
oberste le plus haut, suprême.
Ober|stufe *f Schule* second cycle *m*; **~teil** *n* haut *m*.
obgleich quoique, bien que (*beide* + *subj*).
Obhut *f* garde *f*; *in j-s ~* sous la garde de qn.
obig (mentionné) ci-dessus.
Objekt *n* objet *m*; *gr* complément *m* d'objet.
objektiv 1. objectif; **2.** 2 *n* objectif *m*; **2ität** *f* objectivité *f*, impartialité *f*.
obligatorisch obligatoire.
Oboe *mus f* hautbois *m*.
Obrigkeit *f* autorités *f/pl*.
Observatorium *astr n* observatoire *m*.
Obst *n* fruits *m/pl*; **~baum** *m* arbre *m* fruitier; **~garten** *m* verger *m*; **~saft** *m* jus *m* de fruits; **~torte** *f* tarte *f* aux fruits.
obszön obscène.
obwohl quoique, bien que (*beide* + *subj*).
Ochse *m* bœuf *m*.
öde 1. *Gegend* désert, désertique; *fig* ennuyeux; **2.** 2 *f* désert *m*; *Leere* vide *m*.
oder ou; *~ so* ou comme ça; *er kommt doch, ~?* il viendra, n'est-ce pas?
Ofen *m Zimmer*2 poêle *m*; *Back*2 four *m*.
offen ouvert; *freimütig* franc; *~e Stelle* place *f* vacante; *~ gesagt* pour parler franchement; *~ seine Meinung sagen* dire ouvertement ce qu'on pense.
offenbar évident, manifeste, apparent; *adv* apparemment **~en** (*sich ~* se) manifester, révéler (*a rel*); *Geheimnis* dévoiler; **2ung** *f* révélation *f* (*a rel*).
Offenheit *f* franchise *f*.
offen|herzig franc, sincère; **~sichtlich** évident; *adv* évidemment.
offensiv offensif; **2e** *f* offensive *f*.
offenstehen être ouvert (*j-m* à qn); *Rechnung* être non-payé; *es steht Ihnen offen zu ...* vous êtes libre de ...
öffentlich public; *~e Verkehrsmittel* transports *m/pl* publics *od* en commun; *~e Schulen* écoles *f/pl* publiques; *~ auftreten* apparaître en public; **2keit** *f* public *m*; *in aller ~* publiquement; *an die ~ bringen* porter à la connaissance du public, rendre public.
Offerte *f* offre *f*.
offiziell officiel.
Offizier *m* officier *m*.
öffn|en (*sich ~* s')ouvrir; **2er** *m Flaschen*2 ouvre-bouteilles *m*; *Dosen*2 ouvre-boîtes *m*; **2ung** *f* ouverture *f*; **2ungszeiten** *f/pl* heures *f/pl* d'ouverture.
oft souvent, fréquemment.
oh oh!, ah!
ohne sans; *~ daß ...* sans que (+ *subj*); *~ zu ...* sans (+ *inf*); *~ mich!* ne comptez pas sur moi!; *~ ein Wort* (*zu sagen*) sans (dire) un mot; **~gleichen** sans pareil; **~hin** de toute façon.
Ohnmacht *f* impuissance *f*; *méd* évanouissement *m*; *in ~ fallen* s'évanouir.
ohnmächtig impuissant; *méd* évanoui; *~ werden* s'evanouir.
Ohr *n* oreille *f*; F *j-n übers ~ hauen* rouler qn; *bis über die ~en verliebt* être amoureux fou de qn.
Ohren|arzt *m* oto-rhino *m*; **2betäubend** assourdissant; **~schmerzen** *m/pl* douleurs *f/pl* d'oreilles.
Ohr|feige *f* gifle *f*, claque *f*, taloche F *f*; **2feigen** gifler; **~läppchen** *n* lobe *m* de l'oreille; **~ring** *m* boucle *f* d'oreille.

O

oje mon Dieu!, oh là là!
O.K. F O.K., d'accord.
Öko|loge *m* écologiste *m*; **~logie** *f* écologie *f*; **≈logisch** écologique; **~nomie** *f* économie *f*; **≈nomisch** économique.
Oktave *mus f* octave *f*.
Oktober *m* octobre *m*.
ökumenisch *rel* œcuménique.
Öl *n* huile *f*; *Erd≈* pétrole *m*; *Heiz≈* fuel *m*, mazout *m*; **~baum** *bot m* olivier *m*.
ölen huiler, lubrifier.
Öl|farbe *f* peinture *f* à l'huile; **~förderung** *f* production *f* de pétrole; **~gemälde** *n* peinture *f* à l'huile; **~heizung** *f* chauffage *m* au mazout; **≈ig** huileux.
Olive *f* olive *f*.
Oliven|baum *bot m* olivier *m*; **~öl** *n* huile *f* d'olives.
Öl|leitung *f* oléoduc *m*, pipe-line *m*; **~malerei** *f* peinture *f* à l'huile; **~pest** *f* marée *f* noire; **~quelle** *f* puits *m* de pétrole; **~sardinen** *f/pl* sardines *f/pl* à l'huile; **~stand** *m* niveau *m* d'huile; **~ung** *f tech* huilage *m*; *rel Letzte ~* extrême-onction *f*; **~verschmutzung** *f* pollution *f* par le pétrole; **~vorkommen** *n* gisement *m* pétrolifère; **~wechsel** *auto m* vidange *f*; **~zeug** *mar n* ciré *m*.
Olympiamannschaft *f* équipe *f* olympique.
olympisch *≈e Spiele n/pl* jeux *m/pl* Olympiques.
Om|a F *f*, **~i** F *f* grand-mère *f*, F mémé *f*, *enf* mamie *f*.
Omnibus *m* autobus *m*; *Reise≈* autocar *m*; ⚠ *nicht omnibus*.
onanieren se masturber.
Onkel *m* oncle *m*.
OP *m* salle *f* d'opération.
Opa F *m* grand-père *m*, F pépé *m*, *enf* papi *m*.
Oper *mus f* opéra *m*; ⚠ *un* opéra.
Operation *f* opération *f*; **~ssaal** *méd m* salle *f* d'opérations.
Operette *mus f* opérette *f*.
operieren *méd* opérer (*an* de); *operiert werden* subir une intervention chirurgicale; *sich (am Fuß etc) ~ lassen* se faire opérer (du pied *etc*).
Opernsänger(in *f*) *m* chanteur *m* (cantatrice *f*) d'opéra.
Opfer *n Verzicht* sacrifice *m*; *bei Unglück* victime *f*; *ein ~ bringen* faire un sacrifice; *zum ~ fallen* être victime de.
opfer|n (*sich ~* se) sacrifier; **≈ung** *f* sacrifice *m*.
Opium *n* opium *m*.
Opportunismus *m* opportunisme *m*.
Opposition *f* opposition *f*.
Optik *f* optique *f*; **~er** *m* opticien *m*.
optim|al optimum, optimal; **≈ismus** *m* optimisme *m*; **≈ist(in** *f*) *m* optimiste *m*, *f*; **~istisch** optimiste.
optisch optique.
Orange *f* orange *f*.
Orchester *mus n* orchestre *m*.
Orchidee *bot f* orchidée *f*.
Orden *m* ordre *m* (*a rel*); *Auszeichnung* décoration *f*, médaille *f*.
Ordensschwester *f* sœur *f*, religieuse *f*.
ordentlich *Person, Zimmer etc* propre, ordonné; *richtig, sorgfältig* soigné; *gründlich* comme il faut; *anständig* honnête; *Leute* convenable; *Mitglied* à part entière; *Professor* titulaire; *Gericht* ordinaire; *Leistung* bon; *seine Sache ~ machen* faire son travail comme il faut; *sich ~ benehmen* bien se tenir.
ordinär vulgaire.
ordn|en mettre de l'ordre dans, ordonner, classer, ranger; *regeln* régler; **≈er** *m Fest≈ etc* ordonnateur *m*, organisateur *m*; *Akten≈* classeur *m*.
Ordnung *f* ordre *m*; *Vorschriften* règlement *m*; *in ~* en ordre, O.K.; *in ~ bringen* remettre en ordre; *reparieren* réparer; *in ~ halten* maintenir en ordre; *etw ist nicht in ~* qc ne marche pas.
ordnungs|gemäß réglementaire, régulier; *adv* en bonne et due forme; **≈strafe** *f* amende *f*; **≈zahl** *f* nombre *m* ordinal.
Organ *n* organe *m*; **~isation** *f* organisation *f*; **~isator** *m* organisateur *m*; **≈isatorisch** d'organisation; d'organisateur; **≈isch** organique.
organisier|en (*sich ~* s')organiser; **~t** organisé.
Organ|ismus *m* organisme *m*; **~ist(in** *f*) *m mus* organiste *m*, *f*; **~spender** *méd m* donneur *m* d'organes; **~verpflanzung** *méd f* transplantation *f* d'organes.
Orgasmus *m* orgasme *m*.
Orgel *f* orgue *m*.
Orgie *f* orgie *f*.
Orient *m* Orient *m*.

Oriental|e *m*, **~in** *f* Oriental *m*, -e *f*; **⁀isch** oriental.
orientier|en *sich* ~ s'orienter; **⁀ung** *f* orientation *f*; *die ~ verlieren* être désorienté; *zur ~* à titre indicatif; **⁀ungssinn** *m* sens *m* de l'orientation.
original 1. original; **2.** ⁀ *n* original *m*; **⁀ausgabe** *f* édition *f* originale; **⁀übertragung** *f* émission *f* en direct.
originell original; ⚠ *nicht originel.*
Orkan *m* ouragan *m*.
Ornament *n* ornement *m*.
Ort *m* lieu *m*, endroit *m*; *Ortschaft* localité *f*; *an ~ und Stelle* sur place; *vor ~* sur les lieux; **⁀en** localiser.
orthodox orthodoxe.
Orthographi|ie *f* orthographe *f*; **⁀isch** orthographique.
Orthopäd|e *m* orthopédiste *m*; **⁀isch** orthopédique.
örtlich local.
Ortschaft *f* localité *f*.
Orts|gespräch *tél n* communication *f* urbaine *od* locale; **~kenntnis** *f* connaissance *f* des lieux; **~netz** *tél n* réseau *m* local; **~zeit** *f* heure *f* locale.
Öse *f* œillet *m*.
Ost(en) *m* est *m*.
Ostblock *pol m* pays *m*/*pl* de l'Est.
Oster|ei *n* œuf *m* de Pâques; **~ferien** *pl* vacances *f*/*pl* de Pâques.
Ostern *n od pl* Pâques *f*/*pl*; *an, zu ~* à Pâques; *frohe ~!* joyeuses Pâques!
Österreich *n* l'Autriche *f*; **~er(in** *f*) *m* Autrichien *m*, -ne *f*; **⁀isch** autrichien.
östlich oriental, de l'est, d'est; *~ von* à l'est de.
Ost|see *f* mer *f* Baltique; **~wind** *m* vent *m* d'est.
Otter *zo f* vipère *f*.
Ouvertüre *mus f* ouverture *f*.
oval ovale.
Oxyd *chim n* oxyde *m*; **⁀ieren** s'oxyder.
Ozean *m* océan *m*.
Ozon *n* ozone *m*; **~schicht** *f* couche *f* d'ozone.

P

Paar 1. *n* paire *f*; *Personen, Tiere* couple *m*; *ein ~ Schuhe* une paire de chaussures; ⚠ *la paire*; **2.** *ein* ⁀ quelques; **⁀en** *zo sich ~* s'accoupler; **~lauf** *Sport m* patinage *m* en couple; **⁀mal** *ein ~* plusieurs fois; **~ung** *zo f* accouplement *m*; **⁀weise** par couples.
Pacht *f* bail *m*; *agr* fermage *m*; **⁀en** prendre à bail *od* à ferme.
Pächter(in *f*) *m jur* preneur *m* à bail, fermier *m*, -ière *f*.
Pack *n péj* canaille *f*, racaille *f*.
Päckchen *n* petit paquet *m*; *ein ~ Zigaretten* un paquet de cigarettes.
Pack|en *m* (gros) paquet *m*; *Briefe, Papiere* liasse *f*; **⁀en** *Koffer, Paket* faire; *Waren* emballer; *ergreifen* saisir (*an* par); *fig mitreißen* captiver; **~er(in** *f*) *m* emballeur *m*, -euse *f*; *Möbel*⁀ déménageur *m*; **~papier** *n* papier *m* d'emballage; **~ung** *f* paquet *m*, boîte *f*.
Pädagog|e *m*, **~in** *f* pédagogue *m*, *f*; **~ik** *f* pédagogie *f*; **⁀isch** pédagogique.
Paddel *n* pagaie *f*; **~boot** *n Faltboot* canot *m* pliant; *Kanu* canoë *m*; *Kajak* kayak *m*; **⁀n** pagayer.
Page *m* page *m*; *Hotel* chasseur *m*, groom *m*.
Paket *n* paquet *m*; colis *m* postal; **~annahme** *f* réception *f* des colis; **~karte** *f* bulletin *m* d'expédition; **~post** *f* service *m* des colis postaux; **~zustellung** *f* distribution *f* des colis.
Pakt *m* pacte *m*.
Palast *m* palais *m*.
Palästina *n* la Palestine.
Palme *f bot* palmier *m*; F *fig j-n auf die ~ bringen* exaspérer qn, F faire monter qn au cocotier.
Palmsonntag *m* (dimanche *m* des) Rameaux *m*/*pl*.
Pampelmuse *bot f* pamplemousse *m*; ⚠ *le* pamplemousse.
panier|t *cuis* pané; **⁀mehl** *n* chapelure *f*.

Pani|k *f* panique *f*; *in ~ geraten* s'affoler; **2sch** *~e Angst* peur *f* panique.
Panne *f tech* panne *f*; *Mißgeschick* incident *m* fâcheux, gaffe *f* F; *e-e ~ haben* être *od* tomber en panne; **~nhilfe** *auto f* dépannage *m*.
panschen *im Wasser* patauger; *Wein* frelater, trafiquer.
Panther *zo m* panthère *f*; ⚠ *la* panthère.
Pantoffel *m* pantoufle *f*; *fig Ehemann er steht unter dem ~* c'est elle qui porte la culotte; ⚠ *la* pantoufle; **~held** F *m* mari *m* mené par le bout du nez par sa femme.
Pantomim|e 1. *f* pantomime *f*; **2.** *m* mime *m*; **2isch** pantomimique.
Panzer *m mil* blindé *m*, char *m*; *von Tieren* carapace *f*; *hist od fig* cuirasse *f*; **~glas** *n* verre *m* pare-balles; **2n** blinder; **~platte** *f* plaque *f* de blindage; **~schrank** *m* coffre-fort *m*; **~ung** *f* blindage *m*.
Papa *m* F papa *m*.
Papagei *zo m* perroquet *m*.
Papier *n* papier *m*; *~e pl* papiers *m/pl*; **~geld** *n* billets *m/pl* de banque; **~korb** *m* corbeille *f* à papier; **~krieg** *m* paperasserie *f* administrative; **~serviette** *f* serviette *f* en papier; **~tüte** *f* sac *m* en papier; **~waren** *f/pl* articles *m/pl* de papeterie; **~warengeschäft** *n* papeterie *f*.
Pappe *f* carton *m*.
Pappel *bot f* peuplier *m*.
Paprika *bot m Schote* poivron *m*; *Gewürz* piment *m*, paprika *m*.
Papst *m* pape *m*.
päpstlich papal, pontifical.
Parabel *f* parabole *f*.
Parade *mil f* revue *f*, défilé *m*; *die ~ abnehmen* passer (les troupes) en revue.
Paradeiser *östr m* tomate *f*.
Paradies *n* paradis *m*; **2isch** paradisiaque.
paradox paradoxal.
Paragraph *m* article *m*; *Absatz* paragraphe *m*.
parallel parallèle; **2e** *f math* parallèle *f* (*wenn fig, dann m*); **2ogramm** *math n* parallélogramme *m*.
Paranuß *bot f* noix *f* du Brésil.
Parasit *m* parasite *m*.
Pärchen *n* couple *m*.
Pardon *m Verzeihung* pardon *m*; *Begnadigung* grâce *f*.
Parfüm *n* parfum *m*; **~erie** *f* parfumerie *f*; **2ieren** (*sich ~* se) parfumer.
parieren *Schlag* parer; *gehorchen* obéir.
Park *m* parc *m*; **~anlagen** *f/pl* parc *m*; **~en** *n* stationnement *m*; *~ verboten!* stationnement interdit!; **2en** stationner, se garer; *sein Auto ~* garer sa voiture; **2end** *auto* en stationnement.
Parkett *n* parquet *m*; *Theater* orchestre *m*.
Park|gebühren *f/pl* taxe *f* de stationnement; **~haus** *n* parking *m* à étages; **2ieren** *Schweiz cf parken*; **~lücke** *f* créneau *m*; **~platz** *m* parking *m*, parc *m* de stationnement; *e-n ~ suchen* chercher une place pour stationner; **~scheibe** *f* disque *m* de stationnement; **~uhr** *f* parcmètre *m*; **~verbot** *n* défense *f* de stationner; **~wächter** *m* gardien *m*.
Parlament *n* Parlement *m*; **2arisch** parlementaire.
Parodie *f* parodie *f*; **2ren** parodier.
Parole *f mil* mot *m* de passe; *pol* slogan *m*; ⚠ *nicht parole*.
Partei *f pol* parti *m*; *jur* partie *f*; *für j-n ~ ergreifen* prendre parti pour qn; ⚠ *le* parti; **2isch** partial; **2los** *pol* indépendant, non-inscrit; **~mitglied** *n* membre *m* d'un parti; **~programm** *n* programme *m* de parti; **~tag** *m* congrès *m*, convention *f* (d'un parti); **~zugehörigkeit** *f* appartenance *f* à un parti.
Parterre *n Theater* parterre *m*; *Erdgeschoß* rez-de-chaussée *m*.
Partie *f* partie *f*; *Heirats2* parti *m*; *mit von der ~ sein* être de la partie.
Partisan *mil m* partisan *m*.
Partitur *mus f* partition *f*.
Partizip *gr n* participe *m*.
Partner|(in *f*) *m* partenaire *m*, *f*; *comm* associé *m*, -e *f*; **~schaft** *f* association *f*; *Städte2* jumelage *m*; **~stadt** *f* ville *f* jumelée.
Party *f* surprise-partie *f*, F boum *f*.
Paß *m Gebirgs2* col *m*; *Reise2* passeport *m*; *Sport* passe *f*.
Passage *f* passage *m*; ⚠ *le* passage.
Passagier *m* passager *m*; **~dampfer** *m* paquebot *m*; **~flugzeug** *n* avion *m* de transport de passagers, avion *m* de ligne.
Passant(in *f*) *m* passant *m*, -e *f*, piéton *m*, -ne *f*.
Paßbild *n* photo *f* d'identité.

passen *das bestimmte Maß haben* être juste, aller (bien); *genehm sein* convenir (*j-m* à qn); ~ *zu* aller avec; *sie* ~ *gut zueinander* ils vont bien ensemble; *paßt es Ihnen morgen?* est-ce que cela vous convient demain?; *das paßt mir gar nicht* ça ne me va *od* convient pas du tout; *das paßt nicht zu ihm* ce n'est pas son genre; **~d** juste; convenable, approprié, opportun.
passier|en *Ort* passer; *sich ereignen* se passer, se produire, arriver; **2schein** *m* laissez-passer *m*.
Passion *f* passion *f*; *rel* Passion *f*; **2iert** passionné.
passiv 1. passif; **2.** 2 *gr n* passif *m*.
Paßkontrolle *f* contrôle *m* des passeports.
Paste *f* pâte *f*.
Pastell *n* pastel *m*.
Pastete *f* pâté *m*.
Pastor *égl m* pasteur *m*.
Pat|e *m*, **~in** *f* parrain *m*, marraine *f*; **~enkind** *n* filleul *m*, -e *f*; **~enschaft** *f* parrainage *m*; *die* ~ *für etw übernehmen* parrainer qc.
Patent *n* brevet *m*; **2ieren** breveter.
Pater *égl m* père *m*.
pathetisch pompeux, solennel.
Patient(**in** *f*) *m* malade *m*, *f*, client *m*, -e *f*, patient *m*, -e *f*.
Patriarch *m* patriarche *m*; **2alisch** patriarcal.
Patriot|(**in** *f*) *m* patriote *m*, *f*; **2isch** patriotique; *Person* patriote; **~ismus** *m* patriotisme *m*.
Patron *m rel* patron *m*; *péj* type *m*; **~at** *n* patronage *m*.
Patrone *f* cartouche *f*.
Patrouill|e *f* patrouille *f*; **2ieren** patrouiller.
Patsch|e *f in der* ~ *sitzen* F être dans le pétrin; **2en** F taper; *im Wasser* ~ barboter dans l'eau; **2naß** trempé jusqu'aux os.
patzig F arrogant, insolent.
Pauke *mus f* timbale *f*.
pauken F potasser, bûcher, piocher; *zur Reifeprüfung* bachoter.
pausbäckig joufflu.
pauschal *comm* forfaitaire; *fig* global; *adv* à forfait; *fig* globalement, en bloc; **2e** *f* somme *f* forfaitaire; **2reise** *f* voyage *m* à forfait; **2urteil** *n* jugement *m* sommaire.
Pause *f* pause *f*; *Schule* récréation *f*; *Theater* entracte *m*; **2nlos** ininterrompu, sans cesse; **~nzeichen** *n Radio* indicatif *m*; *Schule* sonnerie *f*.
pausieren faire une pause.
Pavian *zo m* babouin *m*.
Pazifi|k *m* Pacifique *m*; **~sch** *der* ~*e Ozean* l'océan *m* Pacifique.
Pazifis|mus *m* pacifisme *m*; **~t**(**in** *f*) *m* pacifiste *m*, *f*; **2tisch** pacifiste *m*.
Pech *n* poix *f*; *Unglück* malchance *f*, poisse *f* F, guigne *f* F; **~strähne** *f* période *f* de malchance, F série *f* noire; **~vogel** F *m* malchanceux *m*, déveinard *m* F.
Pedal *n* pédale *f*; ⚠ *la* pédale.
Pedant *m* homme *m* tatillon, F coupeur *m* de cheveux en quatre; **2isch** pointilleux, tatillon, formaliste.
Pegel *m* échelle *f* fluviale; **~stand** *m* niveau *m* de l'eau.
peilen relever; *Wassertiefe* sonder; *über den Daumen gepeilt* à vue de nez; F au pifomètre.
pein|igen tourmenter, torturer; **~lich** fâcheux, embarrassant, gênant; ~ *genau* méticuleux; *es war mir* ~ j'avais honte.
Peitsche *f* fouet *m*.
Pell|e *f Frucht* pelure *f*; *Wurst* peau *f*; **2en** éplucher, peler; **~kartoffeln** *f/pl* pommes de terre *f/pl* en robe de chambre *od* en robe des champs.
Pelz *m* fourrure *f*; **2gefüttert** fourré; **~geschäft** *n* pelleterie *f*; **~mantel** *m* manteau *m* de fourrure; **~tiere** *n/pl* animaux *m/pl* à fourrure.
Pendel *n* pendule *m*; *Uhr* balancier *m*; **2n** osciller; *Bus, Person* faire la navette; **~verkehr** *m* navette *f*.
Pendler *m* personne *f* qui fait la navette entre son domicile et son lieu de travail.
penetrant *Geruch* pénétrant; *Person* gênant, agaçant.
Penis *m* pénis *m*.
Penizillin *phm n* pénicilline *f*; ⚠ *la* pénicilline.
penn|en F roupiller, pioncer; **2er** *m* F clochard *m*.
Pension *f* pension *f*; *Ruhegehalt a* retraite *f*; **~är**(**in** *f*) *m* retraité *m*, -e *f*; pensionné *m*, -e *f*; **~at** *n* pensionnat *m*; **2ieren** mettre à la retraite; *sich* ~ *lassen* demander sa mise à la retraite; **~ierung** *f* mise *f* à la retraite; **2iert** en retraite, retraité; **~sgast** *m* hôte *m* d'une pension, pensionnaire *m*, *f*.
Pensum *n* tâche *f*; *Lehrstoff* programme *m*.

per par.
perfekt 1. parfait; *die Sache ist* ~ l'affaire est dans le sac; **2.** ♀ *gr n* parfait *m*; passé *m* composé; *historisches* ~ passé *m* simple.
Pergament *n* parchemin *m*.
Period|e *f* période *f*; *der Frau* règles *f/pl*; **♀isch** périodique.
Perl|e *f* perle *f* (*a fig*); **♀en** *Sekt* pétiller; *Schweiß* perler; **~enkette** *f* collier *m* de perles; **~muschel** *f* huître *f* perlière; **~mutt** *n* nacre *f*.
Perron *m Schweiz* quai *m*.
Pers|er *m* Persan *m*; *hist* Perse *m*; *Teppich* tapis *m* de Perse; **~ianer** *m* astrakan *m*; **~ien** *n* la Perse; **♀isch** persan; *hist* perse; *géogr der* ♀*e Golf* le golfe Persique.
Person *f* personne *f*; *Theater* personnage *m*; *ich für meine* ~ quant à moi; *ein Tisch für drei* ~*en* une table pour trois (personnes).
Personal *n* personnel *m*; **~abteilung** *f* service *m* du personnel; **~ausweis** *m* carte *f* d'identité; **~chef** *m* chef *m* du personnel; **~ien** *pl* identité *f*; **~pronomen** *gr n* pronom *m* personnel.
Personen|(kraft)wagen (*abr PKW*) *m* voiture *f* particulière *od* de tourisme; **~zug** *m* train *m* de voyageurs, omnibus *m*.
personifizieren personnifier.
persönlich personnel; *leibhaftig* en personne; **♀keit** *f* personnalité *f*; *bedeutender Mensch* personnage *m*.
Perspektive *f* perspective *f*.
Perücke *f* perruque *f*.
pervers pervers.
Pessimis|mus *m* pessimisme *m*; **~t(in** *f*) *m* pessimiste *m*, *f*; **♀tisch** pessimiste.
Pest *f* peste *f*.
Peter *m* Pierre *m*.
Petersilie *bot f* persil *m*.
Petrochemie *f* pétrochimie *f*.
Petroleum *n* pétrole *m*; **~lampe** *f* lampe *f* à pétrole.
petzen F cafarder, rapporter, moucharder.
Pfad *m* sentier *m*; **~finder(in** *f*) *m* scout *m*, guide *f*, éclaireur *m*, -euse *f*.
Pfahl *m* pieu *m*, poteau *m*.
Pfalz *die* ~ le Palatinat.
Pfand *n* gage *m*; *comm* consigne *f*; **~brief** *écon m* obligation *f* hypothécaire.
pfänden *jur* saisir.
Pfand|haus *n* mont-de-piété *m*; **~leiher(in** *f*) *m* prêteur *m*, -euse *f* sur gages.
Pfändung *jur f* saisie *f*.
Pfann|e *f* poêle *f*; **~kuchen** *m* crêpe *f*; *Berliner* ~ beignet *m* (à la confiture).
Pfarr|bezirk *m* paroisse *f*; **~er** *m* *katholischer* curé *m*; *evangelischer* pasteur *m*; **~haus** *n* presbytère *m*; **~kirche** *f* église *f* paroissiale.
Pfau *m* paon *m*; **~enfeder** *f* plume *f* de paon.
Pfeffer *m* poivre *m*; **~kuchen** *m* pain *m* d'épice; **~minze** *bot f* menthe *f*; **♀n** *cuis* poivrer; **~streuer** *m* poivrier *m*.
Pfeife *f* sifflet *m*; *Tabaks*♀ pipe *f*; *Orgel*♀ tuyau *m*; **♀n** siffler; F ~ *auf* se moquer de, se ficher de.
Pfeil *m* flèche *f*.
Pfeiler *arch m* pilier *m*.
Pfennig *m* pfennig *m*; *keinen* ~ *haben* n'avoir pas le sou, être sans le sou.
Pferch *m* parc *m*; **♀en** parquer (*in* dans).
Pferd *n* cheval *m*; *Turnen* cheval *m* d'arçons; *zu* ~ à cheval; *aufs* ~ *steigen* monter à cheval.
Pferde|geschirr *n* harnais *m*; **~rennen** *n* course *f* de chevaux; **~schwanz** *m* queue *f* de cheval (*a Frisur*); **~sport** *m* hippisme *m*; **~stall** *m* écurie *f*; **~stärke** *tech f* (*abr* PS) cheval-vapeur *m* (*abr* Ch).
Pfiff *m* sifflement *m*; *fig mit* ~ avec un petit je-ne-sais-quoi; **~erling** *bot m* chanterelle *f*, girolle *f*; **♀ig** futé, rusé.
Pfingst|en *n* la Pentecôte; **~montag** *m* lundi *m* de Pentecôte; **~rose** *bot f* pivoine *f*.
Pfirsich *bot m* pêche *f*; **~baum** *m* pêcher *m*.
Pflanze *f* plante *f*; **♀n** planter.
Pflanzen|faser *f* fibre *f* végétale; **~fett** *n* graisse *f* végétale; **♀fressend** *zo* herbivore.
Pflanz|er *m* planteur *m*; **♀lich** végétal; **~ung** *f* plantation *f*.
Pflaster *n méd* pansement *m* (adhésif); *Straßen*♀ pavé *m*; **♀n** *Straße* paver; **~stein** *m* pavé *m*.
Pflaume *bot f* prune *f*; **~nbaum** *bot m* prunier *m*.
Pflege *f* soins *m/pl* (*a méd*); *von Gegenständen* entretien *m*; *der Künste etc* culture *f*; *ein Kind in* ~ *geben* mettre un enfant en nourrice; *in* ~ *nehmen* se charger de; **♀bedürftig**

qui réclame des soins; **~eltern** *pl* parents *m/pl* nourriciers; **~fall** *m* malade *m* nécessitant des soins constants; **~heim** *n* hospice *m*; **~kind** *n* enfant *m* en garde; **2leicht** d'un entretien facile; **~mutter** *f* nourrice *f*.

pfleg|en soigner; *Gegenstand, Beziehungen* entretenir; *Begabung, Künste* cultiver; *etw zu tun* ~ avoir l'habitude de faire qc; **2er(in** *f*) *m Kranken2* infirmier *m*, -ière *f*.

Pflicht *f* devoir *m* (*gegenüber* envers); *Sport* exercices *m/pl* imposés; *Eislauf* figures *f/pl* imposées; *es ist meine ~ zu* ... il est de mon devoir de ...; **2bewußt** conscient de son devoir; **~bewußtsein** *n* conscience *f* du devoir; **~erfüllung** *f* accomplissement *m* de son devoir; **~fach** *n* matière *f* obligatoire; **2gemäß, 2getreu** conforme, fidèle au devoir; **2vergessen** oublieux de son devoir; **~versicherung** *f* assurance *f* obligatoire.

Pflock *m* piquet *m*.

pflücken cueillir.

Pflug *m* charrue *f*.

pflügen labourer.

Pforte *f* porte *f*.

Pförtner(in *f*) *m* portier *m*, concierge *m*, *f*.

Pfosten *m* poteau *m*.

Pfote *f* patte *f*.

Pfropf(en) *m* bouchon *m*, tampon *m*.

pfropfen *Baum* greffer; *stopfen* fourrer (*in* dans); *gepfropft voll* bondé.

pfui! pouah!; **2rufe** *m/pl* huées *f/pl*.

Pfund *n* livre *f* (*a Währung*).

pfusch|en F bâcler, bousiller; **2er** *m* F bâcleur *m*, bousilleur *m*; **2erei** *f* F bâclage *m*, bousillage *m*, travail *m* bâclé.

Pfütze *f* flaque *f* (d'eau).

Phänomen *n* phénomène *m*; **2al** phénoménal.

Phantasie *f* imagination *f*; ⚠ *nicht fantaisie*; **2los** dépourvu d'imagination; **2ren** se livrer à son imagination; *méd* délirer; **2voll** plein d'imagination.

Phantast *m* rêveur *m*; **2isch** fantastique.

pharmazeutisch pharmaceutique.

Phase *f* phase *f*.

Philolog|e *m*, **~in** *f* philologue *m*, *f*; **~ie** *f* philologie *f*; **2isch** philologique.

Philosoph|(in *f*) *m* philosophe *m*, *f*; **~ie** *f* philosophie *f*; **2ieren** philosopher; **2isch** philosophique.

Phlegma *n* flegme *m*; **2tisch** flegmatique, lymphatique.

Phon|etik *f* phonétique *f*; **2etisch** phonétique; **~stärke** *f* niveau *m* acoustique.

Phosphor *chim m* phosphore *m*.

Photo(...) *cf Foto(...)*.

Phrase *f* phrase *f* (*a péj*).

Physik *f* physique *f*; **2alisch** physique, de (la) physique; **~er(in** *f*) *m* physicien *m*, -ne *f*.

physisch physique.

Pianist(in *f*) *m* pianiste *m*, *f*.

picheln F picoler.

Pickel *m méd* bouton *m*; *Werkzeug* pic *m*; *Eis2* piolet *m*.

picken becqueter, picoter, picorer.

Picknick *n* pique-nique *m*; **2en** pique-niquer.

piep(s)en *Küken* piauler; *kleine Vögel* pépier; *fig* F *bei dir piepst's wohl!* tu es complètement marteau!

Pier *m od f Landungsbrücke* débarcadère *m*.

Pietät *f* piété *f*, respect *m*.

Pik[1] *n Karten* pique *m*.

Pik[2] *m* F *e-n ~ auf j-n haben* avoir une dent contre qn.

pikant *cuis* épicé, relevé; *fig* croustillant, osé.

pikiert froissé, vexé.

Pilger *m* pèlerin *m*; **~fahrt** *f* pèlerinage *m*; **2n** aller en pèlerinage.

Pille *f* pilule *f*.

Pilot *aviat m* pilote *m*.

Pilz *bot m* champignon *m*.

pingelig F tatillon, pointilleux.

Pinguin *zo m* manchot *m*, pingouin *m*.

Pinie *bot f* pin *m* (parasol).

pinkeln F faire pipi, pisser P.

Pinsel *m* pinceau *m*.

Pinzette *f* pince *f* (à épiler).

Pionier *m* soldat *m* du génie; *fig* pionnier *m*.

Pirat *m* pirate *m*.

Pisse *f* P pisse *f*; **2n** P pisser.

Piste *f* piste *f*.

Pistole *f* pistolet *m*.

Pkw *m* voiture *f* de tourisme.

Plache *östr f* bâche *f*.

placier|en *Sport* (*sich ~* se) placer; **2ung** *f* placement *m*.

Plackerei *f* F corvée *f*.

plädieren plaider (*für* pour).

Plädoyer *n jur* plaidoirie *f*; *des*

P

Staatsanwalts réquisitoire *m*; *fig* plaidoyer *m*.
Plage *f* fléau *m*; **℘n** tourmenter, tracasser; *sich* ~ s'esquinter, s'échiner.
Plakat *n* affiche *f*.
Plan *m* plan *m*; *Vorhaben* projet *m*.
Plane *f* bâche *f*.
planen projeter; *écon* planifier.
Planet *m* planète *f*; ⚠ *la* planète.
planier|en aplanir, niveler; **℘raupe** *f* bulldozer *m*.
Planke *f* planche *f*.
plan|los sans méthode, sans but, irréfléchi; **~mäßig** méthodique, systématique; *Ankunft* comme prévu; *Zug* régulier.
Plansch|becken *n* bassin *m* pour enfants; **℘en** barboter, patauger.
Plantage *f* plantation *f*.
Plan|ung *f* planification *f*; **~wirtschaft** *f* dirigisme *m*, économie *f* dirigée *od* planifiée.
plappern bavarder, babiller, papoter.
plärren F brailler; *weinen* pleurnicher.
Plastik[1] *f Kunstwerk* sculpture *f*; *Bildhauerkunst* plastique *f*.
Plastik[2] *n* plastique *m*; **~tüte** *f* sac *m* en plastique.
plastisch plastique; en relief, à trois dimensions; *bildhaft* imagé.
Platane *bot f* platane *m*; ⚠ *le* platane.
Platin *n* platine *m*.
plätschern *Wasser* clapoter.
platt plat (*a fig geistlos*); aplati; *Reifen* crevé, à plat; F *e-n ℘en haben* avoir crevé; F *da war er* ~ il en est resté baba.
Plattdeutsch *n* bas allemand *m*.
Platte *f Metall*, *Glas* plaque *f*; *Stein* dalle *f*; *Schall℘* disque *m*; *cuis* plat *m*; *kalte* ~ assiette *f* anglaise.
plätten *Wäsche* repasser.
Platten|spieler *m* tourne-disque *m*; **~teller** *m* platine *f*.
Platt|form *f* plate-forme *f*; **~fuß** *m* pied *m* plat; *Reifenpanne* crevaison *f*; **~heit** *f fig* platitude *f*.
Platz *m* place *f*; *Sport℘* terrain *m*; ~ *nehmen* prendre place; *nehmen Sie ~!* veuillez vous asseoir!; ~ *machen für* céder la place à; *auf die Plätze (fertig, los)!* à vos marques (prêts, partez)!; ⚠ *la* place; **~anweiserin** *f* ouvreuse *f*.
Plätzchen *n* petite place *f*; *Gebäck* petit gâteau *m*; biscuit *m*.
platz|en éclater, crever; *fig Vorhaben* rater; *vor Neid* ~ crever de jalousie; **℘karte** *f* réservation *f*; **℘patrone** *f* cartouche *f* à blanc; **℘verweis** *m Sport* expulsion *f*.
Plauder|ei *f* causerie *f*; **℘n** causer.
plauschen *östr cf plaudern*.
Pleite 1. *f* faillite *f*; *fig* échec *m*, fiasco *m*; **2.** ℘ en faillite; F *ohne Geld* fauché.
Plomb|e *f* plomb *m*; *Zahn℘* plombage *m*, obturation *f*; **℘ieren** plomber.
plötzlich soudain, subit; *adv* tout à coup, soudain(ement), brusquement.
plump grossier, lourdaud; **~sen** tomber lourdement.
Plunder F *m* fatras *m*.
Plünder|er *m* pillard *m*; **℘n** piller.
Plural *gr m* pluriel *m*; **℘istisch** *pol* pluraliste.
plus 1. plus; **2.** ℘ *n Mehrbetrag* excédent *m*; *Gewinn* bénéfice *m*; *Vorteil* avantage *m*.
Plüsch *m* peluche *f*.
Plusquamperfekt *gr n* plus-que-parfait *m*.
Po F *m* derrière *m*.
Pöbel *m* populace *f*.
pochen *Herz* battre (violemment); *fig auf etw* ~ se prévaloir de qc.
Pocken *méd pl* variole *f*; **~(schutz)impfung** *f* vaccination *f* antivariolique.
Podest *n* estrade *f*.
Podium *n* podium *m*, estrade *f*; **~sgespräch** *n* débat *m* en public.
Poesie *f* poésie *f*.
Poet *m* poète *m*; **℘isch** poétique.
Pointe *f* sel *m*, piquant *m*.
Pokal *m* coupe *f*; **~endspiel** *n* finale *f* de la coupe.
Pol *m* pôle *m*; **℘ar** polaire.
Pol|e *m*, **~in** *f* Polonais *m*, -e *f*.
Polemi|k *f* polémique *f*; **℘sch** polémique; **℘sieren** polémiquer.
Polen *n* la Pologne.
Police *f* police *f* (d'assurance).
Polier *m* chef *m* d'équipe; **℘en** faire briller, astiquer.
Politesse *f* contractuelle *f*.
Polit|ik *f* politique *f*; **~iker(in** *f*) *m* homme *m* politique, politicien *m*, -ne *f*; **℘isch** politique; **℘isieren** parler politique; *Angelegenheit* politiser.
Politur *f Glanz* poli *m*; *Pflegemittel* encaustique *f*.
Polizei *f* police *f*; **~beamte(r)** *m* agent *m* de police; **℘lich** (par mesure)

de police; *~es Kennzeichen* numéro *m* minéralogique; **~präsident** *m* préfet *m* de police; **~revier** *n* commissariat *m* de police; **~schutz** *m unter ~* sous la protection de la police; **~staat** *m* État *m* policier; **~streife** *f* patrouille *f* de police; **~stunde** *f* heure *f* de clôture; **~wache** *f* commissariat *m* de police.
Polizist *m* agent *m* de police, policier *m*, F flic *m*; **~in** *f* femme *f* agent de police.
polnisch polonais.
Polo *Sport n* polo *m*; **~hemd** *n* polo *m*.
Polster *n* rembourrage *m*; **~er** *m* tapissier *m*; **~möbel** *pl* meubles *m/pl* rembourrés; **2n** rembourrer, capitonner; **~ung** *f* rembourrage *m*.
poltern faire du tapage *od* du vacarme.
Pommes frites *pl* frites *f/pl*.
Pomp *m* pompe *f*; ⚠ *la* pompe; **2ös** pompeux, fastueux.
Pony[1] *n* poney *m*.
Pony[2] *m Frisur* frange *f*.
Pop|musik *f* musique *f* pop; **~sänger(in** *f*) *m* chanteur *m* pop, chanteuse *f* pop.
popul|är populaire; **2arität** *f* popularité *f*.
Pore *f* pore *m*; ⚠ *le* pore.
Porno... *in Zssgn* ... porno.
porös poreux.
Porree *bot m* poireau *m*.
Portal *n* portail *m*.
Portemonnaie *n* porte-monnaie *m*, bourse *f*.
Portier *m* portier *m*, concierge *m*.
Portion *f* portion *f*; dose *f*.
Porto *n* port *m*; **2frei** franc(o) de port.
Porträt *n* portrait *m*; **2ieren** faire le portrait de.
Portug|al *n* le Portugal; **~iese** *m*, **~iesin** *f* Portugais *m*, -e *f*; **2iesisch** portugais.
Portwein *m* porto *m*.
Porzellan *n* porcelaine *f*; ⚠ *la* porcelaine.
Posaune *mus f* trombone *m*.
Pos|e *f* pose *f*, attitude *f*; **2ieren** poser.
Position *f* position *f*; *beruflich* situation *f*.
positiv positif.
Posse *f* farce *f*; **2nhaft** burlesque.
possessiv possessif.
possierlich drôle, amusant.
Post *f* poste *f*; *Briefe* courrier *m*; *zur ~ bringen* poster; **2alisch** postal.
Post|amt *n* bureau *m* de poste; **~anweisung** *f* mandat-poste *m*; **~beamte(r)** *m*, **~beamtin** *f* employé *m*, -e *f* des postes; **~bote** *m*, **~botin** *f* facteur *m*, factrice *f*; *offiziell* préposé *m*, -e *f*.
Posten *m berufliche Stellung* poste *m*, situation *f*, emploi *m*; *Amt* charge *f*; *mil* sentinelle *f*; *Streik2* piquet *m* de grève; *Waren* lot *m*; *fig auf dem ~ sein* être en forme; *wachsam* être sur le qui-vive.
Postfach *n* boîte *f* postale.
postieren (*sich ~* se) poster.
Post|karte *f* carte *f* postale; **~kutsche** *f* diligence *f*; **2lagernd** poste *f* restante; **~leitzahl** *f* code *m* postal; **~scheck** *m* chèque *m* postal; **~scheckkonto** *n* compte *m* chèque postal; **~sparkasse** *f* caisse *f* nationale d'épargne; **~stempel** *m* cachet *m* de la poste; *Datum des ~s* date *f* de la poste; **2wendend** par retour du courrier; **~wertzeichen** *n* timbre-poste *m*.
Potenz *f math* puissance *f*; *männliche* virilité *f*; **2ieren** calculer les puissances.
Pracht *f* magnificence *f*, splendeur *f*, somptuosité *f*.
prächtig magnifique, splendide, somptueux.
Prädikat *n gr* verbe *m*; *Auszeichnung* mention *f*, distinction *f*.
Präfekt *m* préfet *m*; **~ur** *f* préfecture *f*.
prägen *Münzen* frapper; *fig* marquer de son empreinte, empreindre; *Wort* créer.
prahl|en se vanter (*mit* de); **2er(in** *f*) *m* vantard *m*, -e *f*, hâbleur *m*, -euse *f*, fanfaron *m*, -ne *f*; **2erei** *f* vantardise *f*, fanfaronnade *f*; **~erisch** vantard, fanfaron.
Prakti|kant(in *f*) *m* stagiaire *m*, *f*; **~ken** *f/pl* pratiques *f/pl*; **~ker** *m* homme *m* de la pratique; esprit *m* pratique; **~kum** *n* stage *m*; *ein ~ machen* faire un stage; **2sch** pratique; *~er Arzt* (médecin *m*) généraliste *m*; **2zieren** pratiquer, mettre en pratique; *Arzt* exercer.
Prälat *égl m* prélat *m*.
Praline *f* (crotte *f* en) chocolat *m*.
prall rebondi; *in der ~en Sonne* en

plein soleil; **~en** *gegen etw* ~ se heurter contre qc.
Präludium *mus n* prélude *m*.
Prämie *f* prime *f*.
präm(i)ieren primer.
Pranger *m hist* pilori *m*; *fig an den* ~ *stellen* mettre au pilori.
Pranke *f* patte *f*, griffe *f*.
Präparat *n* préparation *f*.
Präposition *gr f* préposition *f*.
Präsens *gr n* présent *m*.
präsentieren (*sich* ~ se) présenter.
Präservativ *n* préservatif *m*.
Präsident|(in *f*) *m* président *m*, -e *f*; **~schaft** *f* présidence *f*.
präsid|ieren présider (*in e-r Versammlung* une assemblée); **&ium** *n Gremium* comité *m* directeur; *Vorsitz* présidence *f*.
prass|eln *Feuer* crépiter; *Regen* tomber dru; **~en** bambocher, faire bombance.
Präteritum *gr n* prétérit *m*.
Praxis *f praktische Erfahrung* pratique *f*; *Arzt- u Anwalts&* cabinet *m*; *Kundenkreis* clientèle *f*.
Präzedenzfall *m* précédent *m*.
präzis précis; **&ion** *f* précision *f*.
predig|en prêcher; **&er** *m* prédicateur *m*; **&t** *f* sermon *m*.
Preis *m* prix *m*; *um jeden* (*keinen*) ~ à tout (aucun) prix; **~angabe** *f* indication *f* de prix; **~ausschreiben** *n* concours *m*.
Preiselbeere *bot f* airelle *f* rouge.
preisen vanter, louer.
Preis|erhöhung *f* majoration *f* des prix; **~ermäßigung** *f* réduction *f od* diminution *f* des prix; **&geben** abandonner, livrer (*a Geheimnis*); **&gekrönt** couronné; **~gericht** *n* jury *m*; **&günstig** (à un prix) avantageux; **~index** *m* indice *m* des prix; **~lage** *f in dieser* ~ dans ces prix; **~nachlaß** *m* rabais *m*, remise *f*; **~richter** *m* juge *m* d'un concours; **~stopp** *m* blocage *m od* gel *m* des prix; **~träger(in** *f*) *m* lauréat *m*, -e *f*; **&wert** bon marché, avantageux.
Prell|bock *m* butoir *m*; **&en** *betrügen* duper; *j-n um etw* ~ escroquer qc à qn, frustrer qn de qc; **~ung** *méd f* contusion *f*.
Premier|e *f* première *f*; **~minister** *m* Premier ministre *m*.
Presse *f* presse *f*; *Frucht&* pressoir *m*; **~freiheit** *f* liberté *f* de la presse; **~konferenz** *f* conférence *f* de presse; **~meldung** *f* communiqué *m* de presse.
pressen presser.
Preßluft *tech f* air *m* comprimé; **~hammer** *m* marteau *m* piqueur.
Prestige *n* prestige *m*; **~verlust** *m* perte *f* de prestige.
Preuß|e *m*, **~in** *f* Prussien *m*, -ne *f*; **~en** *n* la Prusse; **&isch** prussien.
prickeln *kribbeln* picoter; *Sekt* pétiller.
Priester|(in *f*) *m* prêtre *m*, -sse *f*; **~amt** *n* sacerdoce *m*; **&lich** sacerdotal; **~weihe** *f* ordination *f*.
prima F chic, super.
primär primaire, primordial; *adv* en premier lieu.
Primel *bot f* primevère *f*.
primitiv primitif.
Primzahl *math f* nombre *m* premier.
Prinz *m* prince *m*; **~essin** *f* princesse *f*; **~gemahl** *m* prince *m* consort.
Prinzip *n* principe *m*; **&iell** de principe; *adv*: *aus Prinzip* par principe; *im Prinzip* en principe; *e-e* **~e** *Frage* une question de principe.
Priorität *f* priorité *f*.
Prise *f e-e* ~ *Salz etc* une pincée de sel, *etc*.
Prisma *n* prisme *m*.
privat *nicht öffentlich* privé; *persönlich* particulier, personnel; **&besitz** *m* propriété *f* privée; **&haus** *n* maison *f* particulière; **&schule** *f* école *f* libre; **&stunde** *f* leçon *f* particulière; **&wirtschaft** *f* économie *f* privée.
Privileg *n* privilège *m*; **&iert** privilégié.
pro 1. par; *2 Mark* ~ *Stück* 2 marks (la) pièce; **2.** *das* & *und Kontra* le pour et le contre.
Probe *f* essai *m*, épreuve *f*; *Theater* répétition *f*; *comm* échantillon *m*; *math* preuve *f*; *auf* ~ à l'essai; *auf die* ~ *stellen* mettre à l'épreuve; **~alarm** *m* exercice *m* d'alerte; **~fahrt** *f* essai *m*; **&n** *Theater* répéter; **&weise** à titre d'essai; **~zeit** *f* période *f* d'essai.
probieren essayer; *Speisen* goûter, déguster.
Problem *n* problème *m*; **&atisch** problématique.
Produkt *n* produit *m*; **~ion** *f* production *f*; **~ionsmittel** *n/pl* moyens *m/pl* de production; **&iv** productif.
Produz|ent *m* producteur *m*; **&ieren** produire.
professionell professionnel.

P

Profess|or(in *f*) *m* professeur *m* (d'université *od* de faculté); **~ur** *f* *Lehrstuhl* chaire *f*; *Amt* professorat *m*.
Profi *Sport m* professionnel *m*, F pro *m*.
Profil *n* *Seitenansicht* profil *m*; *fig* personnalité *f*; *Reifen* sculptures *f/pl*; **2ieren** *sich* ~ se mettre en valeur.
Profit *m* profit *m*; **2ieren** profiter (*von* de).
Prognose *f* pronostic *m*.
Programm *n* programme *m*; *TV Erstes etc* ~ première *etc* chaîne *f*; **2ieren** *EDV* programmer; **~ierer(in** *f*) *m* programmeur *m*, -euse *f*.
Projekt *n* projet *m*; **~ion** *f* projection *f*; **~or** *m* projecteur *m*.
projizieren projeter.
proklamieren proclamer.
Prokurist *m* fondé *m* de pouvoir.
Proletar|iat *n* prolétariat *m*; **~ier** *m* prolétaire *m*; **2isch** prolétarien.
Prolog *m* prologue *m*.
Promille *n* *math* pour mille; *auto 1,6* ~ 1 gramme 6 d'alcoolémie; **~grenze** *f* taux *m* (légal) d'alcoolémie.
prominen|t de marque, en vedette, célèbre; **2z** *f* notables *m/pl*, célébrités *f/pl*, haute société *f*.
Promo|tion *f* doctorat *m*; **2vieren** soutenir sa thèse, être reçu docteur.
prompt rapide, immédiat, prompt.
Pronomen *gr n* pronom *m*.
Propaganda *pol f* propagande *f*.
Propeller *aviat m* hélice *f*.
Prophet *m* prophète *m*; **2isch** prophétique.
prophezei|en prophétiser; **2ung** *f* prophétie *f*.
Proportion *f* proportion *f*; **2al** proportionnel (*zu* à).
Proporz *m* représentation *f* proportionnelle.
Prosa *f* prose *f*; **2isch** prosaïque.
Prospekt *m* prospectus *m*; *Falt2* dépliant *m*.
prost! à votre santé!, à la vôtre!; ~ *Neujahr!* bonne année!
Prostitu|ierte *f* prostituée *f*; **~tion** *f* prostitution *f*.
Protest *m* protestation *f*; *pol* contestation *f*.
Protestant|(in *f*) *m* protestant *m*, -e *f*; **2isch** protestant.
protestieren protester (*gegen* contre).
Prothese *méd f* prothèse *f*.
Protokoll *n* procès-verbal *m*, constat *m*; *Diplomatie* protocole *m*; *Chef m des ~s* chef *m* du protocole; **2ieren** dresser un procès-verbal de.
protz|en F *mit etw* ~ faire étalage de qc; **~ig** ostentatoire, luxueux.
Proviant *m* provisions *f/pl*.
Provinz *f* province *f*; **2iell** provincial.
Provis|ion *comm f* commission *f*; ⚠ *nicht provision*; **2orisch** provisoire.
provozieren provoquer.
Prozent *n* pour cent; *fünf* ~ cinq pour cent; **~satz** *m* pourcentage *m*; **2ual** en pourcentage; *~er Anteil* pourcentage *m*.
Prozeß *m jur* procès *m*; *Ablauf, Vorgang* processus *m*.
prozessieren être en procès (*gegen, mit* avec), intenter un procès (à), plaider (contre).
Prozession *f* procession *f*.
prüde prude.
prüf|en examiner, tester; *nach~* vérifier, contrôler; *Prüfling* interroger; **2er** *m* examinateur *m*; **2ling** *m* candidat *m*, -e *f*; **2stein** *m* pierre *f* de touche (*für* de); **2ung** *f* examen *m*; *Heimsuchung* épreuve *f*; *e-e ~ bestehen* réussir un examen, être reçu (à un examen); *e-e ~ machen* passer un examen.
Prüfungs|angst *f* hantise *f* de l'examen; **~arbeit** *f* épreuve *f*; **~aufgabe** *f* sujet *m* d'examen; **~ausschuß** *m* commission *f od* jury *m* d'examen.
Prügel *m* bâton *m*, gourdin *m*; *pl* (*Tracht*) ~ correction *f*, raclée *f* F, rossée *f* F; *~ bekommen* recevoir une correction, *etc*; **~ei** *f* bagarre *f*; **~knabe** *m* tête *f* de Turc, souffre-douleur *m*; **2n** (*sich* ~ se) battre; **~strafe** *f* châtiment *m* corporel.
Prunk *m* faste *m*, pompe *f*; **2en** *mit etw* ~ faire parade de qc; **2voll** fastueux, somptueux.
PS *n* ch (= cheval-vapeur *m*; *pl* chevaux-vapeur).
Psalm *m* psaume *m*.
Pseudonym *n* pseudonyme *m*.
pst! chut!
Psyche *f* psychisme *m*.
Psychiat|er *m* psychiatre *m*; **2risch** psychiatrique.
psychisch psychique.
Psycho|analyse *f* psychanalyse *f*; **~analytiker** *m* psychanaliste *m*; **~loge** *m*, **~login** *f* psychologue *m, f*;

P

~logie *f* psychologie *f*; **≈logisch** psychologique; **~se** *f* psychose *f*.
Pubertät *f* puberté *f*.
Publikum *n* public *m*.
publizieren publier.
Pudding *m* flan *m*.
Pudel *zo m* caniche *m*.
Puder *m* poudre *f*; ⚠ *la* poudre; **~dose** *f* poudrier *m*; **≈n** (*sich* ~ se) poudrer; **~zucker** *m* sucre *m* glace.
Puff *m Stoß* coup *m*; *Bordell* P bordel *m*.
Puffer *m* tampon *m*; **~staat** *m* État *m* tampon.
Pull|i *m* F pull *m*; **~over** *m* pull-over *m*.
Puls *m* pouls *m*; **~ader** *f* artère *f*.
Pult *n* pupitre *m*.
Pulver *n* poudre *f*; **~faß** *n fig* poudrière *f*; **≈ig** poudreux; **~schnee** *m* neige *f* poudreuse.
pummelig *Kind* potelé.
Pumpe *f* pompe *f*; **≈n** pomper; F (*sich*) *von j-m etw* ~ emprunter qc à qn; *Geld* taper qn de qc F; *j-m etw* ~ prêter qc à qn.
Punker(**in** *f*) *m* punk *m*, *f*.
Punkt *m* point *m*; ~ *acht Uhr* à huit heures précises; *Sieger m nach ~en* vainqueur *m* aux points; **≈ieren** pointiller; *mus* pointer; *méd* ponctionner.
pünktlich ponctuel; ~ *sein* (*ankommen*) être (arriver) à l'heure; **≈keit** *f* ponctualité *f*.
Punsch *m* punch *m*.
Pupille *f* pupille *f*.
Puppe *f* poupée *f* (*a* F *Mädchen*); *für das Puppenspiel* marionnette *f*; *zo* chrysalide *f*; **~nspiel** *n* marionnettes *f*/*pl*; **~nstube** *f* maison *f* de poupée; **~nwagen** *m* voiture *f* de poupée.
pur pur.
Purpur *m* pourpre *f*, *als Farbe m*.
Purzel|baum *m* culbute *f*, galipette *f* F; *e-n ~ schlagen a* faire une roulade; **≈n** F dégringoler.
Puste F *f* souffle *m*; *keine ~ mehr haben* être à bout de souffle.
Pustel *méd f* pustule *f*.
pusten souffler.
Pute *zo f* dinde *f* (*a fig*); **~r** *zo m* dindon *m*.
Putsch *pol m* coup *m* d'État, putsch *m*.
Putz *m* enduit *m*; *Rauh≈* crépi *m*; **≈en** nettoyer; *Zähne* laver; *Schuhe* cirer; *Gemüse* éplucher; *sich die Nase ~* se moucher; **~frau** *f* femme *f* de ménage; **≈ig** mignon, amusant; **~lappen** *m* chiffon *m*.
Puzzle *n* puzzle *m*.
Pyjama *m od n* pyjama *m*.
Pyramide *f* pyramide *f*.
Pyrenäen *pl* Pyrénées *f*/*pl*.

Q

Quacksalber *m* charlatan *m*.
Quadrat *n* carré *m*; *ins ~ erheben* élever au carré; **≈isch** carré; *Gleichung* quadratique; **~meter** *m* mètre *m* carré; **~wurzel** *math f* racine *f* carrée; **~zahl** *math f* carré *m*.
quaken *Ente* cancaner, faire coin-coin; *Frosch* coasser.
quäken criailler; *Säugling* vagir.
Qual *f* tourment *m*, supplice *m*, torture *f*.
quälen tourmenter, torturer; *sich ~ abmühen* se donner bien du mal (*mit* avec).
Qualifi|kation *f* qualification *f* (*a Sport*); **~kationsspiel** *n* match *m* de qualification; **≈zieren** (*sich* ~ se) qualifier.
Qualit|ät *f* qualité *f*; **≈ativ** qualitatif.
Qualitäts|marke *f* label *m* de qualité; **~unterschied** *m* différence *f* de qualité; **~ware** *f* marchandise *f* de choix.
Qualle *zo f* méduse *f*.
Qualm *m* fumée *f*; **≈en** fumer, répandre une épaisse fumée; F *Raucher* fumer (à grosses bouffées).
qualvoll atroce, douloureux, insupportable.
Quantit|ät *f* quantité *f*; **≈ativ** quantitatif.
Quarantäne *f* quarantaine *f*.

Quark *m* fromage *m* blanc.
Quartal *n* trimestre *m*.
Quartett *n mus* quatuor *m*; *Kartenspiel* jeu *m* des sept familles.
Quartier *n Unterkunft* logement *m*, gîte *m*; *Schweiz: Stadtviertel* quartier *m*.
Quarz *m* quartz *m*; **~uhr** *f* montre *f* à quartz.
quasseln F jacasser, jacter.
Quatsch F *m* bêtises *f/pl*; ~ *machen* faire des bêtises; **≈en** F bavarder, jaser; *von sich geben* débiter.
Quecksilber *n* mercure *m*.
Quelle *f* source *f* (*a fig*); **≈n** jaillir (*aus* de); *schwellen* gonfler; **~nangabe** *f* indication *f* des sources.
quengel|ig grincheux, pleurnichard; **~n** F pleurnicher.
quer en travers, transversalement; ~ *über etw* en travers de qc; ~ *durch etw* à travers qc; *kreuz und ~ durch Deutschland fahren* parcourir l'Allemagne en tous sens; **~feldein** à travers champs; **≈flöte** *f* flûte *f* traversière; **≈schiff** *arch n* transept *m*; **≈schnitt** *m* coupe *f* transversale; **~schnitt(s)gelähmt** *méd* paraplégique; **≈straße** *f* rue *f* transversale.
quetsch|en écraser; *méd* contusionner; **≈ung** *méd f* contusion *f*.
quieken pousser des cris aigus, couiner.
quietschen *Bremsen, Reifen, Tür* grincer.
quitt *mit j-m ~ sein* être quitte envers qn.
Quitte *bot f* coing *m*.
quitt|ieren *comm* acquitter, donner quittance de; *Dienst* abandonner; **≈ung** *f* reçu *m*, quittance *f*.
Quiz *n* jeu *m* de questions et de réponses, quiz *m*.
Quote *f* quote-part *f*, quota *m*, contingent *m*, taux *m*.
Quotient *math m* quotient *m*.

R

Rabatt *comm m* remise *f*, rabais *m*.
Rabbiner *m* rabbin *m*.
Rabe *zo m* corbeau *m*.
rabiat furieux; brutal.
Rache *f* vengeance *f*.
Rachen *m* gorge *f*, pharynx *m*; *fig* gueule *f*.
räch|en venger; *sich ~* se venger (*an j-m* de qn; *an j-m für etw* de qc sur qn); **≈er(in** *f*) *m* vengeur *m*, vengeresse *f*.
rachsüchtig avide de vengeance, vindicatif.
Rad *n* roue *f*; *Fahr≈* vélo *m*, bicyclette *f*; *Pfau ein ~ schlagen* faire la roue (*a Sport*); *mit dem ~ fahren* aller à bicyclette *od* en vélo.
Radar|(gerät) *n* radar *m*; **~schirm** *m* écran *m* radar.
Radau F *m* chahut *m*, vacarme *m*, tapage *m*.
radebrechen *e-e Sprache* écorcher, baragouiner.
Rädelsführer *m* meneur *m*.
Räderwerk *n* engrenage *m* (*a fig*).
radfahr|en faire du vélo; **≈er(in** *f*) *m* cycliste *m, f*.
radier|en *aus~* gommer, effacer; *Radierkunst* graver à l'eau-forte; **≈gummi** *m* gomme *f*; **≈ung** *f* (gravure *f* à l')eau-forte *f*.
Radieschen *bot n* radis *m*.
radikal radical; *pol* extrémiste; **≈ismus** *m* extrémisme *m*.
Radio *n* radio *f*; *im ~* à la radio; *~ hören* écouter la radio; ⚠ *la* radio; **≈aktiv** *phys* radioactif; *~e Abfälle* déchets *m/pl* radioactifs; **~aktivität** *f* radioactivité *f*; **~apparat** *m* poste *m* de radio *od* de T.S.F.; **~recorder** *m* radiocassette *f*; **~sendung** *f* émission *f* radiophonique; **~wecker** *m* radio-réveil *m*.
Radius *math m* rayon *m*.
Rad|kappe *f auto* chapeau *m* de roue, enjoliveur *m*; **~rennbahn** *f* vélodrome *m*; **~rennen** *n* course *f* cycliste; **~sport** *m* cyclisme *m*, sport *m* cycliste; **~tour** *f* randonnée *f* en vélo; **~weg** *m* piste *f* cyclable.
raffen *an sich ~* rafler.

R

Raffin|ade *f* sucre *m* raffiné; **~erie** *f* raffinerie *f*.
Raffin|esse *f* raffinement *m*, perfectionnement *m*; *péj* ruse *f*, astuce *f*; **2iert** *durchtrieben* rusé, astucieux; *verfeinert* raffiné.
ragen s'élever, se dresser.
Ragout *n* ragoût *m*.
Rahe *mar f* vergue *f*.
Rahm *m* crème *f*.
Rahmen 1. *m* cadre *m*; *fig aus dem ~ fallen* sortir de l'ordinaire; **2.** 2 *Bild* encadrer; **~gesetz** *n* loi-cadre *f*.
räkeln *cf rekeln*.
Rakete *f* fusée *f*; *mil a* missile *m*; *~ngeschoß* roquette *f*; *ferngelenkte ~* missile télécommandé; *dreistufige ~* fusée à trois étages; *e-e ~ abfeuern* lancer un missile *od* une fusée; **~nabschußrampe** *f* rampe *f* de lancement de fusées; **~nantrieb** *m* propulsion *f* par fusées.
Rallye *f* rallye *m*; ⚠ *le* rallye.
rammen *Pfahl* enfoncer; *Fahrzeug* entrer en collision avec, tamponner.
Rampe *f* rampe *f*; **~nlicht** *n* feux *m/pl* de la rampe; *fig im ~ stehen* être au centre de l'intérêt public.
Ramsch *m* camelote *f*.
Rand *m* bord *m*; *Wald2* lisière *f*; *Buch etc* marge *f*; *damit zu ~e kommen* en venir à bout; *am ~e des Ruins* au bord de la ruine.
randalier|en faire du tapage, chahuter; **2er** *m* chahuteur *m*, casseur *m*.
Rand|bemerkung *f* note *f* marginale; **~erscheinung** *f* phénomène *m* marginal; **~gruppe** *f* groupe *m* marginal; **2los** *Brille* sans rebord; **~streifen** *m Straße* accotement *m*.
Rang *m Stellung* rang *m*; *Stand* condition *f*; *mil* grade *m*; *Theater* balcon *m*, galeries *f/pl*; *fig von ~* de premier ordre.
Rangier|bahnhof *m* gare *f* de triage; **2en** *Züge* faire des manœuvres; *fig* se placer, se situer.
Rang|ordnung *f* ordre *m* hiérarchique; **~stufe** *f* degré *m*; *mil* grade *m*.
Ranke *bot f* vrille *f*; *Wein2* sarment *m*.
ranzig rance.
Rappe *zo m* cheval *m* noir.
Raps *bot m* colza *m*.
rar rare; *sich ~ machen* se faire rare; **2ität** *f* rareté *f*, objet *m* de curiosité.
rasch rapide; *adv* vite.
rascheln *es raschelt* un bruit se fait entendre.
Rasen *m* gazon *m*, pelouse *f*.
rasen faire de la vitesse, foncer (à toute allure); *auto* rouler à tombeau ouvert; *vor Wut ~* être fou de colère.
rasend furieux; *Tempo* fou; *~e Kopfschmerzen* de violents maux de tête; *~ werden* enrager.
Rasen|mäher *m* tondeuse *f* à gazon; **~platz** *m* pelouse *f*.
Raserei *f auto* vitesse *f* folle; *Wut* rage *f*, fureur *f*; *j-n zur ~ bringen* mettre qn en rage.
Rasier|apparat *m* rasoir *m*; **~creme** *f* mousse *f* à raser; **2en** (*sich ~* se) raser; **~klinge** *f* lame *f* de rasoir; **~messer** *n* rasoir *m*; **~pinsel** *m* blaireau *m*; **~seife** *f* savon *m* à barbe; **~wasser** *n* lotion *f* après-rasage; after-shave *m*.
Rasse *f* race *f*.
rasseln faire un bruit de ferraille, cliqueter.
Rassen|diskriminierung *f* discrimination *f* raciale; **~trennung** *f* ségrégation *f* raciale; **~unruhen** *pl* émeutes *f/pl* raciales.
rass|ig racé; **~isch** racial; **2ismus** *m* racisme *m*; **~istisch** raciste.
Rast *f* halte *f*; **2en** faire une halte; **2los** infatigable; sans relâche; **~platz** *m Autobahn* aire *f* de repos.
Rasur *f* rasage *m*.
Rat *m ~schlag* conseil *m*; *Person* conseiller *m*; *Kollegium* conseil *m*; *j-n um ~ fragen* demander conseil à qn.
Rate *f Abzahlung* traite *f*; *Geburten2 etc* taux *m*; *monatliche ~* mensualité *f*; *auf ~n kaufen* acheter à tempérament.
raten conseiller (*etw od zu etw* qc); *Rätsel* deviner; *rate mal!* devine!
Ratenzahlung *f* paiement *m* à tempérament.
Ratespiel *n* devinettes *f/pl*.
Rat|geber(in *f*) *m* conseiller *m*, -ère *f*; **~haus** *n* hôtel *m* de ville; *in kleineren Orten* mairie *f*.
ratifizieren ratifier.
Ration *f* ration *f*; **2al** rationnel, raisonnable.
rationalisier|en rationaliser; **2ung** *f* rationalisation *f*.
Rationalis|mus *phil m* rationalisme *m*; **2tisch** rationaliste.

rationell rationnel; *sparsam* économique.
rationier|en rationner; **2ung** *f* rationnement *m*.
rat|los perplexe, désemparé; **2losigkeit** *f* perplexité *f*; **~sam** indiqué, conseillé, à propos, opportun; **2schlag** *m* conseil *m*.
Rätsel *n* énigme *f*; *~aufgabe* devinette *f*; **2haft** énigmatique.
Ratte *zo f* rat *m*.
rattern faire du bruit; *tech* brouter.
Raub *m* vol *m* (à main armée); *Menschen2* rapt *m*; *Beute* proie *f*, butin *m*; **~bau** *m* exploitation *f* abusive; **2en** voler, enlever.
Räuber *m* brigand *m*, bandit *m*; **~bande** *f* bande *f* de brigands.
Raub|fisch *m* poisson *m* rapace; **~gier** *f* rapacité *f*; **2gierig** rapace; **~mord** *m* assassinat *m* suivi de vol; **~mörder** *m* assassin *m*; **~tier** *n* fauve *m*, bête *f* féroce; **~überfall** *m* hold-up *m*, attaque *f* à main armée; **~vogel** *m* rapace *m*, oiseau *m* de proie; **~zug** *m* razzia *f*.
Rauch *m* fumée *f*; **2en** fumer; 2 *verboten!* interdit de fumer!; *Pfeife ~* fumer la pipe; **~er(in** *f*) *m* fumeur *m*, -euse *f*; *ein starker Raucher* un gros fumeur.
räucher|n fumer; **2stäbchen** *n* bâton *m* d'encens.
Rauch|fahne *f* panache *m* de fumée; **~fleisch** *n* viande *f* fumée; **2ig** fumeux; *voll Rauch* enfumé; **~verbot** *n* défense *f* de fumer; **~waren** *f/pl* tabacs *m/pl*; *Pelze* fourrures *f/pl*.
Räud|e *f der Hunde* gale *f*; **2ig** galeux.
Rauf|bold *m* bagarreur *m*; **2en** se battre, se bagarrer; *fig sich die Haare ~* s'arracher les cheveux; **~erei** *f* bagarre *f*, rixe *f*; **2lustig** bagarreur.
rauh *Oberfläche* rugueux; *Haut* rêche; *Klima* rude; *Stimme* rauque; *Gegend* sauvage; *Sitte* grossier; **~haarig** *zo* au poil dur *od* rêche; **2reif** *m* givre *m*.
Raum *m* espace *m*; *Platz* place *f*; *Räumlichkeit* local *m*; *Zimmer* pièce *f*; *im ~ Stuttgart* dans la région de Stuttgart; **~anzug** *m* combinaison *f* spatiale.
räumen *Ort* évacuer; *weg~* enlever.
Raum|fähre *f* navette *f* spatiale; **~fahrer(in** *f*) *m* astronaute *m*, *f*, cosmonaute *m*, *f*; **~fahrt** *f* astronautique *f*, navigation *f* spatiale; **~flug** *m* vol *m* spatial; **~forschung** *f* recherche *f* spatiale; **~inhalt** *m* volume *m*, capacité *f*; **~kapsel** *f* capsule *f* spatiale.
räumlich de *od* dans l'espace; *dreidimensional* à trois dimensions; **2keiten** *f/pl* locaux *m/pl*.
Raum|meter *m Holz* stère *m*; **~pflegerin** *f* femme *f* de ménage; **~schiff** *n* vaisseau *m* spatial; **~sonde** *f* sonde *f* spatiale; **~station** *f* station *f* orbitale.
Räumung *f* évacuation *f*; **~sverkauf** *m* liquidation *f* totale.
raunen murmurer.
Raupe *zo f* chenille *f*; **~nfahrzeug** *n* véhicule *m* à chenilles, autochenille *f*.
raus *~!* dehors!, sors *od* sortez (d'ici)!; *cf a heraus u hinaus*.
Rausch *m* ivresse *f*; *e-n ~ haben* être ivre *od* soûl; **2en** *Bach* murmurer; *Blätter* frémir; *Radio* grésiller; **2end** *Applaus* bruyant.
Rauschgift *n* stupéfiant *m*; **~handel** *m* trafic *m* de drogues *od* de stupéfiants; **~händler** *m* trafiquant *m* de stupéfiants; **2süchtig** drogué.
räuspern *sich ~* se racler la gorge, s'éclaircir la voix.
rausschmeißen *j-n ~* F flanquer qn à la porte, vider qn.
Raute *f* losange *m*.
Razzia *f* rafle *f*; ⚠ *nicht razzia*.
Reagenzglas *n* éprouvette *f*.
reagieren réagir (*auf* à).
Reaktion *f* réaction *f* (*auf* à); **2är** *pol* réactionnaire.
Reaktor *tech m* réacteur *m*.
real réel, effectif; **~isieren** réaliser; **2ismus** *m* réalisme *m*; **~istisch** réaliste; **2ität** *f* réalité *f*; **2schule** collège *m* d'enseignement secondaire (*abr* C.E.S.).
Rebe *f* vigne *f*.
Rebell|(in *f*) *m* rebelle *m*, *f*; **2ieren** se rebeller (*gegen* contre); **~ion** *f* rébellion *f*; **2isch** rebelle.
Reb|huhn *zo n* perdrix *f*; **~stock** *m* cep *m* (de vigne).
Rechen **1.** *m* râteau *m*; **2.** 2 ratisser.
Rechen|aufgabe *f* problème *m* (d'arithmétique); **~fehler** *m* erreur *f* de calcul; **~maschine** *f* machine *f* à calculer, calculatrice *f*; **~schaft** *f ~ ablegen od geben* rendre compte (*j-m über etw* de qc à qn); *j-n zur ~ ziehen* demander des comptes à qn;

~schaftsbericht *m* compte rendu *m*, rapport *m* de gestion.

rechnen 1. calculer; *mit mir kannst du ~* tu peux compter sur moi; **2. 2** *n* calcul *m*.

Rechner *m Taschen2* calculatrice *f*; *Computer* ordinateur *m*; **2isch** par voie de calcul.

Rechnung *f* compte *m*; *math* calcul *m*; *comm* facture *f*; *Hotel* note *f*; *Restaurant* addition *f*; *das geht auf meine ~* ça va à mon compte; **~sjahr** *écon n* exercice *m*; **~sprüfung** *f* vérification *f* des comptes.

recht *Hand, Winkel* droit; *richtig* juste; *passend* convenable; *adv* bien, fort, très; *zur ~en Zeit* à temps; *das ist ~* c'est bien; *~ haben* avoir raison; *j-m ~ geben* donner raison à qn; *es geschieht ihm ~* c'est bien fait pour lui; *du kommst gerade ~* tu arrives à point; *~ und schlecht* tant bien que mal; *erst ~* plus que jamais.

Recht *n* droit *m* (*auf* à); *von ~s wegen* de par la loi; *mit vollem ~* à bon droit, à juste titre; *mit welchem ~?* de quel droit?; *im ~ sein* être dans son droit; *~ sprechen* rendre la justice.

Recht|e *f* (main *f*) droite *f*; *pol* droite *f*; **~eck** *n* rectangle *m*; **2eckig** rectangulaire; **2fertigen** (*sich ~* se) justifier; **~fertigung** *f* justification *f*; **2haberisch** qui veut toujours avoir raison, ergoteur; **2lich** juridique; **2mäßig** légal, légitime.

rechts à droite.

Rechts|anspruch *m* droit *m* (*auf* à); **~anwalt** *m*, **~anwältin** *f* avocat *m*, -e *f*; **~außen** *m Fußball* ailier *m* droit.

recht|schaffen honnête; **2schaffenheit** *f* honnêteté *f*; **2schreibfehler** *m* faute *f* d'orthographe; **2schreibung** *f* orthographe *f*.

Rechts|fall *m* cas *m* juridique; **~händer**(**in** *f*) *m* droitier *m*, -ière *f*; **2kräftig** qui a force de loi; **~lage** *f* situation *f* juridique; **~pflege** *f* justice *f*.

Rechtsprechung *f* juridiction *f*.

rechts|radikal *pol* d'extrême droite; **2schutz** *m* protection *f* juridique; **2staat** *m* État *m* de droit; **~widrig** illégal; **2wissenschaft** *f* droit *m*; *~ studieren* faire son droit.

recht|wink(e)lig rectangulaire; **~zeitig** à temps.

Reck *n* barre *f* fixe.

recken *Hals* tendre; *sich ~* s'étirer.

Redakteur(**in** *f*) *m* rédacteur *m*, -trice *f*.

Rede *f* discours *m*; *e-e ~ halten* faire *od* prononcer un discours; *gr (in)direkte ~* discours *od* style *m* (in)direct; *erlebte ~* style *m* indirect libre; *das ist nicht der ~ wert* ça ne vaut pas la peine d'en parler; **2gewandt** éloquent; **~kunst** *f* art *m* oratoire, rhétorique *f*.

reden parler (*von, über* de; *mit* à, avec); *ich möchte mit dir ~* je voudrais te parler; *j-n zum 2 bringen* faire parler qn.

Rede|nsart *f sprichwörtliche* dicton *m*; *leere* façon *f* de parler; **~wendung** *f* tournure *f*, locution *f*, expression *f*.

redlich honnête; *sich ~ Mühe geben* faire des efforts sincères; **2keit** *f* honnêteté *f*.

Redner *m* orateur *m*; **~gabe** *f* don *m* oratoire; **~pult** *m* pupitre *m*.

redselig loquace.

reduzieren réduire (*auf* à).

Reede *mar f* rade *f*; **~r** *m* armateur *m*; **~rei** *f* société *f* d'armateurs, compagnie *f* de transports maritimes.

reell *comm* honnête, correct; *Firma* de confiance; *~e Chance* chance *f* réelle.

Refer|at *n* exposé *m*; *ein ~ halten* faire un exposé; **~endar** *m* stagiaire *m*; **~ent** *m Vortragender* conférencier *m*; *Sachbearbeiter* chef *m* de service; **~enzen** *f/pl* références *f/pl*; **2ieren** *~ über etw* faire un exposé de *od* sur qc.

reflektieren réfléchir (*Licht u über* sur); F *~ auf* avoir des visées sur.

Reflex *m Licht2* reflet *m*; *biol* réflexe *m*; **2iv** *gr* réfléchi; *~es Verb* verbe *m* pronominal.

Reform *f* réforme *f*; **~ation** *rel f* Réforme *f*; **~ator** *rel m*, **~er** *m* réformateur *m*; **~haus** *n* magasin *m* de produits diététiques; **2ieren** réformer.

Refrain *m* refrain *m*.

Regal *n* étagère *f*.

Regatta *f* régates *f/pl*.

rege actif; *Geist* vif, alerte; *belebt* animé.

Regel *f* règle *f*; *méd* règles *f/pl*; *in der ~* en règle générale; **2mäßig** régulier; **~mäßigkeit** *f* régularité *f*; **2n** (*sich ~* se) régler; **2recht** correct, dans les règles; *fig* en règle; **~ung** *f Steuerung* régulation *f*; *e-r Angele-*

genheit règlement *m*; **2widrig** contraire aux règles.

regen *Glieder* bouger; *sich* ~ bouger, remuer; *tätig werden* devenir actif; *Gefühle* naître.

Regen *m* pluie *f*; **~bogen** *m* arc-en-ciel *m*; **~bogenhaut** *f* iris *m*; **~mantel** *m* imperméable *m*; **~schauer** *m* averse *f*; **~schirm** *m* parapluie *m*; **~tropfen** *m* goutte *f* de pluie; **~wasser** *n* eau *f* de pluie; **~wetter** *n* temps *m* pluvieux; **~wurm** *m* ver *m* de terre; **~zeit** *f* saison *f* des pluies.

Regie *f Theater* mise *f* en scène; **~anweisung** *f* indication *f* de mise en scène.

regier|en gouverner; *Herrscher* régner; **2ung** *f* gouvernement *m*; *~szeit e-s Herrschers* règne *m*.

Regierungs|bezirk *m* subdivision *f* administrative d'un land; **~form** *f* forme *f* de gouvernement, régime *m*; **~partei** *f* parti *m* gouvernemental; **~sprecher** *m* porte-parole *m* du gouvernement.

Regime *pol n* régime *m*.

Regiment *mil n* régiment *m*; *fig das ~ führen* commander.

Region *f* région *f*.

Regisseur *m Theater, Film* metteur *m* en scène; *Film a* réalisateur *m*.

Regist|er *n* registre *m* (*a mus*); *in Büchern* index *m*; **2rieren** enregistrer; **~rierkasse** *f* caisse *f* enregistreuse.

reglementieren réglementer.

Regler *tech m* régulateur *m*.

regne|n pleuvoir; *es regnet* il pleut; **~risch** pluvieux.

regulär régulier; *Preis* normal.

regulier|bar réglable; **~en** *tech* régler; *Fluß* régulariser.

Regung *f Bewegung* mouvement *m*; *Gemüts2* émotion *f*; **2slos** immobile.

Reh *zo n* chevreuil *m*.

Rehabilitation *f jur* réhabilitation *f*; *méd* rééducation *f*.

Reh|bock *zo m* chevreuil *m*; **~keule** *cuis f* cuissot *m* de chevreuil; **~kitz** *zo n* faon *m*.

Reib|e *f*, **~eisen** *n* râpe *f*; **2en** frotter; *cuis* râper; *sich die Augen ~* se frotter les yeux; **~erei** *f* friction *f*; **~ung** *f* frottement *m*, friction *f* (*a fig*); **2ungslos** *fig* sans difficulté.

reich riche (*an* en); *die 2en* les riches *m/pl*.

Reich *n* empire *m*; *fig* royaume *m*; *das Dritte ~* le troisième Reich.

reichen *sich erstrecken* aller, s'étendre (*bis* jusqu'à); *geben* donner, tendre, passer, offrir; *genügen* suffire; *mir reicht's!* j'en ai assez!

reich|haltig abondant, riche; **~lich** abondant; *Essen* copieux; *Trinkgeld* généreux; *sein ~es Auskommen haben* gagner amplement sa vie.

Reichtum *m* richesse *f* (*an* en).

Reichweite *f* portée *f*; *außer ~* hors de portée.

reif mûr.

Reif *m* gelée *f* blanche; *Rauh2* givre *m*.

Reife *f* maturité *f* (*a fig*).

reifen mûrir.

Reifen *m* cerceau *m*; *auto* pneu *m*; **~panne** *f* crevaison *f*.

Reife|prüfung *f* baccalauréat *m*, bachot *m* F, bac *m* F; **~zeugnis** *n* diplôme *m* du baccalauréat.

reiflich mûr; *etw ~ überlegen* réfléchir mûrement à qc.

Reigen *m* ronde *f*.

Reihe *f nebeneinander* rang *m*, rangée *f*; *hintereinander* file *f*; *Aufeinanderfolge* suite *f*, série *f*; *ich bin an der ~* c'est mon tour; *der ~ nach* l'un après l'autre, chacun son tour.

Reihen|folge *f* suite *f*, ordre *m*; **~haus** *n* maison *f* de lotissement; **2weise** en série.

Reiher *zo m* héron *m*.

Reim *m* rime *f*; ⚠ *la* rime; **2en** (*a sich ~*) rimer (*auf* avec).

rein[1] pur; *sauber* propre; *ins ~e schreiben* mettre au propre *od* au net.

rein[2] *cf herein u hinein*.

Rein|fall F *m* échec *m*, fiasco *m*; **~gewinn** *m* bénéfice *m* net; **~heit** *f* pureté *f*.

reinig|en nettoyer; **2ung** *f* nettoyage *m*; *chemische ~* nettoyage *m* à sec; *Geschäft* teinturerie *f*; **2ungsmittel** *n* détergent *m*.

reinlich propre; **2keit** *f* propreté *f*.

rein|rassig de pure race; **2schrift** *f* copie *f* au net.

Reis *m* riz *m*.

Reise *f* voyage *m*; *auf ~n* en voyage; *e-e ~ machen* faire un voyage; *gute ~!* bon voyage!; **~andenken** *n* souvenir *m*; **~büro** *n* agence *f* de voyages; **~führer** *m* guide *m*; **~gesell-**

R

schaft *f* groupe *m*; **~leiter** *m* guide *m*, accompagnateur *m*.
reisen voyager; *durch Frankreich ~* traverser la France; *ins Ausland ~* aller à l'étranger; **2de(r)** *m, f* voyageur *m*, -euse *f*; *Handlungs2* commis *m* voyageur.
Reise|paß *m* passeport *m*; **~pläne** *m/pl* projets *m/pl* de voyage; **~route** *f* itinéraire *m*; **~scheck** *m* chèque *m* de voyage; **~tasche** *f* sac *m* de voyage; **~ziel** *n* destination *f*.
Reisig *n* brindilles *f/pl*.
Reißbrett *n* planche *f* à dessin.
reiß|en *Seil etc* se déchirer; *in Stücke ~* déchirer en morceaux; *j-m etw aus den Händen ~* arracher qc des mains de qn; *etw an sich ~* s'emparer de qc; *sich um etw ~* s'arracher qc; **~end** *Strom* rapide; *Tier* féroce; *~en Absatz finden* se vendre comme des petits pains; **2er** F *m Theater* pièce *f* à grand succès; *Buch* livre *m* à grand succès, best-seller *m*; **~erisch** tapageur; **2nagel** *m* punaise *f*; **2verschluß** *m* fermeture *f* éclair; **2zwecke** *f* punaise *f*.
Reitbahn *f* manège *m*.
reiten 1. monter à cheval; *Sport* faire du cheval; *irgendwohin* aller à cheval; **2.** 2 *n* équitation *f*.
Reiter(in *f*) *m* cavalier *m*, -ière *f*.
Reit|hose *f* culotte *f* de cheval; **~peitsche** *f* cravache *f*; **~pferd** *n* cheval *m* de selle, monture *f*; **~sport** *m* hippisme *m*, sport *m* équestre; **~stiefel** *m* botte *f* d'équitation; **~unterricht** *m* leçons *f/pl* d'équitation.
Reiz *m* attrait *m*, charme *m*; *biol* stimulus *m*; *den ~ verlieren* perdre tout attrait.
reizbar irritable, excitable; **2keit** *f* irritabilité *f*.
reiz|en irriter, exciter, stimuler; *verlocken* attirer, séduire, tenter; **~end** charmant; **~los** fade, peu attrayant; **2mittel** *n* stimulant *m*; **2ung** *f méd* irritation *f*; *biol* stimulation *f*; **~voll** attrayant; **2wäsche** *f* dessous *m/pl* affriolants; **2wort** *n* mot *m* choc.
rekeln F *sich ~* se prélasser.
Reklamation *f* réclamation *f*.
Reklame *f* réclame *f*, publicité *f*; *~ machen für* faire de la publicité pour.
reklamieren réclamer.
rekonstruieren *Ereignis* reconstituer; ⚠ *nicht reconstruire*.
Rekonvaleszenz *méd f* convalescence *f*.
Rekord *m* record *m*; *e-n ~ aufstellen* établir un record.
Rekrut *mil m* recrue *f*, conscrit *m*; **2ieren** (*sich ~* se) recruter (*aus* dans, parmi).
Rektor *m Universität* recteur *m*; *Schule* directeur *m*; **~in** *f Schule* directrice *f*.
relativ relatif.
Relief *n* relief *m*.
Religion *f* religion *f*; **~sunterricht** *m* catéchisme *m*.
religiös religieux; *fromm* pieux.
Reling *mar f* bastingage *m*, rambarde *f*.
Reliquie *f* relique *f*.
Rempel|ei *f* bousculade *f*; **2n** bousculer.
Renn|bahn *f Pferde* champ *m* de courses, hippodrome *m*; *Fahrrad* vélodrome *m*; *allg a* piste *f*; **~boot** *n* bateau *m* de course; **2en** courir; **~en** *n* course *f*; **~fahrer** *m auto* pilote *m*; *Motor-, Fahrrad* coureur *m*; **~pferd** *n* cheval *m* de course; **~rad** *n* vélo *m* de course; **~sport** *m allg* course *f*; **~stall** *m* écurie *f*; **~strecke** *f* parcours *m*; **~wagen** *m* voiture *f* de course, bolide *m*.
renommiert renommé.
renovier|en remettre à neuf, rénover; **2ung** *f* rénovation *f*.
rentabel rentable, profitable.
Rente *f* retraite *f*, pension *f*; *Kapital2* rente *f*; **~nempfänger(in** *f*) *m* bénéficiaire *m, f* d'une retraite *od* pension.
Rentier *zo n* renne *m*.
rentieren *sich ~* valoir la peine; *comm* rapporter.
Rentner(in *f*) *m* retraité *m*, -e *f*.
Reparatur *f* réparation *f*; **~werkstatt** *f* atelier *m* de réparation; *auto* garage *m*.
reparieren réparer.
Report|age *f* reportage *m*; ⚠ *le reportage*; **~er** *m* reporter *m*.
repräsent|ativ représentatif; *ansehnlich* qui présente bien, prestigieux; **~ieren** représenter.
Repressalien *f/pl* représailles *f/pl*.
Reprodu|ktion *f* reproduction *f*; **2zieren** reproduire.
Reptil *zo n* reptile *m*.

R

Republik *f* république *f*; **~aner(in** *f*) *m* républicain *m*, -e *f*; **2anisch** républicain.
Reservat *n* réserve *f*.
Reserve *f* réserve *f* (*a mil*); **~kanister** *m* bidon *m* de réserve; **~rad** *n* roue *f* de secours.
reservier|en réserver, retenir; **~t** réservé (*a fig*).
Residenz *f* résidence *f*.
Resign|ation *f* résignation *f*; **2ieren** se résigner; **2iert** résigné.
resolut résolu; **2ion** *f* résolution *f*.
Resonanz résonance *f*; *fig* écho *m*.
Resozialisierung *f* réinsertion *f* dans la société.
Respekt *m* respect *m* (*vor* pour); *sich ~ verschaffen* se faire respecter.
respekt|ieren respecter; **~los** sans respect, irrévérencieux; **~voll** respectueux.
Ressort *n* ressort *m*; *das fällt nicht in mein ~* ce n'est pas de mon ressort.
Rest *m* reste *m*; *fig das gab ihm den ~* ça lui a donné le coup de grâce.
Restaurant *n* restaurant *m*.
restaurieren restaurer.
Rest|betrag *m* restant *m*; **2lich** restant, qui reste; **2los** totalement, complètement; **~zahlung** *f* paiement *m* d'un reliquat.
Resultat *n* résultat *m*.
Retorte *chim f* cornue *f*; **~nbaby** *n* bébé-éprouvette *m*.
rett|en (*sich ~* se) sauver (*aus, vor* de); **2er** *m* sauveteur *m*; *fig* sauveur *m*.
Rettich *bot m* radis *m*.
Rettung *f* sauvetage *m*; *Heil* salut *m*; *fig das war meine ~* c'était ma chance.
Rettungs|aktion *f* opération *f* de sauvetage; **~boot** *n* canot *m* de sauvetage; **~mannschaft** *f* sauveteurs *m/pl*; **~ring** *m* bouée *f* de sauvetage; **~schwimmer** *m* sauveteur *m*.
Reu|e *f* repentir *m*; **2en** *etw reut mich* je regrette qc; **2evoll, 2ig, 2mütig** repentant, contrit.
Revanche *f* revanche *f* (*a Sport*).
revanchieren *sich ~* prendre sa revanche; *für e-n Dienst* rendre la pareille; *für e-e Einladung* inviter qn à son tour.
Revers *n od m* revers *m*.
revidieren réviser.
Revier *n* district *m*; *e-s Tieres* territoire *m*; *Jagd2* chasse *f* gardée; *Polizei2* commissariat *m*.
Revision *f* révision *f*; *jur ~ einlegen* se pourvoir en cassation.
Revolt|e *f* révolte *f*; **2ieren** se révolter.
Revolution *f* révolution *f*; **2är** révolutionnaire; **~är(in** *f*) *m* révolutionnaire *m, f*; **2ieren** révolutionner.
Revolver *m* revolver *m*.
Revue *f Theater* revue *f*.
rezens|ieren *ein Buch ~* faire le compte rendu *od* la critique d'un livre; **2ion** *f* compte rendu *m*, critique *f*.
Rezept *n cuis* recette *f*; *méd* ordonnance *f*; **2pflichtig** délivré uniquement sur ordonnance.
Rhabarber *bot m* rhubarbe *f*.
Rhein *der ~* le Rhin; **2isch** rhénan; **~land-Pfalz** *n* la Rhénanie-Palatinat.
rhetorisch rhétorique.
Rheuma *méd n* rhumatisme *m*.
rhythm|isch rythmique; **2us** *m* rythme *m*; ⚠ rythme (*kein h*).
Ribisel *östr f* groseille *f*.
richten *ordnen* ajuster, arranger; *vor-, zubereiten* préparer; *reparieren* réparer; *jur* (*über*) *j-n ~* juger qn; *~ an* adresser à; *~ auf* diriger *od* braquer sur; *~ gegen* diriger contre; *sich ~ nach* se régler sur; *ich richte mich nach dir a* je prends exemple sur toi.
Richter|(in *f*) *m* juge *m*, femme *f* juge; **2lich** judiciaire; **~spruch** *m* jugement *m*, sentence *f*.
Richtgeschwindigkeit *f* vitesse *f* conseillée.
richtig juste, correct, exact, bon; *~ rechnen* calculer juste; *meine Uhr geht ~* ma montre est à l'heure; *~ nett* (*böse*) vraiment gentil (méchant); **2keit** *f* justesse *f*, correction *f*, exactitude *f*; **~stellen** corriger, rectifier; **2stellung** *f* rectification *f*.
Richt|linie *f* directive *f*, ligne *f* de conduite; **~preis** *m* prix *m* conseillé; **~schnur** *f fig* règle *f* de conduite.
Richtung *f* direction *f*, sens *m*; *Tendenz* tendance *f*, orientation *f*; *in ~ Dijon* en direction de Dijon; **2slos** sans but, désorienté.
riechen sentir; *gut ~* sentir bon; *nach etw ~* sentir qc; *an etw ~* respirer l'odeur de qc; *fig ich kann ihn nicht ~* je ne peux pas le sentir.

R

Riege *f Sport* équipe *f*.
Riegel *m* verrou *m*; ~ *Schokolade* barre *f* de chocolat.
Riemen *m* courroie *f*, lanière *f*; *Ruder* aviron *m*, rame *f*.
Ries|e *m*, **~in** *f* géant *m*, -e *f*.
rieseln couler, ruisseler; *Schnee* tomber doucement.
Riesen|arbeit *f* travail *m* gigantesque; **~erfolg** *m* succès *m* monstre; **2haft** gigantesque, colossal; **~rad** *n* grande roue *f*; **~slalom** *m* slalom *m* géant.
riesig énorme, gigantesque.
Riff *n* récif *m*.
Rille *f* rainure *f*; *Schallplatte* sillon *m*.
Rind *zo n* bœuf *m*; *~er pl* bovins *m/pl*.
Rinde *f Baum* écorce *f*; *Brot* croûte *f*.
Rinderbraten *m* rôti *m* de bœuf.
Rind|fleisch *n* (du) bœuf *m*; **~(s)-leder** *n* cuir *m* de bœuf; **~vieh** *n* bétail *m*; F *fig* imbécile *m*, corniaud *m* F.
Ring *m* anneau *m*; *Finger2* bague *f*; *Kreis* cercle *m*; *Boxkampf* ring *m*; *Straße* périphérique *m*; *Bahn* ceinture *f*; *Rennstrecke* circuit *m*; *Vereinigung* association *f*; **~buch** *n* classeur *m*.
ringel|n *sich* ~ s'enrouler; **2natter** *zo f* couleuvre *f* à collier; **2spiel** *östr n* manège *m*.
ring|en lutter (*um etw* pour qc); *nach Luft* ~ suffoquer; **2er** *m* lutteur *m*; **2finger** *m* annulaire *m*; **~förmig** annulaire; *kreisförmig* circulaire; **2-kampf** *m* lutte *f*; **2richter** *m* arbitre *m* de boxe.
rings ~ *um* ... tout autour de ...; **~um(her)** tout autour.
Rinn|e *f* rigole *f*; *Dach2* gouttière *f*; **2en** couler; *Gefäß* fuir; **~sal** *n* filet *m* d'eau; **~stein** *m* caniveau *m*.
Rippe *f* côte *f*.
Rippen|fell *n* plèvre *f*; **~fellentzündung** *f* pleurésie *f*; **~stoß** *m* coup *m* dans les côtes.
Risiko *n* risque *m*; *ein ~ eingehen* courir un risque; *auf eigenes* ~ à ses risques et périls.
risk|ant risqué; **~ieren** risquer.
Riß *m* fente *f*, fissure *f*, crevasse *f*; *in Mauer a* lézarde *f*; *in Haut a* gerçure *f*; *in Stoff* déchirure *f*.
rissig fissuré, crevassé; *Mauer a* lézardé; *Haut a* gercé.
Ritt *m* chevauchée *f*, course *f* à cheval.
Ritter *m* chevalier *m*; *zum ~ schlagen* armer chevalier, adouber; **2lich** chevaleresque; **~tum** *n* chevalerie *f*.
rittlings à califourchon.
Ritus *m* rite *m*.
Ritze *f* fente *f*.
ritzen entailler; ~ *in* graver dans.
Rival|e *m*, **~in** *f* rival *m*, -e *f*; **2isieren** rivaliser (*mit* avec); **~ität** *f* rivalité *f*.
Rizinusöl *n* huile *f* de ricin.
Robbe *zo f* phoque *m*.
Robe *f* robe *f* de soirée; *jur* robe *f* de magistrat.
Roboter *m* robot *m*.
robust robuste.
röcheln râler.
Rock[1] *m* jupe *f*.
Rock[2] *mus m* rock *m*.
Rocker *m* loubar(d) *m* F.
Rodel|bahn *f* piste *f* de luge; **2n** faire de la luge; **~schlitten** *m* luge *f*.
roden défricher.
Rogen *m* œufs *m/pl* de poisson.
Roggen *bot m* seigle *m*.
roh *ungekocht* cru; *noch nicht verarbeitet* brut; *ungesittet* grossier, rude; *mit ~er Gewalt* de vive force; **2bau** *m* gros œuvre *m*.
Roheit *f* brutalité *f*, rudesse *f*, grossièreté *f*.
Roh|kost *f* crudités *f/pl*; **~ling** *m* brute *f*; **~material** *n* matières *f/pl* premières; **~öl** *n* pétrole *m* brut.
Rohr *n* tuyau *m*, tube *m*; *Leitungs2* conduit *m*; *bot* canne *f*; *Schilf* roseau *m*; **~bruch** *m* rupture *f* de tuyau.
Röhre *f* tuyau *m*; *Radio* lampe *f*; *TV* tube *m*; *Back2* four *m*.
Rohr|leitung *f* conduit *m*, pipe-line *m*; **~post** *f* poste *f* pneumatique; **~zucker** *m* sucre *m* de canne.
Roh|seide *f* soie *f* grège; **~stahl** *m* acier *m* brut; **~stoff** *m* matière *f* première.
Rolladen *m* volet *m* roulant.
Rollbahn *aviat f* piste *f*.
Rolle *f* rouleau *m*; *unter Möbeln* roulette *f*; *Faden2* bobine *f*; *fig* rôle *m*; *das spielt keine ~* cela ne joue aucun rôle; *aus der ~ fallen* sortir de son rôle, F faire une gaffe; ⚠ *le* rôle.
rollen rouler; *Donner* gronder; *Teig* rouler, abaisser.
Roller *m Kinder2* trottinette *f*; *Motor2* scooter *m*.
Roll|film *m* film *m od* pellicule *f* en bobine; **~kragenpulli** *m* pull *m* à col roulé; **~mops** *cuis m* rollmops *m*.
Rollo *n* store *m*.

Roll|schuh *m* patin *m* à roulettes; *~ laufen* faire du patin à roulettes; **~schuhlaufen** *n* patinage *m* à roulettes; **~stuhl** *m* fauteuil *m* roulant; **~treppe** *f* escalier *m* roulant.

Roman *m* roman *m*.

roman|isch *Kunst*, *Sprachen* roman; *Völker*, *Länder* latin; **2isierung** *f* romanisation *f*; **2schriftsteller(in** *f*) *m* romancier *m*, -ière *f*.

Romanti|k *f* romantisme *m*; **2sch** romantique; *schwärmerisch* romanesque.

Röm|er(in *f*) *m* Romain *m*, -e *f*; **2isch** romain.

Rommé *n* rami *m*.

röntgen radiographier; **2apparat** *m* appareil *m* de radiographie; **2aufnahme** *f*, **2bild** *n* radiographie *f*, radio *f* F; **2strahlen** *m/pl* rayons X *m/pl*.

rosa rose.

Rose *bot f* rose *f*; *wilde ~* églantine *f*; *Strauch* églantier *m*.

Rosen|kohl *bot m* chou *m* de Bruxelles; **~kranz** *rel m* chapelet *m*; **~montag** *m* lundi *m* de carnaval; **~stock** *m* rosier *m*.

Rosette *arch f* rosace *f*.

rosig rose; *fig alles in ~em Licht sehen* voir tout en rose.

Rosine *f* raisin *m* sec.

Roß *n* cheval *m*; **~haar** *n* crin *m*; **~kastanie** *bot f* marron *m* d'Inde; *Baum* marronnier *m* (d'Inde).

Rost *m* rouille *f*; *Brat2* gril *m*; *Gitter* grille *f*.

rosten rouiller.

rösten griller; *Kartoffeln* faire sauter; *Kaffee* torréfier.

Rost|fleck *m* tache *f* de rouille; **2frei** inoxydable; **2ig** rouillé; **~schutzfarbe** *f* peinture *f* antirouille.

rot 1. rouge (*a pol*); *Haar* roux; *~ werden* rougir; *in den ~en Zahlen stecken* être en déficit; **2.** 2 *n* rouge *m*; *die Ampel steht auf ~* le feu est au rouge.

Rotation *f* rotation *f*.

Röte *f* rougeur *f*.

Röteln *méd pl* rubéole *f*.

röten (*sich ~*) rougir.

rot|glühend porté *od* chauffé au rouge; **~haarig** roux; **2haut** *f* Peau-Rouge *m*.

rotieren tourner (sur son axe); F *fig* être surmené *od* débordé de travail.

Rot|käppchen *n* Petit Chaperon *m* rouge; **~kehlchen** *zo n* rouge-gorge *m*; **~kohl** *bot m* chou *m* rouge.

rötlich rougeâtre.

Rot|stift *m* crayon *m* rouge; **~wein** *m* vin *m* rouge; **~wild** *n* cerfs *m/pl* et chevreuils *m/pl*.

Rotz F *m* morve *f*; **~nase** F *f* petit morveux *m*.

Route *f* itinéraire *m*, route *f*.

Routin|e *f* routine *f*, expérience *f*; **~esache** *f das ist reine ~* c'est de la pure routine; **2iert** expérimenté; rompu (*auf e-m Gebiet* à un domaine).

Rübe *bot f* rave *f*; *weiße ~* navet *m*; *rote ~* betterave *f*; *gelbe ~* carotte *f*.

Rubel *m* rouble *m*.

Rübenzucker *m* sucre *m* de betterave.

Rubin *m* rubis *m*.

Ruck *m* saccade *f*, secousse *f*; *sich e-n ~ geben* se forcer (à faire qc).

Rückantwort *f Post ~ bezahlt* réponse *f* payée.

ruckartig saccadé; *adv* tout à coup.

rück|bezüglich *gr* réfléchi; *~es Verb* verbe *m* pronominal; **2blende** *f Film etc* flash-back *m*; **2blick** *m* rétrospective *f* (*auf* de), retour *m* en arrière.

rücken déplacer, bouger; *näher ~* approcher; *zur Seite ~* se pousser.

Rücken *m* dos *m*; **~deckung** *f fig* soutien *m*, appui *m*; **~lehne** *f* dossier *m*; **~mark** *n* moelle *f* épinière; **~schmerzen** *m/pl* mal *m* au dos, douleurs *f/pl* dorsales; **~schwimmen** *n* nage *f* sur le dos; **~wind** *m* vent *m* arrière; **~wirbel** *m* vertèbre *f* dorsale.

Rück|erstattung *f* restitution *f*; *von Kosten* remboursement *m*; **~fahrkarte** *f* billet *m* aller et retour; **~fahrt** *f* retour *m*; **~fall** *m jur u fig* récidive *f*; *méd* rechute *f*; **2fällig** *~ werden* récidiver (*jur u fig*); **~flug** *m* (vol *m* de) retour *m*; **~gabe** *f* restitution *f*; **~gang** *m* diminution *f*, déclin *m*, baisse *f*; **2gängig** *~ machen* annuler; **~gewinnung** *tech f* récupération *f*; **~grat** *n* épine *f* dorsale, colonne *f* vertébrale; *fig ~ haben* avoir le courage de ses opinions; **~halt** *m fig* soutien *m*; **2haltlos** sans réserve; **~hand** *f Tennis* revers *m*; **~kauf** *m* rachat *m*; **~kehr** *f* retour *m*; **~koppelung** *f* feed-back *m*, couplage *m* par réaction; **~lage** *f* réserve *f*; **2läufig** rétrograde, en baisse; **~lichter** *n/pl* feux *m/pl* arrière; **2lings** *von hinten* par derrière; *nach hinten* en arrière; **~nahme** *f comm* reprise *f*; *Zurückziehung* retrait *m*; **~porto** *n* port *m* de retour; **~reise** *f* (voyage *m* de) retour *m*.

Rucksack *m* sac *m* à dos.

Rück|schlag *m fig* revers *m*; **~schluß** *m* conclusion *f*; **2schrittlich** réactionnaire; **~seite** *f* revers *m*; *e-r Buchseite* verso *m*; **~sendung** *f* renvoi *m*, retour *m*.

Rücksicht *f* considération *f*; *aus ~ auf* eu égard à, par égard pour; *~ nehmen auf* avoir égard à; **~nahme** *f* égards *m/pl*; *Schonung* ménagement *m*; *Höflichkeit* politesse *f*; **2slos** sans égards, sans scrupules, brutal; **~slosigkeit** *f* manque *m* d'égards *od* de scrupules, brutalité *f*; **2svoll** plein d'égards (*gegenüber* pour).

Rück|sitz *auto m* siège *m* arrière; **~spiegel** *auto m* rétroviseur *m*; **~spiel** *n Sport* match *m* retour; **~stand** *m* retard *m*; *chim* résidu *m*; *im ~ sein* être en retard (*gegenüber* sur); **2ständig** arriéré (*a Zahlung*), retardataire; **~tritt** *m* démission *f*; *von Wettbewerb etc* retrait *m*; **~trittbremse** *f* frein *m* à rétropédalage; **~versicherung** *f* réassurance *f*; **2wärts** en arrière; **~wärtsgang** *auto m* marche *f* arrière; **~weg** *m* retour *m*.

ruckweise par saccades.

rück|wirkend *jur* rétroactif; **2wirkung** *f* répercussion *f*; **2zahlung** *f* remboursement *m*; **2zieher** *m e-n ~ machen* revenir sur sa décision; **2zug** *m* retraite *f*.

Rüde *m Hund, Wolf, Fuchs* mâle *m*.

Rudel *n* bande *f*; **2weise** par bandes.

Ruder *mar n* rame *f*, aviron *m*; *Steuer2* gouvernail *m*; **~boot** *n* canot *m* à rames; **~er** *m*, **~in** *f* rameur *m*, -euse *f*; **2n** ramer; *Sport* faire de l'aviron; **~sport** *m* aviron *m*.

Ruf *m* appel *m* (*a fig*); *Schrei* cri *m*; *Ansehen* réputation *f*; **2en** appeler, crier; *den Arzt ~* appeler le médecin; *um Hilfe ~* crier au secours.

Ruf|name *m* prénom *m* usuel; **~nummer** *f* numéro *m* de téléphone.

Rüge *f* réprimande *f*; **2n** réprimander.

Ruhe *f* repos *m*, calme *m*, tranquillité *f*; *Stille* silence *m*; *j-n in ~ lassen* laisser qn tranquille; *laß mich in ~!* F fiche-moi la paix!; *die ~ bewahren* conserver son calme; *sich zur ~ setzen* se retirer des affaires, prendre sa retraite; *~ bitte!* silence, s'il vous plaît!; **2los** agité.

ruhen *Person* se reposer; *Tätigkeit* être suspendu; *~ auf* reposer sur; *hier ruht* ici repose, ci-gît.

Ruhe|pause *f* pause *f*; **~stand** *m* retraite *f*; **~stätte** *f fig letzte ~* dernière demeure *f*; **~störer(in** *f*) *m* perturbateur *m*, -trice *f*; **~tag** *m* jour *m* de repos; *Montag ~* fermé le lundi.

ruhig calme, tranquille; *still* silencieux; *~!* silence!; *~ bleiben* rester calme.

Ruhm *m* gloire *f*.

rühm|en glorifier, vanter; *sich e-r Sache ~* se vanter de qc; **~lich** glorieux, digne d'éloges.

ruhm|los sans gloire; **~reich** glorieux.

Ruhr *méd f* dysenterie *f*.

Rührei *n* œufs *m/pl* brouillés.

rühr|en *bewegen, um~* remuer; *innerlich* toucher, émouvoir; *~ an* toucher à; *sich ~* bouger; *mil rührt euch!* repos!; **~end** touchant, émouvant; **~ig** agile, remuant, entrepenant; **~selig** sentimental, larmoyant; **2ung** *f* émotion *f*.

Ruin *m* ruine *f*; **~e** *f* ruine *f*; **2ieren** (*sich ~* se) ruiner.

rülps|en roter; **2er** *m* rot *m*.

Rum *m* rhum *m*.

Rumän|e *m*, **~in** *f* Roumain *m*, -e *f*; **~ien** *n* la Roumanie; **2isch** roumain.

Rummel F *m* foire *f*, remue-ménage *m*; **~platz** *m* champ *m* de foire.

rumoren faire du tapage; *es rumort in meinem Bauch* mon ventre gargouille.

Rumpelkammer *f* débarras *m*.

Rumpf *m biol* tronc *m*; *aviat* fuselage *m*; *mar* coque *f*.

rümpfen *die Nase ~* faire la grimace.

rund rond, arrondi; *ungefähr* environ; *~ um etw* tout autour de qc; **2blick** *m* panorama *m*; **2bogen** *arch m* plein cintre *m*.

Runde *f Umkreis, Rundgang* ronde *f*; *Bier* tournée *f*; *Sport* tour *m*; *Boxen* round *m*; *Gesellschaft* compagnie *f*; **2n** (*sich ~* s')arrondir.

Rund|fahrt *f* circuit *m*; **~flug** *m* circuit *m* aérien.

Rundfunk *m* radio *f*, T.S.F. *f*; *im ~* à la radio; *im ~ übertragen* radiodiffuser; **~empfang** *m* réception *f* radio-

R

phonique; **~gerät** *n* poste *m od* récepteur *m* de radio, appareil *m* de T.S.F.; **~hörer(in** *f*) *m* auditeur *m*, -trice *f*; **~sender** *m* station *f od* émetteur *m* de radio; **~sendung** *f* émission *f* de radio.
Rund|gang *m* tour *m* (*durch* de); **2heraus** franchement, carrément; **2herum** tout autour; **2lich** arrondi; *Person* rondelet; **~reise** *f* tournée *f*, tour *m*, circuit *m* (*durch* de); **~schau** *f fig* panorama *m*, revue *f*; **~schreiben** *n* circulaire *f*; **2um** à la ronde, tout autour; **~ung** *f* arrondi *m*; *des Körpers* rondeur *f*; **2weg** tout bonnement, sans façon.
Rune *f* rune *f*.
Runz|el *f* ride *f*; **2(e)lig** ridé; **2eln** *die Stirn ~* froncer les sourcils.
Rüpel *m* mufle *m*, malotru *m*, rustre *m*, grossier personnage *m*; **2haft** grossier, malotru.
rupfen *Federvieh* plumer (*a fig*); *Unkraut* arracher.
Ruß *m* suie *f*.
Russ|e *m*, **~in** *f* Russe *m*, *f*.
Rüssel *m* trompe *f*; *Schweins2* groin *m*.
rußig noirci de suie.
russisch russe.
Rußland *n* la Russie.
rüsten *mil* armer; *st/s sich ~* se préparer (*zu* à).
rüstig vert, vigoureux; **2keit** *f* verdeur *f*, vigueur *f*.
rustikal rustique.
Rüstung *f mil* armements *m/pl*; *Ritter2* armure *f*; **~sindustrie** *f* industrie *f* d'armement; **~swettlauf** *m* course *f* aux armements.
Rüstzeug *n geistiges* bagage *m*.
Rute *f* verge *f*, baguette *f*.
Rutsch|bahn *f für Kinder* toboggan *m*; *fig* patinoire *f*; **2en** glisser; *auto a* déraper; **2ig** glissant; **2sicher** antidérapant.
rütteln secouer; *fig daran ist nicht zu ~* F il n'y a pas à tortiller.

S

Saal *m* salle *f*; ⚠ *la* salle.
Saar *f* Sarre *f*; **~land** *n* Sarre *f*; **2ländisch** sarrois.
Saat *f* semence *f*; *Säen* semailles *f/pl*.
Sabbat *rel m* sabbat *m*.
sabbern F baver; *fig* bavarder.
Säbel *m* sabre *m*; **2n** mal couper.
Sabot|age *f* sabotage *m*; ⚠ *le* sabotage; **~eur** *m* saboteur *m*; **2ieren** saboter.
Sach|bearbeiter *m* personne *f* compétente, responsable *m*; **~beschädigung** *jur f* détérioration *f* volontaire; **~buch** *n* livre *m* spécialisé *od* documentaire; **2dienlich** *~e Hinweise* indications *f/pl* utiles.
Sache *f* chose *f*; *Angelegenheit* affaire *f*; *jur* cause *f*; *meine ~n pl* mes affaires; *zur ~ kommen* en venir au fait; *nicht zur ~ gehören* ne pas faire partie de l'affaire.
sach|gemäß adéquat, approprié; **2kenner** *m* expert *m*; **2kenntnis** *f* connaissance *f* des faits, compétence *f*; **~kundig** compétent, expert; **2lage** *f* état *m* de fait *od* des choses; **~lich** objectif; *dinglich* matériel.
sächlich *gr* neutre.
Sach|lichkeit *f* objectivité *f*; **~schaden** *m* dégâts *m/pl* matériels.
Sachse *m*, **Sächsin** *f* Saxon *m*, -ne *f*.
Sachsen *n* la Saxe.
sächsisch saxon.
sachte doucement.
Sach|verhalt *m* état *m* des choses; faits *m/pl*; **~verstand** *m* compétence *f*, savoir-faire *m*; **~verständige(r)** *m* expert *m*; **~wert** *m* valeur *f* réelle; **~zwang** *m* force *f* des choses.
Sack *m* sac *m*; **~gasse** *f* cul-de-sac *m*, impasse *f* (*a fig*); **~hüpfen** *n* course *f* en sac.
Sadis|mus *m* sadisme *m*; **~t** *m* sadique *m*; **2tisch** sadique.
säen semer.
Saft *m* jus *m*; *biol* suc *m*; *der Pflanzen* sève *f*; **2ig** juteux; *Preis, Witz* salé.
Sage *f* légende *f*, mythe *m*.
Säge *f* scie *f*; **~blatt** *n* lame *f* de scie; **~bock** *m* chevalet *m*; **~mehl** *n* sciure *f*.

sagen dire; *er läßt sich nichts* ~ il ne veut rien entendre; *das sagt mir nichts* ça ne me dit rien; *unter uns gesagt* entre nous soit dit.
sägen scier.
sagenhaft légendaire, mythique; F formidable.
Sägewerk *n* scierie *f*.
Sahne *f* crème *f*; **~torte** *f* tarte *f* à la crème.
Saison *f* saison *f*; **~arbeiter** *m* saisonnier *m*; **2bedingt** saisonnier.
Saite *mus f* corde *f*; **~ninstrument** *n* instrument *m* à cordes.
Sakko *m* veston *m*.
Sakrament *rel n* sacrement *m*.
Sakristei *égl f* sacristie *f*.
Salat *m* salade *f*; *Kopf2* laitue *f*; *fig da haben wir den ~!* ça y est!, nous voilà propres! F; ⚠ *la* salade; **~soße** *f* vinaigrette *f*.
Salb|e *f* pommade *f*, crème *f*, onguent *m*; **2en** *hist* sacrer (*j-n zum König* qn roi); **2ungsvoll** onctueux.
Saldo *comm m* solde *m*.
Saline *f* saline *f*.
Salmiak *chim m* sel *m* ammoniac; **~geist** *chim m* ammoniaque *f*.
Salon *m* salon *m*; **2fähig** présentable.
salopp négligé, relax(e).
Salpeter *chim m* salpêtre *m*; **~säure** *chim f* acide *m* nitrique.
Salto *m* saut *m* périlleux.
Salut *m* ~ *schießen* tirer une salve en l'honneur de qn; **2ieren** saluer.
Salve *mil f* salve *f*, décharge *f*.
Salz *n* sel *m*; **~bergwerk** *n* mine *f* de sel; **2en** saler; **~hering** *m* hareng *m* salé; **2ig** salé; **~kartoffeln** *f/pl* pommes de terre *f/pl* à l'eau; **~korn** *n* grain *m* de sel; **~säure** *chim f* acide *m* chlorhydrique; **~stange** *f* stick *m* salé; **~streuer** *m* salière *f*; **~wasser** *n* eau *f* salée.
Sämann *m* semeur *m*.
Samen *m* semence *f*, graine *f*; *männlicher* sperme *m*; **~korn** *bot n* graine *f*.
Sammelbüchse *f* boîte *f* à collectes.
sammeln *Pilze* ramasser; *Beweise* rassembler; *Briefmarken etc* collectionner; *Geld, Spenden* collecter; faire une collecte *od* faire la quête (*für* pour); *sich* ~ se rassembler, se réunir; *fig* se concentrer, rassembler ses idées.
Sammel|name *gr m* nom *m* collectif; **~punkt** *m* lieu *m* de rassemblement; **~stelle** *f* centre *m* de ramassage.
Samml|er(in *f*) *m* collectionneur *m*, -euse *f*; **~ung** *f* collection *f*; rassemblement *m* (*a pol*); *von Geld, Spenden* collecte *f*, quête *f*.
Samstag *m* samedi *m*.
samt 1. ~ *und sonders* tous sans exception; **2.** *prép* avec.
Samt *m* velours *m*; **~handschuh** *m fig j-n mit ~en anfassen* prendre des gants avec qn.
sämtliche tous les ... (sans exception).
Sanatorium *n* maison *f* de repos.
Sand *m* sable *m*; ~ *streuen* sabler (*auf etw* qc).
Sandale *f* sandale *f*.
Sand|bahn *f Sport* piste *f* de sable; **~bank** *f* banc *m* de sable; **~boden** *m* terre *f* sablonneuse; **~burg** *f* château *m* de sable; **2ig** sablonneux; **~kasten** *m für Kinder* bac *m* à sable; **~korn** *n* grain *m* de sable; **~männchen** *n enf* marchand *m* de sable; **~papier** *n* papier *m* de verre; **~sack** *m* sac *m* de sable; **~stein** *m* grès *m*; **~strand** *m* plage *f* de sable; **~uhr** *f* sablier *m*.
sanft doux; *er ruhe* ~ qu'il repose en paix; **2mut** *f* douceur *f* de caractère; **~mütig** doux.
Sänger(in *f*) *m* chanteur *m*, -euse *f*; *Opernsängerin* cantatrice *f*.
sanier|en *écon* redresser; *Haus* assainir; **2ung** *f* redressement *m*; assainissement *m*; **2ungsgebiet** *n* quartier *m* en rénovation.
sanitär sanitaire; *~e Anlagen* installations *f/pl* sanitaires.
Sanität|er *m* infirmier *m*; **~sauto** *n* ambulance *f*.
Sankt saint (*abr* St).
Sard|elle *f* anchois *m*; **~ine** *f* sardine *f*.
Sarg *m* cercueil *m*.
Sarkas|mus *m* sarcasme *m*; **2tisch** sarcastique.
Sarkophag *m* sarcophage *m*.
Satan *m rel* Satan *m*; *fig* diable *m*; **2isch** satanique.
Satellit *m* satellite *m*; **~enstaat** *m* pays *m* satellite.
Satir|e *f* satire *f* (*auf* contre); **2isch** satirique.
satt rassasié; *sich ~ essen* se rassasier (*an* de); manger à sa faim; *fig* F *j-n* (*etw*) ~ *haben* en avoir marre de qn (qc).
Sattel *m* selle *f*; ⚠ *la* selle; **2n** seller; **~schlepper** *m* semi-remorque *m*.

sättig|en rassasier; *phys, chim, Markt* saturer; **2ung** *f* rassasiement *m*; *fig* saturation *f*.
Sattler *m* sellier *m*.
Satz *m* phrase *f*; *gr* proposition *f*; *Sprung* saut *m*; *Tennis* set *m*; *Briefmarken* série *f*; *Kaffee2* marc *m*; *von Geschirr, Werkzeugen etc* jeu *m*; **~aussage** *gr f* verbe *m*; **~bau** *gr m* construction *f*; **~gegenstand** *gr m* sujet *m*; **~lehre** *gr f* syntaxe *f*.
Satzung *f* statuts *m/pl*.
Satzzeichen *n* signe *m* de ponctuation.
Sau *f zo* truie *f*; *Wild2* laie *f*; P *fig* cochon *m*.
sauber propre (*a fig*); **~halten** tenir propre; **2keit** *f* propreté *f*; **~machen** nettoyer.
säuber|n nettoyer; *pol* purger, épurer; ~ *von* débarrasser de; **2ung** *pol f* purge *f*, épuration *f*.
saublöd P con.
sauer aigre; *chim* acide; F *verärgert* fâché (*auf j-n* contre *od* F après qn); *saurer Regen* pluies *f/pl* acides; F *fig* ~ *werden* se fâcher.
Sauerei F *f* cochonnerie *f*.
Sauer|kirsche *f* griotte *f*; **~kohl** *m*, **~kraut** *n* choucroute *f*.
säuerlich aigrelet; acidulé; *fig Miene* mécontent.
Sauer|milch *f* lait *m* caillé; **~stoff** *chim m* oxygène *m*.
saufen *Tier u* P *Mensch* boire.
Säufer(in *f*) *m* ivrogne *m, f*, poivrot *m*, -e *f* F.
Sauferei *f* F soûlerie *f*, beuverie *f*.
saugen sucer; *Kind u Säugetier* téter; *tech* aspirer.
säuge|n allaiter; **2tier** *n* mammifère *m*.
saug|fähig absorbant; **2flasche** *f* biberon *m*.
Säugling *m* nourrisson *m*; **~skrippe** *f* pouponnière *f*; **~spflege** *f* puériculture *f*; **~ssterblichkeit** *f* mortalité *f* infantile.
Säule *f* colonne *f*; **~ngang** *m* colonnade *f*; **~nhalle** *f* portique *m*.
Saum *m Kleider* ourlet *m*.
säumen *Kleider* ourler; *fig* border.
säumig *st/s* retardataire.
Sauna *f* sauna *m*; ⚠ *le* sauna.
Säure *f chim* acide *m*; *Geschmack* acidité *f*, aigreur *f*.
Saurier *zo m/pl* sauriens *m/pl*.
säuseln murmurer; *sprechen* chuchoter.
sausen *Wind etc* siffler; *flitzen* filer (comme une flèche) F; *auto* foncer; *Ohren* bourdonner.
Saustall *m* P *fig* porcherie *f*, bordel *m*.
Savanne *géogr f* savane *f*.
Saxophon *mus n* saxophone *m*.
S-Bahn *f etwa* R.E.R. *m* (= Réseau *m* express régional).
Schabe *zo f* blatte *f*, cafard *m*.
schaben gratter, racler.
Schabernack *m* farce *f*, blague *f*.
schäbig *Kleidung* râpé, usé; *ärmlich* miteux; *Haltung* mesquin.
Schablone *f* patron *m*, pochoir *m*, modèle *m*.
Schach *n* échecs *m/pl*; ~ *spielen* jouer aux échecs; *fig in ~ halten* tenir en respect; **~brett** *n* échiquier *m*; **~figur** *f* pièce *f* d'un jeu d'échecs; **2matt** échec et mat; *fig* épuisé, rompu (de fatigue); **~spiel** *n* jeu *m* d'échecs.
Schacht *Bergbau m* puits *m*.
Schachtel *f* boîte *f*; *e-e ~ Zigaretten* un paquet de cigarettes.
Schachzug *m* coup *m*; *fig ein geschickter ~* une bonne tactique.
schade *es ist ~* c'est dommage; *zu ~ für etw* trop bon pour qc; *wie ~, daß ...!* quel dommage que (+ *subj*)!
Schädel *m* crâne *m*; **~bruch** *méd m* fracture *f* du crâne.
schaden nuire; *der Gesundheit ~* nuire à la santé; *das schadet nichts* il n'y a pas de mal; *es könnte ihm nicht ~* ça ne pourrait pas lui faire de mal.
Schaden *m* dommage *m*, dégâts *m/pl*; *Nachteil* préjudice *m*; *zum ~ von* au préjudice de, au détriment de; *j-m ~ zufügen* causer du tort à qn, porter préjudice à qn; **~ersatz** *m* indemnité *f*, dommages-intérêts *m/pl*; ~ *leisten* payer des dommages-intérêts; **~freude** *f* joie *f* maligne; **2froh** qui se réjouit du mal d'autrui.
schadhaft endommagé, détérioré, défectueux.
schäd|igen nuire (*j-n* à qn), porter préjudice (à qn), léser (qn; *a méd*); **~lich** nuisible, nocif.
Schädling *m* plante *f od* insecte *m* nuisible; parasite *m*; **~sbekämpfung** *f* lutte *f* contre les parasites; **~sbekämpfungsmittel** *n* pesticide *m*.
Schadstoff *m* polluant *m*, toxique *m*.

Schaf *zo n* mouton *m*; *Mutter*♀ brebis *f*; **~bock** *m* bélier *m*.
Schäfer|(in *f*) *m* berger *m*, -ère *f*; **~hund** *m* chien *m* de berger; *Deutscher ~* berger *m* allemand.
schaffen *erschaffen* créer; *hervorbringen* produire; *Ordnung*, *Platz* faire; *transportieren* transporter; *arbeiten* travailler; *aus dem Weg ~* écarter; *j-m zu ~ machen* donner du mal à qn; *sich an etw zu ~ machen* toucher à qc; *es ~* y arriver.
Schaffner(in *f*) *m Zug* contrôleur *m*, -euse *f*; *Bus* receveur *m*, -euse *f*.
Schafott *hist n* échafaud *m*.
Schaft *m Stiefel* tige *f*; *Säule* fût *m*; *Gewehr* crosse *f*; *Werkzeug* manche *m*.
Schaf|wolle *f* laine *f* de mouton; **~zucht** *f* élevage *m* de moutons.
schal fade (*a fig*); *fig* insipide.
Schal *m* cache-nez *m*; *Seiden*♀ foulard *m*.
Schale *f zum Trinken* bol *m*; *Hülle* enveloppe *f*; *Früchte*, *Gemüse* peau *f*; *Orange* écorce *f*; *abgeschälte* pelure *f*, épluchure *f* (*meist pl*); *Eier*, *Nuß*, *Muschel* coquille *f*; *fig das Äußere* apparences *f*/*pl*.
schälen *Obst*, *Kartoffeln* éplucher, peler; *Eier*, *Nüsse* écaler; *Haut sich ~* peler.
Schall *m* son *m*; **~dämpfer** *m auto* silencieux *m*; **♀dicht** insonorisé; **♀en** (ré)sonner, retentir; **♀end** *~es Gelächter* éclats *m*/*pl* de rire; **~geschwindigkeit** *f* vitesse *f* du son; **~mauer** *f* mur *m* du son; **~platte** *f* disque *m*; **~welle** *f* onde *f* sonore.
schalt|en *Elektrotechnik* coupler, monter; *auto* changer de vitesse; F *verstehen* piger F; *in den dritten (Gang) ~* passer en troisième; **♀er** *m Post*, *Bank* guichet *m*; *Strom* interrupteur *m*; *oft* bouton *m*; **♀hebel** *m* levier *m* de commande (*a fig*); *auto* levier *m* de changement de vitesse; **♀jahr** *n* année *f* bissextile; **♀tafel** *f* tableau *m* de distribution; **♀ung** *f elektrische* montage *m*, couplage *m*; *auto* changement *m* de vitesse.
Scham *f* pudeur *f*, honte *f*; *Genitalien* parties *f*/*pl* génitales.
schämen *sich ~* avoir honte.
Scham|gefühl *n* pudeur *f*; **~haare** *n*/*pl* poils *m*/*pl* du pubis; **♀haft** pudique; **♀los** sans pudeur, impudent, éhonté.
Schande *f* honte *f*.
schänden *Frau* violer; *Grab* profaner.
Schandfleck *m* tache *f*, stigmate *m*.
schändlich honteux, infâme.
Schandtat *f* action *f* infâme, infamie *f*.
Schanze *f Sprung*♀ tremplin *m*.
Schar *f* groupe *m*, troupe *f*, bande *f*; *Menge* foule *f*; *Vögel* volée *f*; *in ~en* en foule; **♀en** *um sich ~* rallier.
scharf *Klinge* tranchant; *Verstand* pénétrant, perçant; *Foto*, *Umrisse* net; *Kritik* caustique; *Hund* méchant; *Essen* épicé; *Bombe* amorcé; F *auf etw ~ sein* vouloir absolument posséder qc; F *~e Sachen* alcools *m*/*pl* forts.
Scharfblick *m* perspicacité *f*.
Schärfe *f Messer* tranchant *m*; *Verstandes*♀ pénétration *f*; *Deutlichkeit* netteté *f*; *der Kritik* causticité *f*.
schärfen *Messer* aiguiser (*a fig*).
Scharf|schütze *m* tireur *m* d'élite; **~sinn** *m* sagacité *f*, perspicacité *f*; **♀sinnig** sagace, perspicace.
Scharlach *méd m* scarlatine *f*.
Scharnier *n* charnière *f*.
Schärpe *f* écharpe *f*.
scharren gratter.
Schart|e *f* brèche *f*; **♀ig** ébréché.
Schaschlik *cuis m od n* brochette *f*.
Schatten *m* ombre *f*; **~seite** *f auf der ~ des Lebens stehen* n'avoir pas de chance dans la vie.
Schattierung *f Malerei* dégradé *m*, nuance *f* (*a fig*).
schattig ombragé.
Schatz *m* trésor *m* (*a fig*).
schätzen évaluer; *a hoch~* estimer, apprécier.
Schatzmeister *m* trésorier *m*.
Schätzung *f* évaluation *f*, estimation *f*; **♀sweise** approximativement, à peu près.
Schau *f* spectacle *m*; *Ausstellung* exposition *f*; *zur ~ stellen* étaler, faire étalage de; *sich zur ~ stellen* se donner en spectacle.
Schauder *m* frisson *m*; **♀haft** horrible, épouvantable; **♀n** frémir, frissonner (*vor* de).
schauen regarder.
Schauer *m Regen*♀ averse *f*; *Graupel*♀ giboulée *f*; *Schauder* frisson *m*; **~geschichte** *f* histoire *f* qui donne la chair de poule; **♀lich** horrible, horrifiant.

Schaufel *f* pelle *f*; **∻n** pelleter; *Grab* creuser.
Schaufenster *n* vitrine *f*, devanture *f*, étalage *m*; **~bummel** *m e-n ~ machen* faire du lèche-vitrines; **~dekorateur** *m* étalagiste *m*.
Schaukel *f* balançoire *f*; *Wippe* bascule *f*; **∻n** (*selber* se) balancer; **~stuhl** *m* fauteuil *m* à bascule, rocking-chair *m*.
Schaulustige *pl* curieux *m/pl*, F badauds *m/pl*.
Schaum *m* écume *f*; *Bier∻*, *Seifen∻* mousse *f*.
schäumen écumer (*a fig vor Wut* de rage); *Bier*, *Seife* mousser.
Schaum|gummi *m* caoutchouc *m* mousse; **∻ig** mousseux, écumeux; **~stoff** *m* mousse *f*; **~wein** *m* (vin *m*) mousseux *m*.
Schauplatz *m* scène *f*, théâtre *m*.
schaurig horrible, épouvantable.
Schauspiel *n* spectacle *m*; drame *m*; **~er(in** *f*) *m* acteur *m*, actrice *f*; **~kunst** *f* art *m* dramatique; **~schule** *f* école *f* d'art dramatique.
Schausteller *m* forain *m*.
Scheck *comm m* chèque *m*; **~heft** *n* chéquier *m*, carnet *m* de chèques.
scheckig tacheté; F *fig sich ~ lachen* s'en payer une bonne tranche.
Scheckkarte *f* carte *f* chèque.
scheel *Blick* envieux, jaloux; *j-n ~ ansehen* regarder qn de travers.
scheffeln *Geld ~* amasser de l'argent.
Scheibe *f* disque *m*; *Brot*, *Fleisch* tranche *f*; *Fenster∻* carreau *m*, vitre *f*; *Schieß∻* cible *f*.
Scheiben|bremse *f* frein *m* à disque; **~waschanlage** *f* lave-glace *m*; **~wischer** *m* essuie-glace *m*.
Scheich *m* cheik *m*.
Scheide *f e-r Waffe* fourreau *m*, gaine *f*; *weibliche* vagin *m*.
scheid|en *sich ~ lassen* divorcer (*von* d'avec); *aus dem Amt ~* se retirer; **∻ung** *f* divorce *m*; *die ~ einreichen* demander le divorce.
Schein *m Bescheinigung* certificat *m*; *Geld∻* billet *m* (de banque); *Licht∻* lueur *f*, lumière *f*; *Anschein* apparence *f*; *zum ~ etw tun* faire semblant de faire qc; **∻bar** apparent; **∻en** briller, luire; *den Anschein haben* paraître, sembler; **∻heilig** hypocrite; **~welt** *f* monde *m* irréel; **~werfer** *m* projecteur *m*; *auto* phare *m*.
Scheiß|e *f* P merde *f*; **∻en** P chier; **~haus** *n* P chiottes *f/pl*; **~kerl** *m* P salaud *m*.
Scheit *n Holz∻* bûche *f*.
Scheitel *m Haar∻* raie *f*; *höchster Punkt* sommet *m* (*a math*).
Scheiterhaufen *m* bûcher *m*.
scheitern échouer.
Schelle *f* grelot *m*; *Klingel* sonnette *f*; *tech* collier *m*; **∻n** sonner.
Schellfisch *zo m* églefin *od* aiglefin *m*.
Schelm *m* coquin *m*; **∻isch** coquin.
Schelte *f* réprimande *f*; **∻n** *bes Kinder* gronder.
Schema *n* schéma *m*; **∻tisch** schématique.
Schemel *m* tabouret *m*.
schemenhaft vague, fantomatique.
Schenke *f* buvette *f*, bistro(t) *m* F.
Schenkel *m* cuisse *f*; *math* côté *m*.
schenk|en offrir; faire cadeau de; **∻ung** *f* don *m*; *jur* donation *f*.
Scherbe *f* tesson *m*; *~n pl meist* débris *m/pl*.
Schere *f* ciseaux *m/pl*; *e-e ~* une paire de ciseaux.
scheren tondre; *sich nicht um etw ~* se ficher de qc F; *das schert mich nicht* je m'en fiche.
Scherereien F *f/pl* ennuis *m/pl*, embêtements *m/pl* F.
Schermaus *zo östr f* taupe *f*.
Scherz *m* plaisanterie *f*; *zum ~* pour rire; **~artikel** *m/pl* (farces *f/pl* et) attrapes *f/pl*; **∻en** plaisanter; **∻haft** *~ gemeint* dit pour rire.
scheu 1. timide, craintif; *Tier*, *Kind* sauvage; *~ machen* effaroucher; **2. ∻** *f* timidité *f*, crainte *f*; *Ehrfurcht* respect *m*.
scheuen craindre; *Pferd* s'emballer; *sich ~, etw zu tun* avoir peur de faire qc.
Scheuer|bürste *f* brosse *f* à récurer; **∻n** *Geschirr*, *Boden* récurer; *reiben* frotter; **~tuch** *n* serpillière *f*.
Scheuklappe *f* œillère *f*; *fig ~n tragen* avoir des œillères.
Scheune *f* grange *f*.
Scheusal *n* monstre *m*.
scheußlich épouvantable, atroce, hideux, horrible; **∻keit** *f* atrocité *f*.
Schi(...) *cf Ski(...)*.
Schicht *f* couche *f* (*a fig*); *Arbeits∻* équipe *f*, poste *m*; **~arbeit** *f* travail *m* par équipes, travail *m* posté; **∻en** disposer par couches, empiler.
schick 1. élégant, chic; **2. ∻** *m* chic *m*, élégance *f*.

schicken envoyer; *versenden* expédier; *sich ~ in* s'accommoder de, se résigner à; *das schickt sich nicht* cela ne se fait pas, ce n'est pas convenable.
Schickeria *f* F jet-set *m*; les B.C.B.G. (= bon chic bon genre).
schicklich convenable.
Schicksal *n* destin *m*, sort *m*.
Schiebedach *auto n* toit *m* ouvrant.
schieben pousser; *die Schuld ~ auf* rejeter la faute sur; *beiseite ~* écarter; *comm péj mit etw ~* faire le trafic de qc.
Schieb|er *m tech* coulisseau *m*; *Läufer* curseur *m*; *comm péj* trafiquant *m*; **~etür** *f* porte *f* coulissante; **~ung** *f comm* trafic *m* (*mit* de); *Betrug* manœuvre *f* frauduleuse.
Schieds|gericht *n* tribunal *m* arbitral; **~richter** *m* arbitre *m*; **~spruch** *m* jugement *m* arbitral.
schief *schräg* oblique, de travers; *geneigt* incliné, en pente; *Turm* penché; *fig* faux.
Schiefer *m* ardoise *f*; *géol* schiste *m*; **~dach** *n* toit *m* d'ardoise; **~tafel** *f* ardoise *f*.
schief|gehen rater, ne pas marcher; **~lachen** *sich ~* F se tordre de rire.
schielen loucher.
Schienbein *n* tibia *m*.
Schiene *f Bahn* rail *m*; *méd* attelle *f*, éclisse *f*.
schier presque; *es ist ~ unmöglich* c'est pratiquement impossible.
schieß|en tirer (*auf j-n* sur qn); faire feu; *Flüssigkeit* jaillir; *stürzen* se précipiter; **2en** *n* tir *m*; **2erei** *f* fusillade *f*, coups *m/pl* de feu; **2platz** *m* champ *m* de tir; **2pulver** *n* poudre *f* à canon; **2scharte** *f* créneau *m*, meurtrière *f*; **2scheibe** *f* cible *f*; **2stand** *m* stand *m* de tir.
Schiff *n* bateau *m*; *großes See2* navire *m*, bâtiment *m*; *Passagier2* paquebot *m*; *Kirchen2* nef *f*; *mit dem ~* par bateau.
Schiffahrt *f* navigation *f*.
schiffbar navigable.
Schiff|bau *mar m* construction *f* navale; **~bruch** *m* naufrage *m*; *~ erleiden* faire naufrage; **2brüchig** naufragé; **~brüchige(r)** *m, f* naufragé *m*, -e *f*; **~er** *m Binnen2* batelier *m*.
Schiffs|junge *m* mousse *m*; **~ladung** *f* cargaison *f*; **~werft** *f* chantier *m* naval.
Schikan|e *f* tracasserie *f*, vexation *f*, brimade *f*; *fig mit allen ~n* muni de tous les raffinements; **2ieren** brimer, faire des tracasseries à.
Schild[1] *n mit Aufschrift* pancarte *f*; *Namens2* plaque *f*; *Verkehrs2* panneau *m*; *Firmen-, Aushänge2* enseigne *f*.
Schild[2] *m zum Schutz* bouclier *m*; *e-r Mütze* visière *f*; **~drüse** *f* (glande *f*) thyroïde *f*.
schilder|n décrire, peindre, présenter; **2ung** *f* description *f*.
Schildkröte *zo f* tortue *f*.
Schilf *bot n*, **~rohr** *n* roseau *m*.
schillern chatoyer, miroiter.
Schimmel *m Pferd* cheval *m* blanc; *bot* moisissure *f*, moisi *m*; **2ig** moisi; **2n** moisir.
Schimmer *m* lueur *f*; *fig keinen ~ von etw haben* n'avoir pas la moindre idée de qc; **2n** luire, étinceler.
Schimpanse *zo m* chimpanzé *m*.
schimpf|en gronder (*mit j-m* qn); pester (*auf* contre); rouspéter F, râler F; **2wort** *n* injure *f*.
Schindel *f* bardeau *m*.
schind|en maltraiter; *sich ~* s'éreinter, s'esquinter; **2erei** *f* corvée *f*.
Schinken *m* jambon *m*.
Schippe *f* pelle *f*; **2n** pelleter.
Schirm *m Regen2* parapluie *m*; *Sonnen2* parasol *m*; *Bild2* écran *m*; **~herrschaft** *f* patronage *m*; **~mütze** *f* casquette *f*; **~ständer** *m* porte--parapluies *m*.
Schiß P *m ~ haben* avoir la trouille P.
Schlacht *mil f* bataille *f*; *e-e ~ liefern* livrer bataille.
schlacht|en tuer, abattre; **2enbummler** *m Sport* supporter *m*; **2er** *m* boucher *m*; **2erei** *f* boucherie *f*; **2feld** *mil n* champ *m* de bataille; **2haus** *n*, **2hof** *m* abattoir *m*; **2schiff** *n* cuirassé *m*; **2vieh** *n* animaux *m/pl* de boucherie.
Schlacke *f* scorie *f*, mâchefer *m*.
Schlaf *m* sommeil *m*; **~anzug** *m* pyjama *m*.
Schläfe *f* tempe *f*.
schlafen dormir; *~ gehen od sich ~ legen* (aller) se coucher, se mettre au lit; *mit j-m ~* coucher avec qn.
schlaff lâche; *Haut, Muskel* flasque; *kraftlos* mou (molle); épuisé.
Schlaf|gelegenheit *f* endroit *m* où dormir, lit *m*; **~krankheit** *méd f* maladie *f* du sommeil; **~lied** *n* ber-

S

ceuse *f*; ≈**los** privé de sommeil; *e-e ~e Nacht verbringen* passer une nuit blanche; **~losigkeit** *f* insomnie *f*; **~mittel** *phm n* somnifère *m*; **~mütze** F *f* endormi *m*, -ie *f*, gnangnan *m, f* F.

schläfrig qui a sommeil, somnolent.

Schlaf|saal *m* dortoir *m*; **~sack** *m* sac *m* de couchage; **~stadt** *f* cité-dortoir *f*; **~tablette** *phm f* comprimé *m* pour dormir; **~wagen** *Bahn m* wagon-lit *m*; **~wandler(in** *f*) *m* somnambule *m, f*; **~zimmer** *n* chambre *f* à coucher.

Schlag *m* coup *m*; *méd* (attaque *f* d')apoplexie *f*; *Art* espèce *f*; **~ader** *f* artère *f*; **~anfall** *méd m* attaque *f* (d'apoplexie); ≈**artig** brusque (-ment), (tout) d'un coup; **~baum** *m* barrière *f*; **~bohrer** *m* perceuse *f* à percussion.

schlagen battre (*a im Sport, Herz*); frapper; *Uhr* sonner; *sich ~* se battre; *um sich ~* se débattre; *sich geschlagen geben* se déclarer vaincu; **~d** *Beweis etc* convaincant.

Schlager *m mus* chanson *f* à succès, air *m* à la mode *od* en vogue; *péj* rengaine *f*; *comm Verkaufs*≈ article *m* choc.

Schläger *m Tennis* raquette *f*; **~ei** *f* bagarre *f*; **~typ** *m* bagarreur *m*.

schlag|fertig *~ sein* riposter du tac au tac, avoir la repartie prompte; ≈**fertigkeit** *f* esprit *m* de repartie; ≈**instrument** *mus n* instrument *m* à percussion; ≈**loch** *n Straße* nid-de-poule *m*; ≈**obers** *östr n*, ≈**rahm** *m*, ≈**sahne** *f* crème *f* fouettée, crème *f* Chantilly; ≈**seite** *f mar ~ haben* donner de la bande *od* de la gîte; *fig betrunken sein* tituber; ≈**wetter** *Bergbau n* grisou *m*; ≈**wort** *n* slogan *m*; ≈**zeile** *f Zeitung* manchette *f*; ≈**zeug** *mus n* batterie *f*; ≈**zeuger** *mus m* batteur *m*.

schlaksig maladroit, gauche, dégingandé.

Schlamm *m* boue *f*, bourbe *f*, vase *f*; ≈**ig** boueux, bourbeux.

Schlamp|e *f* F souillon *f*; P *Schimpfwort* salope *f*; **~erei** F *f* négligence *f*, laisser-aller *m*; ≈**ig** négligé, malpropre; *Arbeit* bâclé.

Schlange *f zo* serpent *m*; *fig* file *f* d'attente; *~ stehen* faire la queue.

schlängeln *sich ~ Fluß, Straße* serpenter; *Person* se faufiler.

Schlangen|gift *n* venin *m* de serpent; **~linie** *f* ligne *f* sinueuse.

schlank mince, svelte; ≈**heit** *f* minceur *f*, sveltesse *f*; ≈**heitskur** *f* cure *f* d'amaigrissement.

schlapp F *müde* épuisé, flapi F; *energielos* mou (molle); ≈**e** F *f* défaite *f*, échec *m*; **~machen** F flancher; ≈**schwanz** *m* F chiffe *f*; *ein ~ sein* être mou comme une chique.

schlau rusé, malin, astucieux.

Schlauch *m* tuyau *m*; *Fahrrad*≈ chambre *f* à air; **~boot** *n* canot *m* pneumatique.

Schlauheit *f* ruse *f*, astuce *f*.

schlecht mauvais; *adv* mal; *böse* méchant; *mir ist ~* je me sens mal; *~ aussehen* avoir mauvaise mine; *sich ~ fühlen* se sentir mal; *es geht ihm sehr ~* il va très mal; **~gelaunt** de mauvaise humeur; ≈**igkeit** *f Bosheit* méchanceté *f*; **~machen** *j-n ~* dire du mal de qn.

schlecken manger des sucreries; *lecken* lécher.

Schlegel *m Trommel* baguette *f*; *cuis cf Keule*.

Schlehe *bot f* prunelle *f*.

schleich|en se glisser; **~end** *Krankheit* insidieux, sournois; ≈**weg** *m* chemin *m* détourné; ≈**werbung** *f* publicité *f* déguisée.

Schleie *zo f* tanche *f*.

Schleier *m* voile *m*; ≈**haft** *fig* mystérieux, incompréhensible.

Schleife *f* boucle *f*; *Band*≈ nœud *m*.

schleif|en *ziehen* traîner; *schärfen* aiguiser; *Edelstein, Glas* tailler; *mit der Schleifscheibe* meuler, poncer; F *drillen* dresser; *Kupplung ~ lassen* faire patiner; ≈**maschine** *f* ponceuse *f*; ≈**scheibe** *f*, ≈**stein** *m* meule *f*.

Schleim *m méd* mucosité *f*; *zäher* glaire *f*; *Hafer*≈ crème *f* (d'avoine); **~haut** *f* muqueuse *f*; ≈**ig** glaireux; visqueux (*a fig*).

schlemm|en festoyer, faire ripaille F; ≈**er** *m* bon vivant *m*; ≈**erei** *f* festin *m*, ripaille F *f*.

schlend|ern flâner; ≈**rian** *m* laisser-aller *m*.

schlenkern balancer; *im Gehen mit den Armen ~* marcher les bras ballants.

Schlepp|e *f* traîne *f*; ≈**en** traîner; *mar, auto* remorquer; *sich ~* se traîner; ≈**end** *Unterhaltung* languissant; *Tonfall* traînant; **~er** *m mar* remorqueur *m*; *auto* tracteur *m*; **~lift** *m* remonte-pente *m*, tire-fesses *m* F; **~tau** *n* remorque *f*; *fig in j-s ~ sein* être à la remorque de qn.

Schlesien *n* la Silésie.

Schleuder *f* lance-pierres *m*, fronde *f*; *Wäsche*♀ essoreuse *f*; ♀**n** lancer; *Wäsche* essorer; *auto* déraper; **~preis** *comm m zu ~en* à bas prix; **~sitz** *aviat m* siège *m* éjectable.

schleunigst le plus rapidement possible.

Schleuse *f* écluse *f*.

schlicht simple; **~en** arranger, régler; *Tarifstreit* arbitrer; ♀**ung** *f* règlement *m*, conciliation *f*, arbitrage *m*.

schließ|en fermer; *Lücke* combler; *Sitzung* clore; *Vertrag* conclure; *enden* se terminer; *in die Arme ~* serrer dans ses bras; *in sich ~* renfermer; *Frieden ~* faire la paix; *aus etw ~* conclure de qc; ♀**fach** *n Bahn* consigne *f* automatique; *Bank* compartiment *m* de coffre-fort; **~lich** finalement, enfin, à la fin, en fin de compte, en définitive; ♀**ung** *f* fermeture *f*.

Schliff *m Edelstein* taille *f*; *Lebensart* savoir-vivre *m*.

schlimm mauvais; *adv* mal; *schwerwiegend* grave; *~e Zeiten* des temps difficiles; *das ist nicht so ~* ce n'est pas si grave; *das* ♀*e daran* ce qui est grave; **~er, ~ste** pire; **~stenfalls** dans le pire des cas.

Schling|e *f* boucle *f*; *ch* lacet *m*, collet *m*; *méd* écharpe *f*; **~el** *m* polisson *m*, garnement *m*; ♀**en** *beim Essen* engloutir; *um etw ~* enrouler, *Arme* passer autour de qc; *sich um etw ~* s'enrouler *od* s'entortiller autour de qc; ♀**ern** *mar* rouler; **~pflanze** *f* plante *f* grimpante.

Schlips *m* cravate *f*.

Schlitt|en *m* traîneau *m*; *Rodel* luge *f*; *~ fahren* faire de la luge; ♀**ern** glisser, patiner.

Schlittschuh *m* patin *m* (à glace); *~ laufen* faire du patin; **~bahn** *f* patinoire *f*; **~laufen** *n* patinage *m*; **~läufer(in** *f*) *m* patineur *m*, -euse *f*.

Schlitz *m* fente *f*; *Hosen*♀ braguette *f*; **~augen** *n/pl* yeux *m/pl* bridés.

Schloß *n Bau* château *m*; *Tür*♀ serrure *f*; *ins ~ fallen Tür* se fermer; *hinter ~ und Riegel* sous les verrous.

Schlosser *m* serrurier *m*.

Schlot *m* cheminée *f*; *wie ein ~ rauchen* F fumer comme un sapeur.

schlottern trembler (*vor* de); *Knie* flageoler; *Hose, Kleid* flotter.

Schlucht *f* ravin *m*, gorge(s) *f(pl)*.

schluchzen sangloter.

Schluck *m* gorgée *f*; *ein ~ Wasser* une gorgée d'eau; **~auf** *m* hoquet *m*; ♀**en** avaler (*a fig*); **~impfung** *méd f* vaccination *f* par voie buccale.

schludern F bâcler son travail.

Schlummer *m* sommeil *m*; ♀**n** sommeiller.

Schlund *m* gosier *m*.

schlüpf|en se glisser; *in die Kleidung ~* enfiler ses vêtements; *aus dem Ei ~* éclore; ♀**er** *m* slip *m*; **~rig** glissant; *fig* scabreux, grivois.

Schlupfwinkel *m* cachette *f*.

schlurfen traîner les pieds.

schlürfen boire avec bruit.

Schluß *m* fin *f*; *Folgerung* conclusion *f*; *am od zum ~* à la fin; *bis zum ~* jusqu'à la fin; *~ für heute!* ça suffit pour aujourd'hui!; *~ machen mit* en finir avec; *mit j-m ~ machen* rompre avec qn.

Schlüssel *m* clé *f* (*a tech, mus, fig*); **~begriff** *m* mot-clé *m*; **~bein** *n* clavicule *f*; **~blume** *bot f* primevère *f*; **~bund** *m od n* trousseau *m* de clés; **~industrie** *f* industrie-clé *f*; **~loch** *n* trou *m* de la serrure; **~roman** *m* roman *m* à clefs.

Schlußfolgerung *f* conclusion *f*.

schlüssig concluant; *sich ~ werden* se résoudre (à faire qc).

Schluß|licht *n auto etc* feu *m* arrière; *fig* lanterne *f* rouge; **~pfiff** *Sport m* coup *m* de sifflet final; **~phase** *f* phase *f* finale; **~strich** *m fig e-n ~ unter etw ziehen* mettre un point final à qc; **~verkauf** *comm m* soldes *m/pl*.

Schmach *st/s f* ignominie *f*, honte *f*.

schmachten *st/s* languir (*nach* après).

schmächtig fluet, chétif.

schmackhaft savoureux, délicieux; *j-m etw ~ machen* faire prendre goût de qc à qn.

schmählich *st/s* honteux.

schmal étroit; *Taille* mince.

schmälern *j-s Verdienste etc* rabaisser.

Schmal|film *m* film *m* format réduit, super-huit *m*; **~spur** *f Bahn* voie *f* étroite.

S

Schmalz *n* graisse *f* fondue; *Schweine*℘ saindoux *m*; ℘**ig** *fig* sentimental, à l'eau de rose.
schmarotz|en faire le parasite; ℘**er** *m* parasite *m* (*biol u fig*).
schmatzen manger bruyamment.
Schmaus *m* festin *m*; ℘**en** se régaler.
schmecken *bitter* ~ avoir un goût amer; *gut* ~ avoir bon goût; *nach etw* ~ avoir un goût de qc, sentir qc; *es schmeckt nach nichts* ça n'a le goût de rien; *es sich ~ lassen* se régaler.
Schmeichel|ei *f* flatterie *f*; ℘**haft** flatteur; ℘**n** *j-m* ~ flatter qn (*mit etw* de qc).
Schmeichler|(in *f*) *m* flatteur *m*, -euse *f*; ℘**isch** flatteur.
schmeiß|en F flanquer, balancer; *mit Geld um sich* ~ faire valser l'argent; ℘**fliege** *zo f* mouche *f* bleue.
schmelz|en fondre; ℘**punkt** *phys m* point *m* de fusion; ℘**tiegel** *m* creuset *m* (*a fig*); ℘**wasser** *n* eaux *f*/*pl* de la fonte des neiges.
Schmerz *m* douleur *f*; ℘**en** causer de la douleur; **~ensgeld** *n jur* pretium doloris *m*; ℘**frei** exempt de douleur; ℘**haft** douloureux; ℘**lich** douloureux; ℘**lindernd** calmant; ℘**los** sans douleur, indolore; **~mittel** *phm n* analgésique *m*; ℘**stillend** sédatif, analgésique.
Schmetterling *zo m* papillon *m*.
schmettern *werfen* lancer violemment; *Lied* hurler à tue-tête.
Schmied *m* forgeron *m*.
Schmiede *f* forge *f*; **~eisen** *n* fer *m* forgé; ℘**n** forger (*a fig*).
schmieg|en *sich ~ an* se serrer *od* se blottir contre; **~sam** souple.
Schmier|e *f* graisse *f*, cambouis *m*; *fig ~ stehen* faire le guet; ℘**en** *fetten* graisser, lubrifier; *verstreichen* étaler (*auf* sur); *Brote* tartiner; *schreiben* gribouiller; F *j-n ~ bestechen* graisser la patte à qn; **~erei** *f Schrift* gribouillage *m*; ℘**ig** graisseux, gras, sale; *fig Person* visqueux; **~mittel** *tech n* lubrifiant *m*.
Schminke *f* fard *m*; ℘**n** (*sich* ~ se) maquiller; *Schauspieler* (se) farder.
schmirgel|n passer *od* polir à l'émeri; ℘**papier** *n* papier *m* émeri.
Schmöker *m* F bouquin *m*; ℘**n** F bouquiner.
schmollen bouder (*mit j-m* qn).
Schmor|braten *m* bœuf *m* mode *od* à l'étuvée; ℘**en** cuire à petit feu, braiser.
Schmuck *m* ornement *m*, décoration *f*; *Juwelen* bijoux *m*/*pl*.
schmücken orner, parer, décorer (*mit* de).
Schmuck|kästchen *n* coffret *m* à bijoux; ℘**los** sobre, austère; **~stück** *n* bijou *m* (*a fig*).
Schmuggel *m* contrebande *f*; ℘**n** faire de la contrebande; *etw* ~ passer qc en fraude; **~ware** *f* contrebande *f*.
Schmuggler(in *f*) *m* contrebandier *m*, -ière *f*.
schmunzeln sourire.
Schmutz *m* saleté *f*; **~fink** *fig m* cochon *m*; **~fleck** *m* tache *f* de saleté; ℘**ig** sale; *fig a* sordide; (*sich*) ~ *machen* (se) salir; **~wasser** *n* eaux *f*/*pl* usées.
Schnabel *m* bec *m*.
Schnake *zo f* moustique *m*.
Schnalle *f* boucle *f*.
schnalzen *mit der Zunge, mit den Fingern* ~ faire claquer sa langue, ses doigts.
schnapp|en F *erwischen* attraper; *nach etw* ~ chercher à happer qc; *nach Luft* ~ étouffer; *Luft* ~ prendre l'air; ℘**schuß** *m Foto* instantané *m*.
Schnaps *m* eau-de-vie *f*.
schnarchen ronfler.
schnattern *Gans* criailler; *Ente* cancaner, nasiller; *fig schwatzen* caqueter.
schnauben *Pferd* s'ébrouer; F *sich die Nase* ~ se moucher.
schnaufen souffler (bruyamment), haleter.
Schnauzbart *m* moustache *f*.
Schnauze *f Hund, Katze* museau *m*; *aviat* nez *m*; *Kanne* bec *m*; P *Mund* gueule *f* P; P *die ~ halten* fermer sa gueule.
Schnauzer *zo m* griffon *m*, schnauzer *m*.
Schnecke *zo f* escargot *m*; *Nackt*℘ limace *f*; **~nhaus** *n* coquille *f* d'escargot.
Schnee *m* neige *f*; ~ *räumen* déblayer la neige; **~ball** *m* boule *f* de neige; **~ballschlacht** *f* bataille *f* de boules de neige; ℘**bedeckt** recouvert de neige; **~decke** *f* couche *f* de neige; **~fall** *m* chute *f* de neige; **~flocke** *f* flocon *m* de neige; **~gestöber** *n* tourbillon *m* de neige; **~glöckchen** *bot n* perce-neige *m*; **~kette** *f auto* chaîne *f*; **~mann** *m* bonhomme *m* de neige; **~matsch** *m* neige *f* fondante; **~pflug**

S

m chasse-neige *m*; **~regen** *m* pluie *f* mêlée de neige; **~schmelze** *f* fonte *f* des neiges; **~sturm** *m* tempête *f* de neige; **~verwehung** *f* congère *f*; **≈weiß** blanc comme neige; **~wittchen** *n* Blanche-Neige *f*.
Schneid *m* F cran *m*.
Schneidbrenner *tech m* chalumeau *m*.
Schneide *f* tranchant *m*.
schneiden couper; *auto j-n ~* faire une queue de poisson à qn; *sich ~* se couper; **~d** tranchant; *Worte* incisif; *Kälte* piquant, perçant.
Schneider *m* tailleur *m*; **~in** *f* couturière *f*; **≈n** coudre.
Schneidezahn *m* incisive *f*.
schneidig qui a de l'allant.
schneien neiger; *es schneit* il neige.
schnell rapide; *adv* vite, rapidement; *es geht ~* ça va vite.
Schnell|boot *mar n* vedette *f*; **≈en** bondir, sauter; **~gaststätte** *f* snack *m*, fast food *m*; **~hefter** *m* chemise *f*; **~igkeit** *f* rapidité *f*, vitesse *f*; **~kochtopf** *cuis m* cocotte *f* minute; **~straße** *f* voie *f* express; **~zug** *m* train *m* express, rapide *m*.
Schnepfe *zo f* bécasse *f*.
schnetzeln *cuis* émincer.
schneuzen *sich ~* se moucher.
Schnippchen *n fig j-m ein ~ schlagen* faire la nique à qn, jouer un tour à qn.
schnippisch pimbêche.
schnipsen claquer des doigts.
Schnitt *m* coupe *f*; *Wunde* coupure *f*; *méd* incision *f*; *im ~* en moyenne; **~blumen** *f/pl* fleurs *f/pl* coupées.
Schnitt|e *f* tranche *f*; *bestrichene* tartine *f*; **~fläche** *f* coupe *f*; **≈ig** de bonne coupe; *auto* racé; aérodynamique; **~lauch** *bot m* ciboulette *f*; **~muster** *n* patron *m*; **~punkt** *m* intersection *f*; **~wunde** *f* coupure *f*.
Schnitz|el *n Papier≈* petit morceau *m*; *cuis* escalope *f*; *Wiener ~* escalope *f* à la viennoise; **≈en** sculpter sur bois; **~er** *m* sculpteur *m* sur bois; F *Fehler* gaffe *f*; **~erei** *f* sculpture *f* sur bois.
schnöde *st/s* méprisable, indigne.
Schnorchel *mar m* schnorchel *m*.
Schnörkel *m* fioriture *f*; *arch* volute *f*.
schnorren F mendier.
schnüff|eln renifler, flairer (*an etw* qc); *fig* F fouiner; **≈ler** *m* F fouineur *m*.
Schnuller *m* tétine *f*.
Schnulz|e F *mus f* chanson *f* sentimentale; rengaine *f*; **≈ig** F sentimental.
Schnupf|en *m* rhume *f* (de cerveau); *e-n ~ bekommen* s'enrhumer; **~tabak** *m* tabac *m* à priser.
schnuppe F *das ist mir ~* je m'en fiche F, je m'en fous P.
schnuppern renifler, flairer (*an etw* qc).
Schnur *f* ficelle *f*; *Kabel* fil *m*.
Schnür|chen *n wie am ~* comme sur des roulettes; **≈en** lier, ficeler; *Schuhe* lacer.
schnurgerade tout droit.
Schnurrbart *m* moustache *f*.
schnurren *Katze* ronronner.
Schnür|schuh *m* soulier *m* à lacets; **~senkel** *m* lacet *m*.
schnurstracks tout droit.
Schober *m Heu≈* meule *f*.
Schock *m* choc *m*; *unter ~ stehen* être sous l'effet d'un choc; **≈en, ≈ieren** choquer.
Schöffe *jur m* juré *m*.
Schokolade *f* chocolat *m*; *e-e Tafel ~* une tablette de chocolat; ⚠ *le chocolat*.
Scholle *f* glèbe *f*, motte *f* de terre; *zo Fisch* plie *f*, carrelet *m*.
schon déjà; *~ jetzt* d'ores et déjà; *~ an od in zeitlich* dès; *~ der Gedanke* la seule pensée; *~ gut!* c'est bon!; *er macht das ~* il va le faire, il le fera bien.
schön beau (bel, belle); *adv* bien; *~en Tag!* bonne journée!; *~en Dank!* merci bien! *od* merci beaucoup!; F *ganz ~ teuer* drôlement cher.
schonen (*sich ~* se) ménager; **~d** avec ménagement; *~ umgehen mit* prendre toutes les précautions avec.
Schönheit *f* beauté *f* (*a Person*); **~smittel** *n* produit *m* de beauté; **~spflege** *f* soins *m/pl* de beauté.
Schonung *f* ménagement *m*; **≈slos** sans ménagement, impitoyable.
Schonzeit *ch f* période *f* où la chasse est fermée.
schöpf|en puiser (*aus* à *od* dans); **≈er(in** *f*) *m* créateur *m*, -trice *f*; *rel* Créateur *m*; **~erisch** créateur; **≈löffel** *cuis m* louche *f*; **≈ung** *f* création *f*.
Schorf *méd m* escarre *f*; *Kruste* croûte *f*.
Schornstein *m* cheminée *f*; **~feger** *m* ramoneur *m*.

S

Schoß *m Mutter*≗ sein *m* (*a fig*); *auf den ~ nehmen* prendre sur ses genoux.
Schote *bot f* cosse *f*, gousse *f*.
Schott|e *m*, **~in** *f* Écossais *m*, -e *f*.
Schotter *m* pierraille *f*, galets *m/pl*; *Bahn* ballast *m*.
schott|isch écossais; **≗land** *n* l'Écosse *f*.
schraffieren hachurer.
schräg oblique; *geneigt* incliné, penché; *adv* en biais; *~ gegenüber* presque en face.
Schramme *f* éraflure *f*; **≗n** érafler.
Schrank *m* armoire *f*; *Wand*≗ placard *m*.
Schranke *f* barrière *f* (*a fig*); *Gericht* barre *f*; **≗nlos** illimité, effréné; **~nwärter** *m* garde-barrière *m*.
Schrankwand *f* mur *m* aménagé en placards.
Schraube *f* vis *f*; *mar* hélice *f*; **≗n** visser.
Schrauben|mutter *f* écrou *m*; **~schlüssel** *m* clé *f*; **~zieher** *m* tournevis *m*.
Schraubstock *m* étau *m*.
Schrebergarten *m* jardin *m* ouvrier.
Schreck *m*, **~en** *m* terreur *f*, effroi *m*, frayeur *f*; **~ensherrschaft** *f* régime *m* de la terreur; **~ensnachricht** *f* nouvelle *f* terrible; **~gespenst** *n* fantôme *m*, spectre *m*; **≗haft** peureux; **≗lich** terrible, effroyable, effrayant.
Schrei *m* cri *m*.
Schreibblock *m* bloc-notes *m*.
schreiben 1. écrire; *wie schreibt man das?* comment est-ce que ça s'écrit?; **2.** ≗ *n* lettre *f*.
schreib|faul qui n'aime pas écrire; **≗fehler** *m* faute *f* d'orthographe; **≗heft** *n* cahier *m*; **≗kraft** *f* dactylo *f*; **≗maschine** *f* machine *f* à écrire; **≗material** *n* fournitures *f/pl* de bureau; **≗tisch** *m* bureau *m*; **≗tischlampe** *f* lampe *f* de bureau; **≗ung** *f* orthographe *f*; **≗unterlage** *f* sous-main *m*; **≗waren** *f/pl* articles *m/pl* de papeterie; **≗warengeschäft** *n* papeterie *f*.
schrei|en crier, brailler; *~ vor Schmerz* crier de douleur; *es war zum* ≗ F c'était à s'en taper le derrière par terre; **~end** *Farben* criard; *Unrecht* criant, flagrant; **≗hals** *m* F braillard *m*.
Schreiner *m* menuisier *m*, ébéniste *m*.
schreiten marcher, faire des pas; *fig zu etw ~* procéder à qc.
Schrift *f* écriture *f*; *Werk* écrit *m*; *die Heilige ~* l'Écriture sainte; **~deutsch** *n* allemand *m* écrit *od* littéraire; **≗lich** écrit; *adv* par écrit; **~sprache** *f* langue *f* écrite; **~steller(in** *f*) *m* auteur *m* (femme *f* auteur), écrivain *m* (femme *f* écrivain); **≗stellerisch** littéraire; **~stück** *n* écrit *m*; **~verkehr** *m*, **~wechsel** *m* correspondance *f*; **~zeichen** *n* caractère *m*.
schrill aigu, strident, perçant.
Schritt *m* pas *m*; *fig* démarche *f*; *~e unternehmen* faire des démarches; *im ~* au pas; **~macher** *m méd* pacemaker *m*; *Radsport* entraîneur *m*; **≗weise** pas à pas.
schroff brusque; *steil* raide.
schröpfen *fig* saigner, plumer.
Schrot *m od n Blei* grenaille *f* de plomb; *Mehl* farine *f* complète.
Schrott *m* ferraille *f*; **≗reif** *~er Wagen* voiture *f* bonne pour la casse.
schrubb|en frotter (avec un balai-brosse); **≗er** *m* balai-brosse *m*.
Schrulle *f* lubie *f*.
schrumpfen rétrécir, se ratatiner.
Schub|fach *n* tiroir *m*; **~karre(n** *m*) *f* brouette *f*; **~kraft** *phys f* poussée *f*; **~lade** *f* tiroir *m*.
Schubs F *m* poussée *f*; **≗en** F pousser, bousculer.
schüchtern timide; **≗heit** *f* timidité *f*.
Schuft *m* canaille *f*, fripouille *f*; **≗en** F boulonner, travailler d'arrache-pied.
Schuh *m* chaussure *f*, soulier *m*; *fig j-m etw in die ~e schieben* mettre qc sur le dos de qn; **~anzieher** *m* chausse-pied *m*; **~bürste** *f* brosse *f* à chaussures; **~creme** *f* cirage *m*; **~geschäft** *n* magasin *m* de chaussures; **~löffel** *m* chausse-pied *m*; **~macher** *m* cordonnier *m*; **~putzer** *m* cireur *m*; **~sohle** *f* semelle *f*.
Schul|abgänger *m* élève *m*, *f* ayant terminé sa scolarité; **~amt** *n* administration *f* scolaire; **~anfang** *m nach den Ferien* rentrée *f* des classes; **~arbeit** *f* travail *m* scolaire; *Hausaufgabe* devoir *m*; *östr Klassenarbeit* composition *f*; *seine ~en machen* faire ses devoirs; **~aufgabe** *f Hausaufgabe* devoir *m*; *Klassenarbeit* composition *f*; **~besuch** *m* fréquentation *f* scolaire, scolarisation *f*; *Schulzeit* scolarité *f*; **~bildung** *f*

S

éducation *f od* formation *f* scolaire; **~buch** *n* livre *m* de classe, manuel *m* scolaire; **~bus** *m* car *m* de ramassage scolaire.

Schuld *f Geld*♀ dette *f*; *Fehler* faute *f*; *jur* culpabilité *f*; *es ist deine ~ od du bist* ♀ *daran* c'est (de) ta faute; *ich habe keine ~* je n'y suis pour rien; *j-m die ~ (an etw) geben* rejeter la faute (de qc) sur qn; *~en haben* avoir des dettes; ♀**bewußt** qui se sent coupable.

schulden *j-m etw ~* devoir qc à qn.

schuldig *bes jur* coupable; *bes comm j-m etw ~ sein* devoir qc à qn, être redevable de qc à qn; ♀**e(r)** *m, f* coupable *m, f*; ♀**keit** *f* devoir *m*.

schuld|los non coupable, innocent; ♀**ner(in** *f*) *m* débiteur *m*, -trice *f*.

Schule *f* école *f*; *in der ~* à l'école, en classe; *in die ~ gehen* aller à l'école; *die ~ fängt um 8 Uhr an* l'école commence à huit heures.

schulen former, entraîner, éduquer.

Schüler|(in *f*) *m* élève *m, f*, écolier *m*, -ière *f*; **~austausch** *m* échange *m* d'élèves; **~lotse** *m* élève *m* chargé de la surveillance routière; **~vertretung** *f* représentants *m/pl* des élèves; **~zeitung** *f* journal *m* fait par les élèves.

Schul|ferien *pl* vacances *f/pl* scolaires; **~fernsehen** *n* télévision *f* scolaire; ♀**frei** *~ haben* avoir congé; *~er Tag* jour *m* de congé; **~funk** *m* radio *f* scolaire; **~gebäude** *n* bâtiment *m* scolaire; **~geld** *n* frais *m/pl* de scolarité; **~heft** *n* cahier *m*; **~hof** *m* cour *f* de l'école; *überdacht* préau *m*; **~jahr** *n* année *f* scolaire; **~kamerad(in** *f*) *m* camarade *m, f* d'école; F copain *m* (copine *f*) de classe; **~leiter(in** *f*) *m* directeur *m*, -trice *f* d'école; *Gymnasium* proviseur *m*; *Mittelstufe* principal *m*; **~mappe** *f* serviette *f*, cartable *m*; **~ordnung** *f* règlement *m* scolaire; **~pflicht** *f* scolarité *f* obligatoire; ♀**pflichtig** scolarisable, en âge d'aller à l'école; **~ranzen** *m* cartable *m*; **~reform** *f* réforme *f* scolaire; **~schiff** *mar n* navire-école *m*; **~schluß** *m* sortie *f* des classes; **~schwänzer** *m* qui fait l'école buissonnière; **~stunde** *f* cours *m*, leçon *f*, heure *f* de classe; **~system** *n* système *m* d'enseignement; **~tasche** *f* serviette *f*, cartable *m*.

Schulter *f* épaule *f*; **~blatt** *n* omoplate *f*; ♀**frei** *Kleid* décolleté; ♀**n** jeter *od* charger sur l'épaule.

Schulung *f* formation *f*, entraînement *m*, éducation *f*.

Schul|wesen *n* enseignement *m*; **~zeit** *f* scolarité *f*; **~zeugnis** *n* bulletin *m* scolaire.

schummeln F tricher.

Schund *m péj* pacotille *f*, camelote *f*, cochonnerie *f*.

Schuppe *f zo, bot* écaille *f*; *~n pl im Haar* pellicules *f/pl*.

Schuppen *m* remise *f*, hangar *m*.

schüren attiser (*a fig*).

Schürfwunde *méd f* éraflure *f*.

Schurke *m* canaille *f*, coquin *m*.

Schurwolle *f comm reine ~* pure laine *f* vierge.

Schürze *f* tablier *m*; **~njäger** *m* coureur *m* (de jupons).

Schuß *m* coup *m* de feu; *Fußball* tir *m*, shoot *m*; *Flüssigkeit* coup *m*, doigt *m*; F *in ~ sein* être en ordre.

Schüssel *f Salat*♀ saladier *m*; *Suppen*♀ soupière *f*; *große* bassine *f*; *flache* plat *m*.

Schuß|fahrt *Ski f* schuss *m*; **~waffe** *f* arme *f* à feu; **~wunde** *f* blessure *f* par balle.

Schuster *m* cordonnier *m*.

Schutt *m* décombres *m/pl*, gravats *m/pl*.

Schüttelfrost *méd m* frissons *m/pl*.

schütteln (*sich ~* se) secouer; *Hand* serrer; *Kopf a* hocher.

schütten verser; *es schüttet* il pleut à torrents.

Schutz *m* protection *f* (*vor, gegen* contre); *j-n in ~ nehmen* prendre la défense de qn; **~blech** *n* garde-boue *m*; **~brille** *f* lunettes *f/pl* de protection; **~dach** *n* auvent *m*, abri *m*.

Schütze *m* tireur *m*; *astr* Sagittaire *m*; *Tor*♀ marqueur *m*.

schützen (*sich ~* se) protéger (*gegen, vor* contre *od* de), (s')abriter (de), (se) préserver (de), garantir (de).

Schutzengel *m* ange *m* gardien.

Schützen|graben *mil m* tranchée *f*; **~könig** *m* roi *m* des tireurs.

Schutz|gebiet *n pol* protectorat *m*; *Landschafts*♀ site *m* protégé; **~haft** *jur f* détention *f* préventive; **~impfung** *méd f* vaccination *f* préventive.

Schützling *m* protégé *m*, -e *f*.

schutz|los sans protection, sans défense; ♀**mann** *m* agent *m* de police; ♀**marke** *f* marque *f* déposée; ♀**maß-**

S

nahme *f* mesure *f* de protection; **2patron(in** *f*) *m* patron *m*, -ne *f*; **2umschlag** *m Buch* jaquette *f*.
Schwabe *m*, **Schwäbin** *f* Souabe *m*, *f*.
schwäbisch souabe.
schwach faible; *leistungsmäßig* médiocre; *Tee* léger; *Gedächtnis* mauvais; *schwächer werden* s'affaiblir.
Schwäche *f* faiblesse *f*; *e-e ~ haben für* avoir un faible pour; **2n** affaiblir.
Schwachheit *f* faiblesse *f*.
schwäch|lich délicat, fragile, faible; **2ling** *m* faible *m*; F mou *m*.
Schwach|sinn *m* imbécillité *f*, débilité *f*; **2sinnig** imbécile, débile; **~strom** *m* courant *m* à basse tension.
Schwächung *f* affaiblissement *m*.
Schwaden *m* nuage *m*.
Schwager *m* beau-frère *m*.
Schwägerin *f* belle-sœur *f*.
Schwalbe *zo f* hirondelle *f*.
Schwall *m* flot *m*.
Schwamm *m* éponge *f*; **~erl** *östr n* champignon *m*; **2ig** spongieux; *Person* bouffi; *fig* vague.
Schwan *zo m* cygne *m*.
schwanger enceinte.
Schwangerschaft *f* grossesse *f*; **~sabbruch** *méd m* interruption *f* (volontaire) de grossesse (*abr* I.V.G.).
Schwank *m* farce *f*.
schwank|en chanceler; *Person a* tituber; *fig* varier; **2ung** *f fig* variation *f*.
Schwanz *m* queue *f*.
schwänzen *die Schule ~* faire l'école buissonnière; *e-e Stunde ~* sécher un cours.
Schwarm *m Insekten* essaim *m*; *Vögel* volée *f*; *Fische* banc *m*; *Menschen* bande *f*, troupe *f*; *fig Idol* idole *f*; *du bist ihr ~* F elle a le béguin pour toi.
schwärm|en *Bienen* essaimer; *~ für* s'enthousiasmer pour, raffoler de, s'engouer pour, être entiché de; **2er(in** *f*) *m* exalté *m*, -e *f*, enthousiaste *m*, *f*; **2erei** *f* enthousiasme *m* (*für* pour), exaltation *f*, engouement *m*; **~erisch** exalté, enthousiaste.
Schwarte *f Speck2* couenne *f*; F *Buch alte ~* vieux bouquin *m*.
schwarz noir; *~ auf weiß* noir sur blanc; *~er Markt* marché *m* noir; **2arbeit** *f* travail *m* (au) noir; **2brot** *n* pain *m* bis *od* noir.
Schwärze *f* noirceur *f*; **2n** noircir.
Schwarze(r) *m*, *f* Noir *m*, -e *f*.
Schwarz|fahrer *m* resquilleur *m* F; **~handel** *m* marché *m* noir; **~händler** *m* trafiquant *m* du marché noir; **~hörer** *Radio m* auditeur *m* clandestin.
schwärzlich noirâtre.
Schwarz|seher *m* pessimiste *m*; *TV* téléspectateur *m* clandestin; **~wald** *m* Forêt-Noire *f*; **~weißfilm** *m* film *m* en noir et blanc.
schwatzen bavarder.
Schwätzer(in *f*) *m* bavard *m*, -e *f*.
schwatzhaft bavard.
Schwebe *f in der ~ fig* en suspens; **~bahn** *f Seil2* téléférique *m*; **2n** planer.
Schwed|e *m*, **~in** *f* Suédois *m*, -e *f*; **~en** *n* la Suède; **2isch** suédois.
Schwefel *chim m* soufre *m*; **~säure** *f* acide *m* sulfurique.
Schweif *m* queue *f*; **2en** *seinen Blick über etw ~ lassen* promener ses yeux sur qc.
schweigen 1. se taire; *ganz zu ~ von* sans parler de; **2.** 2 *n* silence *m*; **~d** silencieux.
schweigsam taciturne, silencieux.
Schwein *n* cochon *m*, porc *m* (*beide a péj*); *fig* F *~ haben* avoir de la veine *od* du pot F.
Schweine|braten *m* rôti *m* de porc; **~fleisch** *n* (viande *f* de) porc *m*; **~rei** *f* cochonnerie *f*; **~stall** *m* porcherie *f*.
Schweinsleder *n* peau *f od* cuir *m* de porc.
Schweiß *m* sueur *f*, transpiration *f*; **2en** *tech* souder; **~er** *tech m* soudeur *m*; **2gebadet** trempé de sueur; **~geruch** *m* odeur *f* de sueur.
Schweiz *die ~* la Suisse; *die deutsche* (*französische*) *~* la Suisse allemande (romande).
Schweizer 1. *m*, **~in** *f* Suisse *m*, *f*; **2.** *adj* suisse; *~ Käse* gruyère *m*; **2isch** suisse.
schwelen couver (*a fig*).
schwelgen faire bombance; *fig in Erinnerungen ~* savourer ses souvenirs.
Schwell|e *f Tür* seuil *m* (*a fig*); *Bahn* traverse *f*; **2en** *méd* enfler; **~ung** *méd f* enflure *f*.
Schwemme *écon f* abondance *f*; **2n** *an Land geschwemmt werden* être rejeté à la côte.
Schwengel *m Glocke* battant *m*.
schwenken *Arme etc* agiter; *Kamera* tourner; *cuis* faire sauter; *spülen* rincer.

schwer *im Gewicht* lourd; *schwierig* difficile; *Krankheit* grave; *~e Zeiten* des temps durs; *es ~ haben* avoir bien du mal (*mit* avec); *50 Kilo ~ sein* peser 50 kilos; *~ arbeiten* travailler dur; **~behindert** gravement handicapé; **2e** *f phys* pesanteur *f*; *fig* gravité *f*, poids *m*; **2elosigkeit** *phys f* apesanteur *f*; **~erziehbar** difficile, caractériel; **~fallen** *j-m ~* être difficile pour qn; *es fällt mir schwer zu* (+ *inf*) j'ai du mal à (+ *inf*); **~fällig** lourd; **2gewicht** *n Sport* poids *m/pl* lourds; *fig das ~ legen auf* mettre l'accent sur; **~hörig** sourd; **2industrie** *f* industrie *f* lourde; **2kraft** *phys f* gravité *f*; **~krank** gravement malade; **2kriegsbeschädigte(r)** *m* grand mutilé *m* de guerre; **~lich** avec peine, difficilement, ne ... guère; **2metall** *n* métal *m* lourd; **2mut** *f* mélancolie *f*; **~mütig** mélancolique; **2punkt** *m phys* centre *m* de gravité; *fig* centre *m*.

Schwert *n* épée *f*.

schwer|tun *sich ~* avoir des difficultés (*mit* avec); **2verbrecher** *m* grand criminel *m*; **~verdaulich** indigeste, lourd; **~verletzt** grièvement blessé; **~verständlich** difficile à comprendre; **~wiegend** grave, très sérieux.

Schwester *f* sœur *f*; *Kranken2* infirmière *f*; *Ordens2 a* religieuse *f*.

Schwieger|eltern *pl* beaux-parents *m/pl*; **~mutter** *f* belle-mère *f*; **~sohn** *m* gendre *m*, beau-fils *m*; **~tochter** *f* belle-fille *f*; **~vater** *m* beau-père *m*.

schwierig difficile; **2keit** *f* difficulté *f*; *in ~en geraten* connaître des difficultés.

Schwimm|bad *n* piscine *f*; **~becken** *n* bassin *m*; **2en** nager; *im Wasser treiben* flotter; **~en** *n* natation *f*; **~er(in** *f*) *m* nageur *m*, -euse *f*; **~flosse** *f* palme *f*; **~lehrer** *m* moniteur *m* de natation; **~sport** *m* natation *f*; **~weste** *f* gilet *m* de sauvetage.

Schwindel *m méd* vertige *m*; *Betrug* escroquerie *f*; *Täuschung* bidon *m* F; *Lüge* mensonge *m*; F *der ganze ~* tout le bataclan F; **2erregend** vertigineux.

schwindeln *lügen* mentir, dire des mensonges; *mir schwindelt* j'ai le vertige.

schwinden diminuer; *Kräfte a* décliner.

Schwindl|er(in *f*) *m Lügner* menteur *m*, -euse *f*; *Betrüger* escroc *m*; **2ig** *mir ist ~* j'ai le vertige.

Schwing|e *st/s f* aile *f*; **2en** *hin u her* balancer; *drohend* brandir; *pendeln* se balancer; *phys* osciller; *vibrieren* vibrer; **2ung** *phys f* oscillation *f*, vibration *f*.

Schwips *m* F *e-n ~ haben* être éméché F.

schwirren *Pfeil* siffler; *Insekt* bourdonner.

schwitzen suer, transpirer.

schwören jurer (*bei* par).

schwul homosexuel, F pédé.

schwül lourd, étouffant; **2e** *f* chaleur *f* étouffante.

Schwulst *m Stil* boursouflure *f*.

schwülstig *Stil* boursouflé, ampoulé.

Schwund *m* perte *f*, diminution *f*.

Schwung *m* élan *m*; *fig a* entrain *m*, dynamisme *m*, verve *f*; *in ~ kommen* se mettre en train; **2haft** *comm* florissant; **~rad** *tech n* volant *m*; **2voll** plein d'entrain; *Musik* entraînant.

Schwur *m* serment *m*; **~gericht** *jur n* cour *f* d'assises.

Science-fiction *f* science-fiction *f*.

sechs six; *Schule e-e 2 bekommen* avoir un zéro; **2eck** *n* hexagone *m*; **~eckig** hexagonal; **~fach** sextuple; **~hundert** six cents; **~mal** six fois; **2tagerennen** *n* six jours *m/pl*.

sechste sixième; **2l** *n* sixième *m*; **~ns** sixièmement.

sechzehn seize; **~te** seizième.

sechzig soixante; *etwa ~* une soixantaine; **2er(in** *f*) *m* sexagénaire *m*, *f*; **~ste** soixantième.

See[1] *m* lac *m*.

See[2] *f* mer *f*; *auf ~* en mer; *auf hoher ~* en haute *od* pleine mer, au large; *an der ~* au bord de la mer; *in ~ stechen* prendre la mer; *zur ~ gehen* se faire marin; *zur ~ fahren* naviguer.

See|bad *n* station *f* balnéaire; **2fahrend** *Volk* navigateur; **~gang** *m* houle *f*; *hoher ~* grosse mer *f*; **~hafen** *m* port *m* de mer; **~handel** *m* commerce *m* maritime; **~herrschaft** *f* suprématie *f* maritime; **~hund** *zo m* phoque *m*; **~igel** *zo m* oursin *m*; **~karte** *f* carte *f* marine; **2krank** *~ sein* avoir le mal de mer; **~krankheit** *méd f* mal *m* de mer, nausée *f*.

Seele *f* âme *f* (*a fig*).

Seelen|heil *n* salut *m* de l'âme; **2los** sans âme, sans vie, inexpressif; **~ruhe** *f in aller ~* en toute tran-

quillité; **~wanderung** *phil f* métempsycose *f*.
seelisch psychique.
Seelsorge *f* charge *f* d'âmes; **~r** *m* père *m* spirituel; pasteur *m*.
See|macht *f* puissance *f* maritime; **~mann** *m* marin *m*; **~meile** *f* mille *m* marin; **~not** *f in* ~ en détresse; **~räuber** *m* pirate *m*, corsaire *m*; **~recht** *n* droit *m* maritime; **~reise** *f* voyage *m* par mer; **~rose** *bot f* nénuphar *m*; **~sack** *m* sac *m* de marin; **~schlacht** *f* bataille *f* navale; **~stern** *zo m* étoile *f* de mer; **~streitkräfte** *f/pl* forces *f/pl* navales; **~tang** *bot m* varech *m*, goémon *m*; **2tüchtig** *Schiff* en état de naviguer; **~weg** *m* voie *f* maritime; *auf dem* ~ par mer; **~zunge** *zo f* sole *f*.
Segel *n* voile *f*; **~boot** *n* canot *m od* yacht *m* à voiles; **~fliegen** *n* vol *m* à voile; **~flieger(in** *f*) *m* vélivole *m, f*; **~flug** *m* vol *m* à voile; **~flugzeug** *n* planeur *m*; **2n** faire voile (*nach* pour); *Sport* faire de la voile; **~schiff** *n* voilier *m*, bateau *m* à voiles; **~sport** *m* voile *f*, yachting *m*; ~ *treiben* faire de la voile; **~tuch** *n* toile *f* à voile.
Segen *m* bénédiction *f*; **2sreich** béni.
Segler *m Sport*2 plaisancier *m*; *Schiff* voilier *m*.
segnen bénir.
sehen voir; *auf etw* ~ regarder qc; *nach etw* ~ avoir soin de qc; *sich* ~ *lassen* se montrer; *siehe Seite 10* voir page 10.
sehens|wert qui vaut la peine d'être vu, digne d'être vu; **2würdigkeit** *f* curiosité *f*.
Sehkraft *f* vue *f*.
Sehne *f* tendon *m*.
sehnen *sich* ~ *nach* s'ennuyer de, regretter, aspirer à.
Sehnerv *m* nerf *m* optique.
sehnig nerveux; *Fleisch a* filandreux.
sehn|lich ~ *wünschen* désirer ardemment; **2sucht** *f* désir *m* ardent, nostalgie *f* (*nach* de); **~süchtig** nostalgique; *adv* avec impatience.
sehr très, bien, fort; *vor Verben* beaucoup, bien.
Seh|rohr *mar n* périscope *m*; **~schwäche** *f* mauvaise vue *f*; **~störungen** *méd f/pl* troubles *m/pl* visuels; **~test** *m* test *m* visuel.
seicht *Wasser* peu profond; *fig* superficiel, plat, fade.
Seide *f* soie *f*.
seiden de soie; **2papier** *n* papier *m* de soie; **2raupe** *zo f* ver *m* à soie; **2stoff** *m* tissu *m* de soie.
seidig soyeux.
Seife *f* savon *m*.
Seifen|blase *f* bulle *f* de savon; **~lauge** *f* eau *f* savonneuse; **~schaum** *m* mousse *f* de savon.
seifig savonneux.
seihen passer, filtrer.
Seil *n* corde *f*; **~bahn** *f* téléférique *m*; *Stand*2 funiculaire *m*; **~hüpfen** *n* saut *m* à la corde; **~schaft** *f* cordée *f*; **~tänzer(in** *f*) *m* funambule *m, f*, danseur *m*, -euse *f* de corde.
sein[1] **1.** être; *es ist kalt* il fait froid; *er ist zwanzig Jahre alt* il a vingt ans; **2.** 2 *n phil* être *m*; *Dasein* existence *f*.
sein[2] *Possessivpronomen* son, sa, *pl* ses; *~er*, *~e*, *~es*, *der*, *die*, *das ~e od ~ige* le sien, la sienne.
seiner|seits de sa part, de son côté; **~zeit** alors, à l'époque.
seinesgleichen son pareil; *j-n wie* ~ *behandeln* traiter qn d'égal à égal.
seinetwegen à cause de lui, pour lui.
seinlassen F *etw* ~ ne pas faire qc, s'abstenir de faire qc.
seit depuis; *conj* depuis que (+ *ind*); *schon* ~ dès; ~ *drei Jahren* depuis trois ans; ~ *langem* depuis longtemps; **~dem** depuis (ce temps-là), depuis *od* dès lors; *conj* depuis que (+ *ind*).
Seite *f* côté *m*; *Schrift*2 page *f*; *auf j-s* ~ *treten* se ranger du côté de qn; *auf der linken* ~ du côté gauche; *fig auf der anderen* ~ d'un autre côté.
Seiten|ansicht *f* profil *m*; **~blick** *m* regard *m* en coin; **~hieb** *m fig* coup *m* de griffe; **2s** de la part de; **~sprung** *m fig* écart *m* de conduite, escapade *f*; **~stechen** *méd n* point *m* de côté; **~straße** *f* rue *f* latérale.
seither depuis (ce temps-là).
seit|lich latéral; **~wärts** de côté.
Sekret|är(in *f*) *m* secrétaire *m, f*; **~ariat** *n* secrétariat *m*.
Sekt *m* (vin *m*) mousseux *m*.
Sekt|e *rel f* secte *f*; **~ierer** *rel m* sectaire *m*.
Sektion *f Abteilung* section *f*; *e-r Leiche* dissection *f*.
Sektor *m* secteur *m*.
Sekunde *f* seconde *f*; **~nzeiger** *m* trotteuse *f*.
selber *cf selbst*.
selbst même; *ich* (*du*, *er etc*) ~ moi-

-même (toi-même, lui-même *etc*); *sie hat es ~ gesagt* elle l'a dit elle-même; *sie ist die Güte ~* elle est la bonté même; *~ seine Freunde* même ses amis, ses amis même(s); *es läuft von ~* ça marche tout seul; *~ wenn* même si.
selbständig indépendant; **2keit** *f* indépendance *f*.
Selbst|auslöser *Foto m* déclencheur *m* automatique; **~bedienung** *f* libre-service *m*; **~befriedigung** *f* masturbation *f*; **~beherrschung** *f* maîtrise *f* de soi; **~bestimmungsrecht** *n* droit *m* à l'autodétermination; **2bewußt** sûr de soi; **~bewußtsein** *n* confiance *f* en soi; **~bildnis** *n* autoportrait *m*; **~erhaltungstrieb** *m* instinct *m* de conservation; **~erkenntnis** *f* connaissance *f* de soi-même; **2gefällig** infatué de soi-même; **2gemacht** fait à la maison; **~gespräch** *n* monologue *m*; **~kostenpreis** *m* prix *m* coûtant, prix *m* de revient; **~kritik** *f* autocritique *f*; **~laut** *gr m* voyelle *f*; **2los** désintéressé; **~mord** *m* suicide *m*; **~mörder(in** *f*) *m* suicidé *m*, -e *f*; **2sicher** sûr de soi; **~sicherheit** *f* aplomb *m*; **2süchtig** égoïste; **2tätig** *tech* automatique; **~täuschung** *f* illusion *f* qu'on se fait à soi-même; **~unterricht** *m* études *f/pl* sans professeur; **2verständlich** évident, naturel; *adv* bien entendu; *das ist ~* cela va de soi, cela va sans dire; **~verteidigung** *f* autodéfense *f*; **~vertrauen** *n* confiance *f* en soi; **~verwaltung** *f* administration *f* autonome; **~verwirklichung** *f* épanouissement *m* personnel; **~wähldienst** *tél m* téléphone *m* automatique; **2zufrieden** satisfait de soi; **~zweck** *m* fin *f* en soi.
selchen *östr* fumer.
selig heureux; *égl* bienheureux; *verstorben* défunt.
Sellerie *bot m od f* céleri *m*.
selten rare; *adv* rarement; **2heit** *f* rareté *f*.
seltsam étrange, curieux, bizarre; **2keit** *f* étrangeté *f*.
Semester *n* semestre *m*.
Semikolon *n* point-virgule *m*.
Seminar *n* séminaire *m*; *Universität* institut *m*, département *m*.
Semmel *f* petit pain *m*.
Senat *m* sénat *m*; **~or** *m* sénateur *m*.
sende|n envoyer (*mit der Post* par la poste); *über Funk* émettre, diffuser; **2r** *m* émetteur *m*, station *f*.
Sende|reihe *f* feuilleton *m*, série *f*; **~schluß** *m* fin *f* des émissions.
Sendung *f comm* envoi *m*; *fig* mission *f*; *Radio*, *TV* émission *f*.
Senf *m* moutarde *f*; F *seinen ~ dazugeben* mettre son grain de sel.
senil sénile; **2ität** *f* sénilité *f*.
senior 1. *adj Herr L. ~* monsieur L. père; **2.** **2** *m Sport* senior *m*; **~en** *pl alte Leute* le troisième âge; **2enheim** *n* maison *f* du troisième âge, maison *f* de retraite.
Senk|e *géogr f* dépression *f*; **2en** (a)baisser; *sich ~* s'abaisser; *Boden* s'affaisser; **~fuß** *m* pied *m* plat; **2recht** vertical, perpendiculaire (*zu*, *auf* à); **~rechtstarter** *aviat m* avion *m* à décollage vertical.
Sensation *f* sensation *f*; **2ell** sensationnel; **~smache** *f* recherche *f* du sensationnel.
Sense *f* faux *f*.
sensib|el sensible; **~ilisieren** sensibiliser (*für* à); **2ilität** *f* sensibilité *f*.
Sensortaste *f* touche *f* à effleurement.
sentimental sentimental; **2ität** *f* sentimentalité *f*.
September *m* septembre *m*.
Serenade *mus f* sérénade *f*.
Serie *f* série *f*; *TV* feuilleton *m*; **2nmäßig** en série; **~nnummer** *f* numéro *m* de série; **~nwagen** *m* voiture *f* de série.
seriös sérieux.
Serpentine *f* lacet *m*.
Serum *méd n* sérum *m*.
Service *m u n* service *m*.
servier|en servir (à table); **2erin** *f* serveuse *f*.
Serviette *f* serviette *f*.
Servolenkung *auto f* direction *f* assistée.
Servus! F salut!
Sessel *m* fauteuil *m*; **~lift** *m* télésiège *m*.
seßhaft sédentaire.
Set *m od n* set *m* de table.
setzen mettre; *e-n Platz anweisen* placer; *Baum etc* planter; *wetten* miser (*auf* sur); *Text* composer; *sich ~* s'asseoir; *Vogel* se percher; *Niederschlag* se déposer; *Erdreich* se tasser; *über etw ~* sauter qc; *über e-n Fluß ~* traverser *od* passer une rivière.
Setzer(in *f*) *m* typographe *m*, *f*.

Seuche *f* épidémie *f*.
seufz|en soupirer; **≈er** *m* soupir *m*.
Sex *m* sexe *m*; **~ismus** *m* sexisme *m*.
Sexual|erziehung *f* éducation *f* sexuelle; **~ität** *f* sexualité *f*; **~leben** *n* vie *f* sexuelle; **~verbrechen** *n* crime *m* sadique.
sex|uell sexuel; **~y** sexy.
sezieren disséquer.
Shorts *pl* short *m*.
Sibir|ien *n* la Sibérie; **≈isch** sibérien.
sich se (*vor Vokal* s'); *nach prép allg* soi, *personenbezogen* lui, elle, *pl* eux, elles; *jeder für ~* chacun pour soi; *er denkt nur an ~* il ne pense qu'à lui.
Sichel *f* faucille *f*; *Mond≈* croissant *m*.
sicher 1. *adj* sûr; *gewiß a* certain; *geschützt a* à l'abri (*vor* de); *ich bin ~, daß* ... je suis sûr que ...; *seiner Sache ~ sein* être sûr de son fait; **2.** *adv* sûrement, certainement, assurément, bien sûr, sans doute.
Sicherheit *f* sûreté *f*; *Gewißheit a* certitude *f*; *Gefahrlosigkeit a* sécurité *f*; *Selbst≈* assurance *f*; *comm* garantie *f*, caution *f*; *mit ~* à coup sûr, avec certitude; *in ~ bringen* mettre en sûreté *od* en sécurité *od* à l'abri *od* en lieu sûr.
Sicherheits|gurt *aviat*, *auto m* ceinture *f* de sécurité; **~nadel** *f* épingle *f* de sûreté *od* de nourrice; **~rat** *pol m* Conseil *m* de Sécurité; **~schloß** *n* serrure *f* de sûreté; **~vorkehrung** *f* mesure *f* de sécurité *od* sûreté.
sicherlich *cf sicher 2.*
sicher|n assurer; (*sich*) *vor od gegen etw ~* (se) garantir *od* (se) protéger de *od* contre qc; **~stellen** *Versorgung etc* assurer; **≈ung** *f elektrische* fusible *m*, plomb *m*; *an Waffe etc* sûreté *f*; *~ der Arbeitsplätze* sauvegarde *f* des emplois.
Sicht *f* vue *f*; *Sichtweite* visibilité *f*; *in ~* en vue; *auf lange ~* à long terme; **≈bar** visible; **≈en** *bemerken* apercevoir; *Papiere etc* trier, examiner; **≈lich** manifeste, visible; **~vermerk** *m* visa *m*; **~weite** *f in* (*außer*) *~* en (hors de) vue.
sickern suinter, filtrer.
sie 1. *f/sg* elle; *Akkusativ beim Verb* la, l'; **2.** *pl* ils, elles; *Akkusativ beim Verb* les; *betont u nach prép* eux, elles; **3.** **≈** *Anrede* vous.
Sieb *n* crible *m*; *cuis* passoire *f*.
sieben[1] passer (au crible), filtrer (*a fig*).
sieben[2] sept; **~hundert** sept cents.
sieb(en)te septième; **≈l** *n* septième *m*.
sieb|zehn dix-sept; **~zehnte** dix-septième; **~zig** soixante-dix; **~zigste** soixante-dixième.
siedeln s'établir.
siede|n bouillir; **≈punkt** *m* point *m* d'ébullition.
Siedler *m* colon *m*.
Siedlung *f* agglomération *f*; cité *f*.
Sieg *m* victoire *f*.
Siegel *n* sceau *m*, cachet *m*; **~ring** *m* chevalière *f*.
sieg|en vaincre (*über j-n* qn), l'emporter (*über* sur); *Sport a* gagner; **≈er**(**in** *f*) *m* vainqueur *m*, gagnant *m*, -e *f*; **~reich** victorieux.
siezen vouvoyer.
Signal *n* signal *m*; **≈isieren** signaler.
signieren signer.
Silbe *f* syllabe *f*; **~ntrennung** *f* séparation *f* d'un mot à la fin d'une ligne.
Silber *n* argent *m*; **~hochzeit** *f* noces *f/pl* d'argent; **≈n** d'argent.
Silhouette *f* silhouette *f*.
Silo *m od n* silo *m*.
Silvester la Saint-Sylvestre.
Sims *m od n arch* corniche *f*; *Fenster≈* rebord *m*.
Simul|ant *m* simulateur *m*; **≈ieren** simuler.
Simultandolmetscher *m* interprète *m* simultané.
Sinfonie *mus f* symphonie *f*.
singen chanter; *falsch ~* chanter faux.
Singular *gr m* singulier *m*.
Singvogel *m* oiseau *m* chanteur.
sinken *Schiff* couler; *Preise etc* baisser.
Sinn *m* sens *m* (*für etw* de qc); *im ~ haben* avoir en tête; *es hat keinen ~* c'est absurde, ça ne rime à rien; **~bild** *n* symbole *m*; **≈bildlich** symbolique.
Sinnes|eindruck *m* impression *f* sensorielle; **~täuschung** *f* hallucination *f*; **~wahrnehmung** *f* perception *f* sensorielle; **~wandel** *m* changement *m* d'avis.
sinn|lich sensuel; **≈lichkeit** *f* sensualité *f*; **~los** insensé, absurde; **≈losigkeit** *f* absurdité *f*; **~reich** ingénieux; **≈spruch** *m* sentence *f*; **~verwandt** *~es Wort* synonyme *m*; **~voll** sensé, judicieux.
Sintflut *f* déluge *m*.
Sippe *f* clan *m*; parenté *f*.

Sirene *f* sirène *f*.
Sirup *m* sirop *m*.
Sitte *f* coutume *f*; ~*n pl* mœurs *f/pl*.
Sitten|losigkeit *f* immoralité *f*; **~polizei** *f* police *f* des mœurs; **2widrig** contraire aux bonnes mœurs.
sittlich moral; **2keit** *f* moralité *f*; **2keitsverbrechen** *n* attentat *m* aux mœurs *od* à la pudeur.
Situation *f* situation *f*.
Sitz *m* siège *m*.
sitzen être assis; *Vogel* être perché; *von Kleidern* aller bien; F *im Gefängnis* faire de la prison; ~ *bleiben* rester assis; **~bleiben** *Schule* redoubler (une classe); *comm* ~ *auf* ne pas parvenir à vendre; **2bleiber** *m Schule* redoublant *m*; **~lassen** *Frau* laisser tomber; plaquer F; *Wartenden* F poser un lapin à; *etw nicht auf sich* ~ ne pas avaler *od* encaisser qc.
Sitz|gelegenheit *f* place *f*, siège *m*; **~ordnung** *f* disposition *f* des places; **~plan** *m Schule* plan *m* de la classe; **~platz** *m* place *f* assise.
Sitzung *f* séance *f*, réunion *f*; **~speriode** *f* session *f*.
Sizilien *n* la Sicile.
Skala *f* échelle *f*.
Skandal *m* scandale *m*; **2ös** scandaleux.
Skandinavi|en *n* la Scandinavie; **~er(in** *f*) *m* Scandinave *m*, *f*; **2sch** scandinave.
Skelett *n* squelette *m*; ⚠ *le* squelette.
Skep|sis *f* scepticisme *m*; **~tiker(in** *f*) *m* sceptique *m*, *f*; **2tisch** sceptique.
Ski *m* ski *m*; *auf* ~*ern* en ski; ~ *fahren od laufen* faire du ski; skier; **~hose** *f* pantalon *m* de ski; **~laufen** *n* ski *m*; **~läufer(in** *f*) *m* skieur *m*, -euse *f*; **~lehrer** *m* moniteur *m* de ski; **~lift** *m* remonte-pente *m*, téléski *m*; **~meisterschaft** *f* championnat *m* de ski; **~schuh** *m* chaussure *f* de ski; **~sport** *m* ski *m*; **~springen** *n* saut *m* à skis.
Skizz|e *f* esquisse *f*; **2ieren** esquisser.
Sklav|e *m*, **~in** *f* esclave *m*, *f*; **~enhandel** *m* traite *f* des esclaves; **~erei** *f* esclavage *m*; **2isch** servile; en esclave.
Skonto *comm m od n* escompte *m*.
Skorpion *m zo* scorpion *m*; *astr* Scorpion *m*.
Skrupel *m* scrupule *m*; **2los** sans scrupules.
Skulptur *f* sculpture *f*.
Slalom *m* slalom *m*.
Slaw|e *m*, **~in** *f* Slave *m*, *f*; **2isch** slave.
Slip *m* slip *m*; **~per** *m* mocassin *m*.
Slum *m* quartier *m* pauvre, bidonville *m*.
Smaragd *m* émeraude *f*.
Smoking *m* smoking *m*.
Snob *m* snob *m*, *f*; **~ismus** *m* snobisme *m*; **2istisch** snob.
so ainsi, comme cela, de cette manière, de la sorte; ~ *groß wie* aussi grand que; *nicht* ~ *schnell!* pas si vite!; ~ *daß* si bien que (+ *ind*), de (telle) sorte que (+ *subj*); ~ (*sehr*) tellement; ~ *ein Mensch* un tel homme; *ach* ~*!* ah, c'est ça!; ah bon!
sobald aussitôt que, dès que.
Söckchen *n* socquette *f*.
Socke *f* chaussette *f*.
Sockel *m* socle *m*.
Soda *chim f od n* soude *f*.
Sodbrennen *méd n* brûlures *f/pl* d'estomac.
soeben tout à l'heure; ~ *etw getan haben* venir de faire qc.
Sofa *n* canapé *m*, divan *m*.
sofern à condition que ... (+ *subj*), pourvu que ... (+ *subj*).
sofort tout de suite, immédiatement, aussitôt, sur-le-champ; **2bildkamera** *f* appareil *m* Polaroïd.
Software *EDV f* logiciel *m*.
sogar même.
sogenannt soi-disant.
sogleich *cf sofort*.
Sohle *f Schuh2* semelle *f*; *Fuß2* plante *f* (du pied); *Tal2* fond *m*.
Sohn *m* fils *m*.
Soja(bohne) *bot f* soja *m*; ⚠ *le* soja.
solange tant que.
Solarenergie *f* énergie *f* solaire.
solch tel, pareil.
Sold *m* solde *f*; ⚠ *la* solde.
Soldat *m* soldat *m*.
Söldner *m* mercenaire *m*.
Sole *f* eau *f* salée, saumure *f*.
solidar|isch solidaire; *sich* ~ *erklären* se déclarer solidaire (*mit* de); **2ität** *f* solidarité *f*.
solide solide; *Person* sérieux.
Solist(in *f*) *m mus* soliste *m*, *f*.
Soll *n comm* débit *m*; *Plan2* objectif *m*.
sollen devoir; *soll ich ...?* est-ce que je dois ...?; *du solltest* ... tu devrais ..., il te faudrait ...; *er soll reich sein* on dit *od* il paraît qu'il est riche; *er soll ermordet worden sein* il aurait été assassiné; *was soll das?* qu'est-ce que ça veut dire?

Solo *mus n* solo *m*.
somit donc, ainsi.
Sommer *m* été *m*; **~ferien** *pl* vacances *f/pl* d'été; **~frische** *f* villégiature *f*; **~gast** *m* estivant *m*, -e *f*; **2lich** estival; **~sprossen** *f/pl* taches *f/pl* de rousseur; **~zeit** *f Uhr* heure *f* d'été.
Sonate *mus f* sonate *f*.
Sonde *f* sonde *f*.
Sonder|angebot *n* offre *f* spéciale; *im ~* en réclame; **2bar** curieux, étrange; **~genehmigung** *f* autorisation *f* spéciale; **2gleichen** sans pareil; **2lich** *nicht ~* pas spécialement; **~ling** *m* original *m*.
sondern mais.
Sonder|recht *n* privilège *m*; **~schule** *f* école *f* pour handicapés; **~zug** *m* train *m* spécial.
sondieren sonder; *fig* tâter le terrain.
Sonett *n* sonnet *m*.
Sonnabend *m* samedi *m*.
Sonne *f* soleil *m*; *in der ~* au soleil; **2n** *sich ~* prendre un bain de soleil.
Sonnen|aufgang *m* lever *m* du soleil; **~bad** *n* bain *m* de soleil; **~blume** *bot f* tournesol *m*, soleil *m*; **~brand** *m* coup *m* de soleil; **~brille** *f* lunettes *f/pl* de soleil; **~creme** *f* crème *f* solaire; **~energie** *f* énergie *f* solaire; **~finsternis** *f* éclipse *f* de soleil; **~fleck** *astr m* tache *f* solaire; **2klar** *fig* évident; clair comme de l'eau de roche; **~kollektor** *tech m* capteur *m* solaire; **~licht** *n* lumière *f* solaire; **~schein** *m* ensoleillement *m*; *bei ~* quand il fait du soleil; **~schirm** *m* parasol *m*; **~seite** *f fig auf der ~* du bon côté; **~stich** *méd m* insolation *f*; **~strahl** *m* rayon *m* de soleil; **~uhr** *f* cadran *m* solaire; **~untergang** *m* coucher *m* du soleil; **~wende** *astr f* solstice *m*.
sonnig ensoleillé; *fig* gai.
Sonntag *m* dimanche *m*; **2s** le dimanche; **~sfahrer** *auto m* automobiliste *m* du dimanche.
sonst *andernfalls* autrement, sinon; *für gewöhnlich* d'habitude; *außerdem* à part cela; *~ noch etw* quelque chose d'autre; *~ nichts* rien d'autre; *~ überall* partout ailleurs; **~ig** autre; **~wo** ailleurs, autre part.
sooft toutes les fois *od* tant que ...
Sopran *mus m* soprano *m*.
Sorge *f* souci *m*; *sich ~n machen* se faire des soucis (*wegen*, *um* pour).
sorgen *~ für* s'occuper de; *zur Folge haben* causer; *dafür ~, daß* ... veiller à ce que ... (+ *subj*); *sich ~ um* se soucier de, s'inquiéter de; **~frei** sans souci; **2kind** *m* enfant *m* à problèmes; **~voll** soucieux.
Sorg|falt *f* soin *m*; **2fältig** soigneux; **2los** insouciant; **~losigkeit** *f* insouciance *f*.
Sort|e *f* sorte *f*, espèce *f*; **2ieren** trier, classer.
Sortiment *n* assortiment *m*.
Soße *f* sauce *f*.
Souffl|eur *m*, **~euse** *f* souffleur *m*, -euse *f*; **2ieren** souffler.
souverän *pol* souverain; *fig* supérieur; **2ität** *f* souveraineté *f*.
so|viel 1. *conj* (pour) autant que ... (+ *subj*); *~ ich weiß*, ... (pour) autant que je sache ..., à ce que je sais ...; **2.** *adv* (au)tant (*wie* que); *dreimal ~* trois fois autant; *~ er kann* (au)tant qu'il peut; **~weit 1.** *conj* dans la mesure où ... (+ *ind*); (pour) autant que ... (+ *subj*); **2.** *adv ~ wie od als möglich* autant que possible; *es geht ihm ~ gut* il va assez bien; *wir sind ~* nous y sommes, nous sommes prêts; **~wie** *und* ainsi que; *sobald* aussitôt que, dès que; tant que; **~wieso** en tout cas.
sowjet|isch soviétique; **2s** *m/pl* Soviétiques *m/pl*; **2union** *f* Union *f* soviétique.
sowohl *~ ... als auch* aussi bien que; *~ der Vater als auch der Sohn* le père aussi bien que le fils *od* de même que le fils.
sozial social; **2amt** *n* bureau *m* d'aide sociale; **2arbeiter** *m* travailleur *m* social; **2demokrat(in** *f*) *m* social-démocrate *m*, *f*; **2hilfe** *f* aide *f* sociale; **2hilfeempfänger(in** *f*) *m* bénéficiaire *m*, *f* de l'aide sociale; **~isieren** socialiser; **2isierung** *f* socialisation *f*; **2ismus** *m* socialisme *m*; **2ist(in** *f*) *m* socialiste *m*, *f*; **~istisch** socialiste; **2kunde** *f* instruction *f od* éducation *f* civique; **2lasten** *f/pl* charges *f/pl* sociales; **2politik** *f* politique *f* sociale; **2produkt** *écon n* produit *m* national; **2staat** *m* État *m* social; État-providence *m*; **2versicherung** *f* Sécurité *f* sociale.
Soziolog|e *m*, **~in** *f* sociologue *m*, *f*; **~ie** *f* sociologie *f*; **2isch** sociologique.
Sozius *m Teilhaber* associé *m*; *Mitfahrer* passager *m*.
sozusagen pour ainsi dire.

Spachtel *m od f* spatule *f*.
Spagat *m* ~ *machen* faire le grand écart.
spähen épier.
Spalier *n* espalier *m*; *fig* ~ *bilden* faire la haie.
Spalt *m* fente *f*; **~e** fente *f*, fissure *f*; *Gletscher*♀ crevasse *f*; *Zeitung* colonne *f*; **♀en** (*sich* ~ se) fendre; *fig Partei etc* (se) diviser, (se) scinder; **~ung** *f fig* division *f*, scission *f*; *phys Kern*♀ fission *f*.
Span *m* copeau *m*; **~ferkel** *n* cochon *m* de lait.
Spange *f* agrafe *f*; *Haar*♀ barrette *f*; *Arm*♀ bracelet *m*; *Autobahn*♀ bretelle *f*.
Span|ien *n* l'Espagne *f*; **~ier(in** *f*) *m* Espagnol *m*, -e *f*; **♀isch** espagnol.
Spann *m* cou-de-pied *m*; **~e** *f Zeit*♀ laps *m* de temps; **♀en** tendre; *Kleidung* serrer (qn); **♀end** *fig* captivant, attachant, palpitant; **~kraft** *f* élasticité *f*, ressort *m*; **~ung** *f* tension *f* (*a pol*, *elektrisch*); *in Filmen etc* suspense *m*; **~weite** *f aviat*, *Vogel* envergure *f*.
Spanplatte *f* aggloméré *m*.
Spar|buch *n* livret *m* de caisse d'épargne; **~büchse** *f* tirelire *f*; **♀en** économiser (*an* sur); épargner; **~er** *m* épargnant *m*.
Spargel *bot m* asperge *f*.
Spar|kasse *f* caisse *f* d'épargne; **~konto** *n* compte *m* d'épargne.
spärlich maigre; *Haar*, *Publikum* clairsemé.
Sparpolitik *f* politique *f* d'austérité.
sparsam économe; *Gerät* ~ (*im Verbrauch*) économique; *mit etw* ~ *umgehen* économiser qc; **♀keit** *f* économie *f*.
Sparte *f* section *f*, catégorie *f*; *Zeitung* rubrique *f*.
Spaß *m* plaisanterie *f*; *Freude* plaisir *m*; *aus od zum* ~ pour rire; *es macht mir viel* ~ cela m'amuse beaucoup; *j-m den* ~ *verderben* gâter le plaisir de qn; *keinen* ~ *verstehen* n'avoir aucun sens de l'humour; **♀en** plaisanter; **♀haft, ♀ig** plaisant, drôle; **~macher** *m*, **~vogel** *m* farceur *m*, blagueur *m*; F rigolo *m*.
spät tard; ~ *eintretend* tardif; *wie* ~ *ist es?* quelle heure est-il?; *es wird* ~ il se fait tard; *zu* ~ *kommen* arriver trop tard, arriver en retard.
Spaten *m* bêche *f*.
Spätentwickler *m* enfant *m* à développement tardif.
spät|er plus tard; *adj* ultérieur; *früher oder* ~ tôt ou tard; *bis* ~! à plus tard!; **~estens** au plus tard.
Spatz *zo m* moineau *m*.
spazieren|fahren se promener en voiture; **~gehen** se promener (à pied).
Spazier|gang *m* promenade *f*; **~gänger(in** *f*) *m* promeneur *m*, -euse *f*; **~stock** *m* canne *f*.
Specht *zo m* pivert *m*.
Speck *m* lard *m*; **♀ig** gras.
Spediteur *m* transporteur *m*; *Möbel*♀ déménageur *m*.
Speer *m* lance *f*; *Wurf*♀ javelot *m*; **~werfen** *n Sport* lancement *m od* lancer *m* du javelot.
Speiche *f* rayon *m*.
Speichel *m* salive *f*.
Speicher *m* magasin *m*; *Dachboden* grenier *m*; *Wasser*♀ réservoir *m*; *Computer* mémoire *f*; **♀n** emmagasiner, stocker; *Daten* enregistrer, mettre en mémoire.
speien cracher, vomir.
Speise *f Gericht* mets *m*, plat *m*; *Nahrung* nourriture *f*; **~eis** *n* glaces *f*|*pl*; **~kammer** *f* garde-manger *m*; **~karte** *f* menu *m*, carte *f*; **♀n** prendre son repas, être à table; *tech* alimenter; **~röhre** *f* œsophage *m*; **~saal** *m* réfectoire *m*; *Hotel* salle *f* à manger; **~wagen** *m* wagon-restaurant *m*; **~zimmer** *n* salle *f* à manger.
Spektakel *m* F boucan *m*, chahut *m*, tapage *m*; ⚠ *nicht spectacle*.
Spekul|ant(in *f*) *m* spéculateur *m*, -trice *f*; **♀ieren** *comm* spéculer (*mit*, *auf* sur).
Spende *f* don *m*; **♀n** donner; **~r(in** *f*) *m* bienfaiteur *m*, -trice *f*, donateur *m*, -trice *f*; *Organ*♀ donneur *m*; *Behälter* doseur *m*, distributeur *m*.
spendieren F *j-m etw* ~ offrir qc à qn.
Spengler *östr m* plombier *m*.
Sperling *zo m* moineau *m*.
Sperr|e *f* barrage *m*, barrière *f*; *tech*, *phys* blocage *m*; *Handels*♀ blocus *m*, embargo *m*; *Verbot* interdiction *f*; **♀en** *Straße* barrer; *Hafen*, *Konto* bloquer; *Strom* couper; ~ *in* enfermer dans; **~gebiet** *n* zone *f* interdite; **~holz** *n* contre-plaqué *m*; **~müllabfuhr** *f* enlèvement *m* des objets encombrants.
Spesen *pl* frais *m*|*pl*.

Spezi *m* F copain *m*.
Spezial|ausbildung *f* formation *f* spécialisée; **~gebiet** *n* domaine *m* spécial, spécialité *f*; **~geschäft** *n* magasin *m* spécialisé; **♀isieren** *sich* ~ se spécialiser (*auf* dans); **~ist(in** *f*) *m* spécialiste *m, f*; **~ität** *f* spécialité *f*.
speziell spécial, particulier.
spezifisch spécifique.
Sphäre *f* sphère *f* (*a fig*).
Sphinx *f* sphinx *m*.
spick|en *cuis* entrelarder; *fig* farcir (*mit* de); *Schule* F copier; **♀zettel** *m* F pompe *f*.
Spiegel *m* miroir *m*, glace *f*; **~bild** *n* image *f* inversée, reflet *m*; **♀blank** brillant comme un miroir; **~ei** *n* œuf *m* sur le plat; **♀glatt** *Straße* verglacé; **♀n** *glänzen* briller; *wider~* refléter; *sich* ~ se refléter (*in* dans); **~ung** *f* réflexion *f*, reflet *m*.
Spiel *n* jeu *m*; *Wett♀ a* match *m*; *aufs* ~ *setzen* risquer; *auf dem* ~ *stehen* être en jeu; **♀en** jouer (*Musikinstrument* de; *Regelspiel* à); **♀end** facilement, sans peine; **~er(in** *f*) *m* joueur *m*, -euse *f*.
Spiel|feld *n Sport* terrain *m*; **~film** *m* long métrage *m*; **~halle** *f* salle *f* de jeux; **~hölle** *f péj* tripot *m*; **~kamerad(in** *f*) *m* camarade *m, f* de jeu; **~karte** *f* carte *f* à jouer; **~leiter** *m* metteur *m* en scène; **~leitung** *f* mise *f* en scène; **~marke** *f* jeton *m*; **~platz** *m* terrain *m* de jeu; **~raum** *m* marge *f*, liberté *f* de mouvement, latitude *f*; **~regel** *f* règle *f* du jeu; **~sachen** *f/pl* jouets *m/pl*; **~schuld** *f* dette *f* de jeu; **~stand** *m* score *m*; **~uhr** *f* boîte *f* à musique; **~verderber** *m* rabat-joie *m*, trouble-fête *m*; **~waren** *f/pl* jouets *m/pl*; **~zeit** *f* saison *f*; **~zeug** *n* jouet *m*.
Spieß *m* pique *f*; *Brat♀* broche *f*; **~bürger** *m*, **~er** *m péj* petit bourgeois *m*, béotien *m*, philistin *m*; **♀ig** borné, obtus.
Spinat *bot m* épinards *m/pl*.
Spind *n od m* armoire *f*.
Spindel *f* fuseau *m*.
Spinn|e *zo f* araignée *f*; **♀en** filer; F *fig* être cinglé (toqué, timbré, loufoque, maboul), avoir un grain; **~er** *m* F *fig* cinglé *m*, loufoque *m*; *Phantast* rêveur *m*; **~erei** *f* filature *f*; F *fig* folie *f*, loufoquerie *f* F; **~rad** *n* rouet *m*; **~webe** *f* toile *f* d'araignée.
Spion|(in *f*) *m* espion *m*, -ne *f*; **~age** *f* espionnage *m*; **♀ieren** espionner.
Spiral|e *f* spirale *f*; *méd* stérilet *m*; **♀förmig** en spirale.
Spirituosen *pl* spiritueux *m/pl*.
Spiritus *m* alcool *m* à brûler.
Spital *n* hôpital *m*.
spitz pointu; *Winkel* aigu; *Bemerkung* piquant; **♀bogen** *arch m* (arc *m* en) ogive *f*; **♀bube** *m* coquin *m*.
Spitze *f* pointe *f* (*a fig Stichelei*); *Berg♀* sommet *m*; *Gewebe* dentelle *f*; F ~! super!; *an der* ~ *stehen* être en tête.
Spitzel *m* mouchard *m*.
spitzen *Bleistift* tailler; *Ohren* dresser; **♀geschwindigkeit** *f* vitesse *f* de pointe; **♀kleid** *n* robe *f* (garnie) de dentelle(s); **♀leistung** *f* rendement *m* maximum; *Sport* record *m*; **♀produkt** *n* produit *m* haut de gamme; **♀spiel** *n Sport* match *m* vedette; **♀technik** *f* technologie *f* de pointe.
spitz|findig subtil; **♀findigkeit** *f* subtilité *f*; **♀hacke** *f* pic *m*; **♀name** *m* sobriquet *m*, surnom *m*.
Splitter *m* éclat *m*; *in der Haut* écharde *f*; **♀n** voler en éclats; **♀nackt** nu comme un ver.
spontan spontané.
Spore *bot f* spore *f*.
Sporn *m* éperon *m*; *e-m Pferd die Sporen geben* éperonner un cheval.
Sport *m* sport *m*; ~ *treiben* faire du sport; *e-n* ~ *ausüben* pratiquer un sport; **~halle** *f* salle *f* des sports; **~kleidung** *f* vêtements *m/pl* de sport; **~lehrer(in** *f*) *m* professeur *m* d'éducation physique; **~ler(in** *f*) *m* sportif *m*, -ive *f*; **♀lich** sportif; *Kleidung* sport; **~nachrichten** *pl* nouvelles *f/pl* sportives; **~platz** *m* terrain *m* de sport, stade *m*; **~verein** *m* club *m* sportif, association *f* sportive; **~wagen** *m* voiture *f* (de) sport; **~zeitung** *f* journal *m* sportif.
Spott *m* moquerie *f*, raillerie *f*; **♀billig** à un prix dérisoire; **♀en** se moquer (*über* de).
Spött|er(in *f*) *m* moqueur *m*, -euse *f*; **♀isch** railleur, moqueur.
Spott|name *m* sobriquet *m*, surnom *m*; **~preis** *m* prix *m* dérisoire.
Sprach|e *f* langue *f*; *Ausdrucksweise* langage *m*; *Gabe* parole *f*; **~gebrauch** *m* usage *m*; **~labor** *n* laboratoire *m* de langues; **~lehre** *f* grammaire *f*; **~lehrer(in** *f*) *m* professeur

m de langues; **ℒlich** concernant la langue; linguistique; **ℒlos** *fig* interdit, stupéfait, sidéré F; **~rohr** *n fig* porte-parole *m*; **~unterricht** *m* enseignement *m* d'une langue *od* des langues; **~wissenschaft** *f* linguistique *f*.
Sprechblase *f* bulle *f*.
sprech|en parler (*über od von* de; *j-n od mit j-m* à *od* avec qn); **ℒer(in** *f*) *m Wortführer* porte-parole *m*; *Radio, TV* speaker *m*, speakerine *f*; présentateur *m*, -trice *f*; **ℒstunde** *f* heure(s) *f(pl)* de consultation; **ℒstundenhilfe** *f* assistante *f* médicale; **ℒzimmer** *n* parloir *m*; *e-s Arztes* cabinet *m* (de consultation).
spreizen écarter.
spreng|en *Brücke etc* faire sauter; *Rasen etc* arroser; **ℒkopf** *mil m* ogive *f*; **ℒkörper** *m* engin *m* explosif; **ℒstoff** *m* explosif *m*; **ℒung** *f* dynamitage *m*, destruction *f* par explosif.
sprenkeln moucheter, tacheter.
Spreu *f* balle *f*; *fig die ~ vom Weizen sondern* séparer le bon grain de l'ivraie.
Sprich|wort *n* proverbe *m*; **ℒwörtlich** proverbial.
sprießen *st/s* pousser, croître.
Spring|brunnen *m* fontaine *f*, jet *m* d'eau; **ℒen** sauter, bondir; **~er(in** *f*) *m* sauteur *m*, -euse *f*; *Schwimmsport* plongeur *m*, -euse *f*; *nur m Schach* cavalier *m*; **~flut** *f* grande marée *f*; **~reiten** *n* jumping *m*.
Sprinter *Sport m* sprinter *m*.
Sprit *m* F *Benzin* essence *f*.
Spritz|e *f méd* piqûre *f*; *Instrument* seringue *f*; *Garten*ℒ *a* pulvérisateur *m*; *Feuer*ℒ pompe *f* à incendie; **ℒen** éclabousser; *Blut* jaillir, gicler; *besprengen* arroser, asperger; *spritzlackieren* peindre au pistolet; *méd* injecter; F *j-n ~* faire une piqûre à qn; **~er** *m* éclaboussure *f*; **~pistole** *f* pistolet *m* pour peinture; *Spielzeug* pistolet *m* à eau.
spröde cassant; *Haut* sec, gercé; *fig Person* revêche, prude.
Sproß *m bot* pousse *f*, jet *m*; *Nachkomme* descendant *m*.
Sprosse *f* échelon *m*, barreau *m*.
Sprößling *m* F *Kind* rejeton *m*.
Spruch *m Sprichwort* dicton *m*; *Gerichts*ℒ verdict *m*; **~band** *n* banderole *f*.
Sprudel *m* eau *f* minérale gazeuse; **ℒn** bouillonner; *fig* déborder (*vor* de).
Sprüh|dose *f* atomiseur *m*, bombe *f*; **ℒen** vaporiser, pulvériser; *fig vor Witz ~* être pétillant d'esprit; **~regen** *m* pluie *f* fine, bruine *f*.
Sprung *m* saut *m*, bond *m*; *in Glas etc* fêlure *f*, fissure *f*; **~brett** *n* plongeoir *m*; tremplin *m* (*a fig*); **ℒhaft** *Person* inconstant, changeant, versatile; *~ ansteigen* faire un bond; **~schanze** *f* tremplin *m*.
Spucke F *f* salive *f*; **ℒn** cracher; F *brechen* vomir.
Spuk *m* apparition *f* de fantômes; **ℒen** *es spukt* il y a des revenants.
Spule *f* bobine *f*.
Spül|e *f* évier *m*; **ℒen** *Geschirr* laver; *Gläser, Mund* rincer; *WC* tirer la chasse; *etw ans Ufer ~* jeter qc sur le rivage; **~maschine** *f* lave-vaisselle *m*.
Spur *f* trace *f*, piste *f*; *fig a* vestige *m*; *Fahr*ℒ voie *f*, file *f*.
spür|bar sensible; **~en** sentir, éprouver, ressentir.
spurlos sans laisser de trace.
Spürsinn *m* flair *m*.
Spurt *Sport m* sprint *m*.
Spurweite *Bahn f* écartement *m*.
sputen *sich ~* se dépêcher.
Staat *m* État *m*.
Staaten|bund *m* confédération *f* (d'États); **ℒlos** apatride, sans nationalité.
staatlich de l'État, national, public, étatique.
Staats|angehörige(r) *m, f* ressortissant *m*, -e *f*; **~angehörigkeit** *f* nationalité *f*; **~anwalt** *m* procureur *m* (de la République); **~begräbnis** *n* obsèques *f/pl* nationales; **~besuch** *m* visite *f* officielle; **~bürger(in** *f*) *m* citoyen *m*, -ne *f*; **~chef** *m* chef *m* de l'État; **~dienst** *m* fonction *f* publique; **ℒeigen** appartenant à l'État, nationalisé; **~feind** *m* ennemi *m* public; **ℒfeindlich** subversif; **~gelder** *n/pl* fonds *m/pl* publics; **~haushalt** *m* budget *m* de l'État; **~kasse** *f* Trésor *m* (public); **~mann** *m* homme *m* d'État; **~oberhaupt** *n* chef *m* de l'État; **~räson** *f* raison *f* d'État; **~sekretär** *m* secrétaire *m* d'État; **~streich** *m* coup *m* d'État; **~vertrag** *m* traité *m* (politique).
Stab *m* bâton *m*; *Gitter*ℒ barreau *m*; *Dirigenten*ℒ baguette *f*; *~hochsprung*

perche *f*; *von Menschen* équipe *f*; *mil* état-major *m*.
Stäbchen *n/pl Eß*♀ baguettes *f/pl*.
Stabhoch|springer *m* perchiste *m*; **~sprung** *m* saut *m* à la perche.
stabil stable; *robust* solide, F costaud; **~isieren** stabiliser; **♀ität** *f* stabilité *f*.
Stachel *m* épine *f*, pointe *f*; *bot*, *Igel* piquant *m*; *Insekt* dard *m*; **~beere** *f* groseille *f* à maquereau; **~draht** *m* (fil *m* de fer) barbelé *m*; **~schwein** *zo n* porc-épic *m*.
stachlig épineux, piquant.
Stadel *östr m* grange *f*.
Stadion *n* stade *m*.
Stadium *n* phase *f*, stade *m*.
Stadt *f* ville *f*; *die ~ Berlin* la ville de Berlin; **~autobahn** *f* autoroute *f* urbaine.
Städt|ebau *m* urbanisme *m*; **~er(in** *f*) *m* citadin *m*, -e *f*; **♀isch** de (la) ville, urbain, citadin, municipal.
Stadt|plan *m* plan *m* de la ville; **~rand** *m* banlieue *f*; **~rat** *m* conseil *m* municipal; *Person* conseiller *m* municipal; **~rundfahrt** *f* excursion *f od* tour *m* à travers la ville; **~teil** *m*, **~viertel** *n* quartier *m*.
Staffel *f Sport* équipe *f* (de coureurs); *~lauf* relais *m*; *aviat* escadrille *f*; **~ei** *f* chevalet *m*; **~lauf** *Sport m* course *f* de relais; **♀n** échelonner.
Stahl *m* acier *m*; **♀blau** bleu acier; **~kammer** *f* chambre *f* forte; **~rohr** *n* tube *m* d'acier; **~schrank** *m* coffre-fort *m*; **~werk** *n* aciérie *f*.
Stall *m Vieh*♀ étable *f*; *Pferde*♀ écurie *f*; *Schweine*♀ porcherie *f*; *Schaf*♀ bergerie *f*; *Kaninchen*♀ clapier *m*; *Hühner*♀ poulailler *m*.
Stamm *m Baum*♀ tronc *m*; *Volks*♀ tribu *f*; *Geschlecht* souche *f*, race *f*; *gr* radical *m*; **~baum** *m* arbre *m* généalogique.
stammeln balbutier.
stammen *~ von od aus* (pro)venir de, être originaire de.
Stamm|formen *gr f/pl* temps *m/pl* principaux; **~gast** *m* habitué *m*.
stämmig vigoureux, F costaud.
Stamm|kneipe *f* bistro(t) *m* habituel; **~kunde** *m* client *m* habituel *od* attitré.
stampfen *mit dem Fuß* piétiner; *fest~* fouler; *tech* pilonner, damer.
Stand *m Zustand* état *m*; *Lage* situation *f*; *Stellung* position *f*; *sozialer* classe *f*, condition *f*; *Beruf* profession *f*; *Wasser*♀ *etc* niveau *m*; *Spiel*♀ score *m*; *Messe*♀ stand *m*; *Verkaufs*♀ échoppe *f*, étalage *m*; *auf den neuesten ~ bringen* actualiser; *e-n schweren ~ haben* être dans une situation délicate.
Standard *m Norm* standard *m*; *erreichte Höhe* niveau *m*.
Standbild *n* statue *f*.
Ständchen *n Abend*♀ sérénade *f*; *Morgen*♀ aubade *f*.
Ständer *m* support *m*.
Standes|amt *n* (bureau *m* de l')état *m* civil; **♀amtlich** *~e Trauung* mariage *m* civil; **~beamte(r)** *m* officier *m* d'état civil; **♀gemäß** selon son rang.
stand|haft ferme; *~ bleiben* tenir bon *od* ferme; **♀haftigkeit** *f* fermeté *f*; **~halten** résister (à).
ständig permanent, constant, continuel.
Stand|licht *n auto* feux *m/pl* de position, veilleuse *f*; **~ort** *m* emplacement *m*, place *f*; *mar*, *aviat* position *f*; **~pauke** F *f* sermon *m*, savon *m* F, semonce *f*; **~punkt** *m* point *m* de vue; **~recht** *mil n* loi *f* martiale.
Stange *f* barre *f*, tige *f*, perche *f*; *e-e ~ Zigaretten* une cartouche de cigarettes; *von der ~ kaufen* acheter du prêt-à-porter.
Stanniol *n* feuille *f* d'aluminium.
stanzen *tech* poinçonner, estamper.
Stapel *m* pile *f*; *mar vom ~ laufen* être lancé; F *péj vom ~ lassen* débiter; **~lauf** *mar m* mise *f* à l'eau, lancement *m*; **♀n** empiler.
stapfen marcher lourdement.
Star *m* **1.** *zo* étourneau *m*; **2.** *méd grauer ~* cataracte *f*; *grüner ~* glaucome *m*; **3.** *Film*, *TV etc* vedette *f*; *Film*♀ *a* star *f*; ⚠ *la* star.
stark fort; *kräftig* vigoureux; *mächtig* puissant; *intensiv* intense; *Raucher*, *Esser* gros.
Stärke *f* force *f*, vigueur *f*, puissance *f*, intensité *f*; *cuis* fécule *f*; *für Wäsche* amidon *m*; **♀n** fortifier; renforcer; *Wäsche* empeser, amidonner; *sich ~* se restaurer.
Starkstrom *m* courant *m* à haute tension.
Stärkung *f* renforcement *m*; *Imbiß* collation *f*; *Trost* réconfort *m*; **~smittel** *n* fortifiant *m*.
starr *Blick* fixe; *steif* raide (*a fig*), rigide; *~ vor Kälte* engourdi par le froid; **~en** *~ auf* regarder fixement;

S

vor Schmutz ~ être couvert de crasse; ♀**heit** *f* raideur *f*, rigidité *f*; ~**köpfig** entêté, têtu, obstiné; ♀**sinn** *m* entêtement *m*, obstination *f*.
Start *m* départ *m*; *aviat a* envol *m*, décollage *m*; *auto* démarrage *m*; ~**bahn** *aviat f* piste *f* de décollage *od* d'envol; ♀**en** partir; *aviat* décoller; *auto* démarrer (*a fig*).
Statik *f* statique *f*.
Station *f* station *f*; *Krankenhaus* service *m*; ♀**ieren** stationner; *Raketen* déployer; ~**svorsteher** *m* chef *m* de gare.
Statist(in *f*) *m* figurant *m*, -e *f*.
Statist|ik *f* statistique *f*; ~**iker** *m* statisticien *m*; ♀**isch** statistique; *das ist* ~ *erwiesen* c'est prouvé par des statistiques.
Stativ *n* pied *m*, trépied *m*.
statt au lieu de.
Stätte *f* lieu *m*, site *m*.
stattfinden avoir lieu.
stattlich imposant, considérable.
Statue *f* statue *f*.
Statur *f* stature *f*, taille *f*.
Status *m* état *m*, statut *m*; ~**symbol** *n* marque *f* de standing.
Statut *n* statut *m*.
Stau *m auto* bouchon *m*, embouteillage *m*.
Staub *m* poussière *f*; ♀**en** faire de la poussière; ~**fänger** *m* F ramasse--poussière *m*; ~**gefäß** *bot n* étamine *f*; ♀**ig** poussiéreux; ♀**saugen** passer l'aspirateur; ~**sauger** *m* aspirateur *m*; ~**tuch** *n* chiffon *m* (à poussière).
Staudamm *m* barrage *m*.
Staude *bot f* arbuste *m*.
stauen *Wasser* retenir; *sich* ~ s'accumuler, s'amasser.
staunen s'étonner (*über* de).
Stausee *m* lac *m* de retenue.
Steak *n* bifteck *m*.
stech|en piquer; *Sonne* brûler, taper; *sich* ~ se piquer (*in den Finger* le doigt); ~**end** *Blick* perçant; *Schmerz* lancinant; ♀**uhr** *f* appareil *m* de pointage.
Steck|brief *jur m* signalement *m*; ~**dose** *f* prise *f* (de courant).
stecken mettre (*in* dans), fourrer F; *sich befinden* être, se trouver; *tief in Schulden* ~ être criblé de dettes; ~**bleiben** rester bloqué; *einsinken* s'enfoncer; *im Schlamm* s'embourber; *in e-r Rede* rester en panne; ♀**pferd** *n* dada *m*; *fig a* passe-temps *m* favori, violon *m* d'Ingres.
Steck|er *m* fiche *f* (électrique); ~**nadel** *f* épingle *f*.
Steg *m* passerelle *f*.
Stegreif *m aus dem* ~ *sprechen, spielen* improviser.
stehen *nicht liegen* être *od* se tenir debout; *sich befinden* être, se trouver; *geschrieben* ~ *a* être écrit; *j-m* (*gut*) ~ aller (bien) à qn; *wo steht das?* où est-ce que cela se trouve?; *wie steht's mit ihm?* comment va-t-il?; *wie stehst du zu ...?* quel est ton point de vue sur ...?; F *das steht mir bis hierher!* j'en ai ras le bol! F; ~**bleiben** s'arrêter; *wo sind wir stehengeblieben?* où en sommes-nous restés?; ~**d** debout; *Gewässer* stagnant; *Heer* permanent; ~**lassen** laisser; *Schirm etc* oublier; *j-n* ~ plaquer qn F.
Steh|kragen *m* col *m* droit; ~**lampe** *f* lampe *f* à pied; *große* lampadaire *m*; ~**leiter** *f* échelle *f* double.
stehlen voler.
Stehplatz *m* place *f* debout.
steif raide (*a fig*); ♀**heit** *f* raideur *f*.
Steig *m* sentier *m* (de montagne); ~**bügel** *m* étrier *m*; ♀**en** monter; *in den* (*aus dem*) *Wagen* ~ monter en (descendre de) voiture; ♀**ern** augmenter, accroître; *verstärken* renforcer; *verbessern* améliorer; ~**erung** *f* augmentation *f*, accroissement *m*; *gr* comparaison *f*; ~**ung** *f* montée *f*.
steil raide, escarpé; ♀**küste** *f* falaise *f*.
Stein *m* pierre *f*; ~**bock** *m zo* bouquetin *m*; *astr* Capricorne *m*; ~**bruch** *m* carrière *f*; ♀**ern** en pierre, de pierre; *fig Gesicht* impassible; ~**gut** *n* faïence *f*; ♀**ig** pierreux; ~**kohle** *f* houille *f*; ~**metz** *m* tailleur *m* de pierre(s); ♀**reich** *fig* richissime, (tout) cousu d'or; ~**zeit** *f* âge *m* de la pierre.
Stelle *f* place *f*; *Ort* lieu *m*; *bestimmte* endroit *m*; *Arbeits*♀ place *f*, emploi *m*; *Dienst*♀ service *m*; *Text*♀ passage *m*; *auf der* ~ *sofort* sur-le-champ; *an erster* ~ *stehen* être au premier plan; *ich an deiner* ~ moi à ta place.
stellen mettre, poser, placer; *nicht legen* mettre debout; *Uhr* régler; *Falle* tendre; *Frage* poser; *sich* ~ *irgendwohin* se mettre, se poster; *der Polizei* se constituer prisonnier; *sich krank* ~ faire semblant *od* feindre d'être malade.

S

Stellen|angebot *n* offre *f* d'emploi; **~gesuch** *n* demande *f* d'emploi; **2weise** par endroits.
Stellung *f* position *f*; *berufliche* situation *f*; ~ *nehmen* prendre position (*zu* sur); **~nahme** *f* prise *f* de position; **2slos** sans emploi; **~(s)suchende(r)** *m* demandeur *m* d'emploi.
Stellvertreter(in *f*) *m* remplaçant *m*, -e *f*.
Stelze *f* échasse *f*.
stemmen *Gewicht* soulever; *sich* ~ *gegen* s'appuyer contre; *fig* s'opposer à.
Stempel *m* tampon *m*, timbre *m*; *bot* pistil *m*; **2n** tamponner, timbrer; *Post* oblitérer; *an der Stempeluhr* pointer; F ~ *gehen* être au chômage.
Stengel *bot m* tige *f*.
Steno|gramm *n* sténogramme *m*; **~graph(in** *f*) *m* sténographe *m*, *f*; **~graphie** *f* sténographie *f*; **2graphieren** sténographier, prendre en sténo; **~typistin** *f* sténodactylo *f*.
Steppdecke *f* édredon *m* américain, courtepointe *f*.
Steppe *f* steppe *f*.
Sterbe|bett *n* lit *m* de mort; **~fall** *m* décès *m*.
sterb|en mourir (*an* de); **~lich** mortel.
Stereo *n* stéréo *f*; *in* ~ en stéréo; **~anlage** *f* chaîne *f* stéréo *od* hi-fi; **2typ** stéréotypé.
steril stérile, infertile; **~isieren** stériliser.
Stern *m* étoile *f*; **~bild** *n* constellation *f*; **~chen** *n* astérisque *m*; **~deuter** *m* astrologue *m*; **~enbanner** *n* bannière *f* étoilée; **~fahrt** *auto f* rallye *m*; **2hagelvoll** F ivre mort; **2klar** étoilé; **~kunde** *f* astronomie *f*; **~schnuppe** *f* étoile *f* filante; **~system** *n* galaxie *f*; **~warte** *f* observatoire *m*.
stetig continu, continuel, constant, permanent; **2keit** *f* continuité *f*, constance *f*.
stets toujours.
Steuer[1] *n auto* volant *m*; *mar* barre *f*; gouvernail *m* (*a fig*).
Steuer[2] *f* impôt *m* (*auf* sur), taxe *f*; **~beamte(r)** *m* fonctionnaire *m* des contributions; **~berater** *m* conseiller *m* fiscal; **~bord** *mar n* tribord *m*; **~erklärung** *f* déclaration *f* d'impôts; **~ermäßigung** *f* allégement *m* fiscal; **2frei** exempt d'impôts; **~hinterziehung** *f* fraude *f* fiscale; **~knüppel** *aviat m* manche *m* à balai; **~mann** *m Ruderboot* barreur *m*.
steuern *Schiff* gouverner; *Fahrzeug* conduire, diriger; *Flugzeug*, *Auto* piloter; *tech* commander; *fig* contrôler, diriger, régler.
steuer|pflichtig imposable; **2rad** *n auto* volant *m*; **2senkung** *f* réduction *f* d'impôts; **2ung** *f* pilotage *m*; *tech* commande *f*, direction *f*; **2zahler** *m* contribuable *m*.
Stewardeß *aviat f* hôtesse *f* de l'air.
Stich *m Insekten2* piqûre *f*; *Messer2* coup *m*; *Näh2* point *m*; *Kupfer2* gravure *f*; *Kartenspiel* pli *m*, levée *f*; *im* ~ *lassen* abandonner, laisser en plan F; **~elei** *f fig* coup *m* d'épingle, pointe *f*; **2eln** *fig* lancer des coups d'épingles *od* des pointes (*gegen* à); **~flamme** *f* jet *m* de flamme; **2haltig** valable, concluant; *nicht* ~ peu sérieux; **~probe** *f* contrôle *m* fait au hasard; *Statistik* échantillon *m*; **~tag** *m* jour *m* fixé *od* de référence; **~wahl** *f* (scrutin *m* de) ballottage *m*; **~wort** *n Lexikon* entrée *f*, article *m*; *Theater* réplique *f*; *das Wichtigste in ~en* l'essentiel en quelques mots.
stick|en broder; **2erei** *f* broderie *f*; **~ig** *Luft* étouffant; **2stoff** *chim m* azote *m*.
Stiefbruder *m* demi-frère *m*.
Stiefel *m* botte *f*.
Stief|mutter *f* belle-mère *f*; **~mütterchen** *bot n* pensée *f*; **~schwester** *f* demi-sœur *f*; **~sohn** *m* beau-fils *m*; **~tochter** *f* belle-fille *f*; **~vater** *m* beau-père *m*.
Stiege *f österr Treppe* escalier *m*; *Obst2* cageot *m*.
Stiel *m Werkzeug* manche *m*; *Pfanne, Kirschen* queue *f*; *Stengel* tige *f*.
Stier *m zo* taureau *m*; *astr* Taureau *m*; **2en** regarder fixement (*auf etw* qc); **~kampf** *m* course *f* de taureaux, corrida *f*; **~kämpfer** *m* toréador *m*.
Stift *m Blei2* crayon *m*; *Lippen2* bâton *m* (de rouge); *tech* goupille *f*, goujon *m*; **2en** *gründen* fonder; *spenden* donner; *Frieden* ~ faire la paix; **~er(in** *f*) *m* fondateur *m*, -trice *f*; *Spender* donateur *m*, -trice *f*; **~ung** *f* fondation *f*.
Stil *m* style *m*; *fig in großem* ~ de grand style; **2isiert** stylisé; **~istik** *f* stylistique *f*; **2istisch** stylistique.
still tranquille, calme; *geräuschlos* si-

S

lencieux; ~! silence!; *der* ♀*e Ozean* l'océan *m* Pacifique.
Stille *f* tranquillité *f*, calme *m*, silence *m*; *in aller* ~ *Beisetzung* dans l'intimité; *heimlich* secrètement.
Stilleben *n Malerei* nature *f* morte.
stillegen *Betrieb* fermer.
stillen *Blut* arrêter; *Schmerz, Hunger, Durst* apaiser; *Neugier, a Hunger, Durst* assouvir; *Kind* nourrir au sein, allaiter.
stillhalten se tenir tranquille.
stillos sans style; de mauvais goût.
still|schweigen se taire; ♀**schweigen** *n* silence *m*; ~**schweigend** tacite; ~**sitzen** rester tranquille; ♀**stand** *m* arrêt *m*; *fig* stagnation *f*; ~**stehen** s'arrêter, ne pas bouger, rester en place.
Stil|möbel *pl* meubles *m/pl* de style; ♀**voll** qui a du style.
Stimm|bänder *n/pl* cordes *f/pl* vocales; ♀**berechtigt** qui a droit de vote; ~**bruch** *m* mue *f* (de la voix).
Stimme *f* voix *f*; *Wahl*♀ *a* suffrage *m*, vote *m*.
stimmen être exact *od* juste; *Instrument* accorder; *es stimmt* c'est juste; *es stimmt mich traurig* cela me rend triste; ~ *für* (*gegen*) voter pour (contre).
Stimm|engewirr *n* brouhaha *m* de voix; ~**enthaltung** *f* abstention *f*; ~**gabel** *mus f* diapason *m*; ♀**haft** *ling* sonore; ♀**los** *ling* sourd; ~**recht** *n* droit *m* de vote.
Stimmung *f* état *m* d'âme, humeur *f*; *Atmosphäre* atmosphère *f*, ambiance *f*; *alle waren in* ~ tous étaient de bonne humeur; ♀**svoll** plein d'ambiance; *Bild* qui a de l'atmosphère.
Stimmzettel *m* bulletin *m* de vote.
stinken puer (*nach etw* qc); *fig* F *es stinkt mir* j'en ai marre F.
Stipendium *n* bourse *f*.
stipp|en F tremper; ♀**visite** F *f* visite *f* éclair, saut *m*.
Stirn *f* front *m*.
stöbern fouiller (*in* dans).
stochern *in den Zähnen* ~ se curer les dents; *im Essen* ~ chipoter.
Stock *m* bâton *m*; *Spazier*♀ canne *f*; *Bienen*♀ ruche *f*; *bot* pied *m*; ~*werk* étage *m*; *im ersten* ~ au premier étage; ♀**dumm** bête comme ses pieds; ♀**dunkel** *es ist* ~ il fait noir comme dans un four.
stocken s'arrêter; *langsamer werden* se ralentir; *Redner* hésiter; ~**d** *Stimme* hésitant; *Verkehr* ralenti.
Stock|ung *f* arrêt *m*; *Verkehrs*♀ embouteillage *m*; *écon* stagnation *f*; ~**werk** *n* étage *m*.
Stoff *m* tissu *m*, étoffe *f*; *Materie* matière *f* (*a Schule*); ⚠ *une* étoffe; ♀**lich** matériel; ~**tier** *n* animal *m* en peluche; ~**wechsel** *biol m* métabolisme *m*.
stöhnen gémir.
Stollen *m* galerie *f*.
stolpern trébucher; *fig über ein Wort* ~ buter sur un mot.
stolz 1. fier (*auf* de); **2.** ♀ *m* fierté *f*.
stopf|en *hinein*~ fourrer (*in* dans); *Pfeife* bourrer; *Loch* boucher; *Strümpfe* repriser; *Speise* (*sättigen*) bourrer; ♀**garn** *n* fil *m* à repriser.
Stoppel *f* chaume *m*; *Bart*♀ poil *m* raide; ♀**ig** mal rasé; ~**zieher** *östr m* tire-bouchon *m*.
stopp|en stopper; *Zeit* chronométrer; ♀**schild** *n* stop *m*; ♀**uhr** *f* chrono(mètre) *m*.
Stöpsel *m* bouchon *m*.
Storch *zo m* cigogne *f*.
stör|en déranger, gêner, perturber; *Radiosendung* brouiller; *lassen Sie sich nicht* ~ ne vous dérangez pas; *darf ich Sie kurz* ~? puis-je vous déranger une minute?; ~**end** gênant; ♀**enfried** *m* gêneur *m*, perturbateur *m*; ♀**geräusche** *n/pl Radio* parasites *m/pl*.
störrisch récalcitrant, têtu.
Störung *f* dérangement *m*; perturbation *f* (*a Tiefdruckgebiet*).
Stoß *m* coup *m*, poussée *f*, secousse *f*; *Haufen* pile *f*, tas *m*; *von Papieren* liasse *f*; ~**dämpfer** *auto m* amortisseur *m*.
stoßen pousser; *sich* ~ *an* se heurter *od* se cogner contre; *fig* être choqué par, se formaliser *od* se scandaliser de; *auf j-n* ~ tomber sur qn; *auf Schwierigkeiten* ~ se heurter à des difficultés.
Stoß|stange *auto f* pare-chocs *m*; ~**zahn** *zo m* défense *f*; ~**zeit** *f* heure *f* de pointe.
stottern bégayer.
Straf|anstalt *f* maison *f* de correction; ~**arbeit** *f Schule* punition *f*; ♀**bar** ~*e Handlung* acte *m* punissable *od* répréhensible; *sich* ~ *machen* être passible d'une peine.
Strafe *f* punition *f*; *jur* peine *f*; *Geld*♀

amende *f*; *zur ~ für* en punition de; **2n** punir.
straff tendu, raide; *Stil* serré; *Disziplin* sévère.
straffällig *~ werden* commettre un délit.
straffen (*sich ~* se) raidir; *fig Unterricht* concentrer; *Disziplin etc* renforcer.
straffrei *~ ausgehen* rester impuni; **2heit** *f* impunité *f*.
Straf|gefangene(r) *m* prisonnier *m* de droit commun; **~gesetzbuch** *n* Code *m* pénal; **~kammer** *f* chambre *f* correctionnelle.
sträf|lich répréhensible; *~er Leichtsinn* légèreté *f* impardonnable; **2ling** *m* prisonnier *m*, détenu *m*.
Straf|minute *Sport f* pénalisation *f*; **~porto** *n* surtaxe *f*; **~predigt** *f* réprimande *f*, semonce *f*; **~prozeß** *m* procès *m* pénal *od* criminel; **~raum** *Sport m* surface *f* de réparation; **~recht** *n* droit *m* pénal; **~stoß** *Sport m* penalty *m*; **~tat** *f* délit *m*, acte *m* criminel; **~täter** *m* délinquant *m*; **~zettel** *m* contravention *f*; F P.-V. *m* (= procès-verbal).
Strahl *m* rayon *m*; *Wasser2*, *Gas2* jet *m*; **2en** rayonner (*a fig*); briller; **~enbehandlung** *méd f* radiothérapie *f*; **~enschutz** *m* protection *f* contre les radiations; **2ensicher** à l'épreuve des radiations; **~ung** *f* rayonnement *m*, (ir)radiation *f*.
Strähne *f* mèche *f*.
stramm tendu; *Haltung* rigide; *~er Bursche* solide gaillard *m*; **~stehen** *mil* se tenir au garde-à-vous.
strampeln *Baby* gigoter; *Radler* pédaler.
Strand *m* plage *f*; *am ~* sur la plage; **2en** *mar* échouer (*a fig*); **~gut** *n* épave *f*; **~korb** *m* fauteuil-cabine *m* en osier.
Strang *m* corde *f*; *fig* ligne *f*; *Bündel* faisceau *m*; *fig am gleichen ~ ziehen* être attelé à la même tâche.
Strapaz|e *f* fatigue *f*; **2ieren** (*sich ~* se) fatiguer; **2ierfähig** résistant, solide, robuste; **2iös** fatigant, épuisant, harassant.
Straße *f* rue *f*; *Fahr2*, *Land2* route *f*; *Meerenge* détroit *m*; *die ~ von Dover* le pas de Calais; *auf der ~* dans la rue; sur la route.
Straßen|anzug *m* costume *m* de ville; **~arbeiten** *f/pl* travaux *m/pl* de voirie; **~bahn** *f* tramway *m*; **~beleuchtung** *f* éclairage *m* des rues; **~café** *n* café *m* en plein air; **~händler** *m* marchand *m* ambulant; **~kehrer** *m* balayeur *m*; **~kreuzung** *f* carrefour *m*; **~lage** *auto f* tenue *f* de route; **~laterne** *f* réverbère *m*; **~rand** *m* bas-côté *m*, accotement *m*; **~reinigung** *f* nettoyage *m* des rues; *Amt* voirie *f*; **~schild** *n* plaque *f* de rue; **~sperre** *f* barrage *m* routier; **~verkehr** *m* circulation *f* routière; **~verkehrsordnung** *f* code *m* de la route; **~zustand** *m* état *m* des routes.
Strateg|ie *f* stratégie *f*; **2isch** stratégique.
sträuben *sich ~* se hérisser; *fig* être récalcitrant (*gegen* contre).
Strauch *m* arbrisseau *m*, arbuste *m*.
straucheln trébucher.
Strauß *m zo* autruche *f*; *Blumen2* bouquet *m*.
streb|en *nach etw ~* chercher à atteindre qc; tendre *od* aspirer à qc; **2en** *n* tendance *f*, aspiration *f* (*nach* à); **2er(in** *f*) *m péj* ambitieux *m*, -euse *f*, arriviste *m*, *f*; *Schule* F bosseur *m*, -euse *f*, bûcheur *m*, -euse *f*; **~sam** zélé, assidu; ambitieux.
Strecke *f* distance *f*, parcours *m*, trajet *m*; *Bahn* ligne *f*; *zur ~ bringen* tuer, abattre.
strecken étendre, allonger, étirer; *sich ~* s'étirer.
Streich *m* (mauvais) tour *m*; *dummer ~* sottise *f*, bêtise *f*; *j-m e-n* (*üblen*) *~ spielen* jouer un (mauvais) tour à qn; *auf einen ~* d'un seul coup.
streicheln caresser.
streichen *an~* peindre; *auftragen* étaler, étendre; *auf e-e Brotschnitte* tartiner; *durch~* barrer, rayer, radier, biffer; *Auftrag*, *Plan* annuler; *Subventionen*, *Stellen* supprimer; *mit der Hand über etw ~* passer la main sur qc; *durch die Straßen ~* rôder dans les rues.
Streich|holz *n* allumette *f*; **~instrument** *mus n* instrument *m* à cordes; **~orchester** *n* orchestre *m* à cordes; **~ung** *f im Text* rature *f*; *fig* annulation *f*, suppression *f*.
Streife *f* patrouille *f*.
streifen effleurer (*a fig Thema*); *umher~* rôder.
Streif|en *m* bande *f*; **~enwagen** *m* voiture *f* de police; **~schuß** *m* éraflure *f*; **~zug** *m* excursion *f*; *fig* aperçu *m*.

Streik *m* grève *f*; *wilder* ~ grève sauvage; **~brecher** *m* briseur *m* de grève; **2en** faire grève, être en grève; **~ende(r)** *m,f* gréviste *m,f*; **~parole** *f* mot *m* d'ordre (de grève); **~posten** *m* piquet *m* de grève.

Streit *m* querelle *f*; *Wort2* dispute *f*; **2en** (*sich*) ~ se quereller *od* se disputer (*mit* avec); *für etw* ~ lutter pour qc; **~frage** *f* affaire *f* litigieuse; **~gespräch** *n* débat *m*, discussion *f*; **2ig** *j-m etw* ~ *machen* disputer *od* contester qc à qn; **~igkeiten** *f/pl* querelles *f/pl*, conflits *m/pl*; **~kräfte** *mil f/pl* forces *f/pl* (armées); **2süchtig** querelleur.

streng sévère, rigoureux, strict; *Sitte* austère; ~ *verboten* formellement interdit; **2e** *f* sévérité *f*, rigueur *f*; **~genommen** au fond; **~gläubig** orthodoxe.

Streß *m* stress *m*; *im* ~ stressé.

Streu *f* litière *f*; **2en** répandre; *Zucker etc auf etw* ~ saupoudrer qc de sucre, *etc*.

streunen vagabonder, errer.

Streuung *phys f* dispersion *f*, diffusion *f*.

Strich *m* trait *m*; *Linie* ligne *f*; *gegen den* ~ à rebours; F *auf den* ~ *gehen* faire le trottoir; **~junge** *m* prostitué *m*; **~mädchen** *n* prostituée *f*; fille *f* des rues; **~punkt** *m* point-virgule *m*; **2weise** par endroits.

Strick *m* corde *f*; **2en** tricoter; **~jacke** *f* gilet *m*, tricot *m*; **~leiter** *f* échelle *f* de corde; **~nadel** *f* aiguille *f* à tricoter; **~waren** *pl* articles *m/pl* tricotés; **~zeug** *n* tricot *m*.

Striemen *m* marque *f* de coup, meurtrissure *f*.

strittig contesté, contestable, controversé; *~er Punkt* point *m* litigieux.

Stroh *n* paille *f*; **~dach** *n* toit *m* de chaume; **~halm** *m* brin *m* de paille; *Trinkhalm* paille *f*; **~hut** *m* chapeau *m* de paille; **~sack** *m* paillasse *f*; **~witwer** *m* mari *m* dont la femme est en voyage.

Strolch *m* voyou *m*.

Strom *m* fleuve *m*; *Elektrizität* courant *m* (électrique); *fig ein* ~ *von* un flot *od* un torrent de; *es gießt in Strömen* il pleut à torrents; **2ab(wärts)** en aval; **2auf(wärts)** en amont; **~ausfall** *m* panne *f* d'électricité.

strömen couler; *Menschen* affluer.

Strom|kreis *m* circuit *m* (électrique); **2linienförmig** aérodynamique; **~schnelle** *f* rapide *m*; **~stärke** *f* ampérage *m*, intensité *f* du courant.

Strömung *f* courant *m* (*a fig*).

Stromverbrauch *m* consommation *f* de courant.

Strophe *f Gedicht* strophe *f*; *Lied* couplet *m*.

strotzen ~ *vor od von* regorger de; *vor Gesundheit* ~ déborder de santé.

Strudel *m* tourbillon *m* (*a fig*).

Struktur *f* structure *f*.

Strumpf *m* bas *m*; **~band** *n* jarretière *f*; **~halter** *m* jarretelle *f*; **~haltergürtel** *m* porte-jarretelles *m*; **~hose** *f* collant *m*.

struppig hirsute.

Stube *f* chambre *f*.

Stück *n als Bruchteil* morceau *m* (*a mus*); *als selbständiges Ganzes* pièce *f* (*a Theater2*); *Exemplar* exemplaire *m*; *5 Mark pro* ~ 5 marks (la) pièce; *ein* ~ *Kuchen* un morceau de gâteau; *in ~e reißen* mettre en morceaux *od* pièces; **~chen** *n* petit morceau *m*, bout *m*; **2weise** pièce par pièce, à la pièce; **~werk** *n fig* ouvrage *m* décousu.

Student|(in *f*) *m* étudiant *m*, -e *f*; **~enheim** *n* foyer *m* d'étudiants.

Studie *f* étude *f*; **~nplatz** *m* place *f* dans une université; **~nrat** *m*, **~nrätin** *f* professeur *m* (*a von e-r Frau*).

studieren étudier (*etw* qc); faire des études.

Studio *n* studio *m*.

Studium *n* études *f/pl*; *das* ~ *der Medizin* les études de médecine.

Stufe *f Treppen2* marche *f*; *fig* degré *m*, échelon *m*; *Entwicklungs2* stade *m*; *Raketen2* étage *m*; **2nweise** graduellement, progressivement.

Stuhl *m* chaise *f*; **~gang** *méd m* selles *f/pl*.

stülpen *umdrehen* retourner; *über~* recouvrir (*etw über etw* qc de qc); *Hut* enfoncer (*auf* sur).

stumm muet.

Stummel *m* bout *m*; *Zigaretten2* mégot *m* F.

Stummfilm *m* film *m* muet.

Stümper(in *f*) *m péj* bousilleur *m*, -euse *f*.

Stumpf *m Arm2*, *Bein2* moignon *m*; *Baum2* souche *f*.

stumpf *Messer* émoussé (*a fig*); *Nase* plat; *Winkel* obtus; *glanzlos* terne;

S

teilnahmslos hébété, apathique; **ℒsinn** *m* abrutissement *m*, stupidité *f*; **~sinnig** hébété, abruti, stupide.
Stunde *f* heure *f*; *Lehr*ℒ leçon *f*, cours *m*.
Stunden|geschwindigkeit *f* vitesse *f* horaire; **~kilometer** *m/pl* kilomètres-heure *m/pl*; **ℒlang** pendant des heures; **~lohn** *m* salaire *m* horaire; **~plan** *m* emploi *m* du temps; **ℒweise** par heure; **~zeiger** *m* aiguille *f* des heures.
stündlich par heure; toutes les heures.
Stuntman *m* cascadeur *m*.
Stupsnase *f* nez *m* retroussé.
stur F *Person* obstiné, têtu; *Arbeit* abrutissant.
Sturm *m* tempête *f*; *Sport* attaque *f*; *mil* assaut *m* (*auf* de).
stürm|en *sich stürzen* s'élancer; *Sport* attaquer; *mil* prendre d'assaut (*a fig*); *es stürmt* il fait de la tempête; **ℒer** *m Sport* avant *m*; **~isch** *Wetter* de tempête; *fig* impétueux, fougueux; *Beifall* frénétique; *Debatte* orageux.
Sturz *m* chute *f* (*a fig u pol*).
stürzen tomber, chuter F; *rennen* se précipiter (*zur Tür* à la porte); *sich* ~ se jeter *od* se précipiter (*auf j-n* sur qn; *aus dem Fenster* par la fenêtre); *fig die Regierung* ~ renverser le gouvernement; *j-n ins Verderben* ~ ruiner, perdre qn; *vom Fahrrad* ~ faire une chute de bicyclette.
Sturz|flug *aviat m* piqué *m*; **~helm** *m* casque *m* (de protection).
Stute *zo f* jument *f*.
Stütze *f* appui *m*, soutien *m* (*a fig Person*), support *m*; *fig a* aide *f*.
stutzen *beschneiden* tailler; *kürzen* écourter; *cf a stutzig* (*werden*).
stützen appuyer, soutenir; *sich* ~ *auf* s'appuyer sur (*a fig*).
stutzig *j-n* ~ *machen* surprendre qn; éveiller les soupçons de qn; ~ *werden* s'étonner; commencer à se méfier.
Stütz|pfeiler *m* pilier *m* de soutien; **~punkt** *mil m* base *f* militaire.
Styropor *n* polystyrène *m* (expansé).
Subjekt *n gr* sujet *m*; *péj* individu *m*; **ℒiv** subjectif; **~ivität** *f* subjectivité *f*.
Substantiv *gr n* nom *m*, substantif *m*; **ℒieren** *gr* substantiver.
Substanz *f* substance *f*.
subtrahieren *math* soustraire.
subventionieren *écon* subventionner.
Suche *f* recherche *f* (*nach* de); **ℒn** chercher; *intensiv* rechercher; *er hat hier nichts zu* ~ il n'a rien à faire ici; **~r** *Foto m* viseur *m*.
Sucht *f* manie *f*, passion *f* (*nach* de); *Drogen*ℒ toxicomanie *f*.
süchtig ~ *sein* être toxicomane.
Süd(en) *m* sud *m*, midi *m*.
Süd|früchte *f/pl* fruits *m/pl* des pays chauds; **ℒlich** méridional, du sud; ~ *von* au sud de; **~ost(en)** *m* sud-est *m*; **~pol** *m* pôle *m* Sud; **ℒwärts** en direction du sud; **~west(en)** *m* sud-ouest *m*; **~wind** *m* vent *m* du sud.
suggerieren suggérer.
Sühne *f* expiation *f* (*für* de); **ℒn** expier.
Sülze *cuis f* gelée *f*; viande *f* en gelée.
Summe *f* somme *f*, total *m*.
summen *Insekten* bourdonner; *Melodie* fredonner.
summieren *sich* ~ s'additionner.
Sumpf *m* marais *m*, marécage *m*; **ℒig** marécageux.
Sünd|e *f* péché *m*; **~enbock** *m fig* bouc *m* émissaire; **~er(in** *f*) *m* pécheur *m*, pécheresse *f*; **ℒhaft** F ~ *teuer* hors de prix; **ℒigen** pécher.
super F super.
Super *n Benzin* super *m*; **~lativ** *gr m* superlatif *m*; **~markt** *m* supermarché *m*.
Suppe *f* potage *m*, soupe *f*.
Suppen|kelle *f* louche *f*; **~löffel** *m* cuiller *f* à soupe; **~schüssel** *f* soupière *f*; **~teller** *m* assiette *f* à soupe.
Surf|brett *n* planche *f* à voile; **ℒen** faire de la planche à voile.
surren bourdonner.
süß sucré; *fig* doux; *niedlich* mignon; **ℒe** *f* douceur *f*; **~en** sucrer; **ℒigkeiten** *f/pl* sucreries *f/pl*, friandises *f/pl*; **~lich** douceâtre; *fig* doucereux; **~sauer** aigre-doux; **ℒspeise** *f* entremets *m*; **ℒstoff** *m* saccharine *f*; **ℒwasser** *n* eau *f* douce.
Symbol *n* symbole *m*; **~ik** *f* symbolisme *m*; **ℒisch** symbolique; **ℒisieren** symboliser; **~ismus** *m Literatur* symbolisme *m*.
Symmetr|ie *f* symétrie *f*; **ℒisch** symétrique; ⚠ *Schreibung* symétrie.
Sympath|ie *f* sympathie *f* (*für* pour); **~isant(in** *f*) *m* sympathisant *m*, -e *f*; **ℒisch** sympathique; **ℒisieren** sympathiser (*mit* avec).

S

Symphonie *mus f* symphonie *f*; **~orchester** *n* orchestre *m* symphonique.
Symptom *n* symptôme *m*.
Synagoge *f* synagogue *f*.
synchronisier|en synchroniser; *Film* doubler; **2ung** *f* synchronisation *f*; *Film* doublage *m*.
Synode *f* synode *m*.
Synonym *ling n* synonyme *m*.
syntaktisch *gr* syntaxique.
Syntax *gr f* syntaxe *f*.
Synthe|se *f* synthèse *f*; **2tisch** synthétique.
Syrien *n* la Syrie.
System *n* système *m*; **2atisch** systématique.
Szene *f Theater u fig* scène *f*; *Milieu* milieux *m/pl*; **~rie** *f* décors *m/pl*.

T

Tabak *m* tabac *m*; **~geschäft** *n* débit *m* de tabac; **~waren** *pl* tabacs *m/pl*.
Tabelle *f* barème *m*, table *f*, tableau *m*; *Sport* classement *m*; **~nplatz** *m* place *f* au classement.
Tablett *n* plateau *m*; **~e** *f* comprimé *m*; ⚠ *nicht tablette*.
Tabu 1. *n* tabou *m*; **2.** 2 *adj* tabou.
Tachometer *auto m* compteur *m*.
Tadel *m* blâme *m*, réprimande *f*; **2los** irréprochable; **2n** blâmer (*wegen* de *od* pour), reprendre, réprimander; **2nswert** blâmable, répréhensible.
Tafel *f Schule* tableau *m* (noir); *Gedenk2* plaque *f*; *in Büchern* planche *f*; *Schokolade* tablette *f*; *Tisch* table *f*; *die ~ putzen* nettoyer le tableau; *an die ~ schreiben* écrire au tableau; **~dienst** *m ~ haben* être responsable du tableau.
täfel|n lambrisser; **2ung** *f* lambris(sage) *m*, boiserie *f*.
Taft *m* taffetas *m*.
Tag *m* jour *m*; *Dauer* journée *f*; *es ist ~* il fait jour; *am ~e* le *od* de jour; *am hellichten ~* en plein jour; *den ganzen ~* toute la journée; *e-s ~es* un jour; *welchen ~ haben wir heute?* nous sommes quel jour aujourd'hui?; *heute in 14 ~en* aujourd'hui en quinze; *guten ~* (*sagen*) (dire) bonjour; (*ich wünsche e-n*) *schönen ~!* bonne journée!; F *sie hat ihre ~e* elle a ses règles; *unter ~e Bergbau* au fond.
Tage|bau *Bergbau m* exploitation *f* à ciel ouvert; **~buch** *n* journal *m*; *ein ~ führen* tenir un journal; **2lang** des journées entières.
tagen *Versammlung* siéger.
Tages|ablauf *m* déroulement *m* de la journée; **~anbruch** *m* pointe *f* du jour; **~gespräch** *n das ist ~* tout le monde en parle; **~karte** *f* carte *f* pour la journée; *Restaurant* menu *m* du jour; **~licht** *n* lumière *f* du jour; **~ordnung** *f* ordre *m* du jour; **~tour** *f* voyage *m* d'une journée; **~zeit** *f* heure *f* du jour; *zu jeder ~* à toute heure; **~zeitung** *f* quotidien *m*.
täglich (de) tous les jours, quotidien.
Tagschicht *f* équipe *f* de jour.
tagsüber pendant la journée.
Tagung *f* congrès *m*, assises *f/pl*.
Taifun *m* typhon *m*.
Taill|e *f* taille *f*; **2iert** cintré.
Takelage *mar f* gréement *m*.
Takt *m mus* mesure *f*; *Motor* temps *m*; *fig* tact *m*; **~gefühl** *n* tact *m*.
Takti|k *f mil u fig* tactique *f*; **~ker** *m* tacticien *m*; **2sch** tactique.
takt|los sans tact, indiscret; **2losigkeit** *f* manque *m* de tact, indiscrétion *f*; **2stock** *mus m* baguette *f*; **~voll** plein de tact, discret.
Tal *n* vallée *f*; *kleines ~* vallon *m*.
Talent *n* talent *m* (*für* pour); **2iert** talentueux, doué.
Talg *m* suif *m*.
Talisman *m* talisman *m*, porte-bonheur *m*.
Talsperre *f* barrage *m*.
Tang *bot m* varech *m*.
Tangente *math f* tangente *f*.
tangieren toucher, concerner.
Tank *m* réservoir *m*, citerne *f*; *mar Öltank* tank *m*; **2en** prendre de l'essence; **~er** *mar m* pétrolier *m*; **~stelle** *f* poste *m* d'essence, station-service

f; **~wagen** *m* camion-citerne *m*; **~wart** *m* pompiste *m*.
Tanne *bot f* sapin *m*.
Tannen|baum *m* sapin *m*; *bes* arbre *m* de Noël; **~zapfen** *bot m* pomme *f* de pin.
Tante *f* tante *f*.
Tantiemen *f/pl* droits *m/pl* d'auteur.
Tanz *m* danse *f*; ⚠ *la* danse; **~abend** *m* soirée *f* dansante; **2en** danser.
Tänzer(in *f*) *m* danseur *m*, -euse *f*.
Tanz|fläche *f* piste *f* de danse; **~kurs** *m* cours *m* de danse; **~musik** *f* musique *f* de danse; **~schule** *f* école *f* de danse.
Tape|te *f* papier *m* peint; **2zieren** poser du papier peint, tapisser (*a fig mit* de).
tapfer courageux, brave; **2keit** *f* courage *m*, bravoure *f*.
Tarif *m* tarif *m*; **~verhandlungen** *f/pl* négociations *f/pl* salariales; **~vertrag** *m* convention *f* collective.
tarn|en camoufler; **2ung** *f* camouflage *m*.
Tasche *f in Kleidung* poche *f*; *Einkaufs2*, *Hand2* sac *m*.
Taschen|buch *n* livre *m* de poche; **~dieb** *m* voleur *m* à la tire, pickpocket *m*; **~geld** *n* argent *m* de poche; **~lampe** *f* lampe *f* de poche; **~messer** *n* canif *m*; **~rechner** *m* calculatrice *f* de poche; **~tuch** *n* mouchoir *m*.
Tasse *f* tasse *f*; *e-e ~ Kaffee* une tasse de café.
Tastatur *f* clavier *m*.
Tast|e *f* touche *f*; **2en** tâtonner; *nach etw ~* chercher qc à tâtons; **~sinn** *m* toucher *m*.
Tat *f* action *f*, acte *m*; *Verbrechen* crime *m*; *auf frischer ~ ertappen* prendre sur le fait; **2enlos** *~ zusehen* regarder sans rien faire.
Täter(in *f*) *m* auteur *m* (du crime), coupable *m, f*.
tätig actif; *~ sein bei* être employé chez; **2keit** *f* activité *f*.
Tat|kraft *f* énergie *f*; **2kräftig** énergique; *Hilfe* efficace.
tätlich violent; *~ werden* se livrer à des voies de fait; **2keiten** *f/pl* violences *f/pl*; *jur* voies *f/pl* de fait.
Tatort *m* lieu *m od* scène *f* du crime.
tätowier|en tatouer; **2ung** *f* tatouage *m*.
Tat|sache *f* fait *m*; *vor vollendete ~n gestellt werden* être mis devant le fait accompli; **2sächlich** réel, vrai, effectif; *adv* vraiment, réellement, effectivement, en fait.
tätscheln caresser, cajoler.
Tatze *f* patte *f*, griffe *f*.
Tau[1] *m* rosée *f*.
Tau[2] *n* cordage *m*, câble *m*.
taub sourd (*a fig gegen* à).
Taube *zo f* pigeon *m*; **~nschlag** *m* pigeonnier *m*.
Taub|heit *f* surdité *f*; **2stumm** sourd-muet; **~stumme(r)** *m, f* sourd-muet *m*, sourde-muette *f*.
tauch|en plonger; **2er(in** *f*) *m* plongeur *m*, -euse *f*; *mit Taucheranzug* scaphandrier *m*; **2sieder** *m* thermo-plongeur *m*; **2sport** *m* plongée *f* sous-marine.
tauen *Eis*, *Schnee* fondre; *es taut* il dégèle.
Tauf|e *f* baptême *m*; **2en** baptiser; **~pate** *m* parrain *m*; **~patin** *f* marraine *f*; **~schein** *m* certificat *m* de baptême.
taug|en être bon *od* apte (*zu*, *für* à); *nichts ~* ne rien valoir; **2enichts** *m* vaurien *m*; **~lich** bon, apte (*zu*, *für* à); **2lichkeit** *f* aptitude *f*.
Taumel *m* vertige *m*; *fig* ivresse *f*, transports *m/pl st/s*; **2n** chanceler, tituber.
Tausch *m* échange *m*; **2en** échanger (*gegen* contre); *Geld* changer; *ich möchte nicht mit ihm ~* je ne voudrais pas être à sa place.
täuschen (*sich ~* se) tromper; **~d** *e-e ~e Ähnlichkeit* une ressemblance frappante.
Tauschhandel *m* (économie *f* de) troc *m*.
Täuschung *f* tromperie *f*; *beim Examen* fraude *f*; *Sinnes2* illusion *f*.
tausend 1. mille; **2.** **2** *n* millier *m*; **~jährig** millénaire; **~ste** millième; **2stel** *n* millième *m*.
Tau|tropfen *m* goutte *f* de rosée; **~wetter** *n* dégel *m*; **~ziehen** *n fig* tiraillements *m/pl*.
Taxi *n* taxi *m*.
taxieren évaluer, estimer.
Taxi|fahrer *m* chauffeur *m* de taxi; **~stand** *m* station *f* de taxis.
Team *n* équipe *f*.
Techn|ik *f* technique *f*; **~iker(in** *f*) *m* technicien *m*, -ne *f*; **2isch** technique.
Technolog|ie *f* technologie *f*; **2isch** technologique.
Tee *m* thé *m*; *Kräuter2* tisane *f*, infu-

sion *f*; **~beutel** *m* sachet *m* de thé; **~gebäck** *n* gâteaux *m/pl* secs; **~kanne** *f* théière *f*; **~löffel** *m* petite cuiller *f*.

Teer *m* goudron *m*; **2en** goudronner.

Tee|sieb *n* passoire *f* (à thé), passe-thé *m*; **~tasse** *f* tasse *f* à thé.

Teich *m* étang *m*.

Teig *m* pâte *f*; **2ig** pâteux; **~waren** *f/pl* pâtes *f/pl* (alimentaires).

Teil *m od n* partie *f*; *An2* part *f*; *zum ~* en partie; **2bar** divisible; **~chen** *n* particule *f*; **2en** (*sich ~* se) diviser (*in* en; *a math*); *auf~* partager (*mit j-m* avec qn); *j-s Ansichten ~* partager les idées de qn; *sich in die Arbeit ~* se partager le travail.

teil|haben avoir part (*an* à); **2haber(in** *f*) *m écon* associé *m*, -e *f*; **2nahme** *f* participation *f* (*an* à); *An2* sympathie *f*; **~nahmslos** indifférent, apathique; **2nahmslosigkeit** *f* indifférence *f*, apathie *f*; **~nehmen** participer (*an* à); **2nehmer(in** *f*) *m* participant *m*, -e *f*.

teil|s en partie; **2strecke** *f* section *f*; **2ung** *f* division *f*; partage *m*; **2ungsartikel** *gr m* article *m* partitif; **~weise** en partie, partiellement; **2zahlung** *f* paiement *m* à tempérament; **2zeitarbeit** *f* travail *m* à temps partiel.

Telefon *n* téléphone *m*; *am ~* au téléphone; *~ haben* avoir le téléphone; **~anruf** *m* appel *m* téléphonique, coup *m* de téléphone; **~at** *n* conversation *f* téléphonique, coup *m* de fil F; **~buch** *n* annuaire *m* du téléphone, bottin *m*; **~gebühr** *f* taxe *f* téléphonique; **~gespräch** *n* communication *f* téléphonique; **2ieren** téléphoner (*mit j-m* à qn); **2isch** par téléphone; **~ist(in** *f*) *m* standardiste *m*, *f*, téléphoniste *m*, *f*; **~leitung** *f* ligne *f* téléphonique; **~netz** *n* réseau *m* téléphonique; **~nummer** *f* numéro *m* de téléphone; **~zelle** *f* cabine *f* téléphonique; **~zentrale** *f* central *m* téléphonique, standard *m*.

telegen télégénique.

Telegraf|ie *f* télégraphie *f*; **2ieren** télégraphier; **2isch** par télégramme.

Telegramm *n* télégramme *m*.

Teleobjektiv *n* téléobjectif *m*.

Teleskop *n* télescope *m*.

Teller *m* assiette *f*; **~wäscher** *m* plongeur *m*.

Tempel *m* temple *m*.

Temperament *n Lebhaftigkeit* entrain *m*, vivacité *f*; *Gemütsart* tempérament *m*; *~ haben* être plein d'entrain; **2los** sans dynamisme, sans entrain; **2voll** dynamique, plein d'entrain.

Temperatur *f* température *f*; *j-s ~ messen* prendre la température de qn.

Tempo *n* vitesse *f*, allure *f*, rythme *m*; *mus* tempo *m*; **~taschentuch** *n* mouchoir *m* en papier, kleenex *m*.

Tendenz *f* tendance *f*; **2iös** tendancieux.

tendieren tendre (*zu* à).

Tennis *n* tennis *m*; **~platz** *m* court *m* (de tennis); **~schläger** *m* raquette *f* (de tennis); **~spieler(in** *f*) *m* joueur *m*, -euse *f* de tennis.

Tenor *mus m* ténor *m*.

Teppich *m* tapis *m*; **~boden** *m* moquette *f*.

Termin *m* date *f*; *beim Arzt etc* rendez-vous *m*; *e-n ~ vereinbaren* prendre rendez-vous; **~kalender** *m* agenda *m*.

Terpentin *n* térébenthine *f*.

Terrasse *f* terrasse *f*; **2nförmig** en terrasses.

Terrine *f* soupière *f*; ⚠ *nicht terrine*.

Territorium *n* territoire *m*.

Terror *m* terreur *f*; ⚠ *la* terreur; **2isieren** terroriser; **~ismus** *m* terrorisme *m*; **~ist(in** *f*) *m* terroriste *m*, *f*; **2istisch** terroriste.

Terzett *mus n* trio *m* (de chant).

Tesafilm *m* ruban *m* adhésif, scotch *m*.

Test *m* test *m*.

Testament *n* testament *m*; **2arisch** testamentaire; *~ vermachen* léguer par testament; **~svollstrecker** *m* exécuteur *m* testamentaire.

testen tester.

teuer cher; *~ bezahlen* payer cher; *wie ~ ist es?* cela coûte combien?; **2ung** *f* hausse *f* des prix; **2ungsrate** *f* taux *m* d'inflation.

Teufel *m* diable *m*; *geh zum ~!* va au diable!; **~skerl** *m* F diable *m* d'homme; **~skreis** *m* cercle *m* vicieux.

teuflisch diabolique.

Text *m* texte *m*; *Lieder2* paroles *f/pl*.

Textil|ien *pl* textiles *m/pl*; **~industrie** *f* industrie *f* textile.

Text|stelle *f* passage *m*; **~verarbeitung** *f* traitement *m* de texte.

Theater *n* théâtre *m*; F *so ein ~!*

quelle comédie!; F *das ist doch nur* ~ c'est du cinéma; **~besucher** *m* spectateur *m*; **~karte** *f* billet *m* de théâtre; **~kasse** *f* bureau *m* de location; **~probe** *f* répétition *f*; **~stück** *n* pièce *f* de théâtre; **~vorstellung** *f* représentation *f* théâtrale.

theatralisch théâtral.

Theke *f* bar *m*, comptoir *m*.

Thema *n* sujet *m*, thème *m*; *nicht zum ~ gehörig* hors sujet; *das ~ wechseln* changer de sujet.

Theolog|e *m*, **~in** *f* théologien *m*, -ne *f*; **~ie** *f* théologie *f*; **≈isch** théologique.

Theoret|iker *m* théoricien *m*; **≈isch** théorique.

Theorie *f* théorie *f*.

Therap|eut(in *f*) *m* thérapeute *m*, *f*; **≈eutisch** thérapeutique; **~ie** *f* thérapeutique *f*, thérapie *f*.

Thermalbad *n* station *f* thermale.

Thermometer *n* thermomètre *m*.

Thermosflasche *f* bouteille *f* thermos.

Thermostat *tech m* thermostat *m*.

These *f* thèse *f*.

Thrombose *méd f* thrombose *f*.

Thron *m* trône *m*; **~besteigung** *f* avènement *m*; **≈en** trôner (*a iron*); **~folge** *f* succession *f* au trône; **~folger** *m* héritier *m* du trône.

Thunfisch *zo m* thon *m*.

Tick *m méd u fig* tic *m*; *fig a* manie *f*, marotte *f*; *e-n ~ haben* avoir ses petites manies.

ticken faire tic tac.

tief profond; bas; *Stimme* grave; *3 Meter ~* profond de 3 mètres; *bis ~ in die Nacht* jusque tard dans la nuit; *~ schlafen* dormir profondément; *fig das läßt ~ blicken* cela apprend bien des choses.

Tief|bau *m* travaux *m/pl* publics; **≈blau** bleu foncé; **~(druckgebiet)** *n* zone *f* de basse pression.

Tief|e *f* profondeur *f*; *mus* gravité *f*; **~ebene** *f* plaine *f*; **~flug** *aviat m* rase-mottes *m*; **~gang** *mar m* tirant *m* d'eau; **~garage** *f* garage *m* souterrain; **≈gekühlt** surgelé; **~kühltruhe** *f* congélateur *m*; **~punkt** *m fig* point *m* le plus bas; **~schlag** *m Boxen*, *fig* coup *m* bas; **≈schürfend** profond, qui va au fond des choses.

Tier *n* animal *m*, bête *f*; *fig ein großes od hohes ~* F une grosse légume; **~art** *f* espèce *f* animale; **~arzt** *m*, **~ärztin** *f* vétérinaire *m*, *f*; **~freund** *m* ami *m* des animaux; **~heim** *n* asile *m* pour les animaux; **≈isch** animal; *von Menschen* bestial; **~kreis** *astr m* zodiaque *m*; **~liebe** *f* affection *f* pour l'animal, amour *m* des animaux; **~quälerei** *f* cruauté *f* envers les animaux; **~schutzverein** *m* Société *f* protectrice des animaux; **~versuch** *m* expérimentation *f* animale.

Tiger(in *f*) *m zo* tigre *m*, -sse *f*.

tilgen *Spuren* effacer; *Schulden*, *Anleihe* amortir, rembourser.

Tinktur *f* teinture *f*.

Tinte *f* encre *f*; **~nfisch** *zo m* seiche *f*; **~nfleck** *m* tache *f* d'encre; **~nkiller** *m* effaceur *m*.

Tip *m* F *Hinweis* tuyau *m*, rancard *m* F.

tipp|en *auf der Schreibmaschine* taper; *berühren* toucher (*an etw* qc); *raten* deviner; *im Lotto ~* jouer au loto; **≈fehler** *m* faute *f* de frappe; **~topp** F impeccable.

Tirol *n* le Tyrol.

Tisch *m* table *f*; *bei ~ sitzen* être à table; *den ~ decken* mettre le couvert *od* la table; **~decke** *f* nappe *f*; **~gebet** *n das ~ sprechen* dire le bénédicité.

Tischler *m* menuisier *m*; **~ei** *f* menuiserie *f*.

Tisch|tennis *n* ping-pong *m*; **~tuch** *n* nappe *f*.

Titel *m* titre *m*; **~blatt** *n Buch* frontispice *m*; **~seite** *f Zeitschrift* couverture *f*.

Toast *m* toast *m*; *Röstbrot a* pain *m* grillé; *e-n ~ auf j-n ausbringen* porter un toast à qn; **~brot** *n* pain *m* de mie; **≈en** faire griller; **~er** *m* grille-pain *m*.

tob|en *Kampf*, *Elemente* faire rage; *Kinder*, *Publikum* être déchaîné; *Person ~ gegen* se déchaîner contre; **≈sucht** *f* folie *f* furieuse; **~süchtig** fou furieux.

Tochter *f* fille *f*; **~gesellschaft** *comm f* filiale *f*.

Tod *m* mort *f*; *jur* décès *m*; *j-n zum ~e verurteilen* condammer qn à mort; **≈ernst** très sérieux; *iron* sérieux comme un pape.

Todes|anzeige *f* faire-part *m* de décès; **~fall** *m* décès *m*; **~kampf** *m* agonie *f*; **~opfer** *n* mort *m*; **~stoß** *m* coup *m* de grâce (*bes fig*); **~strafe** *f* peine *f* capitale *od* de mort; **~stunde** *f* heure *f* de la mort; **~ursache** *f* cause *f* de la mort; **~urteil** *jur n* arrêt *m* de mort, sentence *f* capitale.

Tod|feind *m* ennemi *m* mortel; **2krank** incurable, à l'article de la mort.

tödlich mortel.

tod|müde mort de fatigue; **~schick** F dernier cri; **~sicher** F absolument sûr; **2sünde** *f* péché *m* mortel.

Toilette *f* toilettes *f/pl*, cabinets *m/pl*, W.-C. *m/pl*; **~npapier** *n* papier *m* hygiénique.

toler|ant tolérant; **2anz** *f* tolérance *f*; **~ieren** tolérer.

toll *verrückt* fou (folle); F *großartig* formidable, super; F *ein ~er Bursche* un rude gaillard; **~en** *Kinder* s'amuser follement; **~kühn** téméraire; **2kühnheit** *f* témérité *f*; **2wut** *méd f* rage *f*; **~wütig** enragé.

Tolpatsch *m péj* pataud *m*, balourd *m*, godiche *f*; **2ig** empoté, balourd, pataud, godiche.

Tomate *bot f* tomate *f*.

Ton *m* **1.** *Erde* argile *f*; **2.** *mus u fig* ton *m*; *Schall* son *m*; *in e-m humoristischen ~* sur un ton plaisant; *der gute ~* le bon ton; **~abnehmer** *tech m* tête *f* de lecture, pick-up *m*; **~art** *mus f* mode *m*; **~band** *n* bande *f* magnétique; **~bandgerät** *n* magnétophone *m*.

tönen sonner; *prahlerisch reden* claironner; *Haar* teindre.

tönern d'argile.

Ton|fall *m* intonation *f*; **~film** *m* film *m* sonore; **~ingenieur** *m* ingénieur *m* du son; **~leiter** *mus f* gamme *f*.

Tonne *f* tonneau *m*; *Maß* tonne *f*.

Ton|spur *f* piste *f* sonore; **~störung** *f* interruption *f* du son.

Tönung *f* teinte *f*.

Topf *m* pot *m*; *Koch2* marmite *f*; *Stiel2* casserole *f*.

Topfen *östr m* fromage *m* blanc.

Töpfer *m* potier *m*; **~ei** *f* poterie *f*; **~scheibe** *f* tour *m* de potier; **~ware** *f* poterie *f*.

Tor *n* porte *f*; portail *m*; porche *m*; *Sport* but *m*; *ein ~ schießen* marquer un but; *im ~ stehen* être dans les buts.

Torf *m* tourbe *f*; **~moor** *n* tourbière *f*; **~mull** *m* poussier *m* de tourbe.

Tor|heit *f* sottise *f*; **~hüter** *m* gardien *m* (de but).

töricht insensé, sot.

Torjäger *m Fußball* buteur *m*.

torkeln chanceler, tituber.

Tor|latte *f Sport* barre *f*; **~linie** *f* ligne *f* de but.

torpedieren torpiller.

Torpedo *m* torpille *f*; **~boot** *n* torpilleur *m*.

Tor|pfosten *m Sport* poteau *m* (de but); **~schuß** *m* tir *m* au but; **~schütze** *m* marqueur *m*.

Torte *f* gâteau *m* (à la crème); *Obst2* tarte *f*.

Torwart *Sport m* gardien *m* (de but).

tosen *Wasser, Sturm* être déchaîné, mugir; **~d** *~er Beifall* tonnerre *m* d'applaudissements.

tot mort; *~ umfallen* tomber mort.

total total, complet; *adv* complètement; **~itär** *pol* totalitaire; **2itarismus** *pol m* totalitarisme *m*.

totarbeiten *sich ~* se tuer à la tâche; F se crever au travail.

Tote(r) *m, f* mort *m*, morte *f*; *die Toten* les morts.

töten tuer.

Toten|bett *n* lit *m* de mort; **2blaß** livide; **~gräber** *m* fossoyeur *m* (*a fig*); **~kopf** *m* tête *f* de mort; **~maske** *f* masque *m* mortuaire; **~messe** *f* messe *f* des morts; **~schädel** *m* crâne *m*; **~schein** *m* certificat *m* de décès; **~stille** *f* silence *m* de mort; **~tanz** *Kunst m* danse *f* macabre.

tot|geboren mort-né; **~lachen** F *sich ~* mourir de rire.

Toto *m od n* loto *m* sportif.

tot|schießen F abattre d'un coup de feu; **2schlag** *jur m* homicide *m*, meurtre *m*; **~schlagen** assommer, tuer (*a Zeit*); **~schweigen** passer sous silence; **~stellen** *sich ~* faire le mort.

Tötung *jur f* homicide *m*.

Toup|et *m* postiche *m*; **2ieren** crêper.

Tour *f* randonnée *f*, excursion *f*, tour *m*; *auf ~en kommen fig* battre son plein; *krumme ~en machen* faire de sales coups; ⚠ *le* tour.

Touris|mus *m* tourisme *m*; **~t(in** *f*) *m* touriste *m, f*; **2tisch** touristique.

Tournee *f* tournée *f*; *auf ~ gehen* faire une tournée.

toxisch toxique.

Trab *m* trot *m*.

Trabantenstadt *f* ville *f* satellite.

trab|en trotter; **2er** *m Pferd* trotteur *m*; **2rennen** *n* course *f* au trot.

Tracht *f* costume *m*; *~ Prügel* volée *f* (de coups de bâton).

trächtig *Tier* pleine.
Tradition *f* tradition *f*; **⁀ell** traditionnel.
Trafik *östr f* bureau *m* de tabac; **~ant** *m* buraliste *m*.
Trag|bahre *f* brancard *m*; **⁀bar** *Gerät* portatif; *Kleidung* portable; *erträglich* supportable; *zulässig* admissible.
träge paresseux; *phys* inerte.
tragen porter.
Träger *m* porteur *m*; *am Kleid* bretelle *f*; *arch* poutre *f*; *fig e-r Idee* représentant *m*; **~rakete** *f* fusée *f* porteuse.
Trag|fähigkeit *f* capacité *f* de charge; **~fläche** *aviat f* aile *f*; **~flügelboot** *n* hydroglisseur *m*.
Trägheit *f* paresse *f*; *phys* inertie *f*.
tragisch tragique.
Tragödie *f* tragédie *f*.
Tragweite *f* portée *f* (*a fig*).
Train|er *m* entraîneur *m*; **⁀ieren** s'entraîner; *j-n* entraîner; **~ing** *n* entraînement *m*; **~ingsanzug** *m* survêtement *m*.
Traktor *m* tracteur *m*.
trällern chantonner, fredonner.
Tram *östr f*, *Schweiz n* tram *m*.
trampeln trépigner, piétiner.
tramp|en faire de l'auto-stop; **⁀er(in** *f*) *m* auto-stoppeur *m*, -euse *f*.
Tran *m* huile *f* de poisson.
Träne *f* larme *f*; *in ~n ausbrechen* fondre en larmes; **⁀n** *mir ~ die Augen* mes yeux pleurent; **~ngas** *n* gaz *m* lacrymogène.
Tränke *f* abreuvoir *m*; **⁀n** *Material* tremper, imbiber; *Tiere* abreuver.
Trans|fer *m* transfert *m*; **~formator** *tech m* transformateur *m*; **~fusion** *méd f* transfusion *f*.
Transistor *tech m* transistor *m*.
Transit *m* transit *m*; **⁀iv** *gr* transitif.
transparent 1. transparent; **2.** ⁀ *n* *Spruchband* banderole *f*.
Transplant|ation *méd f* greffe *f*, transplantation *f*; **⁀ieren** transplanter, greffer.
Transport *m* transport *m*; **~eur** *m* transporteur *m*; **⁀fähig** transportable; **⁀ieren** transporter; **~mittel** *n* moyen *m* de transport; **~unternehmen** *n* entreprise *f* de transport.
Trapez *n* trapèze *m*.
Traube *f* *Wein*⁀ raisin *m*; *bot* grappe *f*; *~n essen* manger du raisin; **~nsaft** *m* jus *m* de raisin; **~nzucker** *m* glucose *m*, dextrose *m*.
trauen 1. *j-m* (*e-r Sache*) ~ avoir confiance en qn (en qc); *ich traute meinen Ohren nicht* je n'en croyais pas mes oreilles; *sich ~ zu* oser (+ *inf*); **2.** *Ehepaar* unir, marier; *sich ~ lassen* se marier.
Trauer *f* *Traurigkeit* tristesse *f*; *um Tote* deuil *m*; **~fall** *m* deuil *m*, décès *m*; **~gottesdienst** *m* service *m* funèbre; **~marsch** *m* marche *f* funèbre; **⁀n** *um j-n ~* porter le deuil de qn, pleurer (la mort de) qn; **~spiel** *n* tragédie *f*; **~zug** *m* cortège *m* funèbre.
träufeln verser goutte à goutte.
Traum *m* rêve *m* (*a fig*).
träumen rêver (*von* de; *a fig*).
Träumer|(in *f*) *m* rêveur *m*, -euse *f*; **~ei** *f* rêverie *f*; **⁀isch** rêveur.
traurig triste (*über* de); **⁀keit** *f* tristesse *f*.
Trau|ring *m* alliance *f*; **~schein** *m* extrait *m od* acte *m* de mariage; **~ung** *f* mariage *m*; **~zeuge** *m* témoin *m*.
Trecker *m* tracteur *m*.
Treff *m* F rencontre *f*; rendez-vous *m* (*a Ort*).
treffen 1. *Ziel etc* toucher; *begegnen* (*sich ~* se) rencontrer; *Maßnahme, Entscheidung* prendre; *Vorbereitungen* faire; *auf j-n ~* tomber sur qn; *fig das trifft sich gut* cela tombe bien; *ich hab's getroffen* je suis bien tombé; **2.** ⁀ *n* rencontre *f*; **~d** juste; *Wort a* propre.
Treff|er *m* coup *m* réussi; *Lotterie* billet *m* gagnant; *Fußball* but *m*; **~punkt** *m* (lieu *m* de) rendez-vous *m*.
Treibeis *n* glaces *f/pl* flottantes.
treiben 1. pousser (*a wachsen*); *Studien, Sport, Handel* faire; *tech an~* entraîner, actionner; *im Wasser* flotter; *j-n zu etw ~* pousser qn à (faire) qc; *Knospen ~* bourgeonner; *Unfug ~* faire des bêtises; *was treibst du denn so?* qu'est-ce que tu deviens?; *sich ~ lassen* se laisser emporter par le courant; **2.** ⁀ *n* activité *f*; *in den Straßen* animation *f*.
Treib|haus *n* serre *f*; **~jagd** *f* battue *f*; **~stoff** *m* carburant *m*.
Trend *m* tendance *f*.
trenn|en (*sich ~* se) séparer (*von* de); **⁀schärfe** *Radio f* sélectivité *f*; **⁀ung** *f* séparation *f*; **⁀wand** *f* cloison *f*.
Treppe *f* escalier *m*; *auf der ~* dans

l'escalier; *e-e ~ hoch* au premier; **~nabsatz** *m* palier *m*; **~ngeländer** *n* rampe *f*; **~nhaus** *n* cage *f* d'escalier.

Tresor *m* coffre-fort *m*; *Bank* chambre *f* forte; ⚠ *nicht trésor*.

Tretboot *n* pédalo *m*.

treten marcher (*auf* sur); *beim Radfahren* pédaler; *j-n ~* donner un coup de pied à qn; *ins Zimmer ~* entrer dans la pièce; *auf die Bremse ~* appuyer sur le frein; *fig mit Füßen ~* fouler aux pieds.

treu fidèle, loyal.

Treu|e *f* fidélité *f*, loyauté *f*; **~händer** *jur m* fiduciaire *m*; **2herzig** candide; **2los** infidèle, déloyal.

Tribunal *n* tribunal *m*.

Tribüne *f* tribune *f*.

Tribut *m* tribut *m*.

Trichter *m* entonnoir *m*.

Trick *m* truc *m*, ficelle *f*, combine *f* F; **~aufnahmen** *f/pl* effets *m/pl* spéciaux.

Trieb *m bot* pousse *f*; *Natur*2 instinct *m*; *Neigung* penchant *m*; **~feder** *f fig* mobile *m*; *Person* instigateur *m*, -trice *f*; **~kraft** *f fig* moteur *m*; **~wagen** *m elektrischer* automotrice *f*; *Diesel*2 autorail *m*; **~werk** *n* moteur *m*; *aviat* réacteur *m*.

triefen ruisseler, dégouliner (*von od vor* de); *fig* déborder (de).

Trier Trèves.

triftig *Grund* valable.

Trikot *n Sport* maillot *m*; *Tanz* justaucorps *m*.

Triller *mus m* trille *m*.

Trimm-dich-Pfad *m* parcours *m* de santé.

trink|bar buvable; *Wasser* potable; **2becher** *m* gobelet *m*; **~en** boire; **2er(in** *f*) *m* buveur *m*, -euse *f*; **2geld** *n* pourboire *m*; **2halm** *m* paille *f*; **2spruch** *m* toast *m*; **2wasser** *n* eau *f* potable.

Trio *n* trio *m* (*a fig*).

trippeln trottiner.

Tripper *méd m* blennorragie *f*.

Tritt *m* pas *m*; *Fuß*2 coup *m* de pied; **~brett** *n* marchepied *m*; **~leiter** *f* escabeau *m*.

Triumph *m* triomphe *m*; **2al** triomphal; **~bogen** *m* arc *m* de triomphe; **2ieren** triompher (*über* de).

trocken sec (*a fig Stil, Wein*); **2dock** *mar n* cale *f* sèche; **2haube** *f* casque *m* sèche-cheveux; **2heit** *f* sécheresse *f* (*a fig*); **~legen** *Sumpf* assécher; *Baby* changer.

trocknen sécher.

Troddel *f* gland *m*.

Tröd|el *m* bric-à-brac *m*; **2eln** *péj* F lambiner; **~ler(in** *f*) *m* brocanteur *m*, -euse *f*; *langsamer Mensch* F lambin *m*, -e *f*.

Trog *m* auge *f*.

Trommel *f* tambour *m*; **~fell** *n im Ohr* tympan *m*; **2n** jouer du tambour; tambouriner (*a fig*).

Trommler *m* tambour *m*.

Trompete *f* trompette *f*; **2n** jouer *od* sonner de la trompette; *Elefant* barrir; **~r** *m* trompettiste *m*.

Tropen *pl* tropiques *m/pl*; *in den ~* sous les tropiques.

Tropf *m armer ~* pauvre diable *m*; *méd am ~ hängen* être au goutte-à-goutte.

tröpfeln tomber goutte à goutte; *es tröpfelt* il tombe quelques gouttes (de pluie).

tropfen 1. tomber goutte à goutte, (dé)goutter, dégouliner; **2.** 2 *m* goutte *f*; *fig es ist ein ~ auf den heißen Stein* c'est une goutte d'eau dans la mer; **~weise** goutte à goutte.

Trophäe *f* trophée *m*; ⚠ *le* trophée.

tropisch tropical.

Trost *m* consolation *f*; *fig nicht recht bei ~ sein* F travailler du chapeau, dérailler.

tröst|en (*sich ~* se) consoler; **~lich** rassurant.

trost|los désolant; **2preis** *m* prix *m* de consolation; **~reich** consolant.

Trott *m der alltägliche ~* le traintrain quotidien; *der alte ~* la routine.

Trottel *m péj* crétin *m*, idiot *m*; **2ig** stupide; F gaga.

trotten se traîner.

Trotz *m* entêtement *m*; *aus ~* par dépit; *meinen Ratschlägen zum ~* en dépit de mes conseils.

trotz malgré; **~dem** quand même, néanmoins, malgré tout; **~en** *j-m* (*e-r Sache*) *~* affronter *od* braver qn (qc); **~ig** entêté.

trüb(e) *Flüssigkeit* trouble; *glanzlos* terne; *Wetter* gris; *fig* triste.

Trubel *m* animation *f*, tumulte *m*.

trüb|en (*sich ~* se) troubler (*a fig*); **2sal** *f* affliction *f*; *~ blasen* broyer du noir; **~selig** triste, morne; **2sinn** *m* mélancolie *f*; **~sinnig** mélancolique, triste.

Trüffel *bot f od* F *m* truffe *f*.
Trugbild *n* chimère *f*, mirage *m*.
trüg|en tromper; *der Schein trügt* les apparences sont trompeuses; **~erisch** trompeur.
Trugschluß *m* fausse conclusion *f*.
Truhe *f* coffre *m*, bahut *m*.
Trümmer *pl* décombres *m/pl*, débris *m/pl*.
Trumpf *m* atout *m* (*a fig*).
Trunk|enheit *f* ivresse *f*; *~ am Steuer* conduite *f* en état d'ivresse *od* d'ébriété; **~sucht** *f* ivrognerie *f*, alcoolisme *m*; **2süchtig** ivrogne, alcoolique.
Trupp *m* troupe *f*, bande *f*; *Arbeits2* équipe *f*.
Truppe *f* troupe *f* (*a mil u Theater*); *Theater a* compagnie *f*; *~n pl mil* troupes *f/pl*; **~ngattung** *mil f* arme *f*; **~nübungsplatz** *m* camp *m* militaire.
Trut|hahn *m* dindon *m*; **~henne** *f* dinde *f*.
Tschech|e *m*, **~in** *f* Tchèque *m*, *f*; **2isch** tchèque.
Tschecho|slowake *m*, **~slowakin** *f* Tchécoslovaque *m*, *f*; **~slowakei** *die ~* la Tchécoslovaquie; **2slowakisch** tchécoslovaque.
tschüs! F salut!, au revoir!
Tube *f* tube *m*; ⚠ *le tube*.
Tuberkulose *méd f* tuberculose *f*.
Tuch *n* drap *m*; *Kopf2*, *Hals2* foulard *m*; *Umschlag2* châle *m*; *Staub2* chiffon *m*; **~fühlung** *f auf ~* au coude à coude.
tüchtig bon; *fähig* capable; *fleißig* travailleur; F *adv* beaucoup; **2keit** *f* capacité *f*, aptitude *f*, valeur *f*.
Tück|e *f* perfidie *f*; **2isch** perfide; *Sache a* traître.
tüfteln F se creuser la cervelle.
Tugend *f* vertu *f*; **2haft** vertueux.
Tulpe *bot f* tulipe *f*.
tummel|n *sich ~* s'ébattre; F *sich beeilen* se grouiller F; **2platz** *m fig* terrain *m* d'action.
Tumor *méd m* tumeur *f*; ⚠ *la tumeur*.
Tümpel *m* mare *f*.
Tumult *m* tumulte *m*.
tun faire; F *legen etc* mettre; F *das tut's auch* ça va aussi; *es tut sich etw* il se passe qc; (*sich*) *wichtig ~* faire l'important; *ich weiß nicht, was ich ~ soll* je ne sais que faire; *so ~, als ob* faire comme si, faire semblant de (+ *inf*); *das tut gut* cela fait du bien; *Sie ~ gut daran, zu ...* vous faites bien de (+ *inf*); *ich habe viel zu ~* j'ai beaucoup à faire *od* de travail; *damit habe ich nichts zu ~* je n'ai rien à faire avec cela; *mit j-m zu ~ bekommen* avoir affaire à qn.
Tünche *f* badigeon *m*; *fig* vernis *m*; **2n** blanchir à la chaux, badigeonner.
Tunes|ien *n* la Tunisie; **2isch** tunisien.
Tunke *f* sauce *f*; **2n** tremper.
Tunnel *m* tunnel *m*.
tupfen toucher légèrement; *mit Watte* tamponner.
Tür *f* porte *f*; *vor die ~ setzen* mettre à la porte; *Tag der offenen ~* journée *f* portes ouvertes; **~angel** *f* gond *m*.
Turbine *tech f* turbine *f*.
turbulent tumultueux; *Versammlung a* houleux.
Tür|flügel *m* battant *m*; **~griff** *m* poignée *f* de porte.
Türk|e *m*, **~in** *f* Turc *m*, Turque *f*; **~ei** *die ~* la Turquie; **~is** *m Schmuckstein* turquoise *f*; **2isch** turc (*f* turque).
Türklinke *f* poignée *f* de porte.
Turm *m* tour *f*; ⚠ *la* tour.
türmen F *abhauen* s'éclipser F; *sich ~* s'entasser.
Turm|spitze *f* flèche *f* (d'un clocher); **~springen** *n* plongeons *m/pl* de haut vol; **~uhr** *f* horloge *f*.
turn|en faire de la gymnastique; **2en** *n* gymnastique *f*; **2er(in** *f*) *m* gymnaste *m*, *f*; **2geräte** *n/pl* agrès *m/pl*; **2halle** *f* gymnase *m*; **2hemd** *n* maillot *m*; **2hose** *f* culotte *f od* short *m* de gymnastique.
Turnier *n* tournoi *m*.
Turn|lehrer(in *f*) *m* professeur *m* d'éducation physique *od* de gymnastique; **~schuh** *m* chaussure *f* de gymnastique.
turnusmäßig à tour de rôle.
Turn|verein *m* club *m* de gymnastique; **~zeug** F *n* affaires *f/pl* de gymnastique.
Tür|öffner *m* dispositif *m* ouvre-porte; **~pfosten** *m* montant *m* de porte; **~schwelle** *f* seuil *m* (de la porte); **~vorleger** *m* paillasson *m*.
Tusche *f* encre *f* de Chine.
tuscheln chuchoter.
Tütchen *n* sachet *m*, pochette *f*; *Eis2* cornet *m*.
Tüte *f* sac *m*; *spitze* cornet *m*.
tuten *auto* klaxonner.
TÜV *m etwa* service *m* des Mines.

Typ *m* type *m* (*a* F *Kerl*).
Type *f Druck*♀ type *m*; *Mensch* F drôle *m* d'oiseau.
Typhus *méd m* (fièvre *f*) typhoïde *f*.
typisch typique, caractéristique, représentatif (*alle für* de).
Tyrann *m* tyran *m*; **~ei** *f* tyrannie *f*; **♀isch** tyrannique; **♀isieren** tyranniser.

U

U-Bahn *f* métro *m*; **~-Fahrschein** *m* ticket *m* de métro.
übel 1. mauvais; *adv* mal; *mir ist* ~ je me sens mal, j'ai mal au cœur; **2.** ♀ *n* mal *m*.
übel|gelaunt de mauvaise humeur; **♀keit** *f* envie *f* de vomir, nausée *f*; **~nehmen** prendre mal; *ich nehme es ihm nicht übel* je ne lui en veux pas; **~riechend** nauséabond, malodorant; **♀täter** *m* malfaiteur *m*.
üben s'exercer; *Musikstück* étudier; *etw ~ od sich in etw ~* s'exercer à (faire) qc; *Klavier ~* s'exercer au piano.
über sur, au-dessus de; *mehr als* plus de (+ *Zahl*); ~ *etw hinweg* par-dessus qc; ~ *München nach Rom fahren* passer par Munich pour se rendre à Rome; *lachen ~* rire de; *sich ärgern ~* se mettre en colère à propos de; ~ *Nacht* pendant la nuit; ~ *und ~* entièrement.
überall partout.
überanstreng|en (*sich ~* se) surmener; **♀ung** *f* surmenage *m*.
überarbeiten *Buch etc* remanier; *sich ~* se surmener.
überaus extrêmement, infiniment.
über|belichten *Foto* surexposer; **~bieten** *j-n ~* enchérir sur qn; **♀bleibsel** *n* reste *m*.
Überblick *m* vue *f* d'ensemble; *Darstellung* tour *m* d'horizon, résumé *m*, exposé *m*; **♀en** embrasser du regard; *fig* avoir une vue d'ensemble de *od* sur.
über|bringen remettre; **~brücken** *fig Gegensätze* concilier; **~dacht** couvert; *von überdenken* réfléchi; **~dauern** survivre à; **~denken** réfléchir à *od* sur.
überdies en outre, de plus.
Über|dosis *f Droge* overdose *f*; **~druß** *m* dégoût *m*; **♀drüssig** dégoûté (*e-r Sache* de qc); **♀durchschnittlich** au-dessus de la moyenne; **♀eifrig** trop zélé; **♀eilen** *etw ~* précipiter qc.
übereinander l'un sur l'autre; **~schlagen** *Beine* croiser.
überein|kommen convenir (*zu* de; *daß* que), tomber d'accord (pour); **♀kommen** *n*, **♀kunft** *f* convention *f*, accord *m* (*über* sur); **~stimmen** être d'accord (*mit j-m* avec qn); *Dinge* correspondre (*mit* à *od* avec), concorder (avec); **♀stimmung** *f* accord *m*; *in ~ mit* en accord avec.
über|empfindlich hypersensible; **~fahren** *Lebewesen* écraser; *Verkehrszeichen* griller; **♀fahrt** *f mar* traversée *f*; **♀fall** *m* attaque *f* (par surprise), agression *f*; **~fallen** attaquer (par surprise), agresser; **~fällig** en retard; **~fliegen** *aviat* survoler; *fig* parcourir (des yeux); **~fließen** déborder; **~flügeln** surpasser; **♀fluß** *m* abondance *f* (*an* de); **~flüssig** superflu; **~fluten** inonder; **~fordern** *j-n ~* demander *od* exiger trop de qn.
überführ|en *Leiche* transférer; *Täter* convaincre (*e-r Sache* de qc); **♀ung** *f* transfert *m*; *Brücke* passage *m* supérieur.
Überfüll|e *f* surabondance *f* (*an* de); **♀t** surchargé; *Verkehrsmittel* bondé.
Übergabe *f* remise *f*; *mil* reddition *f*.
Übergang *m* passage *m*; *fig* transition *f*; **~slösung** *f* solution *f* provisoire *od* de transition.
über|geben remettre, passer; *sich ~ erbrechen* vomir; **~gehen** sauter, omettre, oublier; ~ *zu* passer à; ~ *in* se transformer en; **♀gewicht** *n* excédent *m* de poids; *fig* prépondérance *f*; **~glücklich** au comble de la joie, comblé; **~greifen** ~ *auf* envahir

(qc), empiéter sur; **2griff** *m* empiétement *m* (*auf* sur); *Gewaltakt* acte *m* de violence; **~haben** F en avoir assez de; **~handnehmen** augmenter trop, devenir envahissant; **~häufen** combler (*mit* de).

überhaupt en général; *schließlich* après tout; ~ *nicht* pas du tout.

überheblich arrogant; **2keit** *f* arrogance *f*.

über|hitzen surchauffer; **~höht** excessif; **~holen** dépasser, doubler; *tech* réviser; **~holt** dépassé, périmé, suranné; **~hören** (faire semblant de) ne pas entendre; **~irdisch** surnaturel; **~laden** surcharger; *adj Stil* tarabiscoté; *Roman* touffu.

überlass|en laisser, céder (*j-m etw* qc à qn); *j-n sich selbst* ~ livrer qn à lui-même; *j-n seinem Schicksal* ~ abandonner qn à son sort; *das überlasse ich Ihnen* je m'en remets à vous; **2ung** *f* cession *f*.

über|lasten surcharger; **~laufen** déborder; *zum Feind* déserter; **2läufer** *m* déserteur *m*.

überleben *j-n* (*etw*) ~ survivre à qn (à qc); **2de(r)** *m*, *f* survivant *m*, -e *f*; **~sgroß** plus grand que nature.

überleg|en 1. *adj* supérieur (*j-m*, *e-r Sache* à qn, à qc); **2.** *Verb* réfléchir (*etw* à *od* sur qc); *ich habe es mir anders überlegt* j'ai changé d'avis; **2enheit** *f* supériorité *f*; **~t** réfléchi; **2ung** *f* réflexion *f*.

überleit|en ~ *zu* enchaîner avec; **2ung** *f* enchaînement *m*.

überliefer|n transmettre; **2ung** *f* tradition *f*.

Über|macht *f* supériorité *f* (numérique); **2mächtig** trop puissant; **~maß** *n* excès *m*; **2mäßig** excessif.

Übermensch *m* surhomme *m*; **2lich** surhumain.

übermitt|eln transmettre; **2lung** *f* transmission *f*.

übermorgen après-demain.

übermüd|et trop fatigué, mort de fatigue; **2ung** *f* grande fatigue *f*, épuisement *m*.

Über|mut *m* pétulance *f*, exubérance *f*, démesure *f*; **2mütig** exubérant, pétulant.

übernächst *der* ~*e Tag* le surlendemain; ~*es Jahr* dans deux ans.

übernacht|en passer la nuit; **2ung** *f* nuit *f*, nuitée *f*; ~ *und Frühstück* chambre *f* et petit déjeuner *m*.

Über|nahme *f* prise *f* en charge; *e-r Idee* adoption *f*; **2natürlich** surnaturel; **2nehmen** *Aufgabe* se charger de; *Kosten* prendre en charge; *Amt*, *Verantwortung* assumer; *Idee*, *Methode etc* adopter; **~produktion** *f* surproduction *f*.

überprüf|en contrôler, vérifier, examiner, réviser; **2ung** *f* contrôle *f*, vérification *f*, examen *m*, révision *f*.

überqueren traverser.

überragen dépasser; **~d** supérieur, éminent.

überrasch|en surprendre; **~end** surprenant; **2ung** *f* surprise *f*.

überred|en *j-n zu etw* ~, *j-n* ~, *etw zu tun* persuader qn de faire qc; **2ung** *f* persuasion *f*.

überregional suprarégional; *Presse* national.

überreich|en présenter, remettre; **2ung** *f* présentation *f*, remise *f*.

überreizt *psych* surexcité.

Überreste *m*/*pl* restes *m*/*pl*, débris *m*/*pl*, vestiges *m*/*pl*.

über|rumpeln surprendre, prendre à l'improviste; **~runden** *Sport* doubler, prendre un tour d'avance; **~sättigt** saturé.

Überschallflug *aviat m* vol *m* supersonique; **~zeug** *n* avion *m* supersonique.

über|schätzen surestimer; **~schlagen** *berechnen* estimer, évaluer; *beim Lesen* sauter; *sich* ~ culbuter; *auto*, *aviat* capoter; *auto a* faire un tonneau; *sich mehrmals* ~ faire plusieurs tonneaux; **~schnappen** F *fig* devenir fou; **~schneiden** *sich* ~ coïncider, interférer; **~schreien** *j-n* ~ crier plus fort que qn; **~schreiten** *Straße* traverser; *Grenze* franchir; *Anzahl* dépasser, excéder; *Befugnisse* outrepasser.

Über|schrift *f* titre *m*; **~schuß** *m* excédent *m*, surplus *m*; **2schüssig** excédentaire; **2schütten** couvrir (*mit* de); *fig* combler (de); **~schwang** *m* exubérance *f*, exaltation *f*.

überschwemm|en inonder; **2ung** *f* inondation *f*.

überschwenglich exalté, exubérant.

Übersee *nach* ~ *gehen* partir outre-mer; *aus od in* ~ d'outre-mer.

über|sehen *überblicken* embrasser du regard; *fig* avoir une vue d'ensemble de *od* sur, voir l'ampleur de; *Fehler* ne pas voir, omettre; *absichtlich* fer-

mer l'œil (*etw* sur qc); *das habe ich* ~ cela m'a échappé; **~senden** envoyer, faire parvenir.
übersetz|en traduire (*aus dem Deutschen ins Französische* de l'allemand en français); **⁓er(in** *f*) *m* traducteur *m*, -trice *f*; **⁓ung** *f* traduction *f*; *tech* multiplication *f*.
Übersicht *f* vue *f* d'ensemble, aperçu *m*, précis *m*, résumé *m*; *~stafel* tableau *m* synoptique; **⁓lich** clair, bien disposé; *Gelände* dégagé.
über|siedeln aller s'établir (*nach* à *od* en); **~sinnlich** transcendant, surnaturel; **~spannt** excentrique, exalté, extravagant; **~spitzt** exagéré, outré; **~springen** sauter; **~stehen** surmonter; *überleben* survivre; **~steigen** franchir; *fig* dépasser; *das übersteigt meine Kräfte* c'est au-dessus de mes forces; **~stimmen** mettre en minorité.
Überstunden *f/pl* heures *f/pl* supplémentaires.
überstürz|en (*sich* ~ se) précipiter; **~t** précipité.
über|teuert trop cher; **~tönen** *Lärm* couvrir.
Übertrag *comm m* report *m*.
übertrag|bar transmissible (*a méd*); **~en** transmettre (*auf* à); *Radio, TV a* diffuser; *Aufgabe* confier (*j-m* à qn); *übersetzen* traduire; *~e Bedeutung* sens *m* figuré; **⁓ung** *f* transmission *f*; *Radio, TV a* diffusion *f*.
übertreffen dépasser, surpasser (*an* en), l'emporter sur.
übertreib|en exagérer; **⁓ung** *f* exagération *f*.
übertret|en *zur anderen Partei* passer (*zu* à); *rel* se convertir (*zu* à); *Sport* mordre sur la ligne; *Gesetz, Regel* enfreindre, transgresser; *sich den Fuß* ~ se fouler le pied; **⁓ung** *f* infraction *f* (à), transgression *f* (de).
über|trieben exagéré; **⁓tritt** *m* passage *m* (*zu* à); *rel* conversion *f* (à); **~trumpfen** surpasser, surclasser.
übervölker|t surpeuplé; **⁓ung** *f* surpeuplement *m*, surpopulation *f*.
übervorteilen exploiter, rouler F.
überwach|en surveiller; **⁓ung** *f* surveillance *f*.
überwältigen vaincre, maîtriser; **~d** grandiose; *~e Mehrheit* majorité *f* écrasante.
überweis|en *Geld* virer; *méd* envoyer (*zu, an* à); **⁓ung** *f* virement *m*.
über|werfen *sich mit j-m* ~ se brouiller avec qn; **~wiegen** prédominer.
überwind|en vaincre, surmonter; *sich* ~ *zu* se forcer à; **⁓ung** *f* victoire *f* sur; *Selbst⁓* effort *m*.
Über|zahl *f* majorité *f*, supériorité *f* numérique; *in der* ~ *sein* être majoritaire; **⁓zählig** en surnombre.
überzeug|en convaincre, persuader (*j-n von etw* qn de qc); *sich von etw* ~ se persuader de qc; **~t** convaincu, persuadé; **⁓ung** *f* conviction *f*.
überzieh|en recouvrir *od* revêtir (*mit* de); *Bett* changer les draps (de); *Konto* mettre à découvert; *Kleid* mettre, enfiler; *sich* ~ *Himmel* se couvrir; **⁓er** *m* pardessus *m*.
Überzug *m* couverture *f*, revêtement *m*.
üblich usuel, habituel, d'usage; *es ist* ~ c'est la coutume *od* l'usage, *wie* ~ comme d'habitude.
U-Boot *n* sous-marin *m*.
übrig de reste; restant; *die ~en* les autres; *während der ~en Zeit* le reste du temps; **~bleiben** rester; *es bleibt mir nichts anderes* ~ *als* ... je n'ai rien d'autre à faire que ...; **~ens** d'ailleurs, du reste; **~lassen** laisser; *zu wünschen* ~ laisser à désirer.
Übung *f* exercice *m*; *mus* étude *f*.
UdSSR *die* ~ l'U.R.S.S. *f*.
Ufer *n* bord *m*, rive *f*; *Meer a* rivage *m*.
Ufo *n* ovni *m* (= objet volant non identifié).
Uhr *f Armband⁓, Taschen⁓* montre *f*; *öffentliche, Turm⁓* horloge *f*; *Pendel⁓, Wand⁓, Tisch⁓* pendule *f*; *um 1* ~ à une heure; *um 2* ~ à deux heures; *um 12* ~ à midi; *wieviel* ~ *ist es?* quelle heure est-il?; *um wieviel ~?* à quelle heure?; *rund um die* ~ vingt-quatre heures sur vingt-quatre; **~macher(in** *f*) *m* horloger *m*, -ère *f*; **~werk** *n* mécanisme *m*, mouvement *m*; **~zeiger** *m* aiguille *f*; **~zeigersinn** *m im* ~ dans le sens des aiguilles d'une montre; *entgegen dem* ~ en sens inverse des aiguilles d'une montre; **~zeit** *f* heure *f*.
Uhu *zo m* grand-duc *m*.
UKW *Radio* F.M. (= fréquence *f* modulée), modulation *f* de fréquence.
Ulk *m* plaisanterie *f*; **⁓ig** drôle.
Ulme *bot f* orme *m*.

Ultimatum *n* ultimatum *m*; *j-m ein ~ stellen* envoyer un ultimatum à qn.
Ultraschall *m* ultra-son *m*.
um *örtlich* ~ (*... herum*) autour de; *zeitlich* aux environs de, autour de F; *Uhrzeit* à; *ungefähr* environ, autour de F; *Bezug, Grund* pour; ~ *so größer etc* d'autant plus grand, *etc*; ~ *so besser!* tant mieux!; ~ *so mehr als* d'autant plus que; ~ *... willen* pour l'amour de, en considération de; ~ *zu* (+ *inf*) pour (+ *inf*), afin de (+ *inf*); ~ *j-n sein* entourer qn; ~ *3 Uhr* à 3 heures; ~ *Ostern* aux environs de Pâques; ~ *2 Mark billiger* de 2 marks meilleur marché; *Tag ~ Tag* jour après *od* pour jour.
umarm|en serrer dans ses bras, étreindre, enlacer; ~ *u küssen* embrasser; **2ung** *f* étreinte *f*.
Umbau *m* transformation *f*, aménagement *m*; **2en** transformer, aménager (*zu* en).
um|bilden transformer; *Regierung* remanier; **~binden** *Schürze etc* mettre; **~blättern** tourner la page; **~blicken** *sich ~* regarder autour de soi; *den Kopf wenden* tourner la tête; **~bringen** tuer; **~denken** changer sa façon de voir les choses; **~disponieren** modifier ses projets.
umdreh|en (re)tourner; *sich ~* se retourner; *den Hals ~* tordre le cou; **2ung** *f Motor* tour *m*; *um e-e Achse* rotation *f*, révolution *f*.
um|einander l'un autour de l'autre; **~fahren** *Hindernis* contourner; *umwerfen* renverser; **~fallen** tomber, se renverser; *tot ~* tomber mort.
Umfang *m math* circonférence *f*; *Größe* étendue *f*, ampleur *f*, envergure *f*; *Menge* volume *m*; *in großem ~* dans une large mesure; **2reich** étendu, vaste, ample, volumineux.
umfassen *fig* embrasser, comporter, comprendre; **~d** vaste, étendu; *Geständnis* complet.
Um|feld *n* contexte *m*; **~frage** *f* enquête *f*, sondage *m* d'opinion; **2füllen** transvaser; **~gang** *m* relations *f/pl*; *mit j-m ~ haben* fréquenter qn; *schlechten ~ haben* avoir de mauvaises fréquentations; **2gänglich** sociable; **~gangsformen** *f/pl* manières *f/pl*; *gute ~ haben* avoir du savoir-vivre.
Umgangssprach|e *f* langage *m* familier; **2lich** familier.
umgeb|en (*sich ~* s')entourer (*mit* de); *adj* entouré (*von* de); **2ung** *f e-r Person* entourage *m*; *e-s Ortes* environs *m/pl*.
Umgegend *f* environs *m/pl*.
umgeh|en *vermeiden* contourner, éviter; *mit j-m ~* fréquenter qn; *mit j-m ~ können* savoir s'y prendre avec qn; *mit etw ~* manier qc; *mit etw sparsam ~* économiser qc; **~end** immédiat(ement); **2ungsstraße** *f* route *f* de contournement, rocade *f*.
um|gekehrt renversé, à l'envers, inverse(ment); **~graben** bêcher; **~haben** F porter; **2hang** *m* cape *f*, pèlerine *f*; **~hängen** jeter sur ses épaules; *Bild* suspendre ailleurs; **~hauen** abattre; F *fig das haut mich um* ça me coupe le souffle F.
umher|streifen rôder, vagabonder; **~ziehen** courir le pays.
umhin *nicht ~ können, etw zu tun* ne (pas) pouvoir s'empêcher de faire qc.
umhören *sich ~* se renseigner, s'informer.
Umkehr *f* retour *m*; *fig a* conversion *f*; **2en** retourner en arrière, faire demi-tour, s'en retourner, revenir sur ses pas; *Taschen* retourner; *math Bruch* renverser; *Wortfolge* inverser; **~ung** *f* renversement *m*, inversion *f*.
um|kippen perdre l'équilibre, se renverser; *der See ist umgekippt* l'équilibre biologique du lac est rompu; **~klammern** étreindre.
Umkleideraum *m* vestiaire *m*.
umkommen être tué, mourir, périr (*bei* dans); F ~ *vor* crever de F.
Umkreis *m im ~ von* dans un rayon de; **2en** tourner autour de.
Umlauf *m* circulation *f*; *Rundschreiben* circulaire *f*; *in ~ bringen* mettre en circulation; **~bahn** *f* orbite *f*; *auf e-e ~ bringen* mettre sur orbite; **2en** circuler; *Gerücht* courir.
umlegen *Schal etc* mettre; *verlegen* déplacer; *Kosten* répartir (*auf* entre); F *töten* descendre F.
umleit|en *Verkehr* dévier; *Fluß* détourner; **2ung** *f* déviation *f*.
umliegend environnant.
Umnachtung *f geistige ~* aliénation *f* mentale.
um|quartieren loger ailleurs; *evakuieren* évacuer; **~randen** border, encadrer; **~räumen** changer les meubles de place.

umrechn|en convertir (*in* en); **2ung** *f* conversion *f*; **2ungskurs** *m* cours *m* du change.

um|reißen *fig* ébaucher, esquisser; **~rennen** renverser (en courant); **~ringen** entourer; *von Feinden umringt* cerné par les ennemis; **2riß** *m* contour *m*; **~rühren** remuer; **~satteln** *fig* changer de carrière *od* de profession; **2satz** *écon m* chiffre *m* d'affaires.

Umschau *f nach j-m ~ halten* chercher qn du regard; **2en** *sich ~ cf umsehen.*

Umschlag *m Brief2* enveloppe *f*; *Buch2* jaquette *f*; *méd* compresse *f*; *comm* transbordement *m*; *Änderung* changement *m*, revirement *m*; **2en** *Wetter* changer subitement; *Waren* transborder; *Buchseite* tourner; **~platz** *m fig* plaque *f* tournante.

um|schließen entourer; **~schlingen** enlacer.

umschreib|en *Begriff* exprimer par une périphrase; **2ung** *f* périphrase *f*.

Um|schrift *f phonetische ~* transcription *f* phonétique; **2schulen** *j-n ~ Schulwechsel* faire changer qn d'école, envoyer qn à une autre école; *beruflich* recycler qn; **2schwärmt** entouré, adoré; **~schweif** *m ohne ~e* sans détours; **~schwung** *m* changement *m* brusque, revirement *m*; **2sehen** *sich ~* tourner la tête; *nach allen Seiten* regarder autour de soi; *sich in der Stadt ~* faire un tour en ville; *sich nach etw ~* chercher qc; **2sein** F être fini; *Zeit* être révolu; *die Frist ist um* le délai est arrivé à expiration; **2seitig** au verso, à la page suivante.

Umsicht *f* circonspection *f*; **2ig** circonspect.

umsiedeln transplanter, transférer.

umsonst *vergeblich* en vain, inutilement; *kostenlos* gratuitement.

Um|stand *m* circonstance *f*; *unter allen Umständen* en tous cas; *jur mildernde Umstände* circonstances atténuantes; *keine Umstände machen* ne pas faire de façons; *sie ist in anderen Umständen* elle est enceinte; **2ständlich** compliqué.

Umstands|kleid *n* robe *f* de grossesse; **~wort** *gr n* adverbe *m*.

umsteigen changer (de train).

umstell|en changer (de place); *Betrieb etc* réorganiser, regrouper; *auf EDV ~* informatiser; *sich ~* s'adapter (*auf* à); **2ung** *f* changement *m*; réorganisation *f*, regroupement *m*; adaptation *f*.

um|stimmen *j-n ~* faire changer qn d'avis; **~stoßen** renverser; **~stritten** contesté, controversé.

Um|sturz *pol m* subversion *f*, renversement *m*, révolution *f*; **2stürzen** se renverser; *Fahrzeug a* verser; *etw ~* renverser qc.

Umtausch *m* échange *m*; *von Geld* change *m*; **2en** échanger (*gegen* contre); *Geld* changer.

umwälz|end révolutionnaire; **2ung** *f* bouleversement *m*, révolution *f*.

umwand|eln transformer (*in* en); **2lung** *f* transformation *f*.

Umweg *m* détour *m*.

Umwelt *f* environnement *m*; **~forscher** *m* spécialiste *m* de l'environnement, écologiste *m*; **2freundlich** non-polluant; **2schädlich** polluant; **~schutz** *m* protection *f* de l'environnement; **~schützer** *m* protecteur *m* de l'environnement, écologiste *m*; **~schutzpapier** *n* papier *m* recyclé; **~verschmutzer** *m* pollueur *m*; **~verschmutzung** *f* pollution *f*.

um|wenden (*sich ~* se) retourner; **~werfen** renverser; *Mantel* jeter sur ses épaules; **~ziehen** déménager; *sich ~* se changer; **~zingeln** encercler, cerner.

Umzug *m Wohnungswechsel* déménagement *m*; *in den Straßen* cortège *m*.

unabhängig indépendant (*von* de); *~ davon, ob* indépendamment du fait que; **2keit** *f* indépendance *f*.

unab|kömmlich indispensable; **~lässig** continuel, incessant; *adv* sans cesse; **~sichtlich** involontaire; **~wendbar** inévitable, inéluctable.

unachtsam inattentif; **2keit** *f* inattention *f*.

unan|fechtbar incontestable; **~gebracht** déplacé, inopportun; **~gefochten** incontesté; **~gemessen** inadéquat; **~genehm** désagréable; **~nehmbar** inacceptable; **2nehmlichkeit** *f* désagrément *m*; **~sehnlich** disgracieux; **~ständig** indécent; **~tastbar** inviolable, intangible.

unappetitlich peu appétissant.

Unart *f* vilaine habitude *f*; **2ig** *Kind* méchant, mal élevé.

unauf|dringlich discret; **~fällig** discret; *Person* effacé; **~findbar** introuvable; **~gefordert** spontanément; **~hörlich** incessant; *adv* sans cesse; **~lösbar** insoluble; **~merksam** inattentif; **~richtig** menteur, faux.

unaus|löschlich indélébile; **~sprechlich** inexprimable, indicible; **~stehlich** insupportable.

unbarmherzig impitoyable.

unbe|absichtigt involontaire, non intentionnel; **~achtet** inaperçu; **~dacht** inconsidéré; **~denklich** sans inconvénient, sans danger; **~deutend** insignifiant; **~dingt** absolu; *adv* absolument; **~fahrbar** impraticable; **~fangen** non prévenu, impartial; naïf, ingénu; **~friedigend** peu satisfaisant, insuffisant; **~friedigt** insatisfait, mécontent; **~fugt** non autorisé; **~gabt** sans talents, peu doué; **~greiflich** incompréhensible; **~grenzt** illimité; **~gründet** mal fondé, non fondé; **♒hagen** *n* malaise *m*; **~haglich** *sich ~ fühlen* se sentir mal à l'aise; **~helligt** sans être importuné; **~herrscht** qui ne sait pas se maîtriser, incontrôlé; **~holfen** maladroit; **~irrt** sans se laisser déconcerter; **~kannt** inconnu; **~kleidet** déshabillé; **~kümmert** insouciant; **~lebt** inanimé; calme; **~lehrbar** incorrigible; **~liebt** impopulaire; **~mannt** *Raumfahrzeug* non habité; **~merkt** inaperçu; **~nutzt** inutilisé; **~quem** inconfortable; **~rechenbar** incalculable; *Person* imprévisible; **~rechtigt** non autorisé; *Forderung etc* injustifié; **~rührt, ~schädigt** intact; **~scheiden** exigeant; **~schränkt** illimité; **~schreiblich** indescriptible; **~sehen** sans examen, tel quel; **~siegbar** invincible; **~sonnen** irréfléchi, inconsidéré; **~ständig** inconstant; *Wetter* instable; **~stechlich** incorruptible; **~stimmt** indéfini; *unsicher* incertain; **~streitbar** inconstable, indiscutable; **~stritten** incontesté; **~teiligt** étranger (*an* à); *gleichgültig* indifférent; **~tont** non accentué, atone.

unbeugsam inflexible.

unbe|wacht *Parkplatz* non gardé; **~weglich** immobile; *jur ~e Güter* biens *m/pl* immeubles; **~wohnt** inhabité; *Haus a* inoccupé; **~wußt** inconscient, involontaire; **~zahlbar** impayable (*a* F *köstlich*).

Unbild|en *pl ~ der Witterung* intempéries *f/pl*.

un|blutig non sanglant; sans effusion de sang; **~brauchbar** inutilisable; *Mensch* inapte (*für* à).

und et; *~ so weiter* et ainsi de suite, et cetera.

Undank *m* ingratitude *f*; **♒bar** ingrat (*gegen* envers).

un|definierbar indéfinissable; **~denkbar** inimaginable, impensable; **~deutlich** indistinct, vague; *Sprache* inarticulé; **~dicht** qui fuit; *~ sein* fuir; **♒ding** *n* absurdité *f*, non-sens *m*.

unduldsam intolérant; **♒keit** *f* intolérance *f*.

undurch|dringlich impénétrable; **~führbar** irréalisable; **~lässig** imperméable; **~sichtig** opaque; *fig* mystérieux, louche.

uneben inégal; *Gelände a* accidenté; **♒heit** *f* inégalité *f*; *im Gelände* accident *m*.

un|echt faux; **~ehelich** illégitime; *Kind a* naturel; **~ehrlich** malhonnête; **~eigennützig** désintéressé; **~einig** désuni, en désaccord (*mit j-m über etw* avec qn sur qc); **~empfindlich** insensible (*für* à); **~endlich** infini (*a math, Foto*); *~ groß, weit* immense.

unent|behrlich indispensable; **~geltlich** gratuit; *Tätigkeit* bénévole; **~schieden** indécis; *Sport ~ spielen* faire match nul; **~schlossen** irrésolu, indécis; **~schuldbar** inexcusable.

uner|bittlich inexorable; **~fahren** inexpérimenté; **~forschlich** impénétrable; **~freulich** désagréable; **~giebig** improductif; **~gründlich** insondable, impénétrable; **~heblich** insignifiant; **~hört** inouï; **~kannt** sans être reconnu, incognito; **~klärlich** inexplicable; **~läßlich** indispensable; **~laubt** défendu; *adv* sans la permission de qn; **~ledigt** non fait, inachevé; **~meßlich** immense; **~müdlich** infatigable, inlassable; **~reichbar** inaccessible; **~reicht** sans égal, inégalé; **~sättlich** insatiable; **~schlossen** inexploré, inexploité; **~schöpflich** inépuisable, intarissable; **~schütterlich** inébranlable, imperturbable; **~schwinglich** inabordable; **~setzlich** irremplaçable; **~träglich** insupportable; **~wartet** inattendu; **~wünscht** indésirable; **~zogen** mal élevé.

unfähig incapable (*zu* de); **℞keit** *f* incapacité *f*.
unfair déloyal.
Unfall *m* accident *m*; **~flucht** *f* délit *m* de fuite; **~stelle** *f* lieu *m* de l'accident; **~verhütung** *f* prévention *f* des accidents.
unfaßbar inconcevable.
unfehlbar infaillible; **℞keit** *f* infaillibilité *f*.
unfolgsam désobéissant.
unförmig informe.
unfrankiert non affranchi.
unfreiwillig involontaire; *adv* malgré soi.
unfreundlich peu aimable, désagréable; *Wetter* maussade.
Unfrieden *m* discorde *f*; ~ *stiften* semer la discorde.
unfruchtbar stérile; **℞keit** *f* stérilité *f*.
Unfug *m* bêtise(s) *f(pl)*; ~ *treiben* faire des bêtises.
Ungar|(in *f*) *m* Hongrois *m*, -e *f*; **℞isch** hongrois; **~n** *n* la Hongrie.
ungastlich inhospitalier.
unge|achtet malgré, en dépit de; **~ahnt** inespéré, insoupçonné; **~beten** non invité; *~er Gast* intrus *m*; **~bildet** inculte, sans éducation; **~boren** *noch* ~ encore à naître; **~bräuchlich** peu usité, inusité; **~braucht** tout neuf; **~bührlich** inconvenant; **~bunden** *fig* libre; *frei und* ~ libre comme l'air; **~deckt** *Scheck* sans provision.
Ungeduld *f* impatience *f*; **℞ig** impatient.
unge|eignet impropre (*für* à); *Person* inapte (*für* à); **~fähr** à peu près, environ; *adj* approximatif; **~fährlich** inoffensif, sans danger.
ungeheuer 1. énorme; *adv* énormément; **2.** ℞ *n* monstre *m*; **~lich** monstrueux.
unge|hindert libre, sans être empêché; **~hobelt** *fig* grossier; **~hörig** inconvenant.
ungehorsam 1. désobéissant; **2.** ℞ *m* désobéissance *f*.
unge|künstelt sans affectation, simple, naturel; **~kürzt** intégral; **~legen** inopportun; *j-m* ~ *kommen* déranger qn; **~lernt** non qualifié; **~mein** extrêmement; **~mütlich** peu confortable, peu sympathique.
ungenau inexact; **℞igkeit** *f* inexactitude *f*.
ungeniert sans gêne.
unge|nießbar immangeable; *Getränk* imbuvable (*a* F *fig Person*); **~nügend** insuffisant; **~pflegt** négligé, peu soigné; **~rade** *Zahl* impair.
ungerecht injuste; **~fertigt** non justifié, injustifié; **℞igkeit** *f* injustice *f*.
ungeschehen *das kann man nicht* ~ *machen* ce qui est fait est fait.
Ungeschick|(lichkeit *f*) *n* maladresse *f*; **℞t** maladroit.
unge|schminkt *fig* sans fard; **~setzlich** illégal; **~stört** tranquille; **~straft** impuni; *adv* impunément; **~stüm** impétueux; **~sund** malsain, insalubre; *er sieht* ~ *aus* il a l'air malade; **~trübt** *Glück* sans nuage.
Ungetüm *n* monstre *m*.
ungewiß incertain; *j-n im ungewissen lassen* maintenir qn dans l'incertitude; **℞heit** *f* incertitude *f*.
unge|wöhnlich extraordinaire; **~wohnt** inaccoutumé, inhabituel; **℞ziefer** *n* vermine *f*; **~zogen** *Kind* désobéissant, méchant; **~zwungen** désinvolte, décontracté, relax(e) F.
ungläubig incrédule; *rel* incroyant, infidèle.
unglaub|lich incroyable; **~würdig** peu digne de foi; *zweifelhaft* douteux.
ungleich inégal; **℞heit** *f* inégalité *f*; **~mäßig** inégal, irrégulier.
Unglück *n* malheur *m*; *Unfall* accident *m*; **℞lich** malheureux; **℞licherweise** malheureusement.
ungültig non valable, nul; *Ausweis* périmé; *für* ~ *erklären* annuler, invalider; ~ *werden* se périmer; **℞keit** *f* nullité *f*.
ungünstig défavorable.
ungut *~es Gefühl* sentiment *m* d'inquiétude; *nichts für* ~! sans rancune!, ne m'en veuillez pas!
unhaltbar *Zustände* intenable; *Behauptung* insoutenable; *Sport* imparable.
Unheil *n* malheur *m*, désastre *m*; **℞bar** incurable; **℞bringend, ℞voll** funeste.
unheimlich inquiétant, sinistre; ~ *gut* F vachement bon *od* bien.
unhöflich impoli; **℞keit** *f* impolitesse *f*.
un|hörbar inaudible; **~hygienisch** peu hygiénique.
Uniform *f* uniforme *m*; ⚠ *un uniforme*; **℞iert** en uniforme.

T
U

uninteress|ant sans intérêt, dépourvu d'intérêt; **~iert** qui ne s'intéresse pas (*an* à).
univers|al universel; **℞ität** *f* université *f*; **℞um** *n* univers *m*.
Unke *f zo* crapaud *m*; *fig* F prophète *m* de malheur; **℞n** F prédire des malheurs.
unkennt|lich méconnaissable; **℞nis** *f* ignorance *f*.
unklar confus, vague, peu clair, indistinct; **℞heit** *f* manque *m* de clarté, confusion *f*.
un|klug imprudent; **℞kosten** *pl* frais *m/pl*; **℞kraut** *n* mauvaise herbe *f*; ~ *jäten* sarcler; **~kündbar** *Stelle* permanent; *Vertrag* non résiliable; **~längst** récemment; **~lauter** *Wettbewerb* déloyal; **~leserlich** illisible; **~logisch** illogique.
unlös|bar *Problem* insoluble; **~lich** *chim* insoluble.
unmännlich peu viril, efféminé.
unmäßig immodéré, démesuré; *im Essen u Trinken* intempérant; **℞keit** *f* intempérance *f*.
Unmenge *f* quantité *f* énorme (*von* de).
Unmensch *m* brute *f*, barbare *m*; **℞lich** inhumain; **~lichkeit** *f* inhumanité *f*.
un|merklich imperceptible; **~mißverständlich** sans équivoque; **~mittelbar** immédiat, direct; **~möbliert** non meublé; **~modern** passé de mode, démodé.
unmöglich impossible; **℞keit** *f* impossibilité *f*.
unmoralisch immoral.
unmündig *jur* mineur; **℞keit** *f* minorité *f*.
unnach|ahmlich inimitable; **~giebig** intransigeant, inflexible; **~sichtig** sévère, sans indulgence, impitoyable.
un|nahbar *Mensch* inaccessible, hautain; **~natürlich** peu naturel; *geziert* affecté; **~nötig** inutile.
UNO *f* O.N.U. *f*.
unord|entlich désordonné, négligé, en désordre; **℞nung** *f* désordre *m*.
unpartei|isch impartial; **℞lichkeit** *f* impartialité *f*.
un|passend impropre, peu convenable, déplacé; **~passierbar** impraticable; **~päßlich** indisposé; **~persönlich** impersonnel; **~politisch** apolitique; **~populär** impopulaire; **~praktisch** peu pratique; *Person* maladroit; **~produktiv** improductif; **~pünktlich** inexact.
unrecht 1. mauvais; **2.** ℞ *n* injustice *f*, tort *m*; *zu* ~ à tort; **~mäßig** illégitime, illégal.
unregelmäßig irrégulier; **℞keit** *f* irrégularité *f*.
un|reif pas mûr (*a fig*); *Obst a* vert; **~rein** impur.
unrichtig incorrect, inexact, faux; **℞keit** *f* incorrection *f*.
Unruh|e *f* inquiétude *f*; **~n** *pl pol* troubles *m/pl*; **~estifter(in** *f*) *m* perturbateur *m*, -trice *f*, fauteur *m* de troubles; **℞ig** inquiet; *Leben, Meer* agité; *Schüler* dissipé, turbulent.
uns nous, à nous.
unsach|gemäß non *od* mal approprié; **~lich** subjectif, non fondé.
un|sagbar indicible; **~sanft** brutal, rude; **~sauber** malpropre; *~e Methoden* méthodes malhonnêtes; **~schädlich** inoffensif; ~ *machen* mettre hors d'état de nuire; **~scharf** *Foto* flou; **~schätzbar** inestimable; **~scheinbar** insignifiant; *Mensch* effacé; **~schicklich** inconvenant; **~schlagbar** imbattable; **~schlüssig** irrésolu, indécis.
Unschuld *f* innocence *f*; **℞ig** innocent.
unselbständig qui manque d'indépendance *od* d'initiative *od* de personnalité; *beruflich* salarié.
unser notre, *pl* nos; *~er, ~e, ~es, der, die, das ~e od uns(e)rige* le (la) nôtre; **~einer, ~eins** nous autres, des gens comme nous.
unsicher incertain; *Person* qui manque d'assurance; ~ *werden* se troubler; **℞heit** *f* incertitude *f*; *e-r Person* manque *m* d'assurance; *e-r Gegend* insécurité *f*.
unsichtbar invisible.
Unsinn *m* bêtises *f/pl*, absurdité(s) *f(pl)*; **℞ig** insensé, absurde.
Unsitt|e *f* mauvaise habitude *f*; *Mißstand* abus *m*; **℞lich** immoral; **~lichkeit** *f* immoralité *f*.
un|sozial antisocial; **~sportlich** peu sportif; *unfair* antisportif.
unsterblich immortel; **℞keit** *f* immortalité *f*.
Un|stimmigkeit *f* désaccord *m*, divergence *f*, différend *m*; **℞sympathisch** antipathique.
untätig inactif; **℞keit** *f* inactivité *f*.

untauglich inapte (*für* à); **≈keit** *f* inaptitude *f* (à).

unteilbar indivisible.

unten en bas, en dessous; *nach* ~ en bas, vers le bas; *siehe* ~ voir ci--dessous; *auf Seite 5* ~ en bas de la page 5.

unter sous; *unterhalb* au-dessous de; *zwischen* entre; *mitten zwischen* parmi; ~ *anderem* entre autres; *einige* ~ *uns* certains d'entre nous *od* parmi nous; *das bleibt unter* ~ que cela reste entre nous; ~ *dieser Bedingung* à cette condition; *j-n* ~ *sich haben* avoir qn sous ses ordres.

Unter|arm *m* avant-bras *m*; **≈belichtet** *Foto* sous-exposé; **~bewußtsein** *n* subconscient *m*; **≈bieten** vendre moins cher (*j-n* que qn); *Rekord* battre; **≈binden** empêcher, mettre un terme à.

unterbrech|en interrompre; **≈ung** *f* interruption *f*.

unter|breiten soumettre; **~bringen** *Gast* loger; *verstauen*, *Person in Stellung* caser.

unterdessen en attendant, entre--temps.

unterdrück|en *Gefühle*, *Aufstand* réprimer, étouffer; *Volk* opprimer; **≈ung** *f* répression *f*; oppression *f*.

untere inférieur (*a fig*), bas, d'en bas.

untereinander l'un sous l'autre; *unter sich* (*uns etc*) entre eux (nous, *etc*); *gegenseitig* mutuellement, réciproquement.

unterentwick|elt sous-développé; **≈lung** *f* sous-développement *m*.

unterernähr|t sous-alimenté; **≈ung** *f* sous-alimentation *f*.

Unter|führung *f* (passage *m*) souterrain *m*; **~gang** *m* ruine *f*, perte *f*; *mar* naufrage *m*; *Sonne* coucher *m*; **~gebene(r)** *m*, *f* subordonné *m*, -e *f*; **≈gehen** périr; *mar* couler, faire naufrage; *Sonne* se coucher; **≈geordnet** subordonné; *zweitrangig* secondaire; **~gewicht** *n* manque *m* de poids; **≈graben** *fig* miner.

Untergrund *m* sous-sol *m*; *pol* clandestinité *f*; **~bahn** *f* métro *m*.

unterhalb au-dessous de.

Unterhalt *m* entretien *m*; **≈en** *Familie*, *Gebäude etc* entretenir; *belustigen* divertir, distraire, amuser; *sich* ~ s'entretenir (*mit j-m über etw* avec qn de qc); *sich belustigen* se divertir, s'amuser; **≈end, ≈sam** divertissant, distrayant, amusant; **~ung** *f* entretien *m*; *Gespräch a* conversation *f*; *Vergnügen* divertissement *m*, amusement *m*.

Unter|händler *m* négociateur *m*; **~haus** *n England* (Chambre *f* des) Communes *f*/*pl*; **~hemd** *n* maillot *m od* gilet *m* de corps; **~hose** *f* caleçon *m*; *kurze* slip *m*; **≈irdisch** souterrain; **~kiefer** *m* mâchoire *f* inférieure; **≈kommen** trouver une place, se caser F; **~kunft** *f* abri *m*, gîte *m*, logement *m*; ~ *und Verpflegung* le gîte et le couvert; **~lage** *f Schreib≈* sous-main *m*; *tech* support *m*; *Schriftstück* pièce *f*, document *m*.

unterlass|en *etw* ~ s'abstenir de qc; *es* ~, *etw zu tun* omettre de faire qc; **≈ung** *f* omission *f* (*a jur*).

unterlegen inférieur (*j-m*, *e-r Sache* à qn, à qc); *er ist mir* ~ il est inférieur à moi; **≈heit** *f* infériorité *f*.

Unter|leib *m* bas-ventre *m*, abdomen *m*; **≈liegen** *besiegt werden* être vaincu (*j-m* par qn), succomber (à); *der Kontrolle*, *Mode etc* être soumis à; *j-s Zuständigkeit* ~ relever de qn; **~lippe** *f* lèvre *f* inférieure; **~mieter(in** *f*) *m* sous-locataire *m*, *f*.

unternehm|en entreprendre; **≈en** *n* entreprise *f* (*a écon*); *ein gewagtes* ~ une entreprise osée; **≈er(in** *f*) *m* entrepreneur *m*, -euse *f*; **~ungslustig** entreprenant.

Unter|offizier *m* sous-officier *m*; *Infanterie* sergent *m*; *Panzer*, *Artillerie* maréchal *m* des logis; **~ordnung** *f* subordination *f* (*unter* à); **~redung** *f* entretien *m*.

Unterricht *m* enseignement *m*, cours *m*/*pl*; **≈en** *etw* ~ enseigner qc; *j-n in etw* ~ enseigner qc à qn; *j-n über etw* ~ renseigner qn sur qc, informer qn de qc.

Unter|rock *m* jupon *m*; **≈sagen** interdire (*j-m etw* qc à qn); **~satz** *m* dessous *m* de plat, rond *m*; **≈schätzen** sous-estimer.

unterscheid|en distinguer (*von* de; *zwischen* entre); *sich* ~ se distinguer, différer (*von* de; *durch* par); **≈ung** *f* distinction *f*.

Unterschied *m* différence *f*; *im* ~ *zu* à la différence de; **≈lich** différent; **≈slos** sans distinction.

unterschlag|en *Geld* détourner; *Dokumente etc* soustraire; *fig* cacher, taire; **≈ung** *jur f* soustraction *f*; ~

von Geldern détournement *m* de fonds.

Unter|schlupf *m* abri *m*, cachette *f*; **$\mathcal{2}$schreiben** signer; **~schrift** *f* signature *f*; **~seeboot** *n* sous-marin *m*; **$\mathcal{2}$setzt** trapu; **~stand** *mil m* abri *m*.

unterste le plus bas.

unter|stehen *j-m* ~ être subordonné à qn, être sous les ordres de qn; *sich* ~, *etw zu tun* oser faire qc; **~stellen** (*sich* ~ se) mettre à l'abri; *j-n j-m* ~ subordonner qn à qn; *etw* ~ *annehmen* supposer qc; *j-m etw* ~ attribuer *od* imputer (faussement) qc à qn; *j-m bestimmte Absichten* ~ faire un procès d'intention à qn; **~streichen** souligner (*a fig*); **$\mathcal{2}$stufe** *f Schule* premier cycle *m*.

unterstütz|en aider, assister, secourir, soutenir, appuyer; **$\mathcal{2}$ung** *f* aide *f*, assistance *f*, secours *m*, soutien *m*, appui *m*.

untersuchen examiner; *ermitteln* enquêter sur; *chim* analyser.

Untersuchung *f* examen *m* (*a méd*); enquête *f* (*a jur*); *jur* instruction *f*; *chim* analyse *f*; **~shaft** *f* détention *f* préventive; **~srichter** *m* juge *m* d'instruction.

Unter|tan *m* sujet *m*; **~tasse** *f* soucoupe *f*; *fliegende* ~ soucoupe *f* volante; **$\mathcal{2}$tauchen** plonger; *fig* disparaître.

Unterteil *n* bas *m*, partie *f* inférieure; **$\mathcal{2}$en** subdiviser; **~ung** *f* subdivision *f*.

Unter|titel *m* sous-titre *m*; **~ton** *m fig ein* ~ *von Spott* une pointe d'ironie; **~treibung** *f* minimisation *f*; **$\mathcal{2}$vermieten** sous-louer; **$\mathcal{2}$wandern** *pol* noyauter; **~wäsche** *f* sous-vêtements *m/pl*, linge *m* (de corps).

unterwegs en route, en chemin, chemin faisant.

unterweis|en instruire; **$\mathcal{2}$ung** *f* instruction *f*.

Unterwelt *f Totenreich* enfers *m/pl*; *der Verbrecher* pègre *f*, milieu *m*.

unterwerf|en (*sich* ~ se) soumettre; **$\mathcal{2}$ung** *f* soumission *f* (*unter* à).

unterwürfig *péj* servile; **$\mathcal{2}$keit** *f* servilité *f*.

unterzeichn|en signer; **$\mathcal{2}$er** *m* signataire *m*; **$\mathcal{2}$ung** *f* signature *f*.

unterziehen *sich e-r Sache* ~ se soumettre à qc, subir qc.

untragbar intolérable.

untrennbar inséparable.

untreu infidèle; **$\mathcal{2}$e** *f* infidélité *f*.

untröstlich inconsolable.

untrüglich *ein* ~*es Zeichen* un signe infaillible.

Untugend *f* vice *m*.

unüber|legt irréfléchi; **~sehbar** immense; **~trefflich** insurpassable, incomparable; **~windlich** insurmontable, invincible, infranchissable.

unum|gänglich inévitable; **~schränkt** *pol* absolu; **~wunden** franchement, sans détours.

ununterbrochen ininterrompu; *adv* sans interruption, sans cesse.

unver|änderlich invariable (*a gr*); **~antwortlich** irresponsable; **~besserlich** incorrigible; **~bindlich** qui n'engage à rien, sans obligation; **~daulich** indigeste (*a fig*); **~dient** immérité; **~dorben** qui n'est pas abîmé; *fig* sain, qui n'est pas corrompu; **~dünnt** non dilué; *Getränk* non coupé; **~einbar** incompatible (*mit* avec); **~fälscht** authentique, non falsifié; **~fänglich** anodin; **~froren** effronté, sans gêne; **~gänglich** impérissable, immortel; **~geßlich** inoubliable; **~gleichlich** incomparable; **~heiratet** célibataire; **~hofft** *adj* inespéré; *adv* à l'improviste; **~käuflich** invendable; **~kennbar** indubitable, évident; **~letzt** sans blessure(s), indemne, sain et sauf; **~meidlich** inévitable; **~mischt** pur; **~mittelt** soudain, brusque(ment).

Unvermögen *n* incapacité *f*, impuissance *f*; **$\mathcal{2}$d** *ohne Vermögen* sans fortune.

unver|mutet inattendu; **$\mathcal{2}$nunft** *f* déraison *f*; **~nünftig** déraisonnable; **~richteterdinge** ~ *zurückkehren* revenir bredouille.

unverschämt insolent, impertinent, effronté; **$\mathcal{2}$heit** *f* insolence *f*, impertinence *f*, effronterie *f*.

unver|sehens à l'improviste; **~sehrt** intact; *Person* indemne, sain et sauf; **~söhnlich** irréconciliable; **$\mathcal{2}$stand** *m* déraison *f*; **~standen** *sich* ~ *fühlen* se sentir incompris; **~ständlich** incompréhensible, inintelligible; *es ist mir* ~ j'ai du mal à comprendre cela; **~sucht** *nichts* ~ *lassen* ne rien négliger (pour ...); **~wundbar** invulnérable; **~wüstlich** *Stoff* inusable; ~*e Gesundheit* santé *f* à toute épreuve *od* de fer; **~zeihlich** impardonnable; **~züglich** immédiat; *adv* sans délai.

unvollendet inachevé.
unvollkommen imparfait; **2heit** *f* imperfection *f*.
unvollständig incomplet.
unvoreingenommen sans préjugés.
unvorher|gesehen imprévu; **~sehbar** imprévisible.
unvorsichtig imprudent; **2keit** *f* imprudence *f*.
unvorstellbar inimaginable.
unvorteilhaft désavantageux.
unwahr faux; *lügenhaft* mensonger; **2heit** *f* mensonge *m*; **~scheinlich** invraisemblable, improbable; F incroyable(ment).
unwegsam impraticable.
unweigerlich inévitable(ment), immanquable(ment).
unwesentlich non essentiel, peu important.
Unwetter *n* tempête *f*.
unwichtig sans importance.
unwider|legbar irréfutable; **~ruflich** irrévocable, sans appel; **~stehlich** irrésistible.
Unwill|e *m* indignation *f*; **2ig** indigné (*über* de); *widerwillig* à contrecœur; **2kürlich** involontaire.
unwirk|lich irréel; **~sam** inefficace; *jur* nul.
unwirsch brusque, bourru.
unwirt|lich inhospitalier, peu accueillant; **~schaftlich** peu économique, non rentable.
unwissen|d ignorant; **2heit** *f* ignorance *f*.
unwohl *mir ist ~* je ne me sens pas bien, je suis indisposé; **2sein** *n* indisposition *f*.
unwürdig indigne (*j-s, e-r Sache* de qn, de qc).
unzählig innombrable.
unzeitgemäß inactuel, démodé.
unzer|brechlich incassable; **~reißbar** indéchirable; **~störbar** indestructible; **~trennlich** inséparable.
Un|zucht *jur f* attentat *m* à la pudeur; **2züchtig** impudique, luxurieux.
unzufrieden mécontent, insatisfait; **2heit** *f* mécontentement *m*, insatisfaction *f*.
unzu|gänglich inaccessible, inabordable (*beide a Person*); **~länglich** insuffisant; **~lässig** inadmissible; **~mutbar** inacceptable; **~rechnungsfähig** *jur* irresponsable; **~reichend** insuffisant; **~sammenhängend** incohérent; **~verlässig** sur qui (*od* sur quoi) on ne peut compter; *Quelle* incertain, peu sûr.
unzweifelhaft indubitable.
üppig *Vegetation* luxuriant; *Mahlzeit, Busen* plantureux.
uralt vieux comme le monde.
Uran *chim n* uranium *m*.
Ur|aufführung *f* première *f*; **~bevölkerung** *f*, **~einwohner** *m/pl* population *f* primitive, autochtones *m/pl*, aborigènes *m/pl*; **~enkel(in** *f*) *m* arrière-petit-fils *m*, arrière-petite-fille *f*; **~großmutter** *f* arrière-grand-mère *f*; **~großvater** *m* arrière-grand-père *m*; **~heber(in** *f*) *m* auteur *m*; **~heberrechte** *n/pl* droits *m/pl* d'auteur.
Urin *m* urine *f*; **2ieren** uriner.
Urkunde *f* acte *m*, document *m*; **~nfälschung** *jur f* faux *m* en écriture.
Urlaub *m* vacances *f/pl*, congé(s) *m(pl)*; *mil* permission *f*; *in ~ sein* être en vacances; *e-n Tag ~ nehmen* prendre un jour de congé; **~er(in** *f*) *m* vacancier *m*, -ière *f*; *mil* permissionnaire *m*.
Ur|sache *f* cause *f*; *Grund* raison *f*; *keine ~!* il n'y a pas de quoi!; **2sächlich** causal; **~sprung** *m* origine *f*; **2sprünglich** d'origine, originaire, originel; *adv* à l'origine.
Urteil *n* jugement *m*; *jur a* sentence *f*, arrêt *m*, verdict *m*; *ein ~ fällen* rendre un jugement; *ein ~ abgeben über* porter un jugement sur; *sich ein ~ bilden* se faire une opinion; **2en** juger (*über* de); **~svermögen** *n* jugement *m*, discernement *m*.
Ur|wald *m* forêt *f* vierge; **2wüchsig** primitif, naturel; **~zeit** *f* ère *f* préhistorique; **~zustand** *m* état *m* primitif.
Utensilien *pl* ustensiles *m/pl*.
Utop|ie *f* utopie *f*; **2isch** utopique.

V

Vagabund *m* vagabond *m*.
vage vague.
Vakuum *n* vide *m*; **⁀verpackt** emballé sous vide.
Vampir *m* vampire *m*.
Vanille *f* vanille *f*.
vari|abel variable; **⁀ante** *f* variante *f*.
Varieté *n* music-hall *m*.
variieren varier.
Vase *f* vase *m*; ⚠ *le* vase.
Vater *m* père *m*; **~land** *n* patrie *f*; **~landsliebe** *f* amour *m* de la patrie.
väterlich paternel.
Vater|schaft *f* paternité *f*; **~unser** *rel n* Notre Père *m*, Pater *m*.
Vatikan *m* Vatican *m*.
V-Ausschnitt *m* décolleté *m* en V.
Veget|arier(in *f*) *m* végétarien, -ne *f*; **⁀arisch** végétarien; **~ation** *f* végétation *f*; **⁀ieren** végéter, vivoter.
Veilchen *bot n* violette *f*.
Vene *f* veine *f*.
Venedig Venise.
Ventil *n tech* soupape *f*; *am Luftschlauch* valve *f*; **~ation** *f* ventilation *f*; **~ator** *m* ventilateur *m*.
verabred|en *etw* ~ convenir de qc; *sich* ~ se donner rendez-vous; *sich mit j-m* ~ donner rendez-vous à qn; **⁀ung** *f* rendez-vous *m*.
verab|reichen *Arznei* administrer; **~scheuen** détester.
verabschied|en congédier; *Gesetz* voter, adopter; *sich* ~ prendre congé (*von* de); **⁀ung** *f* congédiement *m*; *Gesetz* vote *m*, adoption *f*.
ver|achten mépriser, dédaigner; **~ächtlich** méprisant, dédaigneux; *verachtenswert* méprisable; **⁀achtung** *f* mépris *m*, dédain *m*; **~allgemeinern** généraliser; **~altet** vieilli, suranné, désuet.
Veranda *f* véranda *f*.
veränder|lich variable; **~n** changer, modifier; *sich* ~ changer, **⁀ung** *f* changement *m*, modification *f*.
veranlag|t *musisch* ~ doué pour les arts; *praktisch* ~ *sein* avoir un sens pratique; **⁀ung** *f* prédisposition *f*.
veranlass|en *etw* ~ occasionner qc; faire faire qc, ordonner qc; *j-n zu etw* ~ amener *od* déterminer qn à (faire) qc; **⁀ung** *f* cause *f*, motif *m*; ~ *zu etw geben* donner lieu à qc.
veran|schaulichen illustrer; **~schlagen** estimer, évaluer (*auf* à).
veranstalt|en organiser; **⁀er** *m* organisateur *m*; **⁀ung** *f* manifestation *f*.
verantwort|en *etw* ~ répondre de qc; **~lich** responsable (*für* de); **⁀ung** *f* responsabilité *f*; *die* ~ *für etw übernehmen* assumer *od* prendre la responsabilité de qc; *j-n zur* ~ *ziehen* demander des comptes à qn; **⁀ungsbewußtsein** *n*, **⁀ungsgefühl** *n* sentiment *m* de responsabilité; **~ungslos** irresponsable.
verarbeiten travailler, usiner, transformer (*zu* en); *geistig* digérer, assimiler; **~d** **~e** *Industrie* industrie *f* de transformation.
ver|ärgern irriter, fâcher; **~armt** appauvri; **~arzten** F soigner; **~ausgaben** *sich* ~ se dépenser; **~äußern** aliéner, vendre.
Verb *gr n* verbe *m*.
Verband *m* association *f*; *méd* pansement *m*; *mil* formation *f*; **~(s)kasten** *m* trousse *f* de premiers soins.
verbann|en bannir; **⁀ung** *f* bannissement *m*; exil *m*.
ver|barrikadieren (*sich* ~ se) barricader; **~bergen** cacher, dissimuler (*etw vor j-m* qc à qn); *sich vor j-m* ~ se cacher de qn.
verbesser|n (*sich* ~ s')améliorer; *berichtigen* corriger; **⁀ung** *f* amélioration *f*; correction *f*.
verbeug|en *sich* ~ s'incliner (*vor* devant); **⁀ung** *f* inclination *f*.
ver|biegen tordre; **~bieten** défendre, interdire; **~billigt** à prix réduit, au rabais.
verbinden lier (*mit* avec *od* à), joindre (à), (ré)unir (à); *Wunde* panser; *Augen* bander; *tech* raccorder (à); *elektrisch* connecter (à); *chim* combiner; *tél* ~ *mit* donner la communication avec; (*Sie sind*) *falsch verbunden* vous avez fait le mauvais numéro.
verbindlich *bindend* obligatoire; *gefällig* obligeant; **⁀keit** *f e-s Gesetzes* caractère *m* obligatoire; *e-r Person* obligeance *f*; *comm* obligation *f*.
Verbindung *f* liaison *f*, communication *f* (*a tél*, *Verkehrs⁀*); contact *m*, relation *f*; *tech* raccord *m*; *chim* combinaison *f*, composé *m*; *mit j-m in* ~ *stehen* (*treten*) être

(entrer) en contact *od* en relation(s) avec qn.
ver|bissen acharné; ~ *verteidigen* défendre avec acharnement; **~bitten** *das verbitte ich mir!* je ne peux pas tolérer cela!
verbitter|t aigri; **2ung** *f* amertume *f*.
verblassen pâlir.
Verbleib *m über seinen ~ weiß man nichts* on ne sait pas où il se trouve; **2en** rester, demeurer; ~ *wir dabei!* restons-en là!
verblend|en aveugler; **2ung** *f* aveuglement *m*.
verblüff|en ébahir, stupéfier; **~t** stupéfait, ébahi; **2ung** *f* stupéfaction *f*, ébahissement *m*.
ver|blühen défleurir, se flétrir (*a fig*), se faner (*a fig*); **~bluten** mourir d'une hémorragie; **~bohrt** obstiné; **~borgen** caché; *im ~en* en secret, en cachette.
Verbot *n* interdiction *f*, défense *f*; **2en** *Rauchen ~* interdit de fumer.
Verbrauch *m* consommation *f* (*an* de); **2en** consommer; *Kräfte* dépenser; **~er** *m* consommateur *m*; **~erschutz** *m* défense *f* des consommateurs; **2t** usé.
Verbrech|en *n* crime *m*; *ein ~ begehen* commettre un crime; **~er(in** *f*) *m* criminel *m*, -le *f*; **2erisch** criminel.
verbreit|en (*sich ~* se) répandre; *Lehre, Nachricht a* (se) propager; **~ern** élargir.
verbrenn|en brûler; *Tote* incinérer; **2ung** *f* combustion *f*; *Tote* crémation *f*, incinération *f*; *méd* brûlure *f*; **2ungsmotor** *m* moteur *m* à combustion interne.
verbringen *Zeit* passer.
verbrüder|n *sich ~* fraterniser; **2ung** *f* fraternisation *f*.
ver|brühen *sich ~* s'ébouillanter; **~buchen** enregistrer, comptabiliser.
verbünde|n *sich ~* s'allier (*mit* à); **2te(r)** *m, f* allié *m* -e *f*.
ver|bürgen *sich ~ für* se porter garant de, répondre de; **~büßen** *e-e Strafe ~* purger une peine; **~chromt** chromé.
Verdacht *m* soupçon *m*; *gegen j-n ~ schöpfen* commencer à soupçonner qn; *im ~ stehen* être soupçonné (*zu* de + *inf*).
verdächtig suspect; *sich ~ machen* se rendre suspect; **~en** soupçonner (*j-n e-r Sache* qn de qc); **2ung** *f* soupçon *m*.
verdamm|en condamner; *rel* damner; **2nis** *rel f* damnation *f* (éternelle); **~t** maudit, sacré F; F *~ noch mal!* zut alors!; F *~ gut* drôlement bon.
ver|dampfen s'évaporer; **~danken** *j-m etw ~* devoir qc à qn.
verdau|en digérer (*a fig*); **~lich** *leicht ~* digeste, facile à digérer; *schwer ~* indigeste, lourd; **2ung** *f* digestion *f*; **2ungsstörungen** *f/pl* troubles *m/pl* digestifs.
Verdeck *n auto* capote *f*; *mar* pont *m*; **2en** couvrir (*a fig*); *verbergen* cacher.
verdenken *ich kann es ihm nicht ~* je ne peux pas lui en vouloir.
verderb|en *Lebensmittel* s'abîmer; *etw* abîmer; *Spaß, Preise etc* gâcher; *sittlich* corrompre; *sich die Augen ~* s'abîmer la vue; *sich den Magen ~* se détraquer l'estomac; *es mit j-m ~* perdre les bonnes grâces de qn; **2en** *n* perte *f*, ruine *f*; **~lich** *Lebensmittel* périssable; *schädlich* pernicieux.
ver|deutlichen rendre clair, élucider; **~dichten** comprimer, condenser; *sich ~ Nebel* s'épaissir; *Gerücht* prendre corps; **~dicken** (*sich ~* s')épaissir.
verdien|en *Geld* gagner; *Lob, Tadel* mériter; **2st 1.** *m* gain *m*; **2.** *n* mérite *m*; **~t** (bien) mérité; *Person* de mérite; *sich ~ machen um* bien mériter de.
ver|doppeln (*sich*) ~ doubler; **~dorben** abîmé; *fig* gâché; *Lebensmittel a* avarié; *sittlich* corrompu, dépravé; **~dorren** se dessécher.
verdräng|en *ersetzen* supplanter; *psych* refouler; **2ung** *psych f* refoulement *m*.
ver|drehen tordre; *Augen* rouler; *fig Tatsachen, Wahrheit* dénaturer, altérer; *fig j-m den Kopf ~* tourner la tête à qn; **~dreifachen** (*sich*) ~ tripler.
ver|drießlich, ~drossen maussade, renfrogné.
verdrücken *essen* F avaler, bouffer; *fig sich ~* F filer à l'anglaise, s'éclipser.
Verdruß *m* dépit *m*, contrariété *f*, ennuis *m/pl*.
verduften F déguerpir, filer, ficher le camp.
verdummen s'abêtir, s'abrutir.
verdunk|eln (*sich ~* s')obscurcir; **2(e)lung** *f* obscurcissement *m*; *mil* black-out *m*.

ver|dünnen diluer (*mit Wasser* avec de l'eau); **~dunsten** s'évaporer; **~dursten** mourir de soif; **~dutzt** stupéfait, ahuri.
verehr|en *rel* vénérer; *fig* adorer; **2er(in** *f*) *m* admirateur *m*, -trice *f*; *m e-s Mädchens* soupirant *m*; **2ung** *f* vénération *f*; *fig* admiration *f*, adoration *f*; **~ungswürdig** vénérable.
vereidigen faire prêter serment à, assermenter.
Verein *m* association *f*, club *m*.
vereinbar compatible (*mit* avec); **~en** convenir de; *sich ~ lassen mit* se concilier avec; **2ung** *f* accord *m*, convention *f*.
vereinen (*sich ~* s')unir.
vereinfach|en simplifier; **2ung** *f* simplification *f*.
vereinheitlichen uniformiser, standardiser.
vereinig|en (*sich ~* se) réunir, (s')unir; **~t** (ré)uni; *die 2en Staaten* les États-Unis *m/pl*; **2ung** *f* (ré-) union *f*; *Verein* association *f*.
verein|samen devenir solitaire, s'isoler; **~t** uni; *die 2en Nationen* les Nations *f/pl* Unies; **~zelt** isolé; *~ Regen* pluies *f/pl* éparses.
ver|eiteln déjouer, faire échouer, anéantir; **~eitert** plein de pus; **~enden** mourir; **~enge(r)n** (*sich ~* se) rétrécir.
vererb|en laisser (en mourant); *testamentarisch* léguer; *biol* transmettre; *sich ~ auf* se transmettre à; **2ung** *biol f* hérédité *f*; **2ungslehre** *f* génétique *f*.
verewigen *Namen* immortaliser.
verfahren 1. procéder; *~ mit* traiter; *sich ~* se tromper de route, s'égarer; **2.** 2 *n* procédé *m*; *jur* procédure *f*.
Verfall *m* décadence *f*, déclin *m*; *Gebäude* ruine *f*; *comm* échéance *f*; **2en** *Gebäude* tomber en ruine, se délabrer; *comm* échoir, venir à échéance; *auf etw ~* avoir l'idée de qc; *in etw ~* (re)tomber dans qc; *j-m ~ sein* être l'esclave de qn; **~sdatum** *n* date *f* limite de consommation.
ver|fälschen falsifier; **~fänglich** embarrassant, insidieux; **~färben** *sich ~* changer de couleur.
verfass|en rédiger; **2er(in** *f*) *m* auteur *m*, femme *f* auteur.
Verfassung *f Staats*2 constitution *f*; *Zustand* état *m*; *körperliche ~* condition *f* physique; **2smäßig** constitutionnel; **2swidrig** anticonstitutionnel.
verfaulen pourrir.
verfecht|en défendre; **2er** *m* défenseur *m*, champion *m*, avocat *m*.
verfehlen manquer, rater.
verfeind|en *sich ~* se brouiller; **~et** brouillé (*mit* avec).
verfeinern raffiner, améliorer.
verfilm|en porter à l'écran, tirer un film de; **2ung** *f* adaptation *f* cinématographique.
Ver|flechtung *f* interdépendance *f*; **2fliegen** *Ärger etc* se dissiper; *Zeit* fuir; **2flixt!** zut!; **2flossen** passé; F *ihr ~er Mann* son ex-mari; **2fluchen** maudire; **2flüchtigen** *sich ~* se volatiliser (*a fig*).
verflüssig|en liquéfier; **2ung** *f* liquéfaction *f*.
verfolg|en poursuivre (*a jur*); *grausam od ungerecht* persécuter; *gerichtlich ~* poursuivre en justice; **2er** *m* poursuivant *m*; *pol*, *rel* persécuteur *m*; **2ung** *f* poursuite *f*; *pol*, *rel* persécution *f*; *gerichtliche ~* poursuites *f/pl* judiciaires; **2ungswahn** *psych m* délire *m od* manie *f* de la persécution.
verfremd|en donner un caractère étranger à; **2ungseffekt** *m Theater* effet *m* de distanciation.
verfrüht prématuré.
verfüg|bar disponible; **~en** *anordnen* ordonner; *~ über* disposer de; **2ung** *f* disposition *f*; *Anordnung* ordonnance *f*; *j-m zur ~ stellen (stehen)* mettre (être) à la disposition de qn.
verführ|en séduire; **2er(in** *f*) *m* séducteur *m*, -trice *f*; **~erisch** séduisant, tentant, attrayant; **2ung** *f* séduction *f*.
vergangen passé; *im ~en Jahr* l'année dernière *od* passée; **2heit** *f* passé *m* (*a gr*).
vergänglich passager, éphémère, fugitif; **2keit** *f* caractère *m* passager *od* éphémère.
vergas|en *chim* gazéifier; *Menschen* gazer; **2er** *m auto* carburateur *m*.
vergeb|en *Stelle, Aufträge etc* donner, attribuer; *verzeihen* pardonner; **~ens** en vain; **~lich** inutile, vain; *adv* en vain; **2ung** *f* pardon *m*.
vergegenwärtigen *sich etw ~* se représenter qc, se remémorer qc.
vergehen 1. *Zeit, Schmerz* passer; *vor Angst ~* mourir de peur; *mir ist die Lust dazu vergangen* j'en ai perdu

l'envie; *sich an j-m* ~ porter la main sur qn; *an e-r Frau* violer qn; **2.** ♀ *jur n* délit *m*.
vergelt|en rendre; *Gleiches mit Gleichem* ~ rendre la pareille à qn; ♀**ung** *f* vengeance *f*, revanche *f*; ♀**ungsmaßnahmen** *f/pl* représailles *f/pl*.
vergessen oublier; ♀**heit** *f* oubli *m*; *in* ~ *geraten* tomber dans l'oubli.
vergeßlich étourdi, distrait.
vergeud|en gaspiller; ♀**ung** *f* gaspillage *m*.
vergewaltig|en violer; ♀**ung** *f* viol *m*.
ver|gewissern *sich* ~ s'assurer (*e-r Sache* de qc; *ob* si); ~**gießen** *Tränen* verser.
vergift|en (*sich* ~ s')empoisonner, (s')intoxiquer; ♀**ung** *f* empoisonnement *m*, intoxication *f*.
ver|gittern grillager; ~**glasen** vitrer.
Vergleich *m* comparaison *f* (*mit* à, avec); *jur nach Streit* compromis *m*; *statt Konkurs* règlement *m* judiciaire; *im* ~ *zu* par rapport à; ♀**bar** comparable (*mit* à, avec); ♀**en** comparer (*mit* à, avec).
vergnüg|en 1. *sich* ~ s'amuser (*zu* à + *inf*), se divertir; **2.** ♀ *n* plaisir *m*; *mit* ~ avec plaisir; *viel* ~*!* amusez-vous bien!; *cf a* ♀*ung*; ~**t** joyeux, gai; ♀**ung** *f* amusement *m*, divertissement *m*; ♀**ungspark** *m* parc *m* d'attractions.
ver|golden dorer; ~**göttern** adorer, idolâtrer; ~**graben** enterrer, enfouir; ~**greifen** *sich an j-m* ~ porter la main sur qn; *schänden* violer qn; *sich an etw* ~ toucher à qc; ~**griffen** *Buch* épuisé.
vergrößer|n agrandir (*a Foto*), grossir (*a Lupe etc*), augmenter; ♀**ung** *f* agrandissement *m* (*a Foto*), grossissement *m*, augmentation *f*; ♀**ungsglas** *n* loupe *f*.
Vergünstigung *f* avantage *m*.
vergüt|en *j-m etw* ~ indemniser qn de qc; *j-m seine Auslagen* ~ rembourser qn de ses frais; ♀**ung** *f* indemnité *f*.
verhaft|en arrêter; ♀**ung** *f* arrestation *f*.
verhalten 1. *sich* ~ se conduire, se comporter; *sich ruhig* ~ garder son calme; *es verhält sich so* il en est ainsi; **2.** ♀ *n* comportement *m*, conduite *f*; ♀**sforschung** *f* étude *f* du comportement; ~**sgestört** caractériel.
Verhältnis *n* relation *f*; *Größen*♀ proportion *f*; *persönliches* rapports *m/pl* (*zu* avec); *Liebes*♀ liaison *f*; ~**se** *pl* conditions *f/pl*, situation *f*, circonstances *f/pl*; *im* ~ *zu* par rapport à; *über seine* ~*se leben* vivre au-dessus de ses moyens; ♀**mäßig** relatif; *adv* relativement; ~**wahl** *f* scrutin *m* proportionnel; ~**wort** *gr n* préposition *f*.
verhand|eln négocier (*über etw* qc); ♀**lung** *f* négociation *f*; *jur* audience *f*, débats *m/pl*.
verhäng|en couvrir (d'un rideau); *Strafe* infliger (*gegen* à); *Blockade* décréter; ♀**nis** *n* fatalité *f*, sort *m*; *Unheil* malheur *m*; ~**nisvoll** fatal, néfaste, funeste.
ver|harmlosen minimiser; ~**härmt** rongé de chagrin; ~**harren** *bei seiner Meinung* ~ persister dans son opinion; ~**härten** *fig sich* ~ se durcir; ~**haßt** détesté, haï, odieux; ~**hätscheln** dorloter, chouchouter F; ~**hauen** F rosser; *fig e-e Klassenarbeit* ~ rater *od* louper F une composition.
verheer|en ravager; ~**end** désastreux, catastrophique; ♀**ung** *f* ravage *m*.
ver|hehlen cacher, dissimuler; ~**heilen** guérir.
verheimlich|en dissimuler; ♀**ung** *f* dissimulation *f*.
verheirat|en *sich* ~ se marier (*mit* avec); *j-n mit j-m* ~ marier qn à *od* avec qn; ~**et** marié.
verheiß|en promettre; ♀**ung** *st/s f* promesse *f*; ~**ungsvoll** prometteur.
verhelfen *j-m zu etw* ~ aider qn à obtenir qc.
verherrlich|en glorifier; ♀**ung** *f* glorification *f*.
verhexen ensorceler; *es ist wie verhext* c'est comme un fait exprès.
verhinder|n empêcher; ~**t** ~ *sein* être empêché, être retenu; *ein* ~*er Künstler* un artiste manqué; ♀**ung** *f* empêchement *m*.
verhöhnen bafouer, tourner en dérision.
Verhör *jur n* interrogatoire *m*; ♀**en** interroger; *sich* ~ mal entendre.
ver|hüllen voiler; ~**hungern** mourir de faim.
verhüt|en empêcher, prévenir; ♀**ung** *f* prévention *f*; ♀**ungsmittel** *méd n* contraceptif *m*.

verirr|en *sich* ~ s'égarer, se perdre; **&ung** *f* aberration *f*.
verjagen chasser.
Verjährung *jur f* prescription *f*.
verjüng|en rajeunir; *sich* ~ rajeunir; *Säule* s'amincir; **&ung** *f* rajeunissement *m*.
verkabeln *TV* câbler.
verkalk|en *méd u fig* se scléroser; *Rohr* s'entartrer; **~t** *fig* sclérosé, gaga F.
verkannt méconnu.
Verkauf *m* vente *f*; **&en** (*sich* ~ se) vendre; *zu* ~ à vendre.
Verkäuf|er(in *f*) *m* vendeur *m*, -euse *f*; **&lich** à vendre; *leicht* ~ facile à écouler.
Verkehr *m* circulation *f*, trafic *m*; *Geschlechts&* rapports *m/pl*; *aus dem* ~ *ziehen* retirer de la circulation; **&en** *Bus etc* circuler; *mit j-m* ~ être en relations avec qn; *sexuell* avoir des rapports avec qn; *bei j-m* ~ fréquenter qn; *ins Gegenteil* ~ transformer en son contraire.
Verkehrs|ader *f* axe *m* routier, artère *f*; **~ampel** *f* feux *m/pl* (de signalisation); **~amt** *n*, **~büro** *n* office *m* de tourisme; **~delikt** *n* infraction *f* au code de la route; **~erziehung** *f* enseignement *m* du code de la route; **~flugzeug** *n* avion *m* de ligne; **~hindernis** *n* obstacle *m* à la circulation; **~insel** *f* refuge *m*; **~minister** *m* ministre *m* des Transports; **~mittel** *n* moyen *m* de transport; *öffentliche* ~ *pl* transports *m/pl* publics *od* en commun; **~opfer** *n* victime *f* de la circulation; **~polizei** *f* police *f* routière; **&reich** *Straße* fréquenté; **~schild** *n* panneau *m* de signalisation; **&sicher** sûr; **~sicherheit** *f* sécurité *f* routière; **~stau** *m* bouchon *m*, embouteillage *m*; **~sünder** *m* contrevenant *m* au code de la route; **~teilnehmer** *m* usager *m* de la route; **~unfall** *m* accident *m* de la circulation *od* de la route; **~verein** *m* syndicat *m* d'initiative; **&widrig** contraire au code de la route; **~zeichen** *n* panneau *m* de signalisation.
verkehrt à l'envers; *falsch* mauvais, faux; *adv* de travers.
verkennen méconnaître, se méprendre sur.
verkett|en enchaîner; **&ung** *f* enchaînement *m*; ~ *unglücklicher Umstände* malencontreux concours *m* de circonstances.
verklagen *j-n* ~ intenter une action contre qn.
verkleid|en (*sich* ~ se) déguiser (*als* en); *tech* revêtir; **&ung** *f* déguisement *m*; *tech* revêtement *m*.
verkleiner|n rapetisser, réduire; **&ung** *f* rapetissement *m*, réduction *f* (*a Foto*).
ver|klemmt complexé; **~klingen** *Musik* se perdre, s'éteindre; **~knallt** *in j-n* ~ *sein* F avoir le béguin pour qn; **&knappung** *f* pénurie *f*, rareté *f*; **~knüpfen** attacher; *fig* lier, joindre, associer (*alle mit* à).
verkommen 1. *Haus etc* être laissé à l'abandon; *Mensch* tomber bien bas; **2.** *adj moralisch* dépravé; **&heit** *f* dépravation *f*.
verkörper|n personnifier; **&ung** *f* personnification *f*.
ver|krachen F *sich mit j-m* ~ se brouiller avec qn; **~kraften** supporter; **~kriechen** *sich* ~ se fourrer (*in* dans), se cacher; **~krüppelt** estropié; *Pflanze* rabougri; **~kühlen** *sich* ~ attraper un rhume, prendre froid; **~kümmern** *Lebewesen* dépérir; *Muskel*, *fig Begabung* s'atrophier; *Pflanze a* s'étioler (*a fig*), se rabougrir.
verkünd|(ig)en annoncer, proclamer; *Gesetz* promulguer; *Evangelium* prêcher; *das Urteil verkünden* prononcer la sentence; **&igung** *f* annonce *f*; *rel Mariä* ~ l'Annonciation *f*; *die* ~ *des Evangeliums* la prédication de l'Évangile; **&ung** *f* proclamation *f*.
verkürz|en raccourcir; *Arbeitszeit* réduire; **&ung** *f* raccourcissement *m*, réduction *f*.
verladen charger; *mar* embarquer.
Verlag *m* maison *f* d'édition.
verlangen 1. demander (*etw von j-m* qc à qn), exiger (qc de qn), réclamer (qc de qn); *nach j-m* ~ réclamer qn; **2.** & *n* désir *m* (*nach* de); *auf* ~ *von* sur *od* à la demande de.
verlänger|n prolonger; **&ung** *f zeitlich* prolongation *f*; *räumlich* prolongement *m*; **&ungsschnur** *f* rallonge *f*.
verlangsamen (*sich* ~ se) ralentir.
verlassen 1. quitter; *im Stich lassen* abandonner; *sich* ~ *auf* compter sur, se fier à; **2.** *adj* abandonné.
Verlauf *m* déroulement *m*, cours *m*; *e-r Straße*, *Grenze* tracé *m*; **&en**

Ereignis, Entwicklung se dérouler, se passer; *Straße* aller; *sich ~ sich verirren* se perdre, s'égarer; *Menschenmenge* s'écouler.
verleben *Zeit* passer.
verlegen 1. *räumlich* déplacer; *Wohnsitz* transférer; *Brille* égarer; *zeitlich* remettre, ajourner (*auf* à); *Leitung* poser; *Bücher* éditer; **2.** *adj* embarrassé, gêné; **2heit** *f* embarras *m*, gêne *f*; *j-n in ~ bringen* embarrasser qn.
Verleg|er *m* éditeur *m*; **~ung** *f* déplacement *m*, transfert *m*; *zeitlich* ajournement *m*; *tech* pose *f*.
verleiden *j-m etw ~* dégoûter qn de qc.
Verleih *m* location *f*; *Film2* distribution *f*; **2en** prêter, louer; *Preis* décerner; *Rechte, Titel* conférer; **~ung** *f Preis* décernement *m*.
verleiten *j-n zu etw ~* inciter qn à qc.
verlernen désapprendre, oublier.
verlesen *lesen* faire la lecture de, lire; *Salat* trier; *sich ~* se tromper en lisant.
verletz|bar vulnérable; **~en** (*sich ~* se) blesser; *fig a* offenser; **~end** blessant; **2te(r)** *m, f* blessé *m*, -e *f*; **2ung** *f* blessure *f*.
verleugnen renier.
verleumd|en calomnier, diffamer; **2er(in** *f*) *m* calomniateur *m*, -trice *f*, diffamateur *m*, -trice *f*; **2ung** *f* calomnie *f*, diffamation *f*.
verlieb|en *sich ~* tomber amoureux (*in j-n* de qn); **~t** amoureux.
verlier|en perdre; **2er(in** *f*) *m* perdant *m*, -e *f*.
verlob|en *sich ~* se fiancer (*mit* avec); **2te(r)** *m, f* fiancé *m*, -e *f*; **2ung** *f* fiançailles *f/pl*.
verlock|en séduire, tenter; **~end** tentant, séduisant; **2ung** *f* séduction *f*, tentation *f*.
verlogen *Person* menteur; *Sache* mensonger; **2heit** *f* fausseté *f*.
verloren perdu; **~gehen** se perdre, s'égarer.
verlos|en tirer au sort; **2ung** *f* tirage *m* au sort.
Verlust *m* perte *f*.
ver|machen léguer; **2mächtnis** *n jur* legs *m*; *fig* testament *m*.
Vermählung *st/s f* mariage *m*.
vermarkt|en commercialiser; **2ung** *f* commercialisation *f*.
vermehr|en augmenter, accroître, multiplier (*a biol*); *sich ~* augmenter; *biol* se multiplier; **2ung** *f* augmentation *f*, accroissement *m*; *biol* multiplication *f*.
vermeid|bar évitable; **~en** éviter.
vermeintlich supposé, présumé.
Vermerk *m* note *f*, mention *f*; **2en** noter.
vermess|en 1. mesurer; *Gelände* arpenter; **2.** *adj* téméraire; *überheblich* présomptueux; **2enheit** *f* témérité *f*; présomption *f*; **2ung** *f* mesurage *m*; arpentage *m*.
vermiet|en louer; *Zimmer zu ~* chambre à louer; **2er(in** *f*) *m* loueur *m*, -euse *f*; *Zimmer2* logeur *m*, -euse *f*; *Wohnungs2* propriétaire *m, f*; **2ung** *f* location *f*.
verminder|n (*sich ~*) diminuer, (s')amoindrir; **2ung** *f* diminution *f*, réduction *f*.
vermisch|en (*sich ~* se) mêler (*mit* avec *od* à), (se) mélanger (avec *od* à); **2te(s)** *n Zeitung* faits *m/pl* divers; **2ung** *f* mélange *m*.
ver|missen ne pas retrouver; *schmerzlich* regretter; *ich vermisse j-n (etw)* a qn (qc) me manque; **~mißt** *mil* disparu.
vermitt|eln *Stelle etc* procurer; *Wissen* communiquer; *bei Konflikt* servir de médiateur (*zwischen* entre; *bei od in* dans), intervenir, s'interposer; **2ler(in** *f*) *m* intermédiaire *m, f*; *bei Konflikt* médiateur *m*, -trice *f*; **2lung** *f Schlichtung* médiation *f*; *Eingreifen* intervention *f*; *Stelle, Büro* agence *f*; *tél* standard *m*, central *m*; *durch j-s ~* par l'intermédiaire de qn.
vermodern pourrir.
Vermögen *n Besitz* fortune *f*; *Fähigkeit* faculté *f*; **2d** fortuné, riche.
vermummt masqué, déguisé.
vermut|en supposer, présumer; **~lich** présumé; probable(ment); **2ung** *f* supposition *f*, présomption *f*.
ver|nachlässigen (*sich ~* se) négliger; **~narben** se cicatriser (*a fig*).
vernehm|en *hören* entendre; *erfahren* apprendre; *jur* interroger; **~lich** distinct; **2ung** *jur f* interrogatoire *m*; *von Zeugen* audition *f*.
verneigen *sich ~* s'incliner (*vor* devant).
vernein|en dire (que) non, répondre négativement; *gr* mettre à la forme négative; **~end** négatif; **2ung** *f* négation *f* (*a gr*).

V

vernicht|en anéantir, détruire, exterminer; **~end** *Niederlage* écrasant; *Kritik* impitoyable; *Blick* foudroyant; **2ung** *f* anéantissement *m*, destruction *f*, extermination *f*.
verniedlichen minimiser.
Vernunft *f* raison *f*; *~ annehmen* entendre raison; *j-n zur ~ bringen* ramener qn à la raison.
vernünftig raisonnable.
veröffentlich|en publier; **2ung** *f* publication *f*.
verordn|en décréter; *méd* prescrire; **2ung** *f jur* décret *m*; *méd* prescription *f*.
verpachten affermer, donner à bail.
verpack|en emballer; **2ung** *f* emballage *m*; *comm a* conditionnement *m*.
ver|passen *Gelegenheit* laisser échapper; *Zug* manquer, rater; **~patzen** *Schule* F *e-e Klassenarbeit ~* rater *od* F louper une composition; **~pesten** empester, empoisonner; **~petzen** *Schule* dénoncer, F moucharder; **~pfänden** mettre en gage; *fig sein Wort* engager.
verpflanz|en transplanter (*a fig u méd*); *méd meist* greffer; **2ung** *f* transplantation (*a fig u méd*); *méd meist* greffe *f*.
verpfleg|en nourrir; *sich ~* s'approvisionner, se ravitailler; **2ung** *f* nourriture *f*.
verpflicht|en *j-n ~* obliger *od* engager qn (*zu* à); *sich ~* s'engager (*zu* à); **~et** *~ sein, etw zu tun* être obligé de faire qc; **2ung** *f* obligation *f*, engagement *m* (*gegenüber j-m* envers qn).
ver|pfuschen gâcher; **~plempern** F *Geld* dépenser sans compter; *Zeit* gaspiller.
verpönt mal vu, unanimement réprouvé.
ver|prassen *Geld* dissiper, dilapider, gaspiller; **~prügeln** rosser; F passer à tabac; **~puffen** fuser; *fig* se perdre en fumée.
Verputz *m* crépi *m*; **2en** crépir; F *essen* dévorer, engloutir.
ver|quollen *Augen, Gesicht* enflé; **~rammeln** barricader.
Verrat *m* trahison *f*; **2en** (*sich ~* se) trahir.
Verräter|(in *f*) *m* traître *m*, traîtresse *f*; **2isch** traître.
verrechn|en compenser, faire le compte de; *sich ~* se tromper dans ses calculs; *sich um e-e Mark ~* se tromper *od* faire une erreur d'un mark; **2ung** *comm f* compensation *f*, clearing *m*; **2ungsscheck** *m* chèque *m* barré.
ver|recken P crever; **~regnet** pluvieux.
verreis|en partir en voyage (*nach* pour); **~t** (parti) en voyage.
verrenk|en *verdrehen* tordre; *ausrenken sich etw ~* se luxer qc; **2ung** *méd f* luxation *f*.
ver|richten faire, exécuter; **~riegeln** verrouiller.
verringer|n (*sich ~* s')amoindrir, diminuer; **2ung** *f* amoindrissement *m*, diminution *f*, réduction *f*.
ver|rosten rouiller; **~rotten** pourrir, se décomposer.
verrücken déplacer.
verrückt fou (*auf, nach* de); *~ werden* devenir fou; **2e(r)** *m, f* fou *m*, folle *f*; **2heit** *f* folie *f*.
Verruf *m in ~ bringen* jeter le discrédit sur, discréditer; *in ~ geraten* tomber dans le discrédit, se discréditer; **2en** *adj* mal famé.
verrutschen glisser, se déplacer.
Vers *m* vers *m*; *Bibel* verset *m*.
versag|en *Hilfe etc* refuser; *tech* tomber en panne; *Bremsen* lâcher; *Schußwaffe* rater; *Person* échouer, ne pas être à la hauteur; **2en** *n* défaillance *f* (*a tech*); *menschliches ~* défaillance humaine; *schulisches ~* insuffisance *f od* échec *m* scolaire; **2er** *m Person, Schuß* raté *m*.
versalzen trop saler.
versamm|eln (*sich ~* se) réunir, (se) rassembler; **2lung** *f* réunion *f*, assemblée *f*.
Versand *m* expédition *f*; **~handel** *comm m* vente *f* par correspondance.
versäum|en manquer; *~, etw zu tun* négliger de faire qc; **2nis** *n* négligence *f*; *Schule* absence *f*.
ver|schaffen *j-m etw ~* procurer qc à qn; *sich etw ~* se procurer qc; **~schämt** honteux, gêné; **~schandeln** défigurer, massacrer F; **~schanzen** *sich ~* se retrancher (*a fig hinter* derrière); **~schärfen** aggraver; *Kontrolle* renforcer; *sich ~ Lage* s'aggraver; **~schätzen** *sich ~* commettre une erreur d'appréciation; **~schenken** donner (en cadeau); **~scherzen** *sich etw ~* perdre qc par sa faute; *Glück* gâcher, gaspiller; **~scheuchen** chasser (*a fig*); **~schicken** expédier.

verschieb|en déplacer; *zeitlich* remettre, reporter, ajourner; *sich* ~ se déplacer; *Termin* être reporté à une date ultérieure; **2ung** *f* déplacement *m*; *zeitliche* ajournement *m*.

verschieden différent (*von* de), divers; **~artig** hétérogène; **~e** *pl* plusieurs; **2es** *n* différentes choses *f/pl*; *Zeitung* faits *m/pl* divers; **2heit** *f* différence *f*; **~tlich** à plusieurs *od* différentes reprises.

ver|schiffen transporter par bateau; *verladen* embarquer; **~schimmeln** moisir; **~schlafen 1.** se lever trop tard; *Tag* passer à dormir; F *fig* oublier; **2.** *adj* endormi (*a fig*).

Verschlag *m* réduit *m*, cagibi *m*; **2en 1.** *j-m die Sprache* ~ interloquer qn; *es hat ihn nach X* ~ il a échoué *od* atterri F à X; **2.** *adj* malin, roué, sournois.

verschlechter|n empirer; *sich* ~ empirer, se détériorer; *Lage* se dégrader, s'aggraver; *Wetter* se gâter; **2ung** *f* détérioration *f*, dégradation *f*.

verschleiern (*sich* ~ se) voiler (*a fig*).

Verschleiß *m* usure *f*; **2en** (*sich*) ~ s'user; **2frei** exempt d'usure.

ver|schleppen *Menschen* déporter, déplacer; *zeitlich* faire traîner en longueur; *Krankheit* traîner; **~schleudern** *comm* vendre à perte, brader, bazarder F; *fig* dissiper; **~schließen** fermer à clé; *fig sich e-r Sache* ~ se fermer à qc.

verschlimmer|n (*sich*) ~ empirer, (se) détériorer; *Krankheit* (s')aggraver; **2ung** *f* aggravation *f*, détérioration *f*.

verschlingen engloutir, avaler, dévorer (*alle a fig*).

verschlossen *Person* renfermé, taciturne; **2heit** *f* caractère *m* renfermé.

verschlucken avaler; *sich* ~ avaler de travers.

Verschluß *m* fermeture *f*; *Foto* obturateur *m*; *unter* ~ *halten* garder sous clé.

ver|schlüsseln chiffrer, coder; **~schmachten** mourir de soif; **~schmähen** dédaigner.

verschmelz|en fondre (*mit* avec *od* dans); *écon Firmen* fusionner; **2ung** *f* fusion *f*.

ver|schmerzen *etw* ~ se consoler de qc; **~schmitzt** futé, finaud; **~schmutzen** salir; *Umwelt* polluer; **~schnaufen** reprendre haleine; **~schneit** enneigé; **~schnupft** ~ *sein* être enrhumé; *fig* être vexé; **~schnüren** ficeler; **~schollen** disparu; **~schonen** épargner (*a j-n mit etw* qc à qn).

verschöner|n embellir; **2ung** *f* embellissement *m*.

verschreib|en *Medikament* prescrire; *sich* ~ faire une faute (en écrivant); *fig sich e-r Sache* ~ se consacrer *od* se donner entièrement à qc; **2ung** *méd f* prescription *f*; **~ungspflichtig** *phm* soumis à une ordonnance.

ver|schroben bizarre, extravagant, farfelu F; **~schrotten** mettre à la ferraille; **~schüchtert** intimidé.

verschuld|en *etw* ~ se rendre coupable de qc; *sich* ~ s'endetter; **2en** *n* faute *f*; **~et** endetté; **2ung** *f* endettement *m*.

ver|schütten *Flüssigkeit* renverser, répandre; *Lawine j-n* ~ ensevelir qn; **~schwägert** parent par alliance; **~schweigen** passer sous silence.

verschwend|en gaspiller; *Geld, Vermögen a* dissiper, dilapider; **2er(in** *f*) *m* gaspilleur *m*, -euse *f*, prodigue *m*, *f*; **~erisch** gaspilleur, dépensier, prodigue; **2ung** *f* gaspillage *m*, dissipation *f*.

verschwiegen discret; **2heit** *f* discrétion *f*.

verschwimmen devenir flou, se brouiller.

verschwinden 1. disparaître; **2.** **2** *n* disparition *f*.

verschwommen vague, flou, diffus.

verschwör|en *sich* ~ conspirer (*gegen* contre); **2er(in** *f*) *m* conspirateur *m*, -trice *f*, conjuré *m*, -e *f*; **2ung** *f* conspiration *f*, conjuration *f*, complot *m*.

verschwunden disparu.

versehen 1. *Dienst* faire; *Haushalt* s'occuper de; *mit etw* ~ munir de qc; *j-n mit etw* ~ *a* pourvoir qn de qc; *sich* ~ se tromper; **2.** **2** *n* erreur *f*, méprise *f*; *aus* ~ = **~tlich** par inadvertance, par mégarde.

Versehrte(r) *m* mutilé *m*.

ver|senden expédier; **~sengen** roussir, brûler; **~senken** *Schiff* couler; *fig sich* ~ s'absorber, se plonger (*in* dans); **~sessen** *auf etw* ~ acharné à (faire) qc, fou de qc.

versetz|en déplacer; *Beamte a* muter; *Schüler* faire passer dans la classe supérieure; *Schlag, Tritt* donner, flanquer F; *Pflanze* transplanter; *als Pfand* mettre en gage; *erwidern* répliquer; *fig j-n ~ vergeblich warten lassen* F poser un lapin à qn; *sich in j-s Lage ~* se mettre à la place de qn; *Schüler versetzt werden* passer dans la classe supérieure; **𝔖ung** *f Schule* passage *m* dans la classe supérieure; *dienstliche* déplacement *m*, mutation *f*.

verseuch|en contaminer; **𝔖ung** *f* contamination *f*.

Versicher|er *m* assureur; **𝔖n** (*sich ~* s')assurer (*gegen* contre); *j-m ~, daß ...* assurer à qn que ...; **~te(r)** *m, f* assuré *m*, -e *f*.

Versicherung *f* assurance *f*; **~sgesellschaft** *f* compagnie *f* d'assurances; **~spolice** *f* police *f* (d'assurance).

ver|sickern s'infiltrer (*in* dans); **~siegeln** cacheter; *gerichtlich* sceller; **~siegen** (se) tarir; **~silbern** argenter; *fig* F monnayer; **~sinken** s'enfoncer (*in* dans); *cf a versunken*; **~sinnbildlichen** symboliser.

Version *f* version *f*.

versklaven réduire en esclavage.

Vers|lehre *f* versification *f*, métrique *f*; **~maß** *n* mesure *f*, mètre *m*.

versöhn|en (*sich ~* se) réconcilier (*mit* avec); **~lich** conciliant; **𝔖ung** *f* réconciliation *f*.

versorg|en approvisionner (*mit* en), fournir (en), pourvoir (de); *bes tech* alimenter (en); *Familie* entretenir; *Heizung etc* s'occuper de; **𝔖ung** *f* approvisionnement *m* (*mit* en); *bes tech* alimentation *f* (en); *Unterhalt* entretien *m*.

verspät|en *sich ~* être en retard; **~et** en retard, retardé; **𝔖ung** *f* retard *m*; *~ haben* être en retard.

ver|speisen consommer, manger; **~sperren** barrer; *Sicht* boucher; **~spielen** perdre au jeu; **~spotten** *j-n* (*etw*) *~* se moquer de qn (qc), railler qn (qc).

versprech|en promettre; *sich zuviel ~* attendre trop (*von* de); *sich ~* se tromper en parlant; *er hat sich versprochen* la langue lui a fourché; **𝔖en** *n* promesse *f*; *ein ~ halten* tenir une promesse; **𝔖er** *m* lapsus *m*; **𝔖ungen** *f/pl leere ~* promesses *f/pl* en l'air.

verstaatlich|en nationaliser, étatiser; **𝔖ung** *f* nationalisation *f*.

Verstädterung *f* urbanisation *f*.

Verstand *m* intelligence *f*, raison *f*; *den ~ verlieren* perdre la raison; **𝔖esmäßig** logique, rationnel.

verständ|ig raisonnable; **~igen** *j-n von etw ~* informer qn de qc, communiquer qc à qn, faire savoir qc à qn; *sich ~ verständlich machen* se faire comprendre; *sich mit j-m ~ einigen* se mettre d'accord avec qn (*über* sur); **𝔖igung** *f Kontakt* communication *f*; *Informierung* information *f*; *Einvernehmen* entente *f*; **~lich** compréhensible, intelligible; *schwer* (*leicht*) *~* difficile (facile) à comprendre; *j-m etw ~ machen* faire comprendre qc à qn; *sich ~ machen* se faire comprendre; **𝔖lichkeit** *f* intelligibilité *f*.

Verständnis *n* compréhension *f*, intelligence *f*, entendement *m*; *er hat dafür kein ~* il ne comprend pas ces choses-là; **𝔖los** qui ne comprend pas; **𝔖voll** compréhensif.

verstärk|en renforcer, intensifier; *tech* amplifier; *sich ~* augmenter; **𝔖er** *m tech* amplificateur *m*; **𝔖ung** *f* renforcement *m*, intensification *f*; *tech* amplification *f*; *mil* renfort *m*.

verstaub|en se couvrir de poussière; **~t** poussiéreux (*a fig*).

verstauch|en *sich den Fuß ~* se fouler le pied; **𝔖ung** *méd f* entorse *f*, foulure *f*.

verstauen mettre, placer, caser.

Versteck *n* cachette *f*; *~(en) spielen* jouer à cache-cache; **𝔖en** cacher (*etw vor j-m* qc à qn); *sich ~* se cacher (*vor j-m* de qn).

verstehen comprendre; *gelernt haben* entendre, savoir; *sich ~* s'entendre (*mit j-m* avec qn; *auf etw* à qc); *zu ~ geben* donner à entendre; *was ~ Sie unter ...?* qu'est-ce que vous entendez par ...?; *es versteht sich von selbst* cela va de soi.

versteifen renforcer; *fig sich ~ auf* s'obstiner à, ne pas démordre de.

versteiger|n vendre aux enchères; **𝔖ung** *f* vente *f* aux enchères.

versteinern se pétrifier.

verstell|bar *tech* réglable; *drehbar* orientable; **~en** *einstellen* régler, ajuster; *falsch einstellen* dérégler; *Weg* barrer; *Stimme* déguiser; *sich ~* jouer la comédie; **𝔖ung** *f Heuchelei* dissimulation *f*.

V

ver|steuern payer l'impôt sur; **~stiegen** excentrique, bizarre.
verstimm|t *mus* désaccordé; *Magen* dérangé; *fig verärgert* fâché, contrarié; **2ung** *f* mauvaise humeur *f*.
ver|stockt obstiné, entêté, buté; **~stohlen** furtif.
verstopf|en boucher; *méd* constiper; **2ung** *f méd* constipation *f*.
verstorben mort; *jur* décédé; **2e(r)** *m, f* défunt *m*, -e *f*.
verstört troublé, bouleversé, effaré.
Verstoß *m* faute *f*; *jur* infraction *f* (*gegen* à); ~ *gegen die Grammatik* faute de grammaire; **2en** expulser; *Frau* répudier; *gegen etw* ~ pécher contre qc; *jur* contrevenir à qc.
ver|streichen *Zeit* passer, s'écouler; *Frist* expirer; *Creme etc* étaler; **~streuen** répandre, éparpiller.
verstümmel|n mutiler; *fig a* estropier; **2ung** *f* mutilation *f* (*a fig*).
verstummen se taire; *langsam* cesser.
Versuch *m* essai *m*, épreuve *f* (*beide a tech*); tentative *f* (*a jur*); *Experiment* expérience *f*; **2en** essayer (*zu* de + *inf*); *Schwieriges* tenter; *Essen* goûter; *sich an od in etw* ~ s'essayer à (faire) qc; *ich werde es* ~ je vais essayer; **~sballon** *m fig* ballon *m* d'essai; **~skaninchen** *n fig* cobaye *m*; **~sstadium** *n* état *m* expérimental; **~stier** *n* animal *m* de laboratoire; **2sweise** à titre d'essai; **~ung** *f* tentation *f*; *j-n in ~ führen* tenter qn.
ver|sunken *fig in etw ~ sein* être absorbé *od* plongé dans qc; **~süßen** rendre plus agréable.
vertag|en ajourner; **2ung** *f* ajournement *m*.
vertauschen échanger (par erreur) (*mit, gegen* contre).
verteidig|en (*sich* ~ se) défendre; **2er** *m* défenseur *m* (*a jur*); *Sport* arrière *m*; **2ung** *f* défense *f* (*a Sport*); **2ungsminister** *m* ministre *m* de la Défense.
verteil|en distribuer, répartir; *sich* ~ se répartir; **2er** *m* distributeur *m*; **2ung** *f* distribution *f*, répartition *f*.
Verteuerung *f* renchérissement *m*.
vertief|en approfondir (*a fig*); *sich ~ in* se plonger dans; **2ung** *f* creux *m*, renfoncement *m*; *fig* approfondissement *m*.
vertikal vertical.
vertilg|en exterminer, détruire; *plais essen* bouffer F; **2ung** *f* extermination *f*, destruction *f*.
vertonen *mus* mettre en musique.
Vertrag *m* contrat *m*; *zwischen Staaten* traité *m*; **2en** supporter; *sich* (*gut, schlecht*) ~ (bien, mal) s'accorder, s'entendre (*mit j-m* avec qn); **2lich** contractuel; *adv* par contrat.
verträglich accommodant, conciliant; *Essen gut* ~ digeste.
vertrauen 1. avoir confiance (*auf* en; *j-m* en qn); *j-m ~ a* faire confiance à qn; **2.** **2** *n* confiance *f* (*zu, auf, in* en *od* dans); *im ~ gesagt* dit confidentiellement; **~erweckend** inspirant la confiance.
Vertrauens|frage *pol f* question *f* de confiance; **~sache** *f* affaire *f* de confiance; **~stellung** *f* place *f* de confiance; **2voll** confiant, plein de confiance; **2würdig** digne de confiance.
vertraulich confidentiel; **2keit** *f* caractère *m* confidentiel; *péj ~en pl* familiarités *f/pl*.
vertraut familier, intime; *mit etw ~ sein* connaître qc à fond; *sich mit etw ~ machen od mit etw ~ werden* se familiariser avec qc; **2e(r)** *m, f* confident *m*, -e *f*; **2heit** *f* familiarité *f* (*mit* avec), intimité *f*.
vertreib|en chasser; *aus Land* expulser; *comm* débiter, vendre, écouler; *sich die Zeit mit etw* ~ passer son temps à faire qc; **2ung** *f* expulsion *f* (*aus* de).
vertret|en *j-n* remplacer; *Firma, Land* représenter; *Interessen* défendre; *sich den Fuß* ~ se fouler le pied; *sich die Beine* ~ se dégourdir les jambes; *Meinung* soutenir; **2er(in** *f*) *m* remplaçant *m*, -e *f*; *pol u comm* représentant *m*, -e *f*; *e-r Ansicht* défenseur *m*; **2ung** *f pol u comm* représentation *f*; *Stell2* remplacement *m*; *Person* remplaçant *m*, -e *f*.
Vertrieb *comm m* débit *m*, vente *f*, écoulement *m*.
Vertriebene(r) *m, f* réfugié *m*, -e *f*.
ver|trinken *sein Geld* ~ dépenser son argent à boire; **~trocknen** sécher, se dessécher; **~trödeln** *die Zeit* ~ perdre son temps; **~tuschen** cacher, dissimuler; *Skandal* étouffer; **~übeln** *j-m etw* ~ en vouloir à qn de qc; **~üben** commettre; *Attentat* perpétrer.
verunglück|en avoir un accident; **2te(r)** *m, f* accidenté *m*, -e *f*.

V

verun|reinigen salir; *Luft, Wasser* polluer; **~sichern** déconcerter; **~treuen** *Geld* détourner.
verursachen causer.
verurteil|en condamner (*zu* à) (*a fig*); **2ung** *f* condamnation *f* (*a fig*).
verviel|fachen multiplier; **~fältigen** *Text* polycopier.
vervoll|kommnen (*sich* ~ se) perfectionner (*in* en); **~ständigen** compléter.
ver|wackeln *Foto* bouger; **~wählen** *tél sich* ~ se tromper de numéro.
verwahr|en garder; *sich gegen etw* ~ protester contre qc; **~lost** laissé à l'abandon; **2ung** *f* garde *f*, dépôt *m*.
verwaist orphelin; *Ort* désert; *Posten* vacant.
verwalt|en administrer, gérer; **2er(in** *f*) *m* administrateur *m*, -trice *f*; *von Gebäuden etc* gérant *m*, -e *f*; **2ung** *f* administration *f*.
verwand|eln (*sich* ~ se) changer (*in* en), (se) transformer (en) **2lung** *f* changement *m*, transformation *f*.
verwandt parent (*mit* de *od* avec); *fig* apparenté; **2e(r)** *m, f* parent *m*, -e *f*; **2schaft** *f* parenté *f*; *fig a* affinité *f*.
verwarn|en avertir; **2ung** *f* avertissement *m*.
verwässern mettre trop d'eau dans; *fig* délayer.
verwechs|eln confondre (*mit* avec); **2lung** *f* confusion *f*.
verwegen téméraire; **2heit** *f* témérité *f*.
verweichlicht efféminé, mou.
verweiger|n refuser; **2ung** *f* refus *m*.
verweilen séjourner; *bei etw* ~ s'arrêter à qc.
Verweis *m Rüge* réprimande *f*, remontrance *f*; *in Text* renvoi *m* (*auf* à); **2en** ~ *auf od an* renvoyer à; *von der Schule* ~ renvoyer *od* expulser de l'école; **~ung** *f* renvoi *m* (*an e-n Ausschuß* à une commission); ~ *vom Gymnasium* renvoi *m od* expulsion *f* du lycée.
verwelken se faner.
verwend|bar utilisable; **~en** employer, utiliser; **2ung** *f* emploi *m*, utilisation *f*.
verwerf|en rejeter; **~lich** répréhensible, réprouvable.
verwerten utiliser; *wieder* ~ récupérer.
verwes|en se putréfier, se décomposer; **2ung** *f* décomposition *f*, putréfaction *f*.
verwick|eln *j-n in etw* ~ impliquer, F embarquer qn dans qc; *sich* ~ *in* s'empêtrer *od* s'enchevêtrer dans; **~elt** compliqué; *in etw* ~ *sein* être impliqué dans qc; **2(e)lung** *f* complication *f*; ~ *in etw* implication *f* dans qc.
verwildern *Tier* redevenir sauvage; *Garten* être à l'abandon.
verwirklich|en (*sich* ~ se) réaliser; **2ung** *f* réalisation *f*.
verwirr|en *Fäden* embrouiller; *j-n* déconcerter, dérouter, troubler; **~t** confus, déconcerté, troublé; **2ung** *f* confusion *f*.
ver|wischen effacer, estomper (*a fig*); **~wittern** s'effriter, se dégrader; **~witwet** veuf (veuve); **~wöhnen** gâter; **~worren** confus, embrouillé.
verwund|bar vulnérable (*a fig*); **~en** blesser.
verwunder|lich étonnant, surprenant; **~n** étonner; **2ung** *f* étonnement *m*, surprise *f*.
Verwund|ete(r) *m, f* blessé *m*, -e *f*; **~ung** *f* blessure *f*.
verwünsch|en maudire; **2ung** *f* malédiction *f*.
verwurzelt *fig* enraciné (*in* dans).
verwüst|en dévaster, ravager; **2ung** *f* dévastation *f*, ravage *m*.
verzag|en perdre courage; **~t** découragé.
ver|zählen *sich* ~ se tromper (en comptant); **~zärteln** *Kind* dorloter; **~zaubern** *fig* enchanter; ~ *in* changer en; **~zehren** manger, consommer.
verzeichn|en enregistrer (*a fig Erfolge etc*); **2is** *n* liste *f*, registre *m*, relevé *m*; *in Büchern* index *m*.
verzeih|en pardonner (*j-m etw* qc à qn); **~lich** pardonnable; **2ung** *f* pardon *m*; *um* ~ *bitten* demander pardon (*j-n* à qn); *~!* (je vous demande) pardon.
verzerr|en *Bild, Ton* déformer; *fig a* défigurer; *Gesicht* crisper; *sich* ~ se crisper, se convulser; **2ung** *f* déformation *f* (*a fig*); *tél etc* distorsion *f*.
verzetteln *sich* ~ éparpiller ses forces.
Verzicht *m* renonciation *f* (*auf* à); **2en** renoncer (*auf* à).
verziehen *Kind* gâter, mal élever; *das Gesicht* ~ grimacer; *sich* ~ *Holz* gauchir, se déformer; F *verschwinden* disparaître.

V

verzier|en orner (*mit* de); décorer (de); enjoliver; **2ung** *f* ornement *m*, décoration *f*, enjolivure *f*.
verzins|en payer les intérêts de; *sich ~* produire *od* rapporter des intérêts; **2ung** *f* rapport *m*, intérêts *m/pl*.
verzöger|n retarder; *sich ~* avoir du retard; **2ung** *f* retard *m*.
verzollen dédouaner; *haben Sie etw zu ~?* avez-vous qc à déclarer?
verzück|t extasié; **2ung** *f* extase *f*, ravissement *m*.
Verzug *m* retard *m*; *im ~ sein* être en retard.
verzweif|eln désespérer (*an* de); **~elt** désespéré; **2lung** *f* désespoir *m*; *j-n zur ~ bringen* désespérer qn, faire le désespoir de qn.
verzweig|en *sich ~* se ramifier (*a fig*); *Verkehrsweg a* bifurquer; **2ung** *f* ramification *f*.
verzwickt compliqué.
Veteran *m* vétéran *m*.
Veterinär *m* vétérinaire *m*.
Veto *n* veto *m*; *sein ~ gegen etw einlegen* opposer son veto à qc.
Vetter *m* cousin *m*; **~nwirtschaft** *f* népotisme *m*.
Vibr|ation *f* vibration *f*; **2ieren** vibrer.
Video *n* vidéo *f*; *auf ~ aufnehmen* enregistrer en vidéo; **~band** *n* bande *f* vidéo; **~gerät** *n* magnétoscope *m*; **~kamera** *f* caméra *f* vidéo; **~kassette** *f* vidéocassette *f*; **~recorder** *m* magnétoscope *m*; **~thek** *f* vidéothèque *f*.
Vieh *n* bétail *m*, bestiaux *m/pl*; **~futter** *n* fourrage *m*; **~händler** *m* marchand *m* de bestiaux; **2isch** brutal, bestial; **~stall** *m* étable *f*; **~zucht** *f* élevage *m*; **~züchter** *m* éleveur *m* de bétail.
viel beaucoup (de); *~ größer* (de) beaucoup plus grand; *~ zuwenig* beaucoup trop peu; *~ essen* manger beaucoup; *~ Geld* beaucoup d'argent; *~e Kinder* beaucoup d'enfants; *~e sagen ...* il y en a beaucoup qui disent ...; *sehr ~* beaucoup (de), énormément (de); *sehr ~e ...* bien des ...; *ziemlich ~(e)* pas mal (de); **~beschäftigt** affairé, fort occupé; **~deutig** ambigu.
vielerlei toutes sortes de.
viel|fach multiple; *auf ~en Wunsch* à la demande générale; **2falt** *f* variété *f*, multiplicité *f*; **~farbig** multicolore.
vielleicht peut-être.
viel|mals bien des fois; *danke ~* merci beaucoup *od* bien; **~mehr** plutôt; **~sagend** qui en dit long; **~schichtig** complexe; **~seitig** *fig* varié, étendu, vaste; *Mensch* aux dons multiples; **~versprechend** prometteur.
vier 1. quatre; *unter ~ Augen* en tête à tête, entre quatre yeux; *auf allen ~en* à quatre pattes; **2.** **2** *f* quatre *m*; *Schulnote* passable; **2eck** *n* quadrilatère *m*; **~eckig** quadrangulaire; *quadratisch* carré; **~fach** quadruple; **2füßler** *zo m* quadrupède *m*; **~jährig** âgé de quatre ans; **2linge** *m/pl* quadruplés *m/pl*; **~mal** quatre fois; **~motorig** quadrimoteur; **~sitzig** à quatre places; **~spurig** *Straße* à quatre voies; **~stöckig** à quatre étages; **~strahlig** *aviat* quadriréacteur; **2taktmotor** *m* moteur *m* à quatre temps.
vierte quatrième.
Viertel *n* quart *m*; *e-r Stadt, des Mondes* quartier *m*; **~jahr** *n* trois mois *m/pl*, trimestre *m*; **2jährlich** trimestriel; *adv* par trimestre; **~note** *mus f* noire *f*; **~pfund** *n* quart *m* (de livre); **~stunde** *f* quart *m* d'heure; **2stündlich** tous les quarts d'heure.
vier|tens quatrièmement; **2viertel-takt** *mus m* mesure *f* à quatre temps.
Vierwaldstätter See *m* lac *m* des Quatre-Cantons.
vierzehn quatorze; *~ Tage* quinze jours; **~te** quatorzième.
vierzig quarante; **~jährig** quadragénaire; **~ste** quarantième.
Villa *f* villa *f*.
violett violet.
Violin|e *mus f* violon *m*; **~ist(in** *f*) *m* violoniste *m, f*.
virtuos de virtuose; *adv* avec virtuosité; **2e** *m*, **2in** *f* virtuose *m, f*; **2ität** *f* virtuosité *f*.
Virus *méd n od m* virus *m*.
Visier *n Helm* visière *f*; *Gewehr* hausse *f*.
Vision *f* vision *f*.
Visite *méd f* visite *f*; **~nkarte** *f* carte *f* (de visite).
Visum *n* visa *m*.
vital *Person* plein de vitalité; *lebenswichtig* vital; **2ität** *f* vitalité *f*.
Vitamin *n* vitamine *f*; ⚠ *la* vitamine.
Vitrine *f* vitrine *f*.
Vizepräsident *m* vice-président *m*.
Vogel *m* oiseau *m fig e-n ~ haben* F

être timbré, cinglé; *den ~ abschießen* décrocher la timbale; **Ꞩfrei** hors la loi; **~freund** *m* ami *m* des oiseaux; **~futter** *n* graines *f/pl* pour les oiseaux; **~käfig** *m* cage *f* à oiseaux; *großer* volière *f*; **~kunde** *f* ornithologie *f*.

vögeln *vulgär* baiser.

Vogel|nest *n* nid *m* d'oiseau; **~perspektive** *f*, **~schau** *f aus der ~* à vol d'oiseau; **~scheuche** *f* épouvantail *m*; **~schutzgebiet** *n* réserve *f* d'oiseaux; **~warte** *f* station *f* ornithologique.

Vogesen *pl* Vosges *f/pl*.

Vokab|el *f* mot *m*, vocable *m*; **~ular** *n* vocabulaire *m*.

Vokal *m* voyelle *f*.

Volk *n* peuple *m*, nation *f*.

Völker|kunde *f* ethnologie *f*; **~mord** *m* génocide *m*; **~recht** *n* droit *m* international *od* des gens; **~verständigung** *f* entente *f* entre les peuples; **~wanderung** *f hist* grandes invasions *f/pl* (des barbares); *fig* exode *m*.

Volks|abstimmung *pol f* référendum *m*; **~charakter** *m* caractère *m* national; **~gunst** *f* popularité *f*; **~herrschaft** *pol f* démocratie *f*; **~hochschule** *f* université *f* populaire; **~lied** *n* chanson *f* folklorique; **~schule** *f* école *f* primaire; **~schullehrer(in** *f*) *m* instituteur *m*, -trice *f*; **~sport** *m* sport *m* populaire; **~sprache** *f* langage *m* du peuple; **~stamm** *m* tribu *f*; **~tanz** *m* danse *f* folklorique; **~tracht** *f* costume *m* national; **~tum** *n* nationalité *f*; **Ꞩtümlich** populaire; **~vertreter(in** *f*) *m* représentant *m*, -e *f* du peuple; **~wirt** *m* économiste *m*; **~wirtschaft** *f e-s Landes* économie *f* nationale; *Wissenschaft* économie *f* politique; **~zählung** *f* recensement *m*.

voll plein; *gefüllt* rempli; *ganz* entier; *betrunken* F rond; *~er Bewunderung* plein d'admiration; *~ (und ganz)* entièrement, pleinement; *nicht für ~ nehmen* ne pas prendre au sérieux; **~auf** largement, entièrement, complètement; **~automatisch** entièrement automatique; **Ꞩbart** *m* grande barbe *f*; **Ꞩbeschäftigung** *f* plein emploi *m*; **Ꞩblut** *n Pferd* pur-sang *m*; **~bringen** réaliser, accomplir; **Ꞩdampf** *m fig mit ~* à toute vapeur.

vollende|n achever, terminer; **~t** achevé, parfait; *~e Tatsache* fait *m* accompli.

vollends entièrement, complètement; *~ etw tun* achever (de faire) qc.

Voll|endung *f* achèvement *m*; *Vollkommenheit* perfection *f*; **Ꞩentwickelt** entièrement développé; **Ꞩführen** *Lärm etc* faire; **Ꞩfüllen** remplir, faire le plein; **~gas** *auto n mit ~ fahren* rouler à pleins gaz; *~ geben* appuyer sur le champignon F; **Ꞩgießen** remplir.

völlig complet, entier, total; *adv* complètement, entièrement, totalement.

volljährig majeur; **Ꞩkeit** *f* majorité *f*.

Vollkaskoversicherung *f auto* assurance *f* tous risques.

vollkommen parfait; *cf a völlig*; **Ꞩheit** *f* perfection *f*.

Voll|kornbrot *n* pain *m* complet; **Ꞩmachen** remplir; *um das Unglück vollzumachen* pour comble de malheur; F *die Hosen ~* faire dans sa culotte; **~macht** *f* procuration *f*, pleins pouvoirs *m/pl*; **~milch** *f* lait *m* entier; **~mond** *m* pleine lune *f*; **Ꞩpacken** charger (*mit* de); **~pension** *f* pension *f* complète; **Ꞩschlank** rondelet, grassouillet, potelé; **Ꞩständig** complet, intégral; *cf a völlig*; **Ꞩstopfen** bourrer (*mit* de).

vollstreck|en *jur* exécuter; **Ꞩung** *f* exécution *f*.

voll|tanken faire le plein; **Ꞩversammlung** *f* assemblée *f* plénière; *UNO* assemblée *f* générale; **~wertig** qui a toute sa valeur, complet; **~zählig** au complet; **~ziehen** exécuter, accomplir; *sich ~* s'effectuer; **Ꞩzug** *m* exécution *f*.

Volontär *m* stagiaire *m*; ⚠ *nicht volontaire*.

Volt *n* volt *m*; **~zahl** *f* voltage *m*.

Volumen *n* volume *m*.

von de; *beim Passiv* par; *~ ... bis* de ... à; *ein Freund ~ mir* un ami à moi; *ein Kind ~ 10 Jahren* un enfant de 10 ans; *es ist nett ~ dir* c'est gentil de ta part; *reden ~* parler de; *~ mir aus!* je veux bien!; **~einander** l'un de l'autre; **~statten** *~ gehen* avoir lieu; *gut ~ gehen* bien avancer.

vor *räumlich* devant; *zeitlich u Reihenfolge* avant; *zeitlich rückblickend* il y a; *Grund* de; *~ der Tür* devant la porte; *~ Weihnachten* avant Noël; *ich habe Ihnen ~ 14 Tagen geschrie-*

ben je vous ai écrit il y a quinze jours; *fünf ~ zwei (Uhr)* deux heures moins cinq; *sich fürchten ~* avoir peur de; *~ Freude* de joie; *~ allem* avant tout; *~ sich gehen* se passer, avoir lieu; *nach wie ~* après comme avant.

Vor|abend *m* veille *f*; **~ahnung** *f* pressentiment *m*.

voran en avant; **~gehen** précéder (*j-m, e-r Sache* qn, qc); *Arbeit* avancer; **~kommen** avancer.

Voran|schlag *m Kosten*☐ devis *m*; **~zeige** *f* préavis *m*; *Film* bande *f* d'annonce.

Vorarbeit *f* travail *m* préparatoire; **☐en** faire des travaux préparatoires; *sich ~* se frayer un chemin; **~er** *m* contremaître *m*.

voraus en avant, devant; *im ~* d'avance, à l'avance; *seiner Zeit ~ sein* être en avance sur son temps; **~gehen** aller devant; *zeitlich* précéder (*e-r Sache* qc); **~gesetzt** *~, daß* à condition que; **☐sage** *f* prédiction *f*; **~sagen** prédire; **~sehen** prévoir; **~setzen** supposer; **☐setzung** *f Vorbedingung* condition *f*; *Annahme* supposition *f*; **☐sicht** *f* prévoyance *f*; *aller ~ nach* selon toute probabilité; **~sichtlich** probable(ment); **☐zahlung** *f* paiement *m* anticipé, avance *f*.

Vorbe|deutung *f* présage *m*; **~dingung** *f* condition *f* préalable.

Vorbehalt *m* réserve *f*; *unter ~* sous toutes réserves; **☐en** réserver; *sich etw ~* se réserver qc; **☐los** sans réserve, sans restriction.

vorbei *zeitlich* passé, fini; *räumlich mit* passer; **~fahren, ~gehen** passer (*an od vor* devant, *hinter* derrière); **~kommen** passer; *besuchen* faire un saut (*bei* chez); **~lassen** laisser passer; **~sausen** passer en trombe.

Vorbemerkung *f* remarque *f* préliminaire; *Buch* avertissement *m*.

vorbereit|en (*sich ~* se) préparer (*auf* à); **~end** préparatoire; **☐ung** *f* préparation *f*; *~en pl* préparatifs *m/pl*.

vorbestell|en réserver, retenir; **☐ung** *f* réservation *f*.

vorbestraft *~ sein* avoir un casier judiciaire chargé; **☐e(r)** *m* repris *m* de justice.

vorbeug|en prévenir (*e-r Sache* qc); *sich ~* se pencher en avant; **~end** préventif; *méd* prophylactique; **☐ung** *f* prévention *f*; *méd* prophylaxie *f*; **☐ungsmaßnahme** *f* mesure *f* préventive.

Vorbild *n* modèle *m*; (*sich*) *j-n zum ~ nehmen* prendre qn pour modèle, prendre modèle sur qn; **☐lich** exemplaire.

vorbringen présenter; *Gründe* produire, alléguer; *Vorschlag* avancer.

Vorder|achse *f* essieu *m* avant; **~ansicht** *f* vue *f* de face; **~bein** *n Tier* patte *f* de devant.

vordere(r, -s) de devant, avant.

Vorder|grund *m* premier plan *m* (*a fig*); *im ~* au premier plan; **~mann** *m* voisin *m* de devant; **~rad** *n* roue *f* avant; **~radantrieb** *auto m* traction *f* avant; **~seite** *arch f* façade *f*, devant *m*.

vordrängen *sich ~* se pousser en avant, jouer des coudes.

vordring|en avancer; **~lich** urgent; *etw ~ behandeln* donner la priorité à qc.

Vordruck *m* formulaire *m*, formule *f*.

voreilig prématuré.

voreingenommen prévenu; **☐heit** *f* parti *m* pris.

vor|enthalten *j-m etw ~* priver qn de qc; **~erst** pour le moment.

Vorfahren *pl* ancêtres *m/pl*.

Vorfahrt *f* priorité *f*; *~ haben* avoir priorité (*vor* sur).

Vorfall *m* incident *m*; **☐en** se passer, arriver.

Vorfrage *f* question *f* préalable.

vorführ|en présenter; *Film, Dias* projeter; *dem Richter* amener; **☐raum** *m* salle *f* de projection; **☐ung** *f* présentation *f*, démonstration *f*; *Film* projection *f*; **☐wagen** *m* voiture *f* de démonstration.

Vor|gang *m* processus *m* (*a tech, biol etc*); *Ereignis* événement *m*; *Akten* dossier *m*; *den ~ schildern* décrire ce qui s'est passé; **~gänger(in** *f*) *m* devancier *m*, -ière *f*; *im Amt* prédécesseur *m*; **~garten** *m* jardin *m* devant la maison; **☐geben** prétendre (*zu sein* être), prétexter; **~gebirge** *n* cap *m*, promontoire *m*; **☐gefaßt** *~e Meinung* opinion *f* préconçue; **☐gefertigt** préfabriqué; **~gefühl** *n* pressentiment *m*.

vorgehen 1. avancer (*a Uhr*); *Vorrang haben* avoir la priorité; *verfahren* procéder; *geschehen* se passer; **2.** ☐ *n* manière *f* d'agir, action *f*.

Vorgeschicht|e *f* préhistoire *f*; *e-r*

V

Angelegenheit antécédents *m/pl*; **≈lich** préhistorique.
Vor|geschmack *m* avant-goût *m* (*auf* de); **~gesetzte(r)** *m, f* supérieur *m*, -e *f*.
vorgestern avant-hier.
vorgreifen *e-r Sache* ~ anticiper sur qc; *j-m* ~ devancer les intentions de qn.
vorhaben 1. projeter, avoir l'intention de (+ *inf*); *haben Sie heute abend etw vor?* est-ce que vous avez qc de prévu ce soir?; **2.** ≈ *n* projet *m*.
vorhalt|en *fig* reprocher (*j-m etw* qc à qn); **≈ungen** *f/pl* reproches *m/pl*, remontrances *f/pl*.
Vorhand *f Tennis* coup *m* droit.
vorhanden existant; *verfügbar* disponible; **≈sein** *n* existence *f*, présence *f*.
Vorhang *m* rideau *m*.
Vorhängeschloß *n* cadenas *m*.
vorher auparavant, avant; *im voraus* d'avance; **≈bestimmung** *f bes rel* prédestination *f*; **~gehen** précéder (*e-r Sache* qc); **~ig** précédent.
Vorherrsch|aft *f pol* suprématie *f*, hégémonie *f*; *allg* prédominance *f*; **≈en** prédominer; **≈end** prédominant.
Vorhersage *f* prédiction *f*; *Wetter* prévisions *f/pl*; **≈n** prédire.
vorherseh|bar prévisible; **~en** prévoir.
vor|hin tout à l'heure, à l'instant; **~hinein** *im* ~ d'avance; **≈hof** *m* avant-cour *f*; *Herz* oreillette *f*; **≈hut** *mil f* avant-garde *f*.
vor|ig dernier, précédent, antérieur; **≈jahr** *n* année *f* précédente; **≈kämpfer** *m* champion *m*, pionnier *m*; **≈kehrungen** *f/pl* ~ *treffen* prendre des mesures *od* des dispositions; **≈kenntnisse** *f/pl* notions *f/pl* préalables.
vorkomm|en *geschehen* arriver; *sich finden* se trouver; *im Text* figurer; *j-m erscheinen* paraître, sembler; **≈en** *n von Öl etc* gisement *m*; **≈nis** *n* événement *m*.
Vorkriegs|... d'avant-guerre; **~zeit** *f* avant-guerre *m od f*.
vorlad|en *jur* convoquer, citer; **≈ung** *jur f* convocation *f*, citation *f* (en justice).
Vor|lage *f* modèle *m*; *Gesetzes*≈ projet *m* de loi; *Fußball* passe *f*; **≈lassen** laisser passer (devant); *empfangen* recevoir, laisser entrer; **~lauf** *Sport m* course *f* éliminatoire; **~läufer** *m* précurseur *m*; **≈läufig** provisoire; **≈laut** impertinent.
vorlege|n présenter; *Frage, Plan etc* soumettre; **≈r** *m Bett*≈ descente *f* de lit.
vorles|en *j-m etw* ~ lire qc à qn; **≈ung** *f* conférence *f*, cours *m* (*halten* faire).
vorletzte avant-dernier.
Vor|liebe *f* prédilection *f*, préférence *f* (*für* pour); **≈liebnehmen** ~ *mit* se contenter de; **≈liegend** présent; *im ~en Falle* en l'occurrence; **≈lügen** *j-m etw* ~ dire des mensonges à qn; **≈machen** *j-m etw* ~ montrer qc à qn; *fig* en faire accroire à qn; *wir wollen uns nichts ~!* parlons franchement!; **~machtstellung** *f* suprématie *f*, prépondérance *f*, hégémonie *f*; **~marsch** *mil m* avance *f*; **≈merken** prendre note de.
Vormittag *m* matin *m*, matinée *f*; *heute* ≈ ce matin; **≈s** le matin.
Vormund *jur m* tuteur *m*, -trice *f*; **~schaft** *f* tutelle *f*.
vorn(e) devant, en avant, en tête; *nach* ~ en avant; *von* ~ de face; *neu anfangend* de nouveau; *noch einmal von ~ anfangen* recommencer à zéro.
Vorname *m* prénom *m*.
vornehm distingué; **~en** effectuer, faire; *sich etw* ~ se proposer de faire qc; *sich j-n* ~ faire la leçon à qn; **≈heit** *f* distinction *f*.
vornherein *von* ~ dès le début, a priori, par principe.
Vorort *m* commune *f* de banlieue; **~e** *pl* banlieue *f*; **~zug** *m* train *m* de banlieue.
Vor|posten *mil m* avant-poste *m*; **~rang** *m* priorité *f*, préséance *f*; ~ *haben* avoir la priorité (*vor* sur); *vor etw den ~ haben a* primer qc; **~rat** *m* provision *f* (*an* de), stock *m*, réserve *f*; **≈rätig** en stock; **~recht** *n* privilège *m*; **~richtung** *f* dispositif *m*; **≈rücken** avancer; **≈sagen** *Schule* souffler; **~satz** *m* résolution *f*; *Absicht* intention *f*; *jur* préméditation *f*; **≈sätzlich** intentionnel; *adv* à dessein; *jur* avec préméditation; **~schau** *f* aperçu *m* du programme; **~schein** *m zum ~ bringen* faire apparaître; *zum ~ kommen* apparaître; **≈schieben** pousser en avant; *als Vorwand* prétexter; *fig j-n* ~ se retrancher derrière qn; **≈schießen** *Geld* avancer.

Vorschlag *m* proposition *f*; **≈en** proposer.

vor|schnell *unüberlegt* inconsidéré; *adv* sans réfléchir; **~schreiben** prescrire; *ich lasse mir nichts* ~ je n'ai d'ordres à recevoir de personne.

Vorschrift *f* prescription *f*, règlement *m*; *tech* instruction *f*; *Dienst m nach* ~ grève *f* du zèle; **≈smäßig** réglementaire; **≈swidrig** contraire au règlement.

Vorschub *m* ~ *leisten* prêter la main à.

Vorschul|alter *n* âge *m* préscolaire; **~e** *f* école *f* maternelle; **~erziehung** *f* éducation *f* préscolaire.

Vor|schuß *m* avance *f*; **≈schützen** prétexter.

vorseh|en prévoir; *sich* ~ prendre garde (*vor* à); *wie vorgesehen* comme prévu; **≈ung** *f* providence *f*.

Vorsicht *f* prudence *f*, précaution *f*; ~! attention!, prenez garde!; **≈ig** prudent, précautionneux, circonspect; **≈shalber** par précaution; **~smaßnahme** *f*, **~smaßregel** *f* précaution *f*.

Vor|silbe *gr f* préfixe *m*; **≈singen** *j-m etw* ~ chanter qc à qn; **≈sintflutlich** *fig* antédiluvien.

Vorsitz *m* présidence *f*; *den* ~ *führen* présider (*bei etw* qc); **~ende(r)** *m*, *f* président *m*, -e *f*.

Vorsorg|e *f* prévoyance *f*; ~ *treffen* prendre toutes les précautions nécessaires; **≈lich** prévoyant; *adv* par précaution.

Vor|spann *Film m* générique *m*; **~speise** *f* hors-d'œuvre *m*, entrée *f*.

Vorspiel *n mus* prélude *m* (*a fig*; *zu* à); *fig a* préliminaires *m/pl*; **≈en** *j-m etw* ~ jouer qc à qn.

vorspringen *arch* faire saillie, saillir, avancer; **~d** *arch* en saillie; *Kinn* saillant.

Vor|sprung *m arch* saillie *f*; *fig* avance *f* (*vor j-m* sur qn); *e-n* ~ *von 2 Jahren haben* avoir une avance de 2 ans; **~stadt** *f* faubourg *m*; **~stand** *m* conseil *m* d'administration, direction *f*; *Person* président *m*, directeur *m*.

vorsteh|en avancer, saillir; *e-r Sache* ~ diriger qc; **~end** saillant; *Zähne etc* proéminent; **≈er(in** *f*) *m* directeur *m*, -trice *f*.

vorstell|bar imaginable, concevable; **~en** présenter (*j-n j-m* qn à qn; *sich* se); *Uhr* avancer; *bedeuten* signifier, représenter; *sich etw* ~ (s')imaginer qc, se figurer qc, se représenter qc; **≈ung** *f Bekanntmachen* présentation *f*; *Theater* représentation *f*, spectacle *m*; *Kino* séance *f*; *gedankliche* idée *f*, notion *f*; *sich e-e* ~ *von etw machen* se faire une idée de qc; **≈ungskraft** *f*, **≈ungsvermögen** *n* imagination *f*.

Vor|stoß *m mil* raid *m*, attaque *f*; *fig* démarche *f* (*bei j-m* auprès de qn); **~strafe** *f* condamnation *f* antérieure; **≈strecken** avancer (*a fig Geld*); **≈täuschen** simuler, feindre.

Vorteil *m* avantage *m*; **≈haft** avantageux.

Vortrag *m* conférence *f*; *e-n* ~ *halten* faire une conférence; **≈en** *Sachverhalt* exposer; *Wunsch* présenter; *Gedicht* réciter; *mus* exécuter.

vortrefflich excellent.

Vortritt *m* préséance *f*; *j-m den* ~ *lassen* céder le pas à qn.

vorüber passé; **~gehen** passer; **~gehend** passager, temporaire; **~ziehen** passer.

Vorübung *f* exercice *m* préparatoire.

Vorurteil *n* préjugé *m*; **≈slos** sans préjugé.

Vorver|kauf *m* location *f*; **≈legen** *Termin* avancer.

Vor|wahl *f*, **~wählnummer** *f tél* indicatif *m*.

Vorwand *m* prétexte *m*.

vorwärts en avant; ~! en avant!, allez!; **~kommen** avancer, faire des progrès; *im Leben* ~ faire son chemin dans la vie.

vorweg d'avance, auparavant; **≈nahme** *f* anticipation *f*; **~nehmen** *etw* ~ anticiper sur qc.

vor|werfen *j-m etw* ~ reprocher qc à qn; **~wiegend** principalement; **~witzig** curieux; **≈wort** *n* préface *f*, avant-propos *m*.

Vorwurf *m* reproche *m*; *j-m Vorwürfe machen* faire des reproches à qn; **≈svoll** plein de reproches; *Ton* réprobateur.

Vor|zeichen *n* présage *m*; *Anzeichen* indice *m*, signe *m* précurseur; *ein gutes* (*böses*) ~ *sein* être de bon (mauvais) augure; **≈zeigen** montrer; *Ausweis a* produire; **≈zeitig** prématuré, anticipé; **≈ziehen** *Vorhang* tirer, fermer; *Termin* avancer; *fig* préférer; **~zimmer** *n* antichambre *f*.

Vorzug *m* préférence *f*; *Vorteil* avan-

tage *m*; *e-r Person* mérite *m*; *j-m* (*e-r Sache*) *den* ~ *geben* donner la préférence à qn (à qc); *Vorzüge bieten* présenter des avantages.
vorzüglich excellent; **⚬keit** *f* qualité *f* supérieure.
vorzugsweise de préférence.
vulgär vulgaire, trivial.
Vulkan *m* volcan *m*; **~ausbruch** *m* éruption *f* volcanique; **⚬isch** volcanique.
VW *m* Volkswagen *f*; ⚠ *la* Volkswagen.

W

Waage *f* balance *f*; *astr* Balance *f*; *sich die* ~ *halten* se contrebalancer; **⚬recht** horizontal.
Wabe *f* rayon *m* (de miel).
wach réveillé, éveillé (*a fig*); ~ *bleiben* veiller; ~ *werden* se réveiller.
Wachablösung *f* relève *f* de la garde.
Wach|e *f* garde *f* (*Person m*); *mil* ~ *halten* monter la garde; **⚬en** veiller (*über* sur); **~hund** *m* chien *m* de garde; **~mann** *m* vigile *m*.
Wacholder *bot m* genévrier *m*.
wach|rufen *Erinnerung* évoquer; *Gefühle* susciter; **~rütteln** tirer brutalement du sommeil.
Wachs *n* cire *f*; *Ski⚬* fart *m*.
wachsam vigilant; **⚬keit** *f* vigilance *f*.
wachsen 1. pousser, croître; *Personen* grandir; *zunehmen* augmenter; **2.** *Boden* cirer; *Skier* farter.
Wachstuch *n* toile *f* cirée.
Wachstum *n* croissance *f* (*a écon*).
Wachtel *zo f* caille *f*.
Wächter *m* garde *m*, gardien *m*.
Wach(t)turm *m* mirador *m*.
wackel|ig branlant; *Möbel* boiteux; **⚬kontakt** *m* mauvais contact *m*; **~n** branler; *mit den Hüften* ~ se déhancher.
wacker brave, vaillant.
Wade *f* mollet *m*.
Waffe *f* arme *f*.
Waffel *f* gaufre *f*.
Waffen|gattung *f* arme *f*; **~gewalt** *f mit* ~ par la force des armes; **~schein** *m* permis *m* de port d'armes; **~stillstand** *m* armistice *m*, trêve *f*.
Wagemut *m* goût *m* du risque.
wagen oser (*etw zu tun* faire qc), risquer (*etw* qc); *sich aus dem Haus* ~ oser sortir de la maison.
Wagen *m* voiture *f* (*bes Pkw*); *Bahn* wagon *m*; **~heber** *m* cric *m*.
Waggon *m* wagon *m*.
wag|halsig casse-cou; **⚬nis** *n* entreprise *f* risquée, risque *m*.
Wahl *f Auswahl* choix *m*; *pol* élection *f*, vote *m*, scrutin *m*; *die* ~ *haben* avoir le choix.
wählbar éligible.
wahl|berechtigt qui a le droit de vote; **⚬beteiligung** *f* participation *f* électorale (*hohe* forte; *niedrige* faible).
wähl|en *aus~* choisir; *tél* composer *od* faire un numéro; *pol* élire (*j-n* qn), voter (*sozialistisch* socialiste); **⚬er(in** *f*) *m* électeur *m*, -trice *f*.
Wahlergebnis *n* résultat *m* des élections.
wähler|isch difficile (*in* sur); **⚬schaft** *f* électeurs *m/pl*.
Wahl|fach *n* matière *f* facultative, option *f*; **~kabine** *f* isoloir *m*; **~kampf** *m* campagne *f* électorale; **~kreis** *m* circonscription *f* électorale; **~lokal** *n* bureau *m* de vote; **⚬los** au hasard, sans discernement; **~programm** *n* plate-forme *f* électorale; **~recht** *n* droit *m* de vote; **~rede** *f* discours *m* électoral; **~sieg** *m* victoire *f* électorale; **~spruch** *m* devise *f*; **~versammlung** *f* réunion *f* électorale; **~zettel** *m* bulletin *m* de vote.
Wahn *m* illusion *f*; *méd* délire *m*, folie *f*; **~sinn** *m* folie *f*; **⚬sinnig** fou (folle) (*a fig Tempo etc*); *fig Schmerzen, Angst* effroyable; F ~ *viel zu tun haben* avoir un travail fou; **~vorstellung** *f* hallucination *f*.
wahr vrai, véritable.
wahren *Interessen* préserver; *Rechte*

défendre; *den Schein* ~ sauver les apparences.
während 1. *prép* pendant; **2.** *conj* pendant que; *wohingegen* tandis que, alors que.
wahrhaft vrai; **~ig** *adv* vraiment.
Wahrheit *f* vérité *f*; **&sgemäß, &sgetreu** fidèle à la vérité; **~sliebe** *f* amour *f* de la vérité.
wahrnehm|bar perceptible; **~en** (a)percevoir, s'apercevoir de, remarquer, observer; *Gelegenheit* profiter de; *Interessen* veiller à; **&ung** *f* perception *f*.
wahrsage|n prédire; *j-m* ~ dire la bonne aventure à qn; *sich* ~ *lassen* se faire prédire l'avenir; **&rin** *f* diseuse *f* de bonne aventure.
wahrscheinlich probable, vraisemblable; *adv* probablement, vraisemblablement; **&keit** *f* probabilité *f*, vraisemblance *f*; **&keitsrechnung** *f* calcul *m* des probabilités.
Währung *f* monnaie *f*; **~spolitik** *f* politique *f* monétaire.
Wahrzeichen *n* emblème *m*, symbole *m*.
Waise *f* orphelin *m*, -e *f*; **~nhaus** *n* orphelinat *m*.
Wal *zo m* baleine *f*.
Wald *m* forêt *f*; *kleiner* bois *m*; **~brand** *m* incendie *m* de forêt; **~lauf** *m* course *f* en forêt, cross-country *m*; **&reich** boisé; **~sterben** *n* dépérissement *m od* mort *f* des forêts.
Wal|fang *m* pêche *f* à la baleine; **~fänger** *m* baleinier *m*.
Walkman *m* walkman *m*, baladeur *m*.
Wall *m* rempart *m* (*a fig*); *Lärmschutz* mur *m*.
Wallach *m* (cheval *m*) hongre *m*.
Wallfahr|er(in *f*) *m* pèlerin *m*; **~t** *f* pèlerinage *m*.
Walnuß *f* noix *f*.
Walroß *zo n* morse *m*.
walten *st/s* régner; *Gnade* ~ *lassen* faire preuve de clémence.
Walze *f* rouleau *m*, cylindre *m*; *Straßen&* rouleau *m* compresseur; **&n** passer au rouleau, cylindrer; *Metall* laminer.
wälzen (*sich* ~ se) rouler; *sich im Schmutz* ~ se vautrer dans la boue; *ein Problem* ~ ressasser un problème.
Walzer *mus m* valse *f*; ⚠ *la* valse.
Wälzer *m* F gros bouquin *m*.
Walzwerk *n* laminoir *m*.
Wand *f* mur *m*, paroi *f* (*a Fels&*).
Wandalismus *m* vandalisme *m*.
Wandel *m* changement *m*, transformation *f*, modification *f*; **&n** *ändern* changer; *gehen* déambuler, se promener; *sich* ~ changer, se transformer, se modifier.
Wander|er *m*, **~in** *f* randonneur *m*, -euse *f*, promeneur *m*, -euse *f*; **&n** faire une randonnée (à pied); *umherziehen* cheminer, errer, se déplacer; **~preis** *Sport m* challenge *m*; **~tag** *Schule m* jour *m* d'excursion *od* de grande sortie; **~ung** *f* randonnée *f* (pédestre); *von Bevölkerung, Tieren* migration *f*.
Wand|gemälde *n* peinture *f* murale; **~lung** *f* changement *m*, transformation *f*; *égl Messe* consécration *f*; **~schrank** *m* placard *m*; **~teppich** *m* tapisserie *f*; **~uhr** *f* pendule *f* murale.
Wange *f* joue *f*.
Wankelmotor *tech m* moteur *m* Wankel *od* à piston rotatif.
Wankel|mut *m* inconstance *f*, versatilité *f*; **&mütig** inconstant, versatile.
wanken chanceler (*a fig*), vaciller.
wann quand; *seit* ~? depuis quand?
Wanne *f* cuve *f*; *Bade&* baignoire *f*.
Wanze *f zo* punaise *f*; *fig* micro *m* espion.
Wappen *n* armoiries *f/pl*, armes *f/pl*; *~schild* blason *m*; **~tier** *n* animal *m* héraldique.
wappnen *fig sich* ~ s'armer (*gegen* contre; *mit* de).
Ware *f* marchandise *f*.
Waren|ausfuhr *f* exportation *f* de marchandises; **~haus** *n* grand magasin *m*; **~lager** *n* entrepôt *m*, stocks *m/pl*; **~probe** *f* échantillon *m*; **~zeichen** *n* marque *f* déposée.
warm chaud; *es ist* ~ il fait chaud; *schön* ~ bien chaud; *Essen* ~ *stellen* tenir au chaud; ~ *machen* faire chauffer; *sich* ~ *laufen* s'échauffer.
Wärme *f* chaleur *f*; **~isolierung** *f* isolation *f* thermique; **&n** chauffer; *sich* ~ se (ré)chauffer; *sich die Füße* ~ se chauffer les pieds; **~pumpe** *f* pompe *f* à chaleur.
Wärmflasche *f* bouillotte *f*.
warmherzig chaleureux.
Warmwasser|bereiter *m* chauffe-eau *m*; **~heizung** *f* chauffage *m* à eau chaude; **~versorgung** *f* alimentation *f* en eau chaude.
warn|en avertir (*vor* de), mettre en

garde (contre); **≈schild** *n* signal *m* de danger; **≈signal** *n* signal *m* avertisseur; **≈streik** *m* grève *f* d'avertissement; **≈ung** *f* avertissement *m*, mise *f* en garde.

Warschau Varsovie; *pol* ~*er Pakt m* pacte *m* de Varsovie.

warten attendre (*auf j-n* qn; *bis* que + *subj*); *tech Maschine* entretenir.

Wärter(in *f*) *m* gardien *m*, -ne *f*; *bei Kranken* garde-malade *m, f*.

Warte|saal *m*, **~zimmer** *n* salle *f* d'attente.

Wartung *tech f* entretien *m*.

warum pourquoi.

Warze *f* verrue *f*.

was 1. *fragend* que; *meist* qu'est-ce que (*Subjekt* qu'est-ce qui); *alleinstehend u nach prép* quoi; *~? überrascht* quoi?; *wie bitte?* F quoi?; *~ gibt's?* qu'est-ce qu'il y a?; *~ soll's?* qu'est-ce que ça fait?; *~ machen Sie?* qu'est-ce que vous faites?; *~ kostet ...?* combien coûte ...?; *~ für ein(e) ...?* quel(le) ...?; *~ für eine Farbe* (*Größe*)? quelle couleur (taille)?; *~ für ein Unsinn!* quelle bêtise!; **2.** *relativ* ce que (*Subjekt* ce qui); *~ auch immer* quoi que (+ *subj*); *alles, ~ ich habe* tout ce que j'ai; *ich weiß nicht, ~ ich tun* (*sagen*) *soll* je ne sais pas ce que je dois faire (dire); *~ mich ärgerte ...* ce qui m'énervait ...; **3.** F *etwas* quelque chose.

wasch|bar lavable; **≈bär** *zo m* raton *m* laveur; **≈becken** *n* lavabo *m*.

Wäsche *f Wäschestücke* linge *m*; *Waschen* lavage *m* (*a tech*), blanchissage *m*; *große ~* lessive *f*; *fig schmutzige ~ waschen* laver son linge sale en public; **~klammer** *f* épingle *f od* pince *f* à linge; **~leine** *f* corde *f* à linge.

waschen laver; *Wäsche* faire la lessive; *sich ~* se laver; *sich die Haare ~* se laver les cheveux.

Wäscherei *f* blanchisserie *f*

Wäschetrockner *m* séchoir *m*.

Wasch|küche *f* buanderie *f*; **~lappen** *m* gant *m* de toilette; *fig péj* chiffe *f*, lavette *f*; **~maschine** *f* machine *f* à laver; **≈maschinenfest** lavable en machine à laver; **~mittel** *n*, **~pulver** *n* lessive *f*; **~raum** *m* lavabo *m*, cabinet *m* de toilette; **~schüssel** *f* cuvette *f*; **~straße** *f auto* tunnel *m* de lavage automatique.

Wasser *n* eau *f*; **~ball** *m* water-polo *m*; **~becken** *n* bassin *m*; **~behälter** *m* réservoir *m* d'eau; **~dampf** *m* vapeur *f* d'eau; **≈dicht** imperméable; *tech* étanche; **~fall** *m* chute *f* d'eau, cascade *f*; **~farbe** *f* peinture *f* à l'eau; **~flugzeug** *n* hydravion *m*; **~graben** *m* fossé *m* rempli d'eau; **~hahn** *m* robinet *m*.

wässerig aqueux; *fig j-m den Mund ~ machen* faire venir l'eau à la bouche de qn.

Wasser|kanne *f* broc *m*; **~kessel** *m* bouilloire *f*; **~klosett** *n* waters *m/pl*, W.-C. *m/pl*; **~kraft** *f* énergie *f* hydraulique; **~kraftwerk** *n* centrale *f* hydro-électrique; **~kühlung** *auto f* refroidissement *m* par eau; **~lauf** *m* cours *m* d'eau; **~leitung** *f* conduite *f* d'eau; **~mangel** *m* manque *m od* pénurie *f* d'eau; **~mann** *astr m* Verseau *m*.

wassern *aviat* amerrir.

wässern *be~* arroser; *Hering* dessaler; *Foto* laver.

Wasser|rohr *n* conduite *f* d'eau; **~schaden** *m* dégâts *m/pl* des eaux; **≈scheu** qui craint l'eau; **~ski** *m* ski *m* nautique; *~ fahren* faire du ski nautique; **~spiegel** *m* niveau *m* d'eau; **~sport** *m* sport *m* nautique; **~spülung** *f* chasse *f* d'eau; **~stand** *m* niveau *m* d'eau; **~standsanzeiger** *m* indicateur *m* de niveau d'eau; **~stoff** *chim m* hydrogène *m*; **~stoffbombe** *f* bombe *f* H; **~strahl** *m* jet *m* d'eau; **~straße** *f* voie *f* navigable; **~tier** *zo n* animal *m* aquatique; **~verdrängung** *mar f* déplacement *m*; **~verschmutzung** *f* pollution *f* de l'eau; **~versorgung** *f* alimentation *f* en eau; **~waage** *tech f* niveau *m* à bulle (d'air); **~weg** *m auf dem ~* par voie d'eau; **~welle** *f Frisur* mise *f* en plis; **~zeichen** *n* filigrane *m*.

waten patauger.

watscheln se dandiner.

Watt *n* **1.** *am Meer* sable *m* mouillé, laisse *f*, estuaire *m* à marée basse; **2.** *Maßeinheit* watt *m*.

Watt|e *f* ouate *f*; **≈ieren** ouater.

wau, wau! *Hund* oua, oua!

Wauwau *m enf* toutou *m*.

WC *n* W.-C. *m/pl*.

web|en tisser; **≈er(in** *f*) *m* tisserand *m*, -e *f*; **≈erei** *f* (atelier *m* de) tissage *m*; **≈stuhl** *m* métier *m* à tisser.

Wechsel *m* changement *m*, variation *f*; *regelmäßiger* alternance *f*; *von Geld* change *m*; *comm* lettre *f* de change; *gezogener* ~ traite *f*; **~beziehung** *f* corrélation *f*; **~geld** *n* monnaie *f*; **2haft** changeant; **~jahre** *n/pl der Frau* ménopause *f*, retour *m* d'âge; **~kurs** *m* taux *m* du change.

wechseln *sich verändern* changer; *ab*~ alterner (*mit* avec); *etw* ~ changer de qc; *Blicke, Briefe* échanger; *100 Mark* ~ *umtauschen* changer 100 marks; *in Kleingeld* faire la monnaie de 100 marks; **~d** changeant, variable; *mit* ~*em Erfolg* avec des fortunes diverses.

wechsel|seitig mutuel, réciproque; **2strom** *m* courant *m* alternatif; **2stube** *f* bureau *m* de change; **2wirkung** *f* interaction *f*.

wecke|n réveiller; *Interesse, Neugier etc* éveiller; **2r** *m* réveil *m*, réveille-matin *m*; *fig j-m auf den* ~ *fallen* F casser les pieds à qn.

wedeln *Skisport* godiller; *Hund mit dem Schwanz* ~ remuer la queue.

weder ~ ... *noch* ... ni ... ni ... (*bei Verb* ne ...).

Weg *m* chemin *m*; *fig* voie *f*; *auf dem* ~ *nach* ... sur le chemin de ..., en route pour ...; *auf halbem* ~ à mi-chemin; *auf friedlichem* ~*e* par des moyens pacifiques; *fig j-m aus dem* ~ *gehen* éviter qn; *aus dem* ~ *räumen* se débarrasser de, écarter; *sich auf den* ~ *machen* se mettre en route.

weg *fort* parti; *verschwunden* disparu; F *ganz* ~ *sein* être emballé F; *fig über etw* ~ *sein* avoir surmonté qc; *weit* ~ éloigné; ~ *da!* ôtez-vous de là; *Hände* ~*!* n'y touchez pas!, F bas les pattes!; ~ *damit!* enlevez-moi ça!

weg|bleiben ne pas venir; **~blicken** détourner les yeux; **~bringen** emporter, *a j-n* emmener.

wegen à cause de ..., pour; *bezüglich* au sujet de; F *von* ~*!* penses-tu! *od* pensez-vous! F.

weg|fahren partir (en voiture, *etc*); *etw* enlever (en voiture); **~fallen** être supprimé; **2gang** *m* départ *m*; **~geben** *etw* ~ se débarrasser *od* se défaire de qc; **~gehen** s'en aller, partir (*a Schmerz, Fleck, Ware*); **~jagen** chasser; **~kommen** partir, s'en aller; *abhanden kommen* s'égarer; *gut dabei* ~ s'en tirer bien; F *mach, daß du wegkommst!* va-t-en!, F tire-toi de là!; **~lassen** laisser de côté, supprimer, omettre; **~laufen** se sauver; **~legen** mettre de côté; **~machen** F enlever, faire partir; **~müssen** F devoir partir; *ich muß jetzt weg* il faut que je parte; **~nehmen** ôter, enlever (*a stehlen*); **~räumen** ranger, enlever; *Hindernis* écarter; **~reißen** arracher, enlever de force; **~schaffen** enlever; **~schicken** renvoyer; **~sehen** détourner les yeux; **~tun** F enlever; *wegwerfen* jeter; **~tragen** emporter.

Wegweiser *m* poteau *m* indicateur.

wegwerf|en jeter; **~end** dédaigneux, méprisant; **2gesellschaft** *f* société *f* de consommation.

wegziehen retirer; *umziehen* déménager.

weh *j-m* ~ *tun* faire mal à qn; *sich am Finger* ~ *tun* se faire mal au doigt.

wehen *Wind* souffler; *Fahnen, Haare* flotter.

Wehen *f/pl Geburt* douleurs *f/pl*.

Weh|klage *f* lamentation *f*; **2leidig** pleurnicheur, geignard F; **~mut** *st/s f* nostalgie *f*, mélancolie *f*; **2mütig** nostalgique.

Wehr[1] *n in Flüssen* barrage *m*.

Wehr[2] *f sich zur* ~ *setzen* se défendre; **~dienst** *mil m* service *m* militaire; **~dienstverweigerer** *m* objecteur *m* de conscience; **2en** *sich* ~ se défendre (*gegen* contre); **2los** sans défense; **~pflicht** *f allgemeine* ~ service *m* militaire obligatoire; **2pflichtig** *mil* mobilisable, astreint au service militaire; **~pflichtige(r)** *m* conscrit *m*.

Weib *n* femme *f*; **~chen** *zo n* femelle *f*; **2isch** efféminé; **2lich** féminin.

weich mou (molle), doux, tendre; *Ei* à la coque; ~ *landen* atterrir en douceur; ~ *werden* ramollir; *fig* se laisser attendrir.

Weiche *Bahn f* aiguillage *m*.

weichen céder (*der Gewalt* à la force), reculer (*dem Feind* devant l'ennemi).

weich|gekocht *Ei* à la coque; **2heit** *f* mollesse *f*, douceur *f*; **~herzig** qui a le cœur sensible; **2käse** *m* fromage *m* à pâte molle; **~lich** mou, douillet, efféminé.

Weichsel *géogr f* Vistule *f*.

Weichtiere *zo n/pl* mollusques *m/pl*.

Weide *f bot* saule *m*; *Korb*2 osier *m*; *Vieh*2 pâturage *m*; **2n** paître, brouter; *fig sich* ~ *an* se repaître de; **~nkorb** *m* panier *m* d'osier.

weiger|n *sich* ~ refuser (*etw zu tun* de faire qc); **²ung** *f* refus *m*.
Weihe *rel f* consécration *f*; **²n** consacrer; *zum Priester geweiht werden* être ordonné prêtre.
Weiher *m* étang *m*.
Weihnachten *n* Noël *m*; (*an od zu*) ~ à Noël.
Weihnachts|abend *m* veille *f* de Noël; **~baum** *m* arbre *m* de Noël; **~feiertag** *m erster* ~ jour *m* de Noël; *zweiter* ~ lendemain *m* de Noël; **~geschenk** *n* cadeau *m* de Noël; **~lied** *n* chanson *f od* chant *m* de Noël; **~mann** *m* père *m* Noël; **~markt** *m* foire *f od* marché *m* de Noël; **~zeit** *f* temps *m* de Noël.
Weih|rauch *m* encens *m*; **~wasser** *n* eau *f* bénite.
weil parce que; *da ja* puisque.
Weil|chen *n ein* ~ un petit moment; **~e** *f e-e* ~ quelque temps, un certain (laps de) temps; *e-e ganze* ~ un bon bout de temps.
Wein *m* vin *m*; *bot* vigne *f*; **~bau** *m* viticulture *f*; **~beere** *f* grain *m* de raisin; **~berg** *m* vigne *f*, vignoble *m*; **~brand** *m* eau-de-vie *f* de vin, cognac *m*.
wein|en pleurer (*vor* de; *wegen* à cause de); **~erlich** pleurnicheur.
Wein|ernte *f* vendange *f*; **~flasche** *f* bouteille *f* à vin; **~gut** *n* domaine *m* viticole; **~händler** *m* négociant *m* en vins; **~hauer** *östr m cf Winzer*; **~karte** *f* carte *f* des vins; **~keller** *m* cave *f* à vin; cellier *m*; **~kellerei** *f* cave *f*; **~kellner** *m* sommelier *m*; **~kenner** *m* connaisseur *m* en vins; **~krampf** *m* crise *f* de larmes; **~lese** *f* vendange *f*; **~probe** *f* dégustation *f* de vins; **~rebe** *bot f* vigne *f*; **~stock** *m* cep *m* (de vigne); **~traube(n)** *f(pl)* raisin *m*.
weise sage.
Weise *f* manière *f*, façon *f*; *mus* air *m*; *auf diese* ~ de cette façon; *auf meine* ~ à ma manière.
weisen montrer, indiquer; *j-n von der Schule* ~ renvoyer qn de l'école.
Weisheit *f* sagesse *f*; *mit seiner* ~ *am Ende sein* y perdre son latin; **~szahn** *m* dent *f* de sagesse.
weismachen *j-m etw* ~ faire croire qc à qn, en faire accroire à qn; *du kannst mir nichts* ~! ne me raconte pas d'histores!
weiß blanc; **²brot** *n* pain *m* blanc; **²e(r)** *m, f* Blanc *m*, Blanche *f*; **~en** blanchir; **²glut** *f* incandescence *f*; F *fig j-n bis zur* ~ *reizen* chauffer qn à blanc; **²kohl** *m*, **²kraut** *n* chou *m* blanc; **~lich** blanchâtre; **²wein** *m* vin *m* blanc.
Weisung *f* instruction *f*, directive *f*, consigne *f*.
weit *ausgedehnt* large; *Kleidung a* ample; *Reise*, *Weg* long; ~ (*weg od entfernt*) loin; ~ *größer* bien plus grand; *von* **~em** de loin; *in* **~er** *Ferne* au loin; *bei* **~em** de loin; *bei* **~em** *nicht* loin s'en faut; *fig zu* ~ *gehen* aller trop loin, exagérer; *es* ~ *bringen* faire son chemin; *wir haben es* ~ *gebracht* nous avons bien réussi; **~ab** loin (*von* de); **~aus** de loin, de beaucoup; **²blick** *m* clairvoyance *f*, prévoyance *f*.
Weite *f* largeur *f*, étendue *f*; *von Kleidung* ampleur *f*; *Sport* distance *f*; **²n** (*sich* ~ s')élargir.
weiter ~! continue! *od* continuez!; ~ *oben* plus haut; *im Text* ci-dessus; ~ *weg od entfernt* plus loin; *und so* ~, et ainsi de suite, et cetera; ~ *nichts* rien d'autre; **~arbeiten** poursuivre son travail; **~bilden** *sich* ~ se recycler; **²bildung** *f* formation *f* complémentaire.
weitere *sonstige* autre; *spätere* ultérieur; *alles* ² le reste; *bis auf* **~s** jusqu'à nouvel ordre; *ohne* **~s** aisément; sans façon.
weiter|führen continuer; **~geben** transmettre, faire passer; **~gehen** poursuivre son chemin, continuer; **~hin** en outre; ~ *etw tun* continuer à *od* de faire qc; **~kommen** avancer; **~leben** continuer à vivre; **²leben** *rel n* survie *f*; **~machen** continuer; **~reisen** continuer son voyage; **²verkauf** *m* revente *f*.
weit|gehend considérable(ment), large(ment); **~läufig** vaste, spacieux; *Verwandter* éloigné; *ausführlich* détaillé; **~reichend** étendu, de grande envergure; **~sichtig** *méd* presbyte; *fig* prévoyant; **²sprung** *m* saut *m* en longueur; **~verbreitet** très répandu; **²winkelobjektiv** *Foto n* objectif *m* grand angle.
Weizen *m* blé *m*, froment *m*.
welche(r, -s) **1.** *fragend* quel(le); *alleinstehend* lequel (laquelle); *welcher von beiden?* lequel des deux?; **2.** *relativ* qui (*Akkusativ* que); **3.** F

WZ

einige(s) en; *ich geb' dir welche(s)* je t'en donne.
welk fané; **~en** se faner.
Wellblech *n* tôle *f* ondulée.
Welle *f* vague *f* (*a fig*); *phys* onde *f*; *fig grüne ~* feux *m/pl* coordonnés.
wellen onduler; **2bereich** *m Radio* gamme *f*; **2brecher** *m* brise-lames *m*; **2länge** *f* longueur *f* d'ondes; **2linie** *f* ligne *f* ondulée; **2sittich** *zo m* perruche *f*.
well|ig onduleux; **2pappe** *f* carton *m* ondulé.
Welt *f* monde *m*; *auf der ganzen ~* dans le monde entier; *die Alte (Neue) ~* l'ancien (le nouveau) monde; *die dritte ~* le tiers monde; *alle ~ jeder* tout le monde; *zur ~ kommen* venir au monde; *zur ~ bringen* donner le jour à, donner naissance à; **~all** *n* univers *m*; **~anschauung** *f* vision *f* du monde, idéologie *f*; **~ausstellung** *f* exposition *f* universelle; **2berühmt** célèbre dans le monde entier; **2fremd** naïf, peu réaliste; **~frieden** *m* paix *f* mondiale; **~geschichte** *f* histoire *f* universelle; **~handel** *m* commerce *m* mondial; **~herrschaft** *f* hégémonie *f* mondiale; **~krieg** *m* guerre *f* mondiale; *der Erste (Zweite) ~* la Première (Seconde) Guerre mondiale; **~kugel** *f* globe *m* terrestre; **2lich** de ce monde, mondain; *nicht kirchlich* séculier, profane; **~literatur** *f* littérature *f* universelle; **~macht** *f* puissance *f* mondiale; **~markt** *m* marché *m* mondial; **~meer** *n* océan *m*; **~meister(in** *f*) *m* champion *m*, -ne *f* du monde; **~raum** *m* espace *m*; **~raumforschung** *f* recherche *f* spatiale; **~reich** *n* empire *m*; **~reise** *f* tour *m* du monde; **~rekord** *m* record *m* du monde; **~ruf** *m* réputation *f* mondiale; **~stadt** *f* métropole *f*; **~untergang** *m* fin *f* du monde; **2weit** mondial, planétaire, universel; **~wirtschaft** *f* économie *f* mondiale; **~wunder** *n* merveille *f* du monde.
wem à qui; *von ~?* de qui?
wen qui, qui est-ce que; *für ~?* pour qui?
Wende *f* tournant *m*; *e-e ~ bedeuten* marquer un tournant; **~kreis** *m géogr* tropique *m*; *auto* rayon *m* de braquage.
Wendeltreppe *f* escalier *m* tournant *od* en colimaçon.
wenden (re)tourner; *auto* faire demi-tour; *mar* virer de bord; *sich ~ an* s'adresser à.
Wend|epunkt *m fig* tournant *m*; **2ig** *Auto* maniable, manœuvrable; *Person* débrouillard, habile, souple; **~ung** *f* tour *m*; *Umschwung* tournure *f*, revirement *m*; *Rede2* locution *f*, tournure *f*.
wenig peu (de); *~er* moins (de); *am ~sten* le moins; *ein ~* un peu (de); *einer der ~en, die* ... un des rares qui (+ *subj*); **~stens** au moins, du moins.
wenn *falls* si; *zeitlich* quand, lorsque; *~ auch* bien que, quoique (*beide* + *subj*); *selbst ~* même si; *außer ~* à moins que ... ne (+ *subj*); *~ ich nur ... wäre!* si seulement j'étais ...!; *~ schon!* qu'importe!
wer **1.** qui, qui est-ce qui; *~ von beiden?* lequel des deux?; **2.** *derjenige, welcher* celui qui; *~ auch immer* quiconque; *~ es auch sei* qui que ce soit; **3.** F *jemand* quelqu'un.
Werbe|agentur *f* agence *f* de publicité; **~feldzug** *m* campagne *f* publicitaire; **~fernsehen** *n* publicité *f* télévisée; **~film** *m* film *m* publicitaire; **~funk** *m* publicité *f* radiodiffusée.
werben faire de la publicité (*für* pour); *~ um Frau* faire la cour à; *Gunst* solliciter; *Kunden ~* prospecter la clientèle.
Werbe|sendung *f* émission *f* publicitaire; **~spot** *m* spot *m* publicitaire.
Werbung *f* publicité *f*, F pub *f*; *~ machen für* faire de la publicité pour.
Werdegang *m beruflich* carrière *f*.
werden devenir; *durch eigenes Zutun* se faire; *Arzt, Lehrer ~* devenir *od* se faire médecin, professeur; *was willst du ~?* qu'est-ce que tu veux faire plus tard?; *mir wird schlecht!* j'en suis malade!; F *es wird schon wieder ~* ça va aller mieux; *Futur er wird kommen* il viendra, il va venir; *Konditional er würde kommen* il viendrait; *Passiv verkauft ~* être vendu.
werfen (*sich ~* se) jeter; lancer; *Junge ~* mettre bas.
Werft *mar f* chantier *m* naval.
Werk *n* ouvrage *m*; *e-s Dichters, Künstlers* œuvre *f*; *Arbeit* travail *m*; *Uhr2* mouvement *m*; *Mechanismus* mécanisme *m*; *Fabrik* usine *f*, ateliers *m/pl*, établissement *m*; **~bank** *f* établi *m*; **~meister** *m* contremaître

m; **~statt** *f* atelier *m*; **~tag** *m* jour *m* ouvrable; **2tags** en semaine; **2tätig** *die ~e Bevölkerung* la population active; **~zeug** *n* outil *m*.

wert *~ sein* valoir (*etw* qc); *der Mühe ~ sein* valoir la peine.

Wert *m* valeur *f*; *~ legen auf* tenir à; *großen ~ legen auf* tenir beaucoup à, attacher une grande valeur *od* un grand prix à; F *das hat keinen ~* ça ne sert à rien; **~angabe** *f* déclaration *f* de valeur, valeur *f* déclarée; **2en** évaluer, estimer; *beurteilen* juger; **~gegenstand** *m* objet *m* de valeur; **2los** sans valeur; **~papier** *n* valeur *f*, effet *m*, titre *m*; **~sachen** *f/pl* objets *m/pl* de valeur; **~schätzung** *f* estime *f*, considération *f*; **~ung** *f* évaluation *f*; *Sport* classement *m*; **~urteil** *n* jugement *m* de valeur; **2voll** précieux.

Wesen *n Lebe2* être *m*; *Eigenart* nature *f*, caractère *m*; *e-r Person a* naturel *m*; *philos* essence *f*; *viel ~s machen von* faire grand bruit de; **2tlich** essentiel; *im ~en* en substance; *~ größer* beaucoup *od* bien plus grand.

weshalb pourquoi.

Wespe *zo f* guêpe *f*.

West *géogr* ouest.

Weste *f* gilet *m*; ⚠ *nicht veste*.

West|en *m* ouest *m*; *pol der ~* l'Ouest *m*, l'Occident *m*; *der Wilde ~* le Far-West; **2lich** occidental, de l'ouest, d'ouest; *~ von* à l'ouest de; **2wärts** vers l'ouest; **~wind** *m* vent *m* d'ouest.

weswegen pourquoi.

Wett|bewerb *m* concours *m*, compétition *f*, *bes écon* concurrence *f*; **~büro** *n* bureau *m* de pari mutuel.

Wett|e *f* pari *m*; *um die ~* à qui mieux mieux; *e-e ~ abschließen od eingehen* faire un pari; **~eifer** *m* émulation *f*; **2eifern** rivaliser (*mit* avec; *um* de); **2en** parier; *um 100 Franc ~* parier cent francs.

Wetter *n* temps *m*; *es ist schönes ~* il fait beau (temps); *bei diesem ~* par ce temps; **~bericht** *m* bulletin *m* météorologique, F météo *f*; **~aussichten** *f/pl* prévisions *f/pl* météorologiques; **~karte** *f* carte *f* météorologique; **~kunde** *f* météorologie *f*; **~lage** *f* conditions *f/pl* atmosphériques; **~leuchten** *n* éclairs *m/pl* de chaleur; **2n** *fig* pester *od* tempêter (*gegen* contre); **~vorhersage** *f* prévisions *f/pl* météorologiques; **~warte** *f* station *f* météorologique.

Wett|kampf *m* compétition *f*, épreuve *f*, match *m*; **~kämpfer(in** *f*) *m* concurrent, -e *f*; **~lauf** *m* course *f* (*a fig*); **~läufer(in** *f*) *m* coureur *m*, -euse *f*; **2machen** compenser; **~rennen** *n* course *f*; **~rüsten** *n* course *f* aux armements; **~streit** *m* concours *m*, compétition *f*, émulation *f*.

wetzen aiguiser.

wichtig important; *~ nehmen* prendre au sérieux; *sich ~ machen* faire l'important; **2keit** *f* importance *f*; **2tuer** *m* personne *f* qui fait l'important, crâneur *m*.

wickeln enrouler (*um* autour de; *in* dans), envelopper (*in* dans); *Kind* langer, emmailloter.

Widder *m zo* bélier *m*; *astr* Bélier *m*.

wider contre; *~ (meinen) Willen* malgré moi; *~ Erwarten* contre toute attente; **~fahren** arriver (*j-m* à qn); **2hall** *m* écho *m* (*a fig*); **~hallen** résonner; **~legen** réfuter.

widerlich répugnant, repoussant, dégoûtant, écœurant, rebutant.

wider|rechtlich illégal; **2rede** *f* contradiction *f*; *keine ~!* pas de discussion!; **~rufen** *Anordnung* révoquer; *Behauptung, Geständnis* rétracter; **2sacher(in** *f*) *m* adversaire *m, f*; **~setzen** *sich ~* s'opposer (*j-m, e-r Sache* à qn, à qc); **~sinnig** absurde; **~spenstig** récalcitrant, rétif, rebelle; **~spiegeln** (*sich ~* se) refléter (*in* dans); **~sprechen** contredire (*j-m, e-r Sache* qn, qc); **2spruch** *m* contradiction *f*; *im ~ stehen* être en contradiction (*zu* avec); **~sprüchlich** contradictoire; **~spruchslos** sans discuter; **2stand** *m* résistance *f* (*a pol u elektrischer*); *~ leisten* résister; **~standsfähig** résistant; **~stehen** résister (à); **~streben** *es widerstrebt mir, dies zu tun* je déteste faire cela; **~wärtig** répugnant; **2wille** *m* répugnance *f* (*gegen* pour), aversion *f* (pour), dégoût *m* (pour) **~willig** à contrecœur.

widm|en (*sich ~* se) consacrer (à), (se) vouer (à); *Buch* dédier; **2ung** *f* dédicace *f*.

widrig contraire, adverse.

wie *fragend* comment; *in Ausrufen* que, comme, combien; *vergleichend* comme; *~ ein Hund* comme un chien; *~ üblich* comme d'habitude;

so groß ~ aussi grand que; ~ *alt sind Sie?* quel âge avez-vous?; ~ *spät ist es?* quelle heure est-il? ~ *lange?* combien de temps?; ~ *froh bin ich!* que (comme, combien) je suis heureux!; ~ *wäre es mit ...?* que diriez-vous de ...?.

wieder de nouveau, encore; *oft* re... *in Zssgn*; *da bin ich* ~ me revoilà; ~ *anfangen* recommencer; ~ *zu sich kommen* reprendre connaissance; ~ *einmal* une fois de plus; **2aufbau** *m* reconstruction *f*; **2aufbereitungsanlage** *f Kerntechnik* usine *f* de retraitement; **2aufleben** *n* renaissance *f*; **~bekommen** recouvrer, rentrer en possession de; **~beleben** ranimer, réanimer (*a fig*); **2belebung** *f méd* réanimation *f*; *écon* reprise *f*, relance *f*; **2belebungsversuch** *m* tentative *f* de réanimation; **2bewaffnung** *f* réarmement *m*; **~bringen** rapporter; *zurückgeben* rendre; **2entdeckung** *f* redécouverte *f*; **~erkennen** reconnaître (*an* à); **~finden** retrouver; **2gabe** *f* reproduction *f*; **~geben** *zurückgeben* rendre, restituer; *nachbilden* reproduire; *beschreiben* décrire; **2geburt** *f* renaissance *f*; **~gutmachen** réparer; **2gutmachung** *f* réparation *f*; **~herstellen** rétablir, restaurer; **~holen** (*sich* ~ se) répéter; *Lernstoff* réviser; **~holt** répété; **2holung** *f* répétition *f*; *von Lernstoff* révision *f*; *TV etc* rediffusion *f*; **2hören** *tél auf ~! au revoir!*; **2kehr** *f* retour *m*; **~kehren** revenir, se répéter; **~kommen** revenir; **~sehen** revoir; *auf 2!* au revoir!; **~um** de nouveau; *andererseits* d'autre part, d'un autre côté; **2vereinigung** *f pol* réunification *f*; **2verwendung** *f* réutilisation *f*; **2verwertung** *f* recyclage *m*; **2wahl** *f* réélection *f*.

Wiege *f* berceau *m*.

wiegen peser.

Wiegenlied *n* berceuse *f*.

wiehern hennir.

Wien Vienne.

Wiese *f* pré *m*, prairie *f*.

Wiesel *zo n* belette *f*.

wieso pourquoi.

wieviel combien (de); *um ~ Uhr?* à quelle heure?; **~te** combientième F; *den 2n haben wir heute?* le combien sommes-nous aujourd'hui?

wild 1. sauvage (*a bot u zo*); *Blick etc* farouche; *wütend* furieux; *Kind* turbulent; *~es Tier* bête *f* féroce; *fig ~er Streik* grève *f* sauvage; F ~ *sein auf* raffoler de; **2.** 2 *n ch u cuis* gibier *m*; **2bach** *m* torrent *m*; **2ente** *zo f* canard *m* sauvage; **2e(r)** *m, f* sauvage *m, f*; F *wie ein Wilder* comme un fou; **2erer** *m* braconnier *m*; **~ern** braconner; **2hüter** *m* garde-chasse *m*; **2leder** *n* daim *m*; **2nis** *f* désert *m*; **2schwein** *n* sanglier *m*; **2wasserfahren** *n* descente *f* des torrents en canot; **2westfilm** *m* western *m*.

Wilhelm *m* Guillaume *m*.

Wille *m* volonté *f*; *gegen meinen ~n* malgré moi; *seinen ~n durchsetzen* imposer sa volonté; **2n** *um* ... ~ pour (l'amour de); **2nlos** sans volonté; **~nlosigkeit** *f* manque *m* de volonté.

Willens|freiheit *f* libre arbitre *m*; **~kraft** *f* volonté *f*, énergie *f*; **2stark** qui a de la volonté, énergique.

will|ig de bonne volonté; *folgsam* docile; **~kommen** bienvenu; *herzlich ~!* soyez le (la) bienvenu(e)!; *j-n ~ heißen* souhaiter la bienvenue à qn; **~kürlich** arbitraire.

wimmeln fourmiller, grouiller (*von* de); *es wimmelt von etw a* qc pullule.

wimmern geindre.

Wimpel *m* fanion *m*; *mar* flamme *f*.

Wimper *f* cil *m*; **~ntusche** *f* mascara *m*.

Wind *m* vent *m*; **~beutel** *cuis m* chou *m* à la crème.

Winde *f tech* treuil *m*; *mar* cabestan *m*; *bot* liseron *m*, volubilis *m*.

Windel *f* couche *f*, lange *f*; *die ~n wechseln* changer les couches.

winden *Kranz* tresser; *sich ~ Weg etc* serpenter; *sich um etw ~* s'enrouler autour de qc; *sich vor Schmerz ~* se tordre de douleur.

Wind|hose *f* trombe *f*; **~hund** *zo m* lévrier *m*; **2ig** *Ort* éventé; *fig* louche; *es ist ~* il fait du vent; **~mühle** *f* moulin *m* à vent; **~pocken** *méd f/pl* varicelle *f*; **~rad** *n* éolienne *f*; **~richtung** *f* direction *f* du vent; **~schutzscheibe** *auto f* pare-brise *m*; **~stärke** *f* force *f od* intensité *f* du vent; **2still** calme; **~stoß** *m* rafale *f*; **~surfen** *Sport n* planche *f* à voile; **~surfer(in** *f*) *m* véliplanchiste *m, f*.

Windung *f Krümmung* sinuosité *f*; *Drehung* tour *m*; *~en e-s Wegs a* lacets *m/pl*.

Wink *m* signe *m*; *fig* avertissement *m*, tuyau *m* F.

Winkel *m math* angle *m*; *Gerät* équerre *f*; *Ecke* coin *m*; **&ig** à coins et recoins, à angles; **~messer** *math m* rapporteur *m*.

winken faire signe (*j-m* à qn).

winseln pousser des cris plaintifs.

Winter *m* hiver *m*; **&lich** hivernal; **~reifen** *auto m* pneu *m* neige; **~schlaf** *zo m* hibernation *f*; **~spiele** *n/pl* jeux *m/pl* Olympiques d'hiver; **~sport** *m* sport(s) *m(pl)* d'hiver.

Winzer(in *f*) *m* vigneron *m*, -ne *f*, viticulteur *m*.

winzig minuscule.

Wipfel *m* cime *f*, sommet *m* (d'un arbre).

Wippe *f* bascule *f*, balançoire *f*.

wir nous; ~ *drei* nous trois; ~ *sind's* c'est nous.

Wirbel *m* tourbillon *m*; *fig a* remous *m/pl*; *méd* vertèbre *f*; *Haar* épi *m*; **&n** tourbillonner; **~säule** *f* colonne *f* vertébrale; **~sturm** *m* cyclone *m*; **~tiere** *n/pl* vertébrés *m/pl*.

wirk|en agir (*auf* sur), faire son effet, opérer; *Wunder* faire; ~ *wie* faire l'effet de; *wohltuend* ~ avoir un effet salutaire; *jung* (*hübsch etc*) ~ faire jeune (joli, *etc*); **&en** *n* action *f*, activité *f*; **~lich** réel, effectif; *echt* vrai, véritable; **&lichkeit** *f* réalité *f*; *in* ~ en réalité; **~sam** efficace; **&samkeit** *f* efficacité *f*.

Wirkung *f* effet *m*; **~sgrad** *tech m* (degré *m* d')efficacité *f*, rendement *m*; **&slos** sans effet, inopérant; **&svoll** efficace.

wirr confus, embrouillé; *Haar* en désordre; **&en** *pol pl* troubles *m/pl*; **&warr** *m* confusion *f*, chaos *m*, embrouillamini *m* F, pagaille *f* F.

Wirsing *bot m*, **~kohl** *m* chou *m* frisé *od* de Milan.

Wirt(in *f*) *m Gast&* patron *m*, -ne *f*, aubergiste *m*; *Hotel&* hôtelier *m*, -ière *f*; *Haus&* propriétaire *m*, *f*.

Wirtschaft *f* économie *f*; *Gast&* restaurant *m*, auberge *f*; *Bahnhofs&* buffet *m*; *freie* ~ économie *f* libérale; *gelenkte* ~ économie *f* dirigée, dirigisme *m*; **&en** *gut*, *schlecht* ~ bien, mal gérer ses affaires; *gut* ~ *a* être économe; **~erin** *f* gouvernante *f*; **&lich** économique.

Wirtschafts|... *écon in Zssgn* économique; **~gemeinschaft** *f Europäische* ~ Communauté *f* économique européenne (*abr C.E.E.*); **~krise** *f* crise *f* économique; **~leben** *n* vie *f* économique; **~system** *n* système *m* économique; **~wissenschaft(en)** *f(pl)* sciences *f/pl* économiques; **~wunder** *n* miracle *m* économique.

Wirtshaus *n* auberge *f*.

wischen essuyer.

wispern chuchoter.

wißbegierig curieux.

wissen 1. savoir; *nicht* ~ ne pas savoir, ignorer; *sehr wohl* ~ ne pas ignorer; *ich möchte* ~ j'aimerais savoir; *soviel ich weiß* autant que je sache; *weißt du noch?* tu te rappelles? *od* tu t'en souviens?; *woher weißt du das?* d'où tiens-tu cela?; *man kann nie* ~ on ne peut jamais savoir; *ich will davon* (*von ihm*) *nichts* ~ je ne veux pas entendre parler de cela (de lui); **2.** & *n* savoir *m*, connaissances *f/pl*.

Wissenschaft *f* science *f*; **~ler(in** *f*) *m* scientifique *m*, *f*; **&lich** scientifique.

wissen|swert qui vaut la peine d'être connu, intéressant; *alles &e über* tout ce qu'il faut savoir sur; **~tlich** sciemment.

witter|n flairer (*a fig*); **&ung** *f* temps *m* qu'il fait; *Spürsinn* flair *m*; **&ungsverhältnisse** *n/pl* conditions *f/pl* atmosphériques.

Witwe *f* veuve *f*; **~r** *m* veuf *m*.

Witz *m* plaisanterie *f*, histoire *f* (drôle), blague *f* F; bon mot *m*, mot *m* d'esprit; *Wortspiel* calembour *m*; **~e** *reißen* raconter de bonnes blagues; **~blatt** *n* journal *m* satirique *od* humoristique; **~bold** *m* blagueur *m*; *péj* mauvais plaisant *m*; **&ig** *geistreich* spirituel; *lustig* drôle, amusant.

wo où; **~anders** ailleurs; **~bei** à l'occasion de quoi; ~ *mir einfällt* ce qui me rappelle.

Woche *f* semaine *f*; *in der letzten* ~ la semaine passée *od* dernière; *in der nächsten* ~ la semaine prochaine.

Wochen|ende *n* fin *f* de semaine, week-end *m*; **&lang** (pendant) des semaines entières; **~schau** *f* actualités *f/pl*; **~tag** *m* jour *m* de semaine; *Werktag* jour *m* ouvrable.

wöchentlich hebdomadaire; *einmal* ~ une fois par semaine.

wo|durch par quoi; **~für** pour quoi.

Woge *f* vague *f*, flot *m*; **&n** ondoyer, onduler.

wo|her d'où; **~hin** où; **~hingegen** tandis que, alors que.
wohl 1. bien; *wahrscheinlich* sans doute; *mir ist nicht ~* je ne me sens pas bien; *~ oder übel* bon gré mal gré; **2.** *2 n* bien *m*, salut *m*; *das öffentliche ~* le bien public; *zum ~!* à votre santé!, à la vôtre! F.
Wohl|befinden *n* bien-être *m*; **2behalten** sain et sauf; **2behütet** bien protégé; **~fahrtsstaat** *m* État-providence *m*; **2gemerkt** bien entendu; **2genährt** bien nourri; **2gesinnt** *j-m ~ sein* être bien intentionné à l'égard de qn; **2habend** aisé; **2ig** agréable; **~klang** *m* harmonie *f*; *ling* euphonie *f*; **2klingend** harmonieux; **~stand** *m* aisance *f*, prospérité *f*; **~standsgesellschaft** *f* société *f* d'abondance; **~tat** *f* bienfait *m*; **~täter(in** *f*) *m* bienfaiteur *m*, -trice *f*; **2tätig** charitable; **~tätigkeit** *f* bienfaisance *f*; **~tätigkeitsbasar** *m* vente *f* de charité; **2tuend** bienfaisant; **2verdient** bien mérité; **~wollen** *n* bienveillance *f*; **2wollend** bienveillant.
wohn|en habiter, demeurer, loger; *in Paris ~* habiter (à) Paris; *im Hotel ~* loger à l'hôtel; *möbliert ~* loger en meublé; **2gebiet** *n* quartier *m* résidentiel; **2gemeinschaft** *f* communauté *f* d'habitat, domicile *m* en commun; **~haft** domicilié (*in* à); **~lich** confortable; **2mobil** *n* camping-car *m*; **2ort** domicile *m*; **2sitz** *m* domicile *m*, résidence *f*.
Wohnung *f* logement *m*, habitation *f*, appartement *m*; **~sbau** *m* construction *f* de logements; **~snot** *f* crise *f* du logement.
Wohn|wagen *m* roulotte *f*; *Camping* caravane *f*; **~zimmer** *n* salle *f* de séjour, salon *m*, living *m*.
wölb|en (*sich ~* se) voûter, (se) bomber; **2ung** *f* voussure *f*, bombement *m*.
Wolf *zo m* (**Wölfin** *f*) loup *m* (louve *f*).
Wolke *f* nuage *m*.
Wolken|bruch *m* pluie *f* torrentielle; **~kratzer** *m* gratte-ciel *m*; **2los** sans nuages.
wolkig nuageux.
Wolldecke *f* couverture *f* de laine.
Wolle *f* laine *f*; **2n** de *od* en laine.
wollen vouloir; *im Begriff sein* aller; *lieber ~* aimer mieux; *sie will, daß ich komme* elle veut que je vienne; *ich wollte gerade anfangen* j'allais commencer; *er will mich gesehen haben* il prétend m'avoir vu; *ich wollte, ich wäre ...* si seulement j'étais ...
Woll|ust *f* volupté *f*; **2üstig** voluptueux.
wo|mit avec quoi; **~möglich** peut-être.
Wonne *f* délice *m*.
wor|an *~ denkst du?* à quoi penses-tu?; *~ liegt es, daß ...?* d'où vient que ...?; *fig ~ man ist* où l'on en est; **~auf** sur quoi; *zeitlich* après quoi; *~ wartest du?* qu'est-ce que tu attends?; **~aus** de quoi, d'où; *~ ist es?* en quoi est-ce?; **~in** en quoi, dans quoi, où.
Wort *n* mot *m*; *gesprochenes* parole *f*; *Ausdruck* terme *m*; *~e pl a* propos *m/pl*; *das letzte ~ ist gesprochen* le dernier mot est dit; *mit anderen ~en* en d'autres termes; *sein ~ geben* donner sa parole; *~ halten* tenir parole; *sein ~ brechen* manquer à sa parole; *j-m beim ~ nehmen* prendre qn au mot; *ein gutes ~ einlegen für* intercéder en faveur de; *j-m ins ~ fallen* couper la parole à qn; *sich zu ~ melden* demander la parole; **~art** *gr f* classe *f* de mots, partie *f* du discours.
Wörterbuch *n* dictionnaire *m*.
Wort|führer *m* porte-parole *m*; **2karg** taciturne; **~laut** *m* texte *m*, teneur *f*, termes *m/pl*.
wörtlich littéral, textuel; *gr ~e Rede* discours *m* direct.
Wort|schatz *m* vocabulaire *m*; **~spiel** *n* jeu *m* de mots; *mit Homonymen* calembour *m*; **~stellung** *gr f* ordre *m* des mots; **~wechsel** *m* altercation *f*.
wor|über sur quoi; *~ lachst du?* de quoi ris-tu?; **~um** *~ geht es?* de quoi s'agit-il?
wo|von de quoi; *~ sprichst du?* de quoi parles-tu?; **~vor** *~ fürchtest du dich?* de quoi as-tu peur?; **~zu** à quoi; *~ (eigentlich)?* à quoi bon?
Wrack *n* épave *f* (*a fig Mensch*); *auto a* carcasse *f*.
wringen *Wäsche* tordre.
Wucher *m* usure *f*; **~er** *m* usurier *m*; **2n** *biol* proliférer, foisonner; **~ung** *méd f* excroissance *f*, végétation *f*; **~zinsen** *m/pl* intérêts *m/pl* usuraires.

Wuchs *m Wachsen* croissance *f*; *Gestalt* taille *f*.
Wucht *f* force *f*, élan *m*; *mit voller ~* de plein fouet; **℞ig** imposant, massif; *Schlag* violent.
wühlen fouiller.
Wulst *m* bourrelet *m*, renflement *m*; **℞ig** qui forme un bourrelet; *Lippen* épais, charnu.
wund écorché; *sich ~ liegen od reiben* s'écorcher; *fig ~er Punkt* point *m* faible *od* névralgique.
Wunde *f* blessure *f*.
Wunder *n* miracle *m* (*a rel*), prodige *m*; *~werk* merveille *f*; *~ wirken* faire des miracles; (*es ist*) *kein ~, daß du müde bist* il n'y a rien d'étonnant à ce que tu sois fatigué; **℞bar** merveilleux, admirable; *übernatürlich* miraculeux; **~kind** *n* enfant *m* prodige; **℞lich** bizarre, étrange, singulier; **~mittel** *n* remède *m* miracle; **℞n** étonner; *sich ~* s'étonner (*über* de); **℞schön** ravissant, merveilleusement beau; **℞voll** merveilleux; **~werk** *n* merveille *f*.
Wundstarrkrampf *méd m* tétanos *m*.
Wunsch *m Begehren* désir *m* (*nach* de); *Glück℞* souhait *m*, vœu *m*; *auf j-s ~* à la demande de qn; *nach ~* à souhait; *nach Wahl* au choix; *beste Wünsche!* meilleurs vœux!
wünschen désirer; *j-m etw* souhaiter; *sich etw ~* désirer qc; *was ~ Sie?* que désirez-vous?; *j-m gute Reise ~* souhaiter bon voyage à qn; **~swert** désirable, souhaitable.
Würde *f* dignité *f*; **℞los** indigne; **~nträger** *m* dignitaire *m*; **℞voll** digne.
würdig digne (*e-r Sache* de qc); **~en** apprécier; *j-n keines Blickes ~* ne pas daigner regarder qn, ignorer qn; **℞ung** *f* appréciation *f*.
Wurf *m* jet *m*; *Sport* lancer *m*; *junge Tiere* portée *f*.
Würfel *m* cube *m* (*a math*); *Spiel℞* dé *m*; **~form** *f* forme *f* cubique; **℞n** jeter le(s) dé(s); jouer aux dés; *e-e Sechs ~* faire un six; **~spiel** *n* jeu *m* de dés; **~zucker** *m* sucre *m* en morceaux.
Wurfgeschoß *n* projectile *m*.
würgen *j-n* étrangler; *mühsam schlucken* s'étouffer; *Brechreiz haben* avoir des nausées.
Wurm *m* ver *m*.
Würmchen *n* vermisseau *m*.
wurm|en F *das wurmt mich* cela me ronge *od* me tracasse; **~ig** véreux; **~stichig** *Holz* vermoulu; *Früchte* véreux.
Wurst *f* saucisson *m*.
Würstchen *n* saucisse *f*.
Würze *f* assaisonnement *m*, épice *f*; *fig* sel *m*, saveur *f*.
Wurzel *f* racine *f* (*a fig*); *math e-e ~ ziehen* extraire une racine; *~n schlagen* prendre racine.
würz|en assaisonner, épicer (*beide a fig mit* de); **~ig** aromatique.
Wust *m* F fouillis *m*, ramassis *m*.
wüst *Gegend* désert; *unordentlich* en désordre; *ausschweifend* déréglé.
Wüste *f* désert *m*.
Wut *f* fureur *f*, rage *f*; *e-e ~ haben* être furieux (*auf* contre); **~anfall** *m* accès *m* de fureur *od* de rage.
wüten se déchaîner; *Sturm a* faire rage; **~d** furieux (*auf* contre).

X

X-Beine *n/pl* jambes *f/pl* cagneuses.
X-beinig cagneux.
x-beliebig *ein ~er* ... n'importe quel ...; *jeder ~e* n'importe qui.
x-mal F *ich habe es ~ gesagt* je l'ai dit cent fois.
x-te *zum ~n Male* pour la énième fois.
Xylophon *mus n* xylophone *m.*

Y

Yen *écon m* yen *m.*
Yeti *m* yéti *m.*
Ypsilon *n* i *m* grec.

Z

Zacke *f*, **~n** *m Spitze* pointe *f*; *Gabel, Säge etc* dent *f*.
zackig dent(el)é; *fig* qui a du cran *od* de l'allant.
zaghaft craintif, timide; **&igkeit** *f* timidité *f*.
zäh tenace; *Fleisch* coriace; *Person a* robuste; **~flüssig** visqueux; *~er Verkehr* ralentissements *m/pl*; **&igkeit** *f* ténacité *f*.
Zahl *f* nombre *m*; *Ziffer* chiffre *m*; **&bar** payable.
zählbar dénombrable.
zahlen payer; *~, bitte!* l'addition, s'il vous plaît!
zählen compter (*zu* parmi; *fig auf* sur).
zahlenmäßig numérique.
Zähler *m Apparat* compteur *m*; *math* numérateur *m*.
Zahl|karte *f* mandat *m* de versement à un compte courant postal; **&los** innombrable; **&reich** nombreux; **~tag** *m* jour *m* de paie; **~ung** *f* paiement *od* payement *m*.
Zählung *f* comptage *m*, dénombrement *m*; *Erfassung* recensement *m*.
Zahlungs|bedingungen *f/pl* conditions *f/pl* de paiement; **~befehl** *jur m* sommation *f*; **~bilanz** *f* balance *f* des comptes *od* des paiements; **~frist** *f* délai *m* de paiement; **~mittel** *n* moyen *m* de paiement; *gesetzliches ~* monnaie *f* légale; **~schwierigkeiten** *f/pl* difficultés *f/pl* de paiement; **&unfähig** insolvable; **~unfähigkeit** *f* insolvabilité *f*.
Zahlwort *gr n* (adjectif *m*) numéral *m*.
zahm *Tier* apprivoisé; *fig* docile.
zähmen *Tier* apprivoiser; *fig* dompter.
Zahn *m* dent *f*; **~arzt** *m*, **~ärztin** *f* dentiste *m*, *f*; **~bürste** *f* brosse *f* à dents; **~creme** *f* dentifrice *m*.
zahnen faire ses dents.
Zahn|ersatz *m* prothèse *f* dentaire; **~fleisch** *n* gencive(s *pl*) *f*; **~pasta** *f* dentifrice *m*; **~plombe** *f* plombage *m*; **~rad** *tech n* roue *f* dentée; **~radbahn** *f* chemin *m* de fer à crémaillère; **~schmelz** *m* émail *m* (des dents); **~schmerzen** *m/pl ~ haben* avoir mal aux dents; **~spange** *f* appareil *m* dentaire; **~stein** *m* tartre *m*; **~stocher** *m* cure-dent *m*; **~techniker** *m* mécanicien-dentiste *m*.
Zange *f* pince *f*, tenailles *f/pl*.
Zank *m* querelle *f*; **&en** *sich ~* se quereller (*mit* avec).
zänkisch querelleur.
Zäpfchen *n Hals* luette *f*; *phm* suppositoire *m*.
Zapfen *m Verschluß* bouchon *m*, bonde *f*; *bot* cône *m*; *tech* pivot *m*.
zapfen *Wein etc* tirer.
Zapfsäule *f für Benzin* pompe *f* à essence.
zapp|eln frétiller (*a Fische*), gigoter F; **~(e)lig** remuant.
Zar *m* tsar *m*.
zart tendre (*a Fleisch*); délicat (*a Gesundheit*); **~fühlend** délicat; **&gefühl** *n* délicatesse *f*; **&heit** *f* tendreté *f*; délicatesse *f*.
zärtlich tendre; **&keit** *f* tendresse *f*; *~en pl* caresses *f/pl*.
Zauber *m* charme *m*, magie *f* (*beide a fig*); sortilège *m*; **~ei** *f* magie *f*, sorcellerie *f*; **~er** *m*, **~in** *f* magicien *m*, -ne *f*; **~formel** *f* formule *f* magique; **&haft** *fig* ravissant, enchanteur; **~kraft** *f* vertu *f* magique; **~künstler** *m* prestidigitateur *m*; **~kunststück** *n* tour *m* de prestidigitateur; **&n** pratiquer la magie; **~spruch** *m* formule *f* magique; **~stab** *m* baguette *f* magique; **~wort** *n* parole *f* magique.
zaudern hésiter, tarder.
Zaum *m* bride *f*; *fig im ~ halten* contrôler, mettre un frein à.
Zaun *m* clôture *f*; *Draht&* grillage *m*; **~könig** *zo m* roitelet *m*; **~pfahl** *m fig ein Wink mit dem ~* un appel du pied.
z. B. p. ex. (= par exemple).
ZDF *n* Deuxième chaîne *f* de la télévision allemande.
Zebra *zo n* zèbre *m*; **~streifen** *m* passage *m* pour piétons.
Zeche *f Rechnung* addition *f*; *Bergbau* mine *f*; *fig die ~ bezahlen* payer les pots cassés.
Zecke *zo f* tique *f*.
Zeder *bot f* cèdre *m*; ⚠ *le* cèdre.
Zeh *m*, **~e** *f* doigt *m* de pied, orteil *m*; *große ~* gros orteil *m*; **~enspitze** *f auf ~n gehen* marcher sur la pointe des pieds.
zehn dix; *etwa ~* une dizaine; **&er** *math m* dizaine *f*; **~fach** dix fois

autant; **~jährig** âgé de dix ans; **2kampf** *m Sport* décathlon *m*; **~mal** dix fois; **~te** dixième; **2tel** *n* dixième *m*; **~tens** dixièmement.

Zeichen *n* signe *m*; *Kenn2* marque *f*, indice *m*; *j-m ein ~ geben* faire signe à qn; *als ~ der Dankbarkeit* en signe de reconnaissance; **~block** *m* bloc *m* de papier à dessin; **~brett** *n* planche *f* à dessin; **~lehrer(in** *f*) *m* professeur *m* de dessin; **~papier** *n* papier *m* à dessin; **~setzung** *gr f* ponctuation *f*; **~sprache** *f* langage *m* par signes *od* par gestes; **~trickfilm** *m* dessin *m* animé.

zeichn|en dessiner; *kenn~* marquer; *unter~* signer; *Anleihe* souscrire à; **2en** *n* dessin *m* (*a Schulfach*); **2er(in** *f*) *m* dessinateur *m*, -trice *f*; *comm* souscripteur *m*; **2ung** *f* dessin *m*.

Zeigefinger *m* index *m*.

zeigen (*sich ~* se) montrer; faire voir; *auf etw ~* montrer *od* indiquer qc; *es zeigt sich, daß* il s'avère que.

Zeiger *m* aiguille *f*.

Zeile *f* ligne *f* (*a TV*); *ein paar ~n kurze Mitteilung* un (petit) mot.

Zeit *f* temps *m*; *~alter* époque *f*, âge *m*; *Uhr2* heure *f*; *die gute alte ~* le bon vieux temps; *die ganze ~* tout le temps; *mit der ~* avec le temps; *von ~ zu ~* de temps en temps, de temps à autre; *vor einiger ~* il y a un certain temps de cela; *zur ~* en ce moment; à l'heure actuelle; *zur ~ Napoleons* à l'époque de Napoléon; *in letzter ~* ces derniers temps; *die ~ ist um* le délai est écoulé; *sich ~ lassen* prendre (tout) son temps; *es wird ~, daß ...* il est grand temps de (+ *inf*); *es ist höchste ~* il est grand temps; *mit der ~ gehen* être de son époque.

Zeit|abschnitt *m* période *f*; **~alter** *n* époque *f*, âge *m*, siècle *m*; **~bombe** *f* bombe *f* à retardement; **~druck** *m* *unter ~ stehen* être pressé par le temps; **~enfolge** *gr f* concordance *f* des temps; **~fahren** *n Radsport* course *f* contre la montre; **~geist** *m* esprit *m* du temps *od* du siècle; **2gemäß** moderne, actuel; **~genosse** *m*, **~genossin** *f* contemporain *m*, -e *f*; **2genössisch** contemporain; **~geschichte** *f* histoire *f* contemporaine; **~gewinn** *m* gain *m* de temps; **~karte** *f* abonnement *m*; **~lang** *f e-e ~* pour un certain temps; **2lebens** sa vie durant; **2lich** *rel irdisch* temporel; *~ begrenzt* limité dans le temps, temporaire; *~e Reihenfolge* ordre *m* chronologique; **2los** *Kleidung, Stil* classique, non conditionné par la mode; **~lupe** *f* ralenti *m* (*in* au); **~mangel** *m aus ~* faute de temps; **~not** *f* manque *m* de temps; **~punkt** *m* moment *m*; **~raffer** *m* accéléré *m* (*im* en); **2raubend** qui prend beaucoup de temps; **~raum** *m* période *f*, laps *m* de temps; **~rechnung** *f* chronologie *f*; *christliche ~* ère *f* chrétienne; **~schrift** *f* revue *f*; **~spanne** *f* laps *m* de temps.

Zeitung *f* journal *m*.

Zeitungs|abonnement *n* abonnement *m* à un journal; **~anzeige** *f* annonce *f*; **~artikel** *m* article *m* de journal; **~ausschnitt** *m* coupure *f* de journal; **~ente** *f* canard *m*; **~händler** *m* marchand *m* de journaux; **~kiosk** *m* kiosque *m* à journaux; **~notiz** *f* nouvelle *f* de presse; **~papier** *n* papier *m* journal; **~verkäufer** *m* vendeur *m* de journaux.

Zeit|verlust *m* perte *f* de temps; **~verschiebung** *f* décalage *m* horaire; **~verschwendung** *f* gaspillage *m* de temps; **~vertreib** *m* passe-temps *m*; **2weilig** temporaire; *einstweilig* provisoire; **2weise** de temps en temps; **~wort** *gr n* verbe *m*; **~zeichen** *Radio n* signal *m* horaire; *beim dritten Ton des ~s* au troisième top *il sera exactement ...*

Zelle *f* cellule *f*; *tél* cabine *f*.

Zellstoff *m* cellulose *f*.

Zelt *n* tente *f*; *ein ~ aufschlagen* dresser (planter, monter) une tente; *im ~* sous la tente; **2en** camper, faire du camping; **~lager** *n* camping *m*; **~platz** *m* terrain *m* de camping.

Zement *m* ciment *m*; **2ieren** cimenter.

Zenit *astr m* zénith *m* (*a fig*).

zens|ieren *Schule* noter; *staatlich* soumettre à la censure; **2or** *m* censeur *m*; **2ur** *f Zeugnisnote* note *f*; *staatliche Kontrolle* censure *f*.

Zentimeter *n od m* centimètre *m*.

Zentner *m* cinquante kilos *m/pl*.

zentral central; **2e** *f* bureau *m* central, direction *f* centrale; *tél* standard *m*; **2heizung** *f* chauffage *m* central; **~isieren** centraliser.

Zentrifug|alkraft *phys f* force *f* centrifuge; **~e** *f* centrifugeuse *f*.

Zentrum *n* centre *m*.

Zepter *n* sceptre *m*.
zerbeißen casser avec les dents.
zerbrech|en se casser; *etw* casser; **~lich** fragile.
zer|bröckeln s'effriter; **~drücken** écraser.
Zeremon|ie *f* cérémonie *f*; **~iell** *n* cérémonial *m*; **ℒiell** cérémonieux.
Zerfall *m* désagrégation *f*, désintégration *f* (*a Kernphysik*); **ℒen** se désagréger, se désintégrer (*a Atomkern*); *~ in sich gliedern in* se diviser en.
zer|fetzen, ~fleischen déchiqueter; **~fressen** ronger; **~gehen** fondre; **~kauen** mâcher; **~kleinern** broyer, concasser, hacher.
zerknirsch|t contrit; **ℒung** *f* contrition *f*.
zer|knittern, ~knüllen froisser; **~kratzen** égratigner, rayer; **~lassen** faire fondre; **~legen** décomposer; *tech* démonter; *Fleisch* découper; **~lumpt** déguenillé; **~malmen** écraser; **~mürben** décourager, démoraliser; **~platzen** crever, éclater; **~quetschen** écraser.
Zerrbild *n* caricature *f*.
zerreißen se déchirer; *etw* déchirer.
zerren tirer (avec violence) (*an* sur); *sich e-n Muskel ~* se claquer un muscle.
zerrinnen fondre; *fig* s'évanouir.
Zerrissenheit *f fig* déchirements *m/pl*.
Zerrung *méd f* claquage *m*.
zerrütt|en désorganiser; *Gesundheit* ruiner, ébranler; *Nerven* détraquer; **~et** *Ehe* désuni; *~e Familienverhältnisse* famille *f* à problèmes; **ℒung** *f* désorganisation *f*, ruine *f*; désunion *f*.
zer|sägen scier; **~schellen** s'écraser (*an* contre); **~schlagen** casser; *Spionagenetz* démanteler; *Hoffnungen etc sich ~* s'anéantir, s'effondrer; *fig wie ~ sein* être moulu *od* rompu de fatigue; **~schneiden** couper en morceaux.
zersetz|en (*sich ~* se) décomposer, (se) désagréger; *fig* miner, détruire; **~end** démoralisateur, destructif; **ℒung** *f* décomposition *f*; *fig* destruction *f*.
zer|splittern voler en éclats; **~springen** se briser, se casser, voler en éclats.
zerstör|en détruire; **ℒer** *m* destructeur *m*; *Kriegsschiff* destroyer *m*, contre-torpilleur *m*; **~erisch** destructeur, destructif; **ℒung** *f* destruction *f*.
zerstreu|en (*sich ~* se) disperser; *fig ablenken* (se) distraire; *Bedenken etc* dissiper; **~t** *fig* distrait; **ℒtheit** *f* distraction *f*; **ℒung** *f fig* distraction *f*.
zer|stückeln morceler, dépecer, démembrer, déchiqueter; **~treten** écraser (du pied); *Rasen* piétiner; **~trümmern** détruire, casser, fracasser; *Atomkern* désintégrer.
Zerwürfnis *n* désaccord *m*, brouille *f*.
zerzaust ébouriffé.
Zettel *m* bout *m* de papier; *Notiz*ℒ fiche *f*.
Zeug *n Sachen* choses *f/pl*, trucs *m/pl* F, fourbi *m* F; *Ausrüstung* équipement *m*, attirail *m* F; *dummes ~* des bêtises *f/pl*; *fig das ~ zu etw haben* avoir l'étoffe de qc; *sich ins ~ legen* s'atteler au travail.
Zeug|e *m*, **~in** *f* témoin *m*.
zeugen *Kind* engendrer, procréer *st/s*; *jur* témoigner, déposer; *fig von etw ~* témoigner de qc; **ℒaussage** *f* déposition *f*; **ℒvernehmung** *f* audition *f* des témoins.
Zeugnis *n Bescheinigung* attestation *f*, certificat *m*; *Schule* bulletin *m* (trimestriel), livret *m* scolaire; *Prüfungs*ℒ diplôme *m*.
Zeugung *biol f* engendrement *m*, procréation *f*.
z. H. (*abr zu Händen von*) à l'attention de.
Zickzack *m* zigzag *m*; *im ~ fahren* zigzaguer.
Ziege *zo f* chèvre *f*.
Ziegel *m* brique *f*; *Dach*ℒ tuile *f*.
Ziegen|bock *zo m* bouc *m*; **~käse** *m* fromage *m* de chèvre; **~peter** *méd m* oreillons *m/pl*.
ziehen tirer; *heraus~* retirer (*aus* de); *Zahn* extraire, arracher; *Linie* tracer; *Pflanzen* cultiver; *sich bewegen* (s'en) aller, partir, passer; *nach Berlin ~* aller habiter (à) Berlin; *sich ~ Stoff* s'étirer; *fig sich in die Länge ~* traîner en longueur; *auf sich ~* attirer; *nach sich ~* entraîner; *es zieht* il y a un courant d'air.
Zieh|harmonika *f* accordéon *m*; **~ung** *f Lotterie* tirage *m*.
Ziel *n* but *m*, objectif *m*; *Reise*ℒ destination *f*; *Sport* arrivée *f*; **~scheibe** cible *f*; *sich ein ~ setzen* se fixer un but; *sein ~ erreichen* parvenir à son

but; **Ձen** viser (*auf j-n* qn, *auf etw* qc); **~fernrohr** *n* lunette *f* de tir; **~linie** *Sport f* ligne *f* d'arrivée; **Ձlos** sans but; **~richter** *Sport m* juge *m* à l'arrivée; **~scheibe** *f* cible *f* (*a fig*); **Ձstrebig** ambitieux, qui poursuit son but résolument, déterminé.

ziemlich *adv* assez; *adj* F assez grand.

Zier|de *f zur ~* comme décor; *fig die ~ der Familie sein* être l'honneur de la famille; **Ձen** orner, décorer; *sich ~* faire des façons *od* des chichis *od* des simagrées; **Ձlich** gracile, fin; **~pflanze** *f* plante *f* ornementale.

Ziffer *f* chiffre *m*; ⚠ *le* chiffre; **~blatt** *n* cadran *m*.

Zigarette *f* cigarette *f*; **~nautomat** *m* distributeur *m* automatique de cigarettes; **~nstummel** *m* bout *m* de cigarette, mégot *m* F, clope *m* F.

Zigarre *f* cigare *m*; ⚠ *le* cigare.

Zigeuner(in *f*) *m* bohémien *m*, -ne *f*, gitan *m*, -e *f*, tsigane *m,f*, romanichel *m*, -le *f*.

Zimmer *n* pièce *f*; *mit Bett* chambre *f*; *großes a* salle *f*; *~ frei* chambre à louer; **~einrichtung** *f* ameublement *m*; **~mädchen** *n* femme *f* de chambre; **~mann** *m* charpentier *m*; **~pflanze** *f* plante *f* d'appartement; **~suche** *f auf ~ sein* être à la recherche d'une chambre; **~vermieter(in** *f*) *m* logeur *m*, -euse *f*.

zimperlich douillet; *nicht gerade ~ sein* ne pas être particulièrement sensible.

Zimt *m* cannelle *f*.

Zink *n* zinc *m*.

Zinke *f* dent *f*.

Zinn *n* étain *m*.

Zinne *f* créneau *m*.

Zins *écon m* intérêt *m*; *5 Prozent ~en bringen* produire *od* rapporter des intérêts de 5 pour cent; **~eszinsen** *m/pl* intérêts *m/pl* composés; **Ձlos** sans intérêt, exempt d'intérêts; **~satz** *m* taux *m* d'intérêt.

Zipfel *m* bout *m*, coin *m*.

zirka environ.

Zirkel *m math* compas *m*; *Kreis, Gruppe* cercle *m*; **~kasten** *m* boîte *f* de compas.

zirkulieren circuler.

Zirkus *m* cirque *m*.

zisch|eln chuchoter; **~en** siffler.

ziselieren ciseler.

Zitadelle *f* citadelle *f*.

Zitat *n* citation *f*.

Zither *mus f* cithare *f*.

zitieren citer (*aus e-m Buch* un passage d'un livre); *zu j-m zitiert werden* être convoqué chez qn.

Zitrone *f* citron *m*; ⚠ *le* citron; **~nlimonade** *f* citronnade *f*; **~npresse** *f* presse-citron *m*.

Zitrusfrüchte *f/pl* agrumes *m/pl*.

zittern trembler (*vor Wut etc* de colère, *etc*; *vor j-m* devant qn); grelotter (*vor Kälte* de froid).

zivil 1. civil; *Preise* raisonnable; **2.** **Ձ** *n ~ tragen* être en civil; *Polizist in ~* policier *m* en civil; **Ձbevölkerung** *f* population *f* civile; **Ձdienst** *m* service *m* civil (pour les objecteurs de conscience); **Ձisation** *f* civilisation *f*; **~isieren** civiliser; **Ձist** *m* civil *m*; **Ձrecht** *n* droit *m* civil; **Ձschutz** *m* protection *f* civile.

zögern 1. hésiter (*zu* à + *inf*), tarder (à); **2.** **Ձ** *n* hésitation *f*.

Zölibat *n od m* célibat *m*.

Zoll *m Behörde* douane *f*; *Abgabe* (droit *m* de) douane *f*; *altes Maß* pouce *m*; **~abfertigung** *f* accomplissement *m* des formalités douanières; **~amt** *n* (bureau *m* de) douane *f*; **~beamte(r)** *m* douanier *m*; **~erklärung** *f* déclaration *f* en douane; **Ձfrei** exempt de droits de douane, en franchise, hors taxes; **Ձpflichtig** soumis à la douane, passible d'un droit de douane; **~stock** *m* mètre *m* pliant.

Zone *f* zone *f*.

Zoo *m* zoo *m*; **~handlung** *f* magasin *m* d'animaux domestiques.

Zoolog|e *m*, **~in** *f* zoologue *m, f*, zoologiste *m, f*; **~ie** *f* zoologie *f*; **Ձisch** zoologique.

Zopf *m* natte *f*, tresse *f*; *fig das ist ein alter ~* c'est démodé.

Zorn *m* colère *f*; **Ձig** en colère.

Zote *f* obscénité *f*.

zu 1. *prép* à; *auf etw od j-n ~* vers qc *od* qn; *~ Hause* à la maison, chez moi (toi, *etc*); *zum Friseur gehen* aller chez le coiffeur; *zum Fenster hinauswerfen* jeter par la fenêtre; *Wasser zum Trinken* de l'eau à boire; *~ Weihnachten* à Noël; *schenken etc* pour Noël; *~ Fuß* à pied; *~ meiner Überraschung* à ma surprise; *wir sind ~ dritt* nous sommes (à) trois; *~ Hunderten* par centaines; *2 ~ 1 gewinnen* gagner par deux à un; *2 ~ 2* deux partout; **2.** *mit inf* de, à *od ohne*

prép; *er versprach ~ kommen* il promit de venir; **3.** *adv* trop; *~ teuer* trop cher; **4.** *geschlossen* fermé; *Tür ~!* fermez la porte!; *~ sein* être fermé.
zualler|erst en tout premier lieu, tout d'abord; **~letzt** en tout dernier lieu.
Zubehör *n* accessoires *m/pl*.
zubereit|en préparer; **2ung** *f* préparation *f*.
zu|binden lier; *Schuhe* lacer; **~bleiben** rester fermé; **~blinzeln** *j-m ~* cligner de l'œil à qn.
Zubringer *m zur Autobahn* bretelle *f* (de raccordement); **~dienst** *m für Flughafen etc* desserte *f*.
Zucht *f von Tieren* élevage *m*; *von Pflanzen* culture *f*; *Disziplin* discipline *f*.
zücht|en *Tiere* élever; *Pflanzen* cultiver; **2er(in** *f*) m éleveur *m*, -euse *f*.
Zuchthaus *n* maison *f* centrale, pénitencier *m*; *Strafe* réclusion *f*.
züchtigen *st/s* châtier.
Zuchtperle *f* perle *f* de culture.
Züchtung *f zo* élevage *m*; *bot* culture *f*.
zucken tressaillir, palpiter; *die Achseln ~* hausser les épaules.
zücken *Waffe* tirer; *fig Brieftasche* sortir.
Zucker *m* sucre *m*; **~dose** *f* sucrier *m*; **~fabrik** *f* sucrerie *f*; **~guß** *m* glaçage *m*; **~hut** *m* pain *m* de sucre; **2krank** *méd* diabétique; **~kranke(r)** *m*, *f* diabétique *m*, *f*; **~krankheit** *f* diabète *m*; **2n** sucrer; **~rohr** *bot n* canne *f* à sucre; **~rübe** *bot f* betterave *f* sucrière; **~wasser** *n* eau *f* sucrée; **~watte** *f* barbe *f* à papa; **~zange** *f* pince *f* à sucre.
Zuckung *f* convulsion *f*, tic *m*.
zudecken couvrir (*mit* de).
zudem en outre, de *od* en plus.
zudrehen fermer; *j-m den Rücken ~* tourner le dos à qn.
zudringlich importun; **2keit** *f* importunité *f*.
zudrücken fermer; *fig ein Auge ~* fermer les yeux.
zueinander l'un envers l'autre; *sie passen gut ~* ils vont bien ensemble.
zuerkennen *Preis* décerner.
zuerst d'abord; *als erste(r)* le premier, la première; *~ etw tun a* commencer par faire qc.
Zufahrt *f* accès *m*; **~sstraße** *f* voie *f* d'accès.
Zufall *m* hasard *m*; **2en** *Tür etc* se fermer brusquement; *Anteil etc j-m ~* échoir à qn.
zufällig accidentel, fortuit; *adv* par hasard.
Zuflucht *f* refuge *m*; *~ suchen* chercher refuge (*bei j-m* auprès de qn).
zufolge d'après, suivant (qc).
zufrieden content (*mit* de), satisfait (de); **~geben** *sich ~* se contenter (*mit* de); **2heit** *f* contentement *m*, satisfaction *f*; **~lassen** laisser en paix; **~stellen** contenter, satisfaire; **~stellend** satisfaisant.
zu|frieren geler; **~fügen** *Schaden etc* causer; **2fuhr** *f* approvisionnement *m* (*von* en).
Zug *m Eisenbahn* train *m*; *U-Bahn* rame *f*; *von Menschen* cortège *m*; *Schule* section *f*; *Gesichts-*, *Charakter2* trait *m*; *Schach* coup *m*; *Rauchen* bouffée *f*; *Luft2* courant *m* d'air; *tech* traction *f*; *mit dem ~ fahren* aller en train; *in einem ~e* d'une seule traite, d'un coup; *das Leben in vollen Zügen genießen* profiter *od* jouir pleinement de la vie; *in groben Zügen* à grands traits.
Zu|gabe *f comm* prime *f*; *Konzert* morceau *m* supplémentaire *od* hors programme; **~gang** *m* accès *m* (*a fig*); *~ haben* avoir accès (*zu* à); **2gänglich** accessible (*für* à; *a fig*); *Person* abordable, d'un abord facile.
Zugbrücke *f* pont-levis *m*.
zugeben ajouter; *gestehen* avouer.
zugehen *Schloß etc* fermer (*schwer* mal); *~ auf* se diriger vers; *es geht lustig zu* on s'amuse bien.
Zugehörigkeit *f* appartenance *f* (*zu* à).
Zügel *m* bride *f*; *~ pl* rênes *f/pl* (*a fig*); **2los** *fig* effréné, débridé; **2n** tenir en bride (*a fig*).
Zuge|ständnis *n* concession *f*; **2stehen** concéder.
Zugführer *m* chef *m* de train.
zugig exposé aux courants d'air.
zügig rapide(ment), sans interruption.
Zug|kraft *f tech* force *f* de traction; *fig* attraction *f*; **2kräftig** qui attire le public.
zugleich en même temps (*mit* que), à la fois.
Zug|luft *f* courant *m* d'air; **~maschine** *f* tracteur *m*; **~personal** *n* personnel *m* du train.
zugreifen profiter de *od* saisir l'occa-

sion; *greifen Sie zu! bei Tisch* servez-vous!; *Werbung* c'est le moment d'acheter!
zugrunde ~ *gehen* périr; ~ *legen* prendre pour base; *e-r Sache* ~ *liegen* être à la base de qc; ~ *richten* ruiner.
zugunsten en faveur de.
zugute *st/s j-m etw* ~ *halten* tenir compte de qc à qn; *j-m* ~ *kommen* profiter à qn.
Zug|verbindung *f* correspondance *f*; **~vogel** *m* oiseau *m* migrateur *od* de passage.
zu|halten tenir fermé; *sich die Ohren* ~ se boucher les oreilles; **2hälter** *m* souteneur *m*, maquereau *m* F; **2hause** *n* chez-soi *m* (chez-moi *m etc*).
zuhör|en écouter (*j-m* qn); **2er(in** *f*) *m* auditeur *m*, -trice *f*; *Zuhörer pl a* auditoire *m*.
zu|jubeln *j-m* ~ ovationner qn; **~knallen** F *Tür* claquer; **~knöpfen** boutonner; **~kommen** *auf j-n* ~ s'avancer vers qn; *Ereignisse* attendre qn; *j-m etw* ~ *lassen* faire parvenir qc à qn.
Zu|kunft *f* avenir *m*; *gr* futur *m*; *in* ~ à l'avenir; **2künftig** futur; **~kunftsforschung** *f* futurologie *f*.
zu|lächeln *j-m* ~ sourire à qn; **2lage** *f* prime *f*, indemnité *f*; **~lassen** *Tür* laisser fermé; *erlauben* permettre; *auto* immatriculer; *j-n zu etw* ~ admettre qn à qc; **~lässig** admissible, permis; **2lassung** *f* admission *f* (*zu* à); *auto* immatriculation *f*; **~legen** *hinzufügen* ajouter; F *sich etw* ~ s'acheter qc, faire l'acquisition de qc.
zu|letzt en dernier lieu, finalement; *zum letzten Mal* pour la dernière fois; *als letzte(r)* le dernier, la dernière; **~liebe** *j-m* ~ pour faire plaisir à qn.
zumachen fermer.
zu|mal *adv* surtout, particulièrement; *conj* d'autant plus que; **~meist** le plus souvent; **~mindest** pour le moins, du moins.
zumut|bar acceptable; **~e** *mir ist nicht wohl* ~ je ne me sens pas bien; **~en** *j-m etw* ~ exiger qc de qn; *j-m zuviel* ~ demander trop à qn; **2ung** *f* exigence *f*; *Unverschämtheit* impudence *f*; *so e-e* ~! quel culot!
zu|nächst d'abord, en premier lieu; **~nähen** (re)coudre; **2nahme** *f* augmentation *f*; **2name** *m* nom *m* de famille.
zünden s'allumer; *etw* allumer; **~d** *Musik* enlevé, fougueux.
Zünd|er *m* fusée *f*; **~flamme** *f* veilleuse *f*; **~holz** *n* allumette *f*; **~kerze** *auto f* bougie *f* (d'allumage); **~schlüssel** *auto m* clé *f* de contact; **~schnur** *f* mèche *f*; **~ung** *auto f* allumage *m*.
zunehmen augmenter; *Person* grossir ([*um*] *ein Kilo* d'un kilo).
zuneig|en *sich dem Ende* ~ tirer *od* toucher à sa fin; **2ung** *f* affection *f*.
Zunft *hist f* corporation *f*.
Zunge *f* langue *f*; *es liegt mir auf der* ~ je l'ai sur le bout de la langue.
zu|nichte ~ *machen Hoffnungen etc* réduire à néant, anéantir; **~nutze** *sich etw* ~ *machen* tirer profit de qc.
zupfen tirer (*am Ärmel* par la manche); *Saite* pincer.
zuraten *j-m* ~ conseiller à qn de faire qc.
zurechnungsfähig *jur* responsable de ses actes; *geistig* capable de discerner; *nicht mehr* ~ *sein* ne plus jouir de toutes ses facultés mentales.
zurecht|finden *sich* ~ s'y retrouver, s'orienter; **~kommen** *mit etw* ~ se débrouiller avec qc, venir à bout de qc; **~legen** préparer; **~machen** F préparer, arranger; **~rücken** rajuster; **~weisen** réprimander; **2weisung** *f* réprimande *f*.
zu|reden *j-m* ~ encourager qn (*zu* à + *inf*); **~richten** apprêter; *j-n übel* ~ F abîmer *od* arranger qn.
zurück en arrière; *~gekehrt* de retour; *im Rückstand* en retard; **~behalten** retenir; **~bekommen** ravoir, récupérer; *ich bekomme noch Geld zurück* vous me devez encore de l'argent; **~bleiben** rester en arrière; *Arbeit, Schule* être en retard; **~blicken** regarder en arrière (*a fig*); **~bringen** rapporter; *j-n* ramener; **~drängen** repousser; **~erobern** reconquérir; **~erstatten** restituer; **~fahren** retourner; *rückwärts* reculer; **~fallen** retomber; *fig* rétrograder; *auf j-n* ~ retomber sur qn; **~fordern** redemander, réclamer; **~führen** ramener; *etw auf etw* ~ attribuer *od* imputer qc à qc; **~geben** rendre; **~geblieben** *geistig* arriéré, retardé; **~gehen** retourner; *fig Temperatur, Geschäfte etc* baisser; ~ *auf*

remonter à; **~gezogen** retiré, solitaire; **~greifen** *~ auf* avoir recours à, recourir à; **~halten** (*sich ~* se) retenir; **~haltend** réservé; **2haltung** *f* réserve *f*; **~holen** aller reprendre; *j-n ~* ramener qn; **~kehren** retourner; *aus den Ferien ~* rentrer de vacances; **~kommen** revenir; *fig auf etw ~* revenir à *od* sur qc; **~lassen** laisser; **~legen** *an s-n Platz* remettre; *Geld* mettre de côté; *Weg* parcourir, couvrir; **~nehmen** reprendre; *Behauptung* rétracter; *Verbot etc* retirer; **~rufen** rappeler (*a tél*); *sich etw ins Gedächtnis ~* se remémorer qc; **~schicken** renvoyer; **~schrecken** reculer (*vor* devant); *vor nichts ~* ne reculer devant rien; **~setzen** reculer (*a auto*); *j-n ~* désavantager *od* négliger qn, traiter qn en parent pauvre; **~stehen** *Haus* être en retrait; *fig ~ hinter* être inférieur à, céder le pas à; **~stellen** *an s-n Platz* remettre; *Uhr* retarder (*um* de); *Vorhaben* renvoyer à plus tard; *zurückgestellt werden zB vom Wehrdienst* obtenir un sursis; **~stoßen** repousser; **~treten** reculer; *vom Amt* démissionner; **~weichen** reculer; **~weisen** refuser, rejeter, repousser (*a Person*); **~werfen** rejeter; *Strahlen* réfléchir; **~wirken** réagir (*auf* sur); **~zahlen** rembourser; **~ziehen** (*sich ~* se) retirer.

zurufen *j-m etw ~* crier qc à qn.

Zusage *f* acceptation *f*; *Versprechen* promesse *f*; **2n** *bei Einladung* accepter; *j-m etw ~* promettre qc à qn; *j-m ~ gefallen* plaire *od* convenir à qn.

zusammen ensemble; *im ganzen* au total; **2arbeit** *f* collaboration *f*, coopération *f*; **~arbeiten** collaborer; **~beißen** *Zähne* serrer; **~brechen** s'écrouler, s'effondrer (*a fig*); *der Verkehr bricht zusammen* la circulation est bloquée; **2bruch** *m fig* effondrement *m*, écroulement *m*, débâcle *f*; **~fahren** *vor Schreck* sursauter, tressaillir; **~fallen** s'écrouler; *zeitlich* coïncider (*mit* avec); **~falten** plier; **~fassen** résumer; **2fassung** *f* résumé *m*, sommaire *m*; **2fluß** *m* confluent *m*; **~fügen** joindre; **~gesetzt** composé; **2halt** *m fig* cohésion *f*, solidarité *f*; **~halten** *fig* être solidaires; **2hang** *m* rapport *m*, liaison *f*, connexion *f* (*mit* avec); *Text2* contexte *m*; *im ~ stehen mit* être en rapport avec; **~hängen** être en rapport (*mit* avec), être lié (à); **~hängend** cohérent; **~hanglos** incohérent; **~klappbar** pliant; **~kommen** se réunir; **2kunft** *f* réunion *f*, rencontre *f*; **~leben** vivre ensemble; **~legen** *vereinigen* regrouper; *falten* plier; *Geld* se cotiser; **~nehmen** *Kräfte, Mut* rassembler; *sich ~* se contenir, se ressaisir; **~passen** s'accorder, aller bien ensemble, s'harmoniser; **~prallen** entrer en collision, se heurter; **~rechnen** additionner; **~reißen** *sich ~* se ressaisir; **~rollen** (*sich ~* s')enrouler; **~rotten** *sich ~* s'ameuter, s'attrouper; **~schlagen** démolir (*a* F *j-n*); **~schließen** *sich ~* s'associer; *écon* fusionner; **2schluß** *m* association *f*; *écon* fusion *f*; **~schreiben** écrire en un seul mot; **~schrumpfen** se ratatiner; **~setzen** composer; *tech* assembler; *sich ~ aus* se composer de; **2setzung** *f* composition *f*, composé *m*; *tech* assemblage *m*; **~stellen** composer; *Material* rassembler, réunir; **2stoß** *m* collision *f* (*a fig*), tamponnement *m*, télescopage *m*; *fig a* heurt *m*; **~stoßen** entrer en collision (*mit* avec), se tamponner, se télescoper, se heurter (*a fig*); **~stürzen** s'écrouler, s'effondrer; **~treffen** *zeitlich* coïncider; *sich begegnen* se rencontrer; *mit j-m ~* rencontrer qn; **2treffen** *n* rencontre *f*; *zeitlich* coïncidence *f*; **~treten** se réunir; **~zählen** additionner; **~ziehen** contracter; *Truppen* concentrer; *in ein Haus* aller habiter ensemble; *sich ~* se contracter.

Zusatz *m* supplément *m*; addition *f*; *~mittel* additif *m*.

zusätzlich supplémentaire.

zuschau|en regarder (*bei etw* qc); *j-m ~* regarder faire qn; **2er(in** *f*) *m* spectateur *m*, -trice *f*.

zuschicken envoyer.

Zuschlag *m* supplément *m* (*a Bahn*); *Versteigerung* adjudication *f*; *Gebühren2* surtaxe *f*; **2en** *Tür* claquer; *Buch* fermer; *Person* frapper; **2pflichtig** *Zug* à supplément.

zu|schließen fermer à clé; **~schneiden** tailler; couper (sur mesure); **~schreiben** *j-m etw ~* attribuer qc à qn; **2schrift** *f* lettre *f*; **~schulden** *sich etw ~ kommen lassen* se rendre coupable de qc; **2schuß** *m Beihilfe* allocation *f*; *staat-*

licher subvention *f*; **~schütten** combler, remblayer.
zusehen *cf zuschauen*; *~, daß ...* veiller à ce que (+ *subj*); **~ds** à vue d'œil.
zu|senden envoyer; **~setzen** *hinzufügen* ajouter; *Geld* perdre (de l'argent); *j-m ~* importuner qn; *mit Fragen etc* harceler qn; *Krankheit* éprouver qn.
zusicher|n *j-m etw ~* assurer qc à qn; **2ung** *f* assurance *f*.
zu|spielen *Ball* passer; **~spitzen** *die Lage spitzt sich zu* la situation devient critique; **~sprechen** *j-m Mut ~* encourager qn; *j-m Trost ~* consoler qn.
Zustand *m* état *m*; *Lage* situation *f*.
zustande *~ bringen* parvenir à, réaliser; *~ kommen* se faire, se réaliser, avoir lieu.
zuständig compétent; **2keit** *f* compétence *f*.
zustehen *j-m ~* appartenir à qn, revenir à qn de droit.
zustell|en *Post* distribuer; *überbringen* remettre; *jur* notifier; **2ung** *f* distribution *f*, remise *f*.
zustimm|en consentir (à); **2ung** *f* consentement *m*, accord *m*; *seine ~ geben* donner son accord.
zustoßen *j-m ~* arriver à qn.
zutage *~ bringen od fördern* mettre au jour; *~ kommen od treten* se révéler.
Zutaten *cuis f/pl* ingrédients *m/pl*.
zuteil|en attribuer, assigner (*j-m etw* qc à qn); *j-n* affecter (à); **2ung** *f* attribution *f*.
zutragen *j-m etw ~* rapporter qc à qn; *sich ~* arriver, se produire.
zutrau|en *j-m etw ~* croire qn capable de qc; *sich zuviel ~* présumer de ses forces; **2en** *n* confiance *f* (*zu* en *od* dans); **~lich** confiant; qui n'est pas sauvage.
zutreffen être juste *od* exact; *~ auf* s'appliquer à.
zutrinken *j-m ~* boire à la santé de qn.
Zutritt *m* accès *m*, entrée *f*.
zuungunsten au préjudice de.
zuverlässig sur qui *od* sur lequel on peut compter, sûr; *Person a* sérieux; *tech* fiable; **2keit** *f e-r Person* sérieux *m*; *tech* fiabilité *f*.
Zuversicht *f* confiance *f*, optimisme *m*; **2lich** plein de confiance, optimiste.
zuviel trop (de).
zuvor *früher* auparavant; *zuerst* d'abord; **~kommen** *j-m ~* devancer qn; *e-r Sache ~* prévenir qc; **~kommend** prévenant.
Zuwachs *m* accroissement *m*; **2en** *Wunde* se cicatriser; *der Weg wächst zu* la végétation finit par boucher le chemin.
zuwege *etw ~ bringen* réussir (à faire) qc.
zuweilen parfois.
zuweis|en *j-m etw ~* assigner qc à qn; **2ung** *f* assignation *f*.
zuwend|en *Blick etc j-m ~* tourner vers qn; *sich j-m (e-r Sache) ~* se tourner vers qn (qc); *fig a* s'occuper de qn (qc), se consacrer à qn (qc); **2ung** *f finanzielle* aide *f* financière, don *m*; *menschliche* affection *f*.
zuwenig trop peu (de).
zuwerfen *Tür* claquer; *j-m etw ~* lancer *od* jeter qc à qn (*a Blick*).
zuwider *j-m ~ sein* dégoûter qn, répugner (à) qn; **~handeln** contrevenir à, enfreindre; **2handlung** *f* infraction *f*, contravention *f*; **~laufen** être contraire à.
zuwinken *j-m ~* faire signe à qn.
zuziehen *Vorhang* fermer, tirer; *Knoten* serrer; *an e-n Ort* s'établir; *j-n ~* faire appel à qn; *sich e-e Krankheit ~* contracter une maladie.
zuzüglich (en) plus.
Zwang *m* contrainte *f*; *tun Sie sich keinen ~ an* faites comme chez vous, ne vous gênez pas.
zwängen *in etw ~* faire rentrer de force dans qc.
zwanglos décontracté, sans façon, sans cérémonie.
Zwangs|arbeit *f* travaux *m/pl* forcés; **~herrschaft** *f* tyrannie *f*, despotisme *m*; **~jacke** *f* camisole *f* de force; **2läufig** forcé(ment), inévitable (-ment); *adv a* par la force des choses, obligatoirement; **~maßnahme** *f* mesure *f* coercitive; **~vollstreckung** *jur f* exécution *f* forcée; **~vorstellung** *psych f* obsession *f*; **2weise** de *od* par force, par contrainte.
zwanzig vingt; *etwa ~* une vingtaine; **~ste** vingtième.
zwar il est vrai, à la vérité; *und ~* c'est-à-dire.
Zweck *m* but *m*, fin *f*; *für e-n wissenschaftlichen ~* dans un but scientifi-

que; *zu diesem* ~ à cet effet, à cette fin; *seinen* ~ *erfüllen* remplir sa fonction; *es hat keinen* ~ cela ne sert à rien; 2**los** inutile; 2**mäßig** fonctionnel, pratique, adéquat, approprié.

zwecks en vue de.

zwei 1. deux; **2.** 2*f* deux *m*; *Note* bien; ~**deutig** ambigu, équivoque (*a fig*); 2**deutigkeit** *f* ambiguïté *f*, équivoque *f*; ~**erlei** de deux sortes; *das ist* ~ ce sont deux choses différentes, F ça fait deux; ~**fach** double.

Zweifel *m* doute *m*; *ohne* ~ sans aucun doute; ⚠ *nicht sans doute*; 2**haft** douteux; 2**los** sans aucun doute; 2**n** douter (*an* de); ~**sfall** *im* ~ en cas de doute.

Zweig *m* branche *f* (*a fig*), rameau *m*.

zweigleisig à double voie.

Zweig|niederlassung *f*, ~**stelle** *f* succursale *f*.

zwei|händig *mus* à deux mains; ~**hundert** deux cents; ~**jährig** de deux ans; *Pflanze* bisannuel; 2**kampf** *m* duel *m*; ~**mal** deux fois; ~**motorig** *aviat* bimoteur; ~**reihig** *Anzug* croisé; ~**schneidig** à double tranchant (*a fig*); ~**seitig** bilatéral; 2**sitzer** *m aviat* biplace *m*; *auto* voiture *f* à deux places; ~**sprachig** bilingue; ~**spurig** *Straße* à deux voies; ~**stöckig** à deux étages; ~**strahlig** *aviat* biréacteur; ~**stündig** de deux heures; 2**taktmotor** *m* moteur *m* à deux temps.

zweite second, deuxième; *aus* ~*r Hand* de seconde main; *wir sind zu zweit* nous sommes à deux.

zweiteilig en deux parties; ~*er Badeanzug* deux-pièces *m*.

zweitens deuxièmement.

zweit|rangig secondaire; 2**wagen** *m* deuxième voiture *f*.

Zweizimmerwohnung *f* deux-pièces *m*.

Zwerchfell *n* diaphragme *m*.

Zwerg *m* nain *m*.

Zwetsch(g)e *bot f* quetsche *f*.

zwicken pincer.

Zwieback *m* biscotte *f*.

Zwiebel *bot f* oignon *m*; *Blumen*2 bulbe *m*.

Zwie|gespräch *n* dialogue *m*; ~**licht** *n* demi-jour *m*; *fig ins* ~ *geraten* s'attirer les soupçons (de); 2**lichtig** louche; ~**spalt** *m* conflit *m*; 2**spältig** contradictoire; ~**tracht** *f* discorde *f*.

Zwilling *m* jumeau *m*, *Mädchen* jumelle *f*; ~*e pl* jumeaux *m/pl od* jumelles *f/pl*; *astr* Gémeaux *m/pl*.

zwing|en forcer (*zu etw* à qc; *etw zu tun* à faire qc), obliger (à), contraindre (à); *sich* ~ se forcer (*etw zu tun* à faire qc); *gezwungen sein zu* ... être forcé *od* obligé de (+ *inf*); ~**end** *Grund*, *Notwendigkeit* impérieux; 2**er** *m Hunde*2 chenil *m*.

zwinkern *mit den Augen* ~ cligner des yeux.

Zwirn *m* fil *m*.

zwischen entre.

Zwischen|deck *mar n* entrepont *m*; 2**durch** *inzwischen* entre-temps; *von Zeit zu Zeit* de temps en temps; ~**ergebnis** *n* résultat *m* provisoire; ~**fall** *m* incident *m*; ~**händler** *m* intermédiaire *m*; 2**landen** *aviat* faire escale; ~**landung** *aviat f* escale *f*; ~**lösung** *f* solution *f* provisoire *od* intermédiaire; ~**raum** *m* intervalle *m*; ~**ruf** *m* interruption *f*; ~**spiel** *n* intermède *m*, interlude *m*; ~**station** *f* ~ *machen* (*in*) faire escale (à); ~**stecker** *m* adapteur *m*; ~**stufe** *f* étape *f od* stade *m* intermédiaire; ~**wand** *f* cloison *f*; ~**zeit** *f in der* ~ entre-temps, pendant ce temps.

Zwist *m* dissension *f*, querelle *f*.

zwitschern gazouiller.

Zwitter *biol m* hermaphrodite *m*.

zwölf douze; (*um*) ~ *Uhr* (à) midi, *nachts* (à) minuit; ~**te** douzième.

Zyankali *chim n* cyanure *m* de potassium.

Zyklus *m* cycle *m*.

Zylind|er *m tech*, *math* cylindre *m*; *Hut* haut-de-forme *m*; 2**risch** cylindrique.

Zyn|iker *m* cynique *m*; 2**isch** cynique; ~**ismus** *m* cynisme *m*.

Zypresse *bot f* cyprès *m*.

Zyste *méd f* kyste *m*; ⚠ *le* kyste.

W Z

ANHANG

Französische geographische Namen

A

Adige [a'di:ʒ] *m*: **l'~** die Etsch
Adriatique [adrija'tik] *f*: **l'~** die Adria
Afghanistan [afganis'tɑ̃] *m*: **l'~** Afghanistan *n*
Afrique [a'frik] *f*: **l'~** Afrika *n*
Aix-la-Chapelle [ɛkslaʃa'pɛl] Aachen *n*
Albanie [alba'ni] *f*: **l'~** Albanien *n*
Alger [al'ʒe] Algier *n*
Algérie [alʒe'ri] *f*: **l'~** Algerien *n*
Allemagne [al'maɲ] *f*: **l'~** Deutschland *n*
Alpes [alp] *f/pl*: **les ~** die Alpen *f/pl*
Alsace [al'zas] *f*: **l'~** das Elsaß
Amazone [ama'zon] *m*: **l'~** der Amazonas
Amérique [ame'rik] *f*: **l'~** Amerika *n*
Amsterdam [amstɛr'dam] Amsterdam *n*
Andes [ɑ̃d] *f/pl*: **les ~** die Anden *pl*
Andorre [ɑ̃'dɔr] *f*: **l'~** Andorra *n*
Angleterre [ɑ̃glə'tɛ:r] *f*: **l'~** England *n*
Angola [ɑ̃gɔ'la] *m*: **l'~** Angola *n*
Antarct|ide, ~ique [ɑ̃tark'tid, ~'tik] *f*: **l'~** die Antarktis
Antilles [ɑ̃'tij] *f/pl*: **les ~** die Antillen *pl*
Anvers [ɑ̃'vɛ:r] Antwerpen *n*
Arabie [ara'bi] *f*: **l'~** Arabien *n*; ***l'~ Saoudite*** (*oder* ***Séoudite***) Saudi-Arabien *n*
Arctique [ark'tik] *m*: **l'~** die Arktis
Argentine [ɑrʒɑ̃'tin] *f*: **l'~** Argentinien *n*
Argovie [argɔ'vi] *f*: **l'~** der Aargau
Asie [a'zi] *f*: **l'~** Asien *n*; ***l'~ Mineure*** Kleinasien *n*
Athènes [a'tɛn] Athen *n*
Atlantique [atlɑ̃'tik]: **l'~** *m*, ***l'océan*** *m* **~** der Atlantik, der Atlantische Ozean
Australie [ostra'li] *f*: **l'~** Australien *n*
Autriche [o'triʃ] *f*: **l'~** Österreich *n*

B

Bade [bad] ***le*** (***pays de***) **~** Baden *n*
Bâle [bɑ:l] Basel *n*
Balkans [bal'kɑ̃] *m/pl*: **les ~** der Balkan
Baltique [bal'tik] ***la mer*** **~** die Ostsee
Barcelone [barsə'lɔn] Barcelona *n*
Basque [bask] ***le Pays*** **~** das Baskenland
Basse-Saxe [bɑs'saks] ***la*** **~** Niedersachsen *n*
Bavière [ba'vjɛ:r] ***la*** **~** Bayern *n*
Belgique [bɛl'ʒik] ***la*** **~** Belgien *n*
Berlin [bɛr'lɛ̃] Berlin *n*; ***~-Est*** Ost-Berlin *n*; ***~-Ouest*** West-Berlin *n*
Berne [bɛrn] Bern *n*
Bienne [bjɛn] Biel *n*
Birmanie [birma'ni] ***la*** **~** Birma *n*
Bohême [bɔ'ɛm] ***la*** **~** Böhmen *n*; ***la forêt de*** **~** der Böhmerwald
Bolivie [bɔli'vi] ***la*** **~** Bolivien *n*
Bordeaux [bɔr'do] Bordeaux *n*
Bosnie-Herzégovine [bɔsniɛrzegɔ'vin] ***la*** **~** Bosnien-Herzegowina *n*
Bourgogne [bur'gɔɲ] ***la*** **~** Burgund *n*
Brême [brɛm] Bremen *n*
Brésil [bre'zil] ***le*** **~** Brasilien *n*
Bretagne [brə'taɲ] ***la*** **~** die Bretagne
Bruges [bry:ʒ] Brügge *n*
Brunswick [brɛ̃-, brœs'vik] Braunschweig *n*
Bruxelles [bry'sɛl] Brüssel *n*
Bulgarie [bylga'ri] ***la*** **~** Bulgarien *n*

C

Caire [kɛ:r] ***le*** **~** Kairo *n*
Cameroun [kam'run] ***le*** **~** Kamerun *n*
Canada [kana'da] ***le*** **~** Kanada *n*
Cap [kap] ***Le*** **~** Kapstadt *n*
Carinthie [karɛ̃'ti] ***la*** **~** Kärnten *n*
Caspienne [kasp'jɛn] ***la mer*** **~** das Kaspische Meer
Catalogne [kata'lɔɲə] ***la*** **~** Katalonien *n*
Centre ['sɑ̃:trə] ***le*** **~** Mittelfrankreich *n*
Cervin [sɛr'vɛ̃] ***le mont*** **~** das Matterhorn
Champagne [ʃɑ̃'paɲ] ***la*** **~** die Champagne
Chili [ʃi'li] ***le*** **~** Chile *n*
Chine [ʃin] ***la*** **~** China *n*
Chypre ['ʃiprə] Zypern *n*
Coblence [kɔ'blɑ:s] Koblenz *n*
Coire [kwa:r] Chur *n*
Cologne [kɔ'lɔɲ] Köln *n*
Colombie [kɔlɔ̃'bi] ***la*** **~** Kolumbien *n*
Congo [kɔ̃'go] ***le*** **~** der Kongo
Constance [kɔ̃'stɑ̃:s] Konstanz *n*; ***le lac de*** **~** der Bodensee

Copenhague [kɔpɛ'nag] Kopenhagen *n*
Corée [kɔ're] ***la* ~** Korea *n*
Cornouailles [kɔr'nwɑːj] *f/pl*: ***les* ~** Cornwall *n*
Corse [kɔrs] ***la* ~** Korsika *n*
Costa Rica [kɔstari'ka] ***le* ~** Costa Rica *n*
Côte-d'Ivoire [kotdi'vwaːr] ***la* ~** die Elfenbeinküste
Cracovie [krakɔ'vi] Krakau *n*
Crète [krɛːt] ***la* ~** Kreta *n*
Crimée [kri'me] ***la* ~** die Krim
Croatie [krɔa'si] ***la* ~** Kroatien *n*
Cuba [ky'ba] Kuba *n*

D

Damas [da'mɑːs] Damaskus *n*
Danemark [dan'mark] ***le* ~** Dänemark *n*
Danube [da'nyb] ***le* ~** die Donau
Deux-Ponts [dø'pɔ̃] Zweibrücken *n*
Dominicaine [dɔmini'kɛn] ***la républi-que* ~** die Dominikanische Republik
Douvres ['duːvrə] Dover *n*
Dresde [drɛsd] Dresden *n*
Dublin [dyb'lɛ̃] Dublin *n*
Dunkerque [dɛ̃-, dœ̃'kɛrk] Dünkirchen *n*

E

Écosse [e'kɔs] *f*: ***l'*~** Schottland *n*
Égypte [e'ʒipt] *f*: ***l'*~** Ägypten *n*
Elbe [ɛlb] *f*: **1. *l'*~** die Elbe; **2. *l'île d'*~** Elba *n*
Équateur [ekwa'tœːr] *m*: ***l'*~** Ecuador *n*
Escaut [ɛs'ko] *m*: ***l'*~** die Schelde
Espagne [ɛs'paɲ] *f*: ***l'*~** Spanien *n*
Estonie [ɛstɔ'ni] *f*: ***l'*~** Estland *n*
Etats-Unis [etazy'ni] *m/pl*: ***les* ~** die Vereinigten Staaten *m/pl*
Éthiopie [etjɔ'pi] *f*: ***l'*~** Äthiopien *n*
Etna [ɛt'na] *m*: ***l'*~** der Ätna
Europe [œ'rɔp] *f*: ***l'*~** Europa *n*
Extrême-Orient [ɛkstrɛmɔ'rjɑ̃] *m*: ***l'*~** der Ferne Osten, Ostasien *n*

F

Finlande [fɛ̃'lɑ̃ːd] ***la* ~** Finnland *n*
Flandre ['flɑ̃ːdrə] ***la* ~** *oder* ***les* ~*s*** *pl* Flandern *n*
Florence [flɔ'rɑ̃ːs] Florenz *n*
Forêt-Noire [fɔrɛ'nwaːr] ***la* ~** der Schwarzwald
France [frɑːs] ***la* ~** Frankreich *n*
Francfort [frɑ̃'fɔːr] **1. *~-sur-le-Main*** Frankfurt *n* am Main; **2. *~-sur-l'Oder*** Frankfurt *n* an der Oder
Franconie [frɑ̃kɔ'ni] ***la* ~** Franken *n*
Fribourg [fri'buːr] **1.** *Schweiz*: Freiburg *n*; **2. *~-en-Brisgau*** Freiburg *n* im Breisgau
Frisonnes [fri'zɔn]: ***les îles*** *f/pl* **~** die Friesischen Inseln *f/pl*

G

Gabon [ga'bɔ̃] ***le* ~** Gabun *n*
Galles [gal] ***le pays de* ~** Wales *n*
Gambie [gɑ̃'bi] ***la* ~** *Staat*: Gambia *n*; *Fluß*: der Gambia
Gand [gɑ̃] Gent *n*
Gange [gɑ̃ːʒ] ***le* ~** der Ganges
Garde [gard] ***le lac de* ~** der Gardasee
Gascogne [gas'kɔɲ] ***la* ~** die Gascogne; ***le golfe de* ~** die Biskaya, der Golf von Biskaya
Gaule [goːl] *hist*: ***la* ~** Gallien *n*
Gênes [ʒɛn] Genua *n*
Genève [ʒə'nɛːv] Genf *n*
Germanie [ʒɛrma'ni] *hist*: ***la* ~** Germanien *n*
Ghana [ga'na] ***le* ~** Ghana *n*
Grande-Bretagne [grɑ̃dbrə'taɲ] ***la* ~** Großbritannien *n*
Granges [grɑ̃ːʒ] Grenchen *n*
Grèce [grɛs] ***la* ~** Griechenland *n*
Grisons [gri'zɔ̃] *m/pl*: ***les* ~** Graubünden *n*
Groenland [grɔɛn'lɑ̃ːd] ***le* ~** Grönland *n*
Guatemala [gwatema'la] ***le* ~** Guatemala *n*
Guinée [gi'ne] ***la* ~** Guinea *n*
Gulf Stream [gœlf'strim] ***le* ~** der Golfstrom
Guyane [gɥi'jan] ***la* ~** Guayana *n*

H

'Hambourg [ɑ̃'buːr] Hamburg *n*
'Hanovre [a'nɔvrə] Hannover *n*
'Haute-Volta [otvɔl'ta] *hist*: ***la* ~** Obervolta *n*
'Havane [a'van] ***La* ~** Havanna *n*
'Haye [ɛ] ***La* ~** Den Haag *n*
Helsinki [ɛlsiŋ'ki] Helsinki *n*
Helvétie [ɛlve'si] *hist*: ***l'*~** Helvetien *n*
'Hesse [ɛs] ***la* ~** Hessen *n*
'Hollande [ɔ'lɑ̃ːd] ***la* ~** Holland *n*
'Honduras [ɔ̃dy'ras] ***le* ~** Honduras *n*
'Hongrie [ɔ̃'gri] ***la* ~** Ungarn *n*

I

Inde [ɛ̃:d] *f*: ***l'~*** (*früher* ***les ~s*** *pl*) Indien *n*
Indochine [ɛ̃dɔ'ʃin] *f hist*: ***l'~*** Indochina *n*
Indonésie [ɛ̃dɔne'zi] *f*: ***l'~*** Indonesien *n*
Irak [i'rak] s ***Iraq***
Iran [i'rã] *m*: ***l'~*** Iran *n oder* der Iran
Iraq [i'rak] *m*: ***l'~*** Irak *n oder* der Irak
Irlande [ir'lɑ̃:d] *f*: ***l'~*** Irland *n*; ***l'~ du Nord*** Nordirland *n*
Islande [is'lɑ̃:d] *f*: ***l'~*** Island *n*
Israël [isra'ɛl] *m* Israel *n*
Istanbul [istɑ̃'bul] Istanbul *n*
Italie [ita'li] *f*: ***l'~*** Italien *n*

J

Jamaïque [ʒama'ik] ***la ~*** Jamaika *n*
Japon [ʒa'pɔ̃] ***le ~*** Japan *n*
Jérusalem [ʒeryza'lɛm] Jerusalem *n*
Jordanie [ʒɔrda'ni] ***la ~*** Jordanien *n*
Jourdain [ʒur'dɛ̃] ***le ~*** der Jordan
Jura [ʒy'ra] ***le ~*** **1.** der Jura (*Gebirge*); **2.** *franz. Departement*; **3.** ***le ~ suisse*** der Kanton Jura

K

Kenya [ke'nja] ***le ~*** Kenia *n*
Koweït [kɔ'weit] ***le ~*** Kuwait *n*
Kremlin [krɛm'lɛ̃] ***le ~*** der Kreml

L

Laos [la'os, ~'ɔs] ***le ~*** Laos *n*
Laponie [lapɔ'ni] ***la ~*** Lappland *n*
Léman [le'mɑ̃] ***le*** (***lac***) **~** der Genfer See
Lettonie [letɔ'ni] ***la ~*** Lettland *n*
Liban [li'bɑ̃] ***le ~*** der Libanon (*Staat, Gebirge*); *Staat a* Libanon *n*
Libéria *oder* **Liberia** [libe'rja] ***le ~*** Liberia *n*
Libye [li'bi] ***la ~*** Libyen *n*
Liechtenstein [liʃtɛn'stajn] ***le ~*** Liechtenstein *n*
Liège [ljɛ:ʒ] Lüttich *n*
Lisbonne [lis'bɔn] Lissabon *n*
Lituanie [litɥa'ni] ***la ~*** Litauen *n*
Londres ['lɔ̃:drə] London *n*
Lorraine [lɔ'rɛn] ***la ~*** Lothringen *n*
Lucerne [ly'sɛrn] Luzern *n*
Lusace [ly'zas] ***la ~*** die Lausitz
Luxembourg [lyksɑ̃'bu:r] ***le ~*** Luxemburg *n*
Lyon [ljɔ̃] Lyon *n*

M

Madagascar [madagas'ka:r] Madagaskar *n*
Madère [ma'dɛ:r] Madeira *n*
Madrid [mad'rid] Madrid *n*
Main [mɛ̃] ***le ~*** der Main
Majeur [ma'ʒœ:r] ***le lac ~*** der Lago Maggiore [-'dʒo:re]
Majorque [ma'ʒɔrk] Mallorca *n*
Malaysia [male'zja] ***la ~*** Malaysia *n*
Mali [ma'li] ***le ~*** Mali *n*
Malines [ma'lin] Mecheln *n*
Malouines [mal'win] *f/pl*: ***les ~*** die Falklands *pl*
Malte [malt] Malta *n*
Manche [mɑ̃:ʃ] ***la ~*** der Ärmelkanal
Maroc [ma'rɔk] ***le ~*** Marokko *n*
Marseille [mar'sɛj] Marseille *n*
Maurice [mɔ'ris] ***l'île*** *f* **~** Mauritius *n*
Mauritanie [mɔrita'ni] ***la ~*** Mauretanien *n*
Mayence [ma'jɑ̃:s] Mainz *n*
Mecklembourg [meklɛ̃-, meklɑ̃'bu:r] ***le ~*** Mecklenburg *n*
Mecque [mɛk] ***La ~*** Mekka *n*
Médine [me'din] Medina *n*
Méditerranée [meditɛra'ne] ***la ~*** das Mittelmeer
Métallifères [metali'fɛ:r] ***les monts*** *m/pl* **~** das Erzgebirge
Meuse [mø:z] ***la ~*** die Maas
Mexico [mɛksi'ko] Mexiko *n* (*Stadt*)
Mexique [mɛ'ksik] ***le ~*** Mexiko *n* (*Land*)
Midi [mi'di] ***le ~*** Südfrankreich *n*
Milan [mi'lɑ̃] Mailand *n*
Minorque [mi'nɔrk] Menorca *n*
Monaco [mɔna'ko] ***le ~*** Monaco *n*
Mongolie [mɔ̃gɔ'li] ***la ~*** die Mongolei
Moravie [mɔra'vi] ***la ~*** Mähren *n*
Morges [mɔrʒ] Morsee *n*
Moscou [mɔs'ku] Moskau *n*
Moselle [mɔ'zɛl] ***la ~*** die Mosel
Moutier [mu'tje] Münster *n* (*in der Schweiz*)
Moyen-Orient [mwajɛnɔ'rjɑ̃] ***le ~*** der Mittlere Osten
Mozambique [mo-, mɔzɑ̃'bik] ***le ~*** Moçambique *oder* Mosambik *n*
Mulhouse [my'lu:z] Mülhausen *n*
Munich [my'nik] München *n*

N

Namibie [nami'bi] ***la ~*** Namibia *n*
Naples ['naplə] Neapel *n*

Nicaragua [nikara'gwa] ***le ~*** Nicaragua *oder* Nikaragua *n*
Nice [nis] Nizza *n*
Niger [ni'ʒɛːr] ***le ~*** *Staat*: Niger *n*; *Fluß*: der Niger
Nigeria [niʒɛ'rja] ***le*** *oder* ***la ~*** Nigeria *n*
Nil [nil] ***le ~*** der Nil
Noire [nwar] ***la mer ~*** das Schwarze Meer
Nord [nɔːr] ***la mer du ~*** die Nordsee
Normandie [nɔrmɑ̃'di] ***la ~*** die Normandie
Norvège [nɔr'vɛːʒ] ***la ~*** Norwegen *n*
Nouvelle-Zélande [nuvɛlze'lɑ̃ːd] ***la ~*** Neuseeland *n*
Nuremberg [nyrɛ̃-, nyrɑ̃'bɛːr] Nürnberg *n*

O

Océanie [ɔsea'ni] *f*: ***l'~*** Ozeanien *n*
Oder [ɔ'dɛːr] *m*: ***l'~*** die Oder
Oman [ɔ'mɑ̃] *m*: ***l'~*** Oman *n*; ***le golfe d'~*** der Golf von Oman; ***la mer d'~*** das Arabische Meer
Orient [ɔr'jɑ̃] *m*: ***l'~*** der Orient
Ouganda [ugɑ̃'da] *m*: ***l'~*** Uganda *n*

P

Pacifique [pasi'fik] ***le ~, l'océan*** *m* ***~*** der Pazifik, der Pazifische (*od* Stille) Ozean
Pakistan [pakis'tɑ̃] ***le ~*** Pakistan *n*
Palatinat [palati'na] ***le ~*** die Pfalz
Palestine [palɛs'tin] ***la ~*** Palästina *n*
Panamá [pana'ma] ***le ~*** Panama *n*; ***le canal de ~*** der Panamakanal
Paraguay [para'gwɛ] ***le ~*** Paraguay *n*
Paris [pa'ri] Paris [-'riːs] *n*
Pays-Bas [pei'bɑ] *m/pl*: ***les ~*** die Niederlande *n/pl*
Pékin [pe'kɛ̃] Peking *n*
Pérou [pe'ru] ***le ~*** Peru *n*
Perse [pɛrs] *hist*: ***la ~*** Persien *n*
Persique [pɛr'sik] ***le golfe ~*** der Persische Golf
Philippines [fili'pin] *f/pl*: ***les ~*** die Philippinen *pl*
Pologne [pɔ'lɔɲ] ***la ~*** Polen *n*
Polynésie [poline'zi] ***la ~*** Polynesien *n*
Poméranie [pɔmera'ni] ***la ~*** Pommern *n*
Portugal [pɔrty'gal] ***le ~*** Portugal *n*
Prague [prag] Prag *n*
Proche-Orient [prɔʃɔ'rjɑ̃] ***le ~*** der Nahe Osten, Nahost *n*
Provence [prɔ'vɑ̃ːs] ***la ~*** die Provence
Prusse [prys] *hist*: ***la ~*** Preußen *n*
Pyrénées [pire'ne] *f/pl*: ***les ~*** die Pyrenäen *pl*

Q

Quatre-Cantons [katrəkɑ̃'tɔ̃] *m/pl*: ***le lac des ~*** der Vierwaldstätter See

R

Ratisbonne [ratis'bɔn] Regensburg *n*
Rhénanie [rena'ni] ***la ~*** das Rheinland
Rhin [rɛ̃] ***le ~*** der Rhein
Rhodésie [rɔde'zi] ***la ~*** Rhodesien *n*
Rhône [roːn] ***le ~*** die Rhone
Rome [rɔm] Rom *n*
Roumanie [ruma'ni] ***la ~*** Rumänien *n*
Ruanda [rwɑ̃'da, rwan'da] ***le ~*** Ruanda *n*
Ruhr [ruːr] ***la ~*** das Ruhrgebiet; *Fluß*: die Ruhr
Russie [ry'si] ***la ~*** Rußland *n*

S

Sahara [saa'ra] ***le ~*** die Sahara
Sainte-Hélène [sɛ̃te'lɛn] Sankt Helena *n*
Saint-Gall [sɛ̃'gal] Sankt Gallen *n*
Saint-Gothard [sɛ̃gɔ'taːr] ***le ~*** der Sankt Gotthard
Saint-Marin [sɛ̃ma'rɛ̃] San Marino *n*
Salvador [salva'dɔːr] ***le ~*** El Salvador *n*
Salzbourg [salz'buːr] Salzburg *n*
Saône [soːn] ***la ~*** die Saône
Sardaigne [sar'dɛɲ] ***la ~*** Sardinien *n*
Sarre [saːr] ***la ~*** das Saarland; *Fluß*: die Saar
Sarrebruck [sar'bryk] Saarbrücken *n*
Savoie [sa'vwa] ***la ~*** Savoyen *n*
Saxe [saks] ***la ~*** Sachsen *n*
Scandinavie [skɑ̃dina'vi] ***la ~*** Skandinavien *n*
Schaffhouse [ʃa'fuːz] Schaffhausen *n*
Seine [sɛːn] ***la ~*** die Seine
Sénégal [sene'gal] ***le ~*** Senegal *n*; *Fluß*: der Senegal
Serbie [sɛr'bi] ***la ~*** Serbien *n*
Sibérie [sibe'ri] ***la ~*** Sibirien *n*
Sicile [si'sil] ***la ~*** Sizilien *n*
Silésie [sile'zi] ***la ~*** Schlesien *n*
Sion [sjɔ̃] **1.** Zion *n* (*Jerusalem*) *u m* (*Berg*); **2.** Sitten *n* (*in der Schweiz*)
Slovaquie [slɔva'ki] ***la ~*** die Slowakei

Slovénie [slɔve'ni] ***la*** ~ Slowenien *n*
Soleure [sɔ'lœːr] Solothurn *n*
Somalie [sɔma'li] ***la*** ~ Somalia *n*
Souabe [swab] ***la*** ~ Schwaben *n*
Soudan [su'dɑ] ***le*** ~ der Sudan
Spire [spiːr] Speyer *n*
Stockholm [stɔ'kɔlm] Stockholm *n*
Strasbourg [stras'buːr] Straßburg *n*
Styrie [sti'ri] ***la*** ~ die Steiermark
Suède [sɥɛd] ***la*** ~ Schweden *n*
Suez [sɥɛːz] Suez *n*; ***le canal de*** ~ der Suezkanal
Suisse [sɥis] ***la*** ~ die Schweiz
Syrie [si'ri] ***la*** ~ Syrien *n*

T

Tamise [ta'miːz] ***la*** ~ die Themse
Tanzanie [tɑ̃za'ni] ***la*** ~ Tansania *n*
Taunus [to'nys] ***le*** ~ der Taunus
Tchad [tʃad] ***le*** ~ der Tchad, Tchad *n*
Tchécoslovaquie [tʃekɔslɔva'ki] *hist*: ***la*** ~ die Tschechoslowakei
Téhéran [tee'rɑ̃] Teheran *n*
Tel-Aviv [tɛla'viːv] Tel Aviv *n*
Terre de Feu [tɛrdə'fø] ***la*** ~ Feuerland *n*
Terre-Neuve [tɛr'nœːv] Neufundland *n*
Thaïlande [tai'lɑ̃ːd] ***la*** ~ Thailand *n*
Thoune [tun] Thun *n*; ***le lac de*** ~ der Thuner See.
Thurgovie [tyrgɔ'vi] ***la*** ~ der Thurgau
Thuringe [ty'rɛ̃ːʒ] ***la*** ~ Thüringen *n*
Tibet [ti'bɛ] ***le*** ~ Tibet *n*
Togo [tɔ'go] ***le*** ~ Togo *n*
Tokyo [tɔ'kjo] Tokio *n*
Transylvanie [trɑ̃silva'ni] ***la*** ~ Siebenbürgen *n*
Trentin-Haut-Adige [trɑ̃tɛ̃ota'diːʒ] ***le*** ~ Südtirol *n*
Trèves [trɛːv] Trier *n*
Tunis [ty'nis] Tunis *n*
Tunisie [tyni'zi] ***la*** ~ Tunesien *n*
Turin [ty'rɛ̃] Turin *n*
Turquie [tyr'ki] ***la*** ~ die Türkei
Tyrol [ti'rɔl] ***le*** ~ Tirol *n*

U

Ukraine [y'krɛn] *f*: ***l'***~ die Ukraine
Union soviétique [ynjɔ̃sɔvje'tik] *hist f*: ***l'***~ die Sowjetunion
Uruguay [yry'gwe] *m*: ***l'***~ Uruguay *n*

V

Valais [va'lɛ] ***le*** ~ das Wallis
Varsovie [varsɔ'vi] Warschau *n*
Vatican [vati'kɑ̃] ***le*** ~ der Vatikan; ***la cité du*** ~ die Vatikanstadt
Vaud [vo] ***le canton de*** ~ die Waadt, der Kanton Waadt
Venezuela [venezɥe'la] ***le*** ~ Venezuela *n*
Venise [və'niːz] Venedig *n*
Versailles [vɛr'sɑj] Versailles *n*
Vésuve [ve'zyːv] ***le*** ~ der Vesuv
Vienne [vjɛn] **1.** Wien *n* (*in Österreich*); **2.** *Stadt, Fluß und Departement in Frankreich*
Viêt-nam [vjɛt'nam] ***le*** ~ Vietnam *n*
Vistule [vis'tyl] ***la*** ~ die Weichsel
Volga [vɔl'ga] ***la*** ~ die Wolga
Vosges [voːʒ] *f/pl*: ***les*** ~ die Vogesen *pl*

W

Wallonie [walɔ'ni] ***la*** ~ Wallonien *n*
Westphalie [vɛstfa'li] ***la*** ~ Westfalen *n*
Wurtemberg [vyrtɛ̃'bɛːr] ***le*** ~ Württemberg *n*
Wurtzbourg [vyrts'buːr] Würzburg *n*

Y

Yémen [je'mɛn] ***le*** ~ der Jemen, Jemen *n*
Yougoslavie [jugɔsla'vi] *hist*: ***la*** ~ Jugoslawien *n*

Z

Zaïre [za'iːr] ***le*** ~ Zaire *n*
Zambèse [zɑ̃'bɛːz] ***le*** ~ der Sambesi
Zambie [zɑ̃'bi] ***la*** ~ Sambia *n*
Zimbabwe [zimbabwe] ***le*** ~ Zimbabwe *n*
Zurich [zy'rik] Zürich *n*; ***le lac de*** ~ der Zürichsee

Französische Abkürzungen

A

A 2 ***Antenne deux*** „Zweites Programm" (des französischen Fernsehens)

A.C.F. ***Automobile Club de France*** Französischer Automobilklub

A.C.T.I.M. ***Agence pour la coopération technique, industrielle et économique*** Agentur für technische, industrielle und wirtschaftliche Zusammenarbeit

A.E.A. ***Association des étudiants allemands*** Vereinigung der deutschen Studenten

A.E.L.E. ***Association europóene de libre-échange*** Europäische Freihandelsgemeinschaft, Freihandelszone

A.F.E.F. ***Association française des enseignants de français*** Verband der Lehrkräfte der französischen Sprache

A.F.N.O.R. ***Association française de normalisation*** Französischer Verband für Normengebung

A.F.P. ***Agence France-Press*** AFP (*franz. Nachrichtenagentur*)

A.I.E.A. ***Agence internationale de l'énergie atomique*** Internationale Agentur für Atomenergie

A.I.T. ***Alliance internationale du tourisme*** Internationale Allianz für Touristik

A.J. ***auberge de la jeunesse*** Jugendherberge

A.J.P. ***Accueil des jeunes en France*** Aufnahmestelle für junge Menschen in Frankreich

A.M.S. ***Assemblée mondiale de la santé*** Weltgesundheitskongreß

A.N.P.E. ***Agence nationale pour l'emploi*** Nationale Agentur für Stellenvermittlung (*etwa*: Arbeitsamt)

Arr. ***arrondissement*** Pariser Stadtbezirk

A.S. ***association sportive*** Sportverein

A.S.S.U. ***Association sportive scolaire et universitaire*** Schul- und Universitätssportverband

Av. ***avenue*** Avenue

A.V.E.L. ***Association de vacances éducatives et linguistiques*** Verband für Feriengestaltung auf dem Bildungs- und Fremdsprachensektor

B

B.A.S. ***Bureau d'aide sociale*** Sozialamt

Bd, bd ***boulevard*** Boulevard

BCBG ***bon chic bon genre*** schick; elegant

B.E.P. ***brevet d'études professionelles*** Berufsfachschulabschluß

B.E.P.C. ***brevet d'études du premier cycle*** *etwa* Mittlere Reife

B.I.T. ***Bureau international du travail*** Internationales Arbeitsamt

B.O. ***Bulletin officiel*** Amtsblatt

B.P. ***boîte postale*** Postfach

B.P.F. ***bon pour francs*** gut für ... Franc (*auf Schecks, Wechseln usw.*)

B.V.P. ***Bureau de vérification de la publicité*** Amt für Werbungskontrolle

C

C.A.D. ***Comité d'aide au développement*** Hilfsausschuß für Entwicklung

c.-à-d. ***c'est-à-dire*** das heißt

C.A.F. ***caisse d'allocations familiales*** Kasse für Familienbeihilfe, Kindergeldkasse

C.A.P. ***certificat d'aptitude professionnelle*** *etwa* Facharbeiterprüfung

C.A.P.E.S. ***certificat d'aptitude pédagogique à l'enseignement secondaire*** Bescheinigung über die pädagogische Befähigung zum Unterricht an höheren Schulen

C.C. ***Corps consulaire*** Konsularisches Korps; ***compte courant*** laufendes Konto; Girokonto

C.C.I. ***Chambre de commerce internationale*** Internationale Handelskammer

C.C.P. ***compte chèques postaux*** Postscheckkonto

C.D. ***Corps diplomatique*** Diplomatisches Korps

C.E.C.A. ***Communauté européenne du***

charbon et de l'acier Europäische Gemeinschaft für Kohle und Stahl, Montanunion

C.E.D. ***Communauté européenne de défense*** Europäische Verteidigungsgemeinschaft

Cedex, *a* **Cédex** ***Courrier d'entreprises à distribution exceptionnelle*** Sonderbüro für die Posteingänge von Großbetrieben

C.E.E. ***Communauté économique européenne*** Europäische (Wirtschafts-) Gemeinschaft, E(W)G

C.E.G. ***Collège d'enseignement général*** *Art* Realschule

C.E.I. ***Communauté des États indépendants*** Gemeinschaft unabhängiger Staaten (GUS)

C.E.S. ***Collège d'enseignement secondaire*** Gymnasium der 6.–3. Klasse

C.E.S.C. ***Conférence européenne de sécurité et de coopération*** KSZE, Konferenz für Sicherheit und Zusammenarbeit

C.E.T. ***Collège d'enseignement technique*** Gymnasium mit technischer Oberstufe von 2 bzw. 3 Jahren

cf. ***confer, comparez*** vergleiche

C.G.C. ***Confédération générale des cadres*** Allgemeiner Bund der (leitenden) Angestellten (*Angestelltengewerkschaft*)

C.G.T.-F.O. ***Confédération générale du travail – Force ouvrière*** Französischer Gewerkschaftsverband

C.H. ***centre hospitalier*** Krankenhauszentrum

C.I.C.R. ***Comité international de la Croix-Rouge*** Internationales Komitee vom Roten Kreuz

C.I.O. ***Comité international olympique*** Internationales Olympisches Komitee

C.L.I.F. ***Centre de liaison interfamiliale*** Zentralstelle für Verbindungen zwischen den Familien

C.N.A.J.E.P. ***Comité national des associations de jeunesse et d'éducation populaire*** Nationalausschuß der Jugend- und Volksbildungsvereine

C.N.E.S. ***Centre national d'études spatiales*** Nationales Raumforschungszentrum

C.N.O.S.F. ***Comité national olympique du sport français*** Olympischer Nationalausschuß des französischen Sports

C.N.P.F. ***Conseil national du patronat français*** Nationalrat der französischen Arbeitgeberschaft

C.N.R.S. ***Centre national de la recherche scientifique*** Staatliche Zentrale für wissenschaftliche Forschung

CP ***cours préparatoire*** Vorbereitungsklasse; erste Grundschulklasse

C.-R.F. ***Croix-Rouge française*** Französisches Rotes Kreuz

C.-R.I. ***Croix-Rouge internationale*** Internationales Rotes Kreuz

C.R.L. ***Centre des Républicains libres*** Zentrum der freien Republikaner

C.R.O.U.S. ***centre régional des œuvres universitaires et scolaires*** *etwa* Studentenwerk

C.R.S. ***Compagnie républicaine de sécurité*** Republikanische Sicherheitskompanie; Bereitschaftspolizei; ***un C.R.S.*** ein Bereitschaftspolizist

C.S.C.E. ***Conférence sur la sécurité et la coopération en Europe*** Konferenz über die Sicherheit und Zusammenarbeit in Europa, KSZE (*Helsinki, 1975*)

C.V. ***curriculum vitae*** Lebenslauf

D

D.A.F.U. ***Direction de l'aménagement foncier et de l'urbanisme*** Direktion für Boden- und Stadtplanung

dép. ***départ*** Abfahrt; ***député*** Abgeordneter

D.E.U.G. ***Diplôme d'études universitaires générales*** Diplom über allgemeine Universitätsstudien

D.P.L.G. ***diplômé par le gouvernement*** von der Regierung diplomiert (*etwa*: staalich geprüft)

D.S.T. ***Direction de la surveillance du territoire*** Direktion der Landesüberwachung (*Geheimdienst*)

E

E.D.F. ***Electricité de France*** Französische Elektrizitätsgesellschaft

E.E.E. ***Espace économique européen*** Europäischer Wirtschaftsraum (EWR)

E.N.A. ***Ecole nationale d'administration*** Staatliche Verwaltungsschule

E.N.S. ***Ecole normale supérieure***

Hochschule zur Ausbildung von Lehrern an höheren Schulen

E.N.S.E.P.S. ***Ecole normale supérieure d'éducation physique et sportive*** Hochschule für Leibesübungen

E.U.A. ***Etats-Unis d'Amérique*** USA, Vereinigte Staaten von Amerika

exp. ***expéditeur*** Absender (Abs.)

F

F.E.D. ***Fonds européen de développement*** Europäischer Entwicklungsfonds

F.F.A. ***Forces françaises en Allemagne*** Französische Streitkräfte in Deutschland.

F.F.F. ***Fédération française de football*** Französischer Fußballbund

F.I.A.N.E. ***Fonds d'intervention et d'action pour la nature et l'environnement*** Interventions- und Aktionsfonds für die Natur und die Umwelt

F.I.C.T.A.D. ***Fonds international de coopération technique et d'aide au développement*** Internationaler Fonds für technische Zusammenarbeit und Entwicklungshilfe

F.I.F.A. ***Fédération internationale de football association*** Internationaler Fußballverband

F.I.P.F. ***Fédération internationale des professeurs de français*** Internationaler Verband der Lehrkräfte der französischen Sprache

F.I.T. ***Fédération internationale des traducteurs*** Internationaler Übersetzerverband

F.M.I. ***Fonds monétaire international*** Internationaler Währungsfonds (IWF)

F.O. ***Force ouvrière*** Arbeitsmacht (*e-e Gewerkschaft*)

F.S. ***faire suivre!*** nachsenden!

F.S.M. ***Fédération syndicale mondiale*** Weltgewerkschaftsbund

G

G.A.E.C. ***Groupement agricole d'exploitation en commun*** Landwirtschaftlicher Zusammenschluß für gemeinsame Nutzung

G.D.F. ***Gaz de France*** Französische Gasgesellschaft

GO ***grandes ondes*** Langwelle (LW)

G.V. **grande vitesse** Eilgut

H

H.E.C. ***Hautes études commerciales*** höhere Handelsstudien

H.L.M. (*abusivement m*) ***habitation à loyer modéré*** Wohnung zu mäßiger Miete, Sozialwohnung

H.L.R. ***habitation à loyer réduit*** (*neuer als H.L.M.*) Wohnung zu herabgesetzter Miete

I

I.D.I. ***Institut de développement industriel*** Institut für industrielle Entwicklung

I.F. ***Institut de France*** Französisches Institut

I.F.O.P. ***Institut français d'opinion publique*** Französisches Institut für Meinungsforschung

I.G.A.M.E., igame ***Inspecteur général de l'Administration en mission extraordinaire*** Generalinspektor der Verwaltung mit einem Sonderauftrag, *Art* Oberpräfekt

I.N.E.D. ***Institut national d'études démographiques*** Staatliches Institut für demographische Studien

I.N.S. ***Institut national du sport*** Staatliches Sportinstitut

I.N.S.E.E. ***Institut national de la statistique et des études économiques*** Staatliches Institut für Statistik und Wirtschaftsstudien

I.P.E.S. ***Institut de préparation à l'enseignement secondaire*** Institut zur Vorbereitung auf den Lehrdienst an höheren Schulen

J

J.E.C. ***Jeunesse étudiante chrétienne*** Christliche studentische Jugend

J.M.F. ***Jeunesses musicales de France*** Musik-Jugend Frankreichs (*Bewegung zur Förderung der Musikerziehung*)

J.O. ***Jeux Olympiques*** Olympische Spiele; ***Journal officiel*** Amtsblatt

J.O.C. ***Jeunesse ouvrière chrétienne*** Christliche Arbeiterjugend

K

kg/cm² ***kilogramme par centimètre carré*** Kilogramm pro Quadratzentimeter (atü)

km/h ***kilomètre(s)-heure*** *oder* ***kilomètre(s) à l'heure*** Stundenkilometer, Kilometer je Stunde

L

L.D.H. ***Ligue des droits de l'homme*** Liga für Menschenrechte

M

M. ***Monsieur*** Herr(n)
Me ***maître*** Rechtsanwalt
M.I.J.E. ***Maisons internationales de la jeunesse et des étudiants*** Internationale Häuser der Jugend und der Studenten
M.J.C. ***Maison de jeunes et de culture*** Kulturhaus der Jugend
M.L.F. ***Mouvement de libération des femmes*** Bewegung für die Befreiung der Frauen
Mlle ***Mademoiselle*** Fräulein
Mlles ***Mesdemoiselles*** Fräulein *pl*
MM. ***Messieurs*** (an) die Herren
Mme ***Madame*** Frau
Mmes ***Mesdames*** *pl als Adresse*: ***Mmes X et Y*** Frau X und Frau Y
M.O. ***Moyen-Orient*** Mittlerer Osten
M.R.G. ***Mouvement des radicaux de gauche*** französische Mitte-Links-Partei
M.R.P. ***Mouvement républicain populaire*** *früher* Republikanische Volksbewegung

N

N.B. ***nota bene*** Anmerkung (Anm.)
N.-D. ***Notre-Dame*** Unsere Liebe Frau
N.D.L.R. ***note de la rédaction*** Anmerkung der Redaktion
N.I. ***non-inscrits*** Parteilose *pl*
no. ***numéro*** Nummer
N/Réf. ***notre référence*** unser Zeichen
N.U. ***Nations Unies*** Vereinte Nationen

O

O.A.C.I. ***Organisation de l'aviation civile internationale*** Internationale Organisation der Zivilluftfahrt
O.C.D.E. ***Organisation de coopération et de développement économiques*** Organisation für wirtschaftliche Zusammenarbeit und Entwicklung
O.E.A. ***Organisation des Etats américains*** Organisation der amerikanischen Staaten
O.F.A.J. ***Office franco-allemand pour la jeunesse*** Französisch-deutsches Jugendwerk
O.I.E.A. ***Organisation internationale de l'énergie atomique*** Internationale Atomenergiebehörde
O.I.P.C. ***Organisation internationale de police criminelle*** internationale Organisation der Kriminalpolizei
O.L.P. ***Organisation de libération palestinienne*** Palästinensische Befreiungsfront (PLO)
O.M.S. ***Organisation mondiale de la santé*** Weltgesundheitsorganisation
O.N.M. ***Office national météorologique*** Staatliches Amt für den Wetterdienst
O.N.T. ***Office national du tourisme*** Staatliches Touristenbüro
O.N.U. ***Organisation des Nations Unies*** UNO, Organisation der Vereinten Nationen
O.P.A. ***offre publique d'achat*** öffentliches Aktienkaufangebot
O.P.E.P. ***Organisation des pays exportateurs de pétrole*** Organisation ölexportierender Länder
O.R.T.F. ***Office de radiodiffusion-télévision française*** (*bis 7.8.1974*) Amt für französische Rundfunk- und Fernsehsendungen (*seit 1974*: *T.F.*)
O.T.A.N. ***Organisation du Traité de l'Atlantique-Nord*** NATO, Nato (*seit 4.4.1949*)
O.U.A. ***Organisation de l'unité africaine*** Organisation für die Einheit Afrikas (*seit 25.5.1963*)
O.V.N.I., ovni *m* ***objet volant non identifié*** unbekanntes Flugobjekt, Ufo *oder* UFO

P

p. ***page(s)*** Seite(n); ***pour*** für
P.C. ***Parti communiste*** Kommunistische Partei
P.C.C. ***pour copie conforme*** für die Richtigkeit der Abschrift
P.-D.G., P.D.G. ***président-directeur général*** Generaldirektor; Aufsichtsratsvorsitzender; Industriemanager
p.ex. ***par exemple*** zum Beispiel

P.I.B. ***produit intérieur brut*** Bruttoinlandsprodukt

P.J. ***Police judiciaire*** Kriminalpolizei; ***pièce(s) jointe(s)*** Anlage(n)

P.M.E. ***Petites et moyennes entreprises*** kleine und mittlere Betriebe

P.M.U. ***Pari mutuel urbain*** Pferdetoto

P.N.B. ***produit national brut*** Bruttosozialprodukt

P.S. ***Parti socialiste*** Sozialistische Partei

P.S.U. ***Parti socialiste unifié*** *seit 1960* Sozialistische Einheitspartei

P.T. ***Postes et Télécommunications*** (*so genannt seit 1960*) Post und Fernmeldewesen

P.T.T. ***Postes, Télécommunications, Télédiffusion*** Post- und Fernmeldewesen

P.U.F. ***Presses universitaires de France*** Französische Universitätsdruckerei (*Verlag*)

P.V. ***petite vitesse*** Frachtgut

Q

Q.G. ***quartier général*** Stabsquartier

Q.I. ***quotient intellectuel, quotient d'intelligence*** Intelligenzquotient

R

R. ***recommandé*** Einschreiben

r. ***rue*** Straße

R.A.T.P. ***Régie autonome des transports parisiens*** Autonome Regie der Pariser Verkehrsbetriebe

R.C. ***registre du commerce*** Handelsregister

R.D.A. *hist*: ***République démocratique allemande*** Deutsche Demokratische Republik (DDR)

R.E.R. ***Réseau express régional*** Regionales Schnellbahnnetz (Paris)

R.F. ***République française*** Französische Republik

R.F.A. ***République fédérale d'Allemagne*** Bundesrepublik Deutschland (BRD)

R.N. ***route nationale*** Nationalstraße; *in der BRD*: Bundesstraße

R.P. ***réponse payée*** Antwort bezahlt

R.P.R. ***Rassemblement pour la République*** (*seit dem 5.12.1976*) Sammlungsbewegung für die Republik (*unter Chirac*)

R.S.V.P. ***répondez, s'il vous plaît*** um Antwort wird gebeten

S

S.A. ***Société anonyme*** Aktiengesellschaft (AG)

S.A.M.U. ***service d'aide médicale d'urgence*** Dienststelle für ärztliche Soforthilfe; *etwa*: Notarzt, Rettungsdienst

S.A.R.L. ***Société à responsabilité limitée*** Gesellschaft mit beschränkter Haftung (GmbH)

S.E.O. ***sauf erreur ou omission*** Irrtum oder Auslassung vorbehalten

S.I. ***syndicat d'initiative*** Fremdenverkehrsamt

SIDA ***syndrome d'immunodéficience acquise*** Aids

S.M.I.C. ***salaire minimum interprofessionnel de croissance*** dynamischer Mindestlohn für alle Berufssparten

S.M.I.G. ***salaire minimum interprofessionnel garanti*** garantierter Mindestlohn für alle Berufssparten

S.N.C.F. ***Société nationale des chemins de fer français*** Staatliche französische Eisenbahngesellschaft

S.N.E.C.M.A. ***Société nationale d'étude et de construction de moteurs d'aviation*** Staatliche Gesellschaft für das Studium und den Bau von Flugzeugmotoren

S.O.F.R.E.S. ***Société française d'enquête par sondage*** Französische Gesellschaft für Untersuchungen durch Meinungsbefragung

S.P.A. ***Société protectrice des animaux*** Tierschutzverein

s.v.p. ***s'il vous plaît*** bitte

T

T.E.E. ***Trans-Europ-Express*** Trans-Europ-Express

TF1 ***Télévision française un*** Französisches Fernsehen – erstes Programm

T.G.V. ***train à grande vitesse*** Hochgeschwindigkeitszug

T.N.P. ***Théâtre national populaire*** Nationales Volkstheater (*Theater in Paris*)

T.T.C. ***toutes taxes comprises*** einschließlich aller Gebühren
T.V.A. ***taxe à la valeur ajoutée*** Mehrwertsteuer

U

u.c. ***unité de compte*** Verrechnungseinheit
U.D.F. ***Union pour la démocratie française*** Union für die französische Demokratie
U.D.R. ***Union pour la défense de la République*** (*seit Mai 1968*) Union für die Verteidigung der Republik
U.E.O. ***Union de l'Europe occidentale*** Westeuropäische Union
U.E.P. ***Union européenne de paiements*** Europäische Zahlungsunion
U.N.R. ***Union pour la Nouvelle République*** (*1962–1968*; *jetzt*: *U.D.R.*) Union für die Neue Republik
U.P.U. ***Union postale universelle*** Weltpostverein
U.R.S.S. *hist*: ***Union des Républiques socialistes soviétiques*** Union der Sozialistischen Sowjetrepubliken (UdSSR)

V

v. ***voir*** siehe
V.A.C. ***vin d'appellation contrôlée*** kontrollierter Markenwein
V.I.P. *f* ***very important person*** (= ***personnage très important***) sehr bedeutende Persönlichkeit
V/REF ***votre référence*** Ihr Zeichen
V.T.T. ***vélo tout-terrain*** Mountainbike

W

W.-C- ***water-closet*** Toilette (WC)

X

X.P. ***exprès payé*** Eilbote bezahlt

Z

Z.U.P. ***Zone à urbaniser en priorité*** Zone für vorrangige Stadtplanung

Konjugation der französischen Verben

Die in der folgenden Zusammenstellung angeführten Verben sind als Musterbeispiele zu betrachten. Im Wörterbuch sind hinter jedem Verb Nummer und Buchstabe (1a), (2b), (3c), (4d) usw. angegeben, die auf diese Musterbeispiele hinweisen.

Alphabetisches Verzeichnis der aufgeführten Konjugationsmuster

abréger 1g
acheter 1e
acquérir 2l
aimer 1b
aller 1o
appeler 1c
asseoir 3l
avoir 1

blâmer 1a
boire 4u
bouillir 2e

clore 4k
conclure 4l
conduire 4c
confire 4o
conjuguer 1m
coudre 4d
courir 2i
couvrir 2f
croire 4v
croître 4w
cueillir 2c

déchoir 3m
dire 4m

échoir 3m
écrire 4f
employer 1h
envoyer 1p
être 1

faillir 2n
faire 4n
falloir 3c
fuir 2d

geler 1d

haïr 2m

lire 4x

manger 1l
menacer 1k
mettre 4p
moudre 4y
mourir 2k
mouvoir 3d

naître 4g

paraître 4z
payer 1i
peindre 4b
plaire 4aa
pleuvoir 3e
pouvoir 3f
prendre 4q
punir 2a

recevoir 3a
régner 1f
résoudre 4bb
rire 4r

saluer 1n
savoir 3g
sentir 2b
seoir 3k
suivre 4h

traire 4s

vaincre 4i
valoir 3h
vendre 4a
venir 2h
vêtir 2g
vivre 4e
voir 3b
vouloir 3i

Man beachte besonders:

1. Das *Imparfait* und das *Participe présent* können stets aus der 1. Person Plural des Indicatif présent abgeleitet werden, z. B.
   nous trouv**ons**: je trouv**ais** *usw.*, trouv**ant**.
2. Das *Passé simple* wird heute in der gesprochenen Sprache meist durch das *Passé composé* ersetzt.
3. Das *Imparfait du subjonctif* wird heute auch in der Schriftsprache höchstens noch in der 3. Person Singular gebraucht. Gewöhnlich wird es durch das *Présent du subjonctif* ersetzt.

(1) **avoir**

Hilfsverben

A. Indicatif

I. Einfache Formen

Présent

sg. j'*ai*
tu *as*
il *a*

pl. nous av*ons*
vous av*ez*
ils *ont*

Imparfait

sg. j'av*ais*
tu av*ais*
il av*ait*

pl. nous av*ions*
vous av*iez*
ils av*aient*

Passé simple

sg. j'eu*s*
tu eu*s*
il eu*t*

pl. nous eû*mes*
vous eû*tes*
ils eu*rent*

Futur simple

sg. j'aur*ai*
tu aur*as*
il aur*a*

pl. nous aur*ons*
vous aur*ez*
ils aur*ont*

Conditionnel présent

sg. j'aur*ais*
tu aur*ais*
il aur*ait*

pl. nous aur*ions*
vous aur*iez*
ils aur*aient*

Participe présent

ay*ant*

Participe passé

eu (*f* eu*e*)

II. Zusammengesetzte Formen

Passé composé

j'ai eu

Plus-que-parfait

j'avais eu

Passé antérieur

j'eus eu

Futur antérieur

j'aurai eu

Conditionnel passé

j'aurais eu

Participe composé

ayant eu

Infinitif passé

avoir eu

B. Subjonctif

I. Einfache Formen

Présent

sg. que j'ai*e*
que tu ai*es*
qu'il ai*t*

pl. que nous ay*ons*
que vous ay*ez*
qu'ils ai*ent*

Imparfait

sg. que j'euss*e*
que tu euss*es*
qu'il eû*t*

pl. que nous euss*ions*
que vous euss*iez*
qu'ils euss*ent*

Impératif

ai*e* — ay*ons* — ay*ez*

II. Zusammengesetzte Formen

Passé

que j'aie eu

Plus-que-parfait

que j'eusse eu

(1) **être**

Hilfsverben

A. Indicatif

I. Einfache Formen

Présent

sg. je suis
tu e*s*
il es*t*

pl. nous somme*s*
vous ête*s*
ils s*ont*

Imparfait

sg. j'ét*ais*
tu ét*ais*
il ét*ait*

pl. nous ét*ions*
vous ét*iez*
ils ét*aient*

Passé simple

sg. je fu*s*
tu fu*s*
il fu*t*

pl. nous fû*mes*
vous fû*tes*
ils fu*rent*

Futur simple

sg. je ser*ai*
tu ser*as*
il ser*a*

pl. nous ser*ons*
vous ser*ez*
ils ser*ont*

Conditionnel présent

sg. je ser*ais*
tu ser*ais*
il ser*ait*

pl. nous ser*ions*
vous ser*iez*
ils ser*aient*

Participe présent

ét*ant*

Participe passé

ét*é*

II. Zusammengesetzte Formen

Passé composé

j'ai été

Plus-que-parfait

j'avais été

Passé antérieur

j'eus été

Futur antérieur

j'aurai été

Conditionnel passé

j'aurais été

Participe composé

ayant été

Infinitif passé

avoir été

B. Subjonctif

I. Einfache Formen

Présent

sg. que je soi*s*
que tu soi*s*
qu'il soi*t*

pl. que nous soy*ons*
que vous soy*ez*
qu'ils soi*ent*

Imparfait

sg. que je fuss*e*
que tu fuss*es*
qu'il fû*t*

pl. que nous fuss*ions*
que vous fuss*iez*
qu'ils fuss*ent*

Impératif

sois — soy*ons* — soy*ez*

II. Zusammengesetzte Formen

Passé

que j'aie été

Plus-que-parfait

que j'eusse été

(1a) **blâmer**

Erste Konjugation

I. Einfache Formen

Présent

sg. je blâm*e*
tu blâm*es*
il blâm*e*[1]

pl. nous blâm*ons*
vous blâm*ez*
ils blâm*ent*

Passé simple

sg. je blâm*ai*
tu blâm*as*
il blâm*a*

pl. nous blâm*âmes*
vous blâm*âtes*
ils blâm*èrent*

Participe passé

blâm*é*(*e*)

Infinitif présent

blâm*er*

Impératif

blâm*e*
blâm*ons*
blâm*ez*

NB. blâm*es*-en (-y)

Imparfait

sg. je blâm*ais*
tu blâm*ais*
il blâm*ait*

pl. nous blâm*ions*
vous blâm*iez*
ils blâm*aient*

Participe présent

blâm*ant*

Futur I

sg. je blâm*erai*
tu blâm*eras*
il blâm*era*

pl. nous blâm*erons*
vous blâm*erez*
ils blâm*eront*

Conditionnel I

sg. je blâm*erais*
tu blâm*erais*
il blâm*erait*

pl. nous blâm*erions*
vous blâm*eriez*
ils blâm*eraient*

Subjonctif présent

sg. que je blâm*e*
que tu blâm*es*
qu'il blâm*e*

pl. que nous blâm*ions*
que vous blâm*iez*
qu'ils blâm*ent*

Subjonctif imparfait

sg. que je blâm*asse*
que tu blâm*asses*
qu'il blâm*ât*

pl. que nous blâm*assions*
que vous blâm*assiez*
qu'ils blâm*assent*

II. Zusammengesetzte Formen

(Vom *Participe passé* mit Hilfe von **avoir** und **être**)

1. Das Aktiv

Passé composé: j'ai blâmé
Plus-que-parfait: j'avais blâmé
Passé antérieur: j'eus blâmé
Futur II: j'aurai blâmé
Conditionnel II: j'aurais blâmé

2. Das Passiv

Présent: je suis blâmé
Imparfait: j'étais blâmé
Passé simple: je fus blâmé
Passé composé: j'ai été blâmé
Plus-que-parf.: j'avais été blâmé
Passé antérieur: j'eus été blâmé
Futur I: je serai blâmé
Futur II: j'aurai été blâmé
Conditionnel I: je serais blâmé
Conditionnel II: j'aurais été blâmé
Impératif: sois blâmé
Participe présent: étant blâmé
Participe passé: ayant été blâmé
Infinitif présent: être blâmé
Infinitif passé: avoir été blâmé

[1] blâme-t-il?

Zeichen	Infinitif	Bemerkungen	Présent		Passé simple	Futur	Impératif	Participe passé
			de l'indicatif	du subjonctif				
(1b)	aimer	Der vortonige [ɛ]-Laut wird oft wie [e] gesprochen: **aime** [ɛm] aber **aimons** [emõ]	aim*e* aim*es* aim*e* aim*ons* aim*ez* aim*ent*	aim*e* aim*es* aim*e* aim*ions* aim*iez* aim*ent*	aim*ai* aim*as* aim*a* aim*âmes* aim*âtes* aim*èrent*	aim*erai* aim*eras* aim*era* aim*erons* aim*erez* aim*eront*	aim*e* aim*ons* aim*ez*	aim*é*(*e*)
(1c)	appeler	Der Schlußkonsonant des Stammes verdoppelt sich unter dem Ton (auch im *fut.* und *cond.*, da Nebenton)	appell*e* appell*es* appell*e* appel*ons* appel*ez* appell*ent*	appell*e* appell*es* appell*e* appel*ions* appel*iez* appell*ent*	appel*ai* appel*as* appel*a* appel*âmes* appel*âtes* appel*èrent*	appell*erai* appell*eras* appell*era* appell*erons* appell*erez* appell*eront*	appell*e* appel*ons* appel*ez*	appel*é*(*e*)
(1d)	geler	Das **e** des Stammes wird **è** unter dem Ton (auch im *fut.* und *cond.*, da Nebenton)	gèl*e* gèl*es* gèl*e* gel*ons* gel*ez* gèl*ent*	gèl*e* gèl*es* gèl*e* gel*ions* gel*iez* gèl*ent*	gel*ai* gel*as* gel*a* gel*âmes* gel*âtes* gel*èrent*	gèl*erai* gèl*eras* gèl*era* gèl*erons* gèl*erez* gèl*eront*	gèl*e* gel*ons* gel*ez*	gel*é*(*e*)
(1e)	acheter	**èt** unter dem Ton (auch im *fut.* und *cond.*, da Nebenton)	achèt*e* achèt*es* achèt*e* achet*ons* achet*ez* achèt*ent*	achèt*e* achèt*es* achèt*e* achet*ions* achet*iez* achèt*ent*	achet*ai* achet*as* achet*a* achet*âmes* achet*âtes* achet*èrent*	achèt*erai* achèt*eras* achèt*era* achèt*erons* achèt*erez* achèt*eront*	achèt*e* achet*ons* achet*ez*	achet*é*(*e*)

Zeichen	Infinitif	Bemerkungen	Présent de l'indicatif	Présent du subjonctif	Passé simple	Futur	Impératif	Participe passé
(1f)	régner	Das **é** des Stammes wird **è** unter dem Ton **nur** im *prés.* und *impér.*, nicht im *fut.* und *cond.*	règn*e* règn*es* règn*e* régn*ons* régn*ez* règn*ent*	règn*e* règn*es* règn*e* régn*ions* régn*iez* règn*ent*	régn*ai* régn*as* régn*a* régn*âmes* régn*âtes* régn*èrent*	régn*erai* régn*eras* régn*era* régn*erons* régn*erez* régn*eront*	règn*e* régn*ons* régn*ez*	régn*é* (*inv.*)
(1g)	abréger	Das **é** des Stammes wird **è** unter dem Ton **nur** im *prés.* und *impér.*, nicht im *fut.* u. *cond.* Nach **g** Einschiebung eines stummen **e** vor **a** u. **o**	abrèg*e* abrèg*es* abrèg*e* abrége*ons* abrég*ez* abrèg*ent*	abrèg*e* abrèg*es* abrèg*e* abrég*ions* abrég*iez* abrèg*ent*	abrége*ai* abrége*as* abrége*a* abrége*âmes* abrége*âtes* abrég*èrent*	abrég*erai* abrég*eras* abrég*era* abrég*erons* abrég*erez* abrég*eront*	abrèg*e* abrége*ons* abrég*ez*	abrég*é*(*e*)
(1h)	employer	Das **y** des Stammes wird **i** unter dem Ton (auch im *fut.* und *cond.*, da Nebenton)	emploi*e* emploi*es* emploi*e* employ*ons* employ*ez* emploi*ent*	emploi*e* emploi*es* emploi*e* employ*ions* employ*iez* emploi*ent*	employ*ai* employ*as* employ*a* employ*âmes* employ*âtes* employ*èrent*	emploi*erai* emploi*eras* emploi*era* emploi*erons* emploi*erez* emploi*eront*	emploi*e* employ*ons* employ*ez*	employ*é*(*e*)
(1i)	payer	Für das **y** des Stammes wird unter dem Ton (auch im *fut.* u. *cond.*, da Nebenton) die Schreibung mit **i** bevorzugt	pai*e*, pay*e* pai*es*, pay*es* pai*e*, pay*e* pay*ons* pay*ez* pai*ent*, *-yent*	pai*e*, pay*e* pai*es*, pay*es* pai*e*, pay*e* pay*ions* pay*iez* pai*ent*, *-yent*	pay*ai* pay*as* pay*a* pay*âmes* pay*âtes* pay*èrent*	pai*erai*, pay*e*.. pai*eras* pai*era* pai*erons* pai*erez* pai*eront*	pai*e*, pay*e* pay*ons* pay*ez*	pay*é*(*e*)

Zeichen	Infinitif	Bemerkungen	Présent		Passé simple	Futur	Impératif	Participe passé
			de l'indicatif	du subjonctif				
(1k)	menacer	**c** erhält eine Cedille (ç) vor **a** und **o**, damit dem c der [s]-Laut erhalten bleibt	mena*ce* menac*es* menac*e* mena*çons* menac*ez* menac*ent*	menac*e* menac*e* menac*es* menac*ions* menac*iez* menac*ent*	mena*çai* mena*ças* mena*ça* mena*çâmes* mena*çâtes* menac*èrent*	menac*erai* menac*eras* menac*era* menac*erons* menac*erez* menac*eront*	menac*e* mena*çons* menac*ez*	menac*é*(*e*)
(1l)	manger	Einschiebung eines stummen **e** zwischen Stamm und mit **a** oder **o** beginnender Endung, damit das **g** den [ʒ]-Laut behält	mang*e* mang*es* mang*e* mang*eons* mang*ez* mang*ent*	mang*e* mang*es* mang*e* mang*ions* mang*iez* mang*ent*	mang*eai* mang*eas* mang*ea* mang*eâmes* mang*eâtes* mang*èrent*	mang*erai* mang*eras* mang*era* mang*erons* mang*erez* mang*eront*	mang*e* mang*eons* mangez	mang*é*(*e*)
(1m)	conjuguer	Das stumme **u** am Ende des Stammes bleibt überall, auch vor **a** und **o**	conjugu*e* conjugu*es* conjugu*e* conjugu*ons* conjugu*ez* conjugu*ent*	conjugu*e* conjugu*es* conjugu*e* conjugu*ions* conjugu*iez* conjugu*ent*	conjugu*ai* conjugu*as* conjugu*a* conjugu*âmes* conjugu*âtes* conjugu*èrent*	conjugu*erai* conjugu*eras* conjugu*era* conjugu*erons* conjugu*erez* conjugu*eront*	conjugu*e* conjugu*ons* conjugu*ez*	conju-gu*é*(*e*)
(1n)	saluer	**u** wird vortonig als Gleitlaut [ɥ] gesprochen: **salue** [saly] aber **saluons** [salɥõ]	salu*e* salu*es* salu*e* salu*ons* salu*ez* salu*ent*	salu*e* salu*es* salu*e* salu*ions* salu*iez* salu*ent*	salu*ai* salu*as* salu*a* salu*âmes* salu*âtes* salu*èrent*	salu*erai* salu*eras* salu*era* salu*erons* salu*erez* salu*eront*	salu*e* salu*ons* salu*ez*	salu*é*(*e*)

Zeichen	Infinitif	Bemerkungen	Présent de l'indicatif	Présent du subjonctif	Passé simple	Futur	Impératif	Participe passé
(1o)	aller	Wechsel des Stammes **all** mit den Stämmen von lateinisch **vadere** und **ire**	va*is* va*s* va all*ons* all*ez* v*ont*	aill*e* aill*es* aill*e* all*ions* all*iez* aill*ent*	all*ai* all*as* all*a* all*âmes* all*âtes* all*èrent*	ir*ai* ir*as* ir*a* ir*ons* ir*ez* ir*ont*	va (vas-y; *aber*: va-t'en) all*ons* all*ez*	all*é*(*e*)
(1p)	envoyer	Nach (1h), hat aber unregelmäßiges *fut.* und *cond.*	envoi*e* envoi*es* envoi*e* envo**y***ons* envo**y***ez* envoi*ent*	envoi*e* envoi*es* envoi*e* envo**y***ions* envo**y***iez* envoi*ent*	envo**y***ai* envo**y***as* envo**y***a* envo**y***âmes* envo**y***âtes* envo**y***èrent*	enverr*ai* enverr*as* enverr*a* enverr*ons* enverr*ez* enverr*ont*	envoi*e* envo**y***ons* envo**y***ez*	envo**y***é*(*e*)

(2a) **punir** *

Zweite Konjugation

Zweite regelmäßige Konjugation, deren Kennzeichen die Stammerweiterung durch **...iss...** ist

I. Einfache Formen

Présent	*Impératif*	*Futur I*	*Subjonctif présent*
sg. je puni*s* tu puni*s* il puni*t*	puni*s* puni*ssons* puni*ssez*	*sg.* je puni*rai* tu puni*ras* il puni*ra*	*sg.* que je puni*sse* que tu puni*sses* qu'il puni*sse*
pl. nous puni*ssons* vous puni*ssez* ils puni*ssent*		*pl.* nous puni*rons* vous puni*rez* ils puni*ront*	*pl.* que nous puni*ssions* que vous puni*ssiez* qu'ils puni*ssent*
Passé simple	*Imparfait*	*Conditionnel I*	*Subjonctif imparfait*
sg. je puni*s* tu puni*s* il puni*t*	*sg.* je puni*ssais* tu puni*ssais* il puni*ssait*	*sg.* je puni*rais* tu puni*rais* il puni*rait*	*sg.* que je puni*sse* que tu puni*sses* qu'il pun*ît*
pl. nous pun*îmes* vous pun*îtes* ils puni*rent*	*pl.* nous puni*ssions* vous puni*ssiez* ils puni*ssaient*	*pl.* nous puni*rions* vous puni*riez* ils puni*raient*	*pl.* que nous puni*ssions* que vous puni*ssiez* qu'ils puni*ssent*
Participe passé	*Participe présent*		
puni(*e*)	puni*ssant*		
Infinitif présent			
puni*r*			

II. Zusammengesetzte Formen

Vom *Participe passé* mit Hilfe von **avoir** und **être**; s. (1a)

* **fleurir** im bildlichen Sinne hat im *Participe présent* meist **florissant**, im *Imparfait* meist **florissait**

Zeichen	Infinitif	Bemerkungen	Présent de l'indicatif	Présent du subjonctif	Passé simple	Futur	Impératif	Participe passé
(2b)	sentir	Keine Stammerweiterung durch **...iss...**	sen*s* sen*s* sen*t* sent*ons* sent*ez* sent*ent*	sent*e* sent*es* sent*e* sent*ions* sent*iez* sent*ent*	sent*is* sent*is* sent*it* sent*îmes* sent*îtes* sent*irent*	sent*irai* sent*iras* sent*ira* sent*irons* sent*irez* sent*iront*	sen*s* sent*ons* sent*ez*	sent*i*(*e*)
(2c)	cueillir	*prés., fut.* und *cond.* nach der 1. Konjugation	cueill*e* cueill*es* cueill*e* cueill*ons* cueill*ez* cueill*ent*	cueill*e* cueill*es* cueill*e* cueill*ions* cueill*iez* cueill*ent*	cueill*is* cueill*is* cueill*it* cueill*îmes* cueill*îtes* cueill*irent*	cueill*erai* cueill*eras* cueill*era* cueill*erons* cueill*erez* cueill*eront*	cueill*e* cueill*ons* cueill*ez*	cueill*i*(*e*)
(2d)	fuir	Keine Stammerweiterung durch **...iss...** Wechsel zwischen **y** und **i** je nach End- od. Stammbetonung	fu*is* fu*is* fu*it* fu*yons* fu*yez* fu*ient*	fu*ie* fu*ies* fu*ie* fu*yions* fu*yiez* fu*ient*	fu*is* fu*is* fu*it* fu*îmes* fu*îtes* fu*irent*	fu*irai* fu*iras* fu*ira* fu*irons* fu*irez* fu*iront*	fu*is* fu*yons* fu*yez*	fu*i*(*e*)
(2e)	bouillir	*prés. ind.* und Ableitungen nach der 4. Konjugation	bou*s* bou*s* bou*t* bouill*ons* bouill*ez* bouill*ent*	bouill*e* bouill*es* bouill*e* bouill*ions* bouill*iez* bouill*ent*	bouill*is* bouill*is* bouill*it* bouill*îmes* bouill*îtes* bouill*irent*	bouill*irai* bouill*iras* bouill*ira* bouill*irons* bouill*irez* bouill*iront*	bou*s* bouill*ons* bouill*ez*	bouill*i*(*e*)

Zeichen	Infinitif	Bemerkungen	Présent de l'indicatif	Présent du subjonctif	Passé simple	Futur	Impératif	Participe passé
(2f)	couvrir	*prés. ind.* und Ableitungen nach der 1. Konjugation; *p.p.* auf **-ert**	couvr*e* couvr*es* couvr*e* couvr*ons* couvr*ez* couvr*ent*	couvr*e* couvr*es* couvr*e* couvr*ions* couvr*iez* couvr*ent*	couvr*is* couvr*is* couvr*it* couvr*îmes* couvr*îtes* couvr*irent*	couvr*irai* couvr*iras* couvr*ira* couvr*irons* couvr*irez* couvr*iront*	couvr*e* couvr*ons* couvr*ez*	couver*t*(*e*)
(2g)	vêtir	Geht nach (2b), außer im *p.p.* Abgesehen von **vêtu** wird **vêtir** kaum noch gebraucht.	vêt*s* vêt*s* vêt vêt*ons* vêt*ez* vêt*ent*	vêt*e* vêt*es* vêt*e* vêt*ions* vêt*iez* vêt*ent*	vêt*is* vêt*is* vêt*it* vêt*îmes* vêt*îtes* vêt*irent*	vêt*irai* vêt*iras* vêt*ira* vêt*irons* vêt*irez* vêt*iront*	vêt*s* vêt*ons* vêt*ez*	vêt*u*(*e*)
(2h)	venir	*prés. ind., fut., p.p.* u. Ableitungen nach der 4. Konjugation. Im *passé simple* Umlaut [ɛ̃]; man beachte das eingeschobene **-d-** im *fut.* und *cond.*	vien*s* vien*s* vien*t* ven*ons* ven*ez* vien*nent*	vien*ne* vien*nes* vien*ne* ven*ions* ven*iez* vien*nent*	vin*s* vin*s* vin*t* vîn*mes* vîn*tes* vin*rent*	vien*drai* vien*dras* vien*dra* vien*drons* vien*drez* vien*dront*	vien*s* ven*ons* ven*ez*	ven*u*(*e*)
(2i)	courir	*prés. ind., p.p., fut.* u. Ableitungen nach der 4., *passé simple* nach der 3. Konjugation; **-rr-** im *fut.* und *cond.*	cour*s* cour*s* cour*t* cour*ons* cour*ez* cour*ent*	cour*e* cour*es* cour*e* cour*ions* cour*iez* cour*ent*	cour*us* cour*us* cour*ut* cour*ûmes* cour*ûtes* cour*urent*	cour*rai* cour*ras* cour*ra* cour*rons* cour*rez* cour*ront*	cour*s* cour*ons* cour*ez*	cour*u*(*e*)

Zeichen	Infinitif	Bemerkungen	Présent de l'indicatif	Présent du subjonctif	Passé simple	Futur	Impératif	Participe passé
(2k)	mourir	*prés. ind., fut.* und Ableitungen nach der 4. Konjugation, doch Umlaut **eu** neben **ou**; *passé simple* nach der 3. Konjugation	**meur***s* **meur***s* **meur***t* mour*ons* mour*ez* **meur***ent*	**meur***e* **meur***es* **meur***e* mour*ions* mour*iez* **meur***ent*	mour*us* mour*us* mour*ut* mour*ûmes* mour*ûtes* mour*urent*	mourr*ai* mourr*as* mourr*a* mourr*ons* mourr*ez* mourr*ont*	**meur***s* mour*ons* mour*ez*	mort(*e*)
(2l)	acquérir	*prés. ind.* und Ableitungen nach der 4. Konjugation mit Einschiebung von **i** vor **e**; *p.p.* mit **-s**; **-err-** im *fut.* u. *cond.*	acquier*s* acquier*s* acquier*t* acquér*ons* acquér*ez* acquièr*ent*	acquièr*e* acquièr*es* acquièr*e* acquér*ions* acquér*iez* acquièr*ent*	acqu*is* acqu*is* acqu*it* acqu*îmes* acqu*îtes* acqu*irent*	acquerr*ai* acquerr*as* acquerr*a* acquerr*ons* acquerr*ez* acquerr*ont*	acquier*s* acquér*ons* acquér*ez*	acqu*is*(*e*)
(2m)	haïr	Geht nach (2a); aber es verliert im *sg. prés. ind.* und *impér.* das Trema auf dem **i**	ha*is* [ɛ] ha*is* ha*it* haïss*ons* haïss*ez* haïss*ent*	haïss*e* haïss*es* haïss*e* haïss*ions* haïss*iez* haïss*ent*	ha*ïs* [a'i] ha*ïs* ha*ït* ha*ïmes* ha*ïtes* ha*ïrent*	haïr*ai* haïr*as* haïr*a* haïr*ons* haïr*ez* haïr*ont*	ha*is* haïss*ons* haïss*ez*	ha*ï*(*e*)
(2n)	faillir	Defektiv			faill*is* faill*is* faill*it* faill*îmes* faill*îtes* faill*irent*	faill*irai* faill*iras* faill*ira* faill*irons* faill*irez* faill*iront*		faill*i*

I. Einfache Formen

Présent	*Impératif*	*Futur I*	*Subjonctif présent*
sg. je reç*ois* tu reç*ois* il reç*oit*	reç*ois* rec*evons* rec*evez*	*sg.* je rec*evrai* tu rec*evras* il rec*evra*	*sg.* que je reç*oive* que tu reç*oives* qu'il reç*oive*
pl. nous rec*evons* vous rec*evez* ils reç*oivent*		*pl.* nous rec*evrons* vous rec*evrez* ils rec*evront*	*pl.* que nous rec*evions* que vous rec*eviez* qu'ils reç*oivent*
Passé simple	*Imparfait*	*Conditionnel I*	*Subjonctif imparfait*
sg. je reç*us* tu reç*us* il reç*ut*	*sg.* je rec*evais* tu rec*evais* il rec*evait*	*sg.* je rec*evrais* tu rec*evrais* il rec*evrait*	*sg.* que je reç*usse* que tu reç*usses* qu'il reç*ût*
pl. nous reç*ûmes* vous reç*ûtes* ils reç*urent*	*pl.* nous rec*evions* vous rec*eviez* ils rec*evaient*	*pl.* nous rec*evrions* vous rec*evriez* ils rec*evraient*	*pl.* que nous reç*ussions* que vous reç*ussiez* qu'ils reç*ussent*
Participe passé	*Participe présent*		
reç*u*(*e*)	rec*evant*		
Infinitif présent			
rec*evoir*			

II. Zusammengesetzte Formen

Vom *Participe passé* mit Hilfe von **avoir** und **être**; s. (1a)

Zeichen	Infinitif	Bemerkungen	Présent de l'indicatif	Présent du subjonctif	Passé simple	Futur	Impératif	Participe passé
(3b)	voir	Wechsel zwischen **i** und **y** wie in (2d). Ableitungen regelmäßig, jedoch im *fut.* und *cond.* **-err-** (statt **-oir-**)	vo*is* vo*is* vo*it* vo**y***ons* vo**y***ez* vo*ient*	vo*ie* vo*ies* vo*ie* vo**y***ions* vo**y***iez* vo*ient*	v*is* *pourvoir*: je pourvus	ver*rai* *pourvoir*: je pourvoirai; *prévoir*: je prévoirai	vo*is* vo**y***ons* vo**y***ez*	v*u*(*e*)
(3c)	falloir	Nur gebräuchlich in der 3. P. *sg.*	il fau*t*	qu'il fa*ille*	il fall*ut*	il faud*ra*		fall*u*(*inv.*)
(3d)	mouvoir	Tonsilbe: **meu-**	meu*s* meu*s* meu*t* mouv*ons* mouv*ez* meuv*ent*	meuv*e* meuv*es* meuv*e* mouv*ions* mouv*iez* meuv*ent*	m*us* m*us* m*ut* m*ûmes* m*ûtes* m*urent*	mouv*rai* mouv*ras* mouv*ra* mouv*rons* mouv*rez* mouv*ront*	meu*s* mouv*ons* mouv*ez*	m*û*, m*ue*
(3e)	pleuvoir		il pleu*t*	qu'il pleuv*e*	il pl*ut*	il pleuv*ra*		pl*u* (*inv.*)
(3f)	pouvoir	Im *prés. ind.* manchmal auch **je puis**; fragend **puis-je**	peu*x* peu*x* peu*t* pouv*ons* pouv*ez* peuv*ent*	puiss*e* puiss*es* puiss*e* puiss*ions* puiss*iez* puiss*ent*	p*us* p*us* p*ut* p*ûmes* p*ûtes* p*urent*	pour*rai* pour*ras* pour*ra* pour*rons* pour*rez* pour*ront*		p*u* (*inv.*)

Zeichen	Infinitif	Bemerkungen	Présent de l'indicatif	Présent du subjonctif	Passé simple	Futur	Impératif	Participe passé
(3g)	savoir	*p.pr.* **sachant**	sai*s* sai*s* sai*t* sav*ons* sav*ez* sav*ent*	sach*e* sach*es* sach*e* sach*ions* sach*iez* sach*ent*	*sus* *sus* *sut* *sûmes* *sûtes* *surent*	saur*ai* saur*as* saur*a* saur*ons* saur*ez* saur*ont*	sach*e* sach*ons* sach*ez*	*su*(*e*)
(3h)	valoir	**prévaloir** bildet das *prés. subj.* regelmäßig: **que je prévale,** etc.	vau*x* vau*x* vau*t* val*ons* val*ez* val*ent*	vaill*e* vaill*es* vaill*e* val*ions* val*iez* vaill*ent*	val*us* val*us* val*ut* val*ûmes* val*ûtes* val*urent*	vaudr*ai* vaudr*as* vaudr*a* vaudr*ons* vaudr*ez* vaudr*ont*		val*u*(*e*)
(3i)	vouloir	Tonsilbe: **veu-**. Im *fut.* Einschiebung von **-d-**	veu*x* veu*x* veu*t* voul*ons* voul*ez* veul*ent*	veuill*e* veuill*es* veuill*e* voul*ions* voul*iez* veuill*ent*	voul*us* voul*us* voul*ut* voul*ûmes* voul*ûtes* voul*urent*	voudr*ai* voudr*as* voudr*a* voudr*ons* voudr*ez* voudr*ont*	veuill*e* veuill*ons* veuill*ez*	voul*u*(*e*)
(3k)	seoir	Nur in wenigen Formen gebräuchlich: *p.pr.* **seyant**; *impf.* **seyait**; *cond.* **siérait**	il sie*d*					

Zeichen	Infinitif	Bemerkungen	Présent de l'indicatif	Présent du subjonctif	Passé simple	Futur	Impératif	Participe passé
(3l)	asseoir	Hat, außer im *passé simple* und *p.p.* (**assis**), doppelte Formen. *Impf.* **asseyais** od. **assoyais**	assie*ds* assie*ds* assie*d* assey*ons* assey*ez* assey*ent*	assey*e* assey*es* assey*e* assey*ions* assey*iez* assey*ent*	ass*is* ass*is* ass*it* ass*îmes* ass*îtes* ass*irent*	assiér*ai* assiér*as* assiér*a* assiér*ons* assiér*ez* assiér*ont*	assie*ds* assey*ons* assey*ez*	ass*is*(*e*)
		surseoir bildet **je sursois, nous sursoyons** usw., *fut.* **je surseoirai**	*od.* assoi*s* assoi*s* assoi*t* assoy*ons* assoy*ez* assoi*ent*	*od.* assoi*e* assoi*es* assoi*e* assoy*ions* assoy*iez* assoi*ent*		*od.* assoir*ai* assoir*as* assoir*a* assoir*ons* assoir*ez* assoir*ont*	*od.* assoi*s* assoy*ons* assoy*ez*	
(3m)	déchoir		déchoi*s* déchoi*s* déchoi*t* déchoy*ons* déchoy*ez* déchoi*ent*	déchoi*e* déchoi*es* déchoi*e* déchoy*ions* déchoy*iez* déchoi*ent*	déch*us* déch*us* déch*ut* déch*ûmes* déch*ûtes* déch*urent*	déchoir*ai* déchoir*as* déchoir*a* déchoir*ons* déchoir*ez* déchoir*ont*		déch*u*(*e*)
	échoir	Defektiv	il échoi*t* ils échoi*ent*	qu'il échoi*e* qu'ils échoi*ent*	il éch*ut* ils éch*urent*	il échoir*a* ils échoir*ont*		éch*u*(*e*)

Vierte regelmäßige Konjugation mit unverändertem Stamm

I. Einfache Formen

Présent	*Impératif*	*Futur I*	*Subjonctif présent*
sg. je vends*	vend*s*	*sg.* je vendr*ai*	*sg.* que je vend*e*
tu vend*s* *	vend*ons*	tu vendr*as*	que tu vend*es*
il vend *	vend*ez*	il vendr*a*	qu'il vend*e*
pl. nous vend*ons*		*pl.* nous vendr*ons*	*pl.* que nous vend*ions*
vous vend*ez*		vous vendr*ez*	que vous vend*iez*
ils vend*ent*		ils vendr*ont*	qu'ils vend*ent*
Passé simple	*Imparfait*	*Conditionnel I*	*Subjonctif imparfait*
sg. je vend*is*	*sg.* je vend*ais*	*sg.* je vendr*ais*	*sg.* que je vend*isse*
tu vend*is*	tu vend*ais*	tu vendr*ais*	que tu vend*isses*
il vend*it*	il vend*ait*	il vendr*ait*	qu'il vend*ît*
pl. nous vend*îmes*	*pl.* nous vend*ions*	*pl.* nous vendr*ions*	*pl.* que nous vend*issions*
vous vend*îtes*	vous vend*iez*	vous vendr*iez*	que vous vend*issiez*
ils vend*irent*	ils vend*aient*	ils vendr*aient*	qu'ils vend*issent*
Participe passé	*Participe présent*		
vend*u*(*e*)	vend*ant*		
Infinitif présent			
vend*re*			

* **rompre** bildet: il rompt; **battre** bildet: je (tu) bats, il bat; **foutre** bildet: je (tu) fous

II. Zusammengesetzte Formen

Vom *Participe passé* mit Hilfe von **avoir** und **être**; s. (1a)

Zeichen	Infinitif	Bemerkungen	Présent de l'indicatif	Présent du subjonctif	Passé simple	Futur	Impératif	Participe passé
(4b)	peindre	Wechsel zwischen nasalem **n** und mouilliertem **n** (**gn**); **-d-** nur vor **r,** also im *inf.*, *fut.* und *cond.*	pein*s* pein*s* pein*t* peign*ons* peign*ez* peign*ent*	peign*e* peign*es* peign*e* peign*ions* peign*iez* peign*ent*	peign*is* peign*is* peign*it* peign*îmes* peign*îtes* peign*irent*	peindr*ai* peindr*as* peindr*a* peindr*ons* peindr*ez* peindr*ont*	pein*s* peign*ons* peign*ez*	pein*t*(*e*)
(4c)	conduire	**Luire, reluire, nuire** haben im *p.p.* kein **t**	condu*is* condu*is* condu*it* conduis*ons* conduis*ez* conduis*ent*	conduis*e* conduis*es* conduis*e* conduis*ions* conduis*iez* conduis*ent*	conduis*is* conduis*is* conduis*it* conduis*îmes* conduis*îtes* conduis*irent*	condui*rai* condui*ras* condui*ra* condui*rons* condui*rez* condui*ront*	condu*is* conduis*ons* conduis*ez*	condu*it*(*e*)
(4d)	coudre	Vor den mit Vokal beginnenden Endungen wird **-d-** durch **-s-** ersetzt	coud*s* coud*s* coud cous*ons* cous*ez* cous*ent*	cous*e* cous*es* cous*e* cous*ions* cous*iez* cous*ent*	cous*is* cous*is* cous*it* cous*îmes* cous*îtes* cous*irent*	coud*rai* coud*ras* coud*ra* coud*rons* coud*rez* coud*ront*	coud*s* cous*ons* cous*ez*	cous*u*(*e*)
(4e)	vivre	Wegfall des End-v des Stammes im *sg. prés. ind.*; *passé simple* **vécus**; *p.p.* **vécu**	vi*s* vi*s* vi*t* viv*ons* viv*ez* viv*ent*	viv*e* viv*es* viv*e* viv*ions* viv*iez* viv*ent*	véc*us* véc*us* véc*ut* véc*ûmes* véc*ûtes* véc*urent*	viv*rai* viv*ras* viv*ra* viv*rons* viv*rez* viv*ront*	vi*s* viv*ons* viv*ez*	véc*u*(*e*)

Zeichen	Infinitif	Bemerkungen	Présent de l'indicatif	Présent du subjonctif	Passé simple	Futur	Impératif	Participe passé
(4f)	écrire	Vor Vokal bleibt **v** aus lateinisch **b** erhalten	écri*s* écri*s* écri*t* écriv*ons* écriv*ez* écriv*ent*	écriv*e* écriv*es* écriv*e* écriv*ions* écriv*iez* écriv*ent*	écriv*is* écriv*is* écriv*it* écriv*îmes* écriv*îtes* écriv*irent*	écrir*ai* écrir*as* écrir*a* écrir*ons* écrir*ez* écrir*ont*	écri*s* écriv*ons* écriv*ez*	écri*t*(*e*)
(4g)	naître	-**ss**- im *pl. prés. ind.* u. dessen Ableitungen; im *sg. prés. ind.* erscheint **i** vor **t** als **î**	nai*s* nai*s* naî*t* naiss*ons* naiss*ez* naiss*ent*	naiss*e* naiss*es* naiss*e* naiss*ions* naiss*iez* naiss*ent*	naqu*is* naqu*is* naqu*it* naqu*îmes* naqu*îtes* naqu*irent*	naîtr*ai* naîtr*as* naîtr*a* naîtr*ons* naîtr*ez* naîtr*ont*	nai*s* naiss*ons* naiss*ez*	né(*e*)
(4h)	suivre	*p.p.* nach der 2. Konjugation	sui*s* sui*s* sui*t* suiv*ons* suiv*ez* suiv*ent*	suiv*e* suiv*es* suiv*e* suiv*ions* suiv*iez* suiv*ent*	suiv*is* suiv*is* suiv*it* suiv*îmes* suiv*îtes* suiv*irent*	suivr*ai* suivr*as* suivr*a* suivr*ons* suivr*ez* suivr*ont*	sui*s* suiv*ons* suiv*ez*	suiv*i*(*e*)
(4i)	vaincre	Kein **t** in der 3. P. *sg. prés. ind.*; Umwandlung des **c** in **qu** vor Vokalen (jedoch: **vaincu**)	vainc*s* vainc*s* vainc vainqu*ons* vainqu*ez* vainqu*ent*	vainqu*e* vainqu*es* vainqu*e* vainqu*ions* vainqu*iez* vainqu*ent*	vainqu*is* vainqu*is* vainqu*it* vainqu*îmes* vainqu*îtes* vainqu*irent*	vaincr*ai* vaincr*as* vaincr*a* vaincr*ons* vaincr*ez* vaincr*ont*	vainc*s* vainqu*ons* vainqu*ez*	vainc*u*(*e*)

Zeichen	Infinitif	Bemerkungen	Présent de l'indicatif	Présent du subjonctif	Passé simple	Futur	Impératif	Participe passé
(4k)	clore	*prés.* 3. P. *pl.* **closent**; entsprechend *prés. subj.*; 3. P. *sg. prés. ind.* auf **...ôt**	je clo*s* tu clo*s* il clô*t* ils clos*ent*	que je clos*e*		je clo*rai*	clo*s*	clo*s*(*e*)
	éclore	Nur in der 3. P. gebräuchlich	il éclô*t* ils éclos*ent*	qu'il éclos*e* qu'ils éclos*ent*		il éclo*ra* ils éclo*ront*		éclo*s*(*e*)
(4l)	conclure	*passé simple* geht nach der 3. Konjugation. **Reclure** hat im *p.p.* **reclus**(**e**); ebenso: **inclus**(**e**); aber: **exclu**(**e**)	conclu*s* conclu*s* conclu*t* conclu*ons* conclu*ez* conclu*ent*	conclu*e* conclu*es* conclu*e* conclu*ions* conclu*iez* conclu*ent*	concl*us* concl*us* concl*ut* concl*ûmes* concl*ûtes* concl*urent*	conclu*rai* conclu*ras* conclu*ra* conclu*rons* conclu*rez* conclu*ront*	conclu*s* conclu*ons* conclu*ez*	conclu(*e*)
(4m)	dire	**Redire** wird wie **dire** konjugiert. Die anderen Komposita haben im *prés.* **...disez** mit Ausnahme v. **maudire**, das nach der 2. Konjugation geht, aber im *p.p.* **maudit** hat.	di*s* di*s* di*t* dis*ons* di*tes* dis*ent*	dis*e* dis*es* dis*e* dis*ions* dis*iez* dis*ent*	d*is* d*is* d*it* d*îmes* d*îtes* d*irent*	di*rai* di*ras* di*ra* di*rons* di*rez* di*ront*	dis dis*ons* dit*es*	di*t*(*e*)

Zeichen	Infinitif	Bemerkungen	Présent		Passé simple	Futur	Impératif	Participe passé
			de l'indicatif	du subjonctif				
(4n)	faire	Vielfacher Wechsel des Stammvokals	fai*s* } [fɛ] fai*s* fai*t* fais*ons* [fəzõ] fai*tes* [fɛt] fo*nt*	fasse fass*es* fasse fass*ions* fass*iez* fass*ent*	f*is* f*is* f*it* f*îmes* f*îtes* f*irent*	fer*ai* } [fə-] fer*as* fer*a* fer*ons* fer*ez* fer*ont*	fai*s* fais*ons* fai*tes*	fai*t*(*e*)
(4o)	confire	**suffire** hat im *p.p.* **suffi** (*inv.*)	confi*s* confi*s* confi*t* confis*ons* confis*ez* confis*ent*	confise confis*es* confise confis*ions* confis*iez* confis*ent*	conf*is* conf*is* conf*it* conf*îmes* conf*îtes* conf*irent*	confir*ai* confir*as* confir*a* confir*ons* confir*ez* confir*ont*	confis confis*ons* confis*ez*	confi*t*(*e*)
(4p)	mettre	Abwerfung des einen **t** im *sg. prés. ind.* in den stammbetonten Formen	met*s* met*s* met mett*ons* mett*ez* mett*ent*	mett*e* mett*es* mett*e* mett*ions* mett*iez* mett*ent*	m*is* m*is* m*it* m*îmes* m*îtes* m*irent*	mettr*ai* mettr*as* mettr*a* mettr*ons* mettr*ez* mettr*ont*	met*s* mett*ons* mett*ez*	mi*s*(*e*)
(4q)	prendre	Einige Formen werfen **d** ab	prend*s* prend*s* prend pre**n***ons* pre**n***ez* prenn*ent*	prenn*e* prenn*es* prenn*e* pren*ions* pren*iez* prenn*ent*	pr*is* pr*is* pr*it* pr*îmes* pr*îtes* pr*irent*	prendr*ai* prendr*as* prendr*a* prendr*ons* prendr*ez* prendr*ont*	prend*s* pre**n***ons* pre**n***ez*	pri*s*(*e*)

Zeichen	Infinitif	Bemerkungen	Présent de l'indicatif	Présent du subjonctif	Passé simple	Futur	Impératif	Participe passé
(4r)	rire	*p.p.* nach der 2. Konjugation	ri*s* ri*s* ri*t* ri*ons* ri*ez* ri*ent*	ri*e* ri*es* ri*e* ri*ions* ri*iez* ri*ent*	r*is* r*is* r*it* r*îmes* r*îtes* r*irent*	rir*ai* rir*as* rir*a* rir*ons* rir*ez* rir*ont*	ri*s* ri*ons* ri*ez*	ri (*inv.*)
(4s)	traire	*passé simple* fehlt	trai*s* trai*s* trai*t* tray*ons* tray*ez* trai*ent*	trai*e* trai*es* trai*e* tray*ions* tray*iez* trai*ent*		trair*ai* trair*as* trair*a* trair*ons* trair*ez* trair*ont*	trai*s* tray*ons* tray*ez*	trai*t*(*e*)
(4u)	boire	Vor Vokal bleibt **v** aus lat. **b** erhalten. *passé simple* nach der 3. Konjugation	boi*s* boi*s* boi*t* buv*ons* buv*ez* boiv*ent*	boiv*e* boiv*es* boiv*e* buv*ions* buv*iez* boiv*ent*	b*us* b*us* b*ut* b*ûmes* b*ûtes* b*urent*	boir*ai* boir*as* boir*a* boir*ons* boir*ez* boir*ont*	boi*s* buv*ons* buv*ez*	b*u*(*e*)

Zeichen	Infinitif	Bemerkungen	Présent		Passé simple	Futur	Impératif	Participe passé
			de l'indicatif	du subjonctif				
(4v)	croire	*passé simple* nach der 3. Konjugation	crois	croie	crus	croirai	crois	cru(*e*)
			crois	croies	crus	croiras	croyons	
			croit	croie	crut	croira	croyez	
			croyons	croyions	crûmes	croirons		
			croyez	croyiez	crûtes	croirez		
			croient	croient	crurent	croiront		
(4w)	croître	î im *sg. prés. ind.* und im *sg. impér.* *passé simple* nach der 3. Konjugation	croîs	croisse	crûs	croîtrai	croîs	crû, crue
			croîs	croisses	crûs	croîtras	croissons	
			croît	croisse	crût	croîtra	croissez	
			croissons	croissions	crûmes	croîtrons		
			croissez	croissiez	crûtes	croîtrez		
			croissent	croissent	crûrent	croîtront		
(4x)	lire	*passé simple* nach der 3. Konjugation	lis	lise	lus	lirai	lis	lu(*e*)
			lis	lises	lus	liras	lisons	
			lit	lise	lut	lira	lisez	
			lisons	lisions	lûmes	lirons		
			lisez	lisiez	lûtes	lirez		
			lisent	lisent	lurent	liront		
(4y)	moudre	*passé simple* nach der 3. Konjugation	mouds	moule	moulus	moudrai	mouds	moulu(*e*)
			mouds	moules	moulus	moudras	moulons	
			moud	moule	moulut	moudra	moulez	
			moulons	moulions	moulûmes	moudrons		
			moulez	mouliez	moulûtes	moudrez		
			moulent	moulent	moulurent	moudront		

Zeichen	Infinitif	Bemerkungen	Présent de l'indicatif	Présent du subjonctif	Passé simple	Futur	Impératif	Participe passé
(4z)	paraître	**î** vor **t**; *passé simple* nach der 3. Konjugation	parai*s* parai*s* paraî*t* paraiss*ons* paraiss*ez* paraiss*ent*	paraiss*e* paraiss*es* paraiss*e* paraiss*ions* paraiss*iez* paraiss*ent*	par*us* par*us* par*ut* par*ûmes* par*ûtes* par*urent*	paraîtr*ai* paraîtr*as* paraîtr*a* paraîtr*ons* paraîtr*ez* paraîtr*ont*	parai*s* paraiss*ons* paraiss*ez*	par*u*(*e*)
(4aa)	plaire	*passé simple* nach der 3. Konjugation; **taire** bildet **il tait** (ohne ^)	plai*s* plai*s* plaî*t* plais*ons* plais*ez* plais*ent*	plais*e* plais*es* plais*e* plais*ions* plais*iez* plais*ent*	pl*us* pl*us* pl*ut* pl*ûmes* pl*ûtes* pl*urent*	plair*ai* plair*as* plair*a* plair*ons* plair*ez* plair*ont*	plai*s* plais*ons* plais*ez*	pl*u* (*inv.*)
(4bb)	résoudre	**absoudre** hat kein *passé simple*; als *participe passé* **absous, absoute**	résou*s* résou*s* résou*t* résolv*ons* résolv*ez* résolv*ent*	résolv*e* résolv*es* résolv*e* résolv*ions* résolv*iez* résolv*ent*	résol*us* résol*us* résol*ut* résol*ûmes* résol*ûtes* résol*urent*	résoudr*ai* résoudr*as* résoudr*a* résoudr*ons* résoudr*ez* résoudr*ont*	résou*s* résolv*ons* résolv*ez*	résol*u*(*e*)

Zahlwörter

Grundzahlen

0 *zéro* [zero]
1 *un, une f* [ɛ̃ *od* œ̃, yn]
2 *deux* [dø, døz‿]
3 *trois* [trwa, trwaz‿]
4 *quatre* [katrə, kat]
5 *cinq* [sɛ̃k, sɛ̃]
6 *six* [sis, si, siz‿]
7 *sept* [sɛt]
8 *huit* [ɥit, ɥi]
9 *neuf* [nœf, nœv‿]
10 *dix* [dis, di, diz‿]
11 *onze* [õz]
12 *douze* [duz]
13 *treize* [trɛz]
14 *quatorze* [katɔrz]
15 *quinze* [kɛ̃z]
16 *seize* [sɛz]
17 *dix-sept* [disɛt]
18 *dix-huit* [dizɥit, dizɥi]
19 *dix-neuf* [diznœf, diznœv‿]
20 *vingt* [vɛ̃]
21 *vingt et un* [vɛ̃teɛ̃]
22 *vingt-deux* [vɛ̃tdø]
23 *vingt-trois* [vɛ̃trwa]
24 *vingt-quatre* [vɛ̃tkatrə]
30 *trente* [trɑ̃t]
40 *quarante* [karɑ̃t]
50 *cinquante* [sɛ̃kɑ̃t]
60 *soixante* [swasɑ̃t]
70 *soixante-dix* [swasɑ̃tdis]
71 *soixante et onze* [swasɑ̃teõz]
72 *soixante-douze* [swasɑ̃tduz]
80 *quatre-vingt(s)* [katrəvɛ̃]
81 *quatre-vingt-un* [katrəvɛ̃ɛ̃]
90 *quatre-vingt-dix* [katrəvɛ̃dis]
91 *quatre-vingt-onze* [katrəvɛ̃õz]
100 *cent* [sɑ̃]
101 *cent un* [sɑ̃ɛ̃]
200 *deux cent(s)* [døsɑ̃]
211 *deux cent onze* [døzɑ̃õz]
1000 *mille* [mil]
1001 *mille un* [milɛ̃]
1002 *mille deux* [mildø]
1100 *onze cents* [õzsɑ̃]
1308 *treize cent huit* [trɛzsɑ̃ɥit]
2000 *deux mille* [dømil]
100 000 *cent mille* [sɑ̃mil]
le million [miljõ] die Million
le milliard [miljar] die Milliarde

Ordnungszahlen

1er *le premier* [prəmje] der erste
1re *la première* [prəmjɛr] die erste
2e *le deuxième* [døzjɛm] der zweite } [zweite]
la deuxième [døzjɛm] die }
le second [zgõ] der zweite
la seconde [zgõd] die zweite
3e *le od la troisième* [trwazjɛm]
4e *quatrième* [katrijɛm]
5e *cinquième* [sɛ̃kjɛm]
6e *sixième* [sizjɛm]
7e *septième* [sɛtjɛm]
8e *huitième* [ɥitjɛm]
9e *neuvième* [nœvjɛm]
10e *dixième* [dizjɛm]
11e *onzième* [õzjɛm]
12e *douzième* [duzjɛm]
13e *treizième* [trɛzjɛm]
14e *quatorzième* [katɔrzjɛm]
15e *quinzième* [kɛ̃zjɛm]
16e *seizième* [sɛzjɛm]
17e *dix-septième* [disɛtjɛm]
18e *dix-huitième* [dizɥitjɛm]
19e *dix-neuvième* [diznœvjɛm]
20e *vingtième* [vɛ̃tjɛm]
21e *vingt et unième* [vɛ̃teynjɛm]
22e *vingt-deuxième* [vɛ̃tdøzjɛm]
30e *trentième* [trɑ̃tjɛm]
40e *quarantième* [karɑ̃tjɛm]
50e *cinquantième* [sɛ̃kɑ̃tjɛm]
60e *soixantième* [swasɑ̃tjɛm]
70e *soixante-dixième* [swasɑ̃tdizjɛm]
71e *soixante et onzième* [swasɑ̃teõzjɛm]
80e *quatre-vingtième* [katrəvɛ̃tjɛm]
81e *quatre-vingt-unième* [katrəvɛ̃ynjɛm]
90e *quatre-vingt-dixième* [katrəvɛ̃dizjɛm]
91e *quatre-vingt-onzième* [katrəvɛ̃õzjɛm]
100e *centième* [sɑ̃tjɛm]
101e *cent unième* [sɑ̃ynjɛm]
200e *deux centième* [døsɑ̃tjɛm]
500e *cinq centième* [sɛ̃sɑ̃tjɛm]
1000e *millième* [miljɛm]
$1 000 000^{e}$ *millionième* [miljɔnjɛm]

Zahladverbien

1° *premièrement* [prəmjɛrmɑ̃], *primo* [primo] erstens
2° *deuxièmement* [døzjɛmmɑ̃], *secundo* [zgõdo] zweitens
3° *troisièmement* [trwazjɛmmɑ̃], *tertio* [tɛrsjo] drittens
4° *quatrièmement* [katrijɛmmɑ̃] viertens
5° *cinquièmement* [sɛ̃kjɛmmɑ̃] fünftens

Außerdem ist noch gebräuchlich: *en premier lieu* [ɑ̃prəmjeljø] an erster Stelle = erstens, *en second lieu, en troisième lieu* usw.; *en dernier lieu* = letztens.

Bruchzahlen

½ *(un) demi* [(ɛ̃)dəmi] (ein) halb
1½ *un et demi* [ɛedmi] eineinhalb, anderthalb
⅓ *un tiers* [ɛ̃tjɛr]
⅔ *(les) deux tiers* [(le)døtjɛr]
¼ *un quart* [ɛ̃kar]
¾ *(les) trois quarts* [(le)trwakar]
⅕ *un cinquième* [ɛ̃sɛ̃kjɛm]
9/10 *(les) neuf dixièmes* [(le)nœfdizjɛm]
0,5 *zéro virgule cinq* [zerovirgylsɛ̃k] null Komma fünf
7,35 *sept virgule trente-cinq*

Vervielfältigungszahlen

fois autant [fwaotɑ̃] ...fach *od*
fois plus [fwaplys] ...mal mehr
deux fois autant zweifach
cinq fois autant fünffach
vingt fois plus zwanzigmal mehr
une quantité sept fois plus grande que ...das Siebenfache von ... *usw.*

Daneben sind gebräuchlich:
simple [sɛ̃plə] einfach
double [dublə] doppelt
triple [triplə] dreifach
quadruple [kwadryplə] vierfach
quintuple [kɛ̃typlə] fünffach
sextuple [sɛkstyplə] sechsfach
centuple [sɑ̃typlə] hundertfach

Sammelzahlen

une douzaine ein Dutzend
une huitaine etwa 8 (*auch* 8 Tage)
une dizaine etwa 10
une quinzaine etwa 15 (*auch* 14 Tage)
une vingtaine etwa 20
une trentaine etwa 30
une quarantaine etwa 40
une cinquantaine etwa 50
une soixantaine etwa 60
une centaine etwa 100
un millier etwa 1000

Bindung

Unter Bindung versteht man im Französischen die Aussprache eines gewöhnlich stummen Endkonsonanten eines Wortes, wenn das folgende Wort mit Vokal oder stummem h beginnt. Die gebundenen Wörter müssen dem Sinn nach zusammengehören.

Wir beschränken uns im folgenden auf die wichtigsten unerläßlichen oder aber unmöglichen Bindungen.

1. Unerläßliche Bindungen

a) Artikel (+ Adjektiv) + Substantiv:
bzw. Demonstrativpronomen
bzw. Possessivpronomen
bzw. Zahlwort

les amis [le**z**ami]
aux armes [o**z**arm]
ces arbres [se**z**arbrə]
son habit [sõ**n**abi]
deux élèves [dø**z**elɛv]
un petit homme [ɛ̃pti**t**ɔm]
trois petits enfants [trwapti**z**ɑ̃fɑ̃]
au premier étage [oprəmje**r**etaʒ]
un grand homme [ɛ̃grɑ̃**t**ɔm]
(d wird in der Bindung wie t gesprochen)
un certain âge [ɛ̃sɛrtɛ**n**ɑʒ]
(Die Endung [ɛ̃] der betreffenden Adjektive wird in der Bindung zu [ɛ] = Entnasalierung)
bon anniversaire [bɔ**n**anivɛrsɛr]
([bõ] wird in der Bindung zu [bɔn] entnasaliert)

b) Personalpronomen bzw. *on* bzw. *tout* (+ *en* bzw. + *y*) + Verb:

nous allons [nu**z**alõ]
ils écoutent [il**z**ekut]
j'en ai [ʒɑ̃**n**e]
je vous en donne [ʒvu**z**ɑ̃dɔn]
il les a vus [ille**z**avy]
on y va [õ**n**iva]
tout est fini [tu**t**ɛfini]

In umgekehrter Reihenfolge:
que dit-il? [kədi**t**il]
sont-ils arrivés? [sõ**t**ilarive]
entend-elle? [ɑ̃tɑ̃**t**ɛl]
(d wird in der Bindung wie t gesprochen)

prends-en [prɑ̃**z**ɑ̃]
allons-y [alõ**z**i]

c) *c'est* + folgendes Wort:

c'est un imbécile [sɛ**t**ɛ̃nɛ̃besil]
c'est incroyable [sɛ̃**t**ɛ̃krwajablə]

d) Einige (besonders einsilbige) Präpositionen + folgendes Wort:

chez eux [ʃe**z**ø]
dans une cave [dɑ̃**z**ynkav]
en hiver [ɑ̃**n**ivɛr]
sans amour [sɑ̃**z**amur]
sous une table [su**z**yntablə]

e) Einige Adverbien + folgendes Wort:

très utile [tre**z**ytil]
bien aimable [bjɛ̃**n**ɛmablə]
tout autour [tu**t**otur]
plus heureux [ply**z**ørø]
moins habile [mwɛ̃**z**abil]

2. Unmögliche Bindungen

a) nach *et:*
et il dit [eildi]

b) vor *h aspiré:*
les héros [leero]
en haut [ɑ̃o]

c) vor den Zahlen *un* und *onze:*
sur les une heure [syrleynœr]
ils sont onze [ilsɔ̃ɔ̃z]

d) vor *oui:*
mais oui [mɛwi]

e) zwischen Substantiv im Singular + Adjektiv:
cas intéressant [kɑɛ̃terɛsɑ̃]
prix élevé [prielve]

f) zwischen substantivischem Subjekt + Verb:
les amis arrivent [lezamiariv]

g) im Plural zusammengesetzter Substantive:
arcs-en-ciel [arkɑ̃sjɛl]
salles à manger [salamɑ̃ʒe]

Silbentrennung im Französischen

Die Trennung eines Wortes am Zeilenende erfolgt im Französischen nach Sprechsilben. Dabei gelten folgende Regeln:

1. Ein einzelner Konsonant zwischen zwei Vokalen tritt zur folgenden Silbe,

   z. B. **di-ri-ger, pay-san, la-va-bo, par-lé, thé-ra-peu-ti-que**

   Ausnahme: Bei x zwischen zwei Vokalen wird im allgemeinen nicht getrennt,

   z. B. **Saxon**

2. Von zwei oder mehr Konsonanten zwischen zwei Vokalen tritt nur der letzte Konsonant zur folgenden Silbe,

   z. B. **par-tir, ex-cur-sion, res-ter, doc-ker, chas-seur, nom-mer, ail-leurs** (mouilliertes l ist trennbar),

   cons-cience, subs-tan-tif
   (auch etymologische Trennung **con-science, sub-stantif** ist möglich, aber nicht üblich)

Dabei gelten folgende Ausnahmen:

a) Konsonant + l oder + r werden nicht getrennt,

   z. B. **ci-ble, es-clan-dre, an-glais, dé-sas-tre, af-freux, ins-truit**

b) Die einen einzigen Laut darstellenden Konsonantenpaare ch, gn, ph, th werden nicht getrennt,

   z. B. **ro-cher, ga-gner, or-tho-gra-phe**

3. Mehrere aufeinanderfolgende Vokale werden nicht getrennt,

   z. B. **théâ-tre, prière, sec-tion, voyage, muet, croyons, louaient**

   Ausnahme: Eine Vorsilbe kann vom Stamm getrennt werden,

   z. B. **pré-avis, an-ti-al-coo-li-que**

4. Ein einzelner Vokal eines Wortes kann nicht abgetrennt werden,

   z. B. **état, abré-ger, oser**

   Ausnahme: Nach Elision ist Trennung möglich,

   z. B. **qu'a-vec**

5. Nach dem Apostroph darf nicht getrennt werden,

   z. B. **au-jour-d'hui, puis-qu'il**

Zeichensetzung im Französischen

1. Punkt, Strichpunkt, Doppelpunkt, Fragezeichen, Ausrufezeichen, Anführungszeichen (im Französischen « ») usw. werden wie im Deutschen gebraucht.

   An geringen Abweichungen sind zu erwähnen:

   Der Punkt wird in Abkürzungen wie **H.L.M., S.N.C.F., U.S.A.** usw. gesetzt.

   Kein Punkt steht nach Ordnungszahlen: **1**^{er} bzw. **1**^{re}, **2**^{e}, **3**^{e} usw.

   Das Datum wird so abgekürzt: **12/10/88**

   Das Ausrufezeichen steht nie nach der Anrede am Briefanfang:

   Monsieur,

   J'ai l'honneur de vous faire savoir ...

2. Einige bedeutende Abweichungen vom Deutschen sind dagegen beim Gebrauch des Kommas zu verzeichnen:

   a) Adverbiale Bestimmungen zu Beginn eines Satzes werden durch Komma abgetrennt:

   A trois heures, il n'était toujours pas arrivé. Avec lui, il faut se méfier.

   b) Nicht durch Komma abgetrennt werden dagegen:

   Objektsätze **(Je sais qu'il a tort.)**

   indirekte Fragesätze **(Je me demande s'il n'est pas malade.)**

   nachgestellte Adverbialsätze **(J'irai le voir avant qu'il parte.)**

   zum Verständnis des Hauptsatzes notwendige Relativsätze **(Le livre que tu m'as prêté ne me plaît pas.)**

   Infinitivgruppen **(Il m'a demandé de l'aider.)**

   c) Vor „etc." steht im Französischen ein Komma:

   Paris, Londres, Berlin, etc.

Die französischen Departements

01* **Ain** [ɛ̃] (*l' m*)
02 **Aisne** [ɛn] (*l' f*)
03 **Allier** [alje] (*l' m*)
04 **Alpes-de-Haute-Provence** (*les f/pl*)
05 **Hautes-Alpes** [otzalp] (*les f/pl*)
06 **Alpes-Maritimes** (*les f/pl*)
07 **Ardèche** (*l' f*)
08 **Ardennes** (*les f/pl*)
09 **Ariège** (*l' f*)
10 **Aube** (*l' f*)
11 **Aude** (*l' m*)
12 **Aveyron** [avɛrõ] (*l' m*)
13 **Bouches-du-Rhône** (*les f/pl*)
14 **Calvados** [-os] (*le*)
15 **Cantal** (*le*)
16 **Charente** (*la*)
17 **Charente-Maritime** (*la*)
18 **Cher** [ʃɛr] (*le*)
19 **Corrèze** (*la*)
2A **Corse-du-Sud** (*la*)
2B **Haute-Corse** (*la*)
21 **Côte-d'Or** (*la*)
22 **Côtes-du-Nord** (*les f/pl*)
23 **Creuse** (*la*)
24 **Dordogne** (*la*)
25 **Doubs** [du] (*le*)
26 **Drôme** (*la*)
27 **Eure** [œr] (*l' f*)
28 **Eure-et-Loir** (*l' m*)
29 **Finistère** (*le*)
30 **Gard** (*le*)
31 **Haute-Garonne** (*la*)
32 **Gers** [ʒɛrs] (*le*)
33 **Gironde** (*la*)
34 **Hérault** [ero] (*l' m*)
35 **Ille-et-Vilaine** (*l' f*)
36 **Indre** (*l' f*)
37 **Indre-et-Loire** (*l' f*)
38 **Isère** (*l' f*)
39 **Jura** (*le*)
40 **Landes** (*les f/pl*)
41 **Loir-et-Cher** (*le*)
42 **Loire** (*la*)
43 **Haute-Loire** (*la*)
44 **Loire-Atlantique** (*la*)
45 **Loiret** (*le*)
46 **Lot** [lɔt] (*le*)
47 **Lot-et-Garonne** (*le*)
48 **Lozère** (*la*)
49 **Maine-et-Loire** (*le*)
50 **Manche** (*la*)
51 **Marne** (*la*)
52 **Haute-Marne** (*la*)
53 **Mayenne** [majɛn] (*la*)
54 **Meurthe-et-Moselle** (*la*)
55 **Meuse** (*la*)
56 **Morbihan** [mɔrbiɑ̃] (*le*)
57 **Moselle** (*la*)
58 **Nièvre** (*la*)
59 **Nord** (*le*)
60 **Oise** (*l' f*)
61 **Orne** (*l' f*)
62 **Pas-de-Calais** (*le*)

* Die Kennziffer des Departements erscheint in den beiden letzten Ziffern der französischen Autonummern (z. B. *3471 CN 91*) sowie in den beiden ersten Ziffern der 5stelligen französischen Postleitzahlen (z. B. *Abbeville 80100*).

63 **Puy-de-Dôme** (*le*)
64 **Pyrénées-Atlantiques** (*les f/pl*)
65 **Hautes-Pyrénées** (*les f/pl*)
66 **Pyrénées-Orientales** (*les f/pl*)
67 **Bas-Rhin** (*le*)
68 **Haut-Rhin** (*le*)
69 **Rhône** (*le*)
70 **Haute-Saône** (*la*)
71 **Saône-et-Loire** [son-] (*la*)
72 **Sarthe** (*la*)
73 **Savoie** (*la*)
74 **Haute-Savoie** (*la*)
75 **Ville de Paris** (*la*)
76 **Seine-Maritime** (*la*)
77 **Seine-et-Marne** (*la*)
78 **Yvelines** (*les f/pl*)
79 **Deux-Sèvres** (*les f/pl*)
80 **Somme** (*la*)
81 **Tarn** (*le*)
82 **Tarn-et-Garonne** (*le*)
83 **Var** (*le*)
84 **Vaucluse** (*le*)
85 **Vendée** (*la*)
86 **Vienne** (*la*)
87 **Haute-Vienne** (*la*)
88 **Vosges** [voʒ] (*les f/pl*)
89 **Yonne** (*l' f*)
90 **Territoire-de-Belfort** (*le*)
91 **Essonne** (*l' f*)
92 **Hauts-de-Seine** [odsɛn] (*les m/pl*)
93 **Seine-Saint-Denis** (*la*)
94 **Val-de-Marne** (*le*)
95 **Val-d'Oise** (*le*)

NOTIZEN

NOTIZEN

Weitere Empfehlungen für Französisch

Langenscheidts Kurzgrammatik Französisch

64 Seiten, Format 12,4 × 19,2 cm, kartoniert-laminiert.

Kurzgefaßt, übersichtlich geordnet, enthält sie alle wichtigen grammatischen Regeln und Eigenheiten der französischen Sprache. Diese Grammatik ist für ein rasches Nachschlagen ebenso geeignet wie für die Festigung von Kenntnissen.

Langenscheidts Verb-Tabellen Französisch

64 Seiten, Format 12,4 × 19,2 cm, 2farbig, kartoniert-laminiert.

Musterbeispiele für alle Konjugationsklassen der regelmäßigen und unregelmäßigen Verben. In Tabellen übersichtlich dargestellt und somit leicht erlernbar. Dazu eine Liste der wichtigsten unregelmäßigen Verben, jeweils mit Verweis auf die entsprechende Konjugationstabelle.

Teste Dein Französisch!

Stufe 1: Testbuch für Anfänger

Stufe 2: Testbuch für Fortgeschrittene

Jeweils 176 Seiten, Format 11 × 18 cm, kartoniert-laminiert.

Eine unterhaltsame Art, wie Sie Ihre Französischkenntnisse zugleich testen und festigen können: In einem Frage- und Antwortspiel lernen Sie, wie man die für den Ausländer typischen Fehler vermeidet.

Langenscheidts französische Lektüre

Band 44: Nouvelles françaises – Band 57: Textes français Modernes – Band 59: Images de la France – Band 62: Thanatos Palace Hotel – Band 68: Humour à gogo

Jeweils ca. 112 Seiten, kartoniert-laminiert.

Diese Bände enthalten Texte, die den Werken verschiedener französischer Schriftsteller entnommen sind. Neben dem Lesetext stehen zusätzliche Übersetzungshilfen, erläuterndes Vokabular und Ausspracheangaben für alle weniger gebräuchlichen Ausdrücke und Redensarten.

Weitere Empfehlungen für Französisch

Langenscheidts Kontextwörterbuch Französisch-Deutsch

Ein neues Wörterbuch zum Schreiben, Lernen, Übersetzen

320 Seiten, Format 14,8 × 21,3 cm, kartoniert-laminiert.

Basis dieses Wörterbuches sind 3500 französische Substantive, die nach der Maxime „welches Wort paßt dazu?“ in ihrem typischen Kontext dargestellt werden. Es werden über 21 000 Verbindungen eines Substantivs mit eng zugehörigen Adjektiven oder Verben (Kollokationen) mit ihrer deutschen Übersetzung vorgestellt.

Ausgangspunkt für die Anlage dieses Wörterbuches ist die Erkenntnis, daß im Französischen diese Verbindungen oft nicht frei kombinierbar sind, sondern feste Muster bilden wie z. B. basses besognes, abattre de la besogne etc.

Das Wörterbuch ist somit eine Arbeitshilfe für jeden, der aktiv mit der französischen Sprache umgehen muß – beim Schreiben von Aufsätzen, beim Übersetzen, bei der Vorbereitung eines mündlichen Vortrags, beim Nachschlagen von Zweifelsfällen und natürlich auch zum Lernen.

Langenscheidts Grundwortschatz Französisch

Ein nach Sachgebieten geordnetes Lernwörterbuch mit Satzbeispielen

336 Seiten, Format 11,8 × 18,5 cm, Plastikeinband.

Langenscheidts Grundwortschatz Französisch mit 3000 Grundwörtern in 4000 Wortgleichungen hat drei große Vorteile: die Grundwörter können im sinnvollen Zusammenhang eines Sachgebiets gelernt werden. Ihre richtige Anwendung wird in vollständigen Satzbeispielen gezeigt. Man lernt rationell in zwei Wichtigkeitsstufen.

Die Auswahl der Wörter erfolgte nach Häufigkeit, Vertrautheitsgrad und Nützlichkeit.

Für Schüler zum Wiederholen und Festigen eines Grundwortschatzes, zur Wissenskontrolle und Prüfungsvorbereitung.

Lautschriftzeichen

Vokale

[a]	madame	[madam]
[ɑ]	phrase	[frɑz]
[e]	comité	[kɔmite]
[ɛ]	personne	[pɛrsɔn]
[i]	diriger	[diriʒe]
[o]	beau	[bo]
[ɔ]	mort	[mɔr]
[ø]	peu	[pø]
[œ]	cœur	[kœr]
[u]	groupe	[grup]
[y]	blessure	[blesyr]
[ə]	le	[lə]

Nasalvokale

[ɑ̃]	lampe	[lɑ̃p]
[ɛ̃]	vin	[vɛ̃]
[õ]	bonbon	[bõbõ]
[œ̃]	lundi	[lœ̃di]

Halbvokale

[j]	bien	[bjɛ̃]
[w]	trois	[trwa]
[ɥ]	lui	[lɥi]

Konsonanten

[s]	précis	[presi]
[z]	rose	[roz]
[ʃ]	champignon	[ʃɑ̃piɲõ]
[ʒ]	garage	[garaʒ]
[v]	visite	[vizit]
[ɲ]	campagne	[kɑ̃paɲ]
[ŋ]	parking	[parkiŋ]

[p], [t], [k] werden ohne den für das Deutsche typischen Hauchlaut gesprochen.

A B C D E F GH I JK L M N O P Q R S TU V WZ